LE VISUEL

Jean-Claude Corbeil • Ariane Archambault

LE VISUEL

DICTIONNAIRE THÉMATIQUE **Français • Anglais**

Éditions Québec/Amérique

DISTRIBUTEURS EXCLUSIFS

POUR LE CANADA
ÉDITIONS FRANÇAISES
1411, rue Ampère, C.P. 395
Boucherville (Québec) J4B 5W2
Téléphone: (514) 641-0514 • 871-0111 • 1-800-361-9635
Télécopieur: (514) 641-4893

POUR LA BELGIQUE ET LE LUXEMBOURG
PRESSES DE BELGIQUE S.A.
Boulevard de l'Europe 117
B-1301 Wavre
Téléphone: (10) 41-59-66 • (10) 41-78-50
Télécopieur: (10) 41-20-24

POUR LA SUISSE
TRANSAT S.A.
Route des Jeunes, 4 Ter
C.P. 125
1211 Genève 26
Téléphone: (41-22) 342-77-40
Télécopieur: (41-22) 343-46-46

POUR LA FRANCE ET LES AUTRES PAYS
INTER FORUM
Immeuble ORSUD, 3-5, avenue Galliéni
Poterne des Peupliers, 94250 Gentilly
Téléphone: (33.1) 47.40.66.07

Données de catalogage avant publication (Canada)

Corbeil, Jean-Claude

Le Visuel : dictionnaire thématique français-anglais

(Langue et culture)
Texte en français et en anglais.
Publ. antérieurement sous le titre : Dictionnaire thématique visuel français-anglais = French-English visual dictionary. 1987.
Comprend des références bibliographiques et des index

ISBN: 2-89037-579-X

1. Français (Langue) - Dictionnaires anglais. 2. Anglais (Langue) - Dictionnaires français. 3. Dictionnaires illustrés français. 4. Dictionnaires illustrés anglais I. Archambault, Ariane. II. Titre. III. Titre : Dictionnaire thématique visuel français-anglais. IV. Titre : French English visual dictionary. V. Collection.

AG250.C66 1992 443'.21 C92-096638-1F

425, rue Saint-Jean-Baptiste, Montréal, Québec H2Y 2Z7 - Téléphone : (514) 393-1450 - Télécopieur : (514) 866-2430

Publié en France par Québec/Amérique International / Les éditions de l'Homme – ISBN 2-7619-1083-4

Conçu et créé par Québec/Amérique International, une division de Québec/Amérique inc.,
Le Visuel a été entièrement réalisé sur ordinateur Macintosh de Apple Computer Inc.

Imprimé et relié au Canada

DIRECTION ÉDITORIALE

Jacques Fortin - *éditeur*
Jean-Claude Corbeil - *directeur*
Ariane Archambault - *directrice adjointe*
François Fortin - *directeur infographique*
Jean-Louis Martin - *directeur artistique*

RÉALISATION INFOGRAPHIQUE

Jacques Perrault
Anne Tremblay
Jocelyn Gardner
Christiane Beauregard
Michel Blais
Rielle Lévesque
Marc Lalumière
Stéphane Roy
Alice Comtois
Jean-Yves Ahern
Benoît Bourdeau

GESTION DES DONNÉES

Yves Ferland

DOCUMENTATION

Serge D'Amico

MONTAGE

Pascal Goyette
Lucie Mc Brearty
Martin Langlois

FABRICATION

François Fortin
Jean-Louis Martin
Tony O'Riley

CONCEPTION GRAPHIQUE

Emmanuel Blanc

REMERCIEMENTS

Pour la préparation du *Visuel*, nous avons bénéficié de la collaboration de nombreux organismes, sociétés et entreprises qui nous ont transmis la documentation technique la plus récente. Nous avons également bénéficié des avis judicieux de spécialistes, de collègues terminologues ou traducteurs. Nous remercions tout particulièrement nos premiers collaborateurs: Edith Girard, René Saint-Pierre, Marielle Hébert, Christiane Vachon, Anik Lapointe. Nous tenons également à exprimer notre plus vive reconnaissance aux personnes et sociétés suivantes:

A.C Delco
Administration de la Voie maritime du St-Laurent (Normand Dodier)
Aérospatiale (France)
Aérospatiale Canada (ACI) inc.
Air Canada (Services linguistiques)
Air liquide Canada ltée
Amity-Leather Products Company
Animat inc.
Archambault Musique
Association canadienne de Curling
Association des groupes d'astronomes amateurs (Jean-Marc Richard)
Association Internationale de Signalisation Maritime (Marie-Héléne Grillet)
Atlas Copco
Banque de terminologie du Gouvernement canadien
Bell Canada
Bell Helicopter Textron
Bellefontaine
Beretta
Black & Decker
Bombardier inc.
Boutique de harnais Pépin
British Hovercraft Corporation Ltd (Division of Westland Aerospace)
C. Plath North American Division
Caloritech inc.
Cambridge Instruments (Canada) Inc.
CAMIF (Direction relations extérieures)
Canada Billard & Bowling inc. (Bernard Monsec)
Canadian Coleman Supply Inc.
Canadian Kenworth Company
Canadien National (Communications visuelles, Services linguistiques)
Carpentier, Jean-Marc
Casavant Frères Limitée (Gilbert Lemieux)
Centre de Tissage Leclerc inc.
Chromalox inc.
Clerc, Redjean
Club de planeur Champlain
Club de tir à l'arc de Montréal
Collège Jean de Brébeuf (Paul-Émile Tremblay)
Collège militaire royal de Saint-Jean
Communauté urbaine de Montréal (Bureau de transport métropolitain)
Compagnie Pétrolière Impériale ltée
Complexe sportif Claude-Robillard
Control Data Canada ltée
Cycles Performance
Department of Defense (U.S.) , (Department of the Navy. Office of Information)
Detson
Direction des constructions navales (France), (programmes internationaux)
Distributions TTI inc.
Energie atomique du Canada ltée (Pierre Giguère)
Energie Mines et Ressources Canada (Centre canadien de télédétection)
Environnement Canada, (Service de l'environnement Atmosphérique, Gilles Sanscartier)
FACOM
Fédération de patinage de vitesse du Québec
Fédération québécoise d'escrime
Fédération québécoise d'haltérophilie
Fédération québécoise de badminton
Fédération québécoise de boxe olympique
Fédération québécoise de canot camping
Fédération québécoise de luge et bobsleigh
Fédération québécoise de tennis
Fédération québécoise des échecs
Festival des Mongolfières du Haut-Richelieu
Fincantieri Naval Shipbuilding Division
Fisher Scientific Limited
Ford New-Holland Inc.
G.E. Astro-Space Division
G.T.E Sylvania Canada ltée
Gadbois, Alain
GAM Pro Plongée
Garde côtière canadienne
General Motors du Canada ltée
Générale Électrique du Canada (Ateliers d'Ingénierie Dominion, Mony Schinasi)
GIAT Industries
Gym Plus
Harrison (1985) inc.
Hewitt Equipment ltée
Hippodrome Blue Bonnets (Robert Perez)
Honeywell ltée
Hortipro
Hughes Aircraft Company
Hydro-Québec (centre de documentation, Anne Crépeau)
IBM Canada ltée
Institut de recherche d'Hydro-Québec (IREQ)
International Telecommunications Satellite Organisation (Intelsat)
Jardin Botanique de Montréal
John Deere Limited
Johnson & Johnson inc.
La Cordée
La Maison olympique (Sylvia Doucette)
Le Beau Voyage
Le Coz, Jean-Pierre
Lee Valley Tools Ltd
Leica Camera
Les Appareils orthopédiques BBG inc.
Les Équipements Chalin ltée
Les Instruments de Musique Twigg inc.
Les Manufacturiers Draco ltée
Les Minoteries Ogilvie ltée (Michel Ladouceur)
Les Produits de défense SNC ltée
Liebherr-Québec
Manac inc.
Manufacture Leviton du Canada ltée
Manutan
Marcoux, Jean-Marie
Marrazza Musique
Matra Défense (Direction de la communication)
MATRA S.A.
Mazda Canada
Médiatel
Mendes inc. (François Caron)
Michelin
MIL Tracy (Henri Vacher)
Ministère canadien de la Défense nationale (Affaires publiques)
Ministère des transports du Québec (Sécurité routière, Signalisation routière)
Monette Sport inc.
Moto Internationale
Musée David M. Stewart (Philippe Butler)
Natation Canada
National Aeronautics and Space Administration (N.A.S.A.)
National Oceanic and Atmospheric Administration (NOAA)-National Environmental Satellite, Data, and Information Service (Frank Lepore)
Nikon Canada inc.
Northern Telecom Canada ltée
Office de la langue française du Québec (Chantal Robinson)
Olivetti Systèmes et Réseaux Canada ltée
Ontario Hydro
Organisation de l'Aviation civile internationale (O.A.C.I.)
Paterson Darkroom Necessities
Petro-Canada (Calgary)
Philips Électronique ltée (Division de l'éclairage)
Philips Scientific & Analytical Equipment
Pierre-Olivier Décor
Planétarium Dow (Pierre Lacombe)
Plastimo
Port de Montréal (Affaires publiques)
Pratt & Whitney Canada inc.
Quincaillerie A.C.L. inc.
Radio-Québec
Remington Products (Canada) inc.
Richard Benoît
Rodriquez Cantieri navali S.p.A.
Russell Rinfret
S.A. Redoute Catalogue (relations extérieures)
Samsonite
Secrétariat d'État du Canada: Bureau de la traduction
Shell Canada
SIAL Poterie
Ski Nautique Canada
Smith-Corona (Canada) ltée
Société de transport de la Communauté Urbaine de Montréal
Société Nationale des Chemins de Fer français (S.N.C.F) - Direction de la communication
Société Radio-Canada (Gilles Amyot, Pierre Beaucage, Claude L'Hérault, Pierre Laroche)
Spalding Canada
Spar Aérospatiale ltée (Hélène Lapierre)
Sunbeam Corporation (Canada) Limited
Téléglobe Canada inc. (Roger Leblanc)
Telesat Canada (Yves Comtois)
The British Petroleum Company p.l.c. (Photographic services)
The Coal Association of Canada
Thibault
Tideland Signal Canada Ltd
Transports Canada (Les Aéroports de Montréal, Gilbert L'Espérance, Koos R. Van der Peijl)
Ultramar Canada inc
Université du Québec (Institut national de la recherche scientifique, Benoît Jean)
Université du Québec à Montréal (Module des arts, Michel Fournier)
Varin, Claude
Viala L.R. inc (Jean Beaudin)
Ville de Montréal (Bureau du cinéma)
Ville de Montréal (Service de l'habitation et du développement urbain)
Ville de Montréal (Service de la prévention des incendies , Roger Gilbert, Réal Audet)
Ville de Montréal (Service des travaux publics)
Volcano inc.
Volkswagen Canada inc.
Volvo Canada ltée
Weider
Wild Leitz Canada ltée
Xerox Canada Inc.
Yamaha Canada Musique ltée

NOTE DE L'ÉDITEUR

Il arrive souvent que nous nous trouvions devant un objet sans être capable de l'identifier ou de le décrire. Nous ne parvenons pas à trouver les mots; les «machins» et les «choses» ne suffisent pas à renseigner adéquatement notre interlocuteur. De même, il nous arrive fréquemment en lisant un livre, un journal, en regardant la télévision ou en écoutant la radio d'avoir besoin d'une représentation visuelle pour comprendre toute la dimension d'un événement ou saisir le sens d'une communication. Pour remédier à cela, nous avons conçu et créé *Le Visuel*, un dictionnaire de référence original qui se distingue des dictionnaires traditionnels et des dictionnaires encyclopédiques.

Ici, c'est l'image qui définit le mot. L'illustration occupe donc dans cet ouvrage une place essentielle, car sa valeur didactique est irremplaçable. De plus, l'expérience prouve que l'image excite la curiosité pour s'inscrire rapidement dans la mémoire de chacun. En conséquence, nous avons greffé aux mots des illustrations de qualité, tracées avec toute la précision que permet la technologie de l'ordinateur. *Le Visuel* succède à la première édition monochrome publiée en 1986 et dont le succès a été immédiat. Publié en plusieurs langues et diffusé dans plus de cent pays, *Le Visuel* est devenu une référence internationale.

Ce nouveau dictionnaire visuel, avec un contenu qui couvre tous les thèmes de la vie quotidienne, s'adresse à quiconque se soucie d'enrichir son vocabulaire et d'employer le mot juste pour une meilleure communication. Il est à la fois unique et révolutionnaire par son originalité, par la qualité de ses illustrations, l'exactitude de sa terminologie, par l'abondance de l'information qu'il fournit et par sa souplesse d'utilisation. Avec les progrès apportés par les nouvelles technologies et le développement des moyens de communication, les besoins du lecteur d'aujourd'hui exigent l'accès à une information rapide, efficace et qui va à l'essentiel. Le lien direct entre l'image et le mot répond à ce double besoin de rapidité et de précision.

Associant le pouvoir de l'image à la justesse des termes, *Le Visuel* tout en couleurs devient un outil sans équivalent sur le marché. Il est l'œuvre d'une équipe. Linguistes, terminologues, documentalistes, lecteurs-correcteurs, illustrateurs-infographistes, maquettistes, techniciens de l'informatique, programmeurs, professionnels des arts graphiques, tous ont, pendant plus de trois ans, mis leur savoir-faire en commun pour réaliser cet outil culturel exceptionnel, dynamique, adapté à la vie d'aujourd'hui. Vous voudrez le consulter chaque fois que vous sentirez le besoin de savoir, de mieux comprendre et de mieux communiquer.

Jacques Fortin
éditeur

Le *Visuel* est très différent des autres dictionnaires par son contenu et sa présentation. Son originalité exige quelques mots d'explication pour comprendre son utilité et apprécier la qualité de l'information qu'il contient. Cette introduction décrit les caractéristiques du *Visuel* et explique comment et pourquoi il se distingue des dictionnaires de langue et des encyclopédies. Pour l'information des amateurs de dictionnaires et celle des professionnels de la lexicographie, on y expose également les principes et la méthode de travail qui en ont guidé la réalisation.

UN DICTIONNAIRE IMAGE/MOT

Le Visuel relie étroitement l'image et le mot.

L'image décrit et analyse le monde moderne qui nous entoure: les objets de notre vie quotidienne, l'environnement physique, végétal et animal où nous évoluons, les techniques de communication et de travail qui modifient nos modes de vie, les armes qui nous inquiètent, les moyens de transports qui bouleversent les frontières, les sources d'énergie dont nous dépendons, etc.

L'image remplit ici une fonction précise: elle sert de définition aux mots, en ce sens qu'il est possible de «voir» immédiatement ce que chaque mot désigne. Le lecteur peut ainsi reconnaître ce qu'il cherche et découvrir, du même coup d'œil, le mot correspondant.

Les mots du *Visuel* sont ceux dont chacun a besoin pour nommer, avec le terme exact, le monde où nous évoluons.

Les mots ont été sélectionnés par la lecture de documents modernes, rédigés par des spécialistes de chaque sujet. En cas de doute, ils ont été soumis à l'examen d'experts de chaque domaine et vérifiés dans les encyclopédies et les dictionnaires de langue. Toutes les précautions ont donc été prises pour garantir l'exactitude de chaque mot, au bon niveau de standardisation.

UN DICTIONNAIRE POUR TOUS

Le Visuel s'adresse à toute personne qui participe, d'une manière ou de l'autre, à la civilisation contemporaine et qui doit, en conséquence, connaître et utiliser un grand nombre de termes techniques dans des domaines très variés.

Il répond alors aux besoins et aux curiosités de chacun et de tous. Il n'est pas destiné aux seuls spécialistes.

Le niveau d'analyse varie d'un sujet à l'autre. Plutôt que de s'astreindre arbitrairement à une analyse uniforme de tous les sujets, les Auteurs ont respecté le fait que le degré de familiarité avec le sujet varie et que les sujets sont, en soi, plus ou moins complexes les uns par rapport aux autres. Par exemple, les vêtements ou l'automobile sont plus familiers et apparaissent donc plus simples à un plus grand nombre de personnes que l'énergie atomique ou les satellites de télécommunication. Autre aspect du même problème, pour décrire l'anatomie du corps humain, il faut respecter et utiliser la terminologie médicale, même si les mots semblent plus compliqués que les noms des fruits ou des légumes. D'un autre point de vue encore, les choses changent: le vocabulaire de la photographie est aujourd'hui plus compliqué à cause de l'automatisation des appareils photographiques. Ou encore, dernier exemple, l'informatique est devenue plus connue des amateurs de micro-ordinateurs mais demeure toujours un mystère pour tous les autres.

En conséquence, *Le Visuel* reflète le vocabulaire spécialisé d'usage courant dans chaque domaine en tenant compte de ce type de phénomènes.

UN DICTIONNAIRE FACILE DE CONSULTATION

Le Visuel se consulte de plusieurs façons différentes grâce à la liste des thèmes, à la table détaillée des matières et à l'index des mots cités.

On peut le parcourir:

De l'idée au mot, lorsque la chose à nommer est connue et son idée très précise dans l'esprit, alors que le mot manque ou est inconnu. La table détaillée des matières énumère chaque sujet traité selon un classement hiérarchisé où le lecteur se retrouve facilement. *Le Visuel* est ainsi le seul dictionnaire qui permette de trouver un mot inconnu à partir de sa signification.

Du mot à l'idée, lorsqu'il s'agit de vérifier le sens d'un mot. L'index renvoie à toutes les illustrations où le mot figure et l'illustration montre ce que désigne le mot dans chaque cas particulier.

Du bout des doigts, à partir de la liste des thèmes. Les repères de couleurs placés sur la tranche des pages facilitent l'accès au chapitre qui intéresse le lecteur.

Par vagabondage, pour le seul agrément de se promener au hasard, d'une image à l'autre, d'un mot à l'autre, sans autre préoccupation que le plaisir des yeux et de l'esprit.

UN DICTIONNAIRE DIFFÉRENT

Chacun connaît plusieurs genres de dictionnaires et d'encyclopédies. Il n'est pas toujours facile de saisir ce qui les caractérise et les différencie. Un rapide tour d'horizon s'impose pour situer correctement *Le Visuel* par rapport à ses semblables.

a) Les dictionnaires de langue

Ces dictionnaires visent à décrire les sens que les locuteurs accordent aux mots de la langue générale.

Ils sont constitués fondamentalement de deux grandes parties: une entrée sous la forme d'un mot, la nomenclature, et une énumération des sens de ce mot, l'article de dictionnaire.

La nomenclature est l'ensemble des mots qui sont l'objet d'un commentaire lexicographique. Elle forme la structure du dictionnaire. Pour plus de commodité, les entrées sont classées par ordre alphabétique. En général, on y trouve les mots de la langue commune contemporaine, des mots anciens dont la connaissance facilite la compréhension des textes ou de l'histoire de la civilisation et quelques mots techniques dont l'usage est suffisamment répandu.

L'article de dictionnaire est un commentaire qui décrit successivement les sens du mot. Généralement, l'article comprend la catégorie grammaticale du mot, son étymologie, la définition des différents sens du mot, classés le plus souvent par ordre chronologique, et des indications décrivant sommairement le mode d'usage social du mot (familier, populaire, vulgaire), selon une typologie encore aujourd'hui plutôt impressionniste.

On classe habituellement les dictionnaires de langue selon les publics cibles et selon le nombre de mots de la nomenclature, qui comprend non seulement les substantifs, mais toutes les catégories d'éléments, les verbes et les pronoms, les adjectifs et les adverbes, les prépositions, les conjonctions, etc. Ainsi, un dictionnaire de cinq mille mots est destiné aux enfants, un autre de quinze mille convient pour les écoles élémentaires, un dictionnaire de cinquante mille mots couvre les besoins du grand public, etc.

b) Les dictionnaires encyclopédiques

Au dictionnaire de langue, ces dictionnaires ajoutent des développements sur la nature, le fonctionnement ou l'histoire des choses pour en permettre la compréhension à un profane de bonne culture générale ou à un spécialiste voulant vérifier la portée d'un mot. Ils font une place beaucoup plus grande aux termes techniques, suivant de près l'état des sciences et des techniques. En général, l'image y joue un rôle important, en illustration du texte. Les dictionnaires encyclopédiques sont plus ou moins volumineux, selon l'étendue de la nomenclature, l'importance des commentaires, la place accordée aux noms propres et le nombre de spécialités traitées.

c) Les encyclopédies

Contrairement à ceux de la catégorie précédente, ces ouvrages ne traitent pas la langue. Ils sont consacrés à la description scientifique, technique, parfois économique, historique et géographique des choses. La structure de la nomenclature peut varier, tous les classements étant légitimes; alphabétique, notionnel, chronologique, par spécialité, etc. Le nombre de ces ouvrages est pratiquement illimité, comme l'est la fragmentation de la civilisation en catégories multiples. Il faut également distinguer entre l'encyclopédie universelle et l'encyclopédie spécialisée.

d) Les lexiques ou vocabulaires spécialisés

Le plus souvent, ces ouvrages répondent à des besoins particuliers, suscités par l'évolution des sciences et des techniques. Leur premier souci est d'assurer l'efficacité de la communication par la rigueur et l'uniformité de la terminologie. Ici, tout peut varier: la méthode de confection des lexiques, la relation des auteurs avec la spécialité, l'étendue de la nomenclature, le nombre de langues traitées et la manière d'établir les équivalences d'une langue à l'autre, par simple traduction ou par comparaison entre terminologies unilingues. La lexicographie spécialisée est aujourd'hui un champ d'activité intense. Les ouvrages se multiplient dans tous les secteurs et dans toutes les langues qu'on juge utile de croiser.

e) *Le Visuel*

Le Visuel est un dictionnaire d'orientation terminologique. Son intention est de mettre à la portée du grand public le vocabulaire précis nécessaire à la désignation des différents éléments de notre univers quotidien et d'en faire saisir le sens par l'illustration. Les mots se définissent les uns par rapport aux autres à l'intérieur de regroupements qui s'emboîtent, d'où la structure du *Visuel* en thèmes, sujets, objets spécifiques et parties de ces objets. Selon les thèmes et leur caractère plus ou moins familier, les mots apparaissent simples ou techniques. L'essentiel cependant est de présenter une analyse cohérente du vocabulaire de chaque sujet, dont la connaissance est utile et nécessaire à qui n'est pas un spécialiste du domaine.

Le Visuel n'est pas une encyclopédie, pour au moins deux raisons: il ne décrit pas les choses, il les nomme; il évite aussi l'énumération des objets de même classe. Par exemple, il ne recense pas toutes les variétés d'arbres mais s'arrête sur un représentant typique de la catégorie pour en examiner la structure et chacune des parties.

Il est encore moins un dictionnaire de langue puisqu'il ne comporte aucune définition écrite et n'inclut que des substantifs, surtout beaucoup de termes complexes, comme il arrive habituellement en terminologie.

Il n'est pas non plus une somme de vocabulaires spécialisés puisqu'il évite les termes connus des seuls spécialistes au profit des termes d'usage général, au risque de passer pour simpliste aux yeux des connaisseurs de domaines particuliers.

Le Visuel est le premier dictionnaire qui réunisse en un seul corps d'ouvrage les milliers de mots plus ou moins techniques d'usage courant dans notre société où les sciences, les techniques et leurs produits font partie de la vie quotidienne.

Telle est la politique éditoriale qui a orienté la réalisation de l'ouvrage. En conséquence, le nombre de mots qu'il contient ne peut pas être interprété de la même manière que pour un dictionnaire de langue puisqu'il s'agit ici d'un choix guidé par la politique éditoriale et puisqu'il ne contient que des substantifs, les mots lourds de la langue, à l'exclusion des adjectifs, des verbes, des prépositions, etc., qu'on trouve dans les dictionnaires traditionnels et surtout parce qu'on ne sait pas trop comment compter les mots composés!

DES IMAGES SUR ORDINATEUR

Les illustrations du *Visuel* ont été réalisées sur ordinateur, à partir de documents récents ou de photographies originales.

L'usage de l'informatique donne aux illustrations un haut niveau de réalisme, proche de la photographie, tout en permettant de mettre en relief les éléments essentiels d'un objet, qui correspondent aux mots. La précision du dessin est à la base de la qualité du *Visuel* comme instrument de référence lexicographique et encyclopédique.

De plus, grâce à l'ordinateur, les filets qui relient le mot à sa désignation sont placés avec une plus grande précision, ce qui assure plus de clarté à la relation entre le mot et ce qu'il désigne.

UN VOCABULAIRE SOIGNEUSEMENT ÉTABLI

Le Visuel a été élaboré d'après la méthodologie de la recherche terminologique systématique et comparée, qui est aujourd'hui le standard professionnel pour la préparation d'ouvrages de cette nature.

Cette méthodologie comporte plusieurs étapes qui s'enchaînent dans un ordre logique. Voici une description succincte de chacune des étapes.

Délimitation de l'ouvrage

Il faut d'abord délimiter soigneusement la taille et le contenu de l'ouvrage projeté en fonction de ses objectifs.

Les auteurs ont d'abord sélectionné les thèmes qu'il apparaissait nécessaire de traiter. Ils ont ensuite divisé chacun d'eux en domaines et sous-domaines en prenant soin de rester fidèles à l'objectif de la politique éditoriale et de ne pas verser dans l'encyclopédisme ou l'hyperspécialité. Il en est résulté une table des matières provisoire, structure de base du dictionnaire, qui a servi de guide au cours des étapes subséquentes et qui s'est perfectionnée en cours de route. La table détaillée des matières est l'aboutissement de ce processus.

Recherche documentaire

Conformément au plan de l'ouvrage, la documentation pertinente à chaque sujet, susceptible de fournir l'information requise sur les mots et les notions, a été recueillie.

Voici, dans l'ordre de fiabilité, la liste des sources de documentation utilisées:

• Les articles ou ouvrages rédigés en langue maternelle par des spécialistes du sujet, au niveau de spécialisation convenable. Leurs traductions vers d'autres langues peuvent être très révélatrices de l'usage du vocabulaire, quoiqu'il faille les utiliser avec circonspection.

• Les documents techniques, comme les normes nationales ou les normes de l'International Standard Organization (ISO), les modes d'emploi des produits, la documentation technique fournie par les fabricants, les publications officielles des gouvernements, etc.

• Les catalogues, les textes commerciaux, la publicité dans les revues spécialisées et les grands quotidiens.

• Les encyclopédies ou dictionnaires encyclopédiques, et les dictionnaires de langue unilingues.

• Les vocabulaires ou dictionnaires spécialisés unilingues, bilingues ou multilingues, dont il faut cependant apprécier soigneusement la qualité et la fiabilité.

• Les dictionnaires de langue bilingues ou multilingues.

Au total, quatre à cinq mille références. La bibliographie sélective qui figure dans l'ouvrage n'inclut que les sources documentaires d'orientation générale et non pas les sources spécialisées.

Dépouillement des documents

Pour chaque sujet, le terminologue a parcouru la documentation, à la recherche des notions spécifiques et des mots qui les expriment, d'un auteur à l'autre et d'un document à l'autre. Ainsi se dessine progressivement la structure notionnelle du sujet: l'uniformité de la désignation de la même notion d'une source à l'autre ou, au contraire, la concurrence de plusieurs termes pour désigner la même réalité. Dans ce cas, le terminologue poursuit sa recherche jusqu'à ce qu'il se soit formé une opinion bien documentée sur chacun des termes concurrents. Il note tout, avec références à l'appui.

Constitution des dossiers terminologiques

Le dépouillement de la documentation permet de réunir tous les éléments d'un dossier terminologique.

À chaque notion, identifiée et définie par l'illustration, est relié le terme le plus fréquemment utilisé pour la désigner par les meilleurs auteurs ou dans les sources les plus dignes de confiance. Lorsque plusieurs termes sont en concurrence, l'un d'eux est sélectionné après discussion et accord entre le terminologue et le directeur scientifique.

Certains dossiers terminologiques, généralement dans des domaines spécialisés où le terminologue est plus sujet à erreur, ont été soumis à des spécialistes du domaine.

Variation terminologique

Il arrive fréquemment que plusieurs mots désignent sensiblement la même notion.

D'une manière pragmatique, les choses se présentent de la manière suivante:

• Il peut arriver qu'un terme ne soit utilisé que par un auteur ou ne trouve qu'une attestation dans la documentation. Le terme le plus fréquent a alors été retenu.

• Les termes techniques se présentent souvent sous forme composée, avec ou sans trait d'union ou préposition. Cette caractéristique entraîne au moins deux types de variantes terminologiques:

a) Le terme technique composé peut se réduire par l'abandon d'un ou de plusieurs de ses éléments, surtout si le contexte est très significatif. A la limite, le terme réduit devient la désignation habituelle de la notion. Dans ces cas, la forme composée a été conservée lorsqu'elle est couramment utilisée, laissant à l'utilisateur le soin de la réduire selon le contexte.

b) L'un des éléments du mot composé peut lui-même avoir des formes équivalentes. Il s'agit le plus souvent de synonymie en langue commune. La forme la plus fréquente a alors été retenue.

• Enfin, la variante peut provenir de l'évolution du langage, sans incidence terminologique. Nous avons alors privilégié la forme la plus contemporaine ou la plus connue.

SENTIMENT TERMINOLOGIQUE

Un commentaire sur l'état du sentiment terminologique par rapport au sentiment lexicographique s'impose ici.

Les dictionnaires de langue ont une longue histoire. Ce sont des ouvrages de référence familiers, connus et utilisés depuis l'école, avec tradition établie, connue et acceptée de tous. Chacun sait comment interpréter le dictionnaire et comment utiliser les renseignements qu'il donne... ou ne donne pas.

Les dictionnaires terminologiques sont ou bien très récents ou bien destinés à un public spécialisé. Il n'existe pas de vraie tradition guidant leur conception et leur réalisation. Si le spécialiste sait interpréter un dictionnaire de sa spécialité parce que la terminologie lui en est familière, il n'en est pas de même pour le profane. Les variantes le laissent perplexe. Enfin, les dictionnaires de langue ont jusqu'à un certain point discipliné l'usage du vocabulaire usuel chez leurs usagers alors que les vocabulaires de spécialité sont d'autant plus marqués par la concurrence des termes qu'ils appartiennent à des spécialités nouvelles.

L'utilisation d'un dictionnaire comme *Le Visuel* doit tenir compte de ce type de réaction devant un instrument de référence nouveau.

ORIGINALITÉ DE LA VERSION BILINGUE

Le Visuel bilingue compare deux langues, l'anglais et le français, et deux usages de chaque langue, l'anglais américain et l'anglais britannique, d'une part, le français de France et le français du Québec, d'autre part. Ainsi le lecteur bénéficie de renseignements précis sur les variations d'usage de la même langue et sur les ressemblances ou les différences de l'anglais par rapport au français. Très peu de dictionnaires bilingues offrent cet avantage, aucun d'une manière aussi systématique ni aussi facile de consultation.

Il est nécessaire d'indiquer comment nous avons traité cet aspect particulier du dictionnaire.

LANGUE COMMUNE

Ce qui est neutre, commun à tous les locuteurs du français ou de l'anglais, est imprimé en caractères romains.

Anglais américain ou anglais britannique

L'usage de l'anglais varie d'un cas à l'autre. Parfois, l'orthographe seule change, par exemple *theater* par rapport à *theatre*, ou *leveling* par rapport à *levelling*. Mais souvent, la même notion est désignée par des mots vraiment différents, par exemple *pants* et *trousers*, *elevator* et *lift*, *hood* et *bonnet*.

Dans cette version bilingue, les usages britanniques par rapport aux usages américains ont été signalés chaque fois que la différence était importante, qu'il s'agisse d'orthographe ou de vocabulaire. Les usages britanniques sont notés en caractères italiques à la suite du mot américain, toujours en caractères romains.

Le Visuel permet donc de bien distinguer les deux usages de l'anglais.

Français de France ou français du Québec

De même, dans quelques cas, plus rares qu'en anglais il est vrai, le français du Québec se distingue du français de France. Il n'y a jamais de différence d'orthographe. Mais parfois, il arrive que des notions soient désignées par des mots distincts. Ainsi, en France, on appelle *bonnet* et *moufle* ce que les Québécois appellent *tuque* et *mitaine*.

Dans le vocubulaire technique, ces cas sont moins fréquents que dans le vocabulaire général.

Lorsque la chose s'est produite et que nous avons jugé utile ou indispensable de noter les deux usages, le terme utilisé au Québec est imprimé en italique en regard du mot de France, écrit en caractères romains.

Contact des langues

La superposition des langues permet de saisir d'un coup d'oeil les mouvements d'emprunts, du français à l'anglais ou de l'anglais au français. *Le Visuel* bilingue peut servir ainsi de dictionnaire des anglicismes pour les francophones. Chose certaine, il permet de retracer l'équivalent lorsque c'est le mot dans l'autre langue qui vient d'abord à l'esprit.

JEAN-CLAUDE CORBEIL
ARIANE ARCHAMBAULT

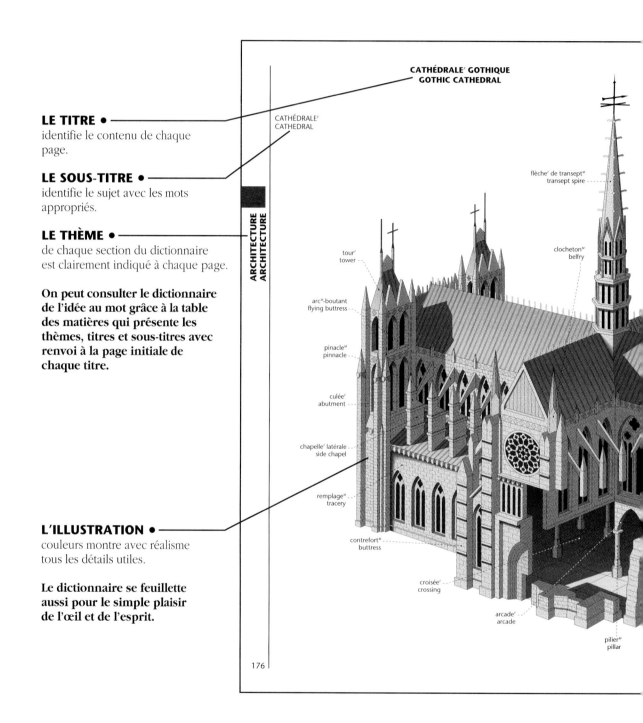

LE TITRE •
identifie le contenu de chaque page.

LE SOUS-TITRE •
identifie le sujet avec les mots appropriés.

LE THÈME •
de chaque section du dictionnaire est clairement indiqué à chaque page.

On peut consulter le dictionnaire de l'idée au mot grâce à la table des matières qui présente les thèmes, titres et sous-titres avec renvoi à la page initiale de chaque titre.

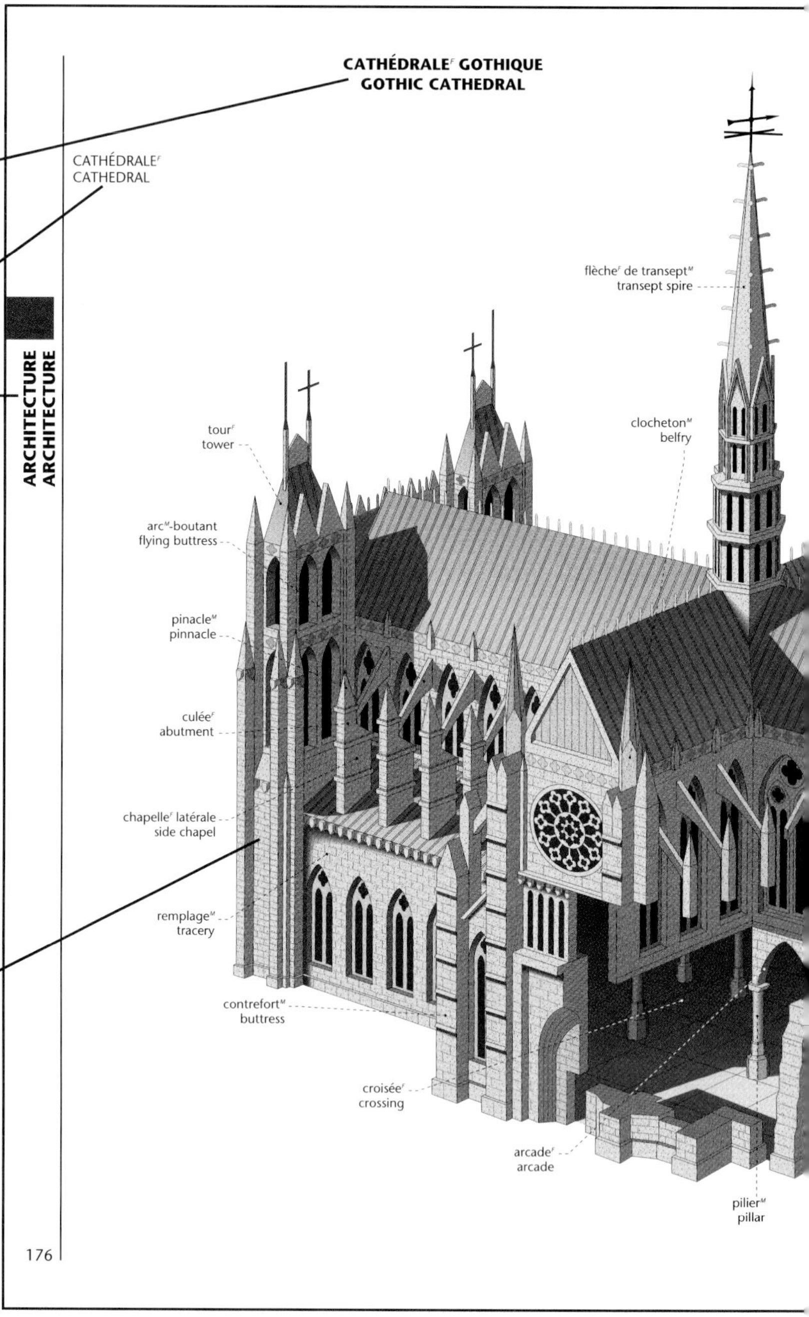
CATHÉDRALE[F] GOTHIQUE
GOTHIC CATHEDRAL
CATHÉDRALE[F]
CATHEDRAL
ARCHITECTURE
ARCHITECTURE
flèche[F] de transept[M]
transept spire
tour[F]
tower
clocheton[M]
belfry
arc[M]-boutant
flying buttress
pinacle[M]
pinnacle
culée[F]
abutment
chapelle[F] latérale
side chapel
remplage[M]
tracery
contrefort[M]
buttress
croisée[F]
crossing
arcade[F]
arcade
pilier[M]
pillar
176

L'ILLUSTRATION •
couleurs montre avec réalisme tous les détails utiles.

Le dictionnaire se feuillette aussi pour le simple plaisir de l'œil et de l'esprit.

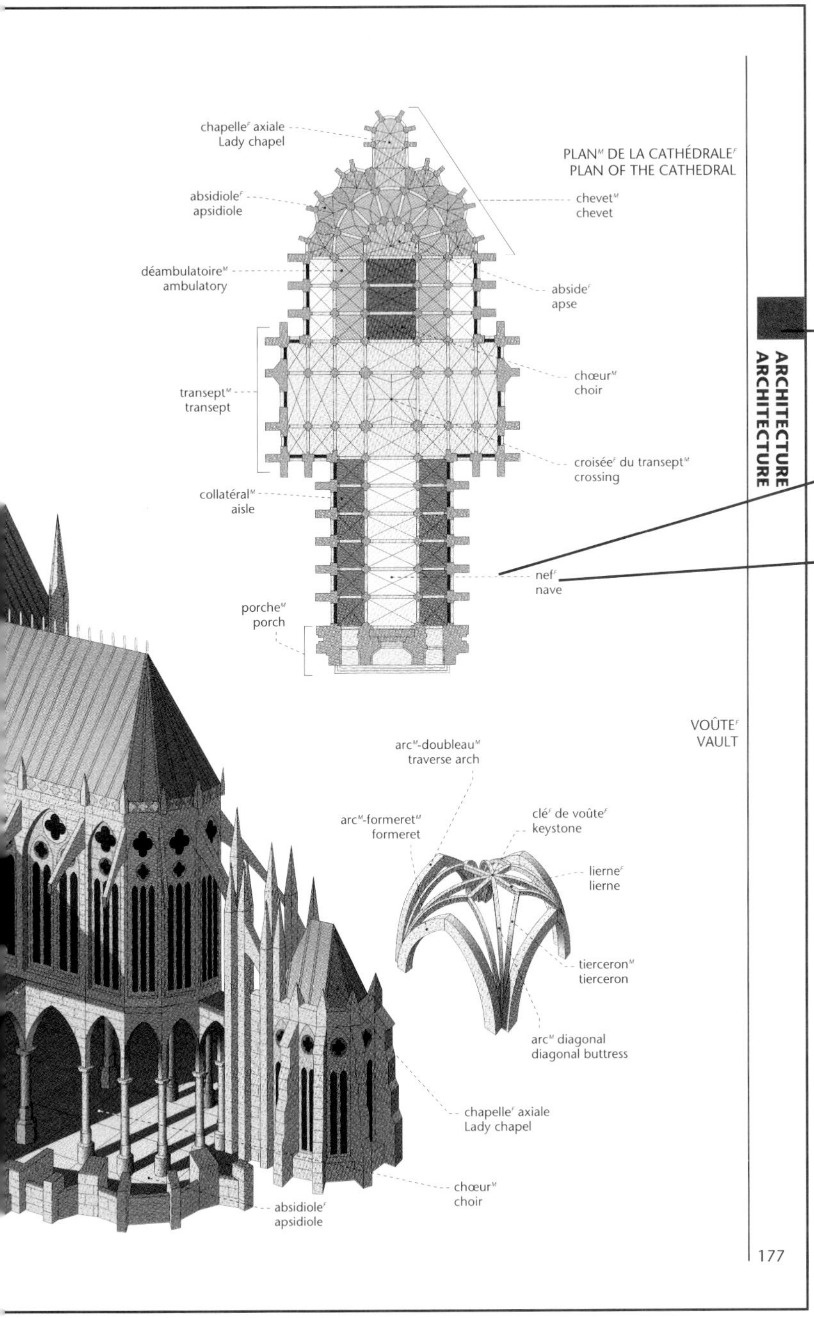

chapelle axiale
Lady chapel
PLAN DE LA CATHÉDRALE
PLAN OF THE CATHEDRAL
absidiole
apsidiole
chevet
chevet
déambulatoire
ambulatory
abside
apse
ARCHITECTURE
ARCHITECTURE
transept
transept
chœur
choir
croisée du transept
crossing
collatéral
aisle
nef
nave
porche
porch
VOÛTE
VAULT
arc-doubleau
traverse arch
arc-formeret
formeret
clé de voûte
keystone
lierne
lierne
tierceron
tierceron
arc diagonal
diagonal buttress
chapelle axiale
Lady chapel
chœur
choir
absidiole
apsidiole
177

• LE REPÈRE DE COULEUR
correspond à chacun des thèmes. Il permet de localiser rapidement le sujet recherché.

• LE FILET
relie le mot à ce qu'il désigne.

• CHAQUE MOT
figure dans l'index avec renvoi aux pages où il apparaît.

On peut consulter le dictionnaire du mot à l'idée en partant de l'index.

BIBLIOGRAPHIE SÉLECTIVE

OUVRAGES DE LANGUE FRANÇAISE

DICTIONNAIRES

- *Grand Larousse en 5 volumes*, Paris, Larousse, 1987.
- *Le dictionnaire couleurs* , Paris, Hachette, 1991, 1652 p.
- *Le Grand Robert de la langue française*, Paris, Dictionnaire Le Robert, 1985, 9 vol.
- *Le Petit Robert*, dictionnaire alphabétique et analogique de la langue française, Paris, Dictionnaire Le Robert, 1985, 2172 p.
- *Lexis*, dictionnaire de la langue française, Paris, Larousse, 1975, 1946 p.
- *Petit Larousse en couleurs*, dictionnaire encyclopédique pour tous, Paris, Larousse, éd. 1988, 1713 p.
- *Le dictionnaire de notre temps*, Paris, Hachette, 1989, 1714 p.

DICTIONNAIRES ENCYCLOPÉDIQUES

- *Dictionnaire encyclopédique Alpha*, Paris, Alpha éditions, 1983, 6 vol.
- *Dictionnaire encyclopédique Larousse*, Paris, Larousse, 1979.
- *Dictionnaire encyclopédique Quillet*, Paris, Quillet, 1979.
- *Grand dictionnaire encyclopédique Larousse*, Paris, Larousse, 1982, 12 vol.

ENCYCLOPÉDIES

- Caratani, Roger, *Bordas Encyclopédie*, Paris, Bordas, 1974, 22 vol.
- *Comment ça marche, Encyclopédie pratique des inventions et des techniques*, Paris, Atlas, 1980.
- *Encyclopædia Universalis*, Paris, Encyclopædia Universalis France, 1968-1975, 20 vol.
- *Encyclopédie Alpha*, Paris, Grange-Batelière, 1968, 17 vol.
- *Encyclopédie AZ*, Paris, Atlas, 1978-1983, 15 vol.
- *Encyclopédie des techniques de pointe*, Paris, Alpha, 1982-1984, 8 vol.
- *Encyclopédie générale Hachette*, Paris, Hachette, 1975.
- *Encyclopédie générale Larousse en 3 volumes*, Paris, Larousse, 1988.
- *Encyclopédie internationale des sciences et des techniques*, Paris, Presses de la cité, 1975, 10 vol.
- *Encyclopédie scientifique et technique*, Paris, Lidès, 1973-1975, 5 vol.
- *Encyclopédie thématique Weber*, Paris, Weber, 1968-1975, 18 vol.
- *Encyclopédie universelle illustrée*, Paris, Bordas, Ottawa, Ed. Maisonneuve, 1968, 12 vol.
- *La Grande Encyclopédie*, Paris, Larousse, 1971-1976, 60 vol.
- *Mémo Larousse*, Paris, Larousse, 1989, 1280 p.
- *Techniques de l'ingénieur*, Paris, fascicules publiés à partir de 1980.

DICTIONNAIRES FRANÇAIS-ANGLAIS:

- Collins-Robert, *French-English, English-French Dictionary*, London, Glasgow, Cleveland, Toronto, 1978, 781 p.
- Dubois, Marguerite, *Dictionnaire moderne français-anglais*, Paris, Larousse, 1978, 752 p.
- Harrap's *New Standard French and English Dictionary*, part one, French-English, London, 1977, 2 vol., part two, English-French, London, 1983, 2 vol.
- Harrap's *Shorter French and English Dictionary*, London, Toronto, Willington, Sydney, 1953, 940 p.

OUVRAGES DE LANGUE ANGLAISE

DICTIONNAIRES

- *Gage Canadian Dictionary*, Toronto, Gage Publishing Limited, 1983, 1313 p.
- *The New Britannica/Webster Dictionary and Reference Guide*, Chicago, Toronto, Encyclopedia Britannica, 1981, 1505 p.
- *The Oxford English Dictionary*, second edition, Oxford, Clarendon Press, 1989, 20 vol.
- *The Oxford Illustrated Dictionary*, Oxford, Clarendon Press, 1967, 974 p.
- *Oxford American Dictionary*, Eugene Ehrlich and al., New York, Oxford, Oxford University Press, 1980, 816 p.
- *The Random House Dictionary of the English Language*, the unabridged edition, New York, 1983, 2059 p.
- *Webster's Encyclopedic Unabridged Dictionary of the English Language*, New York, Portland House, 1989, 2078 p.
- *Webster's Third New International Dictionary*, Springfield, Merriam-Webster, 1986, 2662 p.
- *Webster's Ninth New Collegiate Dictionary*, Springfield, Merriam-Webster, 1984, 1563 p.
- *Webster's New World Dictionary of American Language*, New York, The World Pub., 1953.

ENCYCLOPÉDIES

- *Academic American Encyclopedia*, Princeton, Arete Publishing Company, 1980, 21 vol.
- *Architectural Graphic Standards*, eighth edition, New York, John Wiley & Sons, 1988, 854 p.
- *Chamber's Encyclopedia*, new rev. edition, London, International Learning System, !989.
- *Collier's Encyclopedia*, New York, Macmillan Educational Company, 1984, 24 vol.
- *Compton's Encyclopedia*, Chicago, F.E. Compton Company, Division of Encyclopedia Britannica Inc., 1982, 26 vol.
- *Encyclopedia Americana*, Danbury, Internationaled., Conn.: Grolier, 1981, 30 vol.
- *How it works, The illustrated science and invention encyclopedia*, New York, H.S. Stuttman, 1977, 21 vol.
- *McGraw-Hill Encyclopedia of Science & Technology*, New York, McGraw-Hill Book Company, 1982, 15 vol.
- *Merit Students Encyclopedia*, New York, Macmillan Educational Company, 1984, 20 vol.
- *New Encyclopedia Britannica*, Chicago, Toronto, Encyclopedia Britannica, 1985, 32 vol.
- *The Joy of Knowledge Encyclopedia*, London, Mitchell Beazley Encyclopedias, 1976, 7 vol.
- *The Random House Encyclopedia*, New York, Random House, 1977, 2 vol.
- *The World Book Encyclopedia*, Chicago, Field Enterprises Educational Corporation, 1973.

TABLE DES MATIÈRES

LISTE DES THÈMES

ASTRONOMIE • ASTRONOMY

SOMMAIRE

COORDONNÉES^F CÉLESTES
CELESTIAL COORDINATE SYSTEM

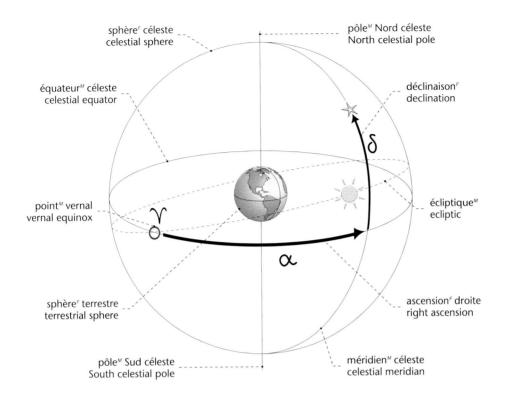

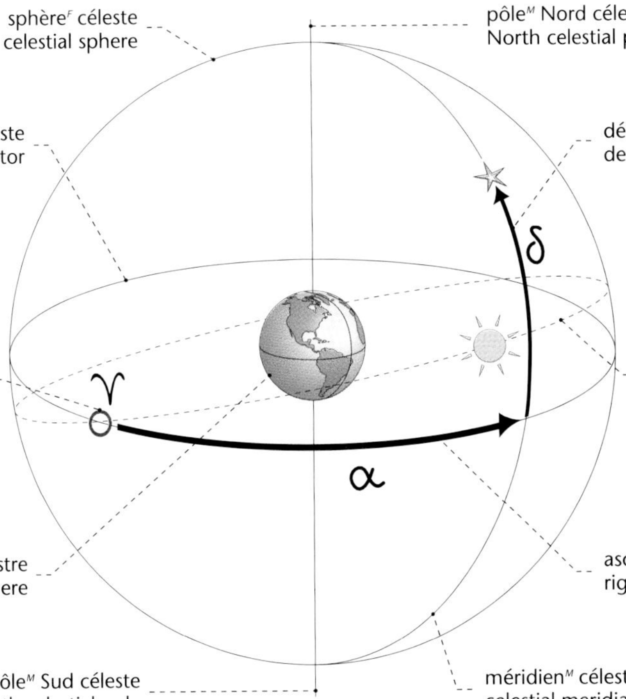
sphère^F céleste
celestial sphere
pôle^M Nord céleste
North celestial pole
équateur^M céleste
celestial equator
déclinaison^F
declination
δ
écliptique^M
ecliptic
point^M vernal
vernal equinox
α
sphère^F terrestre
terrestrial sphere
ascension^F droite
right ascension
pôle^M Sud céleste
South celestial pole
méridien^M céleste
celestial meridian

COORDONNÉES^F TERRESTRES
EARTH COORDINATE SYSTEM

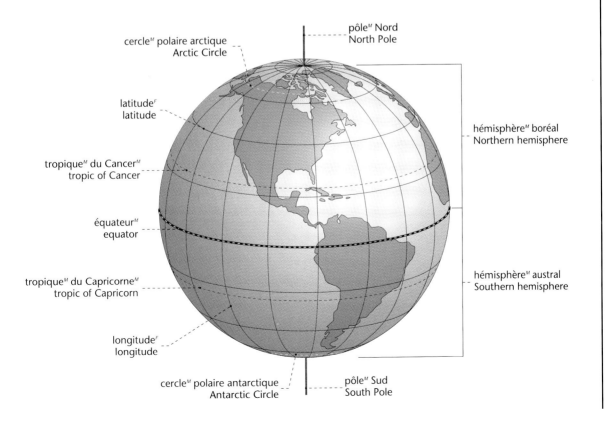

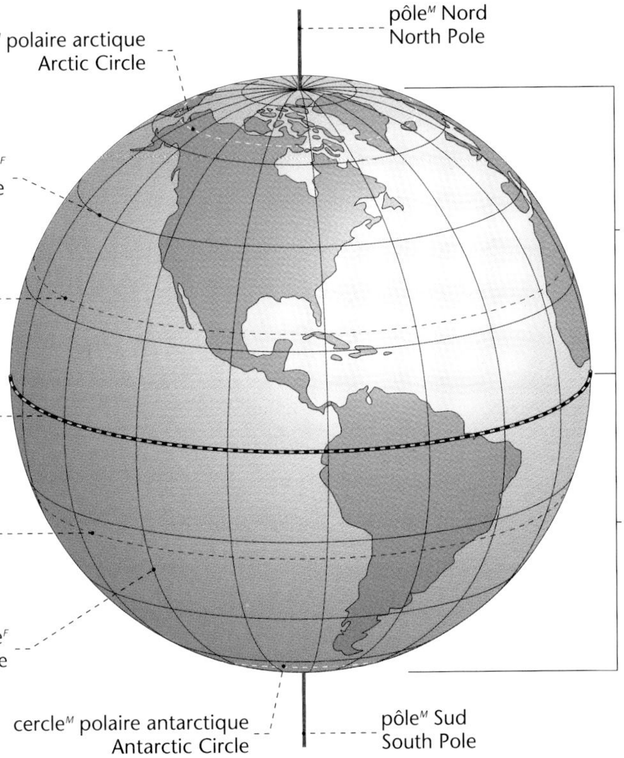
pôle^M Nord
North Pole
cercle^M polaire arctique
Arctic Circle
latitude^F
latitude
hémisphère^M boréal
Northern hemisphere
tropique^M du Cancer^M
tropic of Cancer
équateur^M
equator
tropique^M du Capricorne^M
tropic of Capricorn
hémisphère^M austral
Southern hemisphere
longitude^F
longitude
cercle^M polaire antarctique
Antarctic Circle
pôle^M Sud
South Pole

SYSTÈME^M SOLAIRE
SOLAR SYSTEM

PLANÈTES^F ET SATELLITES^M
PLANETS AND MOONS

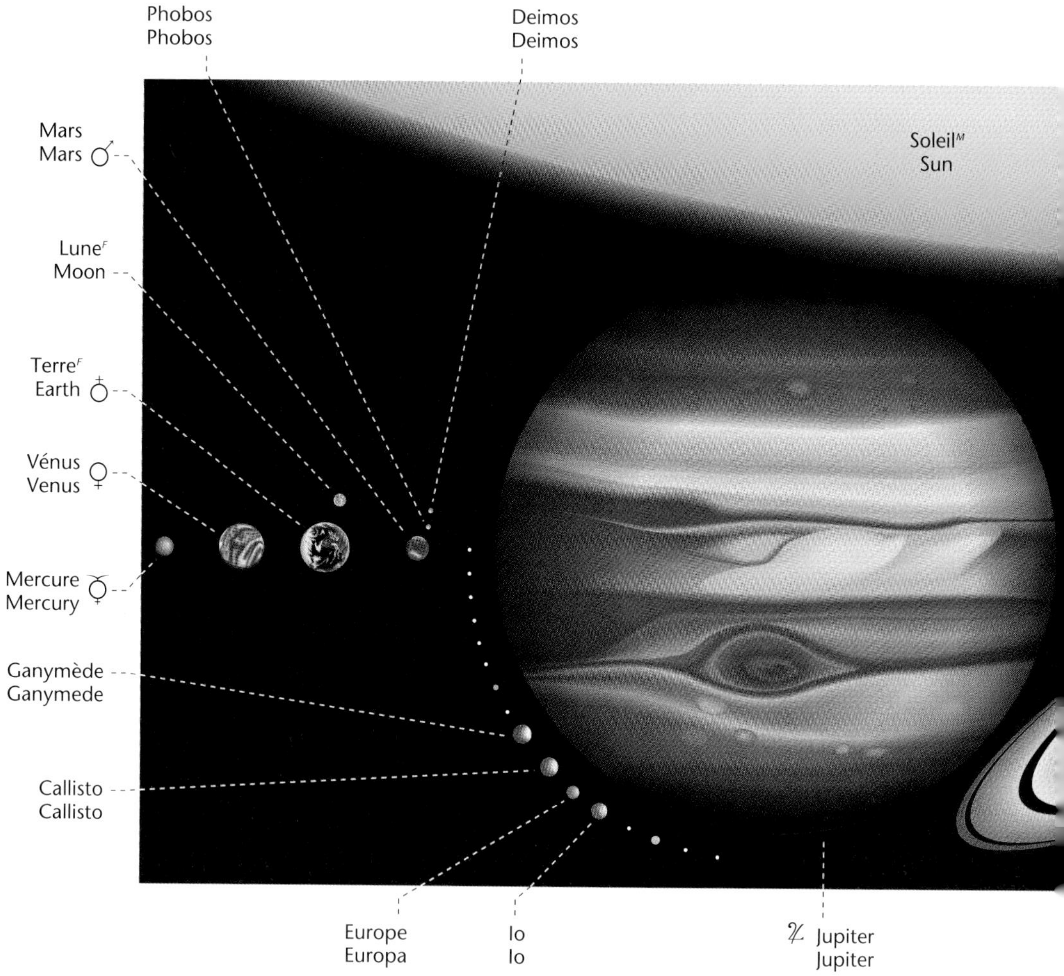
Phobos
Phobos
Deimos
Deimos
Mars
Mars ♂
Soleil^M
Sun
Lune^F
Moon
Terre^F
Earth ♁
Vénus
Venus ♀
Mercure
Mercury ☿
Ganymède
Ganymede
Callisto
Callisto
Europe
Europa
Io
Io
♃ Jupiter
Jupiter

ORBITES^F DES PLANÈTES^F
ORBITS OF THE PLANETS

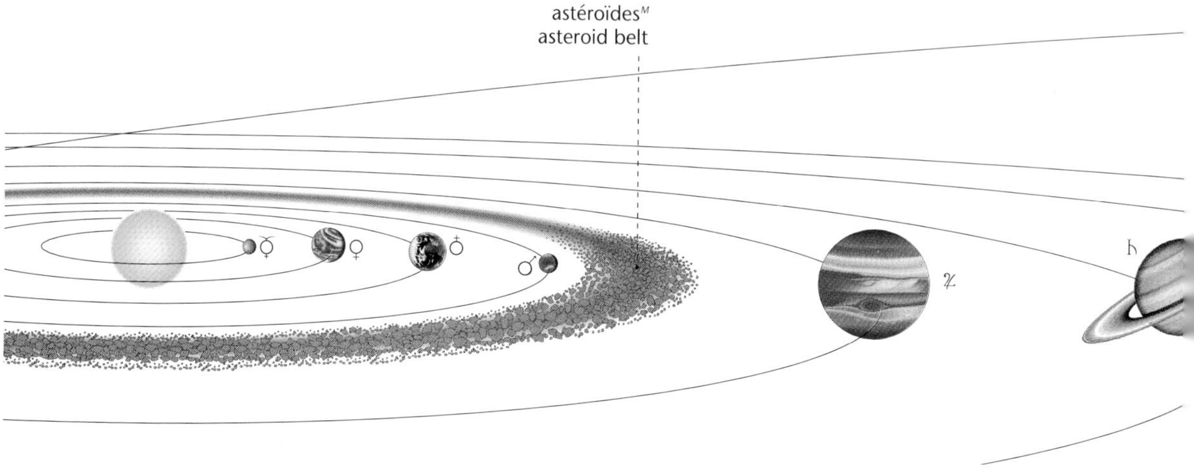
astéroïdes^M
asteroid belt
☿
♀
♁
♂
♃
♄

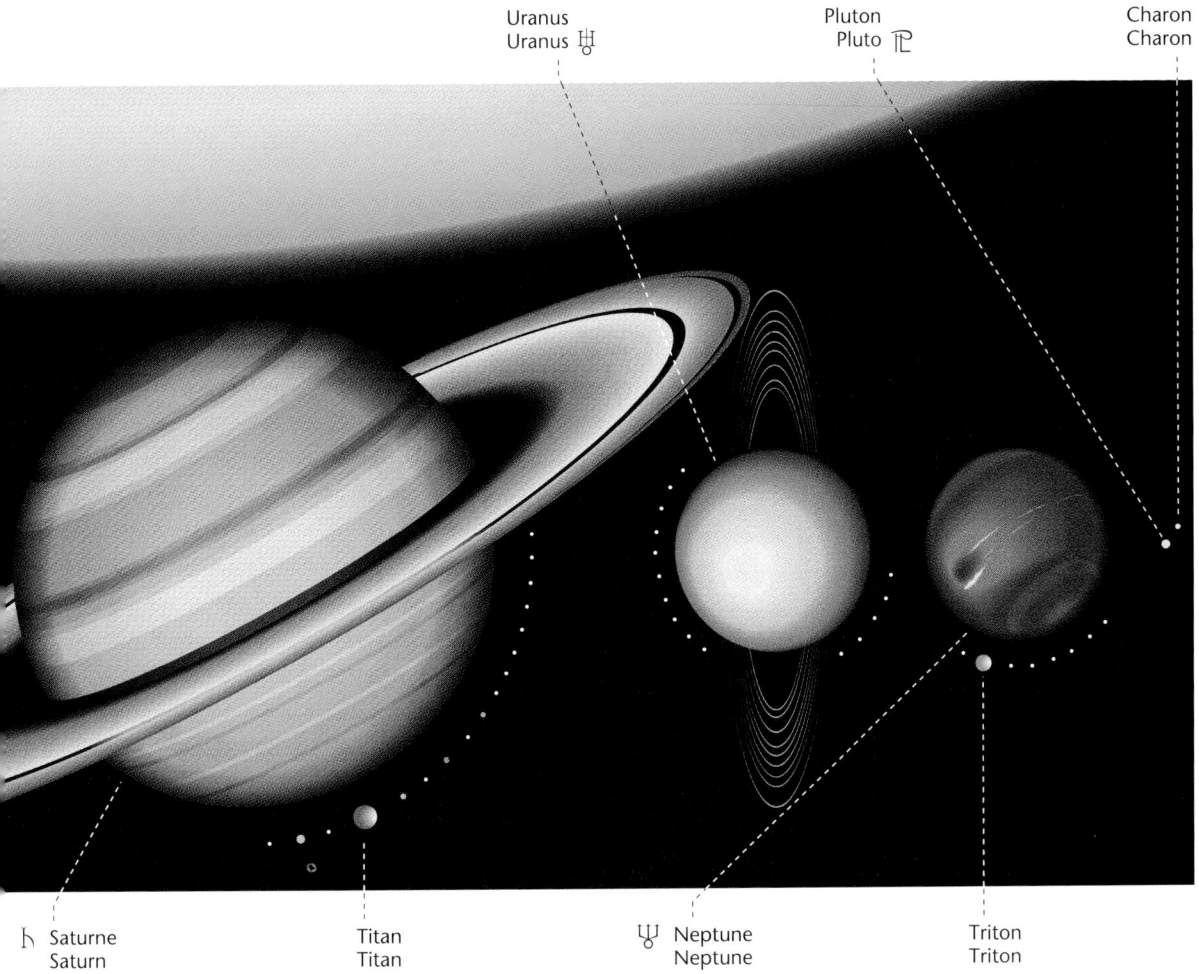
Uranus
Uranus ♅
Pluton
Pluto ♇
Charon
Charon
♄ Saturne
Saturn
Titan
Titan
♆ Neptune
Neptune
Triton
Triton

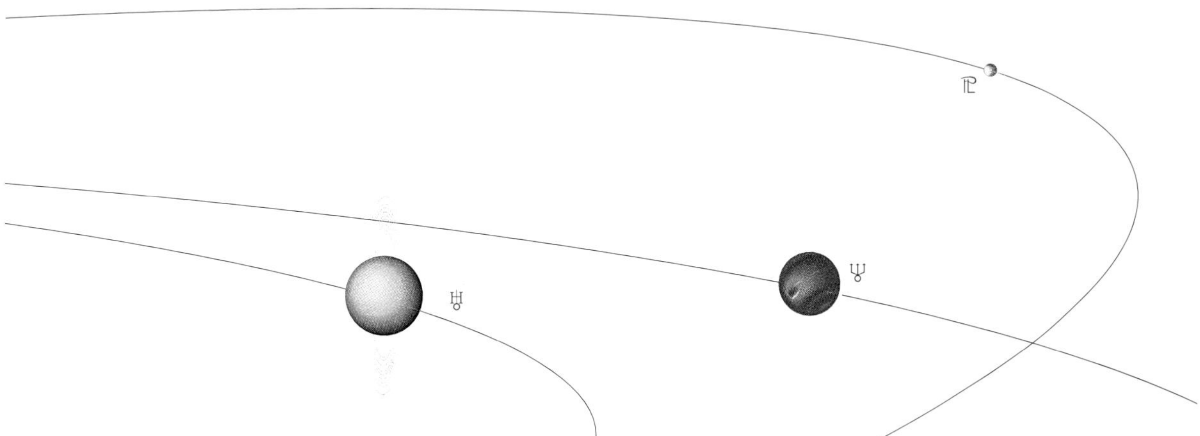
♇
♅
♆

SOLEIL[M]
SUN

STRUCTURE[F] DU SOLEIL[M]
STRUCTURE OF THE SUN

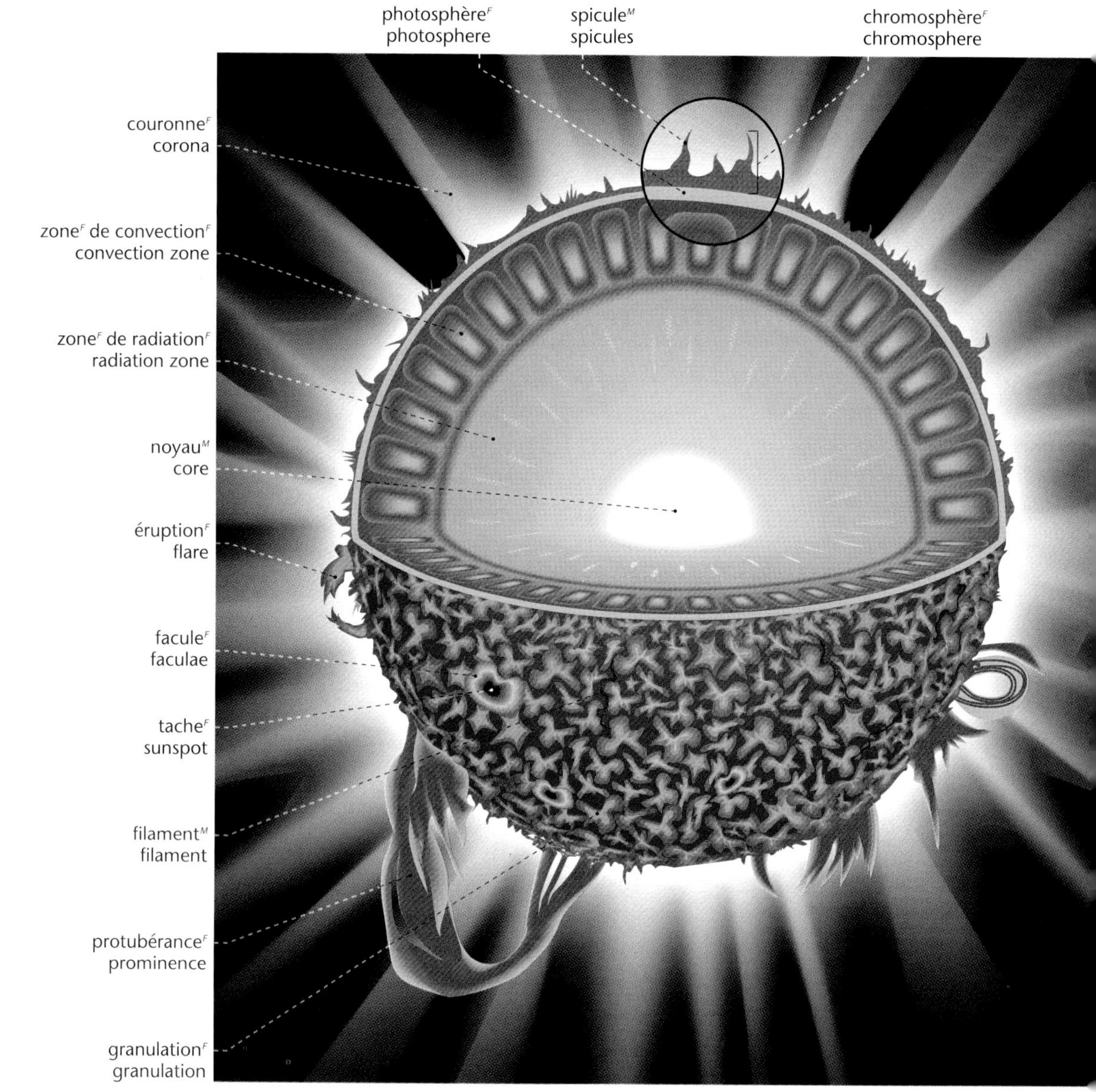
photosphère[F]
photosphere
spicule[M]
spicules
chromosphère[F]
chromosphere
couronne[F]
corona
zone[F] de convection[F]
convection zone
zone[F] de radiation[F]
radiation zone
noyau[M]
core
éruption[F]
flare
facule[F]
faculae
tache[F]
sunspot
filament[M]
filament
protubérance[F]
prominence
granulation[F]
granulation

PHASES[F] DE LA LUNE[F]
PHASES OF THE MOON

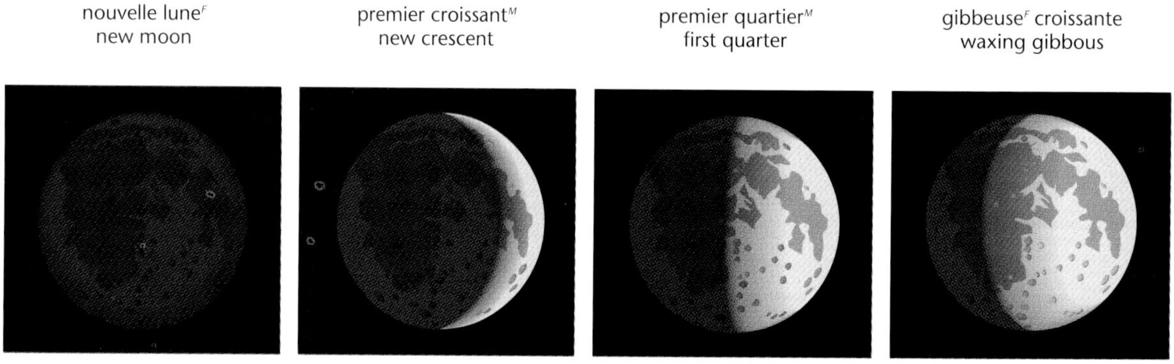
nouvelle lune[F]
new moon
premier croissant[M]
new crescent
premier quartier[M]
first quarter
gibbeuse[F] croissante
waxing gibbous

LUNE[F]
MOON

RELIEF[M] LUNAIRE
LUNAR FEATURES

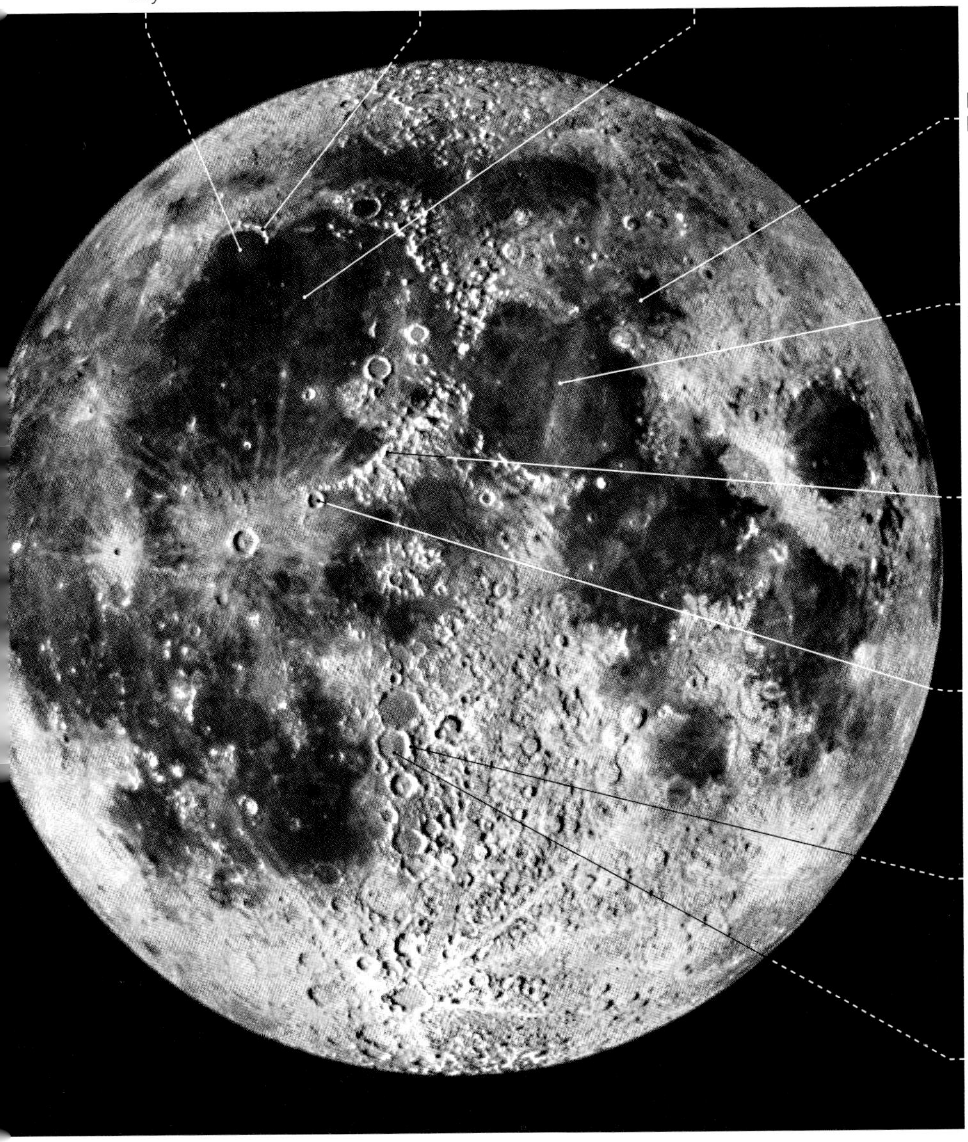
baie[F]
bay
falaise[F]
cliff
océan[M]
ocean
lac[M]
lake
mer[F]
sea
chaîne[F] de montagnes[F]
mountain range
cratère[M]
crater
rempart[M]
wall
cirque[M]
cirque

pleine lune[F]
full moon

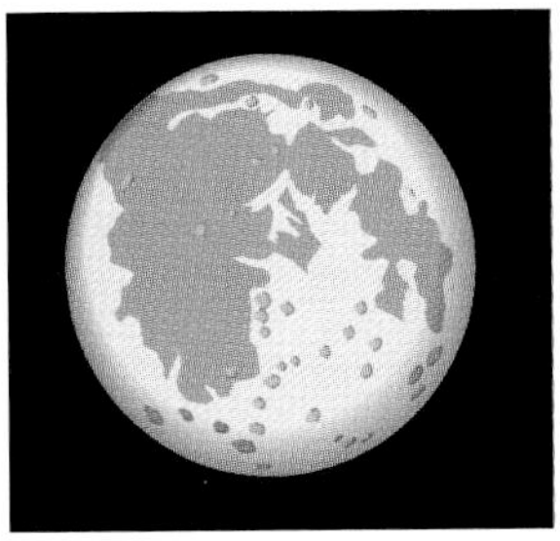

gibbeuse[F] décroissante
waning gibbous

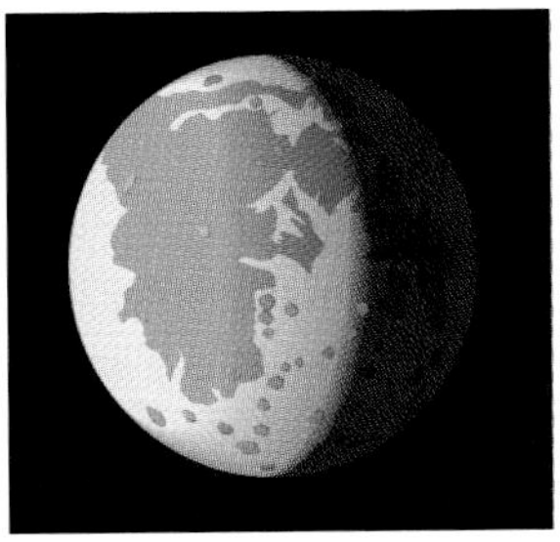

dernier quartier[M]
last quarter

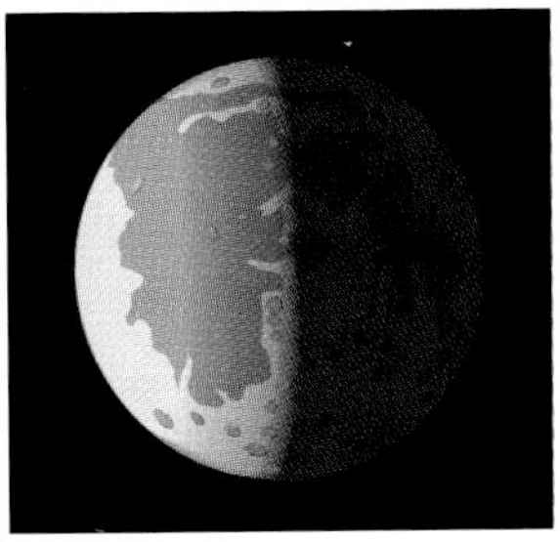

dernier croissant[M]
old crescent

ÉCLIPSE[F] DE SOLEIL[M]
SOLAR ECLIPSE

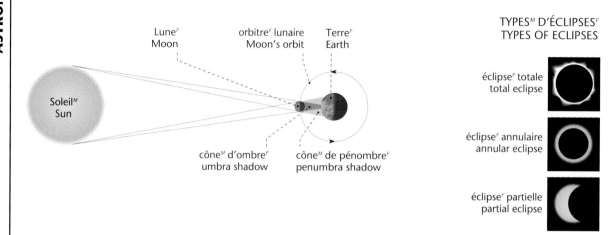

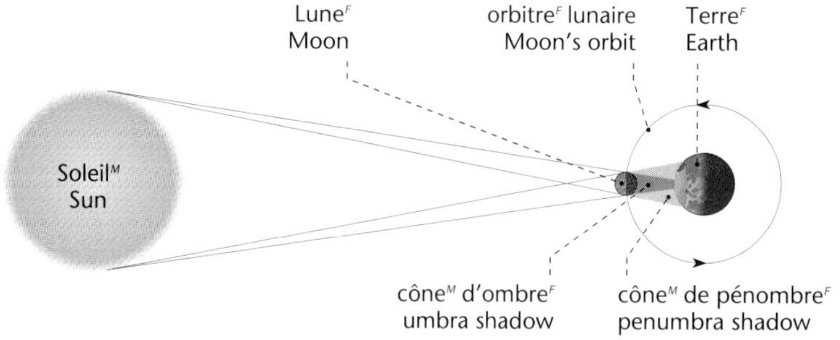
Lune[F]
Moon
orbitre[F] lunaire
Moon's orbit
Terre[F]
Earth
Soleil[M]
Sun
cône[M] d'ombre[F]
umbra shadow
cône[M] de pénombre[F]
penumbra shadow

TYPES[M] D'ÉCLIPSES[F]
TYPES OF ECLIPSES

éclipse[F] totale
total eclipse

éclipse[F] annulaire
annular eclipse

éclipse[F] partielle
partial eclipse

ÉCLIPSE[F] DE LUNE[F]
LUNAR ECLIPSE

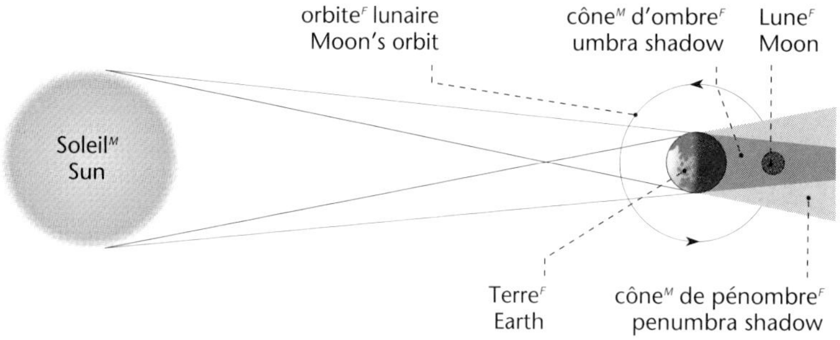
orbite[F] lunaire
Moon's orbit
cône[M] d'ombre[F]
umbra shadow
Lune[F]
Moon
Soleil[M]
Sun
Terre[F]
Earth
cône[M] de pénombre[F]
penumbra shadow

TYPES[M] D'ÉCLIPSES[F]
TYPES OF ECLIPSES

éclipse[F] partielle
partial eclipse

éclipse[F] totale
total eclipse

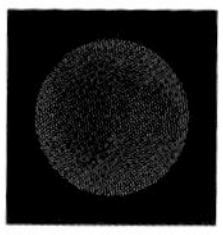

CYCLE[M] DES SAISONS[F]
SEASONS OF THE YEAR

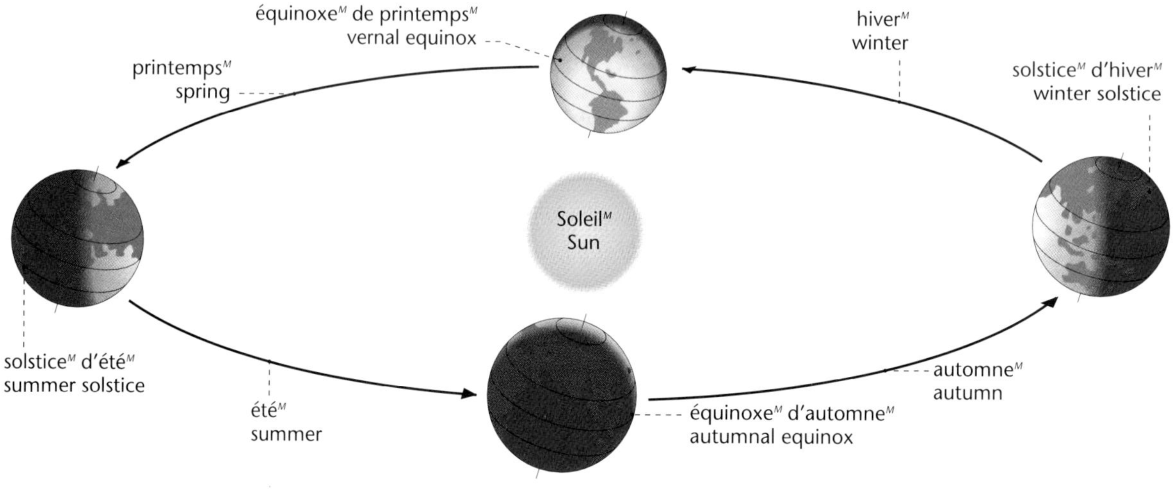
équinoxe[M] de printemps[M]
vernal equinox
hiver[M]
winter
printemps[M]
spring
solstice[M] d'hiver[M]
winter solstice
Soleil[M]
Sun
solstice[M] d'été[M]
summer solstice
été[M]
summer
automne[M]
autumn
équinoxe[M] d'automne[M]
autumnal equinox

COMÈTE[F]
COMET

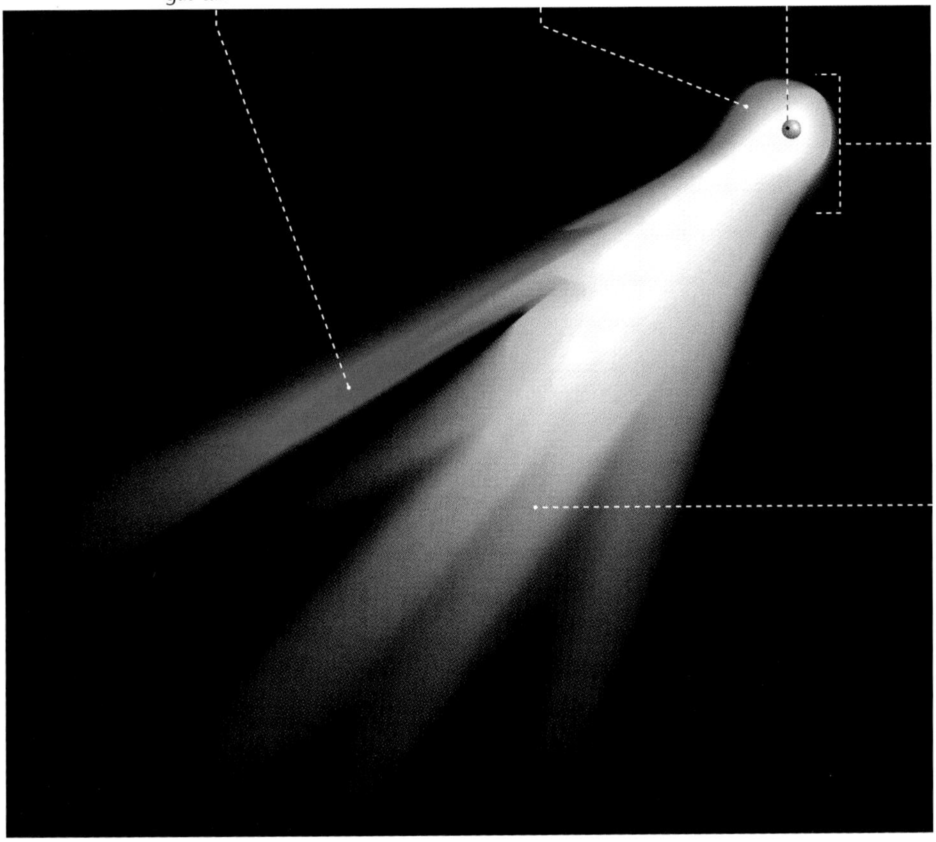
queue[F] de gaz[M]
gas tail
chevelure[F]
coma
noyau[M]
nucleus
tête[F]
head
queue[F] de poussières[F]
dust tail

GALAXIE[F]
GALAXY

CLASSIFICATION[F] DE HUBBLE
HUBBLE'S CLASSIFICATION

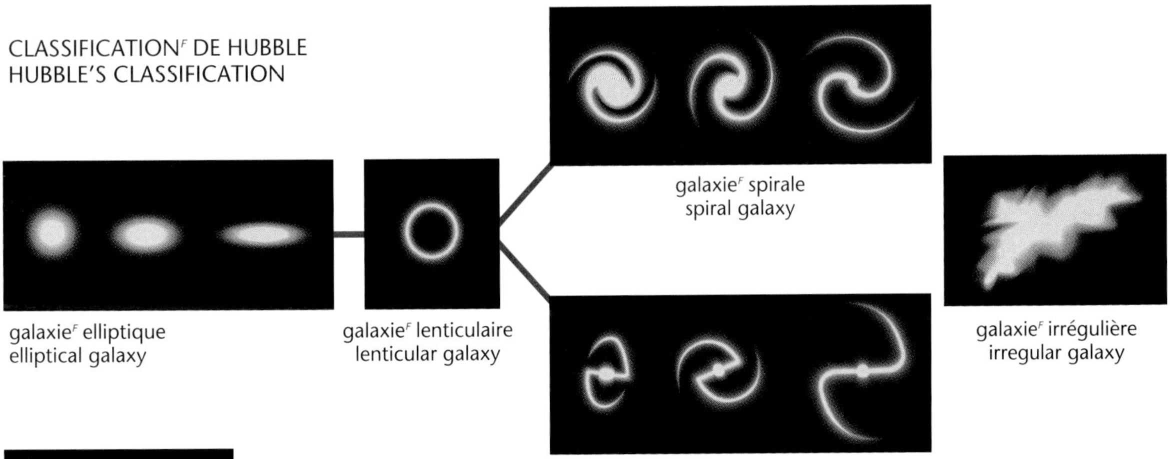
galaxie[F] elliptique
elliptical galaxy
galaxie[F] lenticulaire
lenticular galaxy
galaxie[F] spirale
spiral galaxy
galaxie[F] spirale barrée
barred spiral galaxy
galaxie[F] irrégulière
irregular galaxy

bras[M] spiral
spiral arm
noyau[M] galactique
nucleus

CONSTELLATIONS^F DE L'HÉMISPHÈRE^M BORÉAL
CONSTELLATIONS OF THE NORTHERN HEMISPHERE

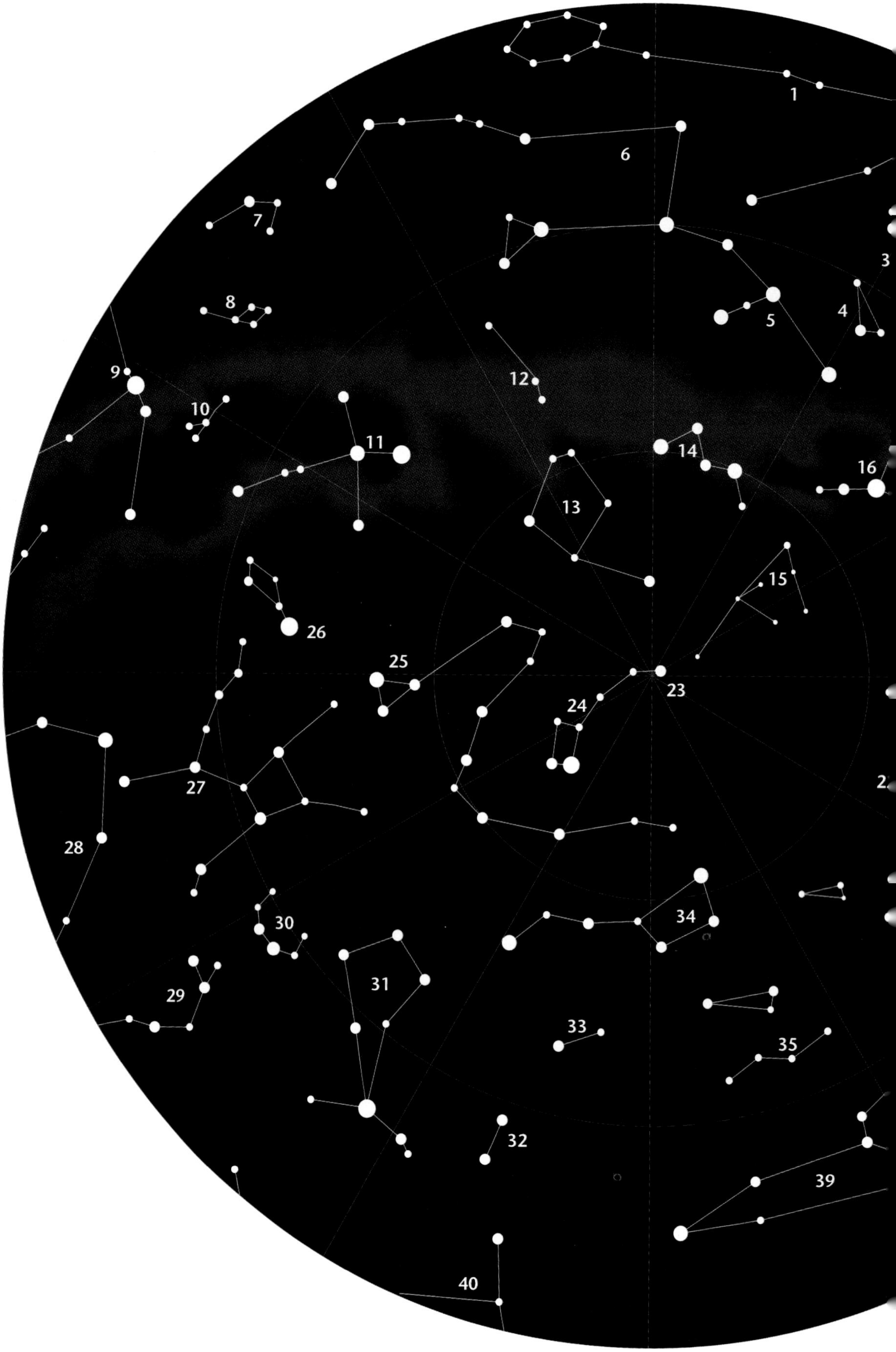

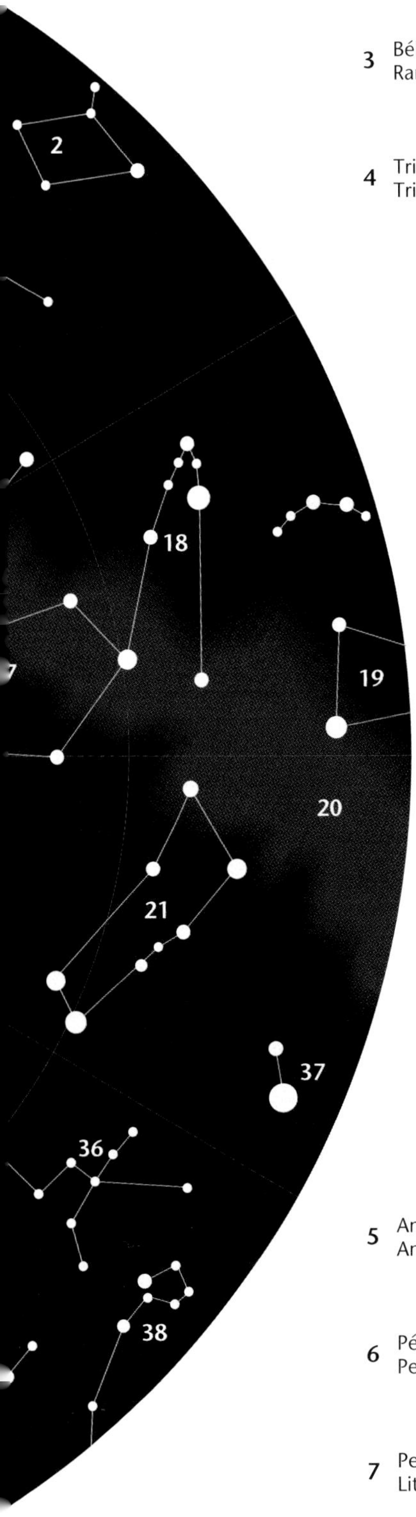

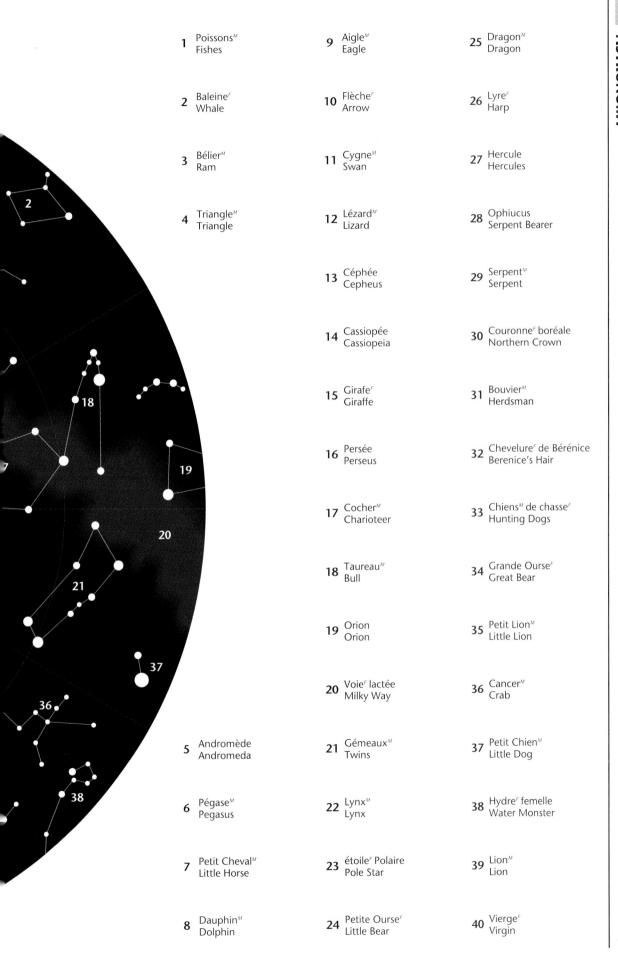

1 Poissons[M] / Fishes

2 Baleine[F] / Whale

3 Bélier[M] / Ram

4 Triangle[M] / Triangle

5 Andromède / Andromeda

6 Pégase[M] / Pegasus

7 Petit Cheval[M] / Little Horse

8 Dauphin[M] / Dolphin

9 Aigle[M] / Eagle

10 Flèche[F] / Arrow

11 Cygne[M] / Swan

12 Lézard[M] / Lizard

13 Céphée / Cepheus

14 Cassiopée / Cassiopeia

15 Girafe[F] / Giraffe

16 Persée / Perseus

17 Cocher[M] / Charioteer

18 Taureau[M] / Bull

19 Orion / Orion

20 Voie[F] lactée / Milky Way

21 Gémeaux[M] / Twins

22 Lynx[M] / Lynx

23 étoile[F] Polaire / Pole Star

24 Petite Ourse[F] / Little Bear

25 Dragon[M] / Dragon

26 Lyre[F] / Harp

27 Hercule / Hercules

28 Ophiucus / Serpent Bearer

29 Serpent[M] / Serpent

30 Couronne[F] boréale / Northern Crown

31 Bouvier[M] / Herdsman

32 Chevelure[F] de Bérénice / Berenice's Hair

33 Chiens[M] de chasse[F] / Hunting Dogs

34 Grande Ourse[F] / Great Bear

35 Petit Lion[M] / Little Lion

36 Cancer[M] / Crab

37 Petit Chien[M] / Little Dog

38 Hydre[F] femelle / Water Monster

39 Lion[M] / Lion

40 Vierge[F] / Virgin

CONSTELLATIONS^F DE L'HÉMISPHÈRE^M AUSTRAL
CONSTELLATIONS OF THE SOUTHERN HEMISPHERE

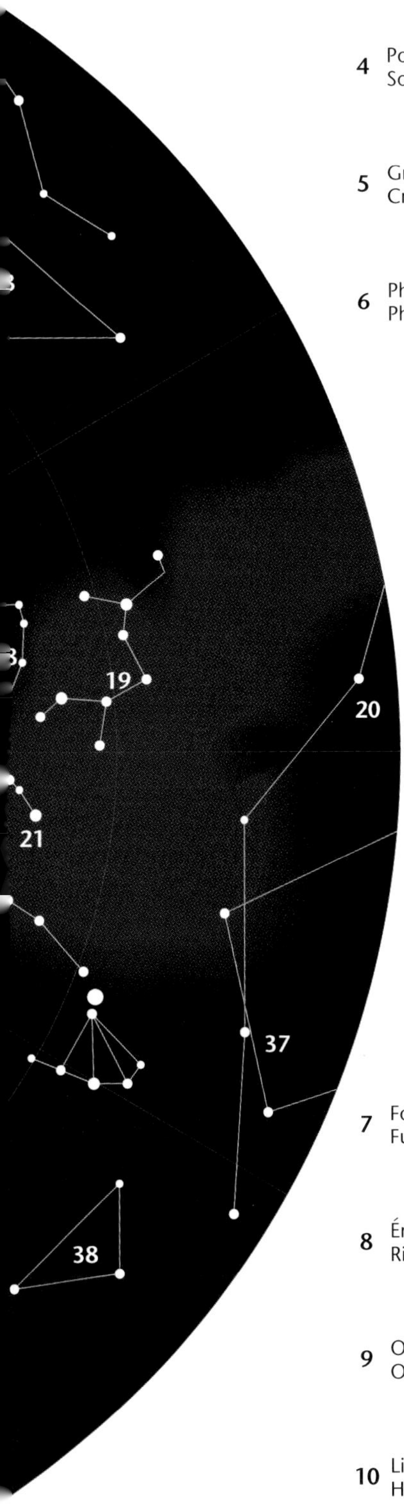

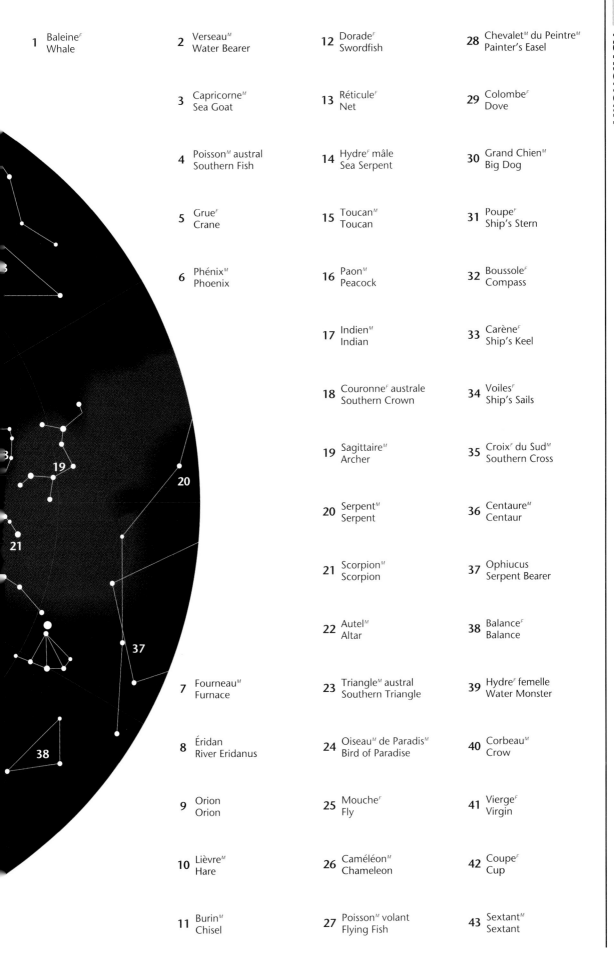

1 Baleine[F]
Whale

2 Verseau[M]
Water Bearer

3 Capricorne[M]
Sea Goat

4 Poisson[M] austral
Southern Fish

5 Grue[F]
Crane

6 Phénix[M]
Phoenix

7 Fourneau[M]
Furnace

8 Éridan
River Eridanus

9 Orion
Orion

10 Lièvre[M]
Hare

11 Burin[M]
Chisel

12 Dorade[F]
Swordfish

13 Réticule[F]
Net

14 Hydre[F] mâle
Sea Serpent

15 Toucan[M]
Toucan

16 Paon[M]
Peacock

17 Indien[M]
Indian

18 Couronne[F] australe
Southern Crown

19 Sagittaire[M]
Archer

20 Serpent[M]
Serpent

21 Scorpion[M]
Scorpion

22 Autel[M]
Altar

23 Triangle[M] austral
Southern Triangle

24 Oiseau[M] de Paradis[M]
Bird of Paradise

25 Mouche[F]
Fly

26 Caméléon[M]
Chameleon

27 Poisson[M] volant
Flying Fish

28 Chevalet[M] du Peintre[M]
Painter's Easel

29 Colombe[F]
Dove

30 Grand Chien[M]
Big Dog

31 Poupe[F]
Ship's Stern

32 Boussole[F]
Compass

33 Carène[F]
Ship's Keel

34 Voiles[F]
Ship's Sails

35 Croix[F] du Sud[M]
Southern Cross

36 Centaure[M]
Centaur

37 Ophiucus
Serpent Bearer

38 Balance[F]
Balance

39 Hydre[F] femelle
Water Monster

40 Corbeau[M]
Crow

41 Vierge[F]
Virgin

42 Coupe[F]
Cup

43 Sextant[M]
Sextant

OBSERVATOIRE^M ASTRONOMIQUE
ASTRONOMICAL OBSERVATORY

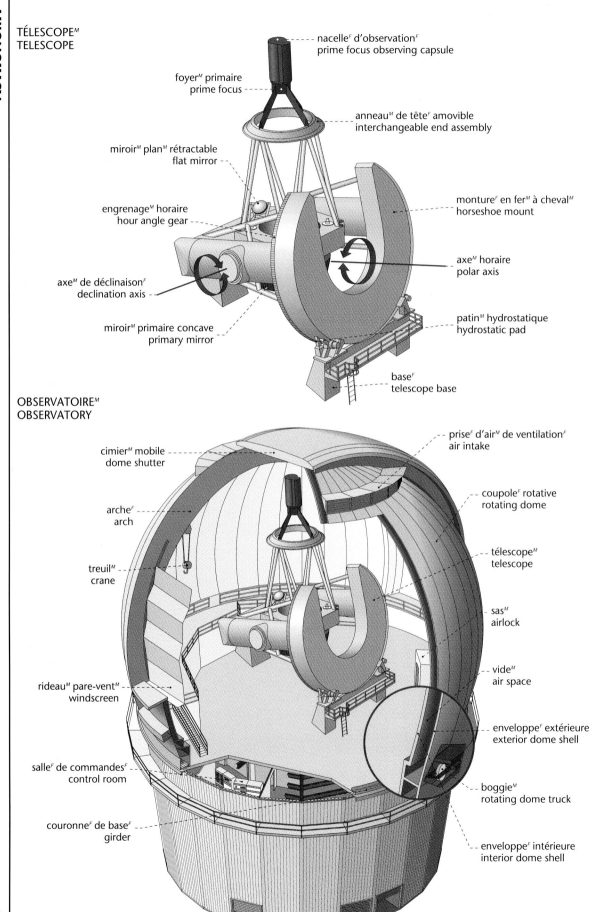

TÉLESCOPE^M
TELESCOPE

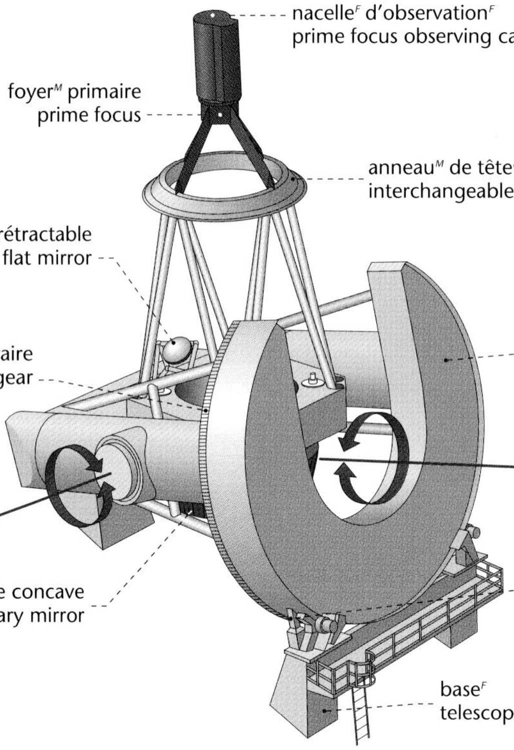
nacelle^F d'observation^F
prime focus observing capsule
foyer^M primaire
prime focus
anneau^M de tête^F amovible
interchangeable end assembly
miroir^M plan^M rétractable
flat mirror
monture^F en fer^M à cheval^M
horseshoe mount
engrenage^M horaire
hour angle gear
axe^M horaire
polar axis
axe^M de déclinaison^F
declination axis
patin^M hydrostatique
hydrostatic pad
miroir^M primaire concave
primary mirror
base^F
telescope base

OBSERVATOIRE^M
OBSERVATORY

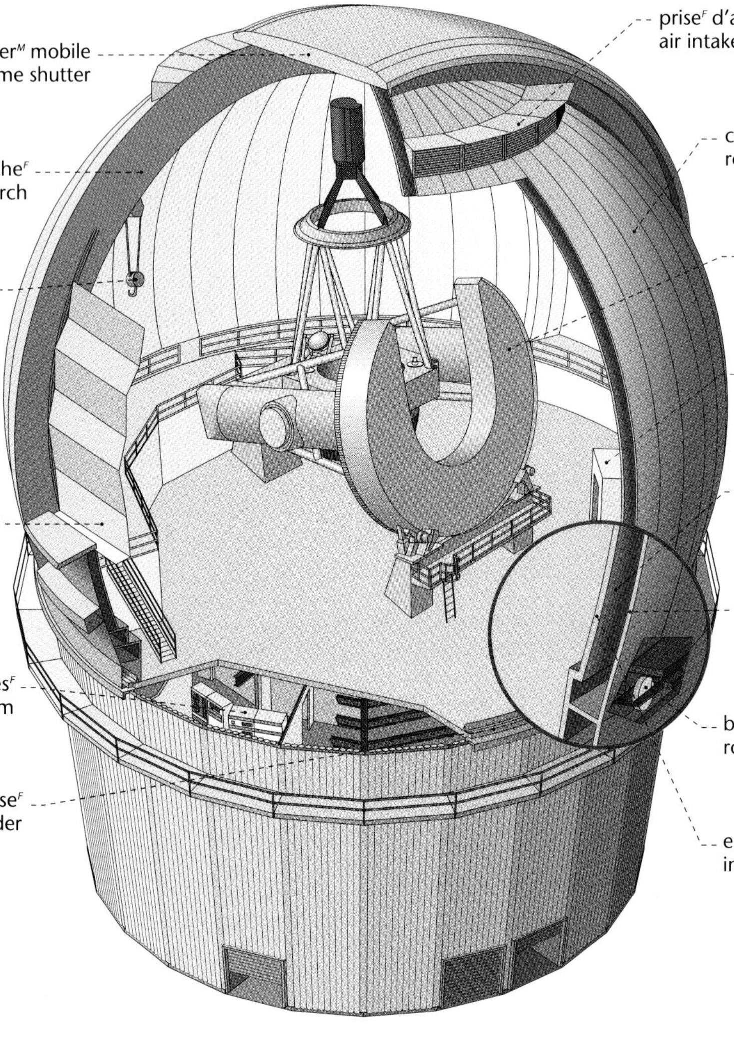
prise^F d'air^M de ventilation^F
air intake
cimier^M mobile
dome shutter
coupole^F rotative
rotating dome
arche^F
arch
télescope^M
telescope
treuil^M
crane
sas^M
airlock
vide^M
air space
rideau^M pare-vent^M
windscreen
enveloppe^F extérieure
exterior dome shell
salle^F de commandes^F
control room
boggie^M
rotating dome truck
couronne^F de base^F
girder
enveloppe^F intérieure
interior dome shell

RADIOTÉLESCOPE^M
RADIO TELESCOPE

MONTURE^F ALTAZIMUTALE
ALTAZIMUTH MOUNTING

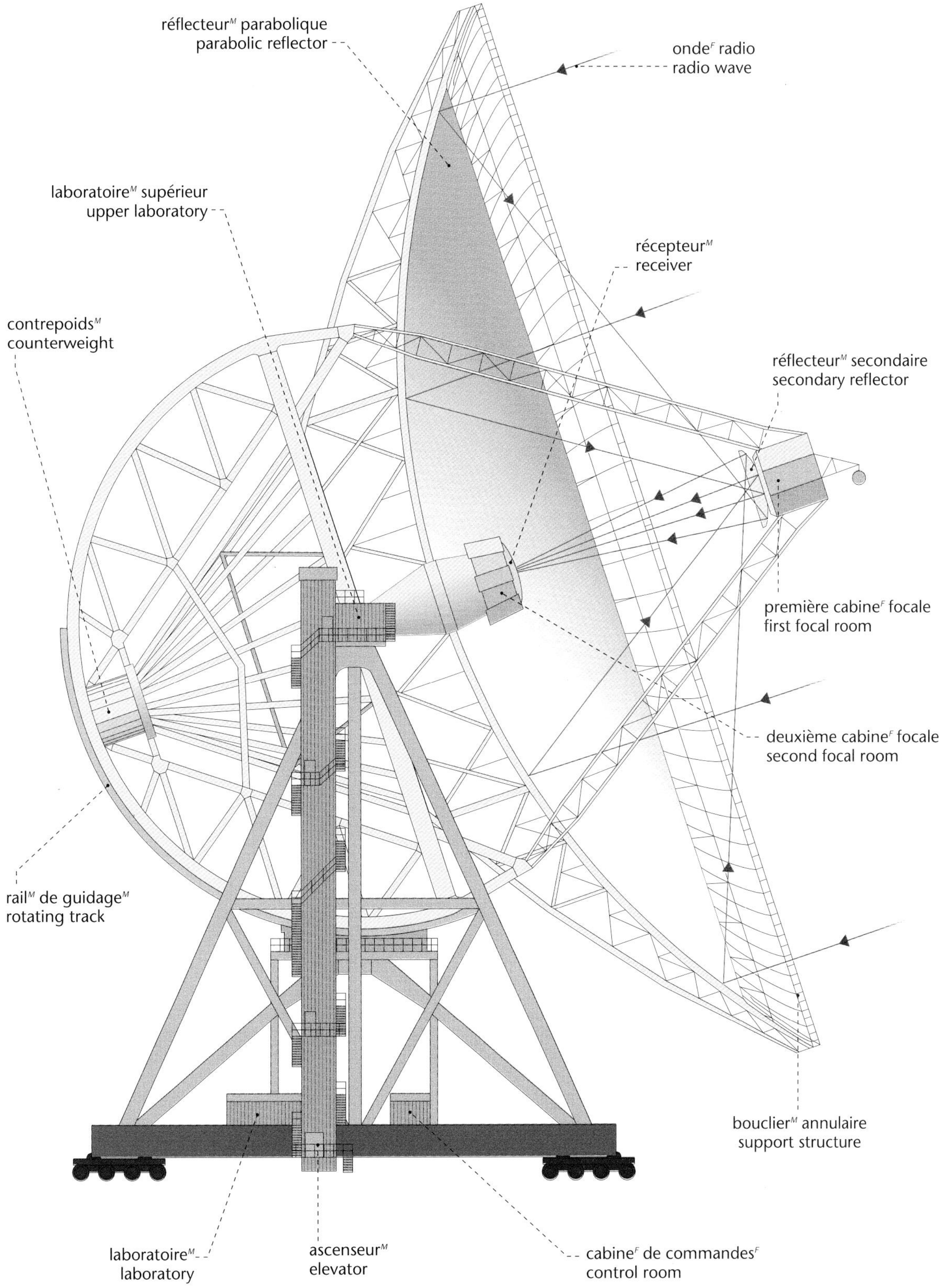
réflecteur^M parabolique
parabolic reflector
onde^F radio
radio wave
laboratoire^M supérieur
upper laboratory
récepteur^M
receiver
contrepoids^M
counterweight
réflecteur^M secondaire
secondary reflector
première cabine^F focale
first focal room
deuxième cabine^F focale
second focal room
rail^M de guidage^M
rotating track
bouclier^M annulaire
support structure
laboratoire^M
laboratory
ascenseur^M
elevator
cabine^F de commandes^F
control room

TÉLESCOPE[M] SPATIAL HUBBLE
HUBBLE SPACE TELESCOPE

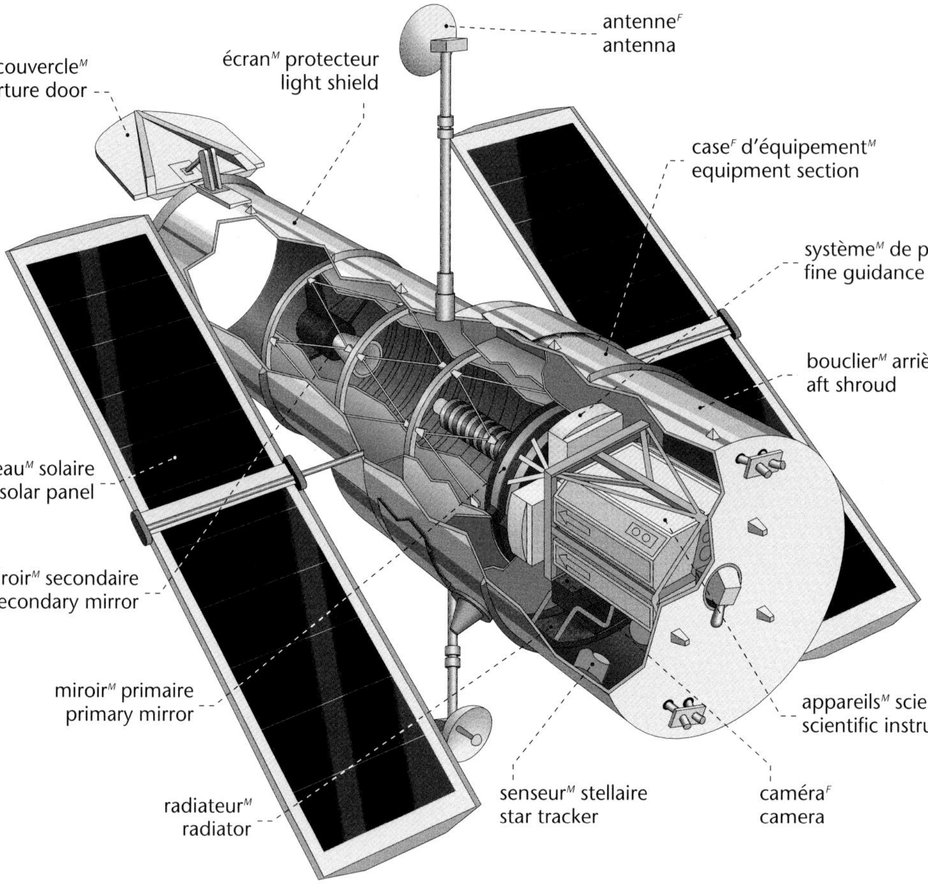
antenne[F]
antenna
couvercle[M]
aperture door
écran[M] protecteur
light shield
case[F] d'équipement[M]
equipment section
système[M] de pointage[M] fin
fine guidance system
bouclier[M] arrière
aft shroud
panneau[M] solaire
solar panel
miroir[M] secondaire
secondary mirror
miroir[M] primaire
primary mirror
appareils[M] scientifiques
scientific instruments
radiateur[M]
radiator
senseur[M] stellaire
star tracker
caméra[F]
camera

PLANÉTARIUM[M]
PLANETARIUM

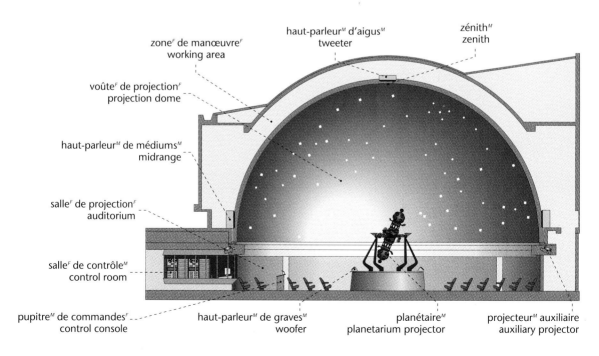

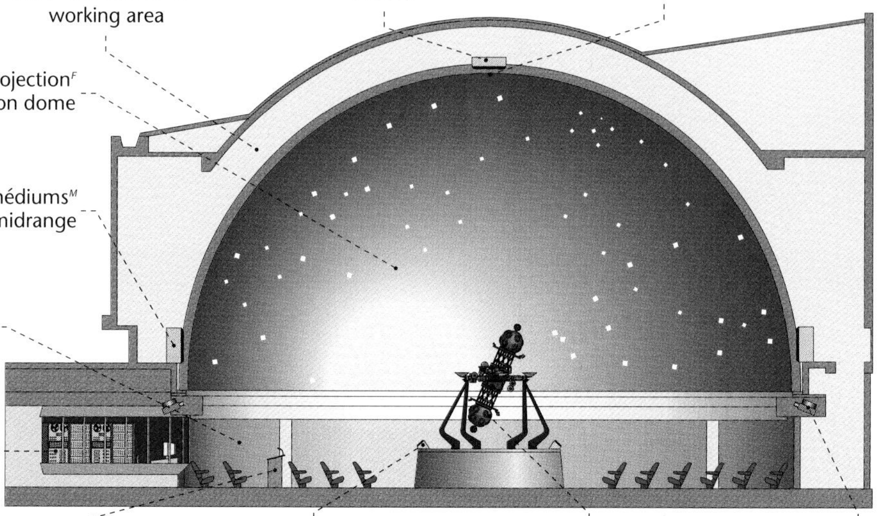
haut-parleur[M] d'aigus[M]
tweeter
zénith[M]
zenith
zone[F] de manœuvre[F]
working area
voûte[F] de projection[F]
projection dome
haut-parleur[M] de médiums[M]
midrange
salle[F] de projection[F]
auditorium
salle[F] de contrôle[M]
control room
pupitre[M] de commandes[F]
control console
haut-parleur[M] de graves[M]
woofer
planétaire[M]
planetarium projector
projecteur[M] auxiliaire
auxiliary projector

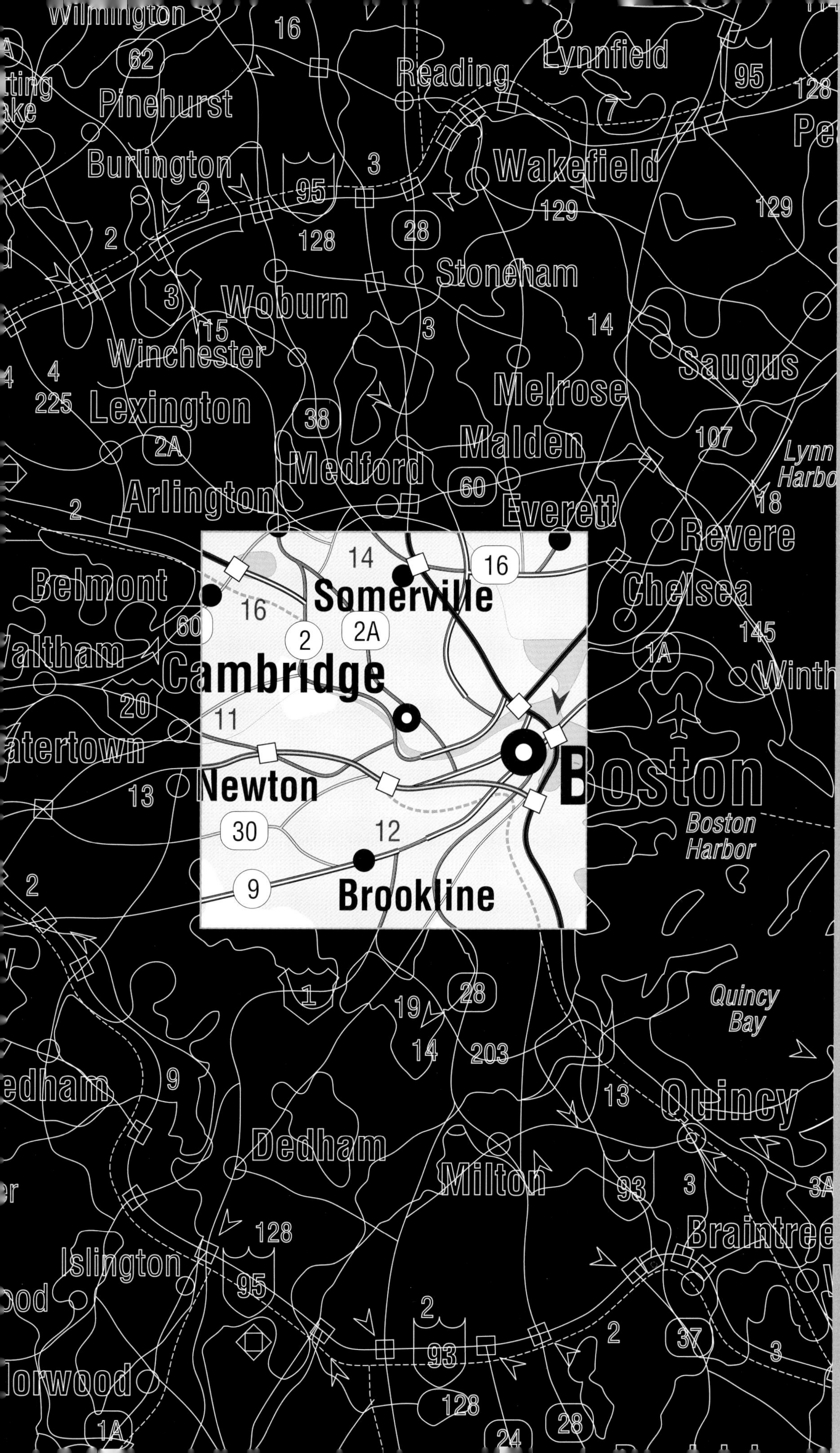

Wilmington
Reading
Lynnfield
Pinehurst
Burlington
Wakefield
Stoneham
Woburn
Winchester
Saugus
Melrose
Lexington
Malden
Lynn Harbor
Medford
Arlington
Everett
Revere
Belmont
Somerville
Chelsea
Cambridge
Newton
Boston
Boston Harbor
Brookline
Quincy Bay
Quincy
Dedham
Milton
Braintree
Islington

SOMMAIRE

COUPE^F DE L'ATMOSPHÈRE^F TERRESTRE
PROFILE OF THE EARTH'S ATMOSPHERE

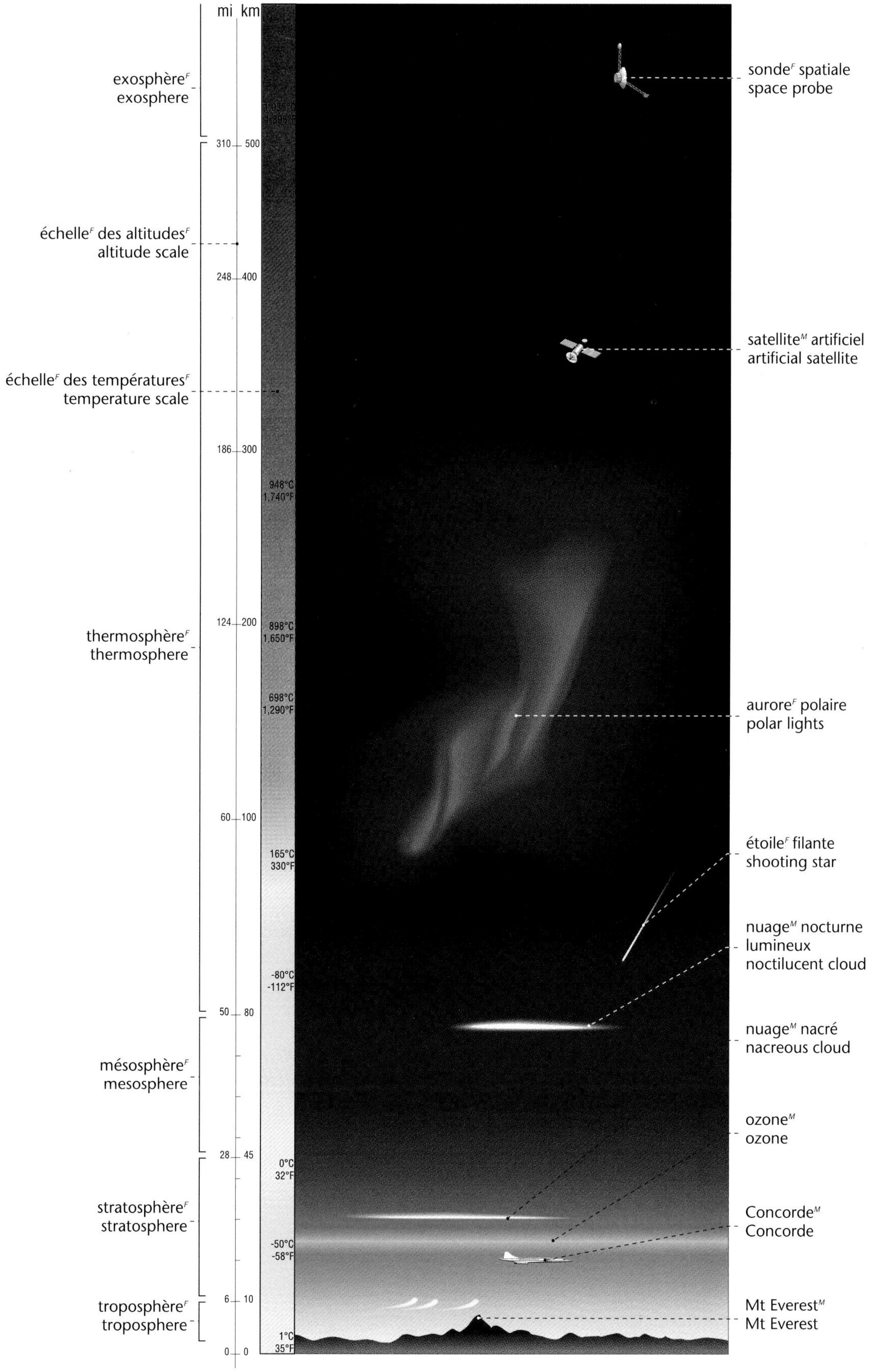
exosphère^F
exosphere
échelle^F des altitudes^F
altitude scale
échelle^F des températures^F
temperature scale
thermosphère^F
thermosphere
mésosphère^F
mesosphere
stratosphère^F
stratosphere
troposphère^F
troposphere
mi
km
310 500
248 400
186 300
124 200
60 100
50 80
28 45
6 10
0 0
948°C
1,740°F
898°C
1,650°F
698°C
1,290°F
165°C
330°F
-80°C
-112°F
0°C
32°F
-50°C
-58°F
1°C
35°F
sonde^F spatiale
space probe
satellite^M artificiel
artificial satellite
aurore^F polaire
polar lights
étoile^F filante
shooting star
nuage^M nocturne lumineux
noctilucent cloud
nuage^M nacré
nacreous cloud
ozone^M
ozone
Concorde^M
Concorde
Mt Everest^M
Mt Everest

CONFIGURATION^F DES CONTINENTS^M
CONFIGURATION OF THE CONTINENTS

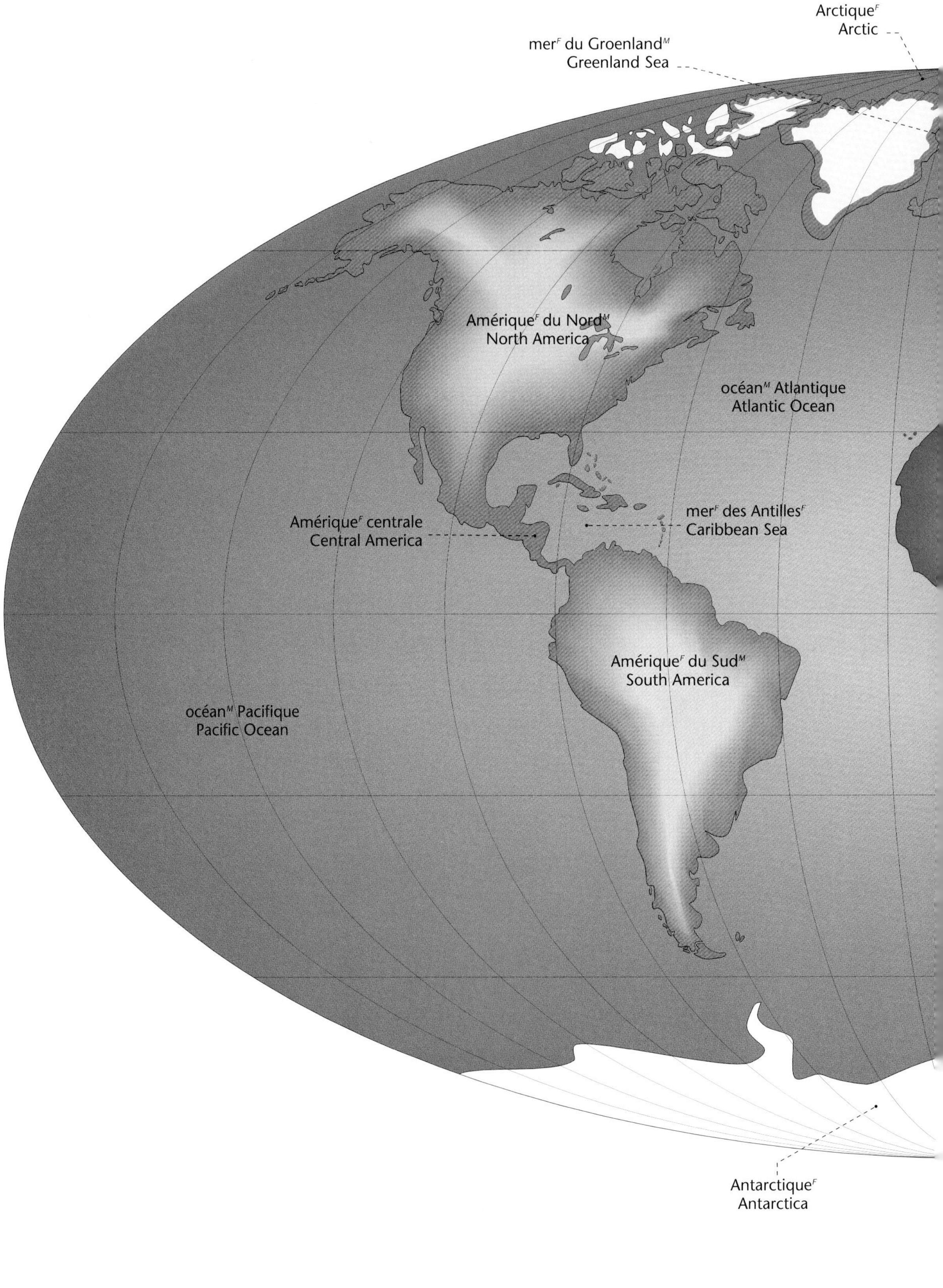
Arctique^F
Arctic
mer^F du Groenland^M
Greenland Sea
Amérique^F du Nord^M
North America
océan^M Atlantique
Atlantic Ocean
Amérique^F centrale
Central America
mer^F des Antilles^F
Caribbean Sea
Amérique^F du Sud^M
South America
océan^M Pacifique
Pacific Ocean
Antarctique^F
Antarctica

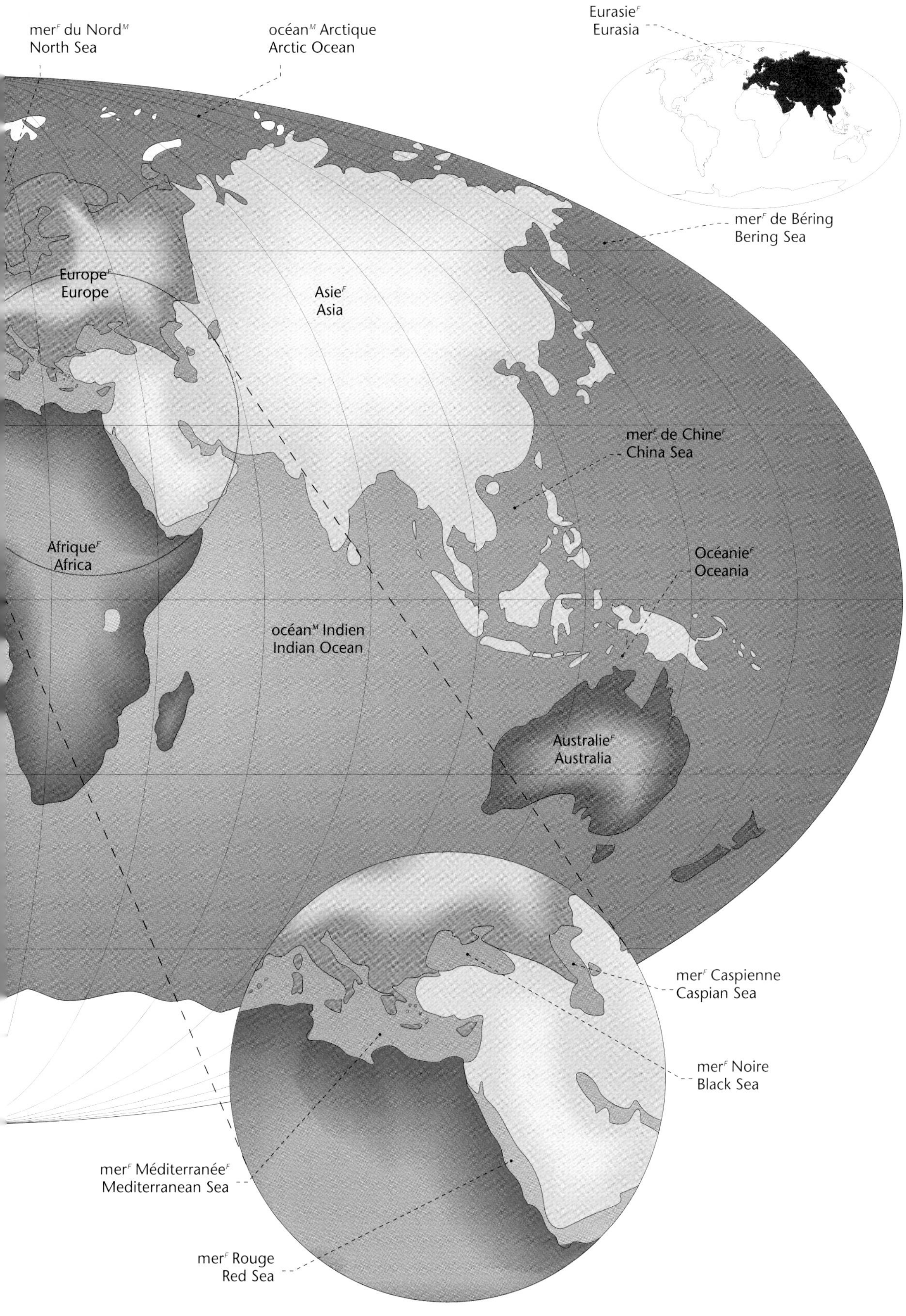
merF du NordM
North Sea
océanM Arctique
Arctic Ocean
EurasieF
Eurasia
merF de Béring
Bering Sea
EuropeF
Europe
AsieF
Asia
merF de ChineF
China Sea
AfriqueF
Africa
OcéanieF
Oceania
océanM Indien
Indian Ocean
AustralieF
Australia
merF Caspienne
Caspian Sea
merF Noire
Black Sea
merF MéditerranéeF
Mediterranean Sea
merF Rouge
Red Sea

STRUCTURE^F DE LA TERRE^F
STRUCTURE OF THE EARTH

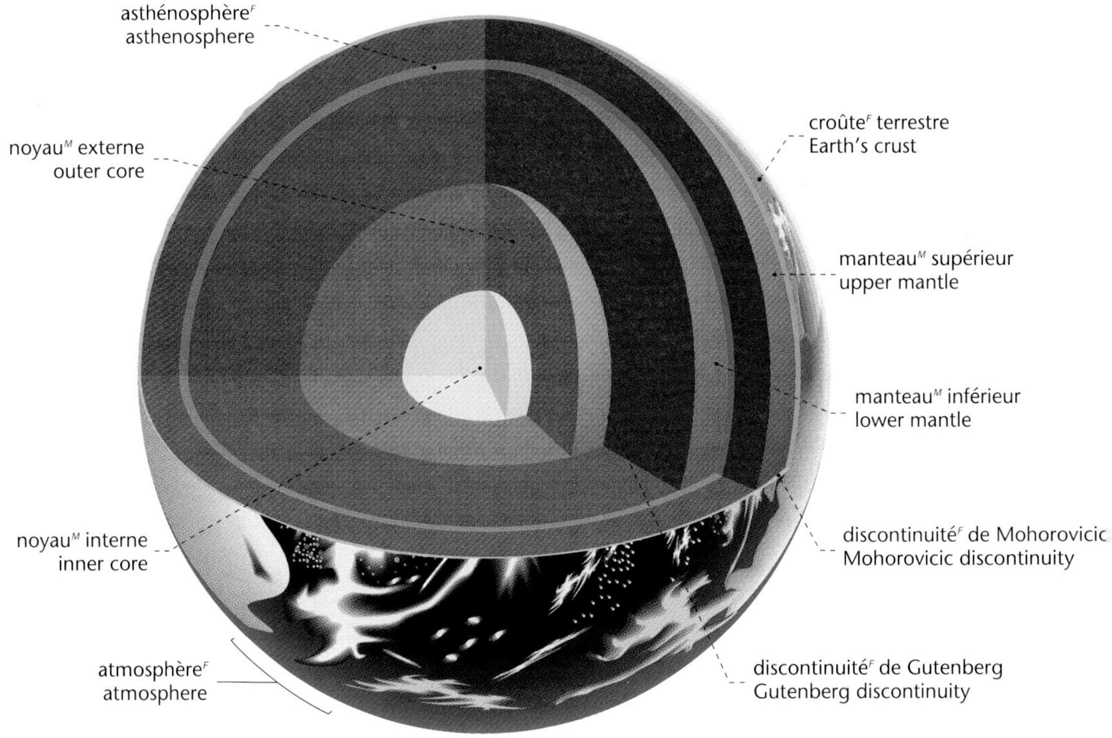
asthénosphère^F
asthenosphere
noyau^M externe
outer core
noyau^M interne
inner core
atmosphère^F
atmosphere
croûte^F terrestre
Earth's crust
manteau^M supérieur
upper mantle
manteau^M inférieur
lower mantle
discontinuité^F de Mohorovicic
Mohorovicic discontinuity
discontinuité^F de Gutenberg
Gutenberg discontinuity

COUPE^F DE LA CROÛTE^F TERRESTRE
SECTION OF THE EARTH'S CRUST

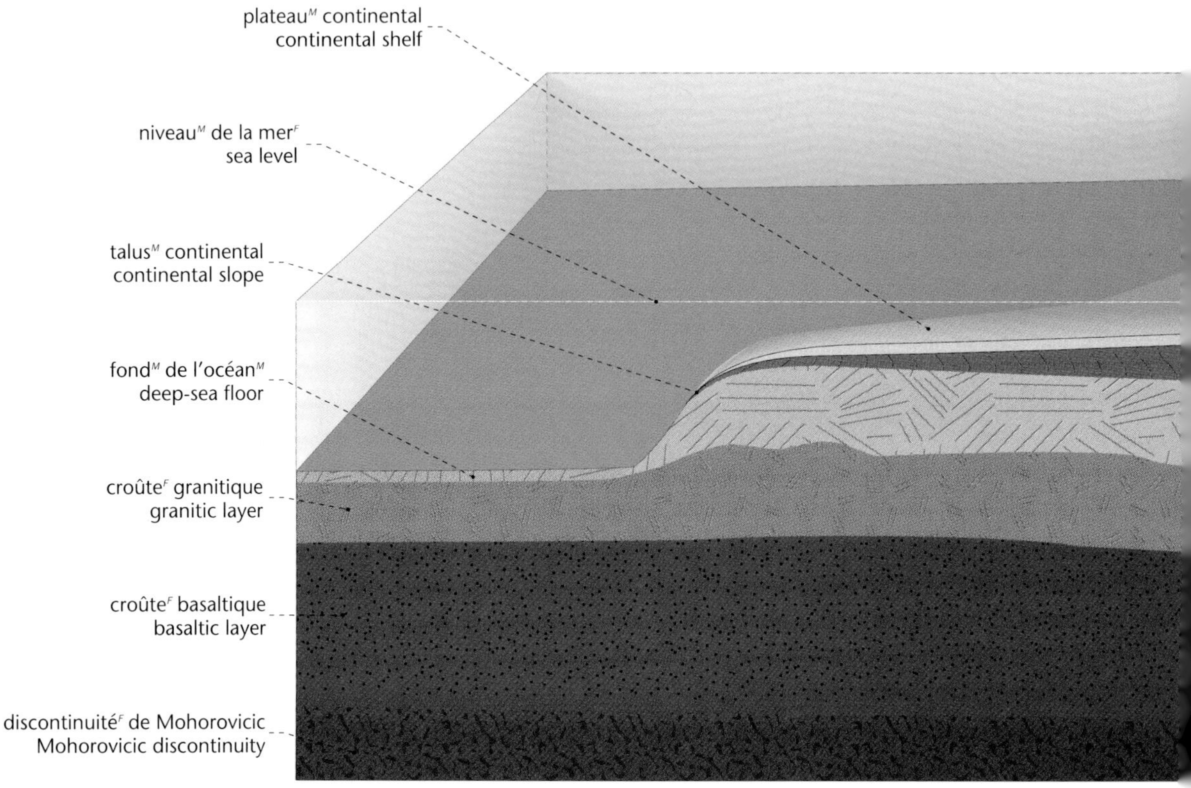
plateau^M continental
continental shelf
niveau^M de la mer^F
sea level
talus^M continental
continental slope
fond^M de l'océan^M
deep-sea floor
croûte^F granitique
granitic layer
croûte^F basaltique
basaltic layer
discontinuité^F de Mohorovicic
Mohorovicic discontinuity

SÉISME[M]
EARTHQUAKE

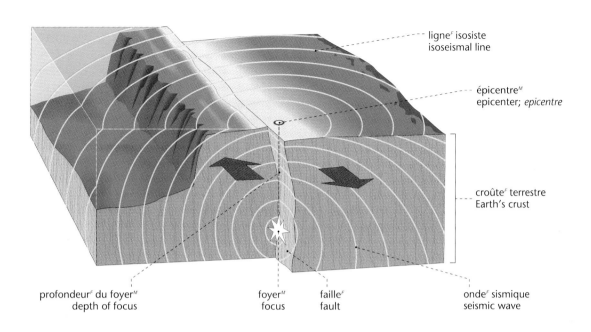

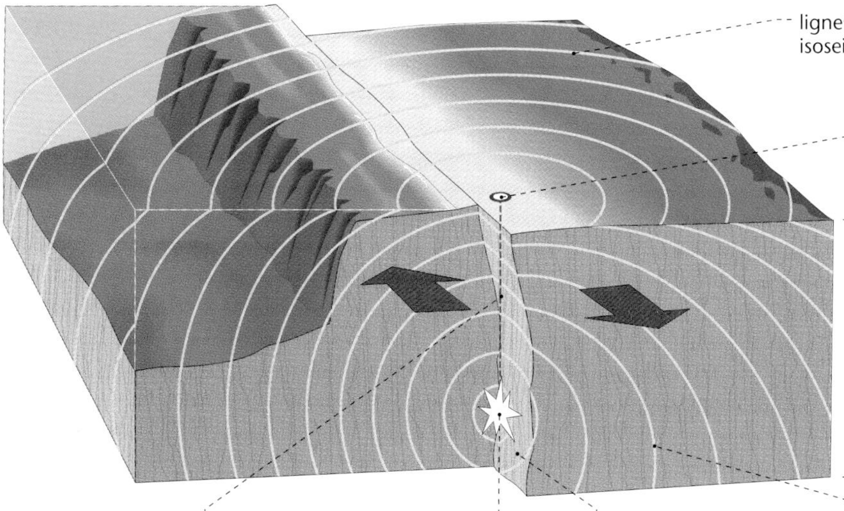
ligne[F] isosiste
isoseismal line
épicentre[M]
epicenter; *epicentre*
croûte[F] terrestre
Earth's crust
profondeur[F] du foyer[M]
depth of focus
foyer[M]
focus
faille[F]
fault
onde[F] sismique
seismic wave

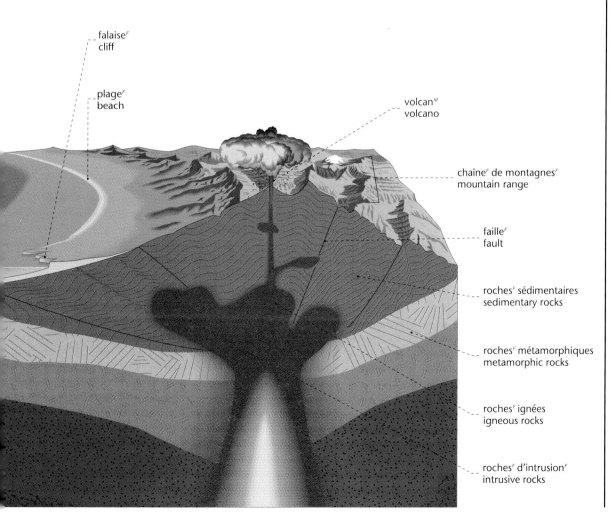

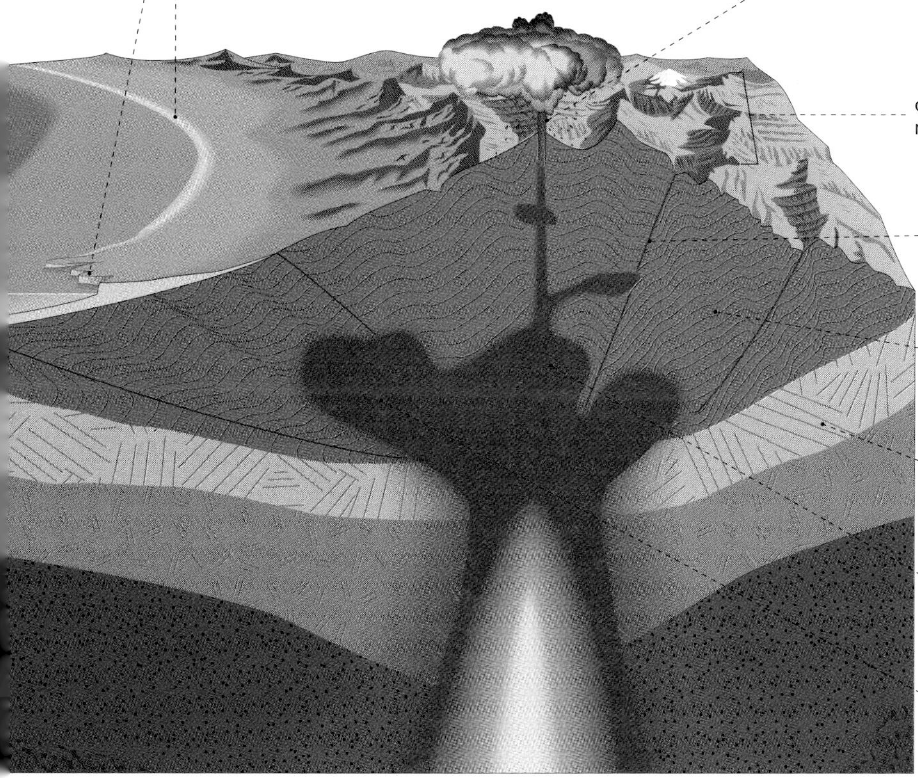
falaise[F]
cliff
plage[F]
beach
volcan[M]
volcano
chaîne[F] de montagnes[F]
mountain range
faille[F]
fault
roches[F] sédimentaires
sedimentary rocks
roches[F] métamorphiques
metamorphic rocks
roches[F] ignées
igneous rocks
roches[F] d'intrusion[F]
intrusive rocks

GROTTE[F]
CAVE

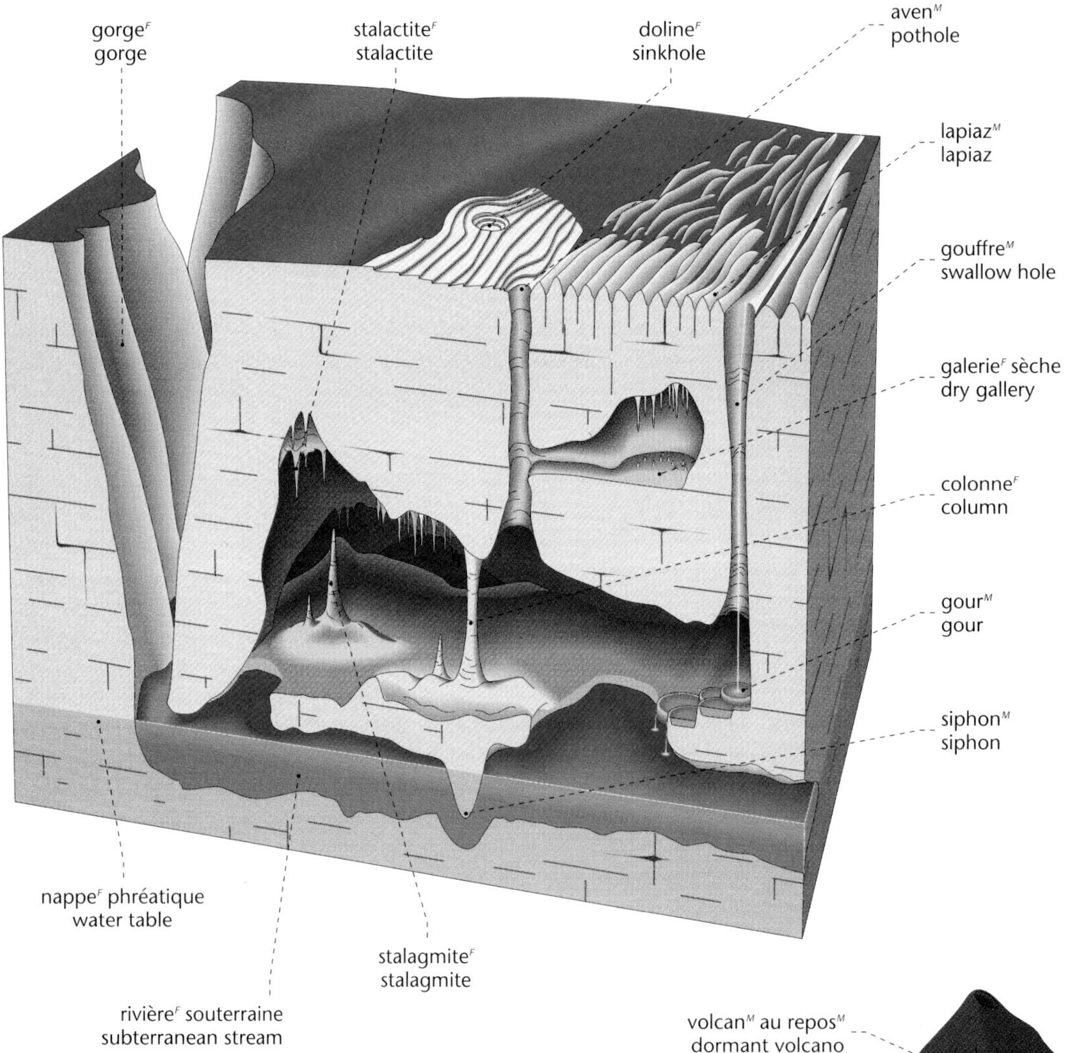
gorge[F]
gorge
stalactite[F]
stalactite
doline[F]
sinkhole
aven[M]
pothole
lapiaz[M]
lapiaz
gouffre[M]
swallow hole
galerie[F] sèche
dry gallery
colonne[F]
column
gour[M]
gour
siphon[M]
siphon
nappe[F] phréatique
water table
stalagmite[F]
stalagmite
rivière[F] souterraine
subterranean stream

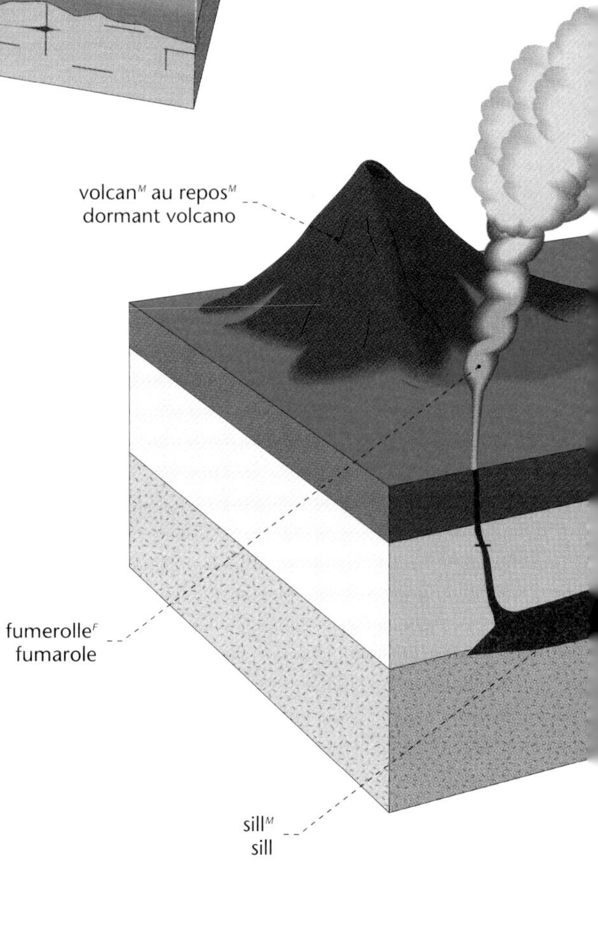
volcan[M] au repos[M]
dormant volcano
fumerolle[F]
fumarole
sill[M]
sill

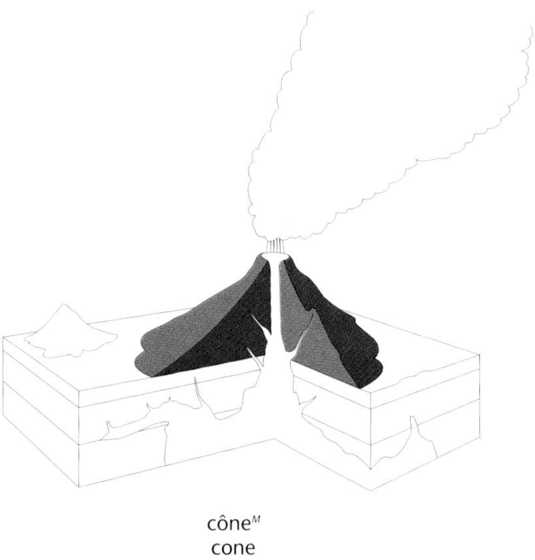
cône[M]
cone

VOLCAN^M
VOLCANO

VOLCAN^M EN ÉRUPTION^F
VOLCANO DURING ERUPTION

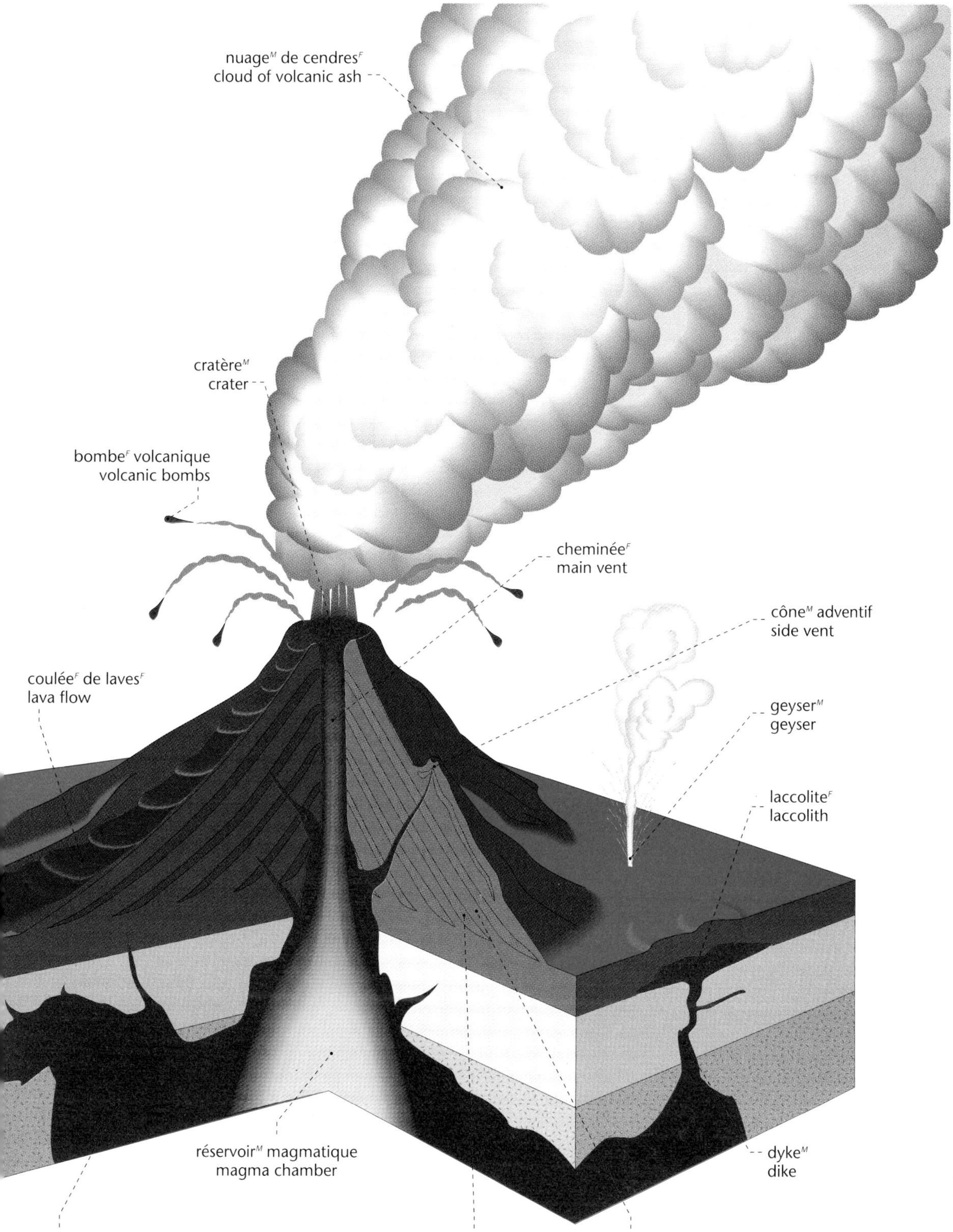
nuage^M de cendres^F
cloud of volcanic ash
cratère^M
crater
bombe^F volcanique
volcanic bombs
cheminée^F
main vent
cône^M adventif
side vent
coulée^F de laves^F
lava flow
geyser^M
geyser
laccolite^F
laccolith
réservoir^M magmatique
magma chamber
dyke^M
dike
magma^M
magma
couche^F de cendres^F
ash layer
couche^F de laves^F
lava layer

GLACIER^M
GLACIER

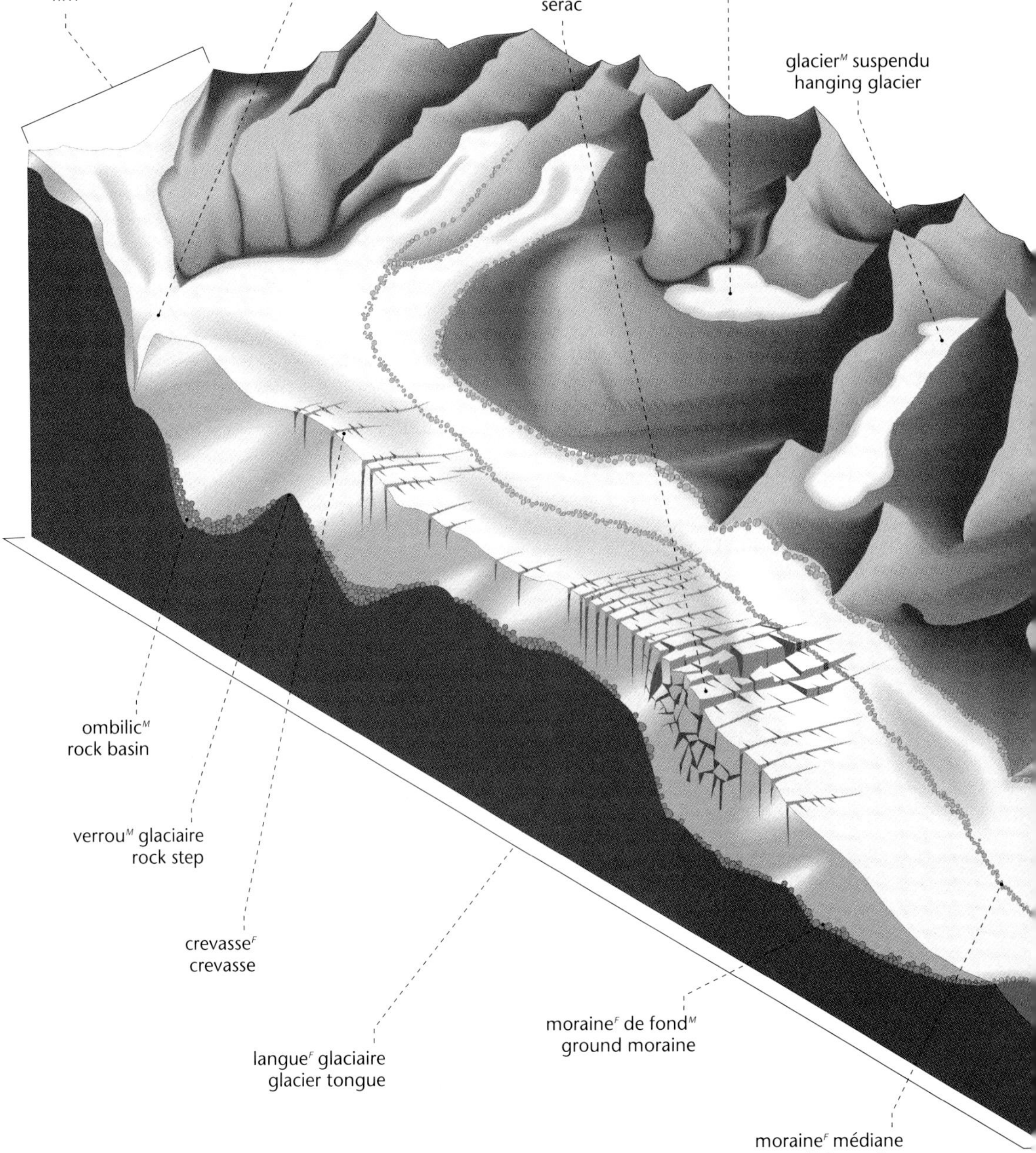
rimaye^F
bergschrund
cirque^M glaciaire
glacial cirque
névé^M
firn
sérac^M
serac
glacier^M suspendu
hanging glacier
ombilic^M
rock basin
verrou^M glaciaire
rock step
crevasse^F
crevasse
moraine^F de fond^M
ground moraine
langue^F glaciaire
glacier tongue
moraine^F médiane
medial moraine

MONTAGNE^F
MOUNTAIN

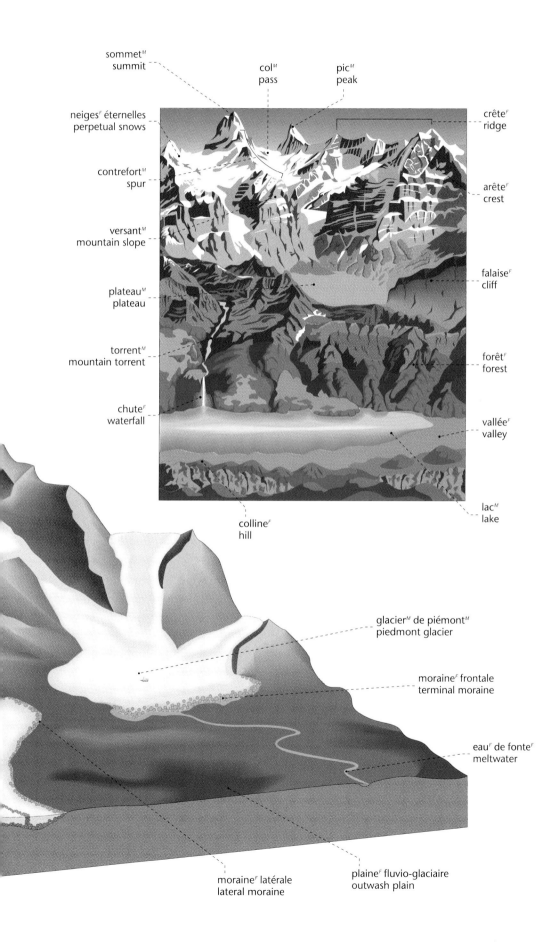

sommet^M
summit
col^M
pass
pic^M
peak
crête^F
ridge
neiges^F éternelles
perpetual snows
contrefort^M
spur
arête^F
crest
versant^M
mountain slope
falaise^F
cliff
plateau^M
plateau
torrent^M
mountain torrent
forêt^F
forest
chute^F
waterfall
vallée^F
valley
lac^M
lake
colline^F
hill

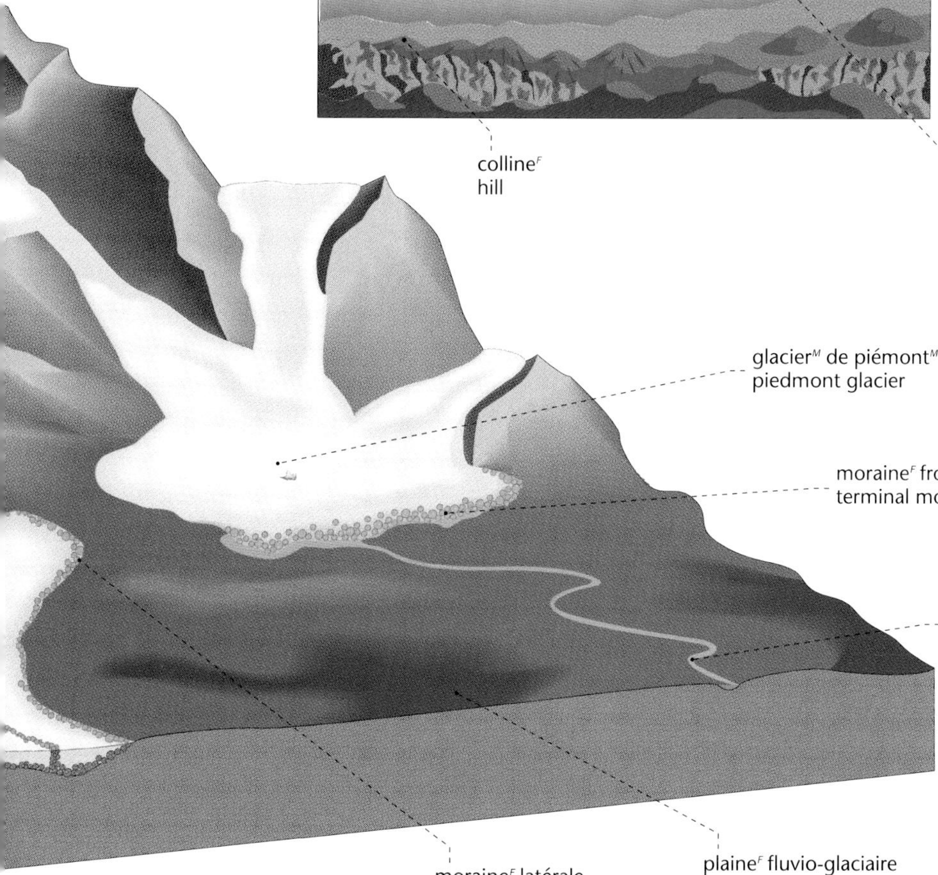
glacier^M de piémont^M
piedmont glacier
moraine^F frontale
terminal moraine
eau^F de fonte^F
meltwater
moraine^F latérale
lateral moraine
plaine^F fluvio-glaciaire
outwash plain

FOND^M DE L'OCÉAN^M
OCEAN FLOOR

DORSALE^F MÉDIO-OCÉANIQUE
MID-OCEAN RIDGE

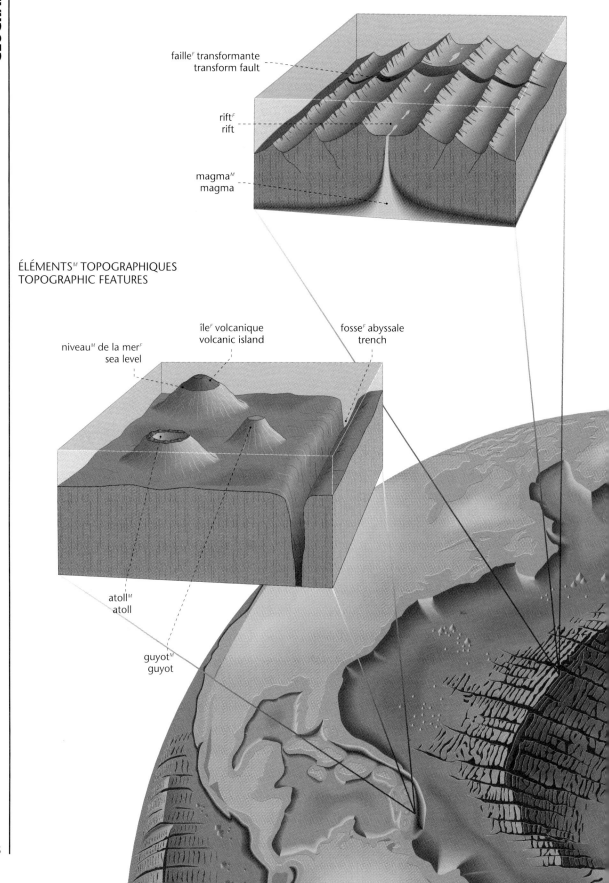

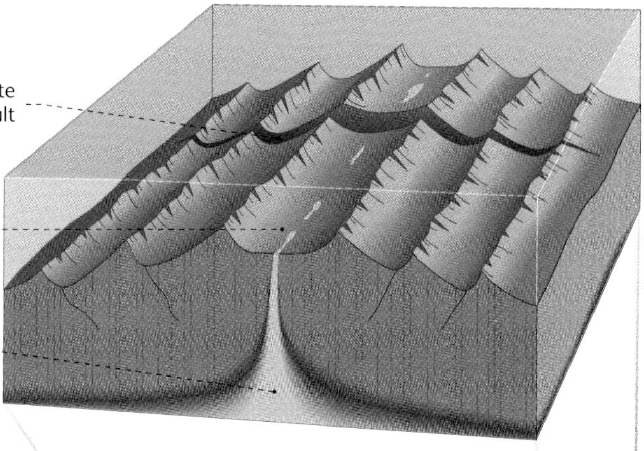
faille^F transformante
transform fault
rift^F
rift
magma^M
magma

ÉLÉMENTS^M TOPOGRAPHIQUES
TOPOGRAPHIC FEATURES

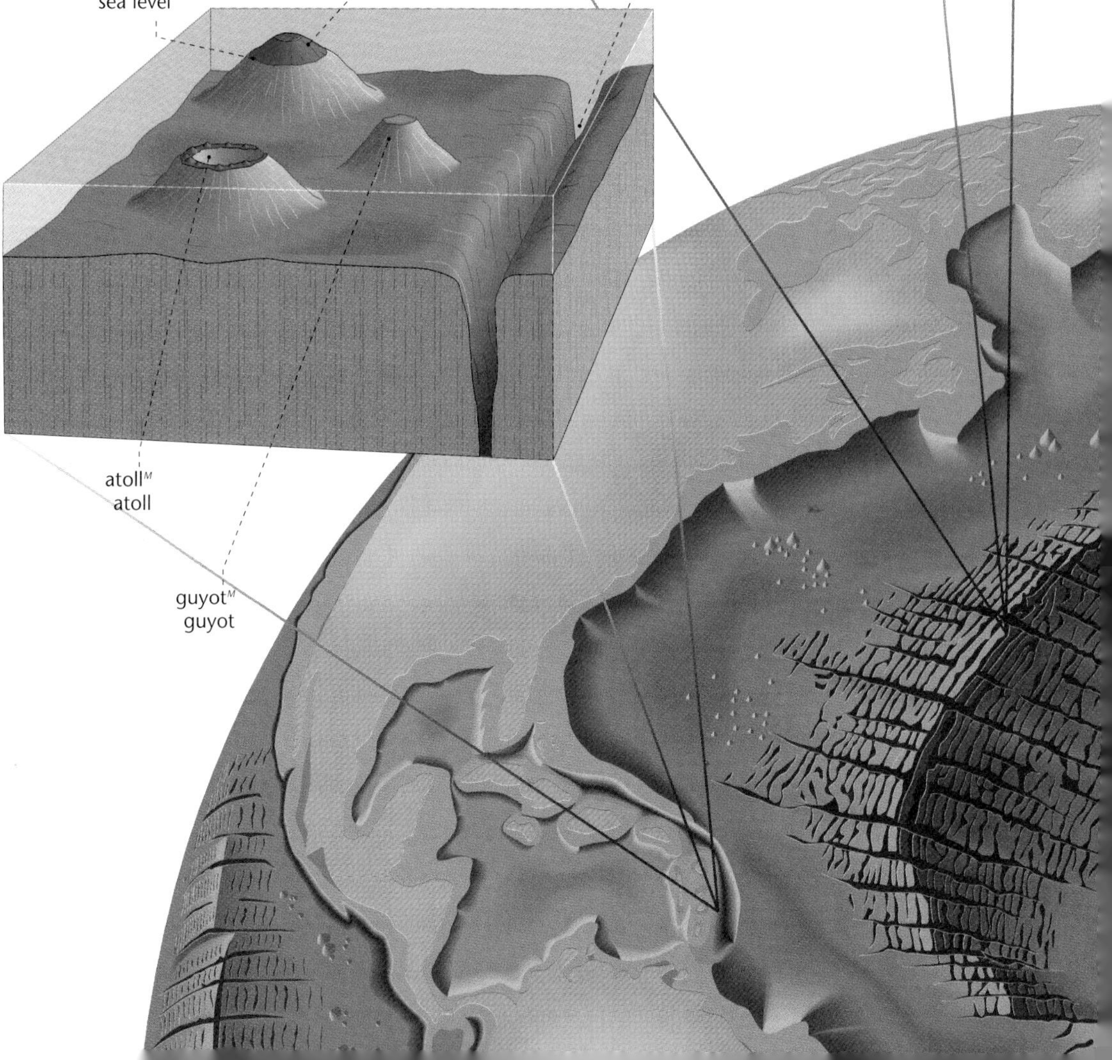
île^F volcanique
volcanic island
fosse^F abyssale
trench
niveau^M de la mer^F
sea level
atoll^M
atoll
guyot^M
guyot

PLAINE[F] ABYSSALE
ABYSSAL PLAIN

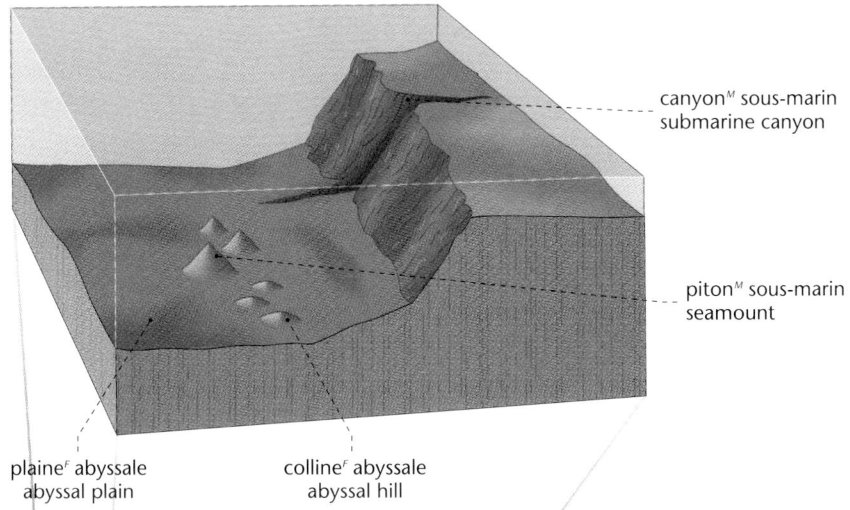
canyon[M] sous-marin
submarine canyon
piton[M] sous-marin
seamount
plaine[F] abyssale
abyssal plain
colline[F] abyssale
abyssal hill

MARGE[F] CONTINENTALE
CONTINENTAL MARGIN

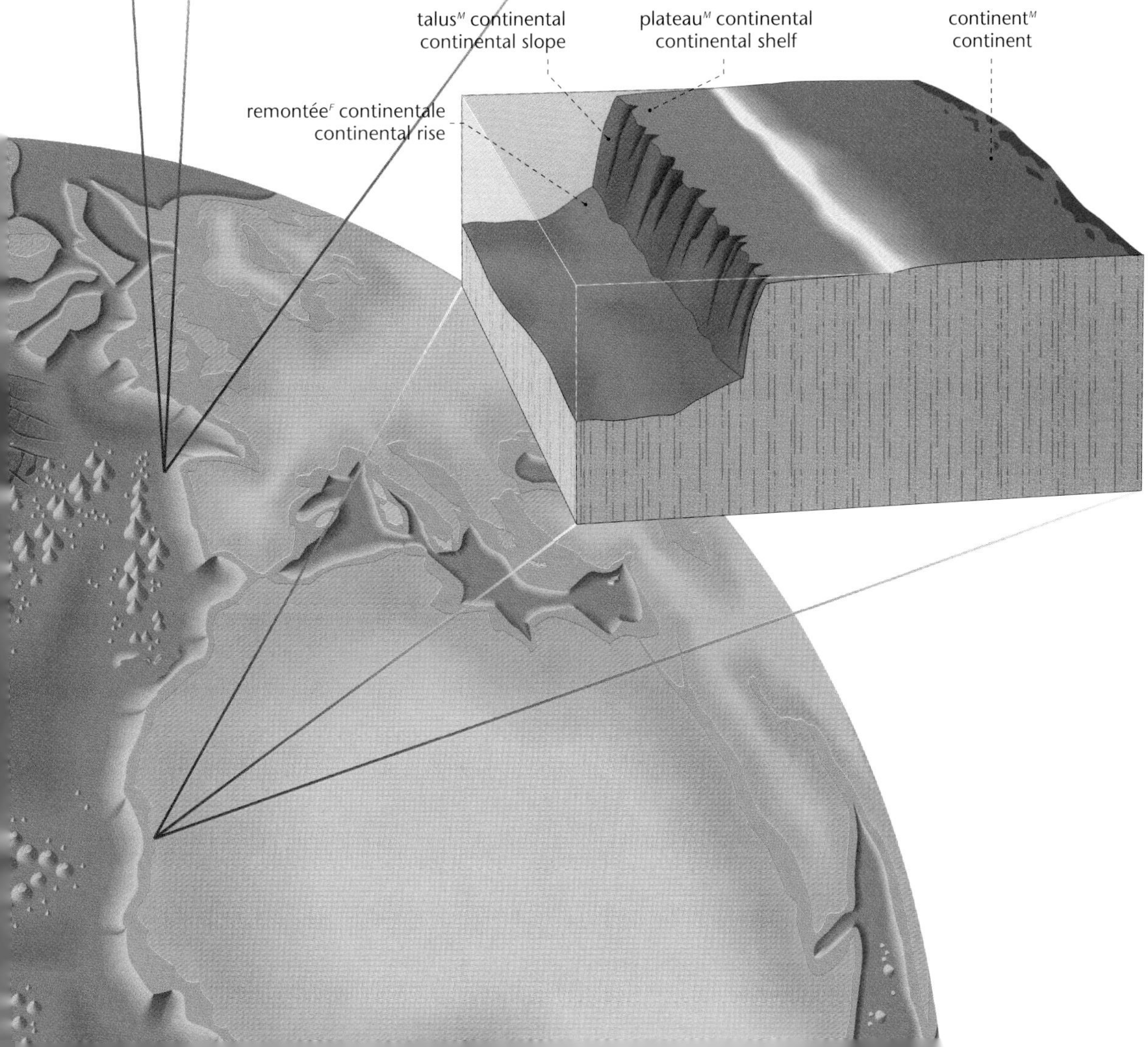
talus[M] continental
continental slope
plateau[M] continental
continental shelf
continent[M]
continent
remontée[F] continentale
continental rise

VAGUE[F]
WAVE

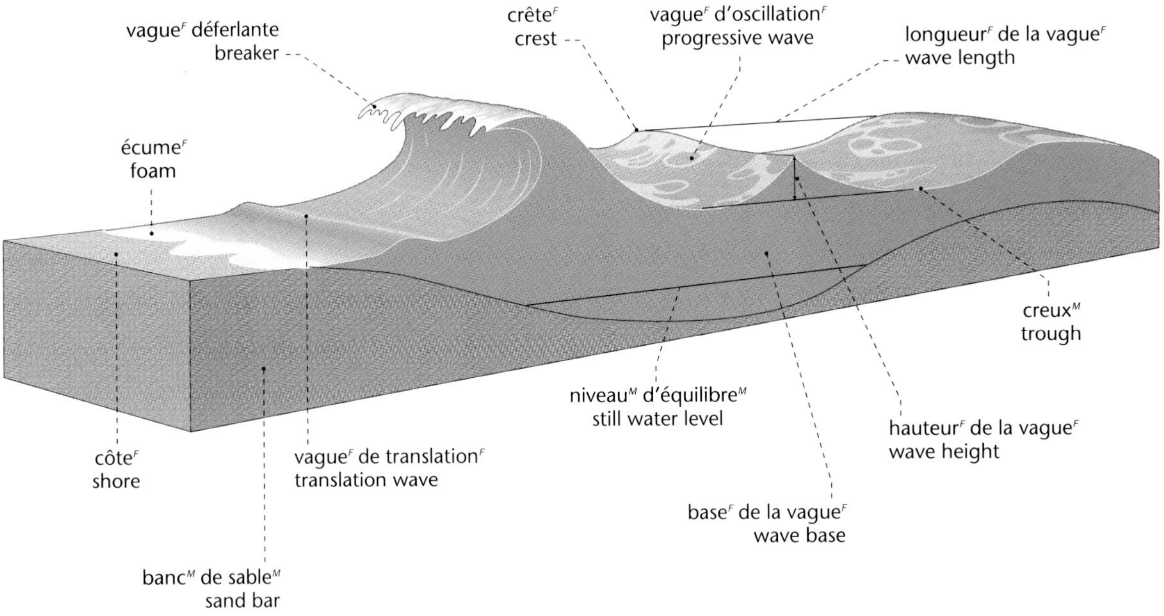
vague[F] déferlante
breaker
crête[F]
crest
vague[F] d'oscillation[F]
progressive wave
longueur[F] de la vague[F]
wave length
écume[F]
foam
creux[M]
trough
niveau[M] d'équilibre[M]
still water level
hauteur[F] de la vague[F]
wave height
côte[F]
shore
vague[F] de translation[F]
translation wave
base[F] de la vague[F]
wave base
banc[M] de sable[M]
sand bar

CONFIGURATION[F] DU LITTORAL[M]
COMMON COASTAL FEATURES

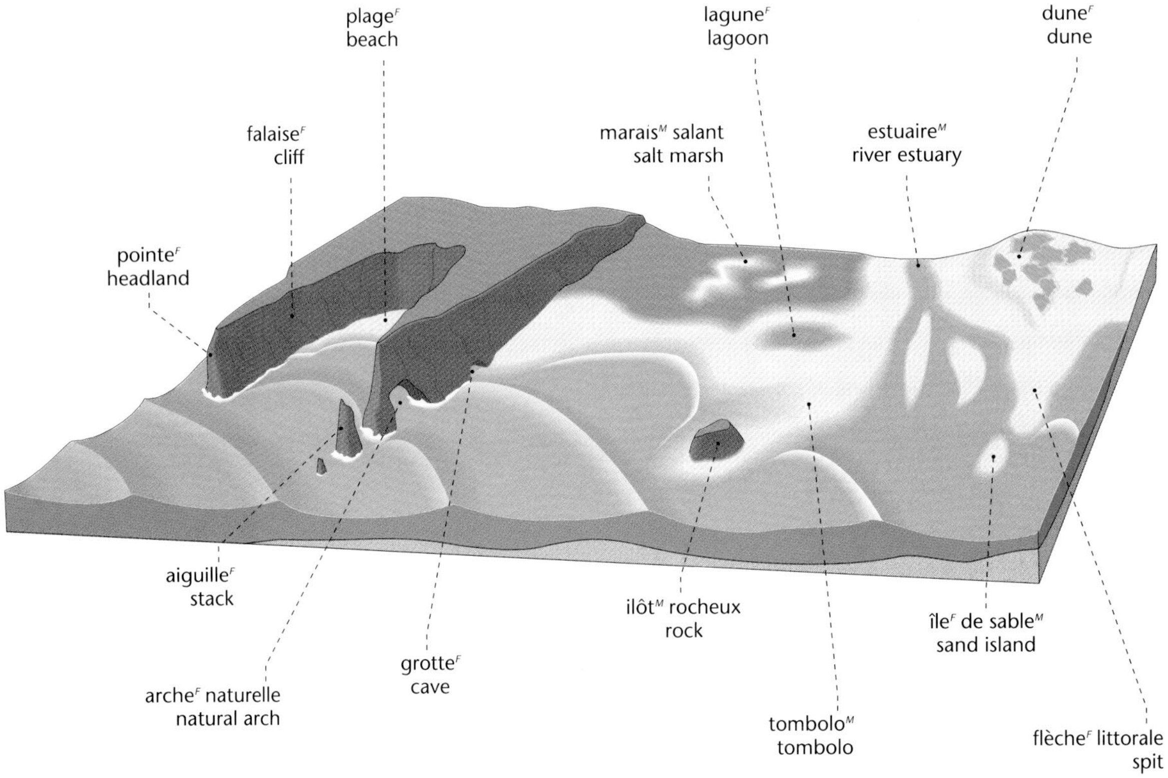
plage[F]
beach
lagune[F]
lagoon
dune[F]
dune
falaise[F]
cliff
marais[M] salant
salt marsh
estuaire[M]
river estuary
pointe[F]
headland
aiguille[F]
stack
îlot[M] rocheux
rock
île[F] de sable[M]
sand island
grotte[F]
cave
arche[F] naturelle
natural arch
tombolo[M]
tombolo
flèche[F] littorale
spit

ÉCOLOGIE^F
ECOLOGY

STRUCTURE^F DE LA BIOSPHÈRE^F
STRUCTURE OF THE BIOSPHERE

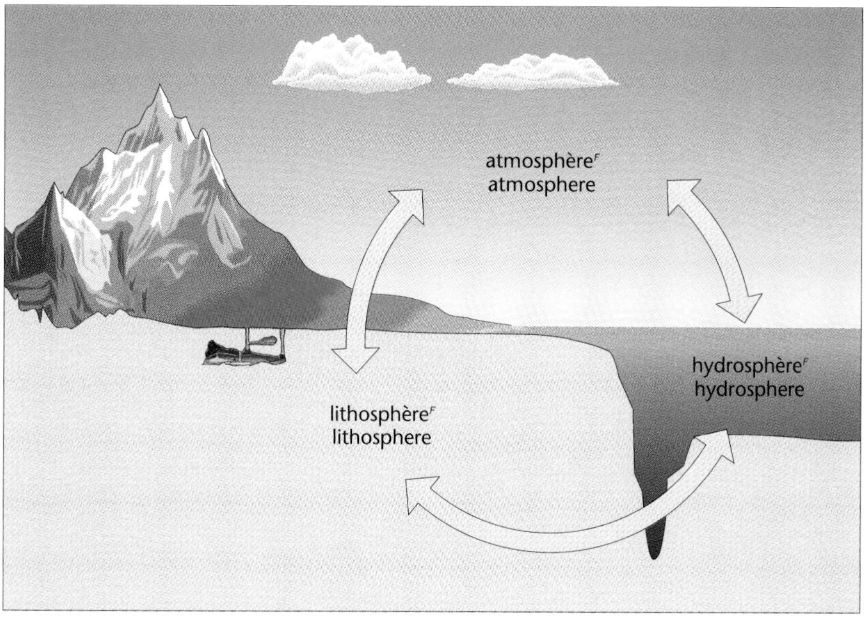
atmosphère^F
atmosphere
hydrosphère^F
hydrosphere
lithosphère^F
lithosphere

CHAÎNE^F ALIMENTAIRE
FOOD CHAIN

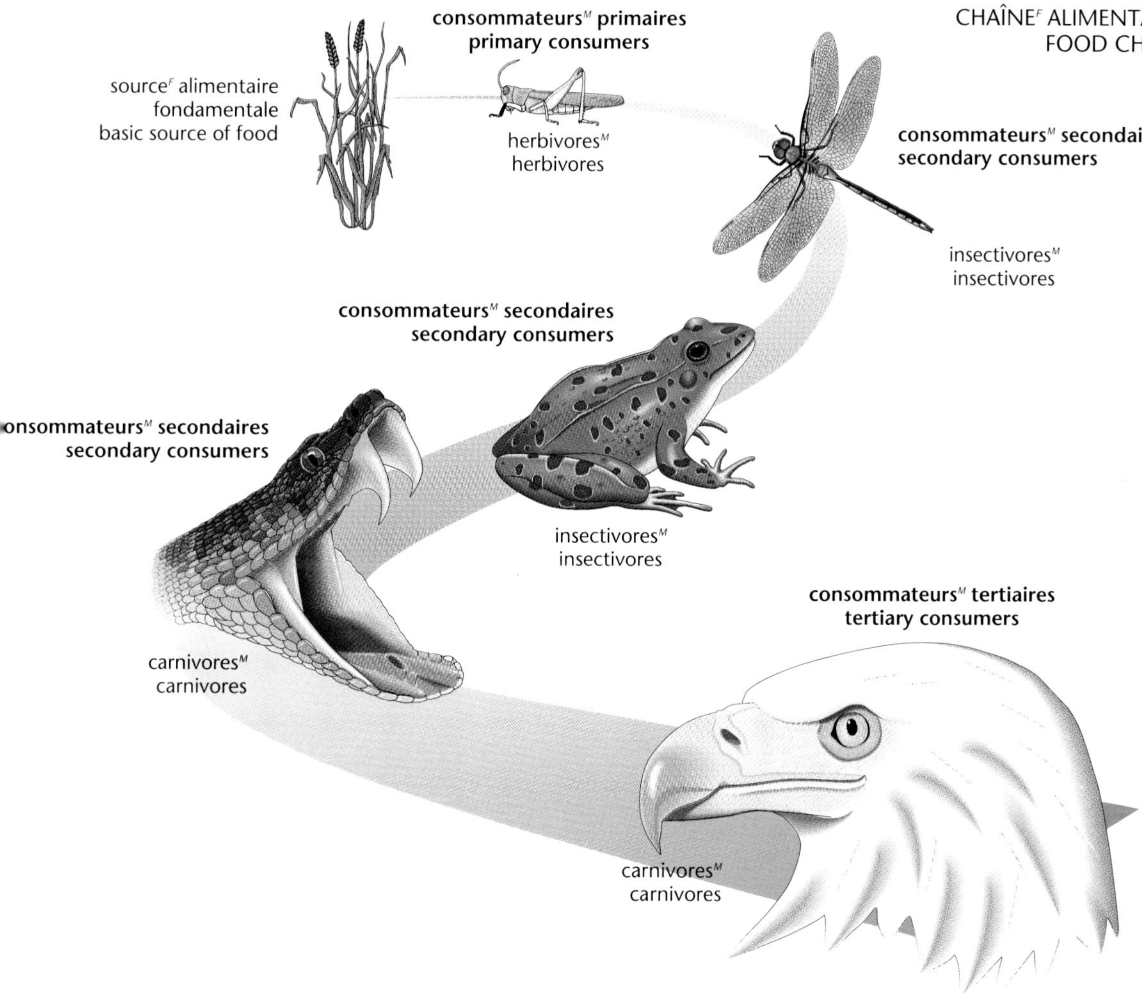
source^F alimentaire fondamentale
basic source of food
consommateurs^M primaires
primary consumers
herbivores^M
herbivores
consommateurs^M secondaires
secondary consumers
insectivores^M
insectivores
consommateurs^M secondaires
secondary consumers
insectivores^M
insectivores
consommateurs^M secondaires
secondary consumers
carnivores^M
carnivores
consommateurs^M tertiaires
tertiary consumers
carnivores^M
carnivores

POLLUTION[F] DES ALIMENTS[M] AU SOL[M]
FOOD POLLUTION ON GROUND

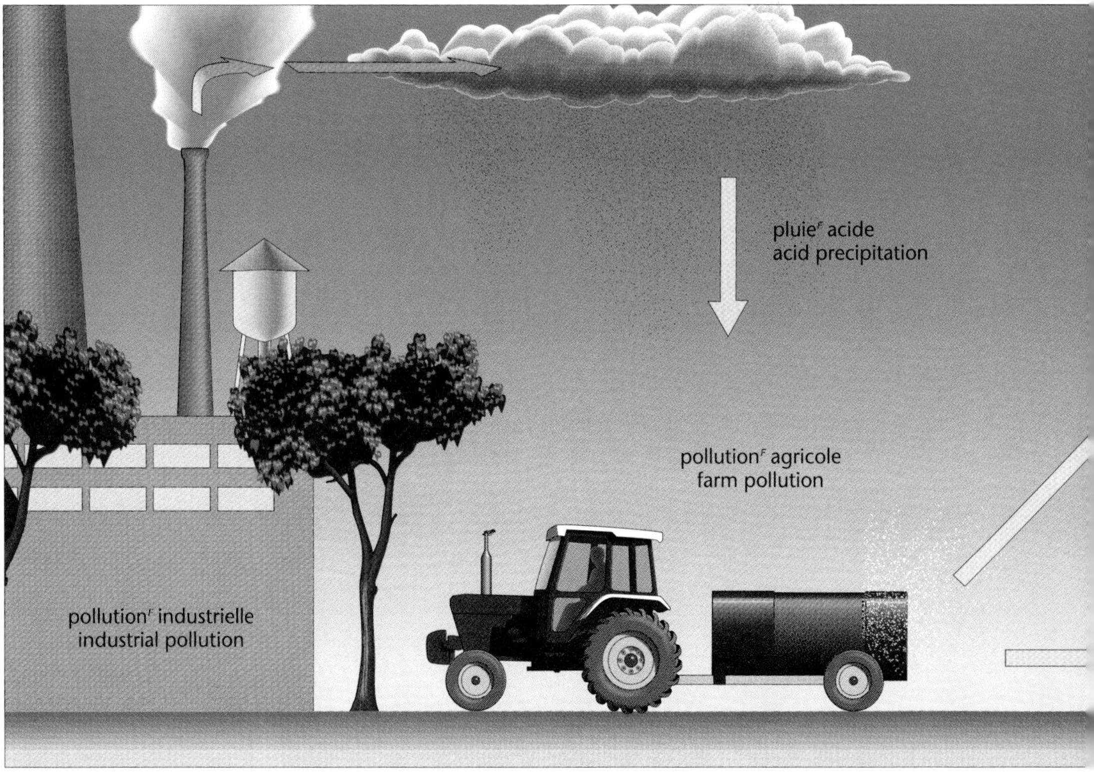
pluie[F] acide
acid precipitation
pollution[F] agricole
farm pollution
pollution[F] industrielle
industrial pollution

POLLUTION[F] DES ALIMENTS[M] DANS L'EAU[F]
FOOD POLLUTION IN WATER

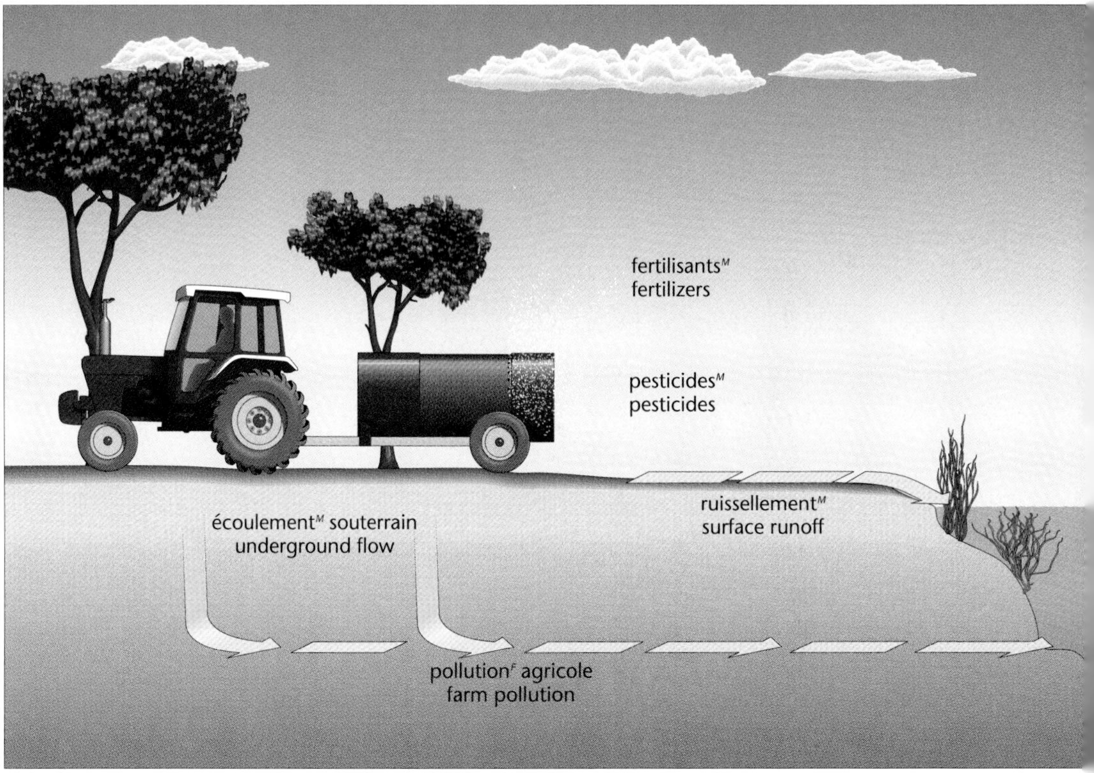
fertilisants[M]
fertilizers
pesticides[M]
pesticides
ruissellement[M]
surface runoff
écoulement[M] souterrain
underground flow
pollution[F] agricole
farm pollution

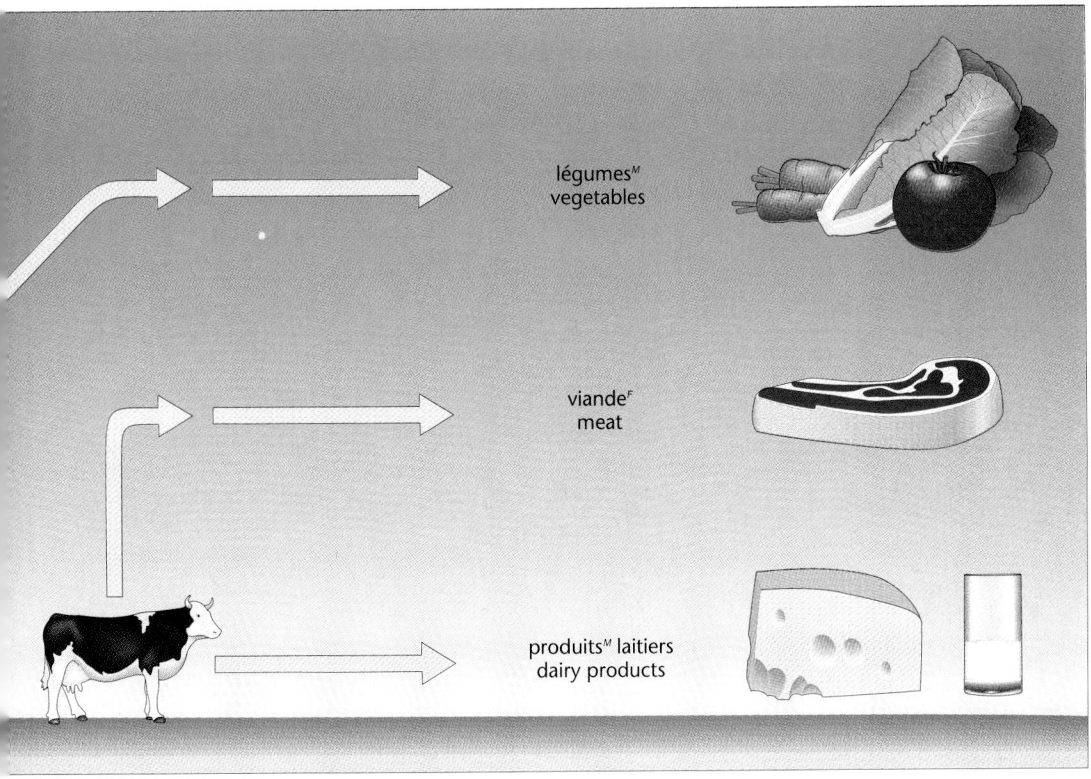
légumes^{M}
vegetables
viande^{F}
meat
produits^{M} laitiers
dairy products

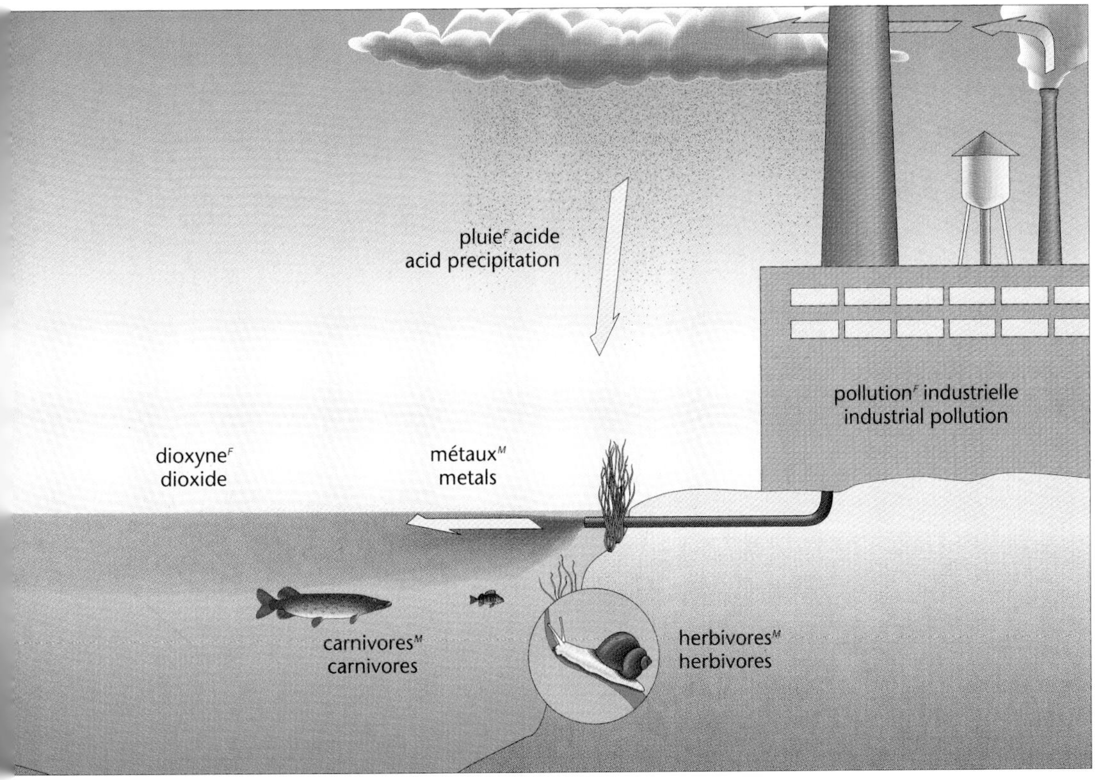
pluie^{F} acide
acid precipitation
pollution^{F} industrielle
industrial pollution
dioxyne^{F}
dioxide
métaux^{M}
metals
carnivores^{M}
carnivores
herbivores^{M}
herbivores

ÉCOLOGIE[F]
ECOLOGY

POLLUTION[F] DE L'AIR[M]
ATMOSPHERIC POLLUTION

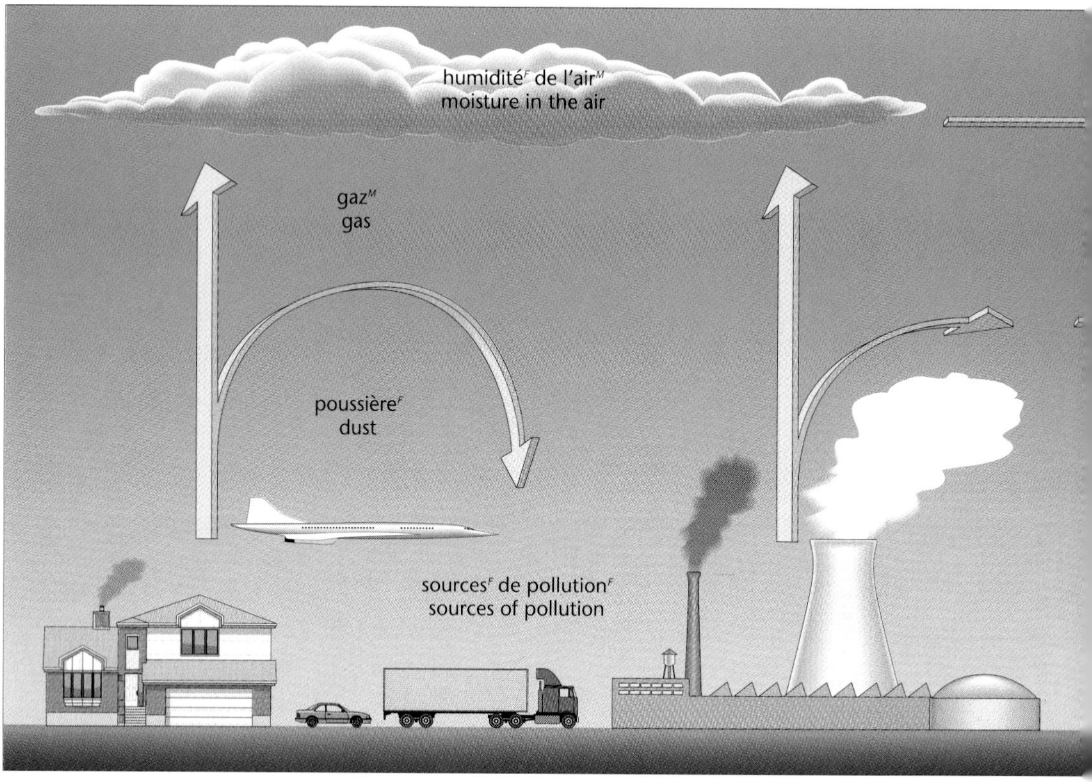
humidité[F] de l'air[M]
moisture in the air
gaz[M]
gas
poussière[F]
dust
sources[F] de pollution[F]
sources of pollution

CYCLE[M] DE L'EAU[F]
HYDROLOGIC CYCLE

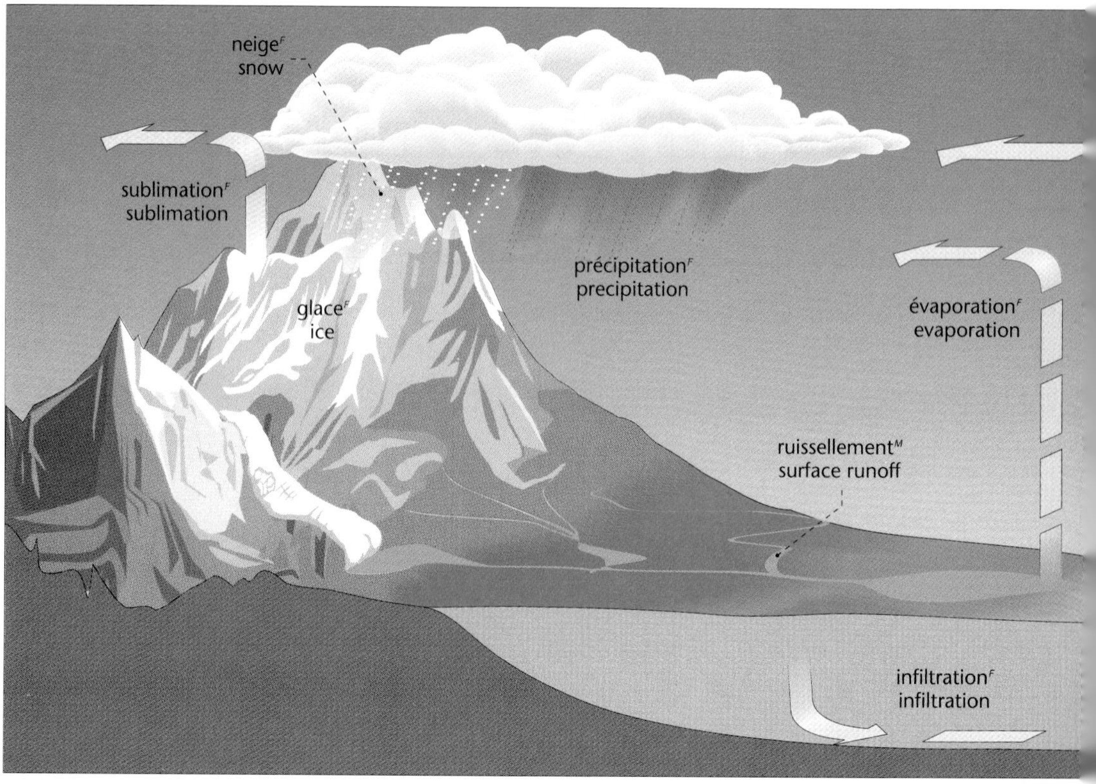
neige[F]
snow
sublimation[F]
sublimation
précipitation[F]
precipitation
glace[F]
ice
évaporation[F]
evaporation
ruissellement[M]
surface runoff
infiltration[F]
infiltration

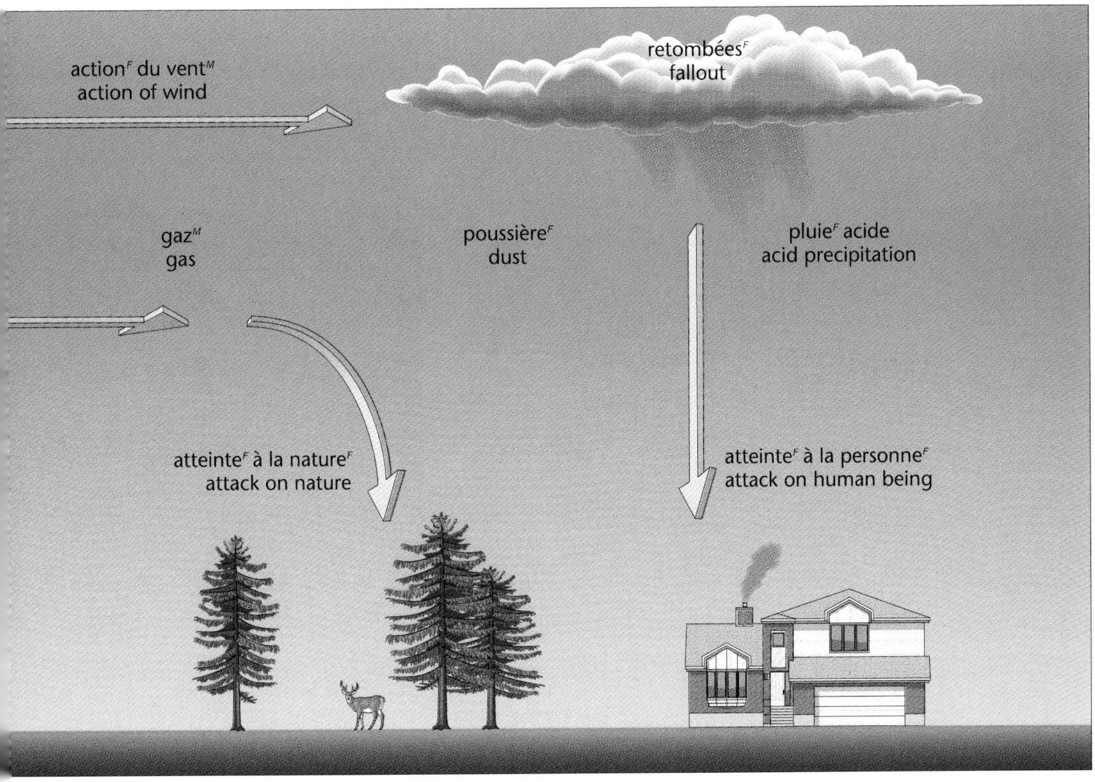
retombées^{F}
fallout
action^{F} du vent^{M}
action of wind
gaz^{M}
gas
poussière^{F}
dust
pluie^{F} acide
acid precipitation
atteinte^{F} à la nature^{F}
attack on nature
atteinte^{F} à la personne^{F}
attack on human being

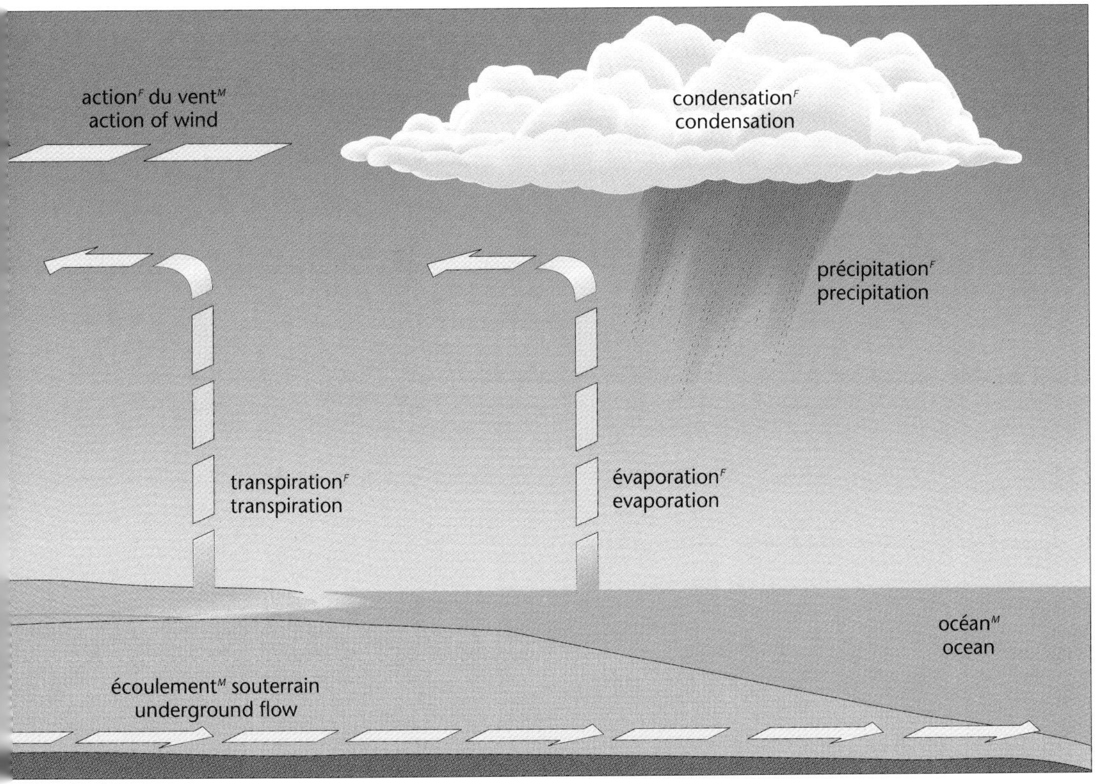
action^{F} du vent^{M}
action of wind
condensation^{F}
condensation
précipitation^{F}
precipitation
transpiration^{F}
transpiration
évaporation^{F}
evaporation
océan^{M}
ocean
écoulement^{M} souterrain
underground flow

PRÉCIPITATIONS^F
PRECIPITATIONS

CIEL^M D'ORAGE^M
STORMY SKY

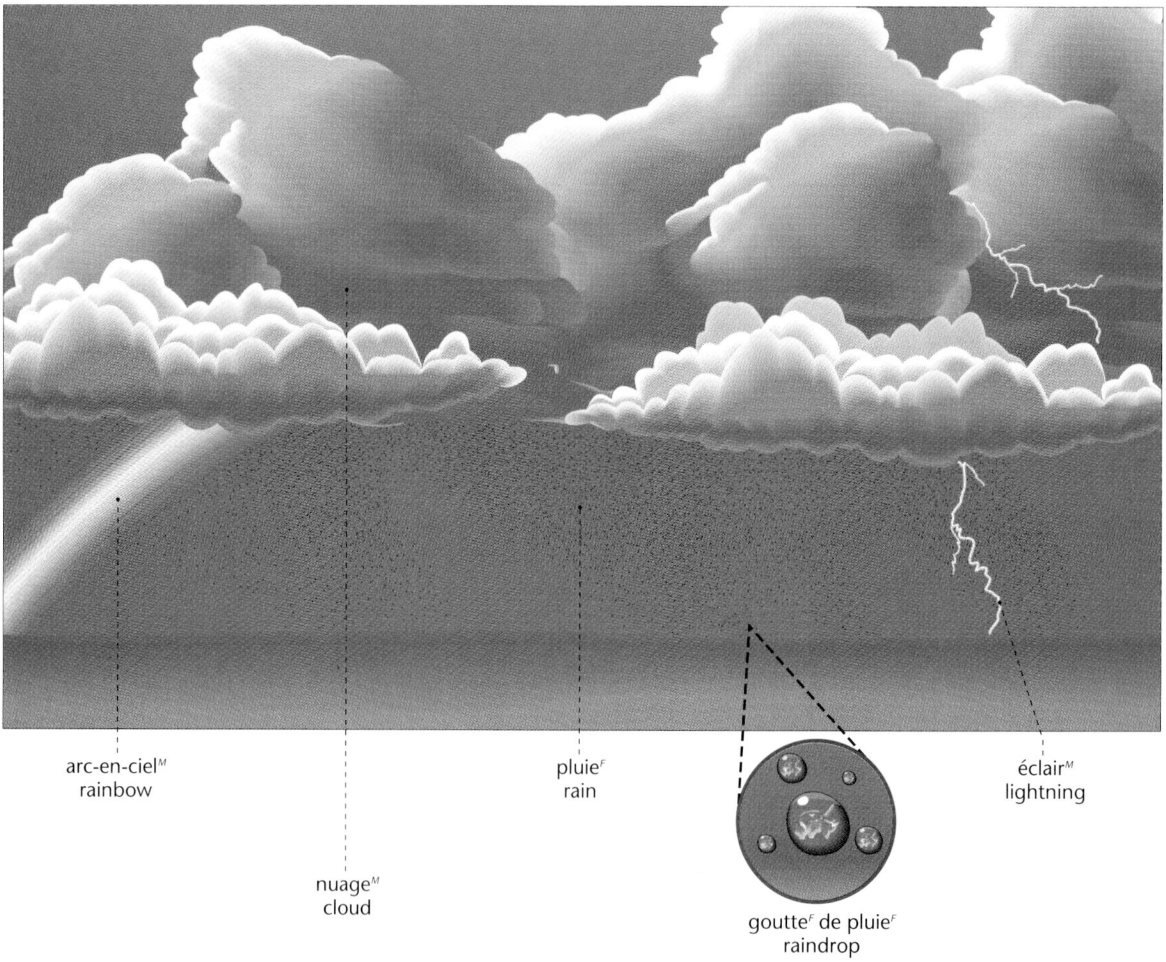
arc-en-ciel^M
rainbow
nuage^M
cloud
pluie^F
rain
goutte^F de pluie^F
raindrop
éclair^M
lightning

CLASSIFICATION^F DES CRISTAUX^M DE NEIGE^F
CLASSIFICATION OF SNOW CRYSTALS

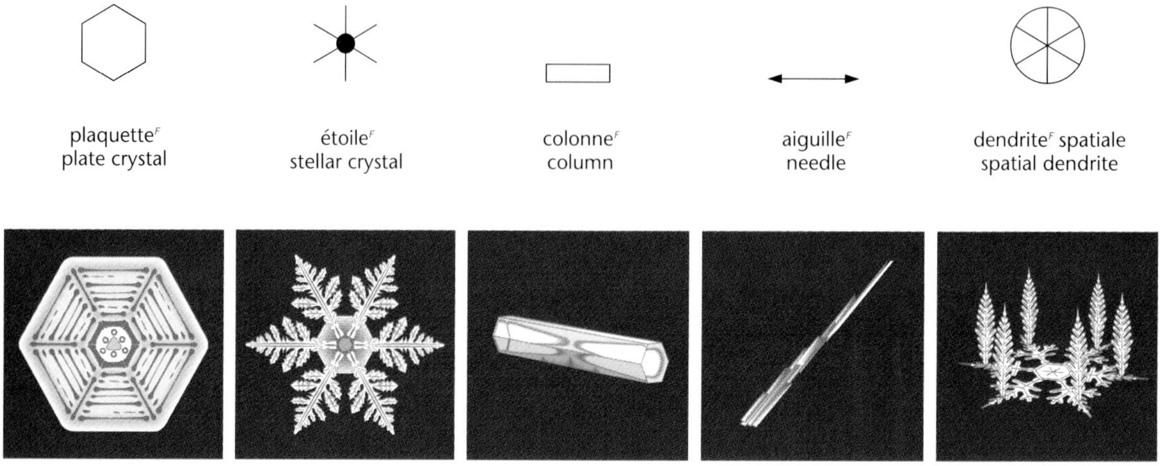
plaquette^F
plate crystal
étoile^F
stellar crystal
colonne^F
column
aiguille^F
needle
dendrite^F spatiale
spatial dendrite

brume[F]
mist

brouillard[M]
fog

rosée[F]
dew

verglas[M]
frost; *glazed frost*

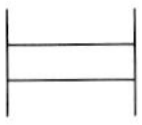

colonne[F] avec capuchon[M]
capped column

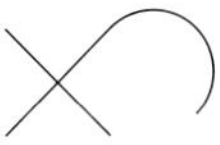

cristaux[M] irréguliers
irregular crystal

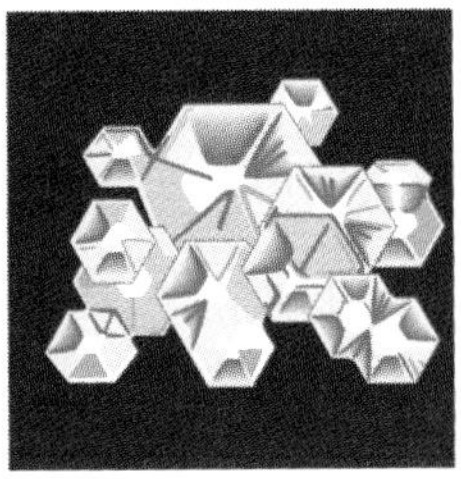

neige[F] roulée
snow pellet

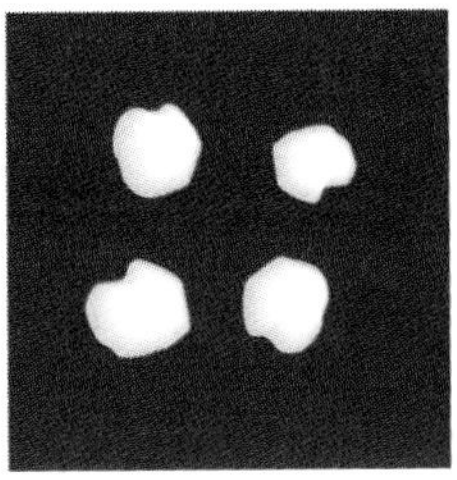

grésil[M]
sleet

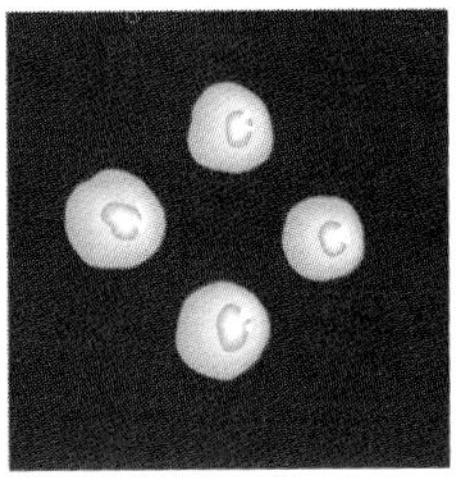

grêlon[M]
hail

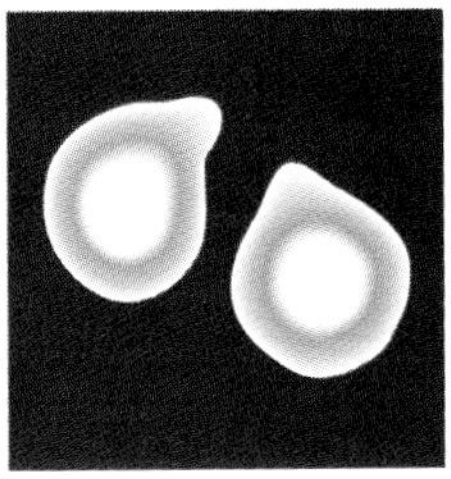

MÉTÉOROLOGIE[F]
METEOROLOGY

CARTE[F] MÉTÉOROLOGIQUE
WEATHER MAP

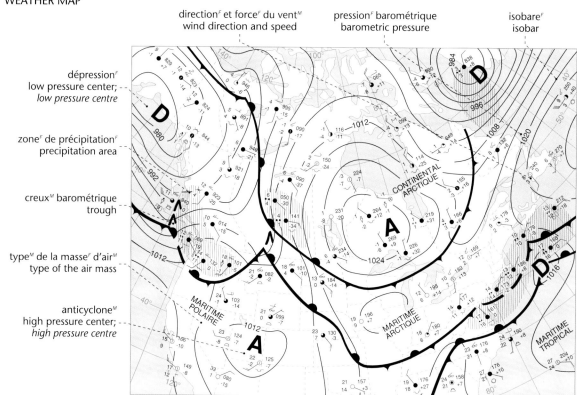

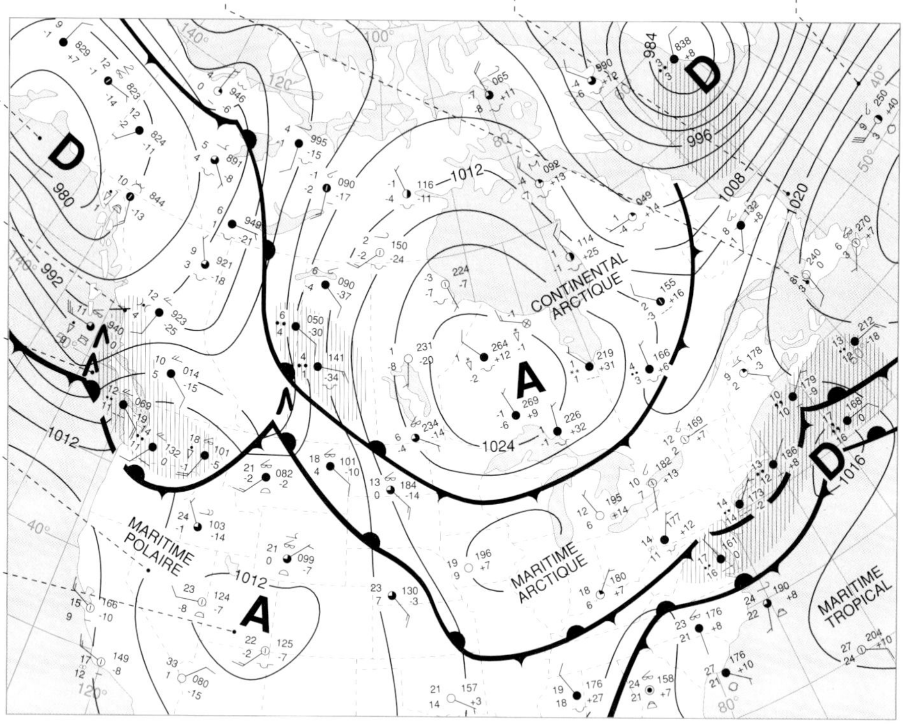
direction[F] et force[F] du vent[M]
wind direction and speed
pression[F] barométrique
barometric pressure
isobare[F]
isobar
dépression[F]
low pressure center;
low pressure centre
zone[F] de précipitation[F]
precipitation area
creux[M] barométrique
trough
type[M] de la masse[F] d'air[M]
type of the air mass
anticyclone[M]
high pressure center;
high pressure centre
CONTINENTAL ARCTIQUE
MARITIME POLAIRE
MARITIME ARCTIQUE
MARITIME TROPICAL
D
A
1012
1024
1016
1008
1020
996
984
980
992

DISPOSITION[F] DES INFORMATIONS[F] D'UNE STATION[F]
STATION MODEL

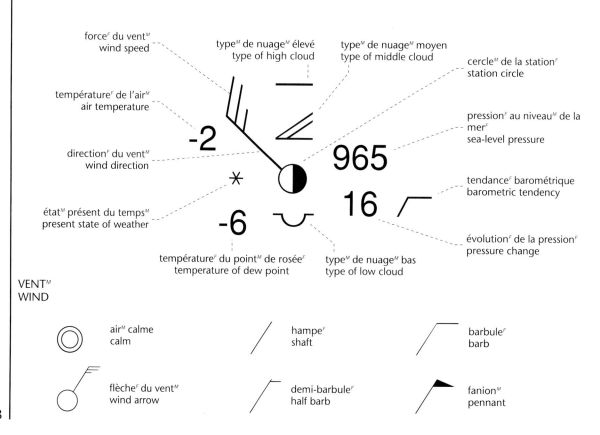

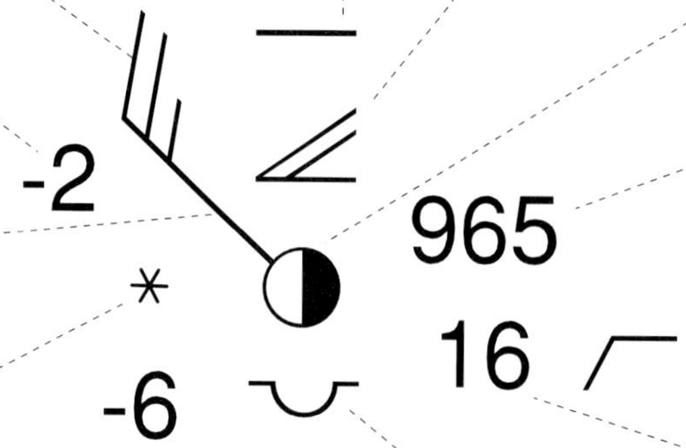
force[F] du vent[M]
wind speed
type[M] de nuage[M] élevé
type of high cloud
type[M] de nuage[M] moyen
type of middle cloud
cercle[M] de la station[F]
station circle
température[F] de l'air[M]
air temperature
pression[F] au niveau[M] de la mer[F]
sea-level pressure
direction[F] du vent[M]
wind direction
-2
965
16
-6
tendance[F] barométrique
barometric tendency
état[M] présent du temps[M]
present state of weather
évolution[F] de la pression[F]
pressure change
température[F] du point[M] de rosée[F]
temperature of dew point
type[M] de nuage[M] bas
type of low cloud

VENT[M]
WIND

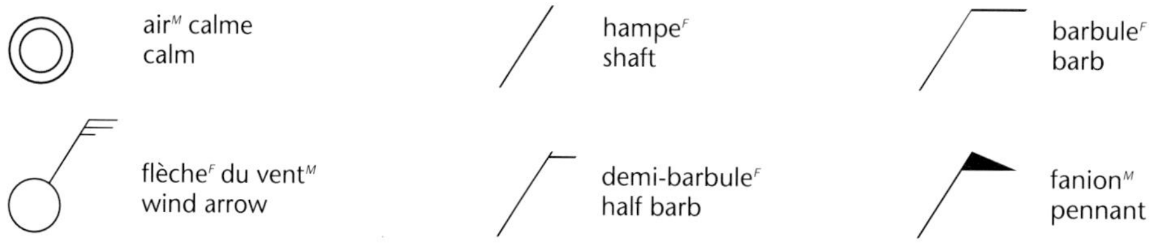
air[M] calme
calm
hampe[F]
shaft
barbule[F]
barb
flèche[F] du vent[M]
wind arrow
demi-barbule[F]
half barb
fanion[M]
pennant

SYMBOLES[M] MÉTÉOROLOGIQUES INTERNATIONAUX
INTERNATIONAL WEATHER SYMBOLS

FRONTS[M]
FRONTS

front[M] froid en surface[F]
surface cold front

front[M] chaud en surface[F]
surface warm front

front[M] occlus
occluded front

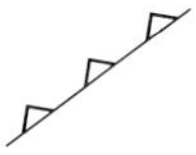
front[M] froid en altitude[F]
upper cold front

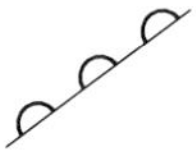
front[M] chaud en altitude[F]
upper warm front

front[M] stationnaire
stationary front

NÉBULOSITÉ[F]
SKY COVERAGE; *CLOUD AMOUNT*

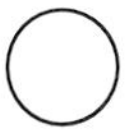
ciel[M] clair
clear sky

ciel[M] à nébulosité[F] dispersée
scattered sky

ciel[M] très nuageux
very cloudy sky

ciel[M] couvert
overcast sky

ciel[M] nuageux
cloudy sky

ciel[M] peu nuageux
slightly covered sky

ciel[M] noir
obscured sky

MÉTÉORES[M]
METEORS

pluie[F] intermittente
intermittent rain

pluie[F] continue
continuous rain

bruine[F] intermittente
intermittent drizzle

bruine[F] continue
continuous drizzle

neige[F] intermittente
intermittent snow

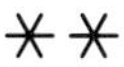
neige[F] continue
continuous snow

averse[F] de pluie[F]
rain shower

averse[F] de neige[F]
snow shower

orage[M]
thunderstorm

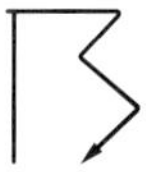
orage[M] violent
heavy thunderstorm

tempête[F] de sable[M] ou de poussière[F]
sandstorm or dust storm

tempête[F] tropicale
tropical storm

ouragan[M]
hurricane

chasse-neige[F] faible basse
slight drifting snow low

chasse-neige[F] forte basse
heavy drifting snow low

grésil[M]
sleet

averse[F] de grêle[F]
hail shower

grain[M]
squall

pluie[F] verglaçante
freezing rain

fumée[F]
smoke

brume[F]
mist

brouillard[M]
fog

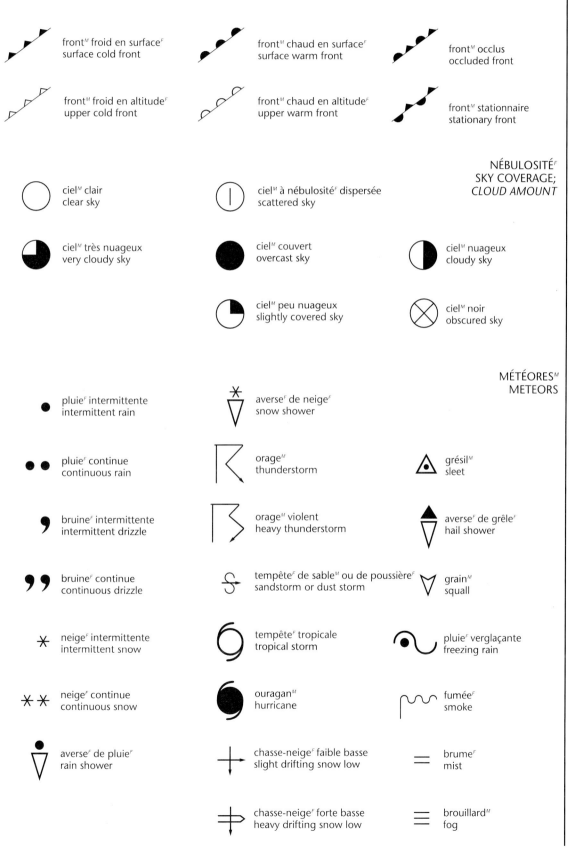

INSTRUMENTS[M] DE MESURE[F] MÉTÉOROLOGIQUE
METEOROLOGICAL MEASURING INSTRUMENTS

MESURE[F] DE L'ENSOLEILLEMENT[M]
MEASURE OF SUNSHINE

héliographe[M]
sunshine recorder

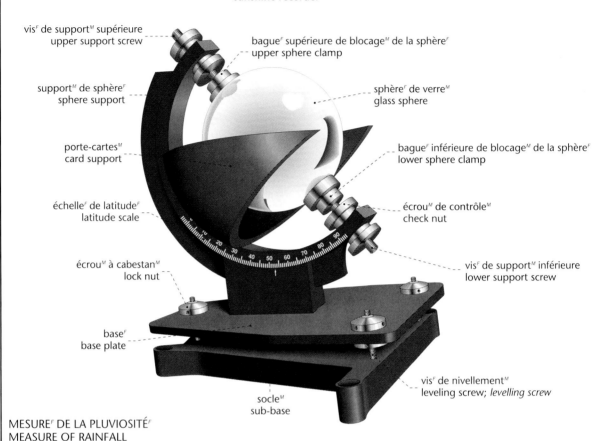

vis[F] de support[M] supérieure
upper support screw
bague[F] supérieure de blocage[M] de la sphère[F]
upper sphere clamp
support[M] de sphère[F]
sphere support
sphère[F] de verre[M]
glass sphere
porte-cartes[M]
card support
bague[F] inférieure de blocage[M] de la sphère[F]
lower sphere clamp
échelle[F] de latitude[F]
latitude scale
écrou[M] de contrôle[M]
check nut
écrou[M] à cabestan[M]
lock nut
vis[F] de support[M] inférieure
lower support screw
base[F]
base plate
vis[F] de nivellement[M]
leveling screw; *levelling screw*
socle[M]
sub-base

MESURE[F] DE LA PLUVIOSITÉ[F]
MEASURE OF RAINFALL

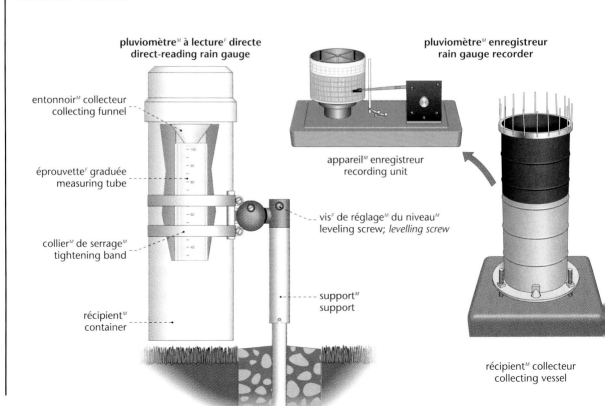

pluviomètre[M] à lecture[F] directe
direct-reading rain gauge

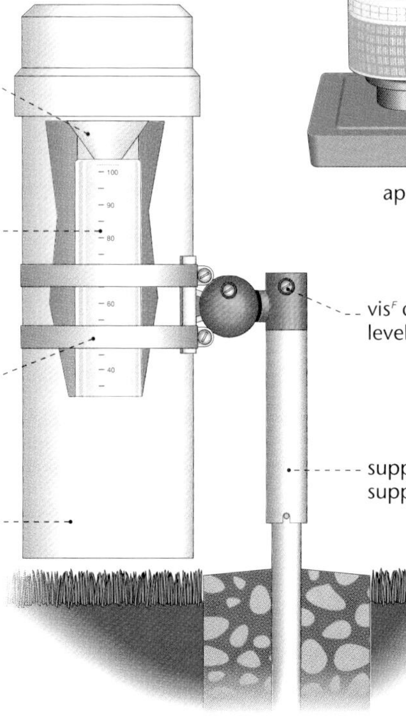
entonnoir[M] collecteur
collecting funnel
éprouvette[F] graduée
measuring tube
collier[M] de serrage[M]
tightening band
vis[F] de réglage[M] du niveau[M]
leveling screw; *levelling screw*
support[M]
support
récipient[M]
container

pluviomètre[M] enregistreur
rain gauge recorder

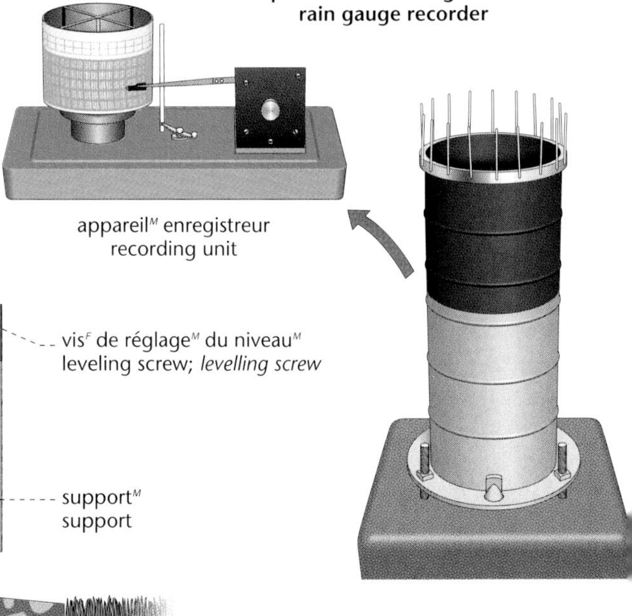
appareil[M] enregistreur
recording unit
récipient[M] collecteur
collecting vessel

MESURE[F] DE LA TEMPÉRATURE[F]
MEASURE OF TEMPERATURE

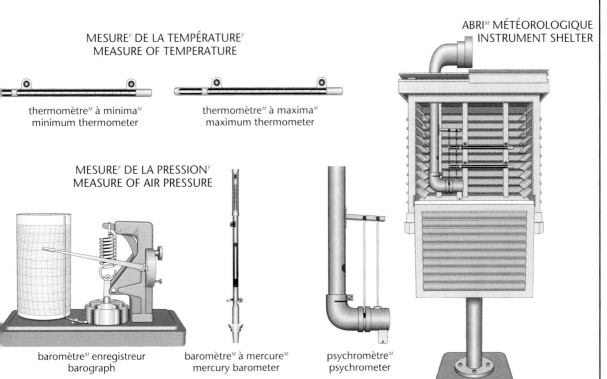

thermomètre[M] à minima[M]
minimum thermometer

thermomètre[M] à maxima[M]
maximum thermometer

ABRI[M] MÉTÉOROLOGIQUE
INSTRUMENT SHELTER

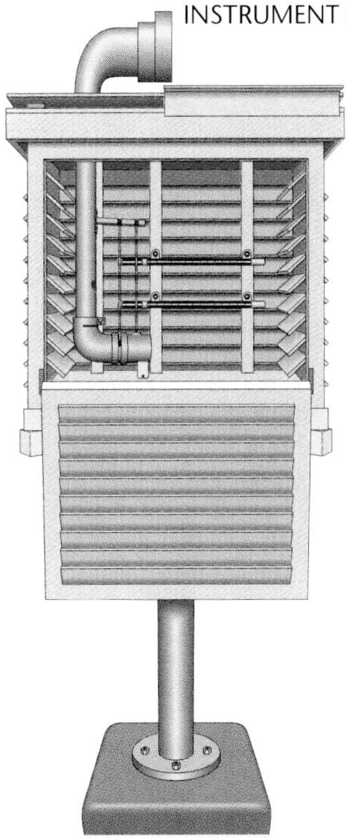

MESURE[F] DE LA PRESSION[F]
MEASURE OF AIR PRESSURE

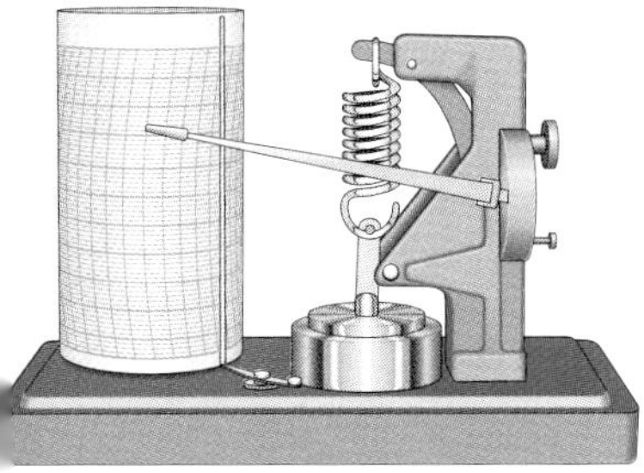

baromètre[M] enregistreur
barograph

baromètre[M] à mercure[M]
mercury barometer

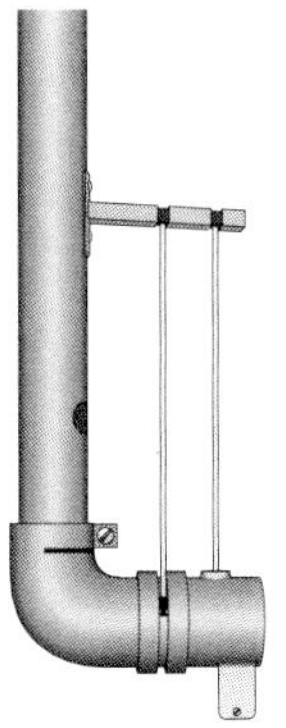

psychromètre[M]
psychrometer

MESURE[F] DE LA DIRECTION[F] DU VENT[M]
MEASURE OF WIND DIRECTION

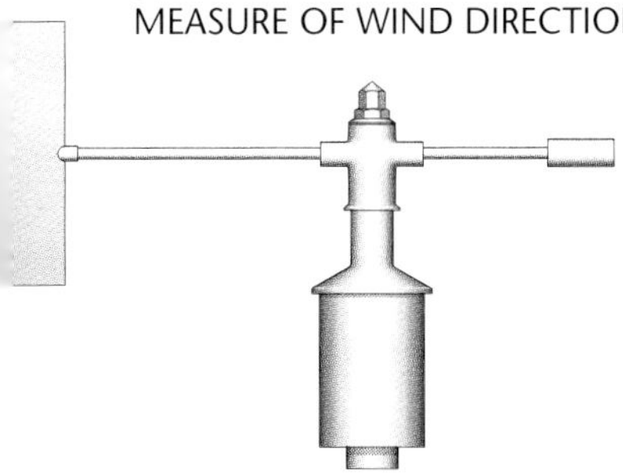

girouette[F]
wind vane

MESURE[F] DE LA VITESSE[F] DU VENT[M]
MEASURE OF WIND STRENGTH

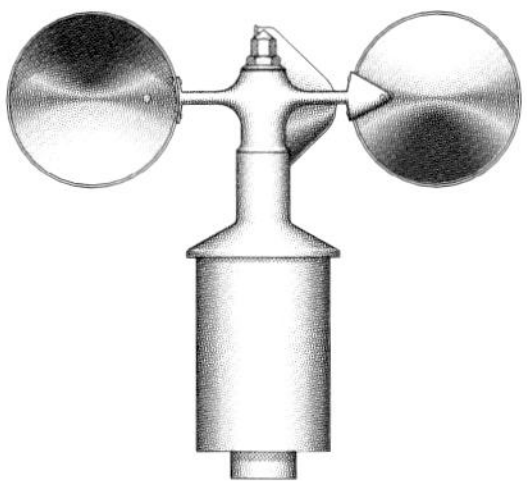

anémomètre[M]
anemometer

MESURE[F] DE L'HUMIDITÉ[F]
MEASURE OF HUMIDITY

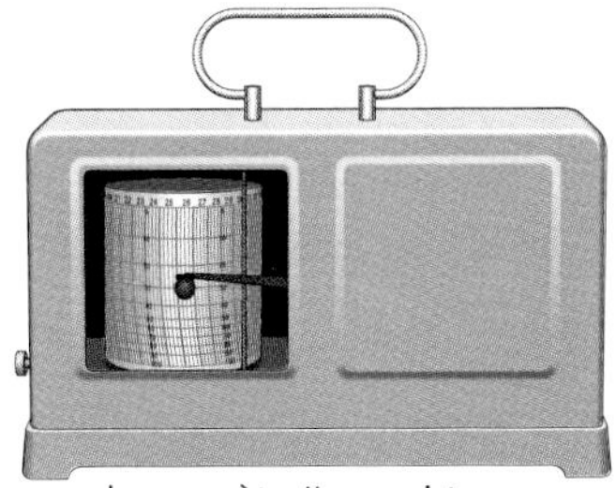

hygromètre[M] enregistreur
hygrograph

MESURE[F] DE LA NEIGE[F]
MEASURE OF SNOWFALL

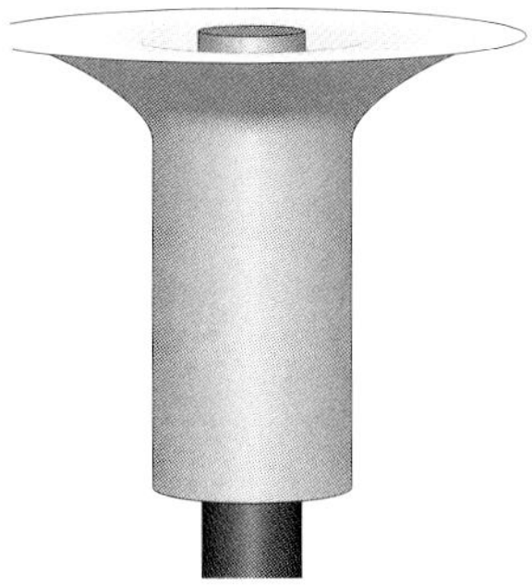

nivomètre[M]
snow gauge

MESURE[F] DE LA HAUTEUR[F] DES NUAGES[M]
MEASURE OF CLOUD CEILING

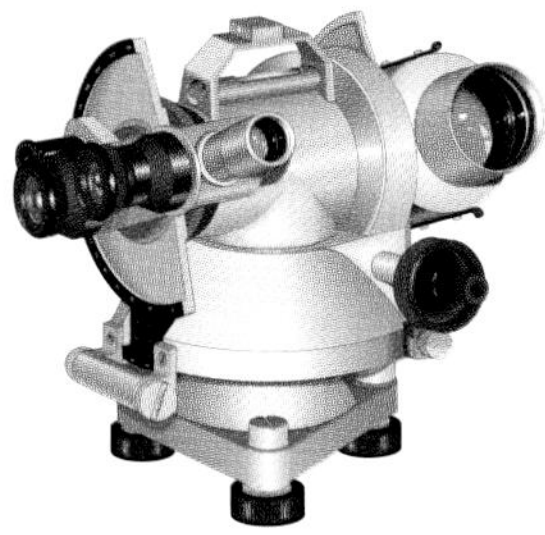

théodolite[M]
theodolite

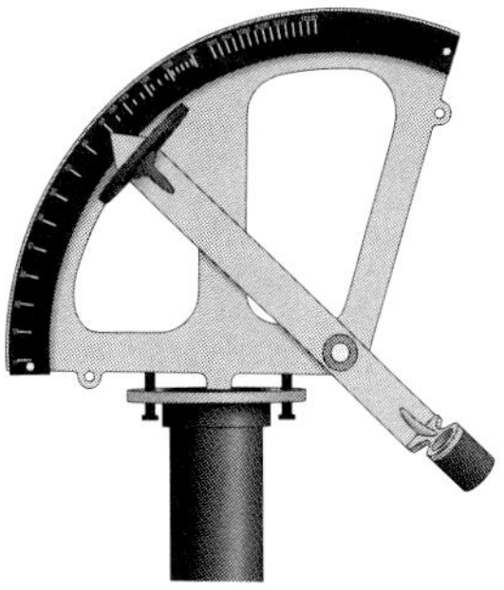

alidade[F]
alidade

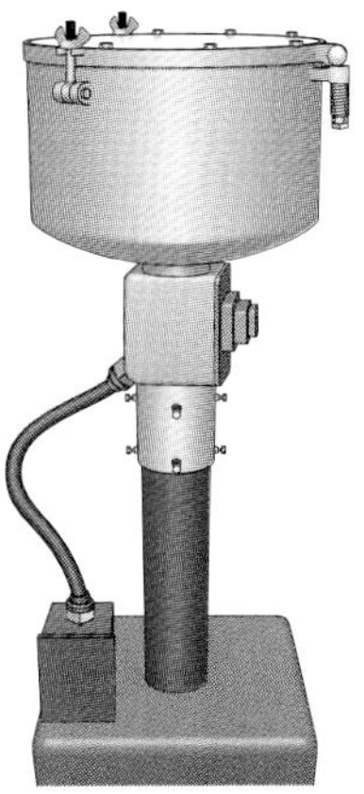

projecteur[M] de plafond[M]
ceiling projector

SATELLITE^M MÉTÉOROLOGIQUE
WEATHER SATELLITE

SATELLITE^M GÉOSTATIONNAIRE
GEOSTATIONARY SATELLITE

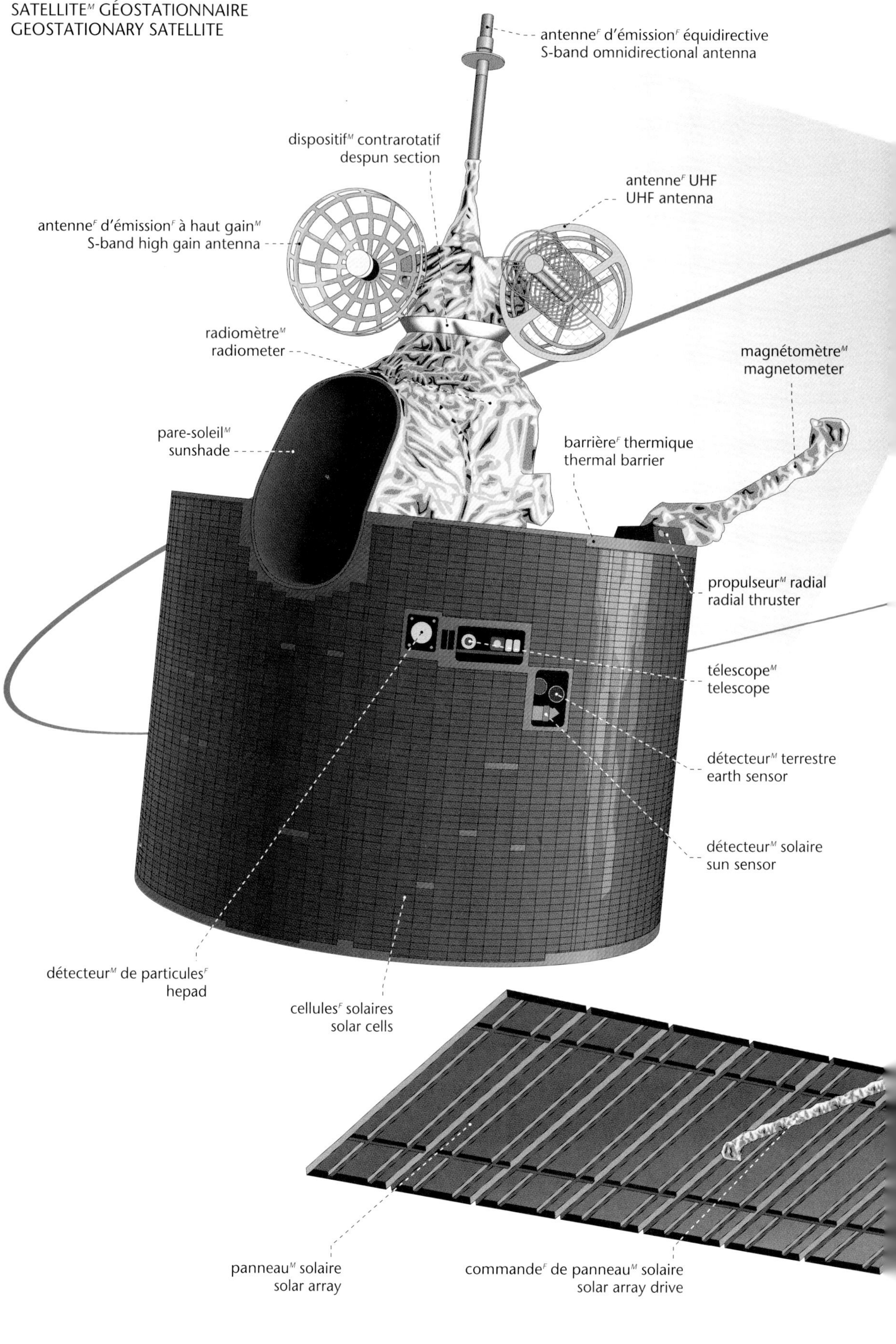
antenne^F d'émission^F équidirective
S-band omnidirectional antenna
dispositif^M contrarotatif
despun section
antenne^F UHF
UHF antenna
antenne^F d'émission^F à haut gain^M
S-band high gain antenna
radiomètre^M
radiometer
magnétomètre^M
magnetometer
pare-soleil^M
sunshade
barrière^F thermique
thermal barrier
propulseur^M radial
radial thruster
télescope^M
telescope
détecteur^M terrestre
earth sensor
détecteur^M solaire
sun sensor
détecteur^M de particules^F
hepad
cellules^F solaires
solar cells
panneau^M solaire
solar array
commande^F de panneau^M solaire
solar array drive

ORBITE^{F} DES SATELLITES^{M}
ORBIT OF THE SATELLITES

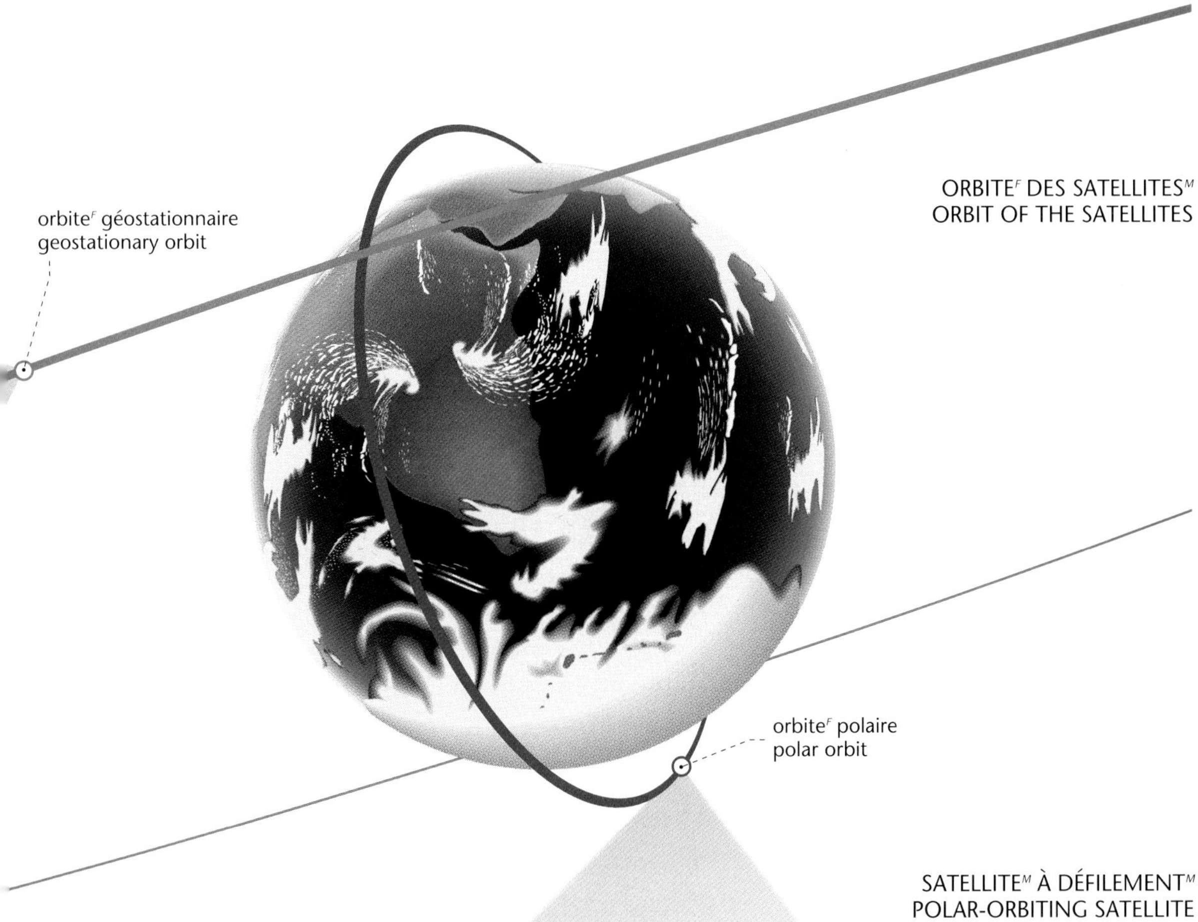
orbite^{F} géostationnaire
geostationary orbit
orbite^{F} polaire
polar orbit

SATELLITE^{M} À DÉFILEMENT^{M}
POLAR-ORBITING SATELLITE

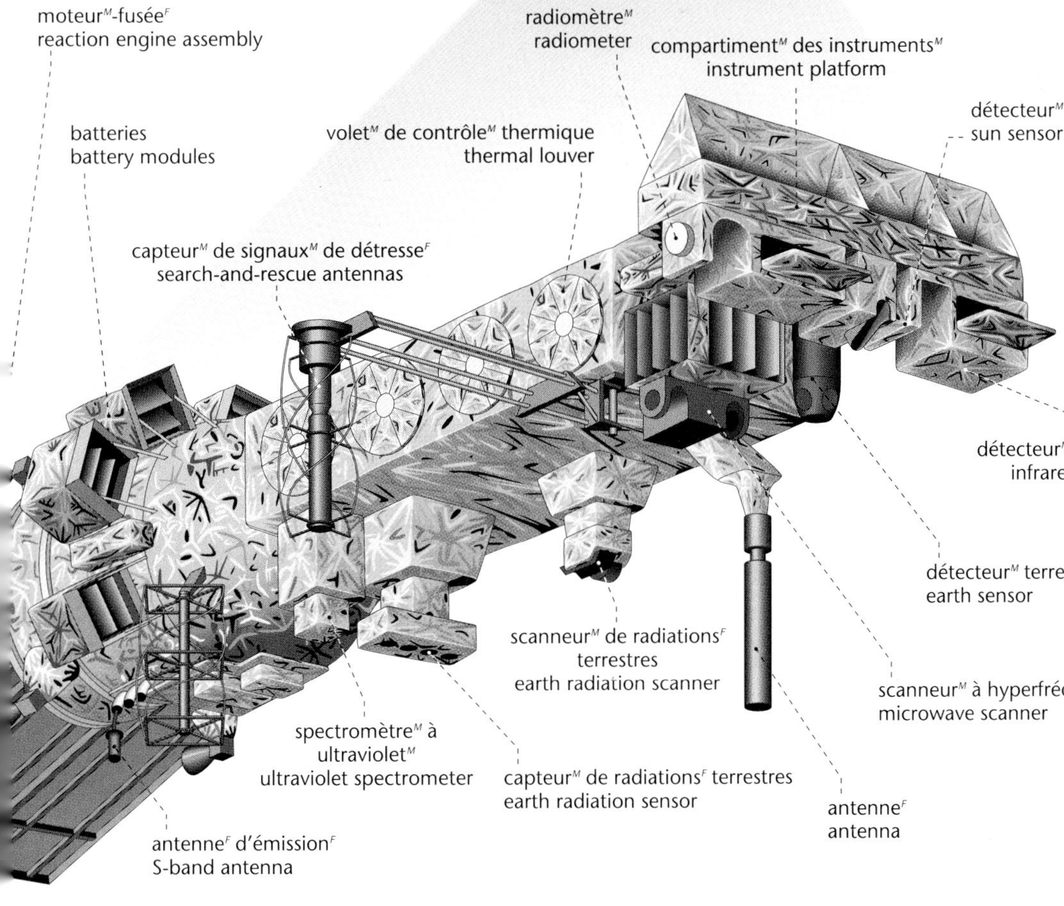
moteur^{M}-fusée^{F}
reaction engine assembly
batteries
battery modules
volet^{M} de contrôle^{M} thermique
thermal louver
radiomètre^{M}
radiometer
compartiment^{M} des instruments^{M}
instrument platform
détecteur^{M} solaire
sun sensor
capteur^{M} de signaux^{M} de détresse^{F}
search-and-rescue antennas
détecteur^{M} à infrarouge^{M}
infrared sounder
détecteur^{M} terrestre
earth sensor
scanneur^{M} de radiations^{F} terrestres
earth radiation scanner
scanneur^{M} à hyperfréquences^{F}
microwave scanner
spectromètre^{M} à ultraviolet^{M}
ultraviolet spectrometer
capteur^{M} de radiations^{F} terrestres
earth radiation sensor
antenne^{F}
antenna
antenne^{F} d'émission^{F}
S-band antenna

NUAGES[M] ET SYMBOLES[M] MÉTÉOROLOGIQUES
CLOUDS AND METEOROLOGICAL SYMBOLS

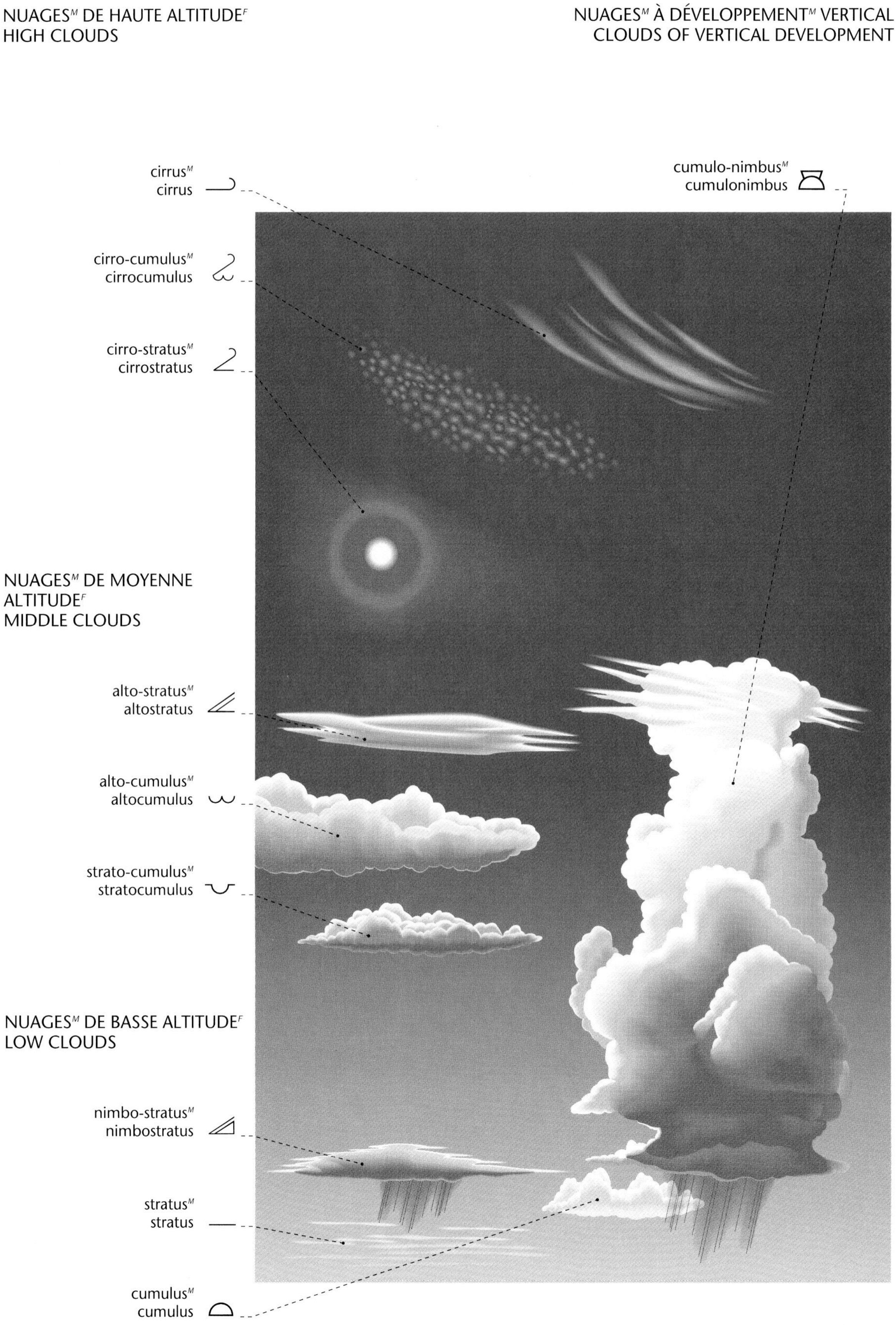
NUAGES[M] DE HAUTE ALTITUDE[F]
HIGH CLOUDS
NUAGES[M] À DÉVELOPPEMENT[M] VERTICAL
CLOUDS OF VERTICAL DEVELOPMENT
cirrus[M]
cirrus
cumulo-nimbus[M]
cumulonimbus
cirro-cumulus[M]
cirrocumulus
cirro-stratus[M]
cirrostratus
NUAGES[M] DE MOYENNE ALTITUDE[F]
MIDDLE CLOUDS
alto-stratus[M]
altostratus
alto-cumulus[M]
altocumulus
strato-cumulus[M]
stratocumulus
NUAGES[M] DE BASSE ALTITUDE[F]
LOW CLOUDS
nimbo-stratus[M]
nimbostratus
stratus[M]
stratus
cumulus[M]
cumulus

CLIMATS^M DU MONDE^M
CLIMATES OF THE WORLD

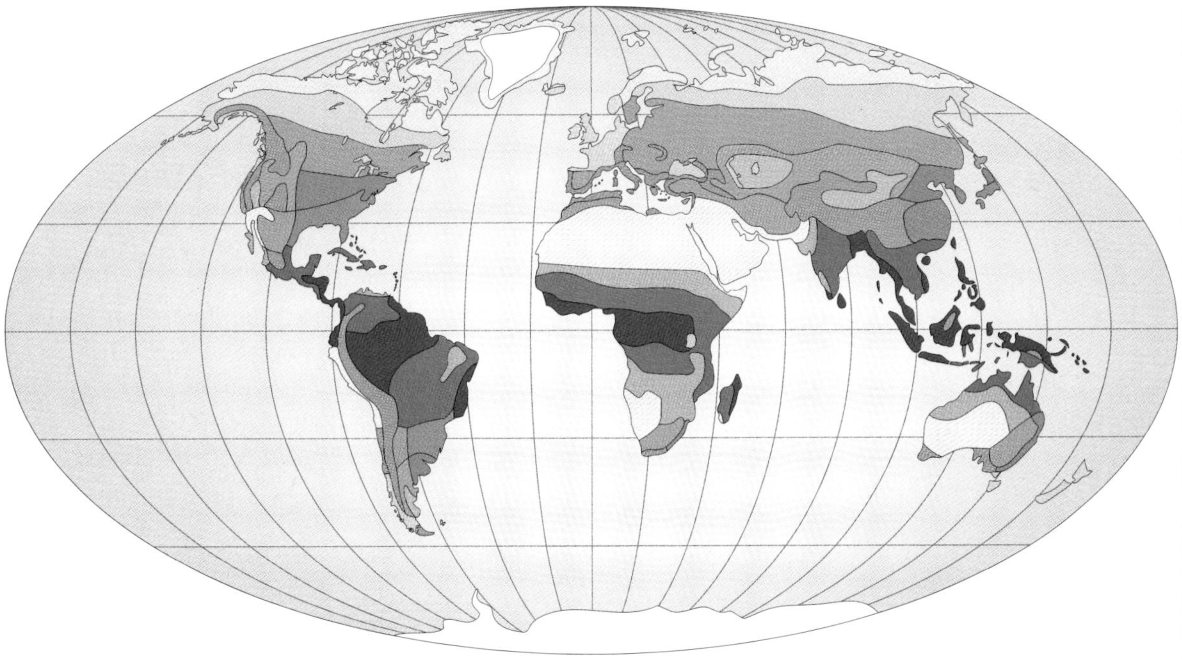

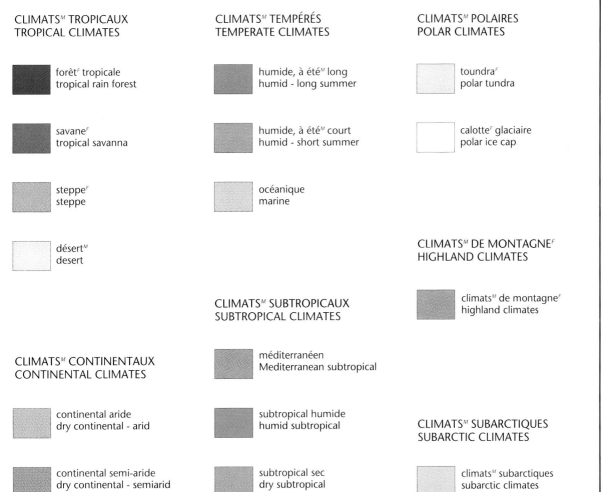

CLIMATS^M TROPICAUX
TROPICAL CLIMATES

forêt^F tropicale
tropical rain forest

savane^F
tropical savanna

steppe^F
steppe

désert^M
desert

CLIMATS^M CONTINENTAUX
CONTINENTAL CLIMATES

continental aride
dry continental - arid

continental semi-aride
dry continental - semiarid

CLIMATS^M TEMPÉRÉS
TEMPERATE CLIMATES

humide, à été^M long
humid - long summer

humide, à été^M court
humid - short summer

océanique
marine

CLIMATS^M SUBTROPICAUX
SUBTROPICAL CLIMATES

méditerranéen
Mediterranean subtropical

subtropical humide
humid subtropical

subtropical sec
dry subtropical

CLIMATS^M POLAIRES
POLAR CLIMATES

toundra^F
polar tundra

calotte^F glaciaire
polar ice cap

CLIMATS^M DE MONTAGNE^F
HIGHLAND CLIMATES

climats^M de montagne^F
highland climates

CLIMATS^M SUBARCTIQUES
SUBARCTIC CLIMATES

climats^M subarctiques
subarctic climates

DÉSERT[M]
DESERT

oasis[F] / oasis — palmeraie[F] / palm grove

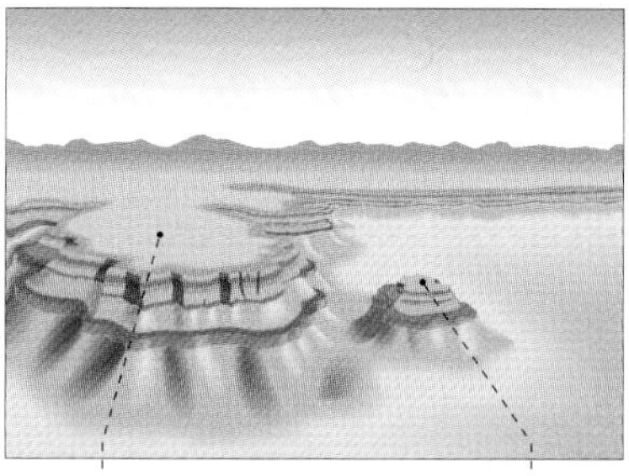

mésa[F] / mesa — butte[F] / butte

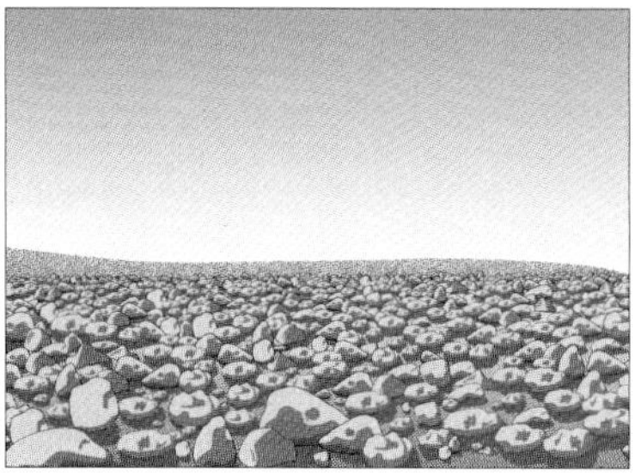

désert[M] de pierres[F]
rocky desert

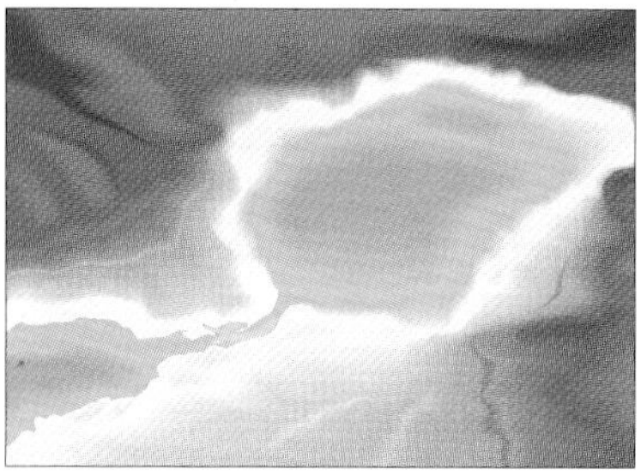

lac[M] salé
saline lake

désert[M] de sable[M]
sandy desert

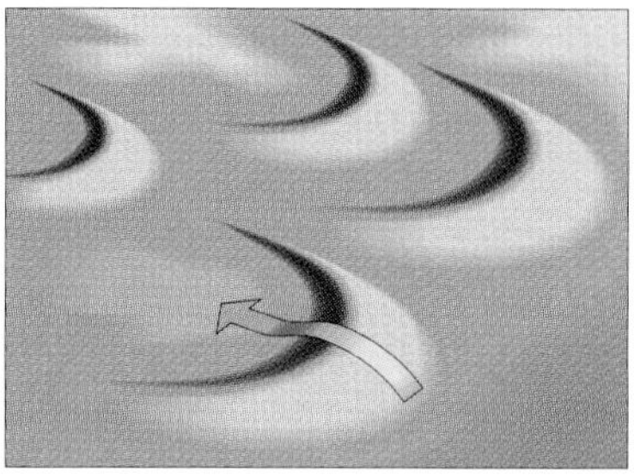

dune[F] en croissant[M]
crescentic dune

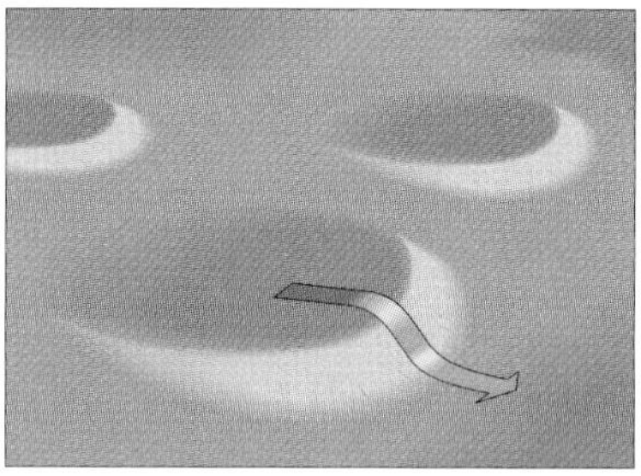

dune[F] parabolique
parabolic dune

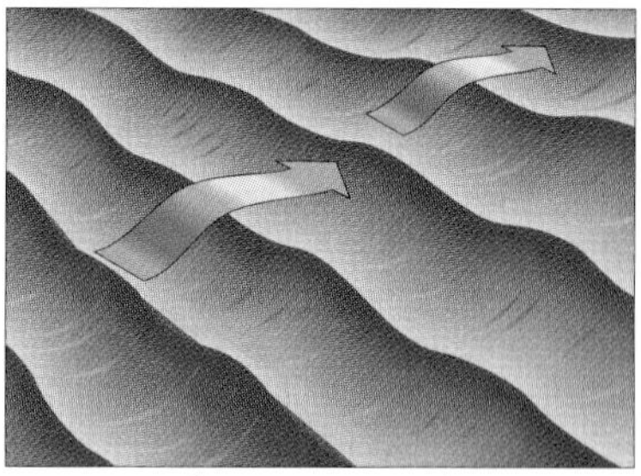

dunes[F] transversales
transverse dunes

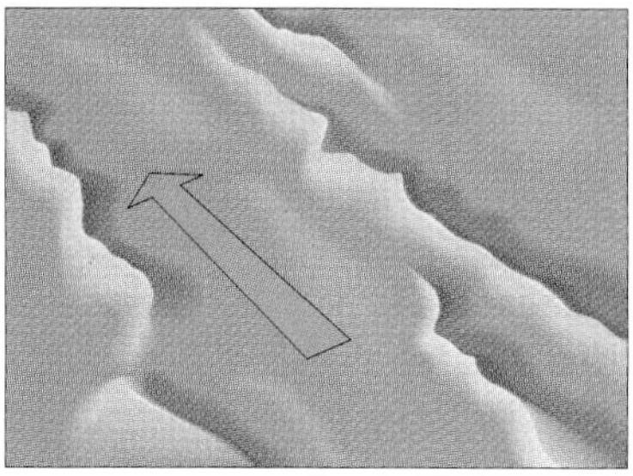

cordon[M] de dunes[F]
chain of dunes

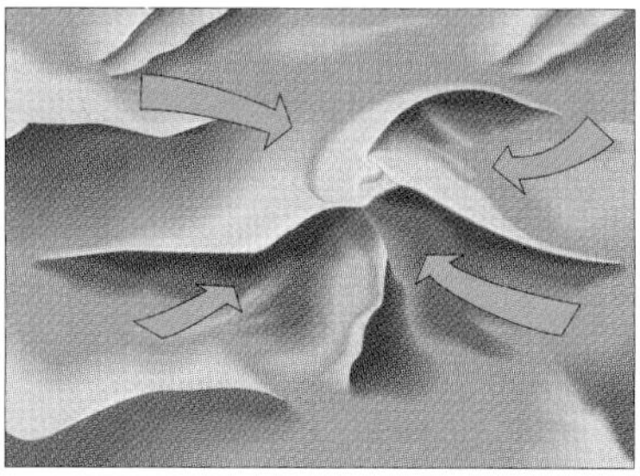

dune[F] complexe
complex dune

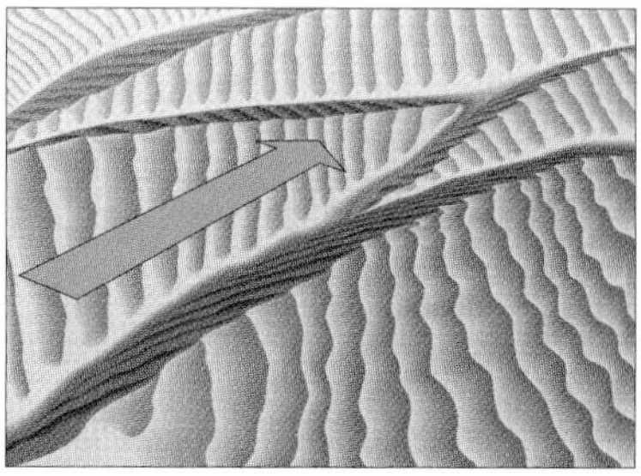

dunes[F] longitudinales
longitudinal dunes

CARTOGRAPHIE[F]
CARTOGRAPHY

HÉMISPHÈRES[M]
HEMISPHERES

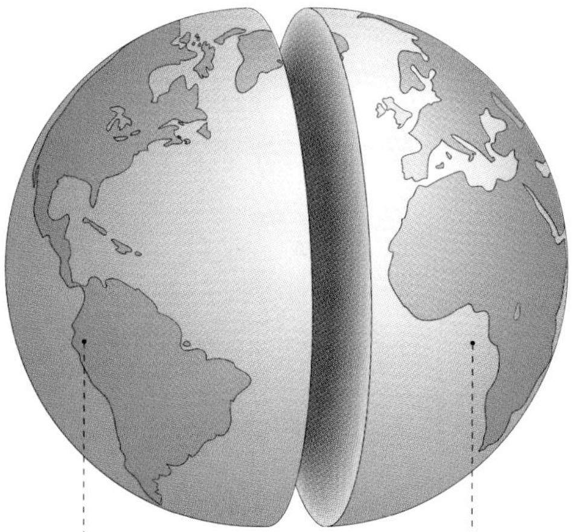
hémisphère[M] Ouest
Western hemisphere
hémisphère Est
Eastern hemisphere

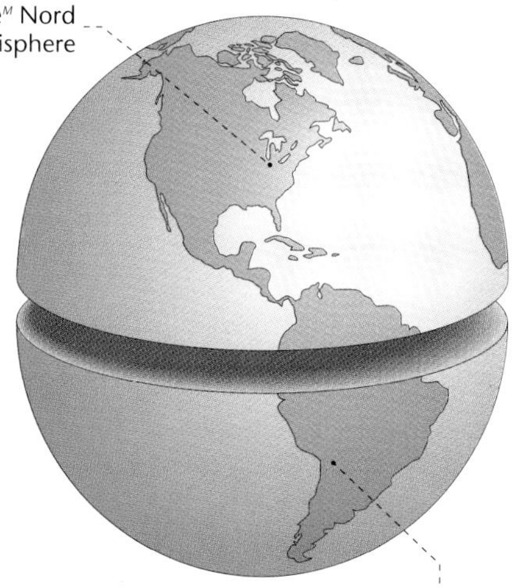
hémisphère[M] Nord
Northern hemisphere
hémisphère[M] Sud
Southern hemisphere

DIVISIONS[F] CARTOGRAPHIQUES
GRID SYSTEM

latitude[F]
lines of latitude

cercle[M] polaire arctique
Arctic Circle
tropique[M] du Cancer[M]
tropic of Cancer
tropique[M] du Capricorne[M]
tropic of Capricorn
équateur[M]
equator
parallèle[F]
parallel

longitude[F]
lines of longitude

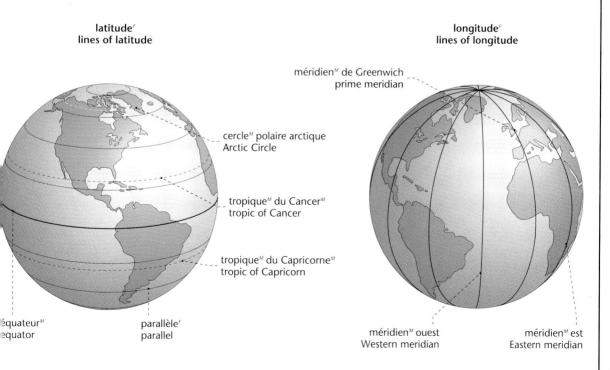

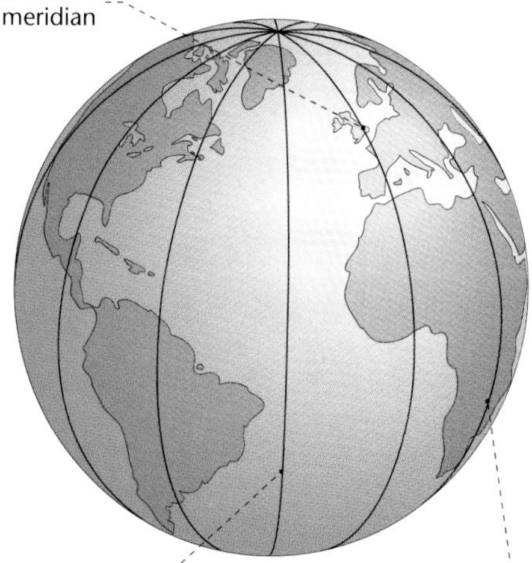
méridien[M] de Greenwich
prime meridian
méridien[M] ouest
Western meridian
méridien[M] est
Eastern meridian

SATELLITE^M DE TÉLÉDÉTECTION^F
REMOTE DETECTION SATELLITE

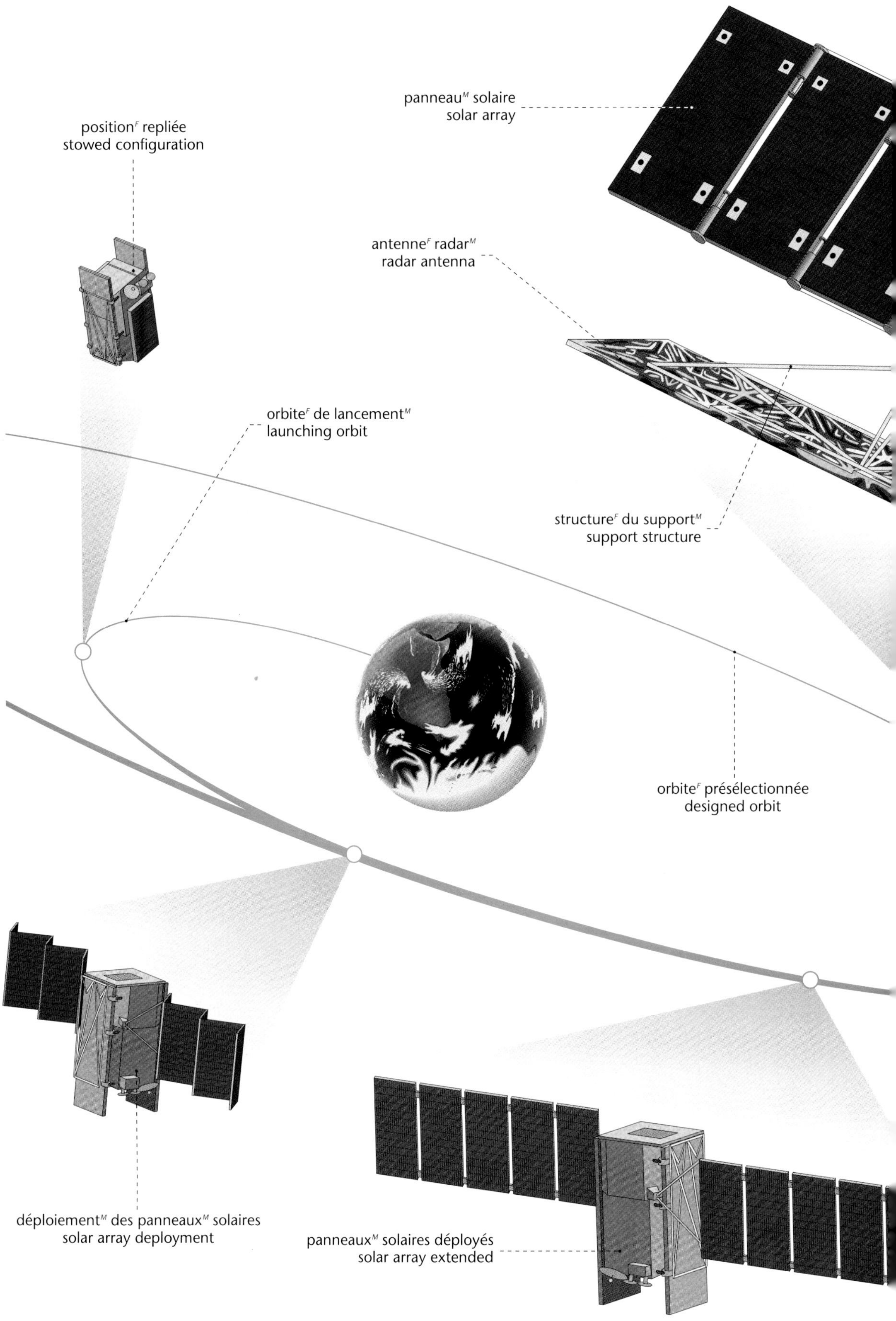
panneau^M solaire
solar array
position^F repliée
stowed configuration
antenne^F radar^M
radar antenna
orbite^F de lancement^M
launching orbit
structure^F du support^M
support structure
orbite^F présélectionnée
designed orbit
déploiement^M des panneaux^M solaires
solar array deployment
panneaux^M solaires déployés
solar array extended

SATELLITE^M RADARSAT
RADARSAT SATELLITE

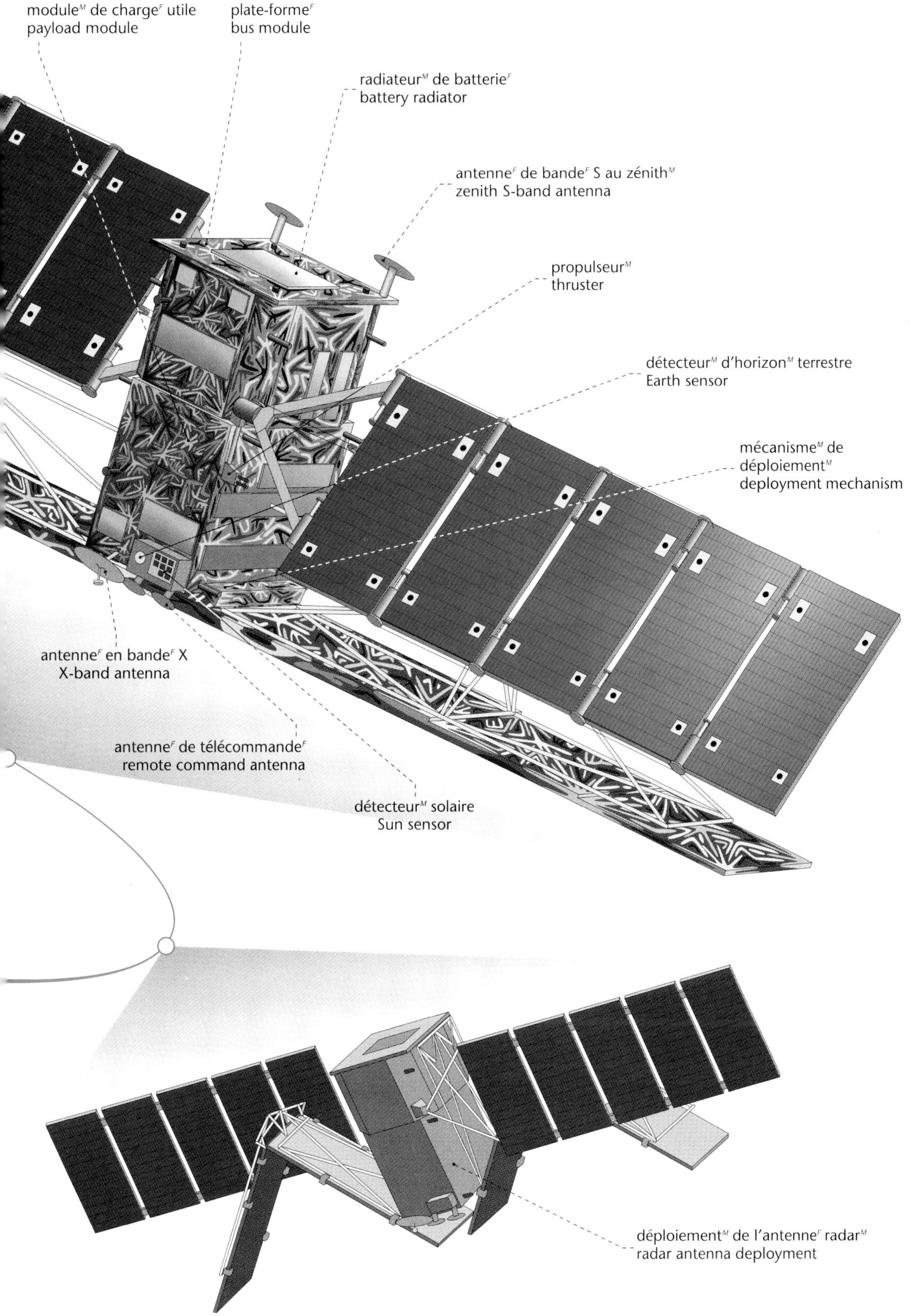
moduleM de chargeF utile
payload module
plate-formeF
bus module
radiateurM de batterieF
battery radiator
antenneF de bandeF S au zénithM
zenith S-band antenna
propulseurM
thruster
détecteurM d'horizonM terrestre
Earth sensor
mécanismeM de déploiementM
deployment mechanism
antenneF en bandeF X
X-band antenna
antenneF de télécommandeF
remote command antenna
détecteurM solaire
Sun sensor
déploiementM de l'antenneF radarM
radar antenna deployment

CARTOGRAPHIE^{F}
CARTOGRAPHY

PROJECTIONS^{F} CARTOGRAPHIQUES
MAP PROJECTIONS

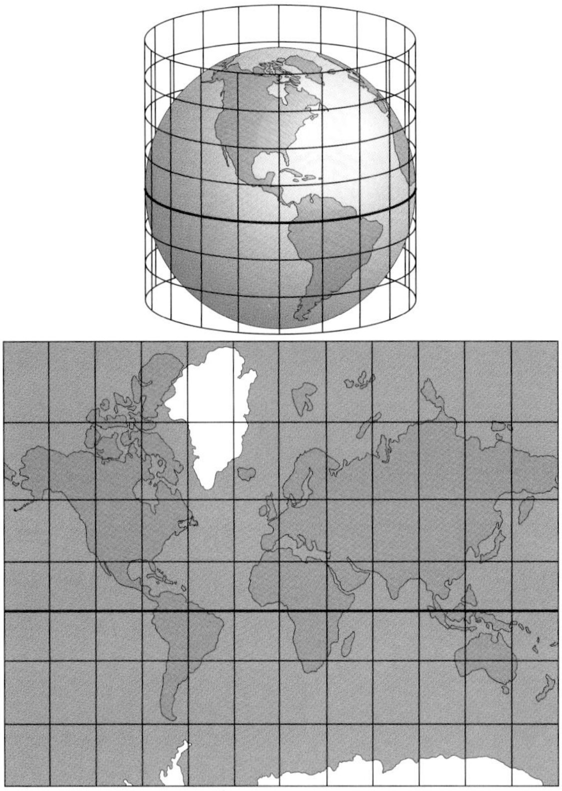

projection^{F} cylindrique
cylindrical projection

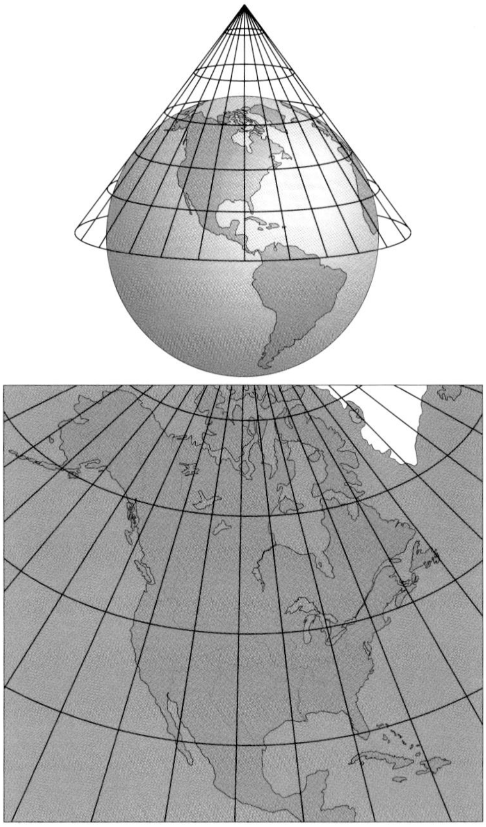

projection^{F} conique
conic projection

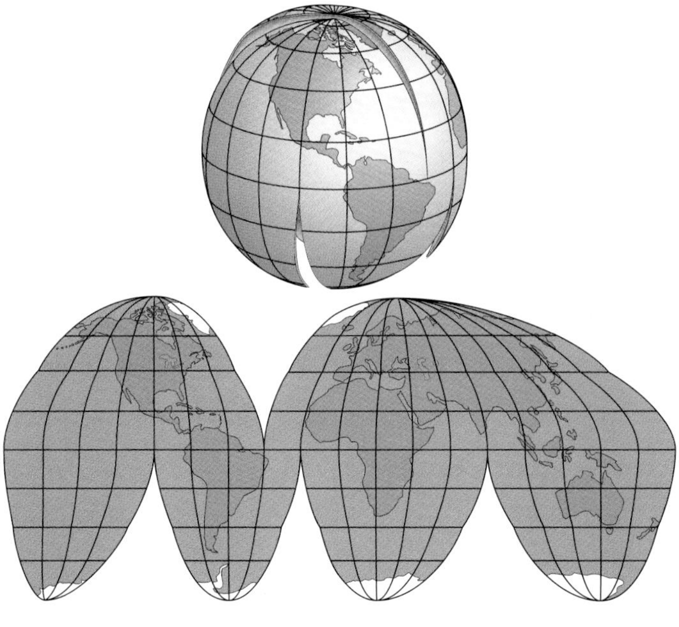

projection^{F} interrompue
interrupted projection

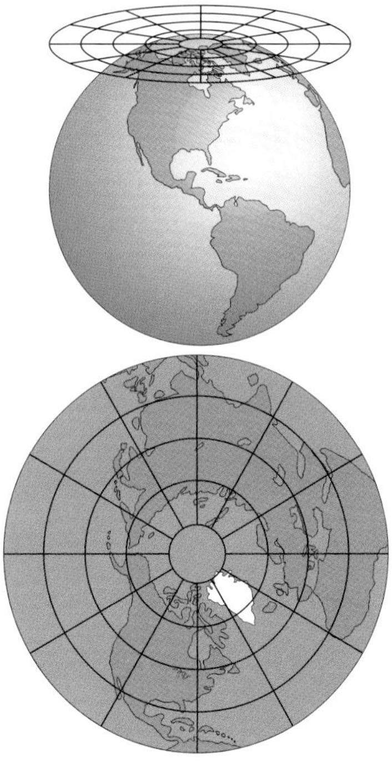

projection^{F} horizontale
plane projection

CARTE[F] POLITIQUE
POLITICAL MAP

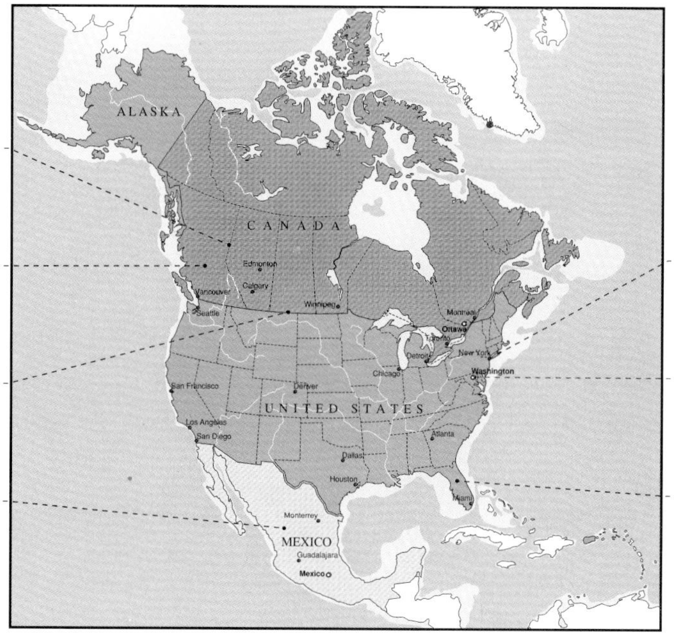

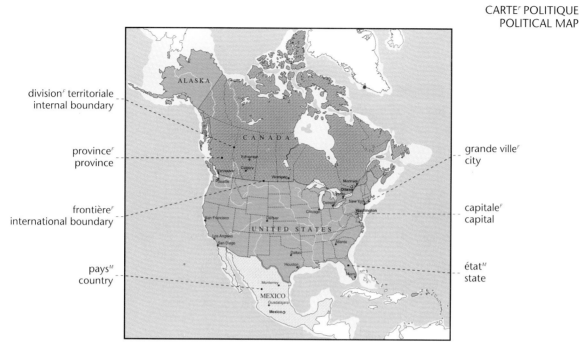

division[F] territoriale
internal boundary

province[F]
province

frontière[F]
international boundary

pays[M]
country

grande ville[F]
city

capitale[F]
capital

état[M]
state

CARTE[F] PHYSIQUE
PHYSICAL MAP

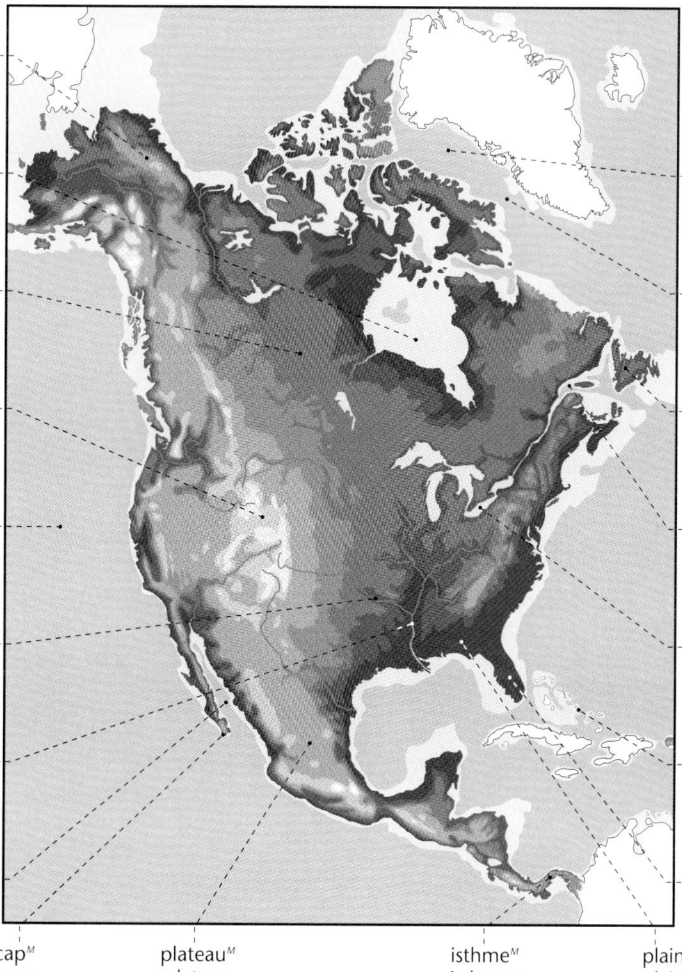

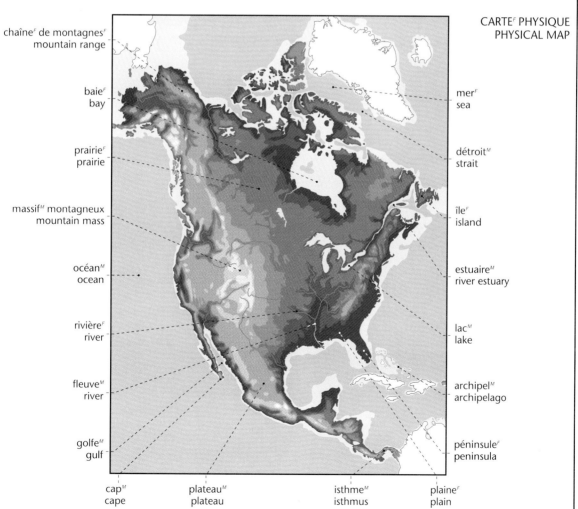

chaîne[F] de montagnes[F]
mountain range

baie[F]
bay

prairie[F]
prairie

massif[M] montagneux
mountain mass

océan[M]
ocean

rivière[F]
river

fleuve[M]
river

golfe[M]
gulf

mer[F]
sea

détroit[M]
strait

île[F]
island

estuaire[M]
river estuary

lac[M]
lake

archipel[M]
archipelago

péninsule[F]
peninsula

cap[M]
cape

plateau[M]
plateau

isthme[M]
isthmus

plaine[F]
plain

CARTOGRAPHIE^F CARTOGRAPHY

PLAN^M URBAIN
URBAN MAP

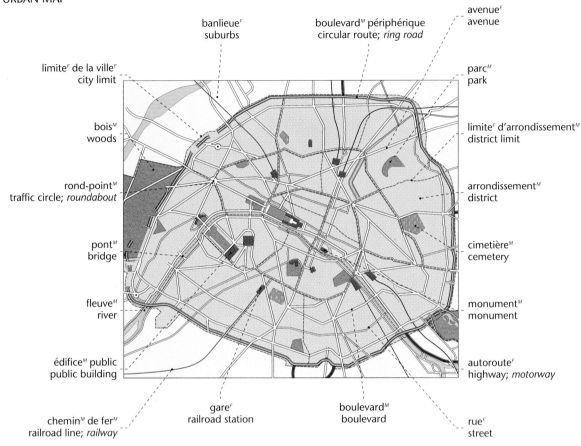

banlieue^F
suburbs

boulevard^M périphérique
circular route; *ring road*

avenue^F
avenue

limite^F de la ville^F
city limit

parc^M
park

bois^M
woods

limite^F d'arrondissement^M
district limit

rond-point^M
traffic circle; *roundabout*

arrondissement^M
district

pont^M
bridge

cimetière^M
cemetery

fleuve^M
river

monument^M
monument

édifice^M public
public building

autoroute^F
highway; *motorway*

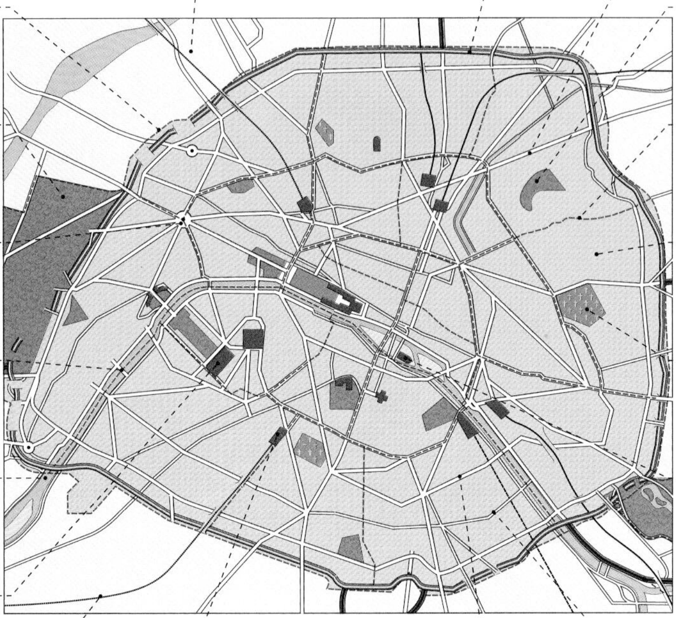

chemin^M de fer^M
railroad line; *railway*

gare^F
railroad station

boulevard^M
boulevard

rue^F
street

CARTE^F ROUTIÈRE
ROAD MAP

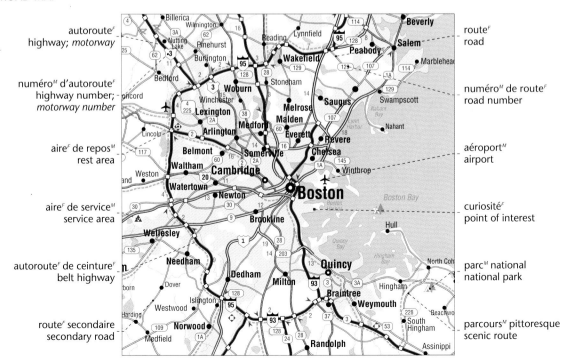

autoroute^F
highway; *motorway*

route^F
road

numéro^M d'autoroute^F
highway number; *motorway number*

numéro^M de route^F
road number

aire^F de repos^M
rest area

aéroport^M
airport

aire^F de service^M
service area

curiosité^F
point of interest

autoroute^F de ceinture^F
belt highway

parc^M national
national park

route^F secondaire
secondary road

parcours^M pittoresque
scenic route

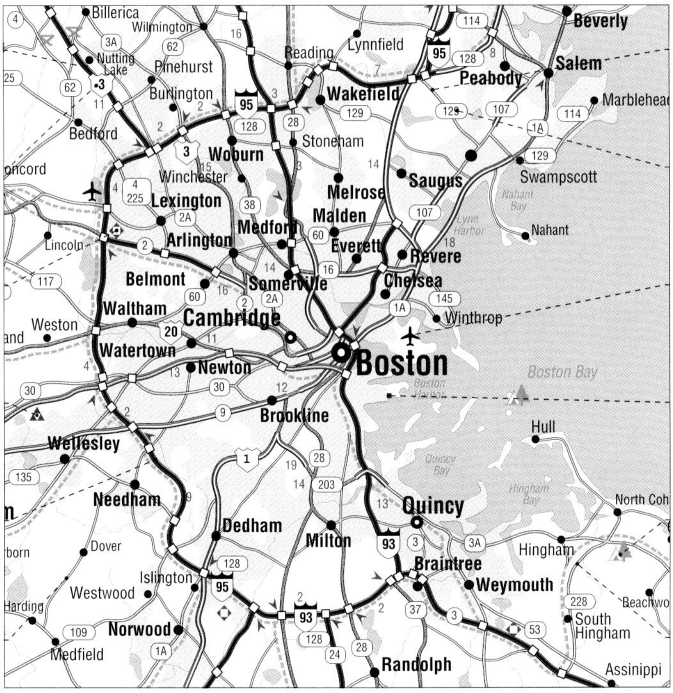

RÈGNE VÉGÉTAL • VEGETABLE KINGDOM

SOMMAIRE

CHAMPIGNON[M]
MUSHROOM

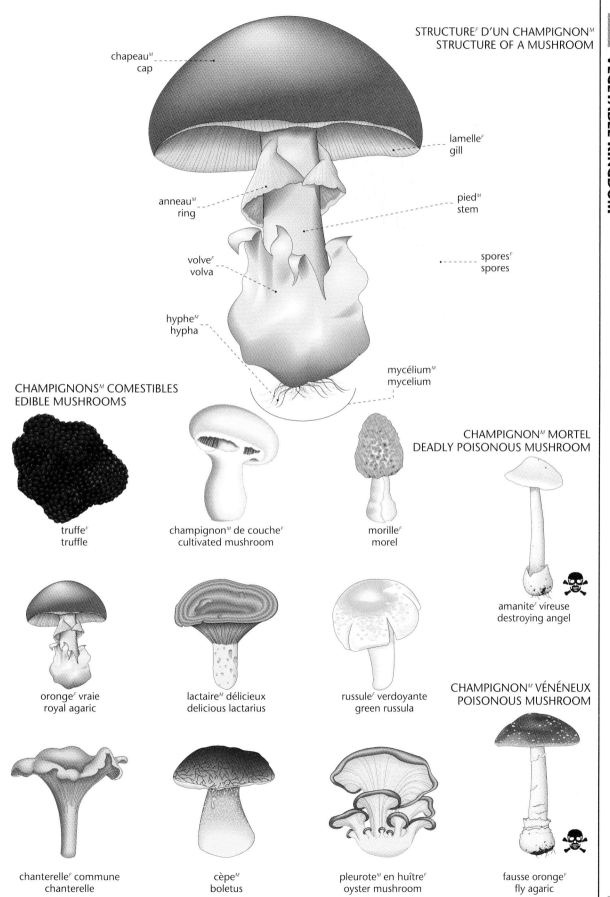

STRUCTURE[F] D'UN CHAMPIGNON[M]
STRUCTURE OF A MUSHROOM

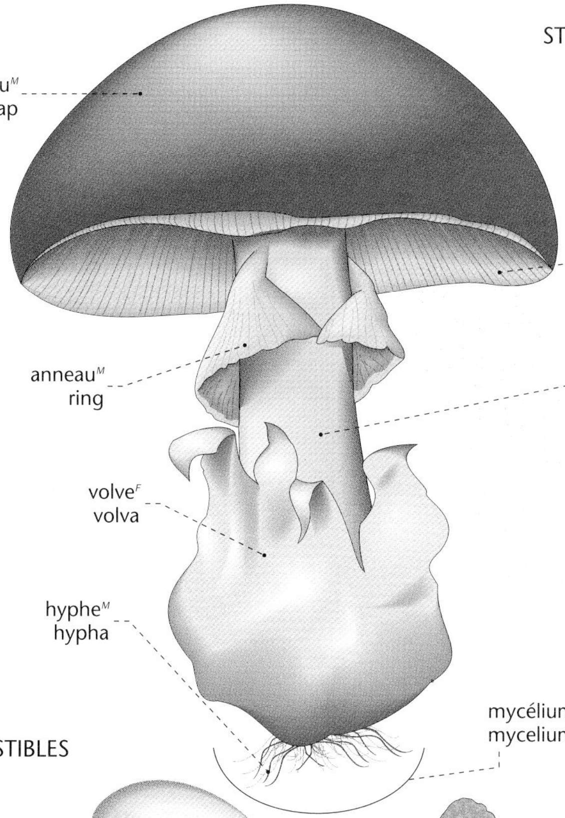
chapeau[M]
cap
lamelle[F]
gill
anneau[M]
ring
pied[M]
stem
spores[F]
spores
volve[F]
volva
hyphe[M]
hypha
mycélium[M]
mycelium

CHAMPIGNONS[M] COMESTIBLES
EDIBLE MUSHROOMS

truffe[F]
truffle

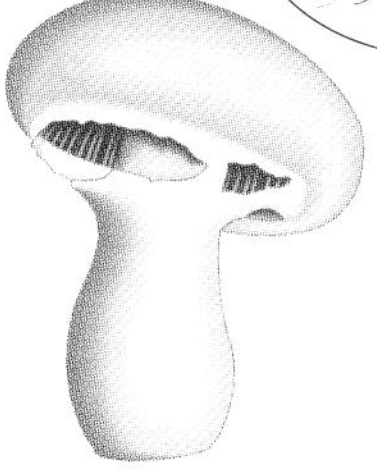
champignon[M] de couche[F]
cultivated mushroom

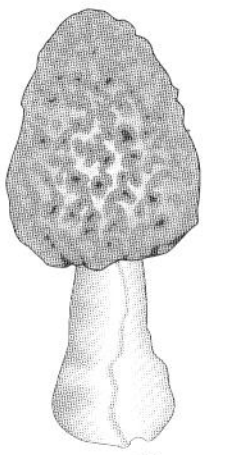
morille[F]
morel

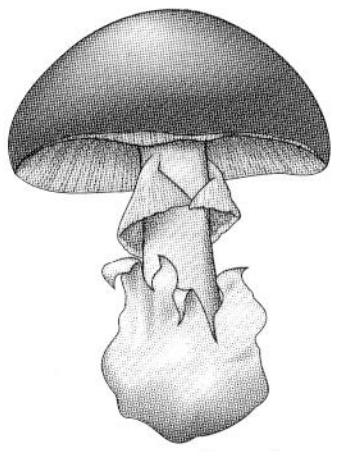
oronge[F] vraie
royal agaric

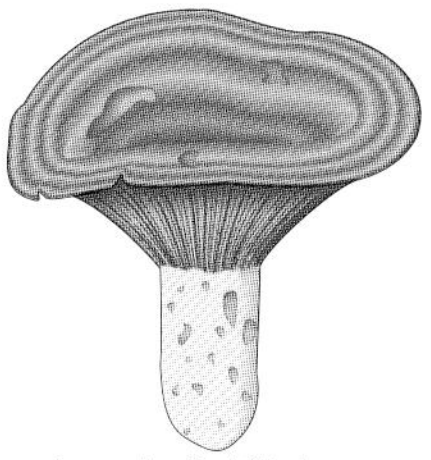
lactaire[M] délicieux
delicious lactarius

russule[F] verdoyante
green russula

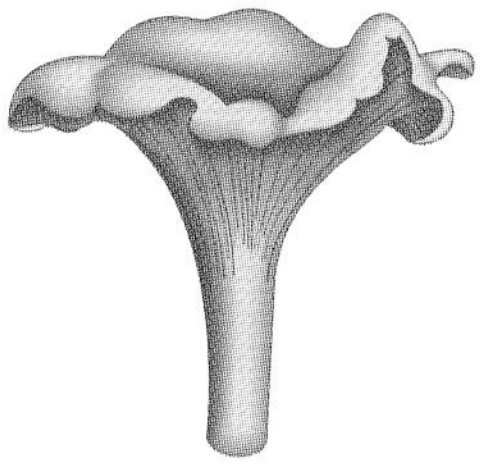
chanterelle[F] commune
chanterelle

cèpe[M]
boletus

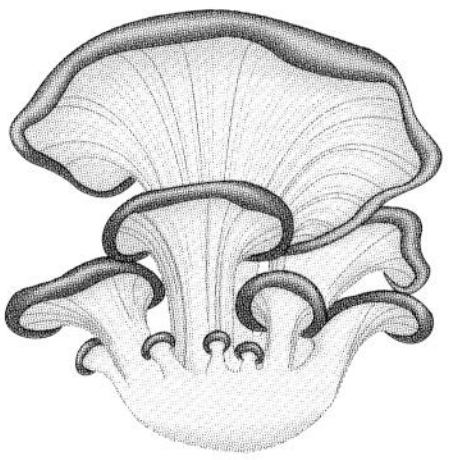
pleurote[M] en huître[F]
oyster mushroom

CHAMPIGNON[M] MORTEL
DEADLY POISONOUS MUSHROOM

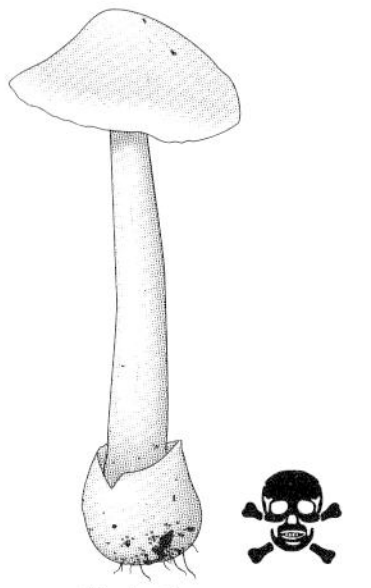
amanite[F] vireuse
destroying angel

CHAMPIGNON[M] VÉNÉNEUX
POISONOUS MUSHROOM

fausse oronge[F]
fly agaric

TYPES[M] DE FEUILLES[F]
TYPES OF LEAVES

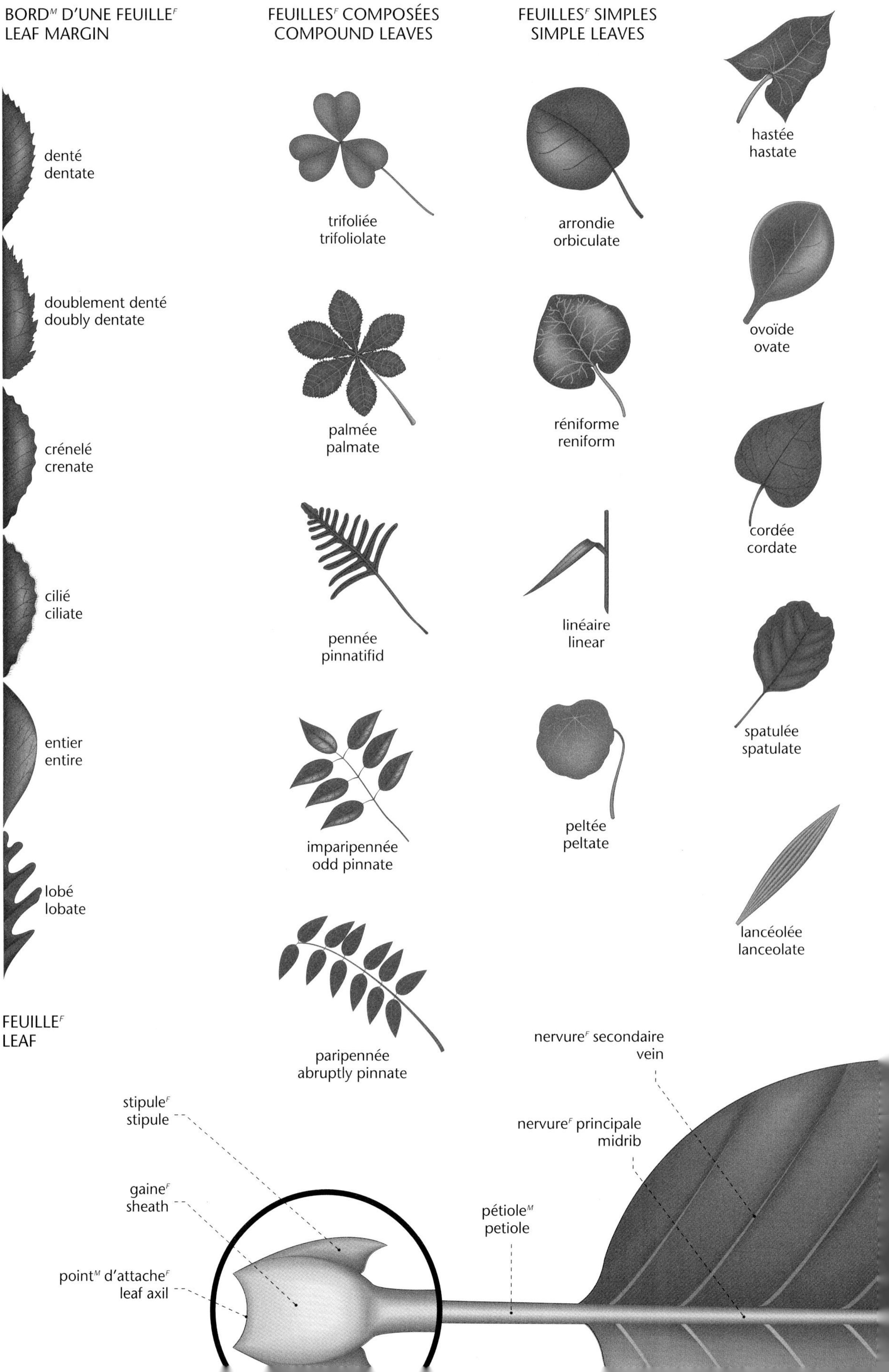
BORD[M] D'UNE FEUILLE[F]
LEAF MARGIN
denté
dentate
doublement denté
doubly dentate
crénelé
crenate
cilié
ciliate
entier
entire
lobé
lobate
FEUILLES[F] COMPOSÉES
COMPOUND LEAVES
trifoliée
trifoliolate
palmée
palmate
pennée
pinnatifid
imparipennée
odd pinnate
paripennée
abruptly pinnate
FEUILLES[F] SIMPLES
SIMPLE LEAVES
arrondie
orbiculate
réniforme
reniform
linéaire
linear
peltée
peltate
hastée
hastate
ovoïde
ovate
cordée
cordate
spatulée
spatulate
lancéolée
lanceolate
FEUILLE[F]
LEAF
nervure[F] secondaire
vein
nervure[F] principale
midrib
stipule[F]
stipule
gaine[F]
sheath
pétiole[M]
petiole
point[M] d'attache[F]
leaf axil

STRUCTURE[F] D'UNE PLANTE[F]
STRUCTURE OF A PLANT

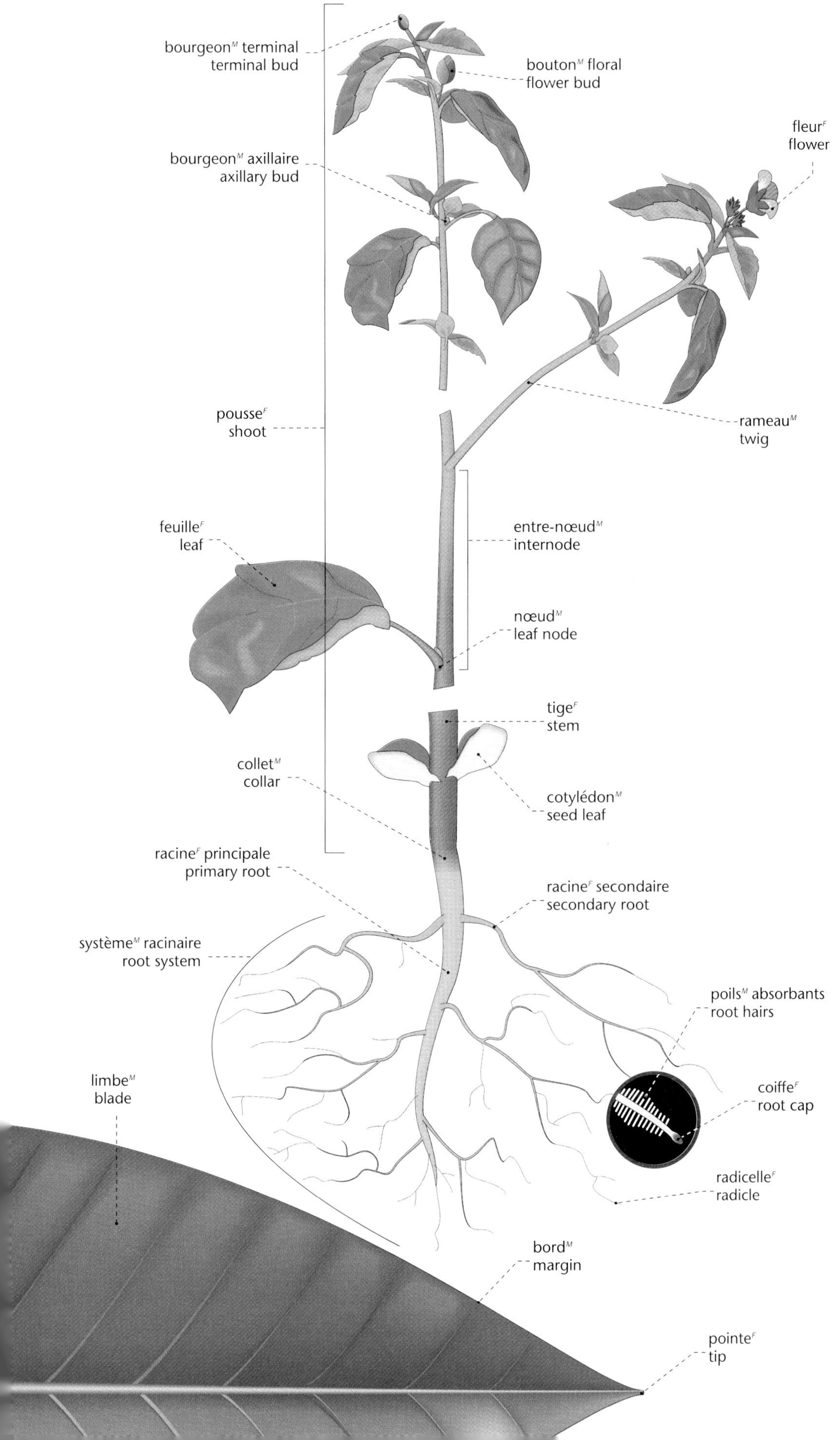
bourgeon[M] terminal
terminal bud
bouton[M] floral
flower bud
fleur[F]
flower
bourgeon[M] axillaire
axillary bud
pousse[F]
shoot
rameau[M]
twig
feuille[F]
leaf
entre-nœud[M]
internode
nœud[M]
leaf node
tige[F]
stem
collet[M]
collar
cotylédon[M]
seed leaf
racine[F] principale
primary root
racine[F] secondaire
secondary root
système[M] racinaire
root system
poils[M] absorbants
root hairs
limbe[M]
blade
coiffe[F]
root cap
radicelle[F]
radicle
bord[M]
margin
pointe[F]
tip

CONIFÈRE^M
CONIFER

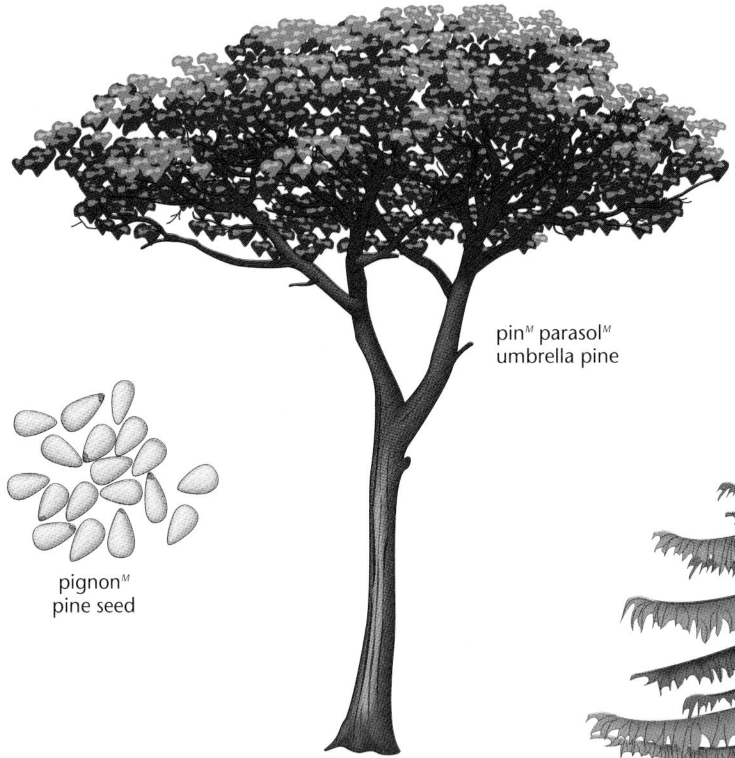

pin^M parasol^M
umbrella pine

cône^M
cone

pignon^M
pine seed

mélèze^M
larch

RAMEAU^M
BRANCH

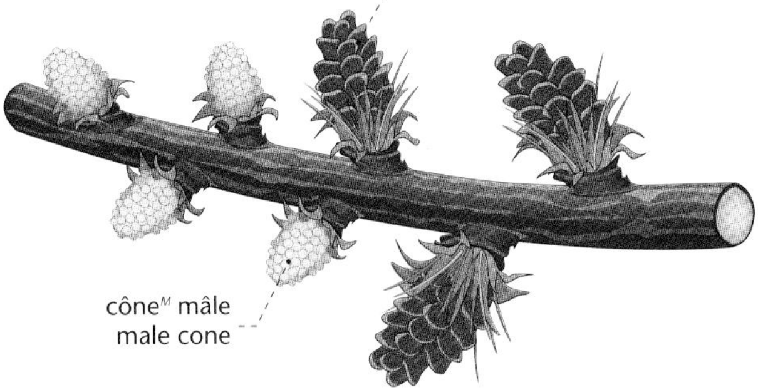

cône^M femelle
female cone

cône^M mâle
male cone

TYPES^M DE FEUILLES^F
TYPES OF LEAVES

aiguilles^F de sapin^M
fir needles

écailles^F de cyprès^M
cypress scalelike leaves

aiguilles^F de pin^M
pine needles

STRUCTURE[F] D'UN ARBRE[M]
STRUCTURE OF A TREE

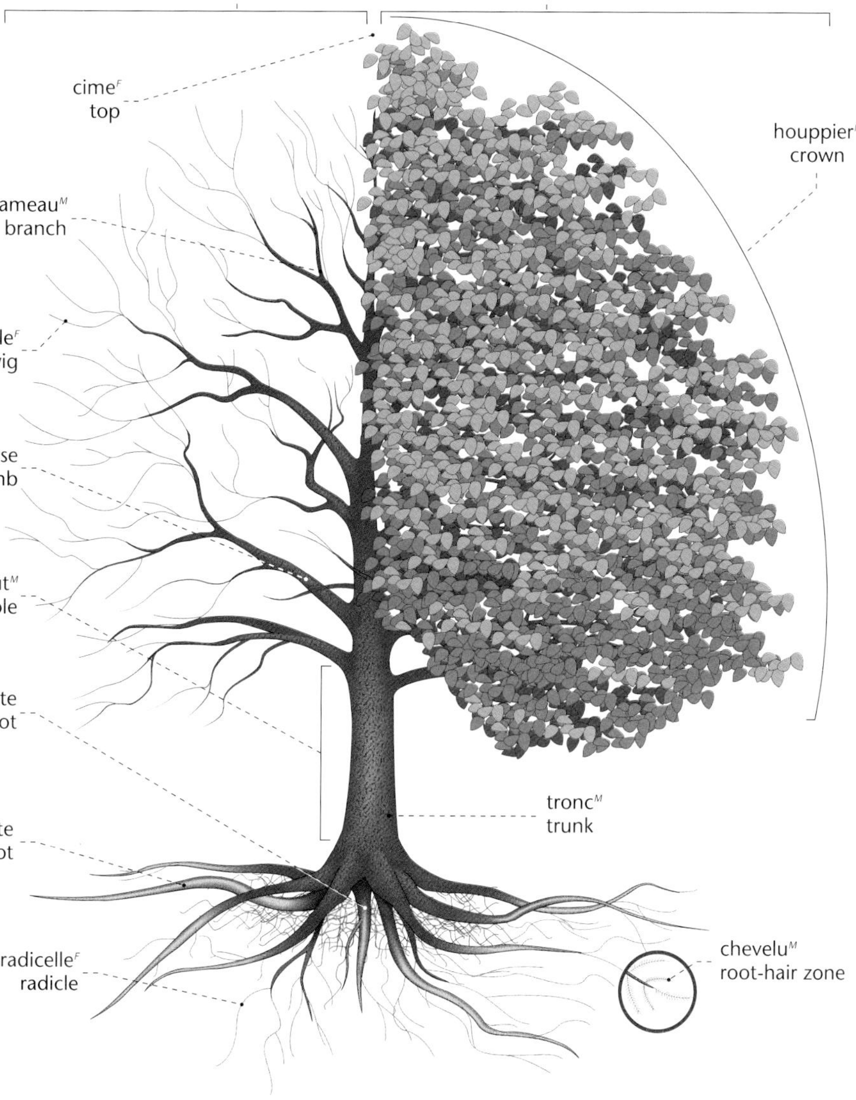
ramure[F]
branches
feuillage[M]
foliage
cime[F]
top
houppier[M]
crown
rameau[M]
branch
ramille[F]
twig
branche[F] maîtresse
limb
fût[M]
bole
racine[F] pivotante
taproot
tronc[M]
trunk
racine[F] traçante
shallow root
chevelu[M]
root-hair zone
radicelle[F]
radicle

COUPE[F] TRANSVERSALE DU TRONC[M]
CROSS SECTION OF A TRUNK

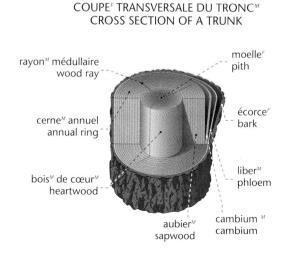

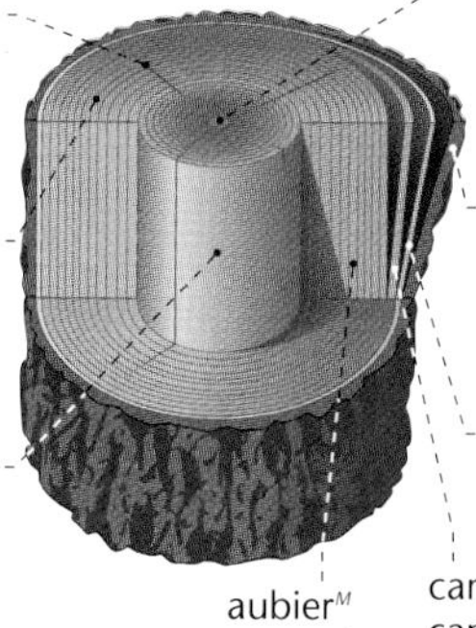
rayon[M] médullaire
wood ray
moelle[F]
pith
cerne[M] annuel
annual ring
écorce[F]
bark
liber[M]
phloem
bois[M] de cœur[M]
heartwood
aubier[M]
sapwood
cambium [M]
cambium

SOUCHE[F]
STUMP

rejet[M]
shoot

STRUCTURE[F] D'UNE FLEUR[F]
STRUCTURE OF A FLOWER

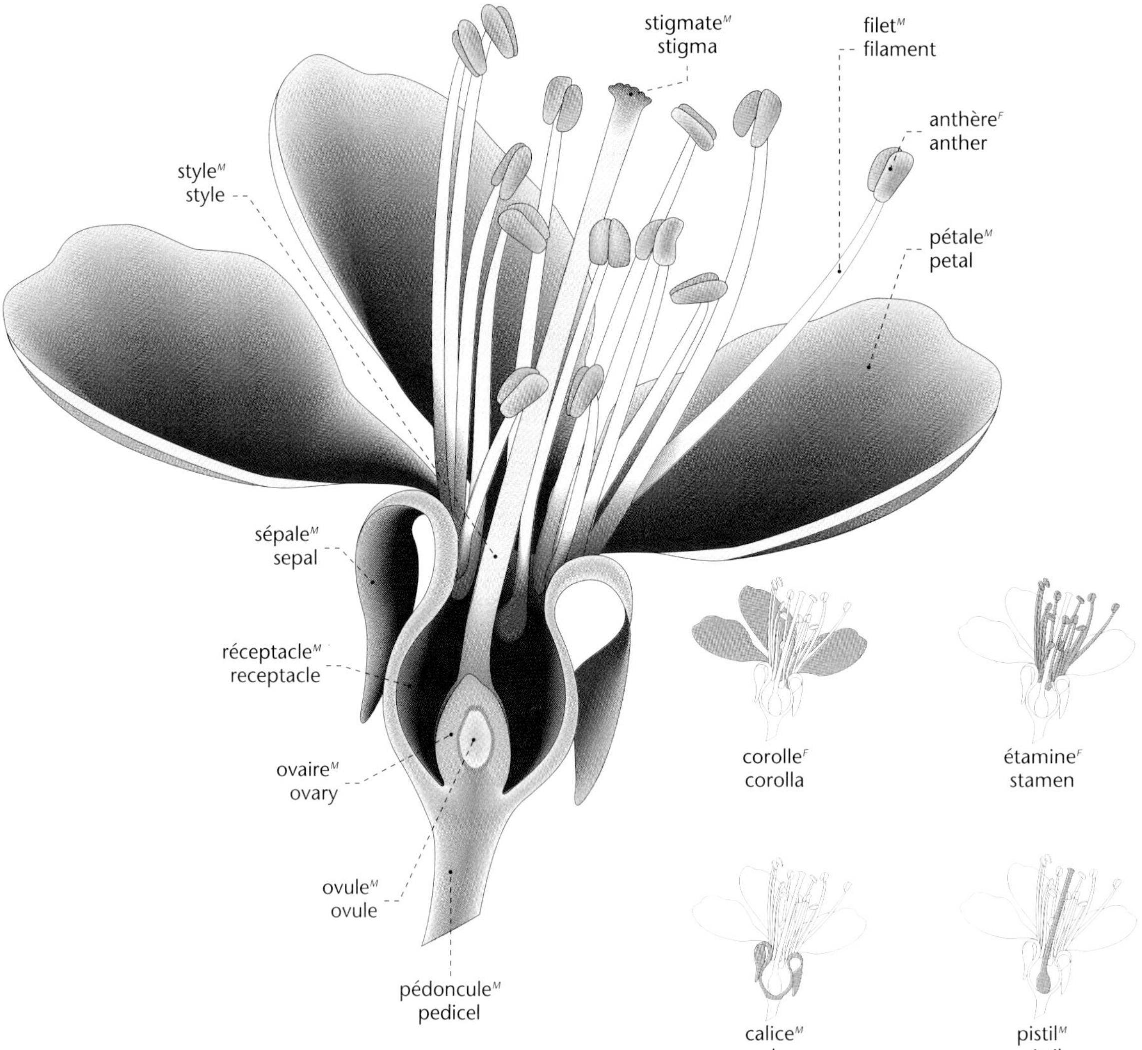
stigmate[M]
stigma
filet[M]
filament
anthère[F]
anther
style[M]
style
pétale[M]
petal
sépale[M]
sepal
réceptacle[M]
receptacle
ovaire[M]
ovary
ovule[M]
ovule
pédoncule[M]
pedicel

corolle[F]
corolla

étamine[F]
stamen

calice[M]
calyx

pistil[M]
pistil

MODES[M] D'INFLORESCENCE[F]
TYPES OF INFLORESCENCES

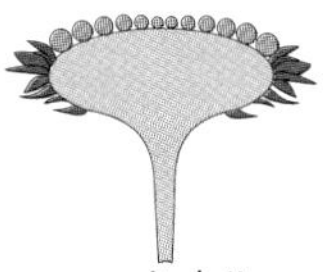

capitule[M]
capitulum

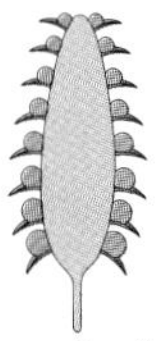

spadice[M]
spadix

grappe[F]
raceme

épi[M]
spike

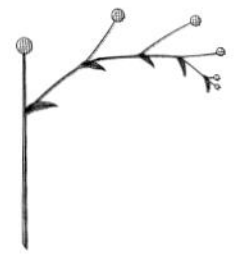

cyme[F] unipare
uniparous cyme

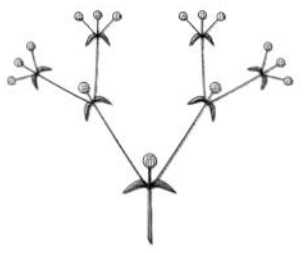

cyme[F] bipare
biparous cyme

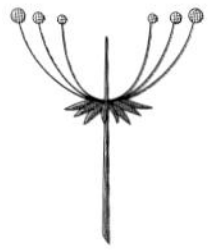

ombelle[F]
umbel

corymbe[M]
corymb

VIGNE[F]
GRAPE

ÉTAPES[F] DE MATURATION[F]
MATURING STEPS

floraison[F]
flowering

nouaison[F]
fruition

véraison[F]
ripening

maturité[F]
ripeness

CEP[M] DE VIGNE[F]
VINE STOCK

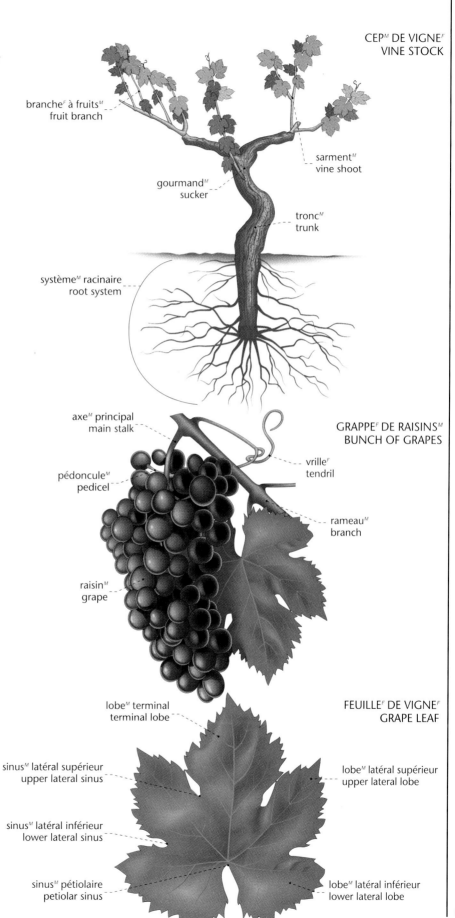

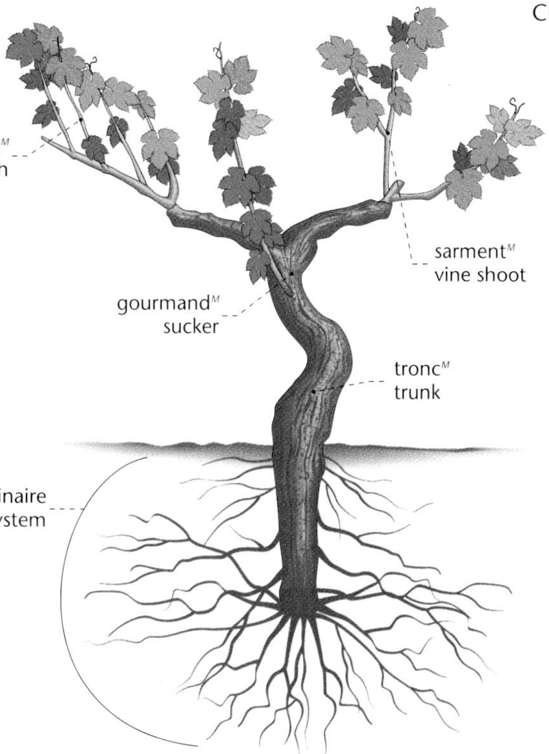
branche[F] à fruits[M]
fruit branch
sarment[M]
vine shoot
gourmand[M]
sucker
tronc[M]
trunk
système[M] racinaire
root system

GRAPPE[F] DE RAISINS[M]
BUNCH OF GRAPES

axe[M] principal
main stalk
vrille[F]
tendril
pédoncule[M]
pedicel
rameau[M]
branch
raisin[M]
grape

FEUILLE[F] DE VIGNE[F]
GRAPE LEAF

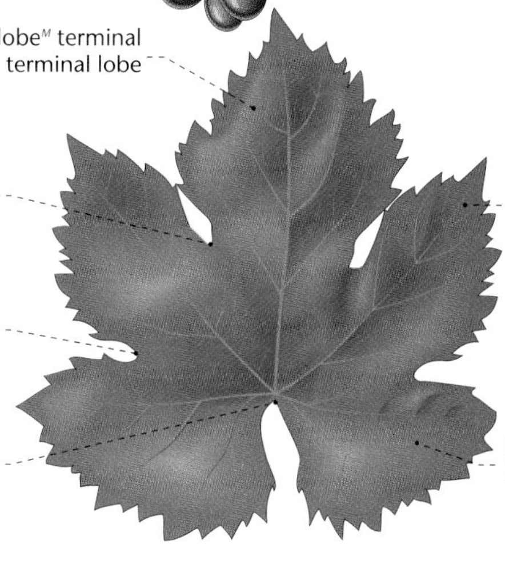
lobe[M] terminal
terminal lobe
sinus[M] latéral supérieur
upper lateral sinus
lobe[M] latéral supérieur
upper lateral lobe
sinus[M] latéral inférieur
lower lateral sinus
sinus[M] pétiolaire
petiolar sinus
lobe[M] latéral inférieur
lower lateral lobe

FRUITS[M] CHARNUS: BAIES[F]
FLESHY FRUITS: BERRY FRUITS

COUPE[F] D'UNE BAIE[F]
SECTION OF A BERRY

RAISIN[M]
GRAPE

termes[M] familiers
usual terms

termes[M] techniques
technical terms

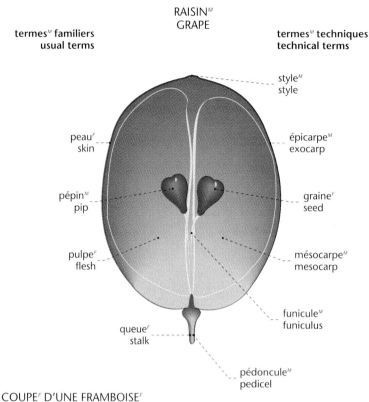

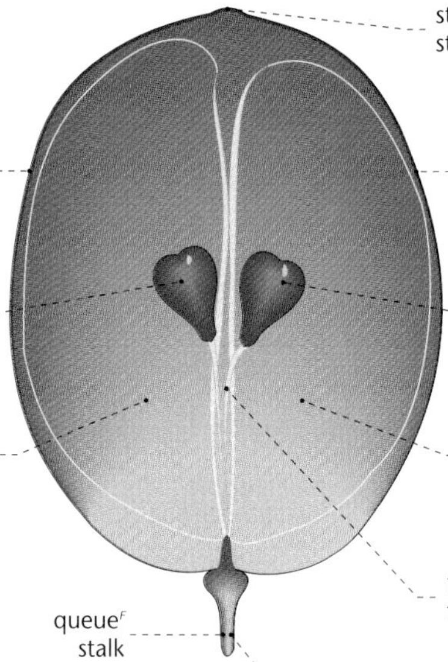
style[M]
style
peau[F]
skin
épicarpe[M]
exocarp
pépin[M]
pip
graine[F]
seed
pulpe[F]
flesh
mésocarpe[M]
mesocarp
funicule[M]
funiculus
queue[F]
stalk
pédoncule[M]
pedicel

COUPE[F] D'UNE FRAMBOISE[F]
SECTION OF A RASPBERRY

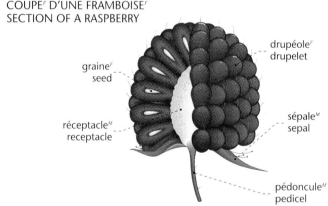

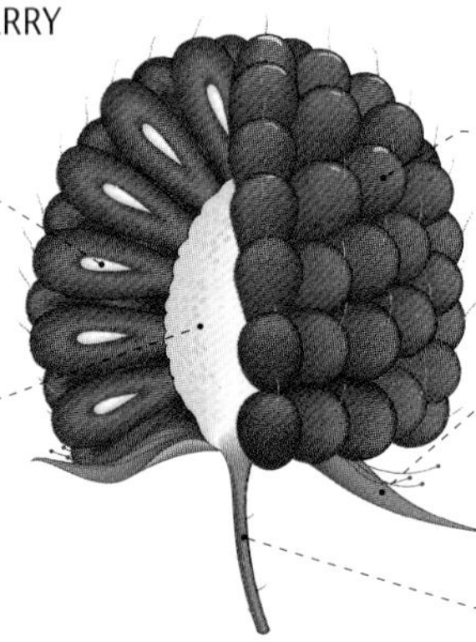
drupéole[F]
drupelet
graine[F]
seed
réceptacle[M]
receptacle
sépale[M]
sepal
pédoncule[M]
pedicel

COUPE[F] D'UNE FRAISE[F]
SECTION OF A STRAWBERRY

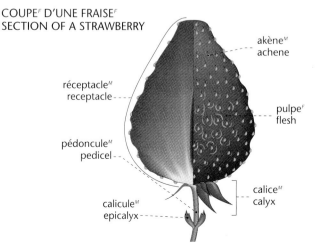

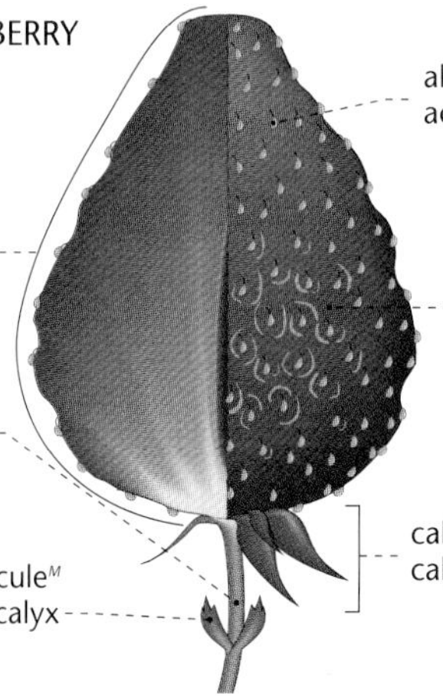
akène[M]
achene
réceptacle[M]
receptacle
pulpe[F]
flesh
pédoncule[M]
pedicel
calice[M]
calyx
calicule[M]
epicalyx

PRINCIPALES VARIÉTÉS[F] DE BAIES[F]
MAJOR TYPES OF BERRIES

cassis[M]
black currant

groseille[F] à grappes[F]; *gadelle*[F]
currant

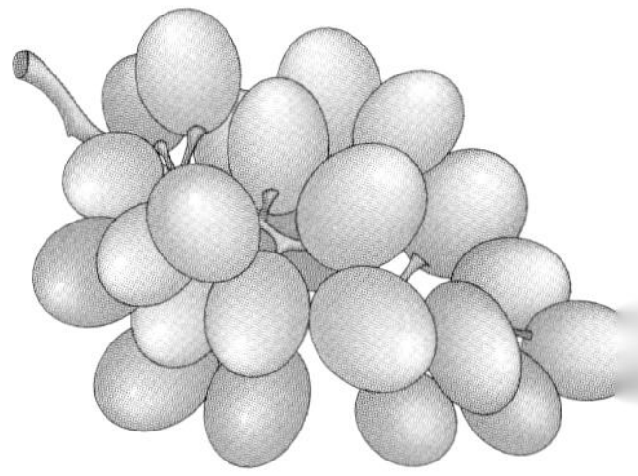

raisin[M]
grape

groseille[F] à maquereau[M]
gooseberry

myrtille[F]; *bleuet*[M]
blueberry

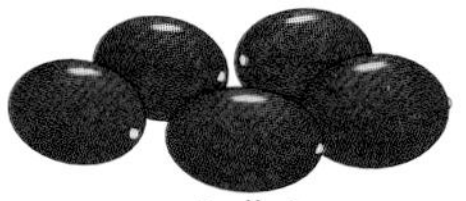

airelle[F]
huckleberry

canneberge[F]
cranberry

FRUITS^M CHARNUS À NOYAU^M
STONE FLESHY FRUITS

COUPE^F D'UN FRUIT^M À NOYAU^M
SECTION OF A STONE FRUIT

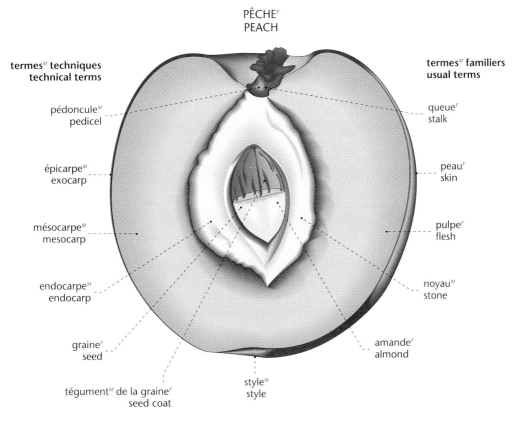

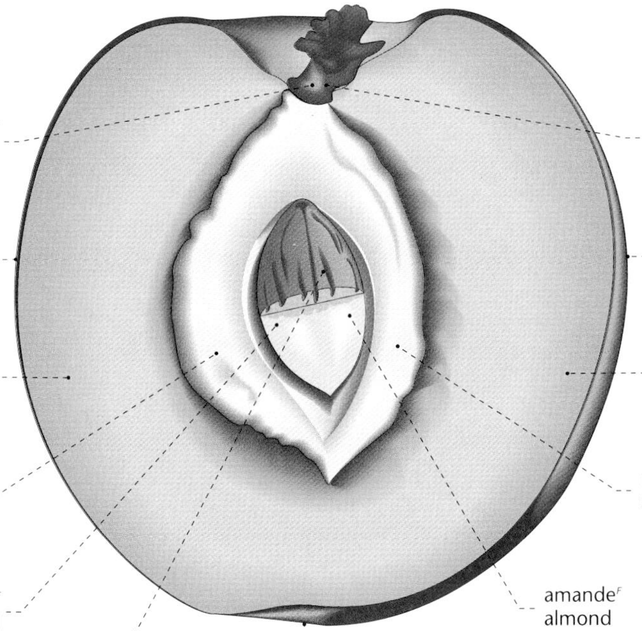
PÊCHE^F
PEACH
termes^M techniques
technical terms
termes^M familiers
usual terms
pédoncule^M
pedicel
queue^F
stalk
épicarpe^M
exocarp
peau^F
skin
mésocarpe^M
mesocarp
pulpe^F
flesh
endocarpe^M
endocarp
noyau^M
stone
graine^F
seed
amande^F
almond
tégument^M de la graine^F
seed coat
style^M
style

PRINCIPALES VARIÉTÉS^F DE FRUITS^M À NOYAU^M
MAJOR TYPES OF STONE FRUITS

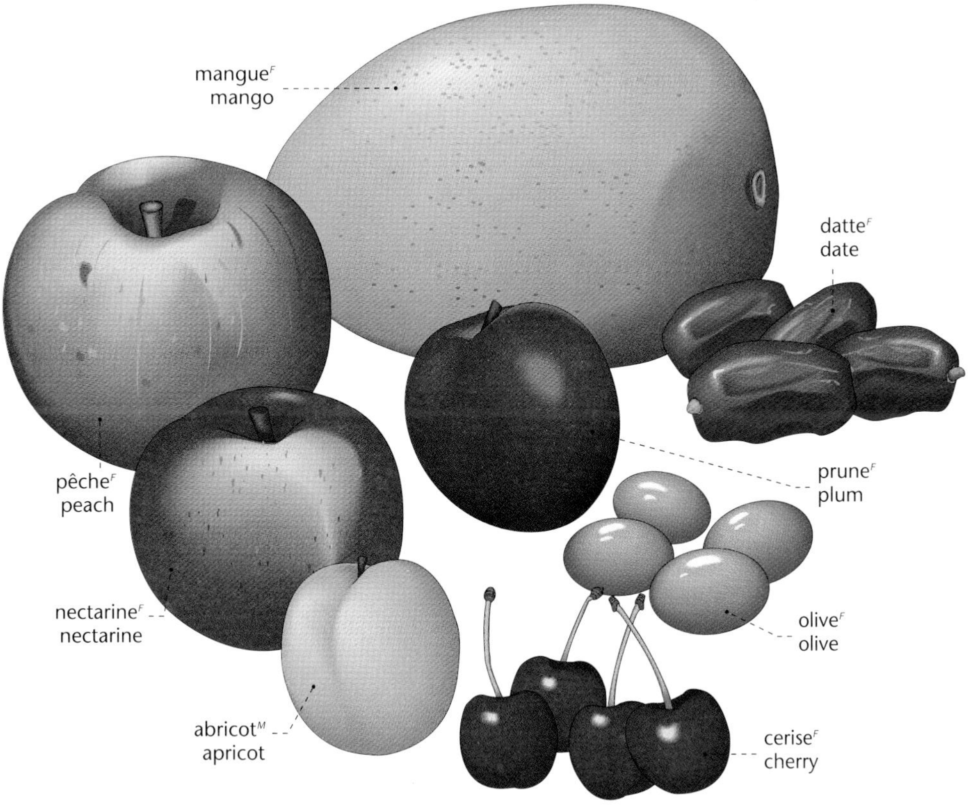
mangue^F
mango
datte^F
date
prune^F
plum
pêche^F
peach
nectarine^F
nectarine
olive^F
olive
abricot^M
apricot
cerise^F
cherry

FRUITS^M CHARNUS À PÉPINS^M
POME FLESHY FRUITS

COUPE^F D'UN FRUIT^M À PÉPINS^M
SECTION OF A POME FRUIT

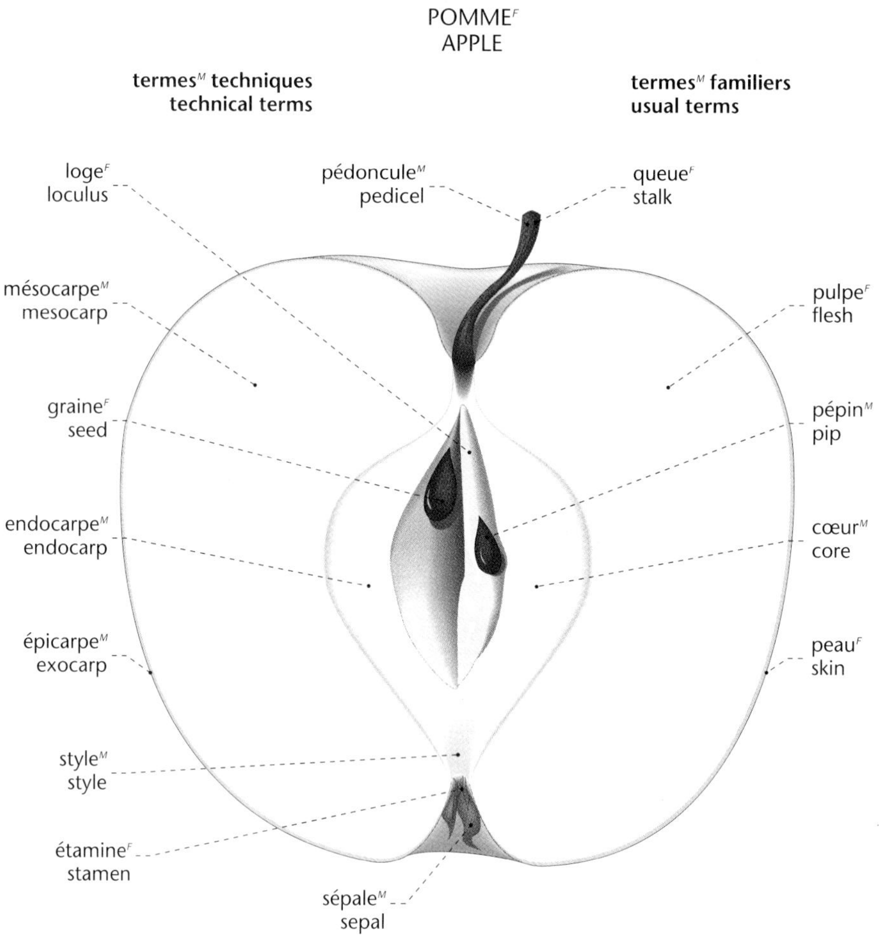
POMME^F
APPLE
termes^M techniques
technical terms
termes^M familiers
usual terms
loge^F
loculus
pédoncule^M
pedicel
queue^F
stalk
mésocarpe^M
mesocarp
pulpe^F
flesh
graine^F
seed
pépin^M
pip
endocarpe^M
endocarp
cœur^M
core
épicarpe^M
exocarp
peau^F
skin
style^M
style
étamine^F
stamen
sépale^M
sepal

PRINCIPALES VARIÉTÉS^F DE FRUITS^M À PÉPINS^M
MAJOR TYPES OF POME FRUITS

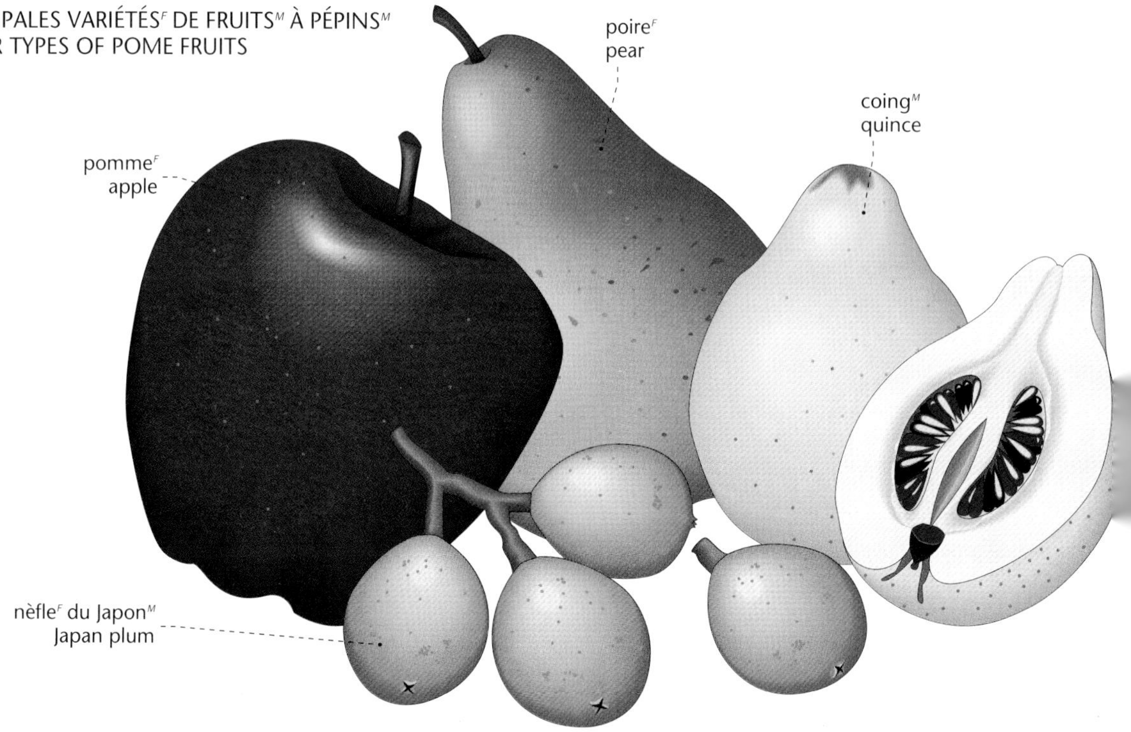
poire^F
pear
coing^M
quince
pomme^F
apple
nèfle^F du Japon^M
Japan plum

FRUITS^M CHARNUS: AGRUMES^M
FLESHY FRUITS: CITRUS FRUITS

COUPE^F D'UN AGRUME^M
SECTION OF A CITRUS FRUIT

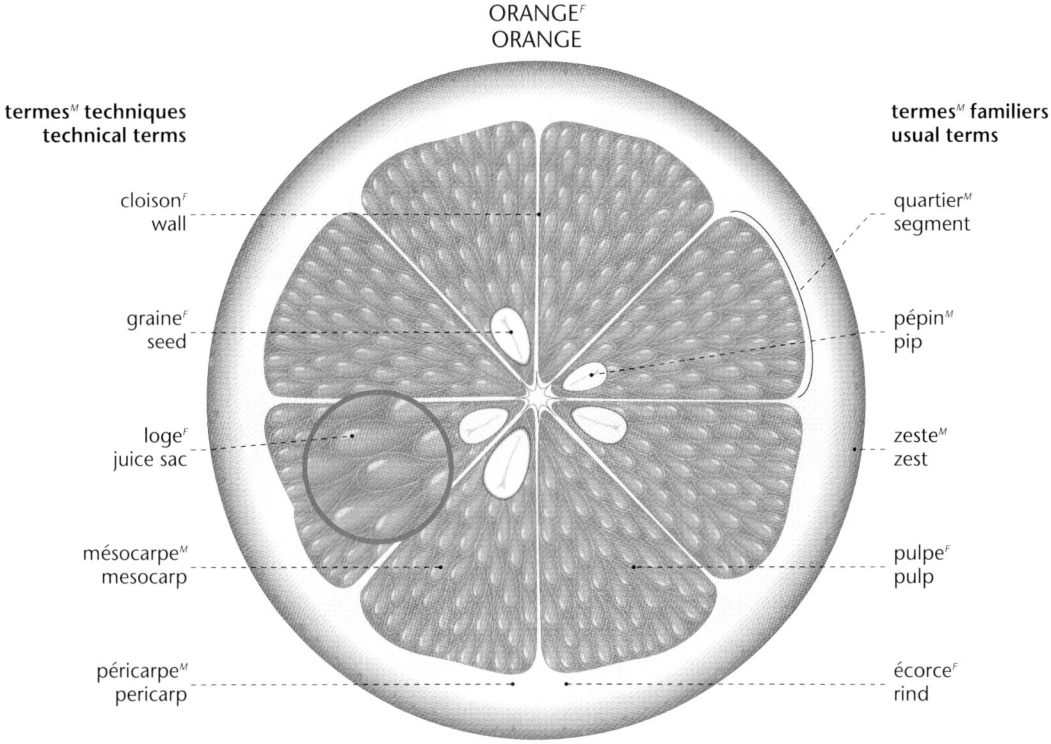
ORANGE^F
ORANGE
termes^M techniques
technical terms
termes^M familiers
usual terms
cloison^F
wall
graine^F
seed
loge^F
juice sac
mésocarpe^M
mesocarp
péricarpe^M
pericarp
quartier^M
segment
pépin^M
pip
zeste^M
zest
pulpe^F
pulp
écorce^F
rind

PRINCIPALES VARIÉTÉS^F D'AGRUMES^M
MAJOR TYPES OF CITRUS FRUITS

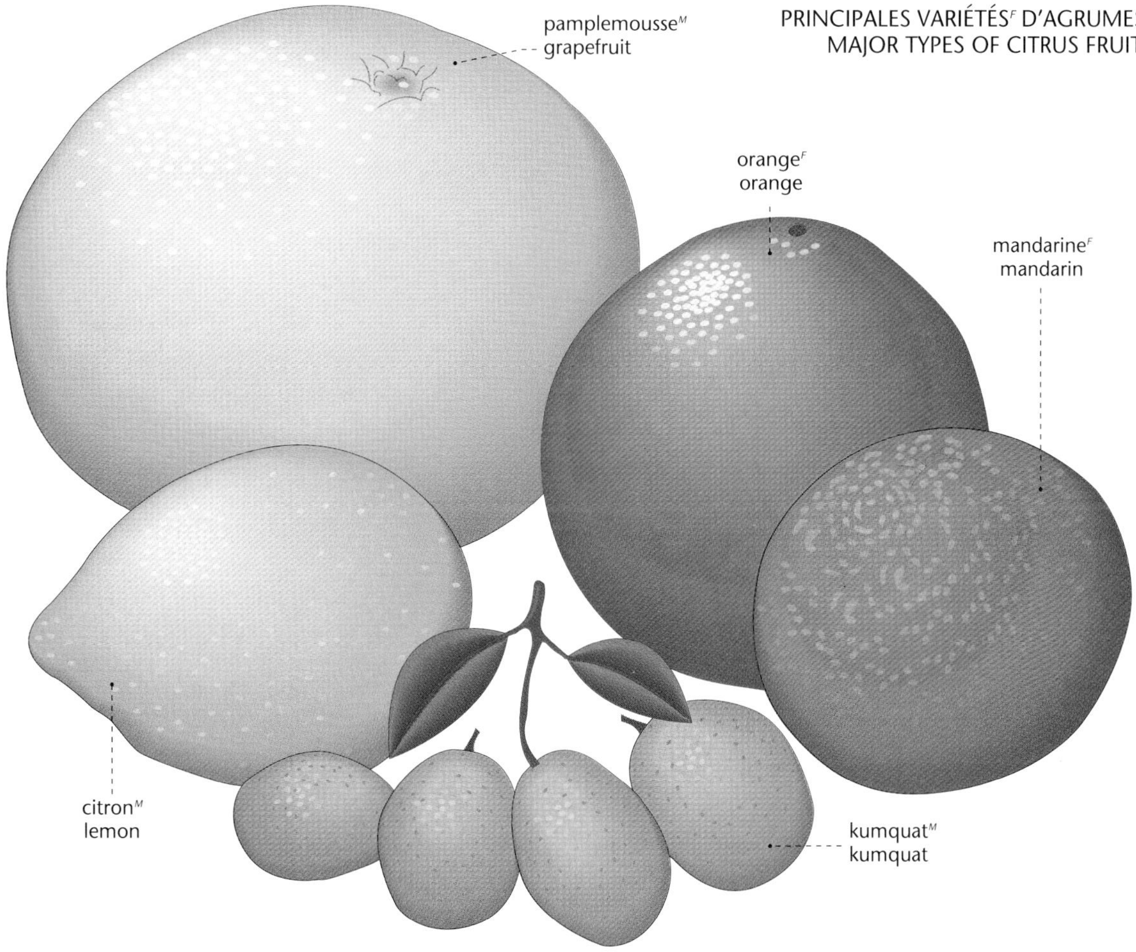
pamplemousse^M
grapefruit
orange^F
orange
mandarine^F
mandarin
citron^M
lemon
kumquat^M
kumquat

FRUITS[M] SECS: NOIX[F]
DRY FRUITS: NUTS

COUPE[F] D'UNE NOISETTE[F]
SECTION OF A HAZELNUT

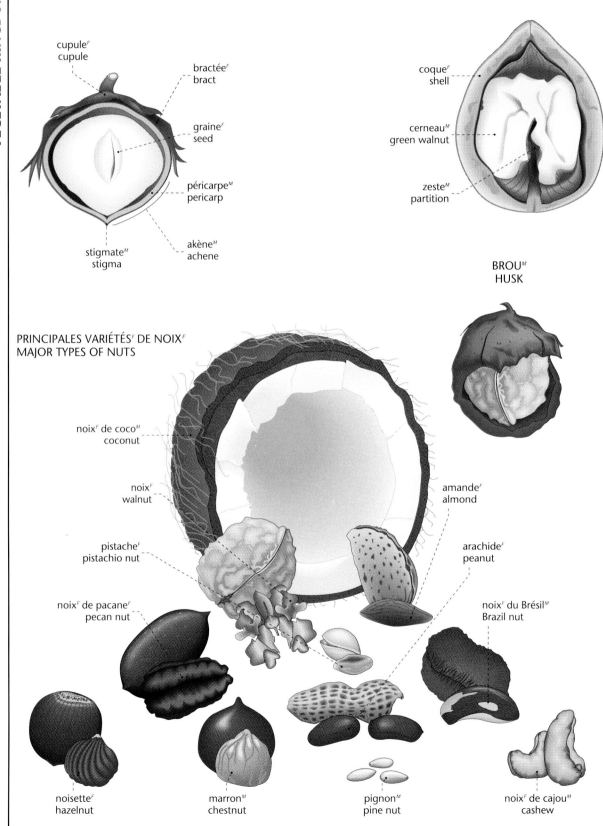

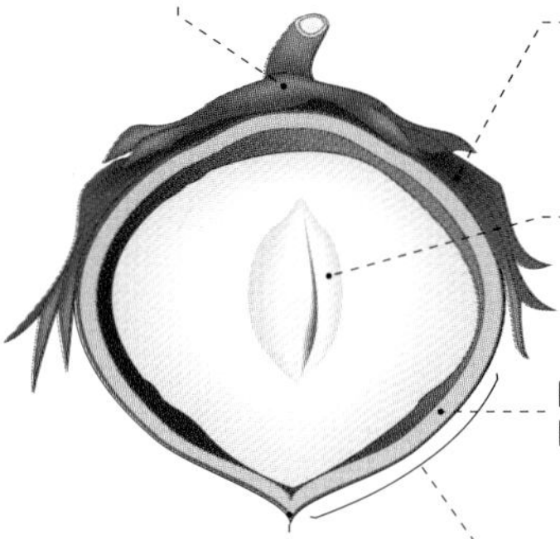
cupule[F]
cupule
bractée[F]
bract
graine[F]
seed
péricarpe[M]
pericarp
akène[M]
achene
stigmate[M]
stigma

COUPE[F] D'UNE NOIX[F]
SECTION OF A WALNUT

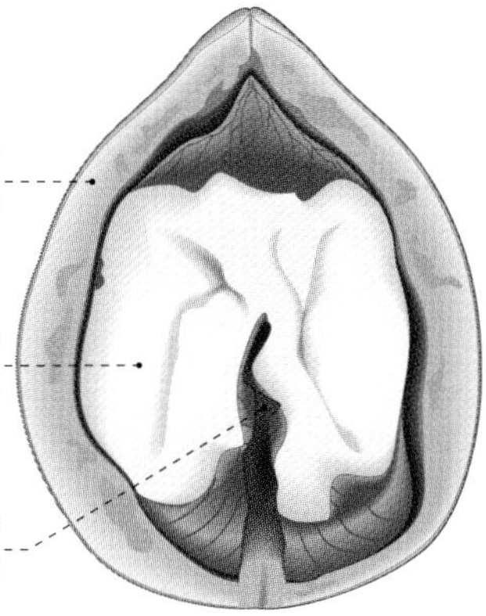
coque[F]
shell
cerneau[M]
green walnut
zeste[M]
partition

BROU[M]
HUSK

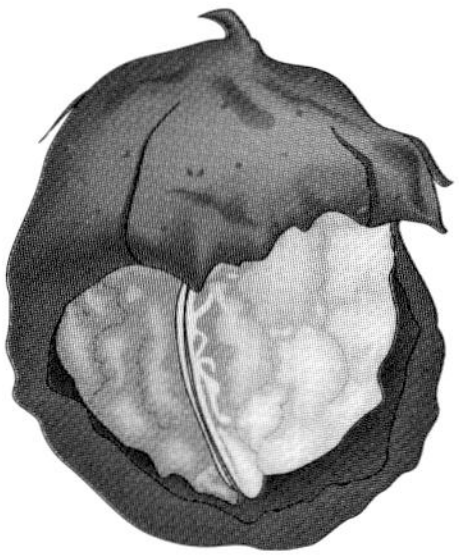

PRINCIPALES VARIÉTÉS[F] DE NOIX[F]
MAJOR TYPES OF NUTS

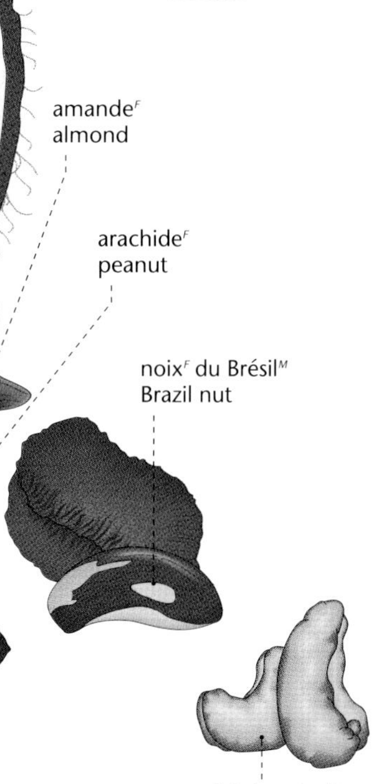
noix[F] de coco[M]
coconut
noix[F]
walnut
pistache[F]
pistachio nut
noix[F] de pacane[F]
pecan nut
amande[F]
almond
arachide[F]
peanut
noix[F] du Brésil[M]
Brazil nut
noisette[F]
hazelnut
marron[M]
chestnut
pignon[M]
pine nut
noix[F] de cajou[M]
cashew

FRUITS^M SECS DIVERS
VARIOUS DRY FRUITS

COUPE^F D'UN FOLLICULE^M
SECTION OF A FOLLICULE

anis^M étoilé
star anise

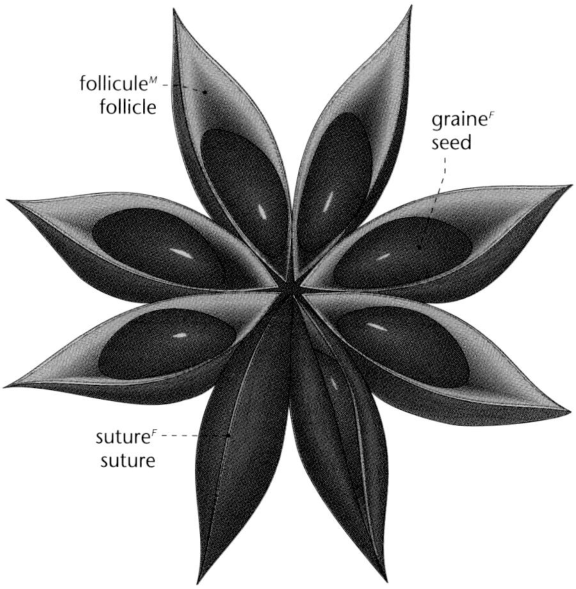
follicule^M
follicle
graine^F
seed
suture^F
suture

COUPE^F D'UNE SILIQUE^F
SECTION OF A SILIQUE

moutarde^F
mustard

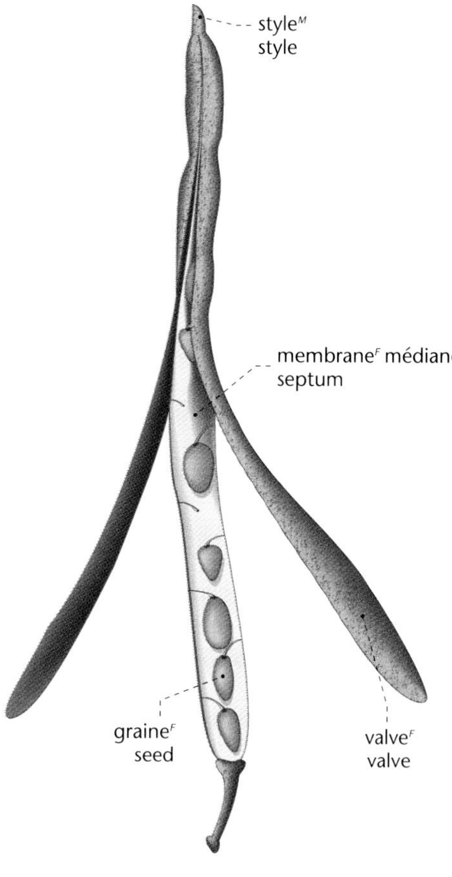
style^M
style
membrane^F médiane
septum
graine^F
seed
valve^F
valve

COUPE^F D'UNE GOUSSE^F
SECTION OF A LEGUME

pois^M
pea

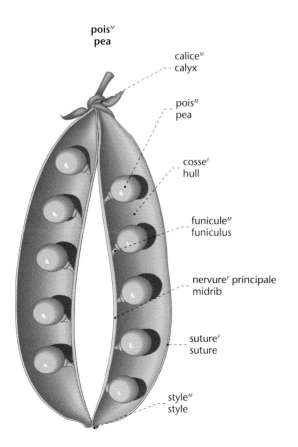

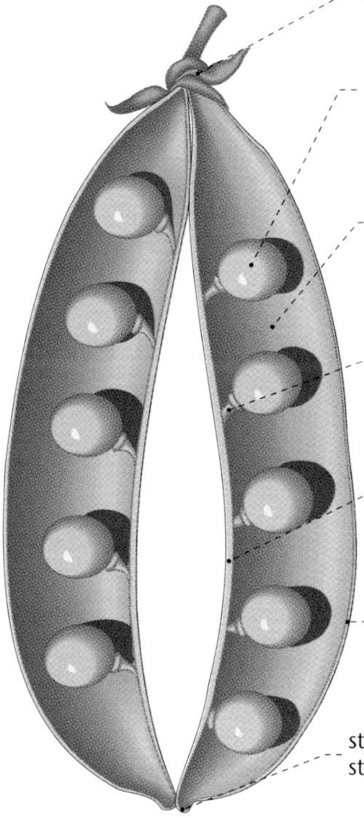
calice^M
calyx
pois^M
pea
cosse^F
hull
funicule^M
funiculus
nervure^F principale
midrib
suture^F
suture
style^M
style

COUPE^F D'UNE CAPSULE^F
SECTION OF A CAPSULE

pavot^M
poppy

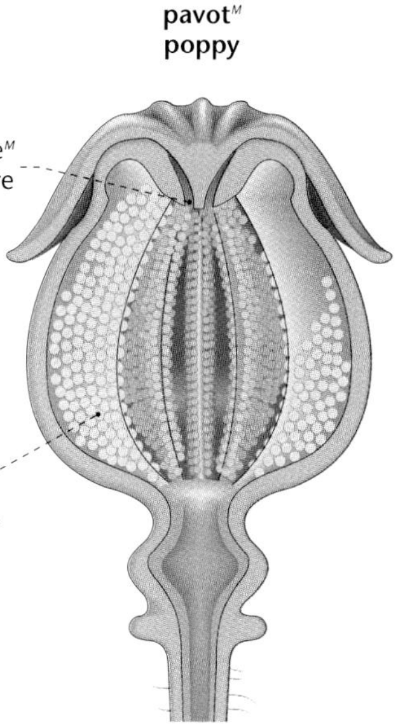
pore^M
pore
graine^F
seed

FRUITS[M] TROPICAUX
TROPICAL FRUITS

PRINCIPAUX FRUITS[M] TROPICAUX
MAJOR TYPES OF TROPICAL FRUITS

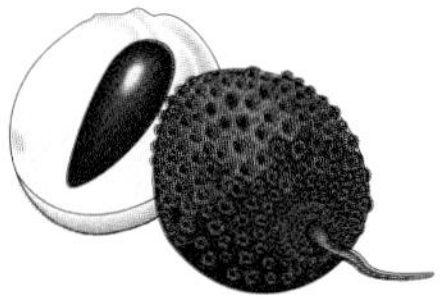

litchi[M]
litchi

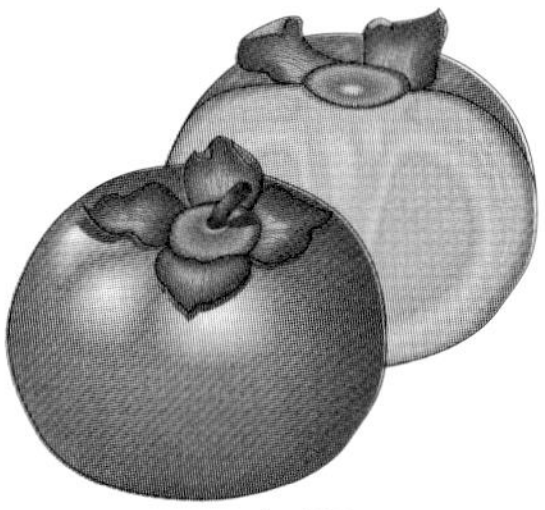

kaki[M]
Japanese persimmon

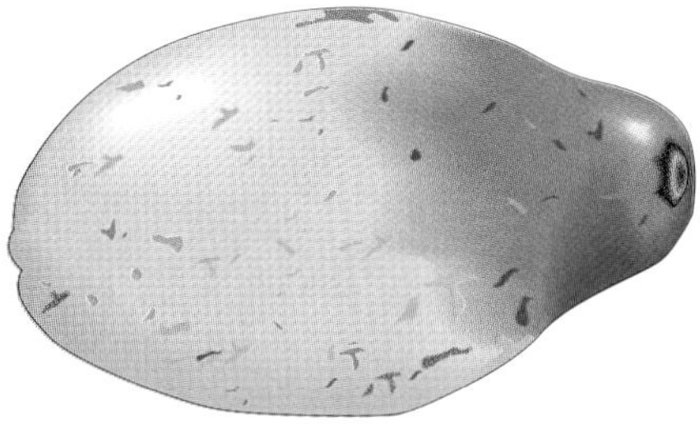

papaye[F]
papaya

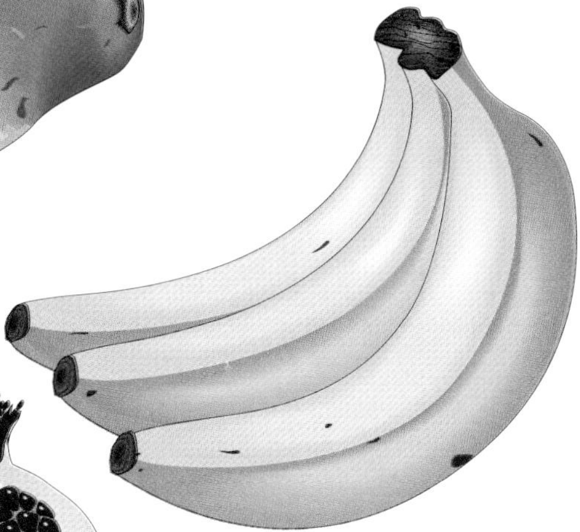

banane[F]
banana

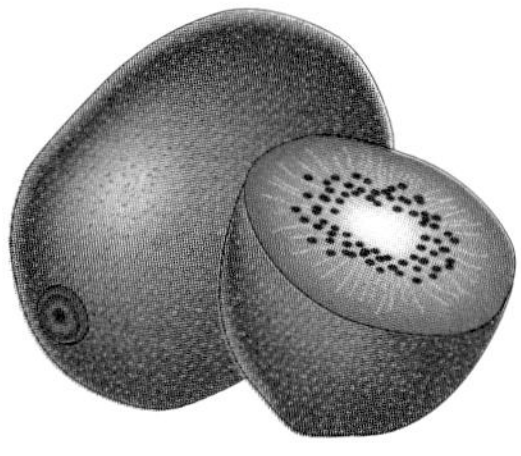

kiwi[M]
kiwi

grenade[F]
pomegranate

chérimole[F]
cherimoya

figue[F] de Barbarie
Indian fig

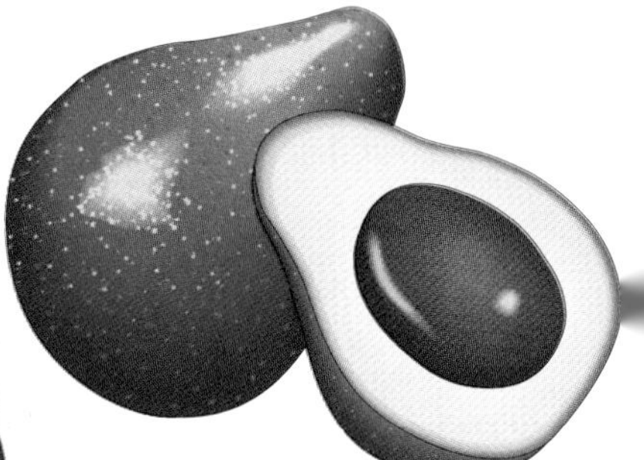

avocat[M]
avocado

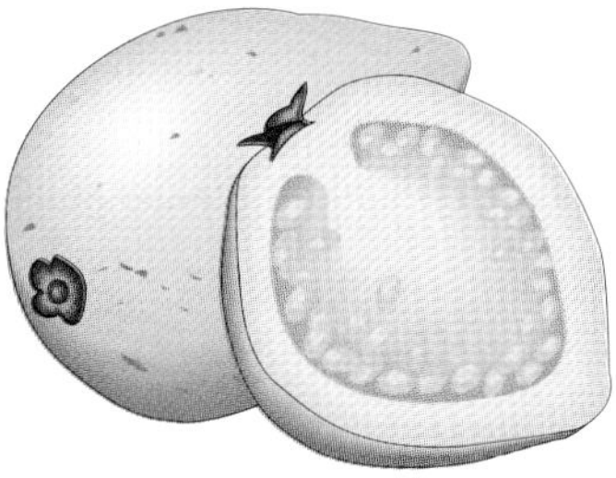

goyave[F]
guava

ananas[M]
pineapple

LÉGUMES[M]
VEGETABLES

LÉGUMES[M] FRUITS[M]
FRUIT VEGETABLES

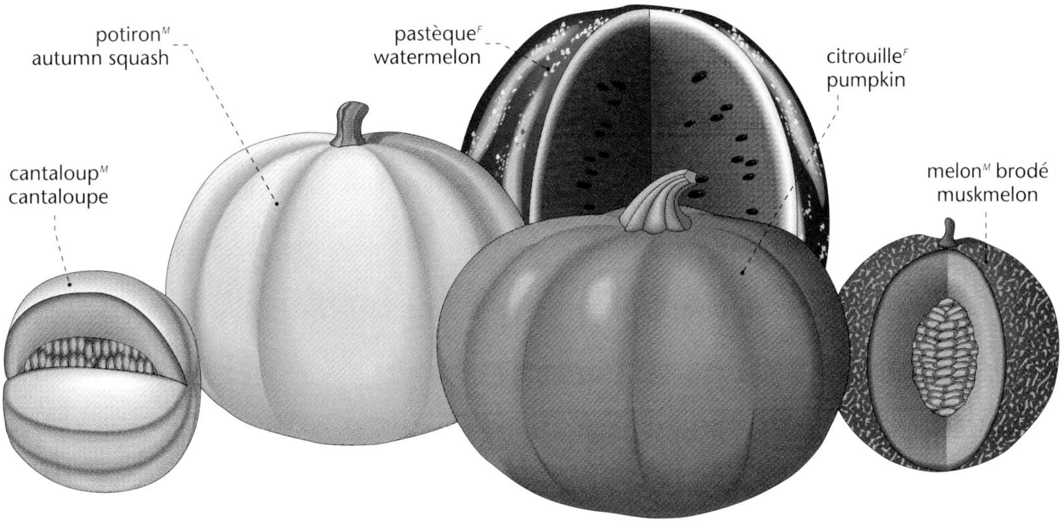
potiron[M]
autumn squash
pastèque[F]
watermelon
citrouille[F]
pumpkin
cantaloup[M]
cantaloupe
melon[M] brodé
muskmelon

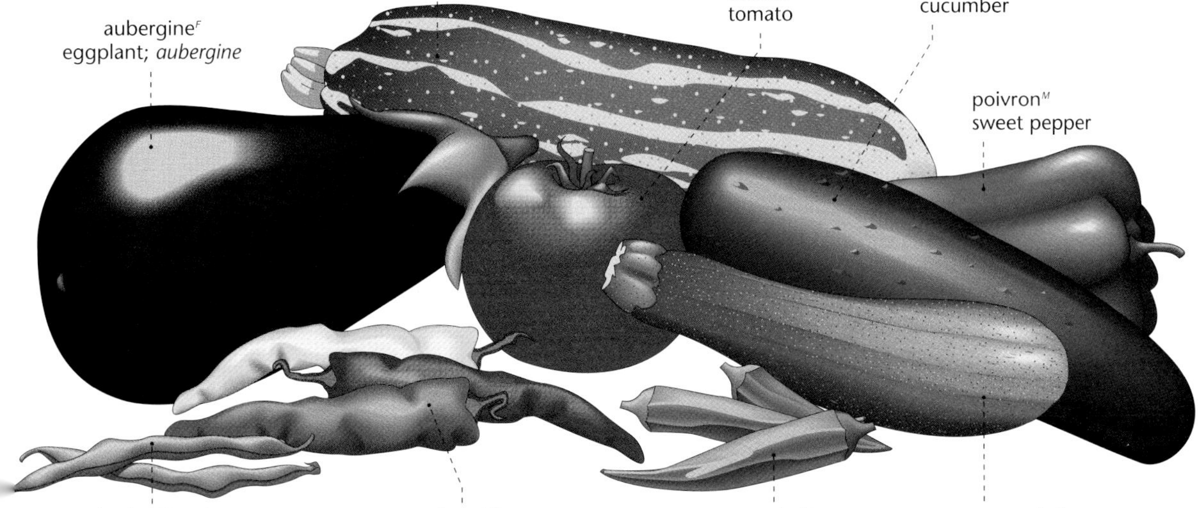
courge[F]
summer squash; *marrow*
tomate[F]
tomato
concombre[M]
cucumber
aubergine[F]
eggplant; *aubergine*
poivron[M]
sweet pepper
haricot[M] vert
green bean
piment[M]
hot pepper; *chilli*
gombo[M]
okra
courgette[F]
zucchini; *courgette*

LÉGUMES[M] FLEURS[F]
INFLORESCENT VEGETABLES

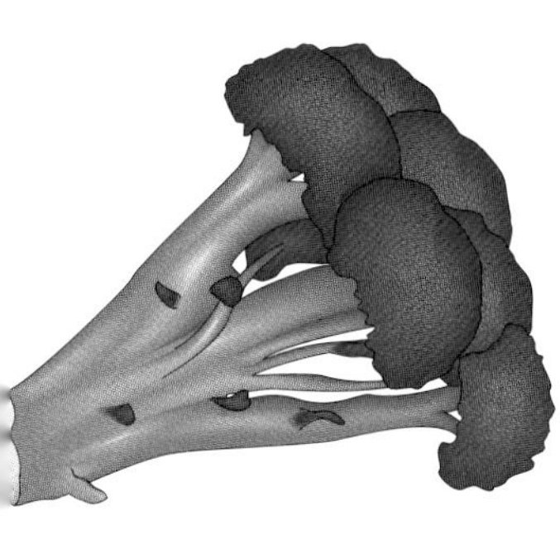

brocoli[M]
broccoli

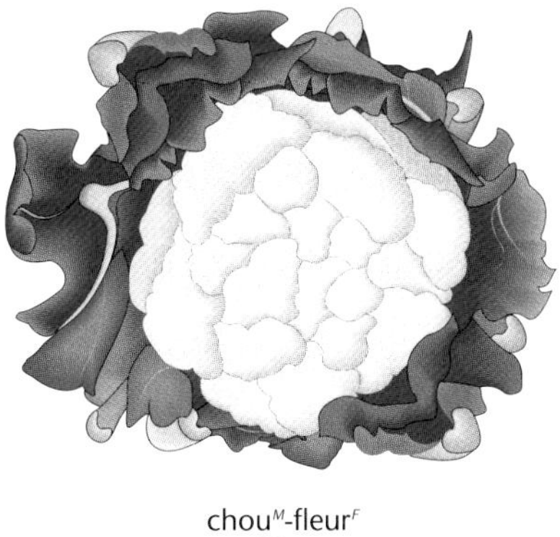

chou[M]-fleur[F]
cauliflower

artichaut[M]
artichoke

LÉGUMES[M]
VEGETABLES

COUPE[F] D'UN BULBE[M]
SECTION OF A BULB

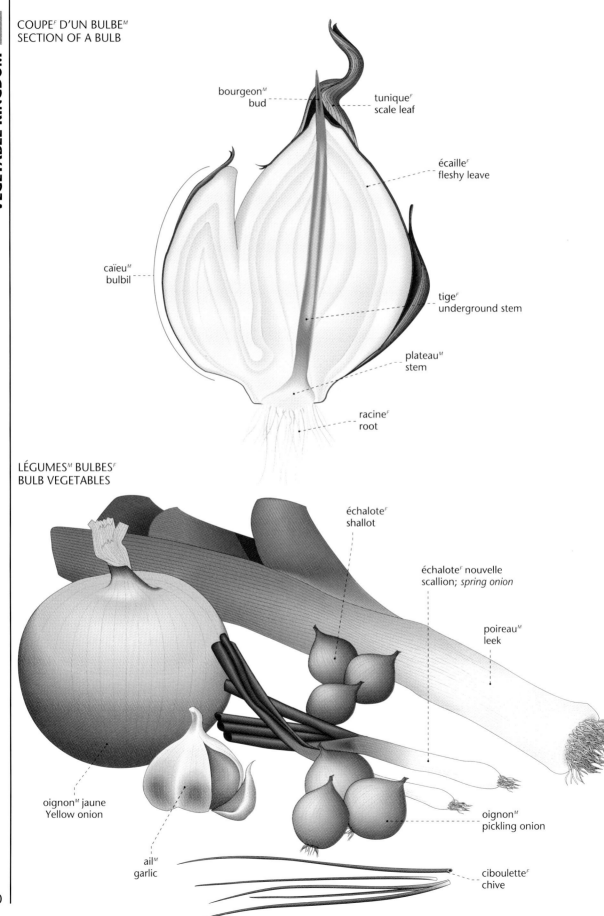

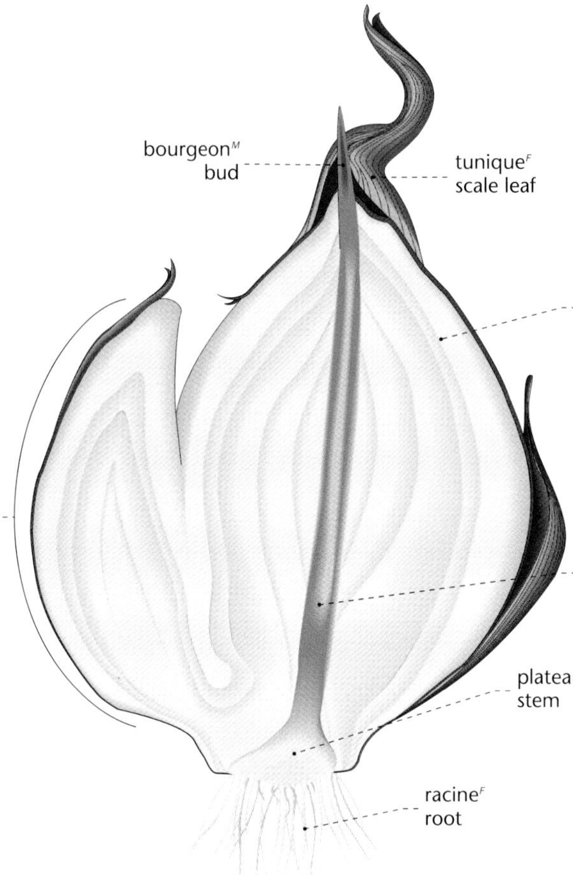
bourgeon[M]
bud
tunique[F]
scale leaf
écaille[F]
fleshy leave
caïeu[M]
bulbil
tige[F]
underground stem
plateau[M]
stem
racine[F]
root

LÉGUMES[M] BULBES[F]
BULB VEGETABLES

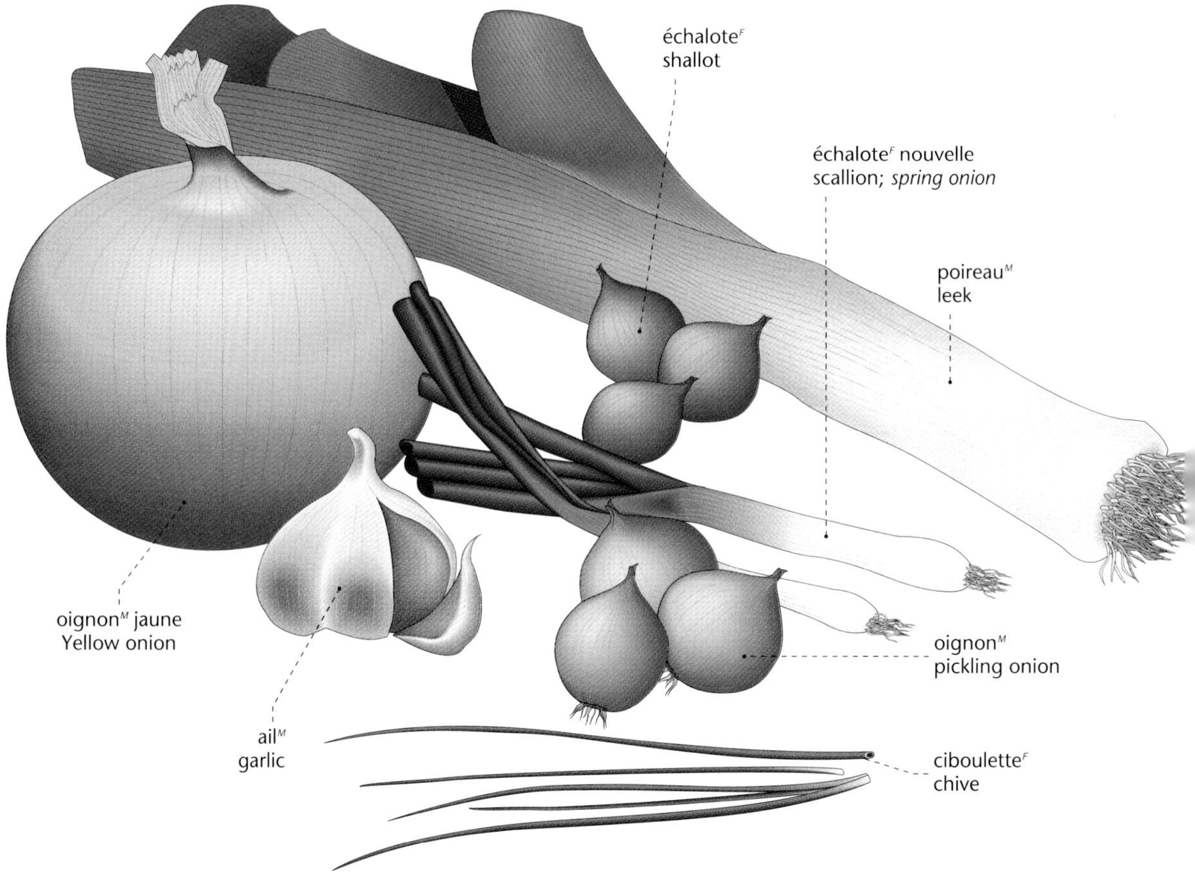
échalote[F]
shallot
échalote[F] nouvelle
scallion; *spring onion*
poireau[M]
leek
oignon[M] jaune
Yellow onion
oignon[M]
pickling onion
ail[M]
garlic
ciboulette[F]
chive

LÉGUMES[M]
VEGETABLES

LÉGUMES[M] TUBERCULES[M]
TUBER VEGETABLES

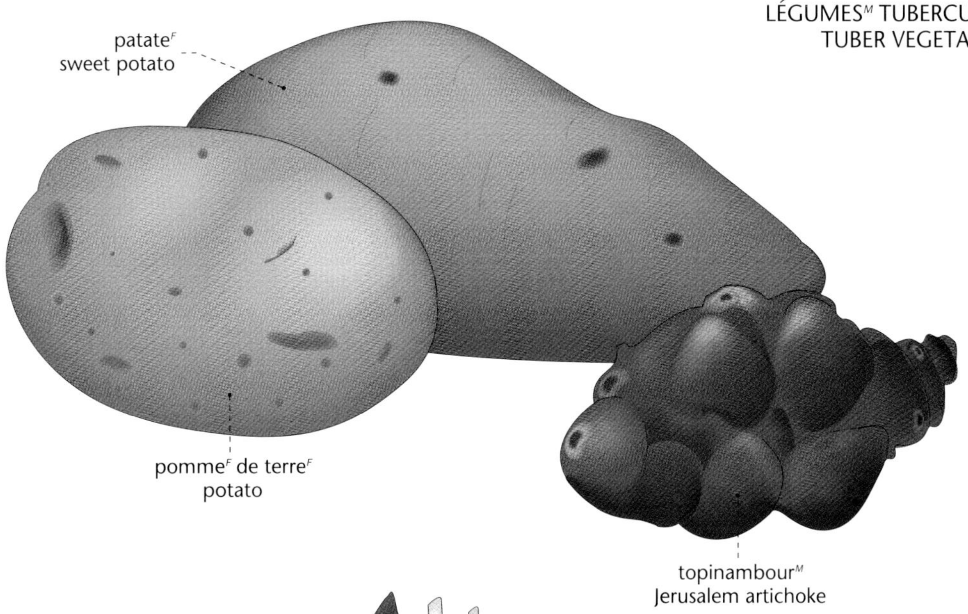
patate[F]
sweet potato
pomme[F] de terre[F]
potato
topinambour[M]
Jerusalem artichoke

LÉGUMES[M] RACINES[F]
ROOT VEGETABLES

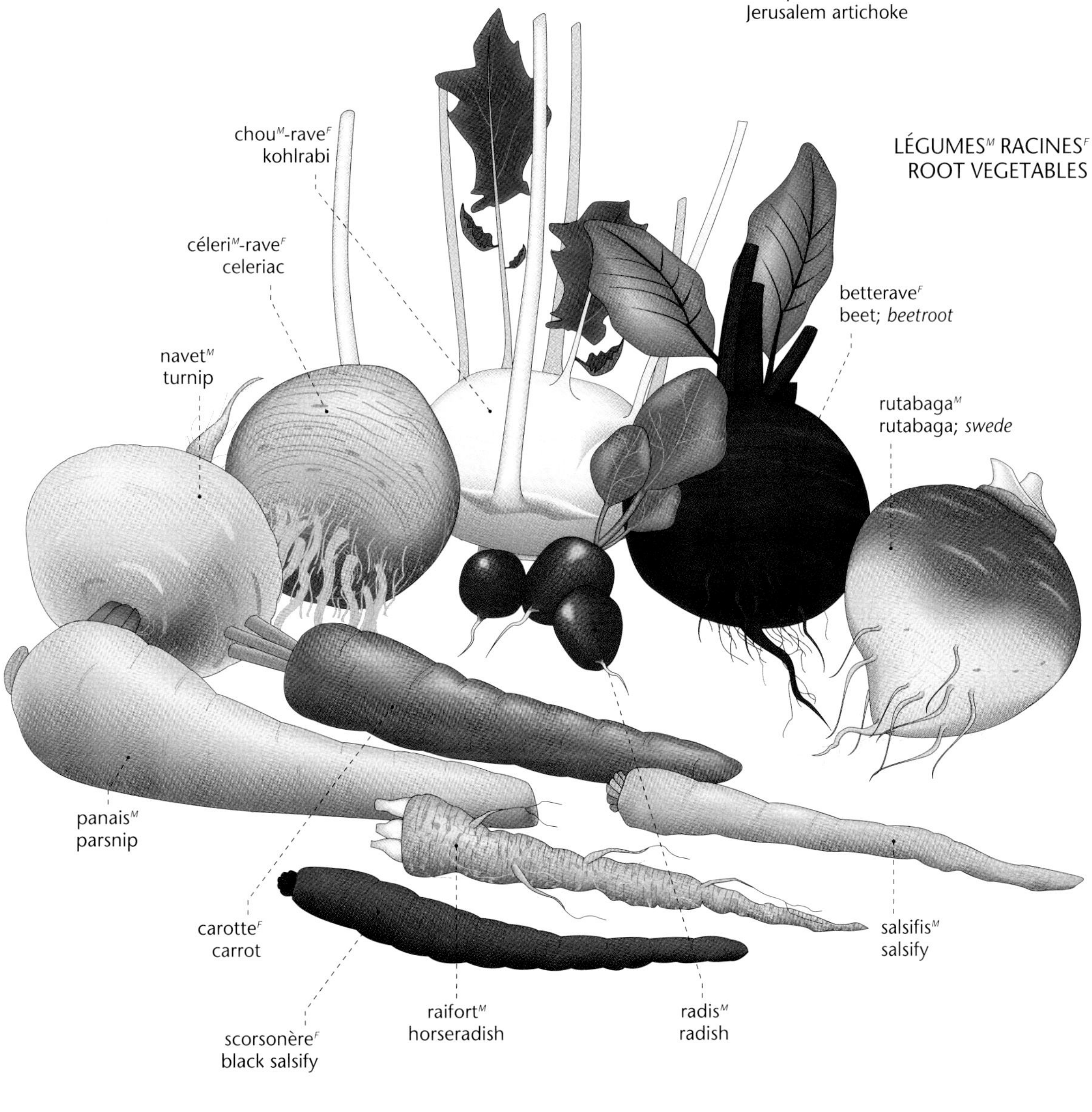
chou[M]-rave[F]
kohlrabi
céleri[M]-rave[F]
celeriac
navet[M]
turnip
betterave[F]
beet; *beetroot*
rutabaga[M]
rutabaga; *swede*
panais[M]
parsnip
carotte[F]
carrot
salsifis[M]
salsify
scorsonère[F]
black salsify
raifort[M]
horseradish
radis[M]
radish

LÉGUMES[M]
VEGETABLES

LÉGUMES[M] TIGES[F]
STALK VEGETABLES

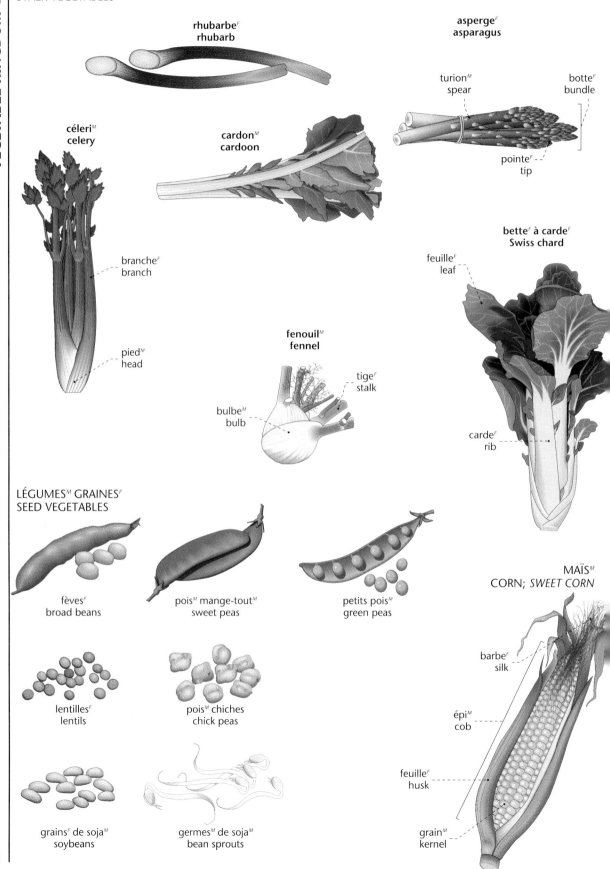

rhubarbe[F]
rhubarb

asperge[F]
asparagus

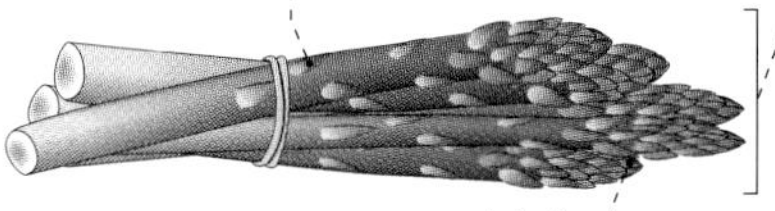
turion[M]
spear
botte[F]
bundle
pointe[F]
tip

céleri[M]
celery

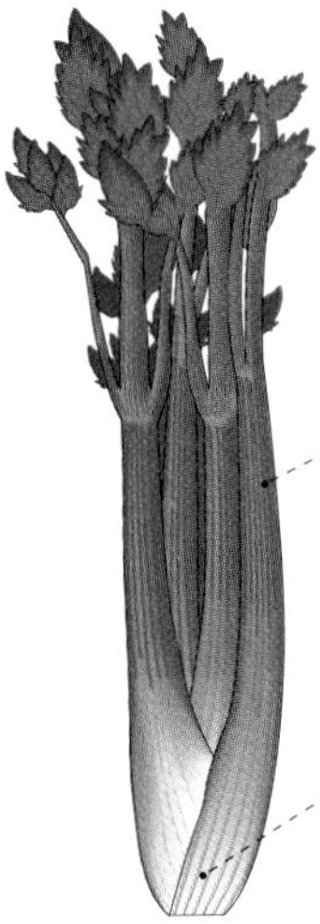
branche[F]
branch
pied[M]
head

cardon[M]
cardoon

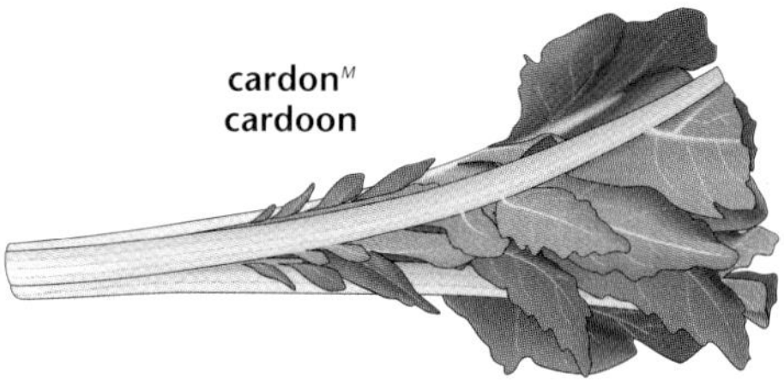

bette[F] à carde[F]
Swiss chard

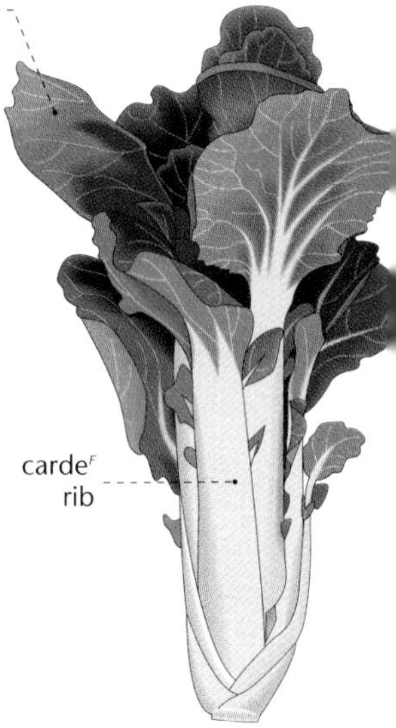
feuille[F]
leaf
carde[F]
rib

fenouil[M]
fennel

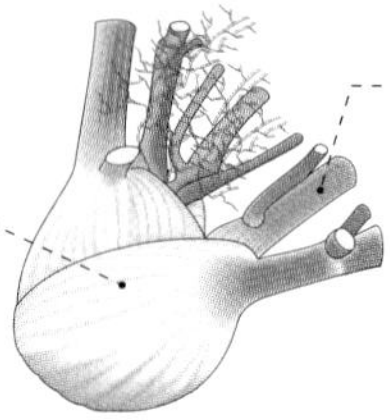
tige[F]
stalk
bulbe[M]
bulb

LÉGUMES[M] GRAINES[F]
SEED VEGETABLES

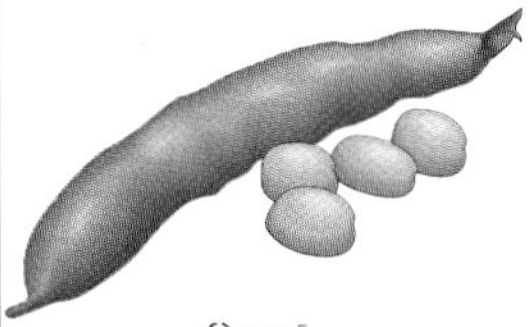

fèves[F]
broad beans

pois[M] mange-tout[M]
sweet peas

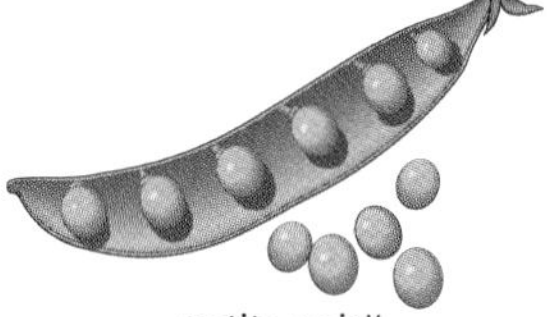

petits pois[M]
green peas

MAÏS[M]
CORN; *SWEET CORN*

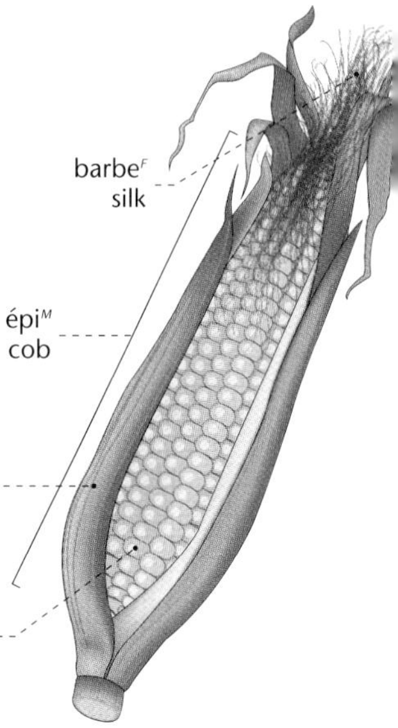
barbe[F]
silk
épi[M]
cob
feuille[F]
husk
grain[M]
kernel

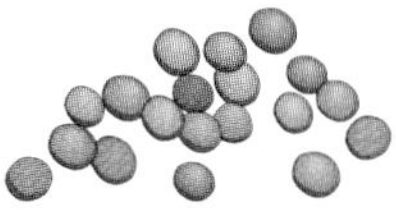

lentilles[F]
lentils

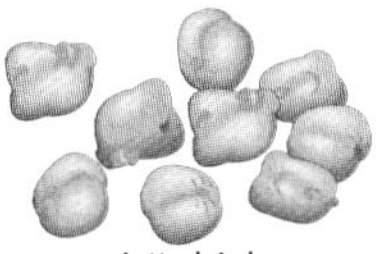

pois[M] chiches
chick peas

grains[F] de soja[M]
soybeans

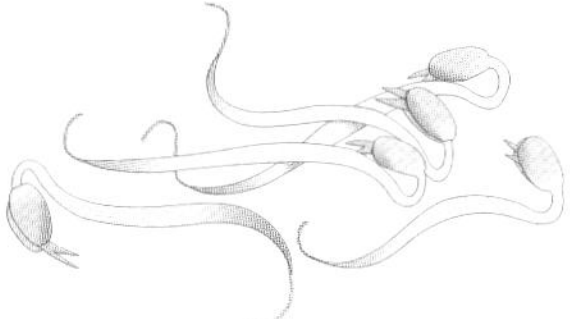

germes[M] de soja[M]
bean sprouts

LÉGUMES[M]
VEGETABLES

LÉGUMES[M] FEUILLES[F]
LEAF VEGETABLES

mâche[F]
corn salad

cresson[M] de fontaine[F]
watercress

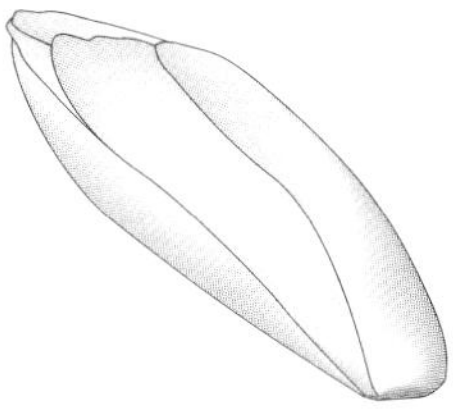
endive[F]
chicory

choux[M] de Bruxelles
Brussels sprouts

chou[M] frisé
curled kale

feuille[F] de vigne[F]
grape leaf

oseille[F]
garden sorrel

épinard[M]
spinach

chicorée[F]
curled endive

scarole[F]
broad-leaved endive

romaine[F]
romaine lettuce; *cos lettuce*

pissenlit[M]
dandelion

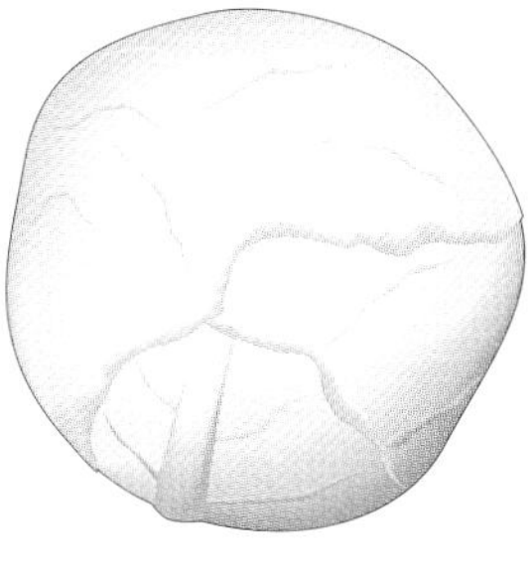
chou[M] pommé blanc
white cabbage

laitue[F] pommée
cabbage lettuce

chou[M] pommé vert
green cabbage

chou[M] chinois
Chinese cabbage

FINES HERBES[F]
HERBS

aneth[M]
dill

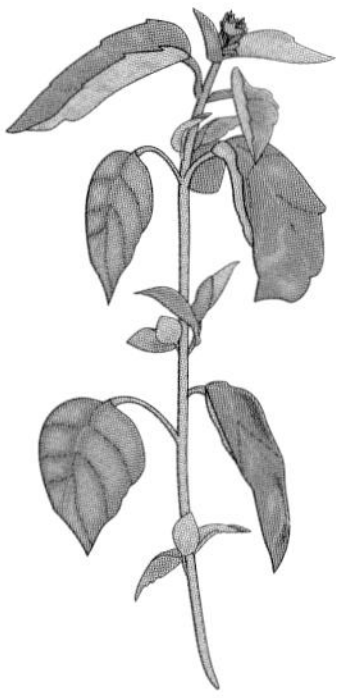
basilic[M]
basil

bourrache[F]
borage

cerfeuil[M]
chervil

coriandre[F]
coriander

estragon[M]
tarragon

hysope[F]
hyssop

laurier[M]
sweet bay

livèche[F]
lovage

menthe[F]
mint

origan[M]
oregano

persil[M]
parsley

romarin[M]
rosemary

sarriette[F]
savory

sauge[F]
sage

thym[M]
thyme

RÈGNE ANIMAL • ANIMAL KINGDOM

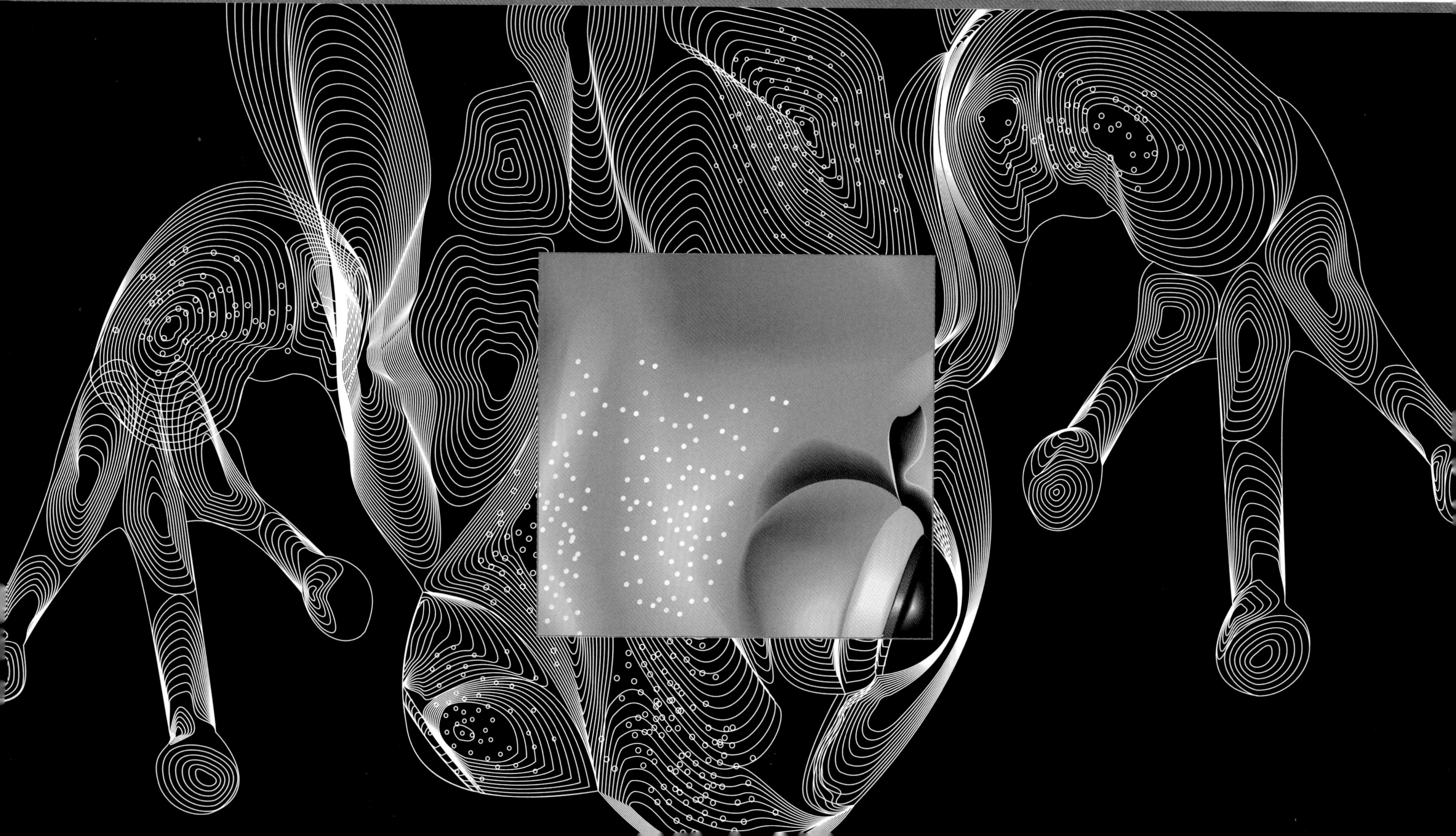

SOMMAIRE

INSECTES[M] ET ARAIGNÉE[F]
INSECTS AND SPIDER

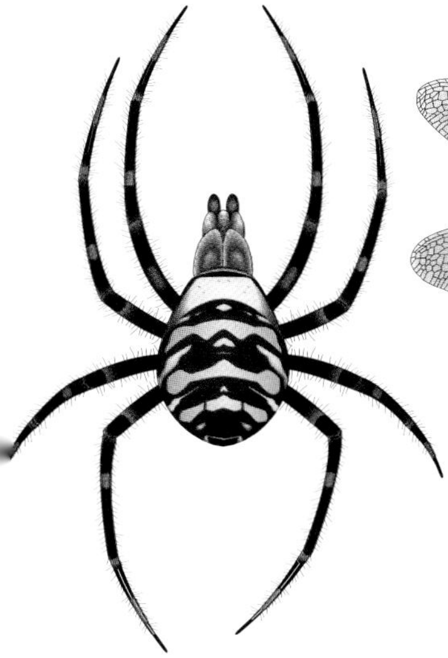

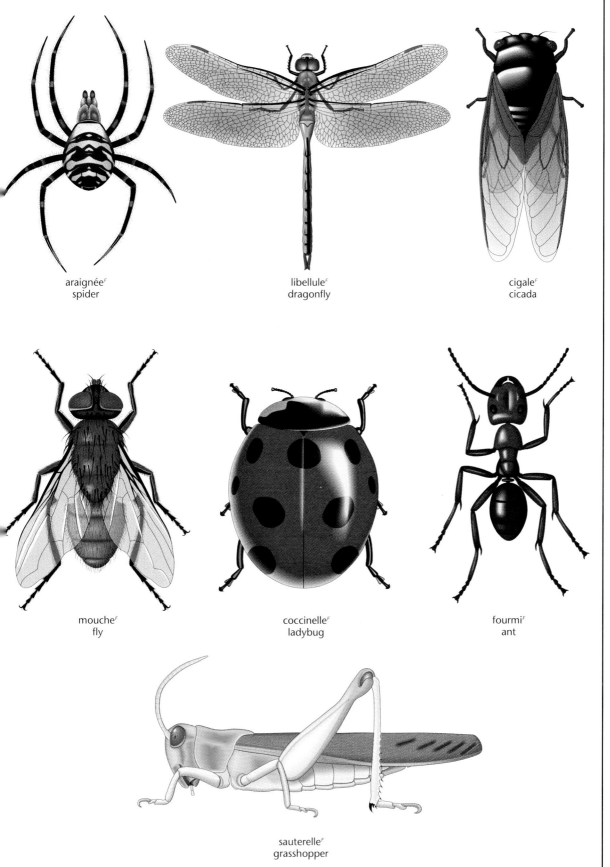

araignée[F]
spider

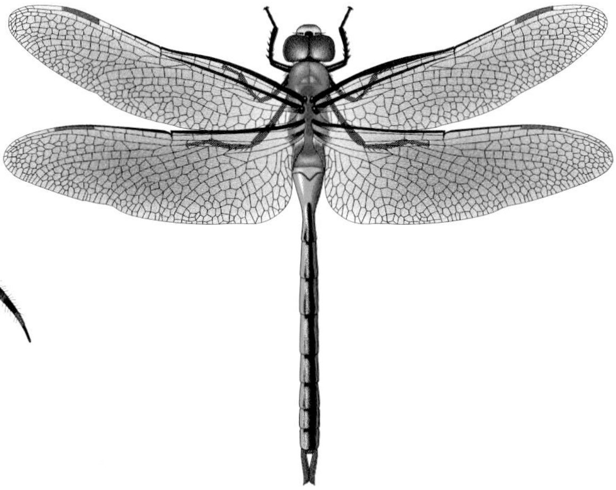

libellule[F]
dragonfly

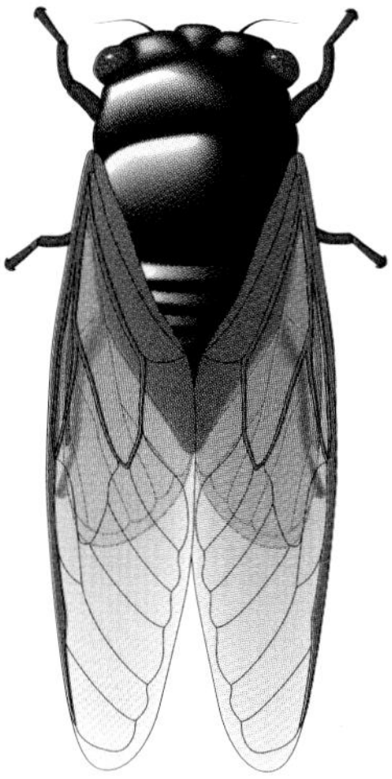

cigale[F]
cicada

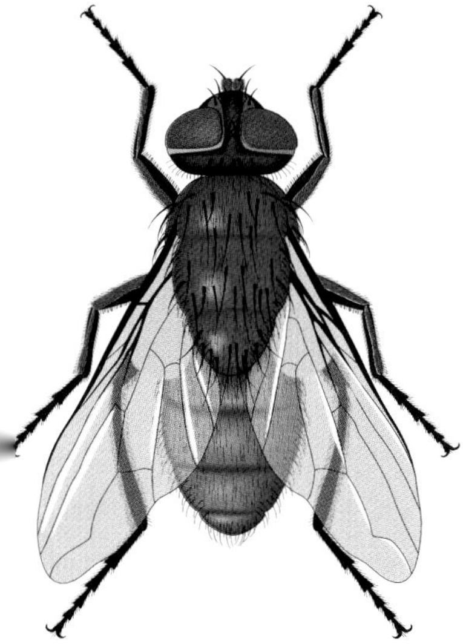

mouche[F]
fly

coccinelle[F]
ladybug

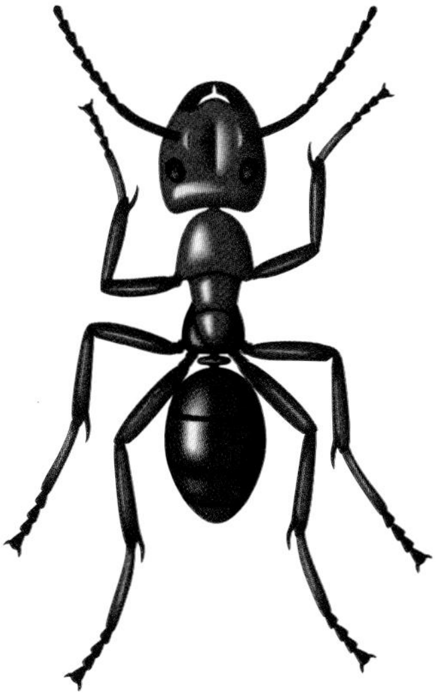

fourmi[F]
ant

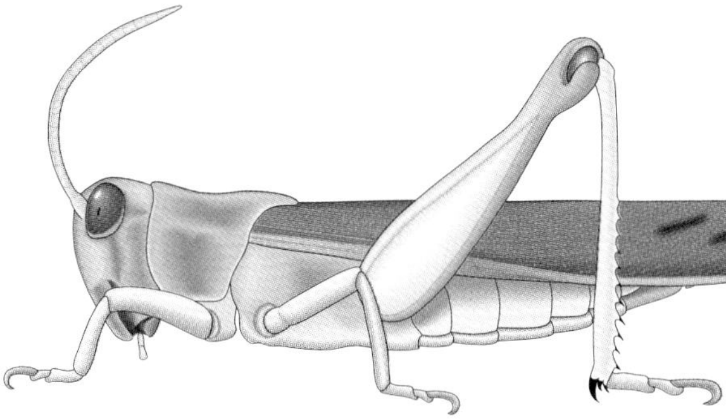

sauterelle[F]
grasshopper

PAPILLON[M]
BUTTERFLY

CHENILLE[F]
CATERPILLAR

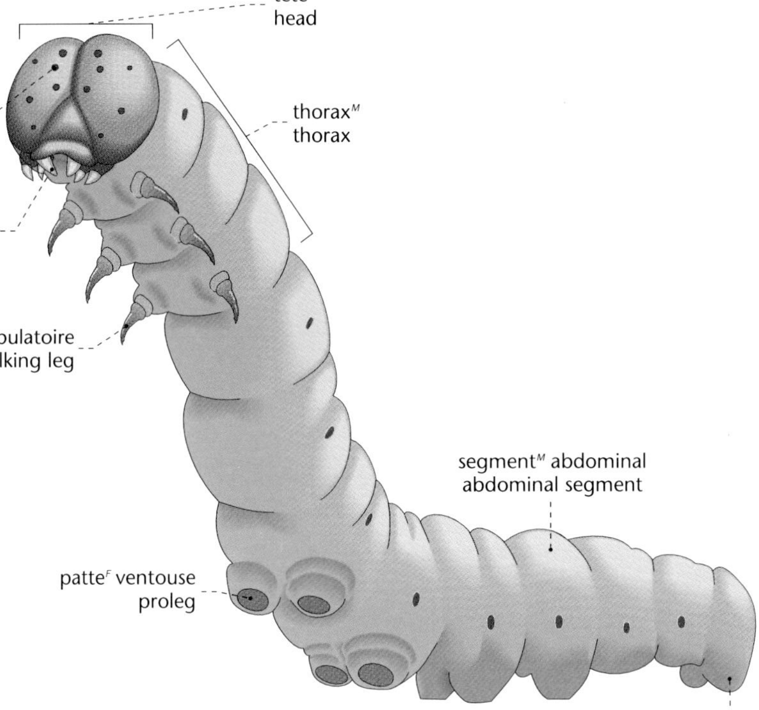
tête[F]
head
œil[M] simple
simple eye
thorax[M]
thorax
mandibule[M]
mandible
patte[F] ambulatoire
walking leg
segment[M] abdominal
abdominal segment
patte[F] ventouse
proleg
patte[F] anale
anal proleg

CHRYSALIDE[F]
CHRYSALIS

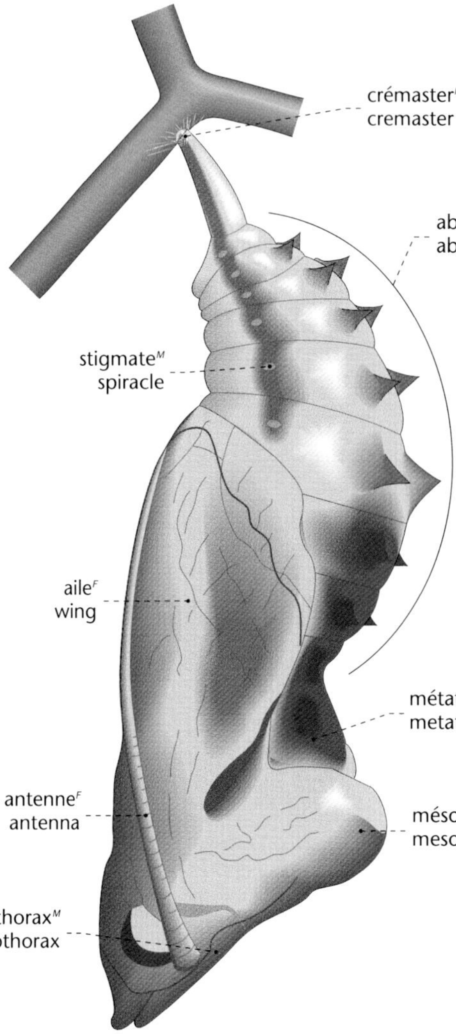
crémaster[M]
cremaster
abdomen[M]
abdomen
stigmate[M]
spiracle
aile[F]
wing
métathorax[M]
metathorax
antenne[F]
antenna
mésothorax[M]
mesothorax
prothorax[M]
prothorax

PATTE[F] POSTÉRIEURE
HIND LEG

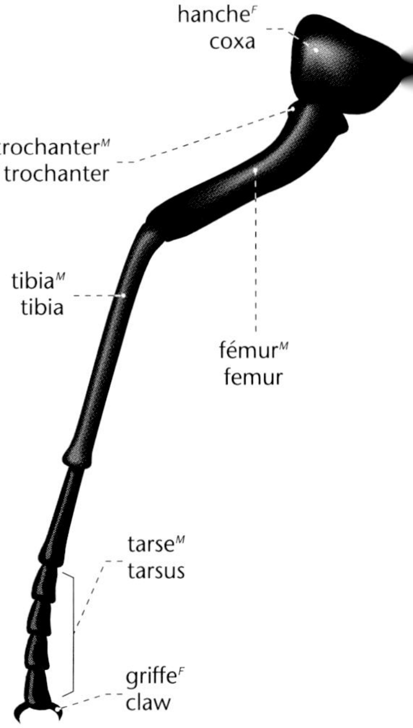
hanche[F]
coxa
trochanter[M]
trochanter
tibia[M]
tibia
fémur[M]
femur
tarse[M]
tarsus
griffe[F]
claw

PAPILLON^M
BUTTERFLY

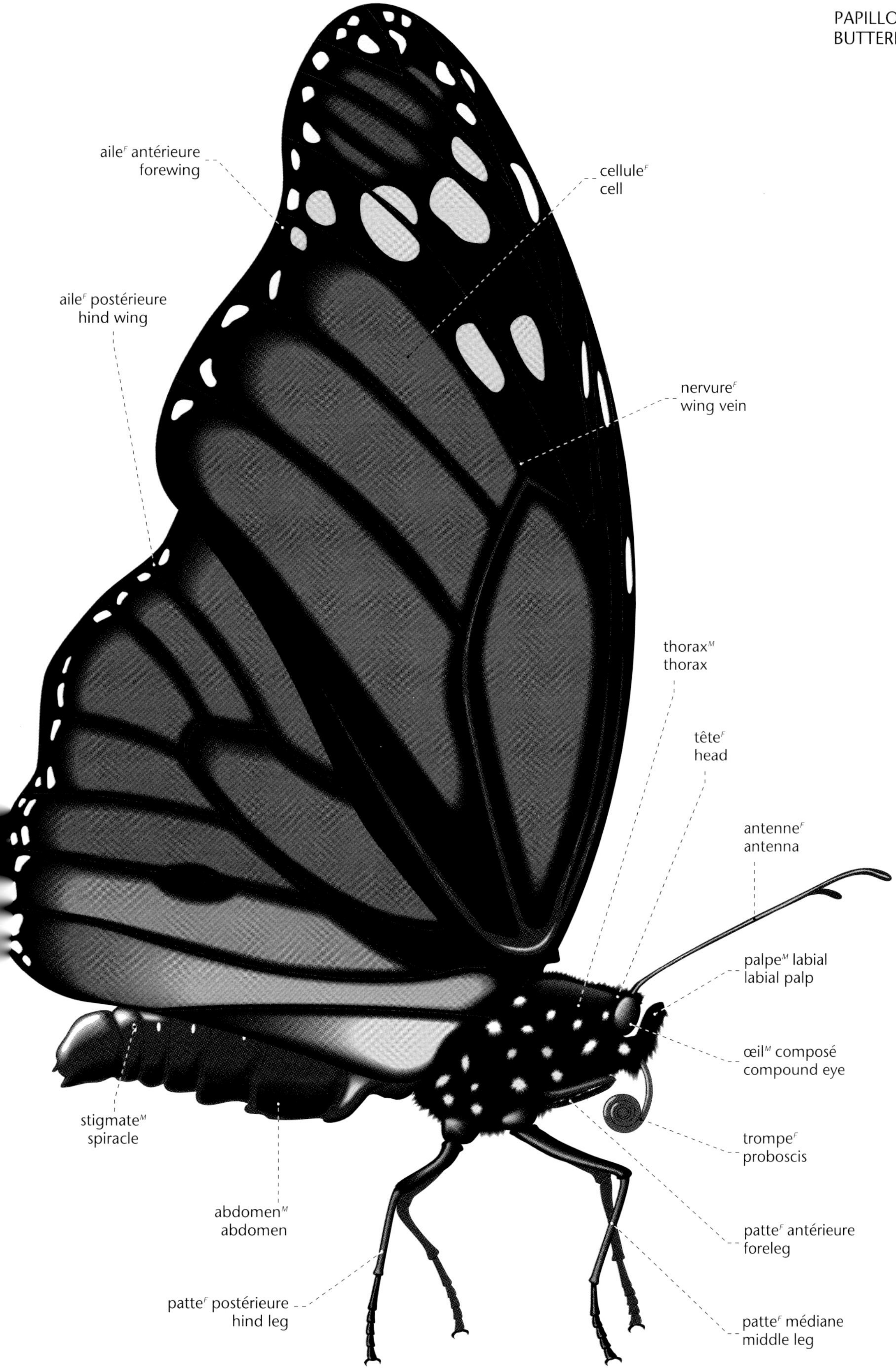
aile^F antérieure
forewing
cellule^F
cell
aile^F postérieure
hind wing
nervure^F
wing vein
thorax^M
thorax
tête^F
head
antenne^F
antenna
palpe^M labial
labial palp
œil^M composé
compound eye
stigmate^M
spiracle
trompe^F
proboscis
abdomen^M
abdomen
patte^F antérieure
foreleg
patte^F postérieure
hind leg
patte^F médiane
middle leg

ABEILLE[F]
HONEYBEE

OUVRIÈRE[F]
WORKER

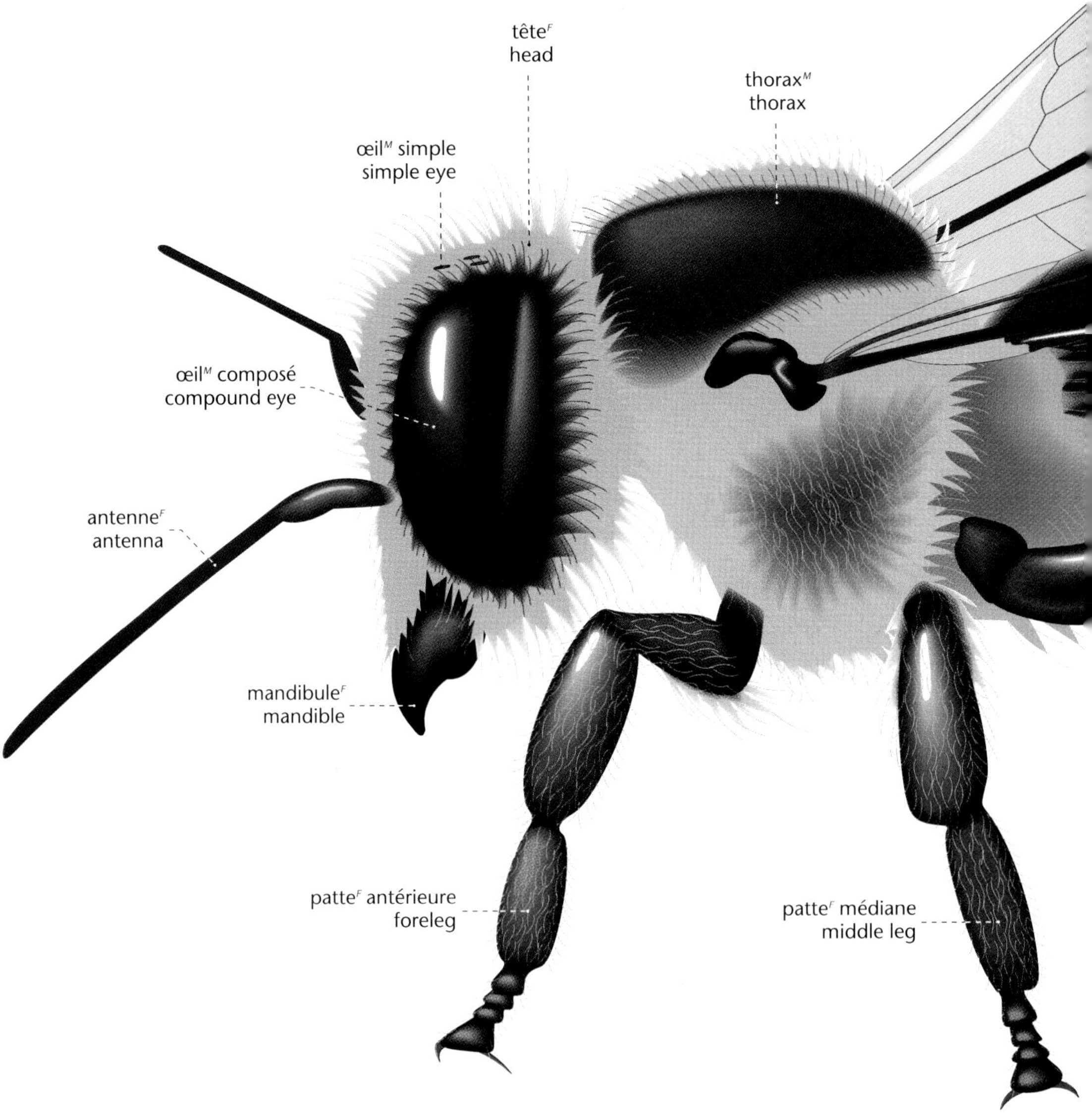
tête[F]
head
thorax[M]
thorax
œil[M] simple
simple eye
œil[M] composé
compound eye
antenne[F]
antenna
mandibule[F]
mandible
patte[F] antérieure
foreleg
patte[F] médiane
middle leg

PATTE[F] ANTÉRIEURE (FACE[F] EXTERNE)
FORELEG (OUTER SURFACE)

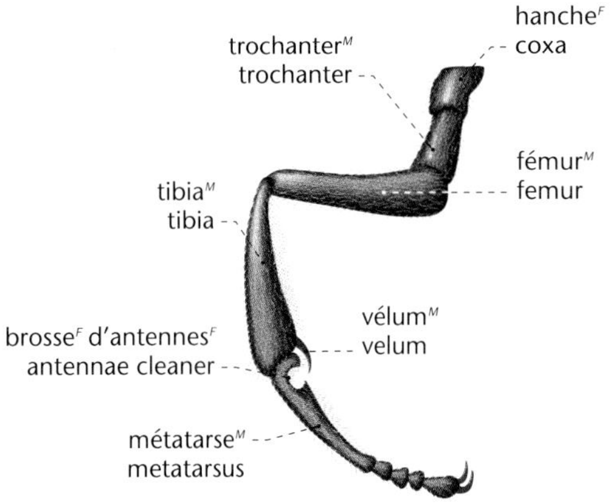
hanche[F]
coxa
trochanter[M]
trochanter
fémur[M]
femur
tibia[M]
tibia
vélum[M]
velum
brosse[F] d'antennes[F]
antennae cleaner
métatarse[M]
metatarsus

PATTE[F] MÉDIANE (FACE[F] EXTERNE)
MIDDLE LEG (OUTER SURFACE)

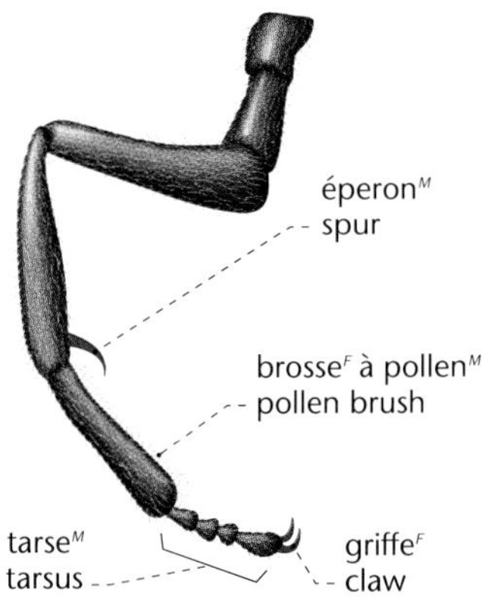
éperon[M]
spur
brosse[F] à pollen[M]
pollen brush
tarse[M]
tarsus
griffe[F]
claw

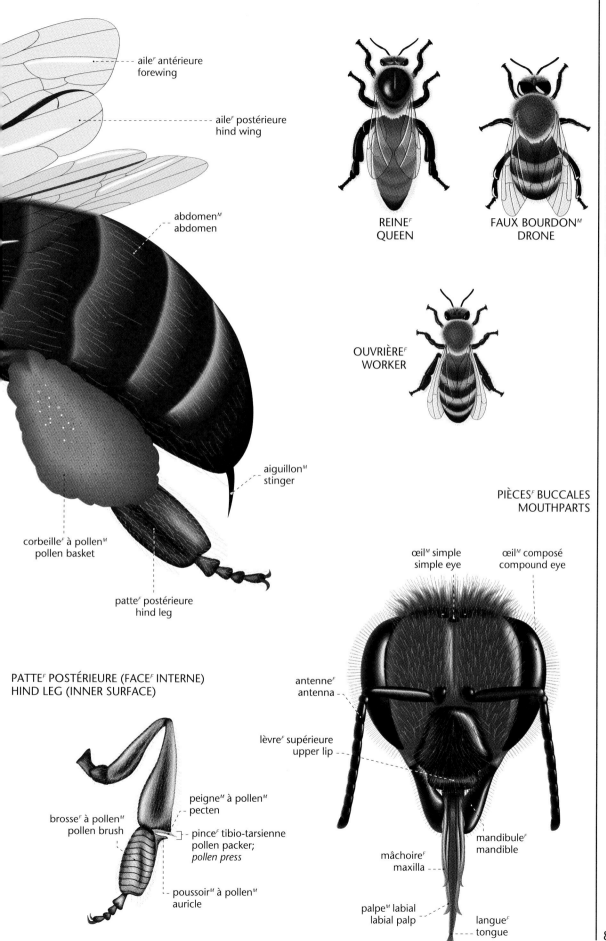

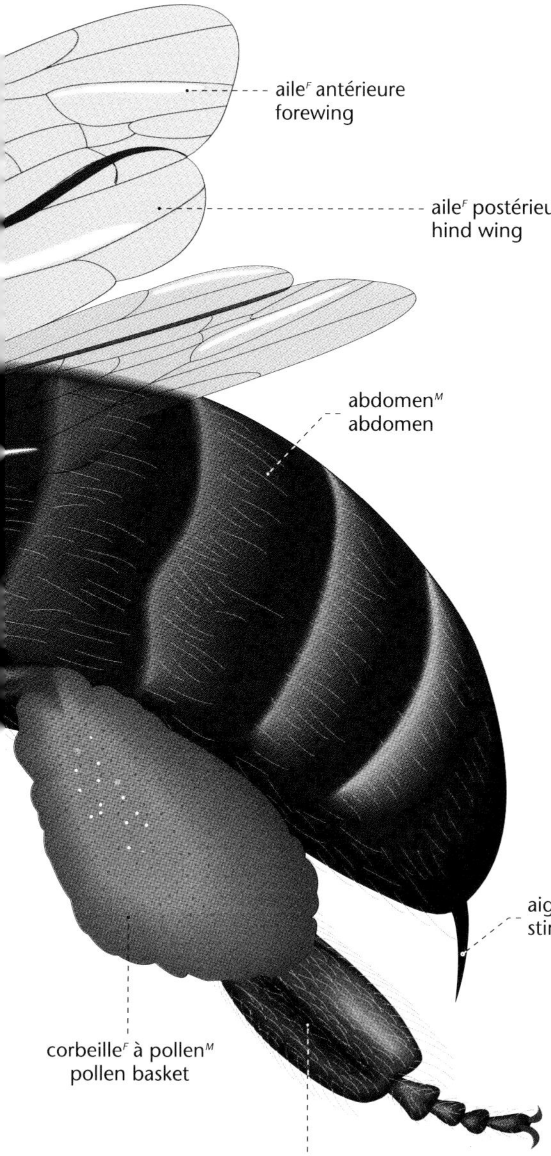
aile[F] antérieure
forewing
aile[F] postérieure
hind wing
abdomen[M]
abdomen
aiguillon[M]
stinger
corbeille[F] à pollen[M]
pollen basket
patte[F] postérieure
hind leg

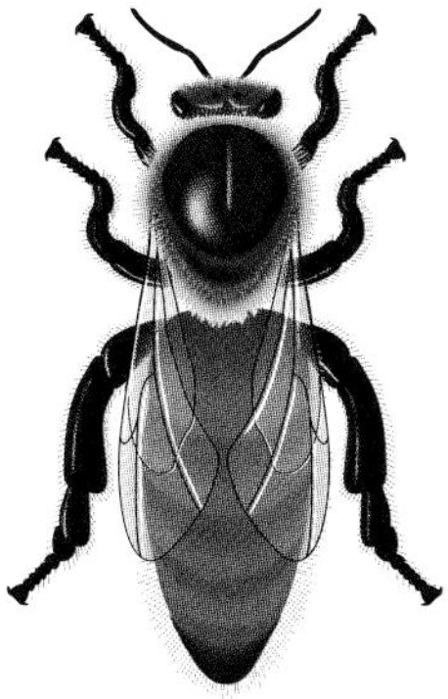

REINE[F]
QUEEN

FAUX BOURDON[M]
DRONE

OUVRIÈRE[F]
WORKER

PIÈCES[F] BUCCALES
MOUTHPARTS

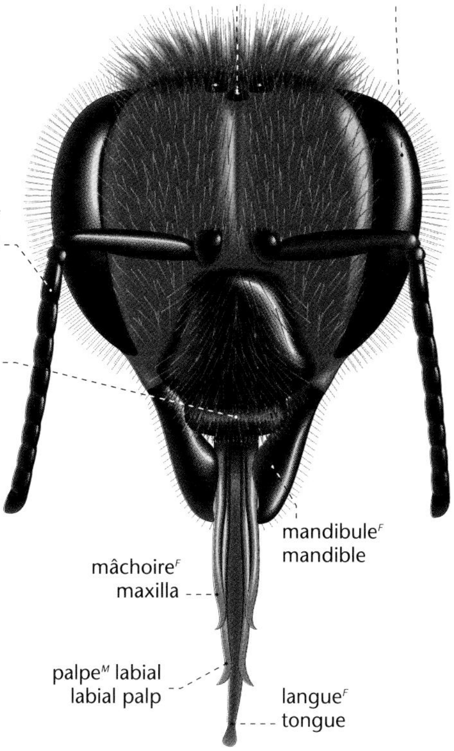
œil[M] simple
simple eye
œil[M] composé
compound eye
antenne[F]
antenna
lèvre[F] supérieure
upper lip
mandibule[F]
mandible
mâchoire[F]
maxilla
palpe[M] labial
labial palp
langue[F]
tongue

PATTE[F] POSTÉRIEURE (FACE[F] INTERNE)
HIND LEG (INNER SURFACE)

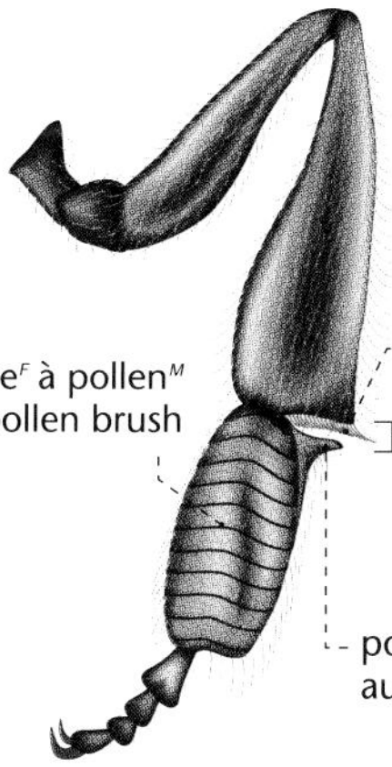
peigne[M] à pollen[M]
pecten
brosse[F] à pollen[M]
pollen brush
pince[F] tibio-tarsienne
pollen packer;
pollen press
poussoir[M] à pollen[M]
auricle

ABEILLE^F
HONEYBEE

COUPE^F D'UN RAYON^M DE MIEL^M
HONEYCOMB SECTION

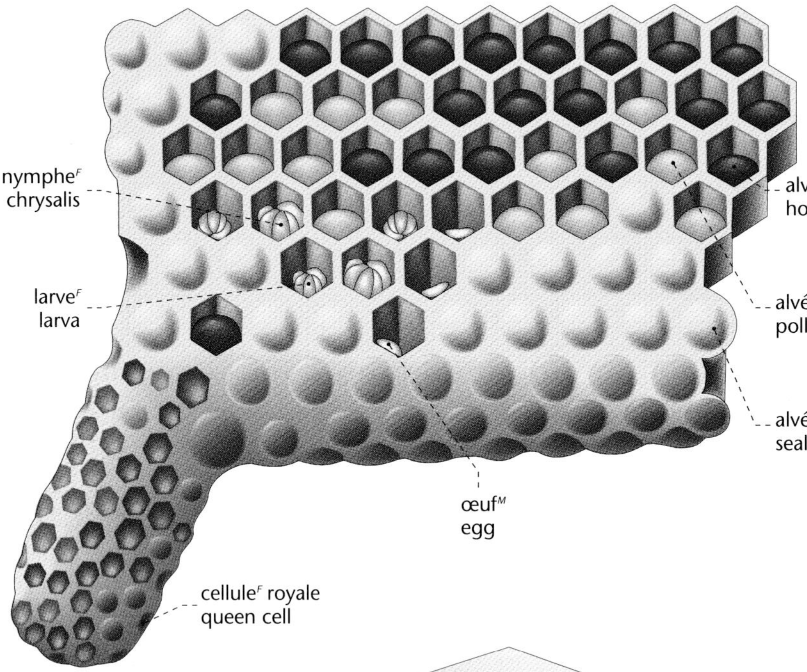
nymphe^F
chrysalis
larve^F
larva
alvéole^M à miel^M
honey cell
alvéole^M à pollen^M
pollen cell
alvéole^M operculé
sealed cell
œuf^M
egg
cellule^F royale
queen cell

RUCHE^F
HIVE

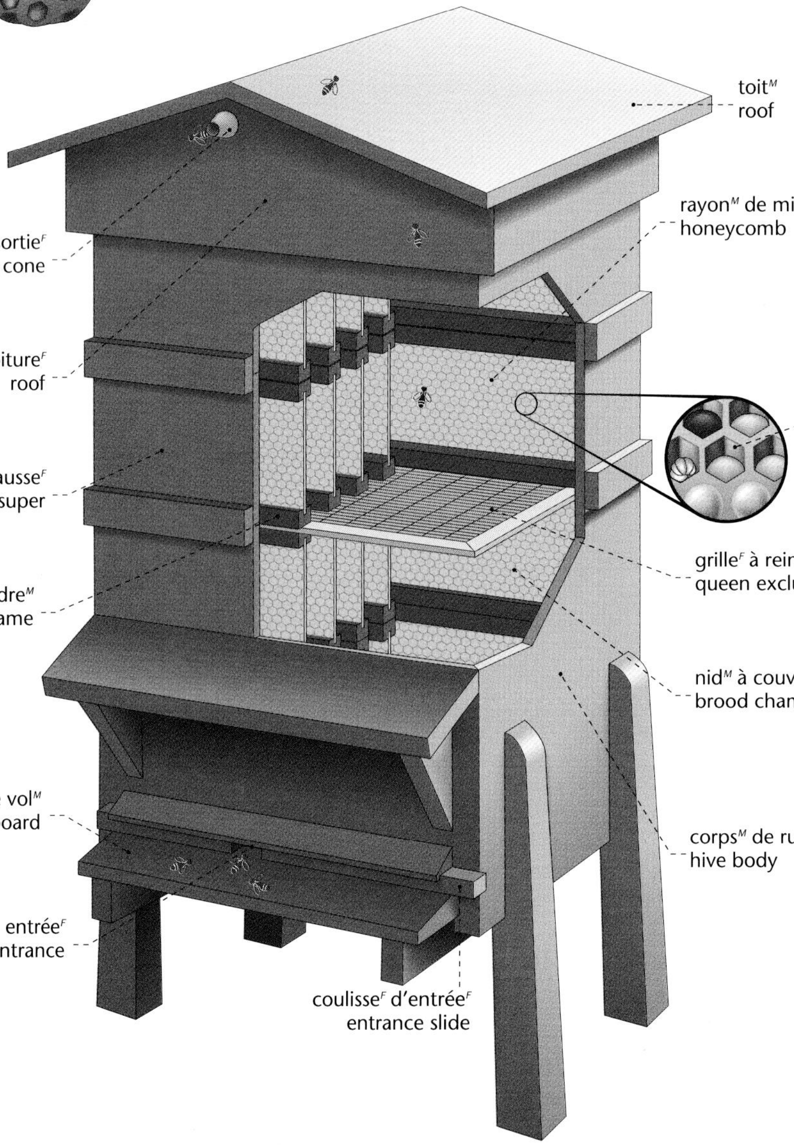
toit^M
roof
rayon^M de miel^M
honeycomb
sortie^F
exit cone
alvéole^F
cell
toiture^F
roof
hausse^F
super
grille^F à reine^F
queen excluder
cadre^M
frame
nid^M à couvain^M
brood chamber
planche^F de vol^M
alighting board
corps^M de ruche^F
hive body
entrée^F
entrance
coulisse^F d'entrée^F
entrance slide

GASTÉROPODE[M]
GASTROPOD

ESCARGOT[M]
SNAIL

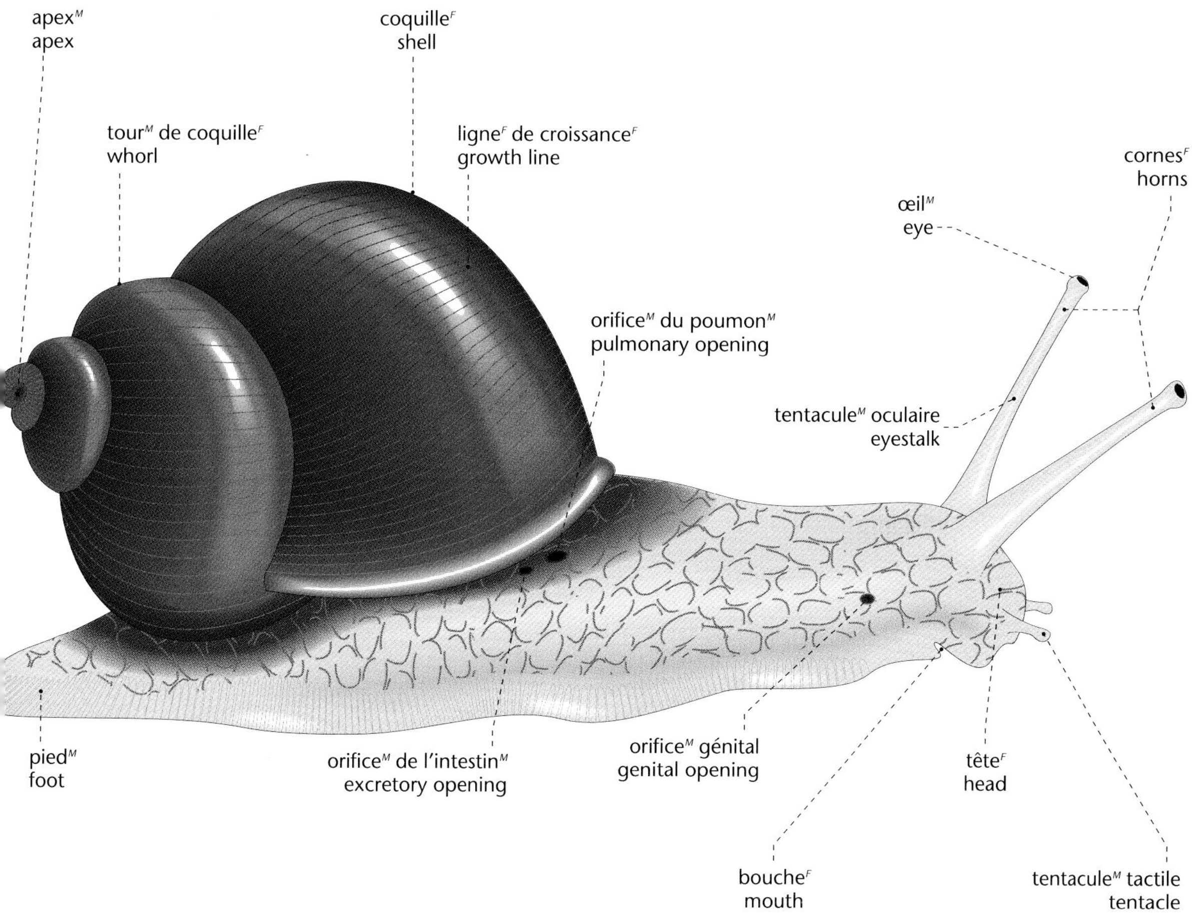
apex[M]
apex
coquille[F]
shell
tour[M] de coquille[F]
whorl
ligne[F] de croissance[F]
growth line
cornes[F]
horns
œil[M]
eye
orifice[M] du poumon[M]
pulmonary opening
tentacule[M] oculaire
eyestalk
pied[M]
foot
orifice[M] de l'intestin[M]
excretory opening
orifice[M] génital
genital opening
tête[F]
head
bouche[F]
mouth
tentacule[M] tactile
tentacle

PRINCIPAUX GASTÉROPODES[M] COMESTIBLES
MAJOR EDIBLE GASTROPODS

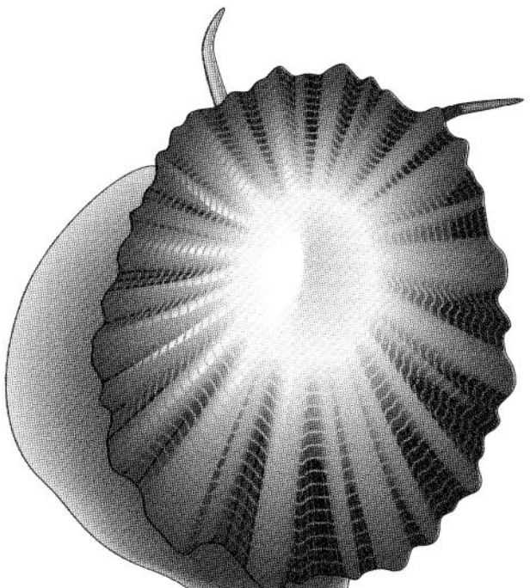

patelle[F]
limpet

bigorneau[M]
common periwinkle

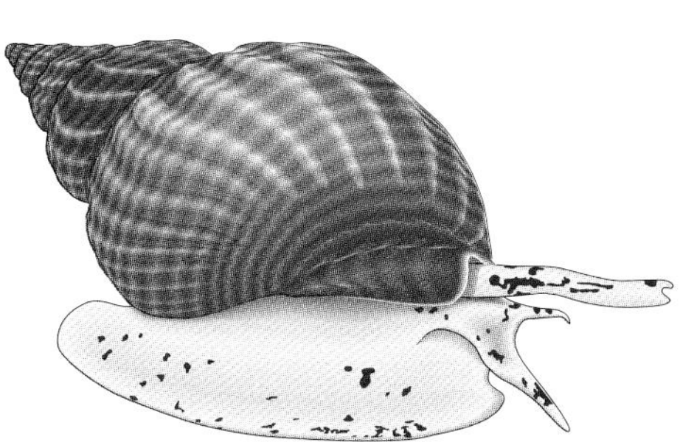

buccin[M]
whelk

AMPHIBIENS[M]
AMPHIBIANS

GRENOUILLE[F]
FROG

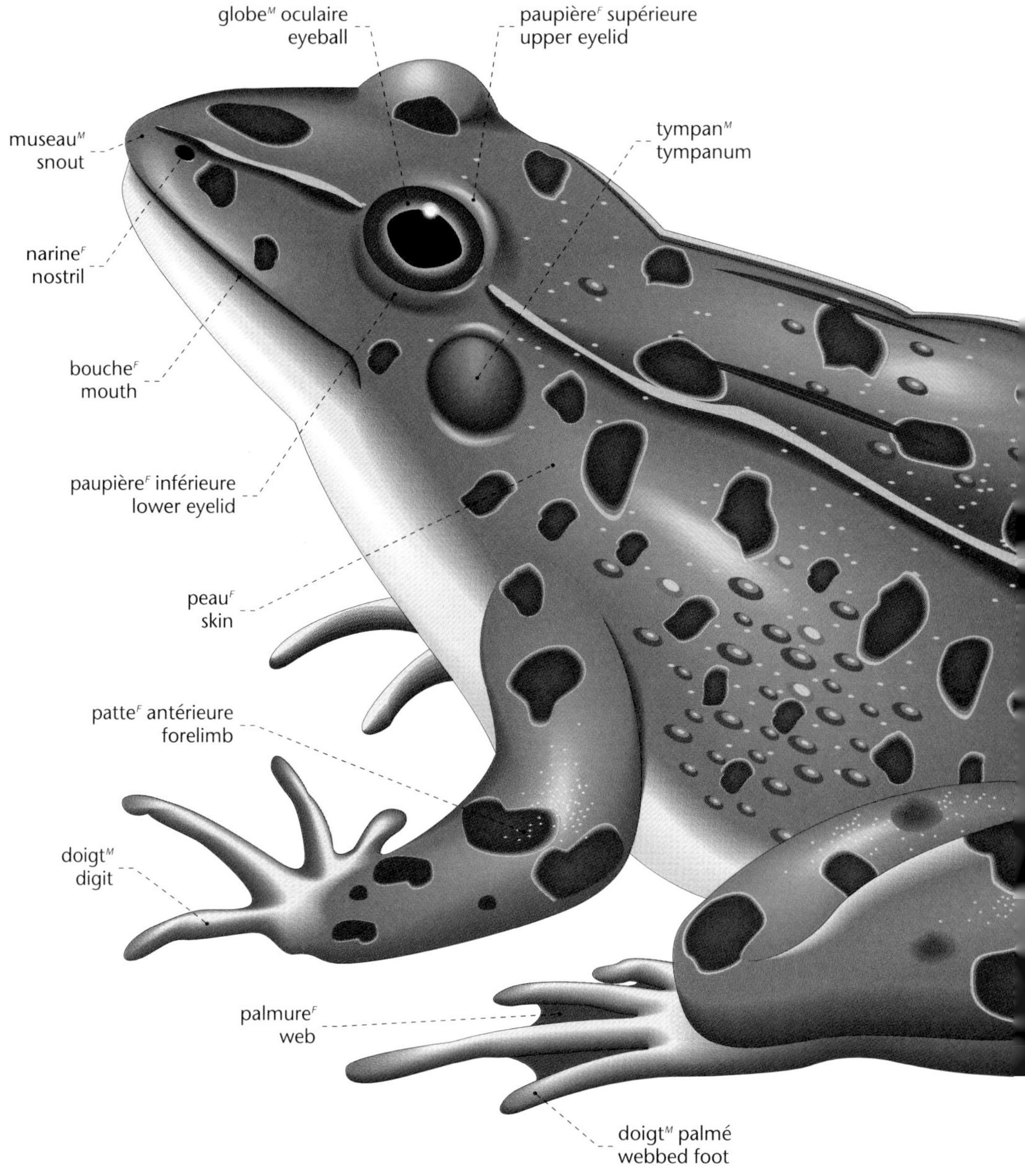
globe[M] oculaire
eyeball
paupière[F] supérieure
upper eyelid
tympan[M]
tympanum
museau[M]
snout
narine[F]
nostril
bouche[F]
mouth
paupière[F] inférieure
lower eyelid
peau[F]
skin
patte[F] antérieure
forelimb
doigt[M]
digit
palmure[F]
web
doigt[M] palmé
webbed foot

MÉTAMORPHOSE[F] DE LA GRENOUILLE[F]
LIFE CYCLE OF THE FROG

ŒUFS[M]
EGGS

TÊTARD[M]
TADPOLE

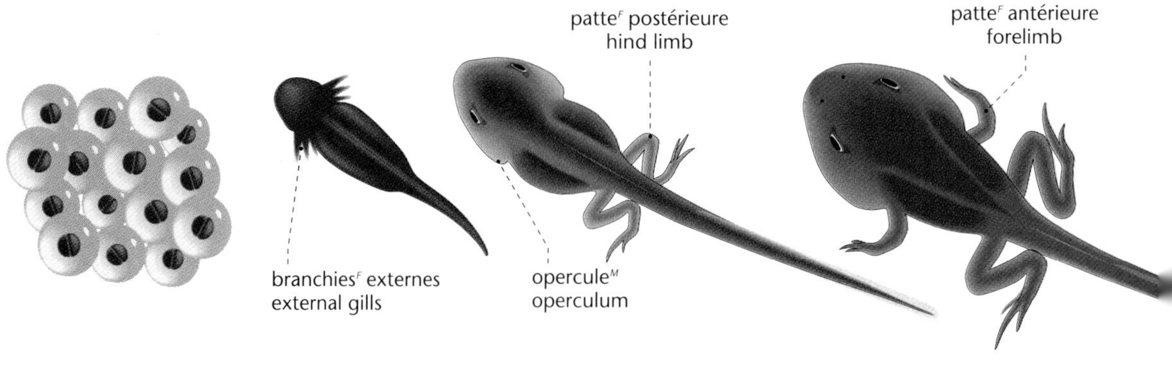
patte[F] postérieure
hind limb
patte[F] antérieure
forelimb
branchies[F] externes
external gills
opercule[M]
operculum

CRAPAUD[M]
TOAD

peau[F] verruqueuse
warty skin

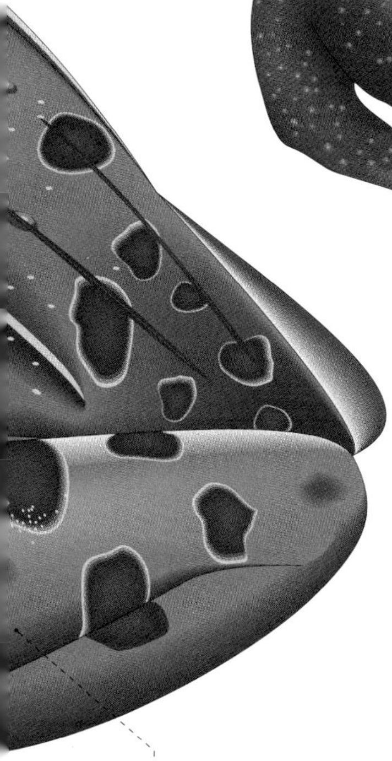
patte[F] postérieure
hind limb

RAINETTE[F]
TREE FROG

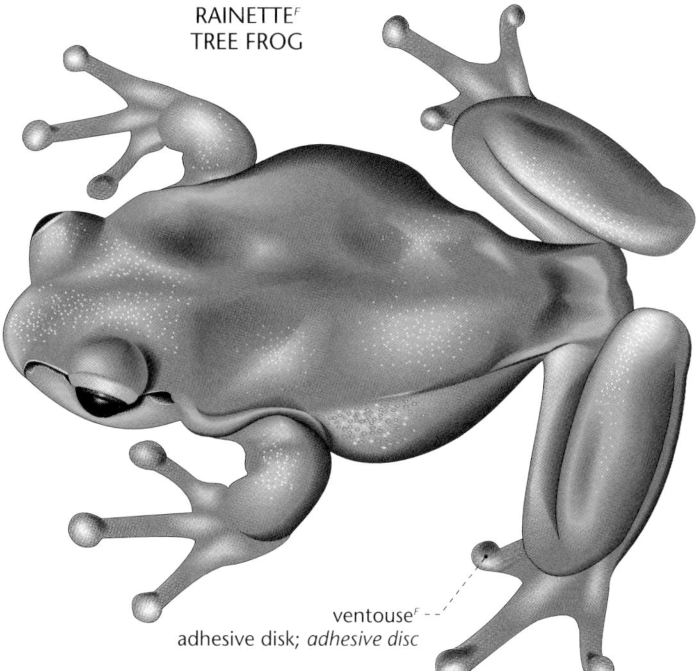
ventouse[F]
adhesive disk; *adhesive disc*

SALAMANDRE[F]
SALAMANDER

POISSON[M]
FISH

MORPHOLOGIE[F]
MORPHOLOGY

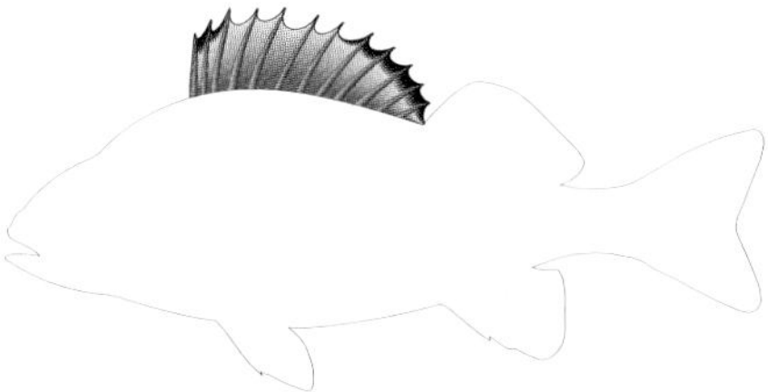

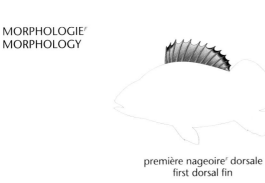

première nageoire[F] dorsale
first dorsal fin

seconde nageoire[F] dorsale
second dorsal fin

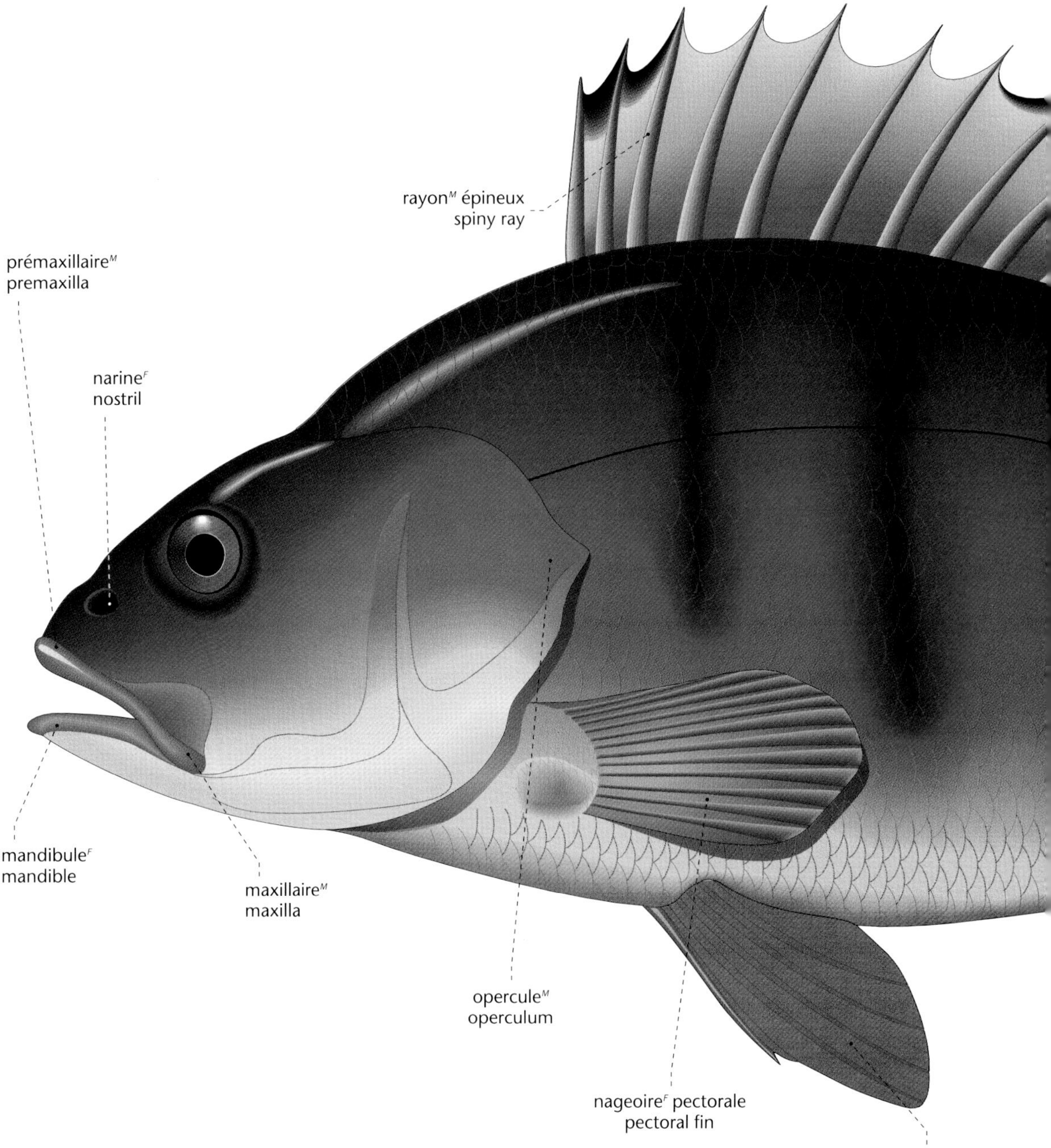
rayon[M] épineux
spiny ray
prémaxillaire[M]
premaxilla
narine[F]
nostril
mandibule[F]
mandible
maxillaire[M]
maxilla
opercule[M]
operculum
nageoire[F] pectorale
pectoral fin
nageoire[F] pelvienne
pelvic fin

BRANCHIES^{F}
GILLS

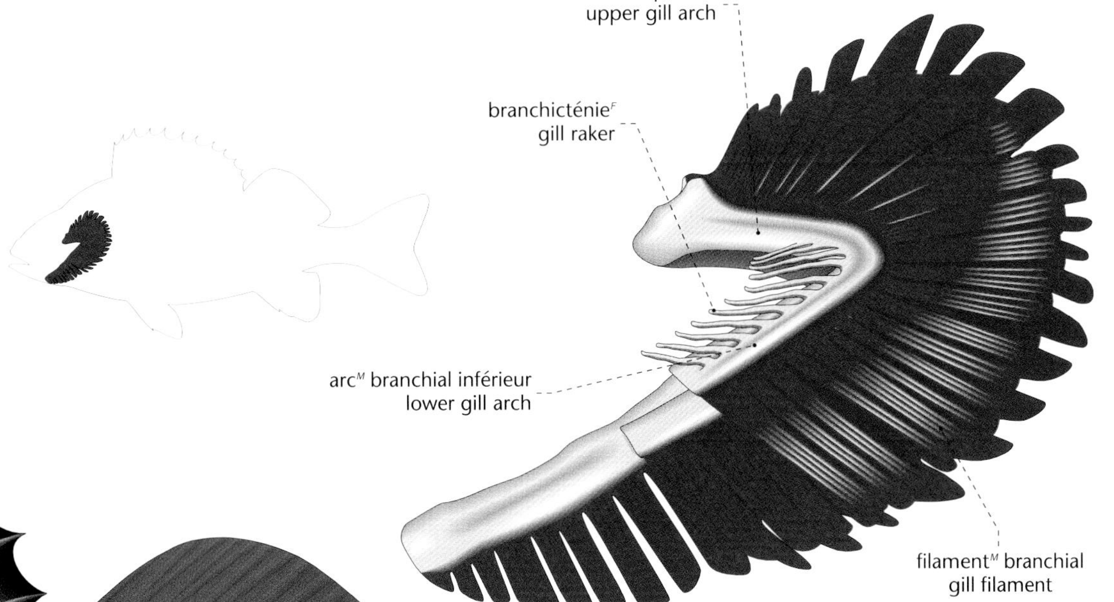

arc^{M} branchial supérieur
upper gill arch
branchicténie^{F}
gill raker
arc^{M} branchial inférieur
lower gill arch
filament^{M} branchial
gill filament

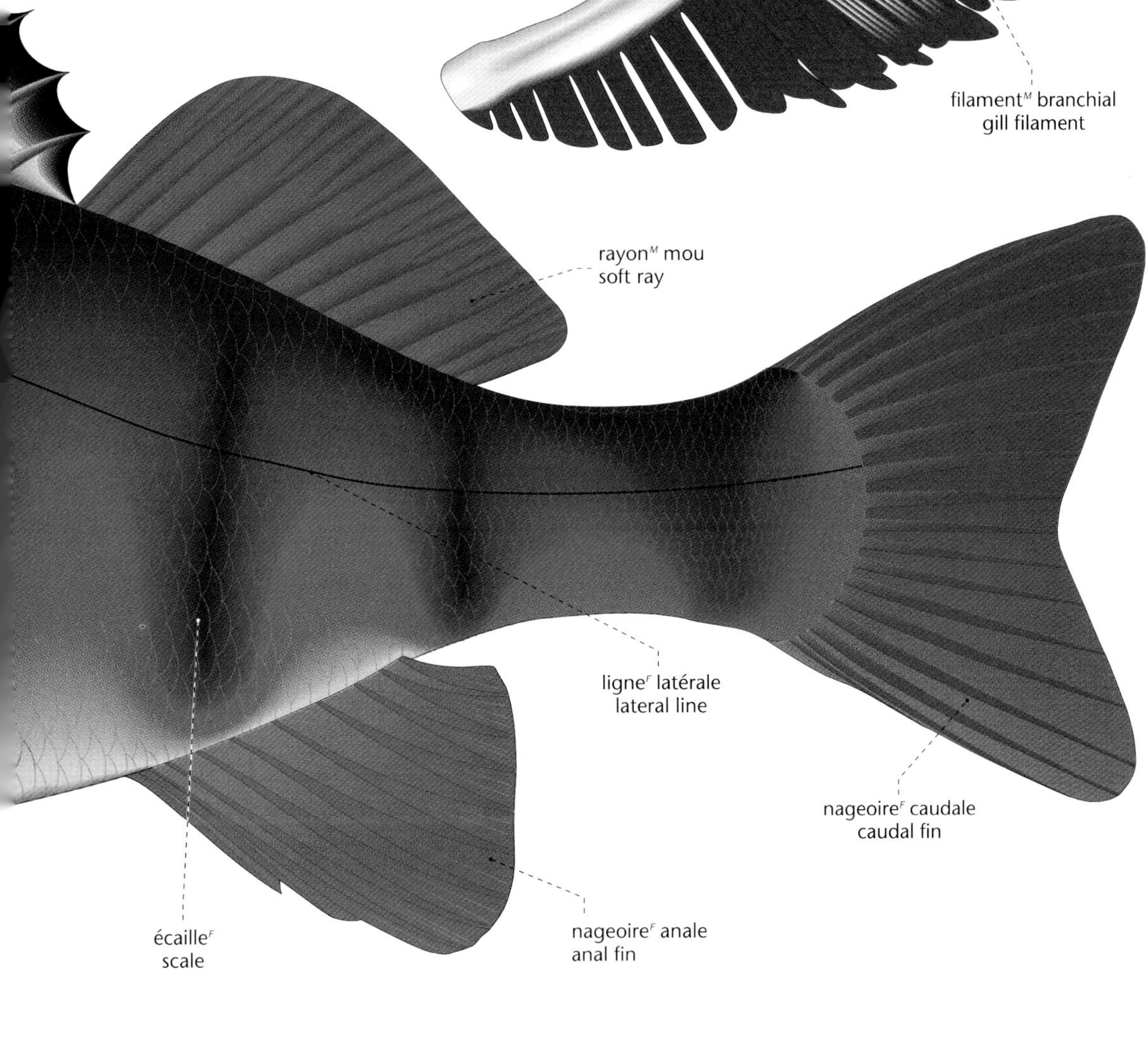

rayon^{M} mou
soft ray
ligne^{F} latérale
lateral line
nageoire^{F} caudale
caudal fin
écaille^{F}
scale
nageoire^{F} anale
anal fin

POISSON^M
FISH

ANATOMIE^F
ANATOMY

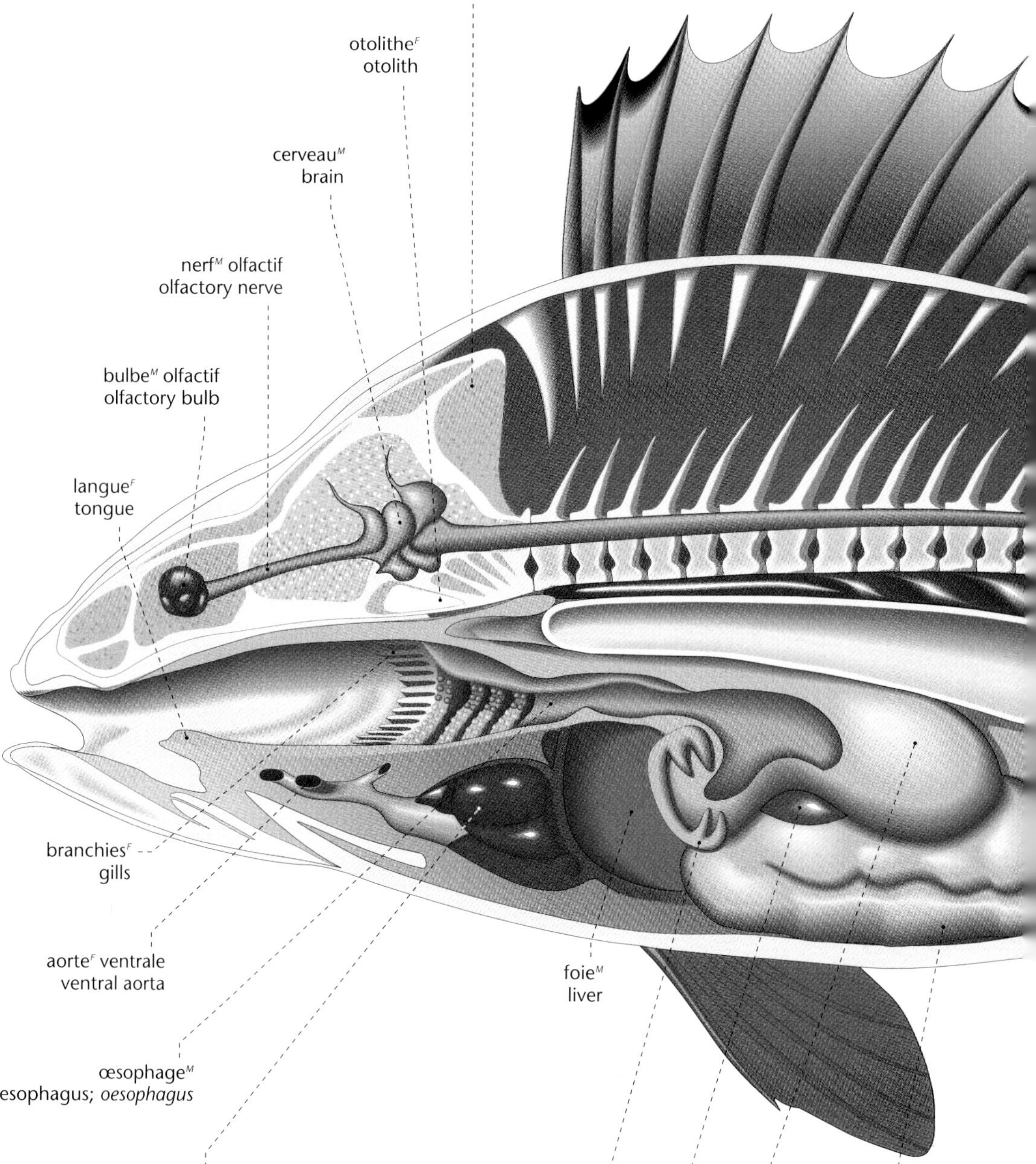
crâne^M
skull
otolithe^F
otolith
cerveau^M
brain
nerf^M olfactif
olfactory nerve
bulbe^M olfactif
olfactory bulb
langue^F
tongue
branchies^F
gills
aorte^F ventrale
ventral aorta
œsophage^M
esophagus; *oesophagus*
cœur^M
heart
foie^M
liver
cæcum^M pylorique
pyloric cecum; *pyloric caecum*
intestin^M
intestine
rate^F
spleen
estomac^M
stomach

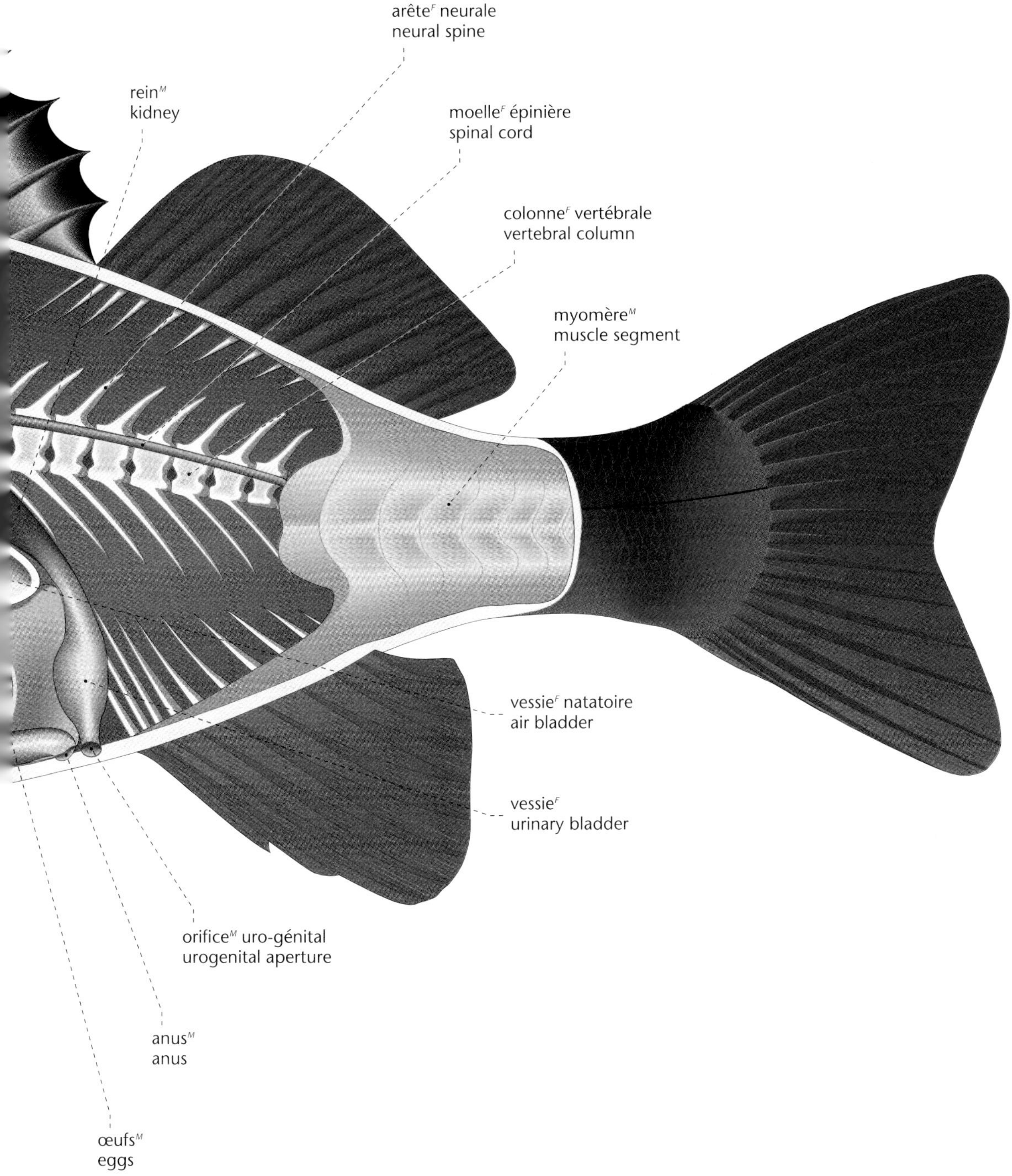
arête^F neurale
neural spine
rein^M
kidney
moelle^F épinière
spinal cord
colonne^F vertébrale
vertebral column
myomère^M
muscle segment
vessie^F natatoire
air bladder
vessie^F
urinary bladder
orifice^M uro-génital
urogenital aperture
anus^M
anus
œufs^M
eggs

CRUSTACÉ[M]
CRUSTACEAN

HOMARD[M]
LOBSTER

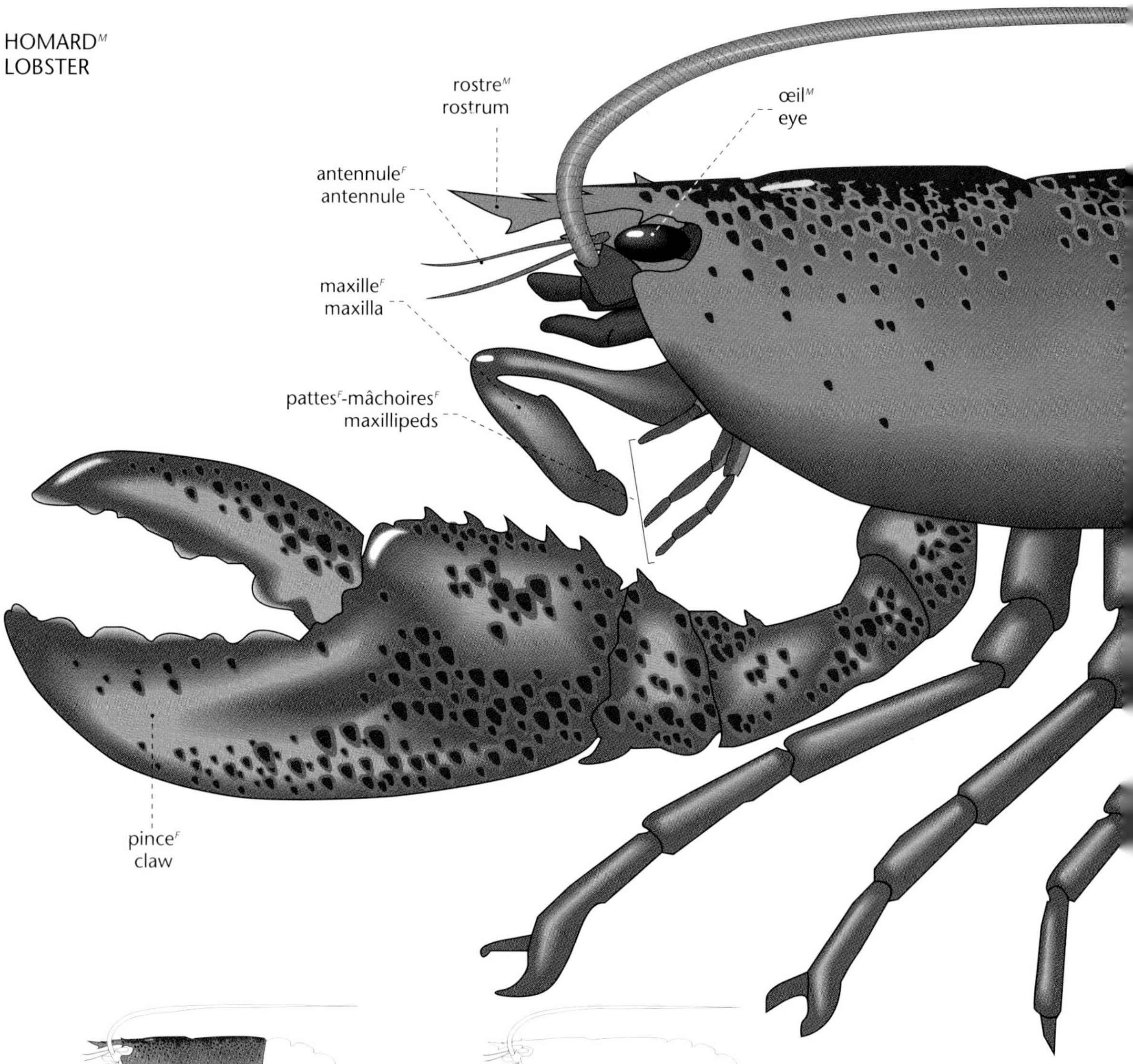
rostre[M]
rostrum
œil[M]
eye
antennule[F]
antennule
maxille[F]
maxilla
pattes[F]-mâchoires[F]
maxillipeds
pince[F]
claw

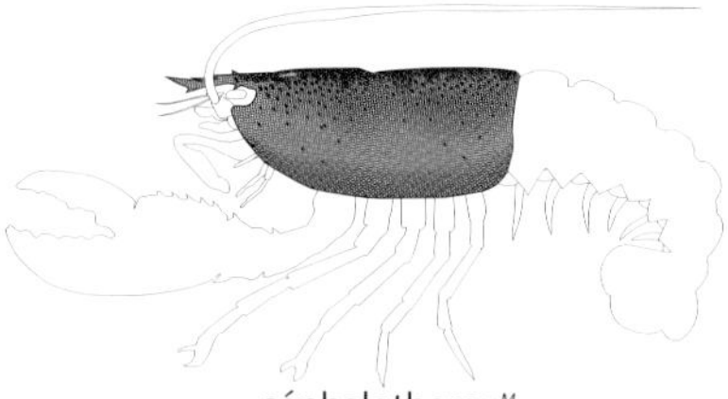
céphalothorax[M]
cephalothorax

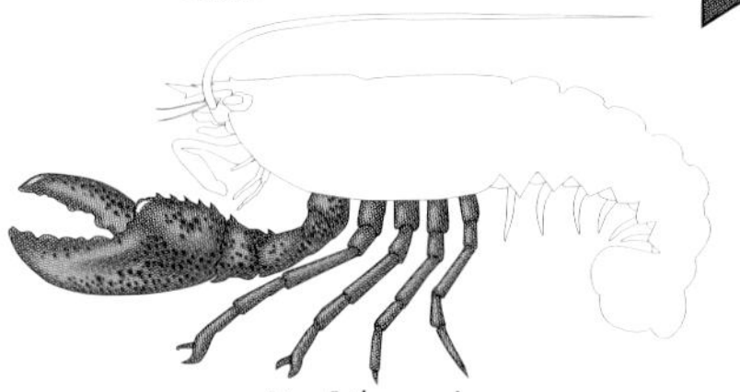
pattes[F] thoraciques
thoracic legs

PRINCIPAUX CRUSTACÉS[M] COMESTIBLES
MAJOR EDIBLE CRUSTACEANS

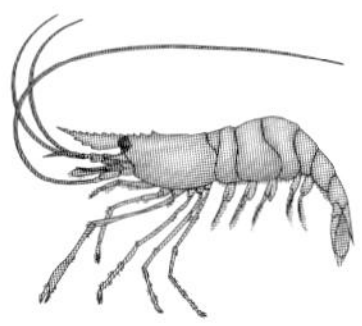
crevette[F]
shrimp

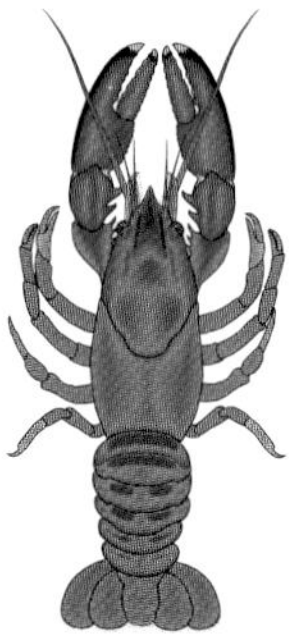
écrevisse[F]
crayfish

crabe[M]
crab

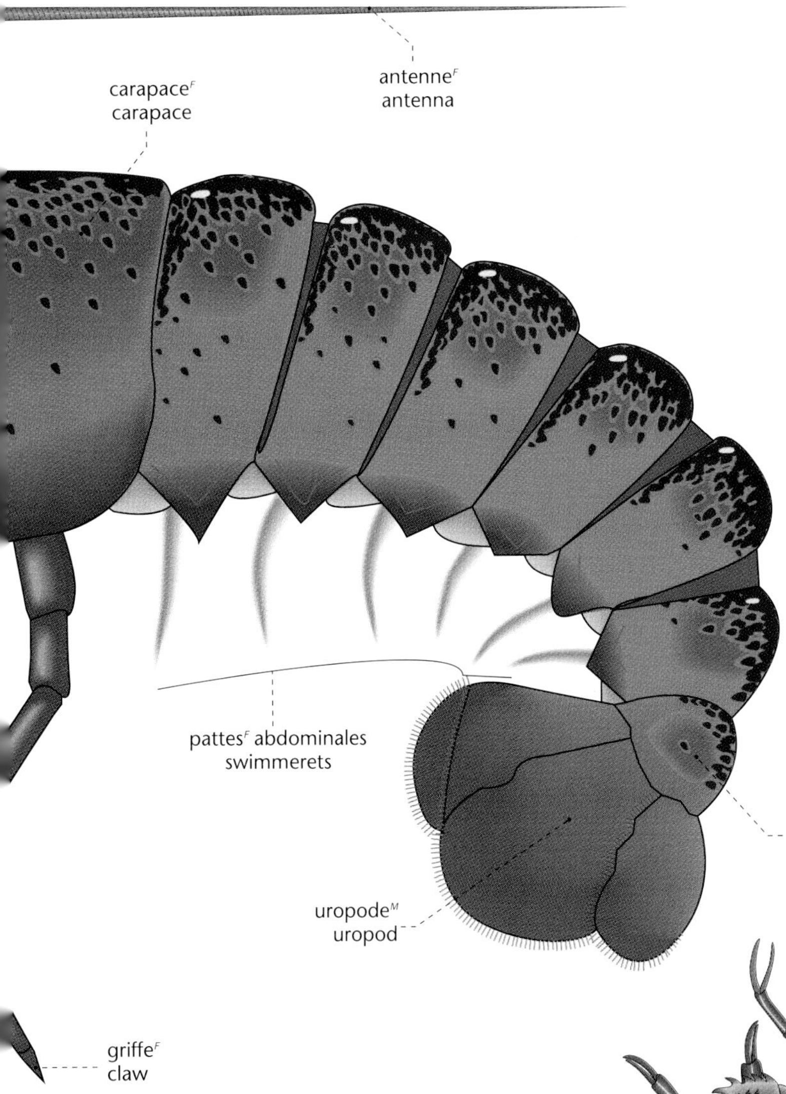
antenneF
antenna
carapaceF
carapace
pattesF abdominales
swimmerets
telsonM
telson
uropodeM
uropod
griffeF
claw

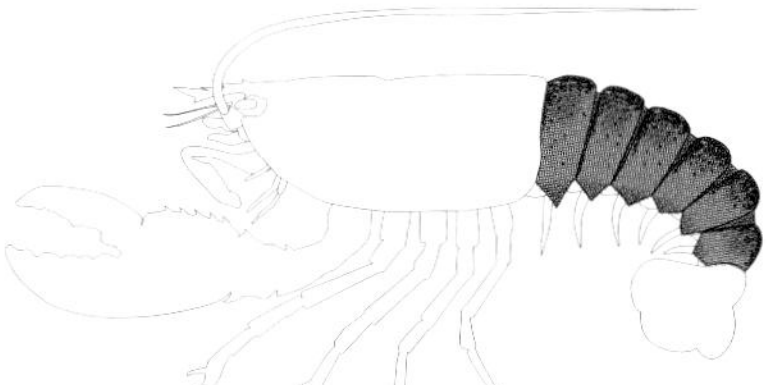

abdomenM
abdomen

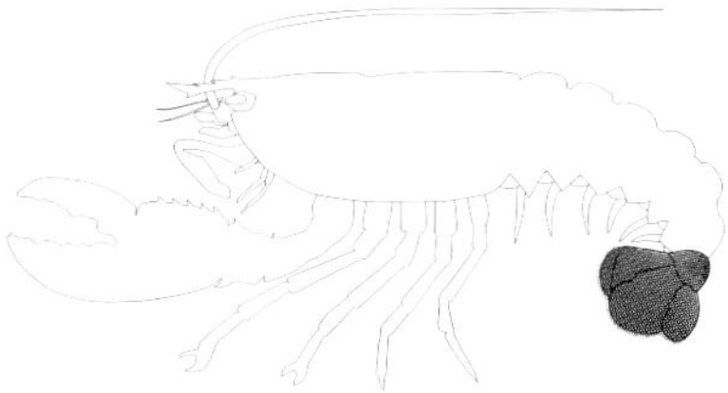

nageoireF caudale
tail

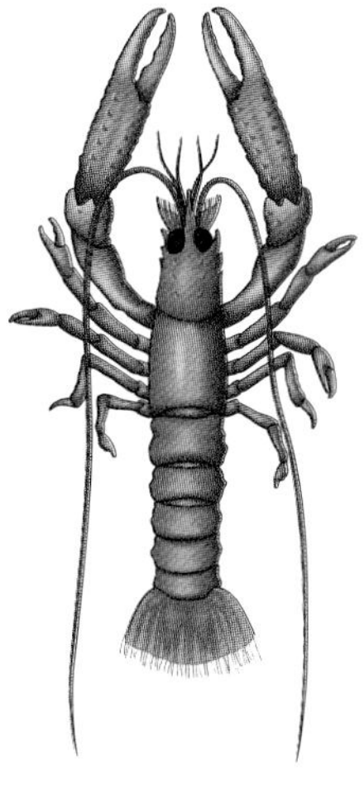

langoustineF
scampi

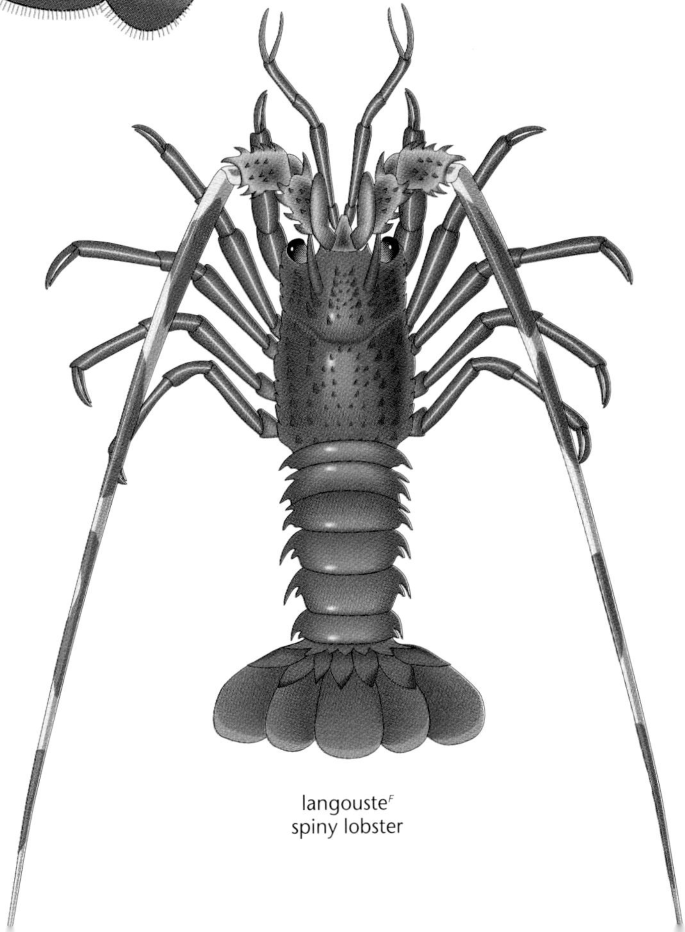

langousteF
spiny lobster

MOLLUSQUE^M^
MOLLUSK

HUÎTRE^F^
OYSTER

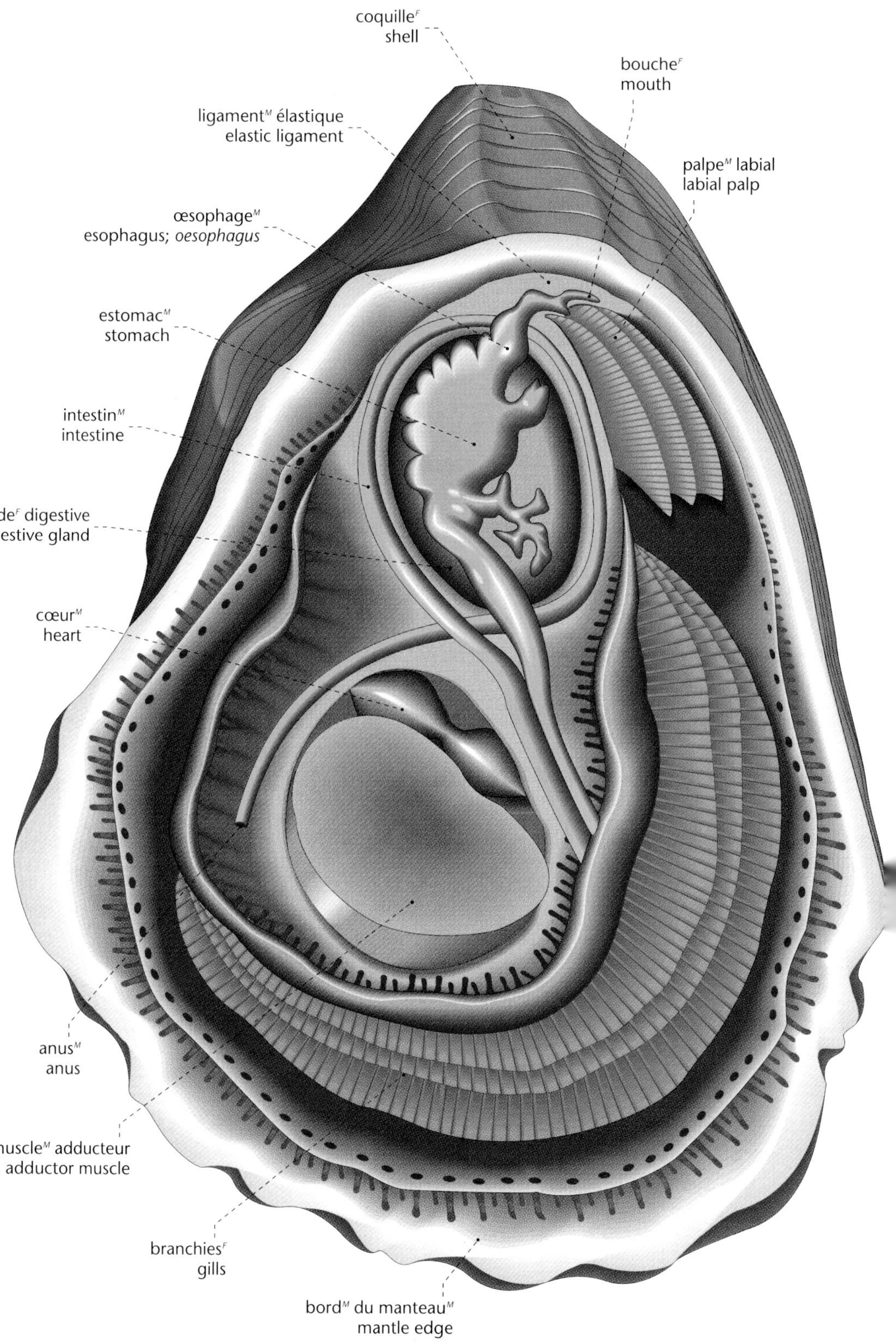
coquille^F^
shell
bouche^F^
mouth
ligament^M^ élastique
elastic ligament
palpe^M^ labial
labial palp
œsophage^M^
esophagus; *oesophagus*
estomac^M^
stomach
intestin^M^
intestine
glande^F^ digestive
digestive gland
cœur^M^
heart
anus^M^
anus
muscle^M^ adducteur
adductor muscle
branchies^F^
gills
bord^M^ du manteau^M^
mantle edge

PRINCIPAUX MOLLUSQUES[M] COMESTIBLES
MAJOR EDIBLE MOLLUSKS

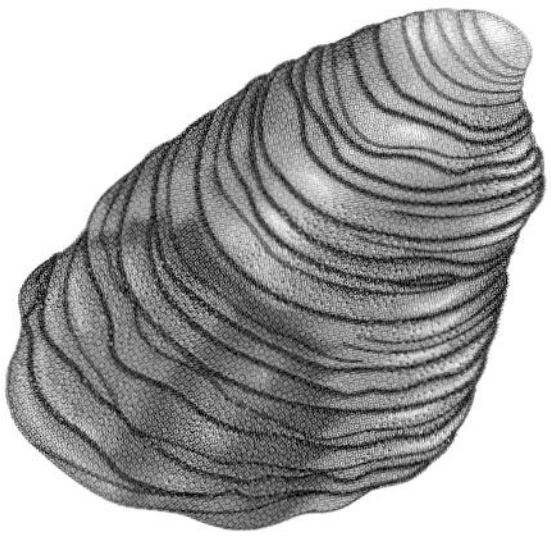

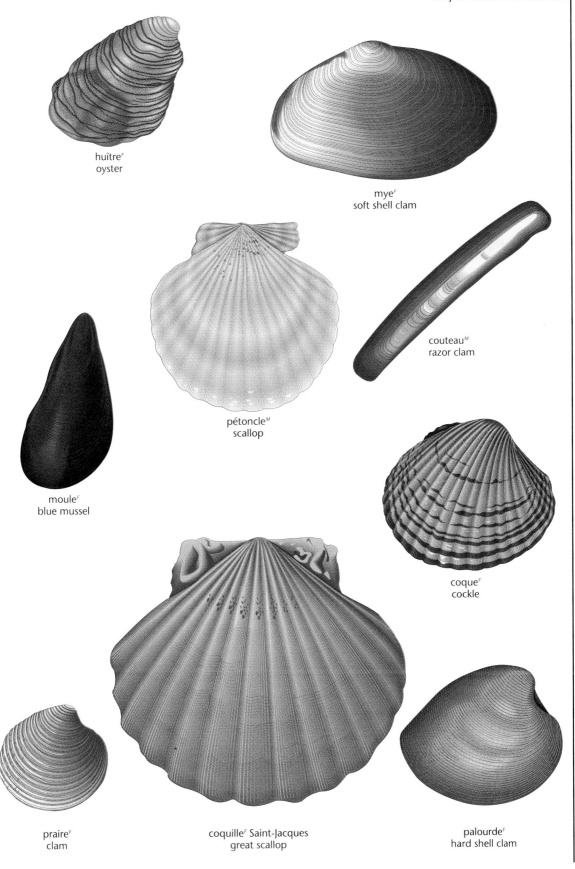

huître[F]
oyster

mye[F]
soft shell clam

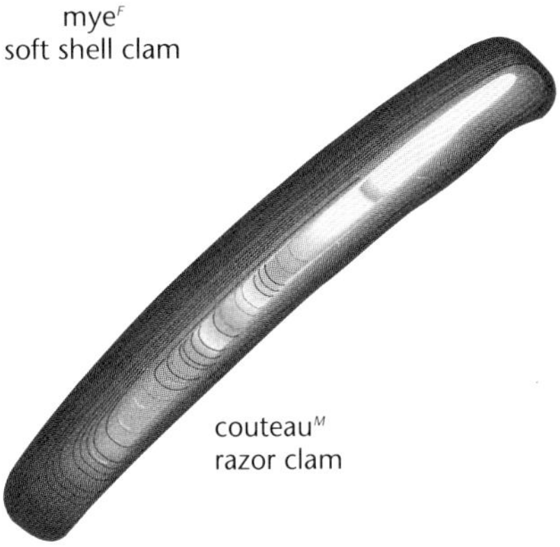

couteau[M]
razor clam

pétoncle[M]
scallop

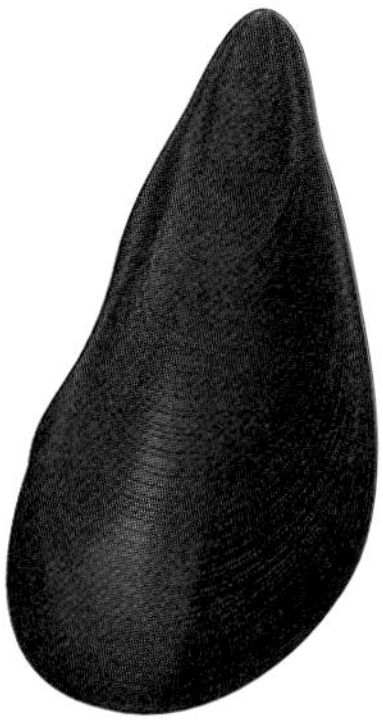

moule[F]
blue mussel

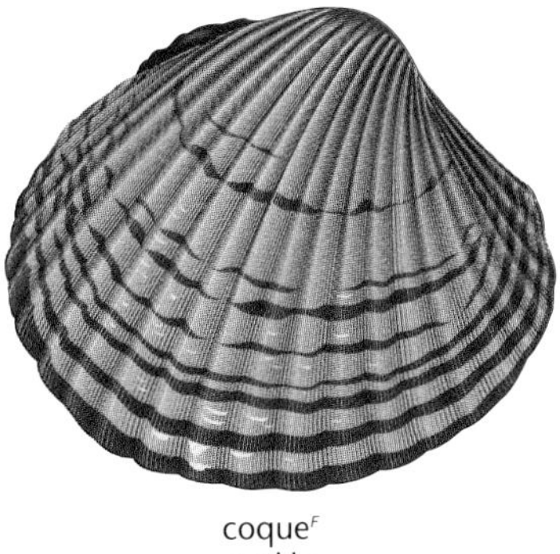

coque[F]
cockle

praire[F]
clam

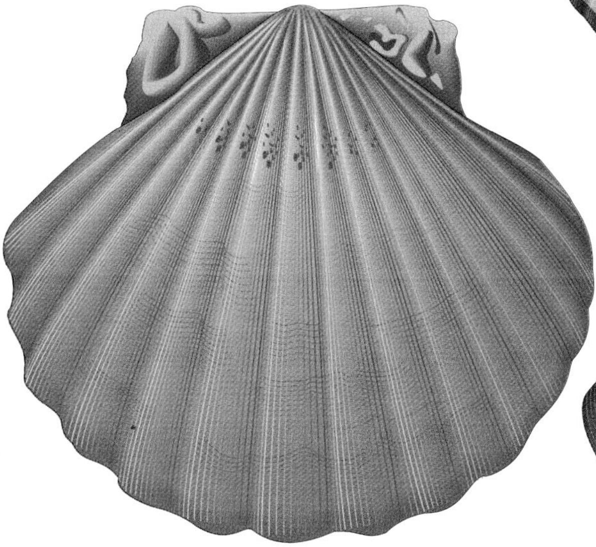

coquille[F] Saint-Jacques
great scallop

palourde[F]
hard shell clam

COQUILLE^F UNIVALVE
UNIVALVE SHELL

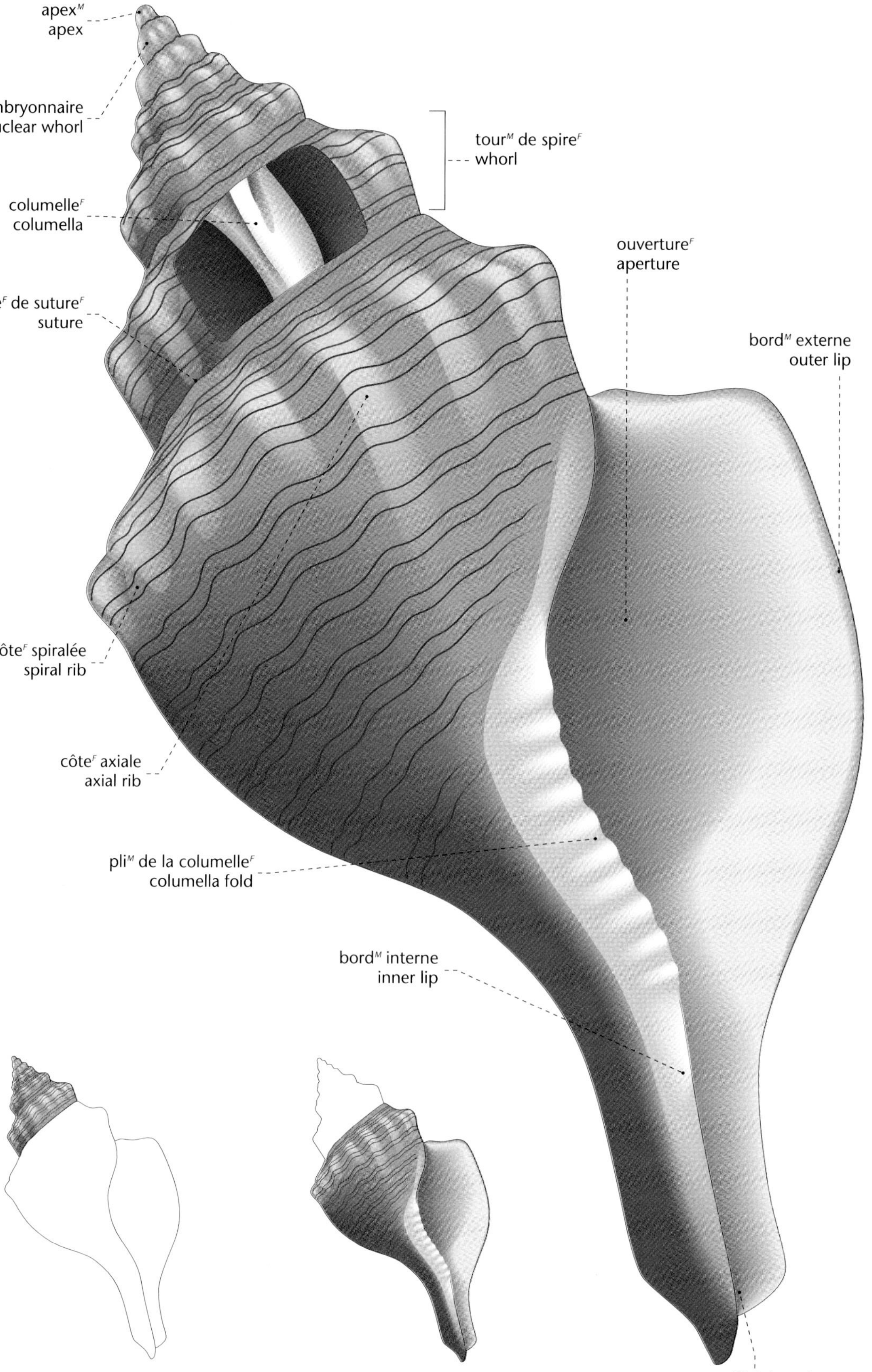
apex^M
apex
tour^M embryonnaire
nuclear whorl
tour^M de spire^F
whorl
columelle^F
columella
ouverture^F
aperture
ligne^F de suture^F
suture
bord^M externe
outer lip
côte^F spiralée
spiral rib
côte^F axiale
axial rib
pli^M de la columelle^F
columella fold
bord^M interne
inner lip
canal^M siphonal
siphonal canal
spire^F
spire
dernier tour^M
body whorl

COQUILLE^F BIVALVE
BIVALVE SHELL

VUE^F DORSALE
DORSAL VIEW

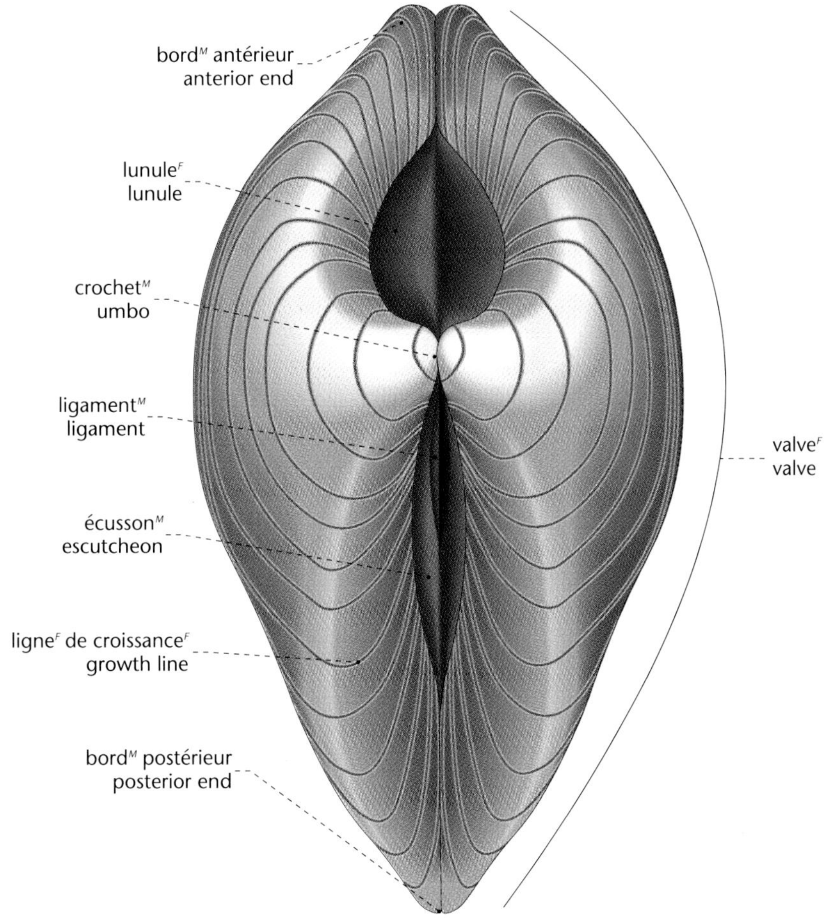
bord^M antérieur
anterior end
lunule^F
lunule
crochet^M
umbo
ligament^M
ligament
écusson^M
escutcheon
ligne^F de croissance^F
growth line
bord^M postérieur
posterior end
valve^F
valve

VALVE^F GAUCHE
LEFT VALVE

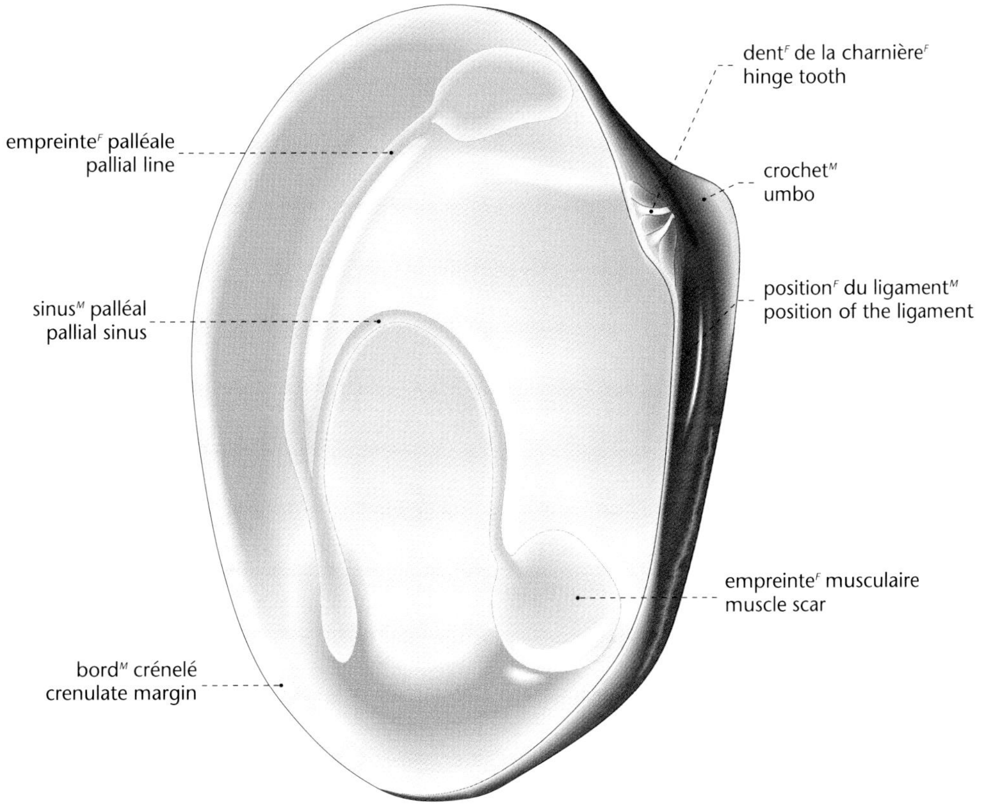
dent^F de la charnière^F
hinge tooth
empreinte^F palléale
pallial line
crochet^M
umbo
position^F du ligament^M
position of the ligament
sinus^M palléal
pallial sinus
empreinte^F musculaire
muscle scar
bord^M crénelé
crenulate margin

REPTILE[M]
REPTILE

TÊTE[F] DE SERPENT[M] VENIMEUX
VENOMOUS SNAKE'S HEAD

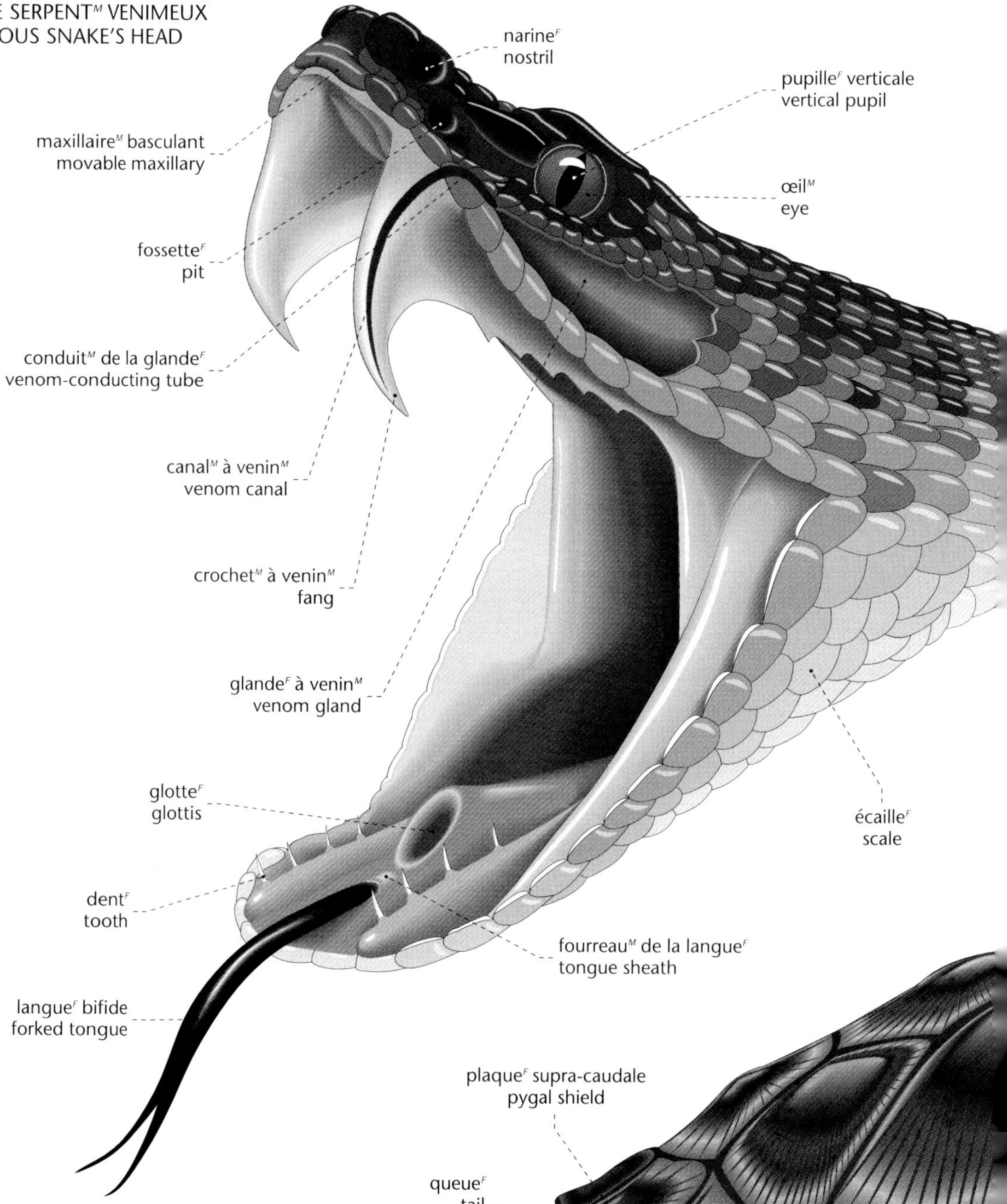
narine[F]
nostril
pupille[F] verticale
vertical pupil
maxillaire[M] basculant
movable maxillary
œil[M]
eye
fossette[F]
pit
conduit[M] de la glande[F]
venom-conducting tube
canal[M] à venin[M]
venom canal
crochet[M] à venin[M]
fang
glande[F] à venin[M]
venom gland
glotte[F]
glottis
écaille[F]
scale
dent[F]
tooth
fourreau[M] de la langue[F]
tongue sheath
langue[F] bifide
forked tongue

CARAPACE[F]
SHELL

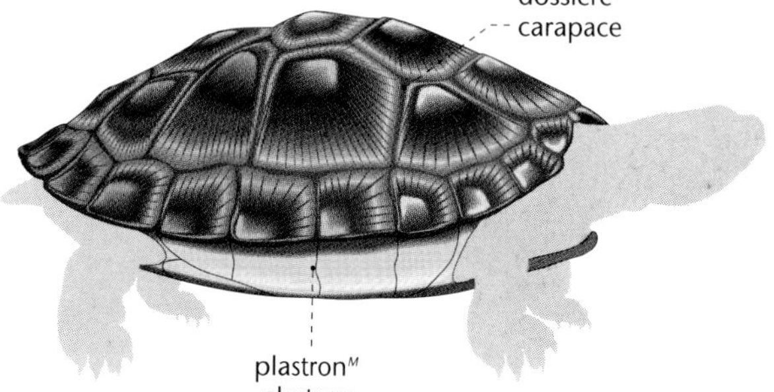
dossière[F]
carapace
plastron[M]
plastron

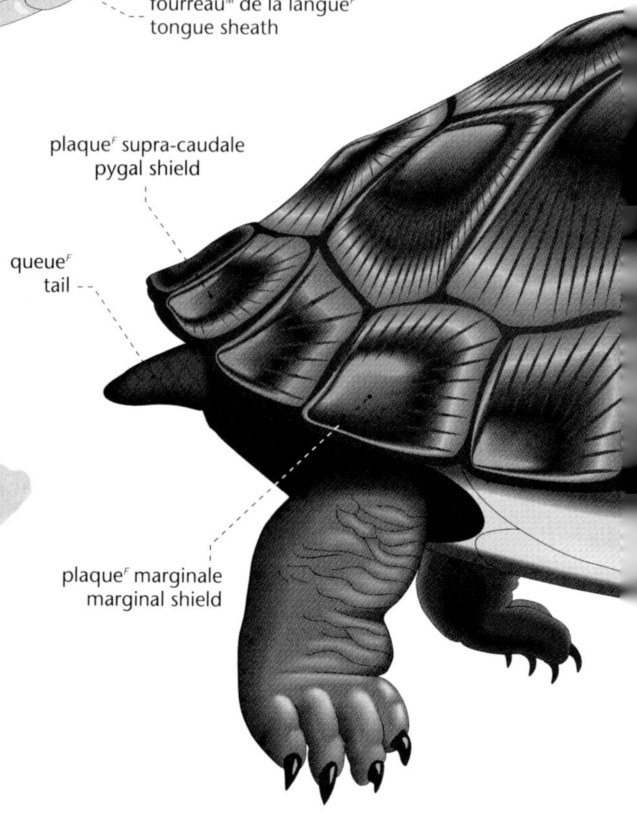
plaque[F] supra-caudale
pygal shield
queue[F]
tail
plaque[F] marginale
marginal shield

SERPENT^{M} À SONNETTES^{F}
RATTLESNAKE

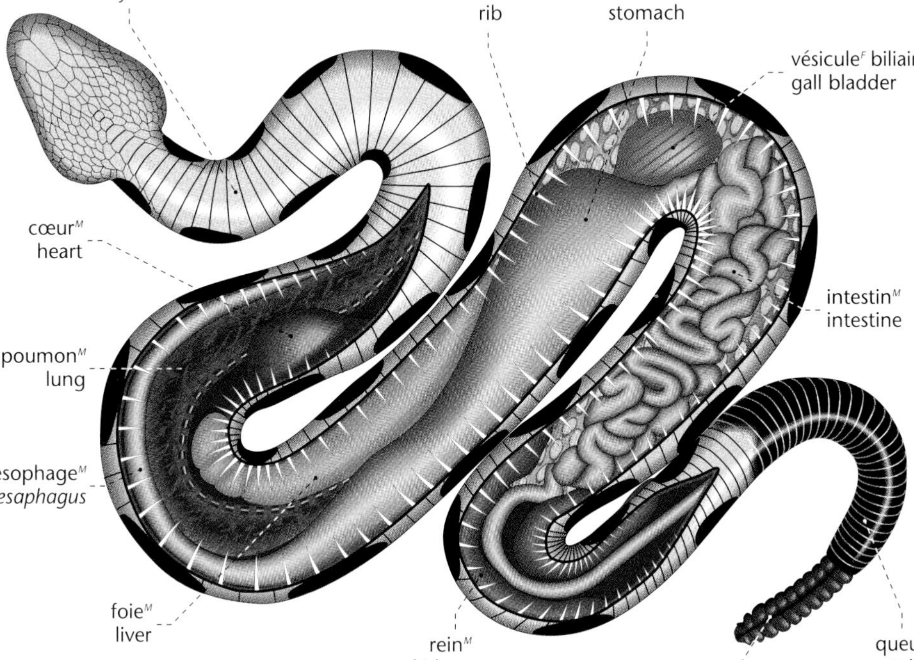
écaille^{F} ventrale
belly scale
côte^{F}
rib
estomac^{M}
stomach
vésicule^{F} biliaire
gall bladder
cœur^{M}
heart
intestin^{M}
intestine
poumon^{M}
lung
œsophage^{M}
esophagus; *oesaphagus*
foie^{M}
liver
rein^{M}
kidney
queue^{F}
tail
sonnette^{F}
rattle

TORTUE^{F}
TURTLE

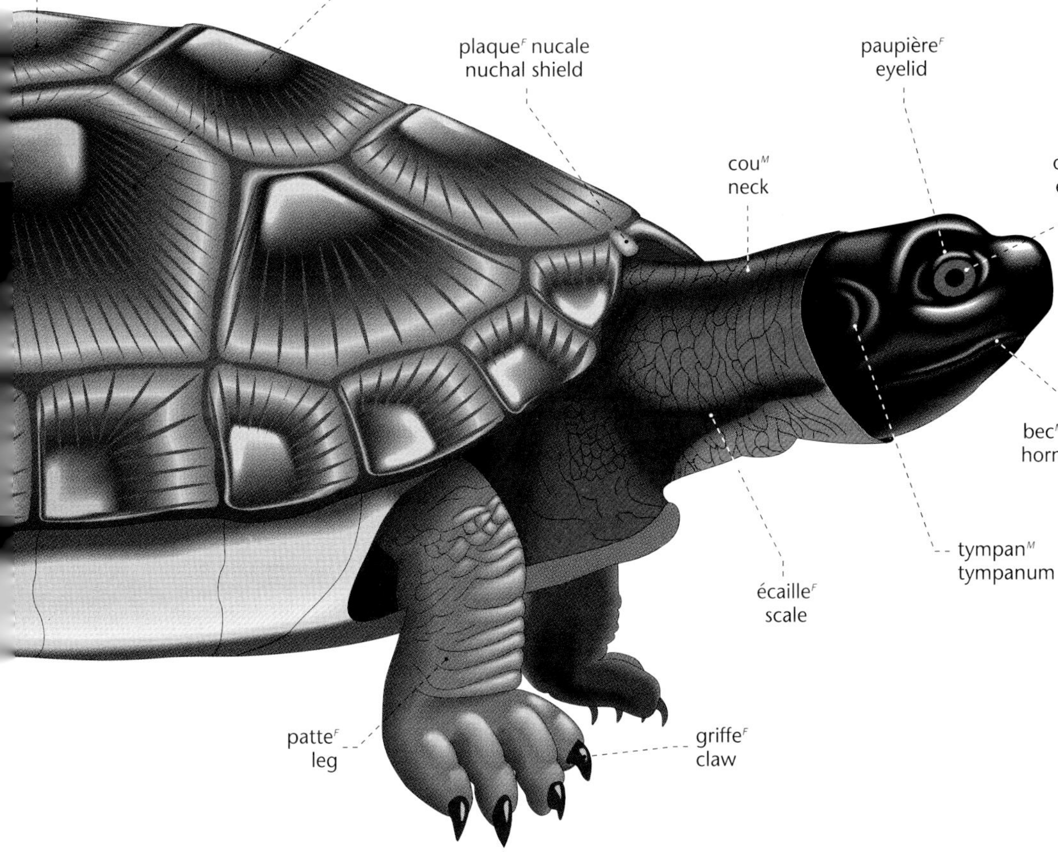
plaque^{F} vertébrale
vertebral shield
plaque^{F} costale
costal shield
plaque^{F} nucale
nuchal shield
paupière^{F}
eyelid
cou^{M}
neck
œil^{M}
eye
bec^{M} corné
horny beak
tympan^{M}
tympanum
écaille^{F}
scale
patte^{F}
leg
griffe^{F}
claw

TYPES[M] DE MÂCHOIRES[F]
TYPES OF JAWS

CASTOR[M]
BEAVER

MÂCHOIRE[F] DE RONGEUR[M]
RODENT'S JAW

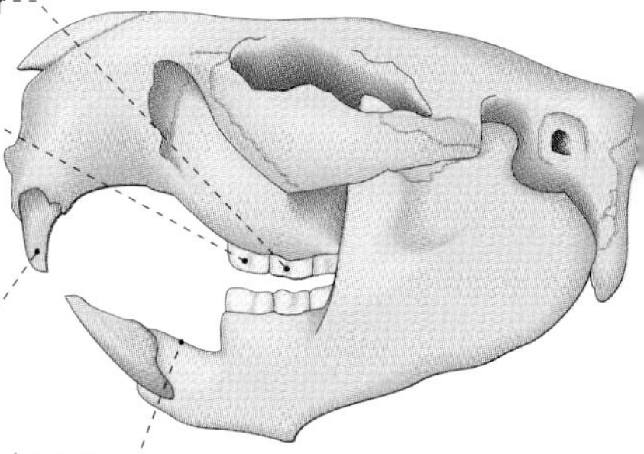
molaire[F]
molar
prémolaire[F]
premolar
incisive[F]
incisor
barre[F]
diastema

LION[M]
LION

MÂCHOIRE[F] DE CARNIVORE[M]
CARNIVORE'S JAW

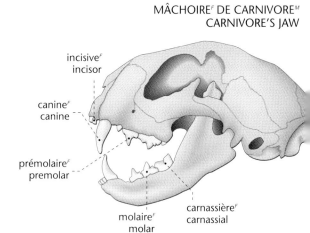

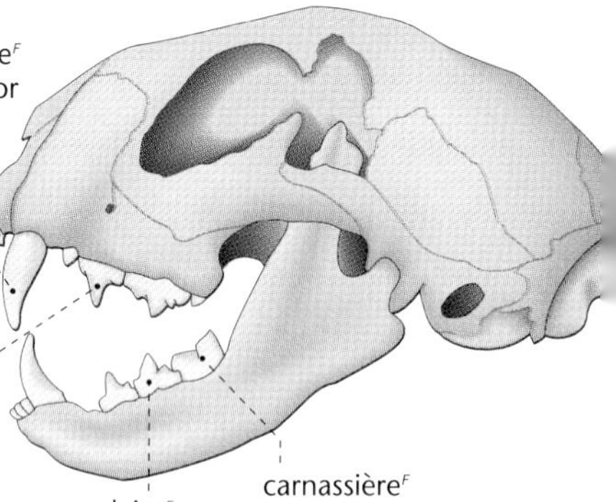
incisive[F]
incisor
canine[F]
canine
prémolaire[F]
premolar
molaire[F]
molar
carnassière[F]
carnassial

CHEVAL[M]
HORSE

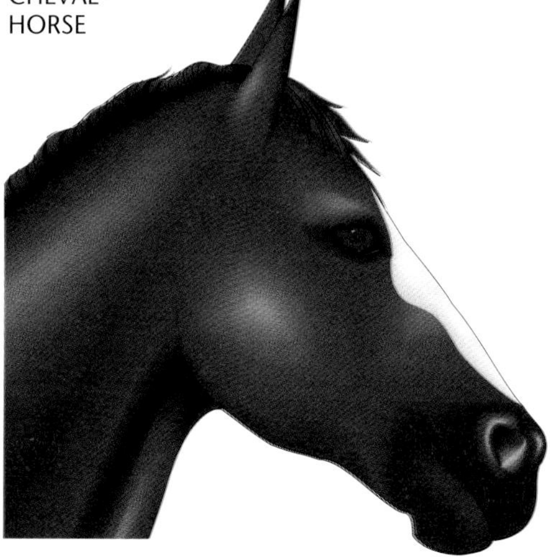

MÂCHOIRE[F] D'HERBIVORE[M]
HERBIVORE'S JAW

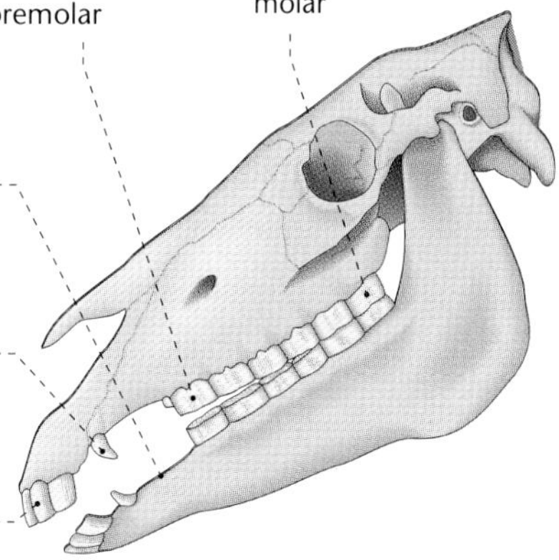
prémolaire[F]
premolar
molaire[F]
molar
barre[F]
diastema
canine[F]
canine
incisive[F]
incisor

PRINCIPAUX TYPES[M] DE CORNES[F]
MAJOR TYPES OF HORNS

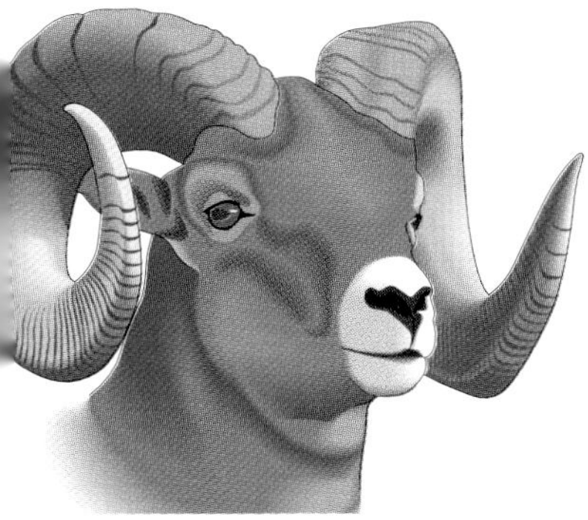

cornes[F] de mouflon[M]
horns of mouflon

cornes[F] de girafe[F]
horns of giraffe

cornes[F] de rhinocéros[M]
horns of rhinoceros

PRINCIPAUX TYPES[M] DE DÉFENSES[F]
MAJOR TYPES OF TUSKS

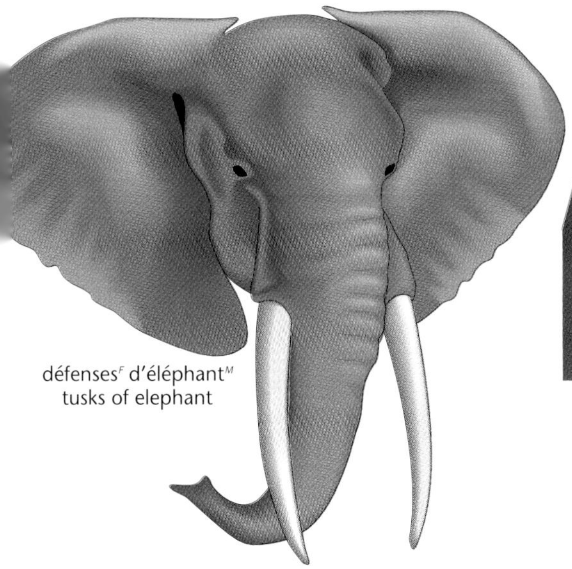

défenses[F] d'éléphant[M]
tusks of elephant

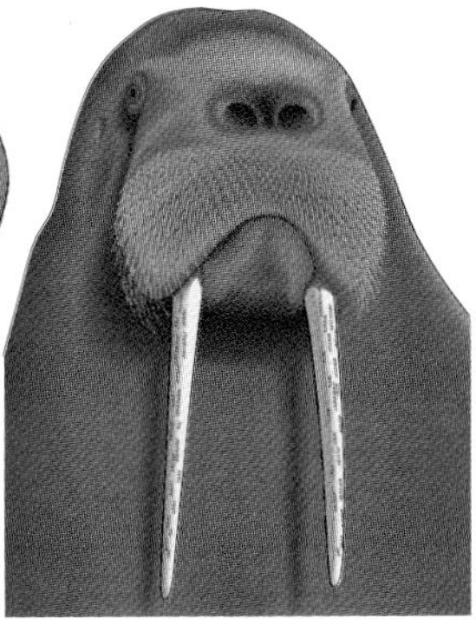

défenses[F] de morse[M]
tusks of walrus

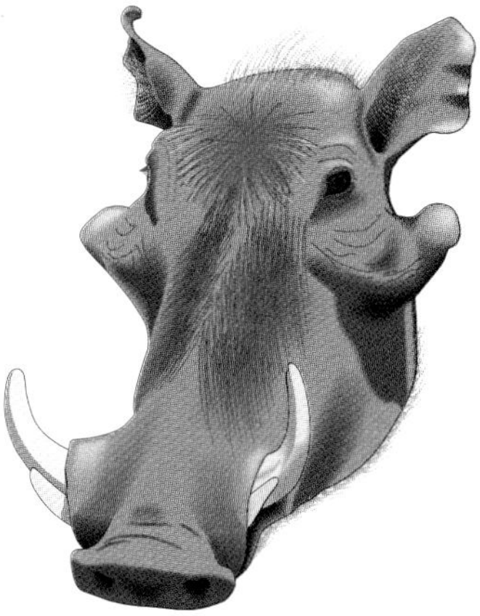

défenses[F] de phacochère[M]
tusks of wart hog

TYPES[M] DE SABOTS[M]
TYPES OF HOOFS

sabot[M] à 1 doigt[M]
one-toe hoof

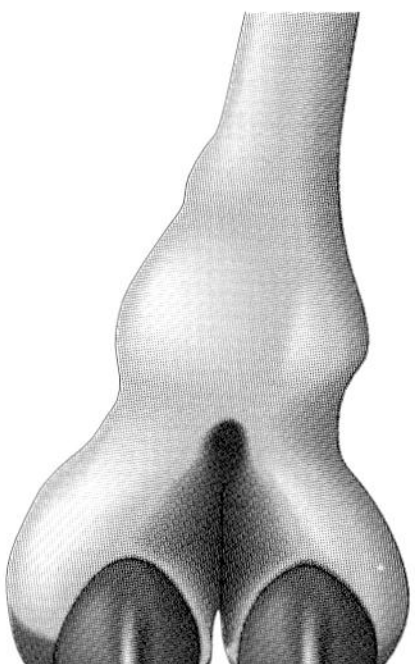

sabot[M] à 2 doigts[M]
two-toed hoof

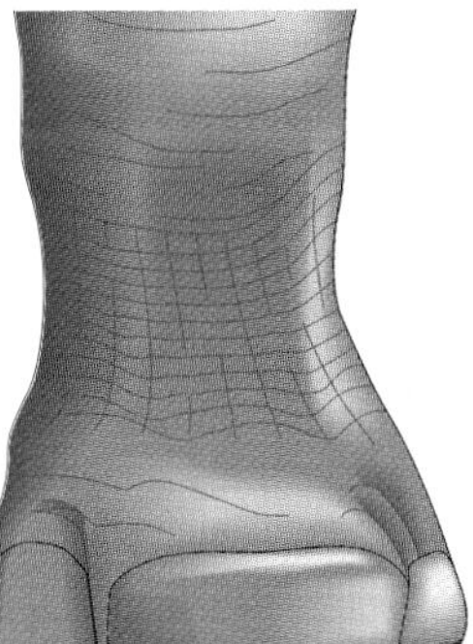

sabot[M] à 3 doigts[M]
three-toed hoof

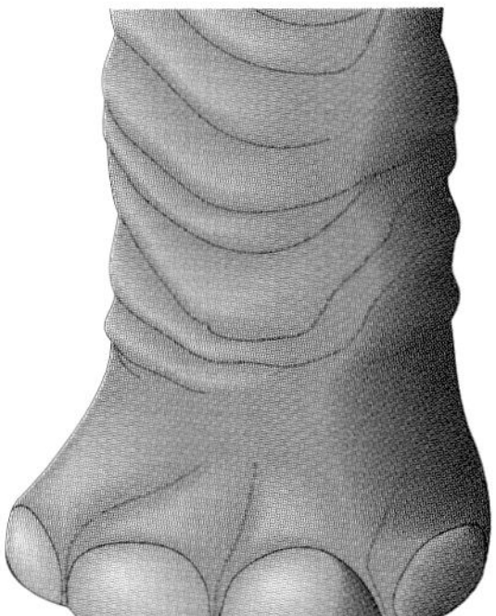

sabot[M] à 4 doigts[M]
four-toed hoof

CHEVAL^M
HORSE

MORPHOLOGIE^F
MORPHOLOGY

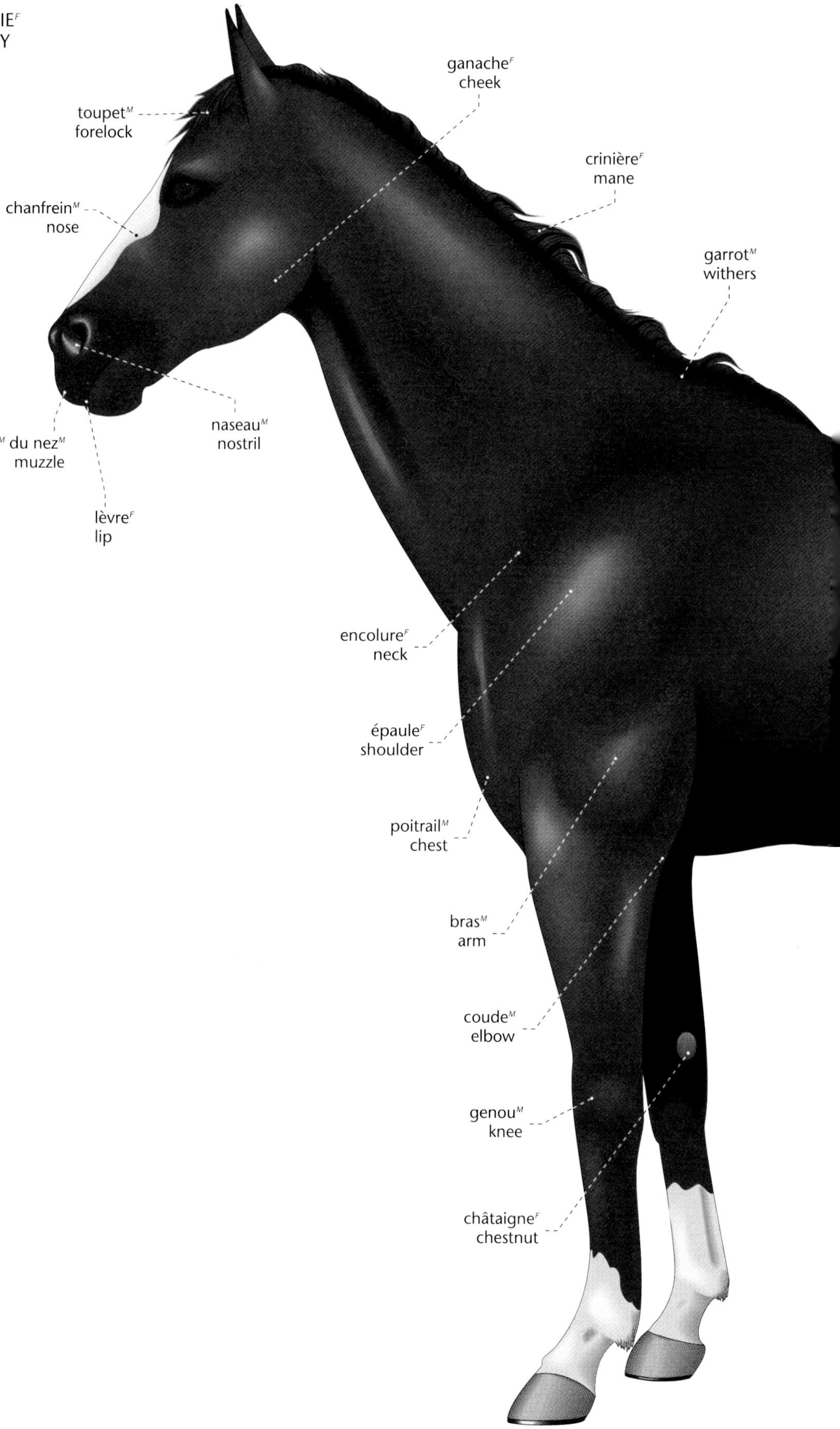
toupet^M
forelock
chanfrein^M
nose
ganache^F
cheek
crinière^F
mane
garrot^M
withers
naseau^M
nostril
bout^M du nez^M
muzzle
lèvre^F
lip
encolure^F
neck
épaule^F
shoulder
poitrail^M
chest
bras^M
arm
coude^M
elbow
genou^M
knee
châtaigne^F
chestnut

ALLURES[F]
GAITS

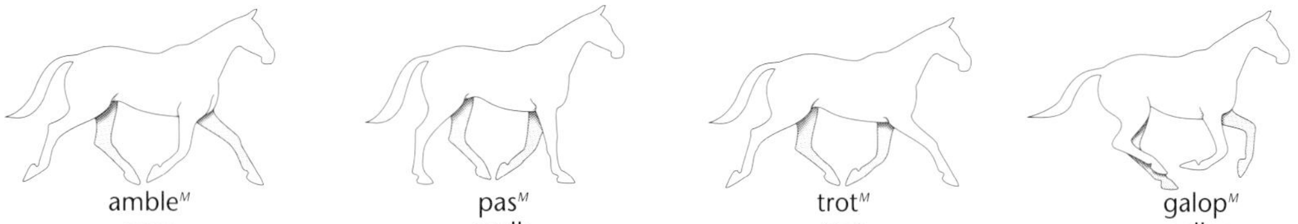
amble[M]
pace
pas[M]
walk
trot[M]
trot
galop[M]
gallop

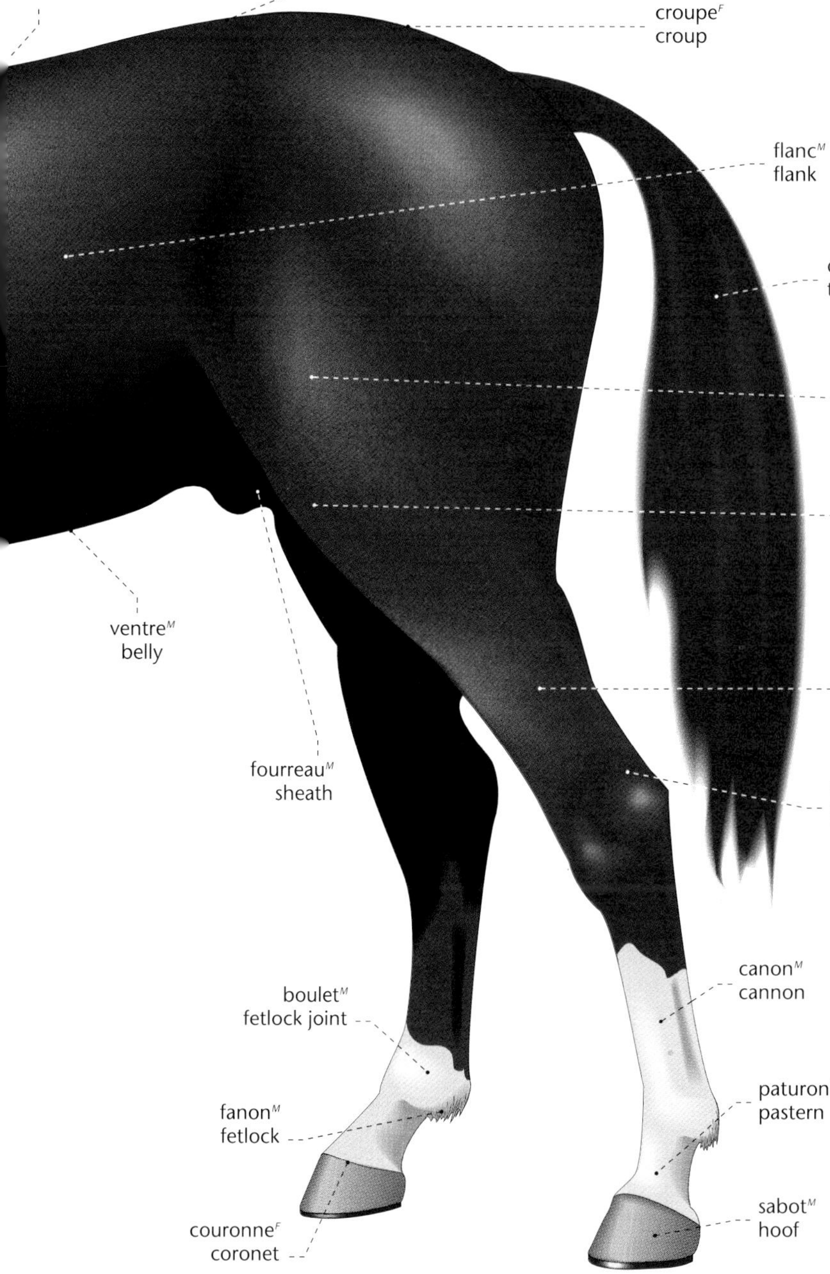
dos[M]
back
rein[M]
loin
croupe[F]
croup
flanc[M]
flank
queue[F]
tail
cuisse[F]
thigh
grasset[M]
stifle
ventre[M]
belly
jambe[F]
gaskin
fourreau[M]
sheath
jarret[M]
hock
canon[M]
cannon
boulet[M]
fetlock joint
fanon[M]
fetlock
paturon[M]
pastern
couronne[F]
coronet
sabot[M]
hoof

CHEVAL[M]
HORSE

SQUELETTE[M]
SKELETON

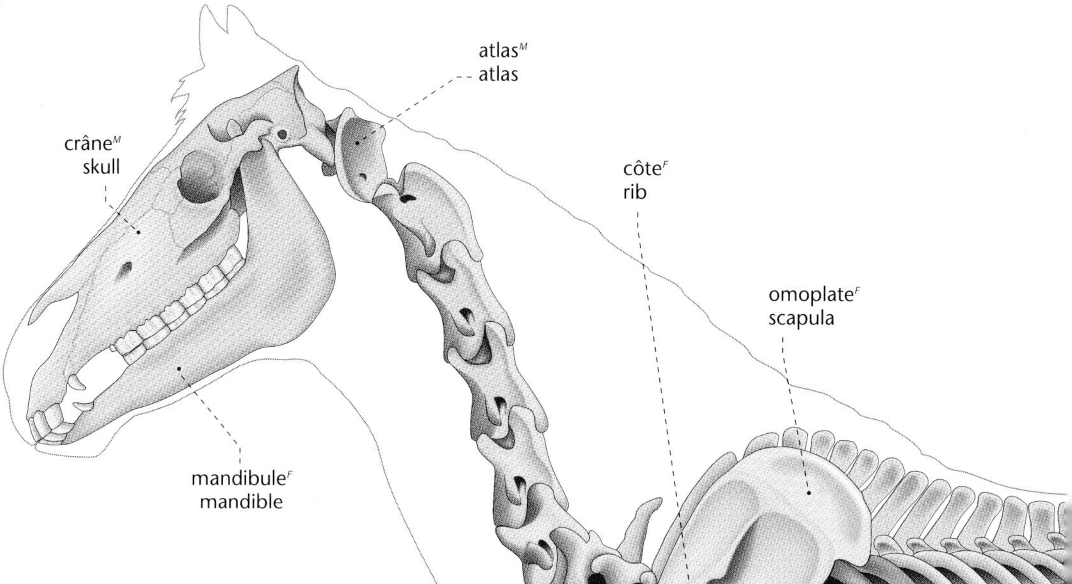
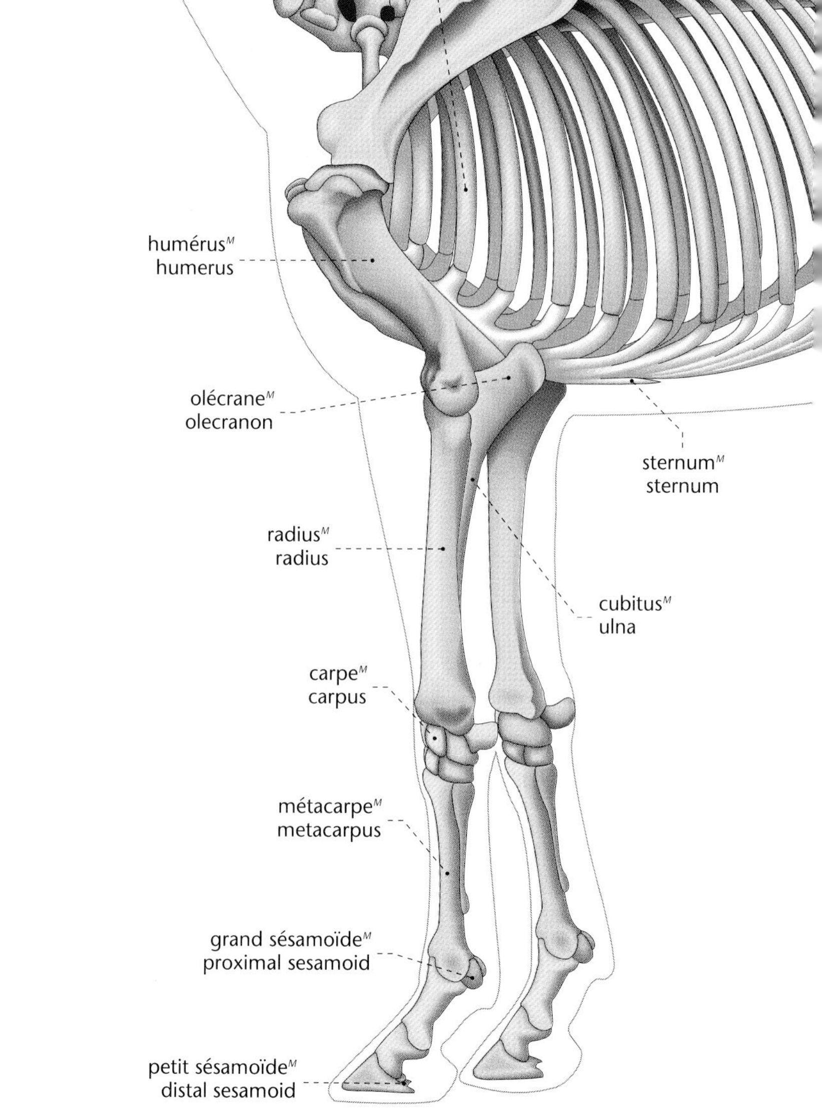
atlas[M]
atlas
crâne[M]
skull
côte[F]
rib
omoplate[F]
scapula
mandibule[F]
mandible
humérus[M]
humerus
olécrane[M]
olecranon
sternum[M]
sternum
radius[M]
radius
cubitus[M]
ulna
carpe[M]
carpus
métacarpe[M]
metacarpus
grand sésamoïde[M]
proximal sesamoid
petit sésamoïde[M]
distal sesamoid

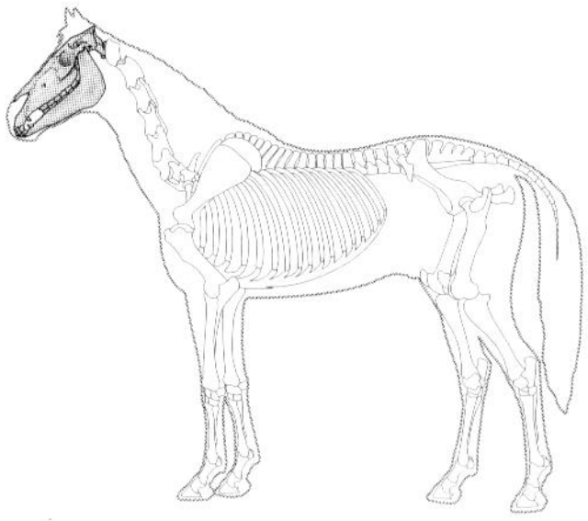

crâne[M]
skull

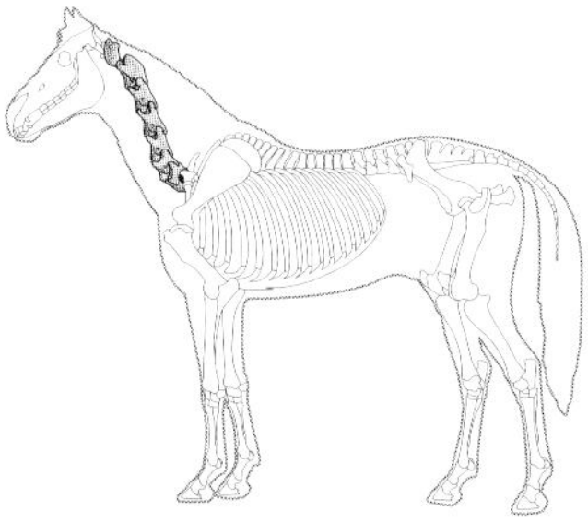

vertèbres[F] cervicales
cervical vertebrae

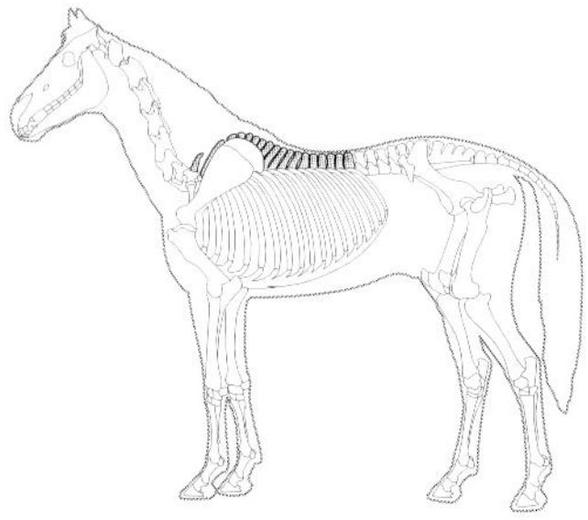

vertèbres[F] dorsales
thoracic vertebrae

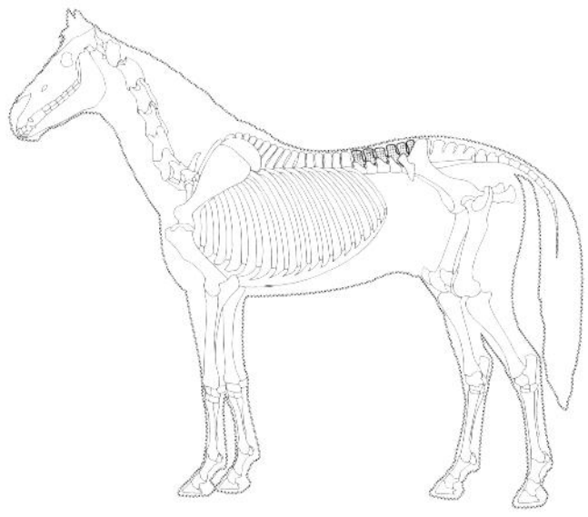

vertèbres[F] lombaires
lumbar vertebrae

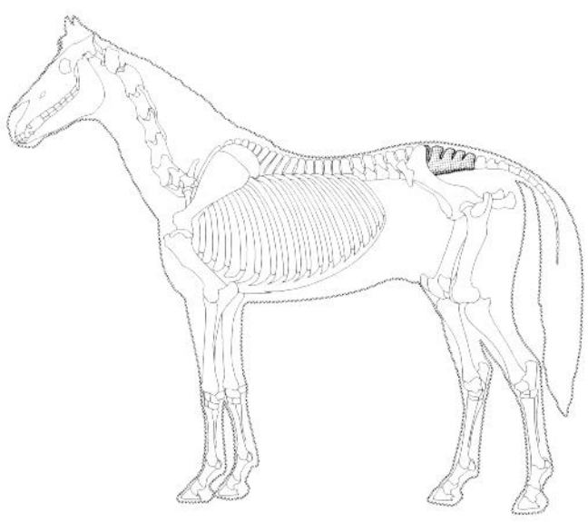

vertèbres[F] sacrées
sacral vertebrae

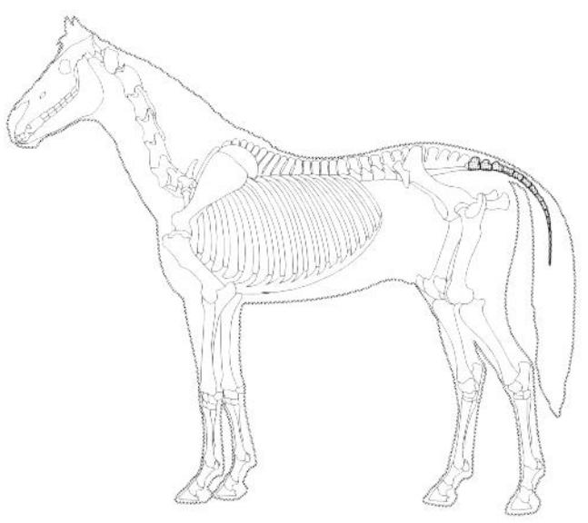

vertèbres[F] coccygiennes
caudal vertebrae

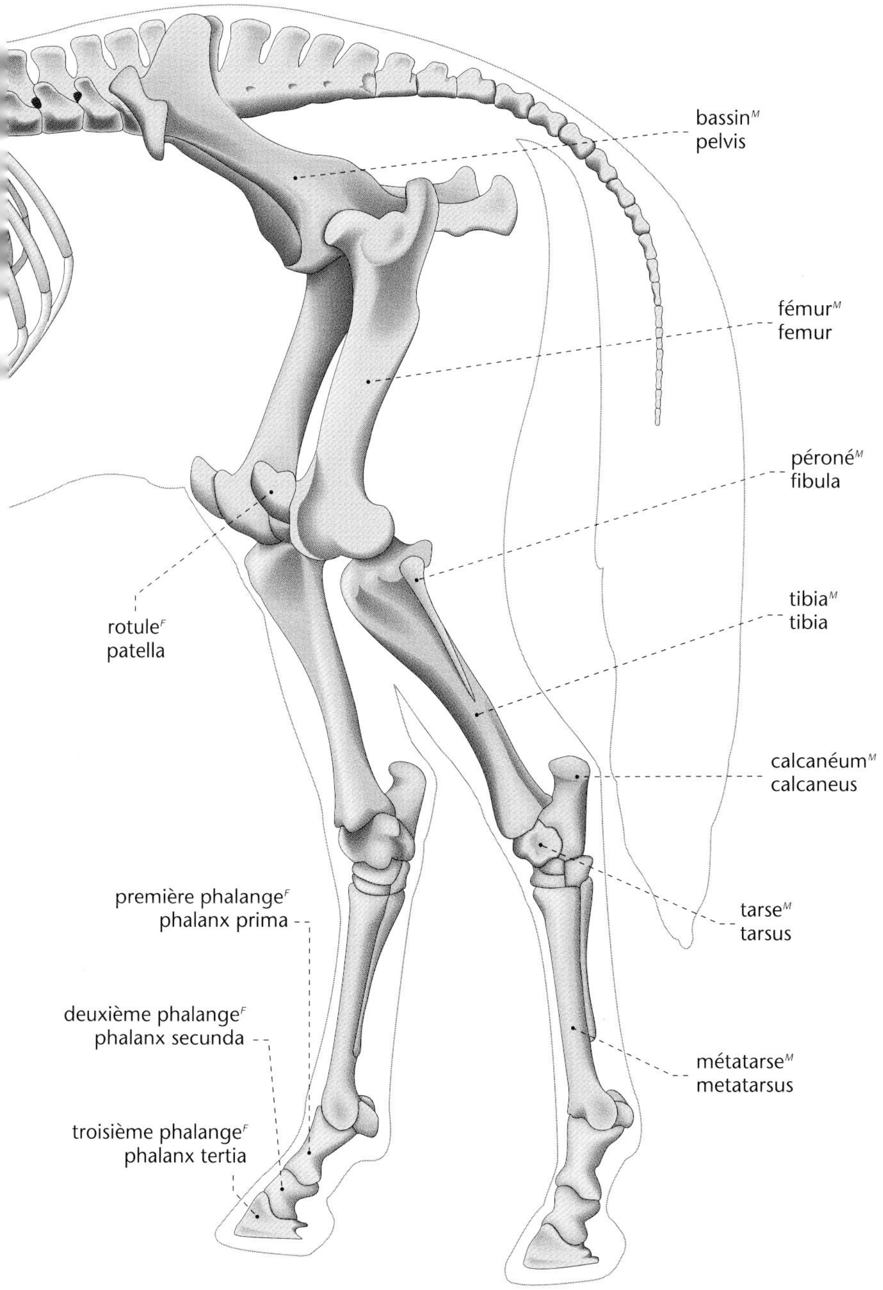
bassin[M]
pelvis
fémur[M]
femur
péroné[M]
fibula
tibia[M]
tibia
rotule[F]
patella
calcanéum[M]
calcaneus
tarse[M]
tarsus
première phalange[F]
phalanx prima
deuxième phalange[F]
phalanx secunda
métatarse[M]
metatarsus
troisième phalange[F]
phalanx tertia

CHEVAL[M]
HORSE

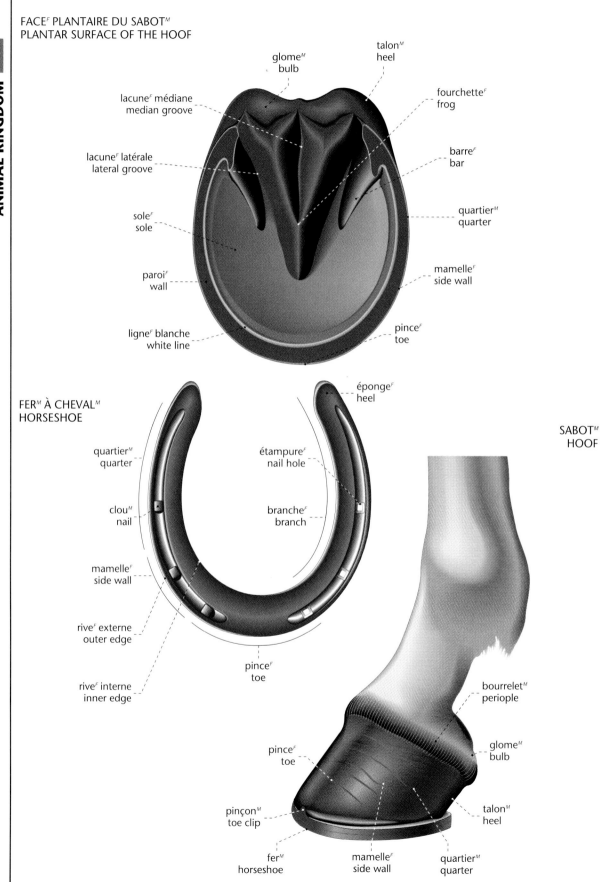

FACE[F] PLANTAIRE DU SABOT[M]
PLANTAR SURFACE OF THE HOOF

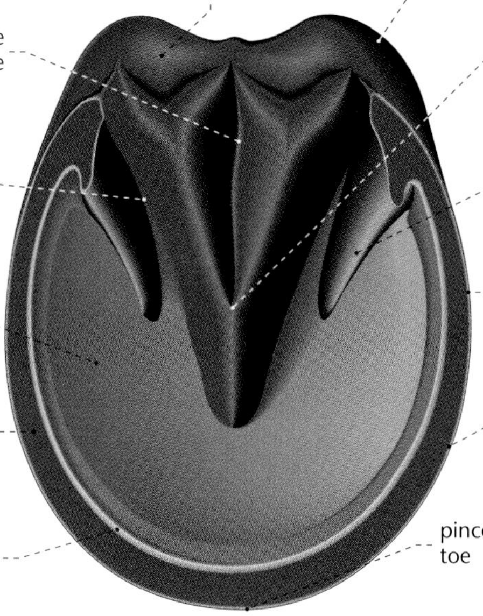
glome[M]
bulb
talon[M]
heel
lacune[F] médiane
median groove
fourchette[F]
frog
lacune[F] latérale
lateral groove
barre[F]
bar
quartier[M]
quarter
sole[F]
sole
paroi[F]
wall
mamelle[F]
side wall
ligne[F] blanche
white line
pince[F]
toe

FER[M] À CHEVAL[M]
HORSESHOE

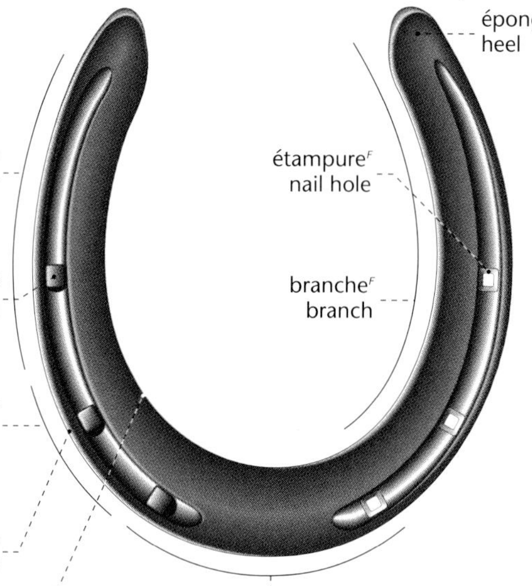
éponge[F]
heel
quartier[M]
quarter
étampure[F]
nail hole
clou[M]
nail
branche[F]
branch
mamelle[F]
side wall
rive[F] externe
outer edge
pince[F]
toe
rive[F] interne
inner edge

SABOT[M]
HOOF

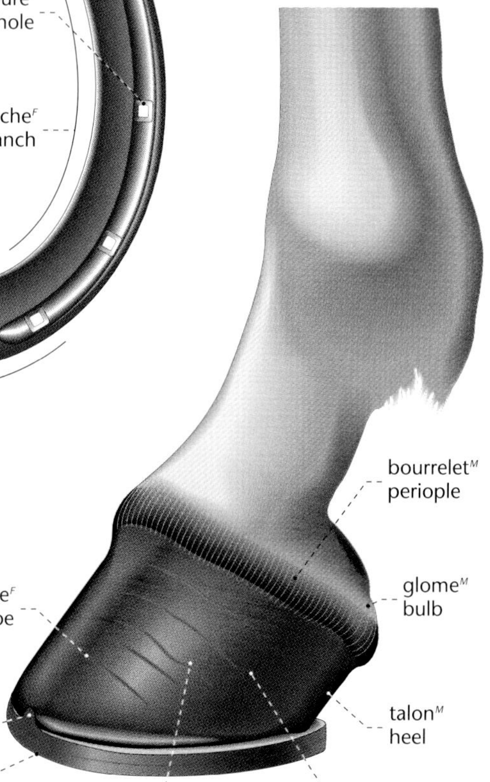
bourrelet[M]
periople
glome[M]
bulb
pince[F]
toe
pinçon[M]
toe clip
talon[M]
heel
fer[M]
horseshoe
mamelle[F]
side wall
quartier[M]
quarter

CERVIDÉS^{M}
DEER FAMILY

BOIS^{M} DE CERF^{M}
DEER ANTLERS

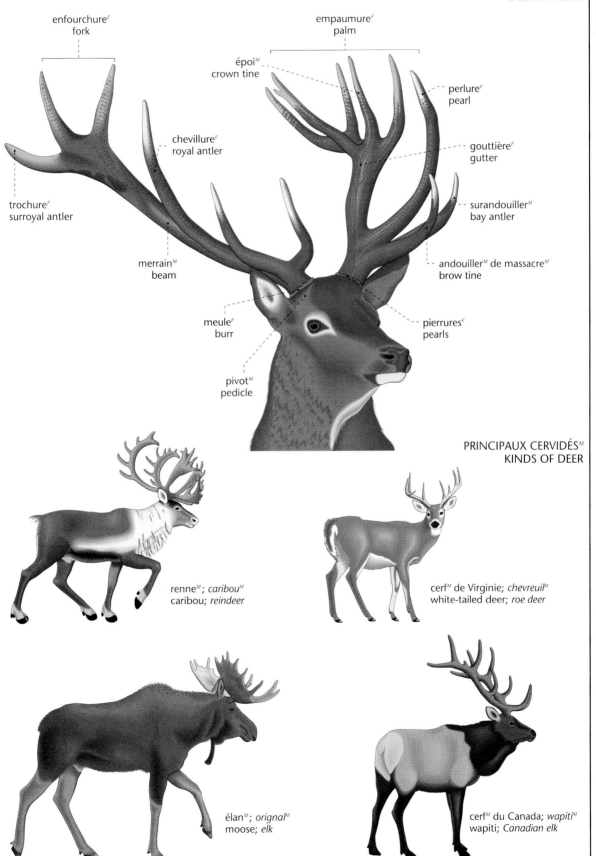

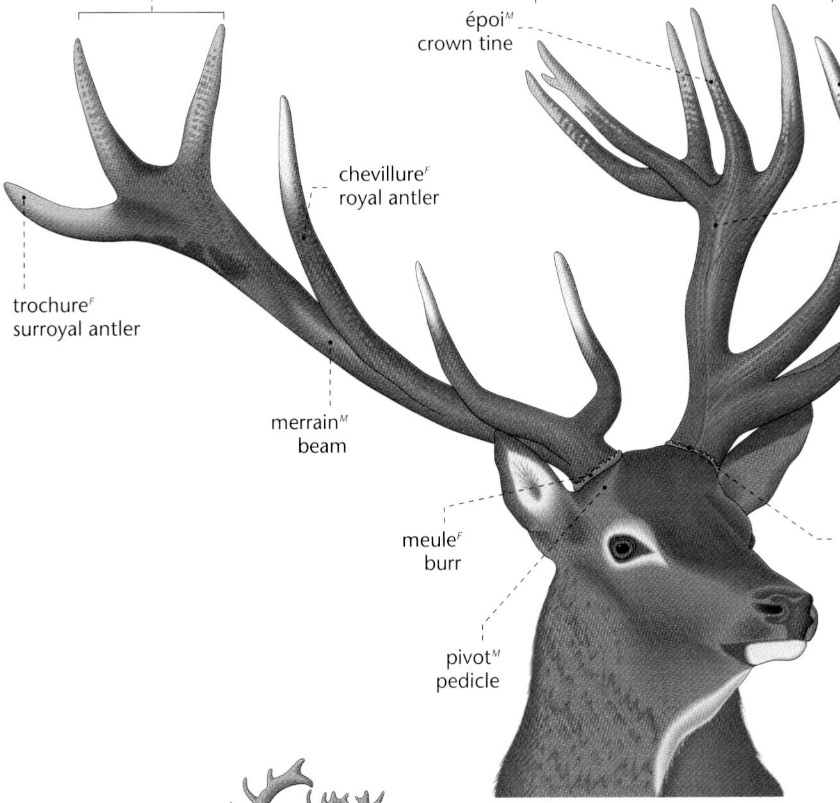
enfourchure^{F}
fork
empaumure^{F}
palm
époi^{M}
crown tine
perlure^{F}
pearl
chevillure^{F}
royal antler
gouttière^{F}
gutter
trochure^{F}
surroyal antler
surandouiller^{M}
bay antler
merrain^{M}
beam
andouiller^{M} de massacre^{M}
brow tine
meule^{F}
burr
pierrures^{F}
pearls
pivot^{M}
pedicle

PRINCIPAUX CERVIDÉS^{M}
KINDS OF DEER

renne^{M}; *caribou*^{M}
caribou; *reindeer*

cerf^{M} de Virginie; *chevreuil*^{M}
white-tailed deer; *roe deer*

élan^{M}; *orignal*^{M}
moose; *elk*

cerf^{M} du Canada; *wapiti*^{M}
wapiti; *Canadian elk*

CHIEN^{M}
DOG

MORPHOLOGIE^{F}
MORPHOLOGY

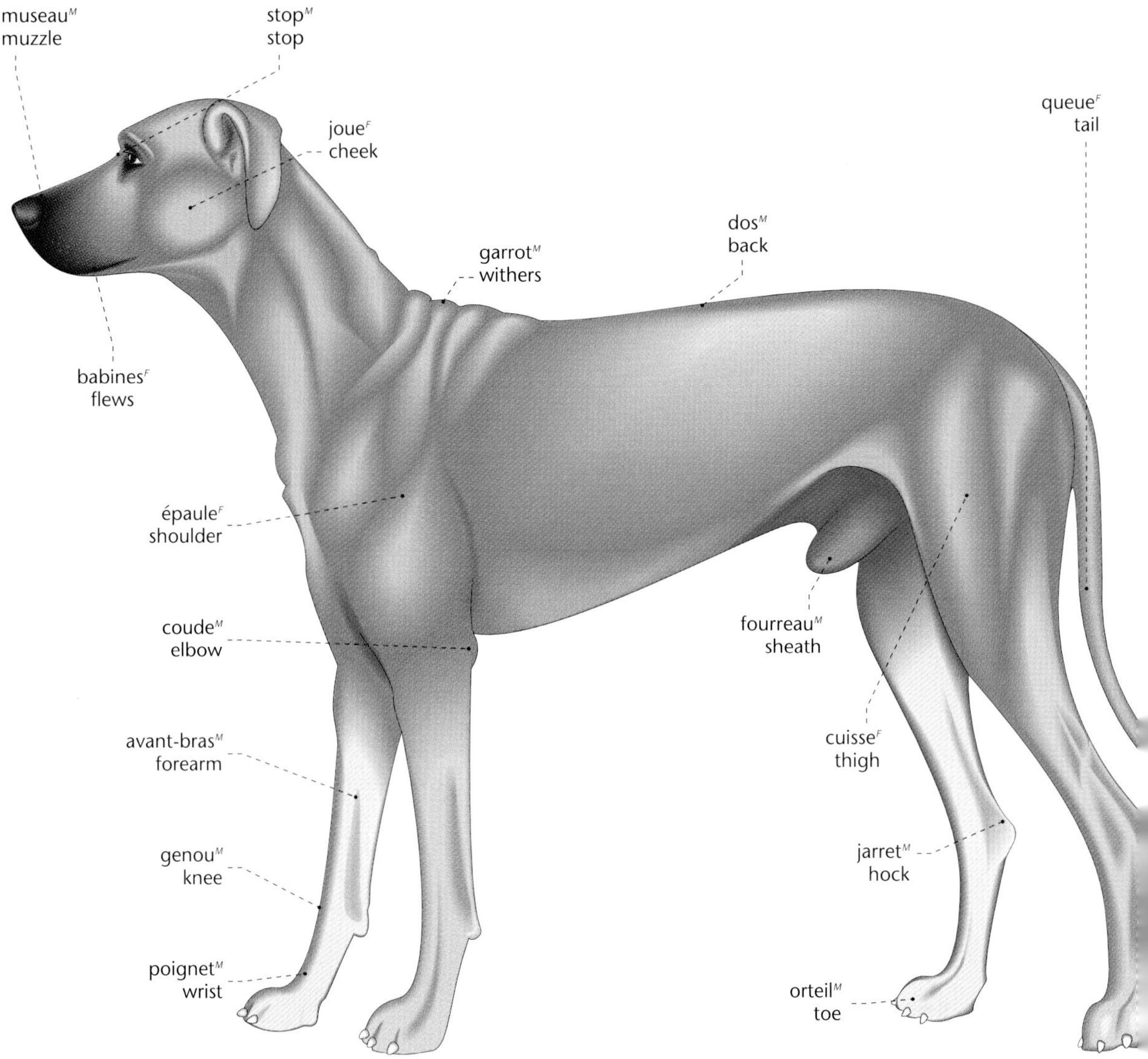
museau^{M}
muzzle
stop^{M}
stop
joue^{F}
cheek
queue^{F}
tail
dos^{M}
back
garrot^{M}
withers
babines^{F}
flews
épaule^{F}
shoulder
fourreau^{M}
sheath
coude^{M}
elbow
avant-bras^{M}
forearm
cuisse^{F}
thigh
genou^{M}
knee
jarret^{M}
hock
poignet^{M}
wrist
orteil^{M}
toe

PATTE^{F} ANTÉRIEURE
DOG'S FOREPAW

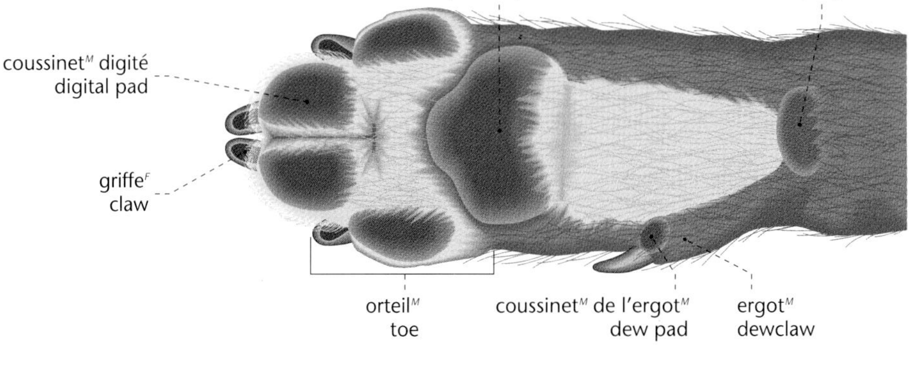
coussinet^{M} palmaire
palmar pad
coussinet^{M} carpien
carpal pad
coussinet^{M} digité
digital pad
griffe^{F}
claw
orteil^{M}
toe
coussinet^{M} de l'ergot^{M}
dew pad
ergot^{M}
dewclaw

CHAT[M]
CAT

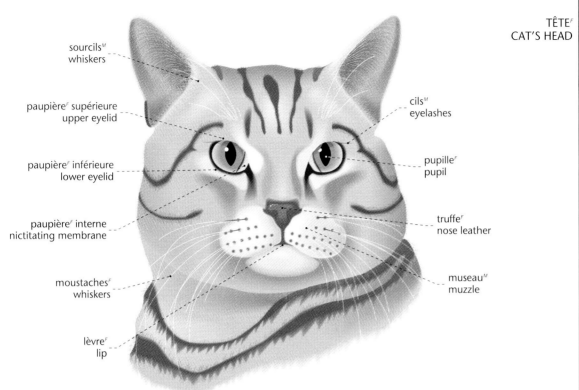

TÊTE[F]
CAT'S HEAD

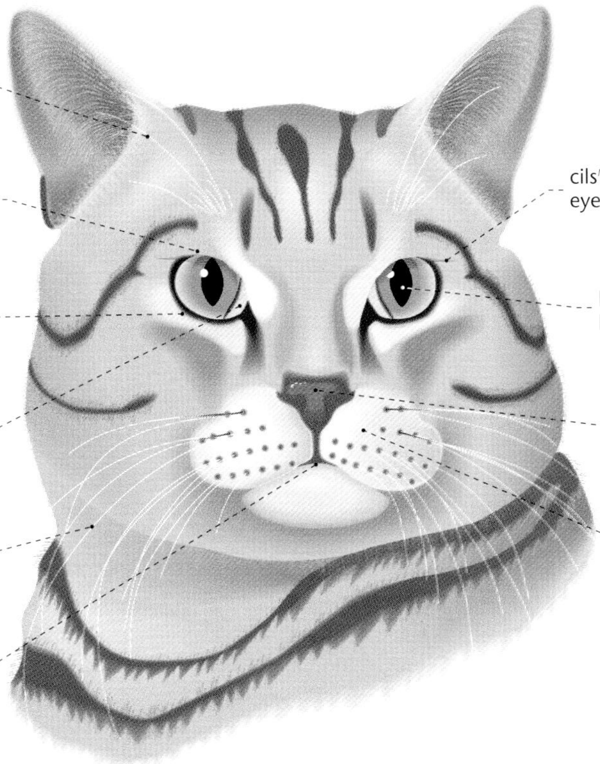
sourcils[M]
whiskers
paupière[F] supérieure
upper eyelid
paupière[F] inférieure
lower eyelid
paupière[F] interne
nictitating membrane
moustaches[F]
whiskers
lèvre[F]
lip
cils[M]
eyelashes
pupille[F]
pupil
truffe[F]
nose leather
museau[M]
muzzle

GRIFFE[F] ABAISSÉE
EXTENDED CLAW

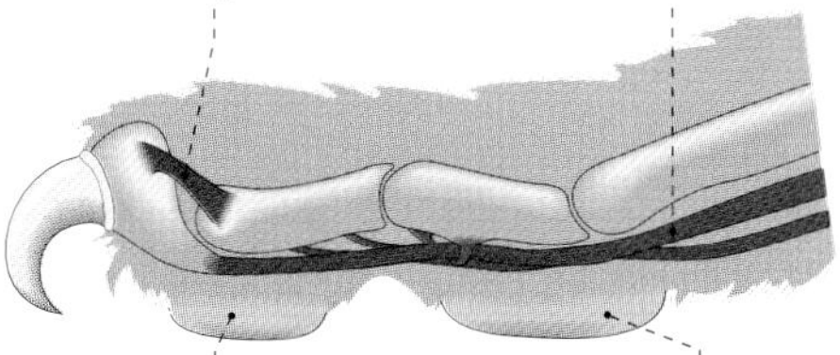
ligament[M] élastique
elastic ligament
tendon[M]
tendon
coussinet[M] digité
digital pad
coussinet[M] plantaire
plantar pad

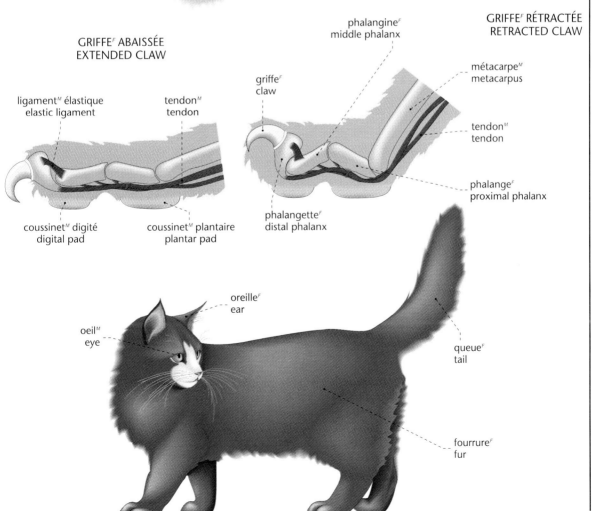

GRIFFE[F] RÉTRACTÉE
RETRACTED CLAW

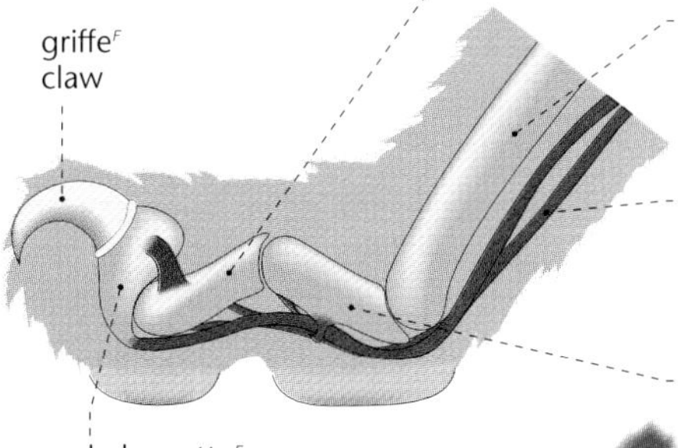
phalangine[F]
middle phalanx
griffe[F]
claw
métacarpe[M]
metacarpus
tendon[M]
tendon
phalange[F]
proximal phalanx
phalangette[F]
distal phalanx

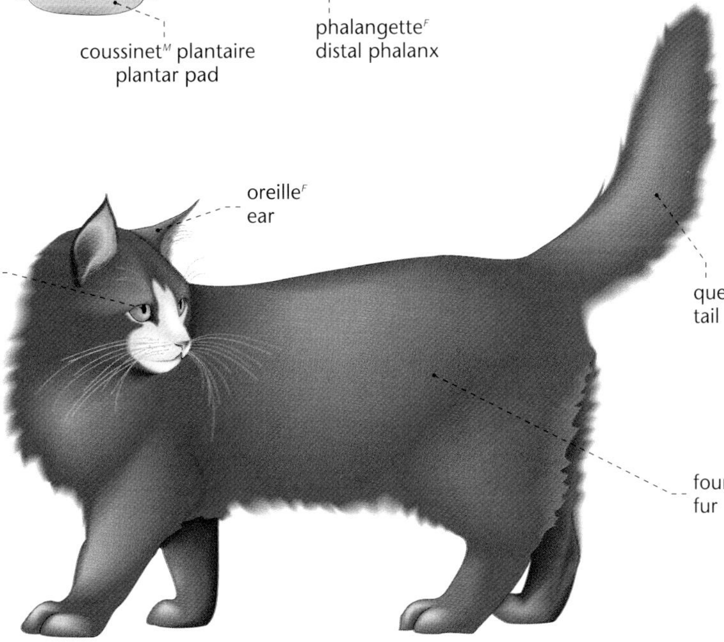
oreille[F]
ear
oeil[M]
eye
queue[F]
tail
fourrure[F]
fur

OISEAU[M]
BIRD

MORPHOLOGIE[F]
MORPHOLOGY

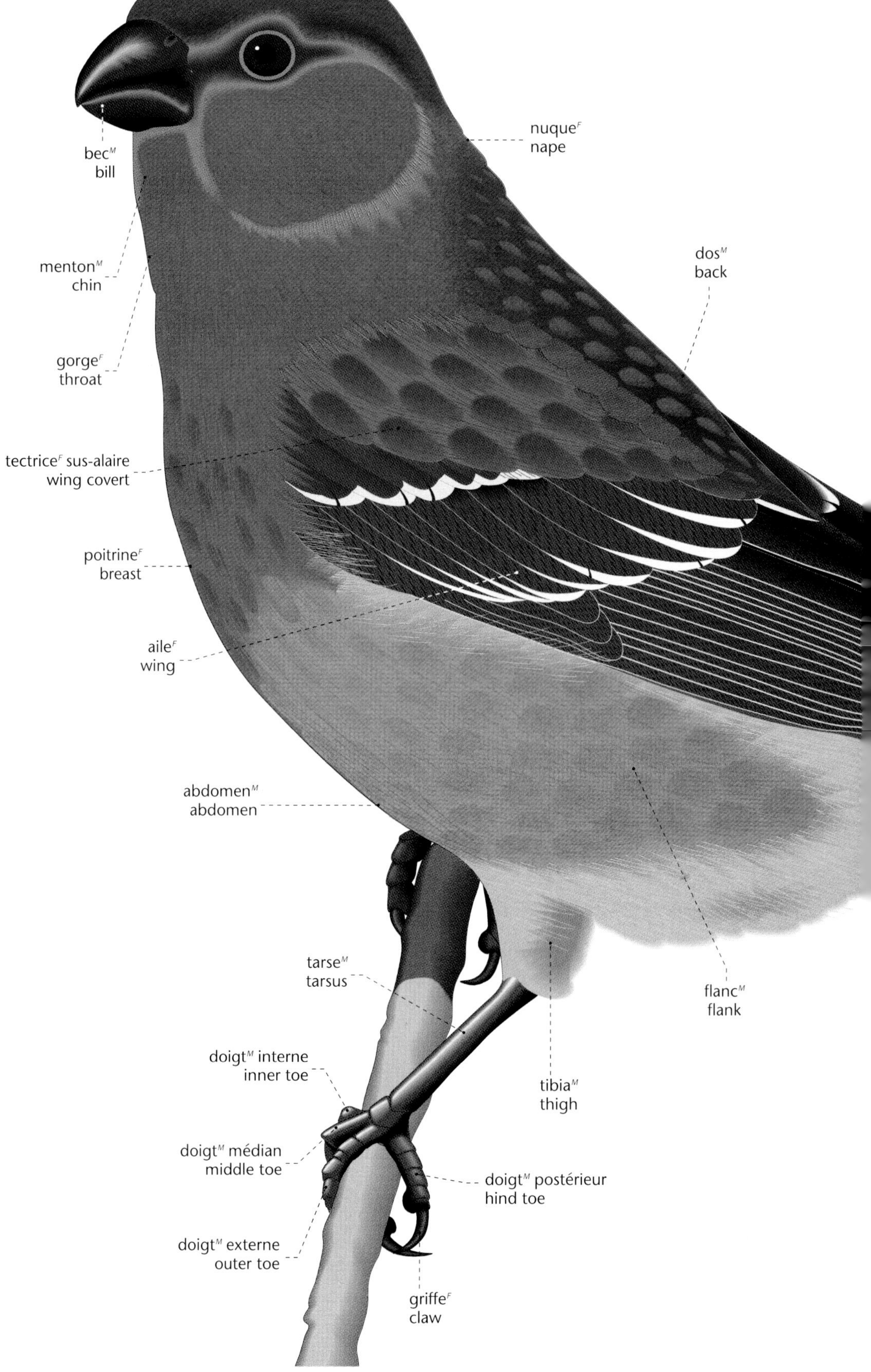
bec[M]
bill
menton[M]
chin
gorge[F]
throat
tectrice[F] sus-alaire
wing covert
poitrine[F]
breast
aile[F]
wing
abdomen[M]
abdomen
tarse[M]
tarsus
doigt[M] interne
inner toe
doigt[M] médian
middle toe
doigt[M] externe
outer toe
griffe[F]
claw
doigt[M] postérieur
hind toe
tibia[M]
thigh
flanc[M]
flank
dos[M]
back
nuque[F]
nape

TÊTE[F]
HEAD

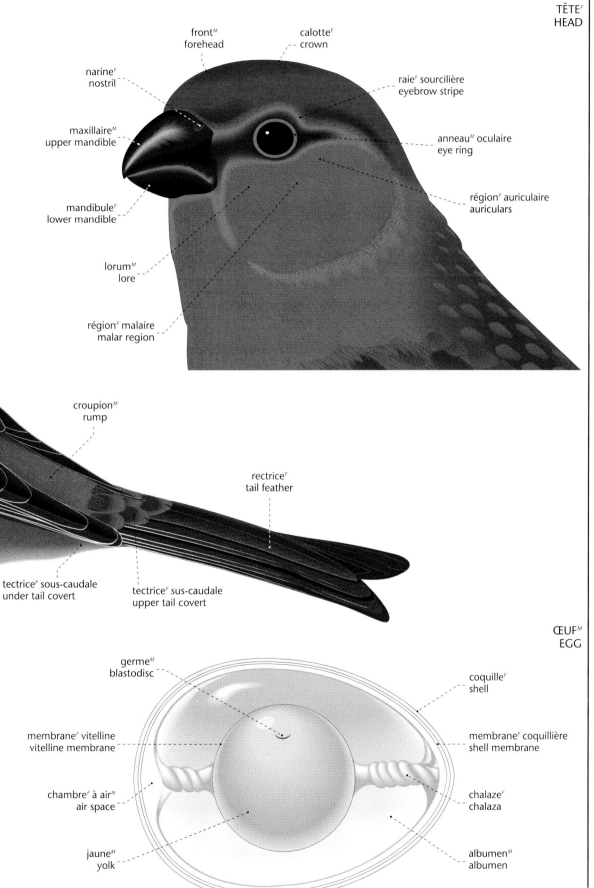

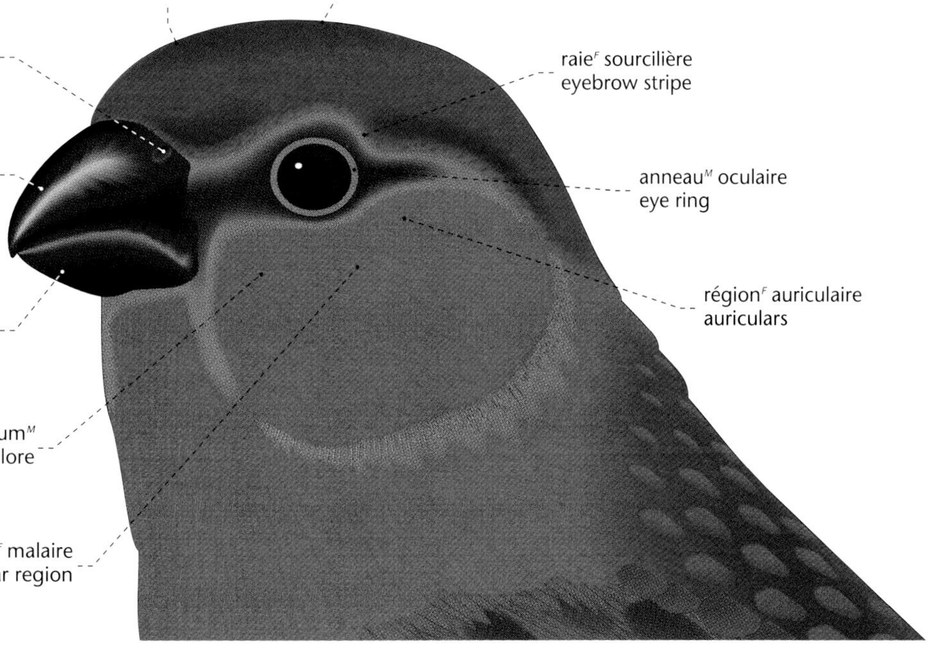
front[M]
forehead
calotte[F]
crown
narine[F]
nostril
raie[F] sourcilière
eyebrow stripe
maxillaire[M]
upper mandible
anneau[M] oculaire
eye ring
mandibule[F]
lower mandible
région[F] auriculaire
auriculars
lorum[M]
lore
région[F] malaire
malar region

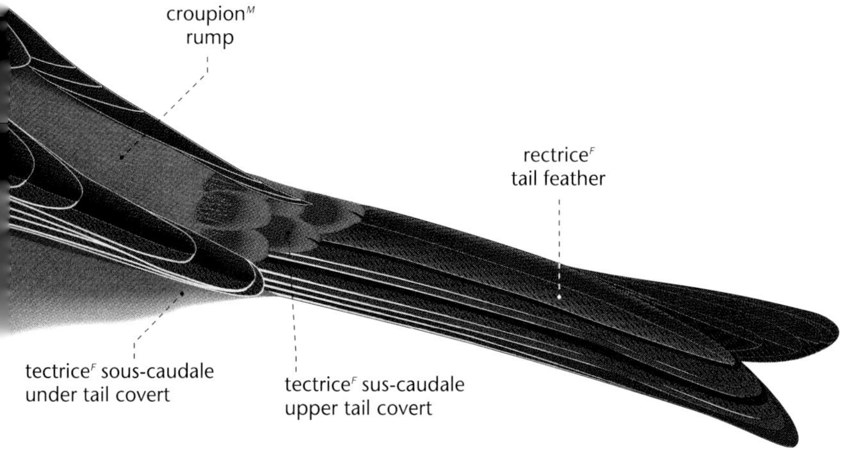
croupion[M]
rump
rectrice[F]
tail feather
tectrice[F] sous-caudale
under tail covert
tectrice[F] sus-caudale
upper tail covert

ŒUF[M]
EGG

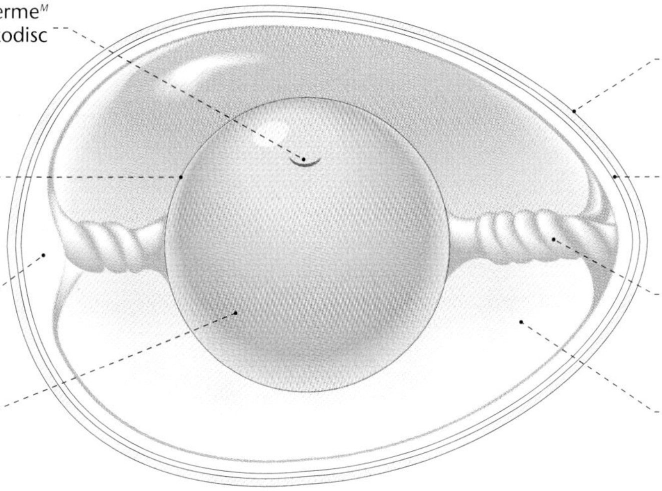
germe[M]
blastodisc
coquille[F]
shell
membrane[F] vitelline
vitelline membrane
membrane[F] coquillière
shell membrane
chambre[F] à air[M]
air space
chalaze[F]
chalaza
jaune[M]
yolk
albumen[M]
albumen

OISEAU[M]
BIRD

AILE[F]
WING

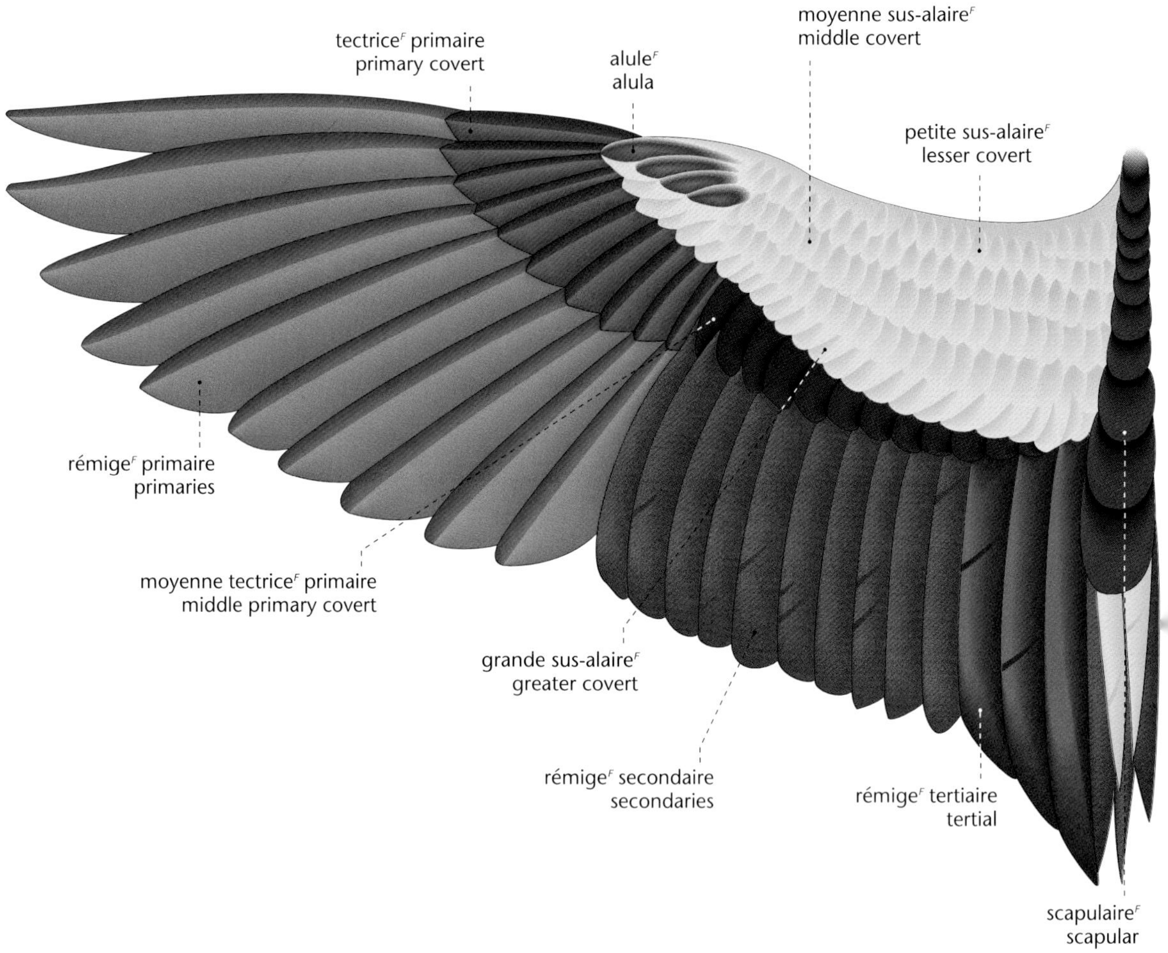
tectrice[F] primaire
primary covert
alule[F]
alula
moyenne sus-alaire[F]
middle covert
petite sus-alaire[F]
lesser covert
rémige[F] primaire
primaries
moyenne tectrice[F] primaire
middle primary covert
grande sus-alaire[F]
greater covert
rémige[F] secondaire
secondaries
rémige[F] tertiaire
tertial
scapulaire[F]
scapular

PENNE[F]
CONTOUR FEATHER

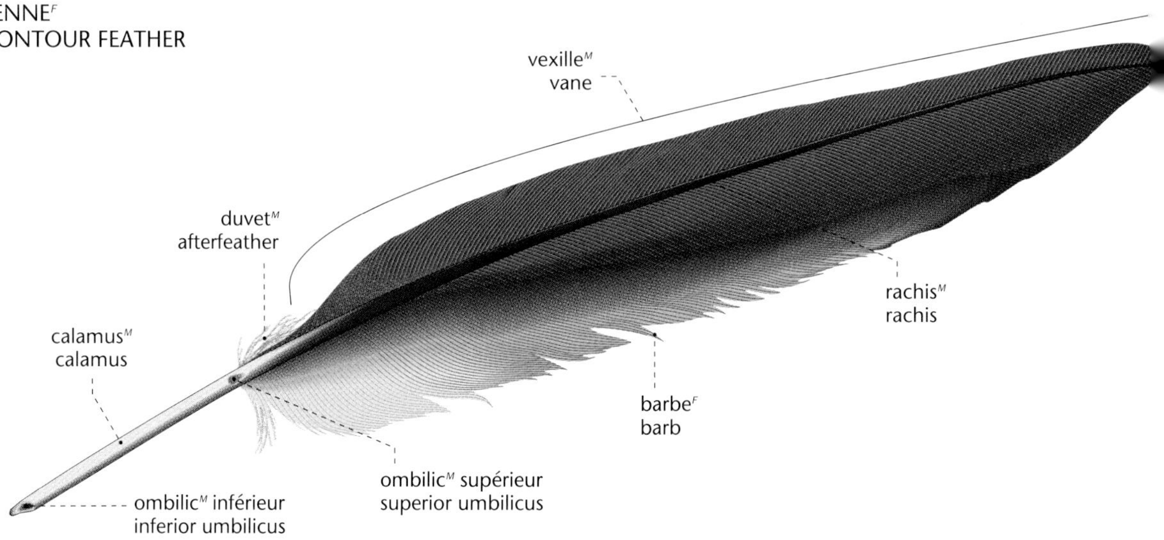
vexille[M]
vane
duvet[M]
afterfeather
rachis[M]
rachis
calamus[M]
calamus
barbe[F]
barb
ombilic[M] supérieur
superior umbilicus
ombilic[M] inférieur
inferior umbilicus

PRINCIPAUX TYPES^{M} DE BECS^{M}
PRINCIPAL TYPES OF BILLS

oiseau^{M} de proie^{F}
bird of prey

oiseau^{M} aquatique
aquatic bird

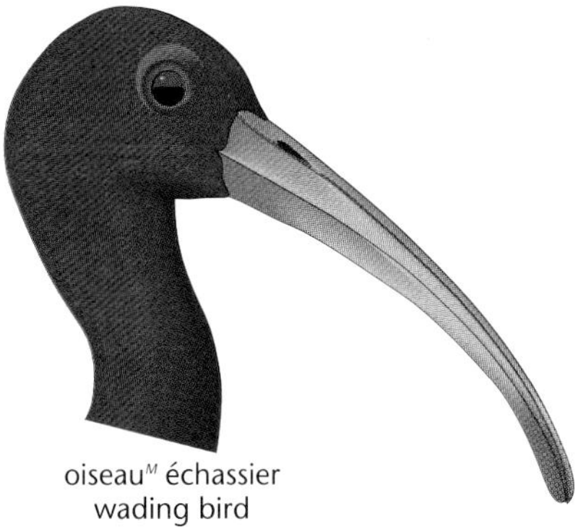
oiseau^{M} échassier
wading bird

oiseau^{M} granivore
granivorous bird

oiseau^{M} insectivore
insectivorous bird

PRINCIPAUX TYPES^{M} DE PATTES^{F}
PRINCIPAL TYPES OF FEET

OISEAU^{M} PERCHEUR
PERCHING BIRD

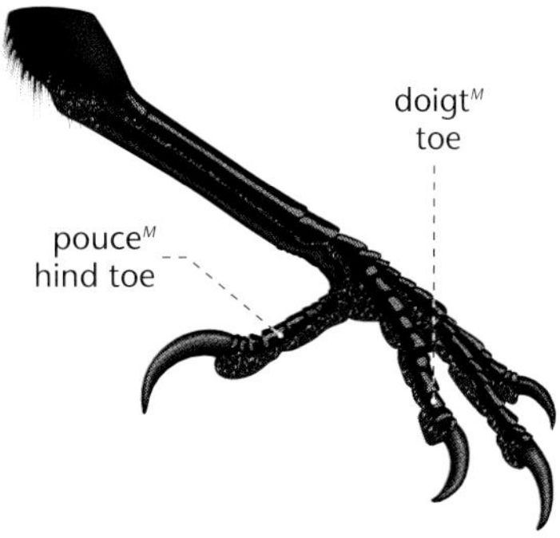
doigt^{M}
toe
pouce^{M}
hind toe

OISEAU^{M} DE PROIE^{F}
BIRD OF PREY

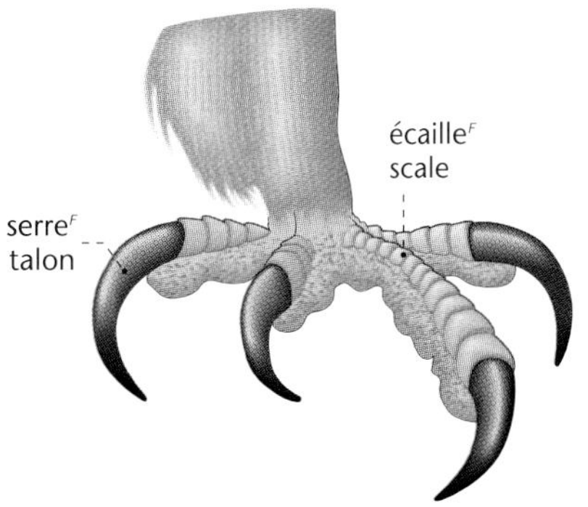
écaille^{F}
scale
serre^{F}
talon

OISEAU^{M} AQUATIQUE
AQUATIC BIRD

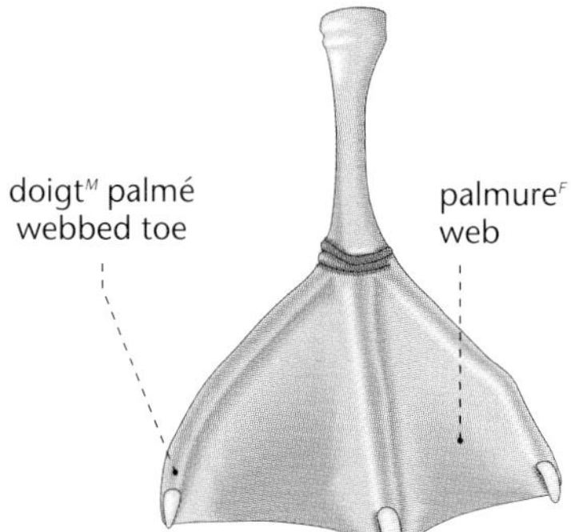
doigt^{M} palmé
webbed toe
palmure^{F}
web

OISEAU^{M} AQUATIQUE
AQUATIC BIRD

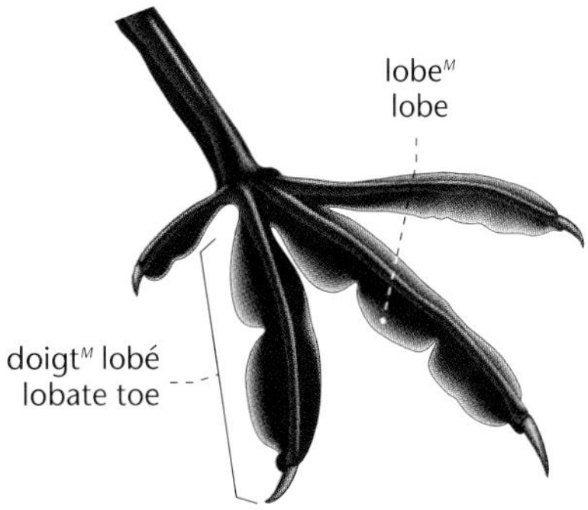
lobe^{M}
lobe
doigt^{M} lobé
lobate toe

CHAUVE-SOURIS[F]
BAT

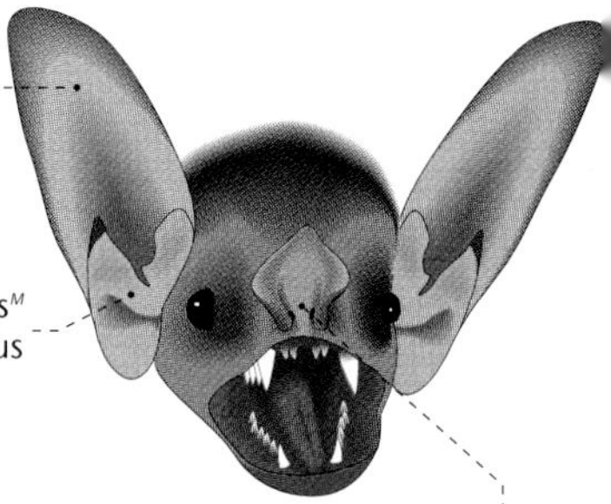
TÊTE[F]
BAT'S HEAD
oreille[F]
ear
tragus[M]
tragus
appendice[M] nasal
nose leaf

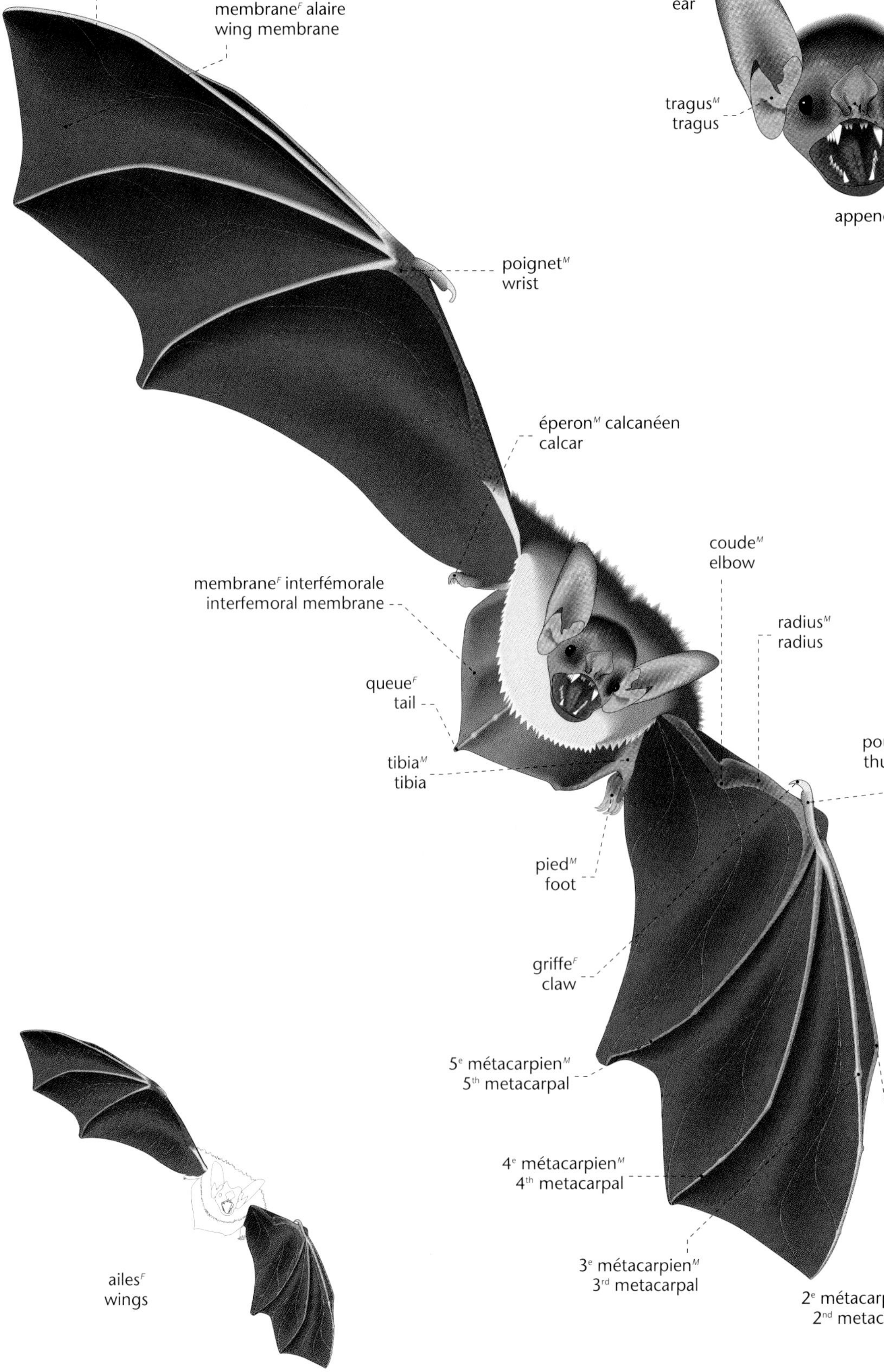
vaisseaux[M] sanguins
blood vessels
membrane[F] alaire
wing membrane
poignet[M]
wrist
éperon[M] calcanéen
calcar
membrane[F] interfémorale
interfemoral membrane
queue[F]
tail
tibia[M]
tibia
coude[M]
elbow
radius[M]
radius
pouce[M]
thumb
pied[M]
foot
griffe[F]
claw
5e métacarpien[M]
5th metacarpal
4e métacarpien[M]
4th metacarpal
3e métacarpien[M]
3rd metacarpal
2e métacarpien[M]
2nd metacarpal
ailes[F]
wings

ÊTRE HUMAIN • HUMAN BEING

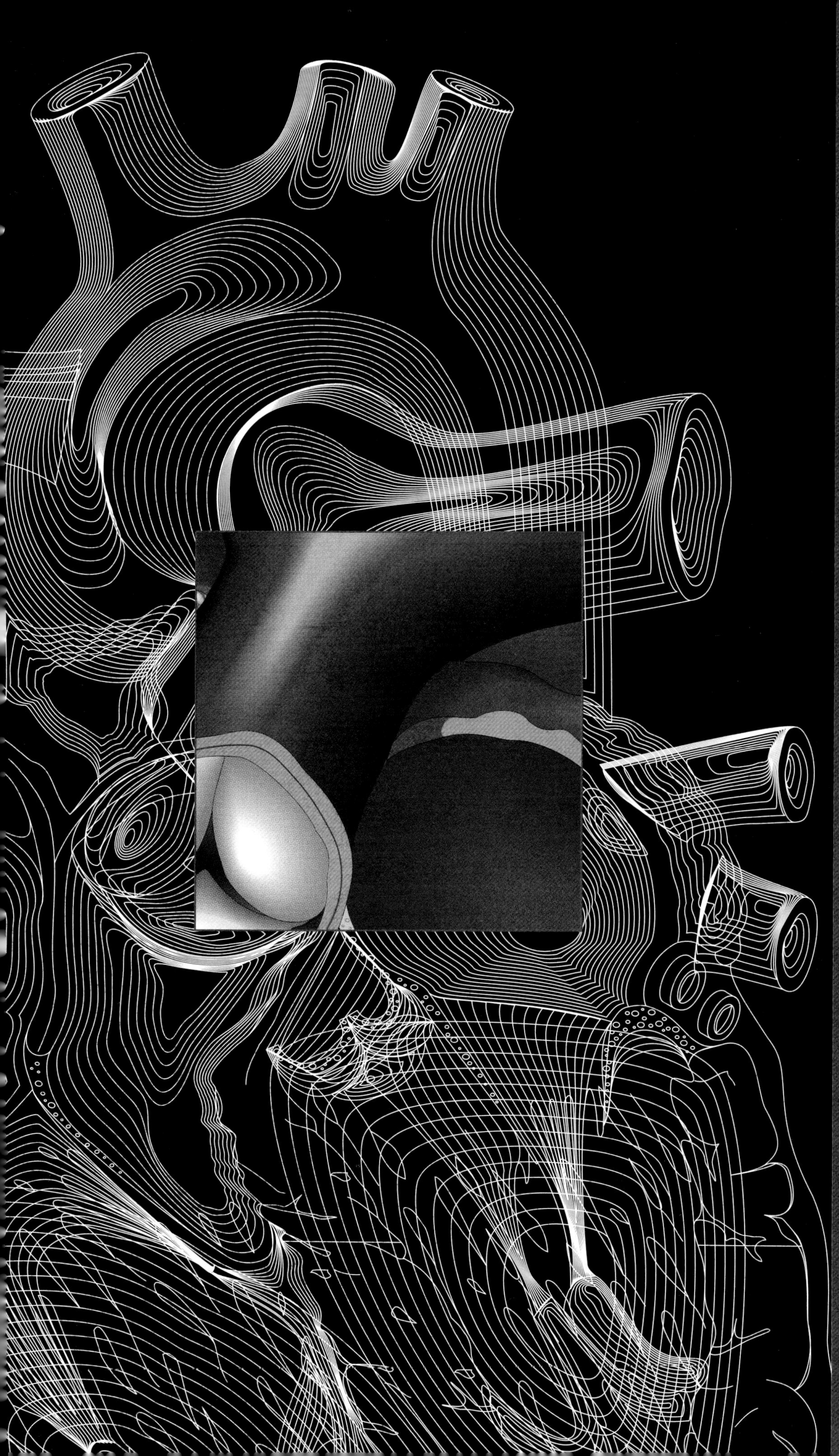

SOMMAIRE

CELLULE[F] VÉGÉTALE
PLANT CELL

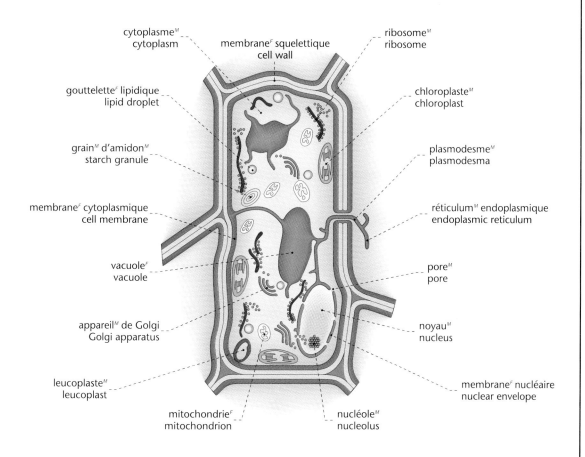

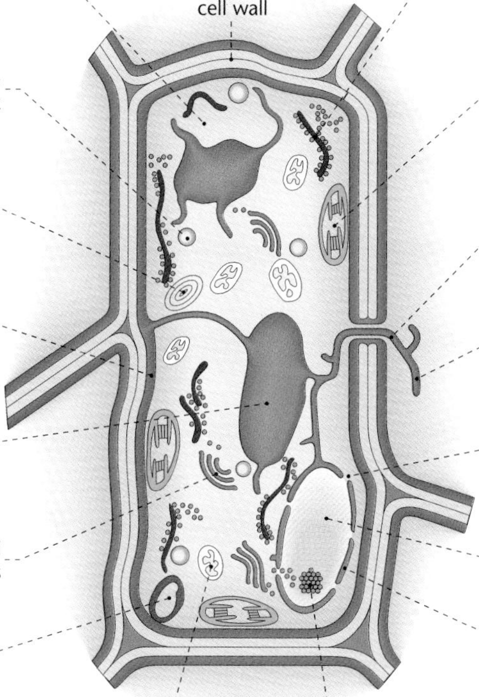
cytoplasme[M]
cytoplasm
membrane[F] squelettique
cell wall
ribosome[M]
ribosome
gouttelette[F] lipidique
lipid droplet
chloroplaste[M]
chloroplast
grain[M] d'amidon[M]
starch granule
plasmodesme[M]
plasmodesma
membrane[F] cytoplasmique
cell membrane
réticulum[M] endoplasmique
endoplasmic reticulum
vacuole[F]
vacuole
pore[M]
pore
appareil[M] de Golgi
Golgi apparatus
noyau[M]
nucleus
leucoplaste[M]
leucoplast
membrane[F] nucléaire
nuclear envelope
mitochondrie[F]
mitochondrion
nucléole[M]
nucleolus

CELLULE[F] ANIMALE
ANIMAL CELL

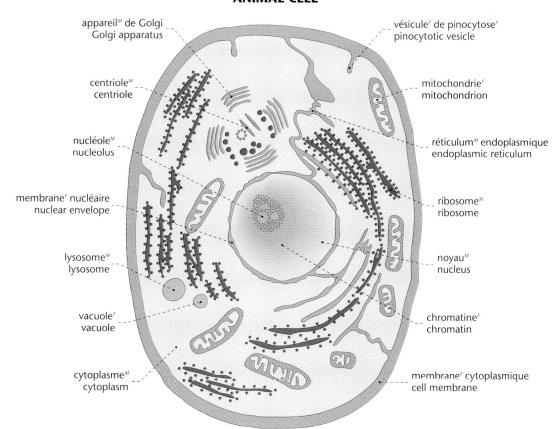

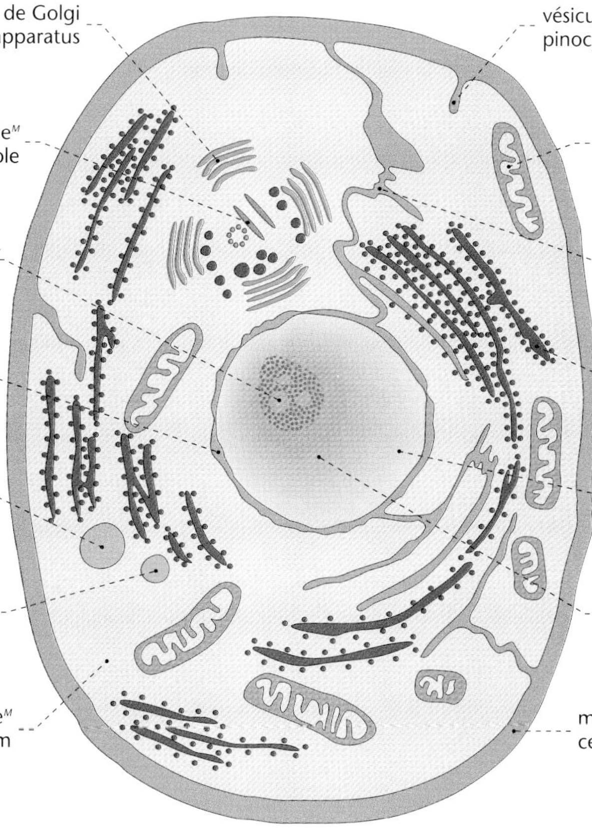
appareil[M] de Golgi
Golgi apparatus
vésicule[F] de pinocytose[F]
pinocytotic vesicle
centriole[M]
centriole
mitochondrie[F]
mitochondrion
nucléole[M]
nucleolus
réticulum[M] endoplasmique
endoplasmic reticulum
membrane[F] nucléaire
nuclear envelope
ribosome[M]
ribosome
lysosome[M]
lysosome
noyau[M]
nucleus
vacuole[F]
vacuole
chromatine[F]
chromatin
cytoplasme[M]
cytoplasm
membrane[F] cytoplasmique
cell membrane

CORPS[M] HUMAIN
HUMAN BODY

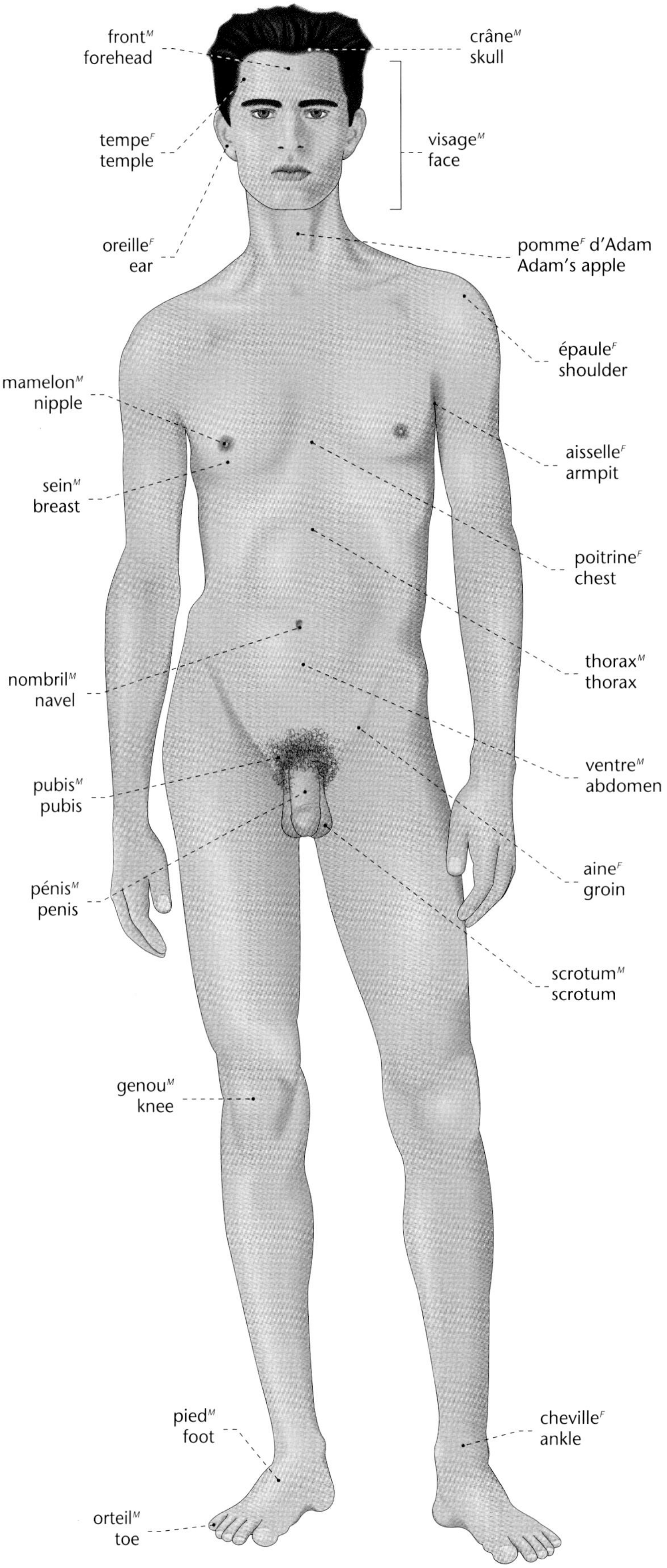
front[M]
forehead
crâne[M]
skull
tempe[F]
temple
visage[M]
face
oreille[F]
ear
pomme[F] d'Adam
Adam's apple
épaule[F]
shoulder
mamelon[M]
nipple
aisselle[F]
armpit
sein[M]
breast
poitrine[F]
chest
thorax[M]
thorax
nombril[M]
navel
ventre[M]
abdomen
pubis[M]
pubis
aine[F]
groin
pénis[M]
penis
scrotum[M]
scrotum
genou[M]
knee
pied[M]
foot
cheville[F]
ankle
orteil[M]
toe

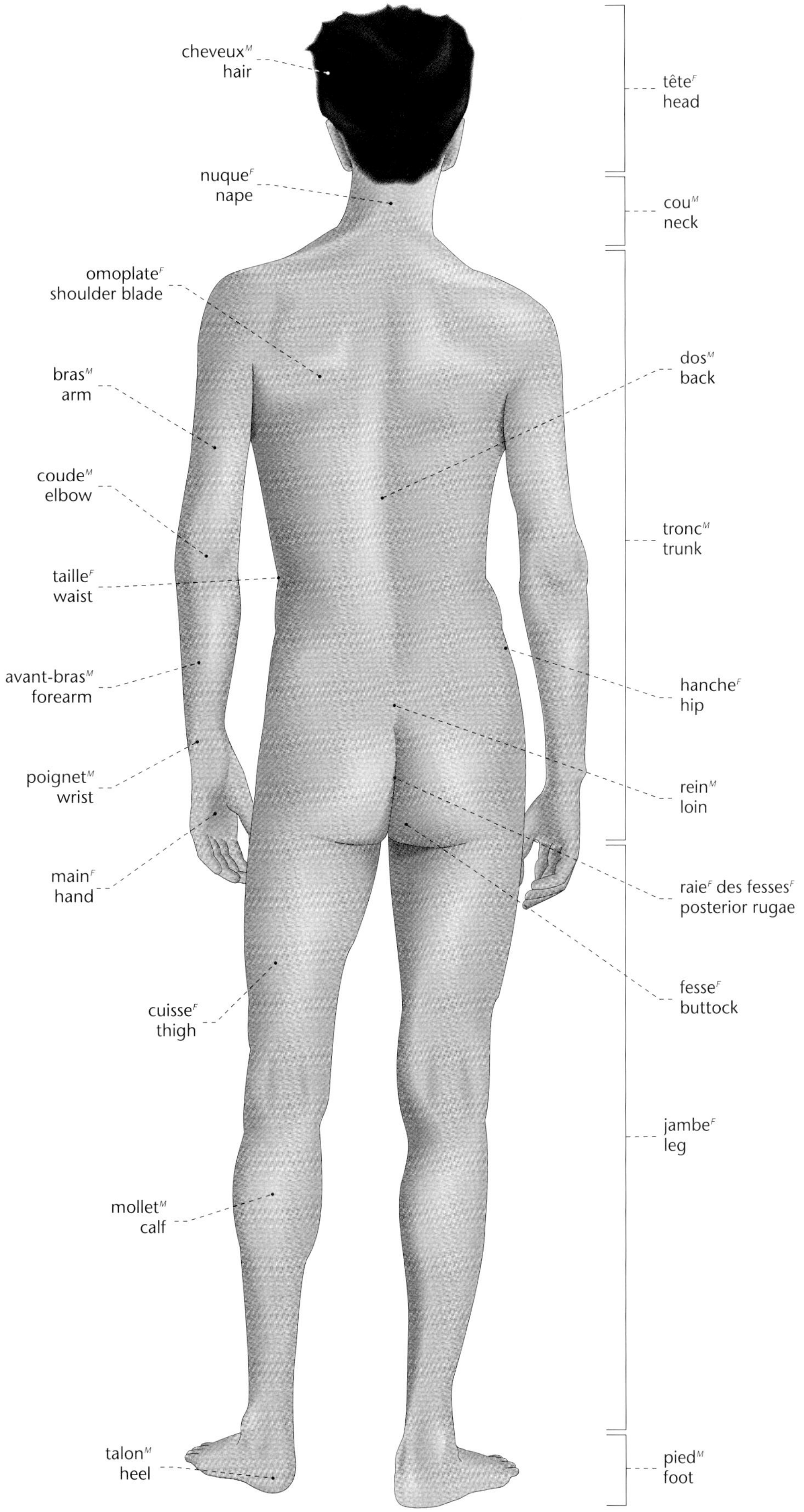
cheveuxM
hair
nuqueF
nape
omoplateF
shoulder blade
brasM
arm
coudeM
elbow
tailleF
waist
avant-brasM
forearm
poignetM
wrist
mainF
hand
cuisseF
thigh
molletM
calf
talonM
heel
têteF
head
couM
neck
dosM
back
troncM
trunk
hancheF
hip
reinM
loin
raieF des fessesF
posterior rugae
fesseF
buttock
jambeF
leg
piedM
foot

CORPS^M HUMAIN
HUMAN BODY

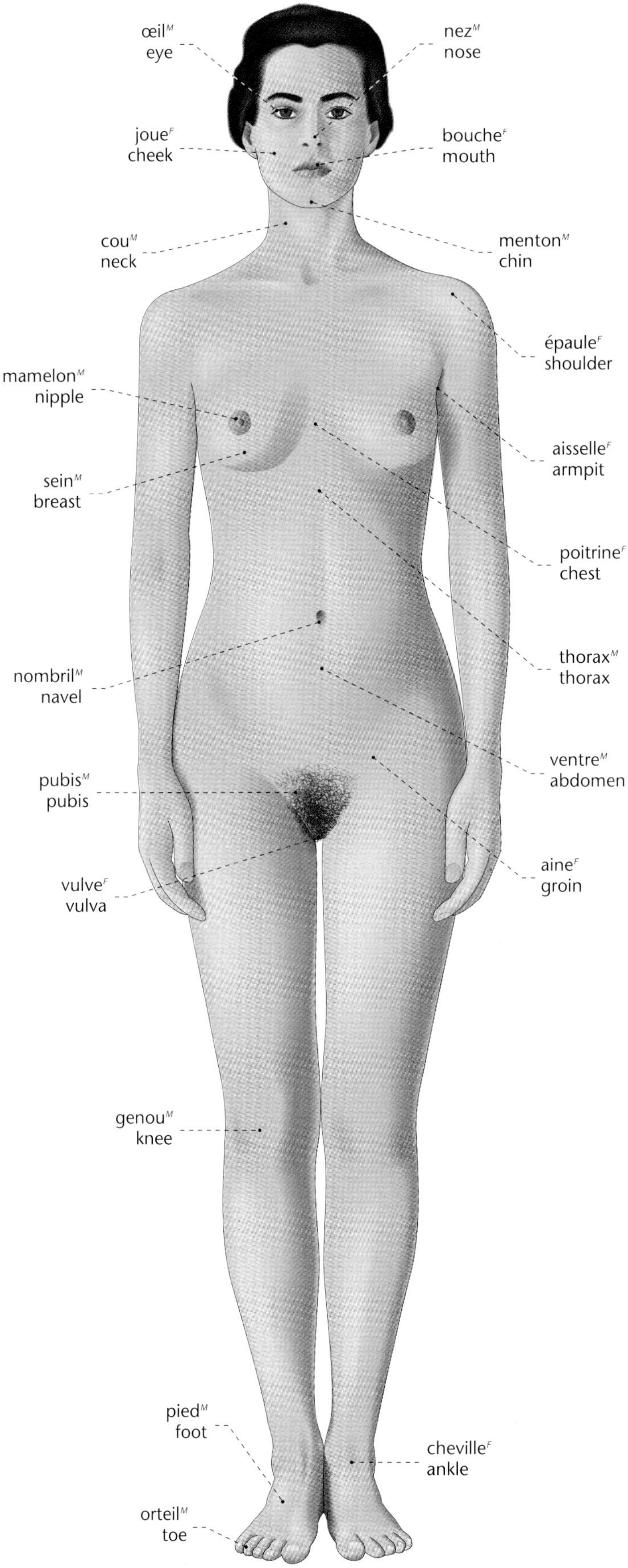
œil^M
eye
nez^M
nose
joue^F
cheek
bouche^F
mouth
cou^M
neck
menton^M
chin
épaule^F
shoulder
mamelon^M
nipple
aisselle^F
armpit
sein^M
breast
poitrine^F
chest
nombril^M
navel
thorax^M
thorax
ventre^M
abdomen
pubis^M
pubis
aine^F
groin
vulve^F
vulva
genou^M
knee
pied^M
foot
cheville^F
ankle
orteil^M
toe

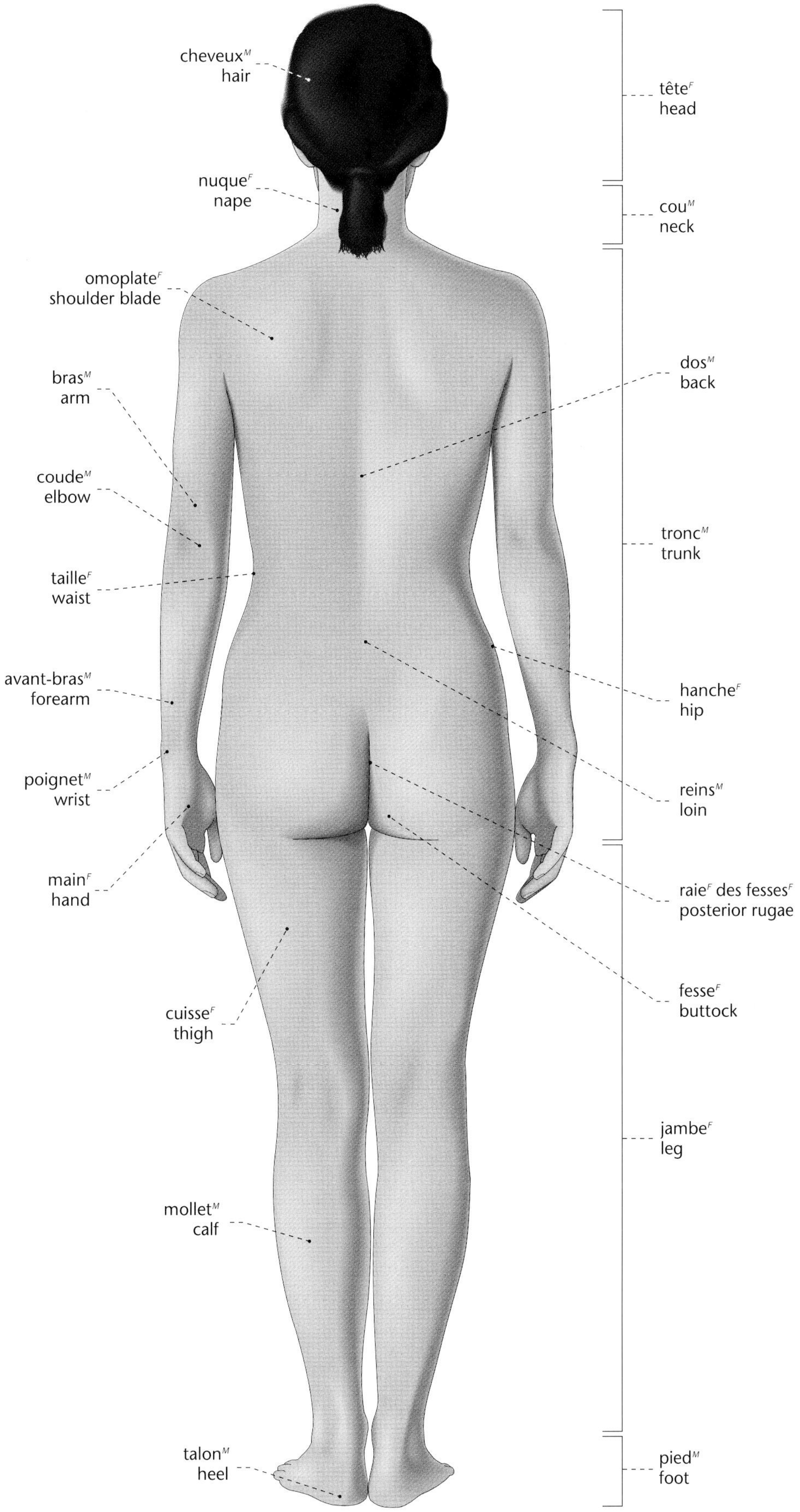
cheveux^M
hair
nuque^F
nape
omoplate^F
shoulder blade
bras^M
arm
coude^M
elbow
taille^F
waist
avant-bras^M
forearm
poignet^M
wrist
main^F
hand
cuisse^F
thigh
mollet^M
calf
talon^M
heel
tête^F
head
cou^M
neck
dos^M
back
tronc^M
trunk
hanche^F
hip
reins^M
loin
raie^F des fesses^F
posterior rugae
fesse^F
buttock
jambe^F
leg
pied^M
foot

MUSCLES[M]
MUSCLES

FACE[F] ANTÉRIEURE
ANTERIOR VIEW

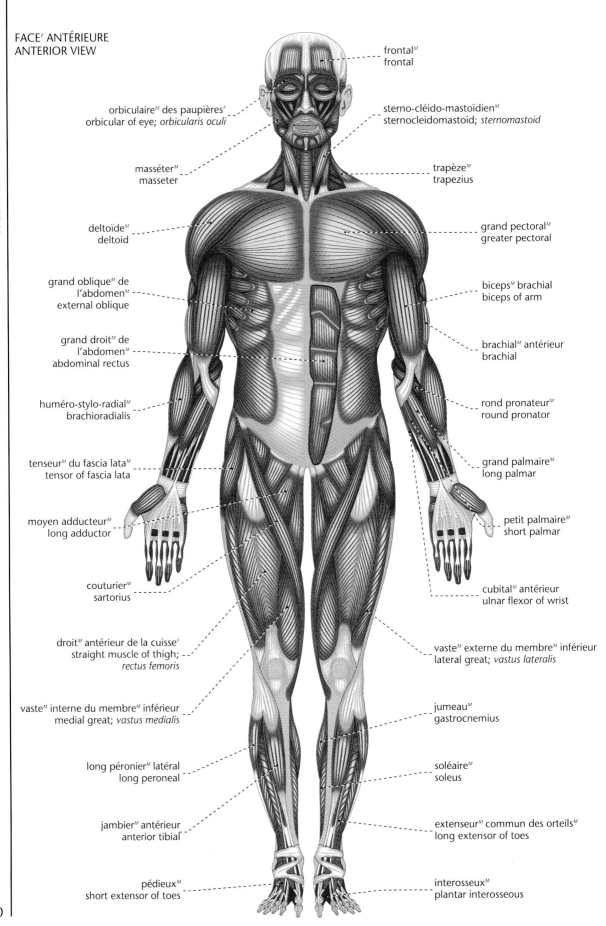

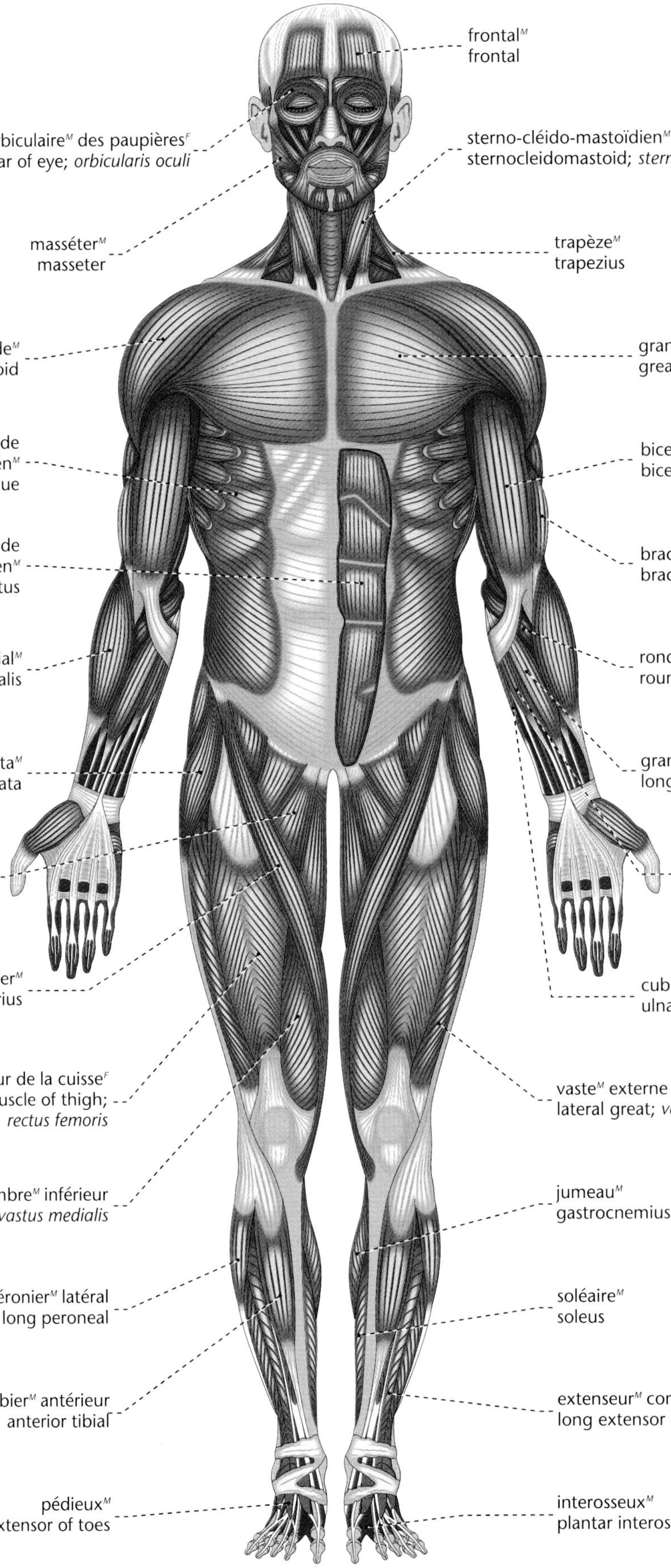
frontal[M]
frontal
orbiculaire[M] des paupières[F]
orbicular of eye; *orbicularis oculi*
sterno-cléido-mastoïdien[M]
sternocleidomastoid; *sternomastoid*
masséter[M]
masseter
trapèze[M]
trapezius
deltoïde[M]
deltoid
grand pectoral[M]
greater pectoral
grand oblique[M] de l'abdomen[M]
external oblique
biceps[M] brachial
biceps of arm
grand droit[M] de l'abdomen[M]
abdominal rectus
brachial[M] antérieur
brachial
huméro-stylo-radial[M]
brachioradialis
rond pronateur[M]
round pronator
tenseur[M] du fascia lata[M]
tensor of fascia lata
grand palmaire[M]
long palmar
moyen adducteur[M]
long adductor
petit palmaire[M]
short palmar
couturier[M]
sartorius
cubital[M] antérieur
ulnar flexor of wrist
droit[M] antérieur de la cuisse[F]
straight muscle of thigh; *rectus femoris*
vaste[M] externe du membre[M] inférieur
lateral great; *vastus lateralis*
vaste[M] interne du membre[M] inférieur
medial great; *vastus medialis*
jumeau[M]
gastrocnemius
long péronier[M] latéral
long peroneal
soléaire[M]
soleus
jambier[M] antérieur
anterior tibial
extenseur[M] commun des orteils[M]
long extensor of toes
pédieux[M]
short extensor of toes
interosseux[M]
plantar interosseous

FACE[F] POSTÉRIEURE
POSTERIOR VIEW

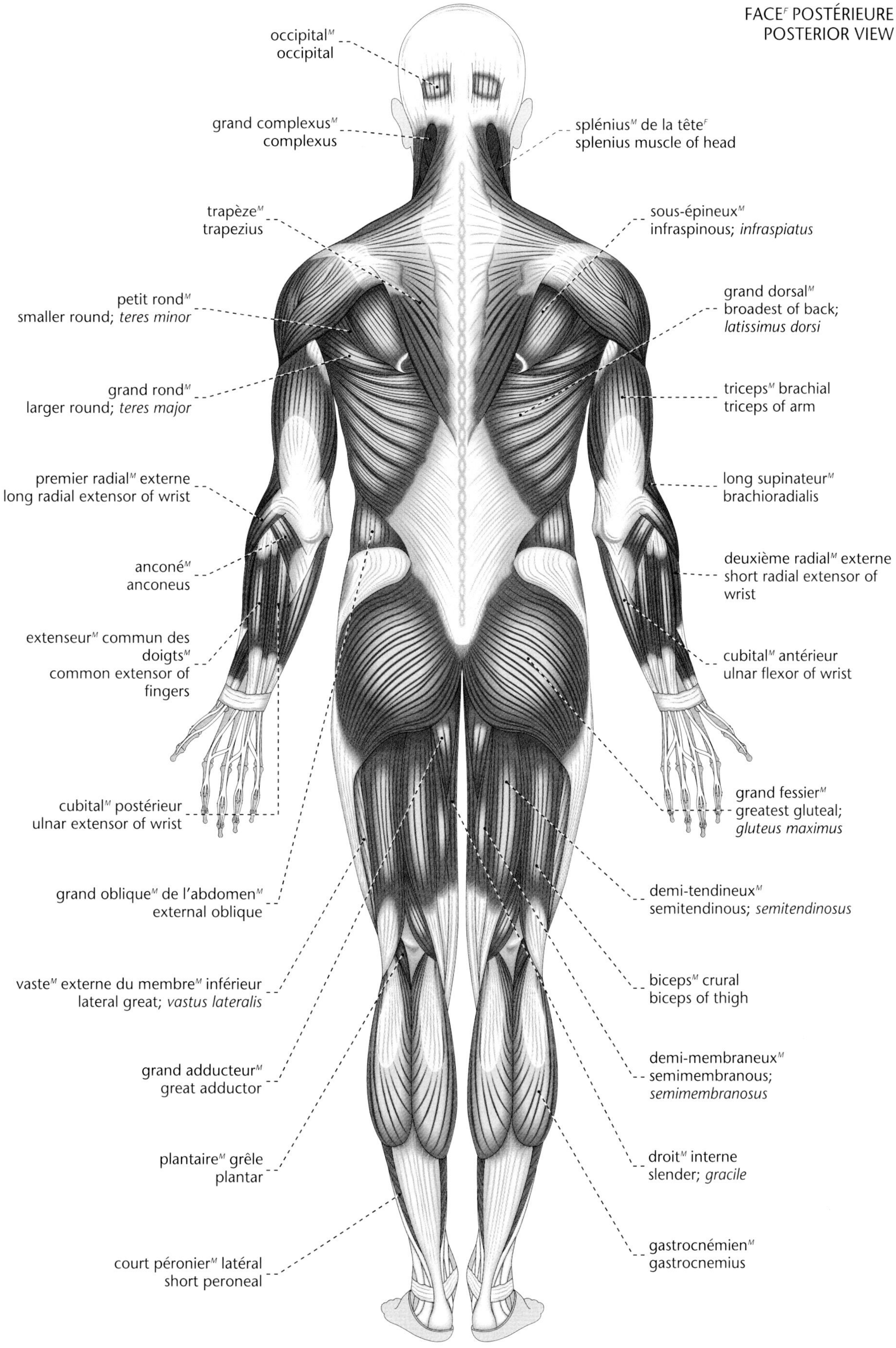
occipital[M]
occipital
grand complexus[M]
complexus
splénius[M] de la tête[F]
splenius muscle of head
trapèze[M]
trapezius
sous-épineux[M]
infraspinous; *infraspiatus*
petit rond[M]
smaller round; *teres minor*
grand dorsal[M]
broadest of back; *latissimus dorsi*
grand rond[M]
larger round; *teres major*
triceps[M] brachial
triceps of arm
premier radial[M] externe
long radial extensor of wrist
long supinateur[M]
brachioradialis
anconé[M]
anconeus
deuxième radial[M] externe
short radial extensor of wrist
extenseur[M] commun des doigts[M]
common extensor of fingers
cubital[M] antérieur
ulnar flexor of wrist
cubital[M] postérieur
ulnar extensor of wrist
grand fessier[M]
greatest gluteal; *gluteus maximus*
grand oblique[M] de l'abdomen[M]
external oblique
demi-tendineux[M]
semitendinous; *semitendinosus*
vaste[M] externe du membre[M] inférieur
lateral great; *vastus lateralis*
biceps[M] crural
biceps of thigh
grand adducteur[M]
great adductor
demi-membraneux[M]
semimembranous; *semimembranosus*
plantaire[M] grêle
plantar
droit[M] interne
slender; *gracile*
court péronier[M] latéral
short peroneal
gastrocnémien[M]
gastrocnemius

SQUELETTE[M]
SKELETON

VUE[F] ANTÉRIEURE
ANTERIOR VIEW

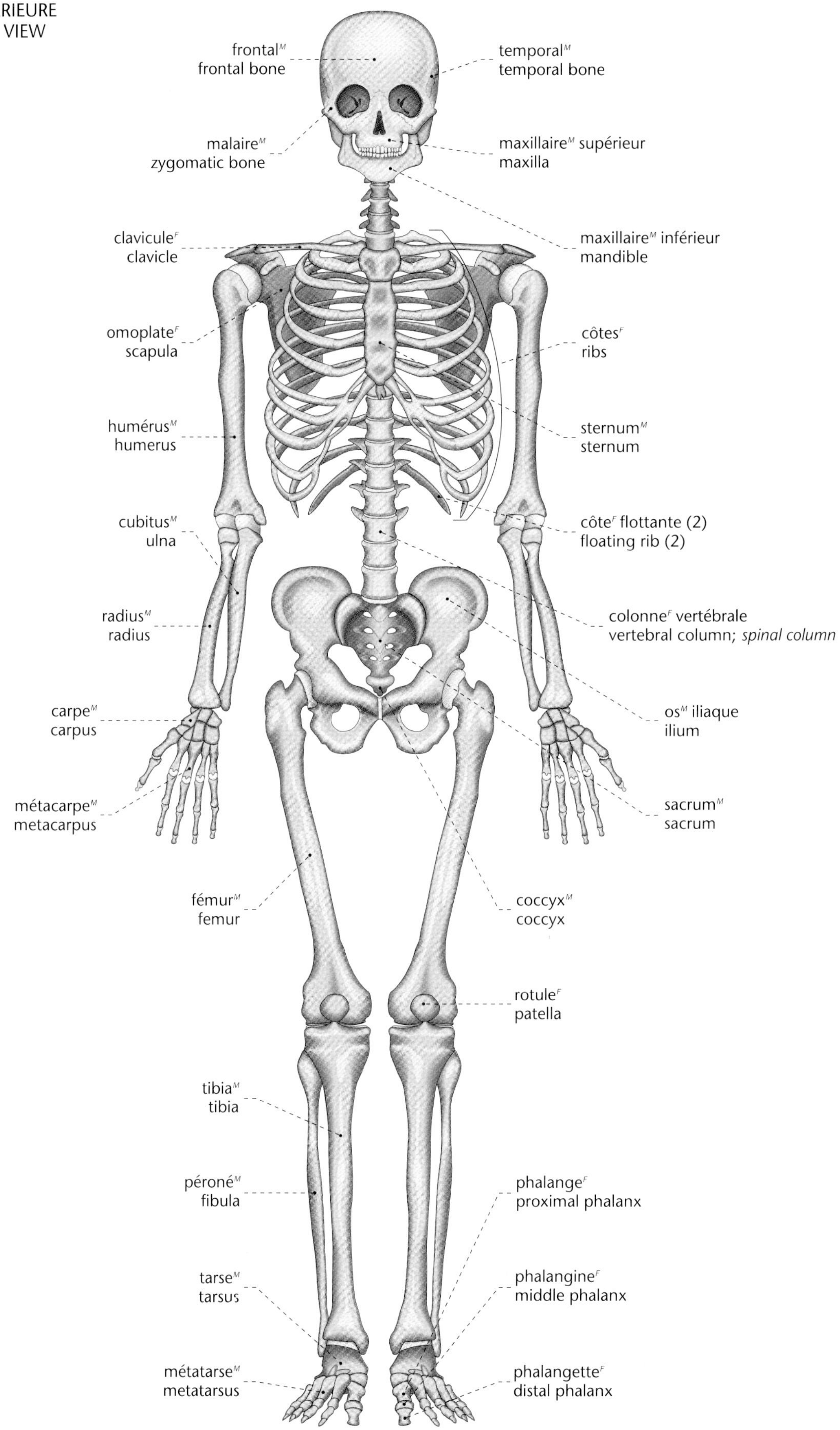

frontal[M]
frontal bone
temporal[M]
temporal bone
malaire[M]
zygomatic bone
maxillaire[M] supérieur
maxilla
clavicule[F]
clavicle
maxillaire[M] inférieur
mandible
omoplate[F]
scapula
côtes[F]
ribs
humérus[M]
humerus
sternum[M]
sternum
cubitus[M]
ulna
côte[F] flottante (2)
floating rib (2)
radius[M]
radius
colonne[F] vertébrale
vertebral column; *spinal column*
carpe[M]
carpus
os[M] iliaque
ilium
métacarpe[M]
metacarpus
sacrum[M]
sacrum
fémur[M]
femur
coccyx[M]
coccyx
rotule[F]
patella
tibia[M]
tibia
péroné[M]
fibula
phalange[F]
proximal phalanx
tarse[M]
tarsus
phalangine[F]
middle phalanx
métatarse[M]
metatarsus
phalangette[F]
distal phalanx

VUE[F] POSTÉRIEURE
POSTERIOR VIEW

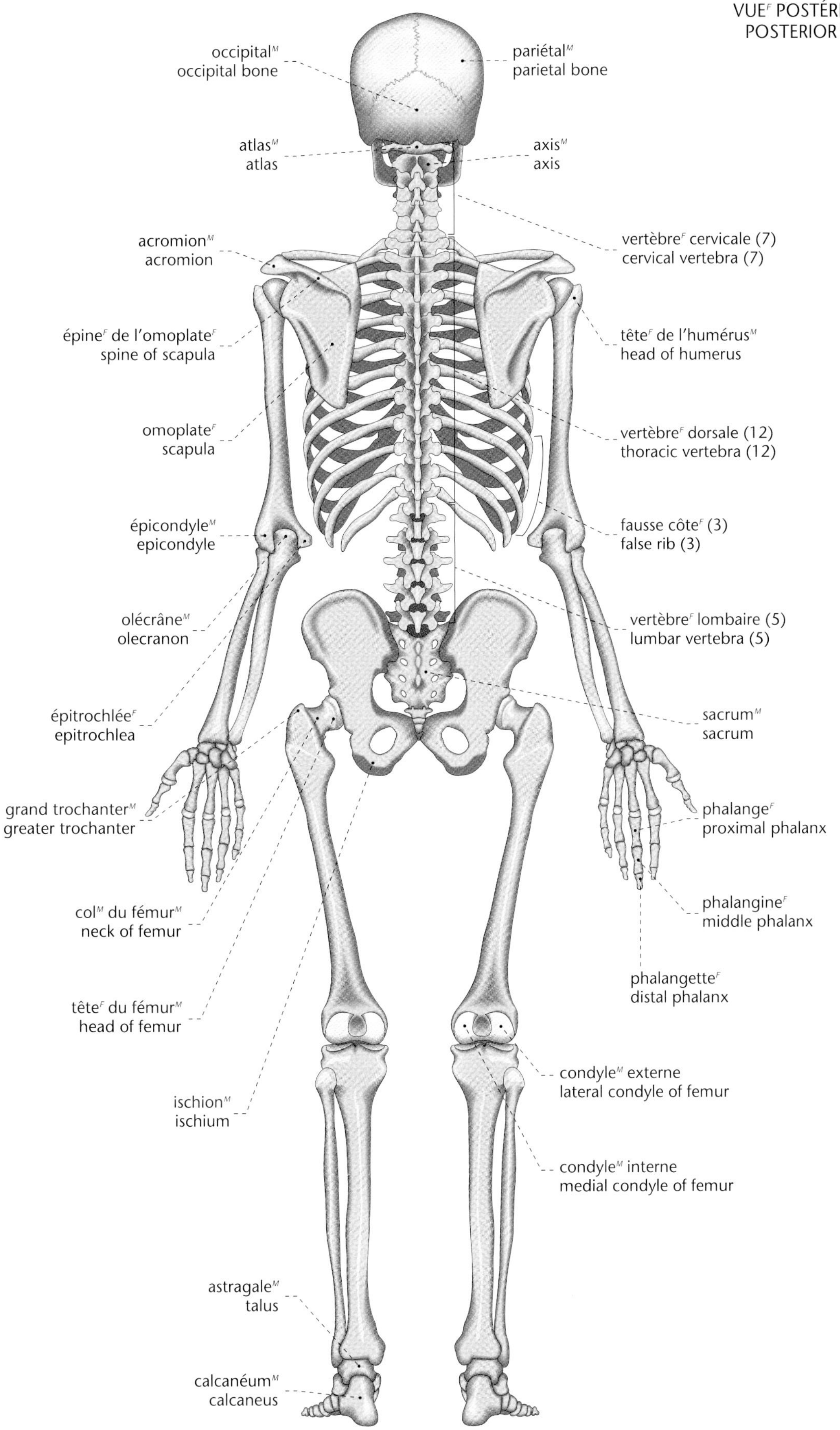
occipital[M]
occipital bone
pariétal[M]
parietal bone
atlas[M]
atlas
axis[M]
axis
acromion[M]
acromion
vertèbre[F] cervicale (7)
cervical vertebra (7)
épine[F] de l'omoplate[F]
spine of scapula
tête[F] de l'humérus[M]
head of humerus
omoplate[F]
scapula
vertèbre[F] dorsale (12)
thoracic vertebra (12)
épicondyle[M]
epicondyle
fausse côte[F] (3)
false rib (3)
olécrâne[M]
olecranon
vertèbre[F] lombaire (5)
lumbar vertebra (5)
épitrochlée[F]
epitrochlea
sacrum[M]
sacrum
grand trochanter[M]
greater trochanter
phalange[F]
proximal phalanx
col[M] du fémur[M]
neck of femur
phalangine[F]
middle phalanx
phalangette[F]
distal phalanx
tête[F] du fémur[M]
head of femur
condyle[M] externe
lateral condyle of femur
ischion[M]
ischium
condyle[M] interne
medial condyle of femur
astragale[M]
talus
calcanéum[M]
calcaneus

CIRCULATION[F] SANGUINE
BLOOD CIRCULATION

SCHÉMA[M] DE LA CIRCULATION[F]
SCHEMA OF CIRCULATION

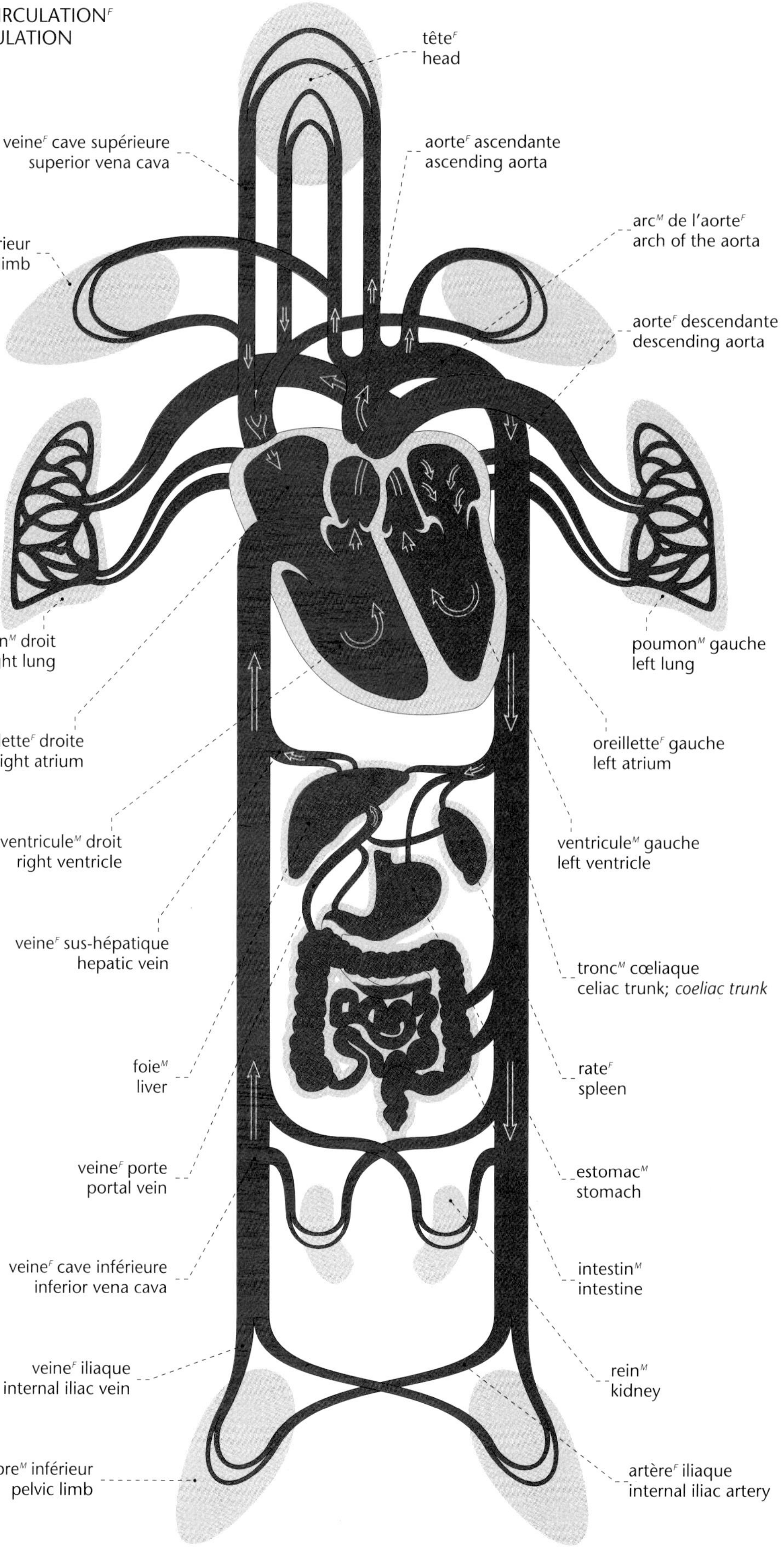
tête[F]
head
veine[F] cave supérieure
superior vena cava
aorte[F] ascendante
ascending aorta
arc[M] de l'aorte[F]
arch of the aorta
membre[M] supérieur
pectoral limb
aorte[F] descendante
descending aorta
poumon[M] droit
right lung
poumon[M] gauche
left lung
oreillette[F] droite
right atrium
oreillette[F] gauche
left atrium
ventricule[M] droit
right ventricle
ventricule[M] gauche
left ventricle
veine[F] sus-hépatique
hepatic vein
tronc[M] cœliaque
celiac trunk; *coeliac trunk*
foie[M]
liver
rate[F]
spleen
veine[F] porte
portal vein
estomac[M]
stomach
veine[F] cave inférieure
inferior vena cava
intestin[M]
intestine
veine[F] iliaque
internal iliac vein
rein[M]
kidney
membre[M] inférieur
pelvic limb
artère[F] iliaque
internal iliac artery

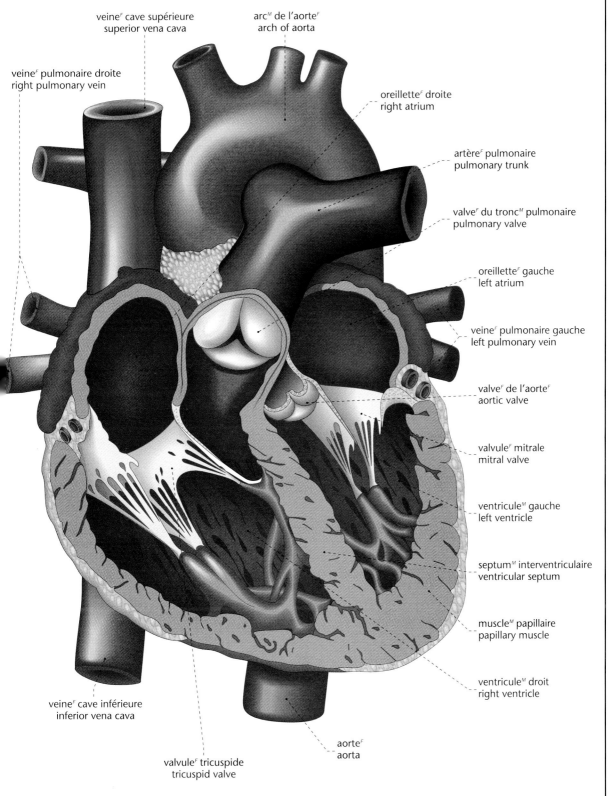

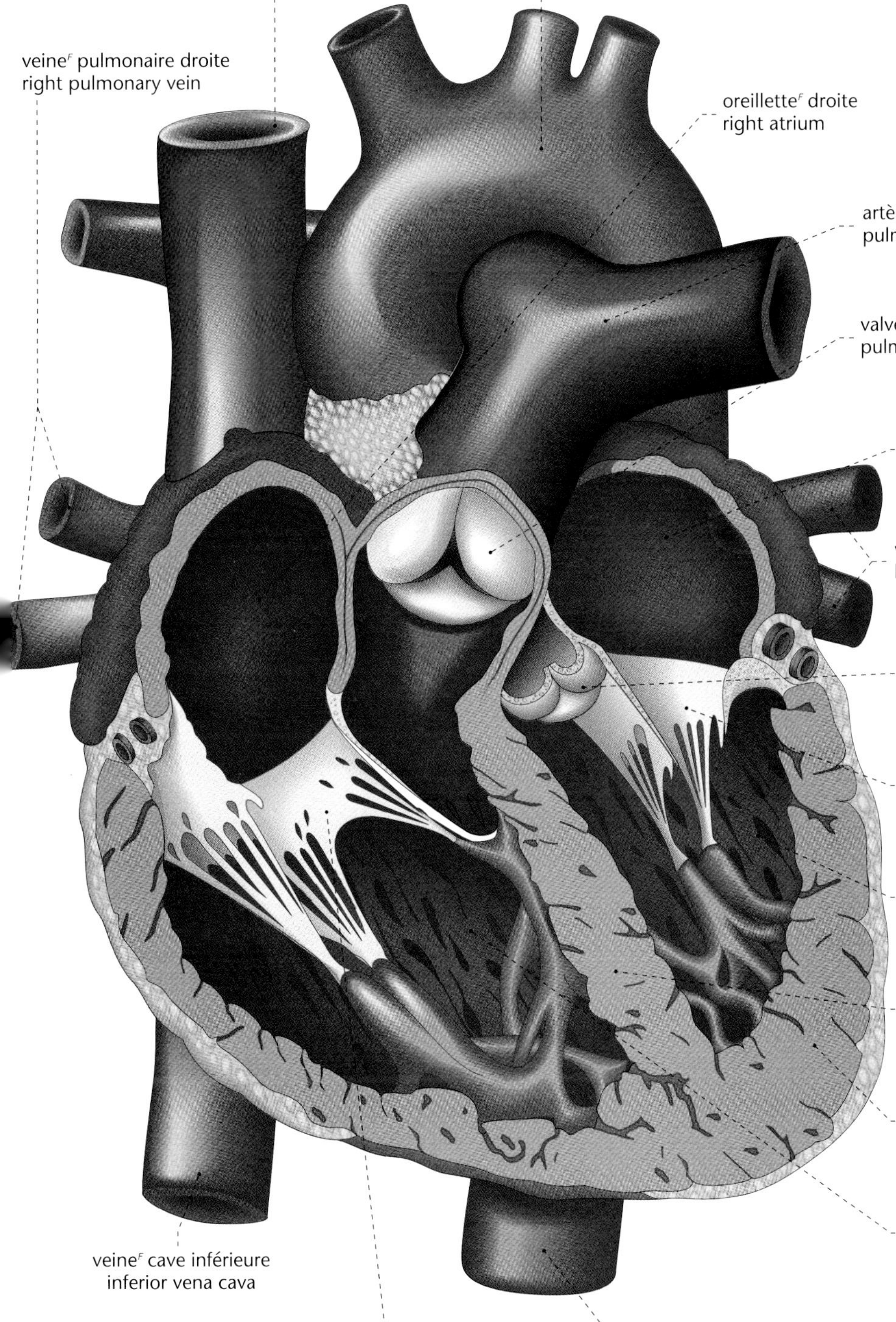
veine^F cave supérieure
superior vena cava
arc^M de l'aorte^F
arch of aorta
veine^F pulmonaire droite
right pulmonary vein
oreillette^F droite
right atrium
artère^F pulmonaire
pulmonary trunk
valve^F du tronc^M pulmonaire
pulmonary valve
oreillette^F gauche
left atrium
veine^F pulmonaire gauche
left pulmonary vein
valve^F de l'aorte^F
aortic valve
valvule^F mitrale
mitral valve
ventricule^M gauche
left ventricle
septum^M interventriculaire
ventricular septum
muscle^M papillaire
papillary muscle
ventricule^M droit
right ventricle
veine^F cave inférieure
inferior vena cava
aorte^F
aorta
valvule^F tricuspide
tricuspid valve

CIRCULATION[F] SANGUINE
BLOOD CIRCULATION

PRINCIPALES VEINES[F] ET ARTÈRES[F]
PRINCIPAL VEINS AND ARTERIES

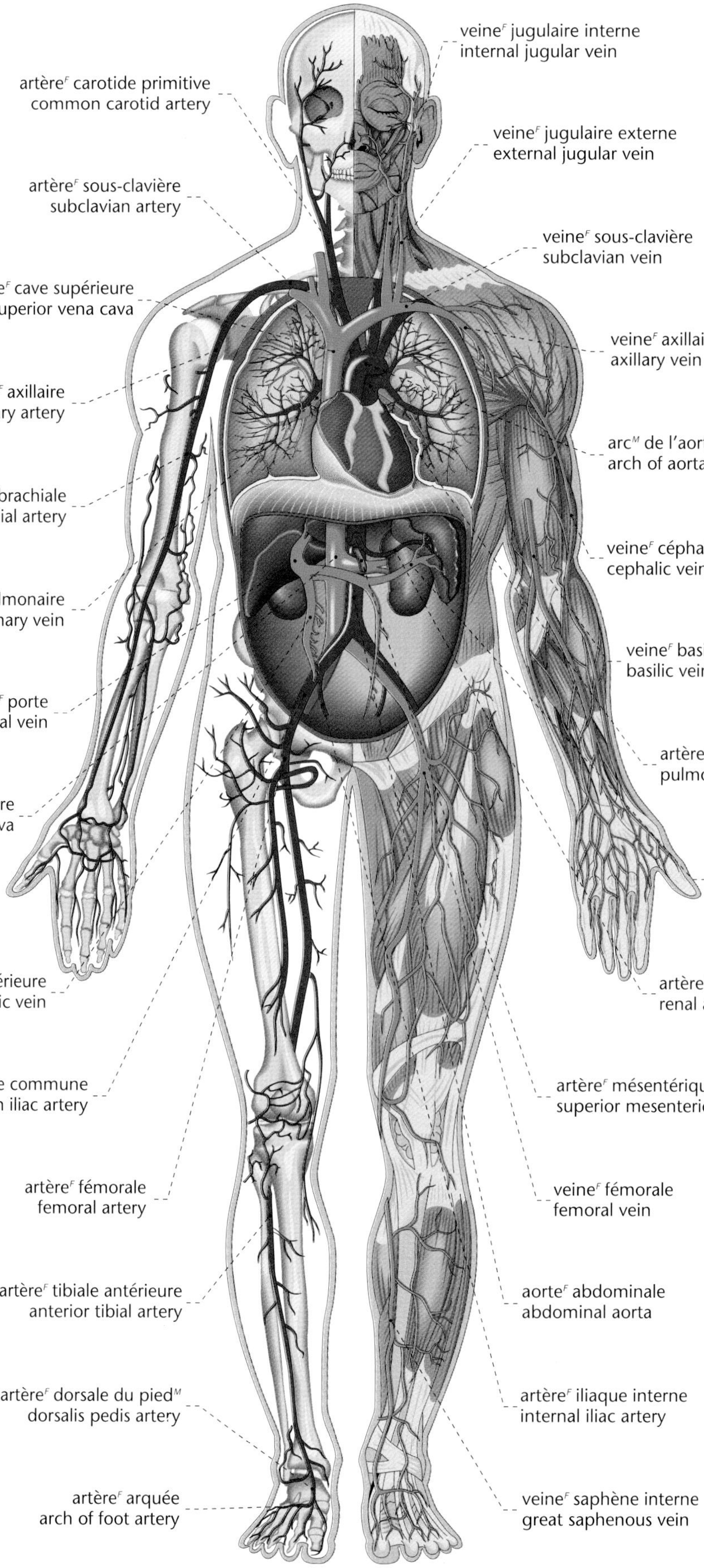
artère[F] carotide primitive
common carotid artery
artère[F] sous-clavière
subclavian artery
veine[F] cave supérieure
superior vena cava
artère[F] axillaire
axillary artery
artère[F] brachiale
brachial artery
veine[F] pulmonaire
pulmonary vein
veine[F] porte
portal vein
veine[F] cave inférieure
inferior vena cava
veine[F] mésentrique supérieure
superior mesenteric vein
artère[F] iliaque commune
common iliac artery
artère[F] fémorale
femoral artery
artère[F] tibiale antérieure
anterior tibial artery
artère[F] dorsale du pied[M]
dorsalis pedis artery
artère[F] arquée
arch of foot artery
veine[F] jugulaire interne
internal jugular vein
veine[F] jugulaire externe
external jugular vein
veine[F] sous-clavière
subclavian vein
veine[F] axillaire
axillary vein
arc[M] de l'aorte[F]
arch of aorta
veine[F] céphalique
cephalic vein
veine[F] basilique
basilic vein
artère[F] pulmonaire
pulmonary artery
veine[F] rénale
renal vein
artère[F] rénale
renal artery
artère[F] mésentérique supérieure
superior mesenteric artery
veine[F] fémorale
femoral vein
aorte[F] abdominale
abdominal aorta
artère[F] iliaque interne
internal iliac artery
veine[F] saphène interne
great saphenous vein

ORGANES[M] GÉNITAUX MASCULINS
MALE GENITAL ORGANS

COUPE[F] SAGITTALE
SAGITTAL SECTION

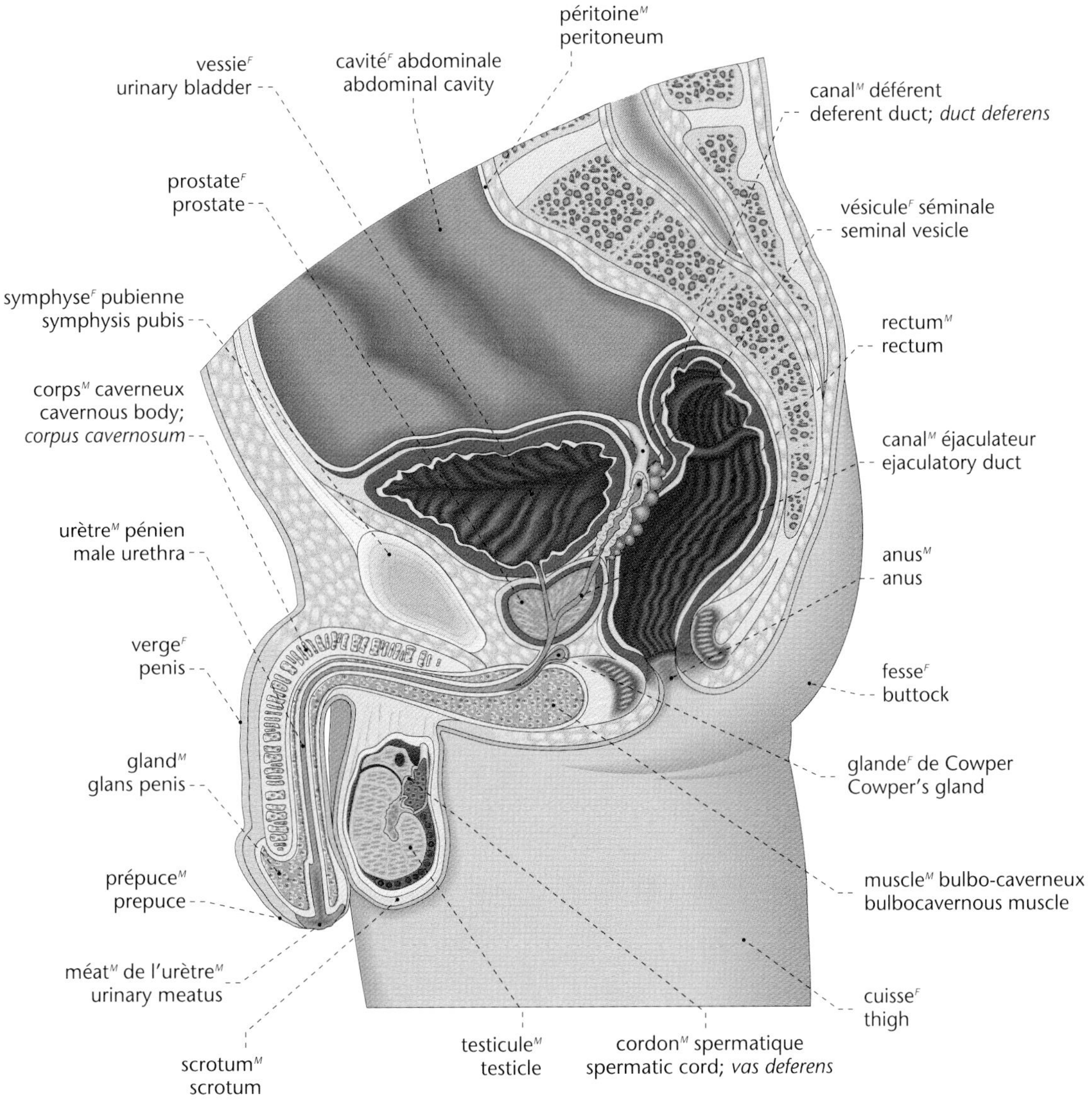
vessie[F]
urinary bladder
cavité[F] abdominale
abdominal cavity
péritoine[M]
peritoneum
canal[M] déférent
deferent duct; *duct deferens*
prostate[F]
prostate
vésicule[F] séminale
seminal vesicle
symphyse[F] pubienne
symphysis pubis
rectum[M]
rectum
corps[M] caverneux
cavernous body;
corpus cavernosum
canal[M] éjaculateur
ejaculatory duct
urètre[M] pénien
male urethra
anus[M]
anus
verge[F]
penis
fesse[F]
buttock
gland[M]
glans penis
glande[F] de Cowper
Cowper's gland
prépuce[M]
prepuce
muscle[M] bulbo-caverneux
bulbocavernous muscle
méat[M] de l'urètre[M]
urinary meatus
cuisse[F]
thigh
scrotum[M]
scrotum
testicule[M]
testicle
cordon[M] spermatique
spermatic cord; *vas deferens*

SPERMATOZOÏDE[M]
SPERMATOZOON

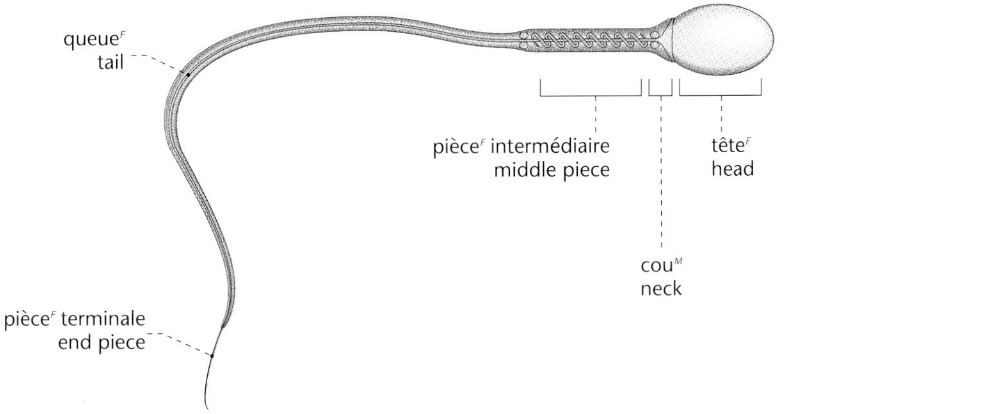
queue[F]
tail
pièce[F] intermédiaire
middle piece
tête[F]
head
cou[M]
neck
pièce[F] terminale
end piece

ORGANES^M GÉNITAUX FÉMININS
FEMALE GENITAL ORGANS

OVULE^M
EGG

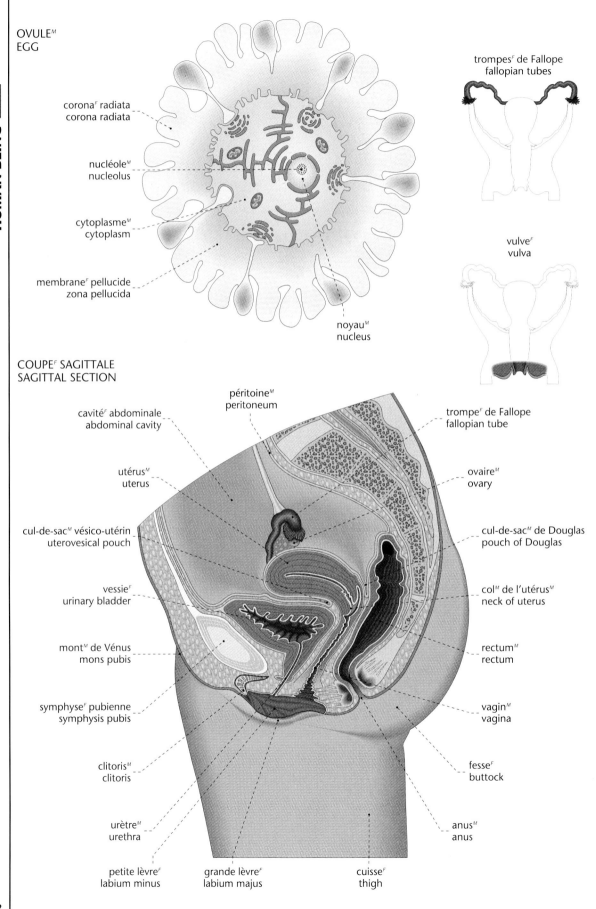

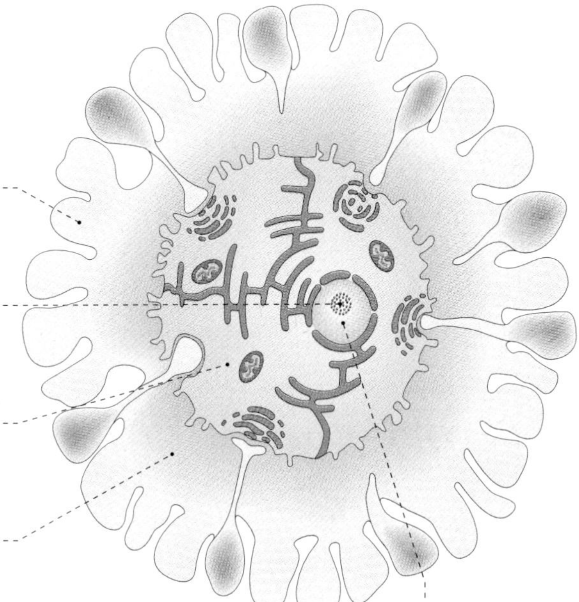
corona^F radiata
corona radiata
nucléole^M
nucleolus
cytoplasme^M
cytoplasm
membrane^F pellucide
zona pellucida
noyau^M
nucleus

trompes^F de Fallope
fallopian tubes

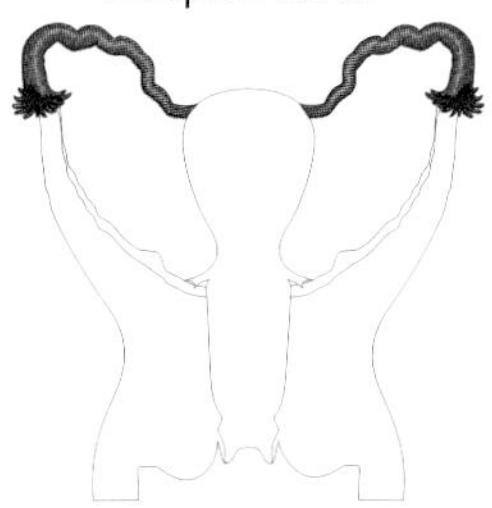

vulve^F
vulva

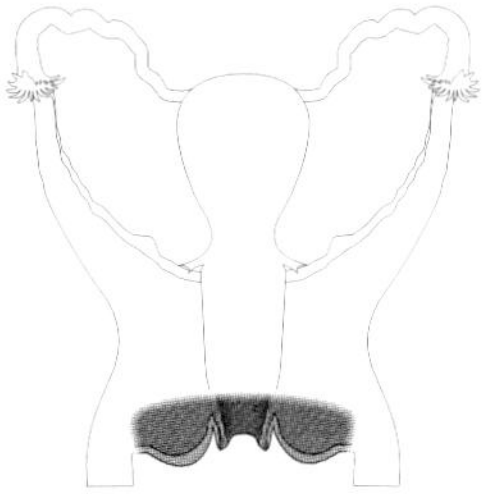

COUPE^F SAGITTALE
SAGITTAL SECTION

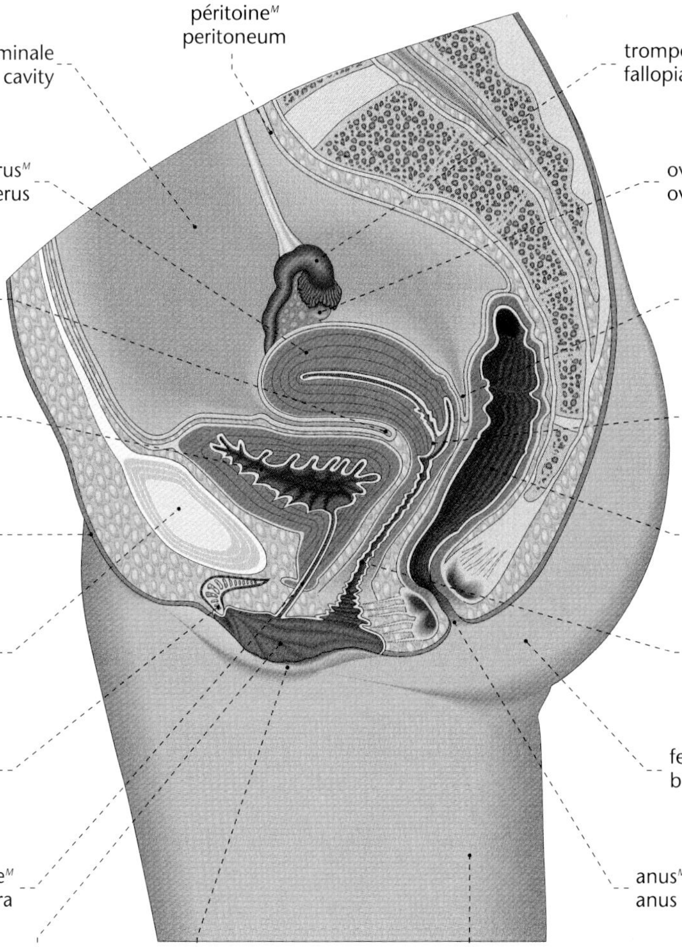
péritoine^M
peritoneum
cavité^F abdominale
abdominal cavity
trompe^F de Fallope
fallopian tube
utérus^M
uterus
ovaire^M
ovary
cul-de-sac^M vésico-utérin
uterovesical pouch
cul-de-sac^M de Douglas
pouch of Douglas
vessie^F
urinary bladder
col^M de l'utérus^M
neck of uterus
mont^M de Vénus
mons pubis
rectum^M
rectum
symphyse^F pubienne
symphysis pubis
vagin^M
vagina
clitoris^M
clitoris
fesse^F
buttock
urètre^M
urethra
anus^M
anus
petite lèvre^F
labium minus
grande lèvre^F
labium majus
cuisse^F
thigh

ORGANES^M GÉNITAUX FÉMININS
FEMALE GENITAL ORGANS

VUE^F POSTÉRIEURE
POSTERIOR VIEW

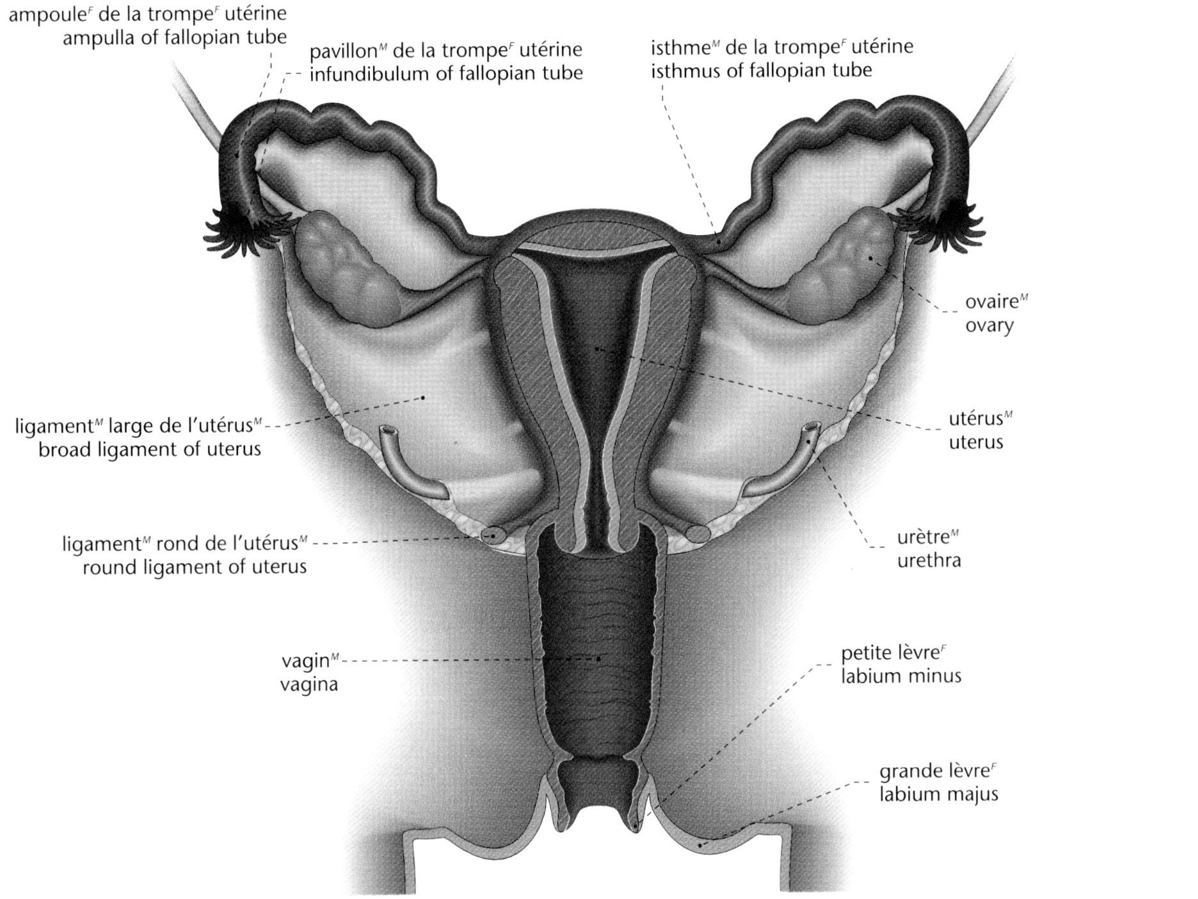
ampoule^F de la trompe^F utérine
ampulla of fallopian tube
pavillon^M de la trompe^F utérine
infundibulum of fallopian tube
isthme^M de la trompe^F utérine
isthmus of fallopian tube
ovaire^M
ovary
ligament^M large de l'utérus^M
broad ligament of uterus
utérus^M
uterus
ligament^M rond de l'utérus^M
round ligament of uterus
urètre^M
urethra
vagin^M
vagina
petite lèvre^F
labium minus
grande lèvre^F
labium majus

SEIN^M
BREAST

COUPE^F SAGITTALE
SAGITTAL SECTION

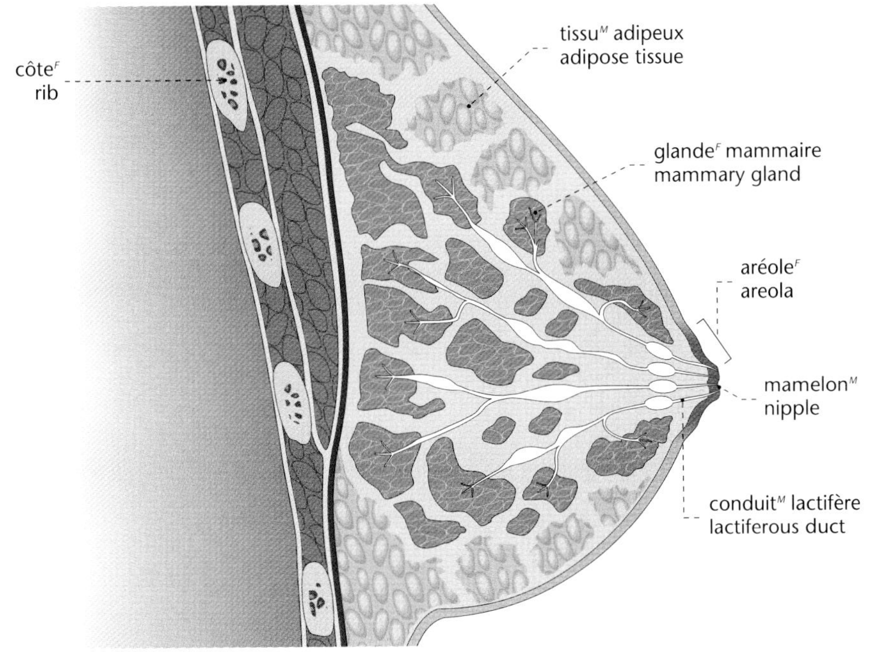
côte^F
rib
tissu^M adipeux
adipose tissue
glande^F mammaire
mammary gland
aréole^F
areola
mamelon^M
nipple
conduit^M lactifère
lactiferous duct

APPAREIL^M RESPIRATOIRE
RESPIRATORY SYSTEM

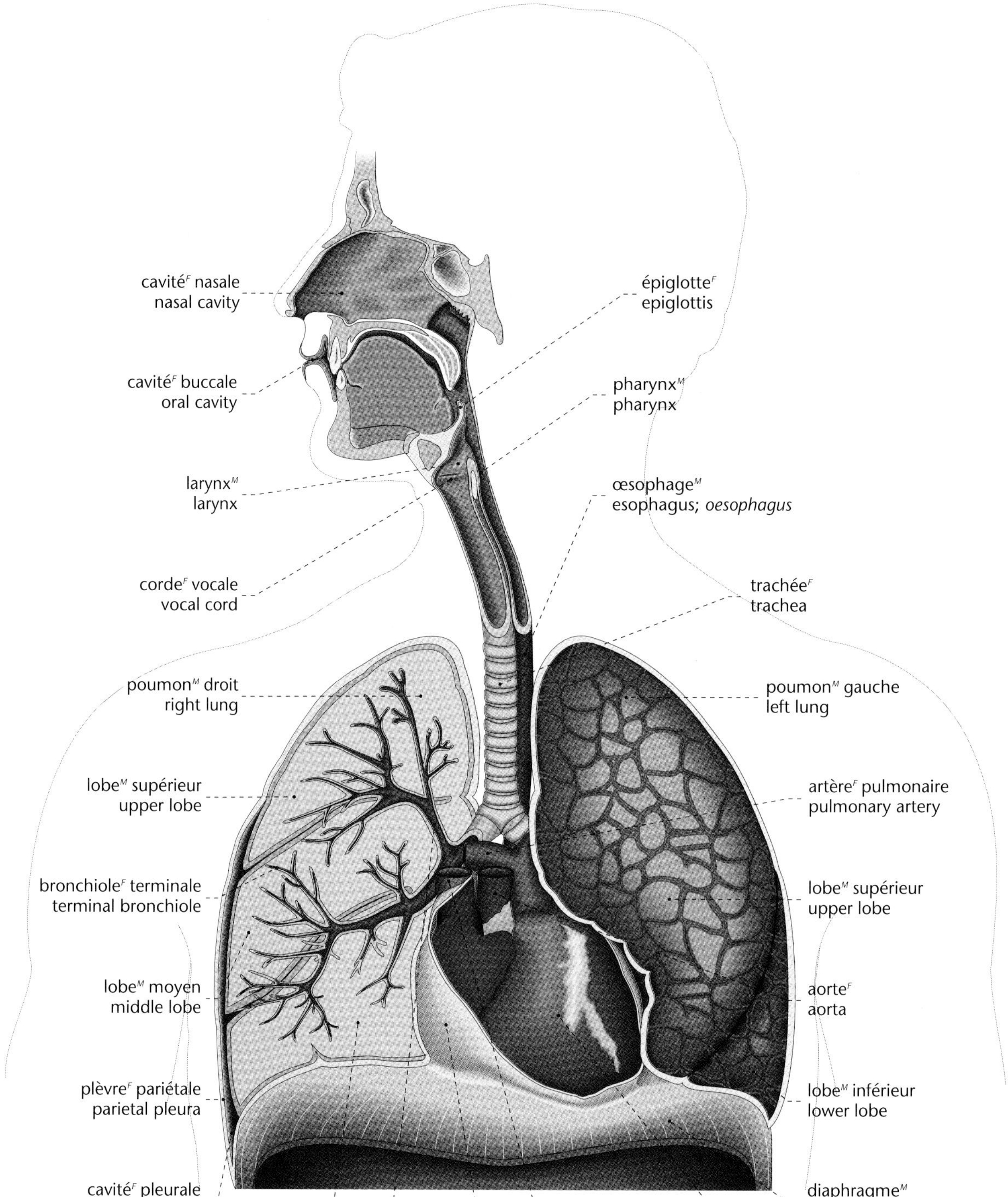
cavité^F nasale
nasal cavity
épiglotte^F
epiglottis
cavité^F buccale
oral cavity
pharynx^M
pharynx
larynx^M
larynx
œsophage^M
esophagus; oesophagus
corde^F vocale
vocal cord
trachée^F
trachea
poumon^M droit
right lung
poumon^M gauche
left lung
lobe^M supérieur
upper lobe
artère^F pulmonaire
pulmonary artery
bronchiole^F terminale
terminal bronchiole
lobe^M supérieur
upper lobe
lobe^M moyen
middle lobe
aorte^F
aorta
plèvre^F pariétale
parietal pleura
lobe^M inférieur
lower lobe
cavité^F pleurale
pleural cavity
diaphragme^M
diaphragm
lobe^M inférieur
lower lobe
veine^F cave supérieure
superior vena cava
cœur^M
heart
bronche^F droite
right bronchus
péricarde^M
pericardium

APPAREIL[M] DIGESTIF
DIGESTIVE SYSTEM

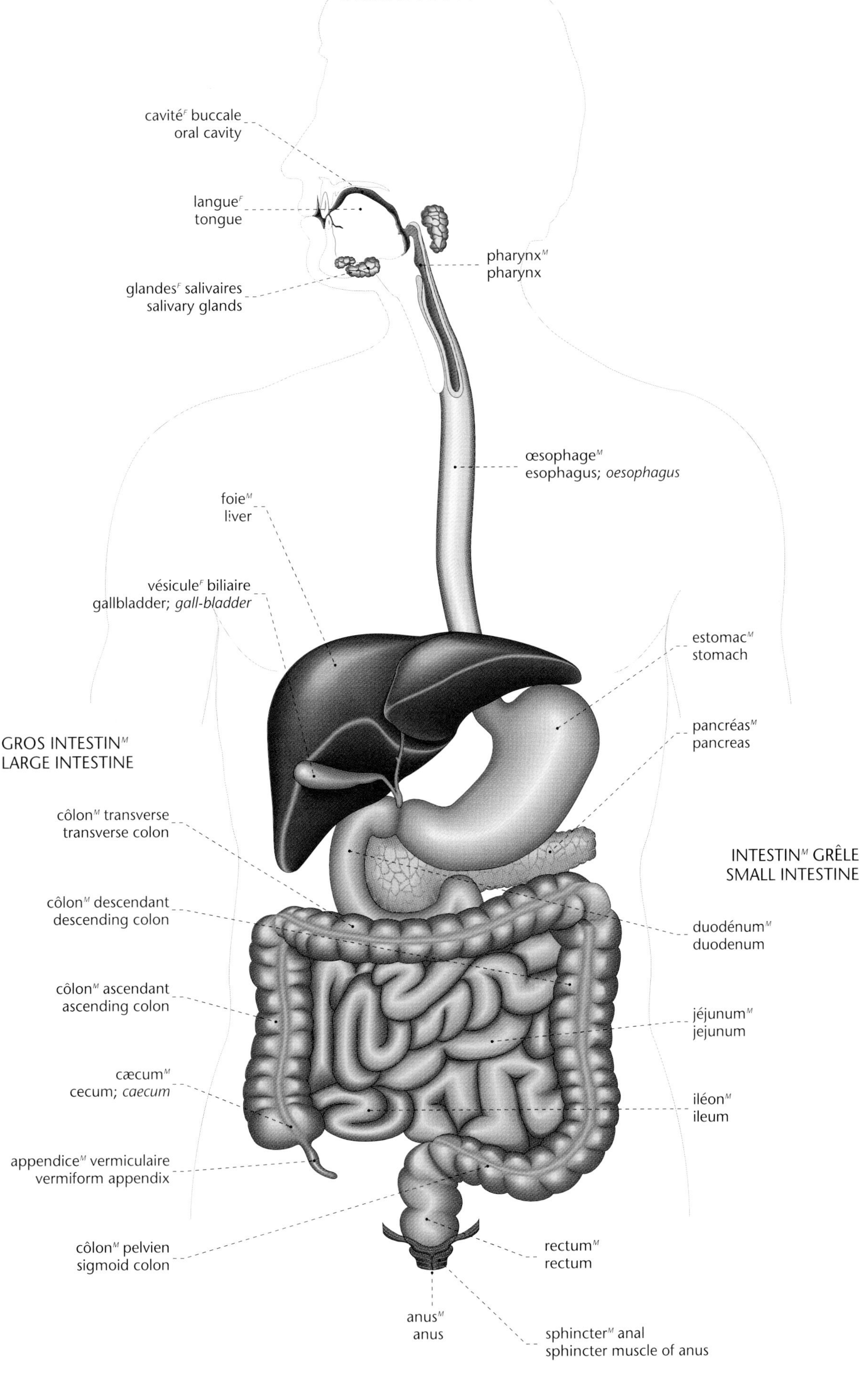
cavité[F] buccale
oral cavity
langue[F]
tongue
glandes[F] salivaires
salivary glands
pharynx[M]
pharynx
œsophage[M]
esophagus; *oesophagus*
foie[M]
liver
vésicule[F] biliaire
gallbladder; *gall-bladder*
estomac[M]
stomach
pancréas[M]
pancreas
GROS INTESTIN[M]
LARGE INTESTINE
côlon[M] transverse
transverse colon
INTESTIN[M] GRÊLE
SMALL INTESTINE
côlon[M] descendant
descending colon
duodénum[M]
duodenum
côlon[M] ascendant
ascending colon
jéjunum[M]
jejunum
cæcum[M]
cecum; *caecum*
iléon[M]
ileum
appendice[M] vermiculaire
vermiform appendix
côlon[M] pelvien
sigmoid colon
rectum[M]
rectum
anus[M]
anus
sphincter[M] anal
sphincter muscle of anus

APPAREIL^{M} URINAIRE
URINARY SYSTEM

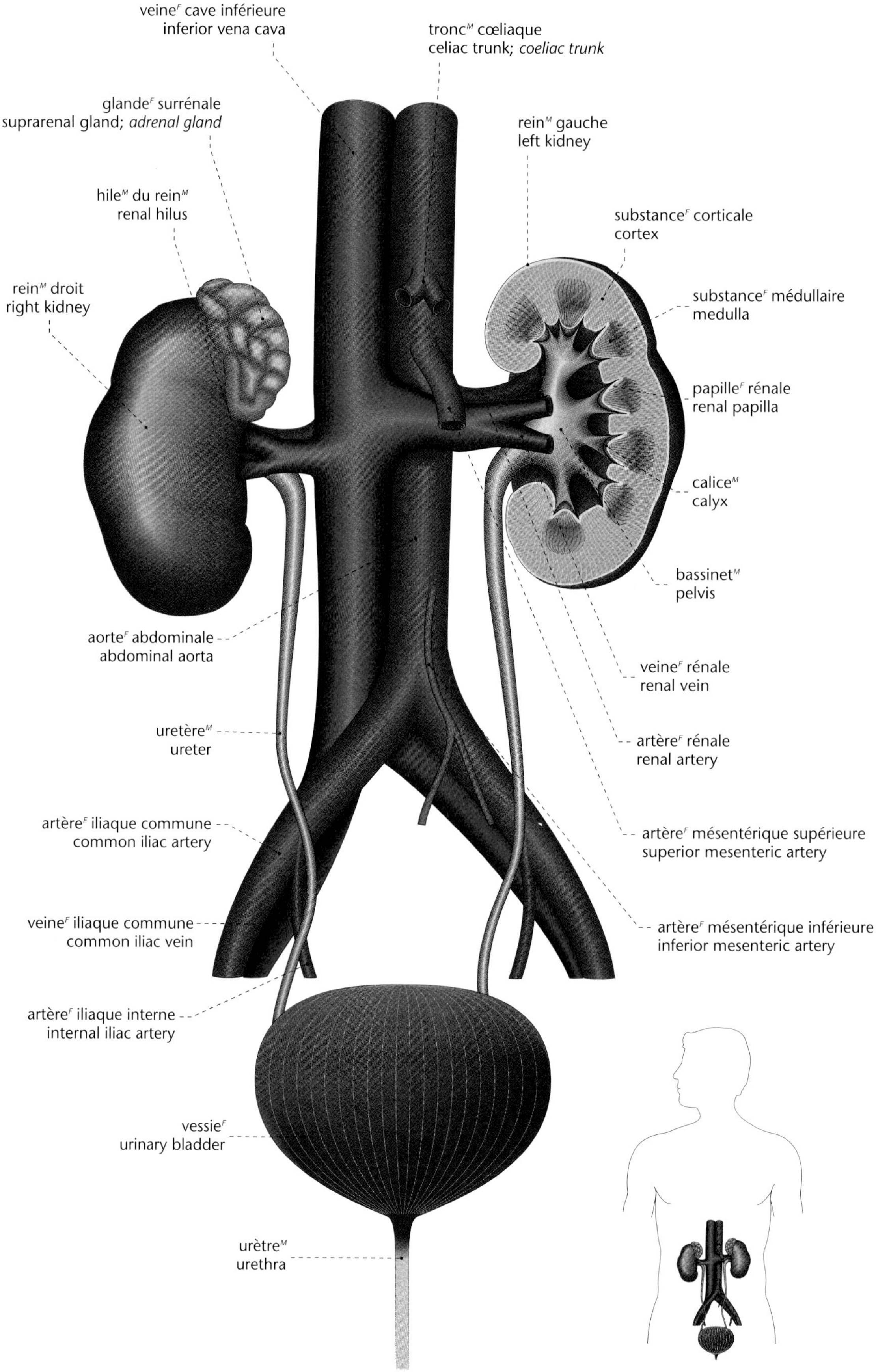
veine^F cave inférieure
inferior vena cava
tronc^M cœliaque
celiac trunk; *coeliac trunk*
glande^F surrénale
suprarenal gland; *adrenal gland*
rein^M gauche
left kidney
hile^M du rein^M
renal hilus
substance^F corticale
cortex
rein^M droit
right kidney
substance^F médullaire
medulla
papille^F rénale
renal papilla
calice^M
calyx
bassinet^M
pelvis
aorte^F abdominale
abdominal aorta
veine^F rénale
renal vein
uretère^M
ureter
artère^F rénale
renal artery
artère^F iliaque commune
common iliac artery
artère^F mésentérique supérieure
superior mesenteric artery
veine^F iliaque commune
common iliac vein
artère^F mésentérique inférieure
inferior mesenteric artery
artère^F iliaque interne
internal iliac artery
vessie^F
urinary bladder
urètre^M
urethra

SYSTÈME[M] NERVEUX
NERVOUS SYSTEM

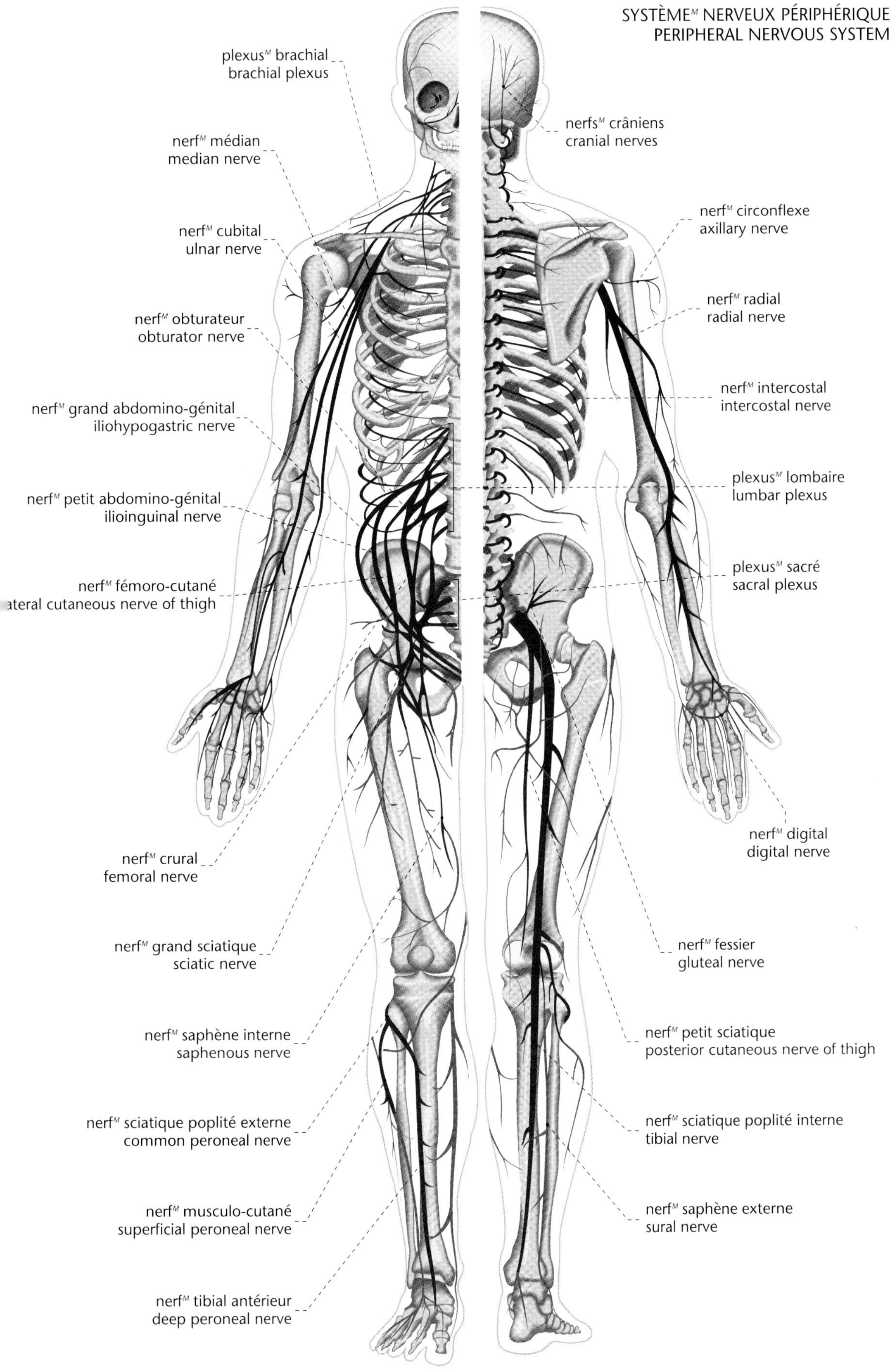
SYSTÈME[M] NERVEUX PÉRIPHÉRIQUE
PERIPHERAL NERVOUS SYSTEM
plexus[M] brachial
brachial plexus
nerf[M] médian
median nerve
nerf[M] cubital
ulnar nerve
nerf[M] obturateur
obturator nerve
nerf[M] grand abdomino-génital
iliohypogastric nerve
nerf[M] petit abdomino-génital
ilioinguinal nerve
nerf[M] fémoro-cutané
ateral cutaneous nerve of thigh
nerf[M] crural
femoral nerve
nerf[M] grand sciatique
sciatic nerve
nerf[M] saphène interne
saphenous nerve
nerf[M] sciatique poplité externe
common peroneal nerve
nerf[M] musculo-cutané
superficial peroneal nerve
nerf[M] tibial antérieur
deep peroneal nerve
nerfs[M] crâniens
cranial nerves
nerf[M] circonflexe
axillary nerve
nerf[M] radial
radial nerve
nerf[M] intercostal
intercostal nerve
plexus[M] lombaire
lumbar plexus
plexus[M] sacré
sacral plexus
nerf[M] digital
digital nerve
nerf[M] fessier
gluteal nerve
nerf[M] petit sciatique
posterior cutaneous nerve of thigh
nerf[M] sciatique poplité interne
tibial nerve
nerf[M] saphène externe
sural nerve

SYSTÈME^M NERVEUX
NERVOUS SYSTEM

SYSTÈME^M NERVEUX CENTRAL
CENTRAL NERVOUS SYSTEM

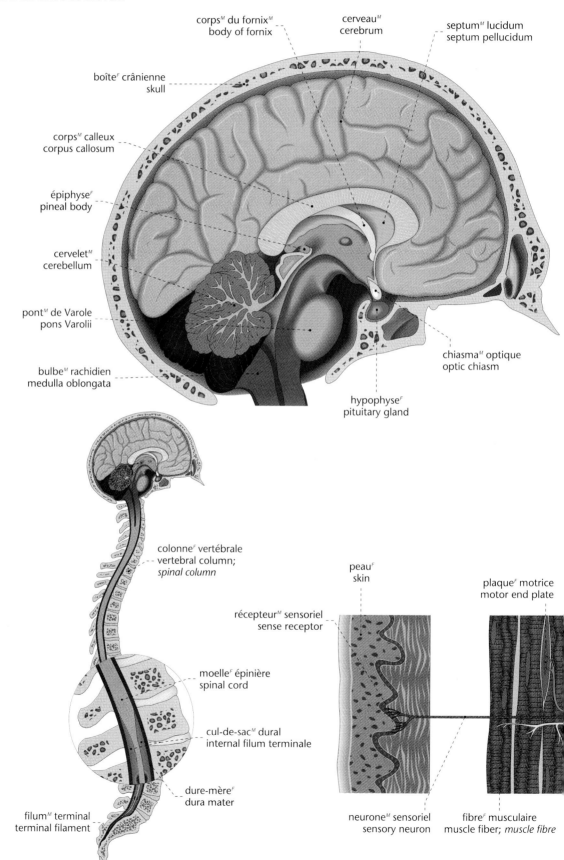

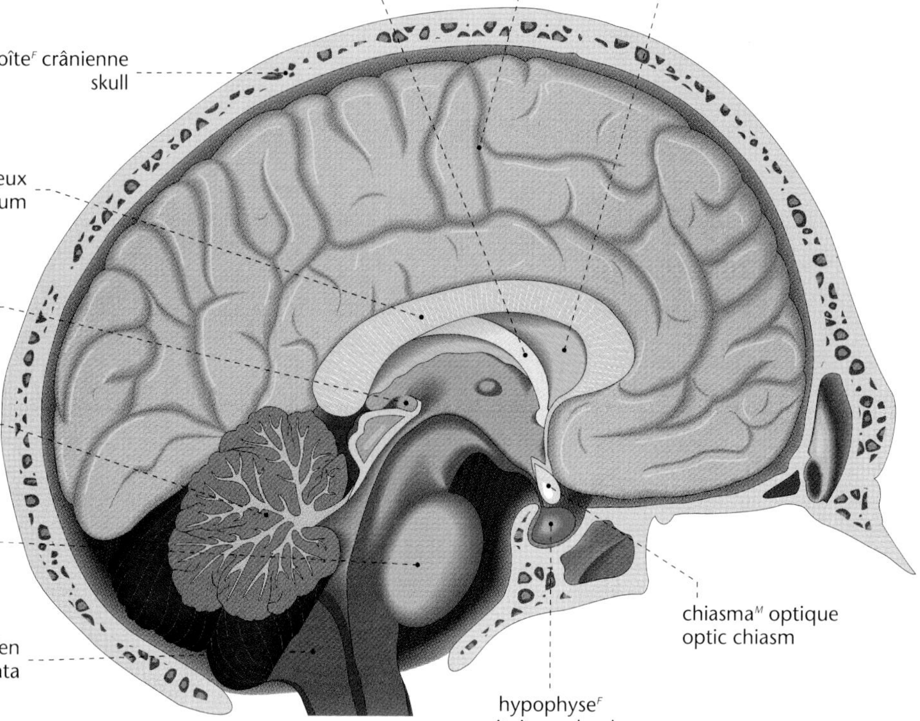
corps^M du fornix^M
body of fornix
cerveau^M
cerebrum
septum^M lucidum
septum pellucidum
boîte^F crânienne
skull
corps^M calleux
corpus callosum
épiphyse^F
pineal body
cervelet^M
cerebellum
pont^M de Varole
pons Varolii
bulbe^M rachidien
medulla oblongata
chiasma^M optique
optic chiasm
hypophyse^F
pituitary gland

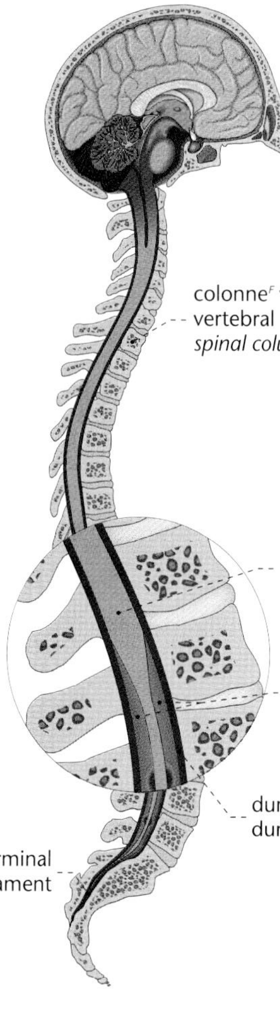
colonne^F vertébrale
vertebral column; *spinal column*
moelle^F épinière
spinal cord
cul-de-sac^M dural
internal filum terminale
dure-mère^F
dura mater
filum^M terminal
terminal filament

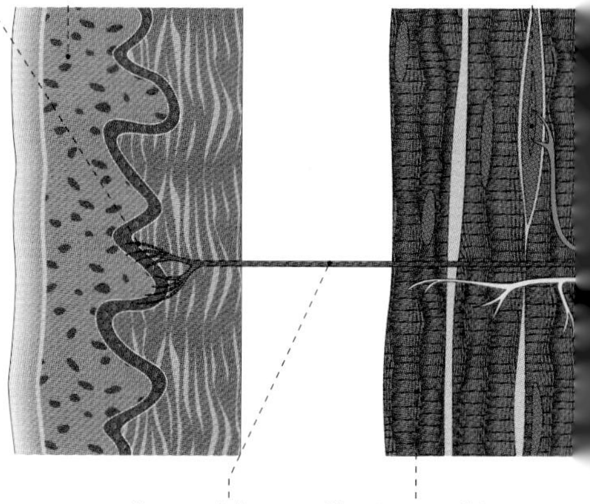
peau^F
skin
plaque^F motrice
motor end plate
récepteur^M sensoriel
sense receptor
neurone^M sensoriel
sensory neuron
fibre^F musculaire
muscle fiber; *muscle fibre*

VERTÈBRE^F LOMBAIRE
LUMBAR VERTEBRA

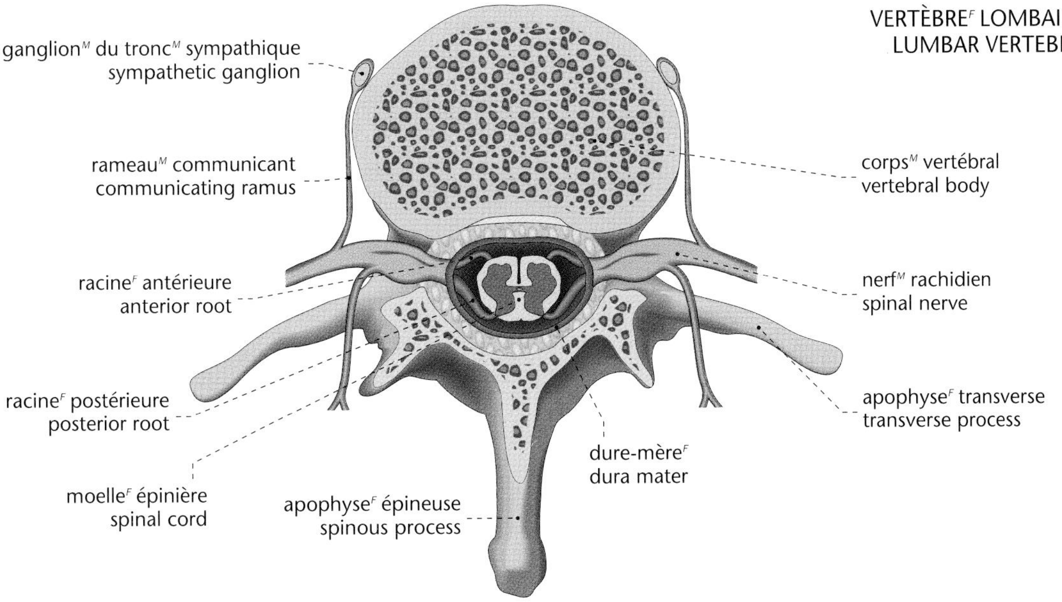
ganglion^M du tronc^M sympathique
sympathetic ganglion
rameau^M communicant
communicating ramus
racine^F antérieure
anterior root
racine^F postérieure
posterior root
moelle^F épinière
spinal cord
apophyse^F épineuse
spinous process
dure-mère^F
dura mater
corps^M vertébral
vertebral body
nerf^M rachidien
spinal nerve
apophyse^F transverse
transverse process

CHAÎNE^F DE NEURONES^M
CHAIN OF NEURONS

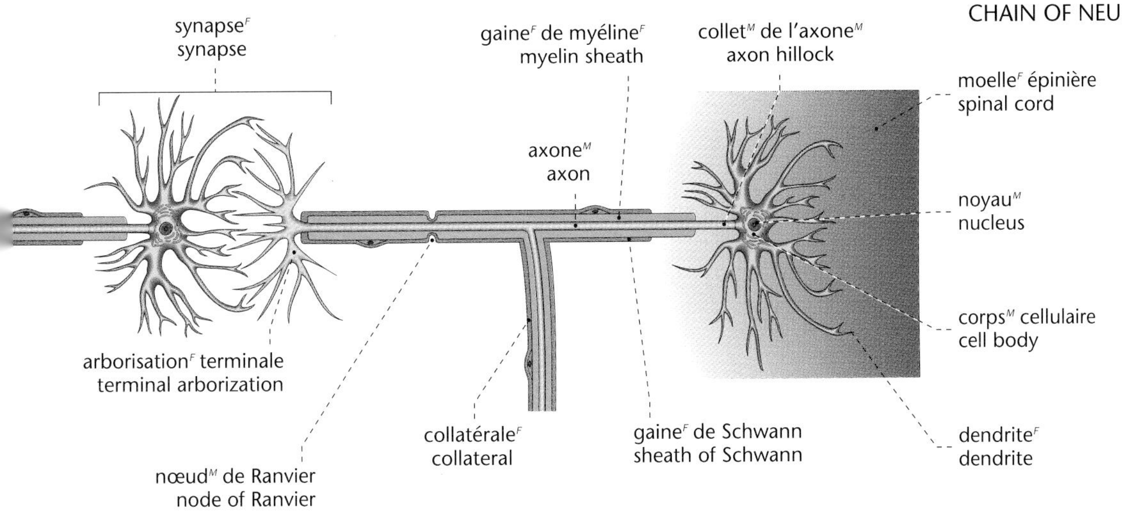
synapse^F
synapse
gaine^F de myéline^F
myelin sheath
collet^M de l'axone^M
axon hillock
axone^M
axon
moelle^F épinière
spinal cord
noyau^M
nucleus
corps^M cellulaire
cell body
dendrite^F
dendrite
arborisation^F terminale
terminal arborization
nœud^M de Ranvier
node of Ranvier
collatérale^F
collateral
gaine^F de Schwann
sheath of Schwann

INFLUX^M NERVEUX
SENSORY IMPULSE

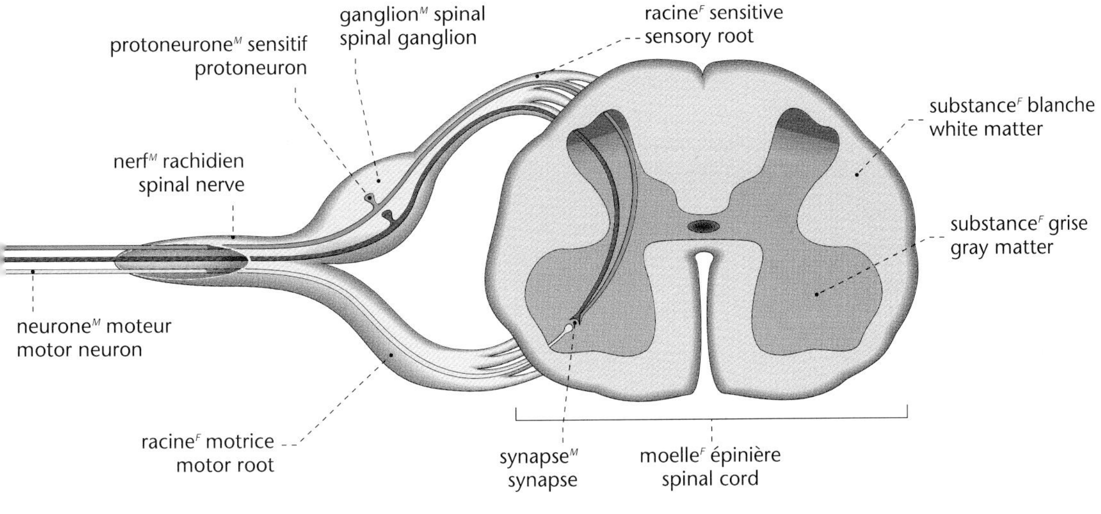
protoneurone^M sensitif
protoneuron
ganglion^M spinal
spinal ganglion
racine^F sensitive
sensory root
substance^F blanche
white matter
nerf^M rachidien
spinal nerve
substance^F grise
gray matter
neurone^M moteur
motor neuron
racine^F motrice
motor root
synapse^M
synapse
moelle^F épinière
spinal cord

ORGANES^{M} DES SENS^{M} : TOUCHER^{M}
SENSE ORGANS: TOUCH

PEAU^{F}
SKIN

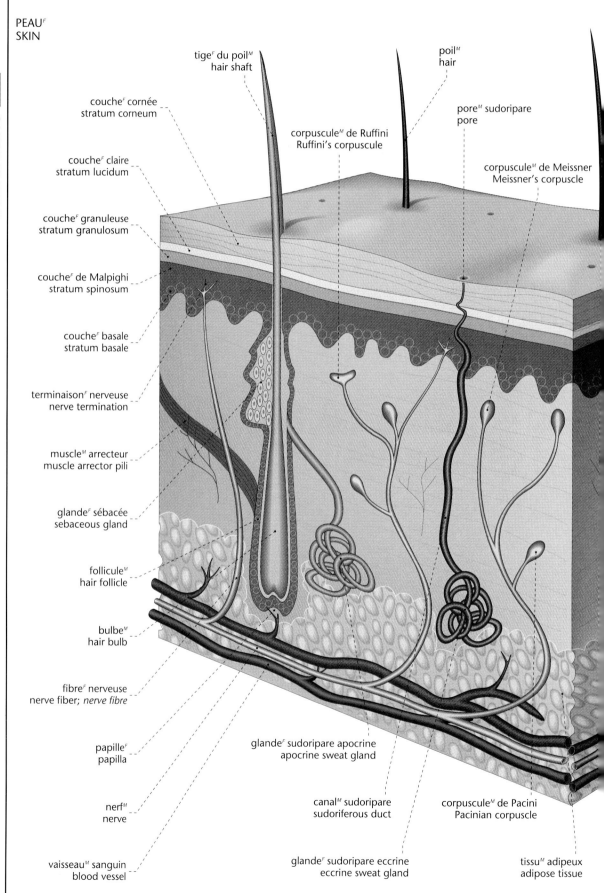

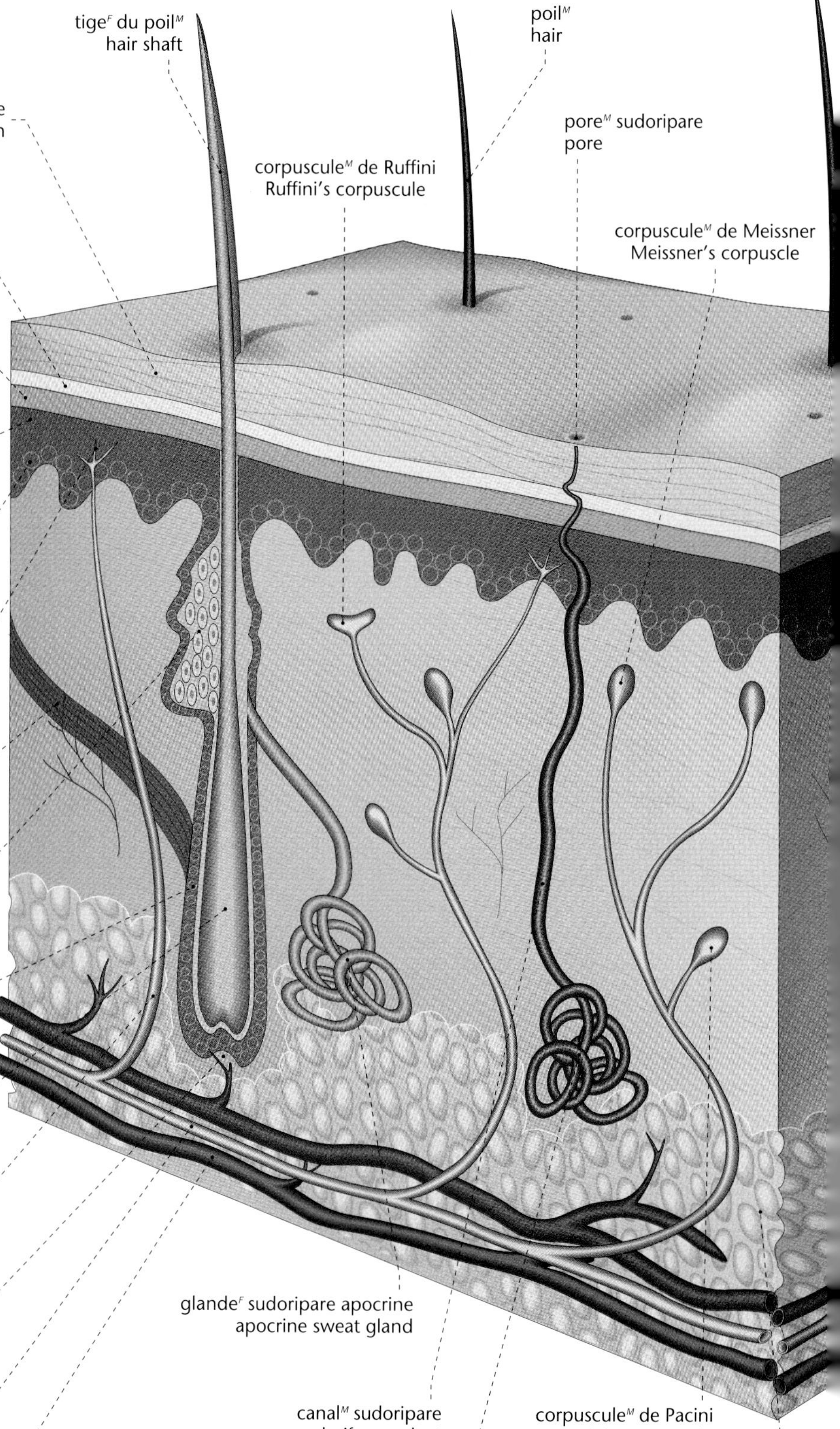
tige^{F} du poil^{M}
hair shaft
poil^{M}
hair
pore^{M} sudoripare
pore
corpuscule^{M} de Ruffini
Ruffini's corpuscule
corpuscule^{M} de Meissner
Meissner's corpuscle
couche^{F} cornée
stratum corneum
couche^{F} claire
stratum lucidum
couche^{F} granuleuse
stratum granulosum
couche^{F} de Malpighi
stratum spinosum
couche^{F} basale
stratum basale
terminaison^{F} nerveuse
nerve termination
muscle^{M} arrecteur
muscle arrector pili
glande^{F} sébacée
sebaceous gland
follicule^{M}
hair follicle
bulbe^{M}
hair bulb
fibre^{F} nerveuse
nerve fiber; *nerve fibre*
papille^{F}
papilla
nerf^{M}
nerve
vaisseau^{M} sanguin
blood vessel
glande^{F} sudoripare apocrine
apocrine sweat gland
canal^{M} sudoripare
sudoriferous duct
corpuscule^{M} de Pacini
Pacinian corpuscle
glande^{F} sudoripare eccrine
eccrine sweat gland
tissu^{M} adipeux
adipose tissue

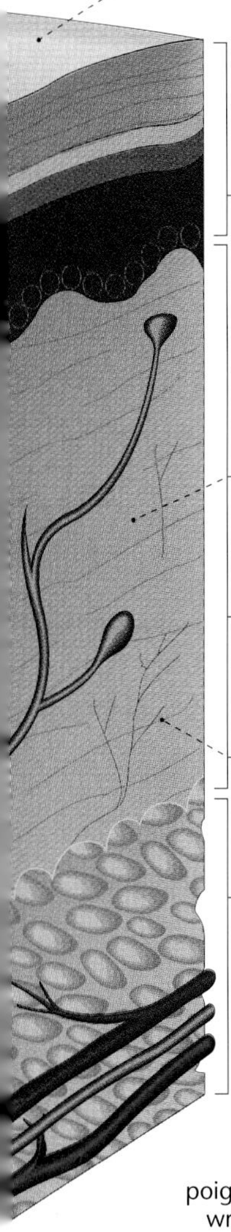
surface[F] de la peau[F]
skin surface
épiderme[M]
epidermis
tissu[M] conjonctif
connective tissue
derme[M]
dermis
vaisseau[M] capillaire
capillary blood vessel
hypoderme[M]
subcutaneous tissue

DOIGT[M]
FINGER

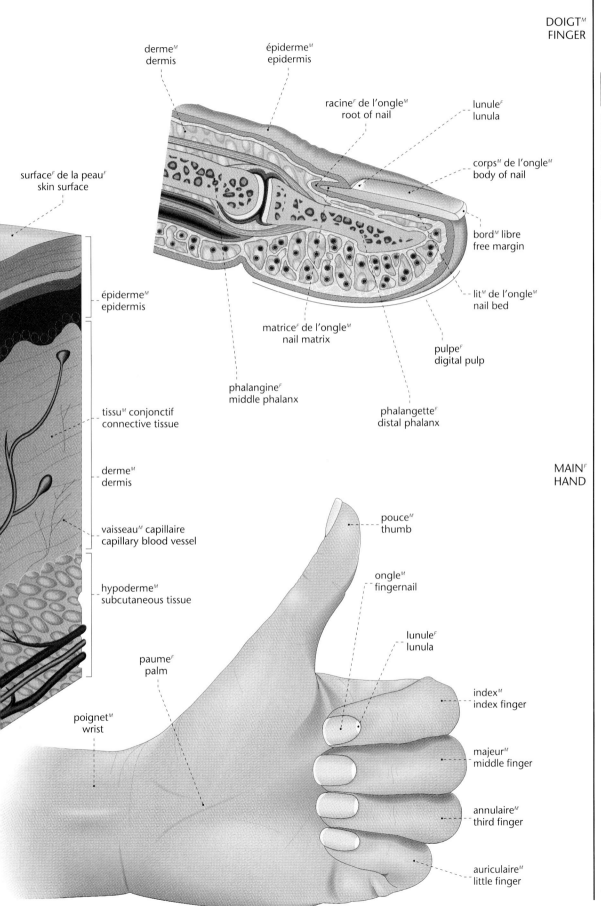

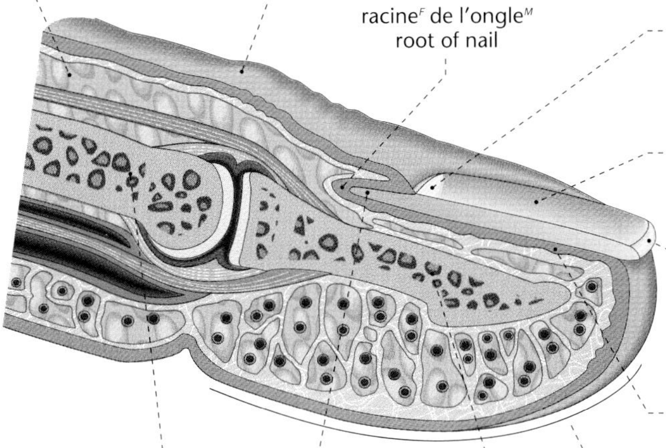
derme[M]
dermis
épiderme[M]
epidermis
racine[F] de l'ongle[M]
root of nail
lunule[F]
lunula
corps[M] de l'ongle[M]
body of nail
bord[M] libre
free margin
lit[M] de l'ongle[M]
nail bed
matrice[F] de l'ongle[M]
nail matrix
pulpe[F]
digital pulp
phalangine[F]
middle phalanx
phalangette[F]
distal phalanx

MAIN[F]
HAND

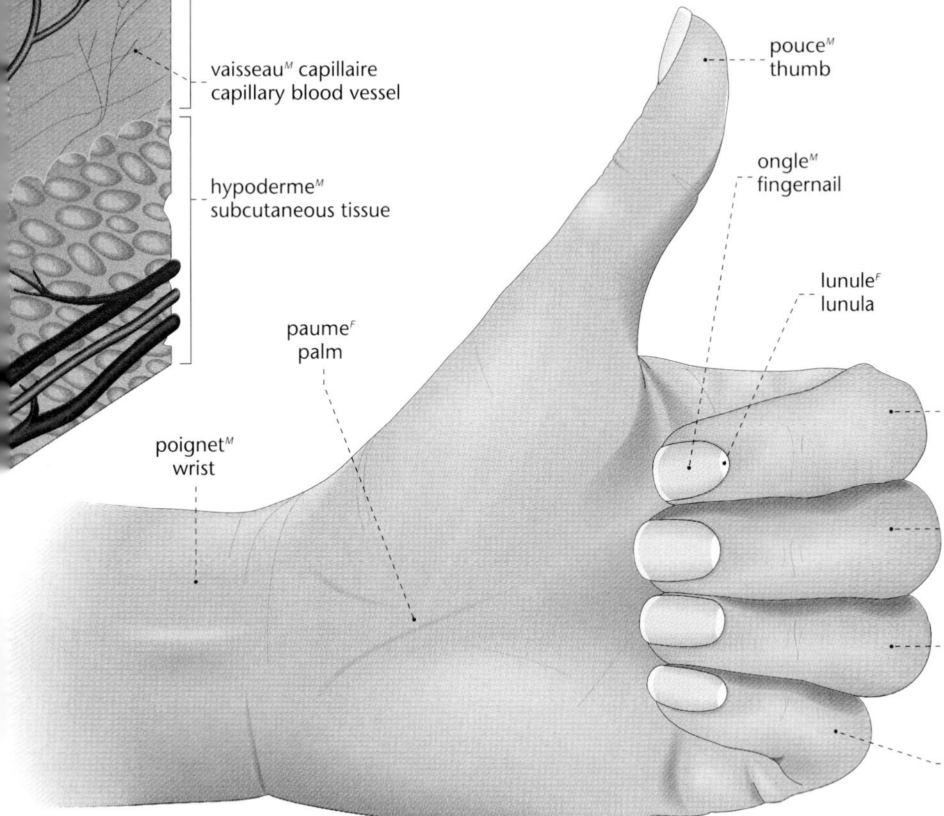
pouce[M]
thumb
ongle[M]
fingernail
lunule[F]
lunula
paume[F]
palm
poignet[M]
wrist
index[M]
index finger
majeur[M]
middle finger
annulaire[M]
third finger
auriculaire[M]
little finger

ORGANES[M] DES SENS[M] : OUÏE[F]
SENSE ORGANS: HEARING

PARTIES[F] DE L'OREILLE[F]
PARTS OF THE EAR

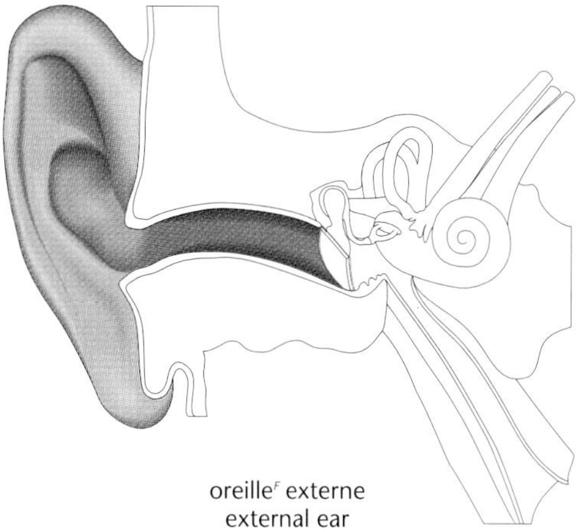

oreille[F] externe
external ear

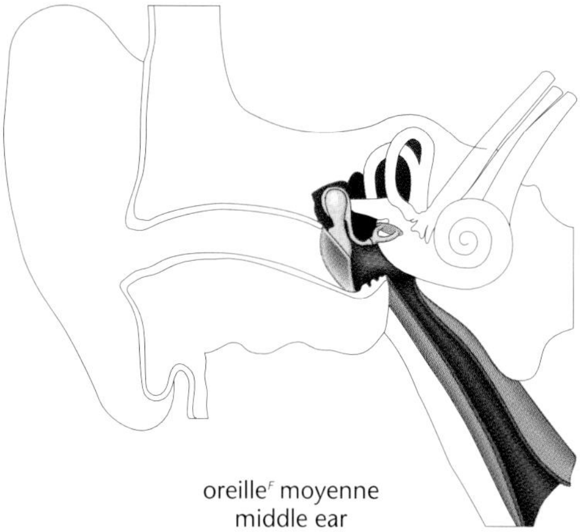

oreille[F] moyenne
middle ear

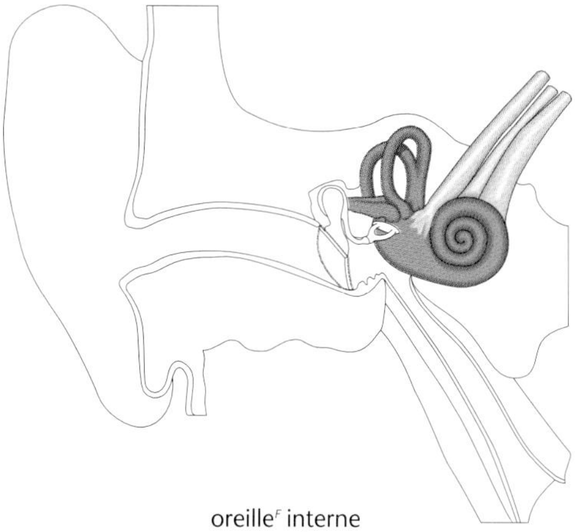

oreille[F] interne
internal ear

OSSELETS[M]
AUDITORY OSSICLES

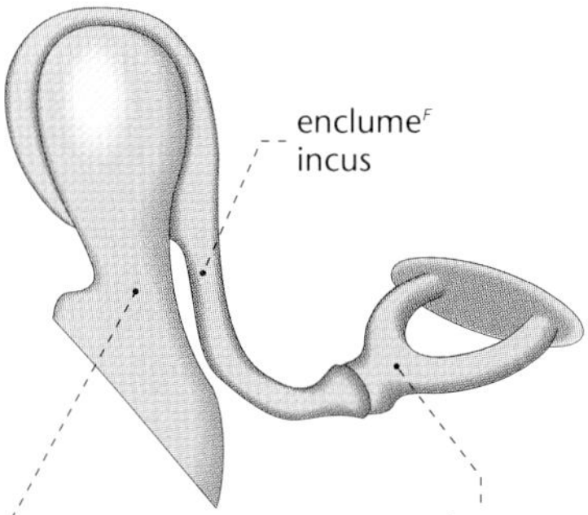
enclume[F]
incus
marteau[M]
malleus
étrier[M]
stapes

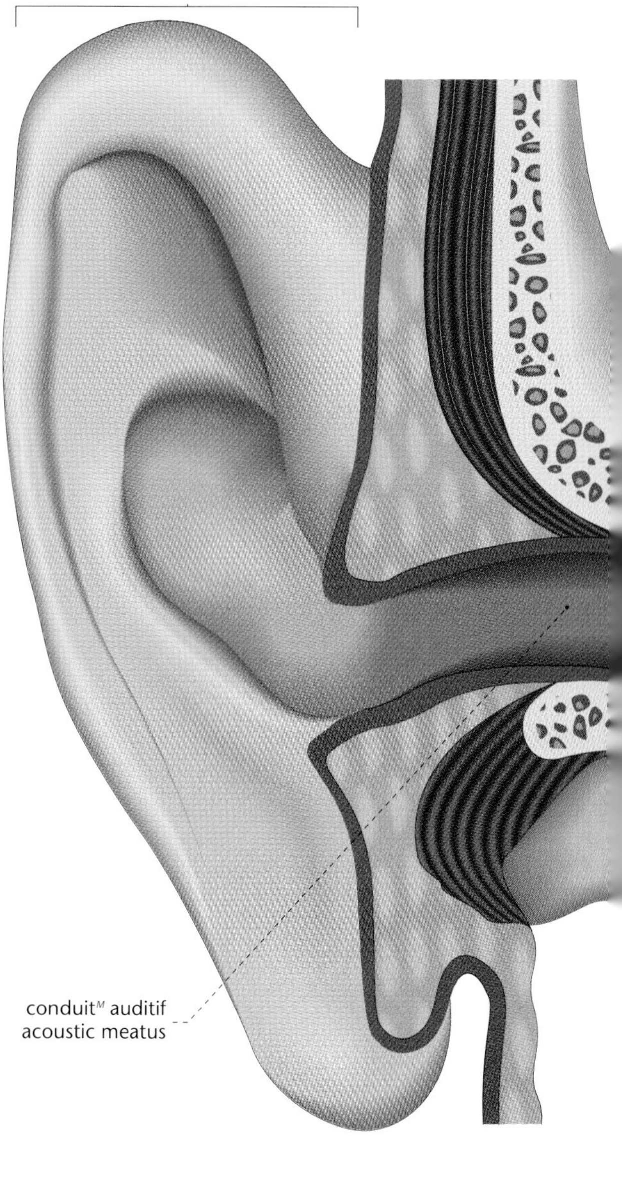
pavillon[M]
auricle
conduit[M] auditif
acoustic meatus

PAVILLON[M]
AURICLE

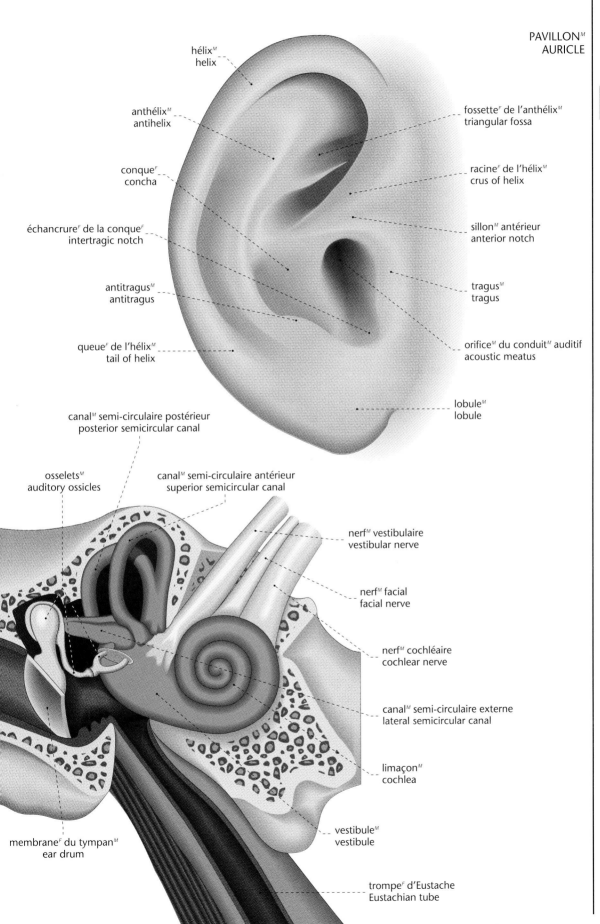

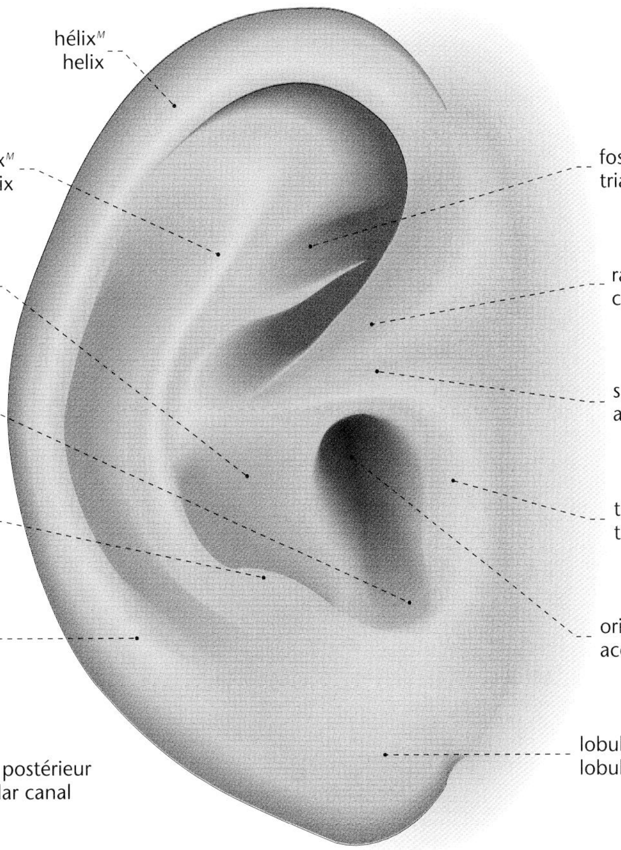
hélix[M]
helix
anthélix[M]
antihelix
conque[F]
concha
échancrure[F] de la conque[F]
intertragic notch
antitragus[M]
antitragus
queue[F] de l'hélix[M]
tail of helix
fossette[F] de l'anthélix[M]
triangular fossa
racine[F] de l'hélix[M]
crus of helix
sillon[M] antérieur
anterior notch
tragus[M]
tragus
orifice[M] du conduit[M] auditif
acoustic meatus
lobule[M]
lobule

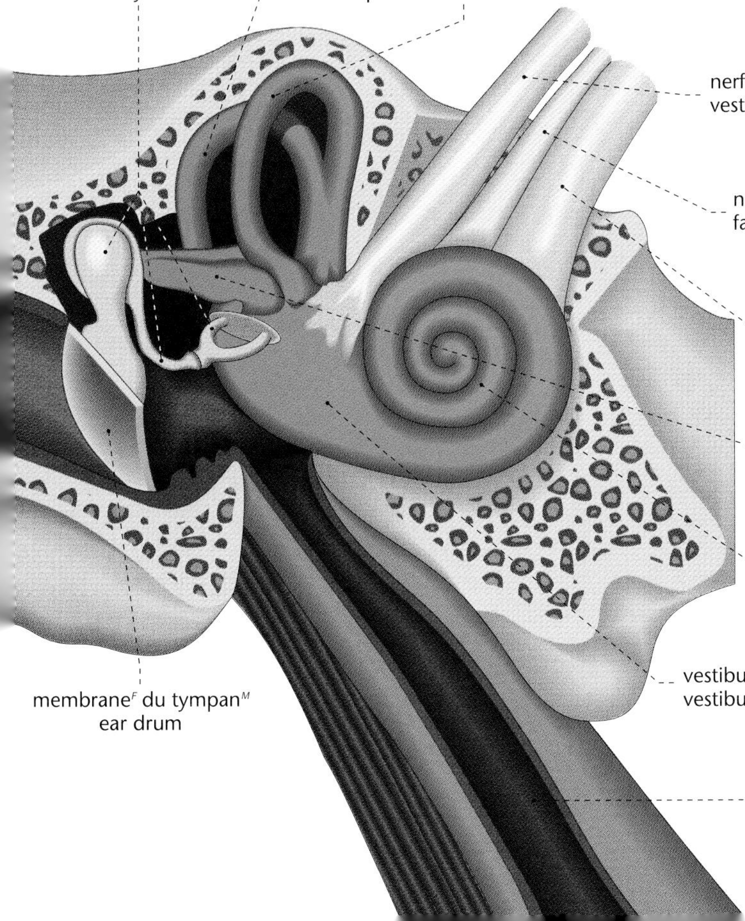
canal[M] semi-circulaire postérieur
posterior semicircular canal
osselets[M]
auditory ossicles
canal[M] semi-circulaire antérieur
superior semicircular canal
nerf[M] vestibulaire
vestibular nerve
nerf[M] facial
facial nerve
nerf[M] cochléaire
cochlear nerve
canal[M] semi-circulaire externe
lateral semicircular canal
limaçon[M]
cochlea
vestibule[M]
vestibule
membrane[F] du tympan[M]
ear drum
trompe[F] d'Eustache
Eustachian tube

ORGANES[M] DES SENS[M]: VUE[F]
SENSE ORGANS: SIGHT

ŒIL[M]
EYE

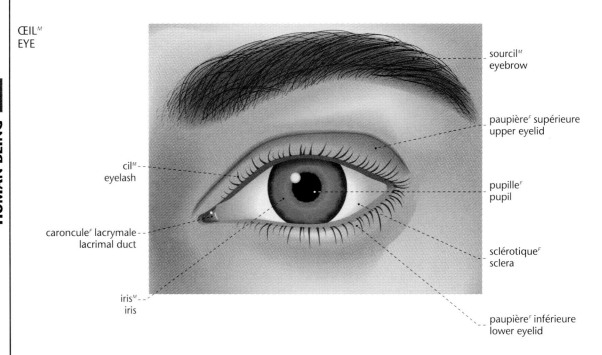

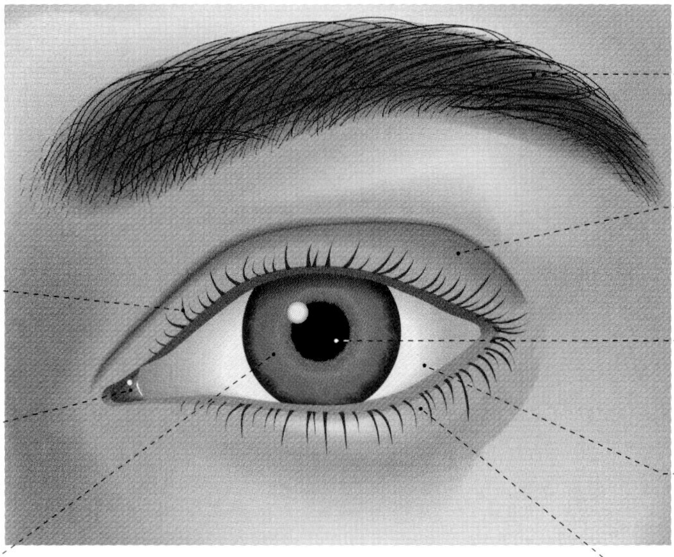
sourcil[M]
eyebrow
paupière[F] supérieure
upper eyelid
cil[M]
eyelash
pupille[F]
pupil
caroncule[F] lacrymale
lacrimal duct
sclérotique[F]
sclera
iris[M]
iris
paupière[F] inférieure
lower eyelid

GLOBE[M] OCULAIRE
EYEBALL

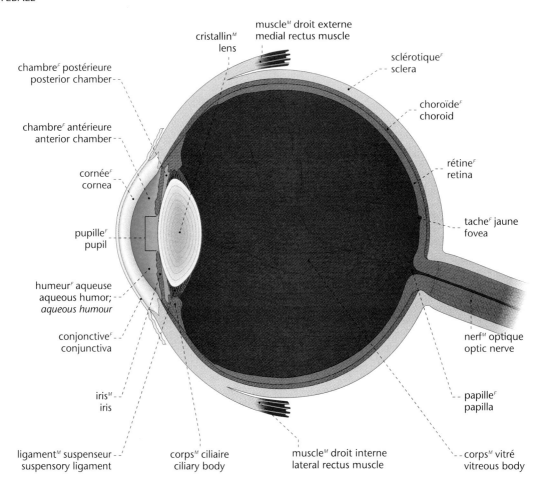

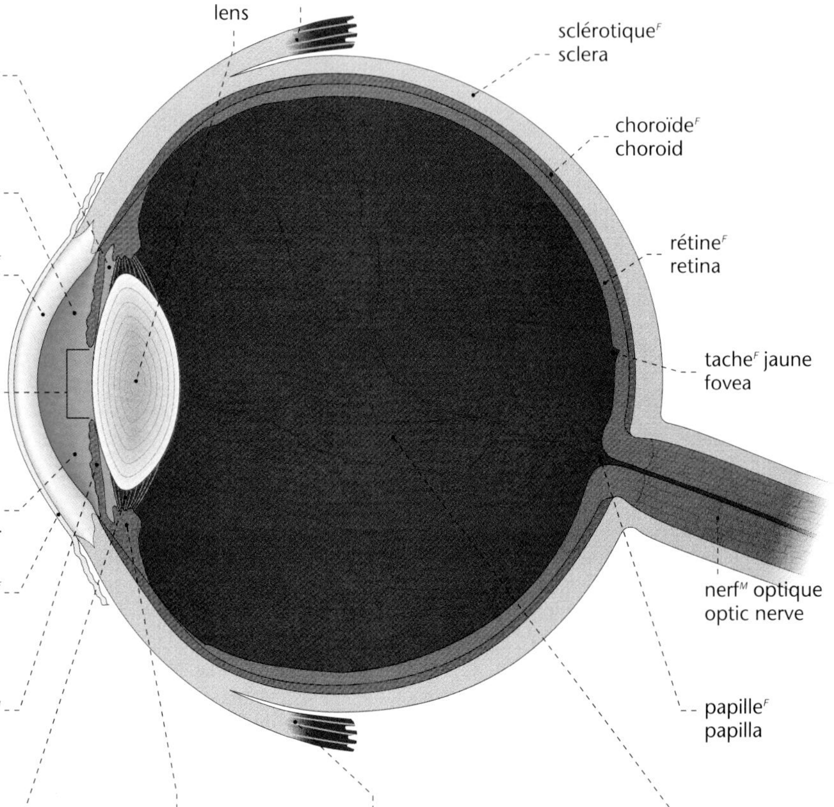
muscle[M] droit externe
medial rectus muscle
cristallin[M]
lens
sclérotique[F]
sclera
chambre[F] postérieure
posterior chamber
choroïde[F]
choroid
chambre[F] antérieure
anterior chamber
rétine[F]
retina
cornée[F]
cornea
tache[F] jaune
fovea
pupille[F]
pupil
humeur[F] aqueuse
aqueous humor;
aqueous humour
conjonctive[F]
conjunctiva
nerf[M] optique
optic nerve
iris[M]
iris
papille[F]
papilla
ligament[M] suspenseur
suspensory ligament
corps[M] ciliaire
ciliary body
muscle[M] droit interne
lateral rectus muscle
corps[M] vitré
vitreous body

ORGANES[M] DES SENS[M] : ODORAT[M]
SENSE ORGANS: SMELL

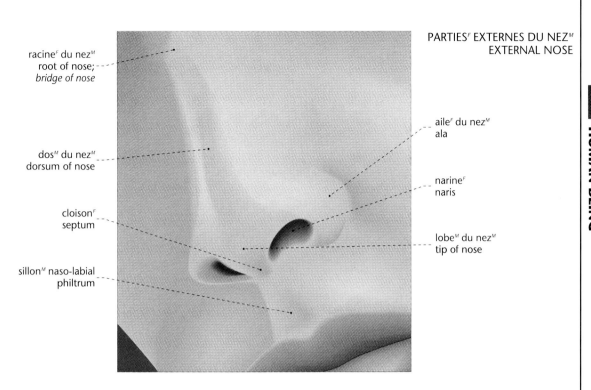

PARTIES[F] EXTERNES DU NEZ[M]
EXTERNAL NOSE

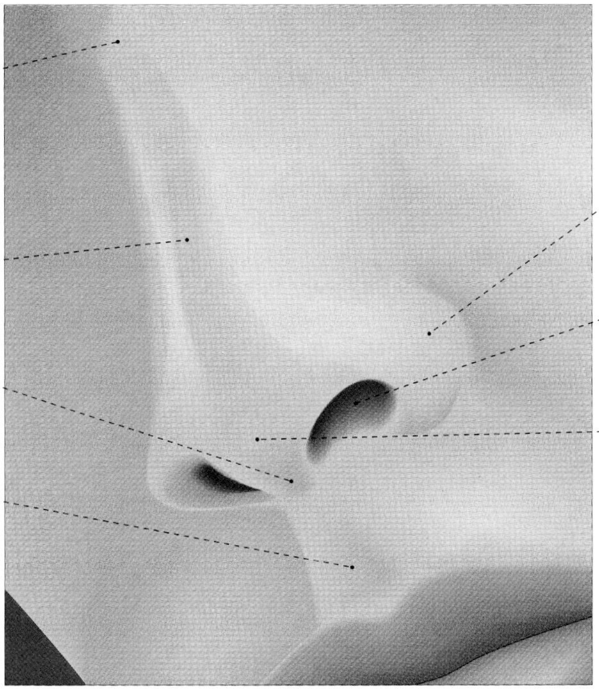
racine[F] du nez[M]
root of nose; *bridge of nose*
dos[M] du nez[M]
dorsum of nose
cloison[F]
septum
sillon[M] naso-labial
philtrum
aile[F] du nez[M]
ala
narine[F]
naris
lobe[M] du nez[M]
tip of nose

FOSSES[F] NASALES
NASAL FOSSAE

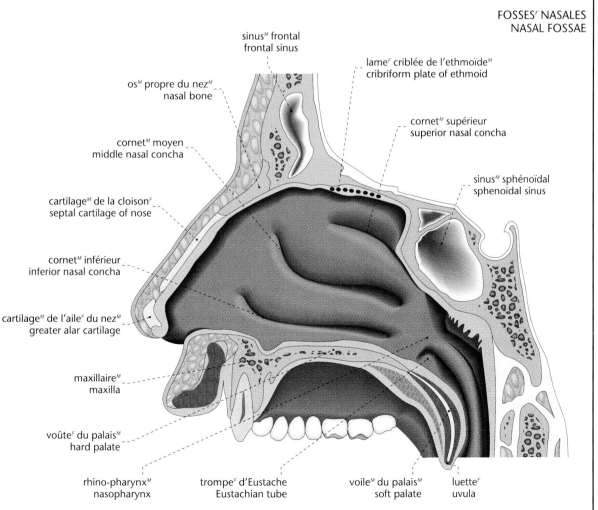

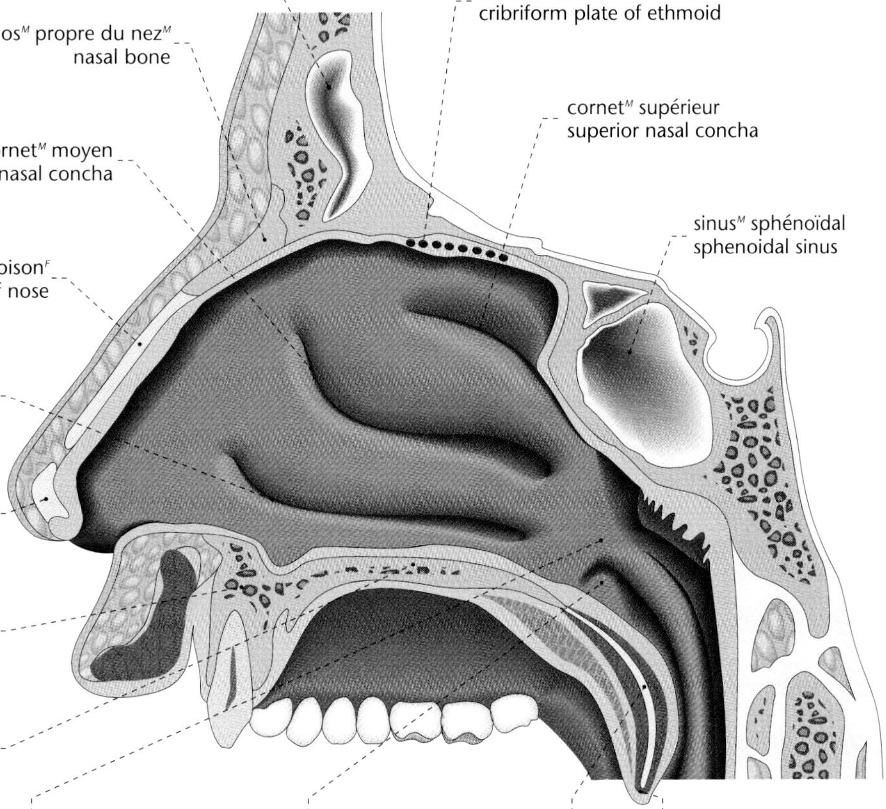
sinus[M] frontal
frontal sinus
os[M] propre du nez[M]
nasal bone
lame[F] criblée de l'ethmoïde[M]
cribriform plate of ethmoid
cornet[M] supérieur
superior nasal concha
cornet[M] moyen
middle nasal concha
sinus[M] sphénoïdal
sphenoidal sinus
cartilage[M] de la cloison[F]
septal cartilage of nose
cornet[M] inférieur
inferior nasal concha
cartilage[M] de l'aile[F] du nez[M]
greater alar cartilage
maxillaire[M]
maxilla
voûte[F] du palais[M]
hard palate
rhino-pharynx[M]
nasopharynx
trompe[F] d'Eustache
Eustachian tube
voile[M] du palais[M]
soft palate
luette[F]
uvula

SENS[M] DE L'ODORAT[M] ET DU GOÛT[M]
SENSES OF SMELL AND TASTE

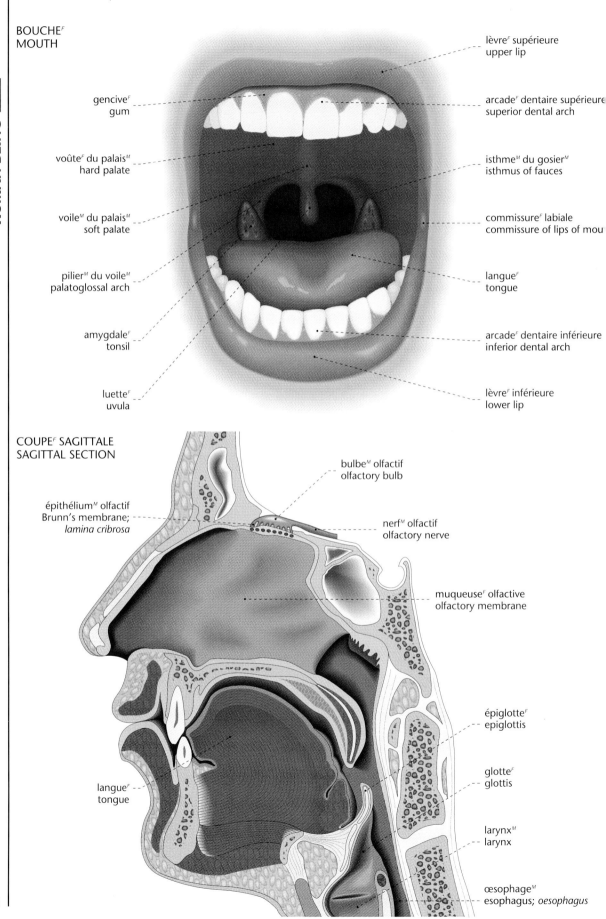

BOUCHE[F]
MOUTH

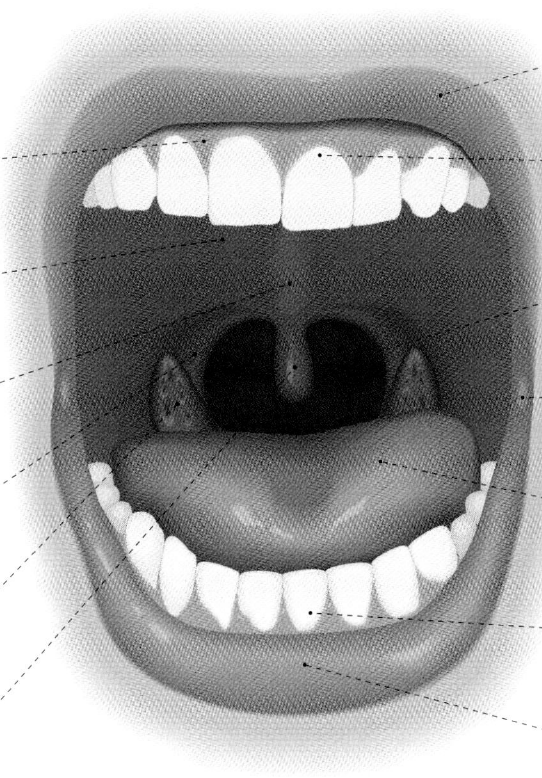
gencive[F]
gum
voûte[F] du palais[M]
hard palate
voile[M] du palais[M]
soft palate
pilier[M] du voile[M]
palatoglossal arch
amygdale[F]
tonsil
luette[F]
uvula
lèvre[F] supérieure
upper lip
arcade[F] dentaire supérieure
superior dental arch
isthme[M] du gosier[M]
isthmus of fauces
commissure[F] labiale
commissure of lips of mouth
langue[F]
tongue
arcade[F] dentaire inférieure
inferior dental arch
lèvre[F] inférieure
lower lip

COUPE[F] SAGITTALE
SAGITTAL SECTION

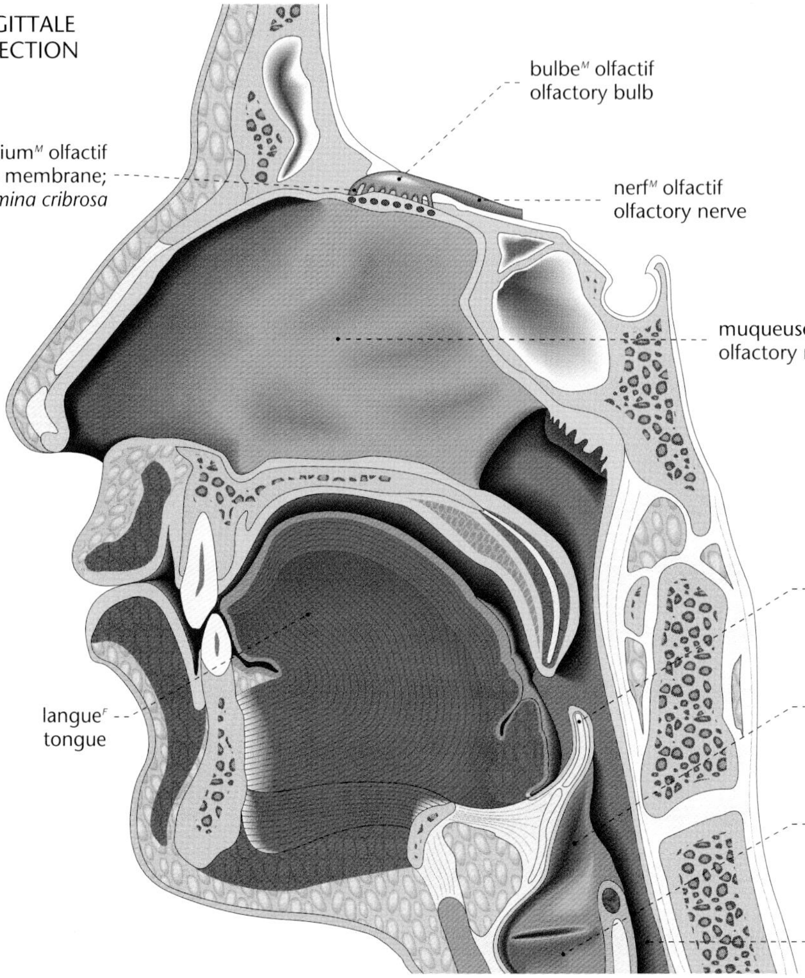
bulbe[M] olfactif
olfactory bulb
épithélium[M] olfactif
Brunn's membrane; *lamina cribrosa*
nerf[M] olfactif
olfactory nerve
muqueuse[F] olfactive
olfactory membrane
épiglotte[F]
epiglottis
glotte[F]
glottis
langue[F]
tongue
larynx[M]
larynx
œsophage[M]
esophagus; *oesophagus*

DOS[M] DE LA LANGUE[F]
DORSUM OF TONGUE

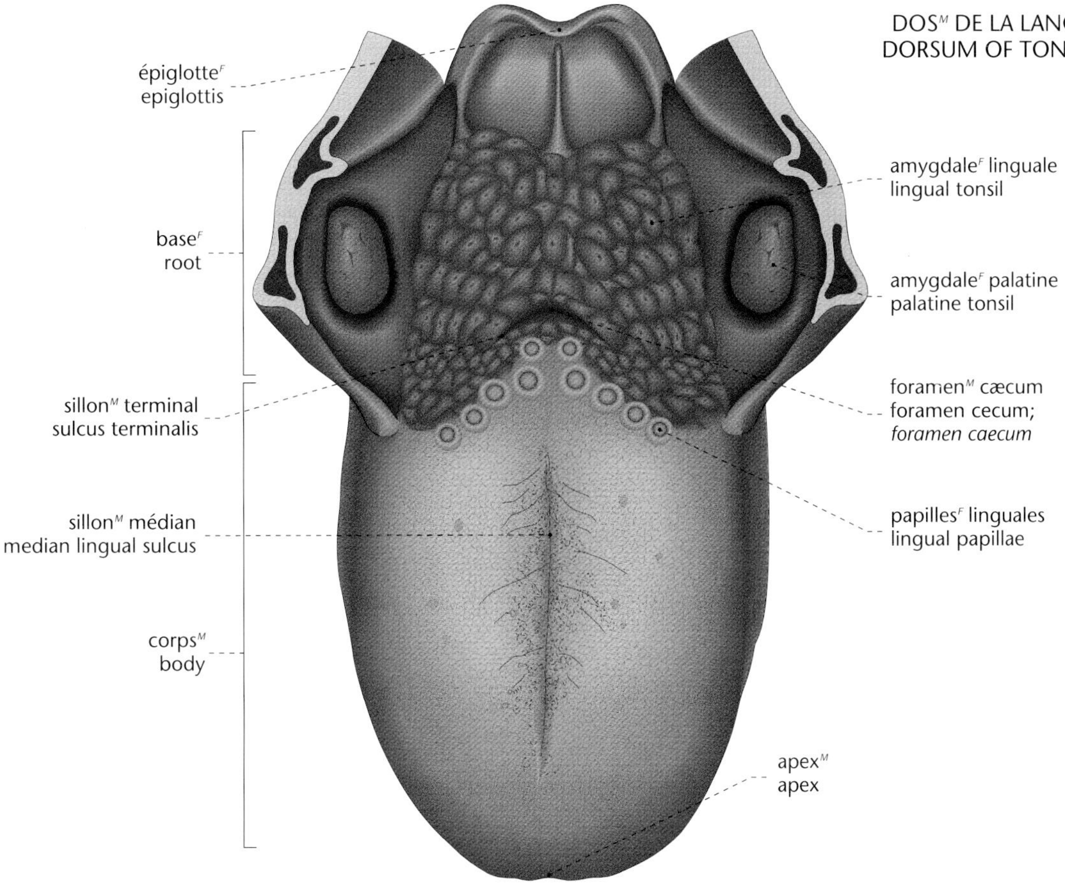
épiglotte[F]
epiglottis
base[F]
root
sillon[M] terminal
sulcus terminalis
sillon[M] médian
median lingual sulcus
corps[M]
body
amygdale[F] linguale
lingual tonsil
amygdale[F] palatine
palatine tonsil
foramen[M] cæcum
foramen cecum;
foramen caecum
papilles[F] linguales
lingual papillae
apex[M]
apex

PERCEPTION[F] DES SAVEURS[F]
TASTE SENSATIONS

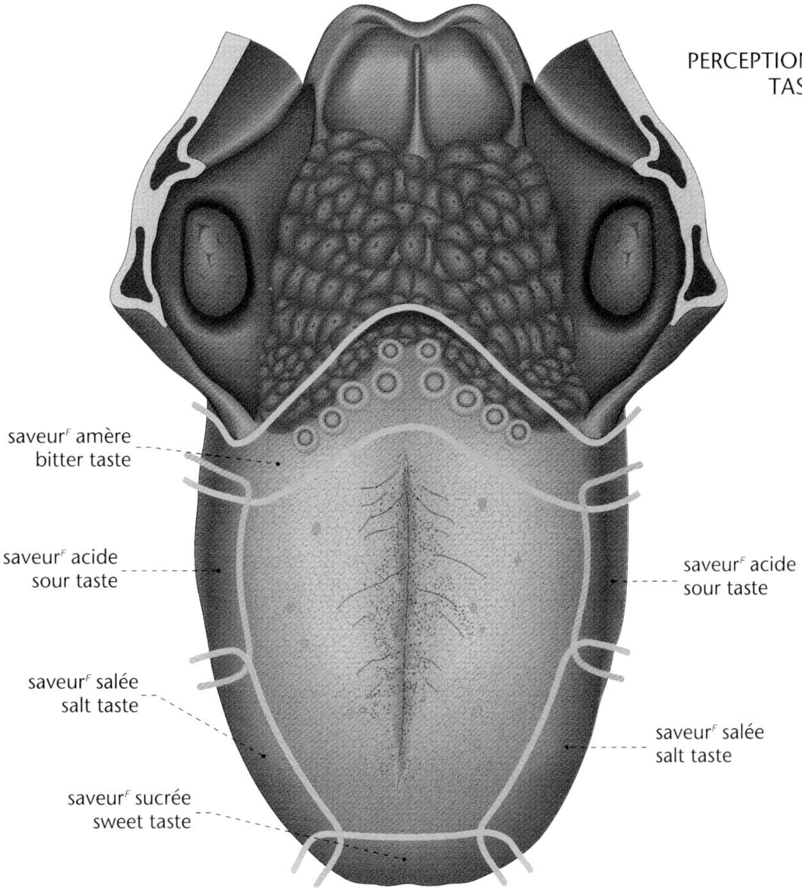
saveur[F] amère
bitter taste
saveur[F] acide
sour taste
saveur[F] salée
salt taste
saveur[F] sucrée
sweet taste
saveur[F] acide
sour taste
saveur[F] salée
salt taste

DENTS^F
TEETH

DENTURE^F HUMAINE
HUMAN DENTURE

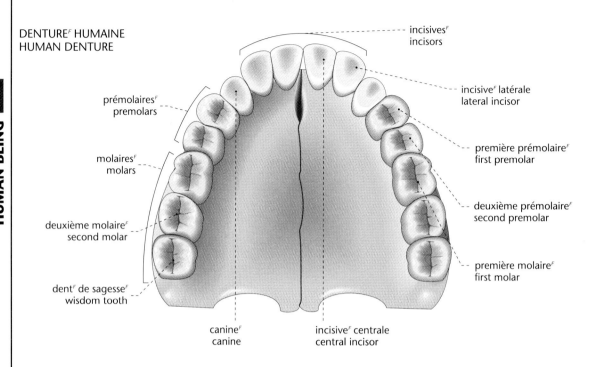

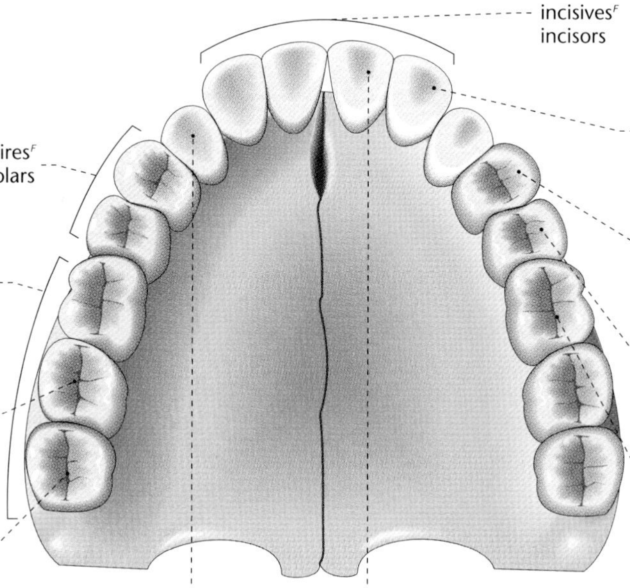
incisives^F
incisors
incisive^F latérale
lateral incisor
prémolaires^F
premolars
première prémolaire^F
first premolar
molaires^F
molars
deuxième prémolaire^F
second premolar
deuxième molaire^F
second molar
première molaire^F
first molar
dent^F de sagesse^F
wisdom tooth
canine^F
canine
incisive^F centrale
central incisor

COUPE^F D'UNE MOLAIRE^F
CROSS SECTION OF A MOLAR

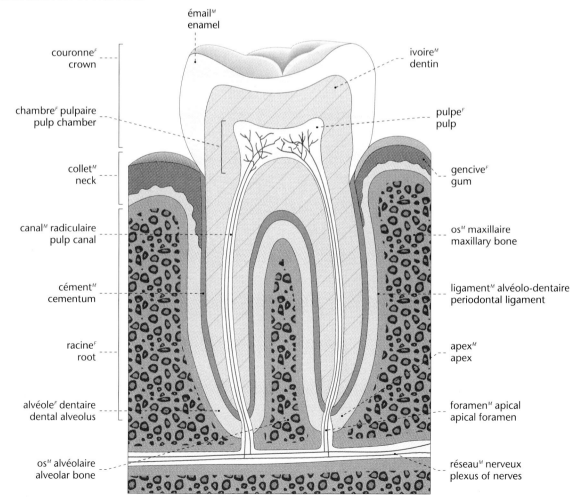

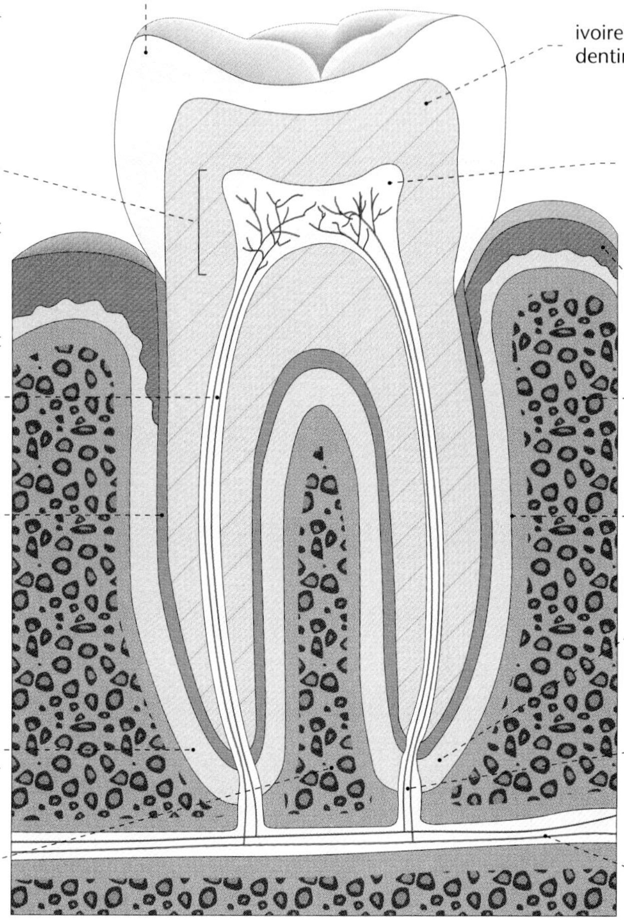
émail^M
enamel
couronne^F
crown
ivoire^M
dentin
chambre^F pulpaire
pulp chamber
pulpe^F
pulp
collet^M
neck
gencive^F
gum
canal^M radiculaire
pulp canal
os^M maxillaire
maxillary bone
cément^M
cementum
ligament^M alvéolo-dentaire
periodontal ligament
racine^F
root
apex^M
apex
alvéole^F dentaire
dental alveolus
foramen^M apical
apical foramen
os^M alvéolaire
alveolar bone
réseau^M nerveux
plexus of nerves

FERME • FARMING

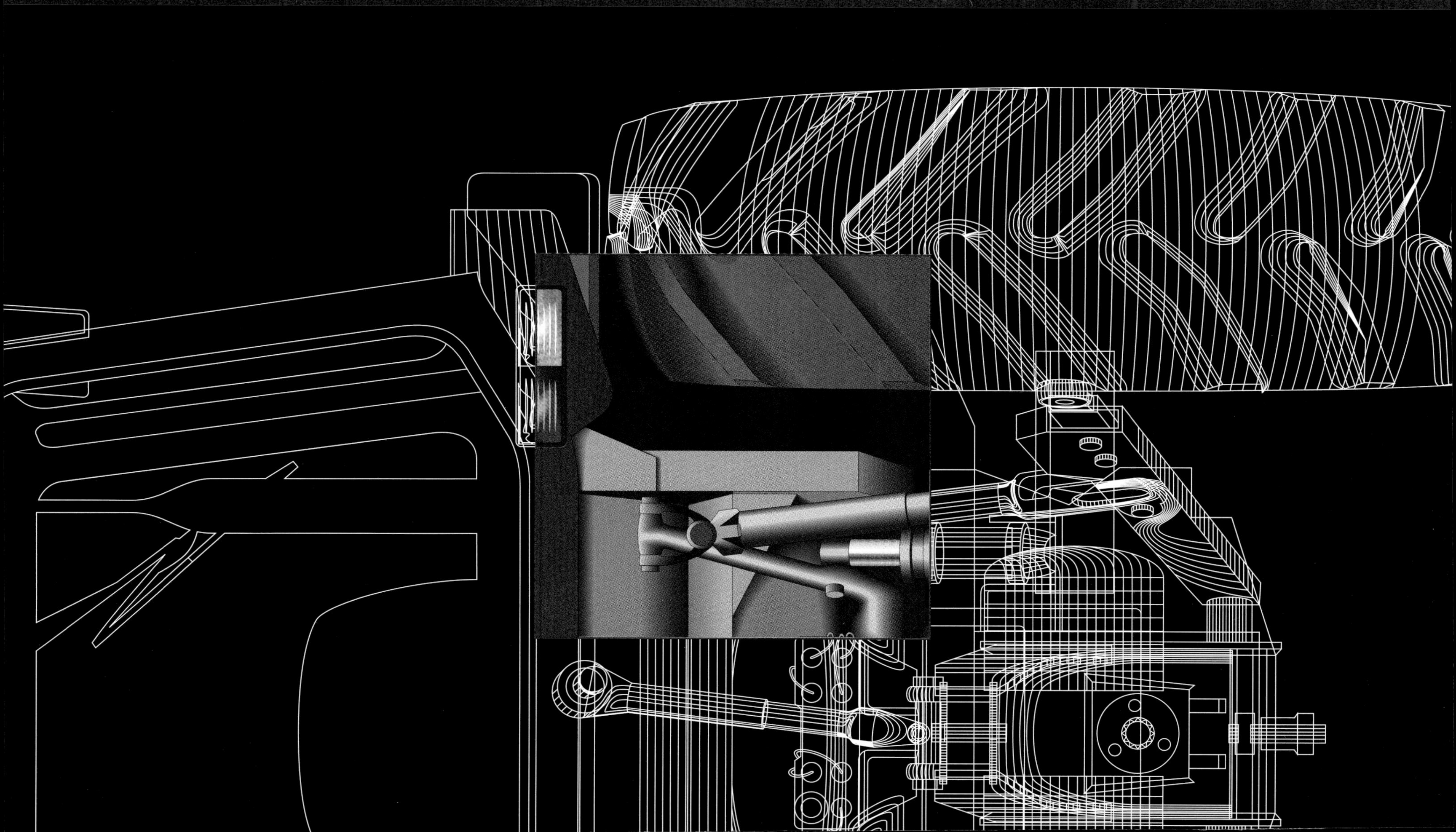

SOMMAIRE

TRACTEUR[M] AGRICOLE
TRACTOR

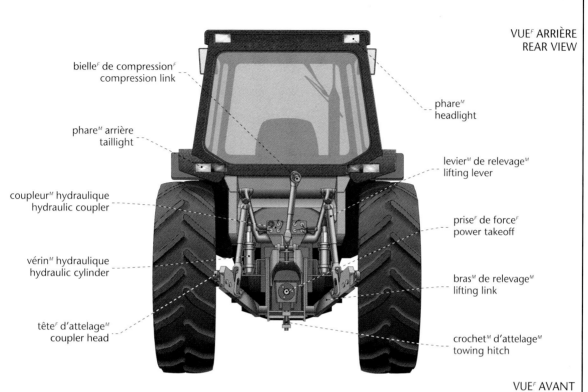

VUE[F] ARRIÈRE
REAR VIEW

bielle[F] de compression[F]
compression link
phare[M] arrière
taillight
coupleur[M] hydraulique
hydraulic coupler
vérin[M] hydraulique
hydraulic cylinder
tête[F] d'attelage[M]
coupler head
phare[M]
headlight
levier[M] de relevage[M]
lifting lever
prise[F] de force[F]
power takeoff
bras[M] de relevage[M]
lifting link
crochet[M] d'attelage[M]
towing hitch

VUE[F] AVANT
FRONT VIEW

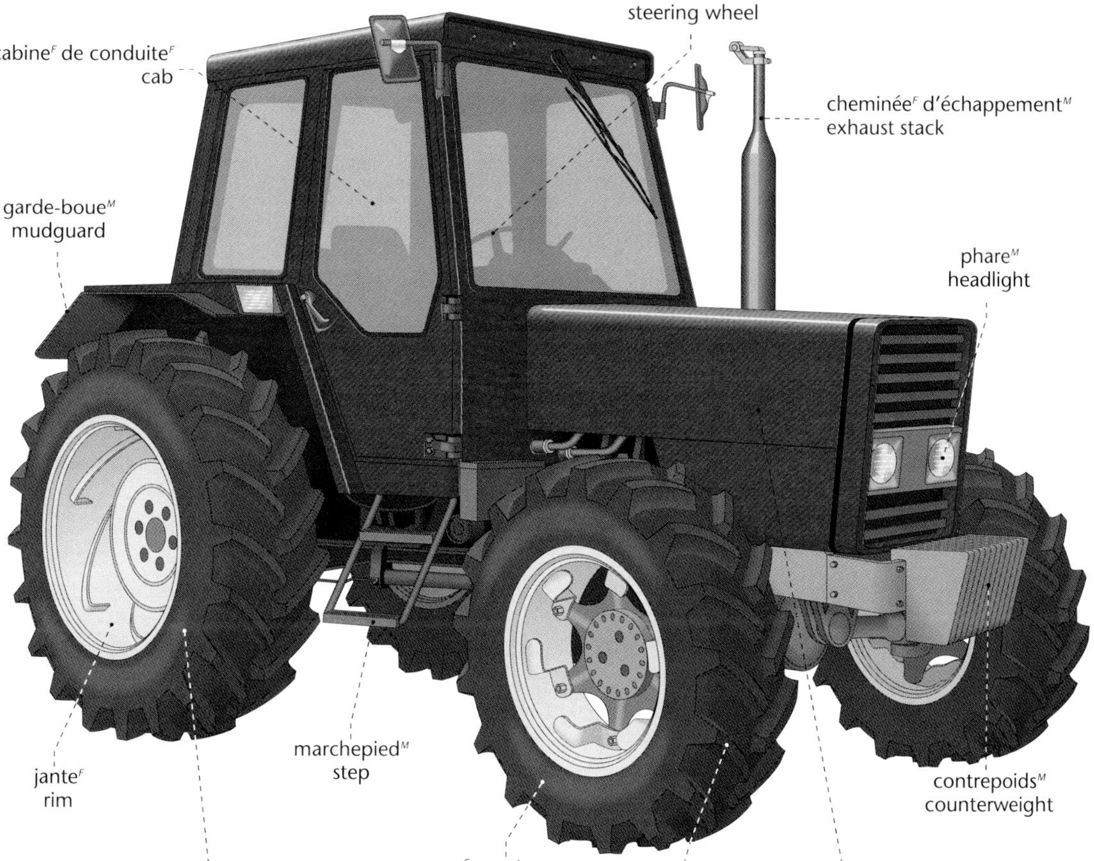
volant[M]
steering wheel
cabine[F] de conduite[F]
cab
cheminée[F] d'échappement[M]
exhaust stack
garde-boue[M]
mudguard
phare[M]
headlight
jante[F]
rim
marchepied[M]
step
contrepoids[M]
counterweight
roue[F] avant
front wheel
roue[F] motrice
driving wheel
sculpture[F]
tread bar
moteur[M]
engine

FERME[F]
FARMSTEAD

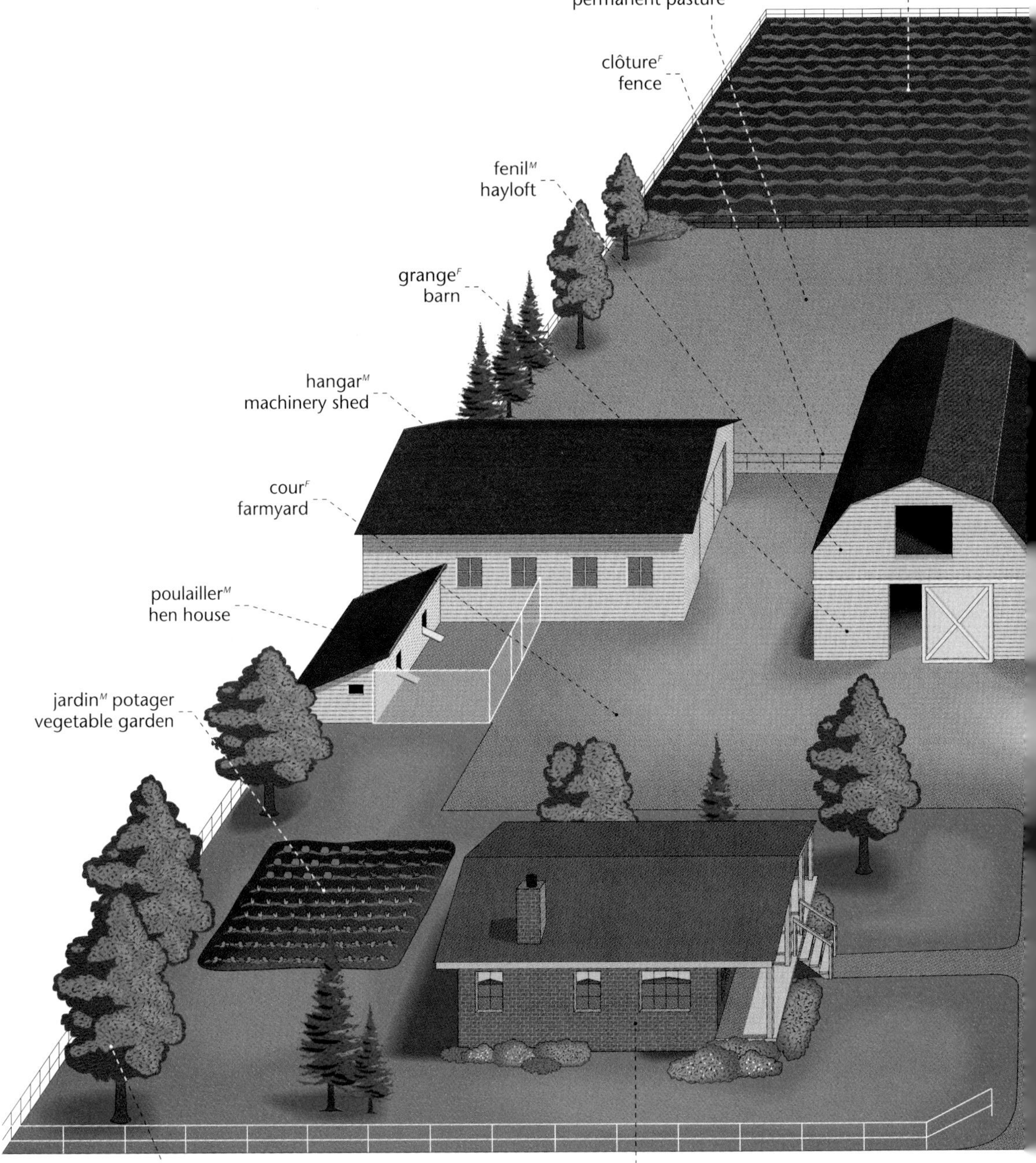
jachère[F]
fallow
pâturage[M]
permanent pasture
clôture[F]
fence
fenil[M]
hayloft
grange[F]
barn
hangar[M]
machinery shed
cour[F]
farmyard
poulailler[M]
hen house
jardin[M] potager
vegetable garden
arbre[M] d'ornement[M]
ornamental tree
habitation[F]
farmhouse

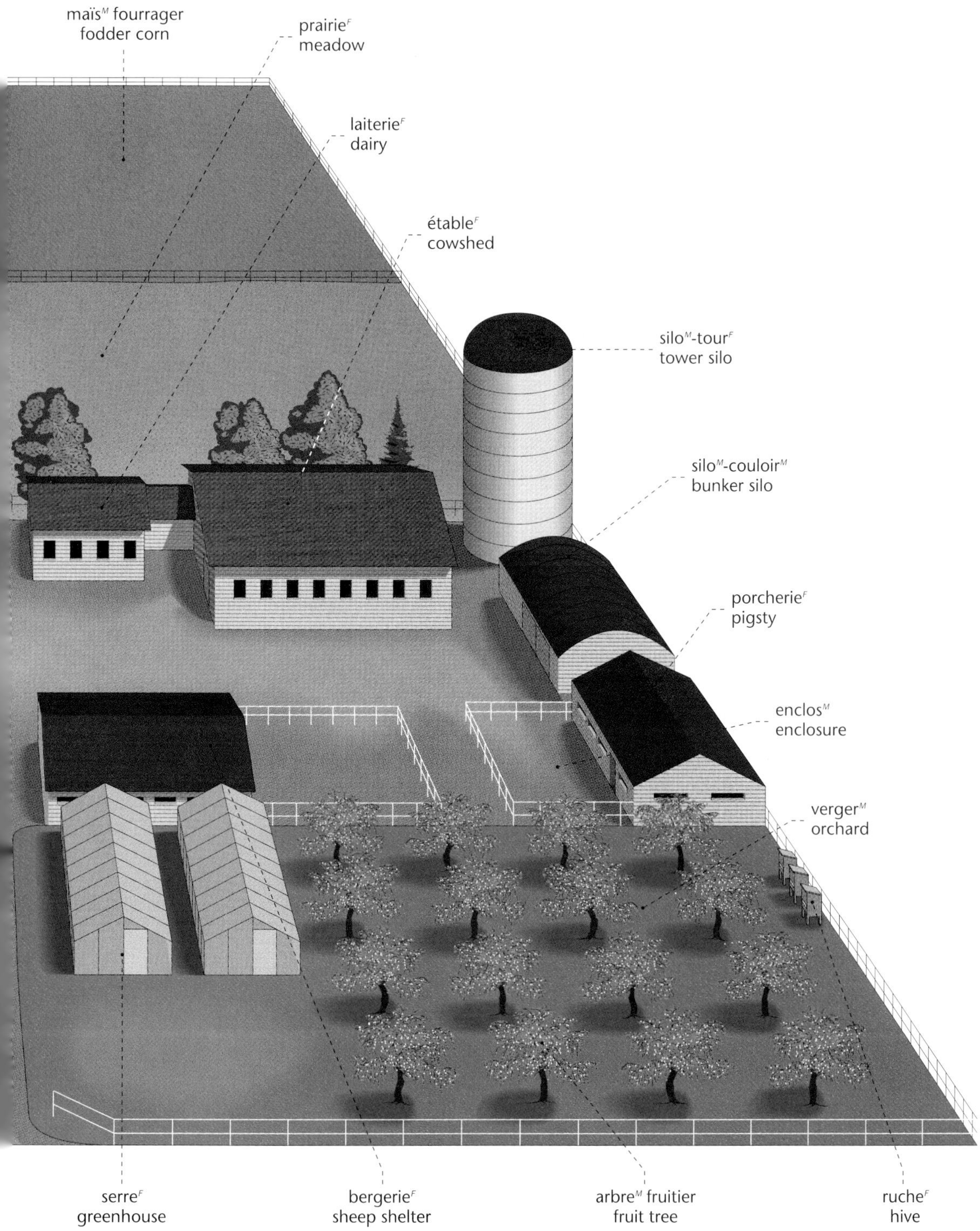
maïs[M] fourrager
fodder corn
prairie[F]
meadow
laiterie[F]
dairy
étable[F]
cowshed
silo[M]-tour[F]
tower silo
silo[M]-couloir[M]
bunker silo
porcherie[F]
pigsty
enclos[M]
enclosure
verger[M]
orchard
serre[F]
greenhouse
bergerie[F]
sheep shelter
arbre[M] fruitier
fruit tree
ruche[F]
hive

ANIMAUX^{M} DE LA FERME^{F}
FARM ANIMALS

poule^{F}
hen

poussin^{M}
chick

coq^{M}
rooster

canard^{M}
duck

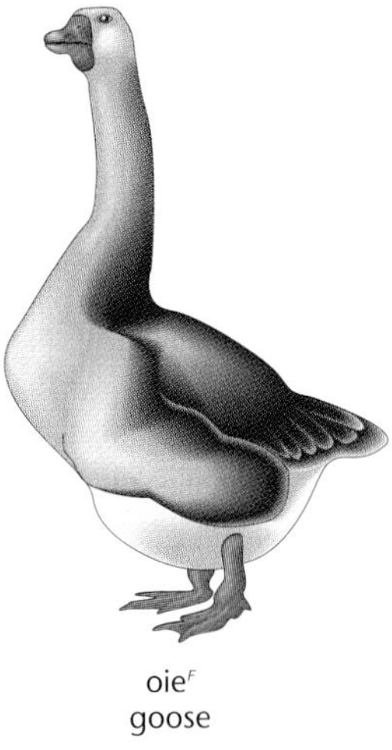

oie^{F}
goose

dindon^{M}
turkey

chèvre^{F}
goat

agneau^{M}
lamb

mouton^{M}
sheep

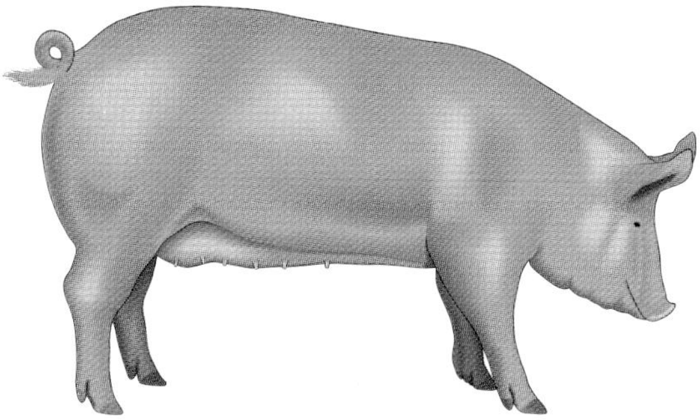

truie[F]
sow

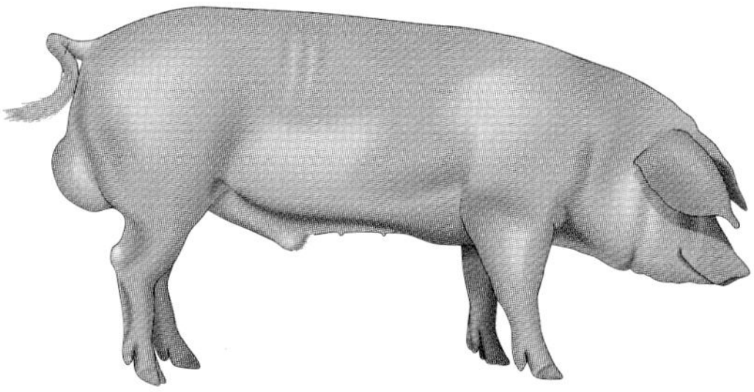

porc[M]
pig

vache[F]
cow

veau[M]
calf

bœuf[M]
ox

PRINCIPALES VARIÉTÉS[F] DE CÉRÉALES[F]
MAJOR TYPES OF CEREALS

COUPE[F] D'UN GRAIN[M] DE BLÉ[M]
SECTION OF A GRAIN OF WHEAT

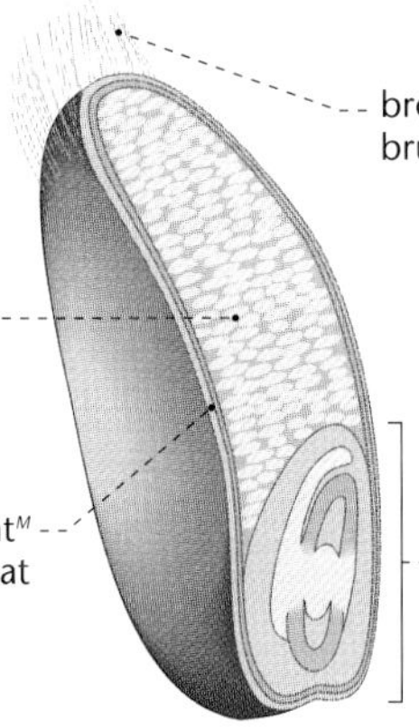
brosse[F]
brush
albumen[M] farineux
starch
tégument[M]
seed coat
germe[M]
germ

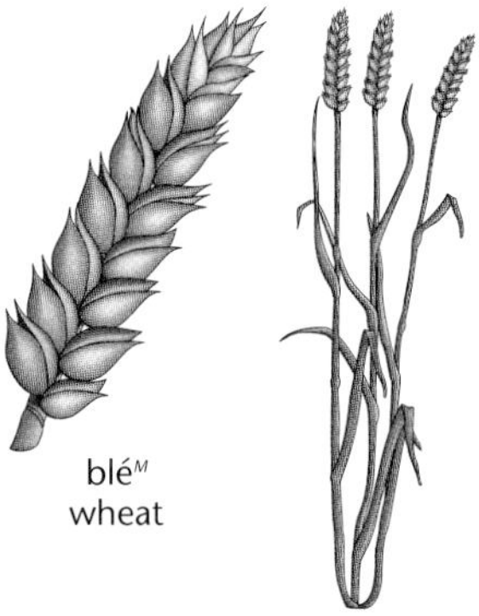
blé[M]
wheat

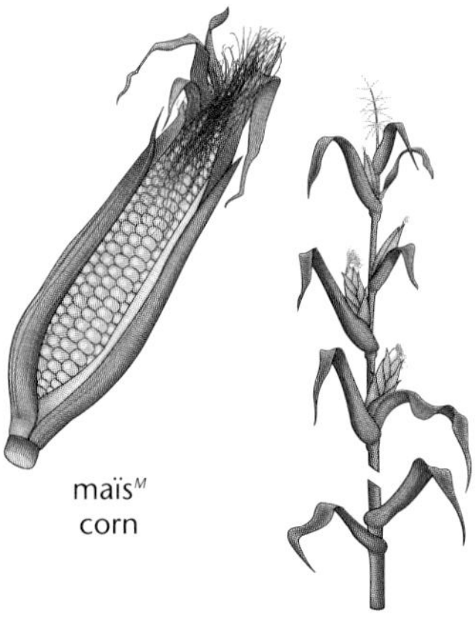
maïs[M]
corn

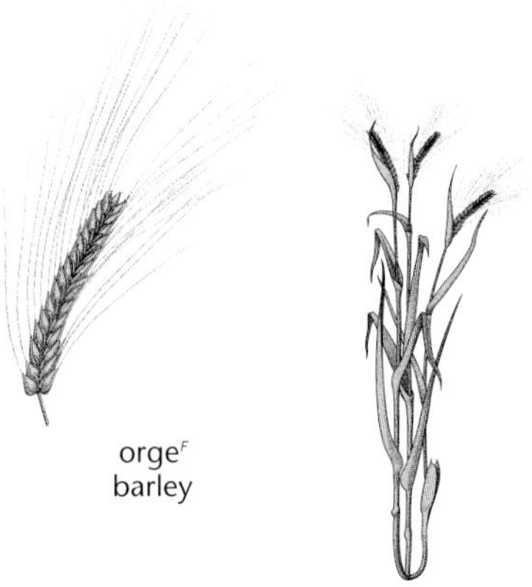
orge[F]
barley

seigle[M]
rye

riz[M]
rice

sorgho[M]
sorghum

avoine[F]
oats

millet[M]
millet

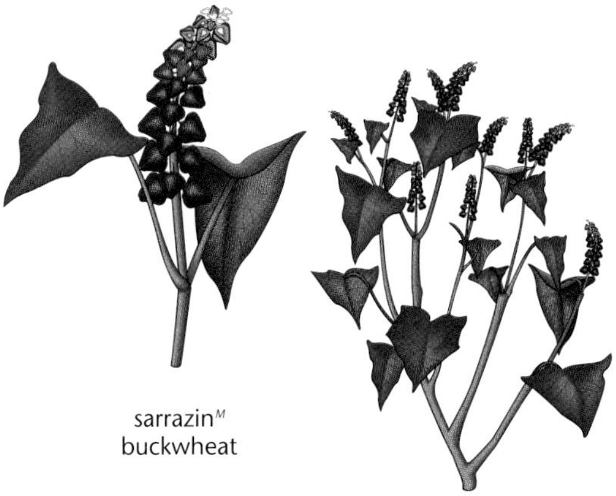
sarrazin[M]
buckwheat

PAIN[M]
BREAD

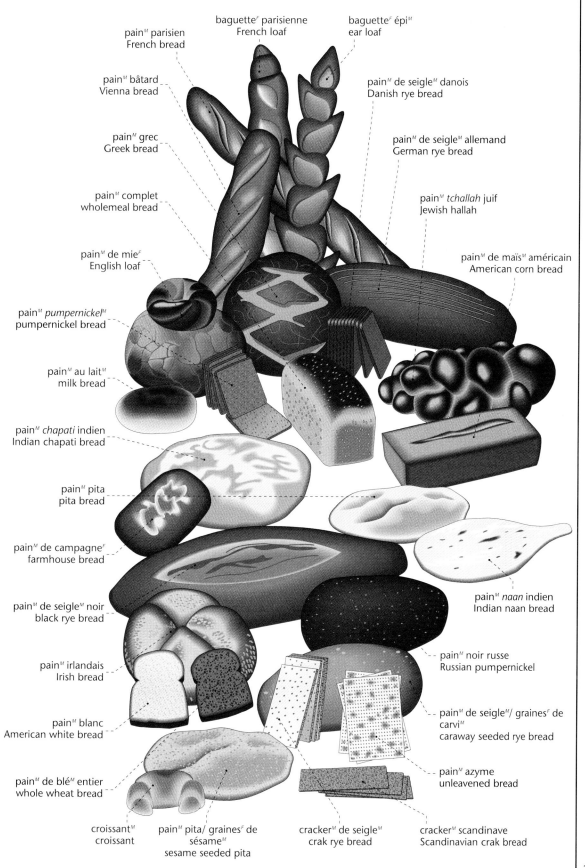

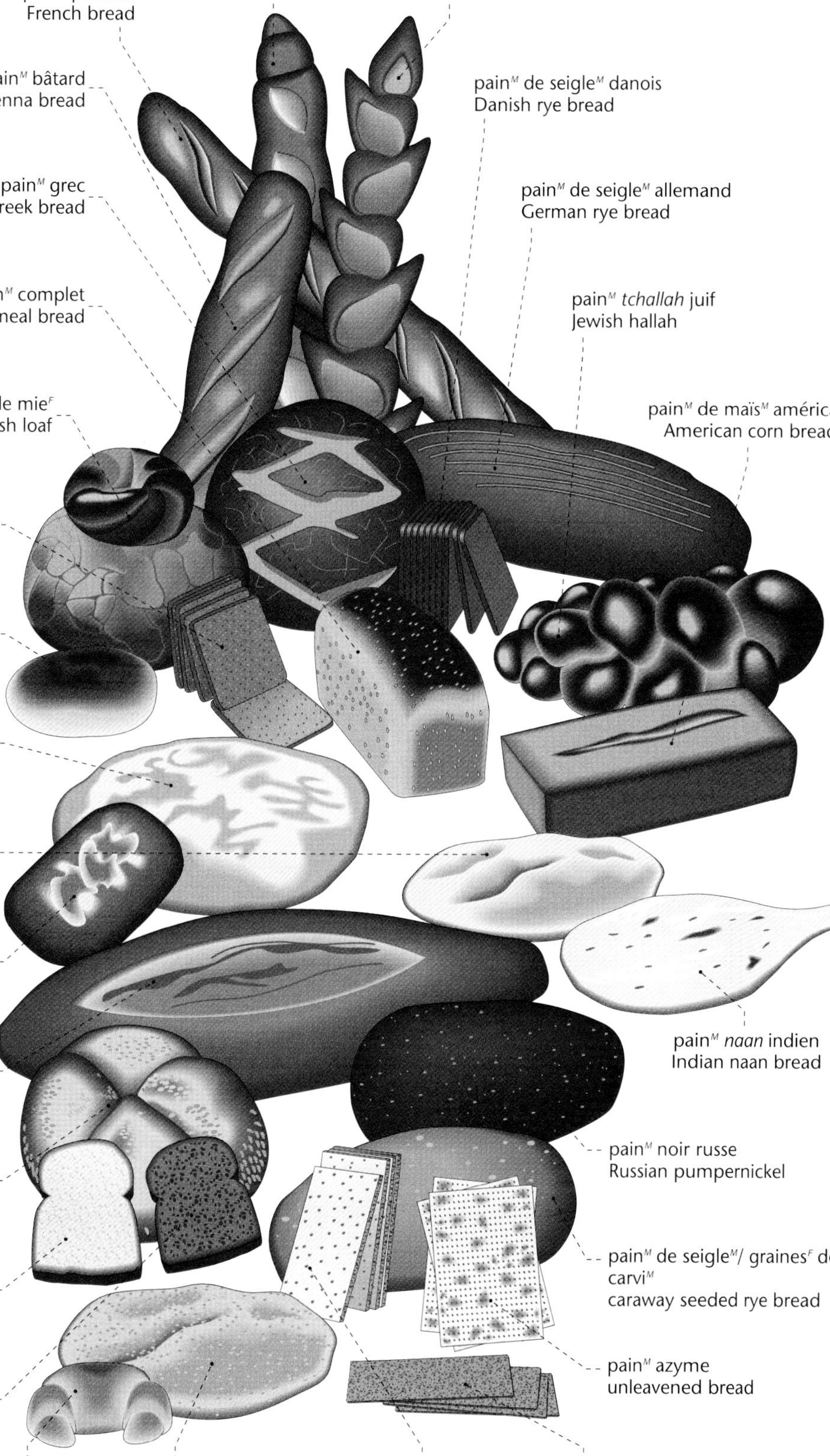
pain[M] parisien
French bread
baguette[F] parisienne
French loaf
baguette[F] épi[M]
ear loaf
pain[M] bâtard
Vienna bread
pain[M] de seigle[M] danois
Danish rye bread
pain[M] grec
Greek bread
pain[M] de seigle[M] allemand
German rye bread
pain[M] complet
wholemeal bread
pain[M] *tchallah* juif
Jewish hallah
pain[M] de mie[F]
English loaf
pain[M] de maïs[M] américain
American corn bread
pain[M] *pumpernickel*[M]
pumpernickel bread
pain[M] au lait[M]
milk bread
pain[M] *chapati* indien
Indian chapati bread
pain[M] pita
pita bread
pain[M] de campagne[F]
farmhouse bread
pain[M] *naan* indien
Indian naan bread
pain[M] de seigle[M] noir
black rye bread
pain[M] noir russe
Russian pumpernickel
pain[M] irlandais
Irish bread
pain[M] de seigle[M]/ graines[F] de carvi[M]
caraway seeded rye bread
pain[M] blanc
American white bread
pain[M] azyme
unleavened bread
pain[M] de blé[M] entier
whole wheat bread
croissant[M]
croissant
pain[M] pita/ graines[F] de sésame[M]
sesame seeded pita
cracker[M] de seigle[M]
crak rye bread
cracker[M] scandinave
Scandinavian crak bread

ÉTAPES[F] DE LA CULTURE[F] DU SOL[M]
STEPS FOR CULTIVATING SOIL

RETOURNER LA TERRE[F]
PLOWING SOIL

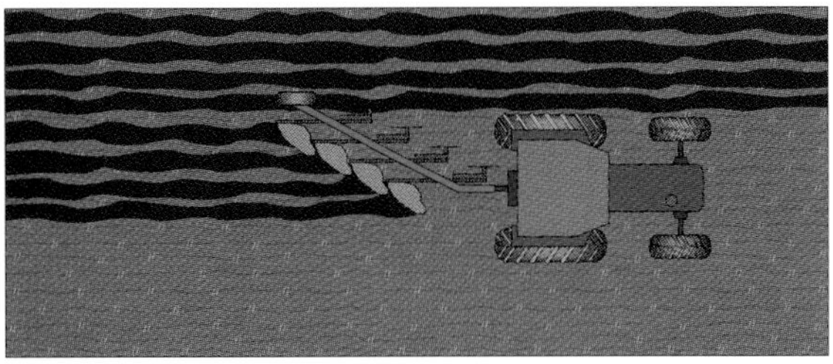

charrue[F] à soc[M]
ribbing plow; *ribbing plough*

FERTILISER LA TERRE[F]
FERTILIZING SOIL

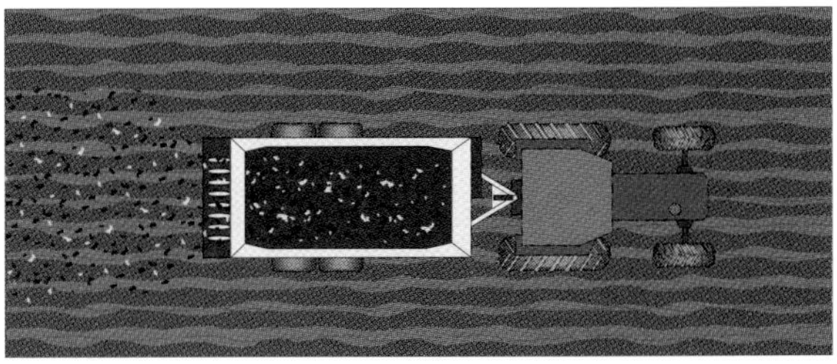

épandeur[M] de fumier[M]
manure spreader

AMEUBLIR LA TERRE[F]
PULVERIZING SOIL

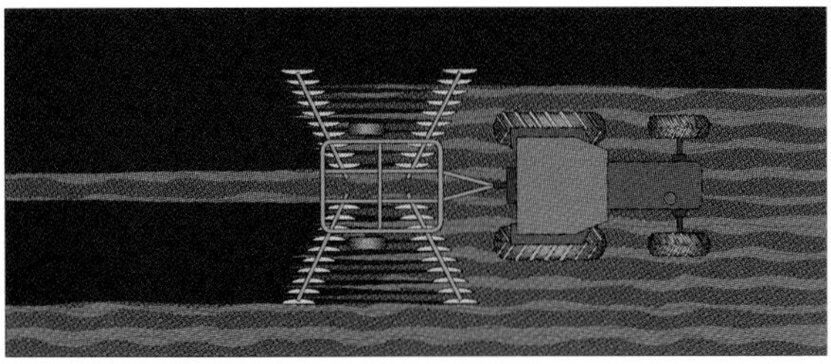

pulvérisateur[M] tandem[M]
tandem disk harrow; *tandem disc harrow*

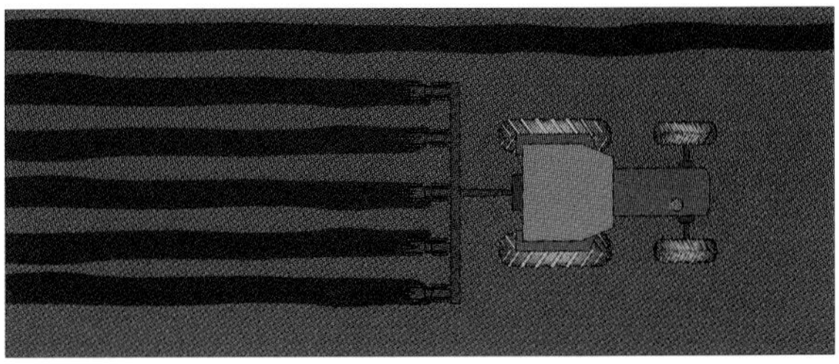

cultivateur[M]
cultivator

SEMER
PLANTING

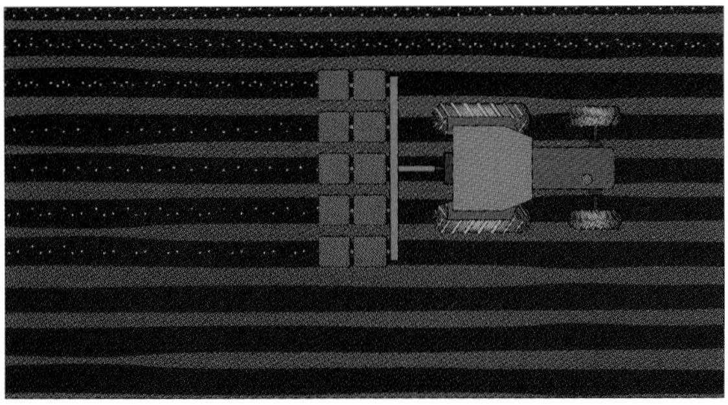

semoir[M] en lignes[F]
seed drill

FAUCHER
MOWING

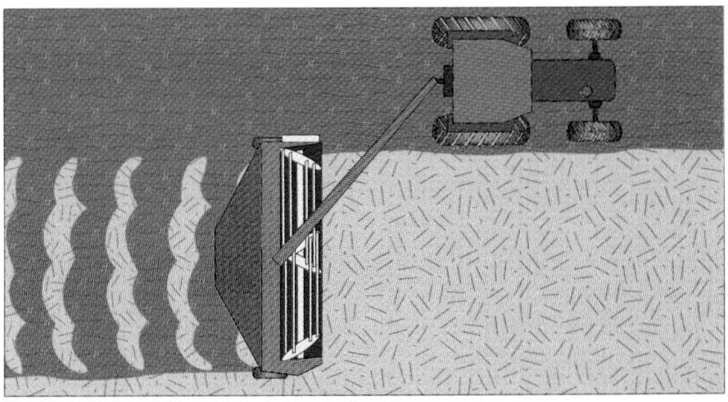

faucheuse[F]-conditionneuse[F]
flail mower

FANER
TEDDING

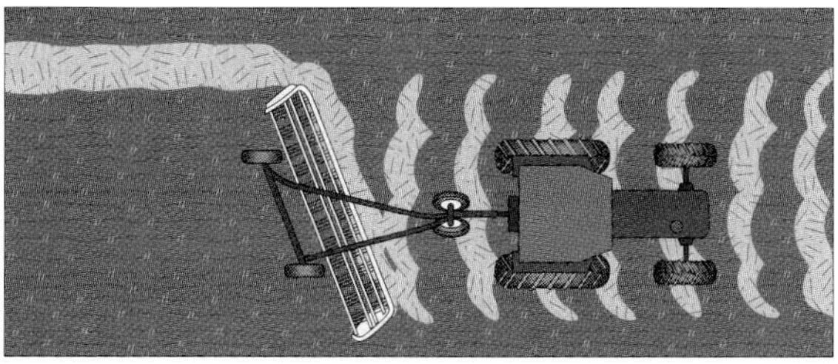

râteau[M]
rake

RÉCOLTER
HARVESTING

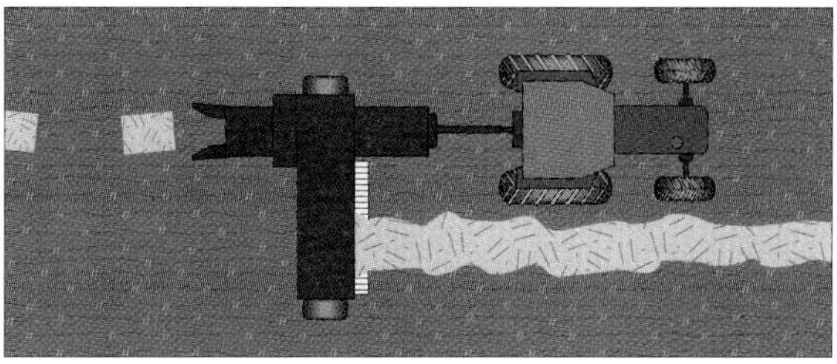

ramasseuse[F]-presse[F]
hay baler

RÉCOLTER
HARVESTING

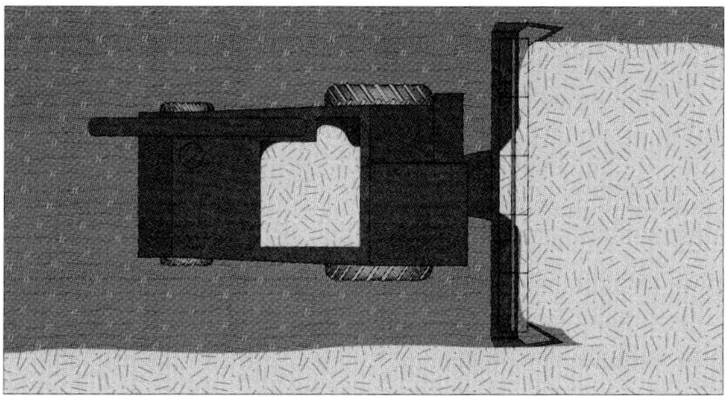

moissonneuse[F]-batteuse[F]
combine harvester

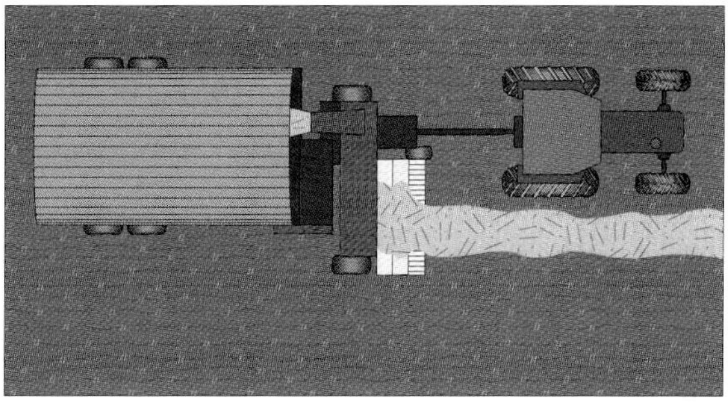

fourragère[F]
forage harvester

ENSILER
ENSILING

souffleuse[F] de fourrage[M]
forage blower

RETOURNER LA TERRE[F]
PLOWING SOIL

CHARRUE[F] À SOC[M]
RIBBING PLOW;
RIBBING PLOUGH

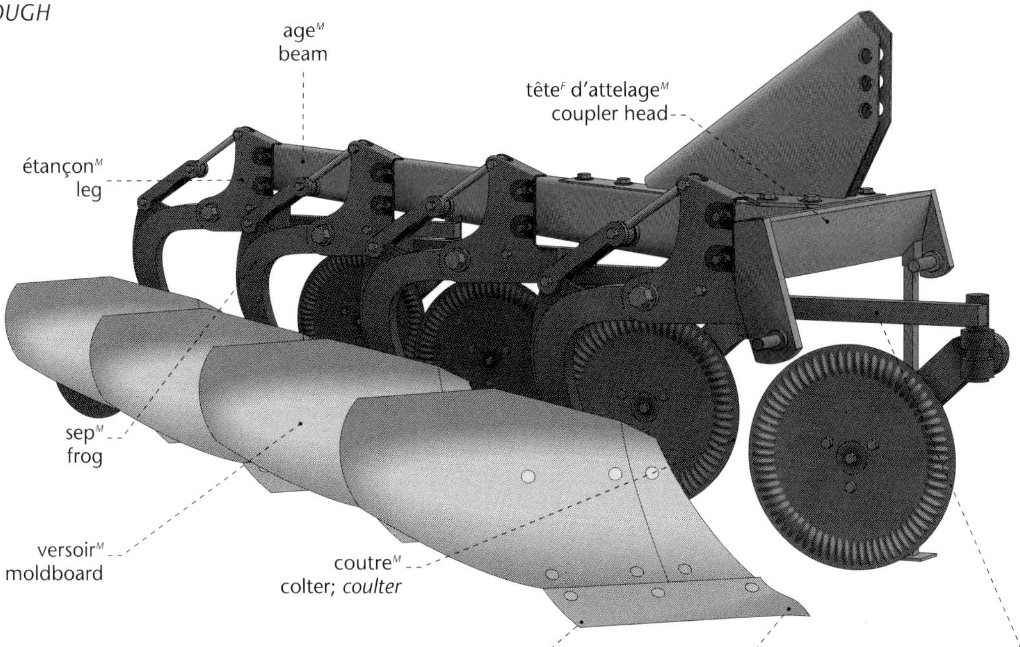
age[M]
beam
tête[F] d'attelage[M]
coupler head
étançon[M]
leg
sep[M]
frog
versoir[M]
moldboard
coutre[M]
colter; *coulter*
talon[M]
heel
soc[M]
share
bras[M] de coutre[M]
colter's shaft;
coulter shaft

FERTILISER LA TERRE[F]
FERTILIZING SOIL

ÉPANDEUR[M] DE FUMIER[M]
MANURE SPREADER

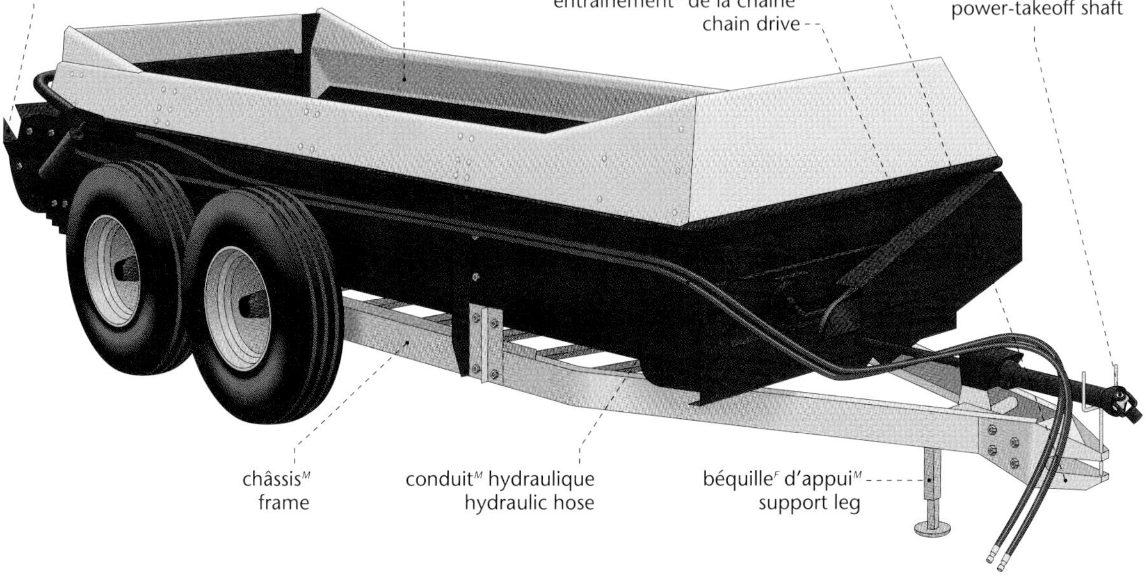
tête[F] d'attelage[M]
coupler head
éparpilleur[M]
beater
remorque[F]
box
entraînement[M] de la chaîne[F]
chain drive
cardan[M]
power-takeoff shaft
châssis[M]
frame
conduit[M] hydraulique
hydraulic hose
béquille[F] d'appui[M]
support leg

AMEUBLIR LA TERRE^F
PULVERIZING SOIL

PULVÉRISEUR^M TANDEM^M
TANDEM DISK HARROW; *TANDEM DISC HARROW*

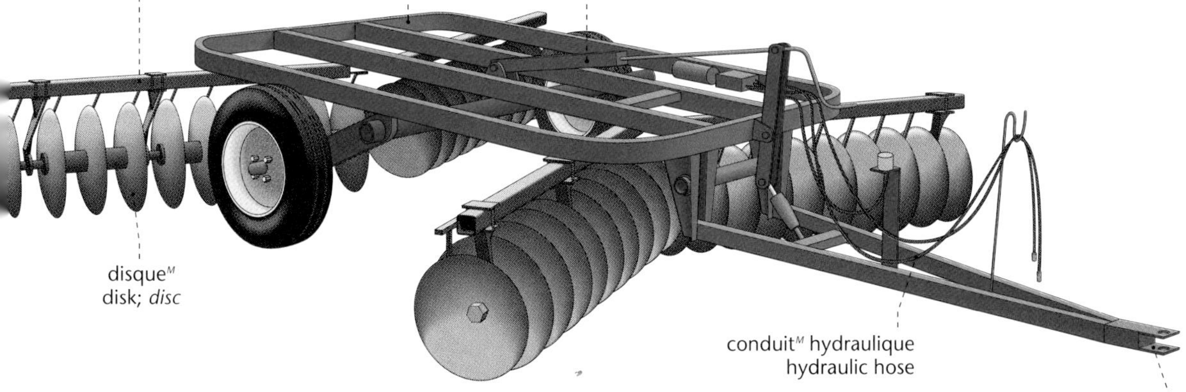
bras^M
arm
châssis^M
frame
ajustement^M de la hauteur^F
height adjustment
disque^M
disk; *disc*
conduit^M hydraulique
hydraulic hose
tête^F d'attelage^M
coupler head

CULTIVATEUR^M
CULTIVATOR

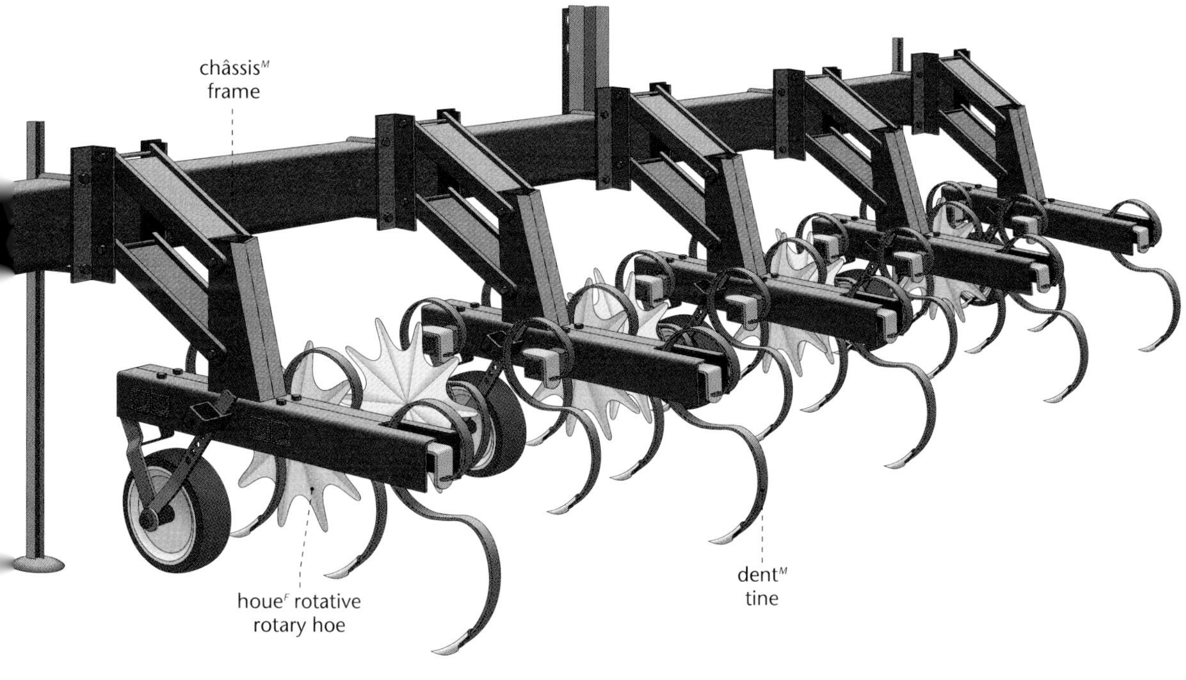
châssis^M
frame
houe^F rotative
rotary hoe
dent^M
tine

SEMER
PLANTING

SEMOIR[M] EN LIGNES[F]
SEED DRILL

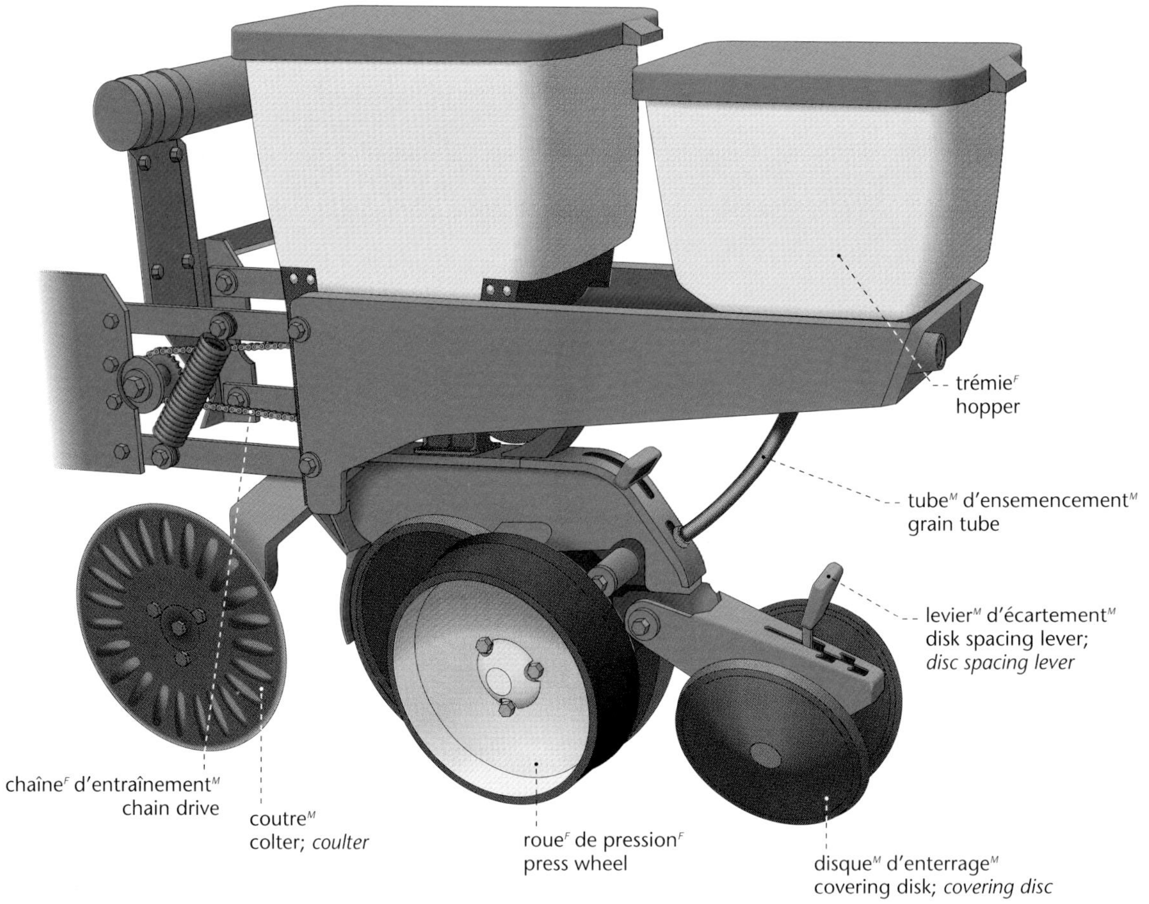
trémie[F]
hopper
tube[M] d'ensemencement[M]
grain tube
levier[M] d'écartement[M]
disk spacing lever; *disc spacing lever*
chaîne[F] d'entraînement[M]
chain drive
coutre[M]
colter; *coulter*
roue[F] de pression[F]
press wheel
disque[M] d'enterrage[M]
covering disk; *covering disc*

FAUCHER
MOWING

FAUCHEUSE[F]-CONDITIONNEUSE[F]
FLAIL MOWER

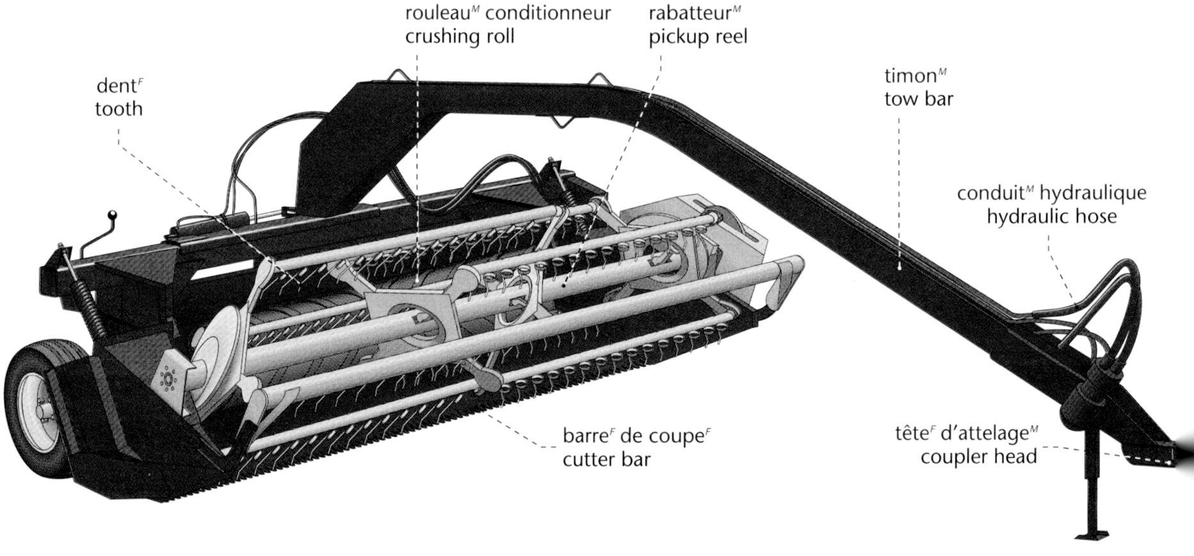
rouleau[M] conditionneur
crushing roll
rabatteur[M]
pickup reel
dent[F]
tooth
timon[M]
tow bar
conduit[M] hydraulique
hydraulic hose
barre[F] de coupe[F]
cutter bar
tête[F] d'attelage[M]
coupler head

FANER
TEDDING

RÂTEAU[M]
RAKE

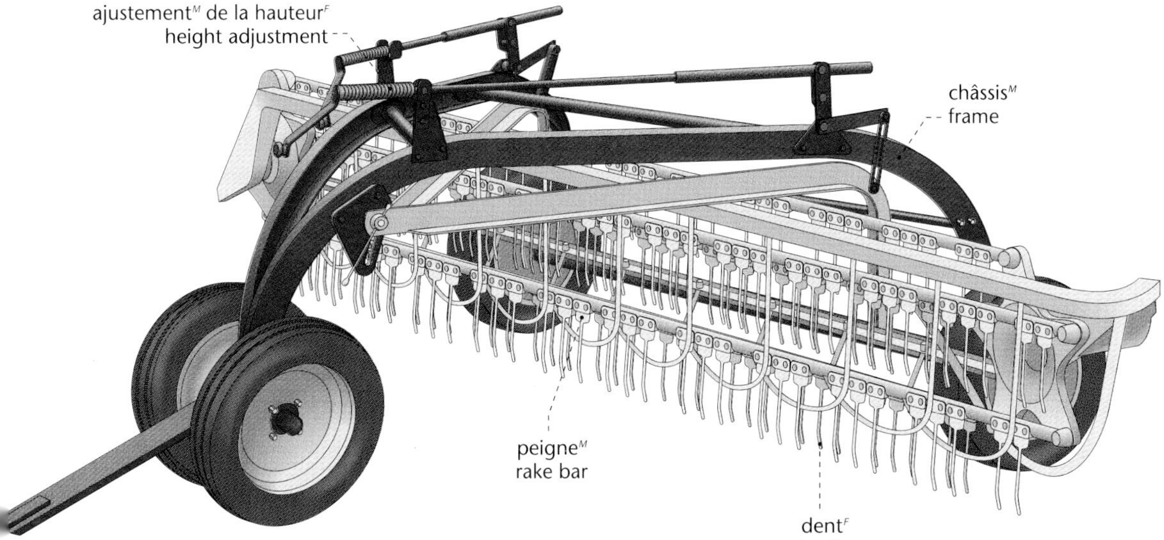
ajustement[M] de la hauteur[F]
height adjustment
châssis[M]
frame
peigne[M]
rake bar
dent[F]
tooth

RÉCOLTER
HARVESTING

RAMASSEUSE[F]-PRESSE[F]
HAY BALER

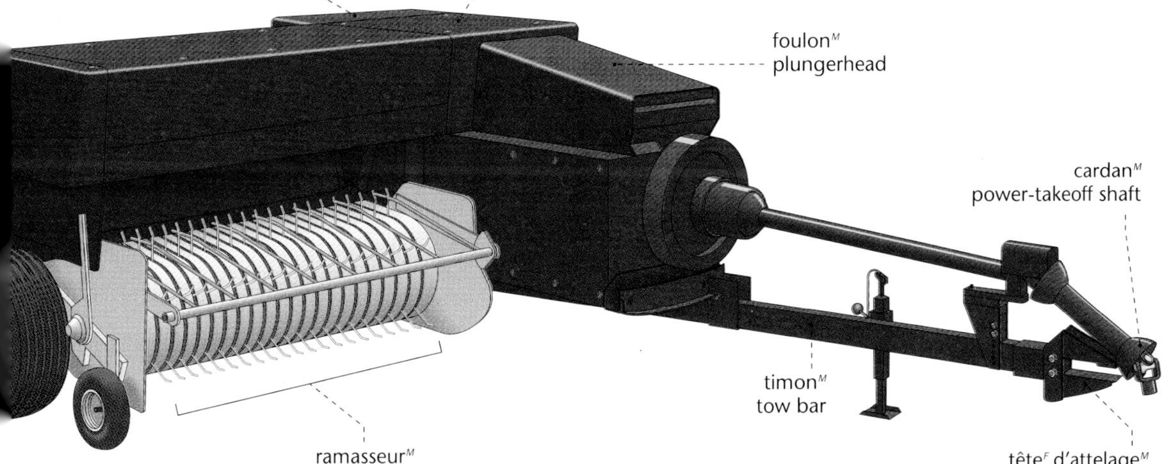
lieuse[F]
binder
presse[F]
press chamber
foulon[M]
plungerhead
cardan[M]
power-takeoff shaft
timon[M]
tow bar
ramasseur[M]
pickup cylinder
tête[F] d'attelage[M]
coupler head

RÉCOLTER
HARVESTING

MOISSONNEUSE[F]-BATTEUSE[F]
COMBINE HARVESTER

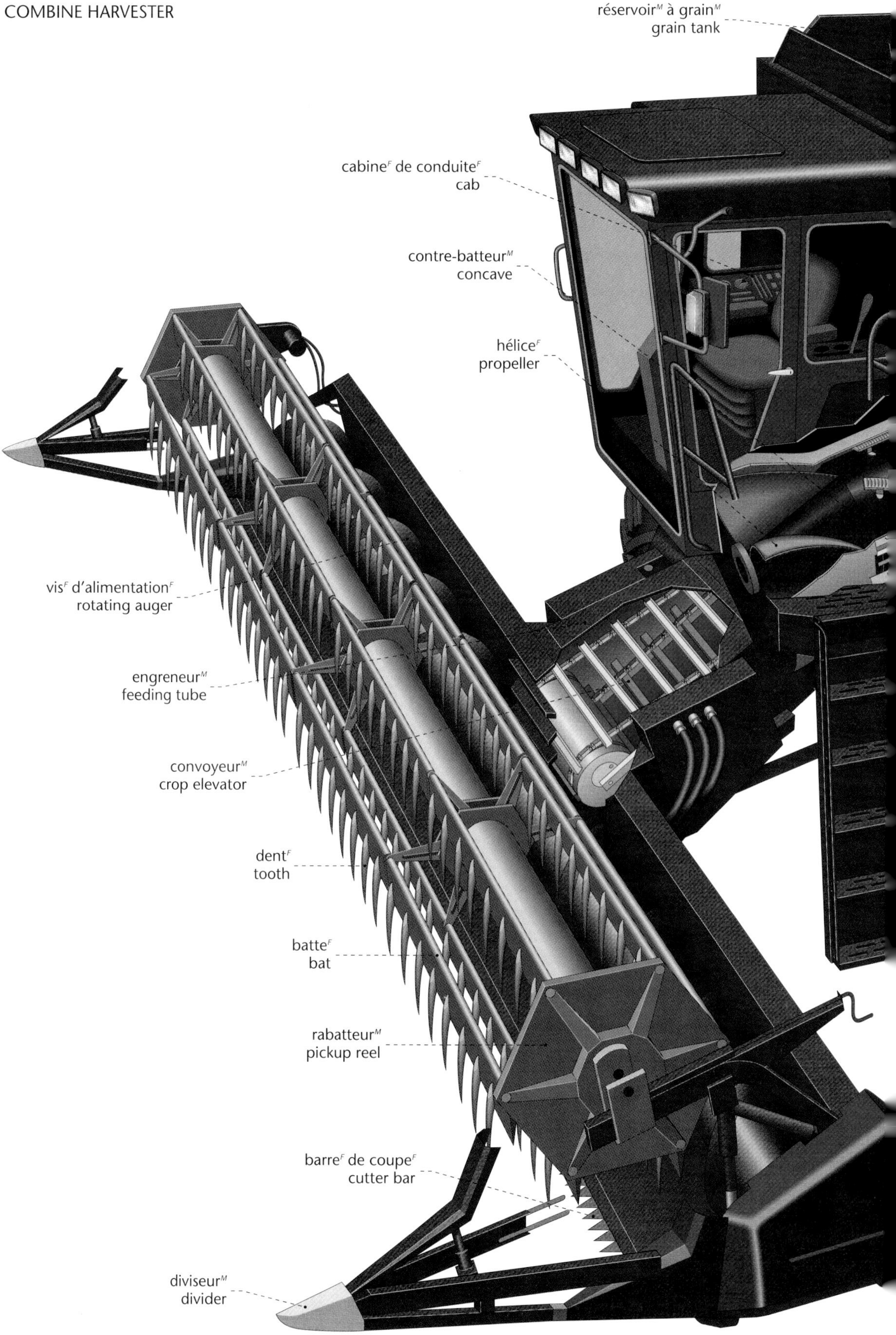
réservoir[M] à grain[M]
grain tank
cabine[F] de conduite[F]
cab
contre-batteur[M]
concave
hélice[F]
propeller
vis[F] d'alimentation[F]
rotating auger
engreneur[M]
feeding tube
convoyeur[M]
crop elevator
dent[F]
tooth
batte[F]
bat
rabatteur[M]
pickup reel
barre[F] de coupe[F]
cutter bar
diviseur[M]
divider

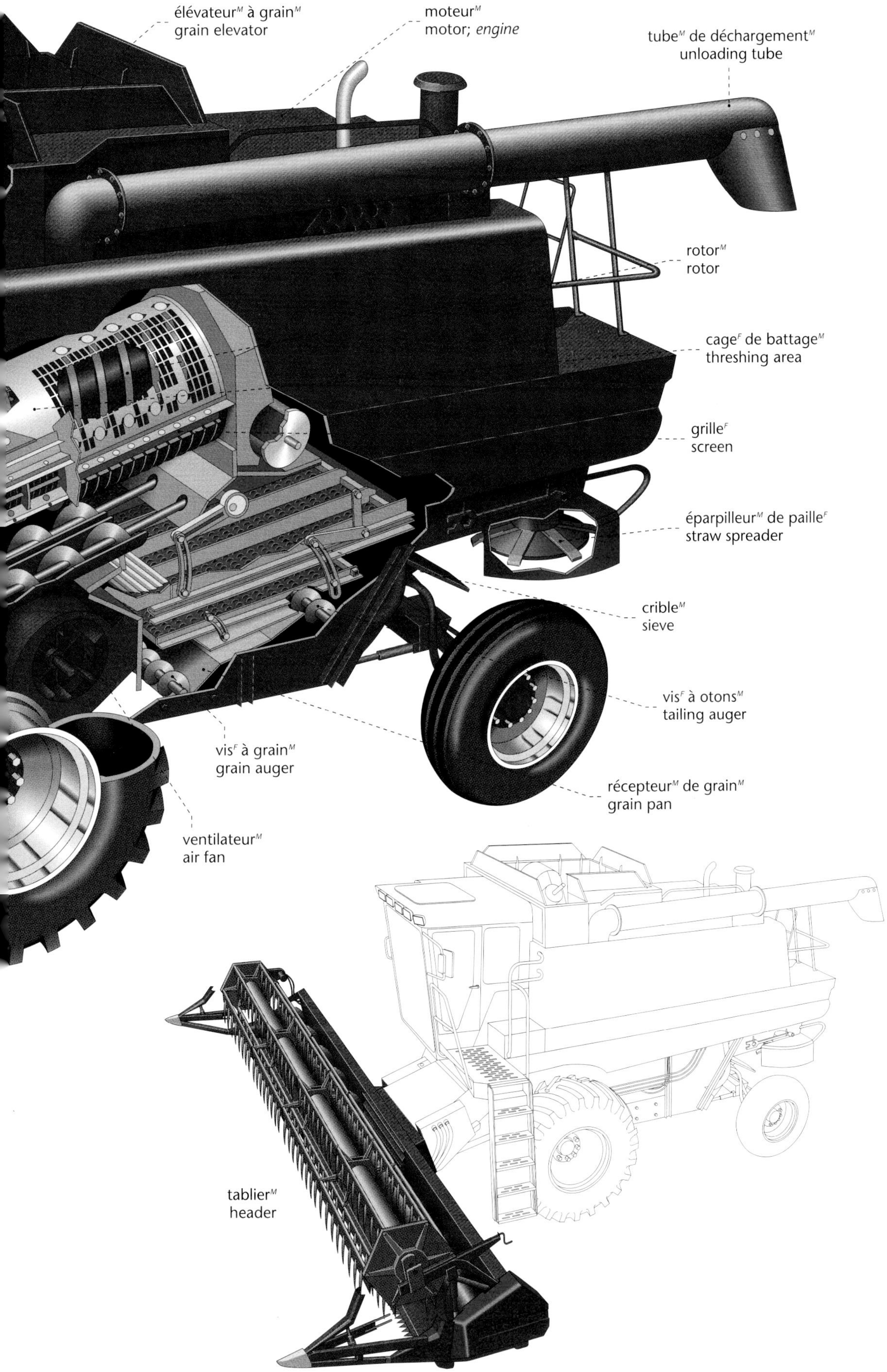
élévateur^{M} à grain^{M}
grain elevator
moteur^{M}
motor; *engine*
tube^{M} de déchargement^{M}
unloading tube
rotor^{M}
rotor
cage^{F} de battage^{M}
threshing area
grille^{F}
screen
éparpilleur^{M} de paille^{F}
straw spreader
crible^{M}
sieve
vis^{F} à otons^{M}
tailing auger
vis^{F} à grain^{M}
grain auger
récepteur^{M} de grain^{M}
grain pan
ventilateur^{M}
air fan
tablier^{M}
header

RÉCOLTER
HARVESTING

FOURRAGÈRE[F]
FORAGE HARVESTER

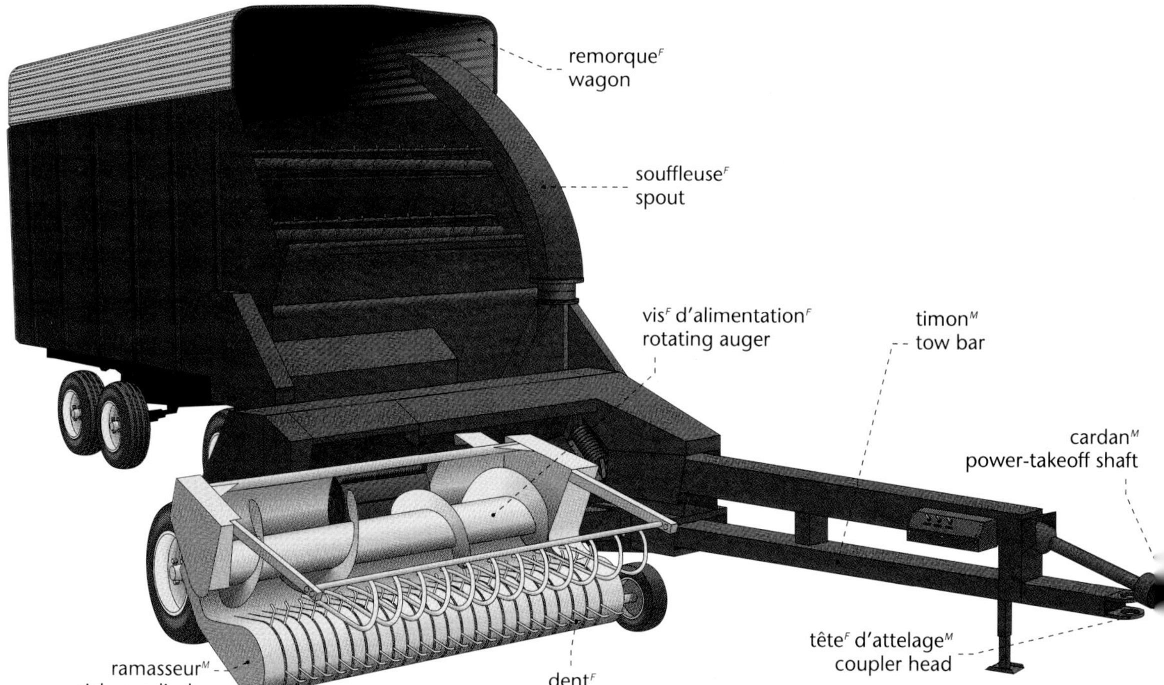
remorque[F]
wagon
souffleuse[F]
spout
vis[F] d'alimentation[F]
rotating auger
timon[M]
tow bar
cardan[M]
power-takeoff shaft
tête[F] d'attelage[M]
coupler head
ramasseur[M]
pickup cylinder
dent[F]
tooth

ENSILER
ENSILING

SOUFFLEUSE[F] DE FOURRAGE[M]
FORAGE BLOWER

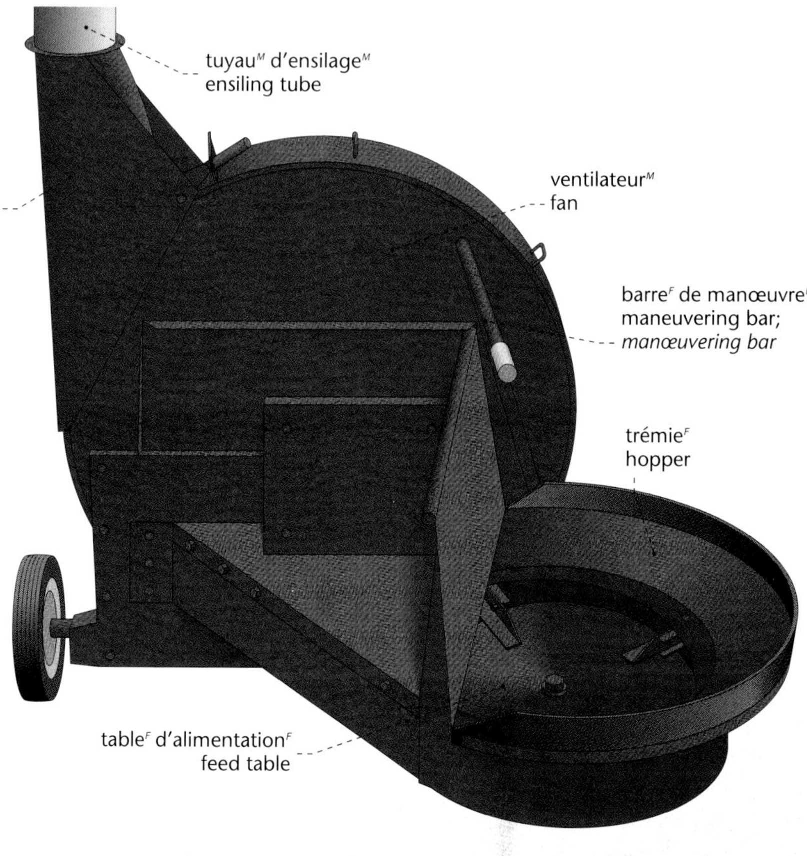
tuyau[M] d'ensilage[M]
ensiling tube
tuyau[M] du ventilateur[M]
fan's tube
ventilateur[M]
fan
barre[F] de manœuvre[F]
maneuvering bar; *manœuvering bar*
trémie[F]
hopper
table[F] d'alimentation[F]
feed table

ARCHITECTURE • ARCHITECTURE

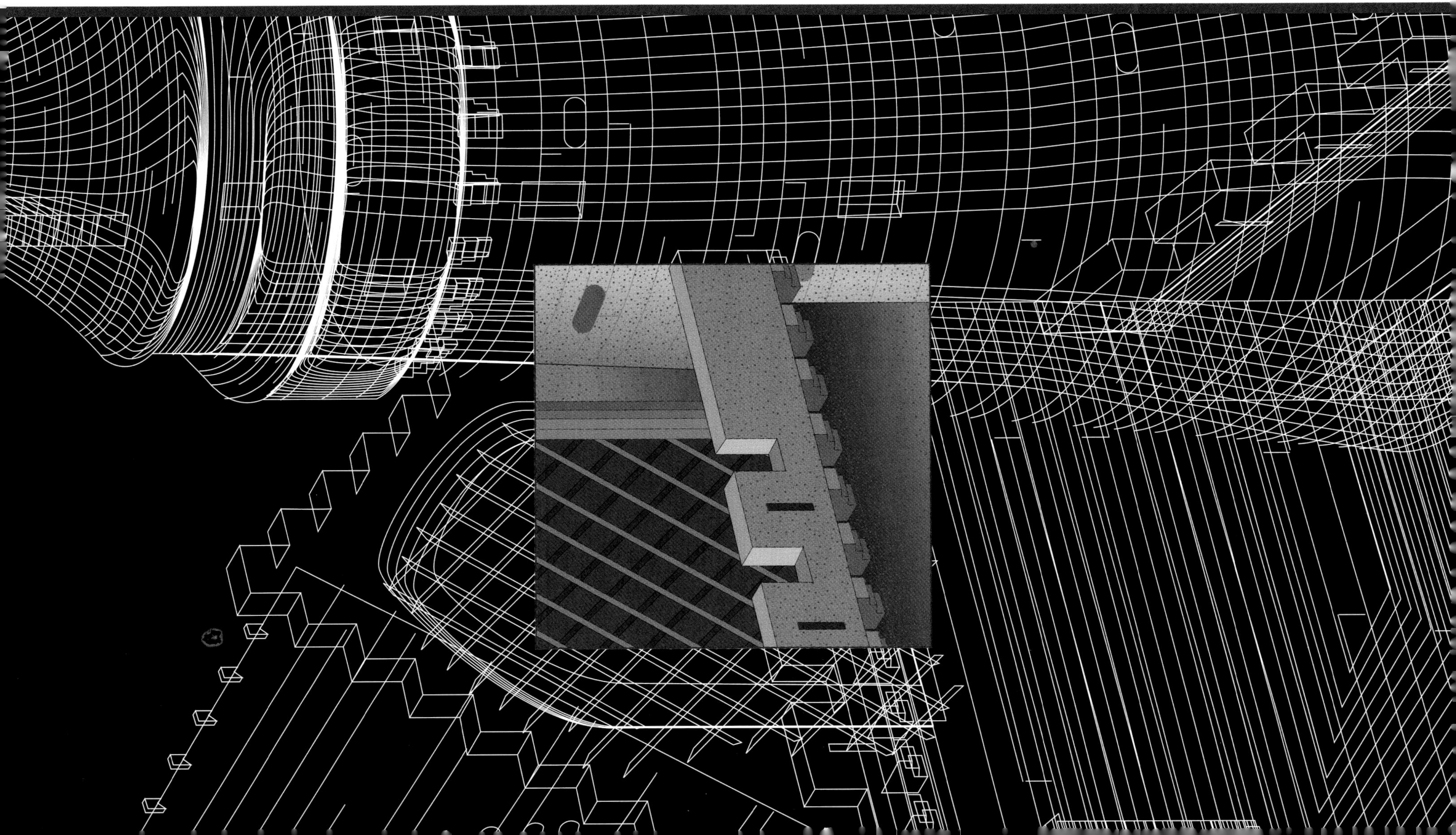

SOMMAIRE

MAISONS[F] TRADITIONNELLES
TRADITIONAL HOUSES

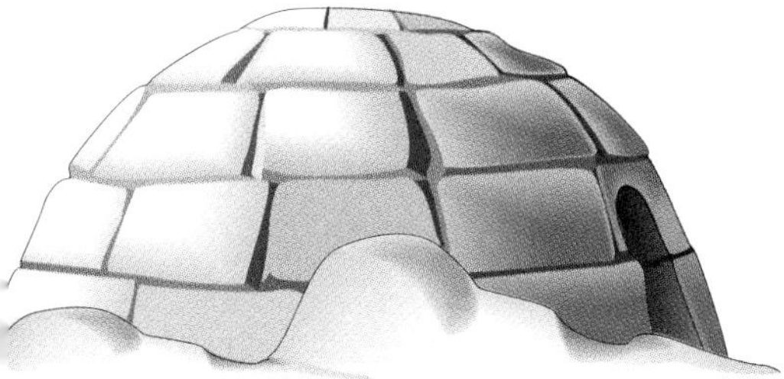

igloo[M]
igloo

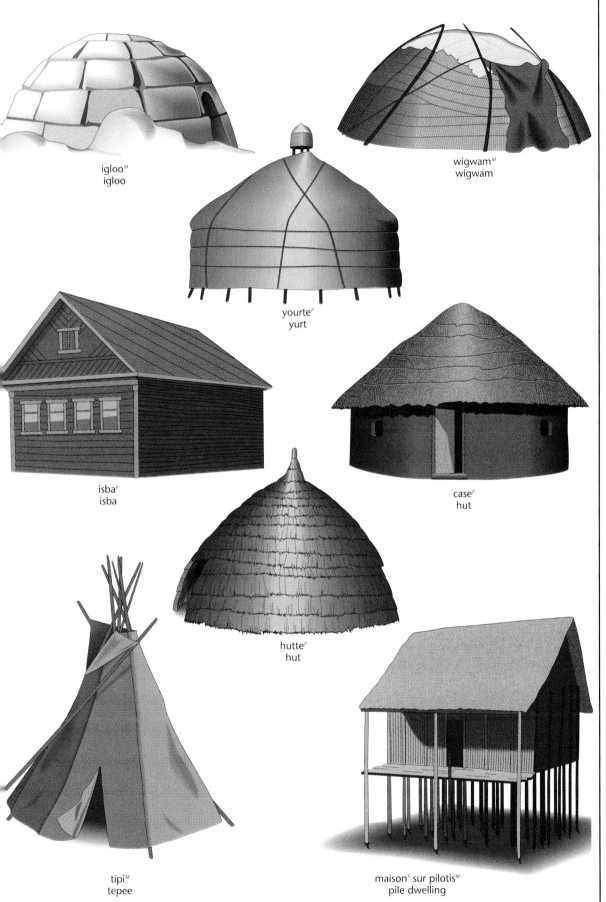

wigwam[M]
wigwam

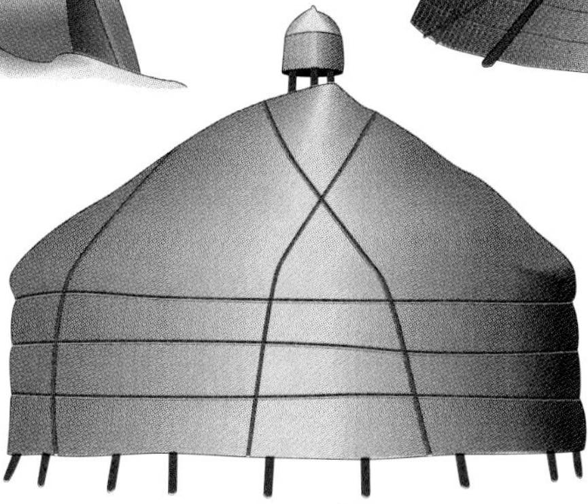

yourte[F]
yurt

isba[F]
isba

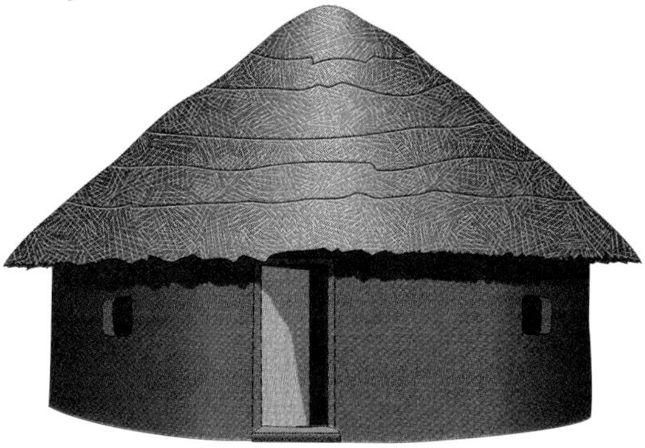

case[F]
hut

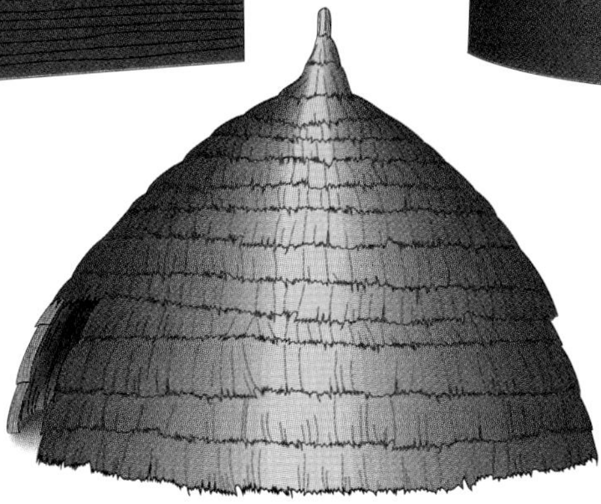

hutte[F]
hut

tipi[M]
tepee

maison[F] sur pilotis[M]
pile dwelling

STYLES^{M} D'ARCHITECTURE^{F}
ARCHITECTURAL STYLES

ORDRE^{M} IONIQUE
IONIC ORDER

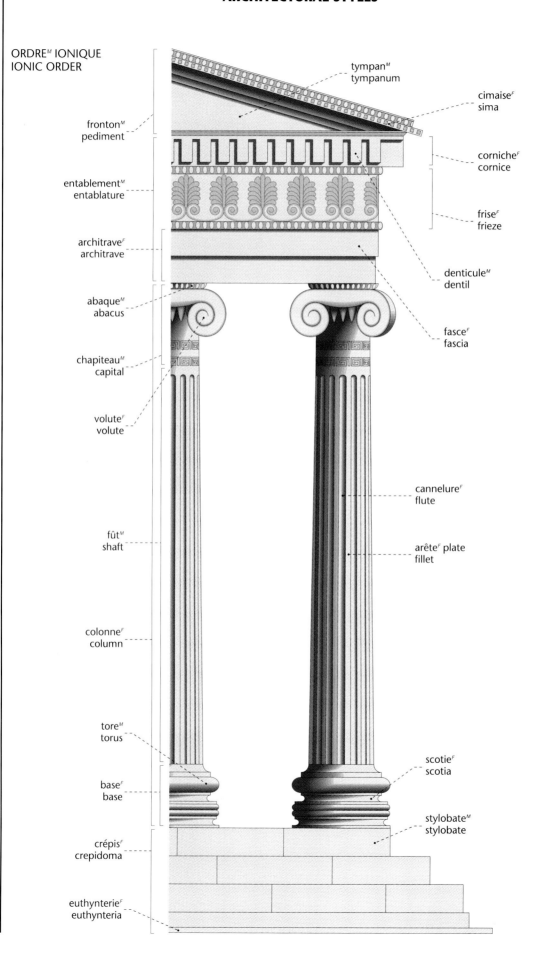

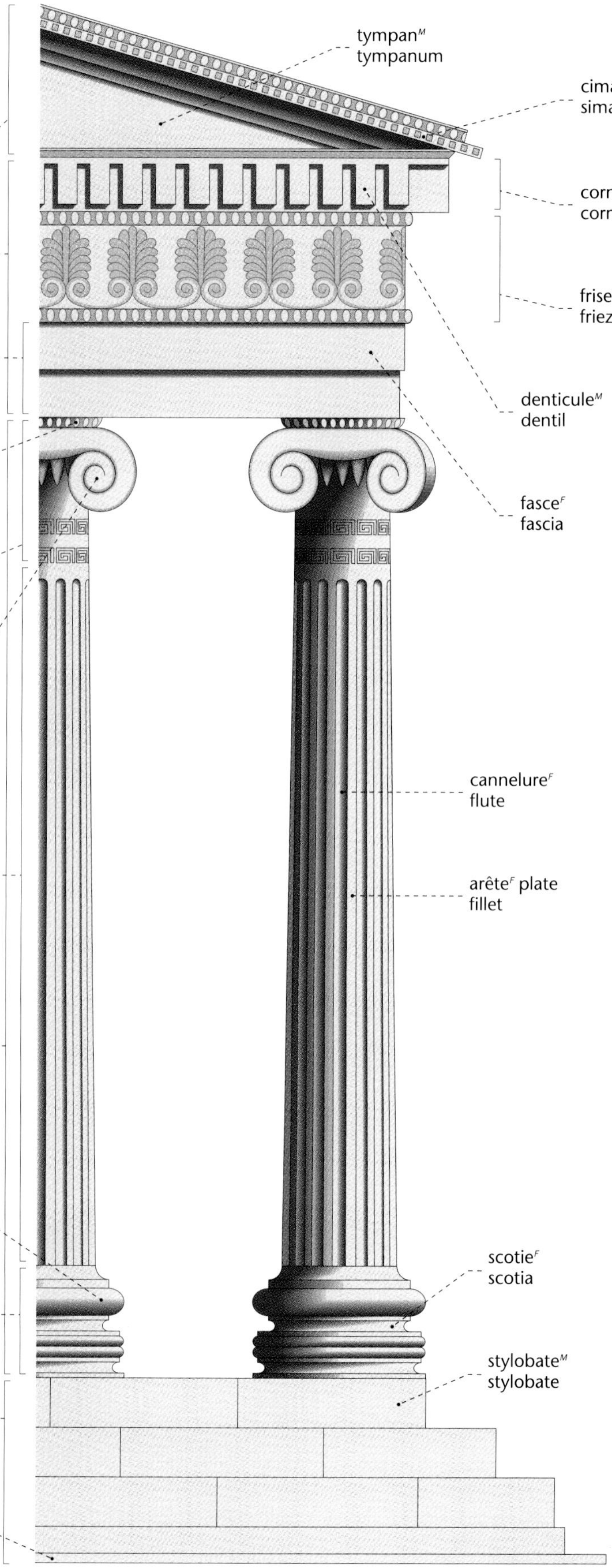
tympan^{M}
tympanum
cimaise^{F}
sima
fronton^{M}
pediment
corniche^{F}
cornice
entablement^{M}
entablature
frise^{F}
frieze
architrave^{F}
architrave
denticule^{M}
dentil
abaque^{M}
abacus
fasce^{F}
fascia
chapiteau^{M}
capital
volute^{F}
volute
cannelure^{F}
flute
fût^{M}
shaft
arête^{F} plate
fillet
colonne^{F}
column
tore^{M}
torus
scotie^{F}
scotia
base^{F}
base
stylobate^{M}
stylobate
crépis^{F}
crepidoma
euthynterie^{F}
euthynteria

ORDRE[M] DORIQUE
DORIC ORDER

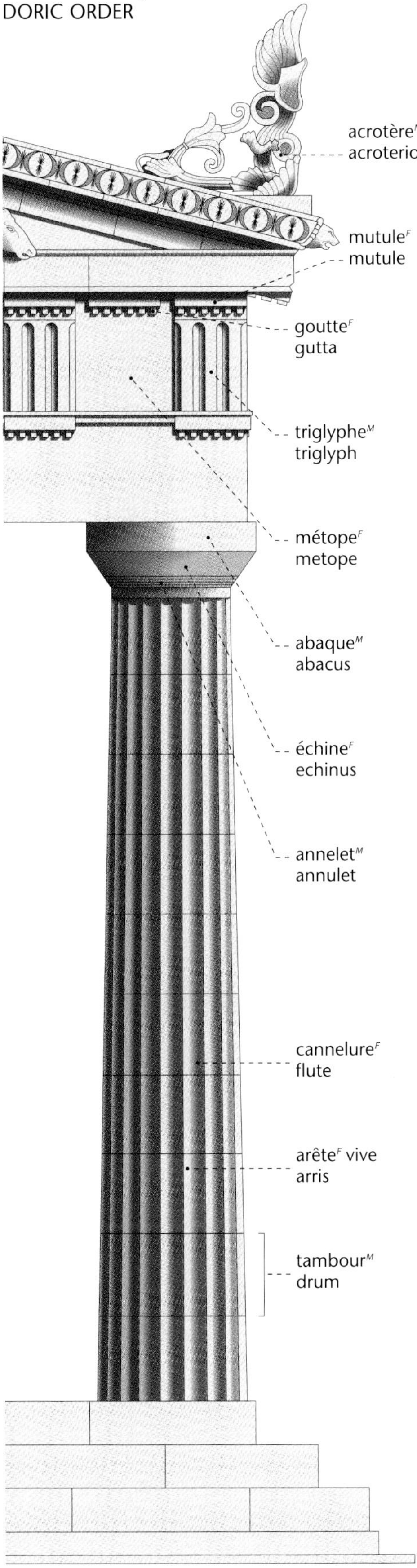
acrotère[M]
acroterion
mutule[F]
mutule
goutte[F]
gutta
triglyphe[M]
triglyph
métope[F]
metope
abaque[M]
abacus
échine[F]
echinus
annelet[M]
annulet
cannelure[F]
flute
arête[F] vive
arris
tambour[M]
drum

ORDRE[M] CORINTHIEN
CORINTHIAN ORDER

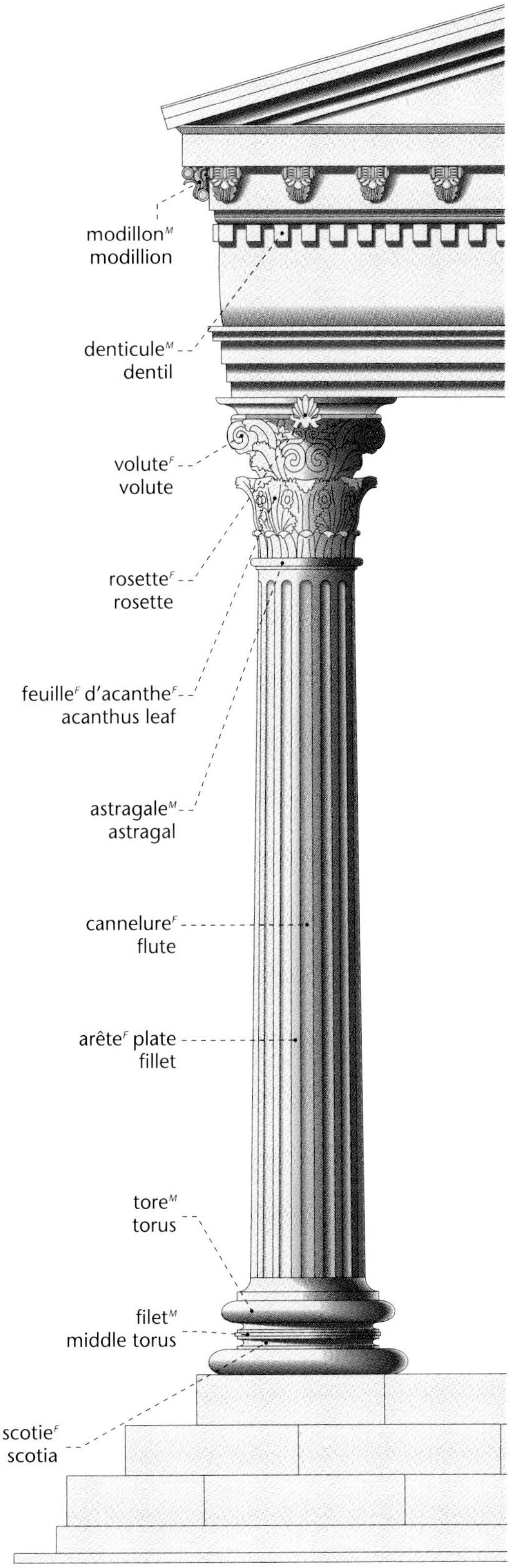
modillon[M]
modillion
denticule[M]
dentil
volute[F]
volute
rosette[F]
rosette
feuille[F] d'acanthe[F]
acanthus leaf
astragale[M]
astragal
cannelure[F]
flute
arête[F] plate
fillet
tore[M]
torus
filet[M]
middle torus
scotie[F]
scotia

TEMPLE^M GREC
GREEK TEMPLE

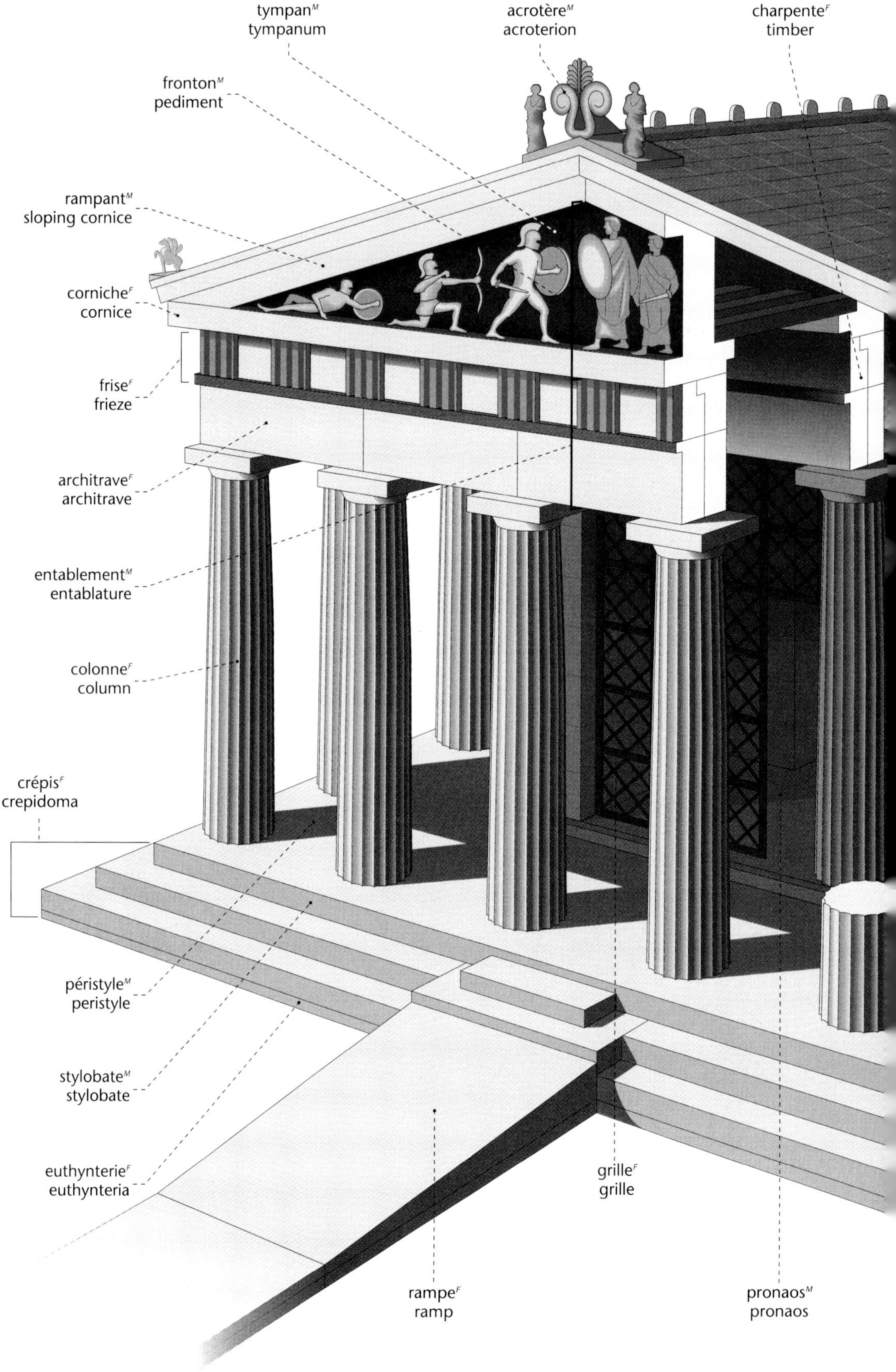
tympan^M
tympanum
acrotère^M
acroterion
charpente^F
timber
fronton^M
pediment
rampant^M
sloping cornice
corniche^F
cornice
frise^F
frieze
architrave^F
architrave
entablement^M
entablature
colonne^F
column
crépis^F
crepidoma
péristyle^M
peristyle
stylobate^M
stylobate
euthynterie^F
euthynteria
grille^F
grille
rampe^F
ramp
pronaos^M
pronaos

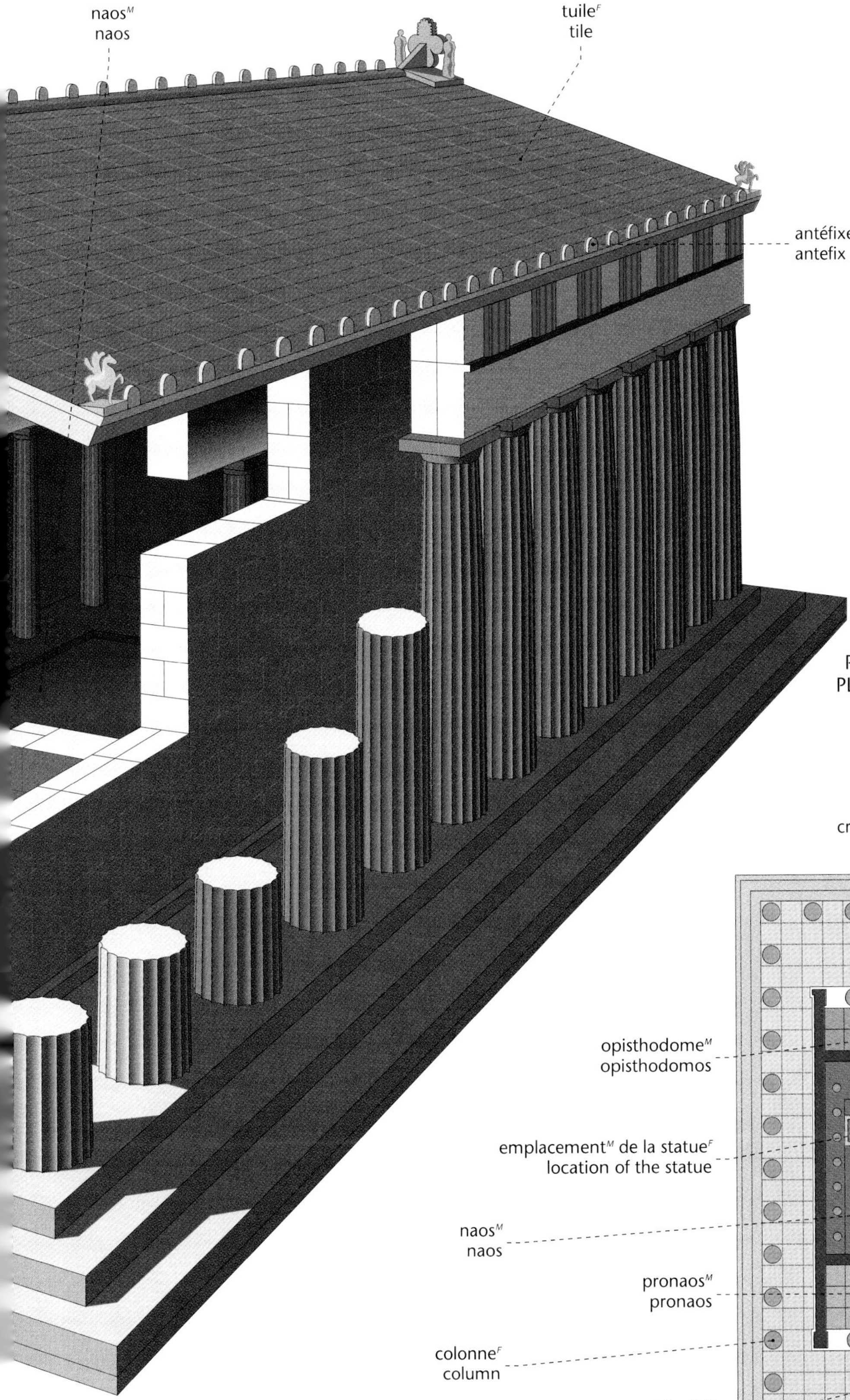
naos^M
naos
tuile^F
tile
antéfixe^F
antefix

PLAN^M DU TEMPLE^M
PLAN OF THE GREEK TEMPLE

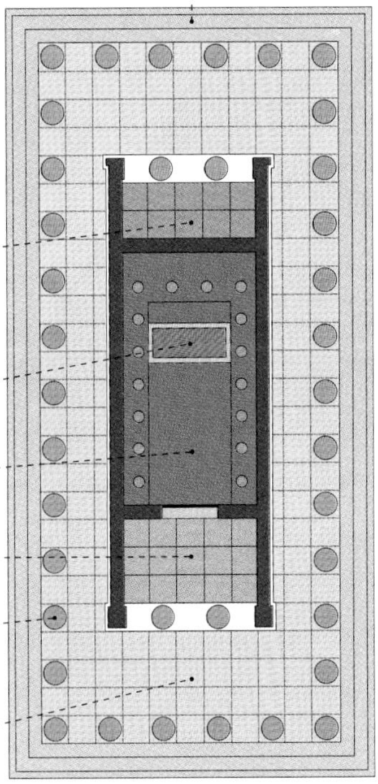
crépis^F
crepidoma
opisthodome^M
opisthodomos
emplacement^M de la statue^F
location of the statue
naos^M
naos
pronaos^M
pronaos
colonne^F
column
péristyle^M
peristyle

MAISON^F ROMAINE
ROMAN HOUSE

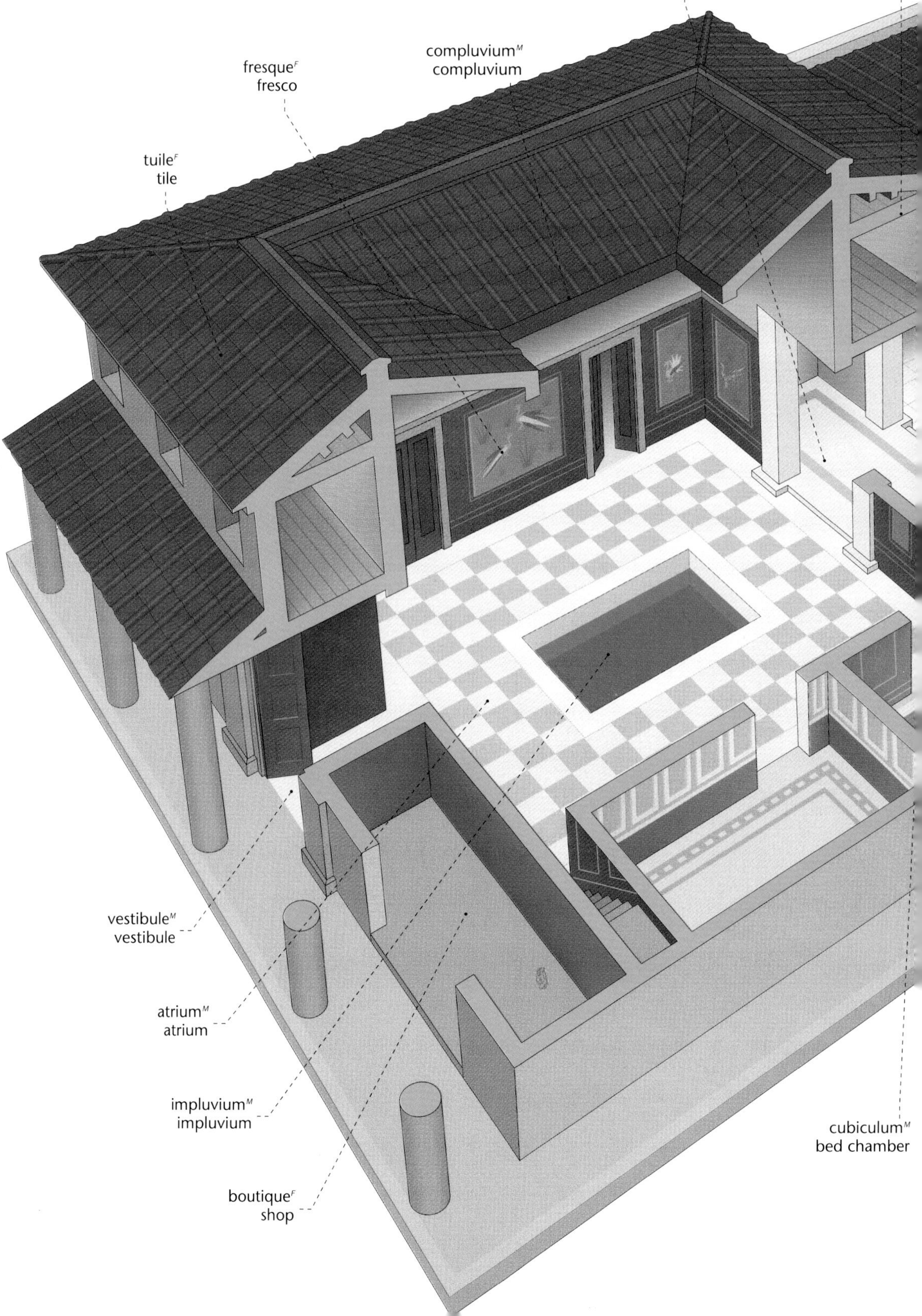
tablinum^M
tablinum
charpente^F
timber
compluvium^M
compluvium
fresque^F
fresco
tuile^F
tile
vestibule^M
vestibule
atrium^M
atrium
impluvium^M
impluvium
boutique^F
shop
cubiculum^M
bed chamber

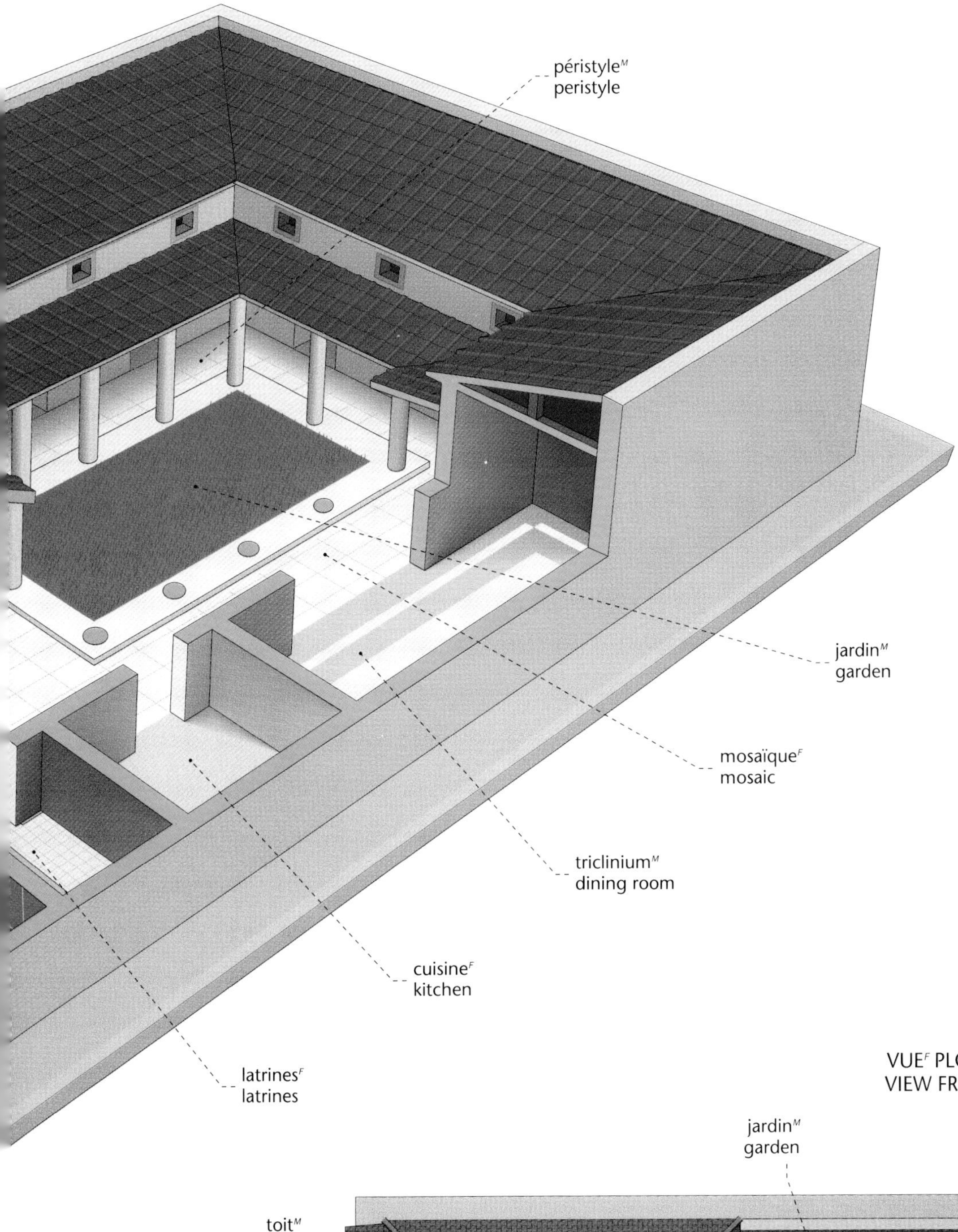
péristyle^M
peristyle
jardin^M
garden
mosaïque^F
mosaic
triclinium^M
dining room
cuisine^F
kitchen
latrines^F
latrines

VUE^F PLONGEANTE
VIEW FROM ABOVE

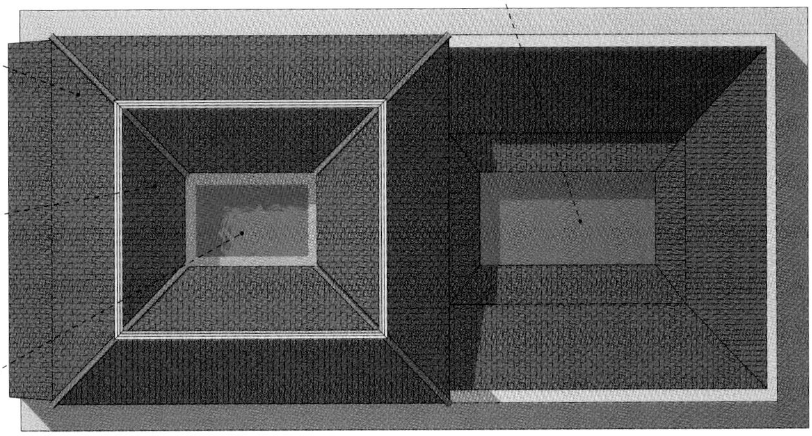
jardin^M
garden
toit^M
roof
compluvium^M
compluvium
impluvium^M
impluvium

MOSQUÉE^F
MOSQUE

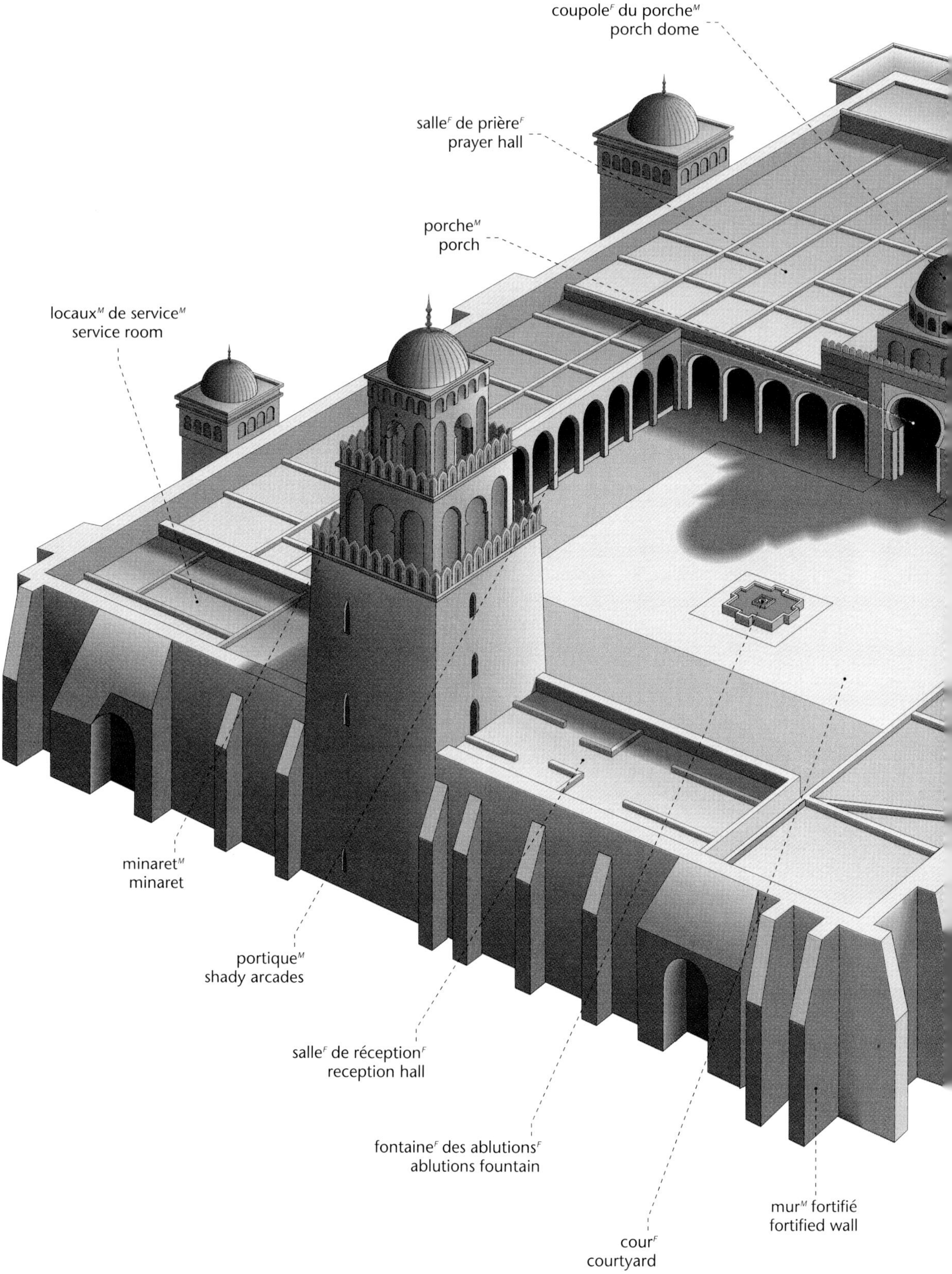
coupole^F du porche^M
porch dome
salle^F de prière^F
prayer hall
porche^M
porch
locaux^M de service^M
service room
minaret^M
minaret
portique^M
shady arcades
salle^F de réception^F
reception hall
fontaine^F des ablutions^F
ablutions fountain
mur^M fortifié
fortified wall
cour^F
courtyard

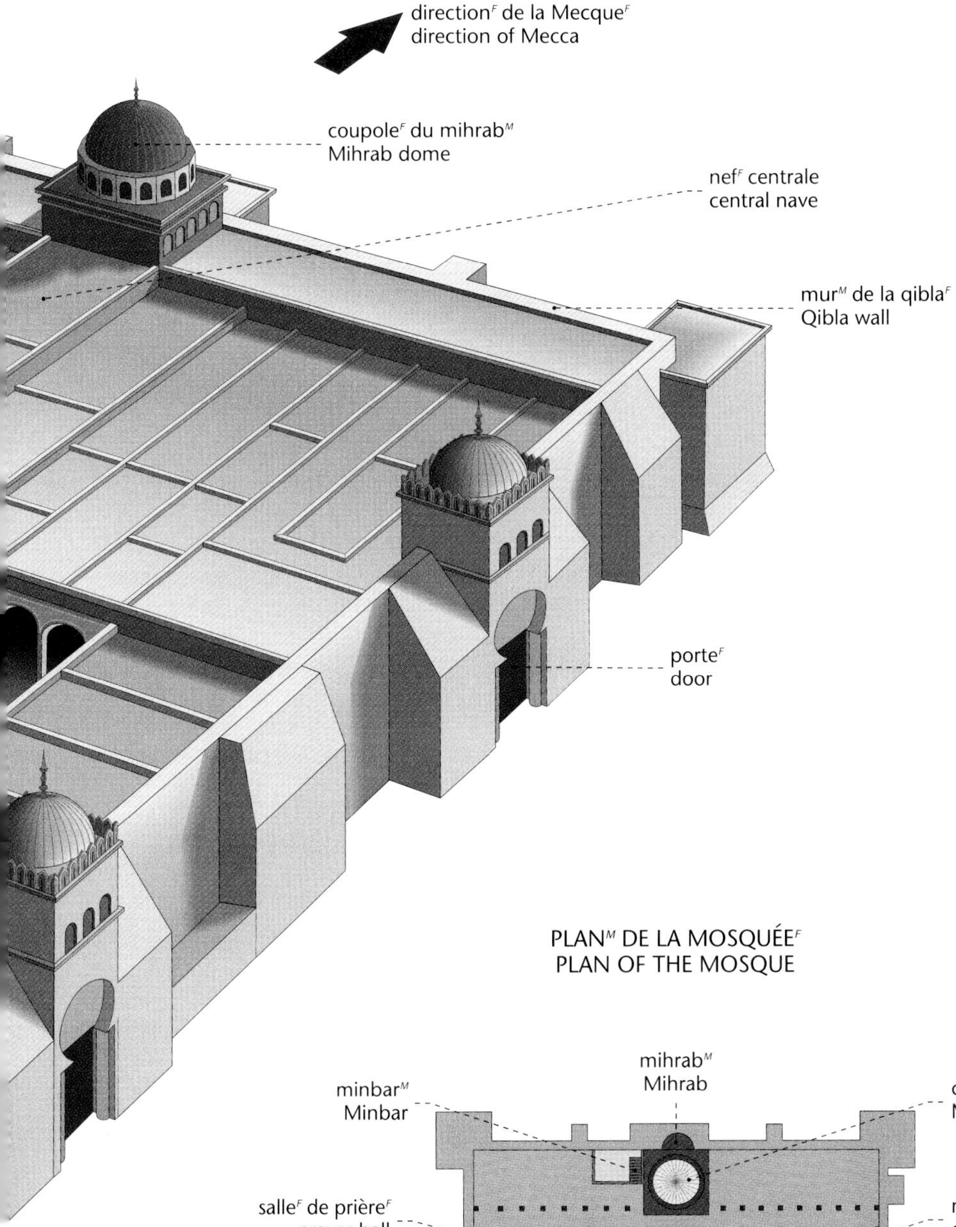
direction^F de la Mecque^F
direction of Mecca
coupole^F du mihrab^M
Mihrab dome
nef^F centrale
central nave
mur^M de la qibla^F
Qibla wall
porte^F
door

PLAN^M DE LA MOSQUÉE^F
PLAN OF THE MOSQUE

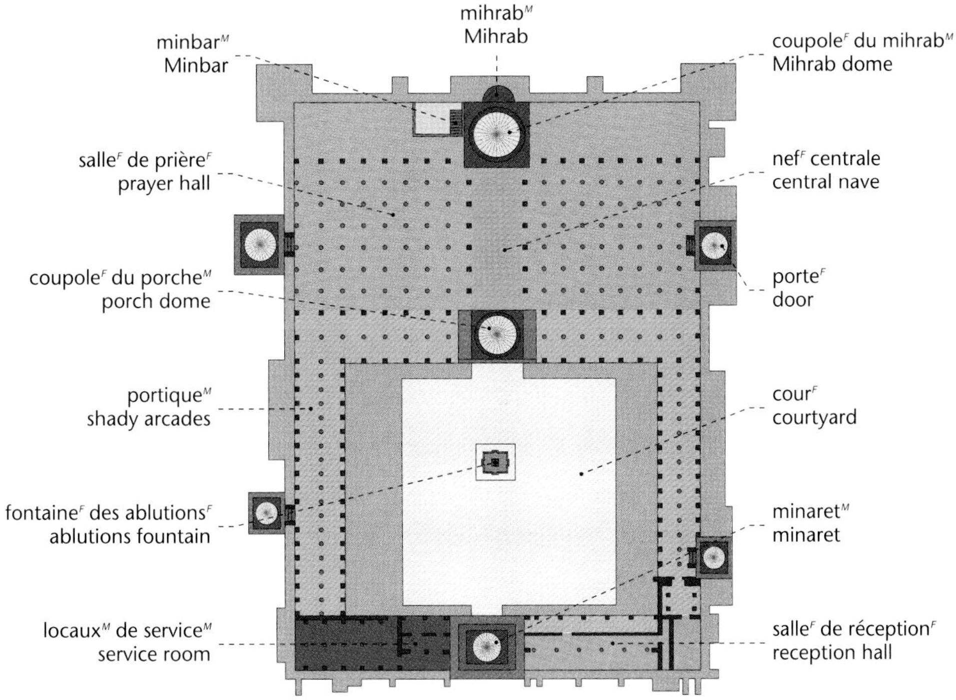
mihrab^M
Mihrab
minbar^M
Minbar
coupole^F du mihrab^M
Mihrab dome
salle^F de prière^F
prayer hall
nef^F centrale
central nave
porte^F
door
coupole^F du porche^M
porch dome
portique^M
shady arcades
cour^F
courtyard
fontaine^F des ablutions^F
ablutions fountain
minaret^M
minaret
locaux^M de service^M
service room
salle^F de réception^F
reception hall

ARC^{M}
ARCH

ARC^{M} EN PLEIN CINTRE^{M}
SEMICIRCULAR ARCH

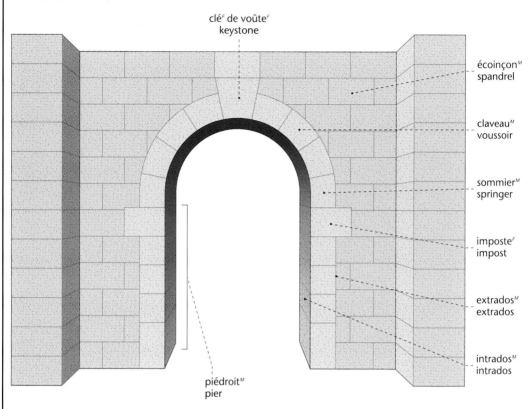

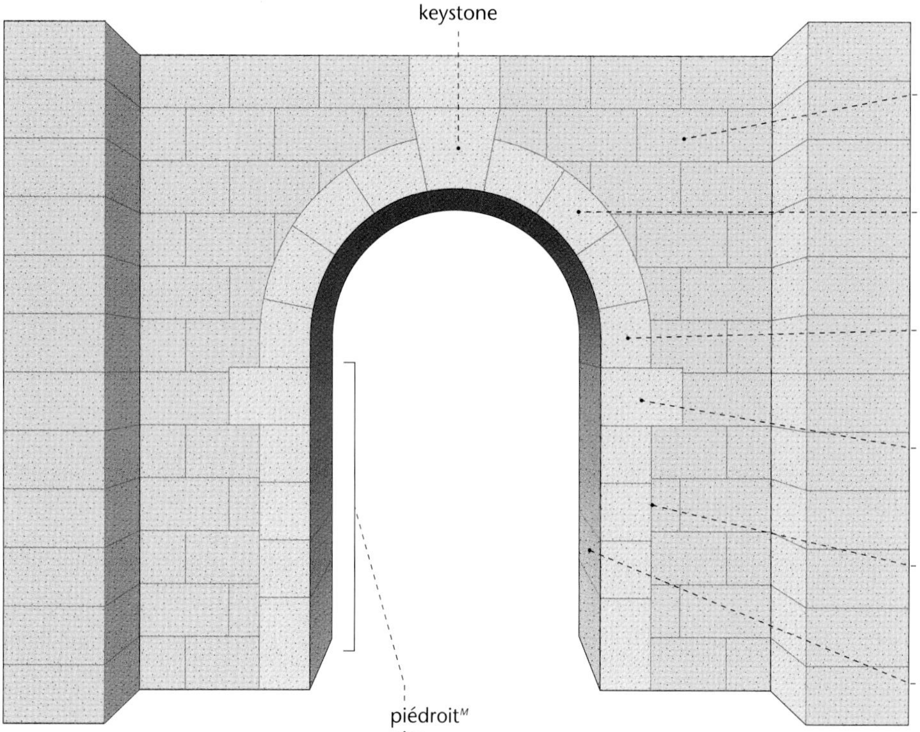
clé^{F} de voûte^{F}
keystone
écoinçon^{M}
spandrel
claveau^{M}
voussoir
sommier^{M}
springer
imposte^{F}
impost
extrados^{M}
extrados
intrados^{M}
intrados
piédroit^{M}
pier

TYPES^{M} D'ARCS^{M}
TYPES OF ARCHES

en ogive^{F}
equilateral

en lancette^{F}
lancet

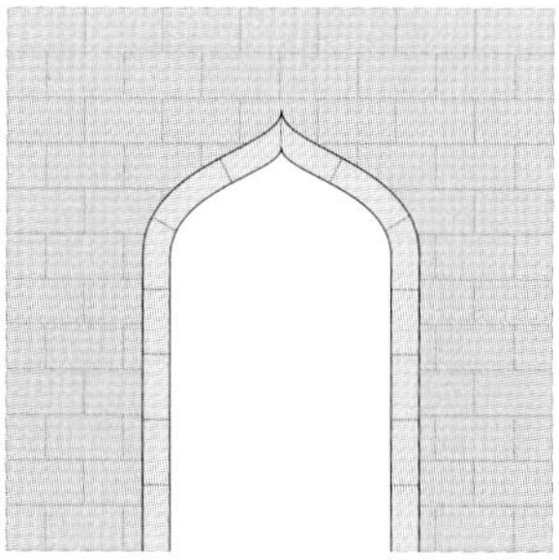
en accolade^{F}
ogee

en fer^{M} à cheval^{M}
horseshoe

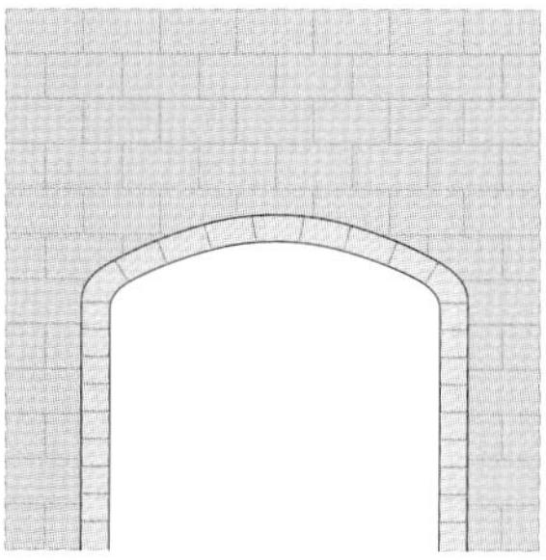
surbaissé
basket handle

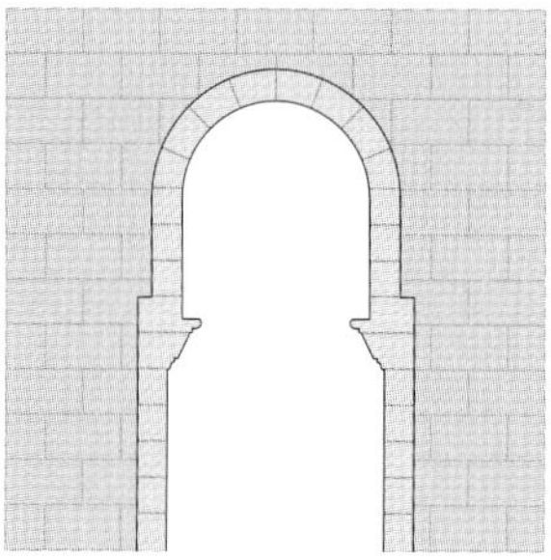
surhaussé
stilted

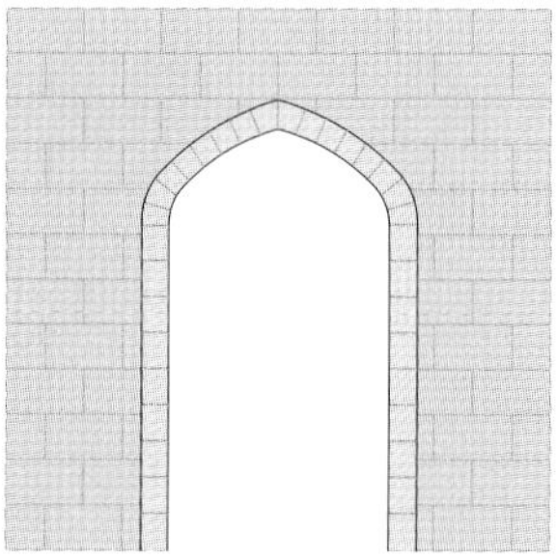
Tudor
Tudor

trilobé
trefoil

CATHÉDRALE[F] GOTHIQUE
GOTHIC CATHEDRAL

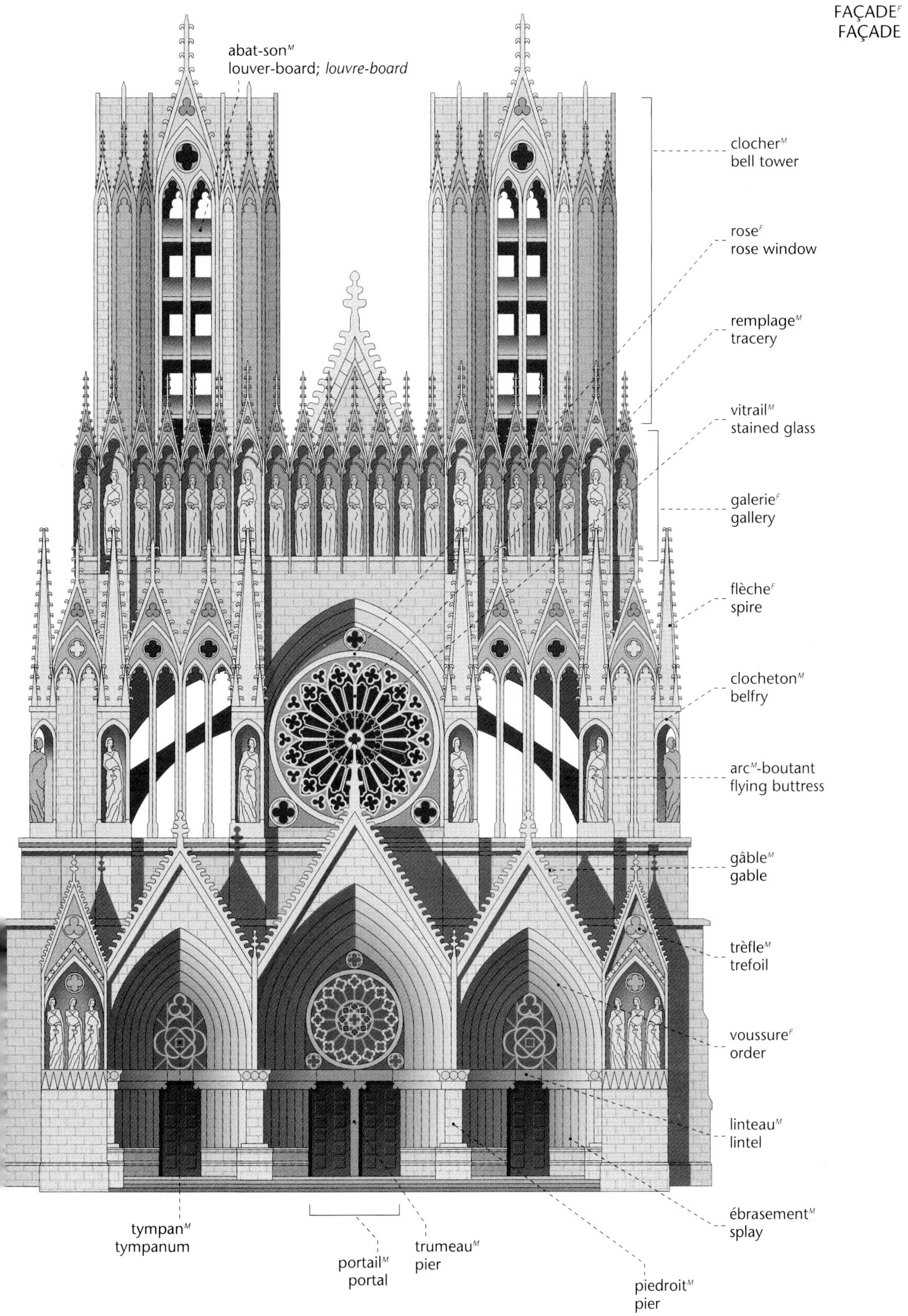
FAÇADE[F]
FAÇADE
abat-son[M]
louver-board; *louvre-board*
clocher[M]
bell tower
rose[F]
rose window
remplage[M]
tracery
vitrail[M]
stained glass
galerie[F]
gallery
flèche[F]
spire
clocheton[M]
belfry
arc[M]-boutant
flying buttress
gâble[M]
gable
trèfle[M]
trefoil
voussure[F]
order
linteau[M]
lintel
ébrasement[M]
splay
tympan[M]
tympanum
portail[M]
portal
trumeau[M]
pier
piedroit[M]
pier

CATHÉDRALE[F] GOTHIQUE
GOTHIC CATHEDRAL

CATHÉDRALE[F]
CATHEDRAL

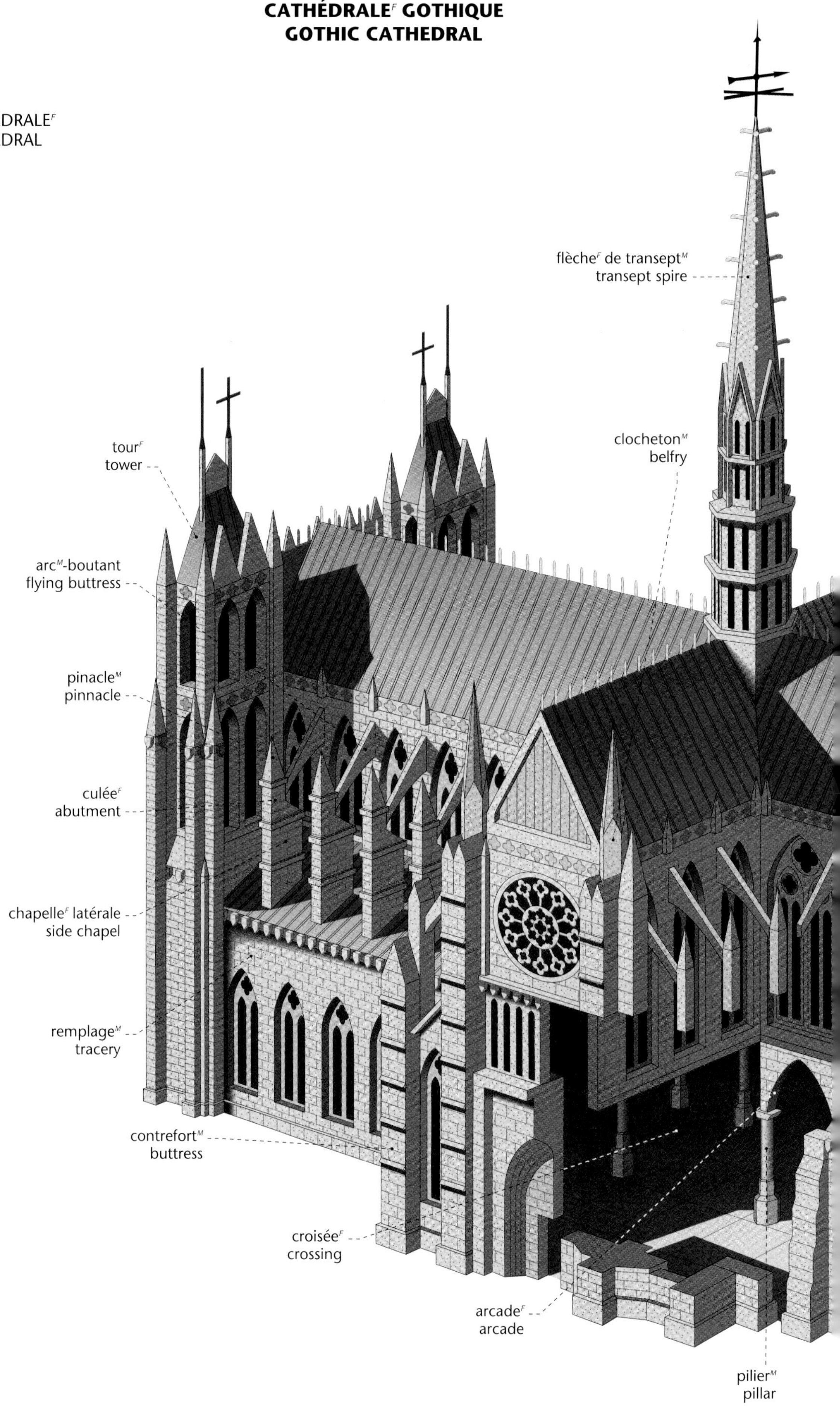
flèche[F] de transept[M]
transept spire
clocheton[M]
belfry
tour[F]
tower
arc[M]-boutant
flying buttress
pinacle[M]
pinnacle
culée[F]
abutment
chapelle[F] latérale
side chapel
remplage[M]
tracery
contrefort[M]
buttress
croisée[F]
crossing
arcade[F]
arcade
pilier[M]
pillar

PLAN[M] DE LA CATHÉDRALE[F]
PLAN OF THE CATHEDRAL

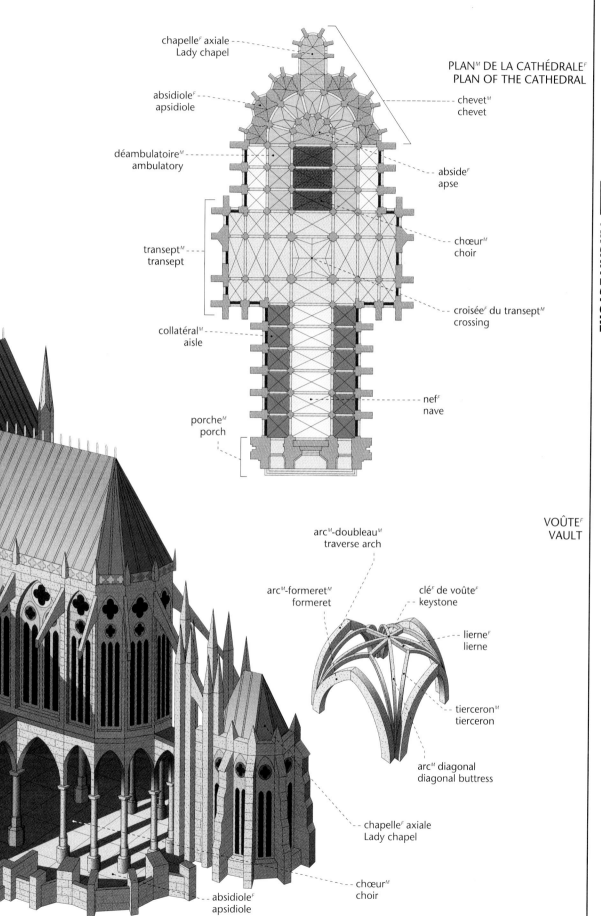

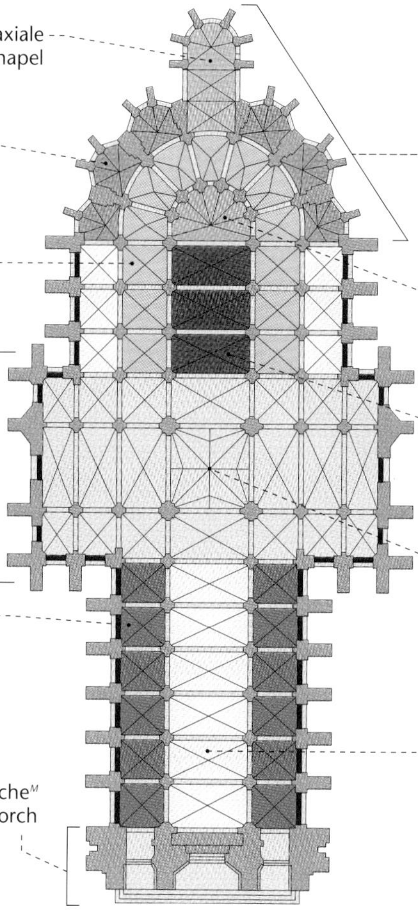
chapelle[F] axiale
Lady chapel
absidiole[F]
apsidiole
déambulatoire[M]
ambulatory
transept[M]
transept
collatéral[M]
aisle
porche[M]
porch
chevet[M]
chevet
abside[F]
apse
chœur[M]
choir
croisée[F] du transept[M]
crossing
nef[F]
nave

VOÛTE[F]
VAULT

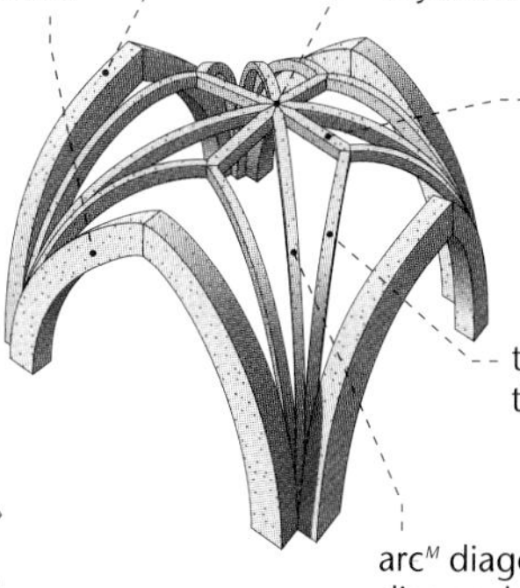
arc[M]-doubleau[M]
traverse arch
arc[M]-formeret[M]
formeret
clé[F] de voûte[F]
keystone
lierne[F]
lierne
tierceron[M]
tierceron
arc[M] diagonal
diagonal buttress

chapelle[F] axiale
Lady chapel
chœur[M]
choir
absidiole[F]
apsidiole

FORTIFICATION[F] À LA VAUBAN
VAUBAN FORTIFICATION

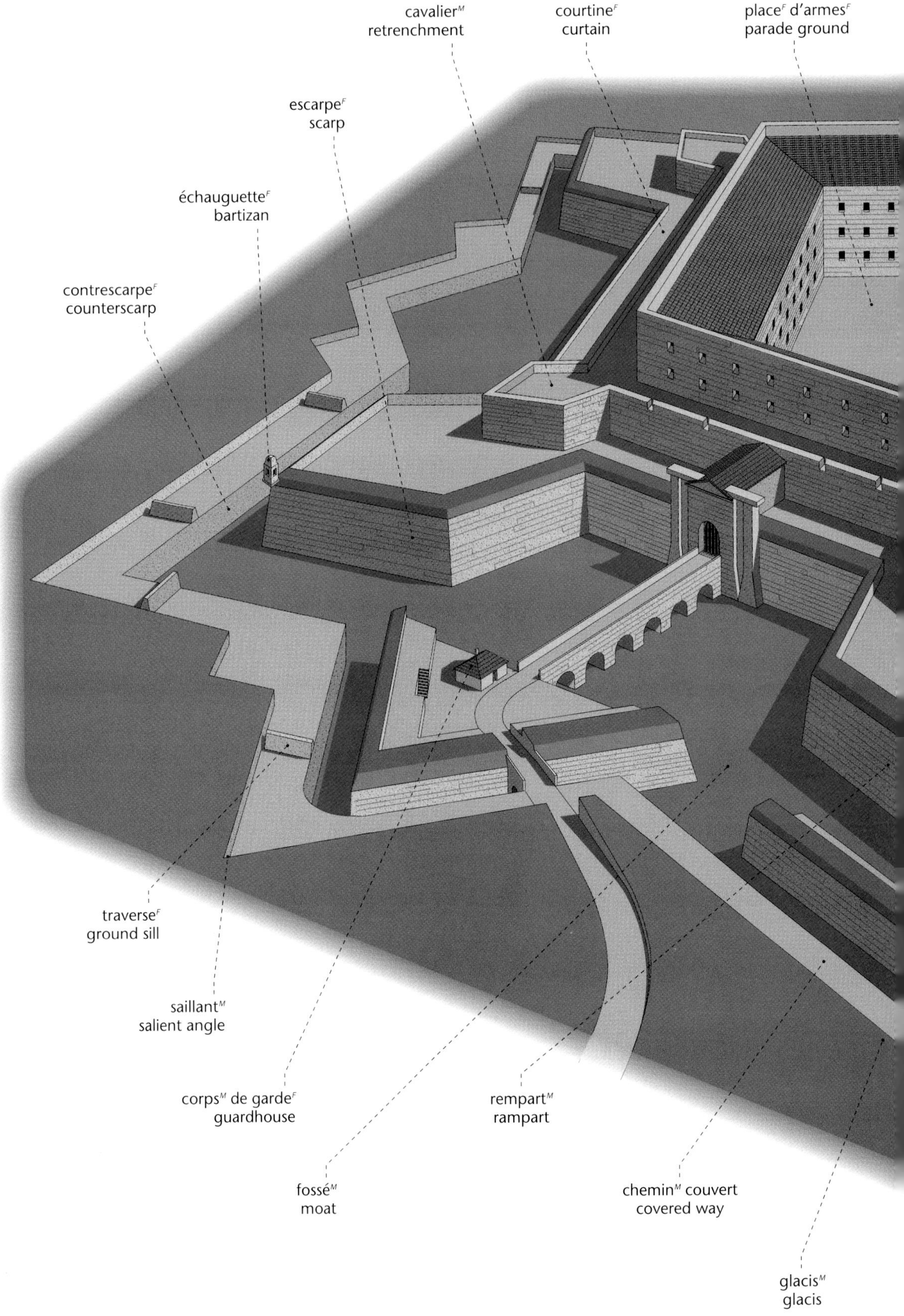
cavalier[M]
retrenchment
courtine[F]
curtain
place[F] d'armes[F]
parade ground
escarpe[F]
scarp
échauguette[F]
bartizan
contrescarpe[F]
counterscarp
traverse[F]
ground sill
saillant[M]
salient angle
corps[M] de garde[F]
guardhouse
rempart[M]
rampart
fossé[M]
moat
chemin[M] couvert
covered way
glacis[M]
glacis

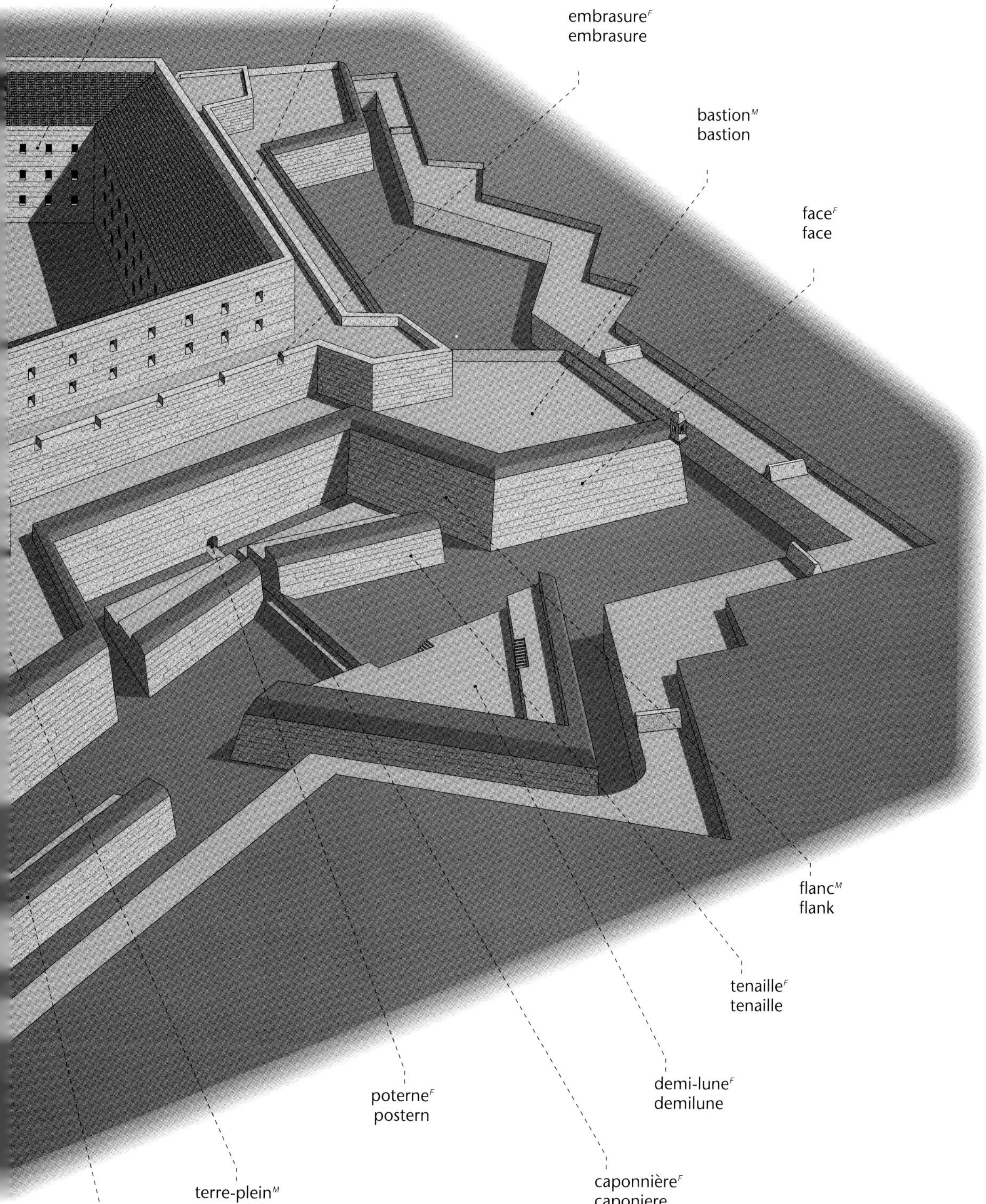
casernement^M
barrack buildings
parapet^M
battlement
embrasure^F
embrasure
bastion^M
bastion
face^F
face
flanc^M
flank
tenaille^F
tenaille
demi-lune^F
demilune
caponnière^F
caponiere
poterne^F
postern
terre-plein^M
terreplein
contre-garde^F
counterguard

CHÂTEAU^M FORT
CASTLE

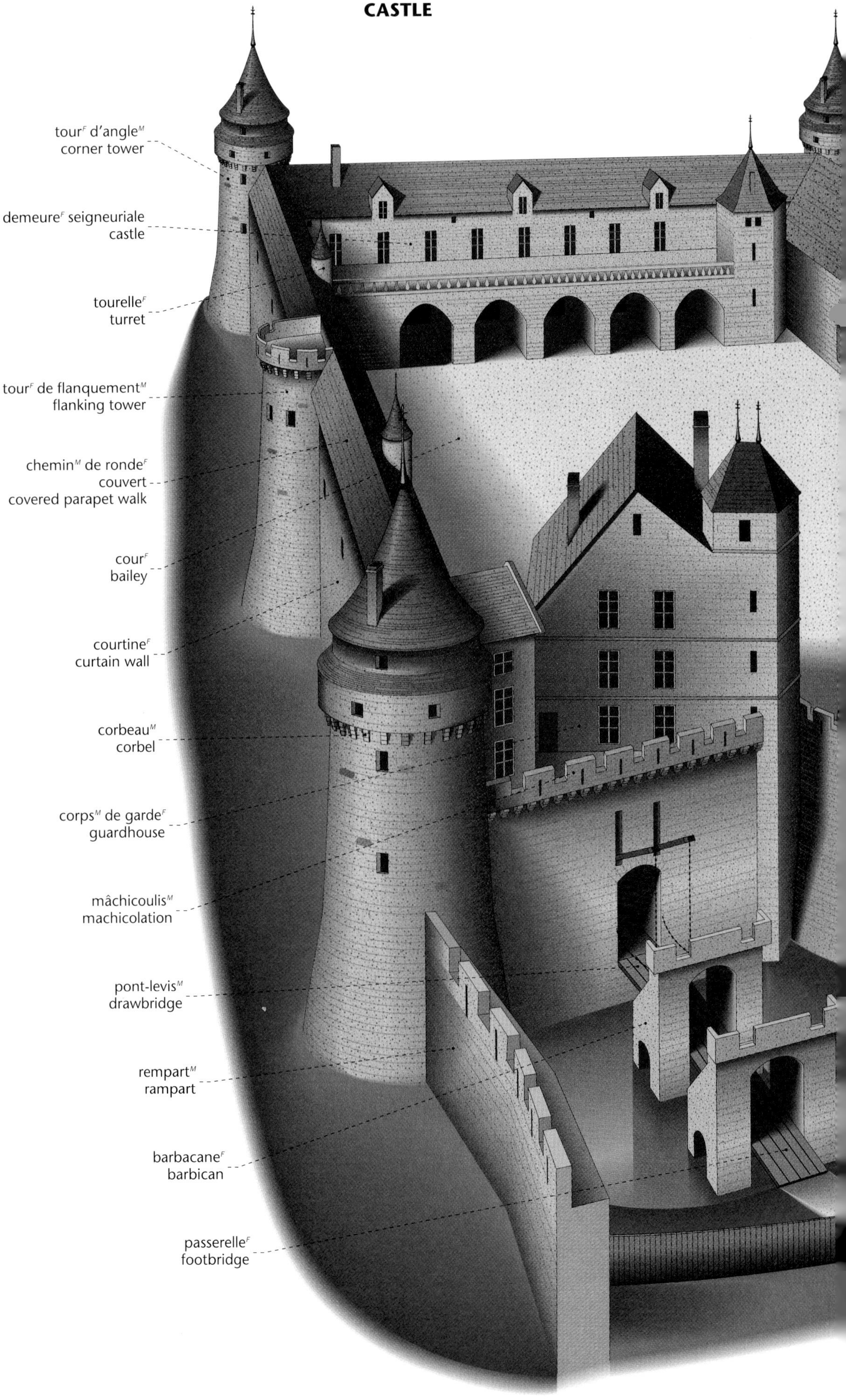
tour^F d'angle^M
corner tower
demeure^F seigneuriale
castle
tourelle^F
turret
tour^F de flanquement^M
flanking tower
chemin^M de ronde^F couvert
covered parapet walk
cour^F
bailey
courtine^F
curtain wall
corbeau^M
corbel
corps^M de garde^F
guardhouse
mâchicoulis^M
machicolation
pont-levis^M
drawbridge
rempart^M
rampart
barbacane^F
barbican
passerelle^F
footbridge

MÂCHICOULIS[M]
MACHICOLATION

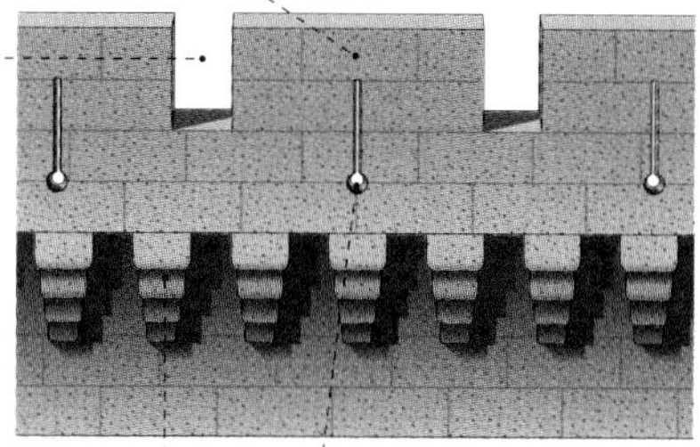
merlon[M]
merlon
créneau[M]
crenel
meurtrière[F]
loophole
corbeau[M]
corbel

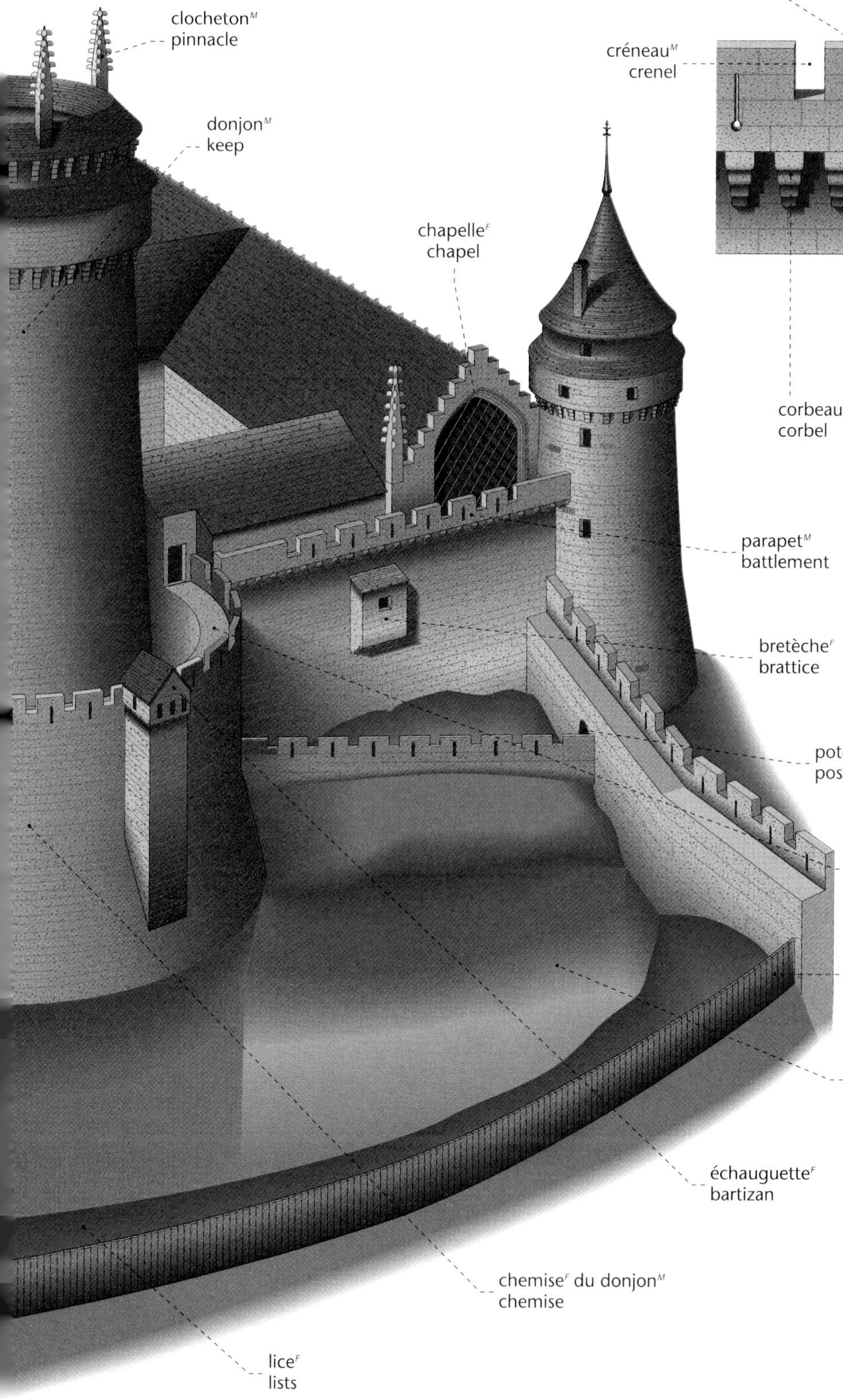
clocheton[M]
pinnacle
donjon[M]
keep
chapelle[F]
chapel
parapet[M]
battlement
bretèche[F]
brattice
poterne[F]
postern
chemin[M] de ronde[F]
parapet walk
palissade[F]
stockade
douve[F]
moat
échauguette[F]
bartizan
chemise[F] du donjon[M]
chemise
lice[F]
lists

TOITS[M]
ROOFS

toit[M] en pente[F]
pitched roof

toit[M] à pignon[M]
gable roof

toit[M] à deux croupes[F]
hip roof

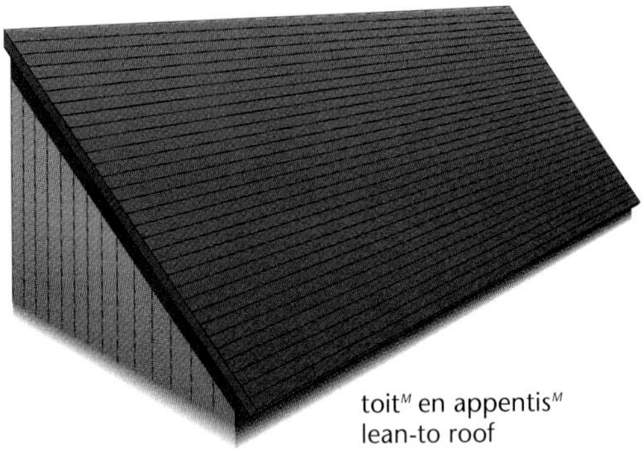

toit[M] en appentis[M]
lean-to roof

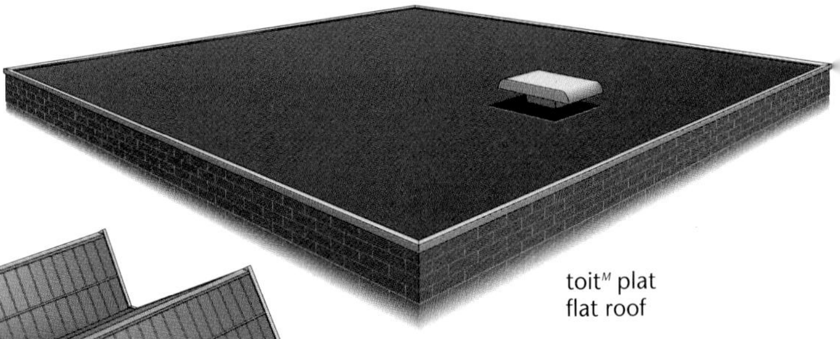

toit[M] plat
flat roof

toit[M] en shed[M]
sawtooth roof

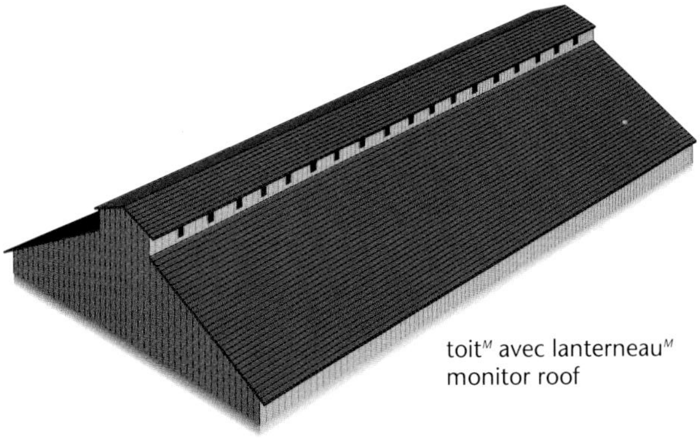

toit[M] avec lanterneau[M]
monitor roof

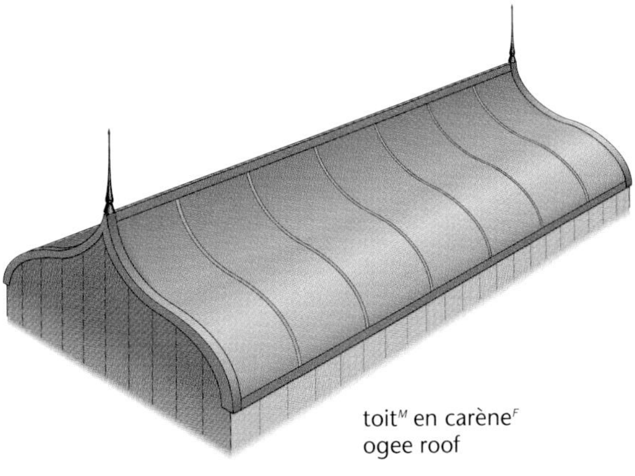

toit[M] en carène[F]
ogee roof

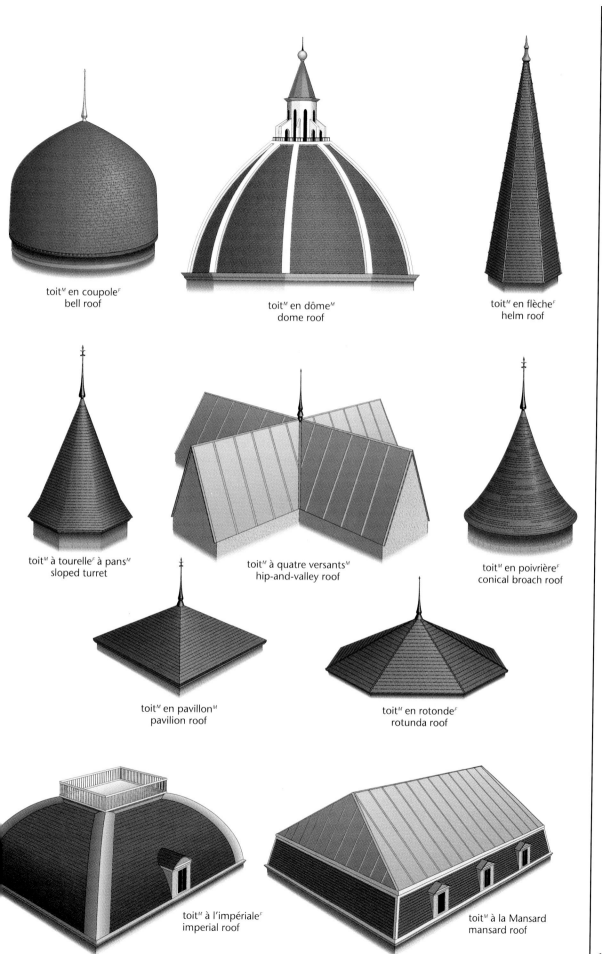

toit^{M} en coupole^{F}
bell roof

toit^{M} en dôme^{M}
dome roof

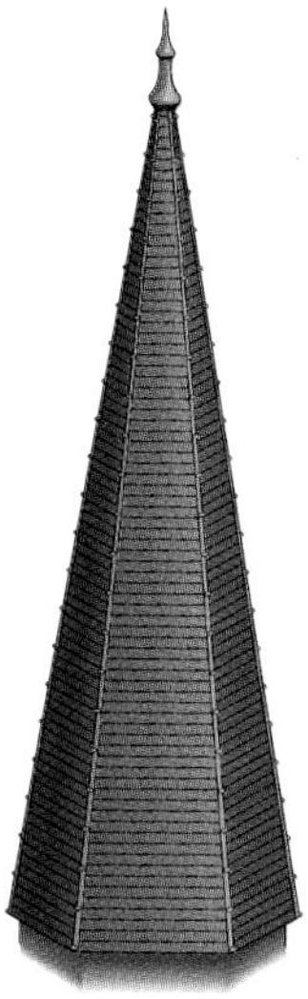

toit^{M} en flèche^{F}
helm roof

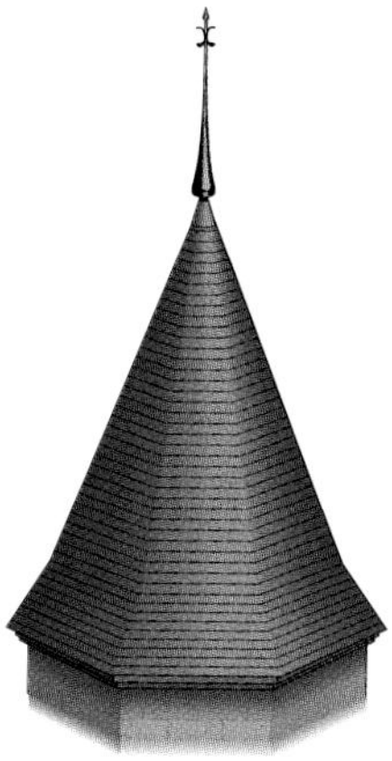

toit^{M} à tourelle^{F} à pans^{M}
sloped turret

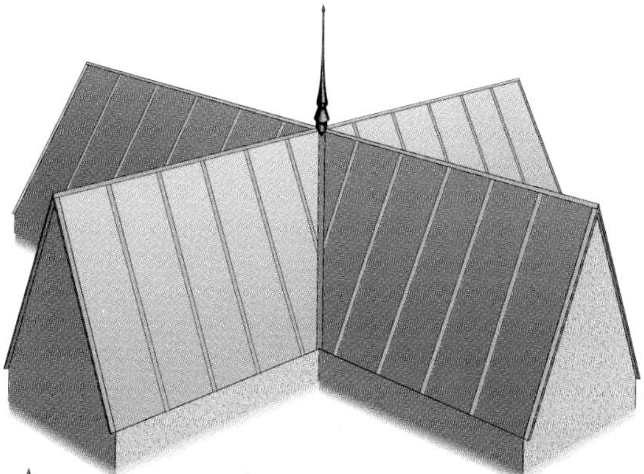

toit^{M} à quatre versants^{M}
hip-and-valley roof

toit^{M} en poivrière^{F}
conical broach roof

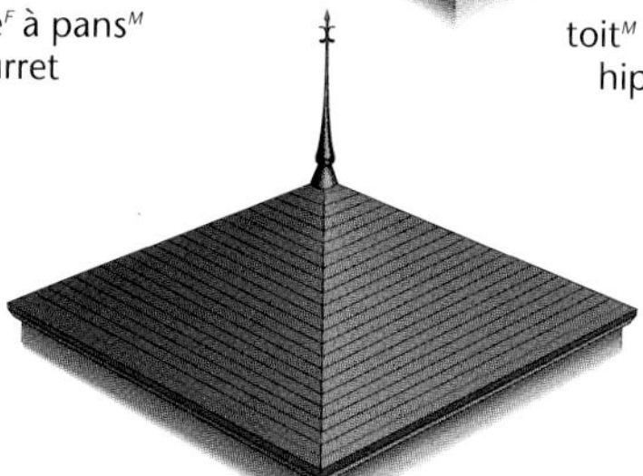

toit^{M} en pavillon^{M}
pavilion roof

toit^{M} en rotonde^{F}
rotunda roof

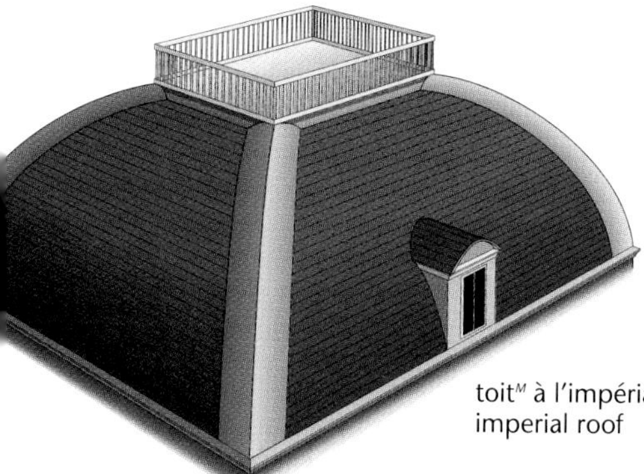

toit^{M} à l'impériale^{F}
imperial roof

toit^{M} à la Mansard
mansard roof

CENTRE[M]-VILLE[F]
DOWNTOWN

espace[M] vert
square
parc[M]
park
cathédrale[F]
cathedral
palais[M] des congrès[M]
convention center; *convention centre*
gare[F]
passenger station
tour[F] à bureaux[M]
office tower
terre-plein[M]
median strip; *central reservation*
planétarium[M]
planetarium
rue[F]
street
voie[F] ferrée
railroad; *railway*
rampe[F] de livraison[F]
delivery ramp
îlot[M] refuge[M]
traffic island
autoroute[F]
freeway; *motorway*
boulevard[M]
boulevard

hôtel[M]
hotel
gratte-ciel[M]
skyscraper
restaurant[M]
restaurant
église[F]
church
tour[F] d'habitation[F]
high-rise apartment; *high-rise block*
lampadaire[M]
street light
aire[F] de stationnement[M]
parking lot
immeuble[M] commercial
trade building
immeuble[M] à bureaux[M]
office building
musée[M]
museum
stade[M]
stadium

COUPE^F D'UNE RUE^F
CROSS SECTION OF A STREET

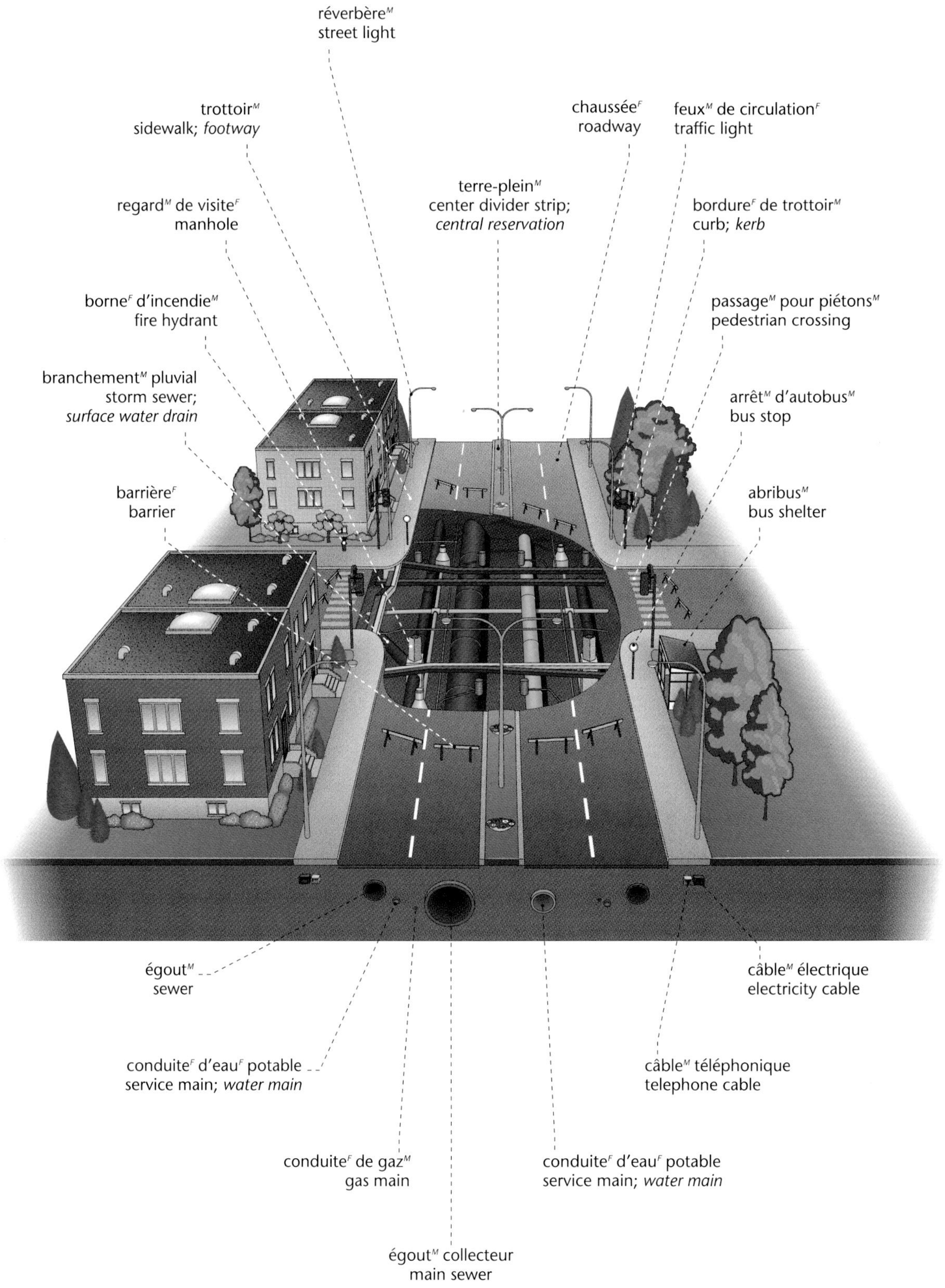
réverbère^M
street light
trottoir^M
sidewalk; *footway*
chaussée^F
roadway
feux^M de circulation^F
traffic light
terre-plein^M
center divider strip;
central reservation
regard^M de visite^F
manhole
bordure^F de trottoir^M
curb; *kerb*
borne^F d'incendie^M
fire hydrant
passage^M pour piétons^M
pedestrian crossing
branchement^M pluvial
storm sewer;
surface water drain
arrêt^M d'autobus^M
bus stop
barrière^F
barrier
abribus^M
bus shelter
égout^M
sewer
câble^M électrique
electricity cable
conduite^F d'eau^F potable
service main; *water main*
câble^M téléphonique
telephone cable
conduite^F de gaz^M
gas main
conduite^F d'eau^F potable
service main; *water main*
égout^M collecteur
main sewer

MAISONS[F] DE VILLE[F]
CITY HOUSES

villa[F]; *cottage*[M]
cottage

maison[F] individuelle
single-family home

appartements[M] en copropriété[F]
condominiums

maison[F] individuelle jumelée
semi-detached cottage

maisons[F] en rangée[F]
town houses

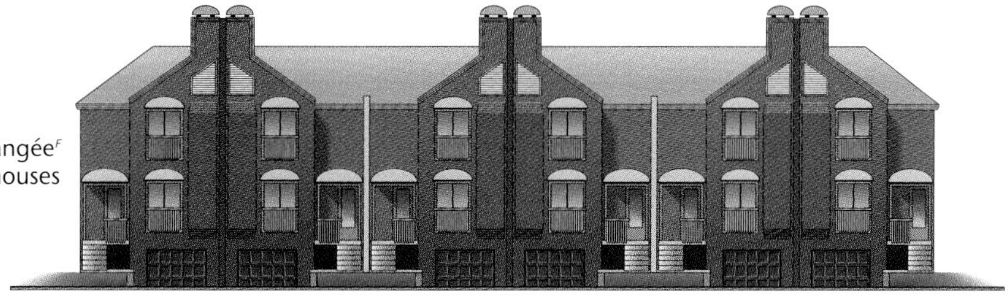

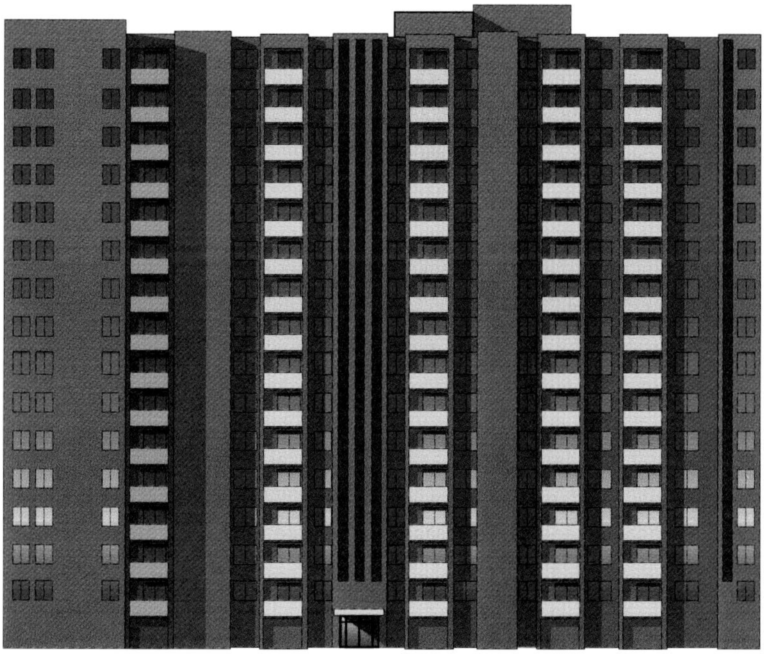

tour[F] d'habitation[F]
high-rise apartment; *high-rise block*

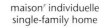

SALLE[F] DE SPECTACLE[M]
THEATER; *THEATRE*

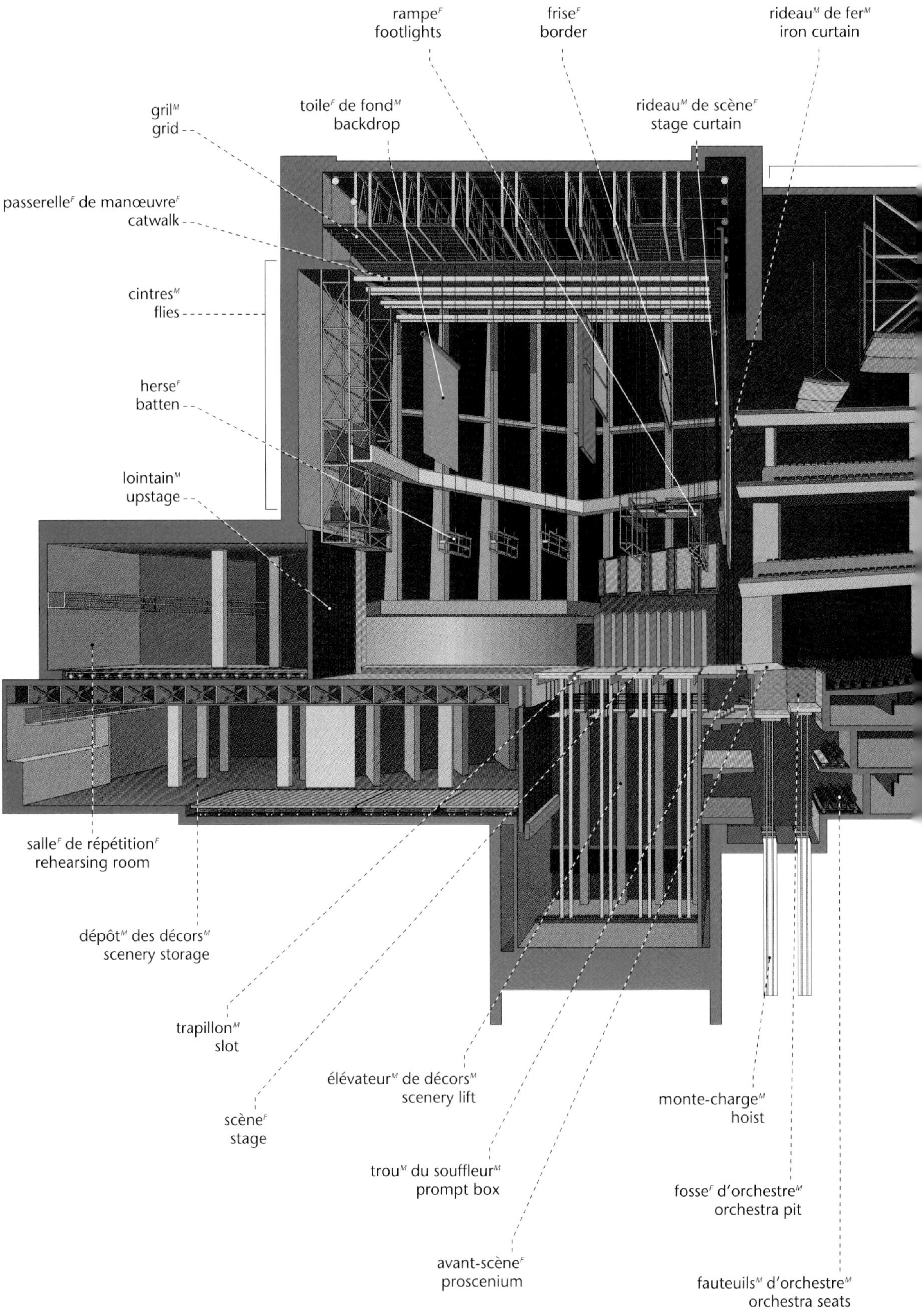
rampe[F]
footlights
frise[F]
border
rideau[M] de fer[M]
iron curtain
gril[M]
grid
toile[F] de fond[M]
backdrop
rideau[M] de scène[F]
stage curtain
passerelle[F] de manœuvre[F]
catwalk
cintres[M]
flies
herse[F]
batten
lointain[M]
upstage
salle[F] de répétition[F]
rehearsing room
dépôt[M] des décors[M]
scenery storage
trapillon[M]
slot
élévateur[M] de décors[M]
scenery lift
monte-charge[M]
hoist
scène[F]
stage
trou[M] du souffleur[M]
prompt box
fosse[F] d'orchestre[M]
orchestra pit
avant-scène[F]
proscenium
fauteuils[M] d'orchestre[M]
orchestra seats

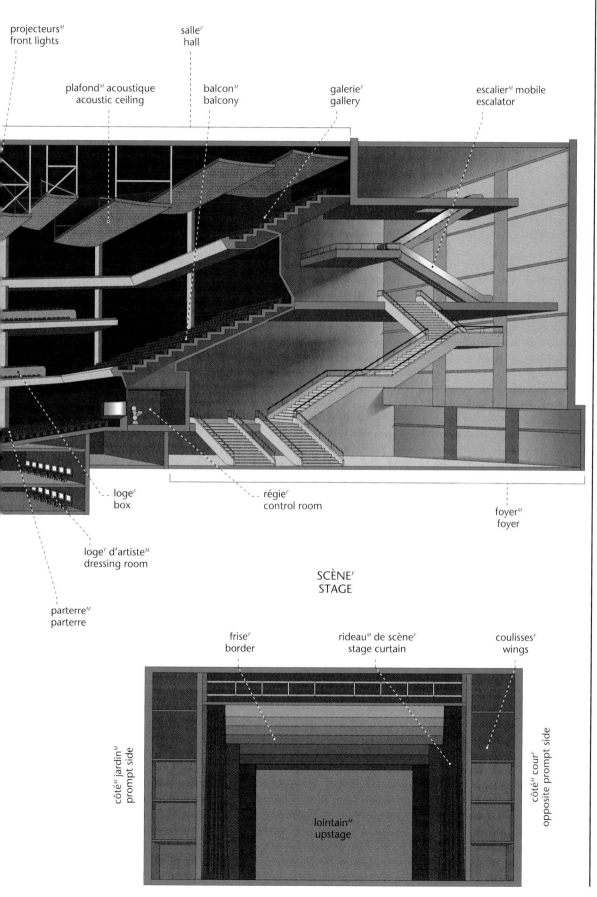

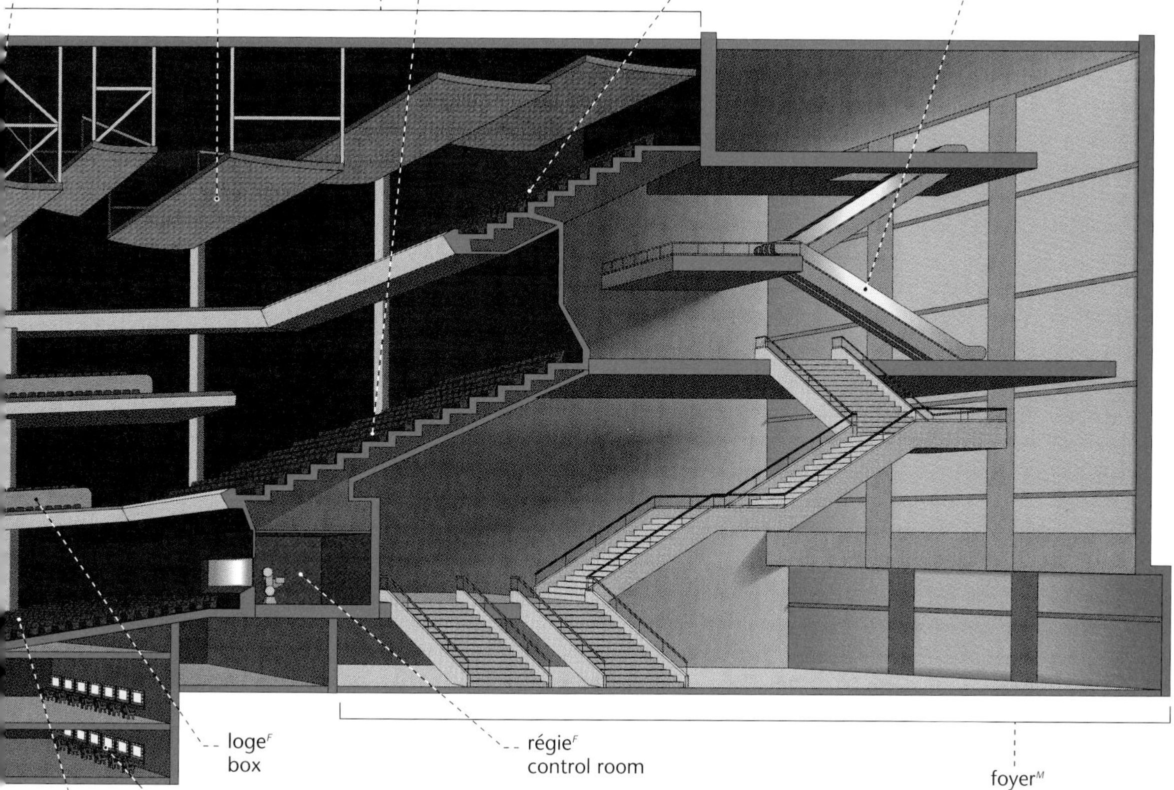
projecteurs[M]
front lights
salle[F]
hall
plafond[M] acoustique
acoustic ceiling
balcon[M]
balcony
galerie[F]
gallery
escalier[M] mobile
escalator
loge[F]
box
régie[F]
control room
foyer[M]
foyer
loge[F] d'artiste[M]
dressing room
parterre[M]
parterre

SCÈNE[F]
STAGE

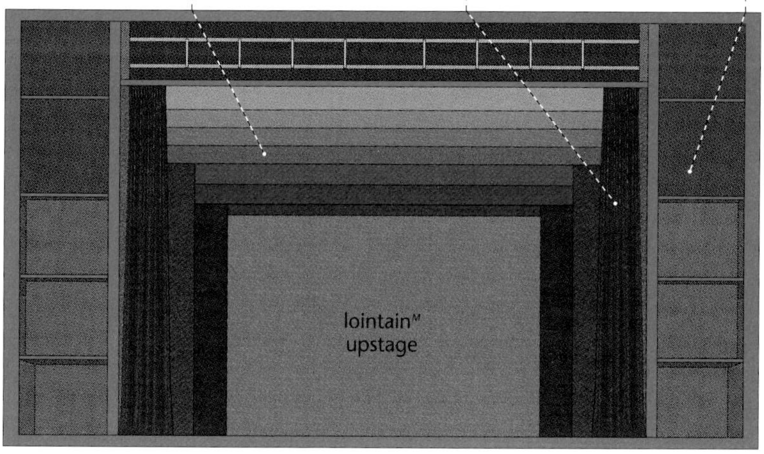
frise[F]
border
rideau[M] de scène[F]
stage curtain
coulisses[F]
wings
côté[M] jardin[M]
prompt side
côté[M] cour[F]
opposite prompt side
lointain[M]
upstage

ÉDIFICE[M] À BUREAUX[M]
OFFICE BUILDING

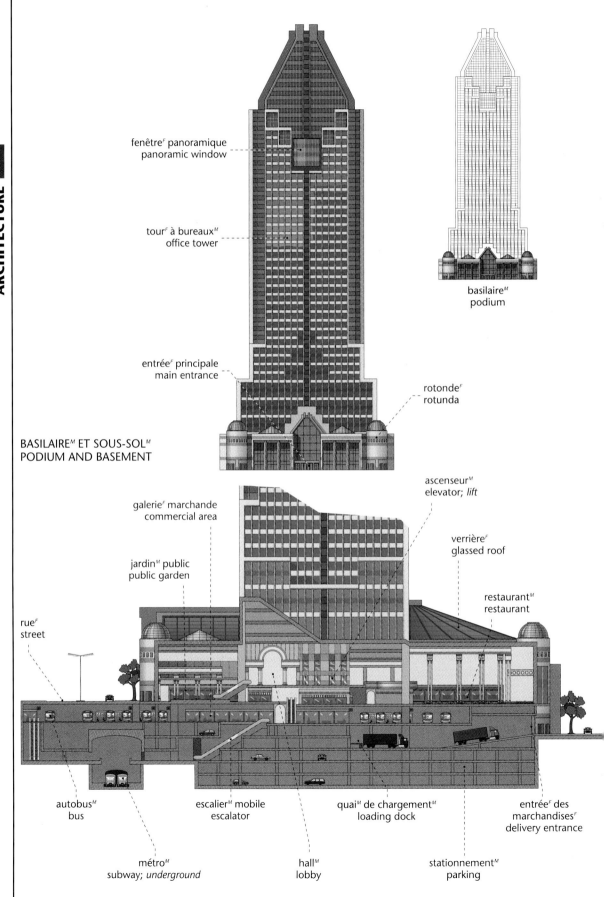

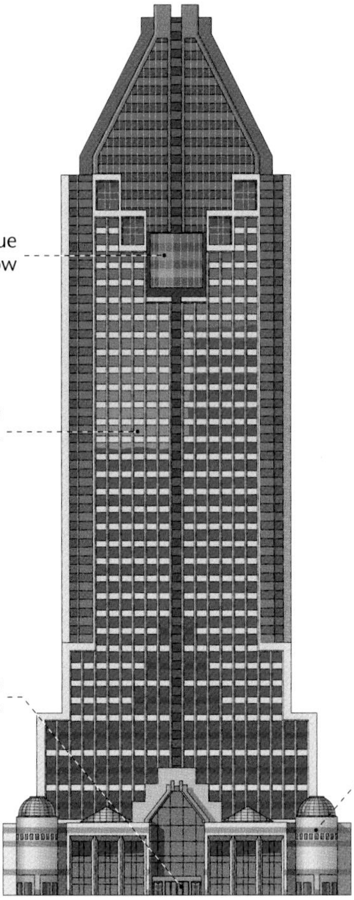
fenêtre[F] panoramique
panoramic window
tour[F] à bureaux[M]
office tower
entrée[F] principale
main entrance
rotonde[F]
rotunda

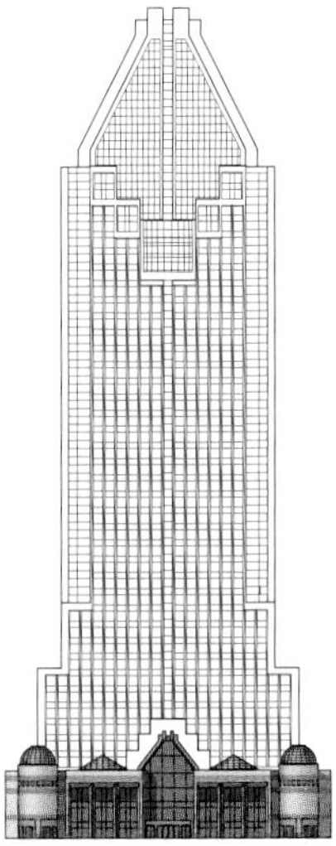
basilaire[M]
podium

BASILAIRE[M] ET SOUS-SOL[M]
PODIUM AND BASEMENT

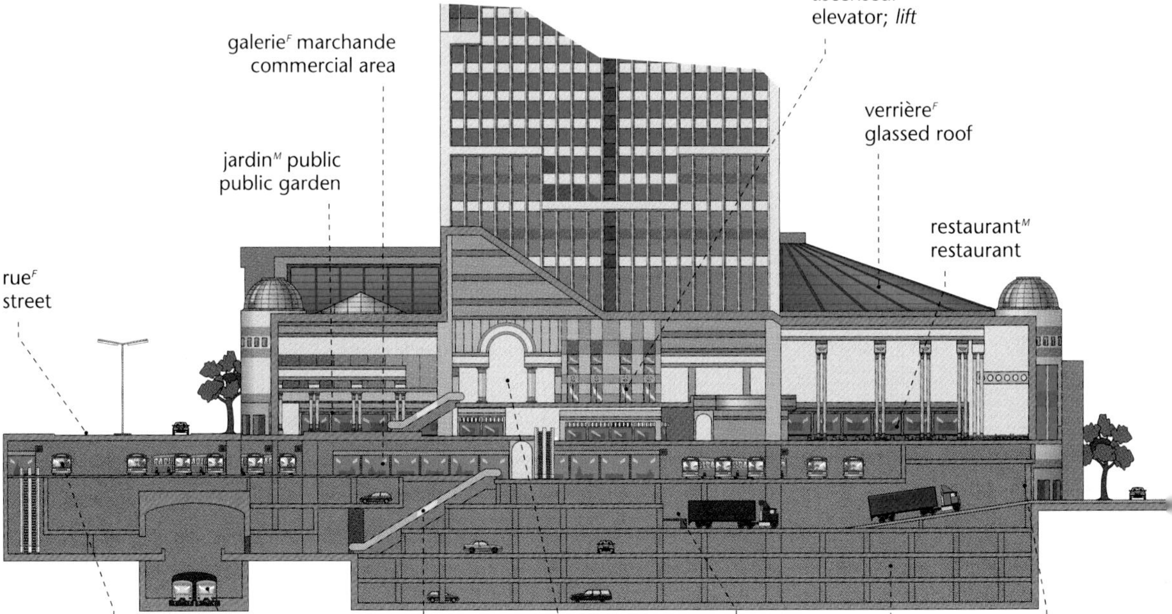
ascenseur[M]
elevator; *lift*
galerie[F] marchande
commercial area
verrière[F]
glassed roof
jardin[M] public
public garden
restaurant[M]
restaurant
rue[F]
street
autobus[M]
bus
escalier[M] mobile
escalator
quai[M] de chargement[M]
loading dock
entrée[F] des marchandises[F]
delivery entrance
métro[M]
subway; *underground*
hall[M]
lobby
stationnement[M]
parking

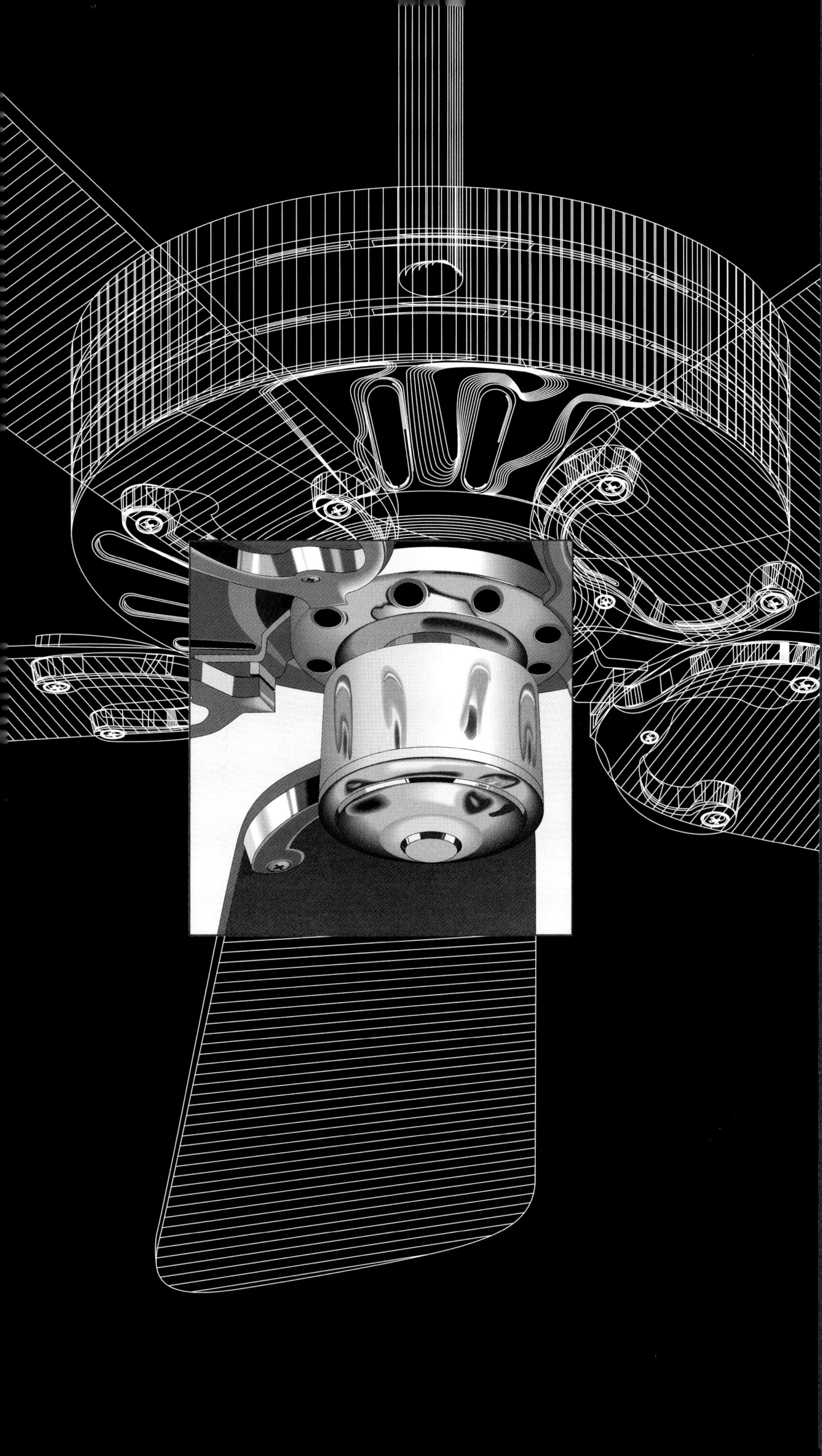

MAISON • HOUSE

SOMMAIRE

LECTURE[F] DE PLANS[M]
BLUEPRINT READING

ÉLÉVATION[F]
ELEVATION

PLAN[M] DU TERRAIN[M]
SITE PLAN

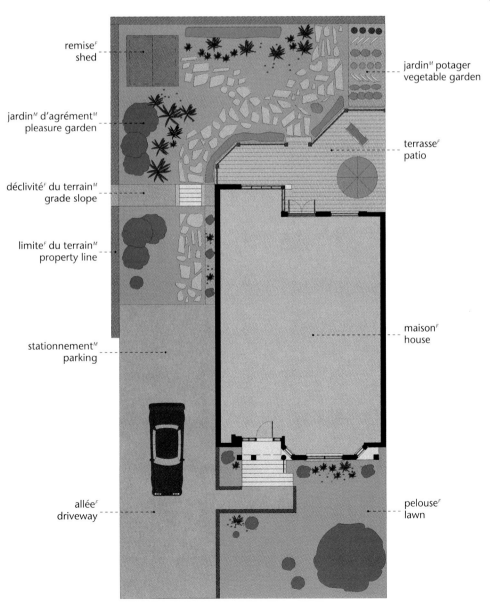

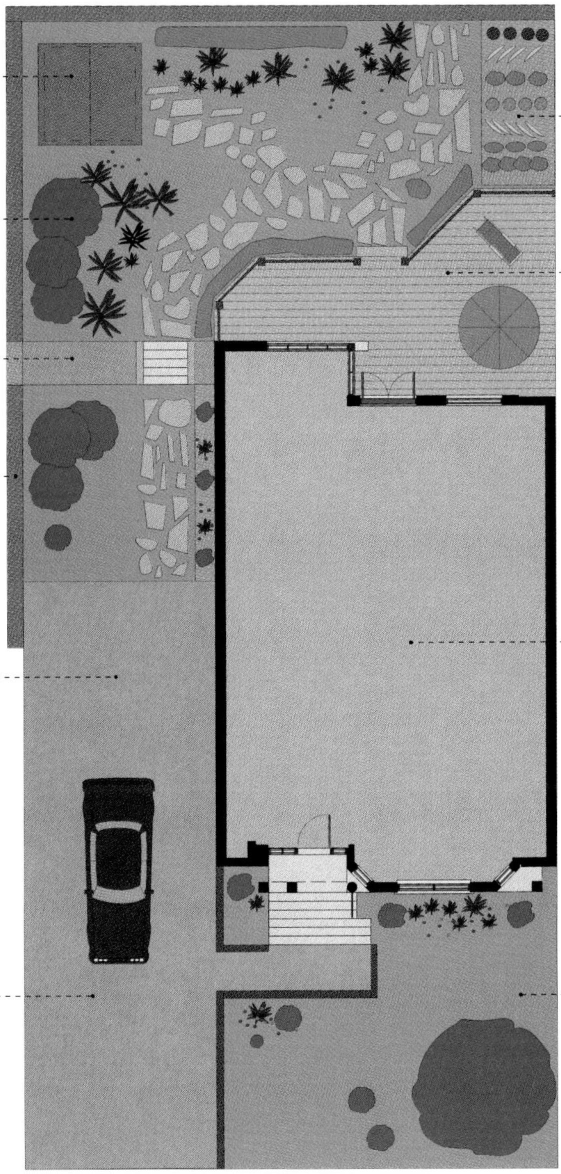
remise[F]
shed
jardin[M] d'agrément[M]
pleasure garden
déclivité[F] du terrain[M]
grade slope
limite[F] du terrain[M]
property line
stationnement[M]
parking
allée[F]
driveway
jardin[M] potager
vegetable garden
terrasse[F]
patio
maison[F]
house
pelouse[F]
lawn

MEZZANINE[F]
MEZZANINE FLOOR

ÉTAGE[M]
SECOND FLOOR; *FIRST FLOOR*

REZ-DE-CHAUSSÉE[M]
FIRST FLOOR; *GROUND FLOOR*

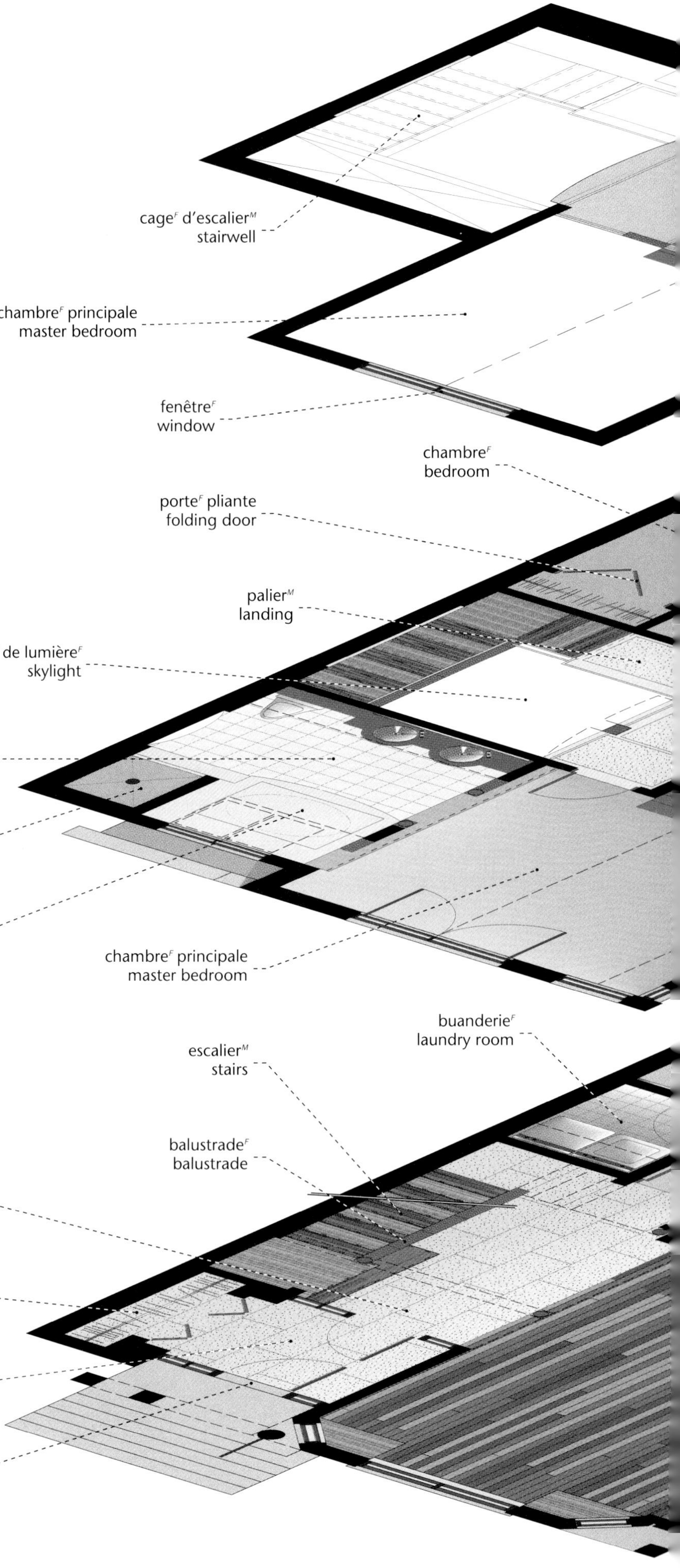
cage[F] d'escalier[M]
stairwell
chambre[F] principale
master bedroom
fenêtre[F]
window
chambre[F]
bedroom
porte[F] pliante
folding door
palier[M]
landing
puits[M] de lumière[F]
skylight
salle[F] de bains[M]
bathroom
douche[F]
shower
baignoire[F]
bathtub; *bath*
chambre[F] principale
master bedroom
buanderie[F]
laundry room
escalier[M]
stairs
balustrade[F]
balustrade
couloir[M]
hallway
vestiaire[M]
closet
vestibule[M]
hall
entrée[F] principale
main entrance

LECTURE[F] DE PLANS[M]
BLUEPRINT READING

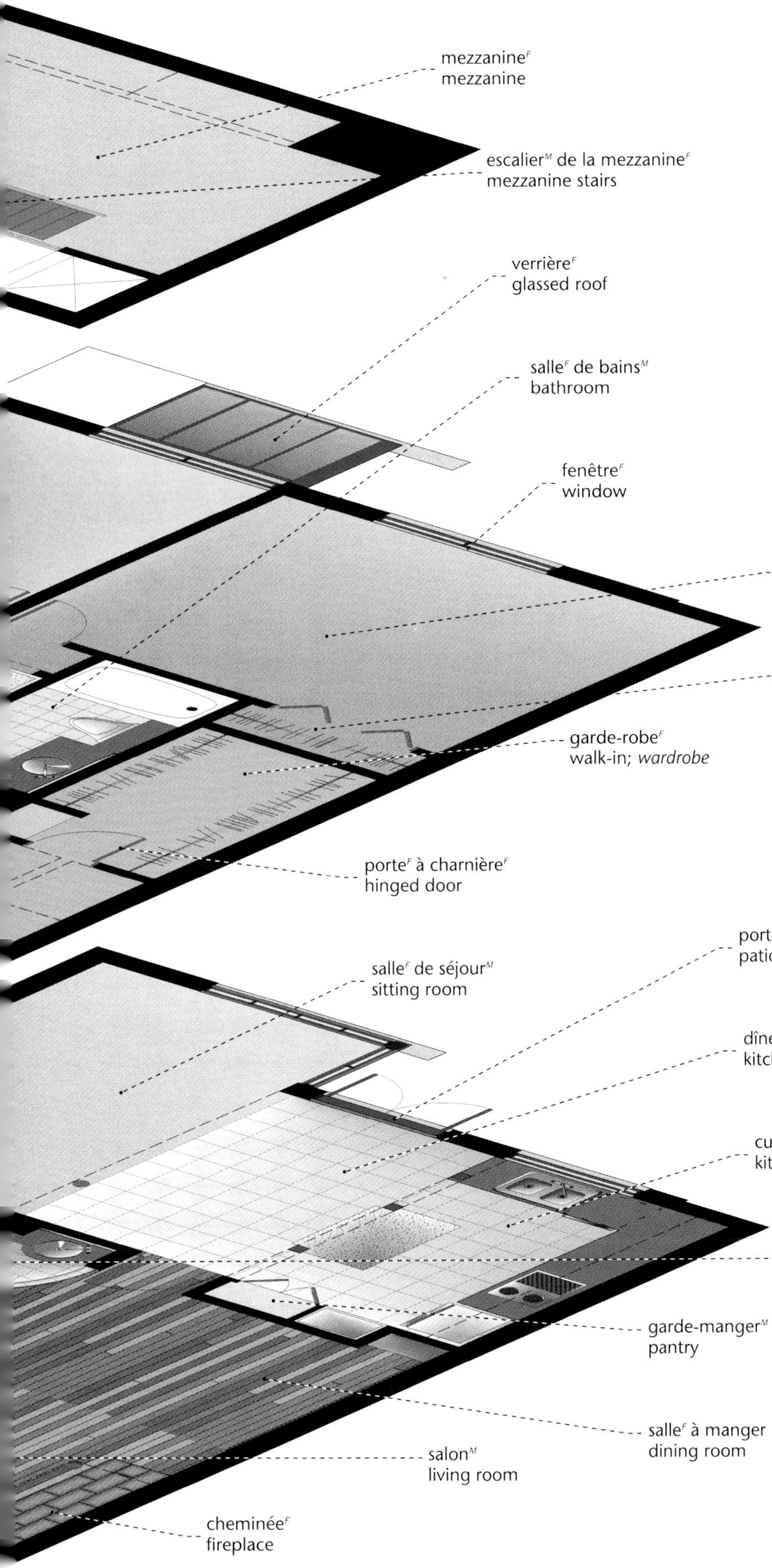

mezzanine[F]
mezzanine
escalier[M] de la mezzanine[F]
mezzanine stairs
verrière[F]
glassed roof
salle[F] de bains[M]
bathroom
fenêtre[F]
window
chambre[F]
bedroom
garde-robe[F]
wardrobe
garde-robe[F]
walk-in; *wardrobe*
porte[F] à charnière[F]
hinged door
porte[F]-fenêtre[F]
patio door
salle[F] de séjour[M]
sitting room
dînette[F]
kitchenette
cuisine[F]
kitchen
w.c.[M]; *salle[F] de toilettes[F]*
lavatory; *toilet*
garde-manger[M]
pantry
salle[F] à manger
dining room
salon[M]
living room
cheminée[F]
fireplace

EXTÉRIEUR^M D'UNE MAISON^F
EXTERIOR OF A HOUSE

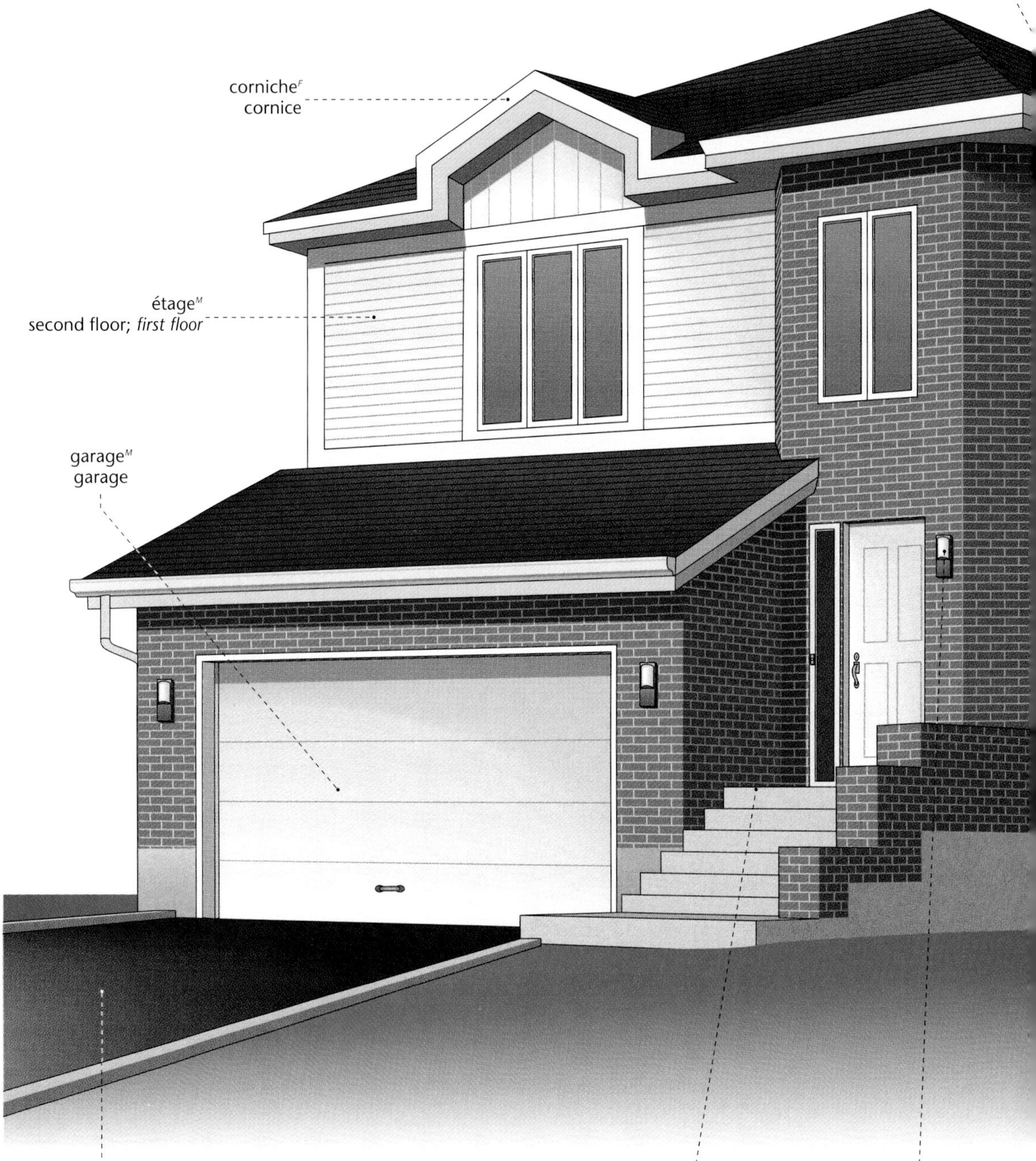
chatière^F
roof vent
corniche^F
cornice
étage^M
second floor; *first floor*
garage^M
garage
accès^M au garage^M
driveway
perron^M
perron
applique^F d'extérieur^M
outdoor light

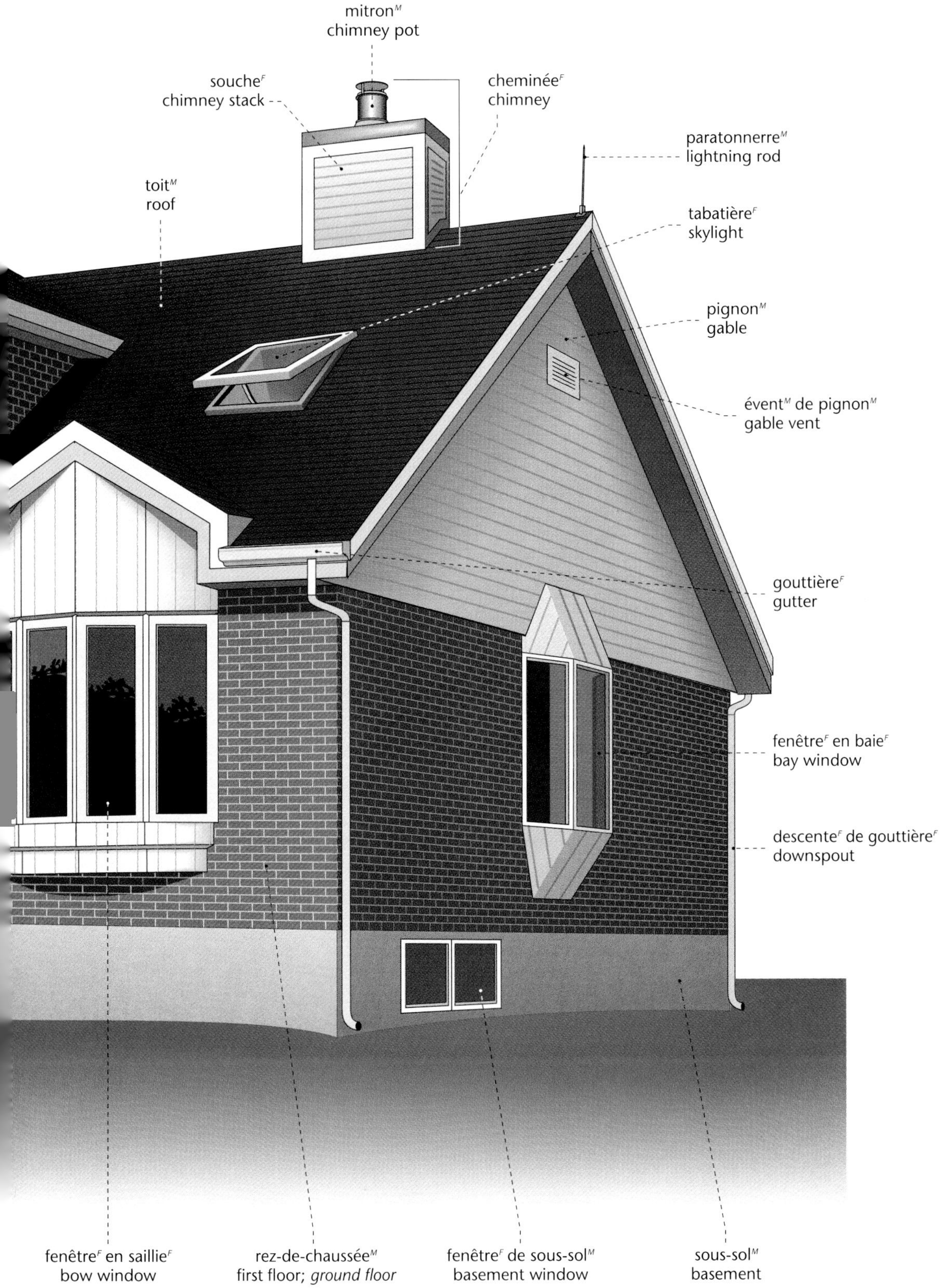
mitron[M]
chimney pot
souche[F]
chimney stack
cheminée[F]
chimney
paratonnerre[M]
lightning rod
toit[M]
roof
tabatière[F]
skylight
pignon[M]
gable
évent[M] de pignon[M]
gable vent
gouttière[F]
gutter
fenêtre[F] en baie[F]
bay window
descente[F] de gouttière[F]
downspout
fenêtre[F] en saillie[F]
bow window
rez-de-chaussée[M]
first floor; *ground floor*
fenêtre[F] de sous-sol[M]
basement window
sous-sol[M]
basement

STRUCTURE[F] D'UNE MAISON[F]
STRUCTURE OF A HOUSE

CHARPENTE[F]
FRAME

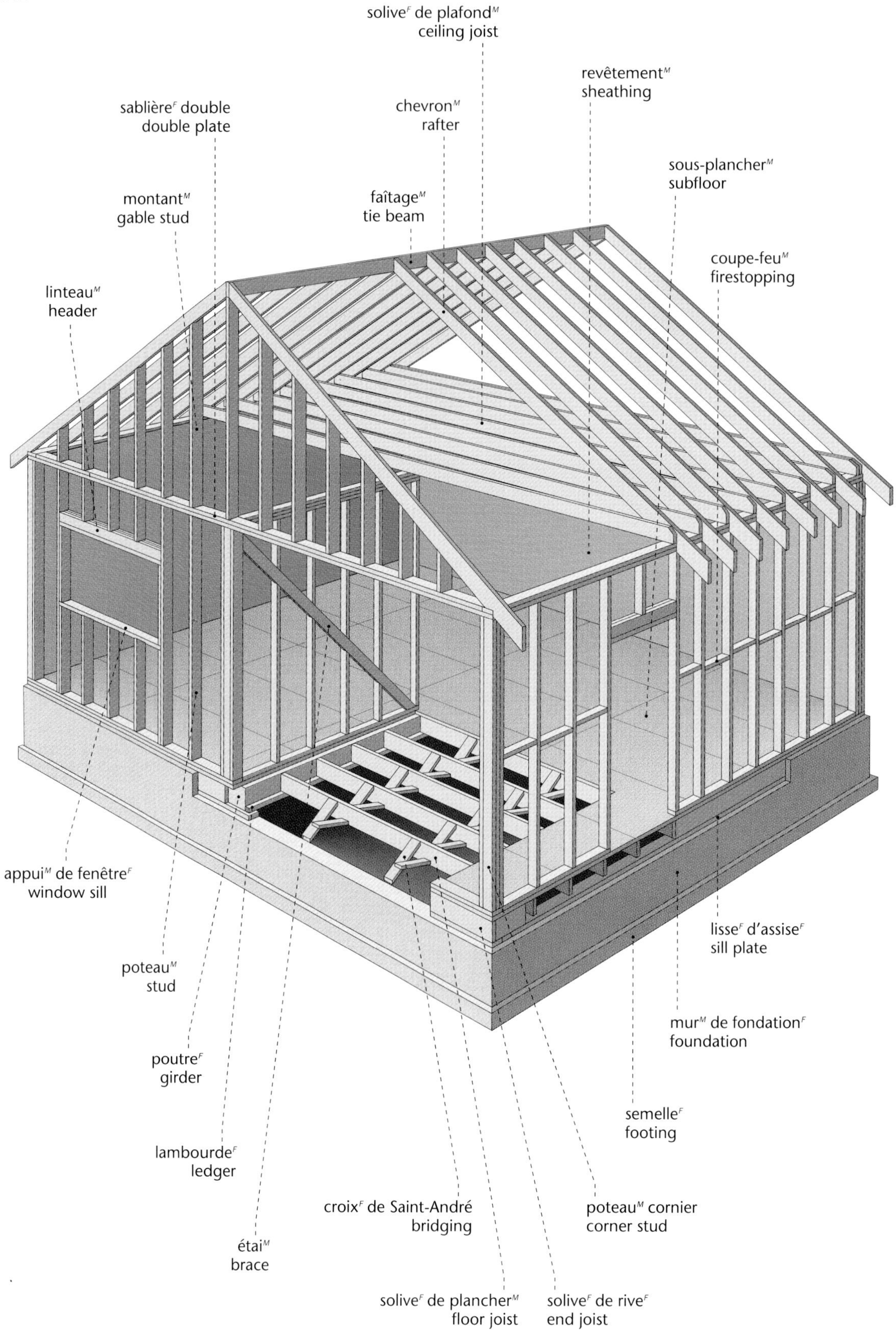
solive[F] de plafond[M]
ceiling joist
revêtement[M]
sheathing
sablière[F] double
double plate
chevron[M]
rafter
sous-plancher[M]
subfloor
montant[M]
gable stud
faîtage[M]
tie beam
coupe-feu[M]
firestopping
linteau[M]
header
appui[M] de fenêtre[F]
window sill
lisse[F] d'assise[F]
sill plate
poteau[M]
stud
mur[M] de fondation[F]
foundation
poutre[F]
girder
semelle[F]
footing
lambourde[F]
ledger
croix[F] de Saint-André
bridging
poteau[M] cornier
corner stud
étai[M]
brace
solive[F] de plancher[M]
floor joist
solive[F] de rive[F]
end joist

FERME DE TOIT
ROOF TRUSS

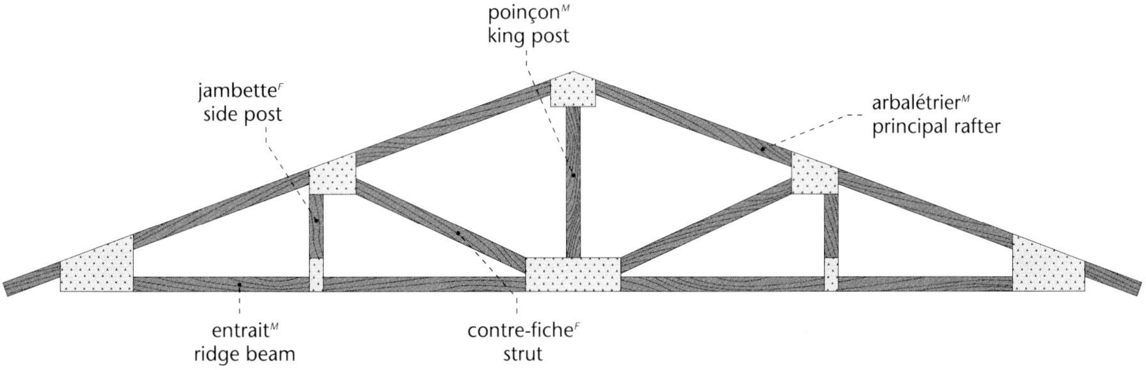
poinçon
king post
jambette
side post
arbalétrier
principal rafter
entrait
ridge beam
contre-fiche
strut

FONDATIONS
FOUNDATIONS

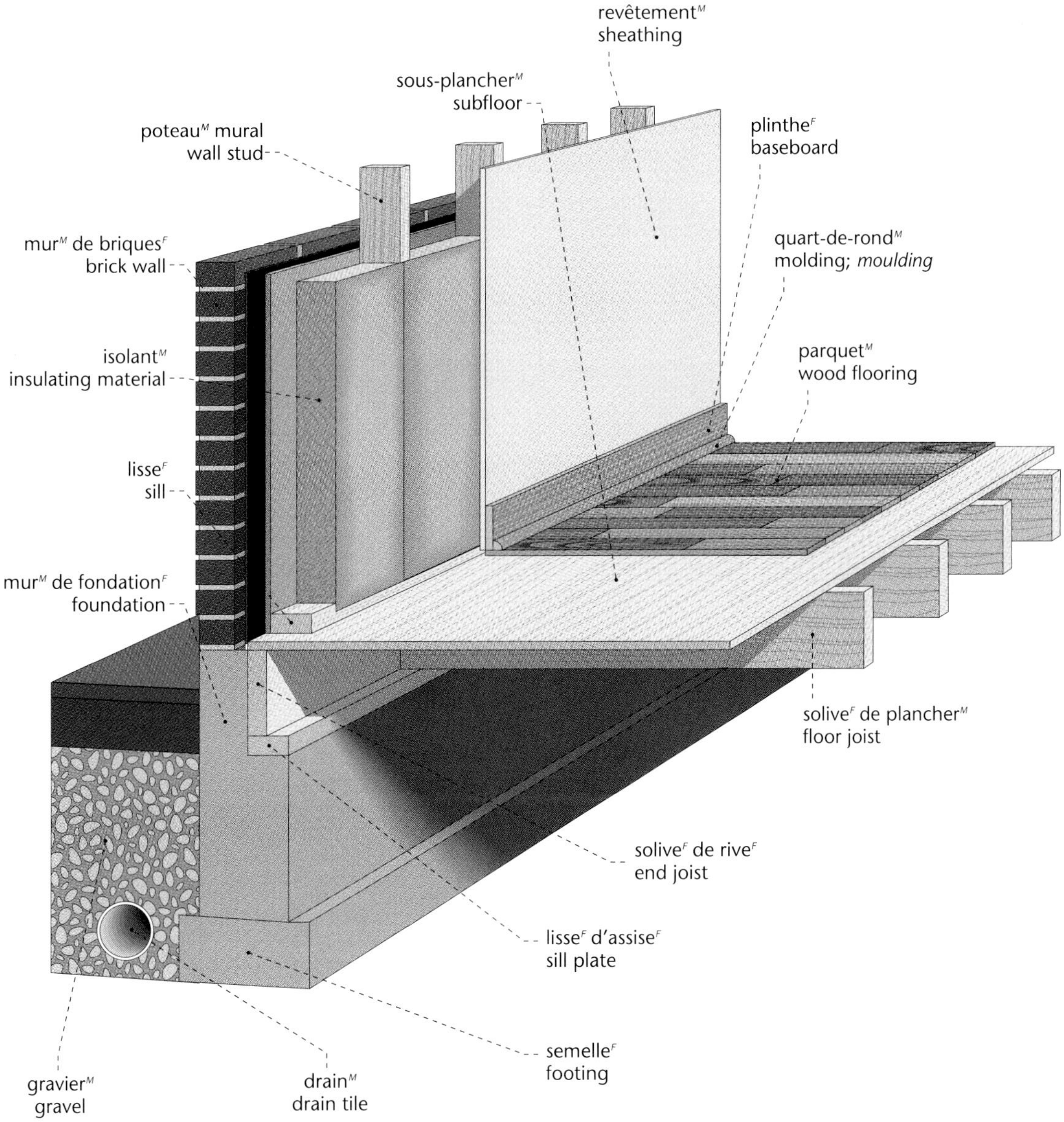
revêtement
sheathing
sous-plancher
subfloor
poteau mural
wall stud
plinthe
baseboard
mur de briques
brick wall
quart-de-rond
molding; *moulding*
isolant
insulating material
parquet
wood flooring
lisse
sill
mur de fondation
foundation
solive de plancher
floor joist
solive de rive
end joist
lisse d'assise
sill plate
semelle
footing
gravier
gravel
drain
drain tile

PARQUET[M]
WOOD FLOORING

PARQUET[M] SUR CHAPE[F] DE CIMENT[M]
WOOD FLOORING ON CEMENT SCREED

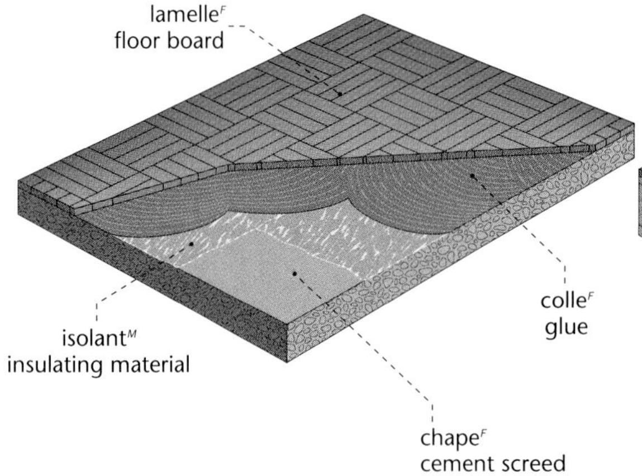
lamelle[F]
floor board
colle[F]
glue
isolant[M]
insulating material
chape[F]
cement screed

PARQUET[M] SUR OSSATURE[F] DE BOIS[M]
WOOD FLOORING ON WOODEN STRUCTURE

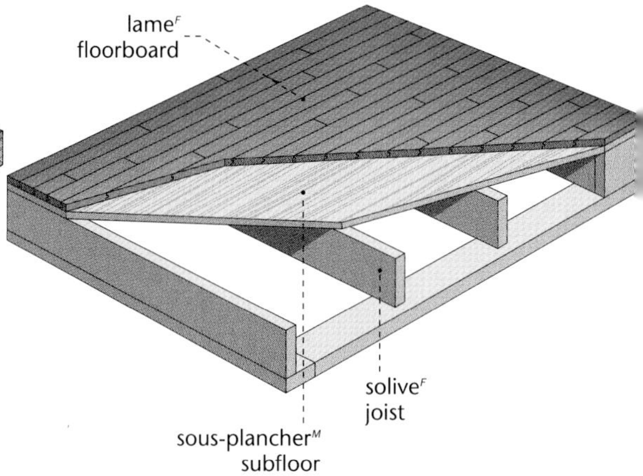
lame[F]
floorboard
solive[F]
joist
sous-plancher[M]
subfloor

ARRANGEMENTS[M] DES PARQUETS[M]
WOOD FLOORING ARRANGEMENTS

parquet[M] à coupe[F] perdue
overlay flooring

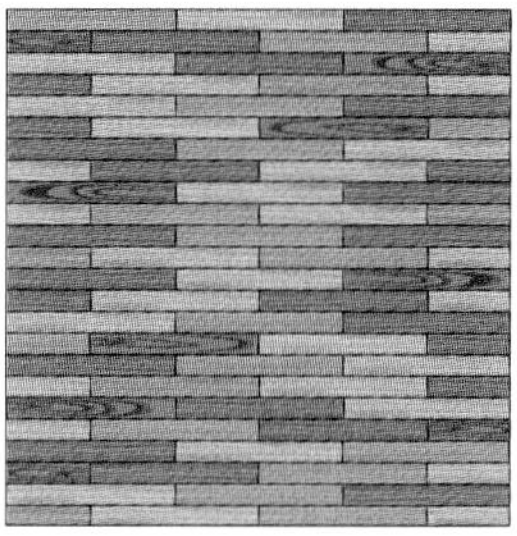
parquet[M] à coupe[F] de pierre[F]
strip flooring with alternate joints

parquet[M] à bâtons[M] rompus
herringbone parquet

parquet[M] en chevrons[M]
herringbone pattern

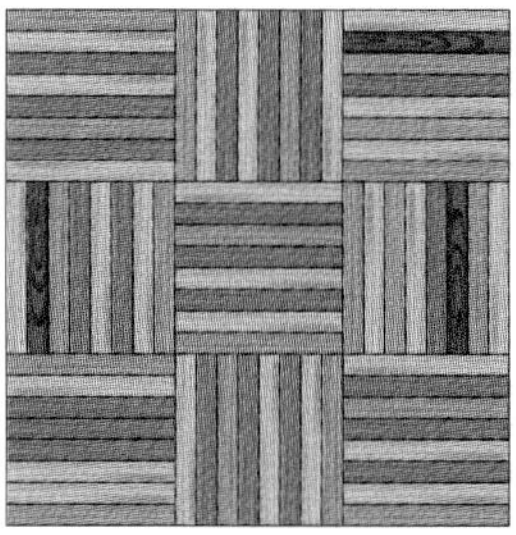
parquet[M] mosaïque[F]
inlaid parquet

parquet[M] en vannerie[F]
basket weave pattern

parquet[M] d'Arenberg
Arenberg parquet

parquet[M] Chantilly
Chantilly parquet

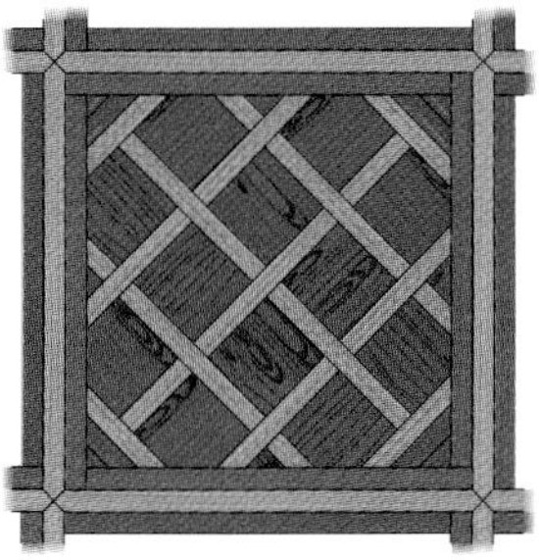
parquet[M] Versailles
Versailles parquet

ESCALIER^M
STAIRS

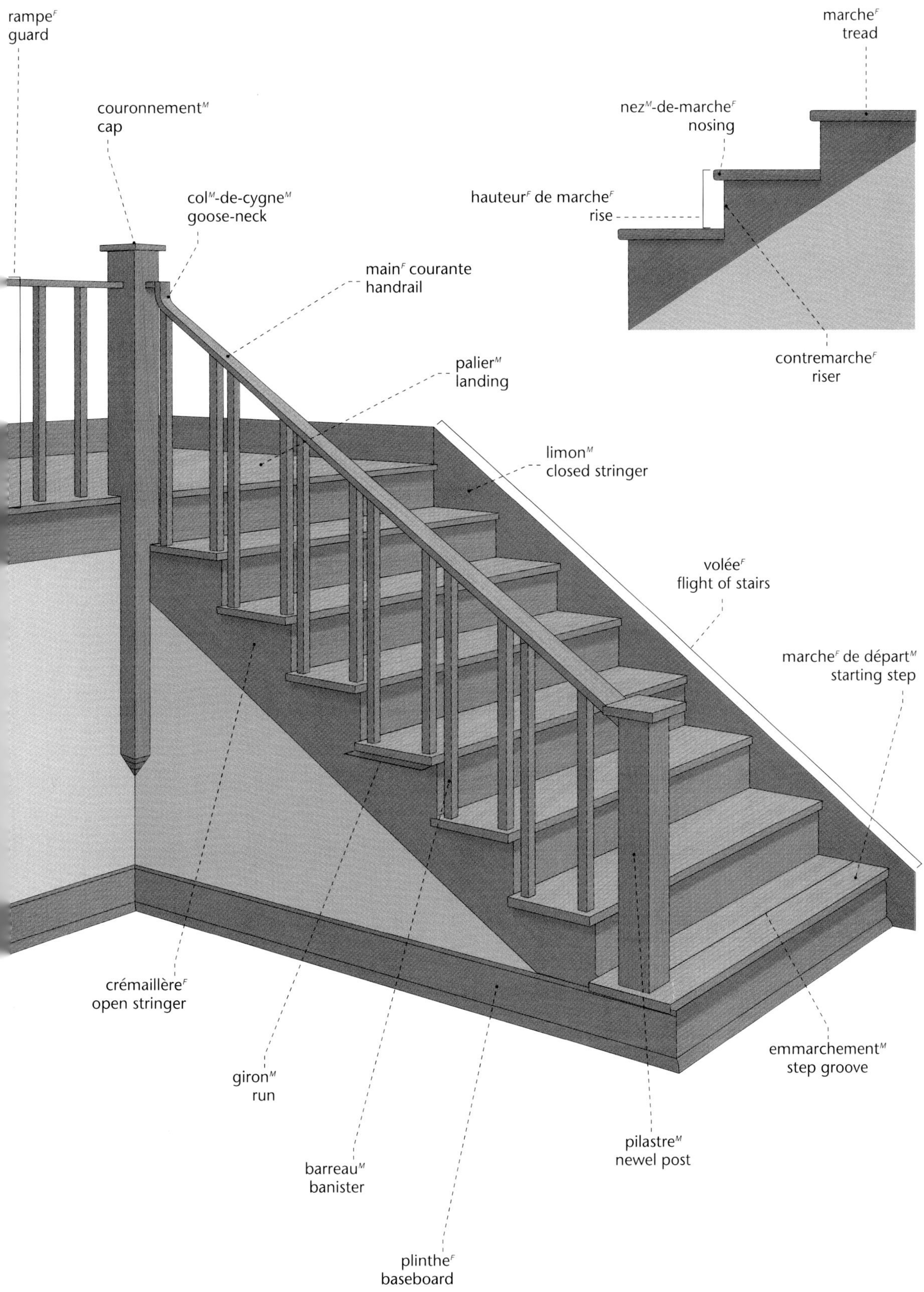

rampe^F
guard
couronnement^M
cap
col^M-de-cygne^M
goose-neck
main^F courante
handrail
palier^M
landing
limon^M
closed stringer
volée^F
flight of stairs
marche^F de départ^M
starting step
marche^F
tread
nez^M-de-marche^F
nosing
hauteur^F de marche^F
rise
contremarche^F
riser
crémaillère^F
open stringer
giron^M
run
barreau^M
banister
plinthe^F
baseboard
pilastre^M
newel post
emmarchement^M
step groove

PORTE[F]
DOOR

PORTE[F] EXTÉRIEURE
EXTERIOR DOOR

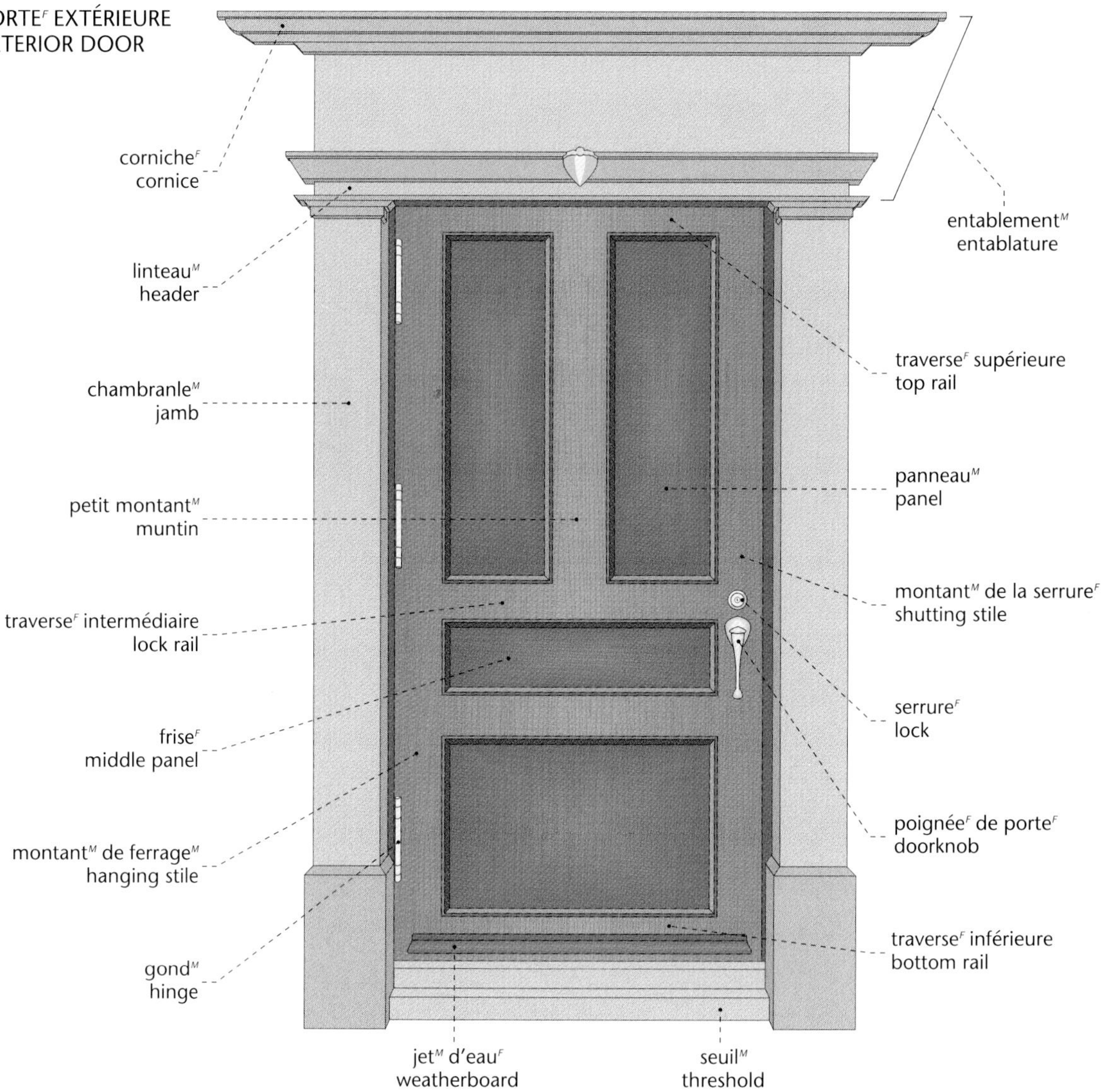
corniche[F]
cornice
linteau[M]
header
chambranle[M]
jamb
petit montant[M]
muntin
traverse[F] intermédiaire
lock rail
frise[F]
middle panel
montant[M] de ferrage[M]
hanging stile
gond[M]
hinge
jet[M] d'eau[F]
weatherboard
seuil[M]
threshold
entablement[M]
entablature
traverse[F] supérieure
top rail
panneau[M]
panel
montant[M] de la serrure[F]
shutting stile
serrure[F]
lock
poignée[F] de porte[F]
doorknob
traverse[F] inférieure
bottom rail

TYPES[M] DE PORTES[F]
TYPES OF DOORS

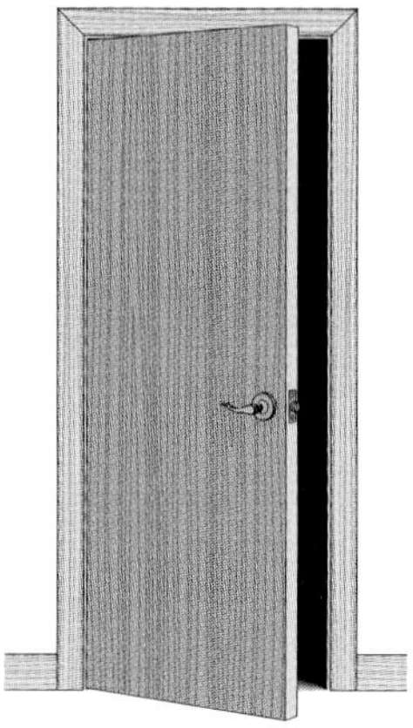

porte[F] tournante
swinging door

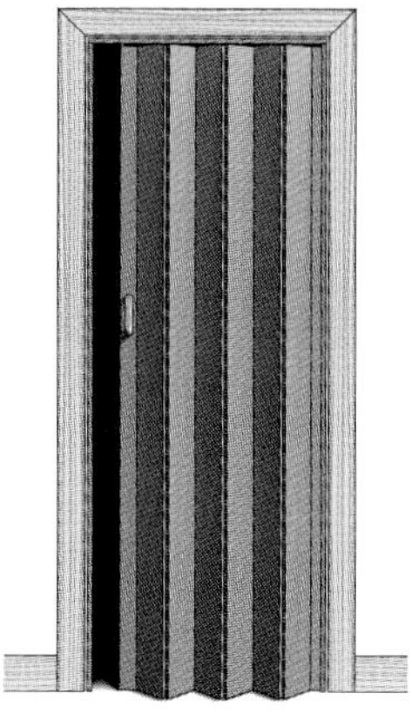

porte[F] accordéon[M]
sliding folding door

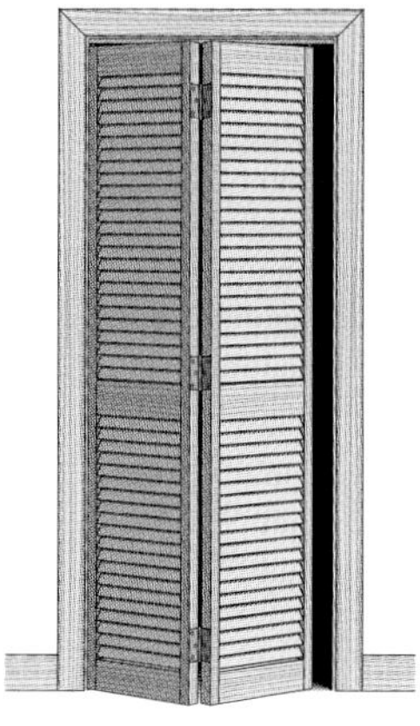

porte[F] pliante
folding door

porte[F] coulissante
sliding door

FENÊTRE^{F}
WINDOW

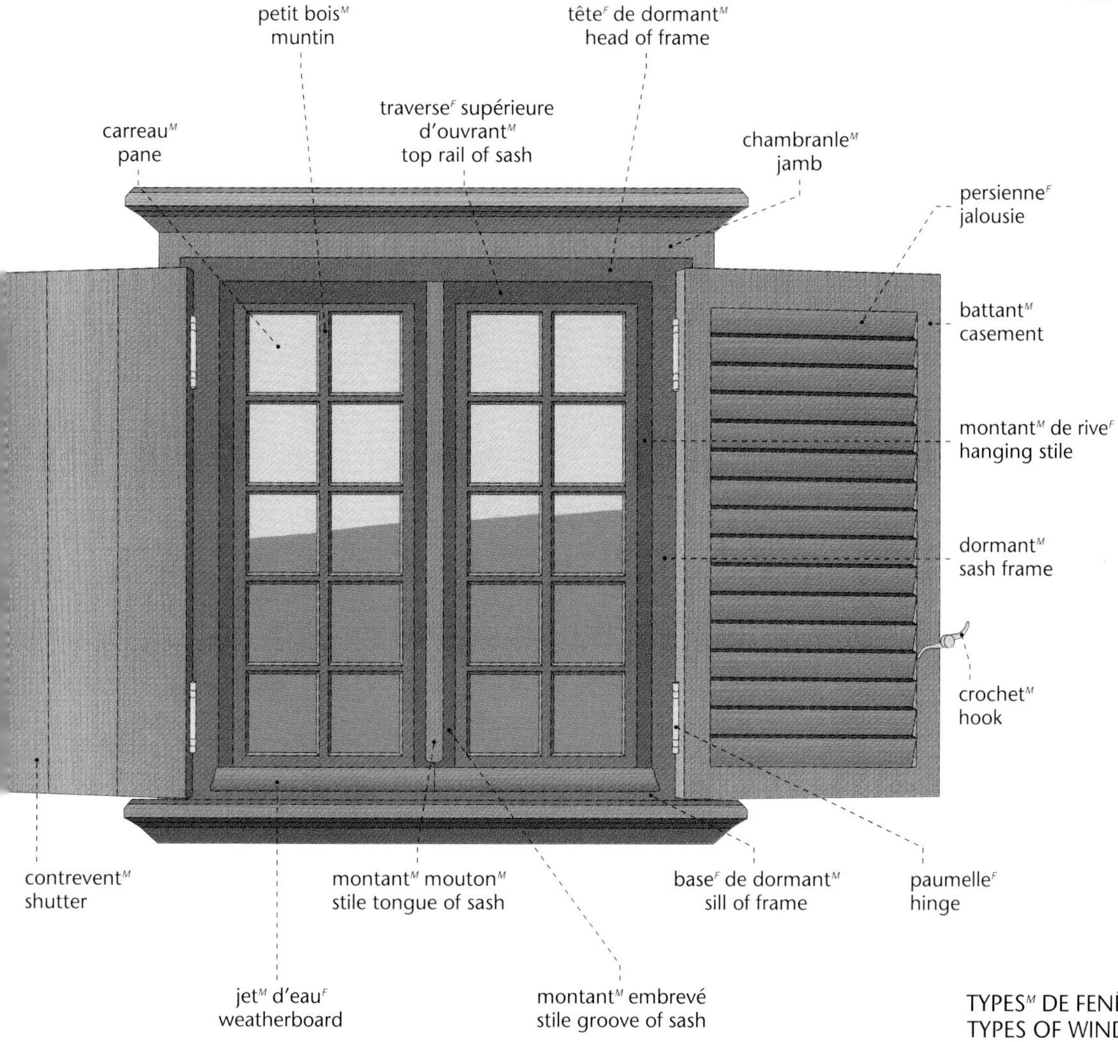
petit bois^{M}
muntin
tête^{F} de dormant^{M}
head of frame
traverse^{F} supérieure d'ouvrant^{M}
top rail of sash
carreau^{M}
pane
chambranle^{M}
jamb
persienne^{F}
jalousie
battant^{M}
casement
montant^{M} de rive^{F}
hanging stile
dormant^{M}
sash frame
crochet^{M}
hook
contrevent^{M}
shutter
montant^{M} mouton^{M}
stile tongue of sash
base^{F} de dormant^{M}
sill of frame
paumelle^{F}
hinge
jet^{M} d'eau^{F}
weatherboard
montant^{M} embrevé
stile groove of sash

TYPES^{M} DE FENÊTRES^{F}
TYPES OF WINDOWS

fenêtre^{F} à la française^{F}
French window

fenêtre^{F} à l'anglaise^{F}
casement window

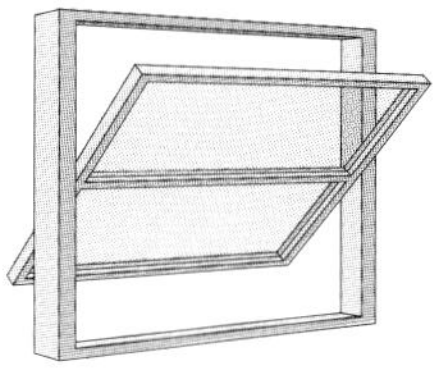
fenêtre^{F} basculante
horizontal pivoting window

fenêtre^{F} coulissante
sliding window

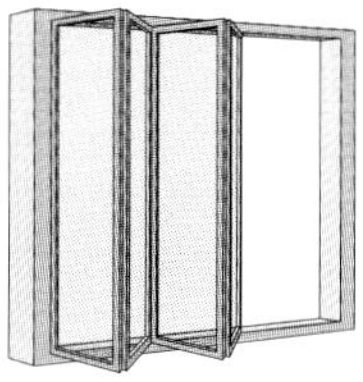
fenêtre^{F} en accordéon^{M}
sliding folding window

fenêtre^{F} pivotante
vertical pivoting window

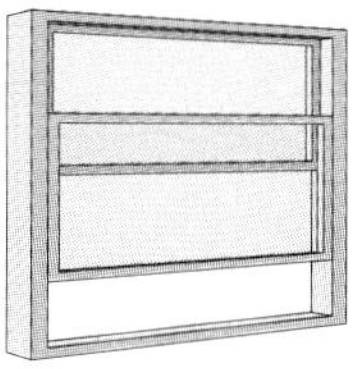
fenêtre^{F} à guillotine^{F}
sash window

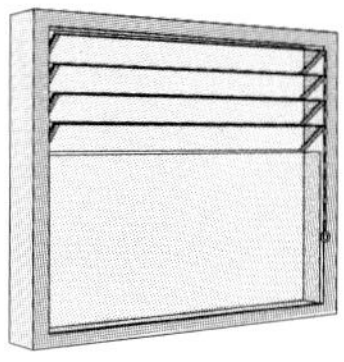
fenêtre^{F} à jalousies^{F}
louvered window

CHAUFFAGE[M]
HEATING

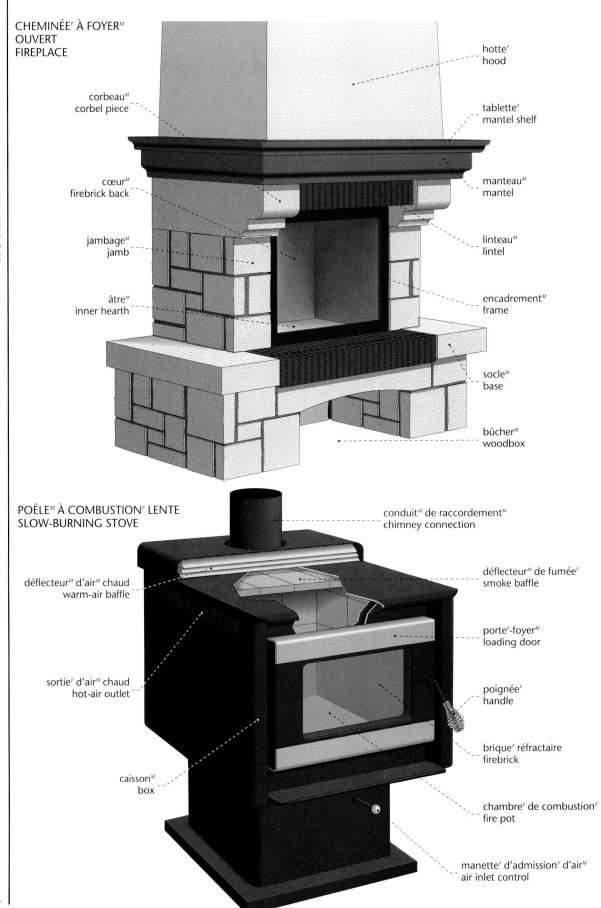

CHEMINÉE[F] À FOYER[M] OUVERT
FIREPLACE

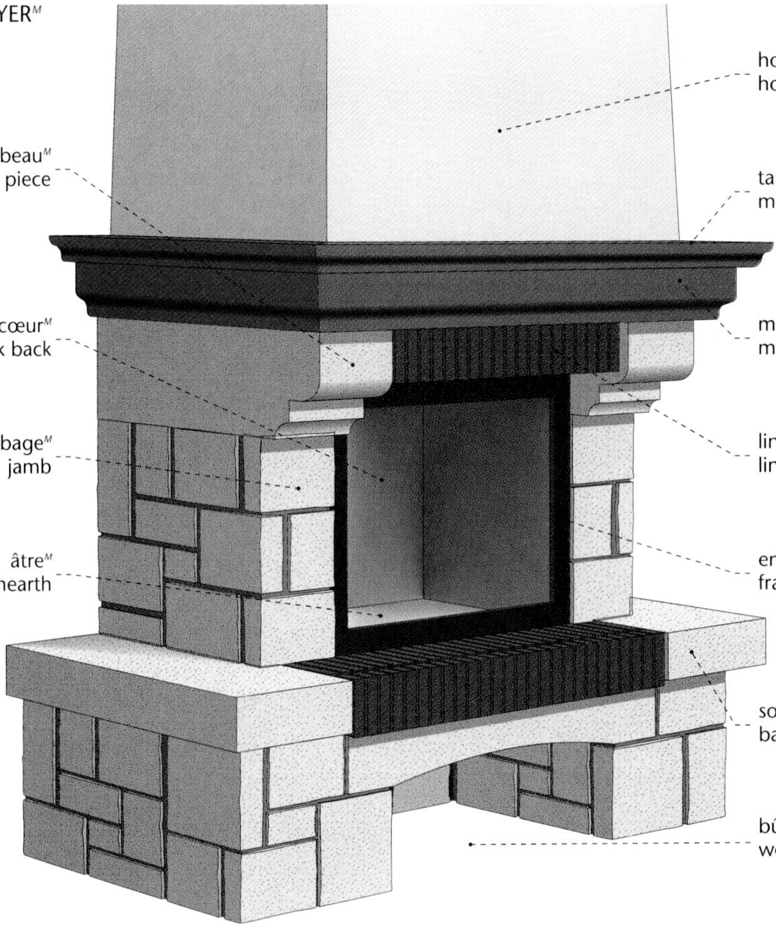
hotte[F]
hood
corbeau[M]
corbel piece
tablette[F]
mantel shelf
cœur[M]
firebrick back
manteau[M]
mantel
linteau[M]
lintel
jambage[M]
jamb
encadrement[M]
frame
âtre[M]
inner hearth
socle[M]
base
bûcher[M]
woodbox

POÊLE[M] À COMBUSTION[F] LENTE
SLOW-BURNING STOVE

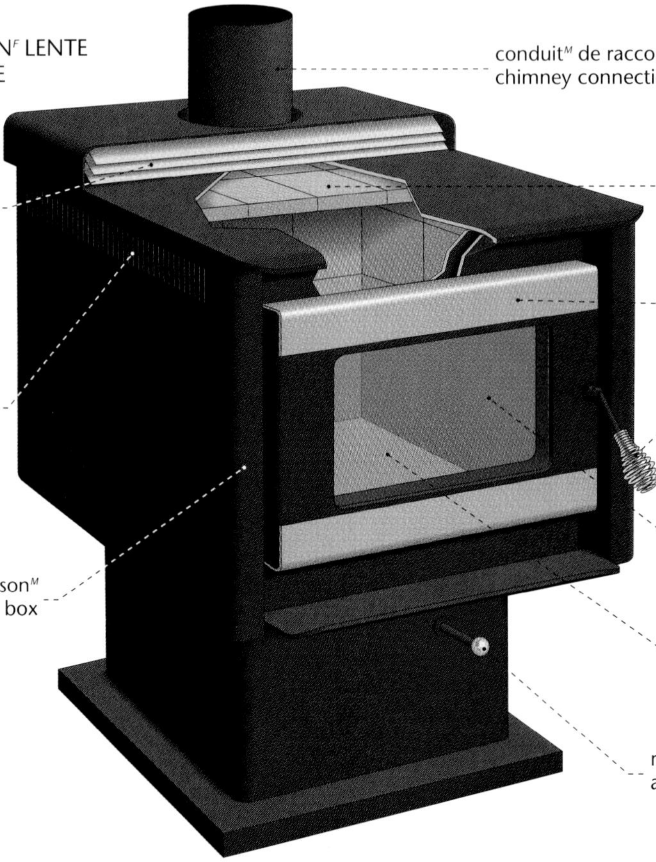
conduit[M] de raccordement[M]
chimney connection
déflecteur[M] de fumée[F]
smoke baffle
déflecteur[M] d'air[M] chaud
warm-air baffle
porte[F]-foyer[M]
loading door
sortie[F] d'air[M] chaud
hot-air outlet
poignée[F]
handle
brique[F] réfractaire
firebrick
caisson[M]
box
chambre[F] de combustion[F]
fire pot
manette[F] d'admission[F] d'air[M]
air inlet control

CHEMINÉE[F]
CHIMNEY

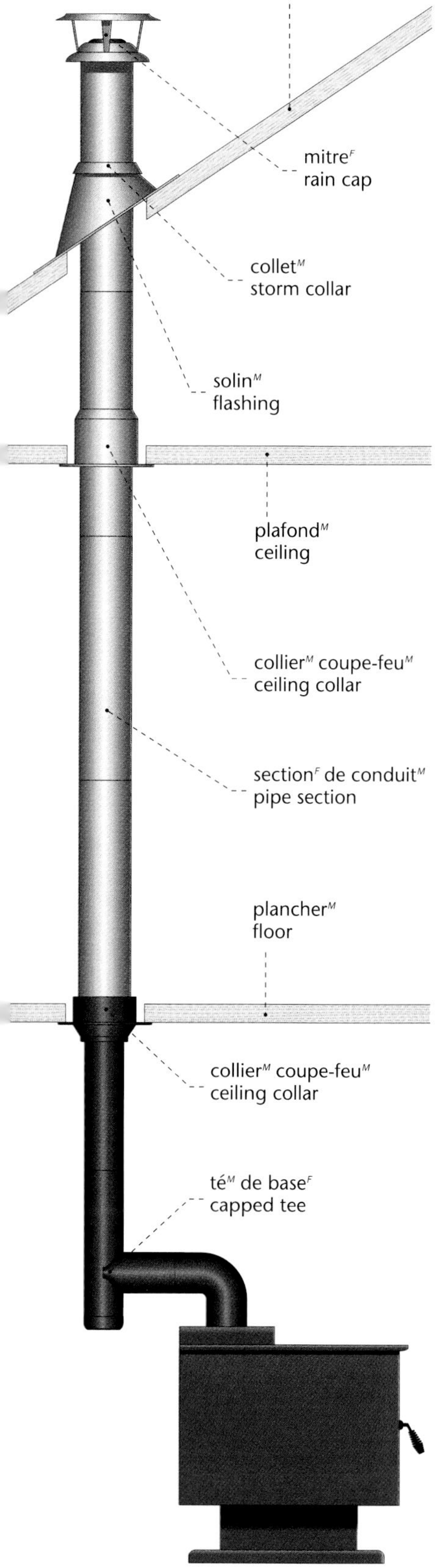
toit[M]
roof
mitre[F]
rain cap
collet[M]
storm collar
solin[M]
flashing
plafond[M]
ceiling
collier[M] coupe-feu[M]
ceiling collar
section[F] de conduit[M]
pipe section
plancher[M]
floor
collier[M] coupe-feu[M]
ceiling collar
té[M] de base[F]
capped tee

ACCESSOIRES[M] DE FOYER[M]
FIRE IRONS

pince[F]
log tongs

tisonnier[M]
poker

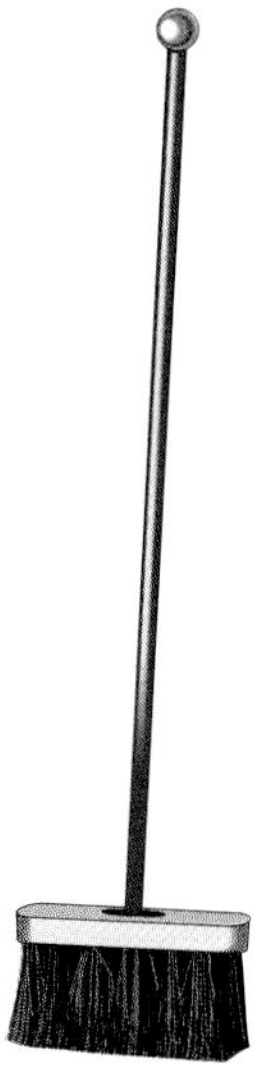
balai[M]
broom

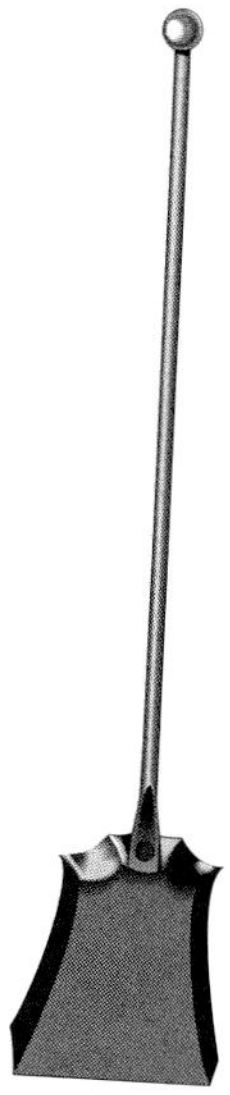
pelle[F]
shovel

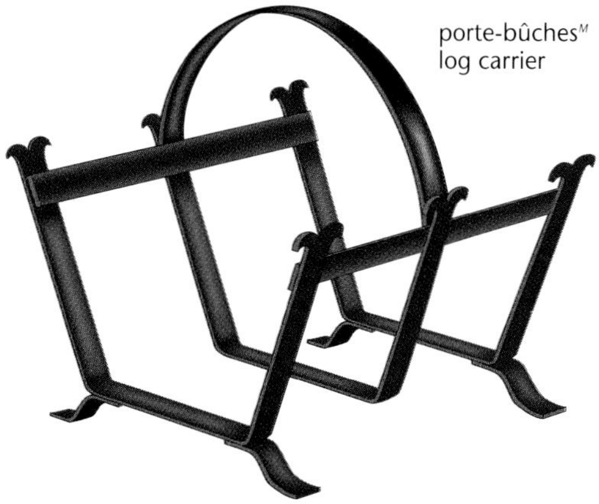
porte-bûches[M]
log carrier

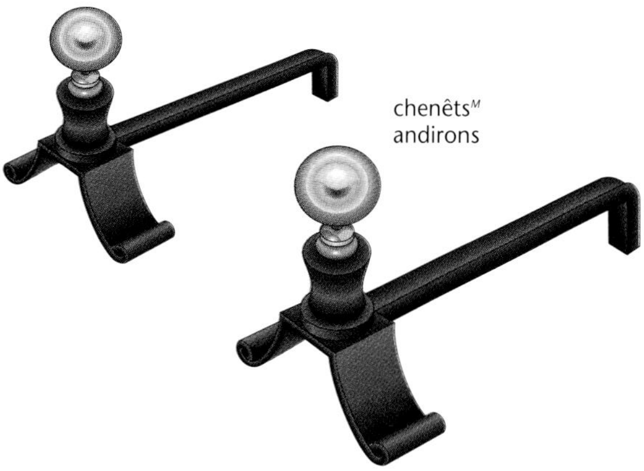
chenêts[M]
andirons

INSTALLATION[F] À AIR[M] CHAUD PULSÉ
FORCED WARM-AIR SYSTEM

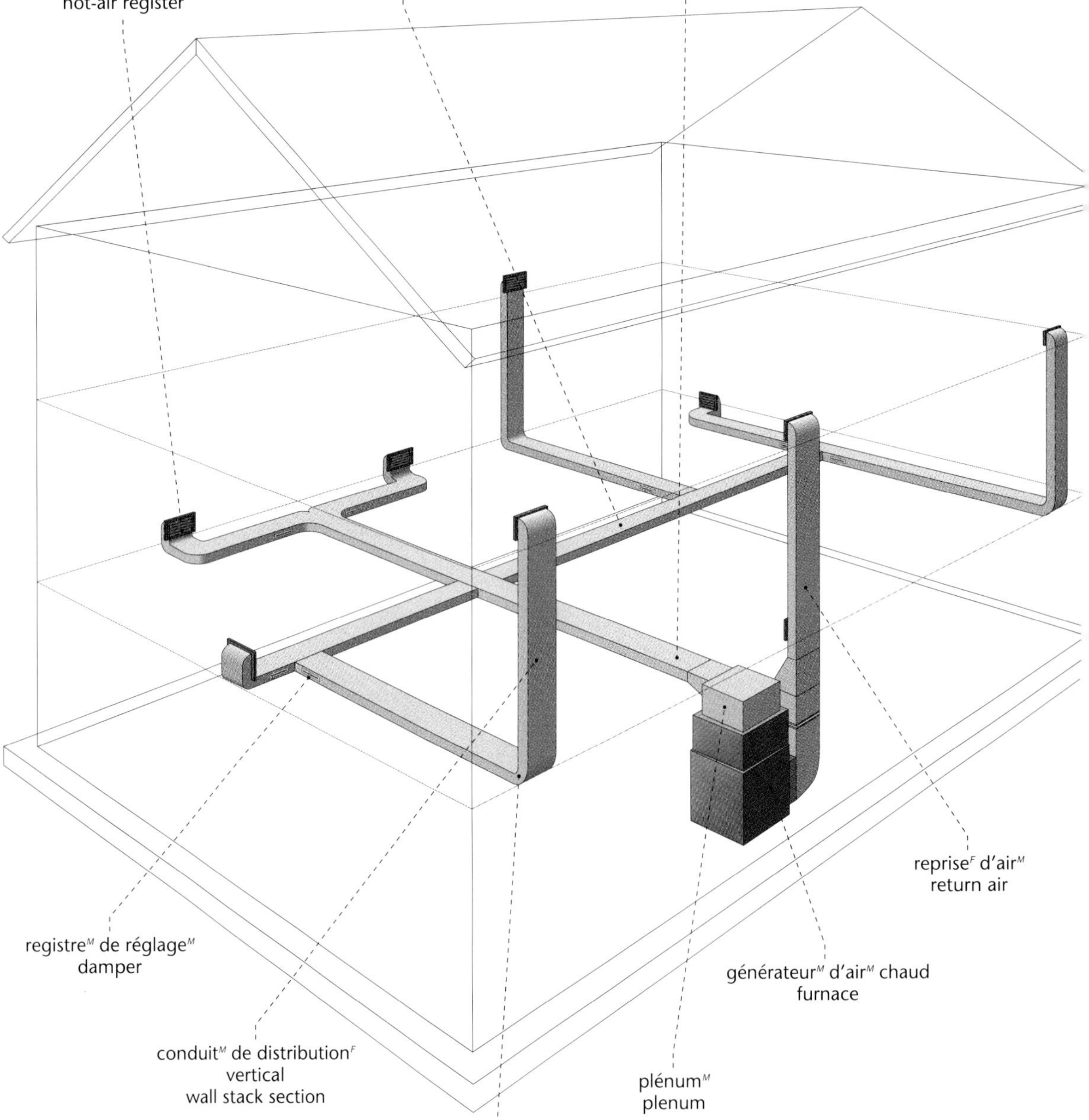
bouche[F] de soufflage[M]
hot-air register
gaine[F] de dérivation[F]
branch duct
gaine[F] principale
main duct
reprise[F] d'air[M]
return air
registre[M] de réglage[M]
damper
générateur[M] d'air[M] chaud
furnace
conduit[M] de distribution[F] vertical
wall stack section
plénum[M]
plenum
coude[M]
elbow

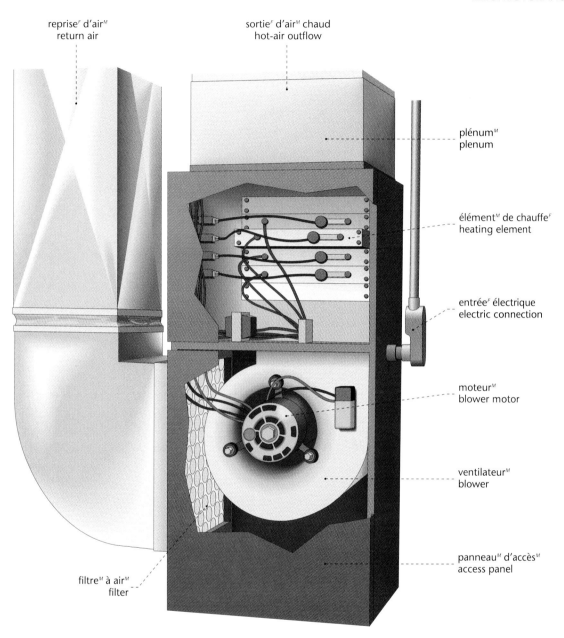

GÉNÉRATEUR[M] D'AIR[M] CHAUD ÉLECTRIQUE
ELECTRIC FURNACE

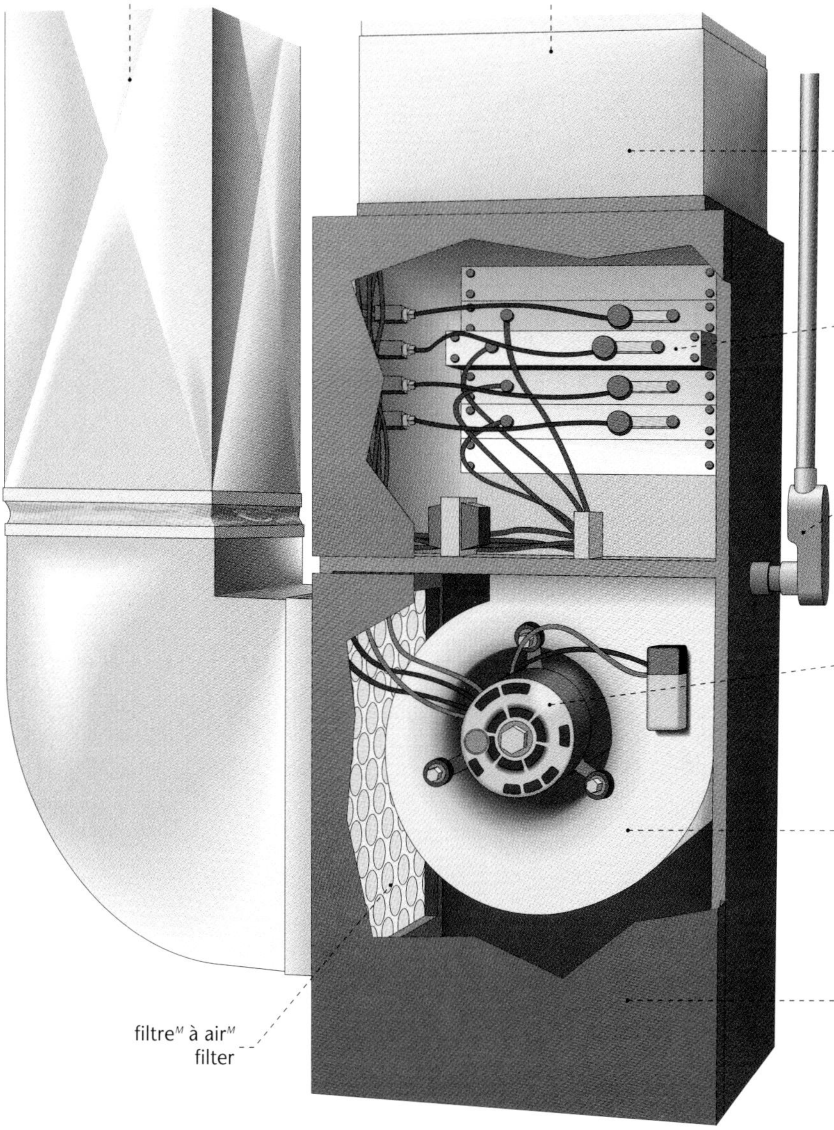
reprise[F] d'air[M]
return air
sortie[F] d'air[M] chaud
hot-air outflow
plénum[M]
plenum
élément[M] de chauffe[F]
heating element
entrée[F] électrique
electric connection
moteur[M]
blower motor
ventilateur[M]
blower
panneau[M] d'accès[M]
access panel
filtre[M] à air[M]
filter

TYPES[M] DE BOUCHES[F]
TYPES OF REGISTERS; *TYPES OF GRILLES*

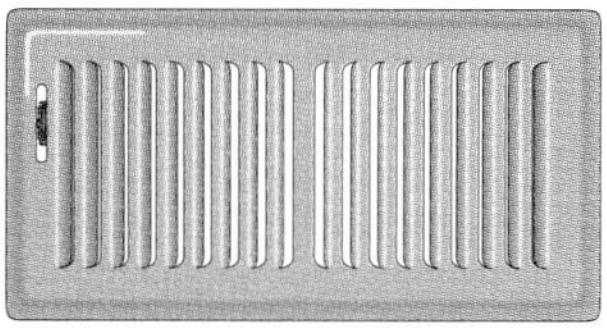

bouche[F] de soufflage[M]
baseboard register; *skirting grille*

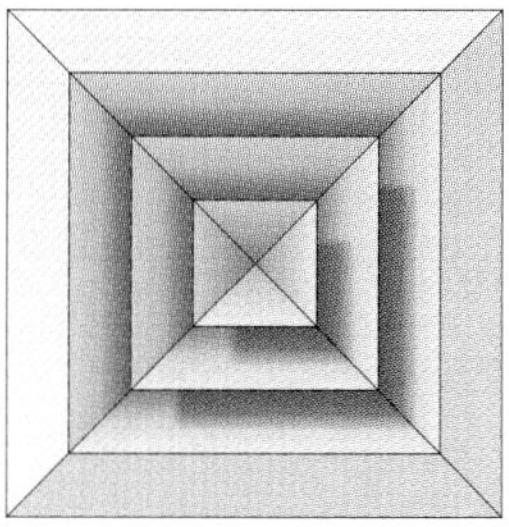

bouche[F] à induction[F]
ceiling register; *ceiling grille*

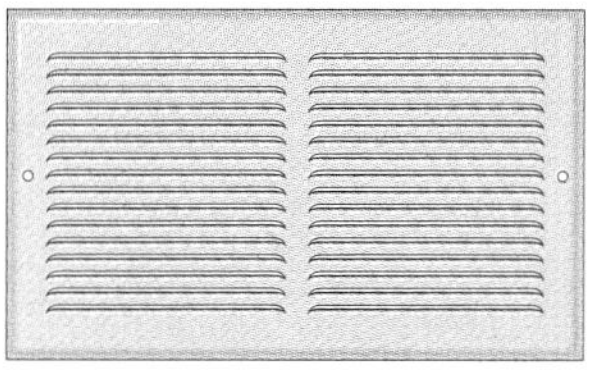

bouche[F] d'extraction[F]
wall register; *wall grille*

CHAUFFAGE[M]
HEATING

INSTALLATION[F] À EAU[F] CHAUDE
FORCED HOT-WATER SYSTEM

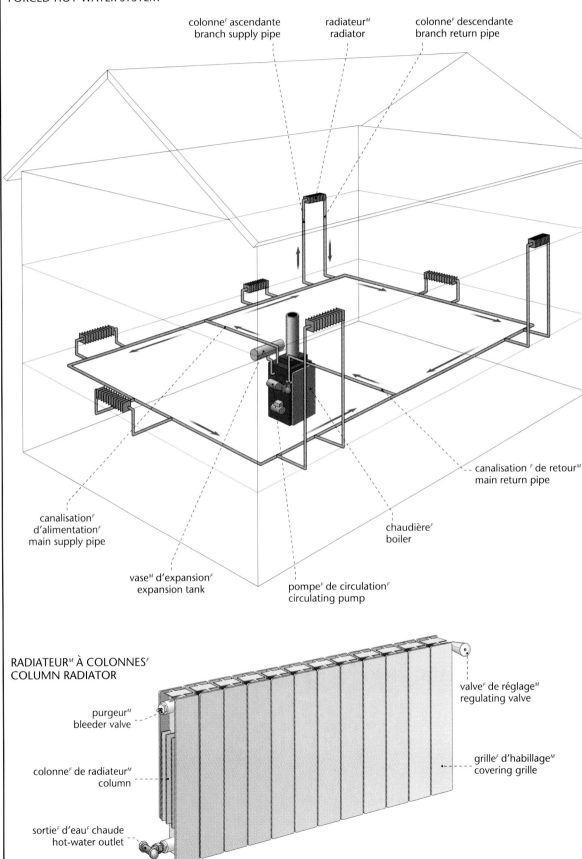

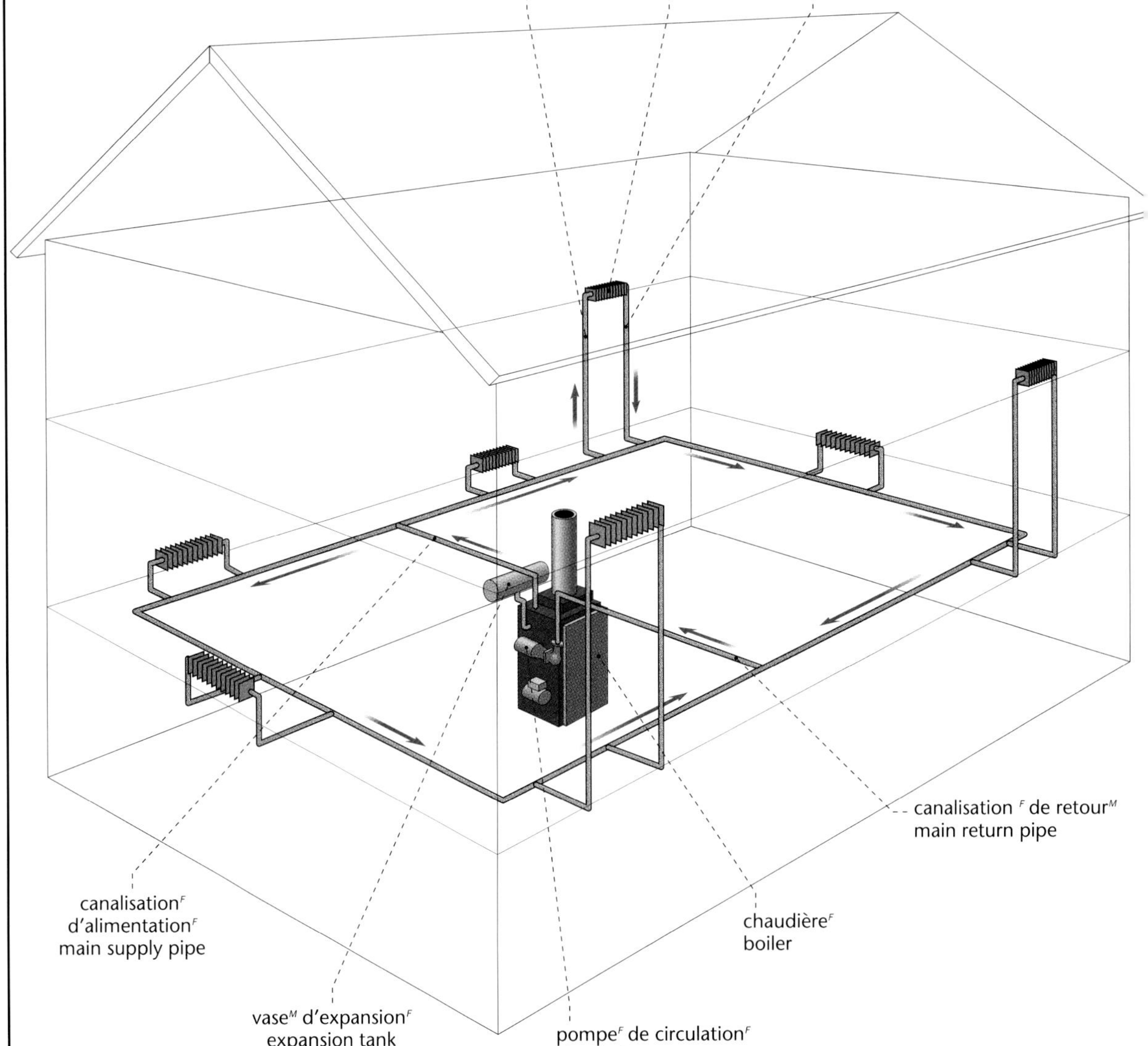
colonne[F] ascendante
branch supply pipe
radiateur[M]
radiator
colonne[F] descendante
branch return pipe
canalisation[F] de retour[M]
main return pipe
canalisation[F] d'alimentation[F]
main supply pipe
chaudière[F]
boiler
vase[M] d'expansion[F]
expansion tank
pompe[F] de circulation[F]
circulating pump

RADIATEUR[M] À COLONNES[F]
COLUMN RADIATOR

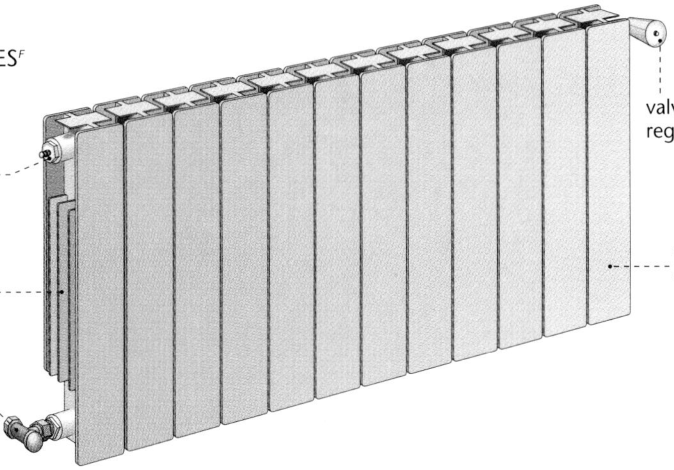
valve[F] de réglage[M]
regulating valve
purgeur[M]
bleeder valve
colonne[F] de radiateur[M]
column
grille[F] d'habillage[M]
covering grille
sortie[F] d'eau[F] chaude
hot-water outlet

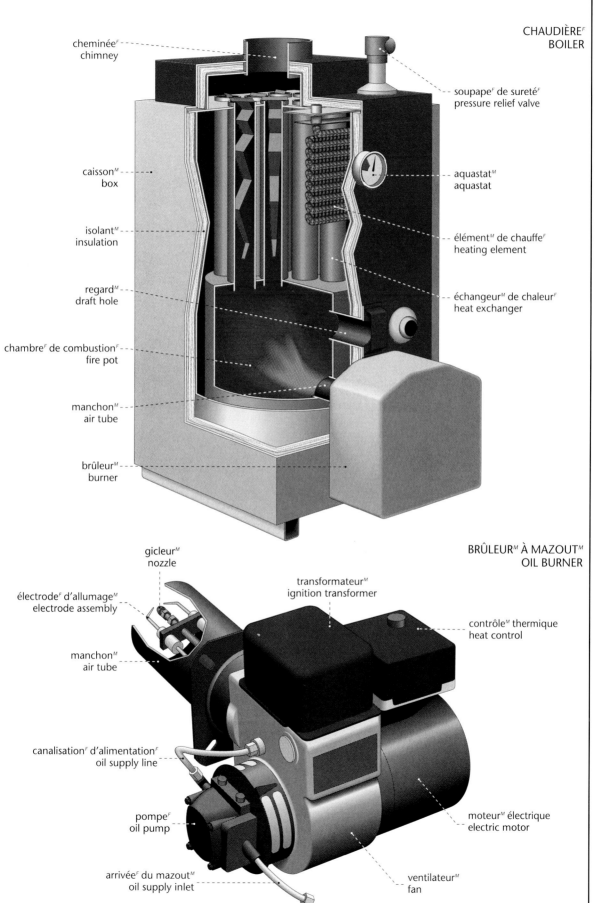

CHAUDIÈRE[F]
BOILER

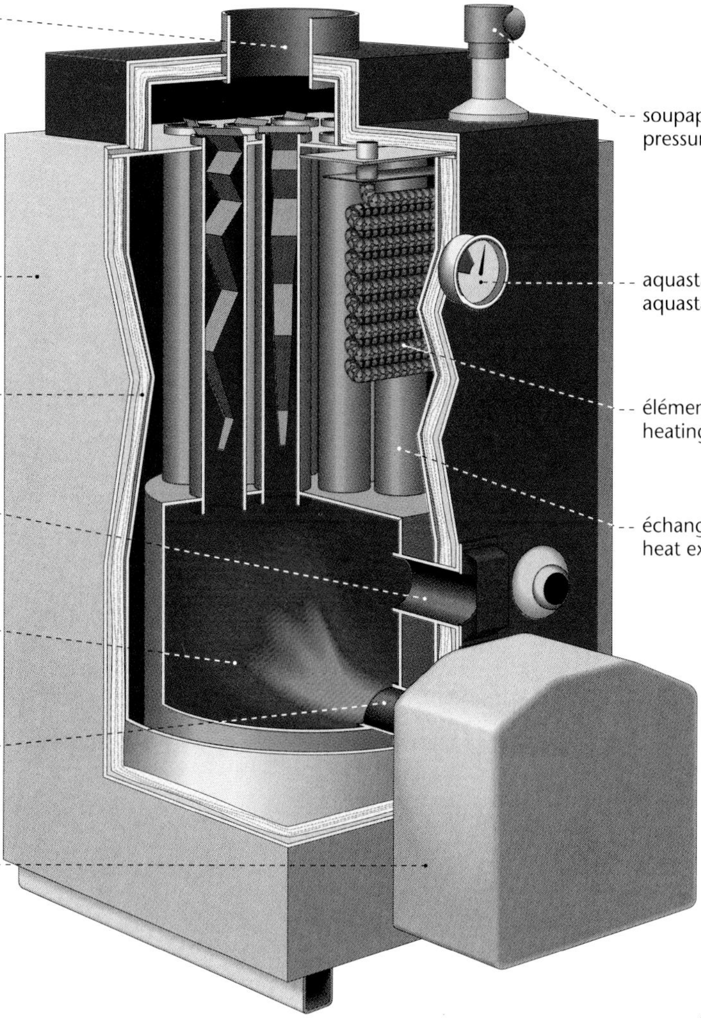
cheminée[F]
chimney
soupape[F] de sureté[F]
pressure relief valve
caisson[M]
box
aquastat[M]
aquastat
isolant[M]
insulation
élément[M] de chauffe[F]
heating element
regard[M]
draft hole
échangeur[M] de chaleur[F]
heat exchanger
chambre[F] de combustion[F]
fire pot
manchon[M]
air tube
brûleur[M]
burner

BRÛLEUR[M] À MAZOUT[M]
OIL BURNER

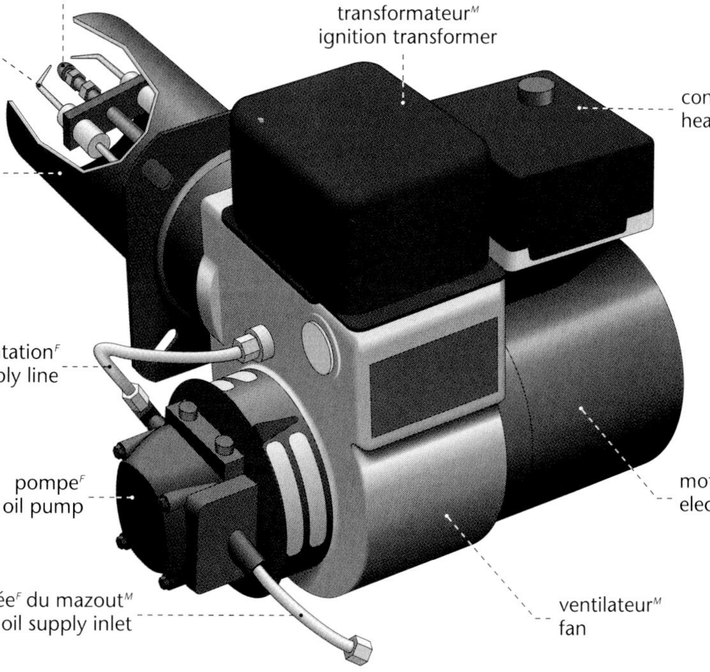
gicleur[M]
nozzle
électrode[F] d'allumage[M]
electrode assembly
transformateur[M]
ignition transformer
contrôle[M] thermique
heat control
manchon[M]
air tube
canalisation[F] d'alimentation[F]
oil supply line
pompe[F]
oil pump
moteur[M] électrique
electric motor
arrivée[F] du mazout[M]
oil supply inlet
ventilateur[M]
fan

CHAUFFAGE[M]
HEATING

HUMIDIFICATEUR[M]
HUMIDIFIER

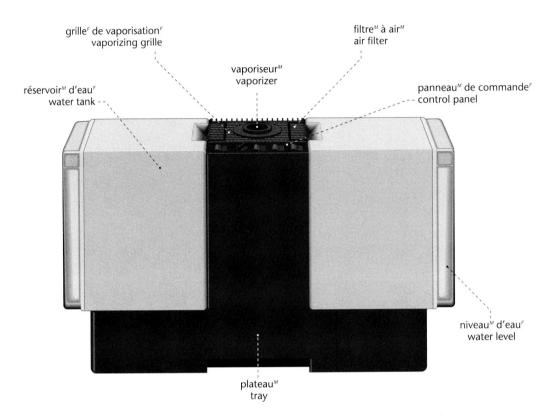

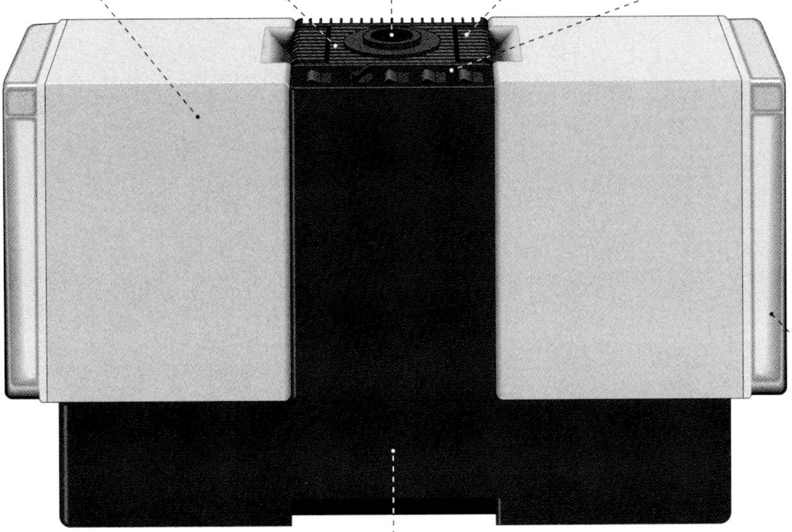
grille[F] de vaporisation[F]
vaporizing grille
filtre[M] à air[M]
air filter
vaporiseur[M]
vaporizer
réservoir[M] d'eau[F]
water tank
panneau[M] de commande[F]
control panel
niveau[M] d'eau[F]
water level
plateau[M]
tray

HYGROMÈTRE[M]
HYGROMETER

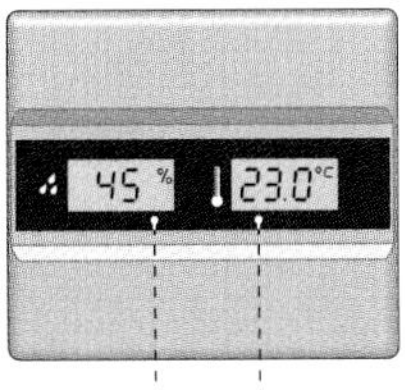
45 %
23.0 °C
humidité[F]
humidity
température[F]
temperature

purificateur[M] d'air[M]
air purifier

PLINTHE[F] CHAUFFANTE ÉLECTRIQUE
ELECTRIC BASEBOARD RADIATOR;
ELECTRIC SKIRTING CONVECTOR

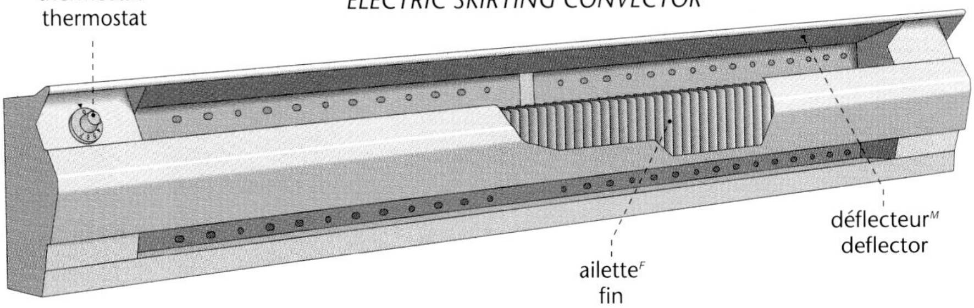
thermostat[M]
thermostat
déflecteur[M]
deflector
ailette[F]
fin

CONVECTEUR^{M}
CONVECTOR

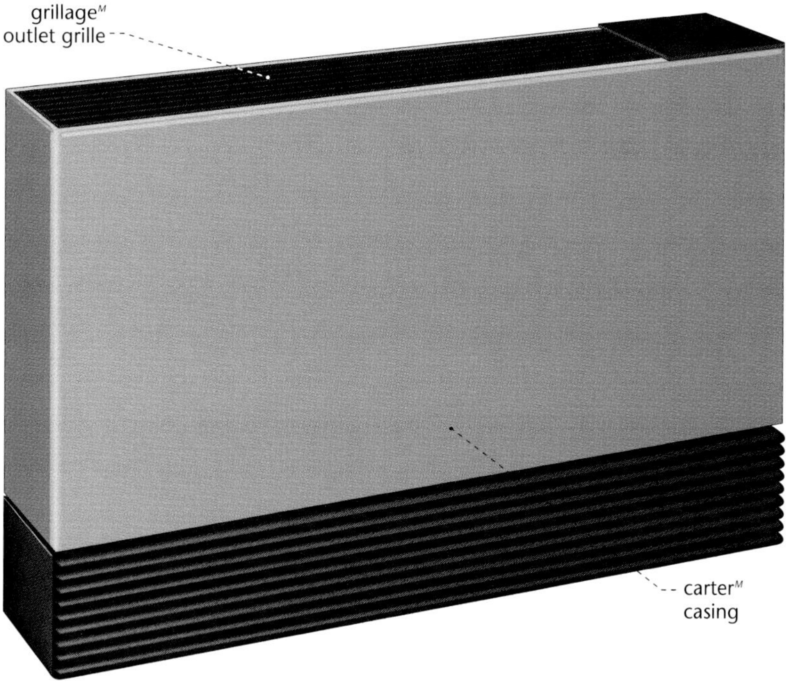
grillage^{M}
outlet grille
carter^{M}
casing

CHAUFFAGE^{M} D'APPOINT^{M}
AUXILIARY HEATING

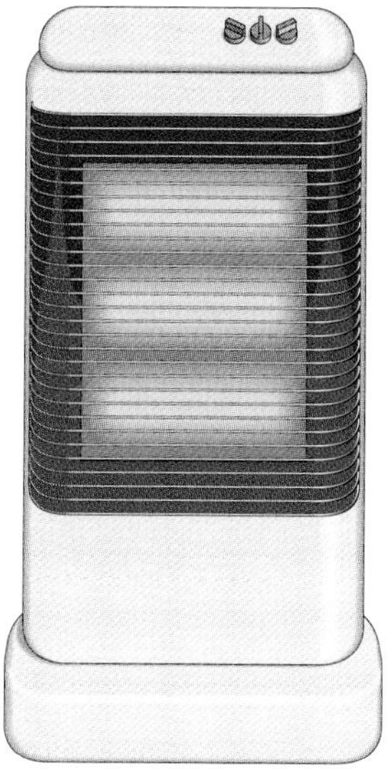

radiateur^{M} rayonnant
radiant heater

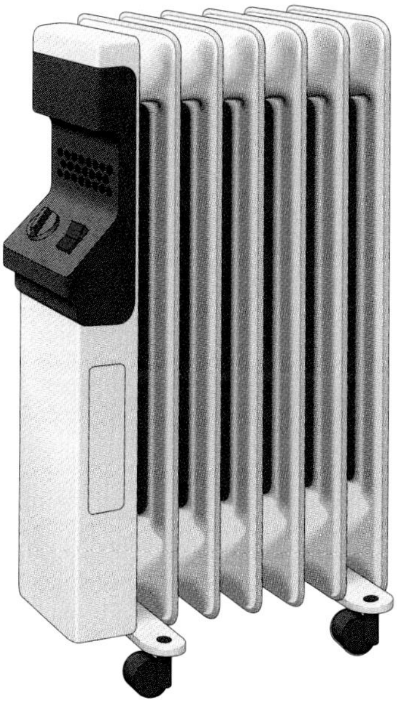

radiateur^{M} bain^{M} d'huile^{F}
oil-filled heater

radiateur^{M} soufflant
fan heater

POMPE^{F} À CHALEUR^{F}
HEAT PUMP

MODULE^{M} EXTÉRIEUR
OUTDOOR UNIT

ventilateur^{M} hélicoïde
fan
échangeur^{M} extérieur
outdoor condensing unit
compresseur^{M}
compressor
réservoir^{M} de fluide^{M}
refrigerant tank
inverseur^{M}
reversing device

MODULE[M] INTÉRIEUR
INDOOR UNIT

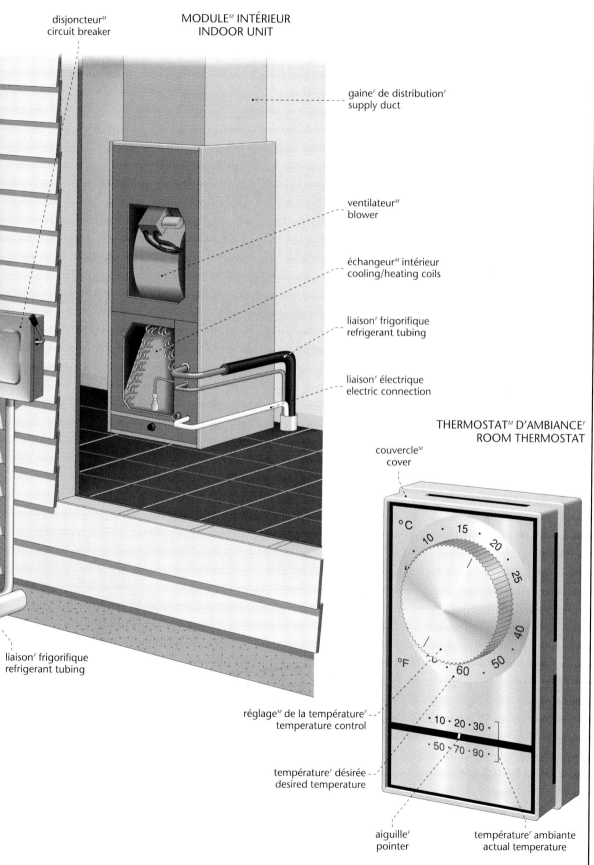

disjoncteur[M]
circuit breaker
gaine[F] de distribution[F]
supply duct
ventilateur[M]
blower
échangeur[M] intérieur
cooling/heating coils
liaison[F] frigorifique
refrigerant tubing
liaison[F] électrique
electric connection
liaison[F] frigorifique
refrigerant tubing

THERMOSTAT[M] D'AMBIANCE[F]
ROOM THERMOSTAT

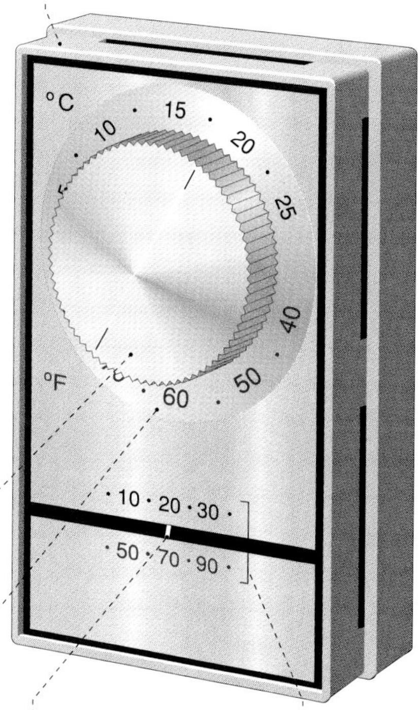
couvercle[M]
cover
°C
10
15
20
25
40
50
60
°F
10 · 20 · 30 ·
· 50 · 70 · 90 ·
réglage[M] de la température[F]
temperature control
température[F] désirée
desired temperature
aiguille[F]
pointer
température[F] ambiante
actual temperature

CLIMATISATION[F]
AIR CONDITIONING

VENTILATEUR[M] DE PLAFOND[M]
CEILING FAN

tige[F]
rod
moteur[M]
motor
pale[F]
blade

CLIMATISEUR[M] DE FENÊTRE[F]
ROOM AIR CONDITIONER

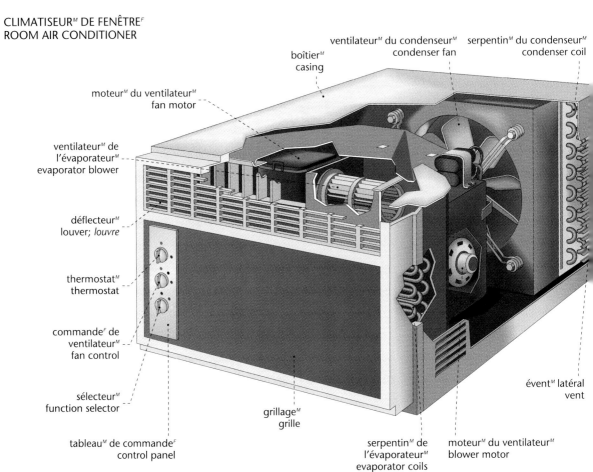

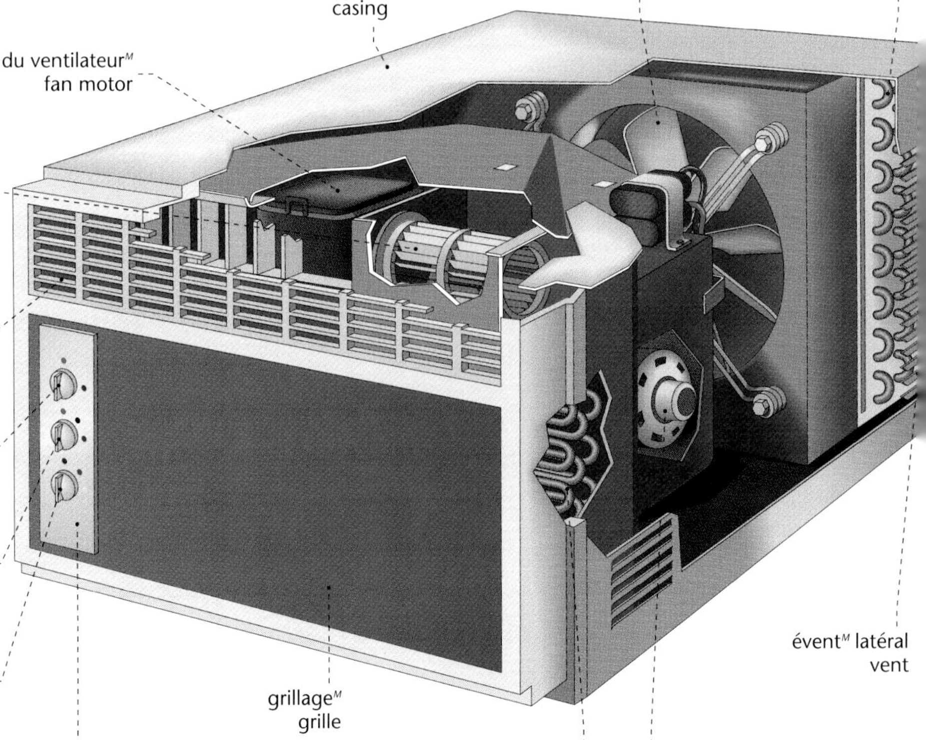
ventilateur[M] du condenseur[M]
condenser fan
serpentin[M] du condenseur[M]
condenser coil
boîtier[M]
casing
moteur[M] du ventilateur[M]
fan motor
ventilateur[M] de l'évaporateur[M]
evaporator blower
déflecteur[M]
louver; *louvre*
thermostat[M]
thermostat
commande[F] de ventilateur[M]
fan control
sélecteur[M]
function selector
tableau[M] de commande[F]
control panel
grillage[M]
grille
serpentin[M] de l'évaporateur[M]
evaporator coils
moteur[M] du ventilateur[M]
blower motor
évent[M] latéral
vent

CIRCUIT[M] DE PLOMBERIE[F]
PLUMBING SYSTEM

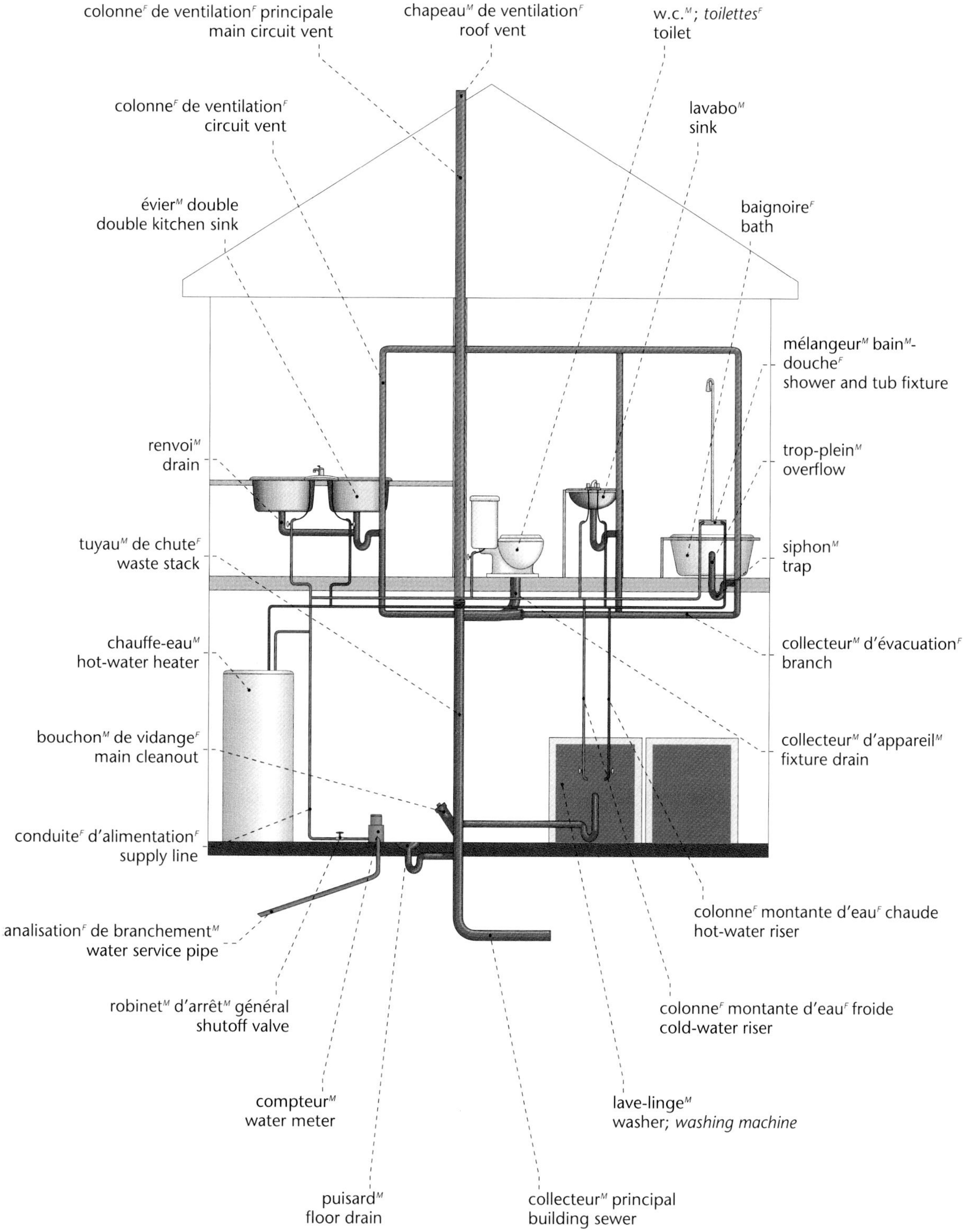
colonne[F] de ventilation[F] principale
main circuit vent
chapeau[M] de ventilation[F]
roof vent
w.c.[M]; *toilettes*[F]
toilet
colonne[F] de ventilation[F]
circuit vent
lavabo[M]
sink
évier[M] double
double kitchen sink
baignoire[F]
bath
mélangeur[M] bain[M]-douche[F]
shower and tub fixture
renvoi[M]
drain
trop-plein[M]
overflow
tuyau[M] de chute[F]
waste stack
siphon[M]
trap
chauffe-eau[M]
hot-water heater
collecteur[M] d'évacuation[F]
branch
bouchon[M] de vidange[F]
main cleanout
collecteur[M] d'appareil[M]
fixture drain
conduite[F] d'alimentation[F]
supply line
analisation[F] de branchement[M]
water service pipe
colonne[F] montante d'eau[F] chaude
hot-water riser
robinet[M] d'arrêt[M] général
shutoff valve
colonne[F] montante d'eau[F] froide
cold-water riser
compteur[M]
water meter
lave-linge[M]
washer; *washing machine*
puisard[M]
floor drain
collecteur[M] principal
building sewer

circuit[M] de ventilation[F]
ventilating circuit

circuit[M] d'évacuation[F]
draining circuit

circuit[M] d'eau[F] froide
cold-water circuit

circuit[M] d'eau[F] chaude
hot-water circuit

POMPE[F] DE PUISARD[M]
PEDESTAL-TYPE SUMP PUMP

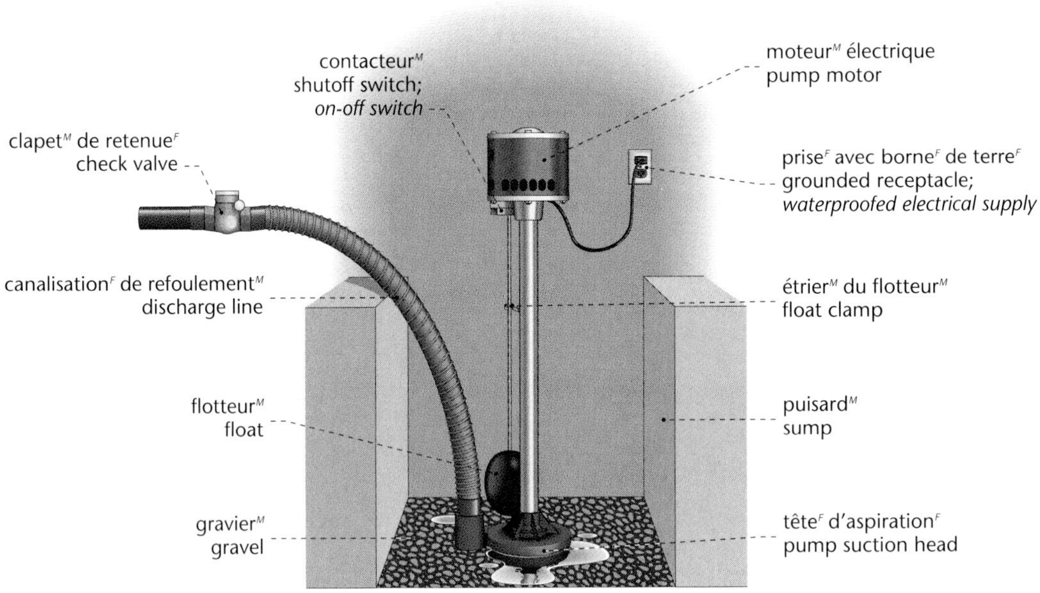
contacteur[M]
shutoff switch;
on-off switch
moteur[M] électrique
pump motor
clapet[M] de retenue[F]
check valve
prise[F] avec borne[F] de terre[F]
grounded receptacle;
waterproofed electrical supply
canalisation[F] de refoulement[M]
discharge line
étrier[M] du flotteur[M]
float clamp
flotteur[M]
float
puisard[M]
sump
gravier[M]
gravel
tête[F] d'aspiration[F]
pump suction head

FOSSE[F] SEPTIQUE
SEPTIC TANK

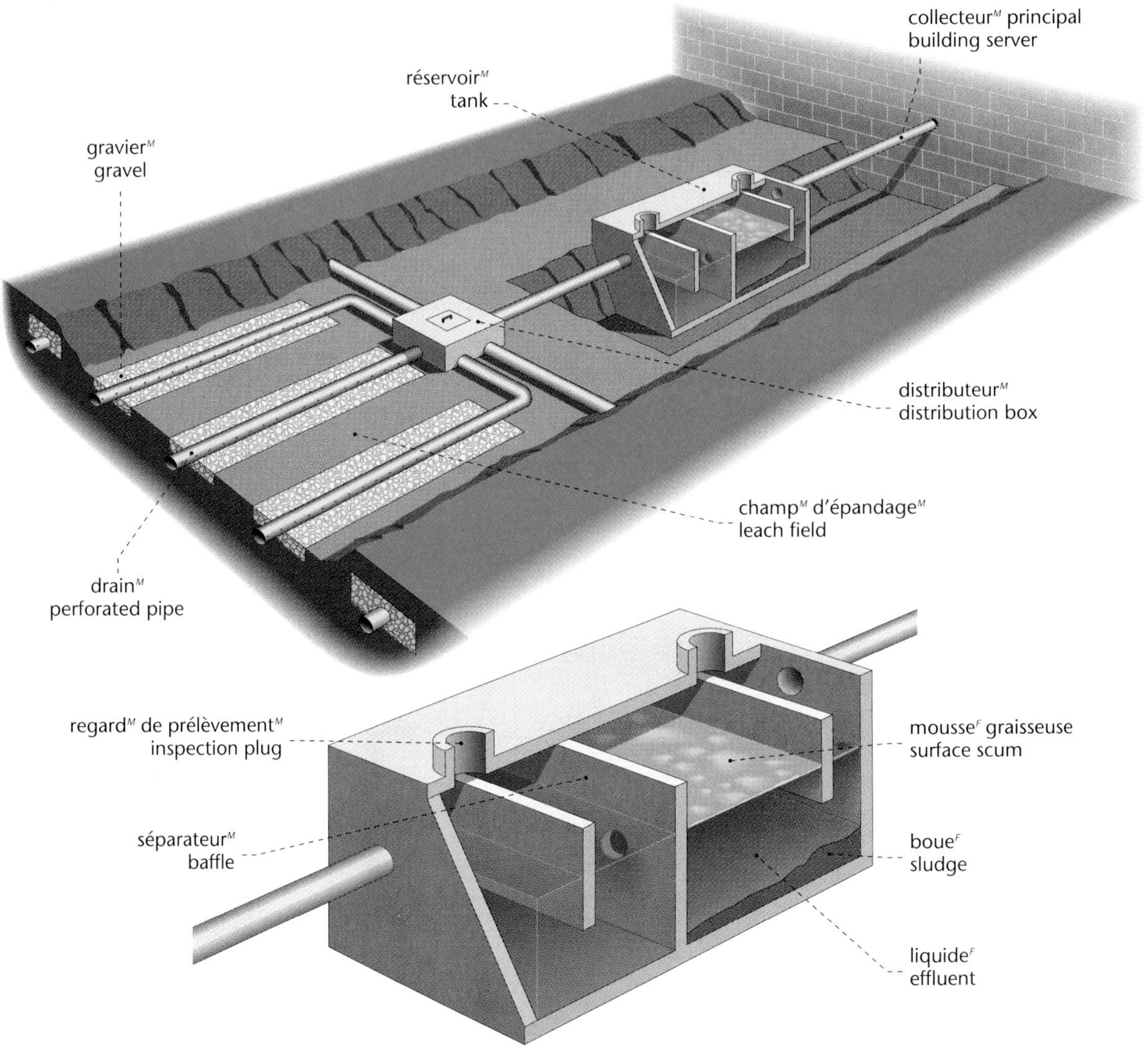
collecteur[M] principal
building server
réservoir[M]
tank
gravier[M]
gravel
distributeur[M]
distribution box
champ[M] d'épandage[M]
leach field
drain[M]
perforated pipe
regard[M] de prélèvement[M]
inspection plug
mousse[F] graisseuse
surface scum
séparateur[M]
baffle
boue[F]
sludge
liquide[F]
effluent

AMEUBLEMENT DE LA MAISON • HOUSE FURNITURE

SOMMAIRE

TABLE[F]
TABLE

TABLE[F] À ABATTANTS[M]
GATE-LEG TABLE

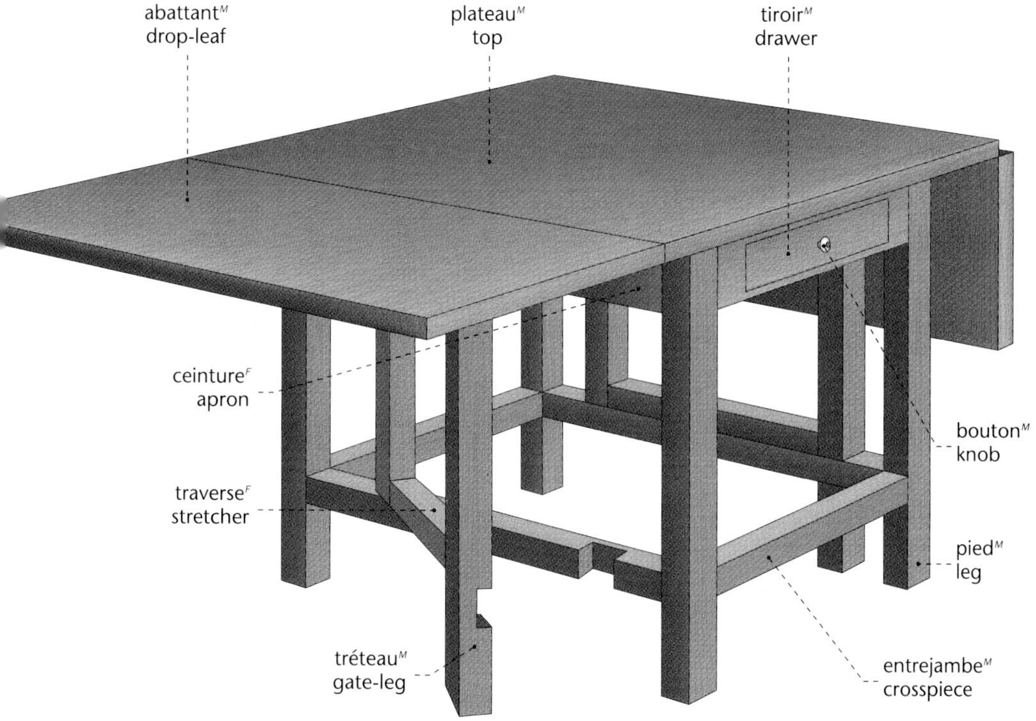
abattant[M]
drop-leaf
plateau[M]
top
tiroir[M]
drawer
ceinture[F]
apron
bouton[M]
knob
traverse[F]
stretcher
pied[M]
leg
tréteau[M]
gate-leg
entrejambe[M]
crosspiece

PRINCIPAUX TYPES[M] DE TABLES[F]
MAJOR TYPES OF TABLES

table[F] à rallonges[F]
extension table

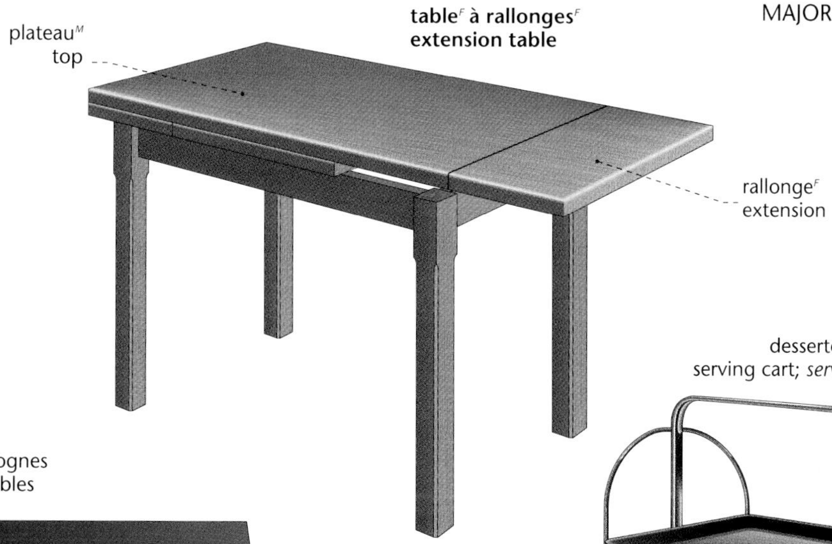
plateau[M]
top
rallonge[F]
extension

tables[F] gigognes
nest of tables

desserte[F]
serving cart; *serving trolley*

FAUTEUIL^M
ARMCHAIR

PARTIES^F
PARTS

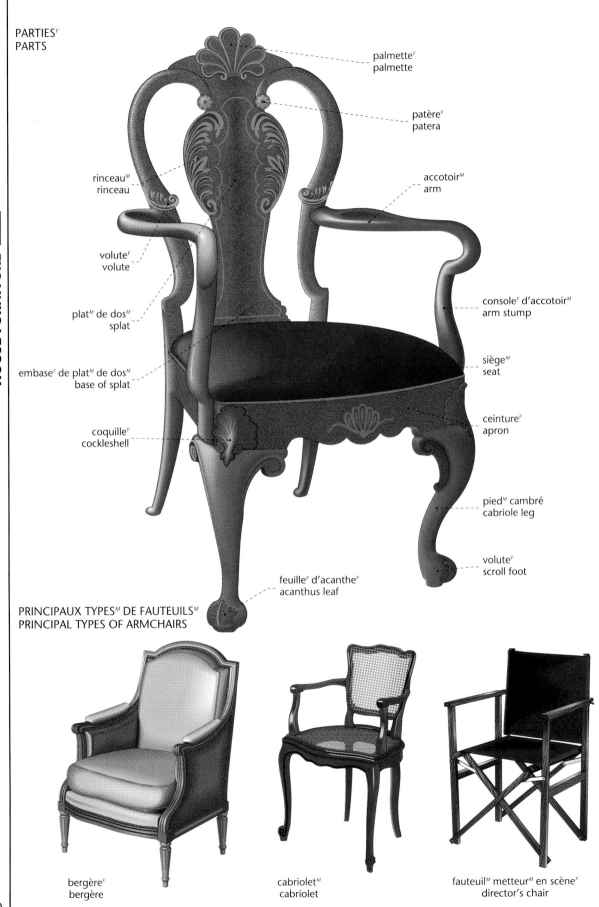

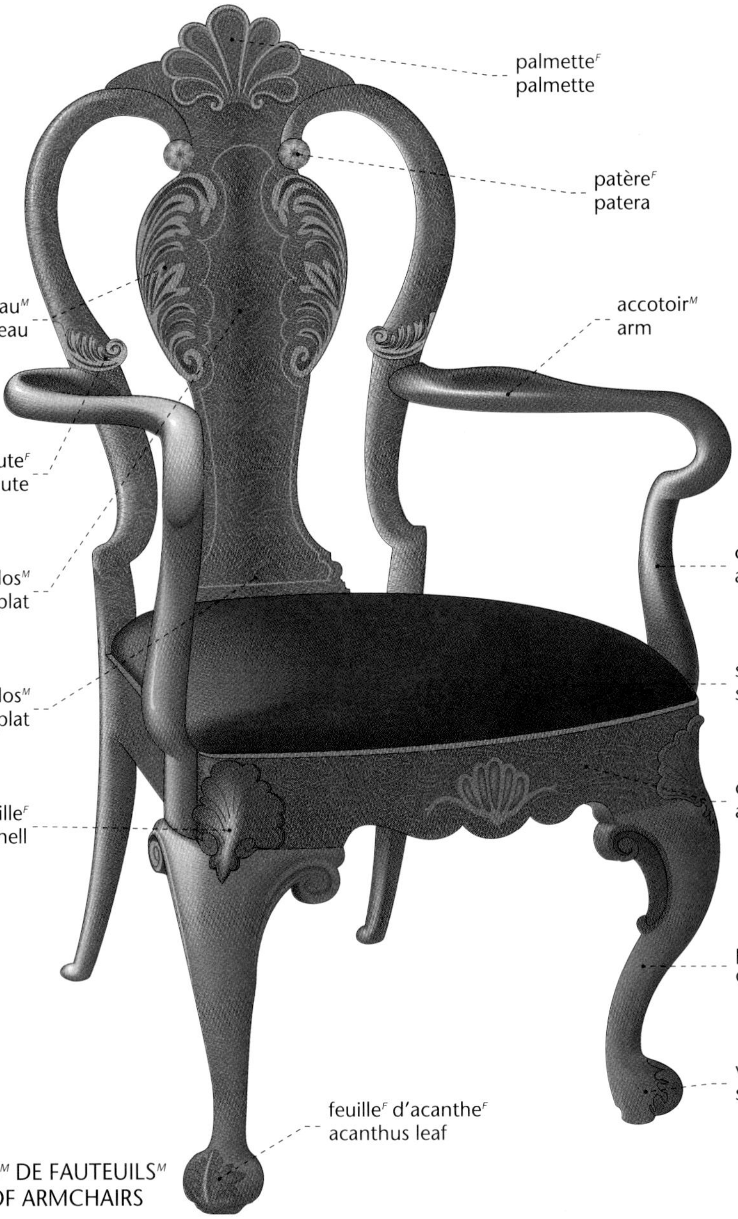
palmette^F
palmette
patère^F
patera
rinceau^M
rinceau
accotoir^M
arm
volute^F
volute
plat^M de dos^M
splat
console^F d'accotoir^M
arm stump
siège^M
seat
embase^F de plat^M de dos^M
base of splat
ceinture^F
apron
coquille^F
cockleshell
pied^M cambré
cabriole leg
volute^F
scroll foot
feuille^F d'acanthe^F
acanthus leaf

PRINCIPAUX TYPES^M DE FAUTEUILS^M
PRINCIPAL TYPES OF ARMCHAIRS

bergère^F
bergère

cabriolet^M
cabriolet

fauteuil^M metteur^M en scène^F
director's chair

canapé[M]
sofa

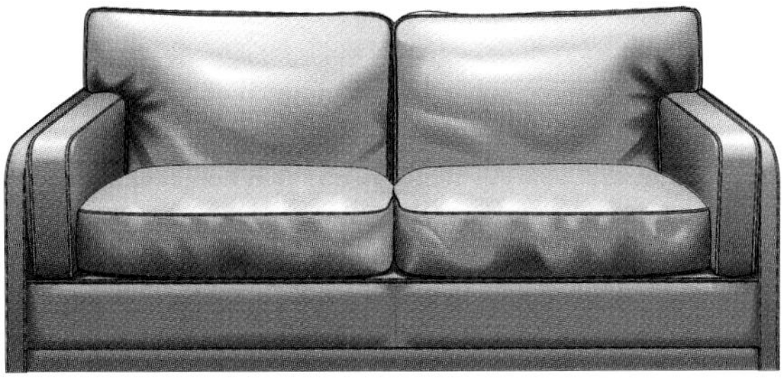

causeuse[F]
love seat; *two-seater settee*

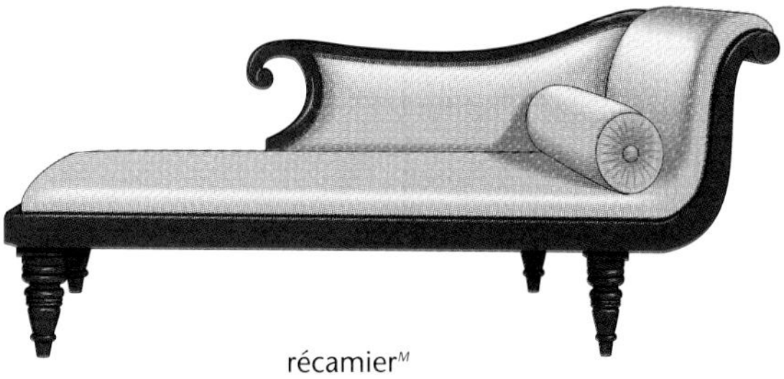

récamier[M]
récamier

canapé[M] capitonné
chesterfield

méridienne[F]
méridienne

fauteuil[M] Wassily
Wassily chair

berceuse[F]
rocking chair

fauteuil[M] club[M]
club chair

SIÈGES[M]
SEATS

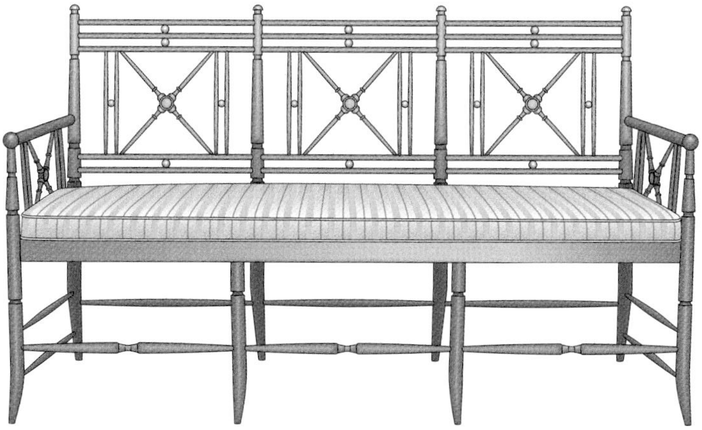

banquette[F]
banquette

pouf[M]
ottoman

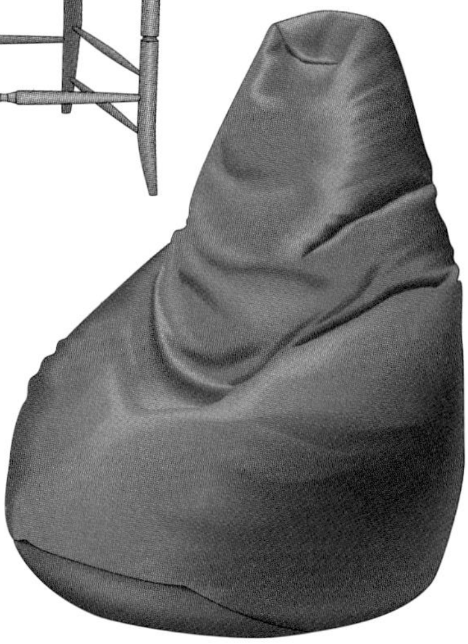

fauteuil[M]-sac[M]
bean bag chair

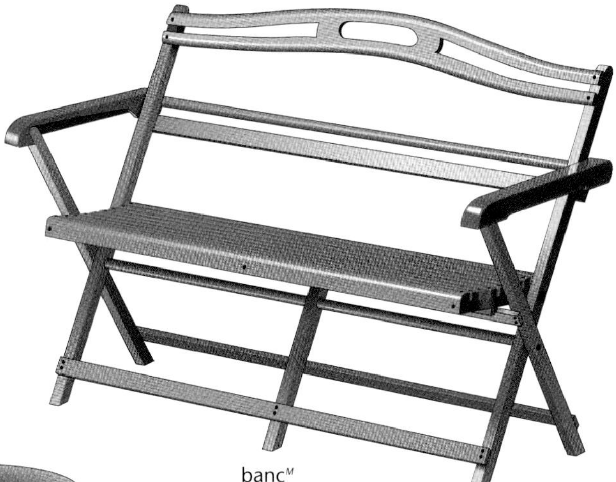

banc[M]
bench

tabouret[M]-bar[M]
bar stool

tabouret[M]
footstool

chaise[F]-escabeau[M]
step chair

CHAISE[F]
SIDE CHAIR

PARTIES[F]
PARTS

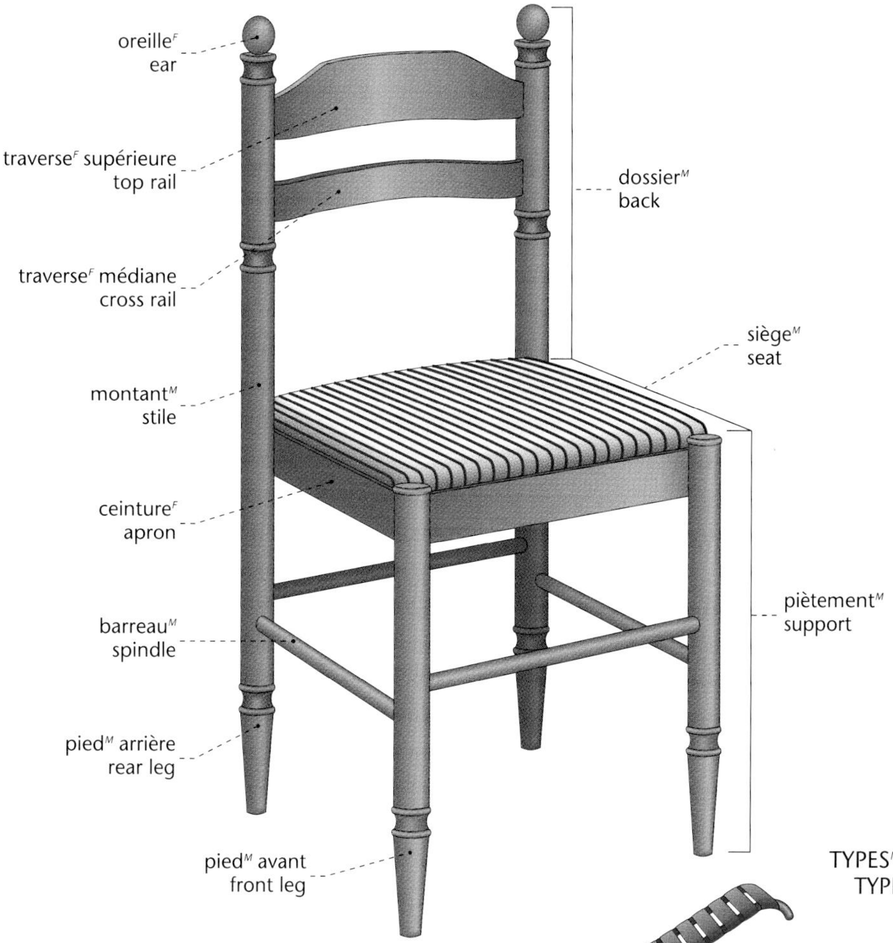
oreille[F]
ear
traverse[F] supérieure
top rail
traverse[F] médiane
cross rail
montant[M]
stile
ceinture[F]
apron
barreau[M]
spindle
pied[M] arrière
rear leg
pied[M] avant
front leg
dossier[M]
back
siège[M]
seat
piètement[M]
support

TYPES[M] DE CHAISES[F]
TYPES OF CHAIRS

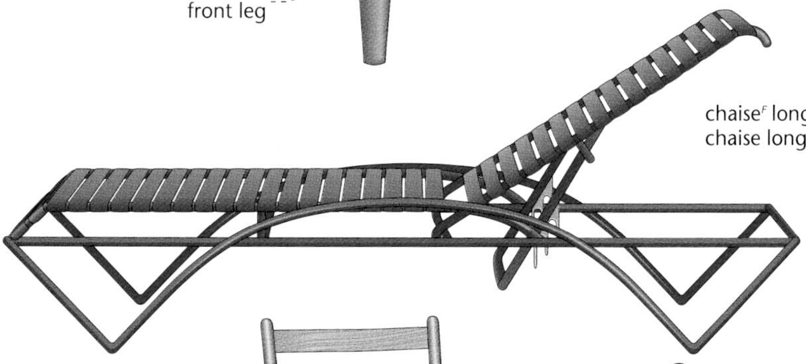
chaise[F] longue
chaise longue

chaises[F] empilables
stacking chairs

chaise[F] berçante
rocking chair

chaise[F] pliante
folding chair

LIT[M]
BED

PARTIES[F]
PARTS

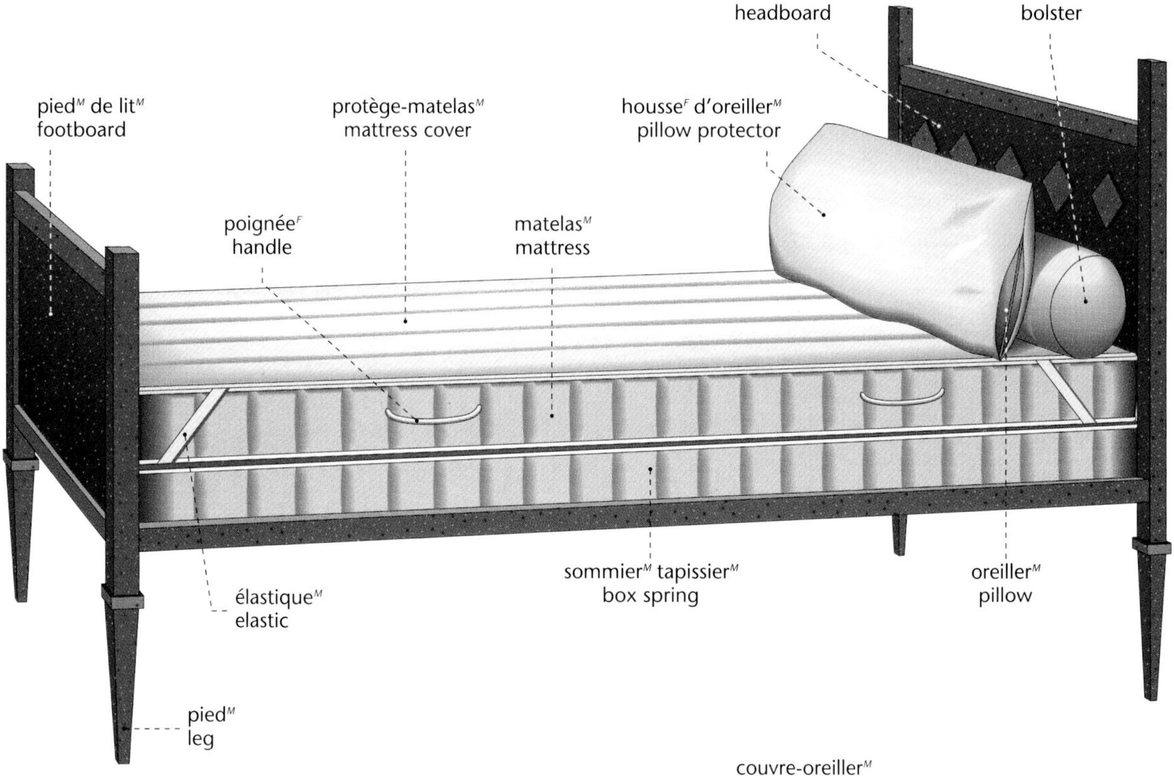
tête[F] de lit[M]
headboard
traversin[M]
bolster
pied[M] de lit[M]
footboard
protège-matelas[M]
mattress cover
housse[F] d'oreiller[M]
pillow protector
poignée[F]
handle
matelas[M]
mattress
sommier[M] tapissier[M]
box spring
oreiller[M]
pillow
élastique[M]
elastic
pied[M]
leg

LITERIE[F]
LINEN

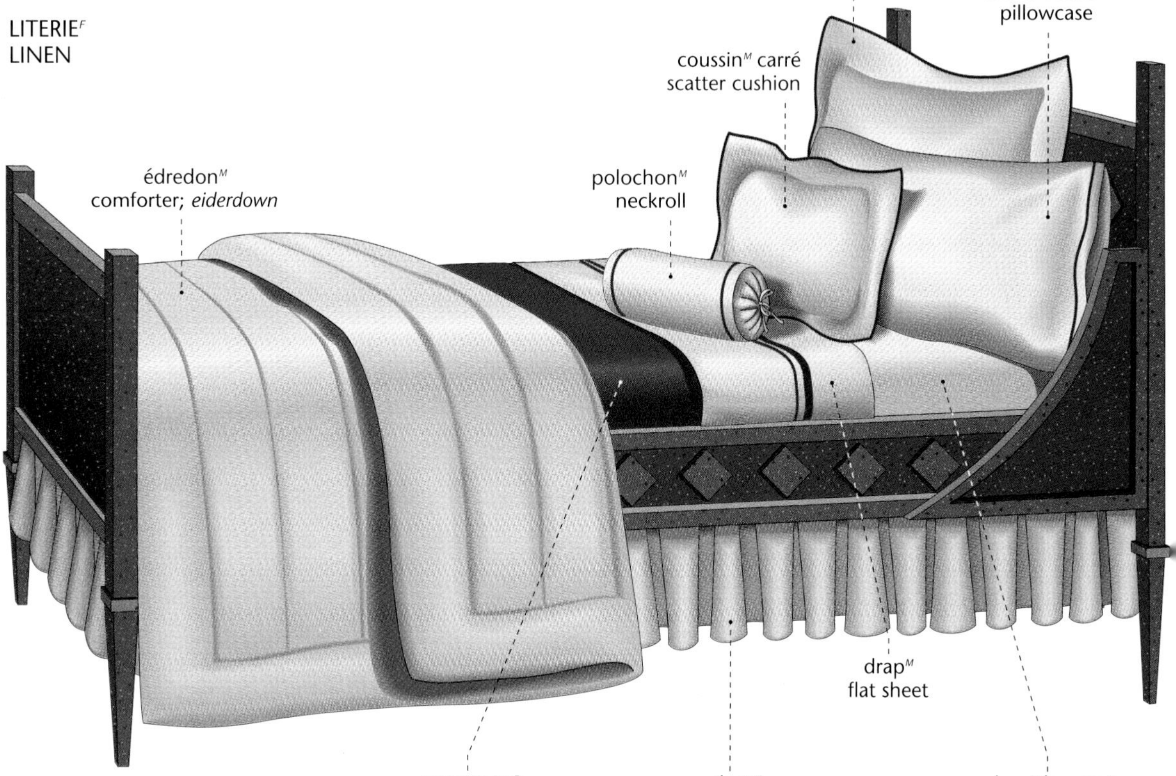
couvre-oreiller[M]
sham
taie[F] d'oreiller[M]
pillowcase
coussin[M] carré
scatter cushion
édredon[M]
comforter; *eiderdown*
polochon[M]
neckroll
drap[M]
flat sheet
couverture[F]
blanket
volant[M]
valance
drap[M]-housse[F]
fitted sheet

ARMOIRE^F
ARMOIRE

frise^F
frieze
dormant^M
center post; *centre post*
corniche^F
cornice
traverse^F supérieure
top rail
panneau^M de vantail^M
door panel
pointe^F de diamant^M
diamond point
serrure^F
lock
montant^M de ferrage^M
hanging stile
traverse^F
rail
montant^M de bâti^M
frame stile
gond^M
hinge
cheville^F
peg
traverse^F inférieure
bottom rail
pied^M
foot
soubassement^M
bracket base

bâti^M
frame

vantail^M
door

MEUBLES[M] DE RANGEMENT[M]
STORAGE FURNITURE

coffre[M]
linen chest

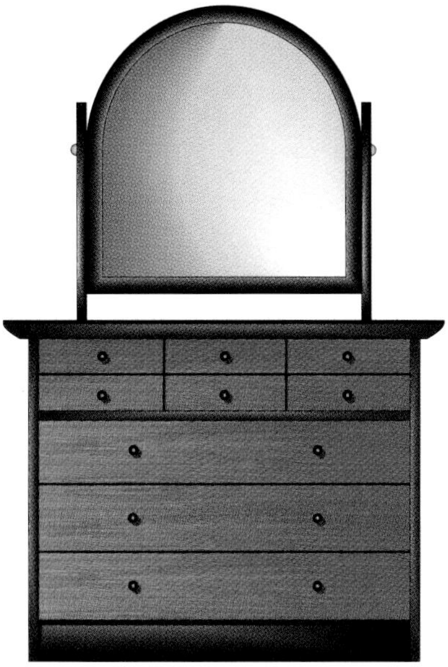

commode[F]
dresser; *chest of drawers*

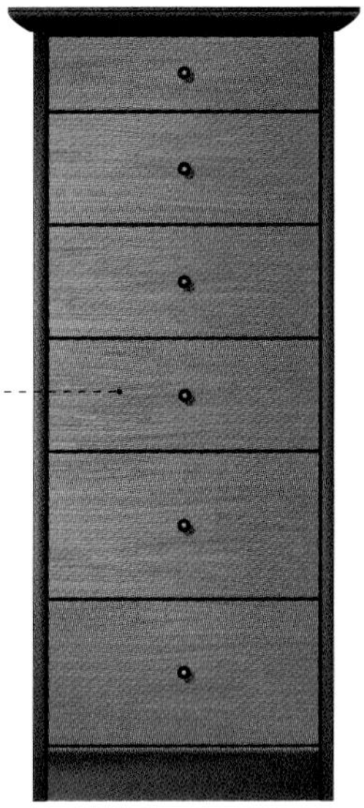
tiroir[M]
drawer

chiffonnier[M]
chiffonier

casier[M]
tray
abattant[M]
fall front

secrétaire[M]
secretary; *bureau*

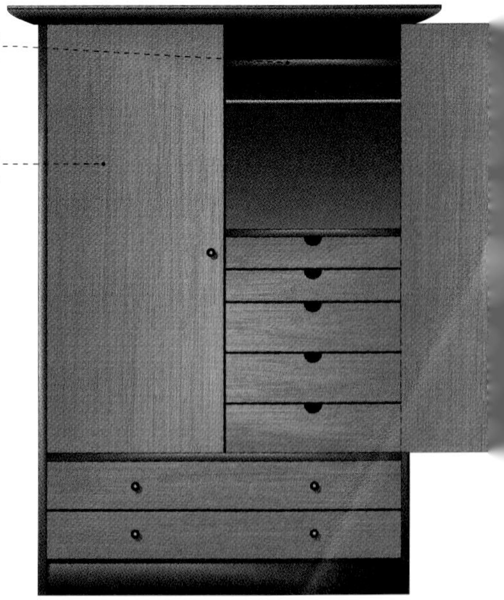
tablette[F]
shelf
penderie[F]
closet; *cupboard*

armoire[F]-penderie[F]
wardrobe

vitrine[F]
display cabinet

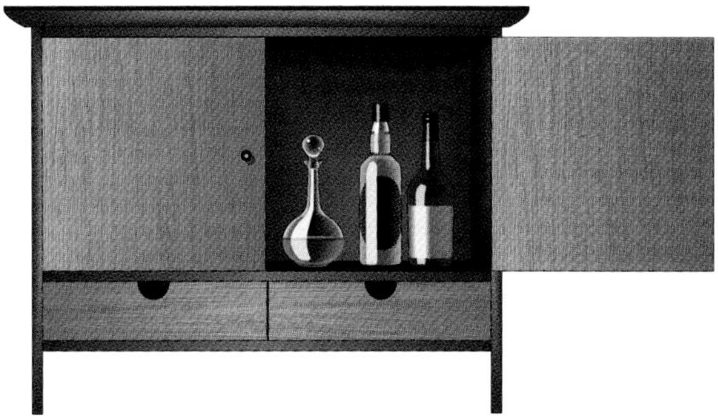

bar[M]
cocktail cabinet

buffet[M]-vaisselier[M]
glass-fronted display cabinet

encoignure[F]
corner cupboard

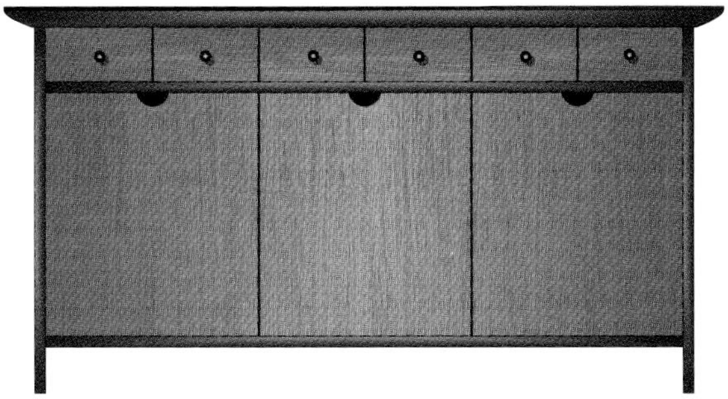

buffet[M]
buffet; *sideboard*

PARURES[F] DE FENÊTRE[F]
WINDOW ACCESSORIES

TYPES[M] DE RIDEAUX[M]
TYPES OF CURTAINS

RIDEAU[M] DE VITRAGE[M]
GLASS CURTAIN

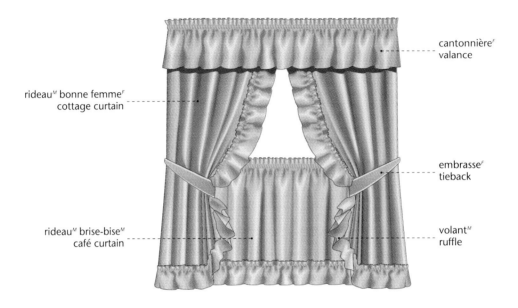

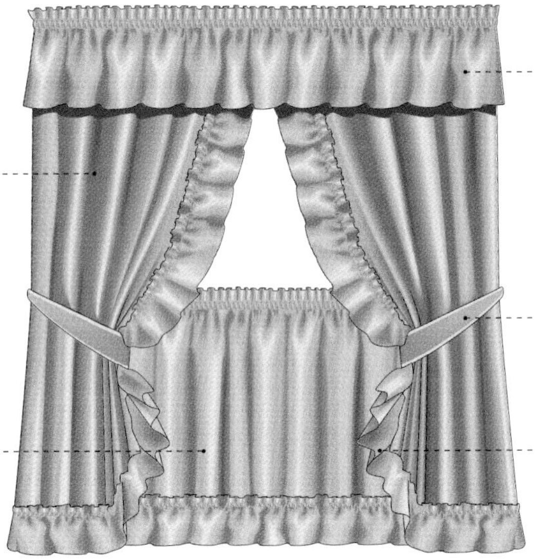
cantonnière[F]
valance
rideau[M] bonne femme[F]
cottage curtain
embrasse[F]
tieback
rideau[M] brise-bise[M]
café curtain
volant[M]
ruffle

RIDEAU[M] COULISSÉ
ATTACHED CURTAIN

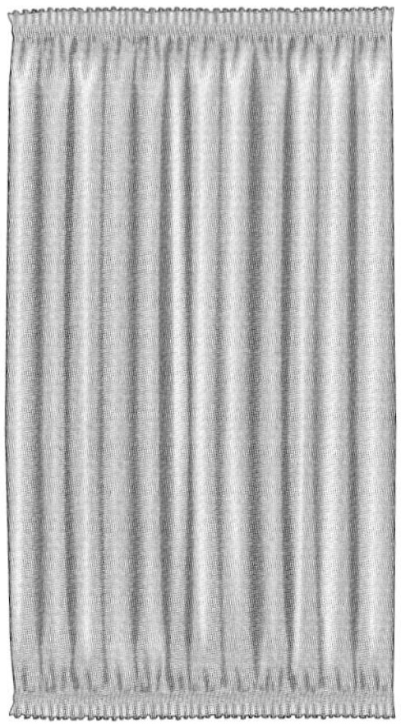

RIDEAU[M] FLOTTANT
LOOSE CURTAIN

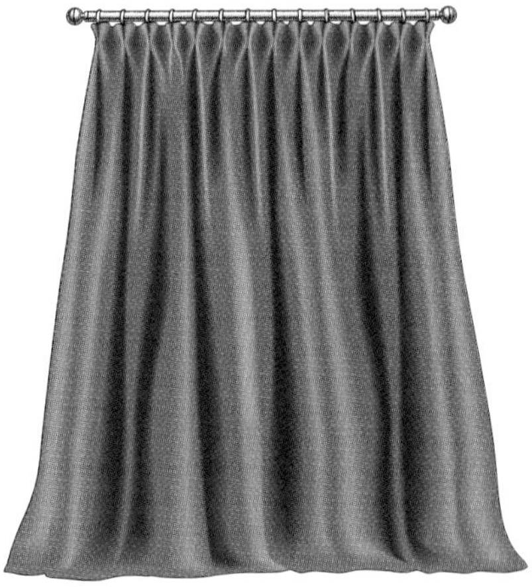

TYPES[M] DE PLIS[M]
TYPES OF PLEATS

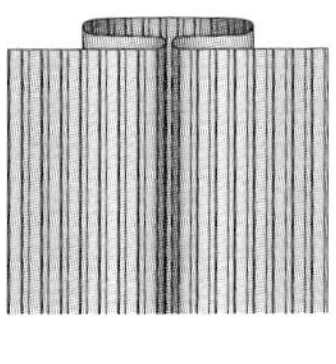

pli[M] creux
box pleat

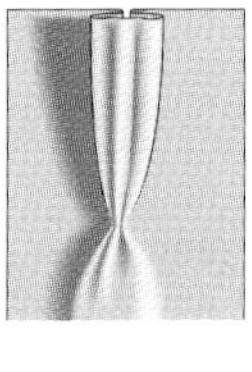

pli[M] pincé
pinch pleat

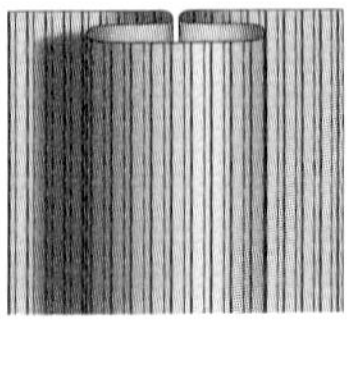

pli[M] rond
inverted pleat

RIDEAU[M]
CURTAIN

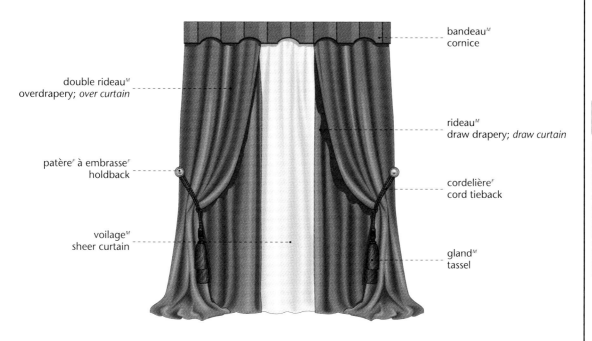

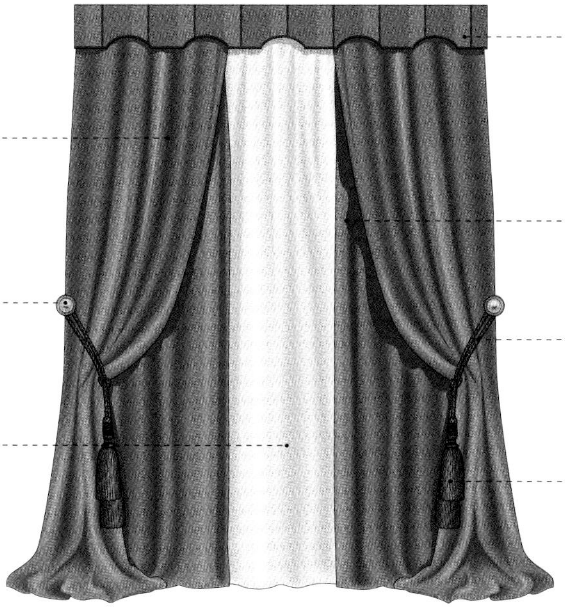
bandeau[M]
cornice
double rideau[M]
overdrapery; *over curtain*
rideau[M]
draw drapery; *draw curtain*
patère[F] à embrasse[F]
holdback
cordelière[F]
cord tieback
voilage[M]
sheer curtain
gland[M]
tassel

RIDEAU[M] BALLON[M]
BALLOON CURTAIN

RIDEAUX[M] CROISÉS
CRISSCROSS CURTAINS

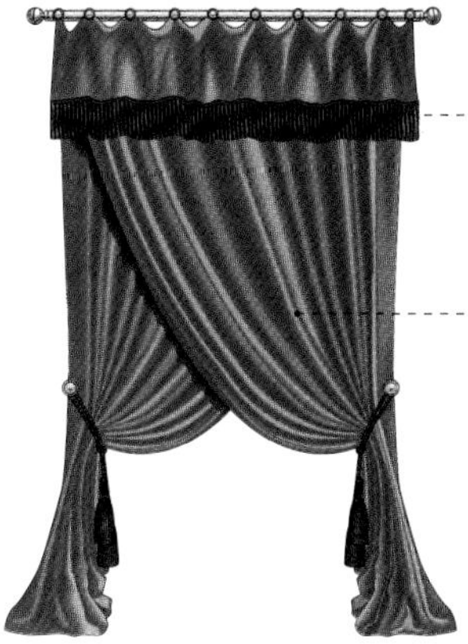
frange[F] de
passementerie[F]
fringe trimming
panneau[M]
panel

TYPES[M] DE TÊTES[F]
TYPES OF HEADINGS

cantonnière[F] drapée
draped swag

fronçage[M] tuyauté
pencil pleat heading

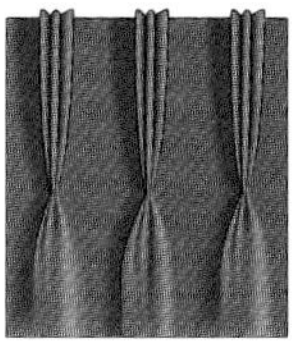

tête[F] plissée
pleated heading

tête[F] froncée
shirred heading

PARURES[F] DE FENÊTRE[F]
WINDOW ACCESSORIES

TRINGLE[F]-BARRE[F]
CURTAIN POLE

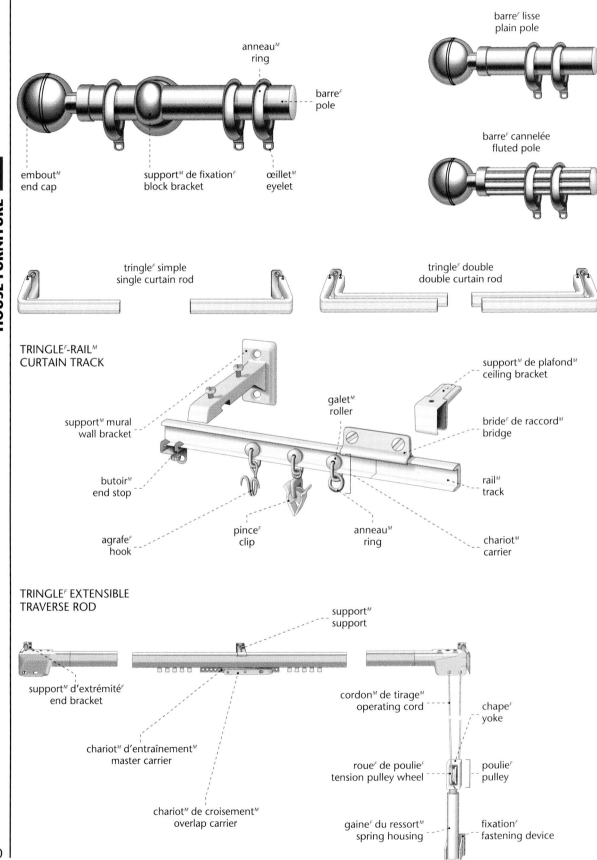

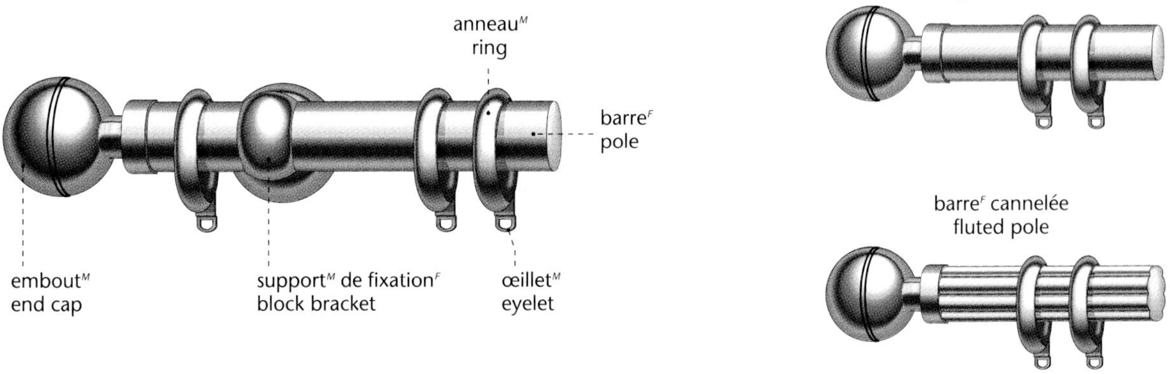
anneau[M]
ring
barre[F]
pole
embout[M]
end cap
support[M] de fixation[F]
block bracket
œillet[M]
eyelet
barre[F] lisse
plain pole
barre[F] cannelée
fluted pole

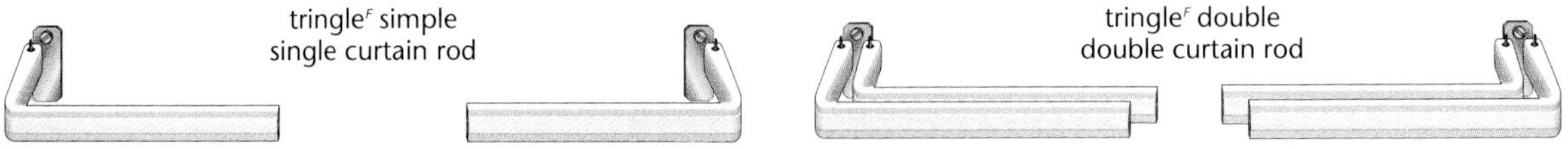
tringle[F] simple
single curtain rod
tringle[F] double
double curtain rod

TRINGLE[F]-RAIL[M]
CURTAIN TRACK

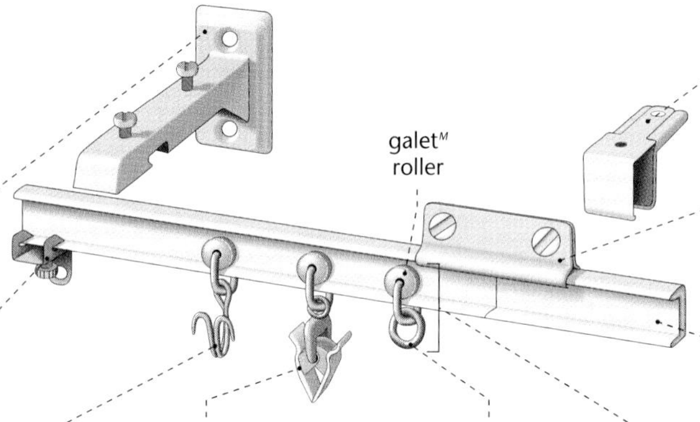
support[M] de plafond[M]
ceiling bracket
galet[M]
roller
support[M] mural
wall bracket
bride[F] de raccord[M]
bridge
butoir[M]
end stop
rail[M]
track
agrafe[F]
hook
pince[F]
clip
anneau[M]
ring
chariot[M]
carrier

TRINGLE[F] EXTENSIBLE
TRAVERSE ROD

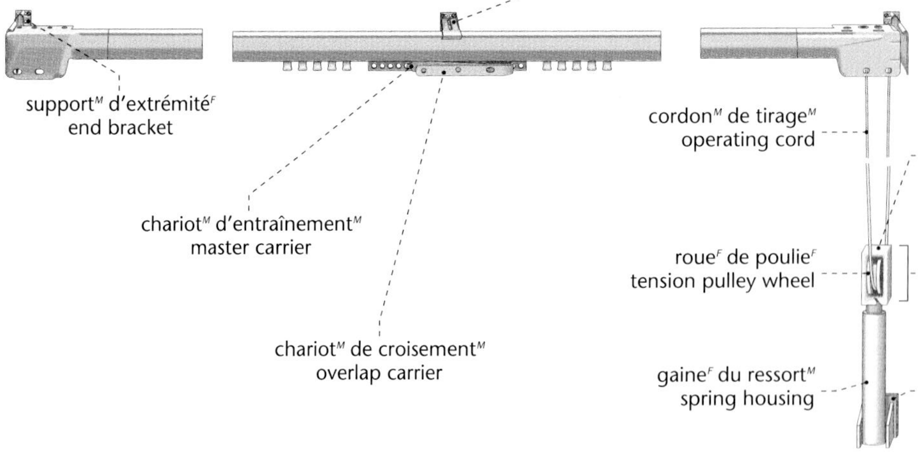
support[M]
support
support[M] d'extrémité[F]
end bracket
cordon[M] de tirage[M]
operating cord
chape[F]
yoke
chariot[M] d'entraînement[M]
master carrier
roue[F] de poulie[F]
tension pulley wheel
poulie[F]
pulley
chariot[M] de croisement[M]
overlap carrier
gaine[F] du ressort[M]
spring housing
fixation[F]
fastening device

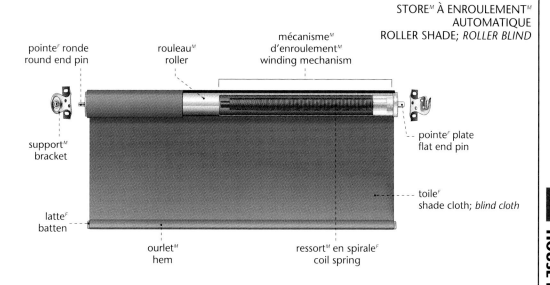

STORE[M] À ENROULEMENT[M] AUTOMATIQUE
ROLLER SHADE; *ROLLER BLIND*

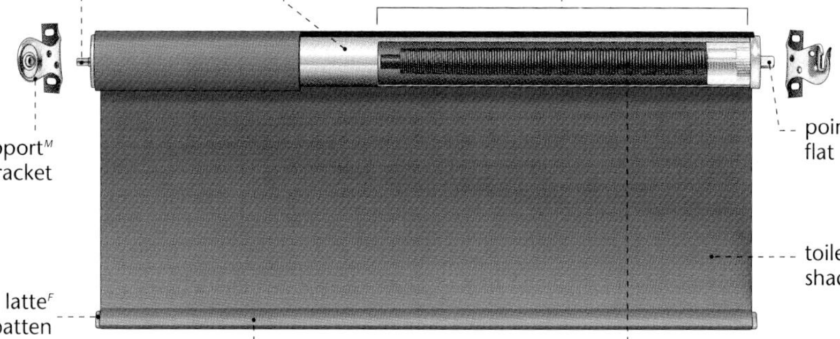
pointe[F] ronde
round end pin
rouleau[M]
roller
mécanisme[M] d'enroulement[M]
winding mechanism
support[M]
bracket
pointe[F] plate
flat end pin
toile[F]
shade cloth; *blind cloth*
latte[F]
batten
ourlet[M]
hem
ressort[M] en spirale[F]
coil spring

STORE[M] VÉNITIEN
VENETIAN BLIND

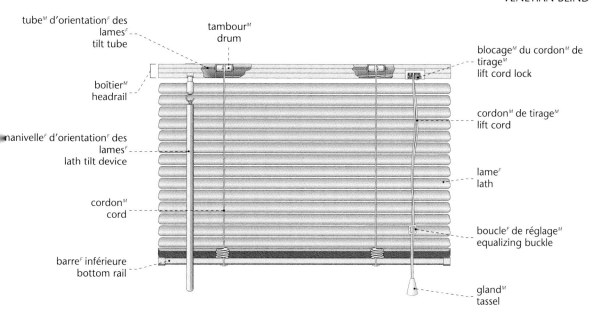

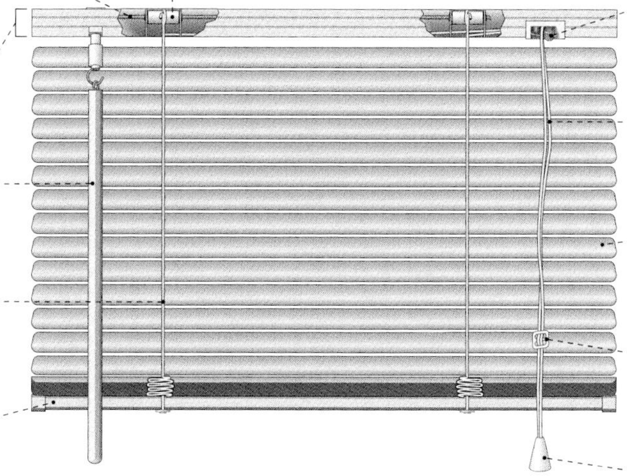
tube[M] d'orientation[F] des lames[F]
tilt tube
tambour[M]
drum
blocage[M] du cordon[M] de tirage[M]
lift cord lock
boîtier[M]
headrail
cordon[M] de tirage[M]
lift cord
manivelle[F] d'orientation[F] des lames[F]
lath tilt device
lame[F]
lath
cordon[M]
cord
boucle[F] de réglage[M]
equalizing buckle
barre[F] inférieure
bottom rail
gland[M]
tassel

store[M] bateau[M]; *store[M] romain*
roman shade

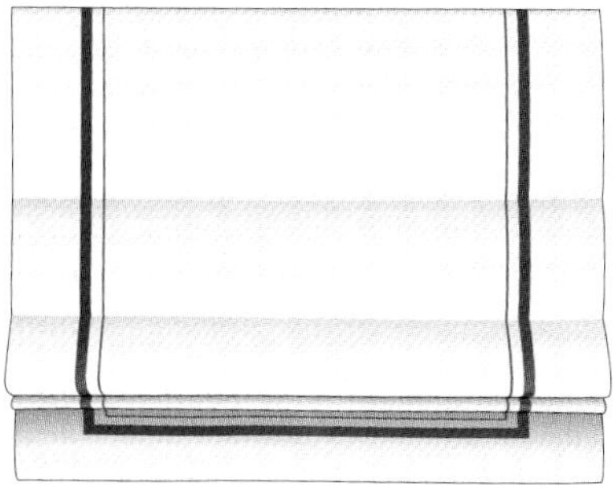

store[M] à enroulement[M] manuel
roll-up blind

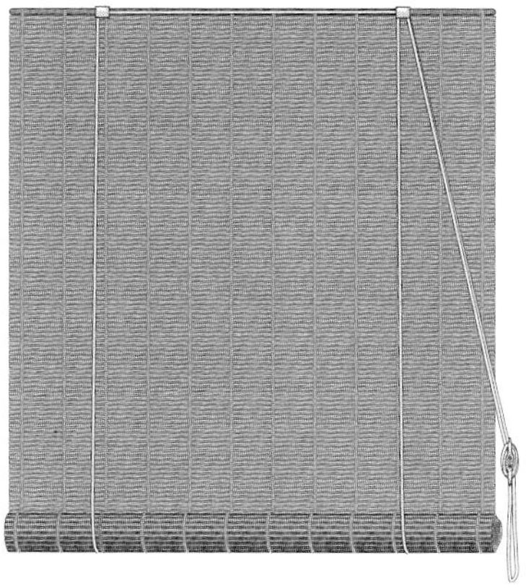

volets[M] d'intérieur[M]
indoor shutters

LUMINAIRES[M]
LIGHTS

LAMPE[F] À INCANDESCENCE[F]
INCANDESCENT LAMP

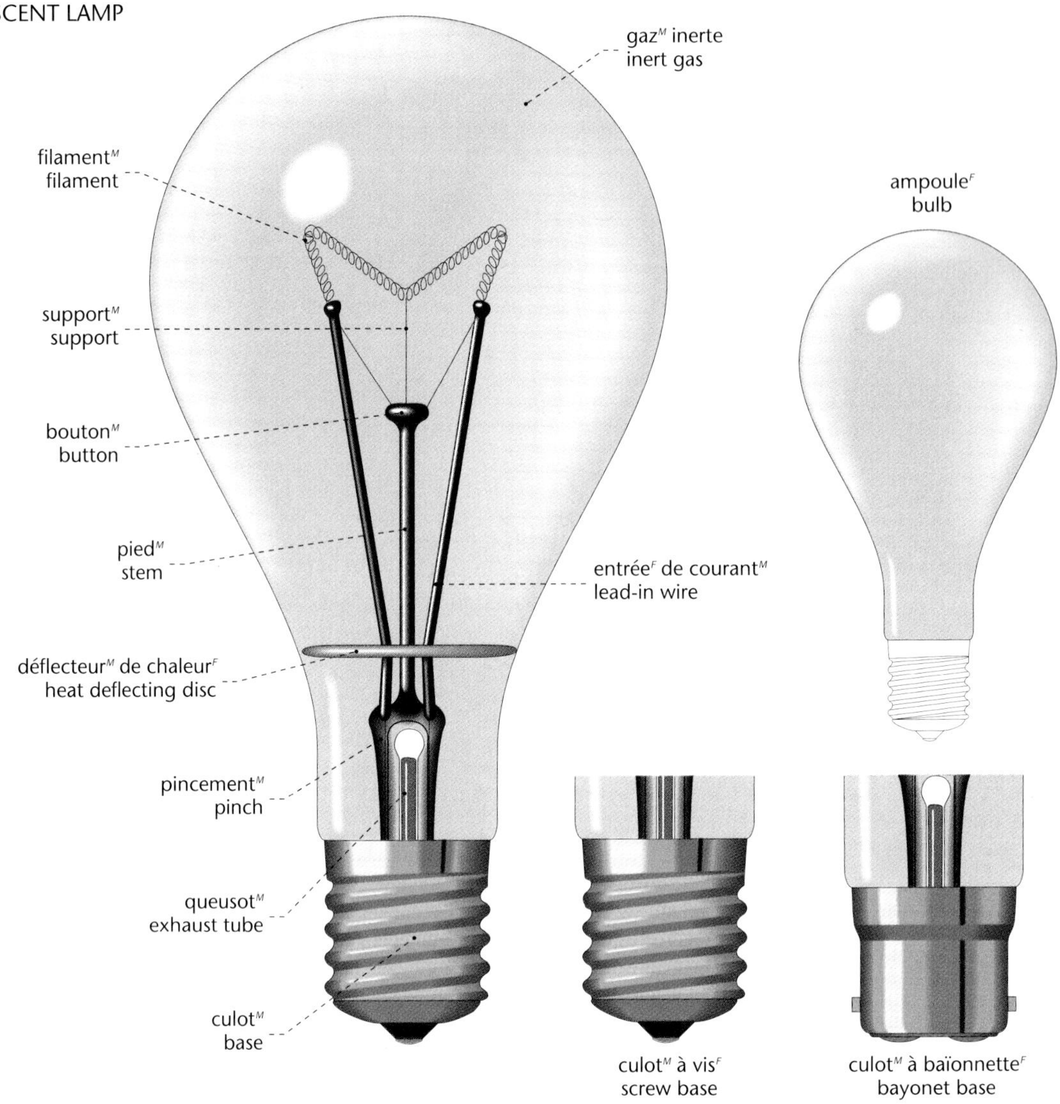
gaz[M] inerte
inert gas
filament[M]
filament
support[M]
support
bouton[M]
button
pied[M]
stem
entrée[F] de courant[M]
lead-in wire
déflecteur[M] de chaleur[F]
heat deflecting disc
pincement[M]
pinch
queusot[M]
exhaust tube
culot[M]
base
ampoule[F]
bulb
culot[M] à vis[F]
screw base
culot[M] à baïonnette[F]
bayonet base

TUBE[M] FLUORESCENT
FLUORESCENT TUBE

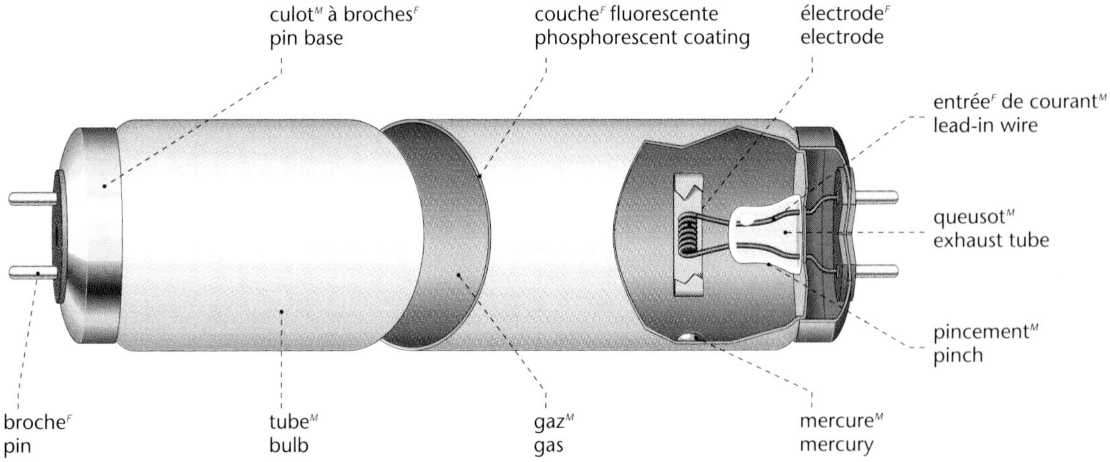
culot[M] à broches[F]
pin base
couche[F] fluorescente
phosphorescent coating
électrode[F]
electrode
entrée[F] de courant[M]
lead-in wire
queusot[M]
exhaust tube
pincement[M]
pinch
broche[F]
pin
tube[M]
bulb
gaz[M]
gas
mercure[M]
mercury

LAMPE[F] À HALOGÈNE[M]
TUNGSTEN-HALOGEN LAMP

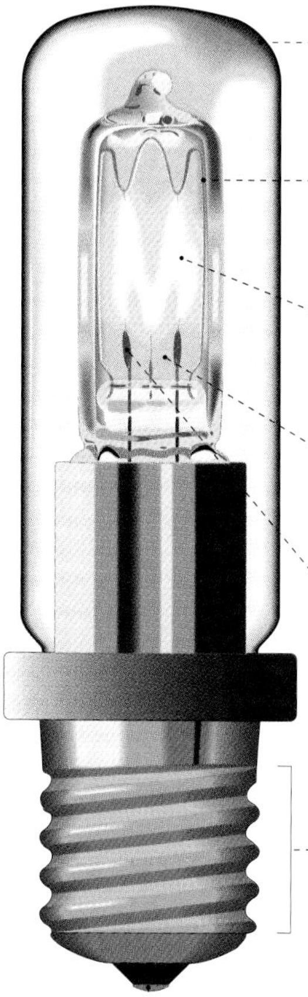

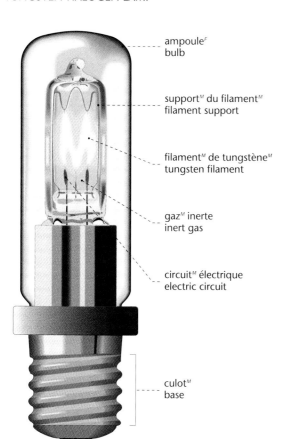

ampoule[F]
bulb
support[M] du filament[M]
filament support
filament[M] de tungstène[M]
tungsten filament
gaz[M] inerte
inert gas
circuit[M] électrique
electric circuit
culot[M]
base
plot[M]
contact

LAMPE[F] À HALOGÈNE[M]
TUNGSTEN-HALOGEN LAMP

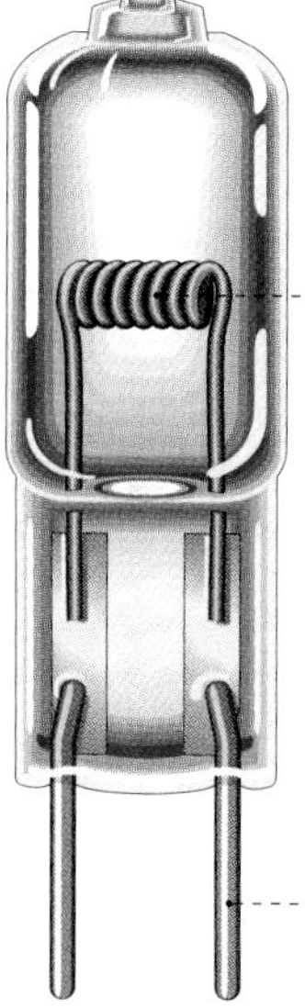

filament[M] de tungstène[M]
tungsten filament
broche[F]
pin

LAMPE[F] À ÉCONOMIE[F] D'ÉNERGIE[F]
ENERGY SAVING BULB

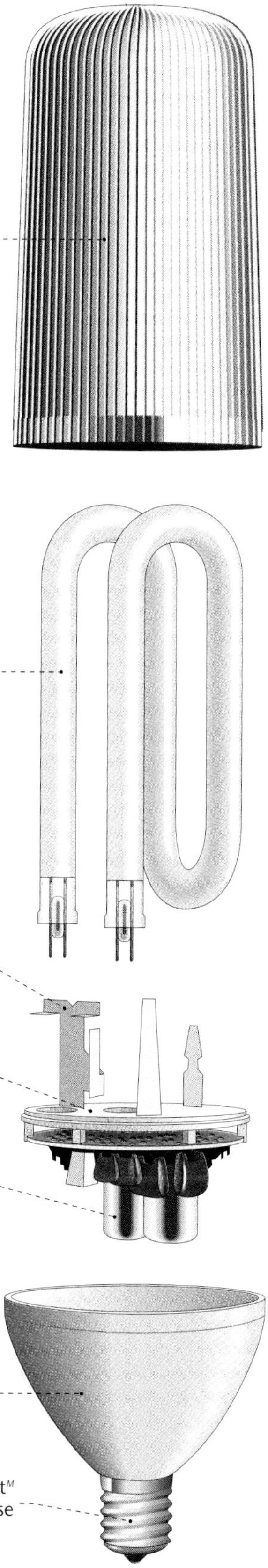

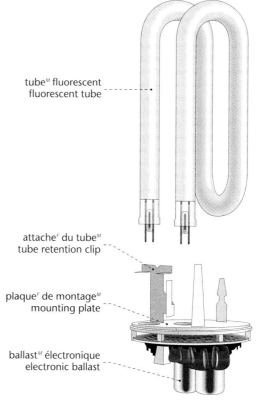

ampoule[F]
bulb
tube[M] fluorescent
fluorescent tube
attache[F] du tube[M]
tube retention clip
plaque[F] de montage[M]
mounting plate
ballast[M] électronique
electronic ballast
boîtier[M]
housing
culot[M]
base

LUMINAIRES[M]
LIGHTS

applique[F]
wall fitting

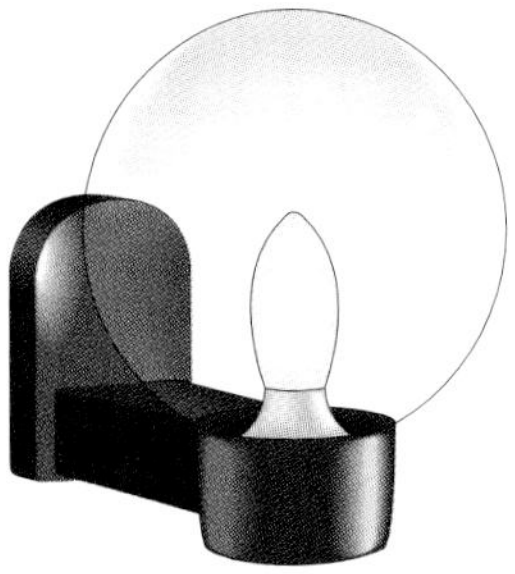

applique[F] orientable
swivel wall lamp

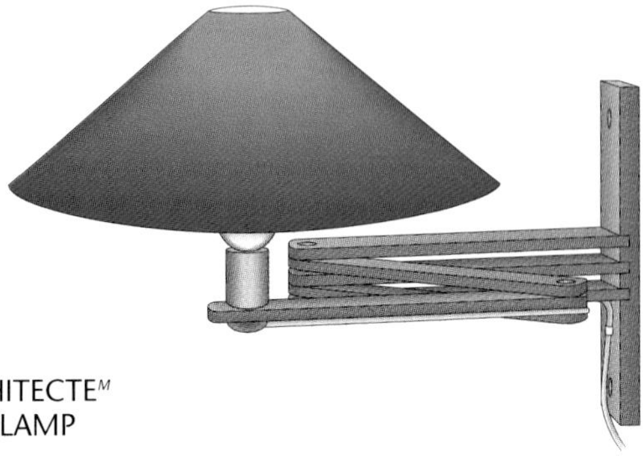

LAMPE[F] D'ARCHITECTE[M]
ADJUSTABLE LAMP

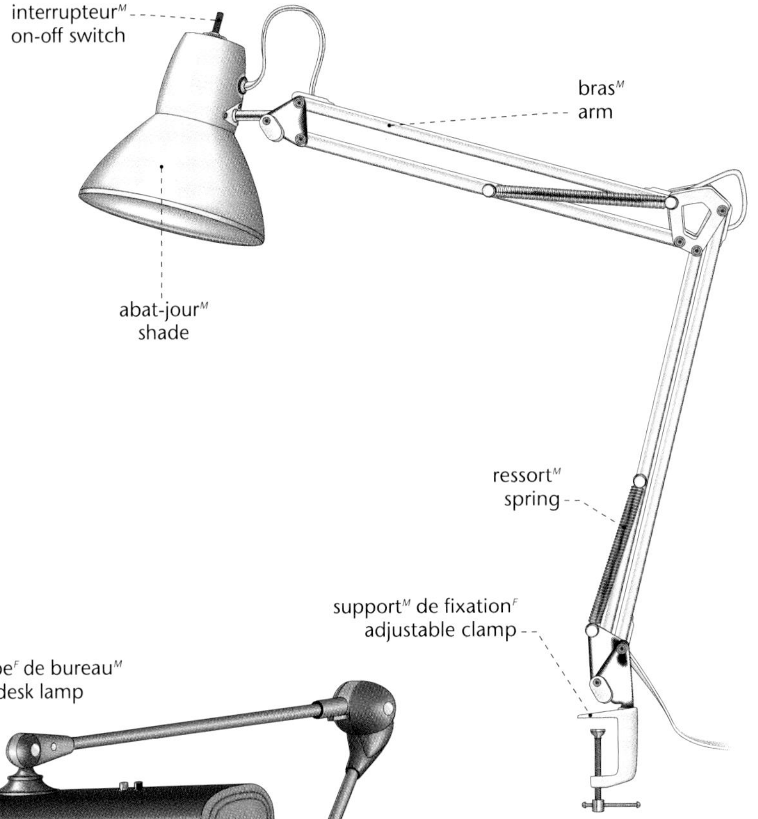
interrupteur[M]
on-off switch
bras[M]
arm
abat-jour[M]
shade
ressort[M]
spring
support[M] de fixation[F]
adjustable clamp

lampe[F] de bureau[M]
desk lamp

lampe[F] liseuse
bed lamp

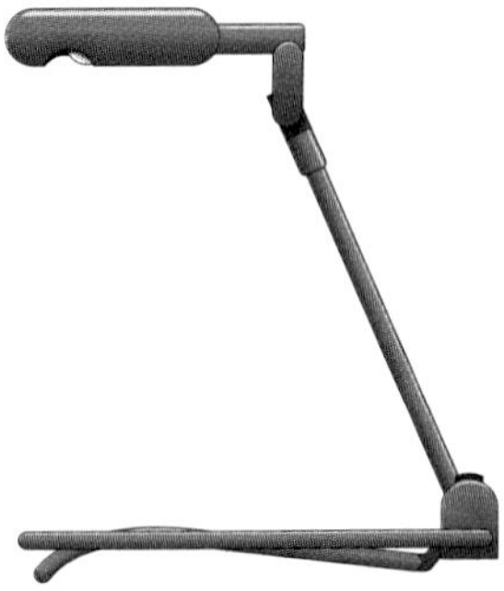

RAIL[M] D'ÉCLAIRAGE[M]
TRACK LIGHTING

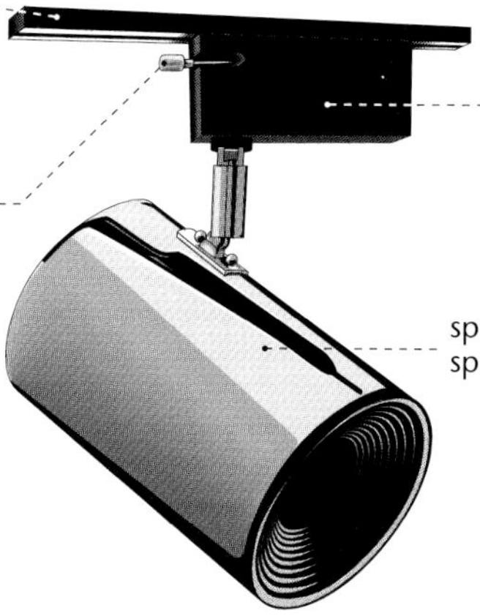
gouttière[F]
bar frame
transformateur[M]
transformer
manette[F] de contact[M]
contact lever
spot[M]
spot

lanterne[F] de pied[M]
post lantern

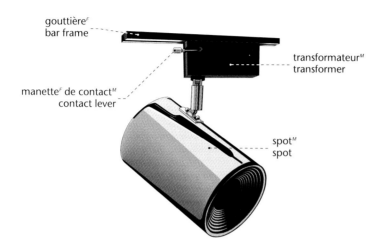

spot[M] à pince[F]
clamp spotlight

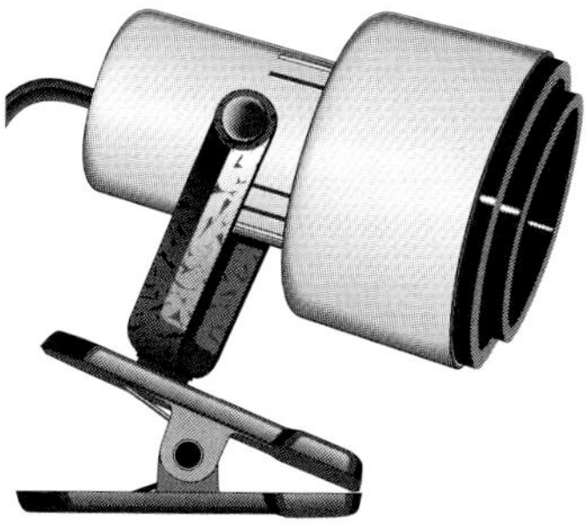

lanterne[F] murale
wall lantern

rampe[F] d'éclairage[M]
strip light

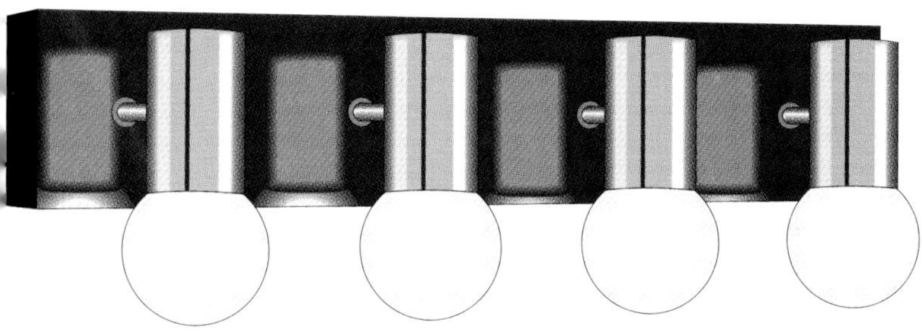

LUMINAIRES[M]
LIGHTS

LUSTRE[M]
CHANDELIER

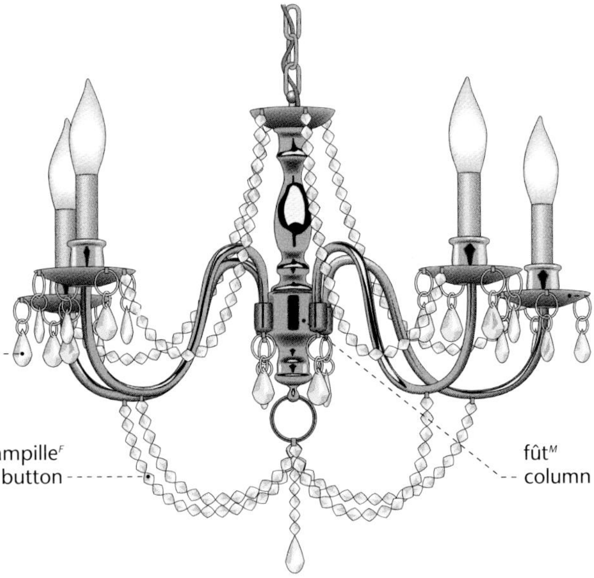
coupelle[F]
bobeche; *sconce*
pendeloque[F]
crystal drop
pampille[F]
crystal button
fût[M]
column

lampadaire[M]
floor lamp

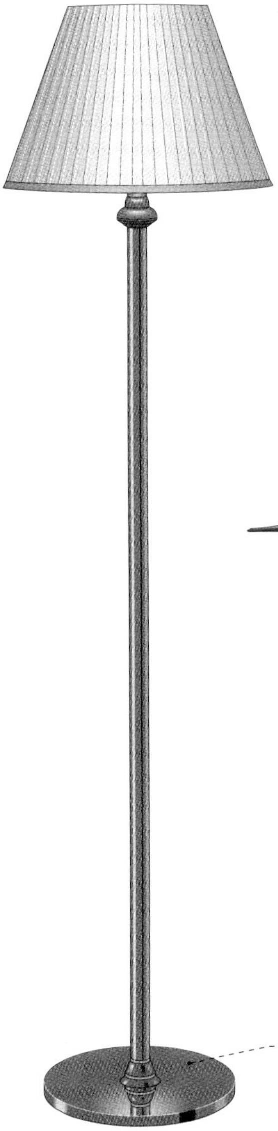
socle[M]
base

plafonnier[M]
ceiling fitting

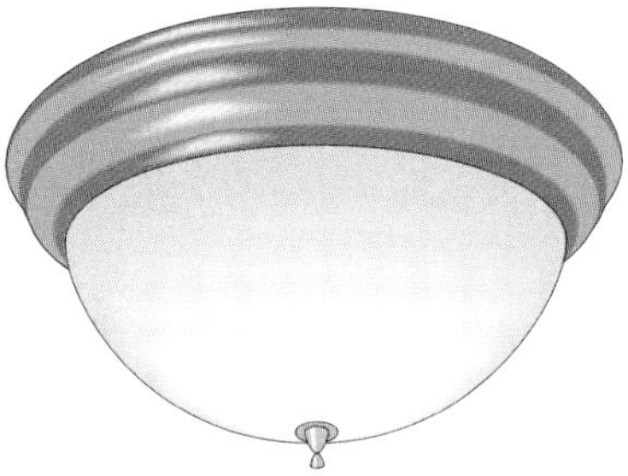

suspension[F]
hanging pendant

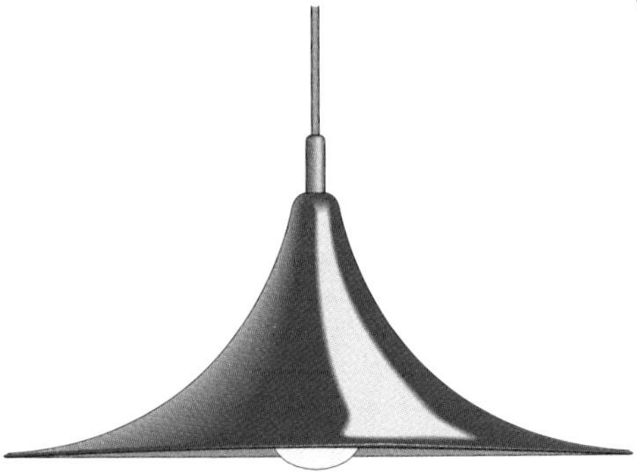

lampe[F] de table[F]
table lamp

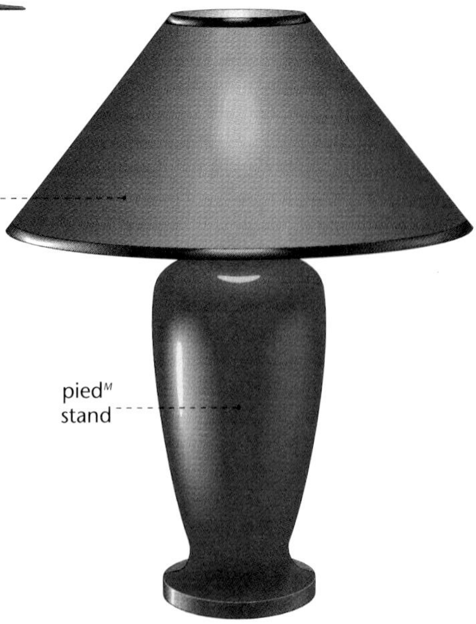
abat-jour[M]
shade
pied[M]
stand

VERRES[M]
GLASSWARE

verre[M] à porto[M]
port glass

coupe[F] à mousseux[M]
sparkling wine glass

verre[M] à cognac[M]
brandy snifter

verre[M] à liqueur[F]
liqueur glass

verre[M] à vin[M] blanc
white wine glass

verre[M] à bordeaux[M]
bordeaux glass

verre[M] à bourgogne[M]
burgundy glass

verre[M] à vin[M] d'Alsace
Alsace glass

verre[M] à whisky[M]
old-fashioned glass;
tumbler glass

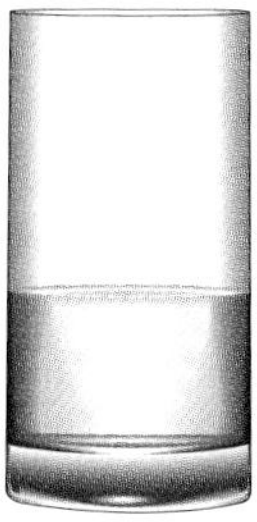

verre[M] à gin[M]
highball glass; *tall tumbler glass*

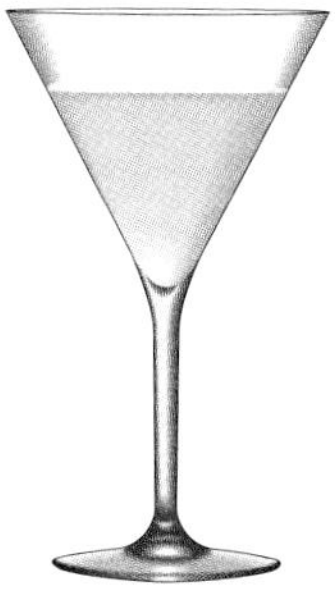

verre[M] à cocktail[M]
cocktail glass

verre[M] à eau[F]
water goblet

carafe[F]
decanter

carafon[M]
small decanter

flûte[F] à champagne[M]
champagne flute

chope[F] à bière[F]
beer mug

VAISSELLE[F]
DINNERWARE

tasse[F] à café[M]
demitasse

tasse[F] à thé[M]
cup

chope[F] à café[M]
coffee mug

crémier[M]
creamer; *cream jug*

sucrier[M]
sugar bowl

poivrière[F]
pepper shaker; *pepperpot*

salière[F]
salt shaker; *saltcellar*

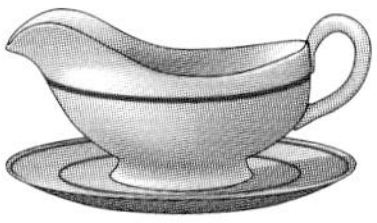
saucière[F]
gravy boat

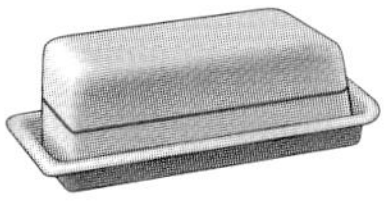
beurrier[M]
butter dish

ramequin[M]
ramekin

bol[M]
soup bowl

assiette[F] creuse
rim soup bowl

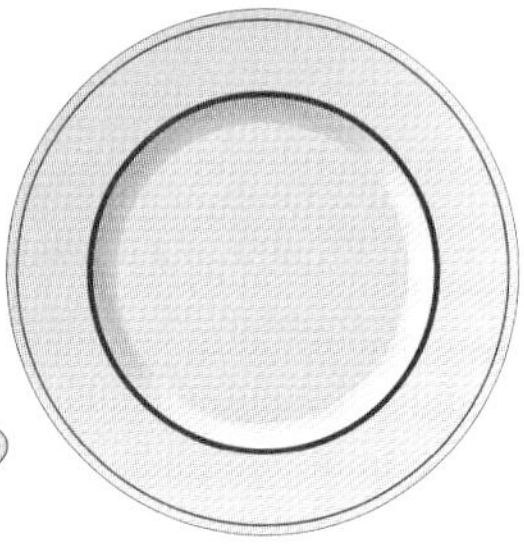
assiette[F] plate
dinner plate

assiette[F] à salade[F]
salad plate

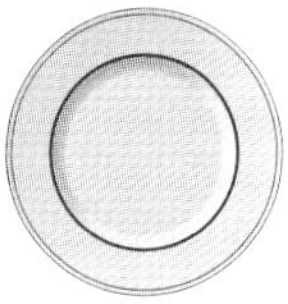
assiette[F] à dessert[M]
bread and butter plate

théière[F]
teapot

plat[M] ovale
platter

légumier[M]
vegetable bowl

plat[M] à poisson[M]
fish platter

ravier[M]
hors d'oeuvre dish

pichet[M]
water pitcher; *water jug*

saladier[M]
salad bowl

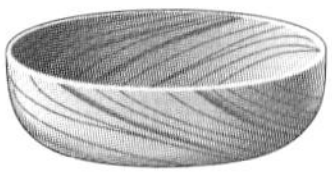
bol[M] à salade[F]
serving bowl

soupière[F]
soup tureen

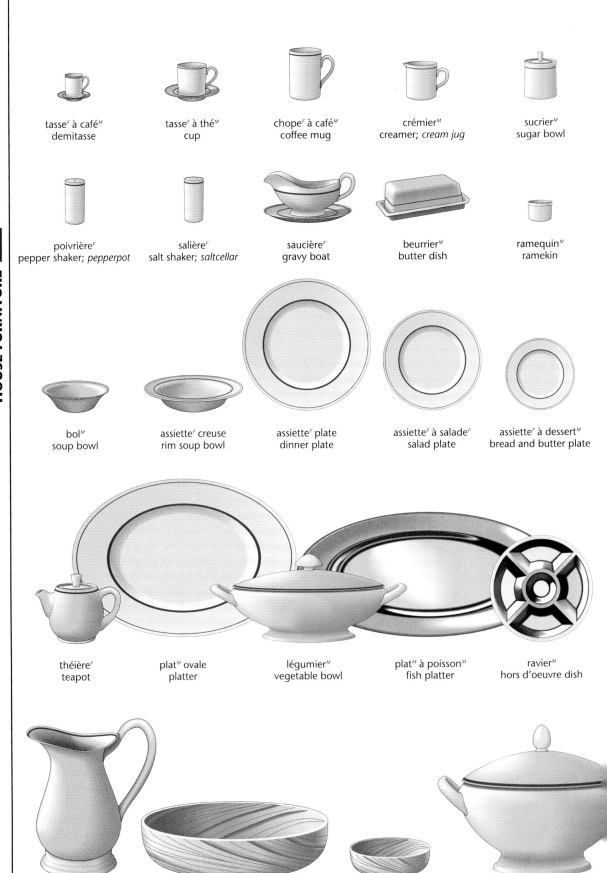

COUVERT[M]
SILVERWARE

COUTEAU[M]
KNIFE

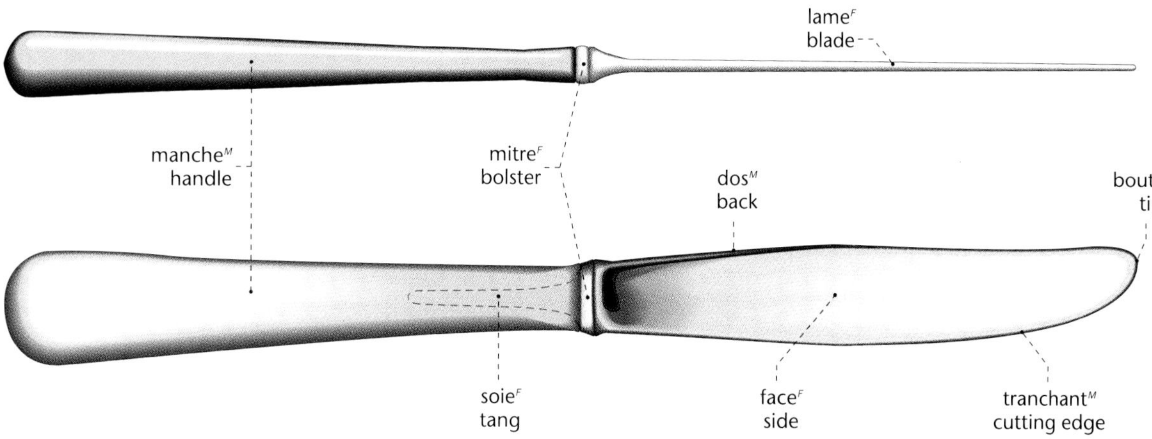
lame[F]
blade
manche[M]
handle
mitre[F]
bolster
dos[M]
back
bout[M]
tip
soie[F]
tang
face[F]
side
tranchant[M]
cutting edge

PRINCIPAUX TYPES[M] DE COUTEAUX[M]
MAJOR TYPES OF KNIVES

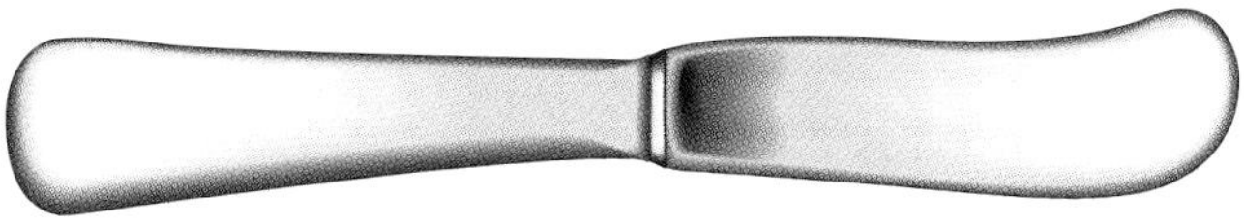
couteau[M] à beurre[M]
butter knife

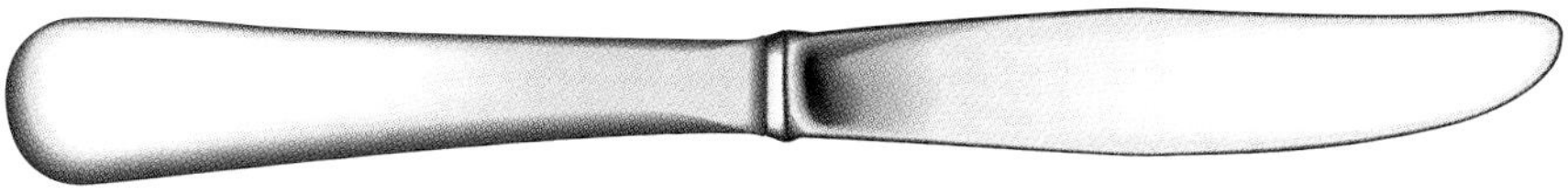
couteau[M] à dessert[M]
dessert knife

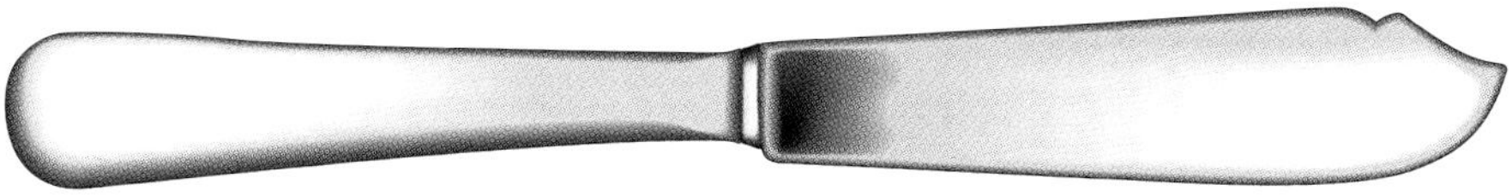
couteau[M] à poisson[M]
fish knife

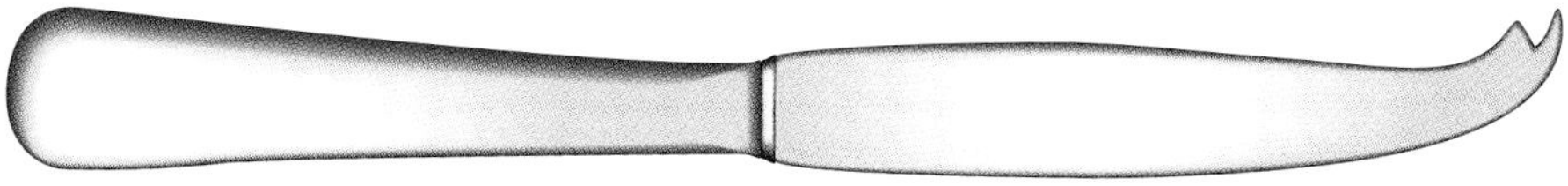
couteau[M] à fromage[M]
cheese knife

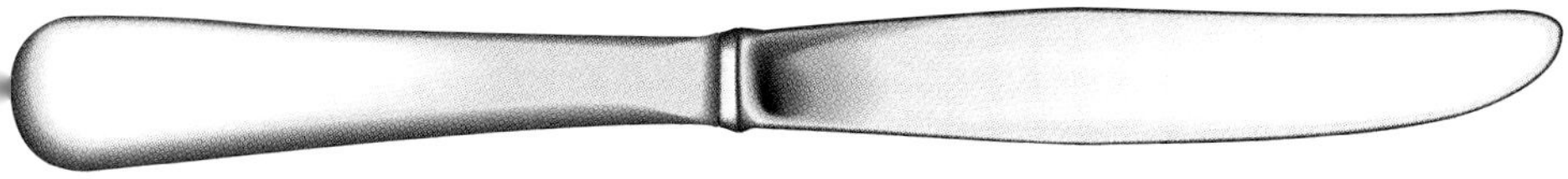
couteau[M] de table[F]
dinner knife

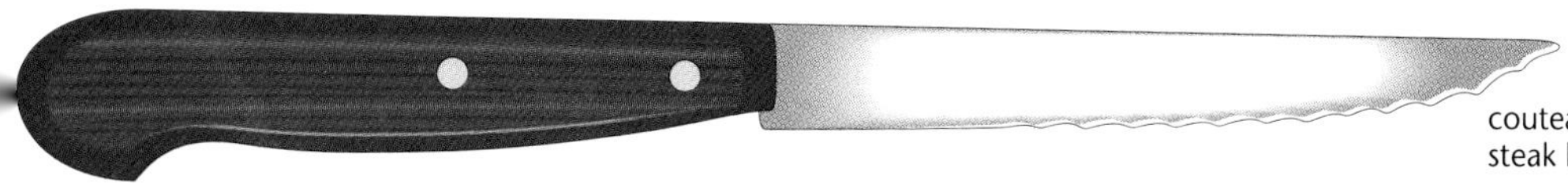
couteau[M] à bifteck[M]
steak knife

COUVERT[M]
SILVERWARE

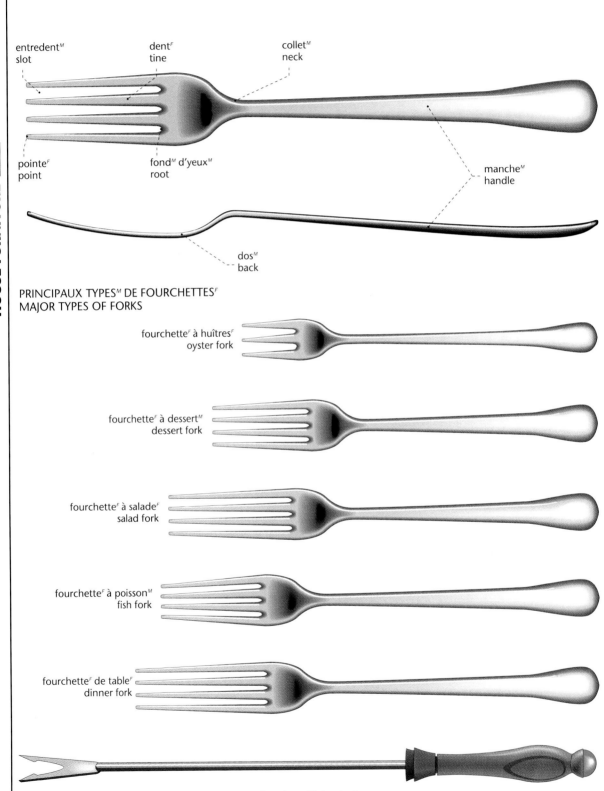

FOURCHETTE[F]
FORK

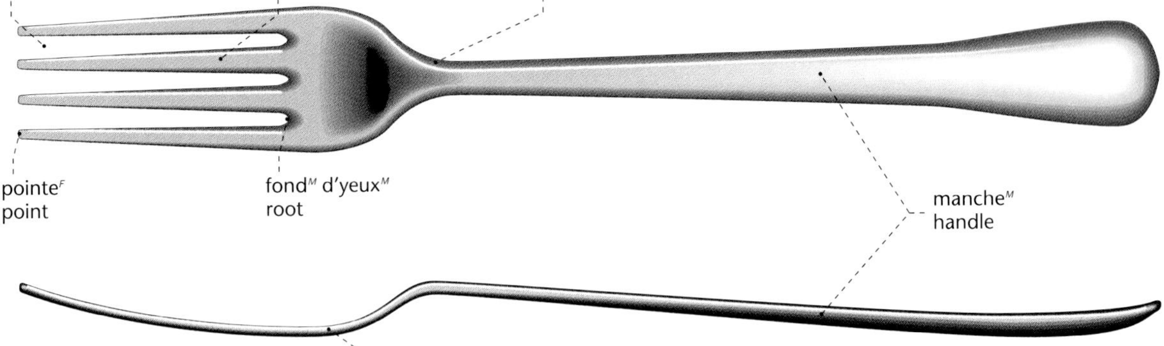
entredent[M]
slot
dent[F]
tine
collet[M]
neck
pointe[F]
point
fond[M] d'yeux[M]
root
manche[M]
handle
dos[M]
back

PRINCIPAUX TYPES[M] DE FOURCHETTES[F]
MAJOR TYPES OF FORKS

fourchette[F] à huîtres[F]
oyster fork

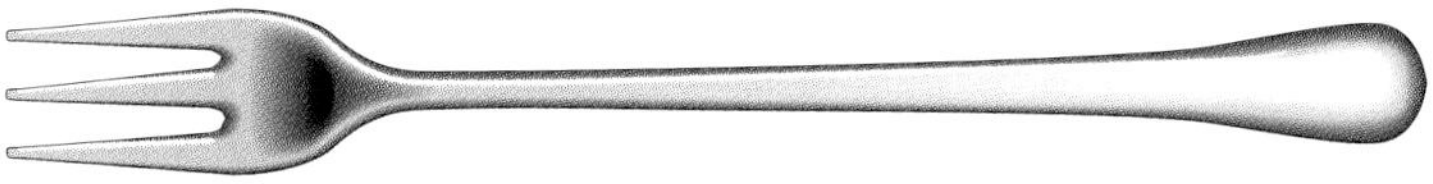

fourchette[F] à dessert[M]
dessert fork

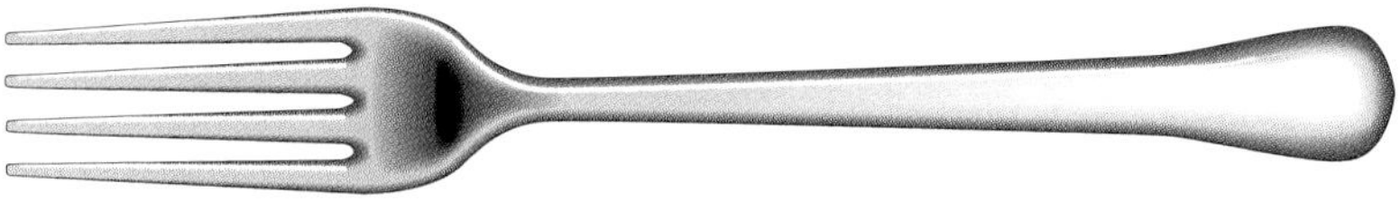

fourchette[F] à salade[F]
salad fork

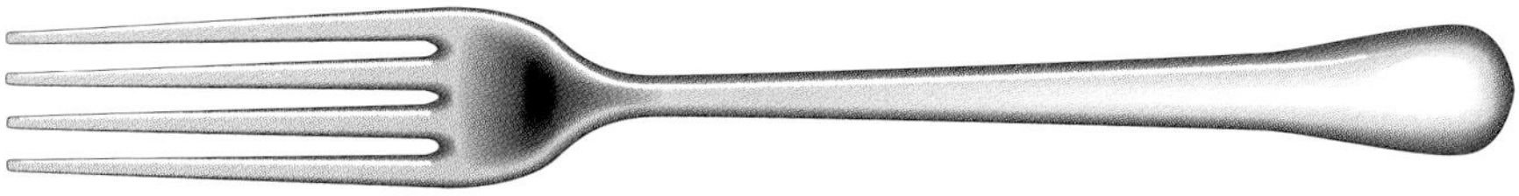

fourchette[F] à poisson[M]
fish fork

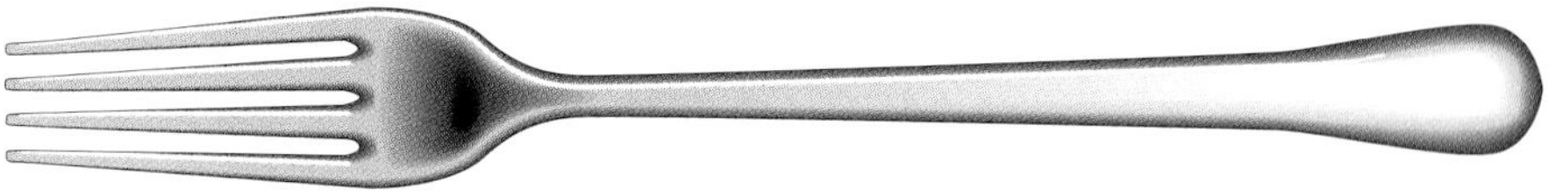

fourchette[F] de table[F]
dinner fork

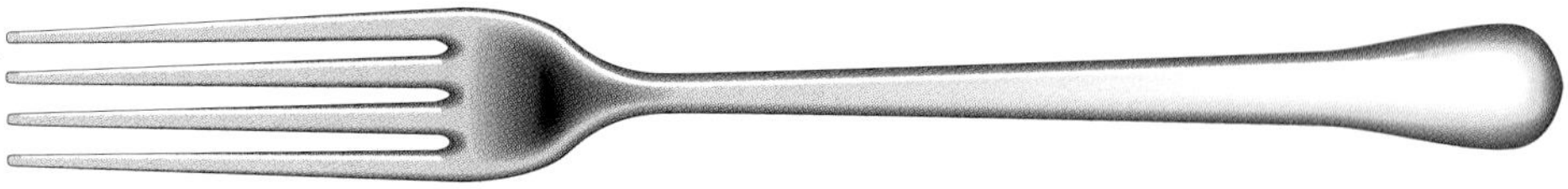

fourchette[F] à fondue[F]
fondue fork

CUILLER[F]
SPOON

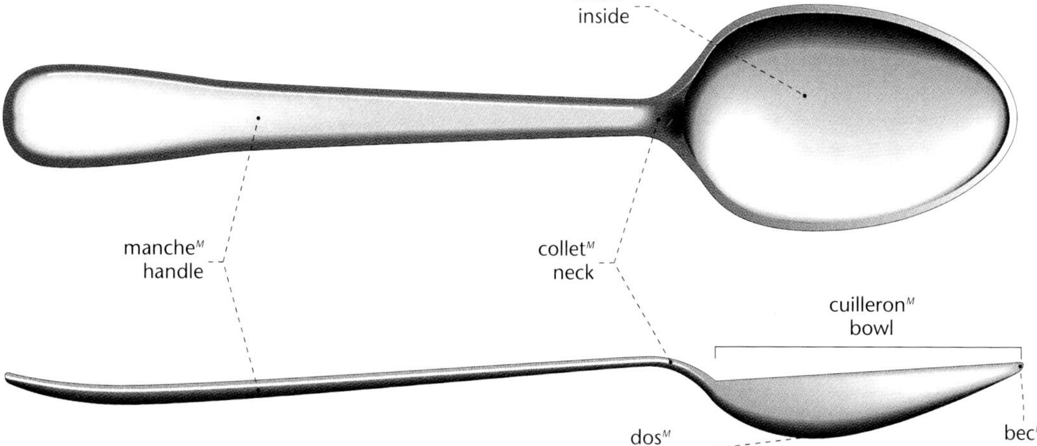
creux[M]
inside
manche[M]
handle
collet[M]
neck
cuilleron[M]
bowl
dos[M]
back
bec[M]
tip

PRINCIPAUX TYPES[M] DE CUILLERS[F]
MAJOR TYPES OF SPOONS

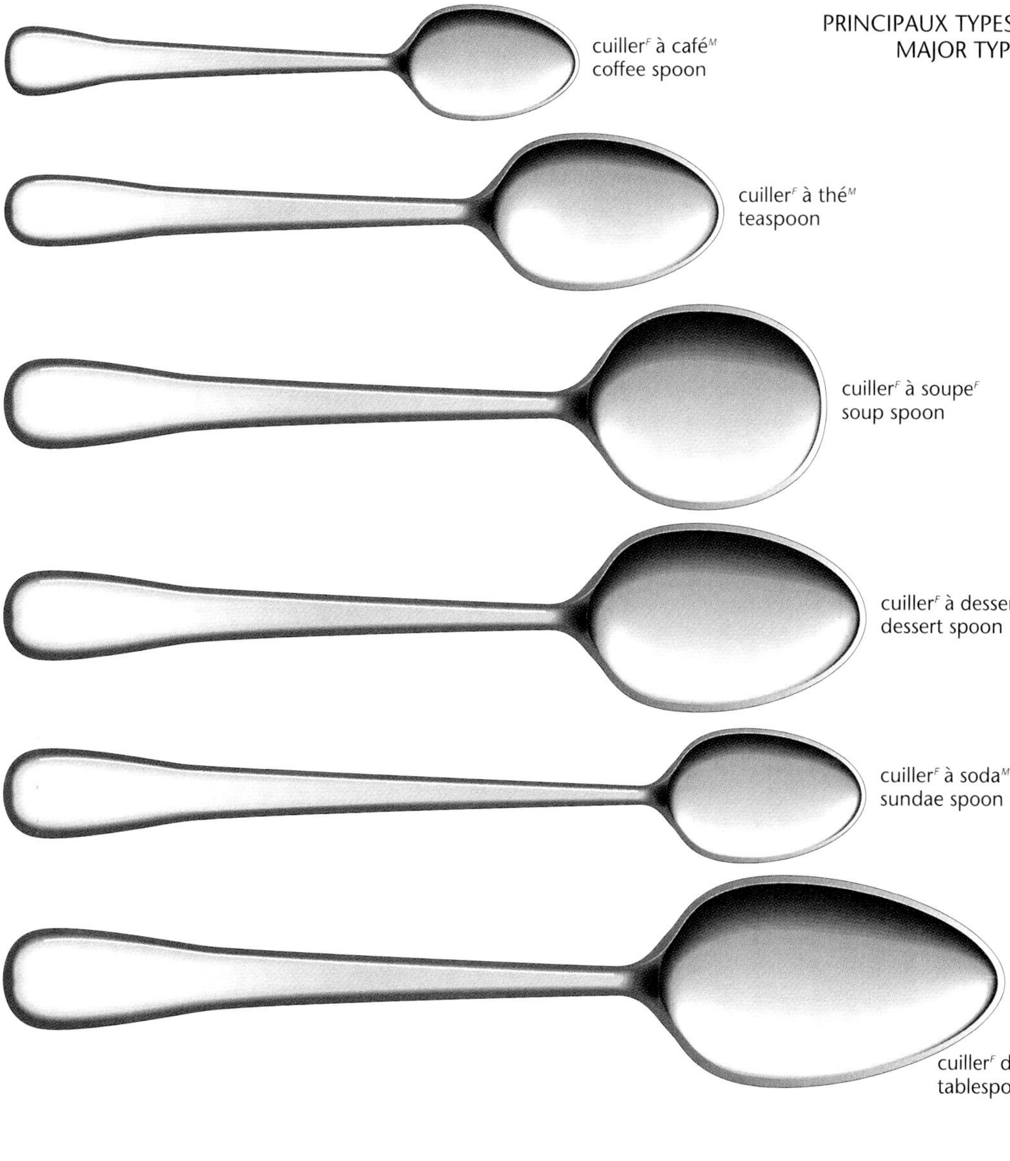
cuiller[F] à café[M]
coffee spoon
cuiller[F] à thé[M]
teaspoon
cuiller[F] à soupe[F]
soup spoon
cuiller[F] à dessert[M]
dessert spoon
cuiller[F] à soda[M]
sundae spoon
cuiller[F] de table[F]
tablespoon

USTENSILES[M] DE CUISINE[F]
KITCHEN UTENSILS

COUTEAU[M] DE CUISINE[F]
KITCHEN KNIFE

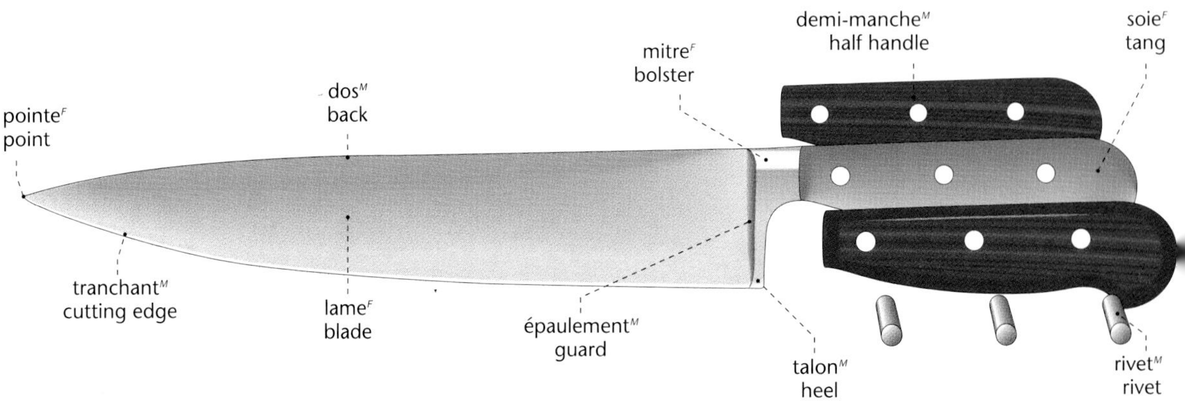
demi-manche[M]
half handle
soie[F]
tang
mitre[F]
bolster
dos[M]
back
pointe[F]
point
tranchant[M]
cutting edge
lame[F]
blade
épaulement[M]
guard
talon[M]
heel
rivet[M]
rivet

TYPES[M] DE COUTEAUX[M] DE CUISINE[F]
TYPES OF KITCHEN KNIVES

couteau[M] à filets[M] de sole[F]
filleting knife
couperet[M]
cleaver
couteau[M] à désosser
boning knife
couteau[M] à pain[M]
bread knife
couteau[M] à jambon[M]
ham knife
couteau[M] de chef[M]
cook's knife
couteau[M] à découper
carving knife
fourchette[F] à découper
carving fork
fusil[M]
sharpening steel
couteau[M] à pamplemousse[M]
grapefruit knife
coquilleur[M] à beurre[M]
butter curler
couteau[M] à huîtres[F]
oyster knife
éplucheur[M]
peeler
couteau[M] d'office[M]
paring knife
couteau[M] à zester
zester

entonnoir[M]
funnel

passoire[F]
colander

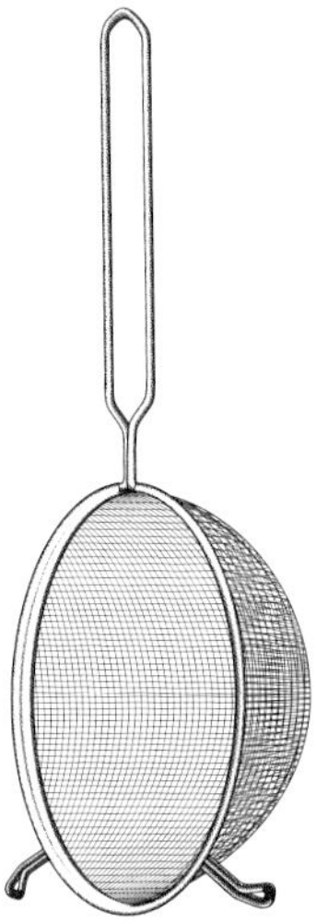

passoire[F]
strainer

POUR PASSER ET ÉGOUTTER
FOR STRAINING AND DRAINING

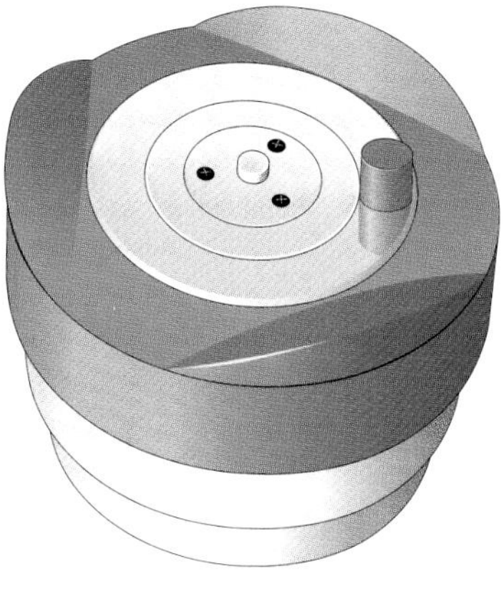

essoreuse[F] à salade[F]
salad spinner

POUR BROYER ET RÂPER
FOR GRINDING AND GRATING

pilon[M]
pestle

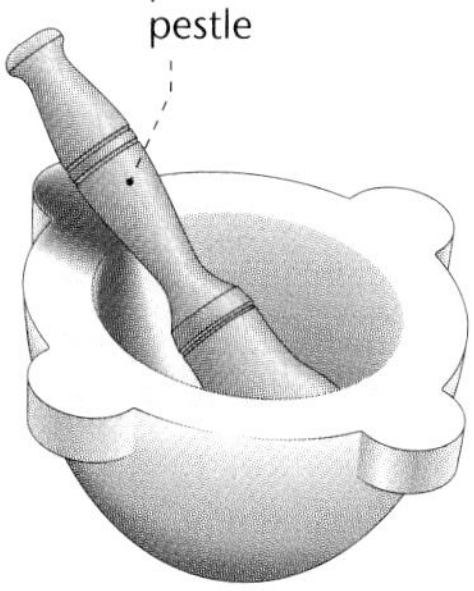

mortier[M]
mortar

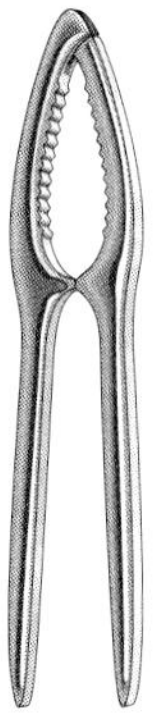

casse-noix[M]
nutcracker

presse-ail[M]
garlic press

presse-agrumes[M]
citrus juicer; *lemon squeezer*

hachoir[M]
meat grinder; *mincer*

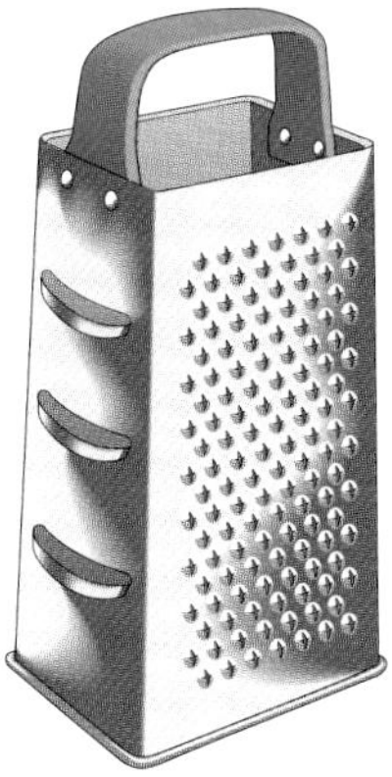

râpe[F]
grater

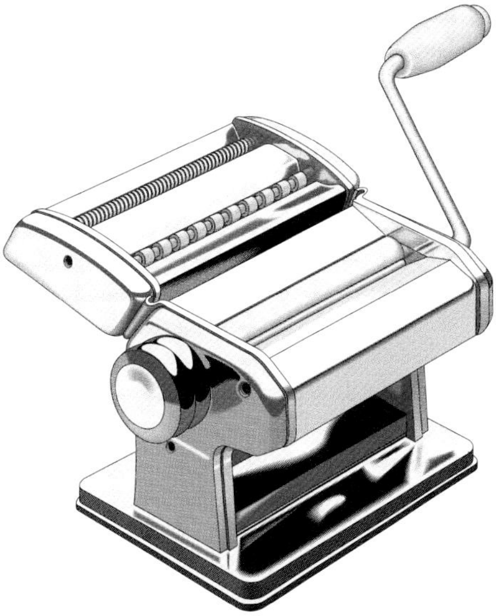

machine[F] à faire les pâtes[F]
pasta maker

USTENSILES^{M} DE CUISINE^{F}
KITCHEN UTENSILS

JEU^{M} D'USTENSILES^{M}
SET OF UTENSILS

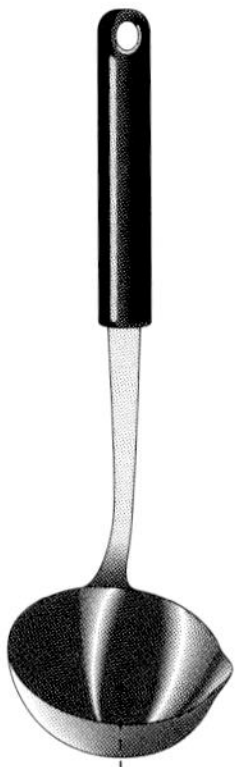
louche^{F}
ladle

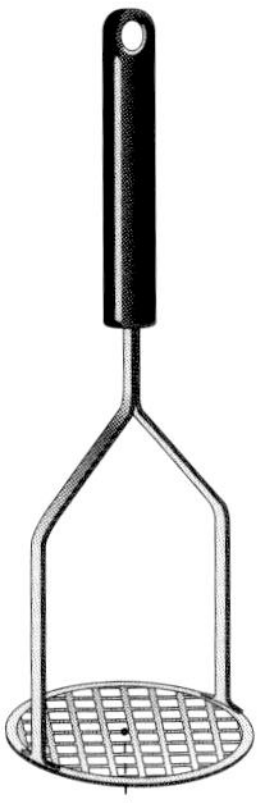
pilon^{M}
potato masher

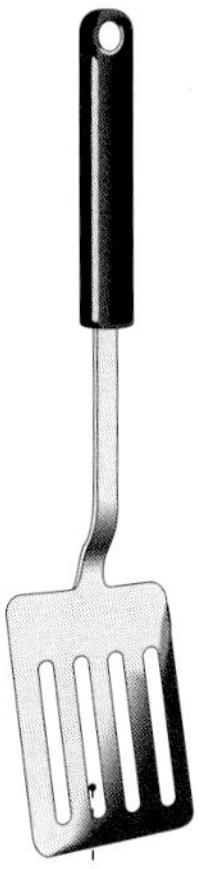
pelle^{F}
turner

spatule^{F}
spatula

cuiller^{F} à égoutter
draining spoon

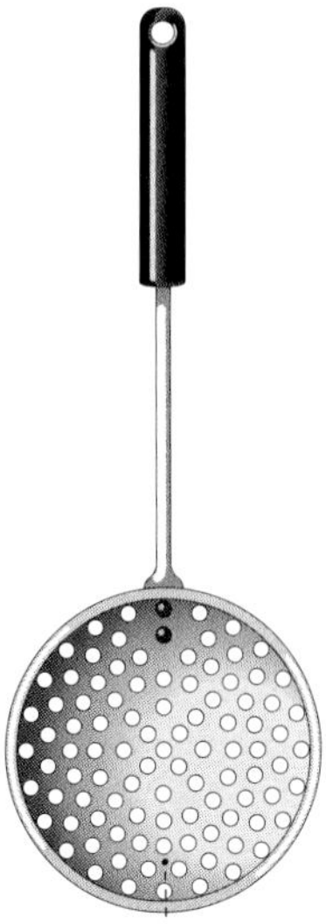
écumoire^{F}
skimmer

POUR OUVRIR
FOR OPENING

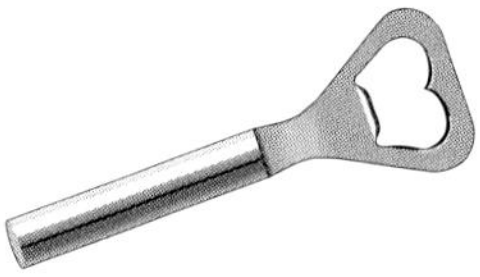
décapsuleur^{M}
bottle opener

tire-bouchon^{M} de sommelier^{M}
wine waiter corkscrew

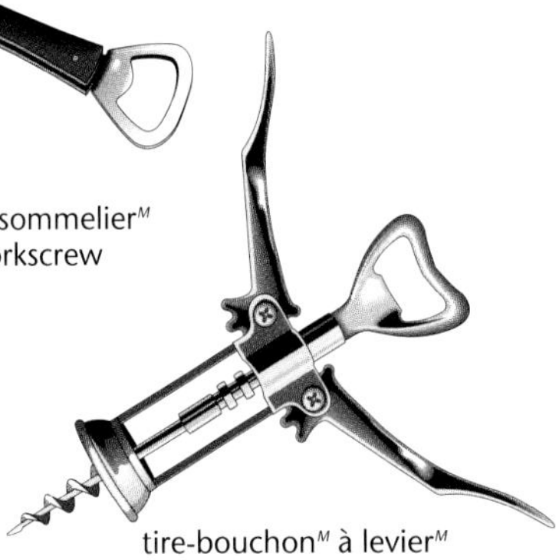
tire-bouchon^{M} à levier^{M}
lever corkscrew

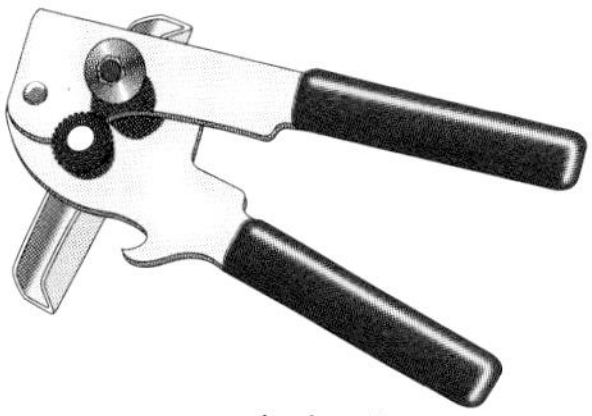
ouvre-boîtes^{M}
can opener; *tin opener*

POUR MESURER
FOR MEASURING

minuteur^{M}
kitchen timer

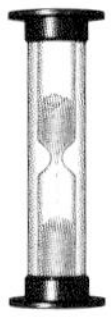
sablier^{M}
egg timer

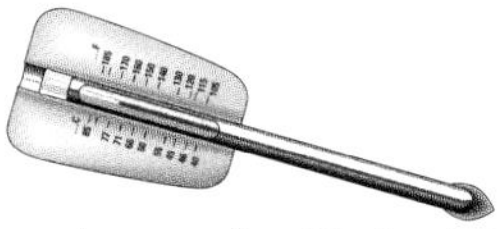
thermomètre^{M} à viande^{F}
meat thermometer

cuillers^{F} doseuses
measuring spoons

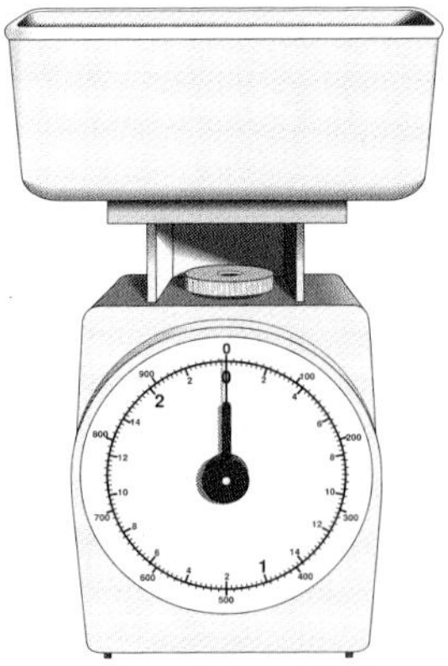
balance^{F} de cuisine^{F}
kitchen scales

mesures^{F}
measuring cups

POUR LA PÂTISSERIE[F]
BAKING UTENSILS

pinceau[M] à pâtisserie[F]
pastry brush

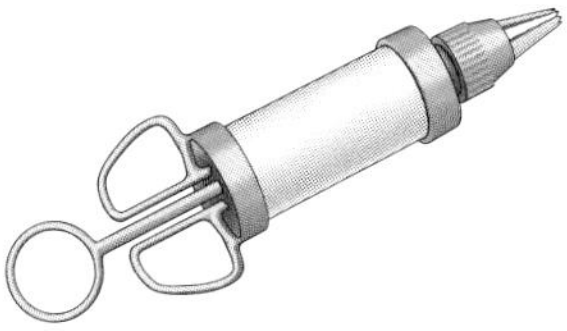

piston[M] à décorer
icing syringe

fouet[M]
whisk

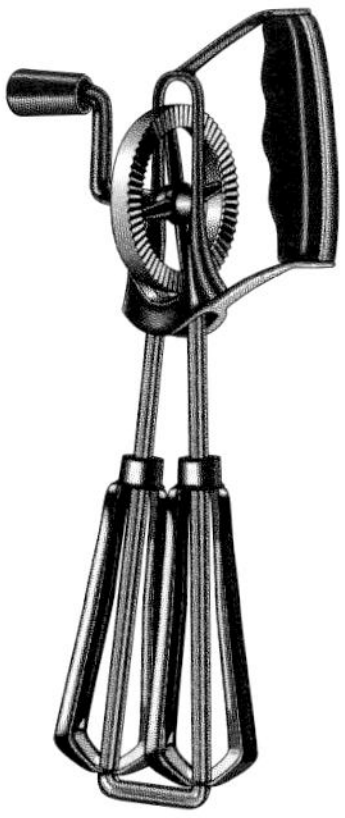

batteur[M] à œufs[M]
egg beater

roulette[F] de pâtissier[M]
pastry cutting wheel

tamis[M] à farine[F]
sifter

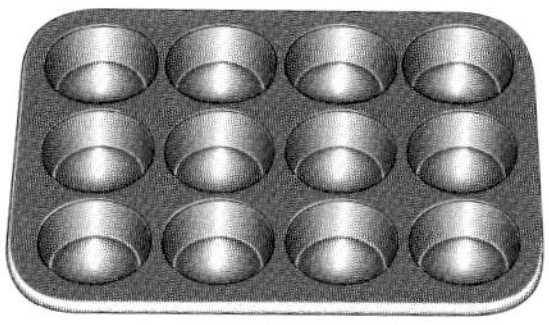

moule[M] à muffins[M]
muffin pan; *bun tin*

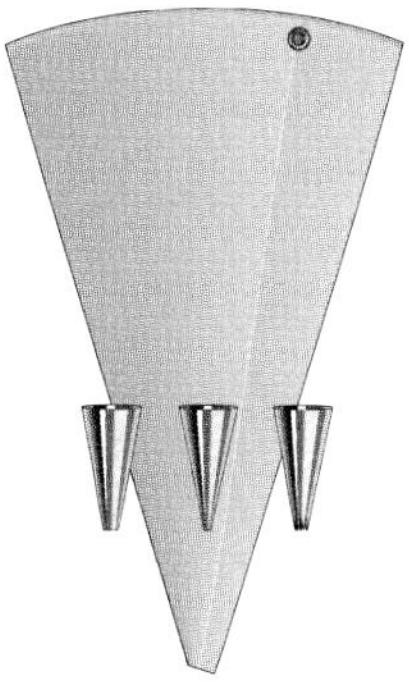

poche[F] à douilles[F]
pastry bag and nozzles

plaque[F] à biscuits[M]
cookie sheet; *biscuit sheet*

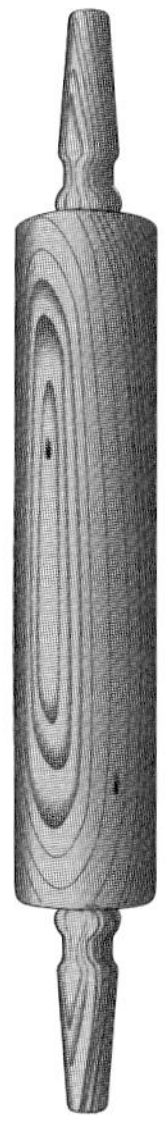

rouleau[M] à pâtisserie[F]
rolling pin

bols[M] à mélanger
mixing bowls

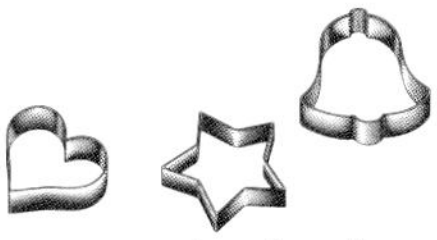

emporte-pièces[M]
cookie cutters;
biscuit cutters

moule[M] à fond[M] amovible
removable-bottomed pan;
removable-bottomed tin

moule[M] à tarte[F]
pie pan; *pie tin*

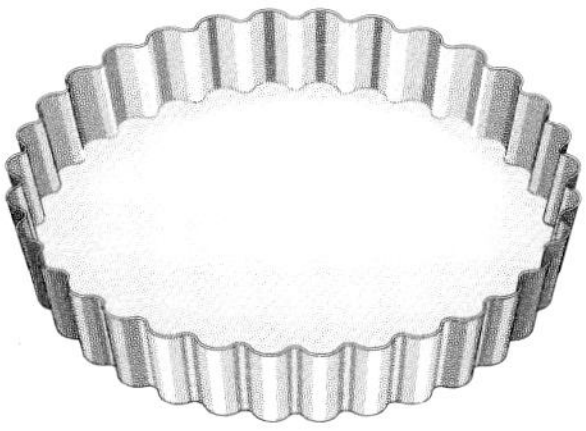

moule[M] à quiche[F]
quiche plate; *quiche tin*

moule[M] à gâteau[M]
cake pan; *cake tin*

USTENSILES[M] DIVERS
MISCELLANEOUS UTENSILS

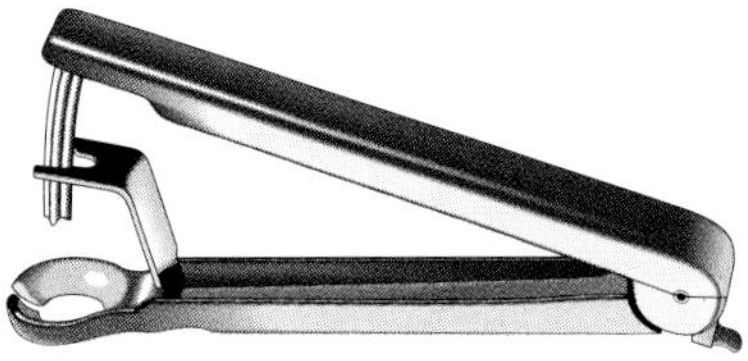

dénoyauteur[M]
stoner

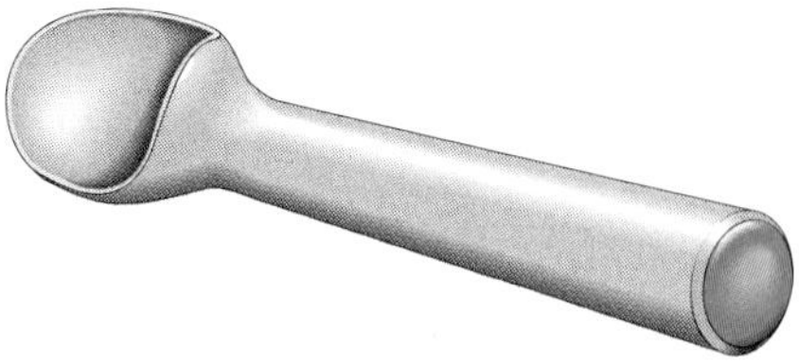

cuiller[F] à glace[F]; *cuiller[F] à crème[F] glacée*
ice cream scoop

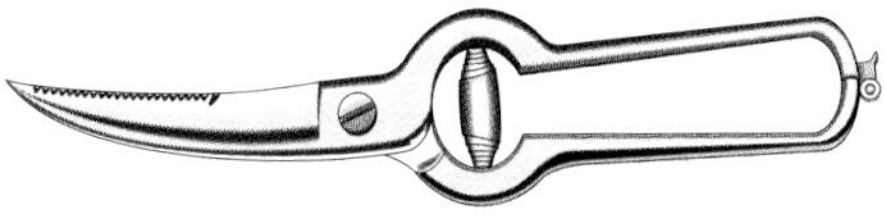

cisaille[F] à volaille[F]
poultry shears

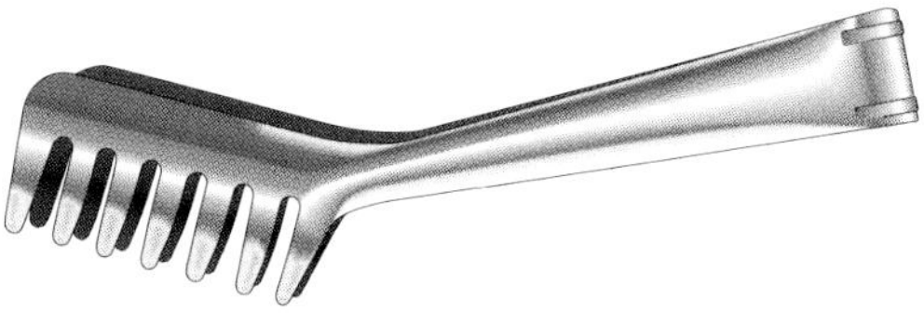

pince[F] à spaghettis[M]
spaghetti tongs

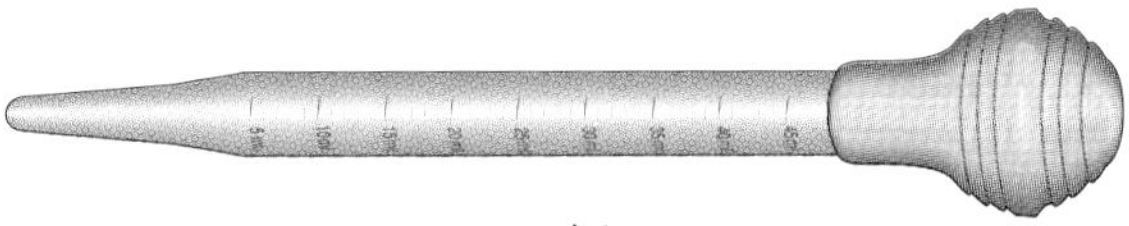

poire[F] à jus[M]
baster

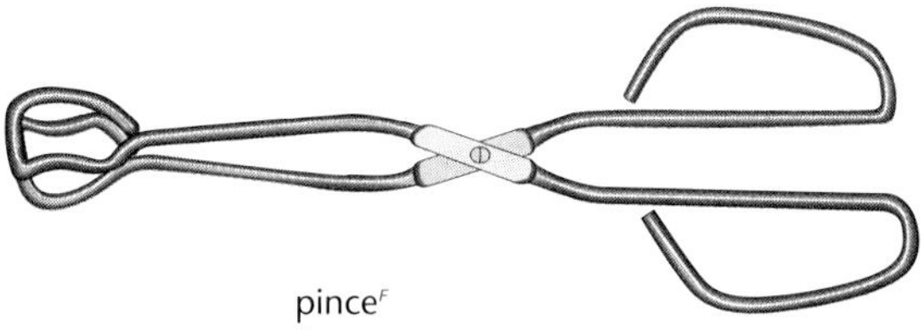

pince[F]
tongs

brosse[F] à légumes[M]
vegetable brush

boule[F] à thé[M]
tea ball; *tea infuser*

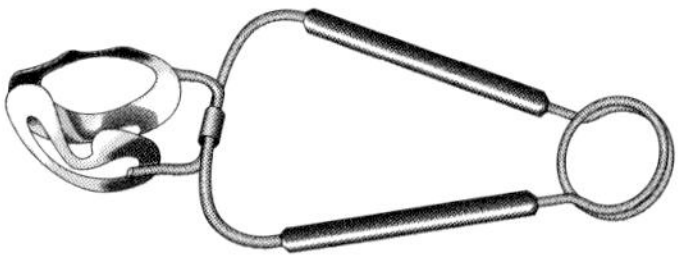

pince[F] à escargots[M]
snail tongs

saupoudreuse[F]
dredger

coupe-œuf[M]
egg slicer

plat[M] à escargots[M]
snail dish

CAFETIÈRES[F]
COFFEE MAKERS

CAFETIÈRE[F] FILTRE[M]
AUTOMATIC DRIP COFFEE MAKER

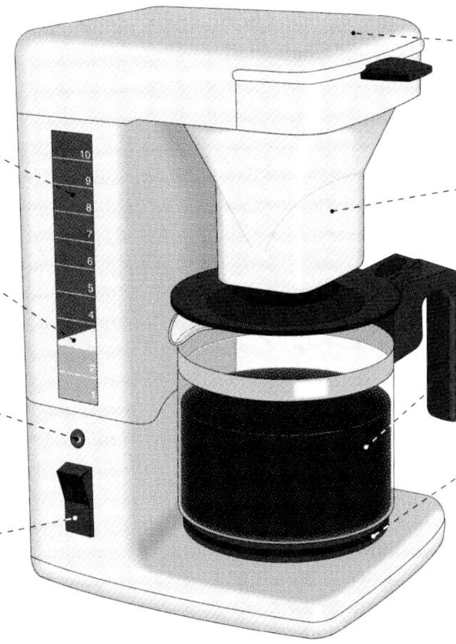
couvercle[M]
lid
réservoir[M]
reservoir
panier[M]
basket
niveau[M] d'eau[F]
water level
verseuse[F]
carafe
voyant[M] lumineux
signal lamp
plaque[F] chauffante
warming plate
interrupteur[M]
on-off switch

PERCOLATEUR[M]
PERCOLATOR

bec[M] verseur[M]
spout
voyant[M] lumineux
signal lamp

CAFETIÈRE[F] À INFUSION[F]
VACUUM COFFEE MAKER

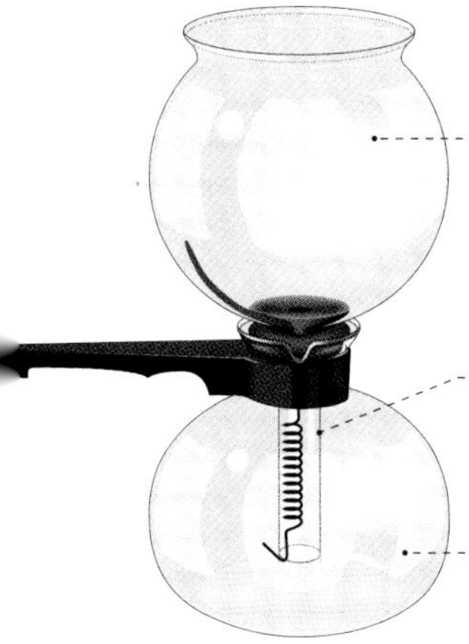
tulipe[F]
upper bowl
tige[F]
stem
ballon[M]
lower bowl

CAFETIÈRE[F] À PISTON[M]
PLUNGER

CAFETIÈRE[F] NAPOLITAINE
NEAPOLITAN COFFEE MAKER

CAFETIÈRE[F] ESPRESSO[M]
ESPRESSO COFFEE MAKER

BATTERIE[F] DE CUISINE[F]
COOKING UTENSILS

WOK[M]
WOK SET

couvercle[M]
lid
grille[F]
rack
wok[M]
wok
collier[M]
burner ring

POISSONNIÈRE[F]
FISH POACHER; *FISH KETTLE*

grille[F]
rack
couvercle[M]
lid

SERVICE[M] À FONDUE[F]
FONDUE SET

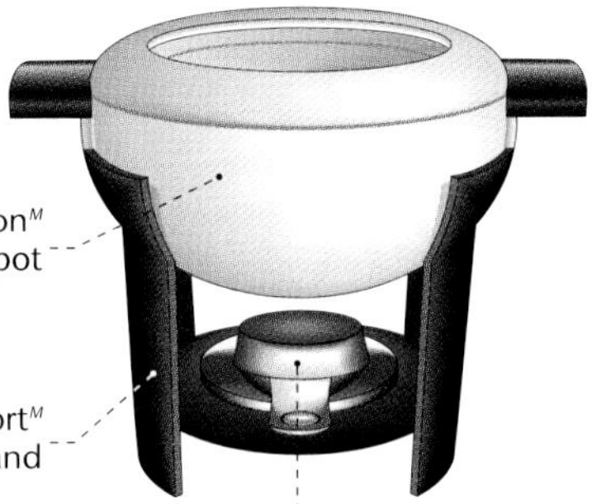
caquelon[M]
fondue pot
support[M]
stand
réchaud[M]
burner

AUTOCUISEUR[M]
PRESSURE COOKER

régulateur[M] de pression[F]
pressure regulator
soupape[F]
safety valve

plats[M] à four[M]
roasting pans

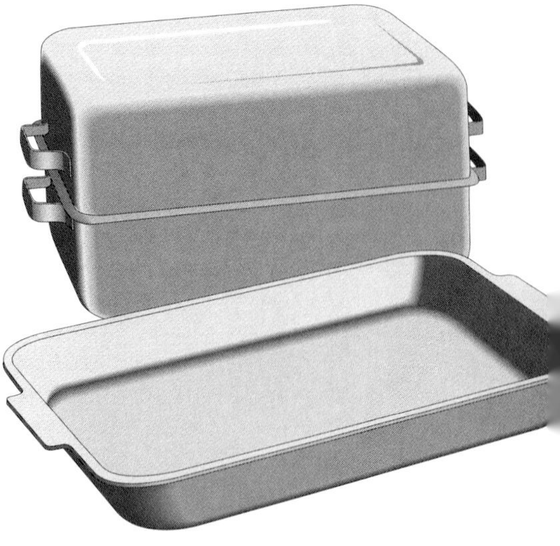

faitout[M]
Dutch oven

marmite[F]
stock pot

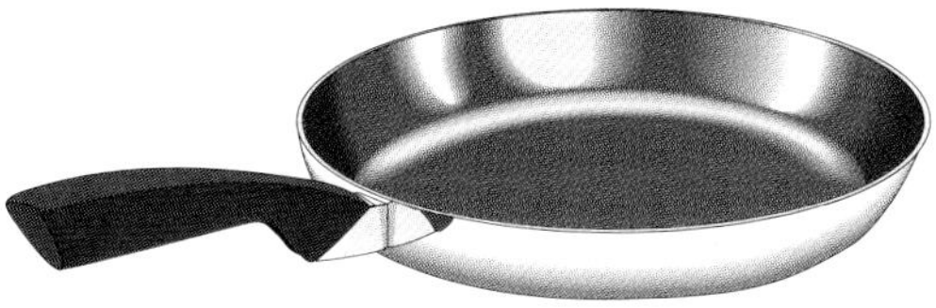

poêle[F] à frire
frying pan

couscoussier[M]
couscous kettle

poêle[F] à crêpes[F]
pancake pan

pocheuse[F]
egg poacher

sauteuse[F]
sauté pan

étuveuse[F]
vegetable steamer

bain-marie[M]
double boiler

casserole[F]
saucepan

APPAREILS[M] ÉLECTROMÉNAGERS
DOMESTIC APPLIANCES

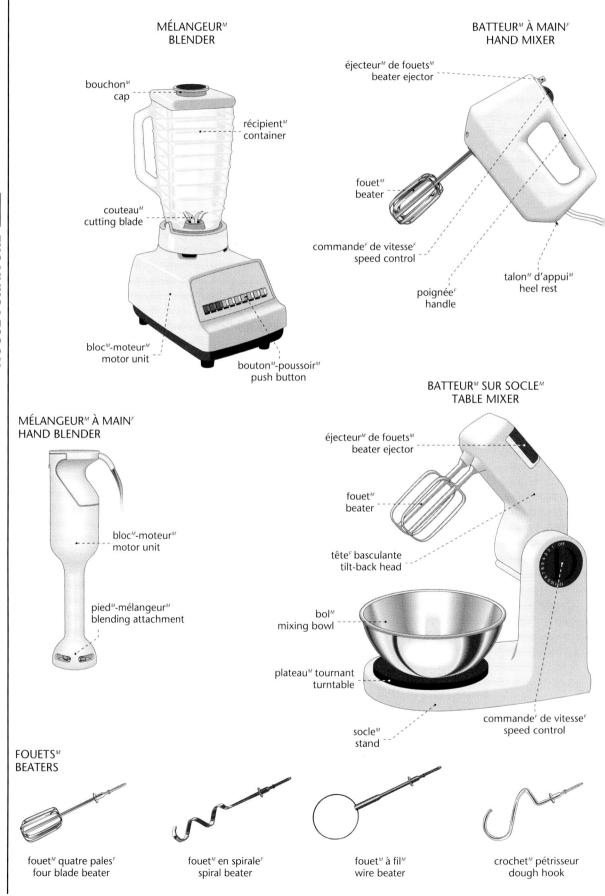

MÉLANGEUR[M]
BLENDER

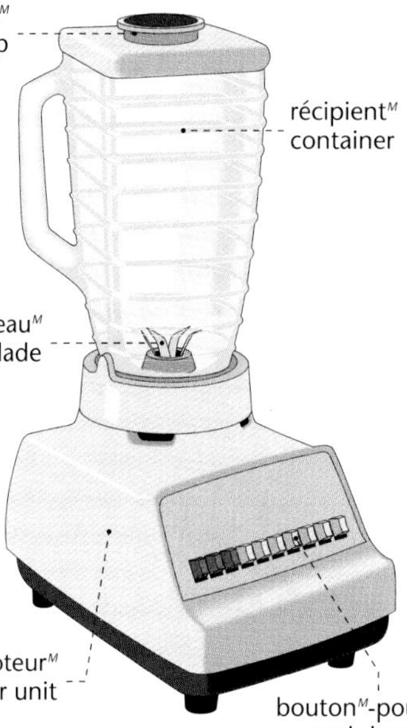
bouchon[M]
cap
récipient[M]
container
couteau[M]
cutting blade
bloc[M]-moteur[M]
motor unit
bouton[M]-poussoir[M]
push button

BATTEUR[M] À MAIN[F]
HAND MIXER

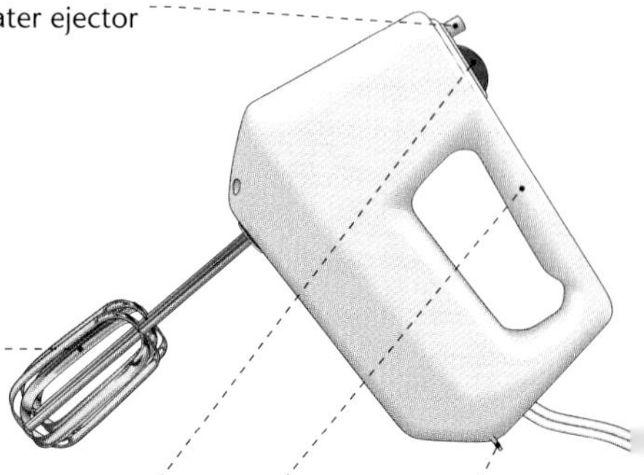
éjecteur[M] de fouets[M]
beater ejector
fouet[M]
beater
commande[F] de vitesse[F]
speed control
poignée[F]
handle
talon[M] d'appui[M]
heel rest

MÉLANGEUR[M] À MAIN[F]
HAND BLENDER

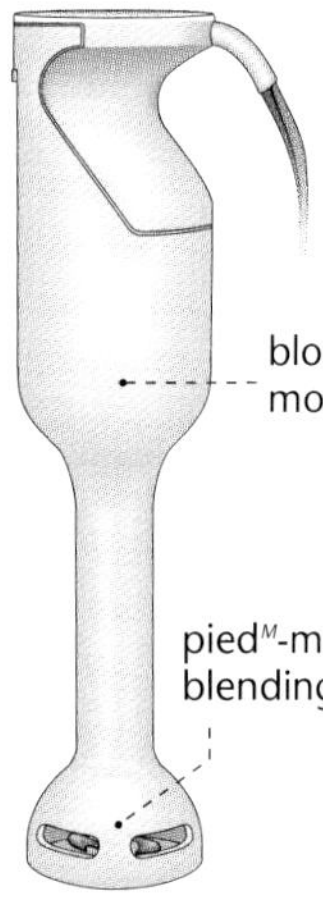
bloc[M]-moteur[M]
motor unit
pied[M]-mélangeur[M]
blending attachment

BATTEUR[M] SUR SOCLE[M]
TABLE MIXER

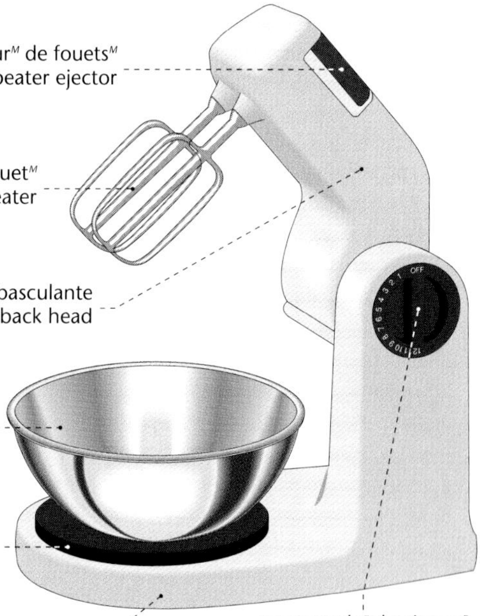
éjecteur[M] de fouets[M]
beater ejector
fouet[M]
beater
tête[F] basculante
tilt-back head
bol[M]
mixing bowl
plateau[M] tournant
turntable
socle[M]
stand
commande[F] de vitesse[F]
speed control

FOUETS[M]
BEATERS

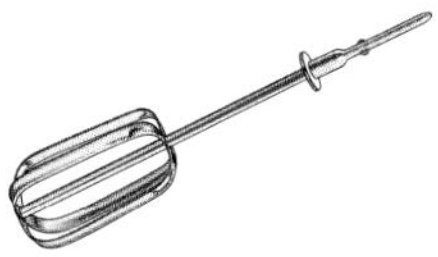

fouet[M] quatre pales[F]
four blade beater

fouet[M] en spirale[F]
spiral beater

fouet[M] à fil[M]
wire beater

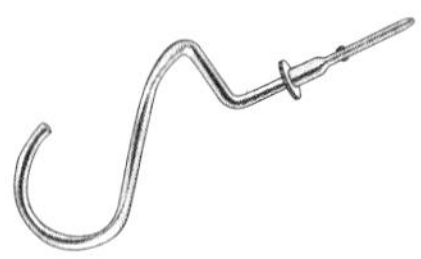

crochet[M] pétrisseur
dough hook

ROBOT[M] DE CUISINE[F]
FOOD PROCESSOR

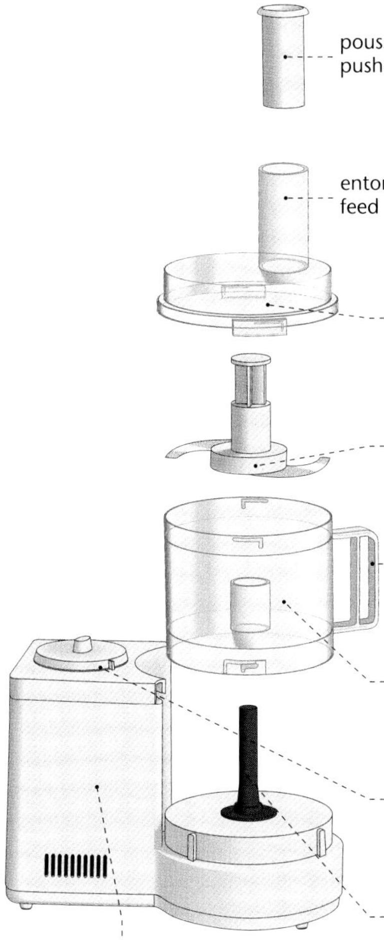
poussoir[M]
pusher
entonnoir[M]
feed tube
couvercle[M]
lid
couteau[M]
blade
poignée[F]
handle
bol[M]
bowl
sélecteur[M] de vitesse[F]
speed selector
arbre[M]
spindle
bloc[M]-moteur[M]
motor unit

DISQUES[M]
DISKS; *DISCS*

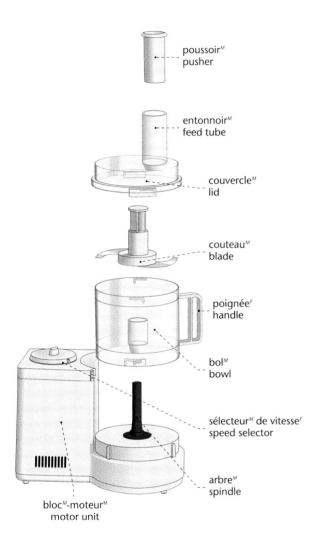

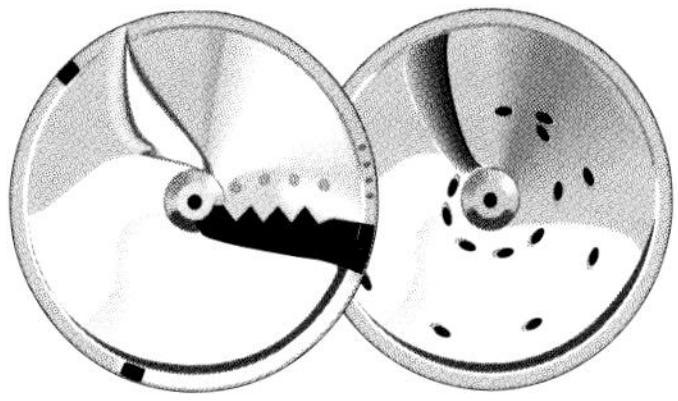

PRESSE-AGRUMES[M]
CITRUS JUICER; *LEMON SQUEEZER*

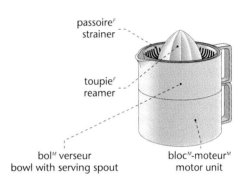

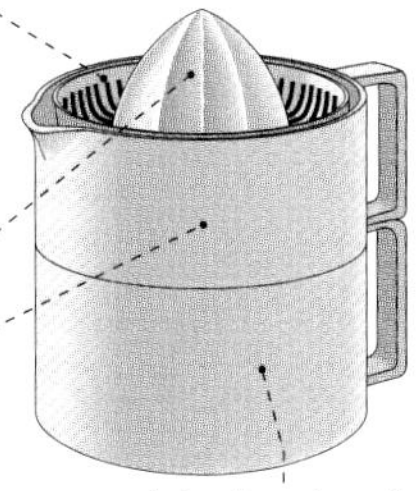
passoire[F]
strainer
toupie[F]
reamer
bol[M] verseur
bowl with serving spout
bloc[M]-moteur[M]
motor unit

CENTRIFUGEUSE[F]
JUICER; *JUICE EXTRACTOR*

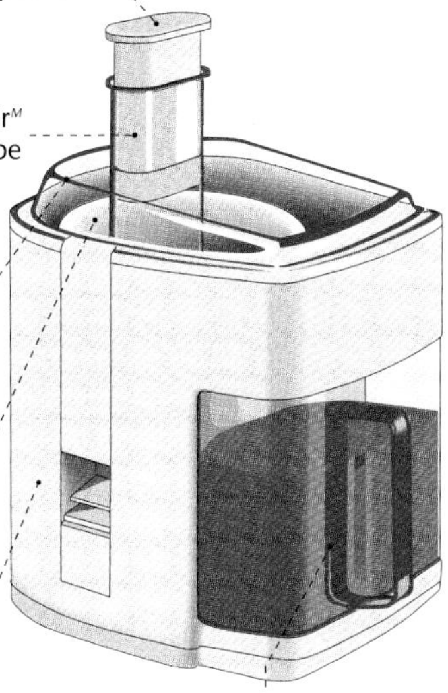
poussoir[M]
pusher
entonnoir[M]
feed tube
couvercle[M]
lid
passoire[F]
strainer
bloc[M]-moteur[M]
motor unit
pichet[M]
bowl

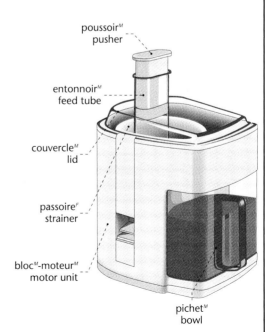

SORBETIÈRE[F]
ICE CREAM FREEZER

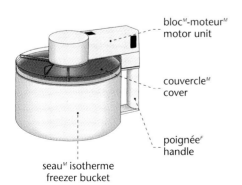

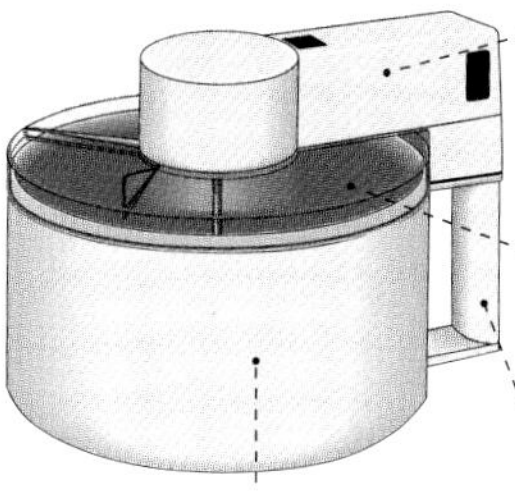
bloc[M]-moteur[M]
motor unit
couvercle[M]
cover
poignée[F]
handle
seau[M] isotherme
freezer bucket

APPAREILS[M] ÉLECTROMÉNAGERS
DOMESTIC APPLIANCES

BOUILLOIRE[F]
KETTLE

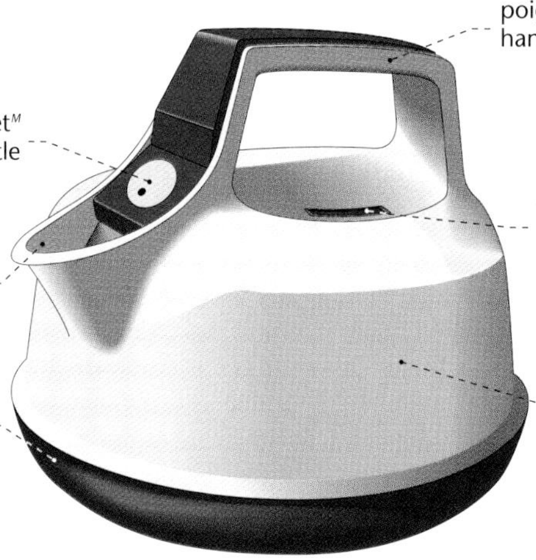
poignée[F]
handle
sifflet[M]
whistle
voyant[M] lumineux
signal lamp
bec[M] verseur
spout
corps[M]
body
socle[M]
base

GRILLE-PAIN[M]
TOASTER

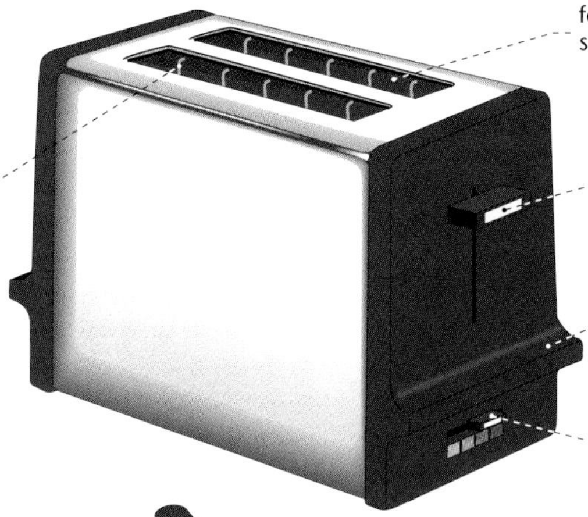
fente[F]
slot
guide[M]
bread guide
manette[F]
lever
poignée[F]
handle
thermostat[M]
temperature control

FRITEUSE[F]
DEEP FRYER

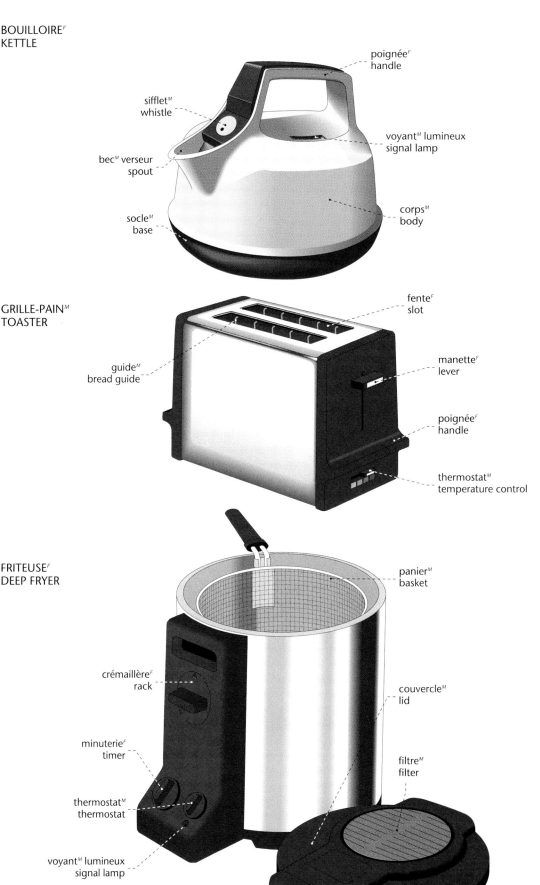

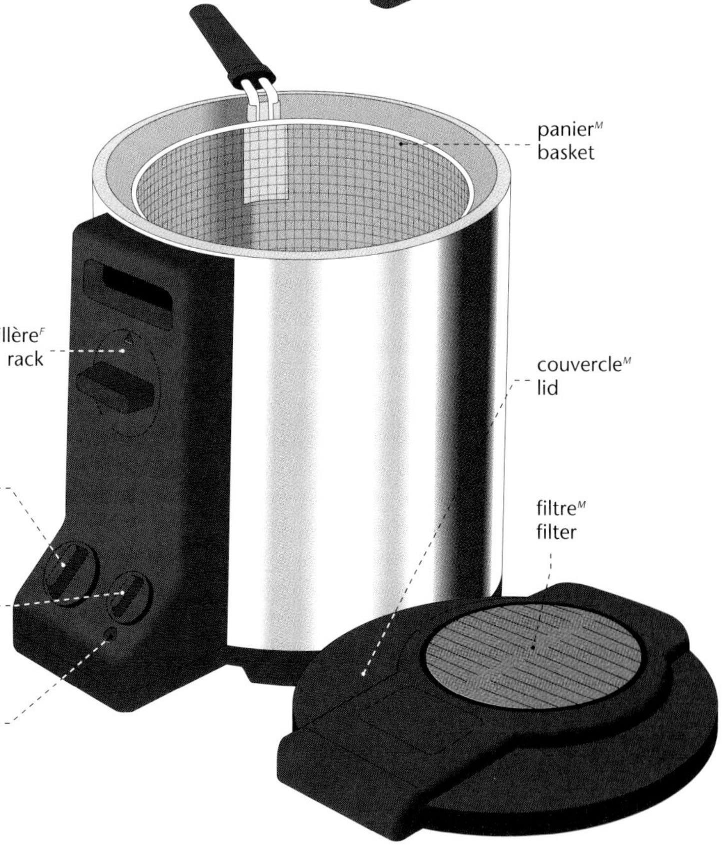
panier[M]
basket
crémaillère[F]
rack
couvercle[M]
lid
minuterie[F]
timer
filtre[M]
filter
thermostat[M]
thermostat
voyant[M] lumineux
signal lamp

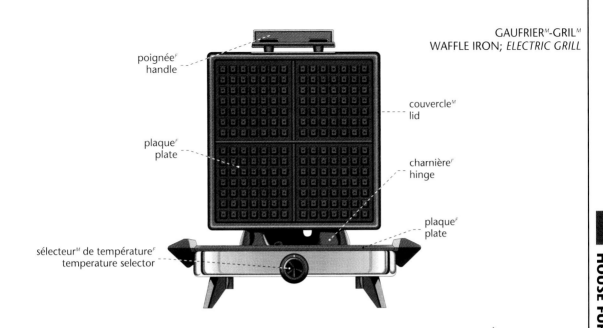

GAUFRIER[M]-GRIL[M]
WAFFLE IRON; *ELECTRIC GRILL*

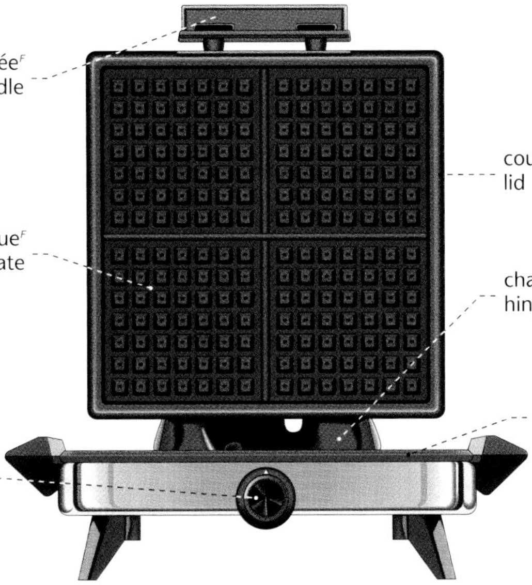
poignée[F]
handle
couvercle[M]
lid
plaque[F]
plate
charnière[F]
hinge
plaque[F]
plate
sélecteur[M] de température[F]
temperature selector

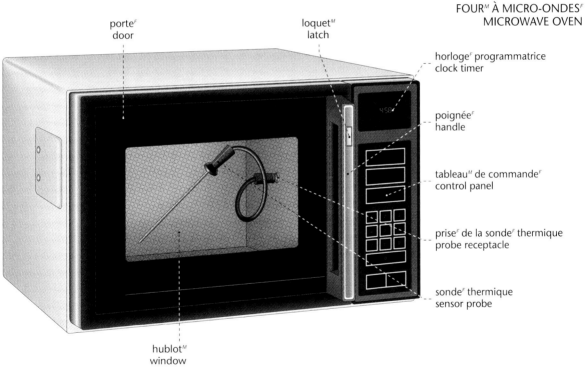

FOUR[M] À MICRO-ONDES[F]
MICROWAVE OVEN

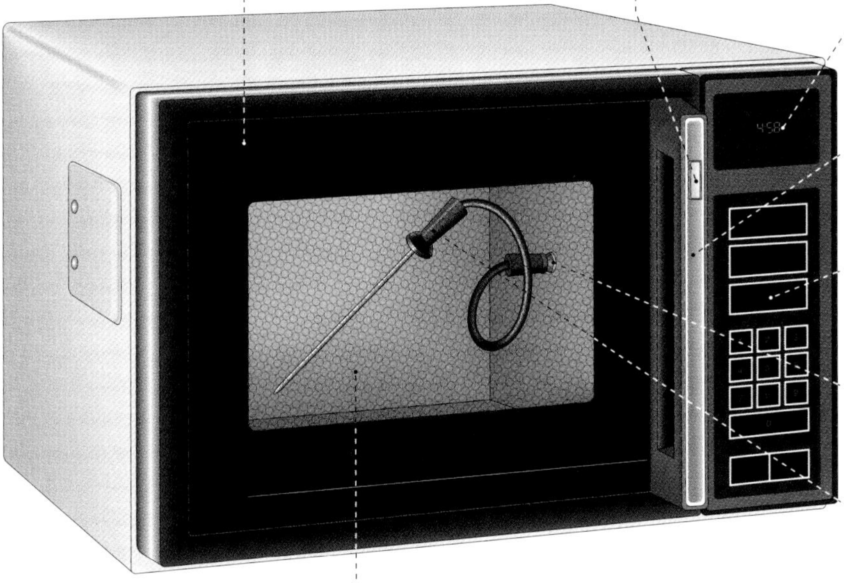
porte[F]
door
loquet[M]
latch
horloge[F] programmatrice
clock timer
poignée[F]
handle
tableau[M] de commande[F]
control panel
prise[F] de la sonde[F] thermique
probe receptacle
sonde[F] thermique
sensor probe
hublot[M]
window

GRIL[M] ÉLECTRIQUE
GRIDDLE

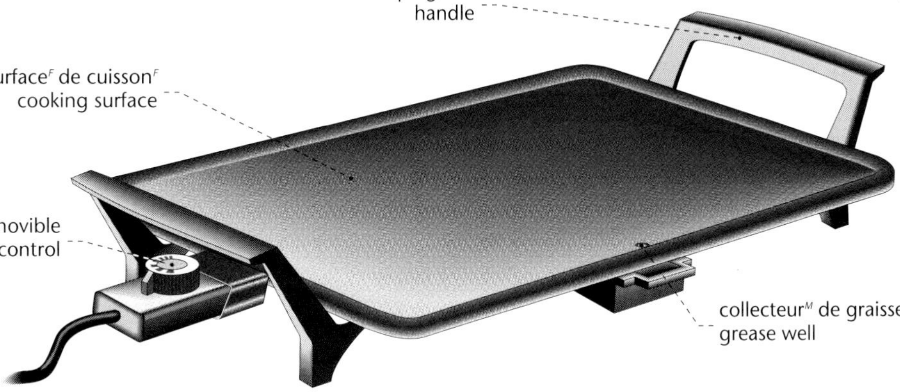
poignée[F]
handle
surface[F] de cuisson[F]
cooking surface
commande[F] amovible
detachable control
collecteur[M] de graisse[F]
grease well

RÉFRIGÉRATEUR^M
REFRIGERATOR

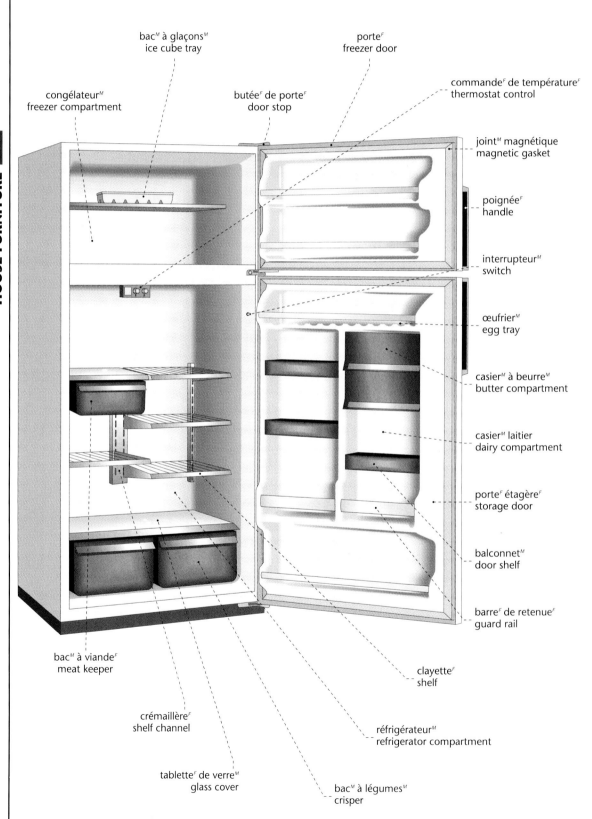

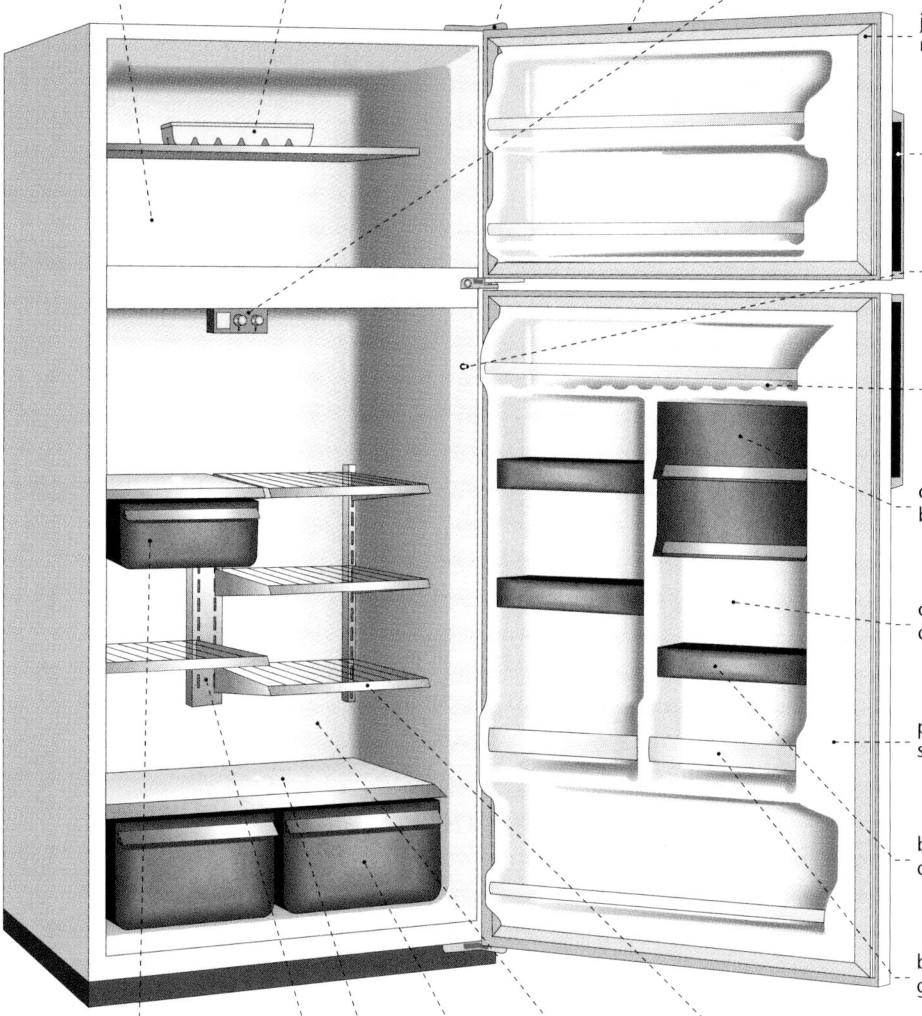
bac^M à glaçons^M
ice cube tray
porte^F
freezer door
commande^F de température^F
thermostat control
congélateur^M
freezer compartment
butée^F de porte^F
door stop
joint^M magnétique
magnetic gasket
poignée^F
handle
interrupteur^M
switch
œufrier^M
egg tray
casier^M à beurre^M
butter compartment
casier^M laitier
dairy compartment
porte^F étagère^F
storage door
balconnet^M
door shelf
barre^F de retenue^F
guard rail
bac^M à viande^F
meat keeper
clayette^F
shelf
crémaillère^F
shelf channel
réfrigérateur^M
refrigerator compartment
tablette^F de verre^M
glass cover
bac^M à légumes^M
crisper

HOTTE[F]
RANGE HOOD; *COOKER HOOD*

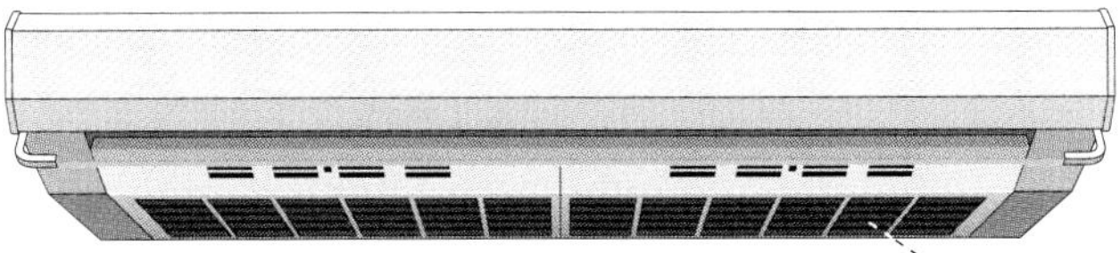
filtre[M]
filter

CUISINIÈRE[F] ÉLECTRIQUE
ELECTRIC RANGE; *ELECTRIC COOKER*

horloge[F] programmatrice
clock timer
réglage[M] du four[M]
oven control knob
voyant[M] lumineux
signal lamp
dosseret[M]
backguard
bouton[M] de commande[F]
control knob
prise[F] chronométrée
timed outlet
tableau[M] de commande[F]
control panel
serpentin[M]
surface element
four[M]
oven
rebord[M]
cooktop edge
grille[F]
rack
surface[F] de cuisson[F]
cooktop
hublot[M]
window
poignée[F]
handle
tiroir[M]
drawer

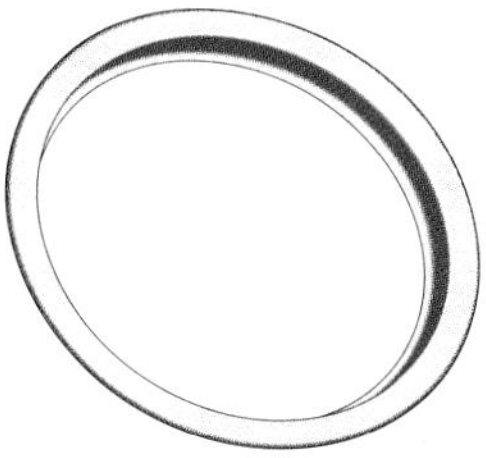
anneau[M]
trim ring

cuvette[F]
drip bowl

borne[F]
terminal
élément[M] tubulaire
tubular element

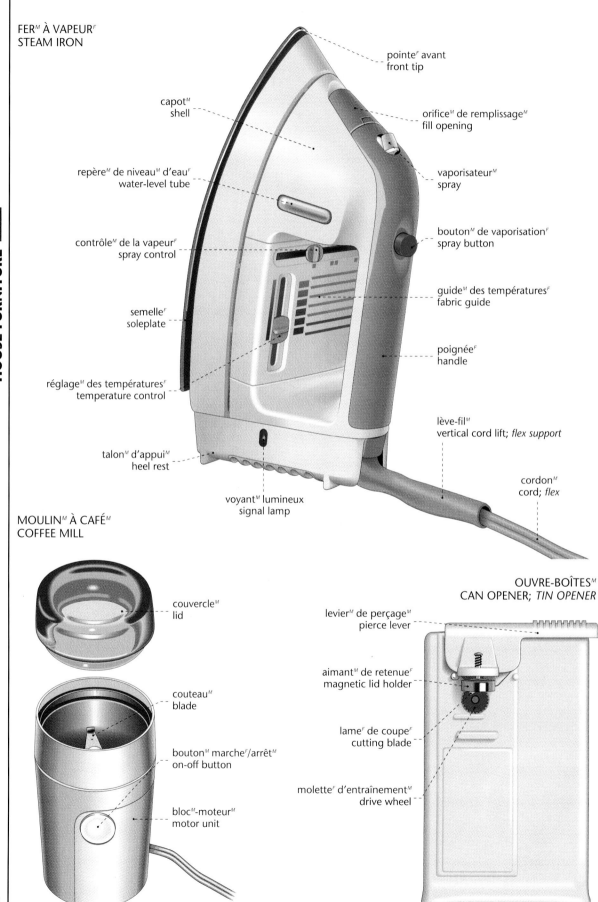

APPAREILS[M] ÉLECTROMÉNAGERS
DOMESTIC APPLIANCES

FER[M] À VAPEUR[F]
STEAM IRON

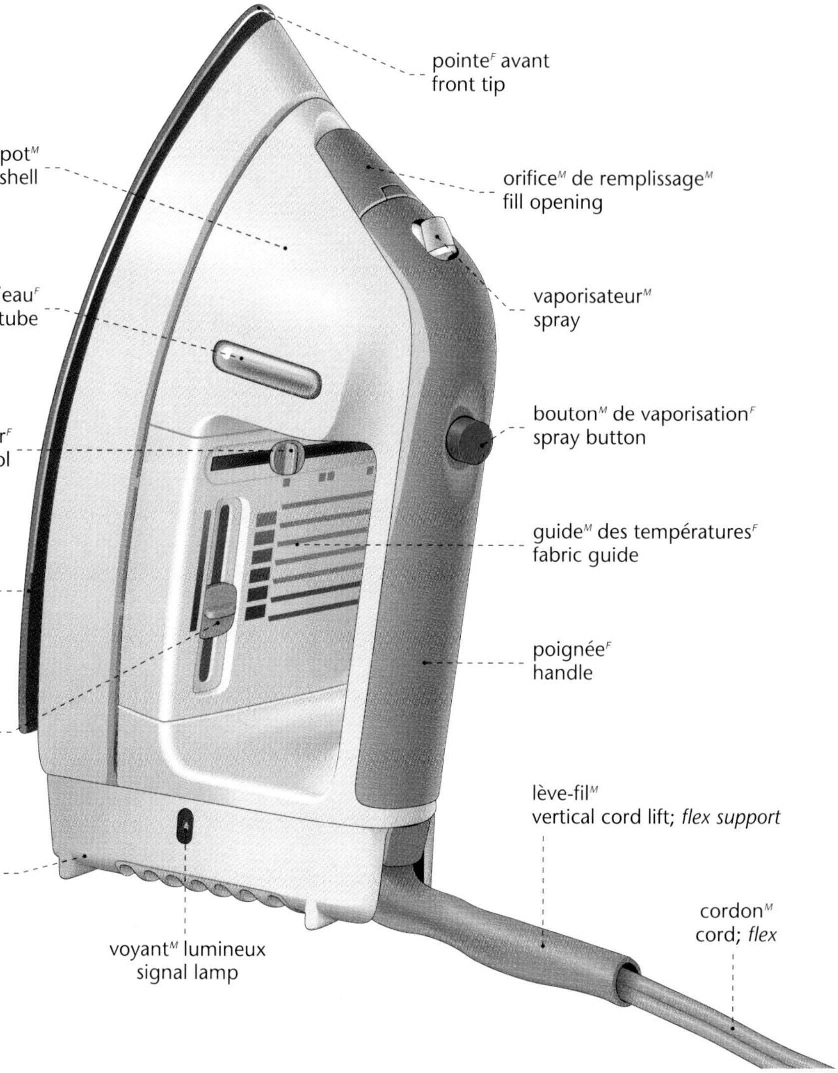
pointe[F] avant
front tip
capot[M]
shell
orifice[M] de remplissage[M]
fill opening
vaporisateur[M]
spray
repère[M] de niveau[M] d'eau[F]
water-level tube
bouton[M] de vaporisation[F]
spray button
contrôle[M] de la vapeur[F]
spray control
guide[M] des températures[F]
fabric guide
semelle[F]
soleplate
poignée[F]
handle
réglage[M] des températures[F]
temperature control
lève-fil[M]
vertical cord lift; *flex support*
talon[M] d'appui[M]
heel rest
cordon[M]
cord; *flex*
voyant[M] lumineux
signal lamp

MOULIN[M] À CAFÉ[M]
COFFEE MILL

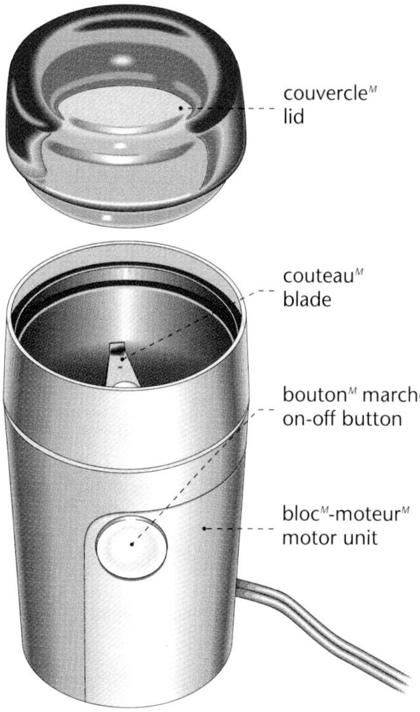
couvercle[M]
lid
couteau[M]
blade
bouton[M] marche[F]/arrêt[M]
on-off button
bloc[M]-moteur[M]
motor unit

OUVRE-BOÎTES[M]
CAN OPENER; *TIN OPENER*

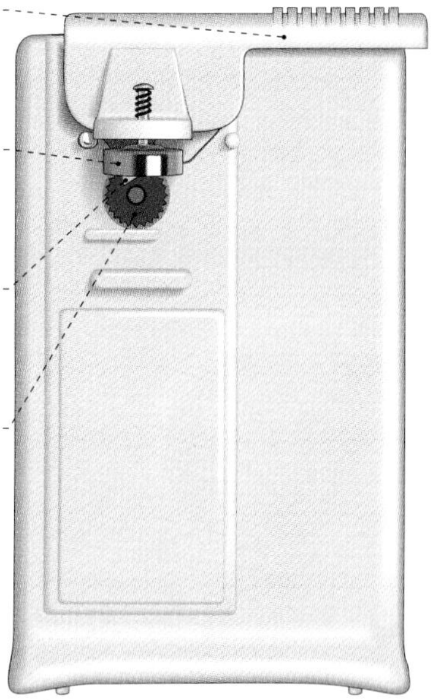
levier[M] de perçage[M]
pierce lever
aimant[M] de retenue[F]
magnetic lid holder
lame[F] de coupe[F]
cutting blade
molette[F] d'entraînement[M]
drive wheel

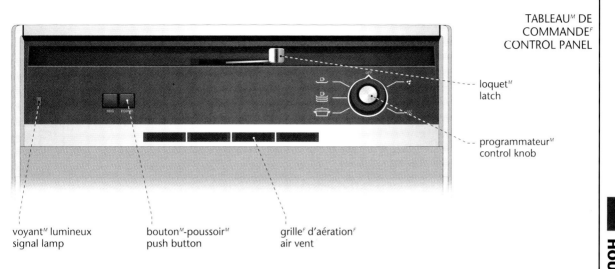

TABLEAU[M] DE COMMANDE[F]
CONTROL PANEL

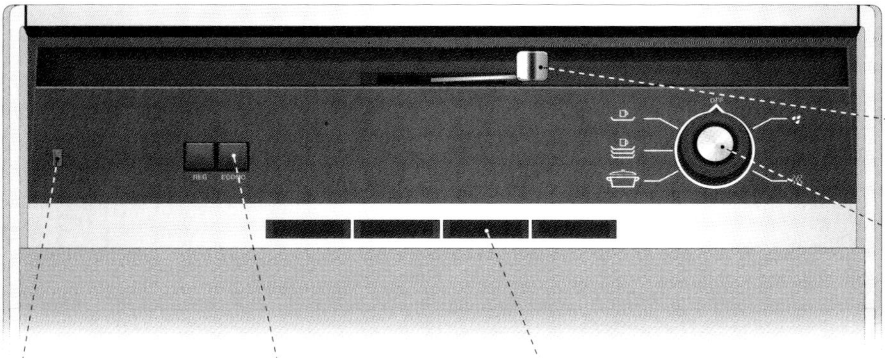
loquet[M]
latch
programmateur[M]
control knob
voyant[M] lumineux
signal lamp
bouton[M]-poussoir[M]
push button
grille[F] d'aération[F]
air vent

LAVE-VAISSELLE[M]
DISHWASHER

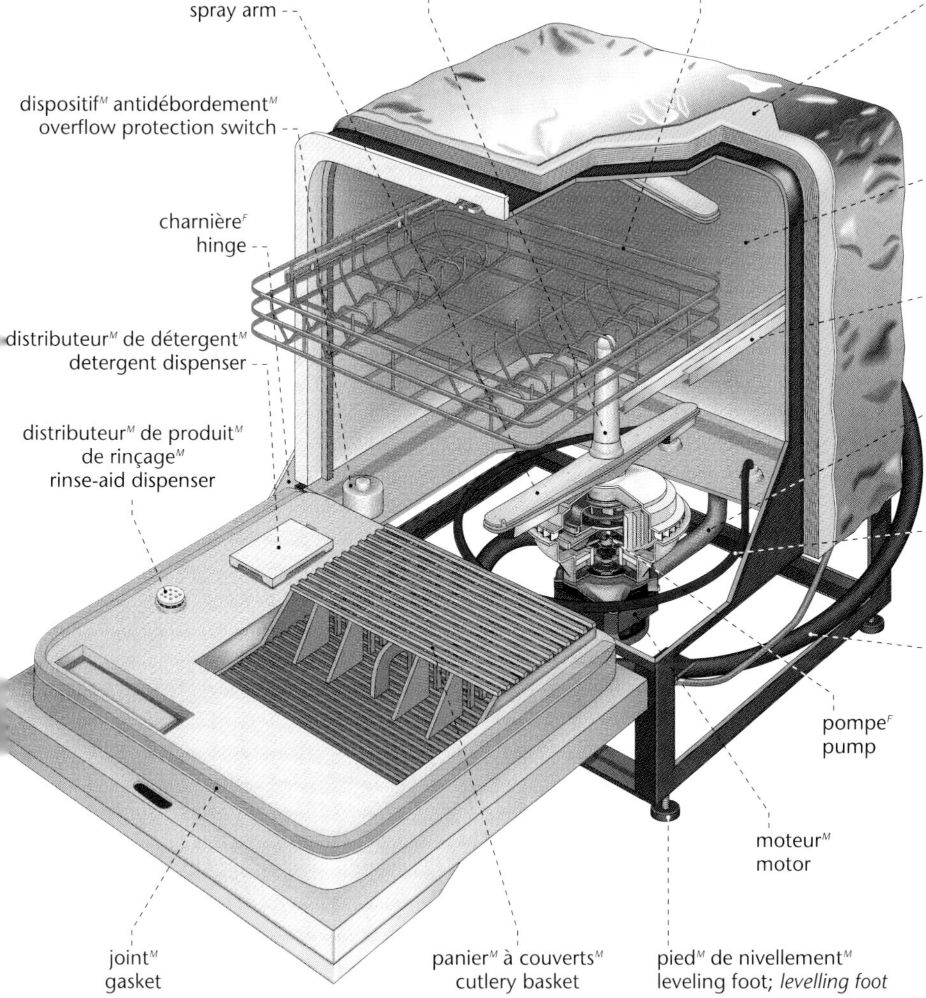
tourelle[F]
wash tower
panier[M]
rack
bras[M] gicleur[M]
spray arm
isolant[M]
insulating material
dispositif[M] antidébordement[M]
overflow protection switch
cuve[F]
tub
charnière[F]
hinge
glissière[F]
slide
distributeur[M] de détergent[M]
detergent dispenser
conduite[F] d'eau[F]
water hose
distributeur[M] de produit[M]
de rinçage[M]
rinse-aid dispenser
élément[M] chauffant
heating element
tuyau[M] de vidange[F]
drain hose
pompe[F]
pump
moteur[M]
motor
joint[M]
gasket
panier[M] à couverts[M]
cutlery basket
pied[M] de nivellement[M]
leveling foot; *levelling foot*

AMEUBLEMENT DE LA MAISON
HOUSE FURNITURE

LAVE-LINGE[M]; *LAVEUSE[F]*
WASHER; *WASHING MACHINE*

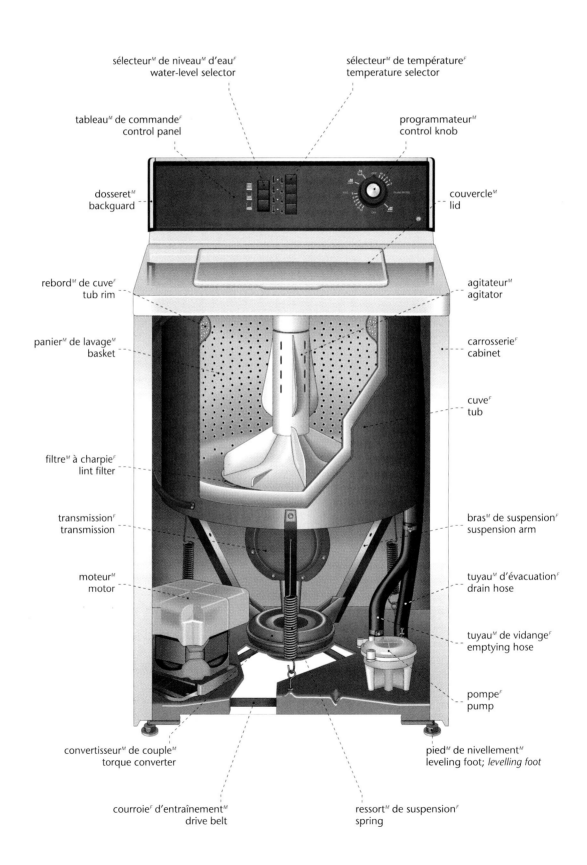

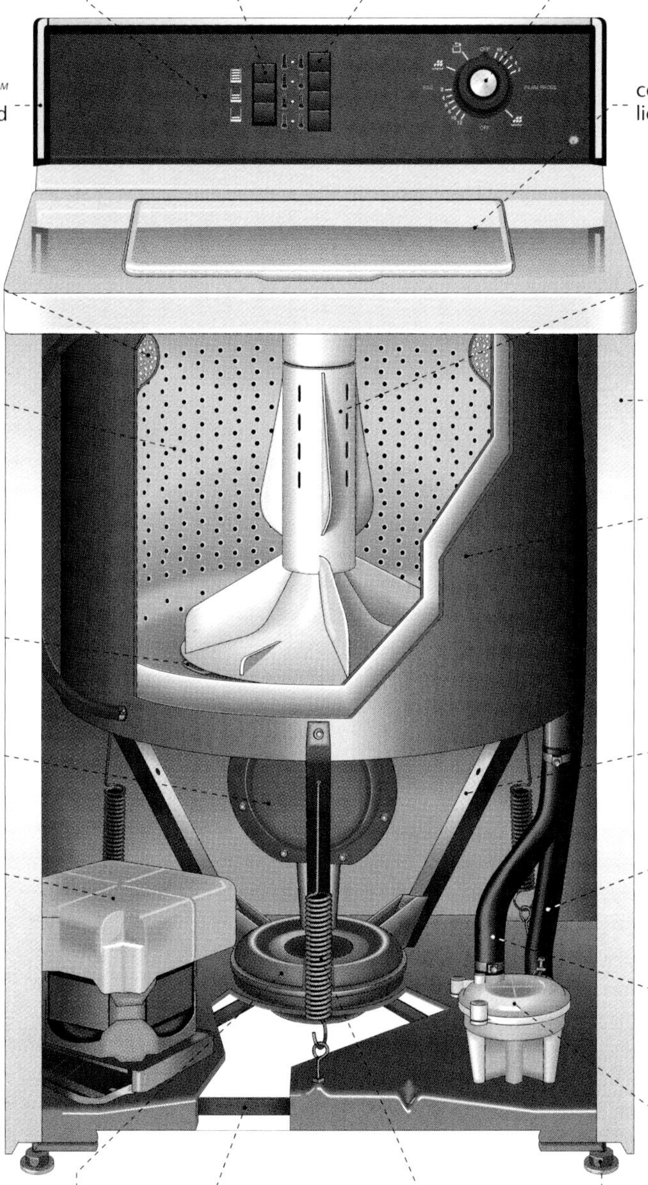
sélecteur[M] de niveau[M] d'eau[F]
water-level selector
sélecteur[M] de température[F]
temperature selector
tableau[M] de commande[F]
control panel
programmateur[M]
control knob
dosseret[M]
backguard
couvercle[M]
lid
rebord[M] de cuve[F]
tub rim
agitateur[M]
agitator
panier[M] de lavage[M]
basket
carrosserie[F]
cabinet
cuve[F]
tub
filtre[M] à charpie[F]
lint filter
transmission[F]
transmission
bras[M] de suspension[F]
suspension arm
moteur[M]
motor
tuyau[M] d'évacuation[F]
drain hose
tuyau[M] de vidange[F]
emptying hose
pompe[F]
pump
convertisseur[M] de couple[M]
torque converter
pied[M] de nivellement[M]
leveling foot; *levelling foot*
courroie[F] d'entraînement[M]
drive belt
ressort[M] de suspension[F]
spring

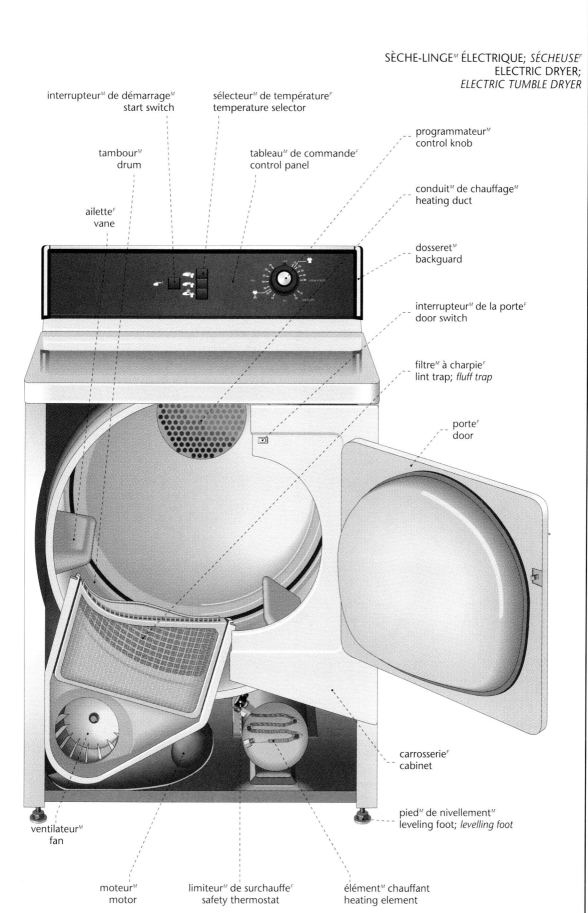

SÈCHE-LINGE[M] ÉLECTRIQUE; *SÉCHEUSE[F]*
ELECTRIC DRYER;
ELECTRIC TUMBLE DRYER

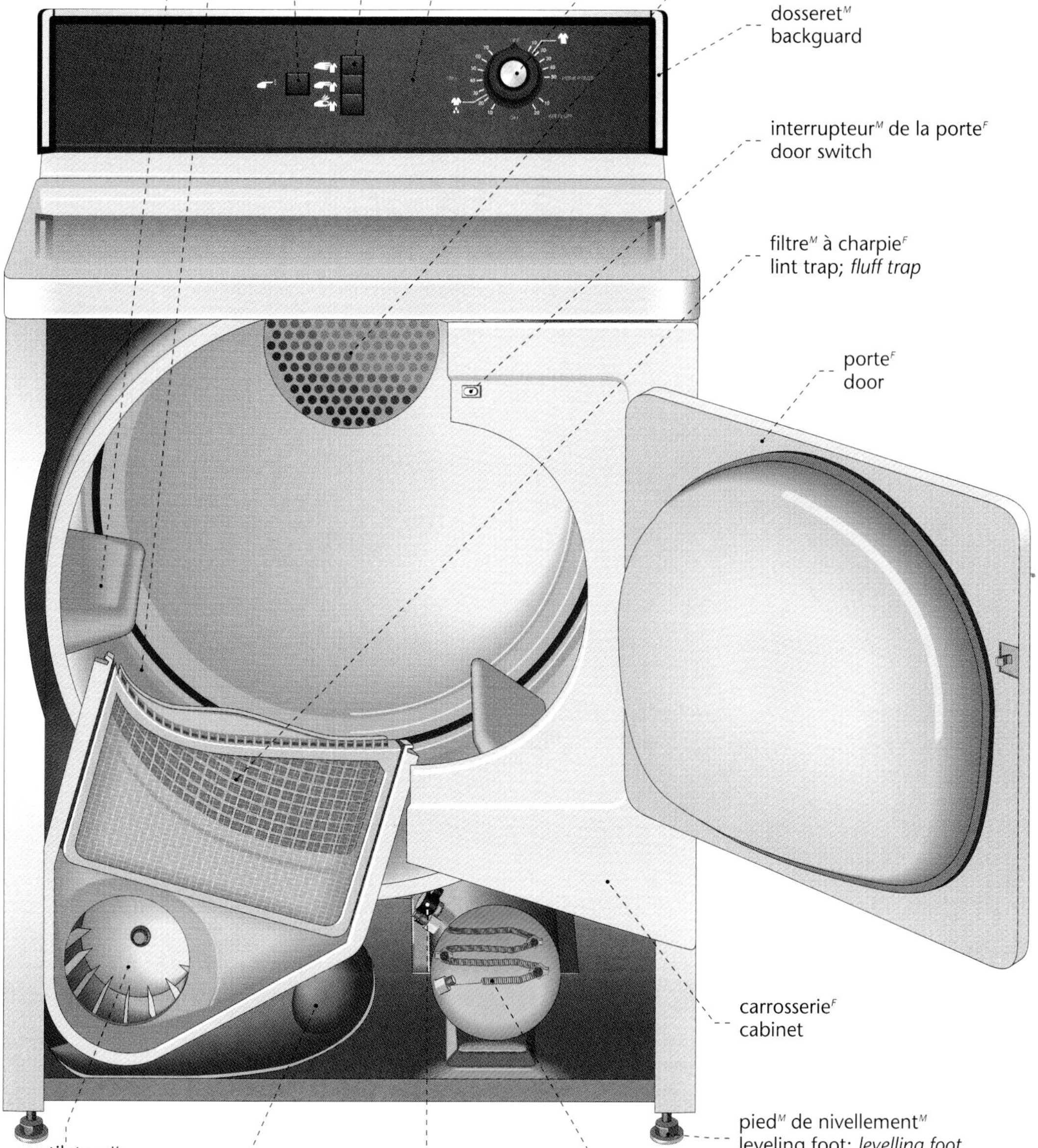
interrupteur[M] de démarrage[M]
start switch
sélecteur[M] de température[F]
temperature selector
programmateur[M]
control knob
tambour[M]
drum
tableau[M] de commande[F]
control panel
conduit[M] de chauffage[M]
heating duct
ailette[F]
vane
dosseret[M]
backguard
interrupteur[M] de la porte[F]
door switch
filtre[M] à charpie[F]
lint trap; *fluff trap*
porte[F]
door
carrosserie[F]
cabinet
pied[M] de nivellement[M]
leveling foot; *levelling foot*
ventilateur[M]
fan
moteur[M]
motor
limiteur[M] de surchauffe[F]
safety thermostat
élément[M] chauffant
heating element

APPAREILS[M] ÉLECTROMÉNAGERS
DOMESTIC APPLIANCES

ASPIRATEUR[M] À MAIN[F]
HAND VACUUM CLEANER

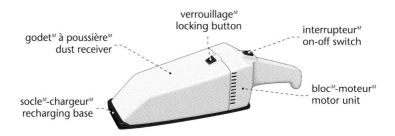

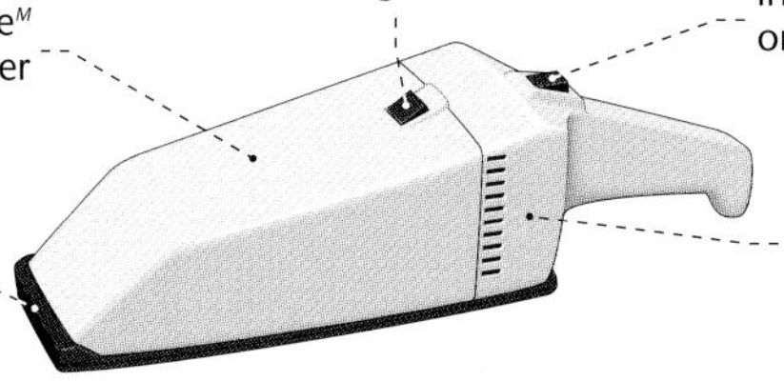
verrouillage[M]
locking button
godet[M] à poussière[M]
dust receiver
interrupteur[M]
on-off switch
bloc[M]-moteur[M]
motor unit
socle[M]-chargeur[M]
recharging base

ASPIRATEUR[M]-TRAÎNEAU[M]
CANISTER VACUUM CLEANER

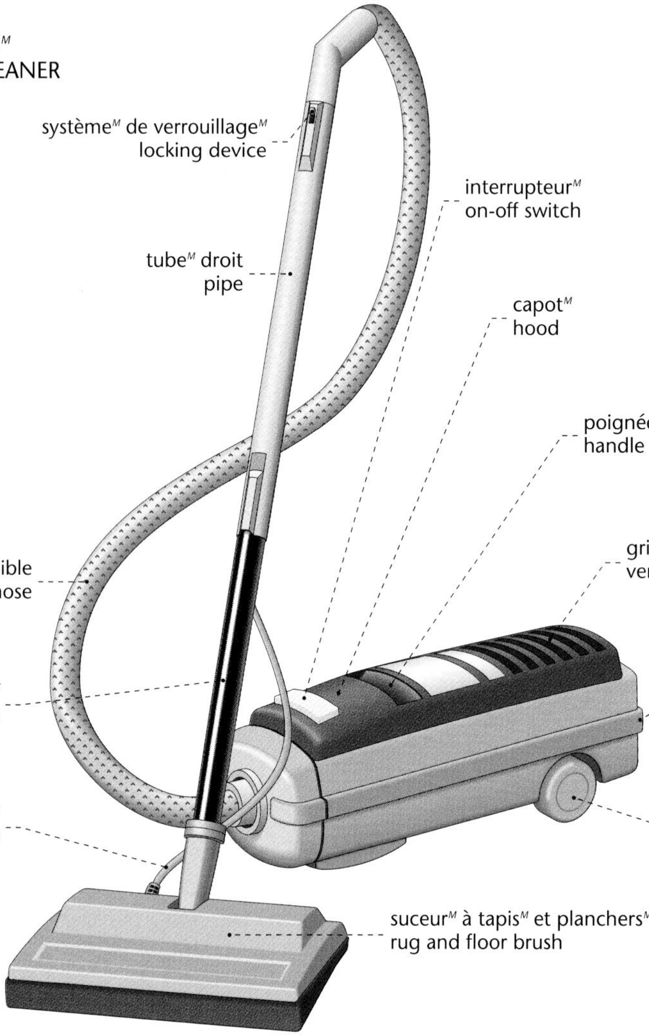
système[M] de verrouillage[M]
locking device
interrupteur[M]
on-off switch
tube[M] droit
pipe
capot[M]
hood
poignée[F]
handle
grille[F] de ventilation[F]
ventilating grille
tuyau[M] flexible
flexible hose
rallonge[F]
extension pipe
pare-chocs[M]
bumper
roulette[F]
caster
cordon[M]
cord; *flex*
suceur[M] à tapis[M] et planchers[M]
rug and floor brush

ACCESSOIRES[M]
CLEANING TOOLS

suceur[M] triangulaire à tissus[M]
upholstery nozzle

suceur[M] plat
crevice tool

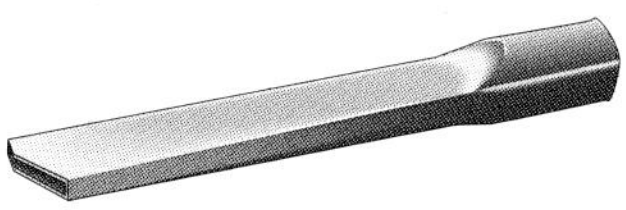

brosse[F] à planchers[M]
floor brush

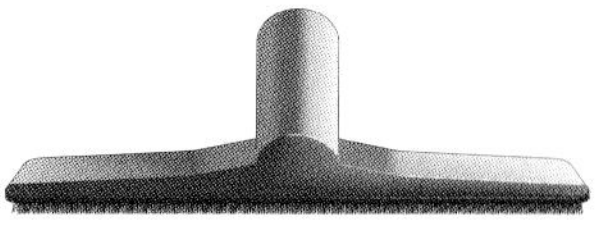

brosse[F] à épousseter
dusting brush

JARDINAGE • GARDENING

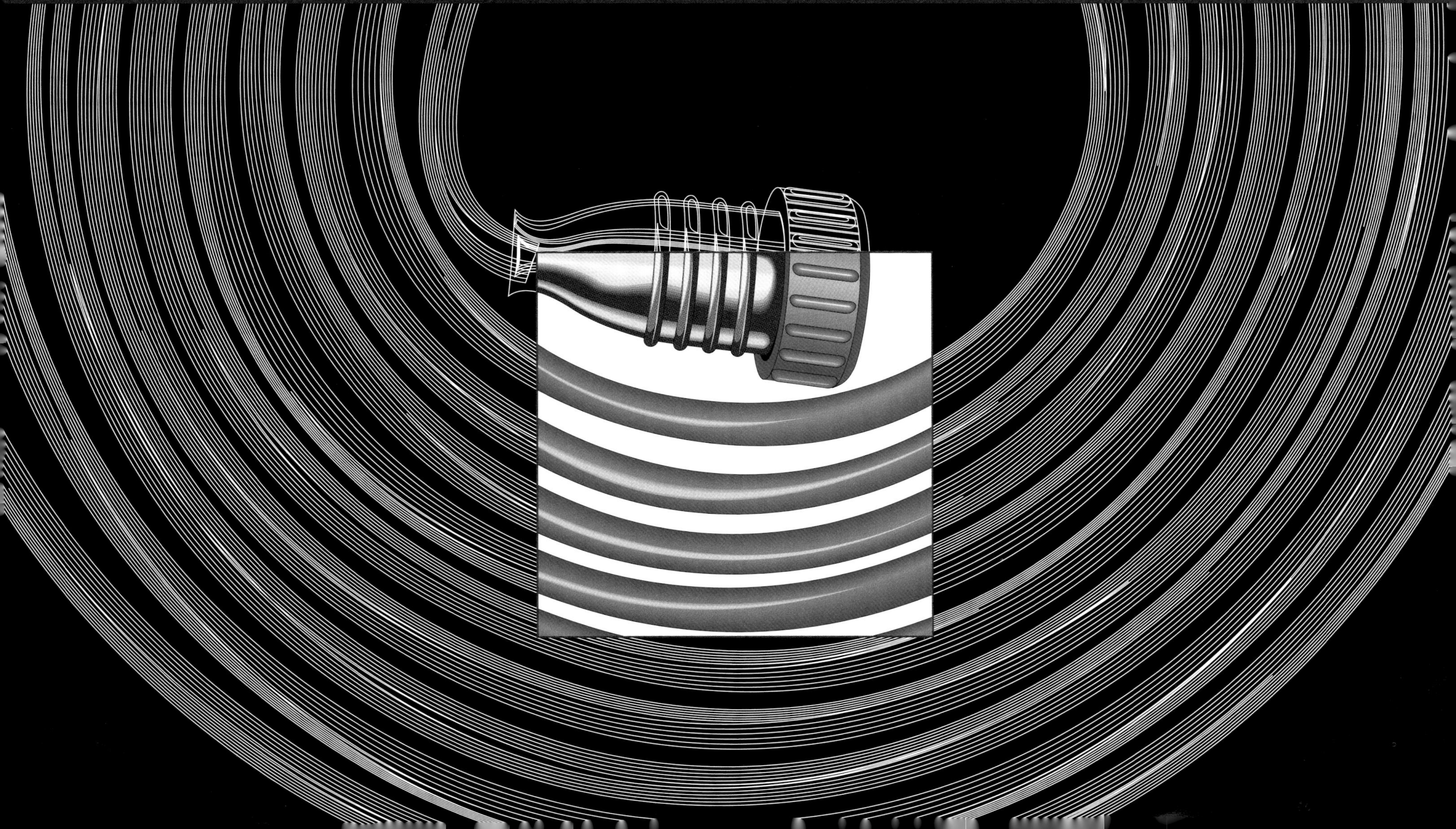

SOMMAIRE

JARDIN[M] D'AGRÉMENT[M]
PLEASURE GARDEN

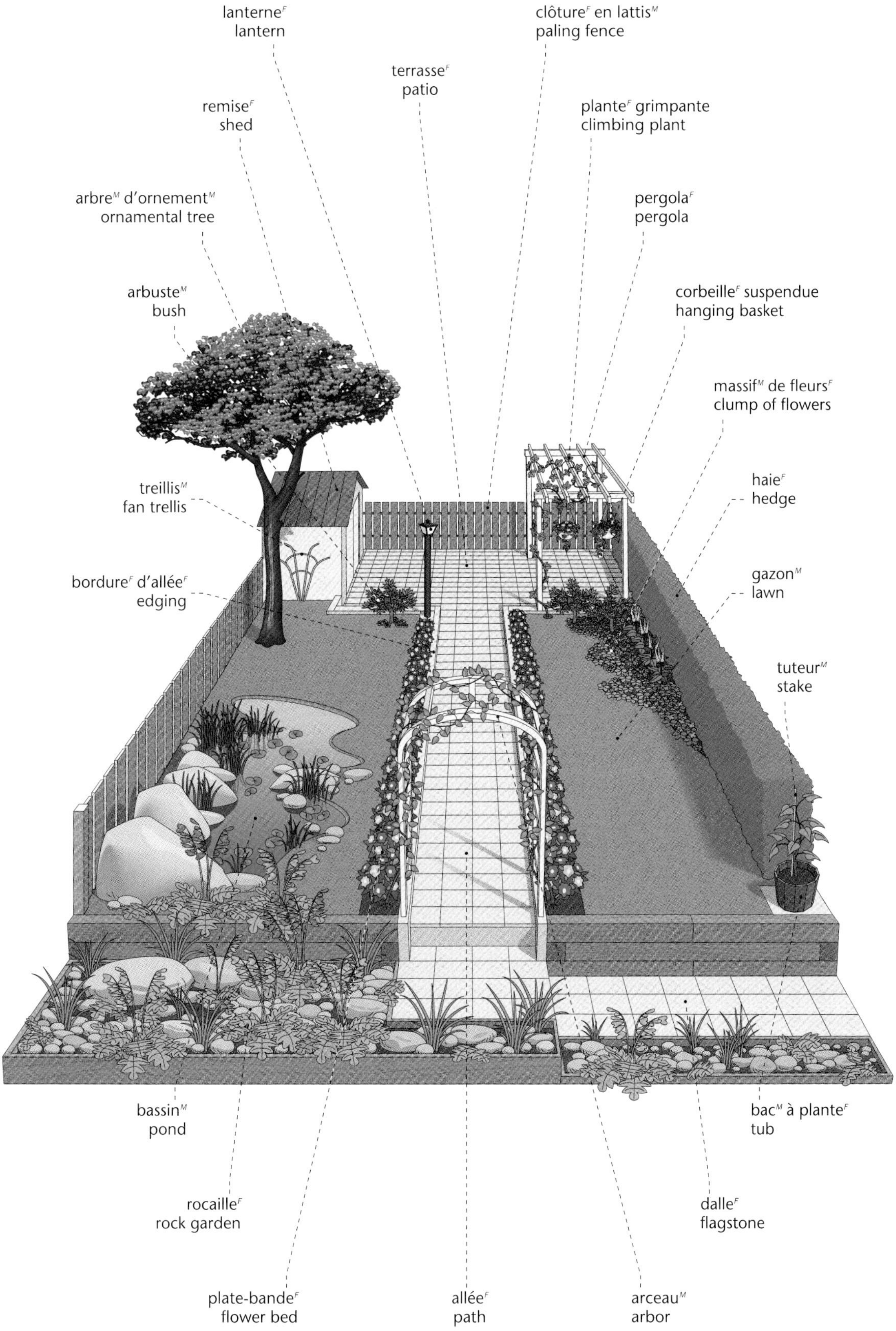
lanterne[F]
lantern
clôture[F] en lattis[M]
paling fence
terrasse[F]
patio
remise[F]
shed
plante[F] grimpante
climbing plant
arbre[M] d'ornement[M]
ornamental tree
pergola[F]
pergola
arbuste[M]
bush
corbeille[F] suspendue
hanging basket
massif[M] de fleurs[F]
clump of flowers
treillis[M]
fan trellis
haie[F]
hedge
bordure[F] d'allée[F]
edging
gazon[M]
lawn
tuteur[M]
stake
bassin[M]
pond
bac[M] à plante[F]
tub
rocaille[F]
rock garden
dalle[F]
flagstone
plate-bande[F]
flower bed
allée[F]
path
arceau[M]
arbor

OUTILLAGE[M]
TOOLS AND EQUIPMENT

pistolet[M] d'arrosage[M]
pistol nozzle

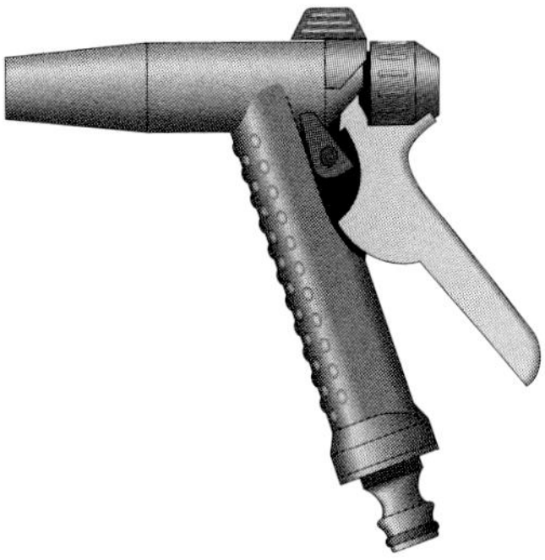

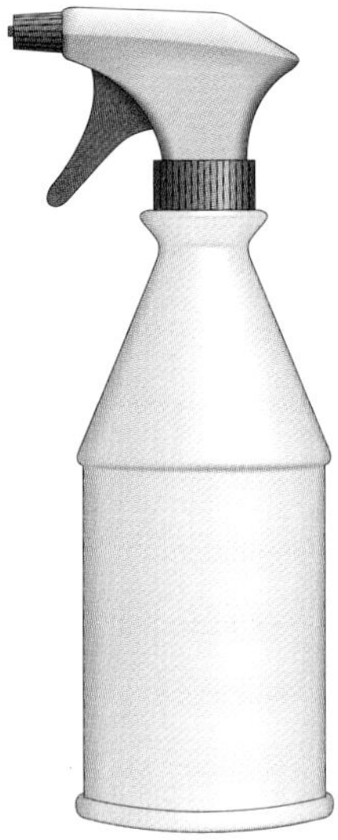

vaporisateur[M]
sprayer

pistolet[M] arrosoir[M]
spray nozzle

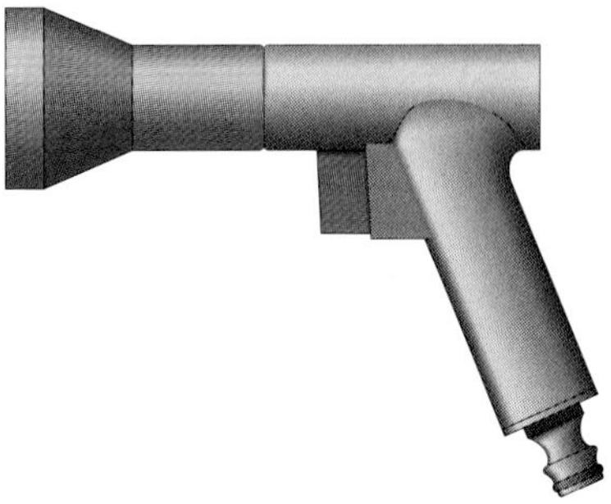

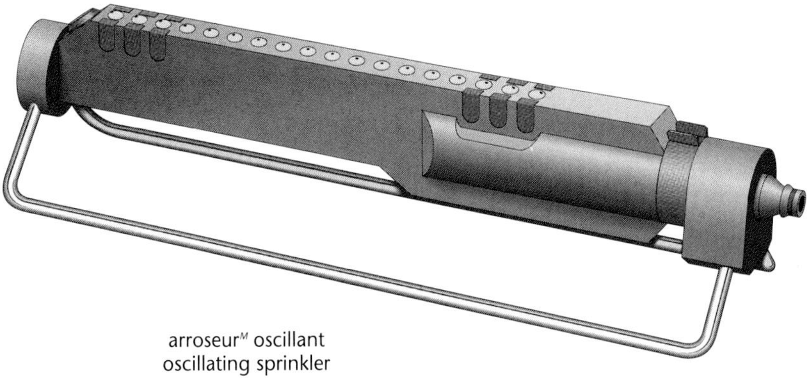

arroseur[M] oscillant
oscillating sprinkler

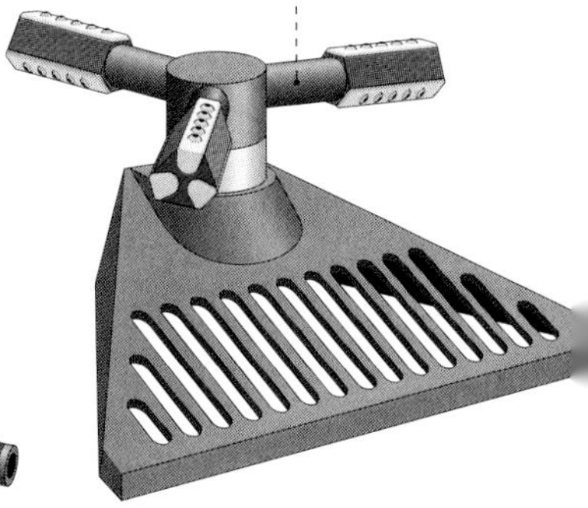
bras[M]
arm

ARROSEUR[M] ROTATIF
REVOLVING SPRINKLER

ARROSEUR[M] CANON[M]
IMPULSE SPRINKLER

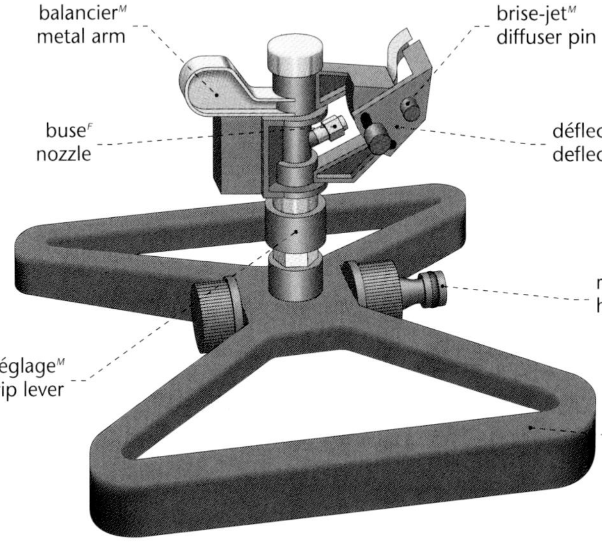
balancier[M]
metal arm
brise-jet[M]
diffuser pin
buse[F]
nozzle
déflecteur[M]
deflector
raccord[M] de tuyau[M]
hose connector
bague[F] de réglage[M]
trip lever
traîneau[M]
sled

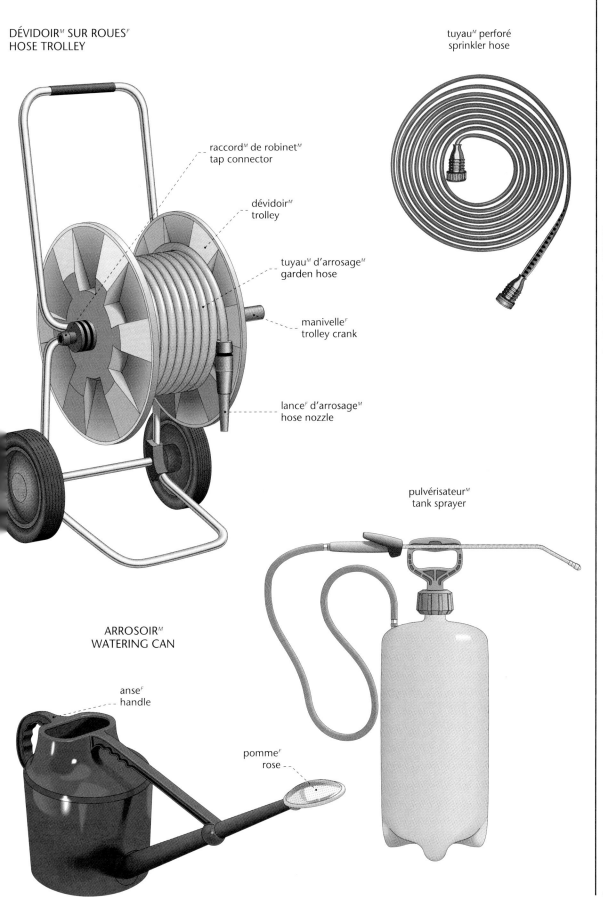

DÉVIDOIR^M SUR ROUES^F
HOSE TROLLEY

raccord^M de robinet^M
tap connector
dévidoir^M
trolley
tuyau^M d'arrosage^M
garden hose
manivelle^F
trolley crank
lance^F d'arrosage^M
hose nozzle

tuyau^M perforé
sprinkler hose

pulvérisateur^M
tank sprayer

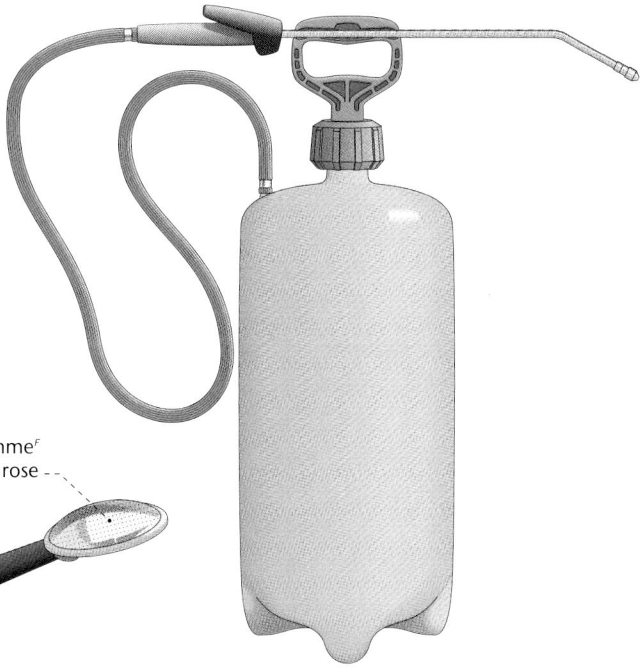

ARROSOIR^M
WATERING CAN

anse^F
handle
pomme^F
rose

OUTILLAGE^{M}
TOOLS AND EQUIPMENT

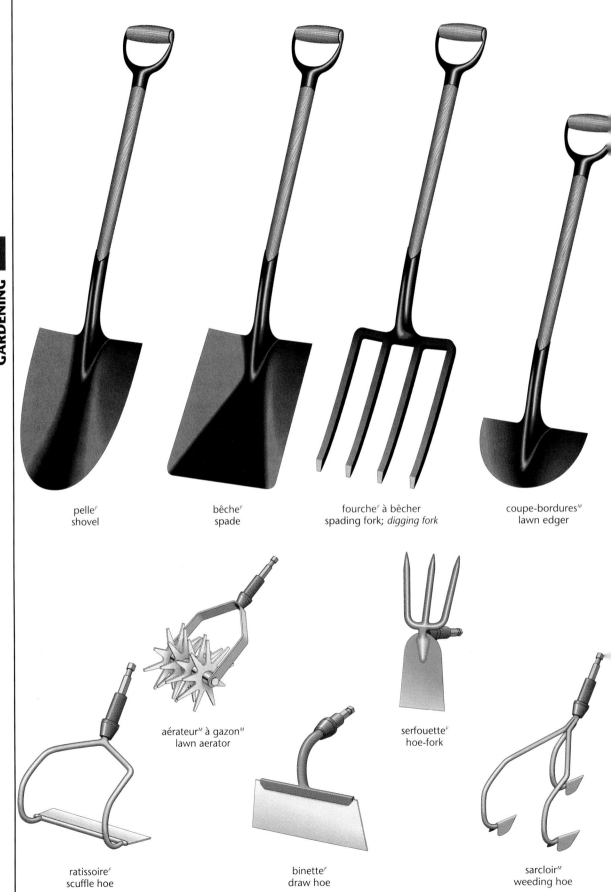

pelle^{F}
shovel

bêche^{F}
spade

fourche^{F} à bêcher
spading fork; *digging fork*

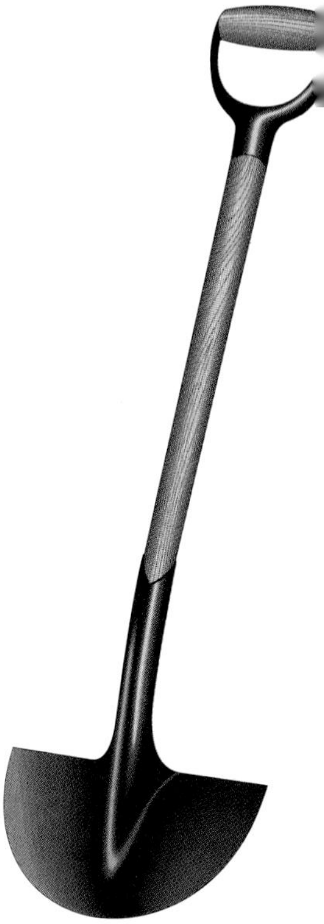

coupe-bordures^{M}
lawn edger

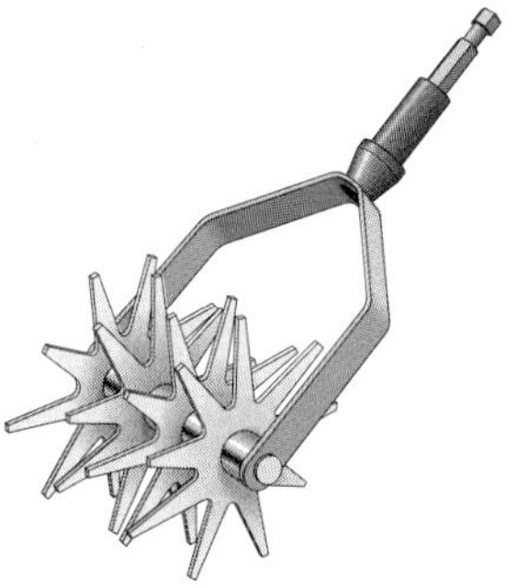

aérateur^{M} à gazon^{M}
lawn aerator

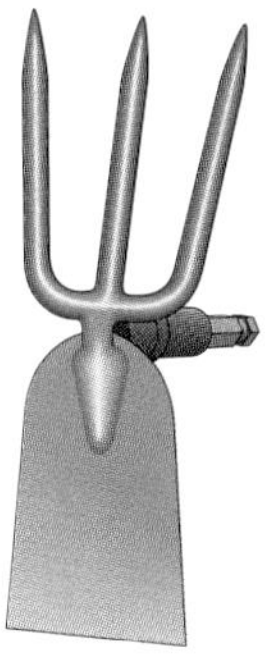

serfouette^{F}
hoe-fork

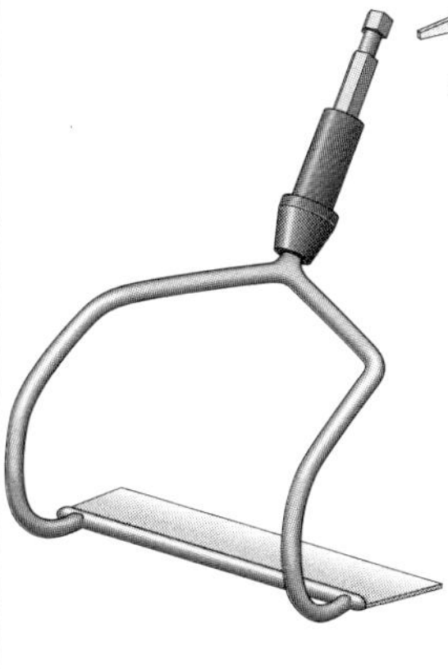

ratissoire^{F}
scuffle hoe

binette^{F}
draw hoe

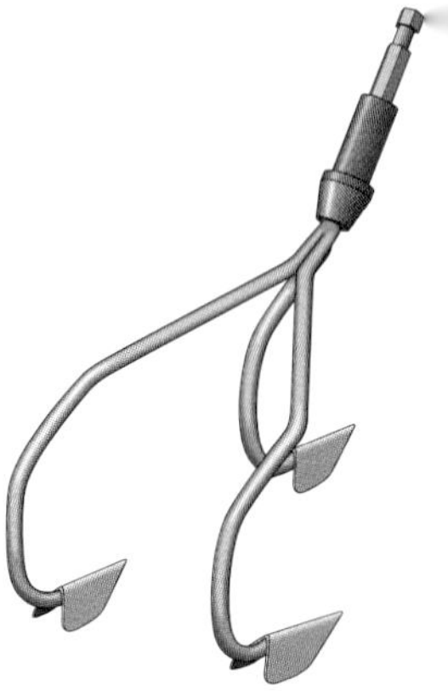

sarcloir^{M}
weeding hoe

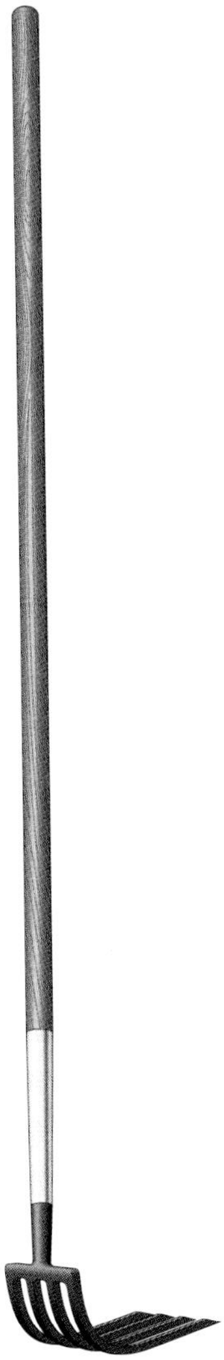

croc[M] à défricher
hook

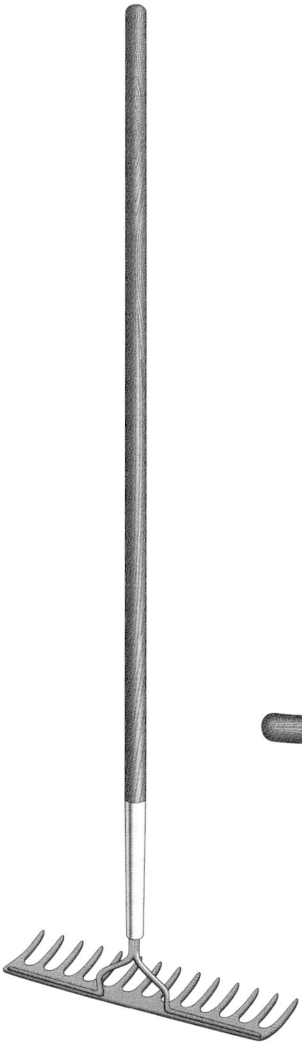

râteau[M]
rake

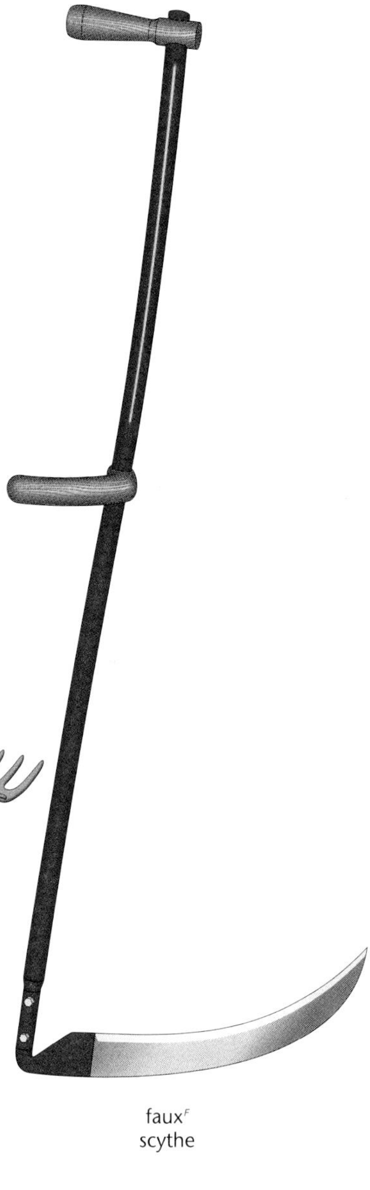

faux[F]
scythe

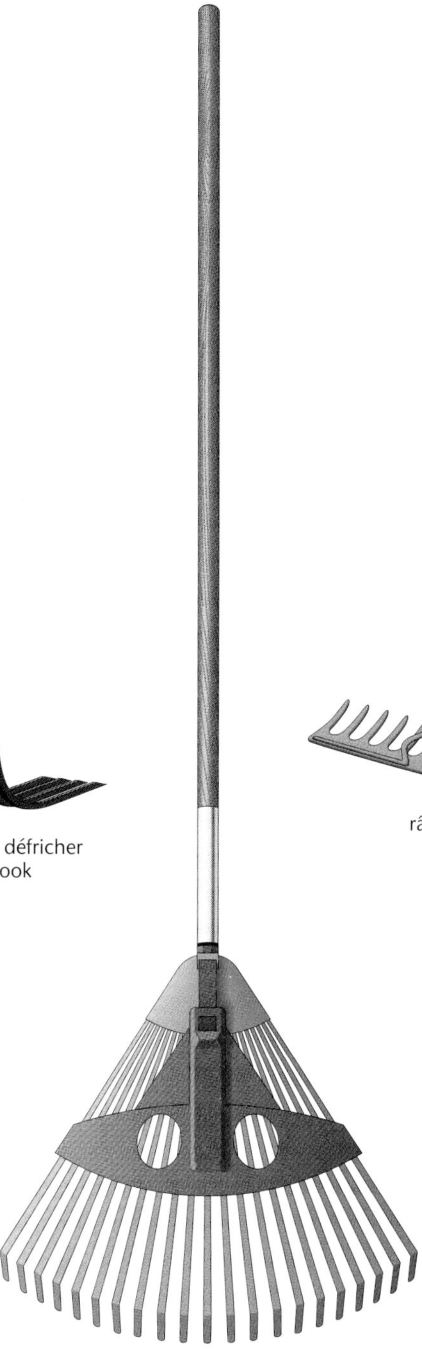

balai[M] à feuilles[F]
lawn rake

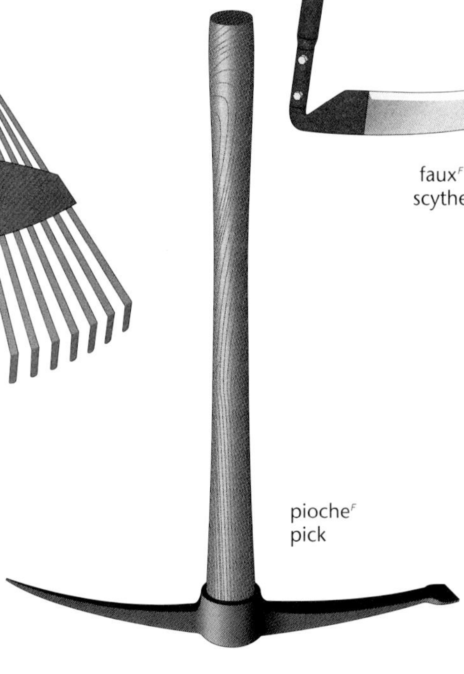

pioche[F]
pick

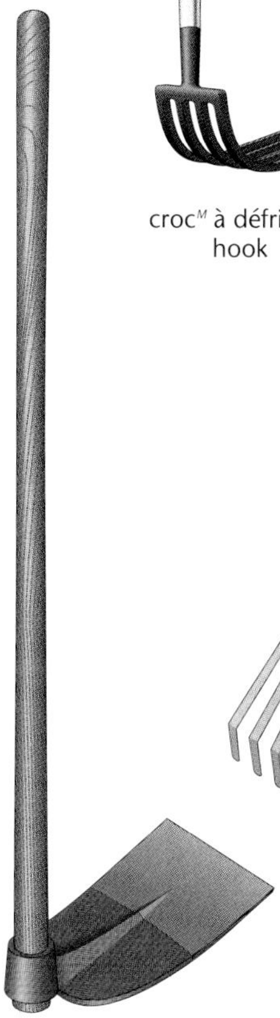

houe[F]
hoe

OUTILLAGE[M]
TOOLS AND EQUIPMENT

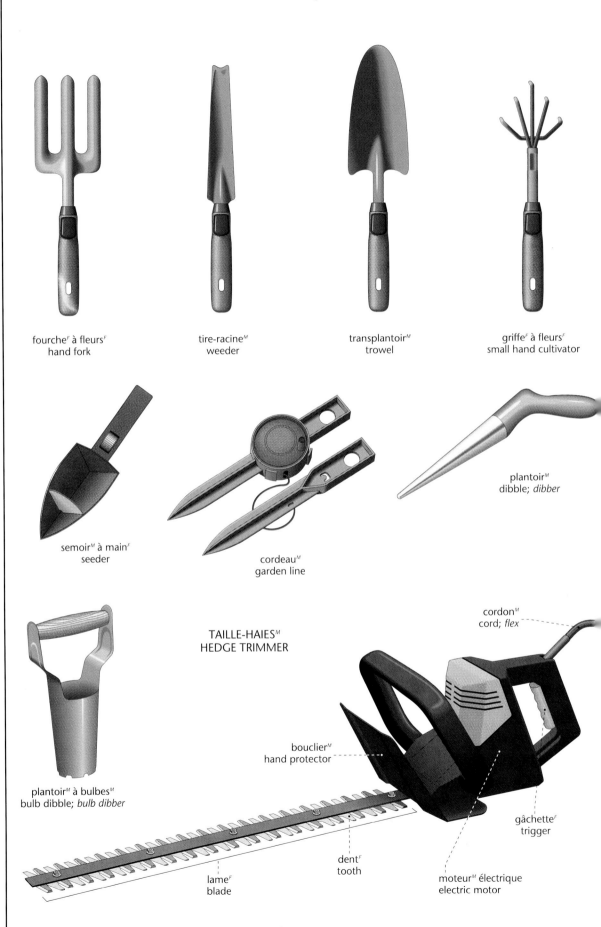

fourche[F] à fleurs[F]
hand fork

tire-racine[M]
weeder

transplantoir[M]
trowel

griffe[F] à fleurs[F]
small hand cultivator

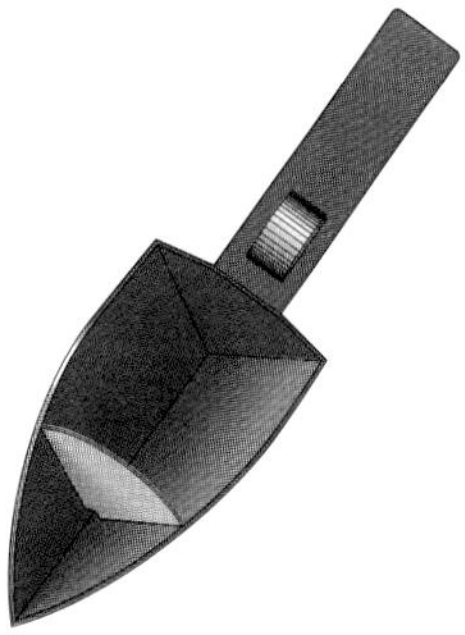

semoir[M] à main[F]
seeder

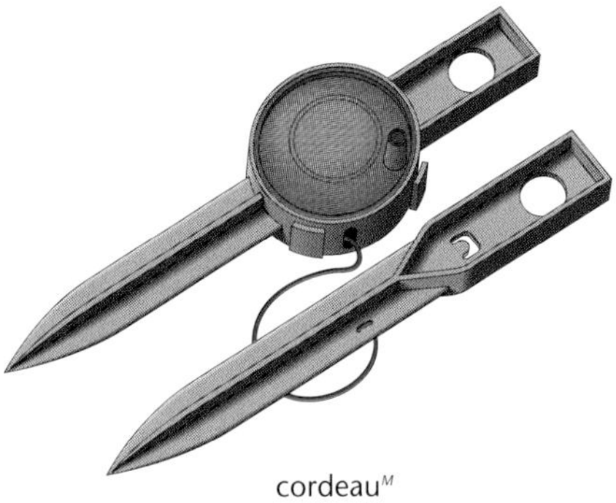

cordeau[M]
garden line

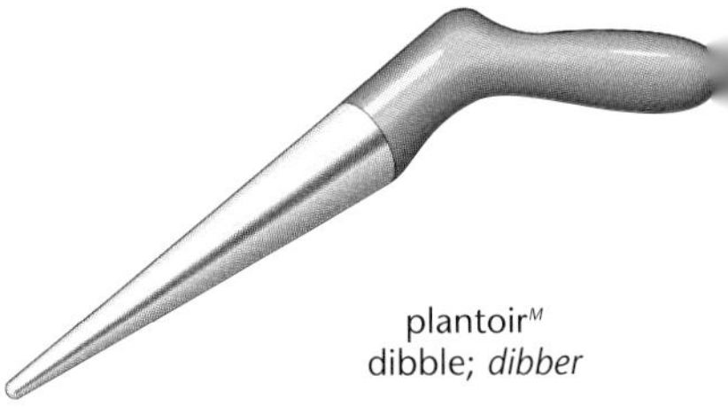

plantoir[M]
dibble; *dibber*

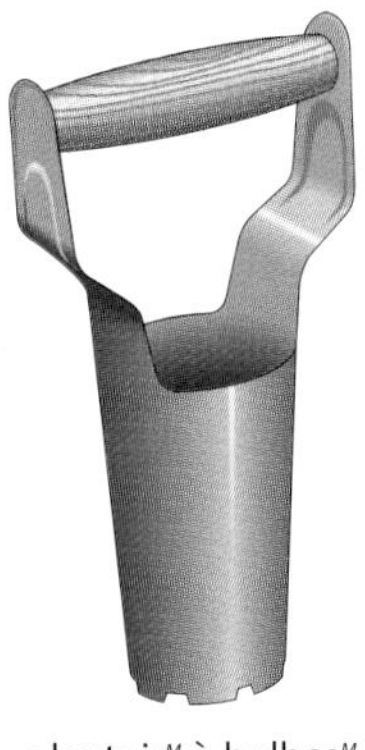

plantoir[M] à bulbes[M]
bulb dibble; *bulb dibber*

TAILLE-HAIES[M]
HEDGE TRIMMER

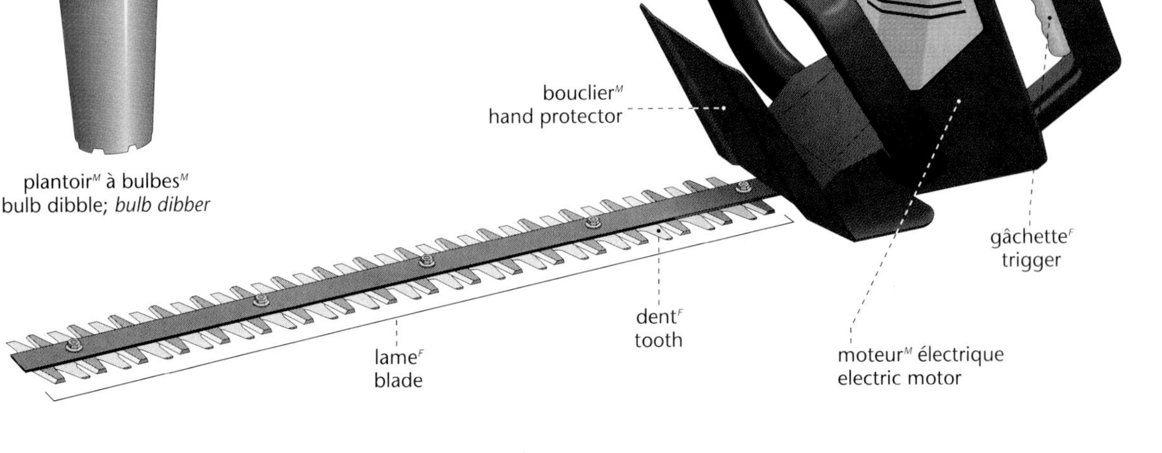
cordon[M]
cord; *flex*
bouclier[M]
hand protector
gâchette[F]
trigger
dent[F]
tooth
lame[F]
blade
moteur[M] électrique
electric motor

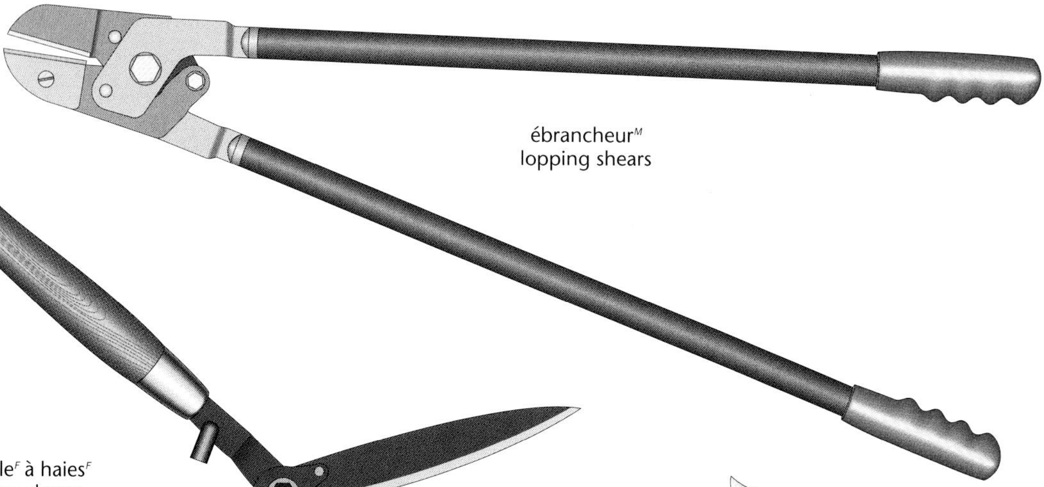

ébrancheur[M]
lopping shears

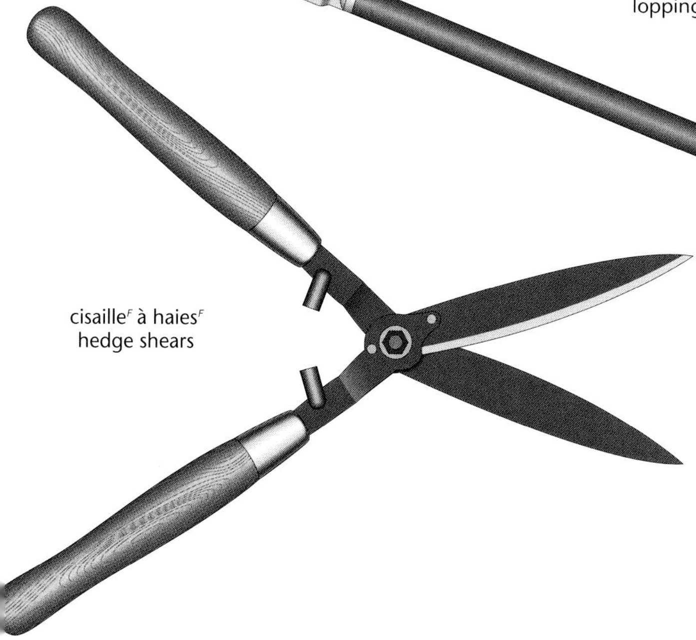

cisaille[F] à haies[F]
hedge shears

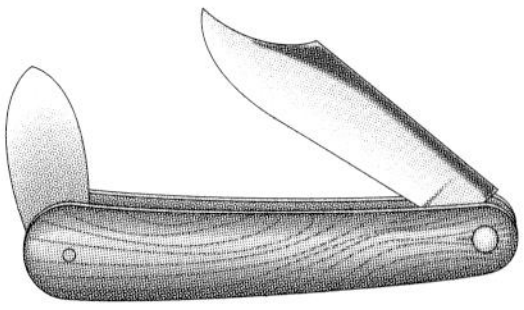

greffoir[M]
grafting knife

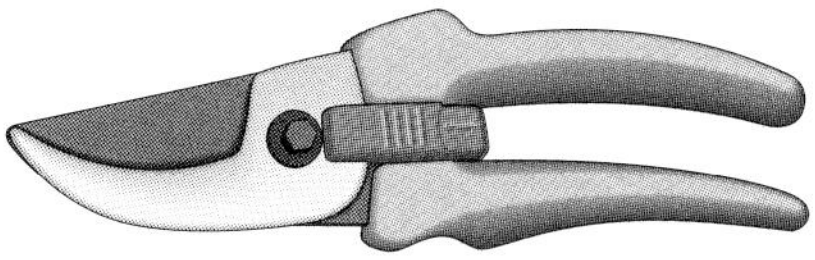

sécateur[M]
pruning shears; *secateurs*

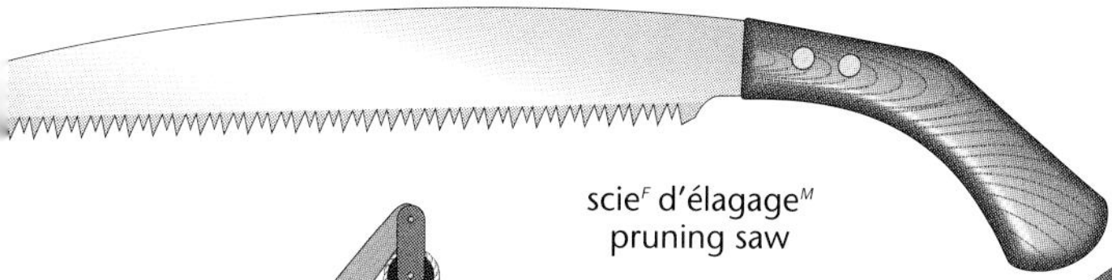

scie[F] d'élagage[M]
pruning saw

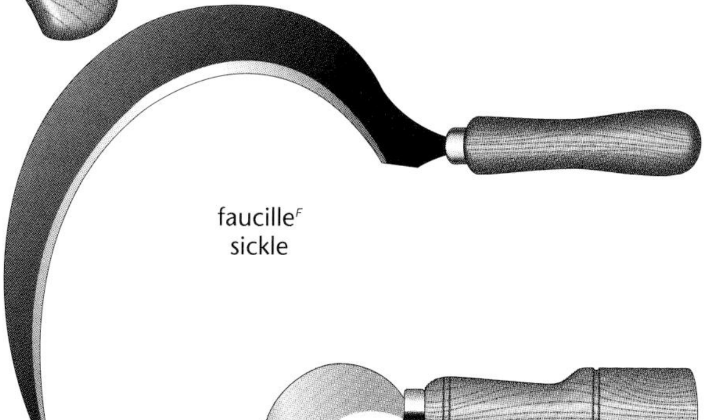

faucille[F]
sickle

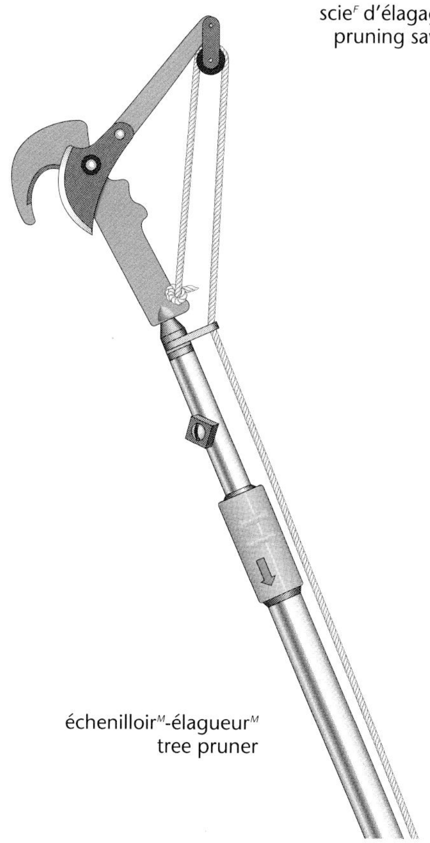

échenilloir[M]-élagueur[M]
tree pruner

serpette[F]
pruning knife

serpe[F]
billhook

OUTILLAGE[M]
TOOLS AND EQUIPMENT

épandeur[M]
spreader

TARIÈRE[F] MOTORISÉE
MOTORIZED EARTH AUGER

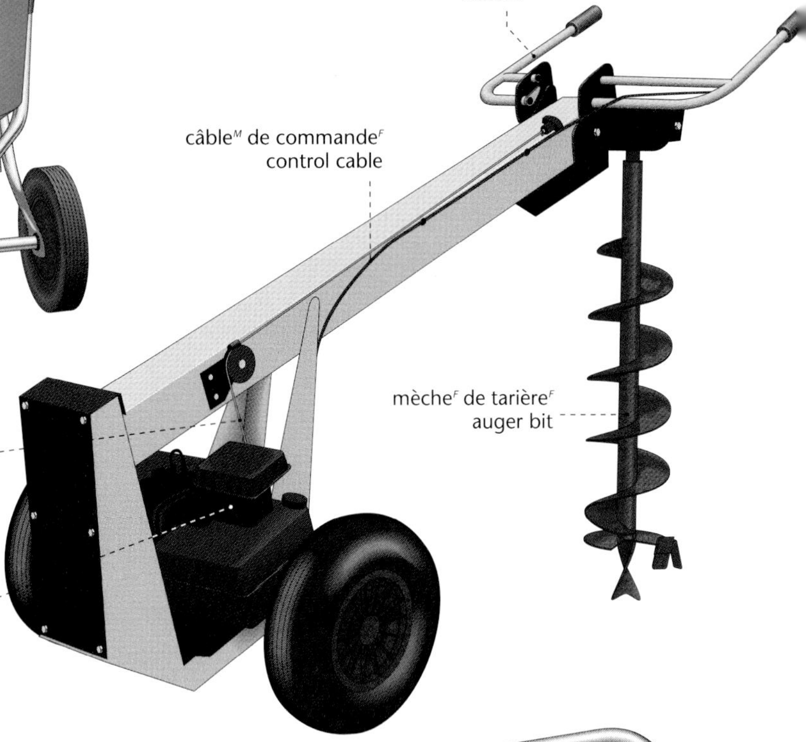
mancheron[M]
handle
câble[M] de commande[F]
control cable
mèche[F] de tarière[F]
auger bit
câble[M] du démarreur[M]
starting cable
moteur[M]
motor

BROUETTE[F]
WHEELBARROW

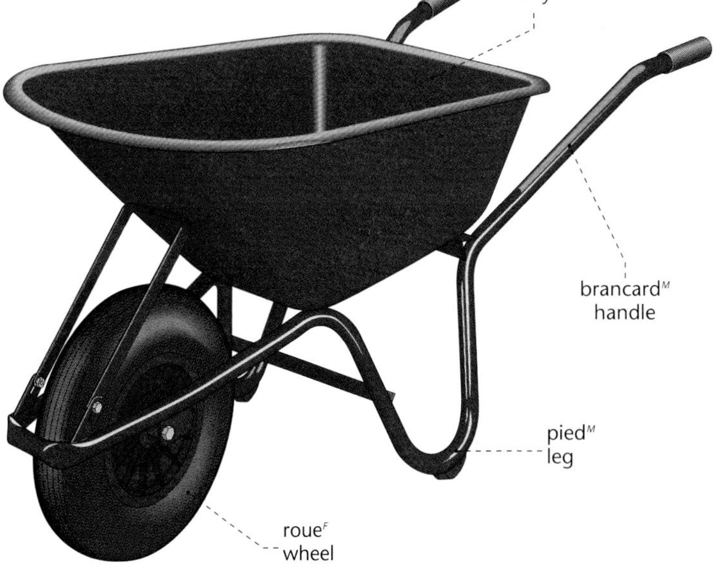
caisse[F]
tray
brancard[M]
handle
pied[M]
leg
roue[F]
wheel

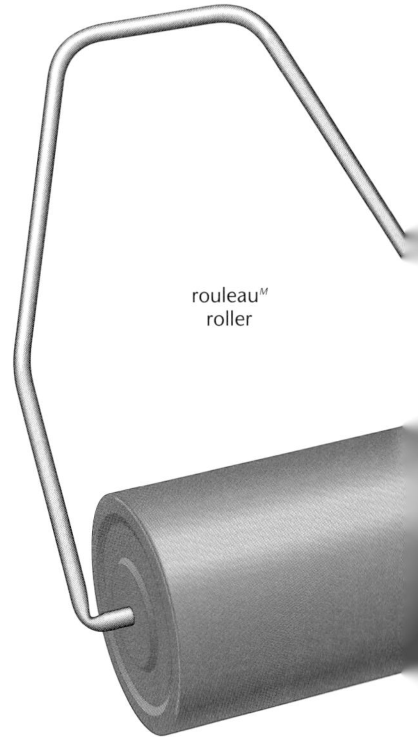
rouleau[M]
roller

TONDEUSE[F] MÉCANIQUE
HAND MOWER

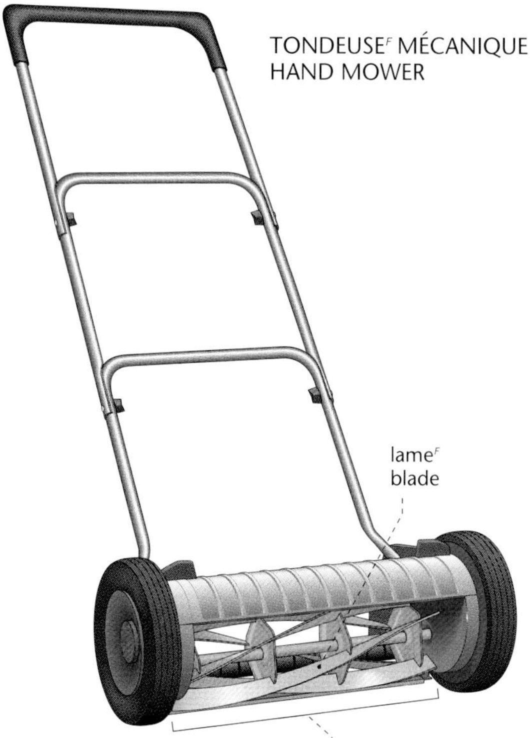
lame[F]
blade
cylindre[M] de coupe[F]
cutting cylinder

TAILLE-BORDURES[M]
EDGER

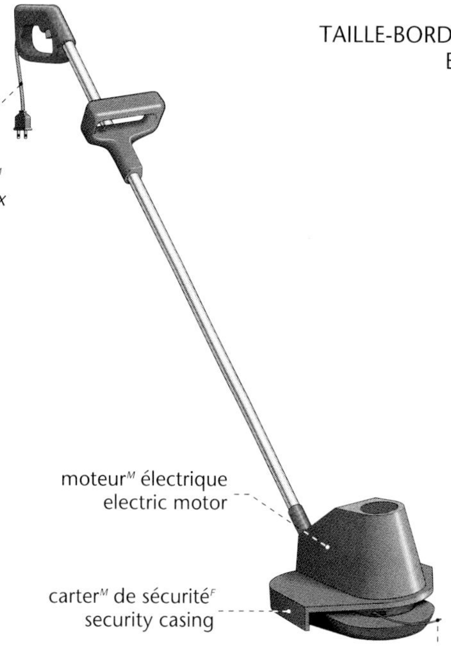
cordon[M]
cord; *flex*
moteur[M] électrique
electric motor
carter[M] de sécurité[F]
security casing
fil[M] de nylon[M]
nylon yarn

TONDEUSE[F] À MOTEUR[M]
POWER MOWER

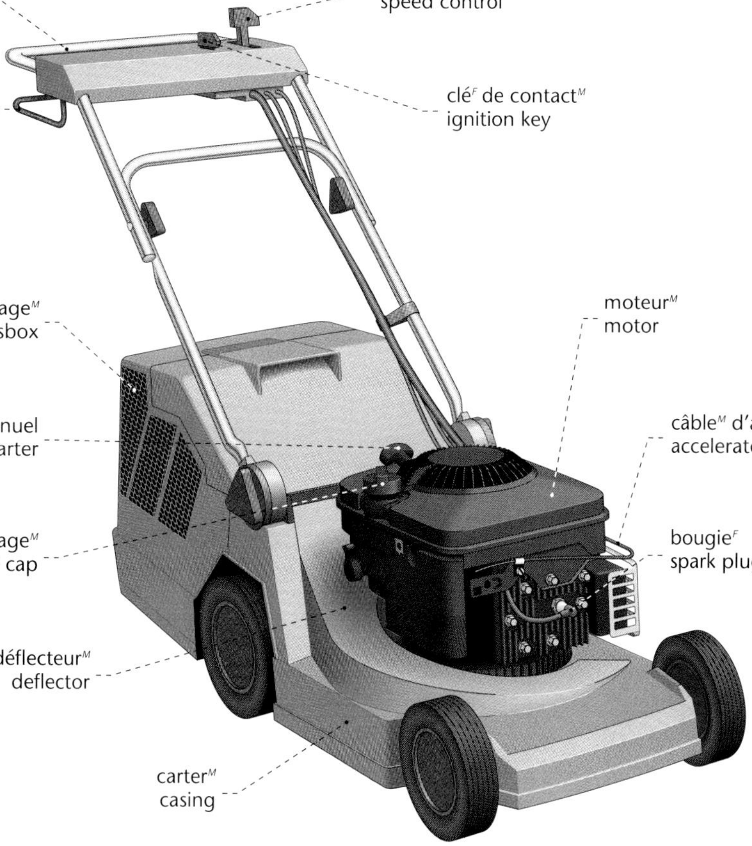
guidon[M]
handle
sélecteur[M] de régime[M]
speed control
poignée[F] de sécurité[F]
safety handle
clé[F] de contact[M]
ignition key
bac[M] de ramassage[M]
grassbox
moteur[M]
motor
démarreur[M] manuel
starter
câble[M] d'accélération[F]
accelerator cable
bouchon[M] de remplissage[M]
filler cap
bougie[F]
spark plug
déflecteur[M]
deflector
carter[M]
casing

OUTILLAGE[M]
TOOLS AND EQUIPMENT

SCIE[F] À CHAÎNE[F]
CHAINSAW

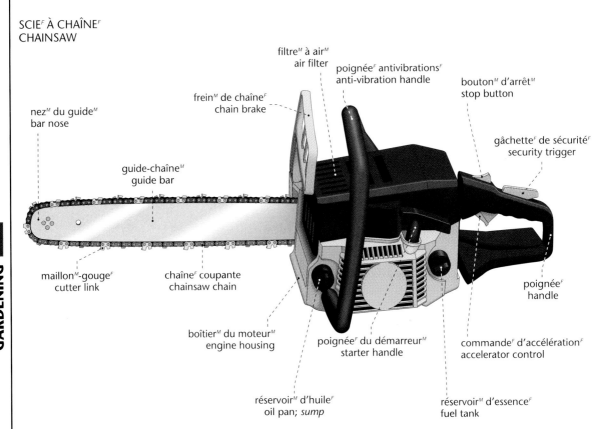

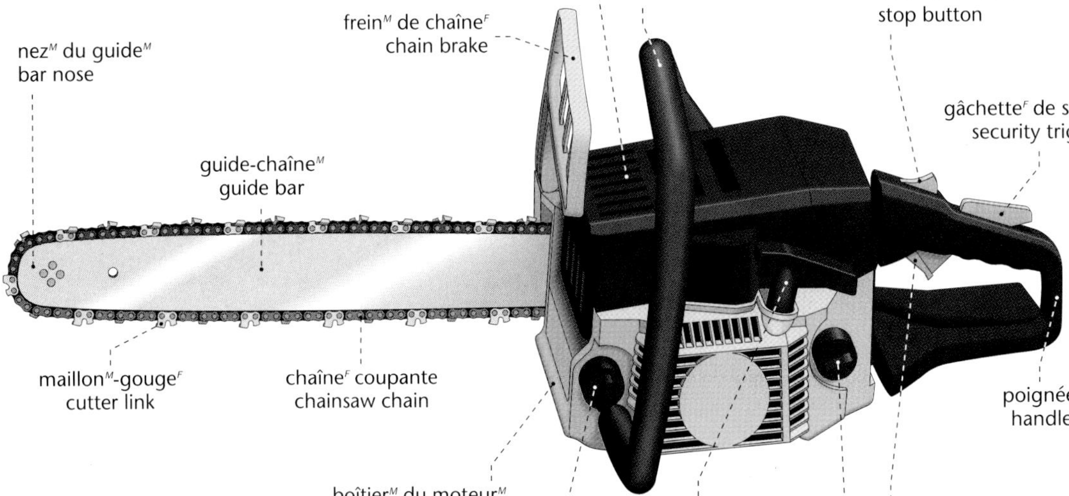
filtre[M] à air[M]
air filter
poignée[F] antivibrations[F]
anti-vibration handle
bouton[M] d'arrêt[M]
stop button
frein[M] de chaîne[F]
chain brake
nez[M] du guide[M]
bar nose
gâchette[F] de sécurité[F]
security trigger
guide-chaîne[M]
guide bar
maillon[M]-gouge[F]
cutter link
chaîne[F] coupante
chainsaw chain
poignée[F]
handle
boîtier[M] du moteur[M]
engine housing
poignée[F] du démarreur[M]
starter handle
commande[F] d'accélération[F]
accelerator control
réservoir[M] d'huile[F]
oil pan; *sump*
réservoir[M] d'essence[F]
fuel tank

MOTOCULTEUR[M]
TILLER

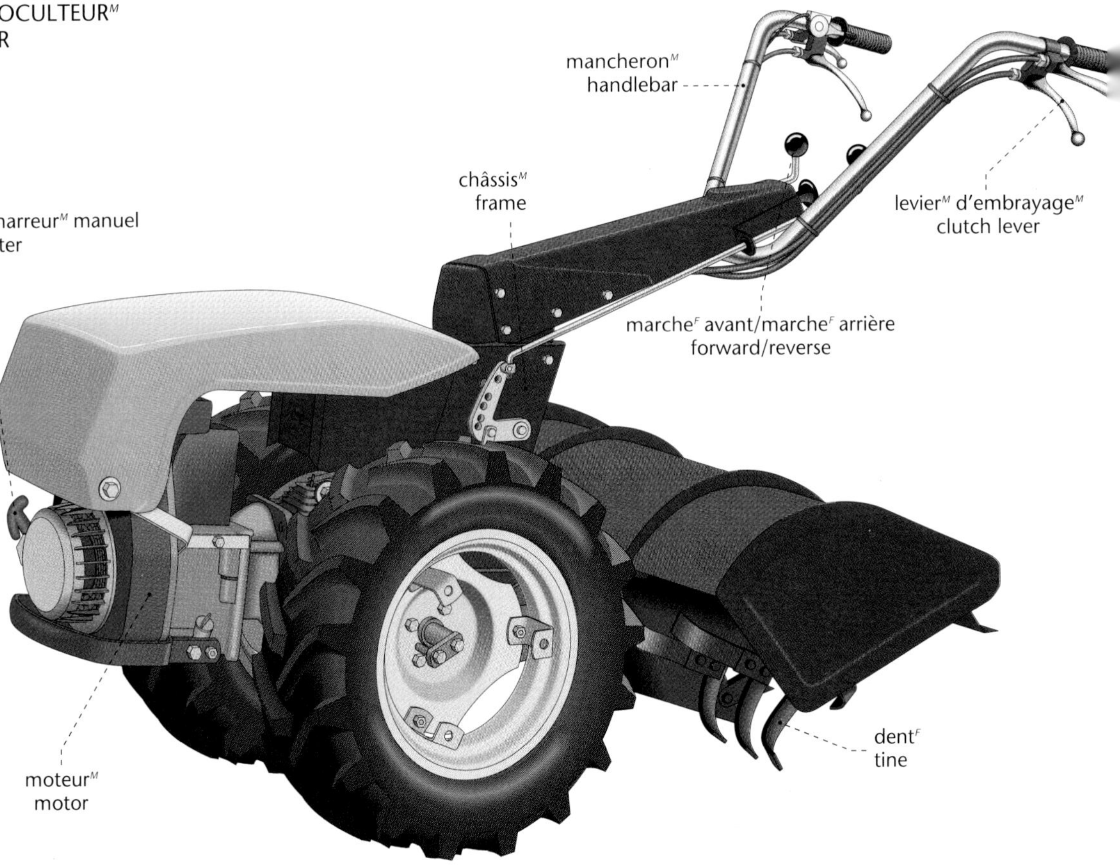
mancheron[M]
handlebar
châssis[M]
frame
démarreur[M] manuel
starter
levier[M] d'embrayage[M]
clutch lever
marche[F] avant/marche[F] arrière
forward/reverse
dent[F]
tine
moteur[M]
motor

BRICOLAGE • DO-IT-YOURSELF

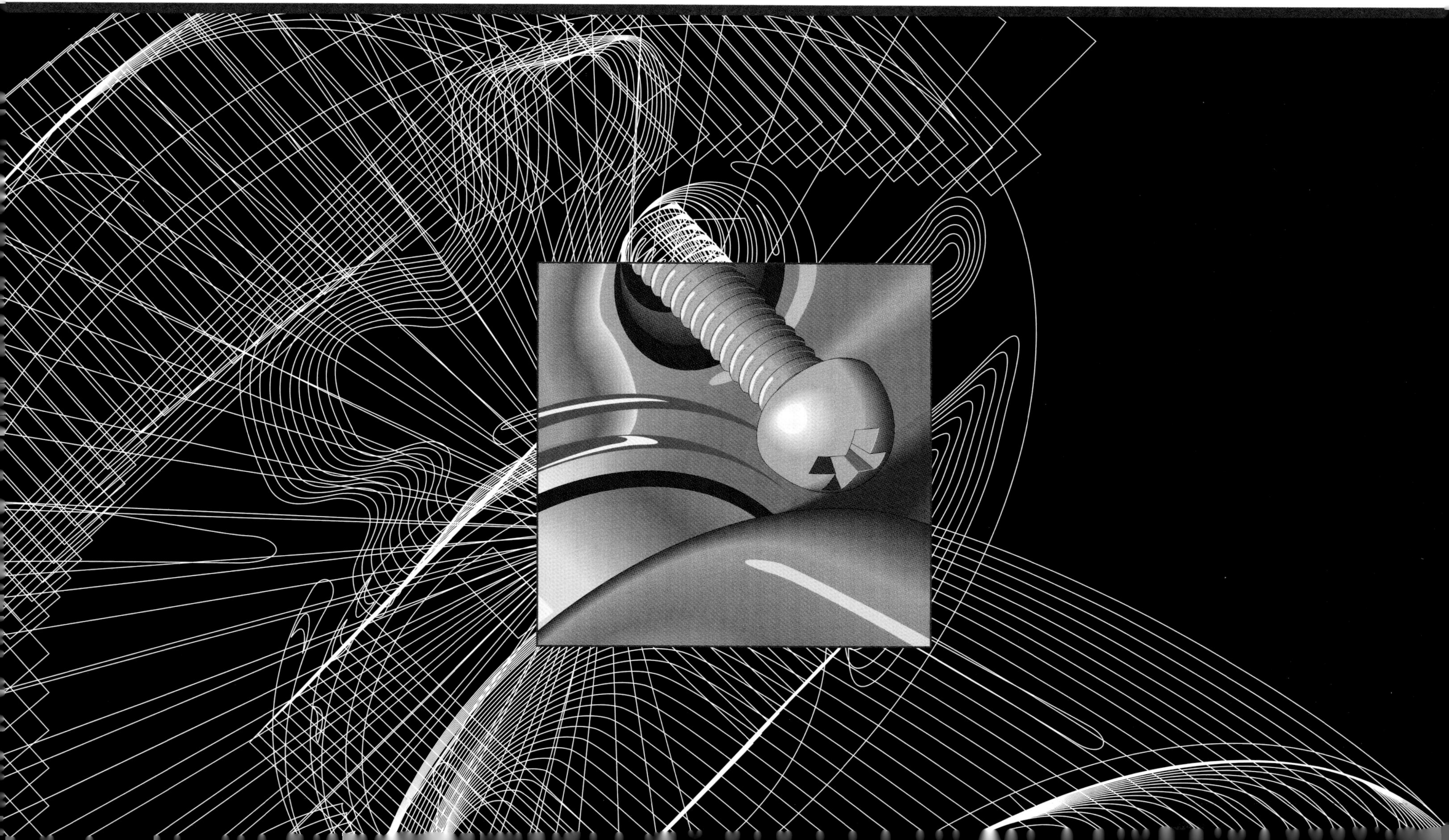

SOMMAIRE

MENUISERIE[F]: OUTILS[M]
CARPENTRY: TOOLS

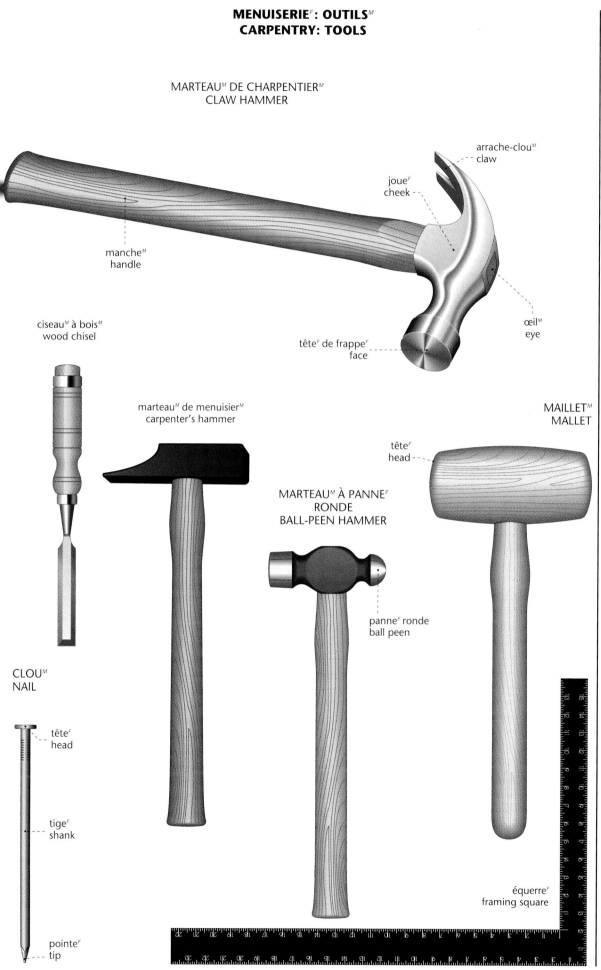

MARTEAU[M] DE CHARPENTIER[M]
CLAW HAMMER

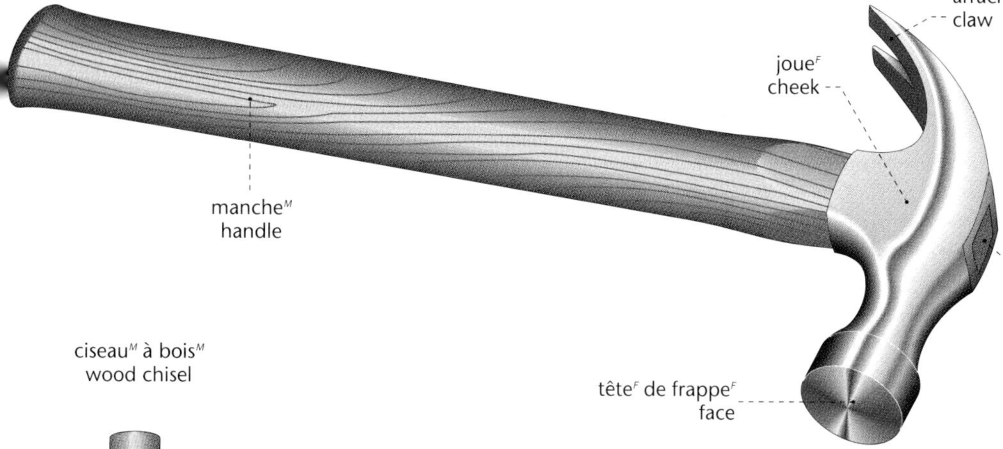
arrache-clou[M]
claw
joue[F]
cheek
manche[M]
handle
œil[M]
eye
tête[F] de frappe[F]
face

ciseau[M] à bois[M]
wood chisel

marteau[M] de menuisier[M]
carpenter's hammer

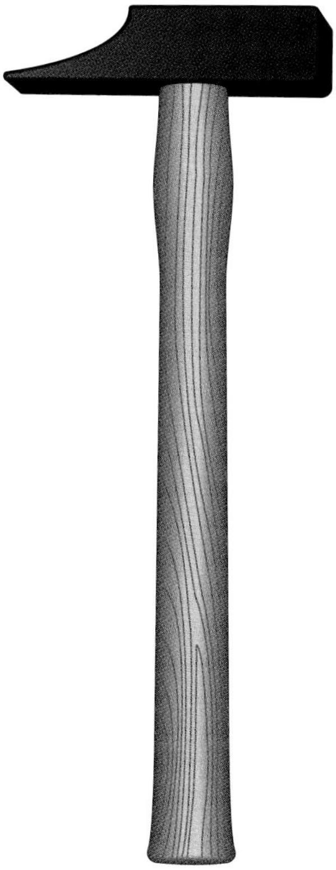

MARTEAU[M] À PANNE[F] RONDE
BALL-PEEN HAMMER

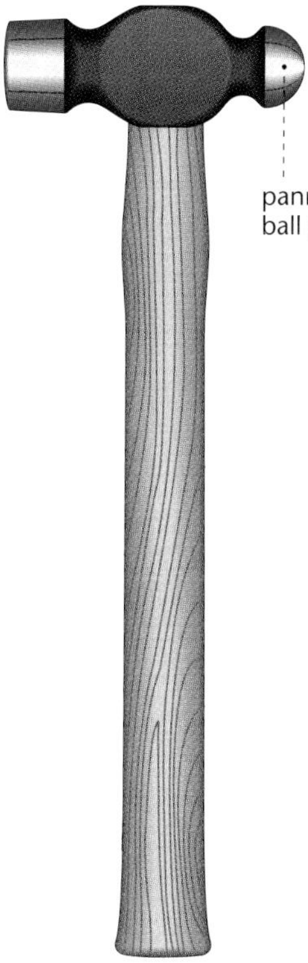
panne[F] ronde
ball peen

MAILLET[M]
MALLET

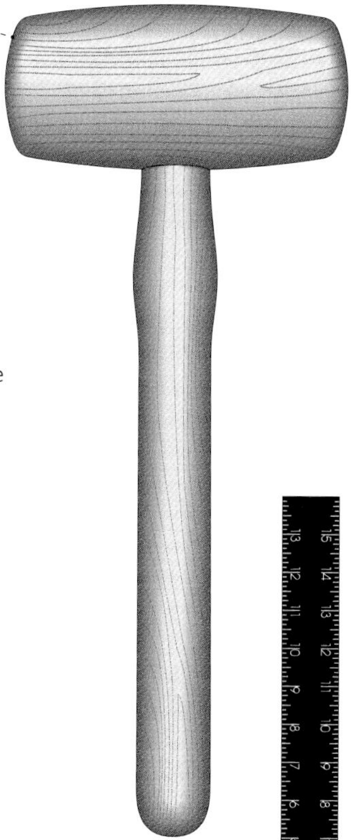
tête[F]
head

CLOU[M]
NAIL

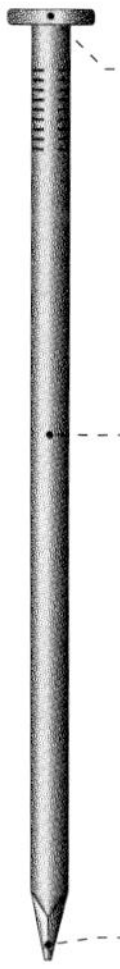
tête[F]
head
tige[F]
shank
pointe[F]
tip

équerre[F]
framing square

MENUISERIE^F: OUTILS^M
CARPENTRY: TOOLS

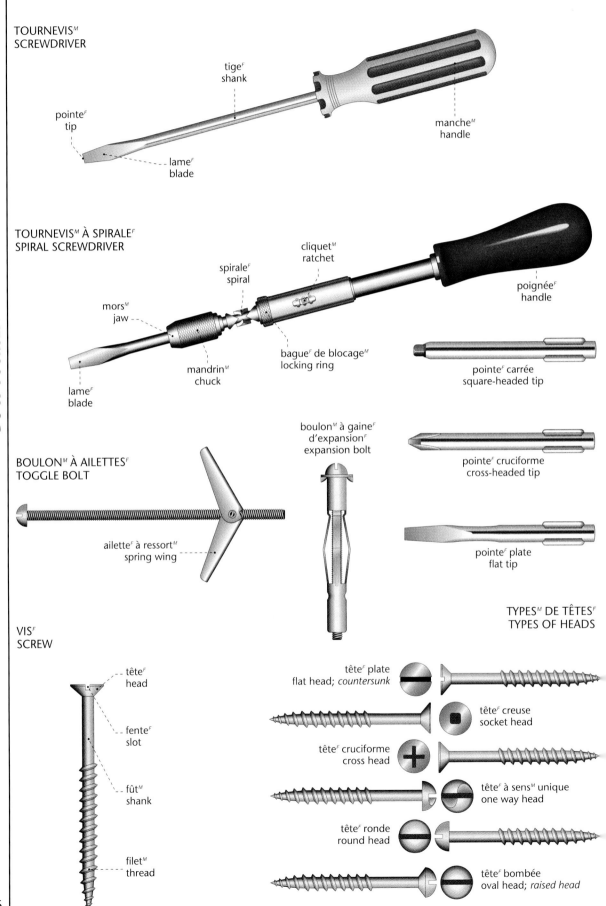

TOURNEVIS^M
SCREWDRIVER

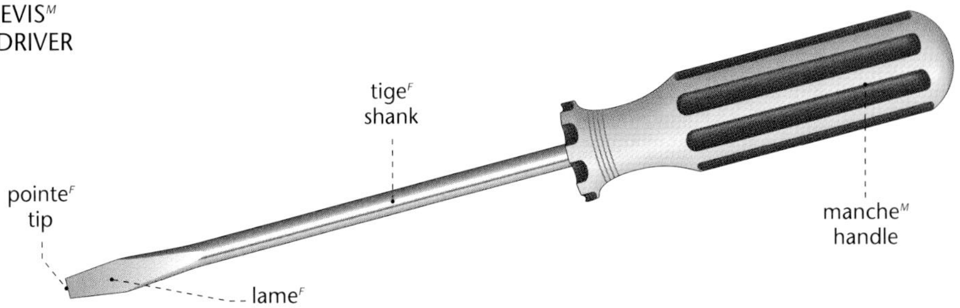
tige^F
shank
pointe^F
tip
manche^M
handle
lame^F
blade

TOURNEVIS^M À SPIRALE^F
SPIRAL SCREWDRIVER

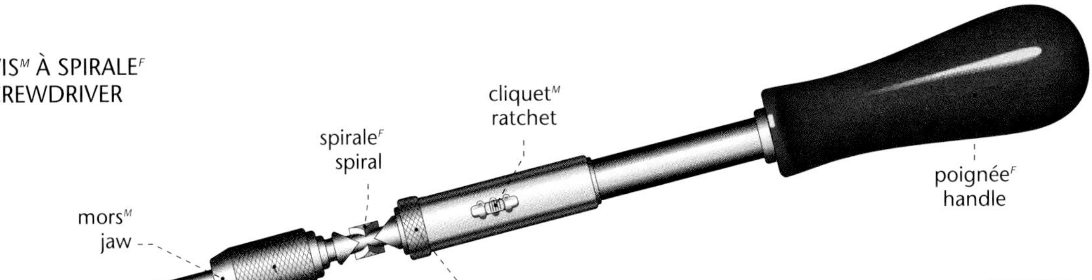
cliquet^M
ratchet
spirale^F
spiral
poignée^F
handle
mors^M
jaw
bague^F de blocage^M
locking ring
mandrin^M
chuck
lame^F
blade

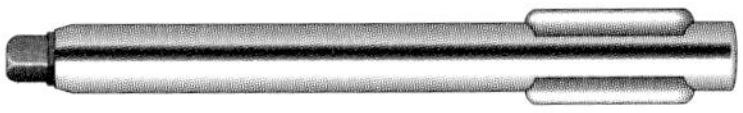
pointe^F carrée
square-headed tip

pointe^F cruciforme
cross-headed tip

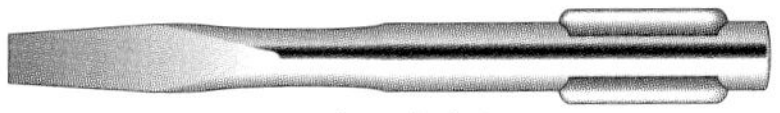
pointe^F plate
flat tip

BOULON^M À AILETTES^F
TOGGLE BOLT

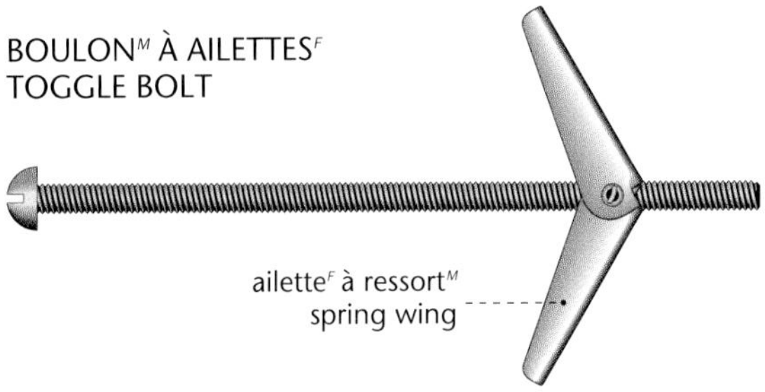
ailette^F à ressort^M
spring wing

boulon^M à gaine^F
d'expansion^F
expansion bolt

VIS^F
SCREW

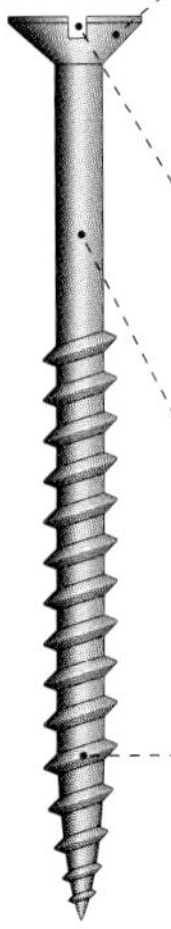
tête^F
head
fente^F
slot
fût^M
shank
filet^M
thread

TYPES^M DE TÊTES^F
TYPES OF HEADS

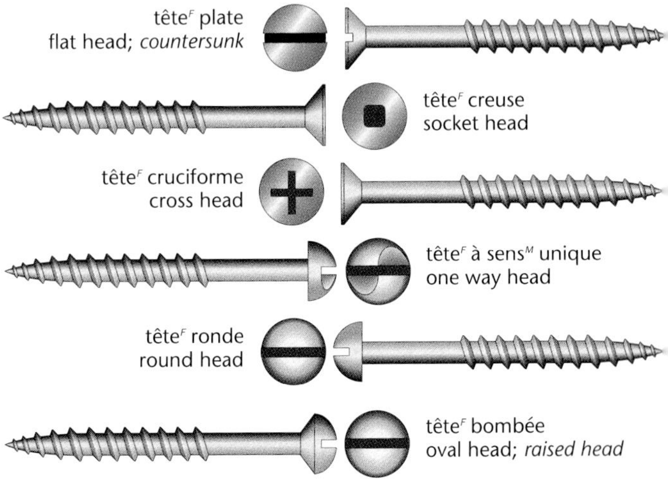
tête^F plate
flat head; *countersunk*
tête^F creuse
socket head
tête^F cruciforme
cross head
tête^F à sens^M unique
one way head
tête^F ronde
round head
tête^F bombée
oval head; *raised head*

RABOT[M]
PLANE

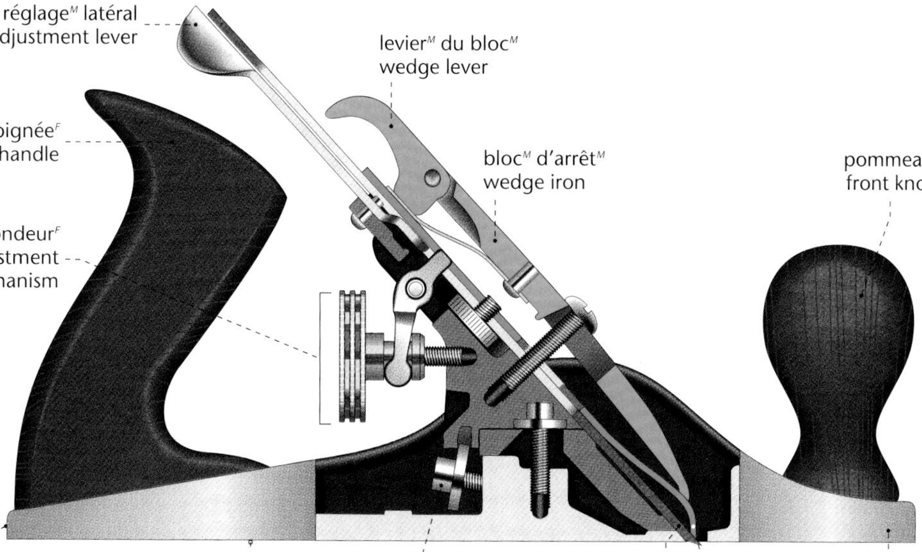
levier[M] de réglage[M] latéral
lateral-adjustment lever
levier[M] du bloc[M]
wedge lever
poignée[F]
handle
bloc[M] d'arrêt[M]
wedge iron
pommeau[M]
front knob
églage[M] de la profondeur[F]
depth-adjustment
mechanism
talon[M]
heel
semelle[F]
face
fer[M]
blade
nez[M]
toe
réglage[M] de l'angle[M]
frog-adjustment screw
contre-fer[M]
cap iron

SCIE[F] À MÉTAUX[M]
HACKSAW

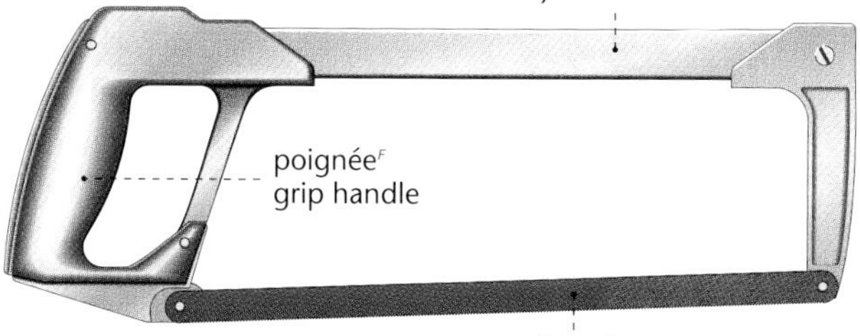
monture[F] réglable
adjustable frame
poignée[F]
grip handle
lame[F]
blade

lime[F]
file

SCIE[F] ÉGOÏNE
HANDSAW

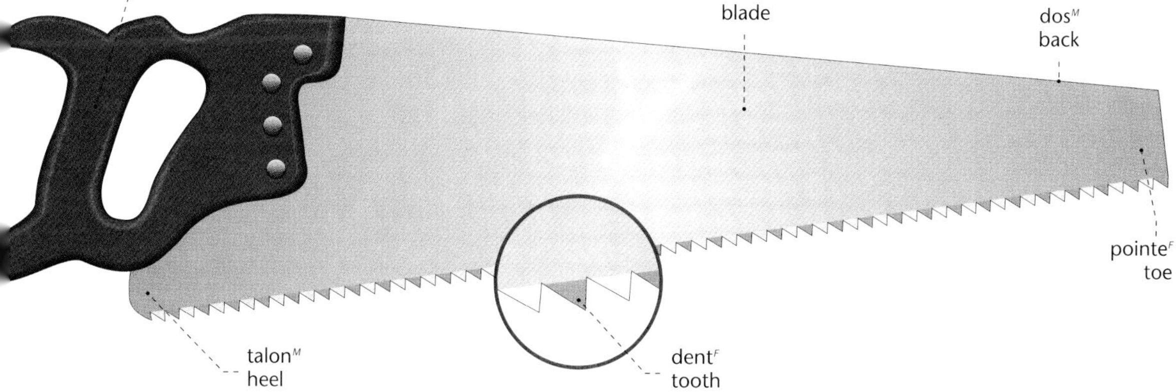
poignée[F]
handle
lame[F]
blade
dos[M]
back
pointe[F]
toe
talon[M]
heel
dent[F]
tooth

MENUISERIE[F]: OUTILS[M]
CARPENTRY: TOOLS

PINCE[F] MOTORISTE
SLIP JOINT PLIERS

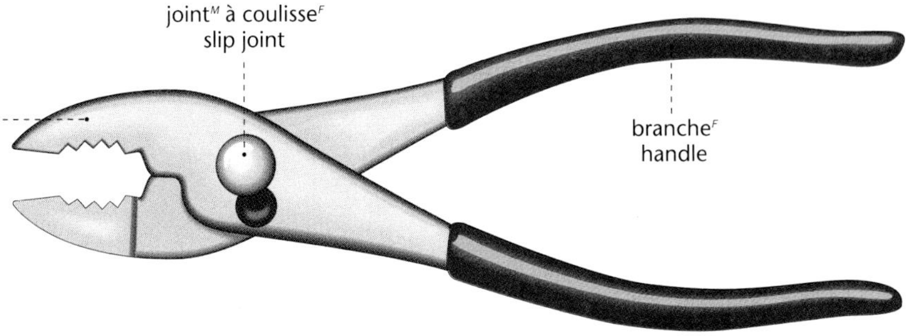
joint[M] à coulisse[F]
slip joint
mâchoire[F] incurvée
curved jaw
branche[F]
handle

PINCE[F] MULTIPRISE
RIB JOINT PLIERS

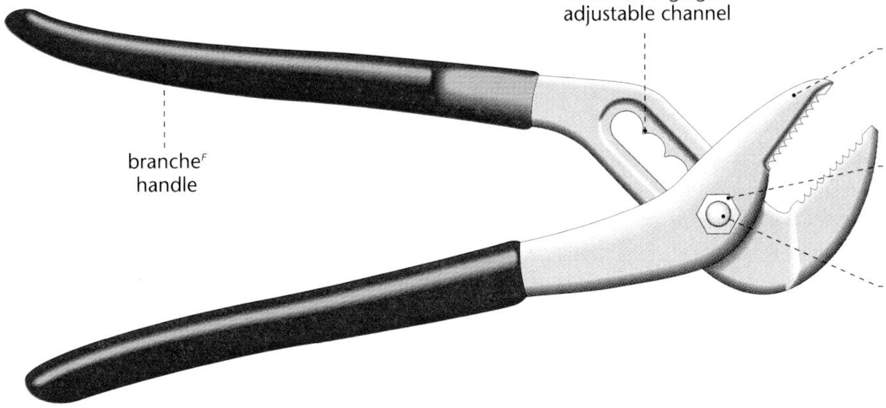
cran[M] de réglage[M]
adjustable channel
mâchoire[F] droite
straight jaw
branche[F]
handle
écrou[M]
nut
boulon[M]
bolt

PINCE[F]-ÉTAU[M]
LOCKING PLIERS

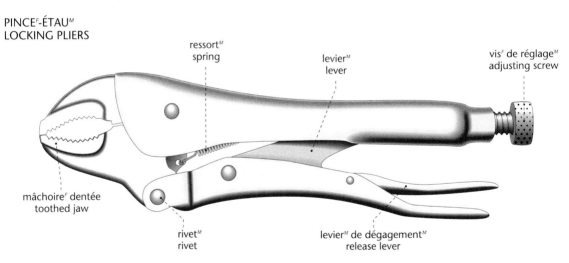

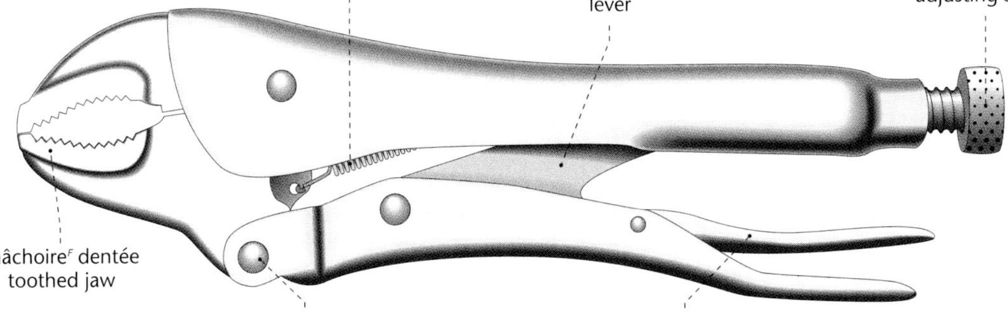
ressort[M]
spring
levier[M]
lever
vis[F] de réglage[M]
adjusting screw
mâchoire[F] dentée
toothed jaw
rivet[M]
rivet
levier[M] de dégagement[M]
release lever

RONDELLES[F]
WASHERS

rondelle[F] plate
flat washer

rondelle[F] à ressort[M]
lock washer; *spring washer*

rondelle[F] à denture[F] intérieure
internal tooth lock washer

rondelle[F] à denture[F] extérieur
external tooth lock washer

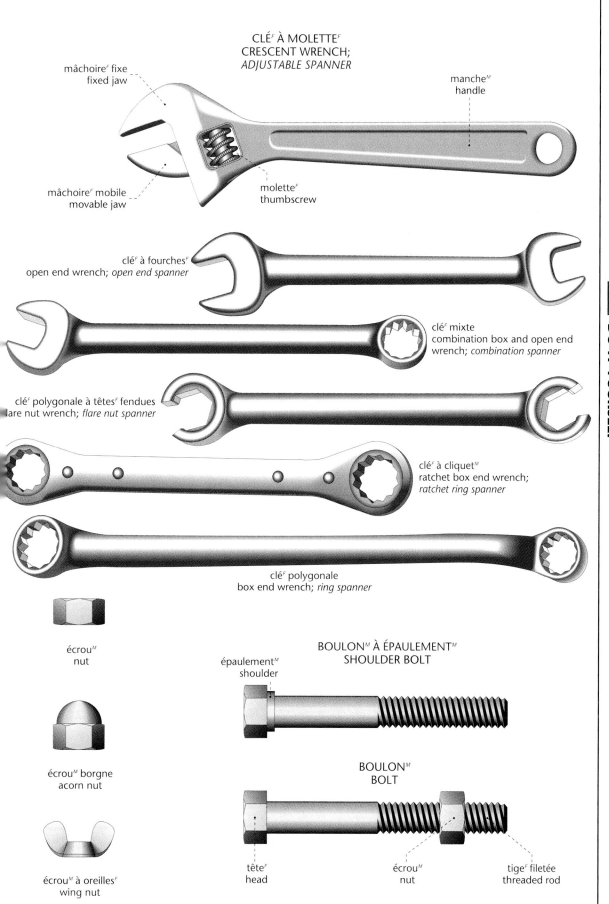

CLÉ^{F} À MOLETTE^{F}
CRESCENT WRENCH; *ADJUSTABLE SPANNER*

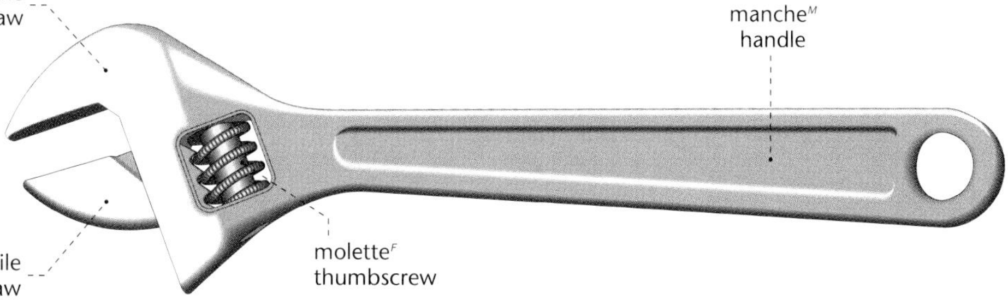
mâchoire^{F} fixe
fixed jaw
manche^{M}
handle
mâchoire^{F} mobile
movable jaw
molette^{F}
thumbscrew

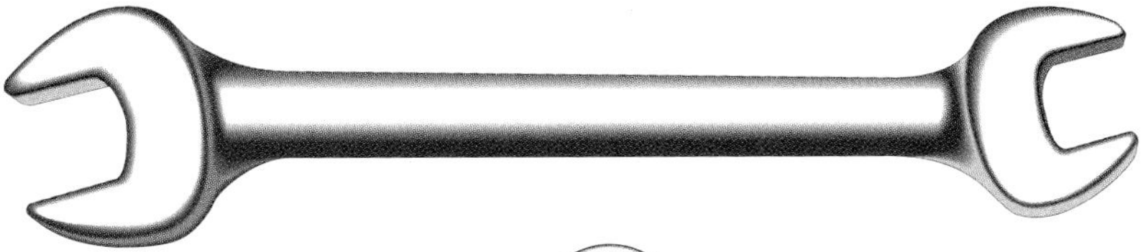
clé^{F} à fourches^{F}
open end wrench; *open end spanner*

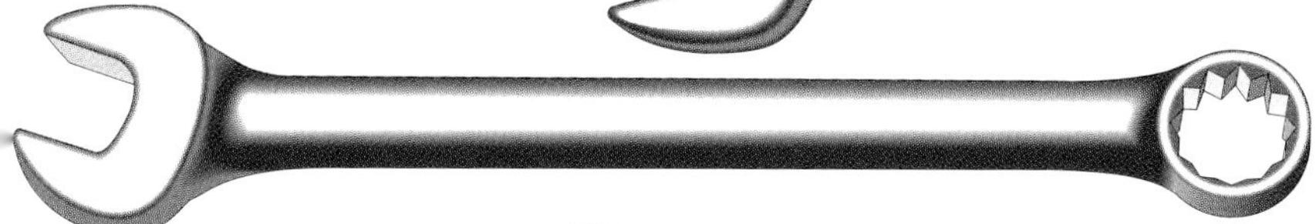
clé^{F} mixte
combination box and open end wrench; *combination spanner*

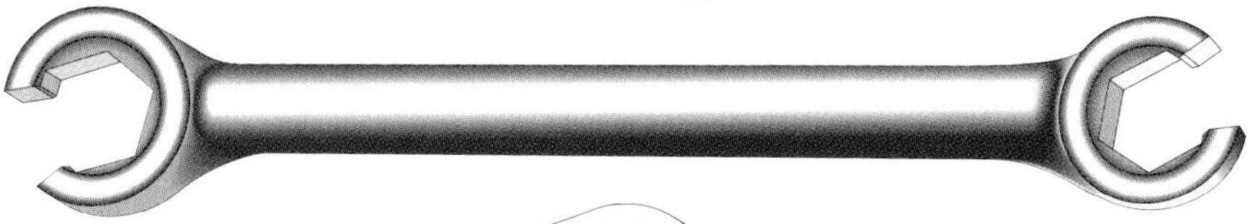
clé^{F} polygonale à têtes^{F} fendues
lare nut wrench; *flare nut spanner*

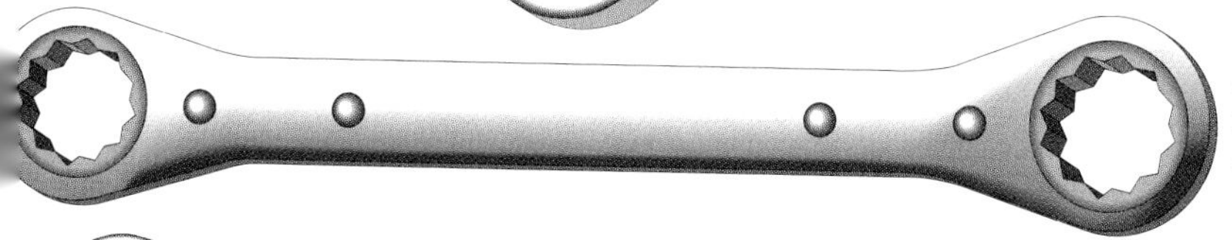
clé^{F} à cliquet^{M}
ratchet box end wrench; *ratchet ring spanner*

clé^{F} polygonale
box end wrench; *ring spanner*

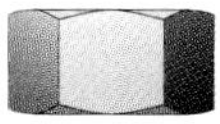
écrou^{M}
nut

BOULON^{M} À ÉPAULEMENT^{M}
SHOULDER BOLT

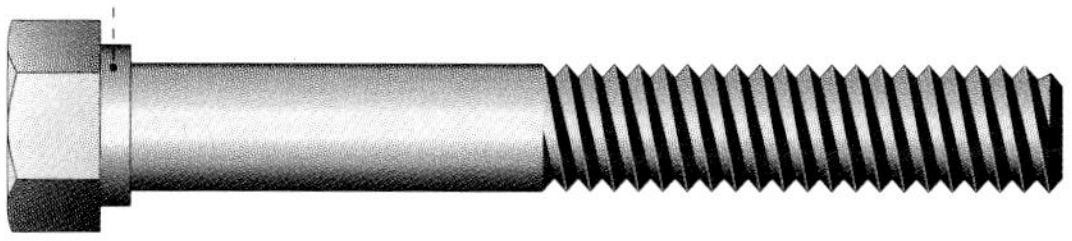
épaulement^{M}
shoulder

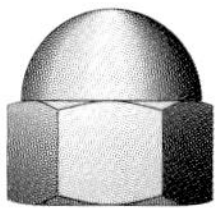
écrou^{M} borgne
acorn nut

BOULON^{M}
BOLT

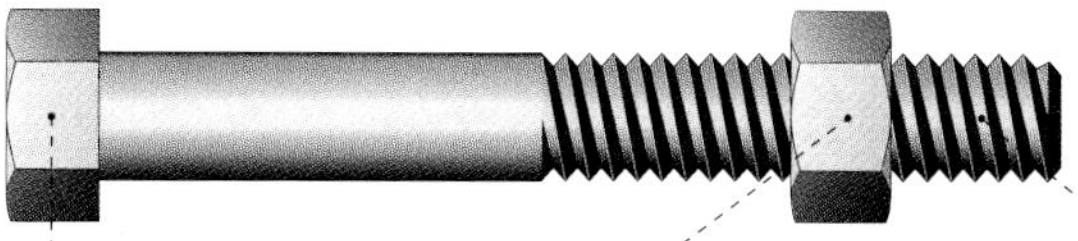
tête^{F}
head
écrou^{M}
nut
tige^{F} filetée
threaded rod

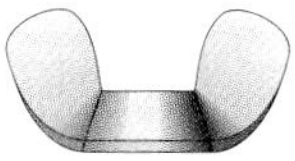
écrou^{M} à oreilles^{F}
wing nut

PERCEUSE^F ÉLECTRIQUE
ELECTRIC DRILL

plaque^F signalétique
name plate
plaque^F d'instructions^F
warning plate
boîtier^M
housing
blocage^M de l'interrupteur^M
switch lock
interrupteur^M
switch
mandrin^M
chuck
poignée^F auxiliaire
auxiliary handle
mors^M
jaw
poignée^F-pistolet^M
pistol grip handle
manchon^M de câble^M
cable sleeve
câble^M
cable
fiche^F
plug

CHIGNOLE^F;
PERCEUSE^F À MAIN^M
HAND DRILL

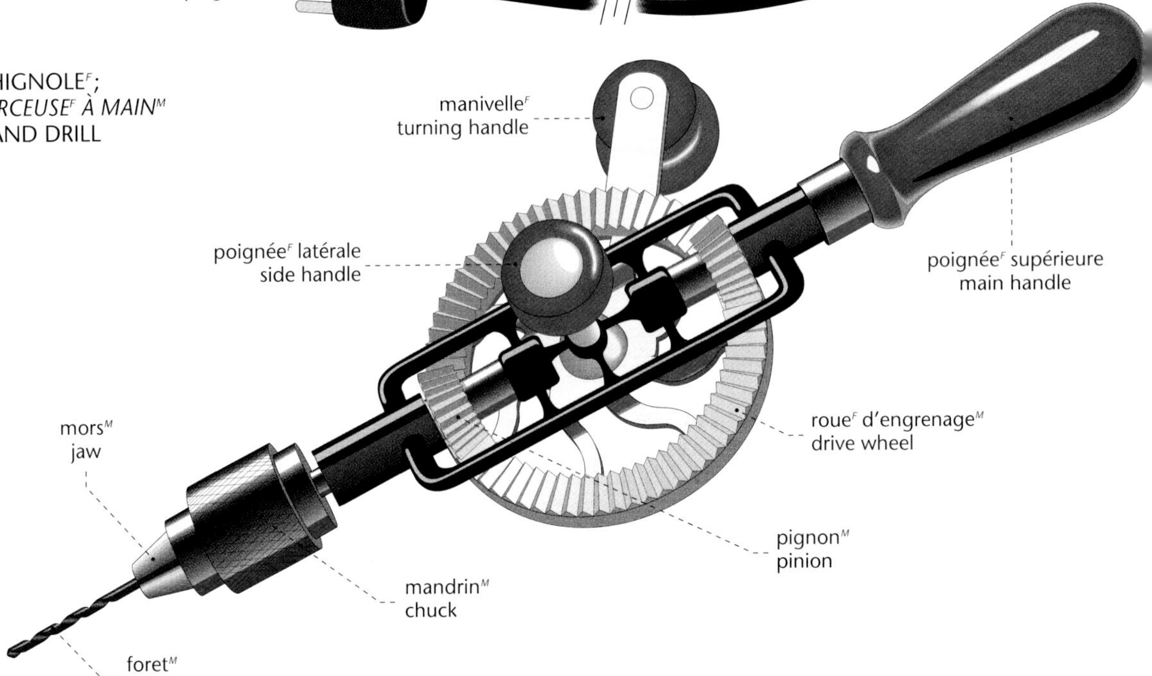
manivelle^F
turning handle
poignée^F latérale
side handle
poignée^F supérieure
main handle
mors^M
jaw
roue^F d'engrenage^M
drive wheel
pignon^M
pinion
mandrin^M
chuck
foret^M
drill

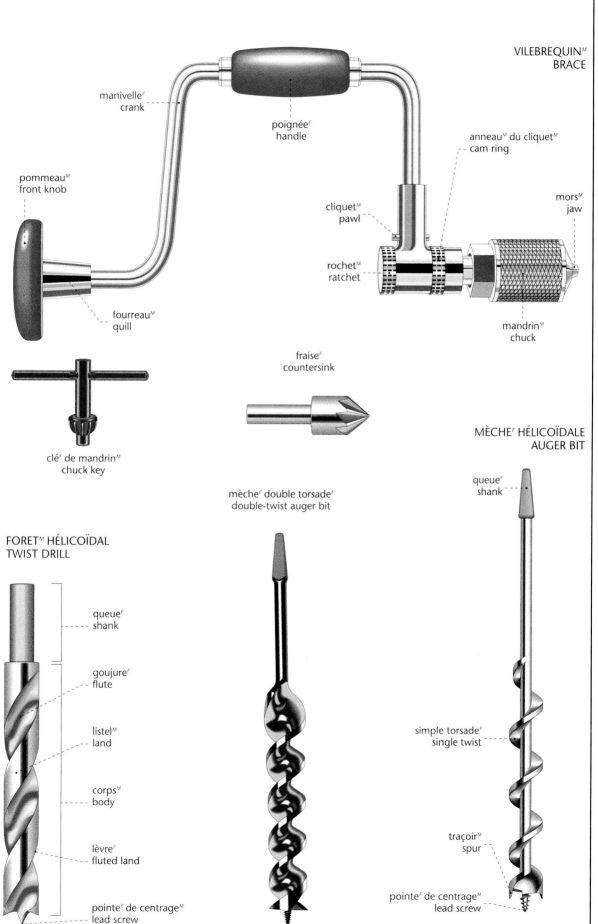

VILEBREQUIN[M]
BRACE

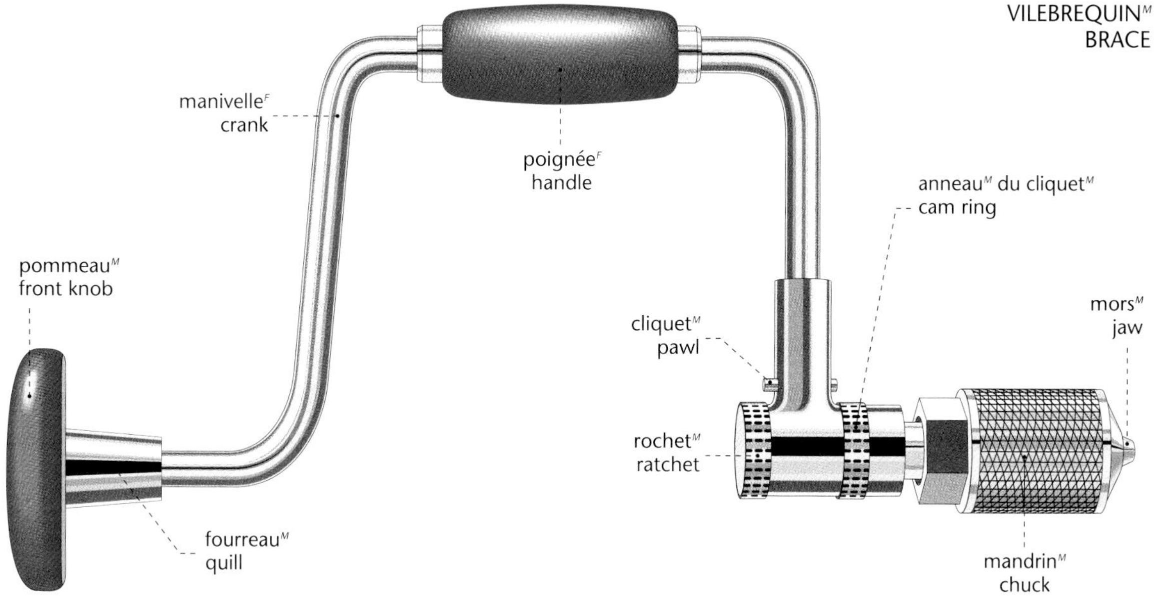

manivelle[F]
crank
poignée[F]
handle
anneau[M] du cliquet[M]
cam ring
pommeau[M]
front knob
mors[M]
jaw
cliquet[M]
pawl
rochet[M]
ratchet
fourreau[M]
quill
mandrin[M]
chuck

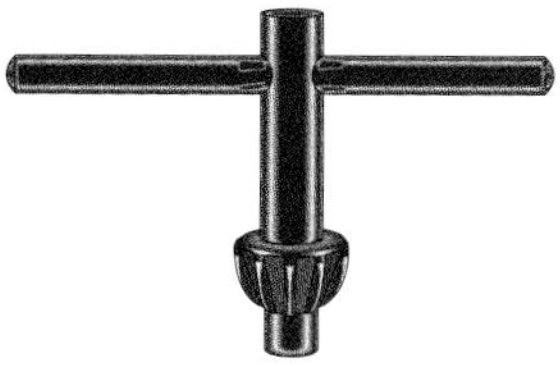

clé[F] de mandrin[M]
chuck key

fraise[F]
countersink

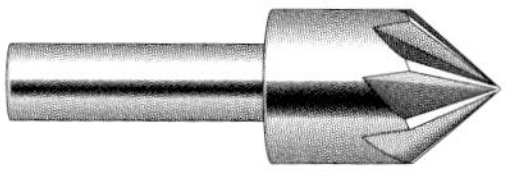

mèche[F] double torsade[F]
double-twist auger bit

MÈCHE[F] HÉLICOÏDALE
AUGER BIT

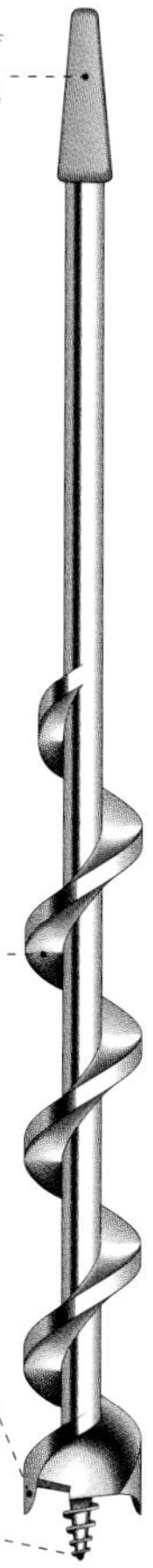

queue[F]
shank
simple torsade[F]
single twist
traçoir[M]
spur
pointe[F] de centrage[M]
lead screw

FORET[M] HÉLICOÏDAL
TWIST DRILL

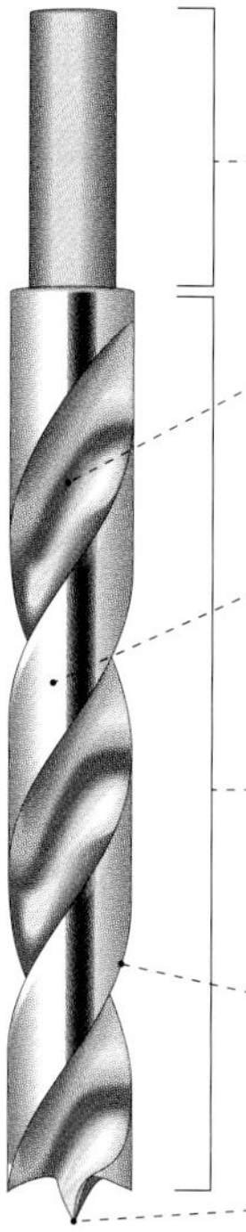

queue[F]
shank
goujure[F]
flute
listel[M]
land
corps[M]
body
lèvre[F]
fluted land
pointe[F] de centrage[M]
lead screw

SERRE-JOINT^{M}
C-CLAMP

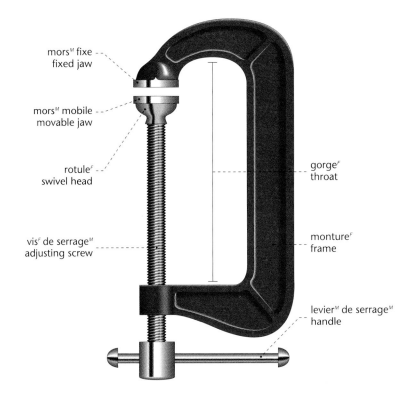

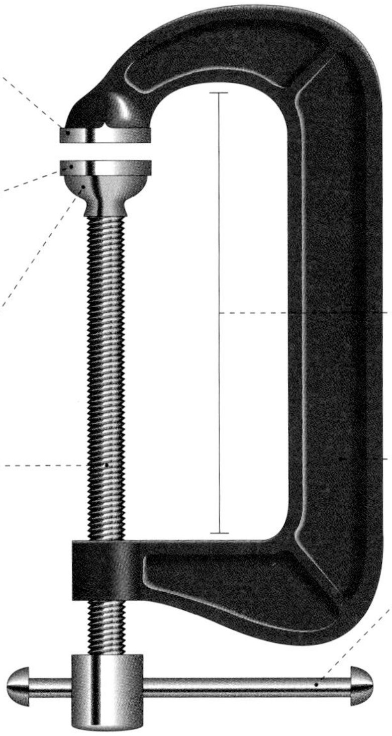
mors^{M} fixe
fixed jaw
mors^{M} mobile
movable jaw
rotule^{F}
swivel head
vis^{F} de serrage^{M}
adjusting screw
gorge^{F}
throat
monture^{F}
frame
levier^{M} de serrage^{M}
handle

ÉTAU^{M}
VISE; *VICE*

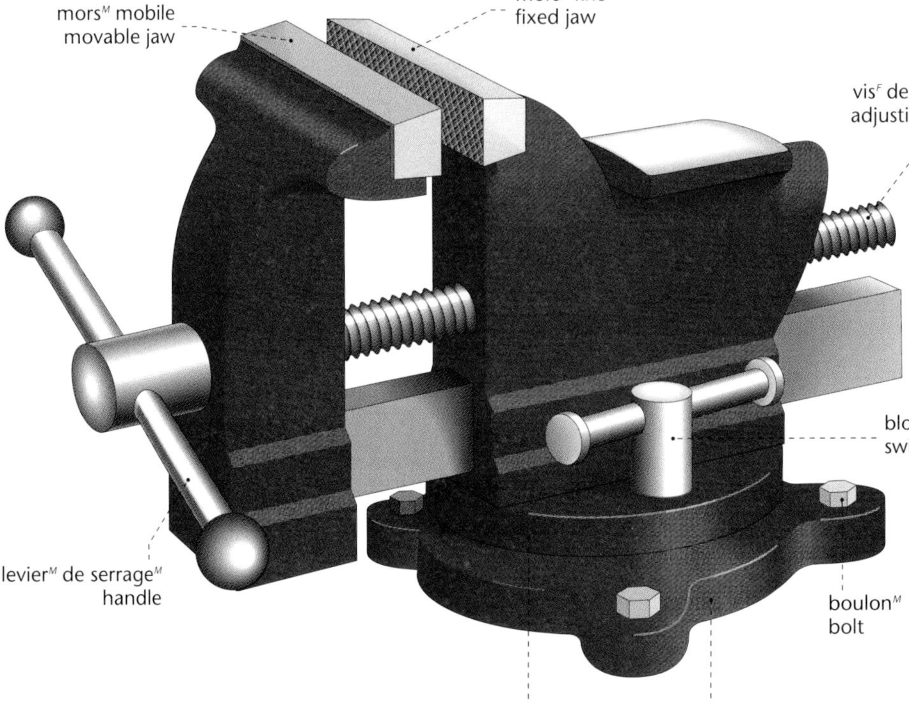
mors^{M} mobile
movable jaw
mors^{M} fixe
fixed jaw
vis^{F} de serrage^{M}
adjusting screw
blocage^{M} du pivot^{M}
swivel lock
levier^{M} de serrage^{M}
handle
boulon^{M}
bolt
semelle^{F} pivotante
swivel base
socle^{M} fixe
fixed base

TOUPIE[F]
ROUTER

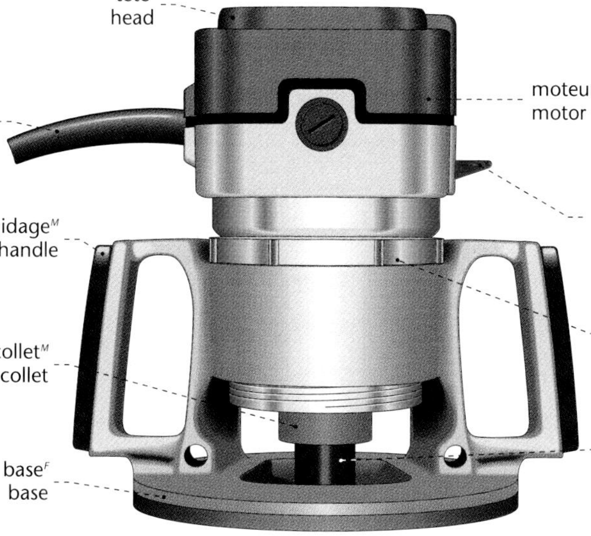
tête[F]
head
manchon[M] du cordon[M]
cord sleeve; *flex sleeve*
moteur[M]
motor
interrupteur[M]
switch
poignée[F] de guidage[M]
guide handle
réglage[M] de profondeur[F]
depth adjustment
collet[M]
collet
porte-outil[M]
tool holder
base[F]
base

PERCEUSE[F] À COLONNE[F]
DRILL PRESS

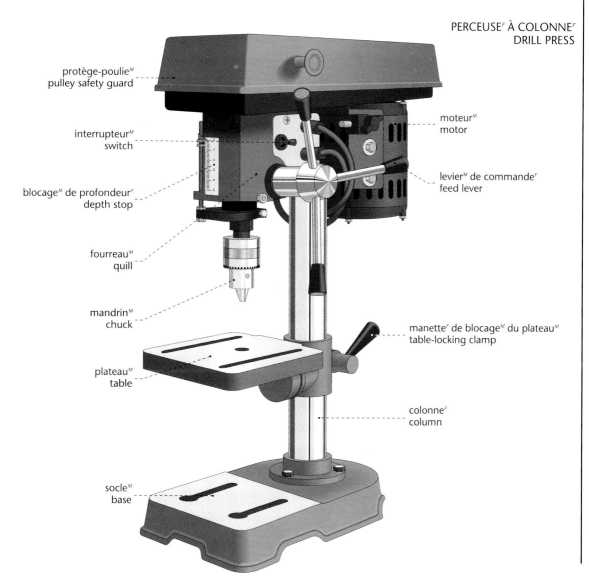

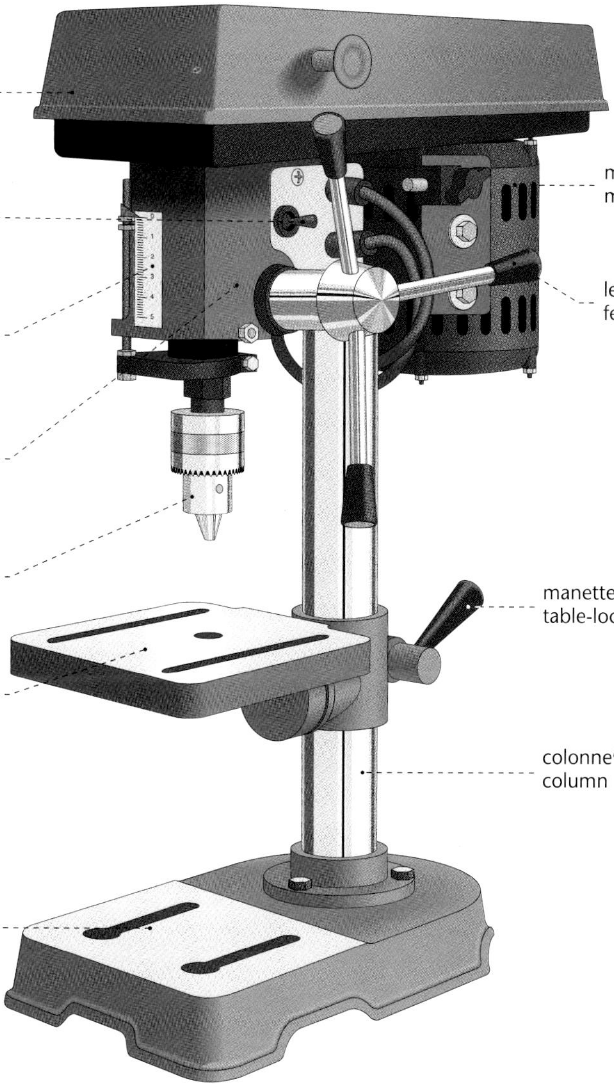
protège-poulie[M]
pulley safety guard
moteur[M]
motor
interrupteur[M]
switch
levier[M] de commande[F]
feed lever
blocage[M] de profondeur[F]
depth stop
fourreau[M]
quill
mandrin[M]
chuck
manette[F] de blocage[M] du plateau[M]
table-locking clamp
plateau[M]
table
colonne[F]
column
socle[M]
base

MENUISERIE^F: OUTILS^M
CARPENTRY: TOOLS

LAME^F DE SCIE^F CIRCULAIRE
CIRCULAR SAW BLADE

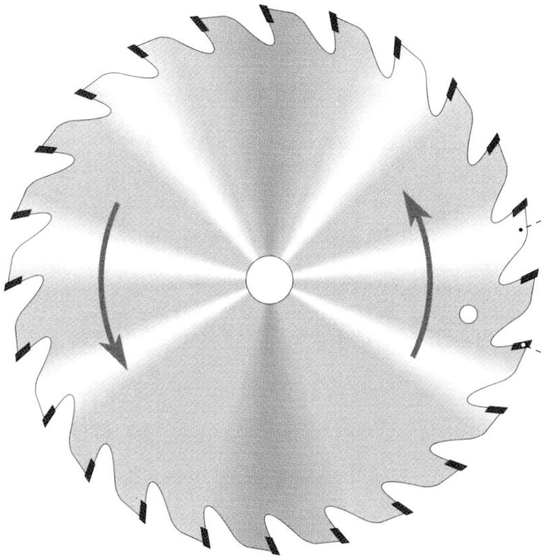
dent^F
tooth
pointe^F
tip

SCIE^F CIRCULAIRE
CIRCULAR SAW

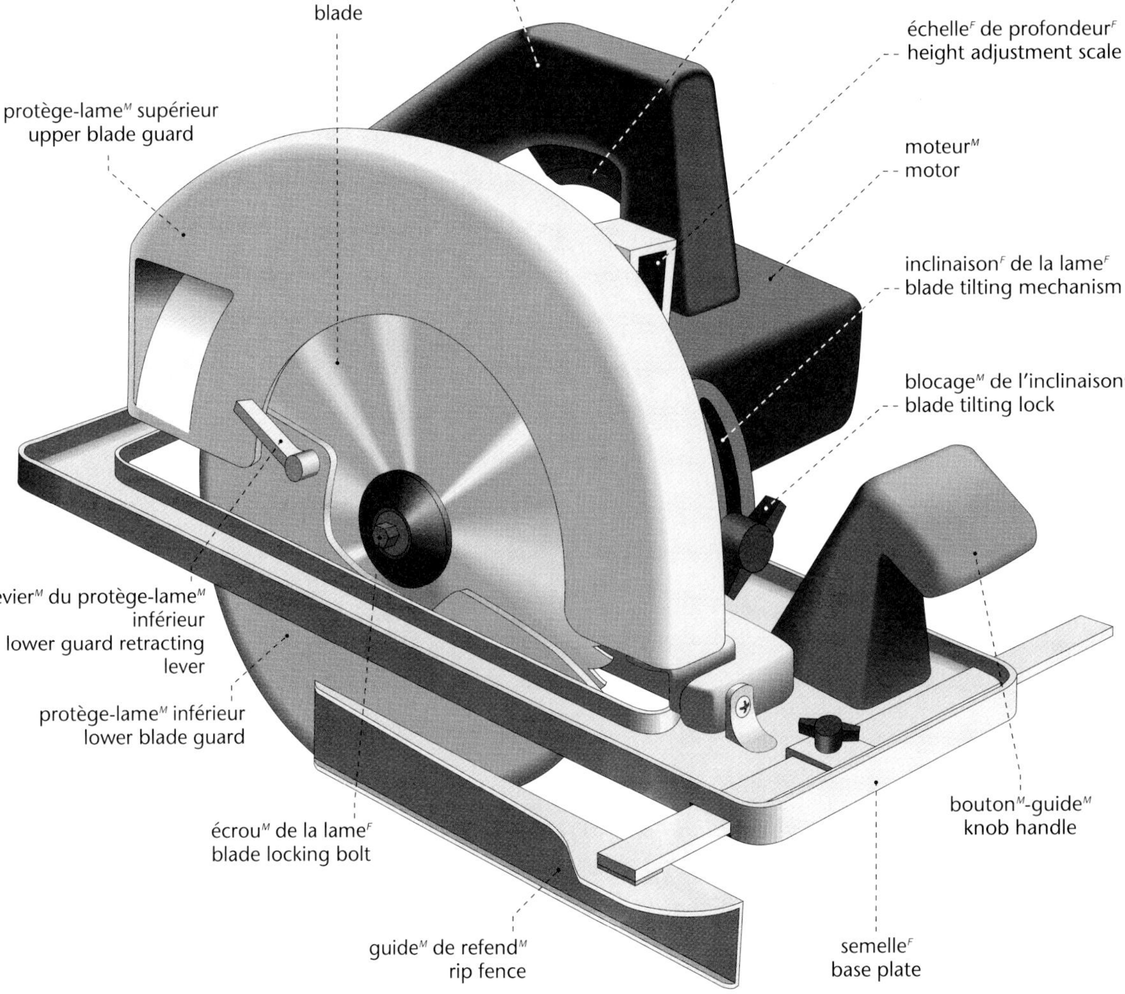
poignée^F
handle
interrupteur^M à gâchette^F
trigger switch
lame^F
blade
échelle^F de profondeur^F
height adjustment scale
protège-lame^M supérieur
upper blade guard
moteur^M
motor
inclinaison^F de la lame^F
blade tilting mechanism
blocage^M de l'inclinaison^F
blade tilting lock
levier^M du protège-lame^M inférieur
lower guard retracting lever
protège-lame^M inférieur
lower blade guard
bouton^M-guide^M
knob handle
écrou^M de la lame^F
blade locking bolt
guide^M de refend^M
rip fence
semelle^F
base plate

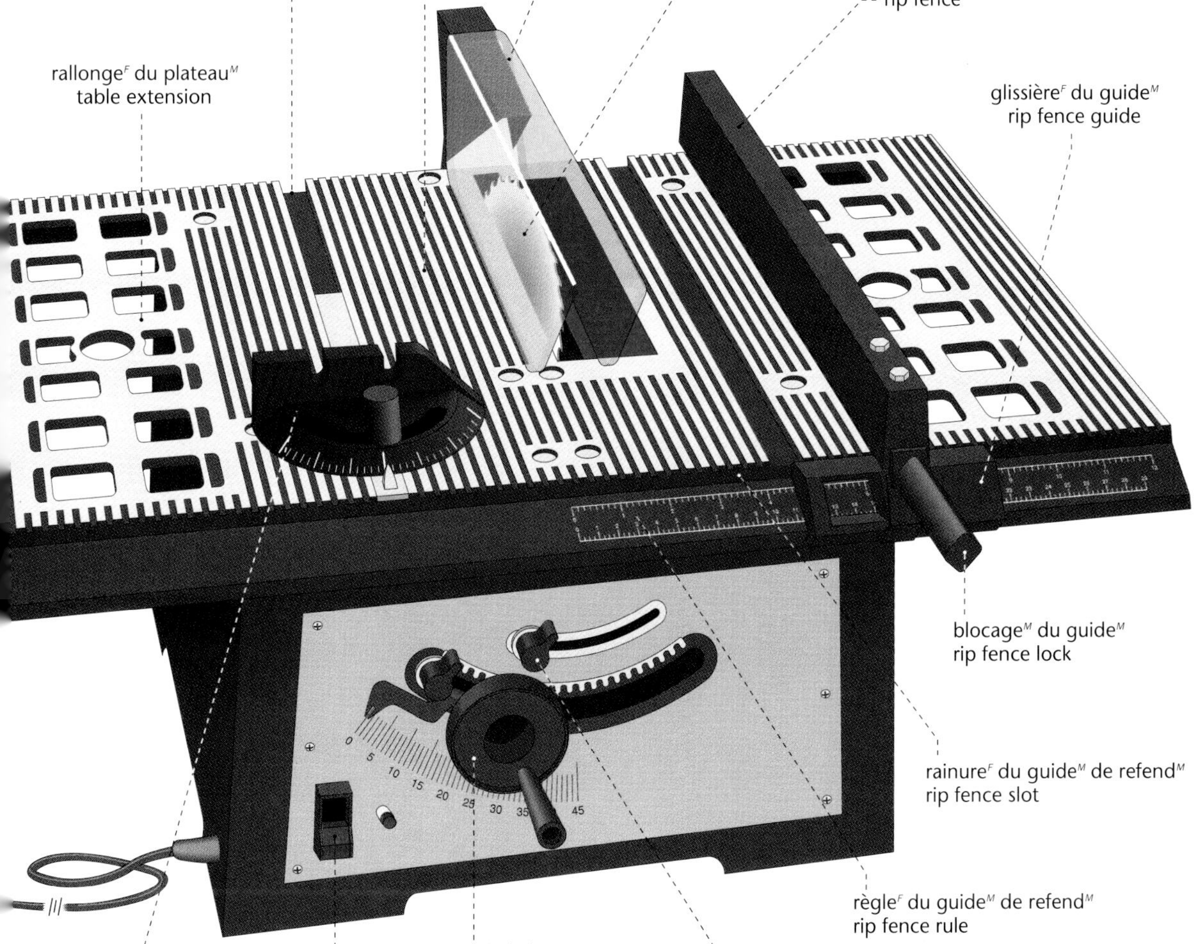
protège-lame^M^
blade guard
plateau^M^
table
lame^F^
blade
rainure^F^ du guide^M^ à onglet^M^
miter gauge slot; *mitre gauge slot*
guide^M^ de refend^M^
rip fence
rallonge^F^ du plateau^M^
table extension
glissière^F^ du guide^M^
rip fence guide
blocage^M^ du guide^M^
rip fence lock
rainure^F^ du guide^M^ de refend^M^
rip fence slot
règle^F^ du guide^M^ de refend^M^
rip fence rule
inclinaison^F^ de la lame^F^
blade tilting mechanism
guide^M^ à onglet^M^
miter gauge; *mitre gauge*
relèvement^M^ de la lame^F^
blade height adjustment
interrupteur^M^
switch

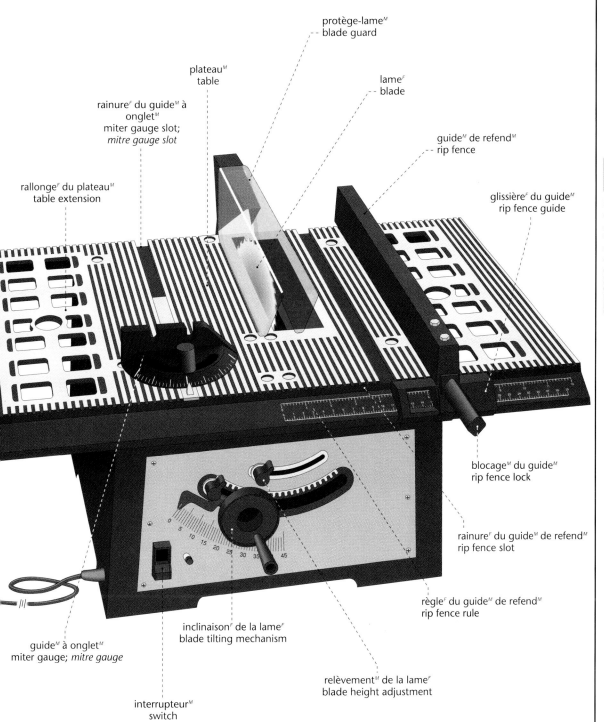

MATÉRIAUX[M] DE CONSTRUCTION[F]
BUILDING MATERIALS

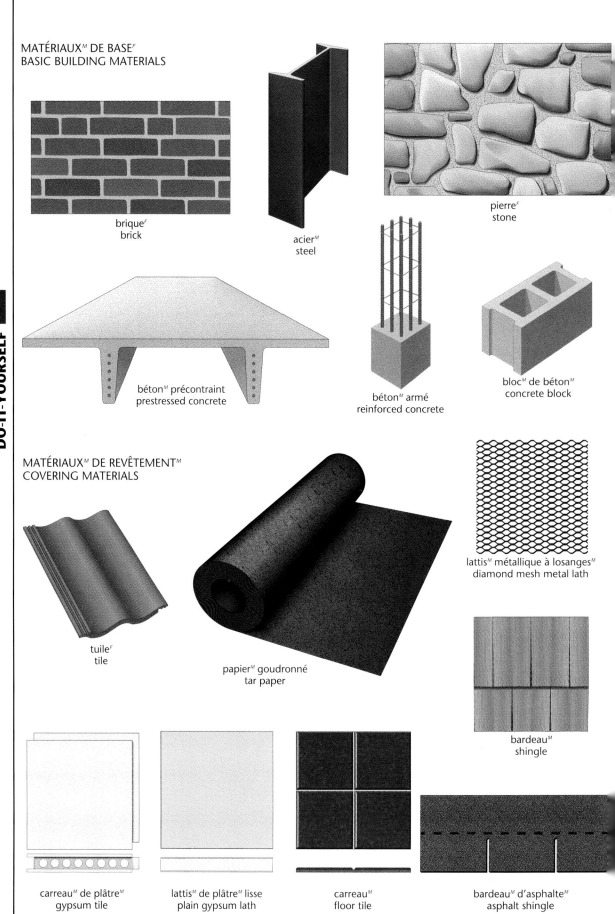

MATÉRIAUX[M] DE BASE[F]
BASIC BUILDING MATERIALS

brique[F]
brick

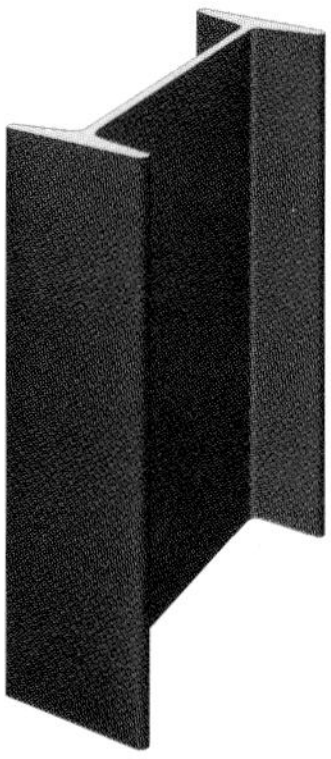

acier[M]
steel

pierre[F]
stone

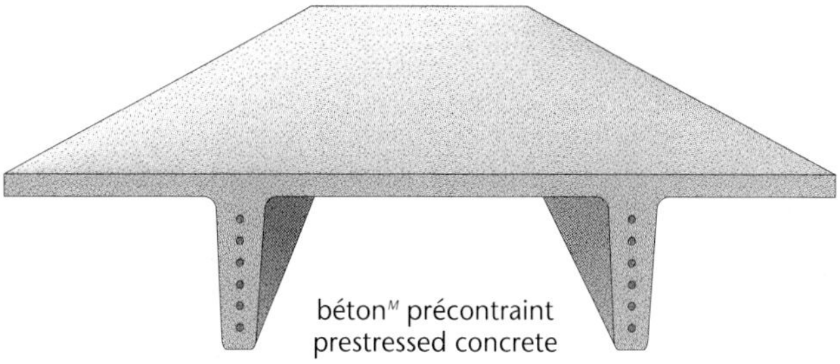

béton[M] précontraint
prestressed concrete

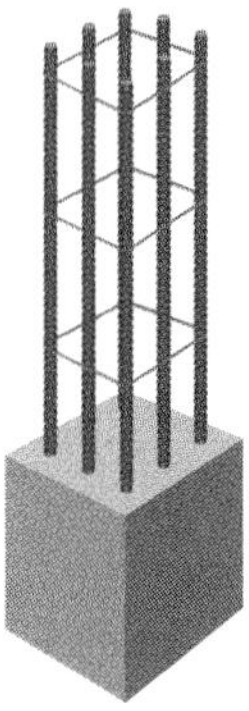

béton[M] armé
reinforced concrete

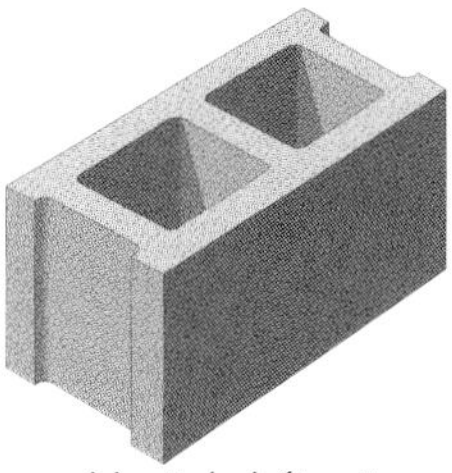

bloc[M] de béton[M]
concrete block

MATÉRIAUX[M] DE REVÊTEMENT[M]
COVERING MATERIALS

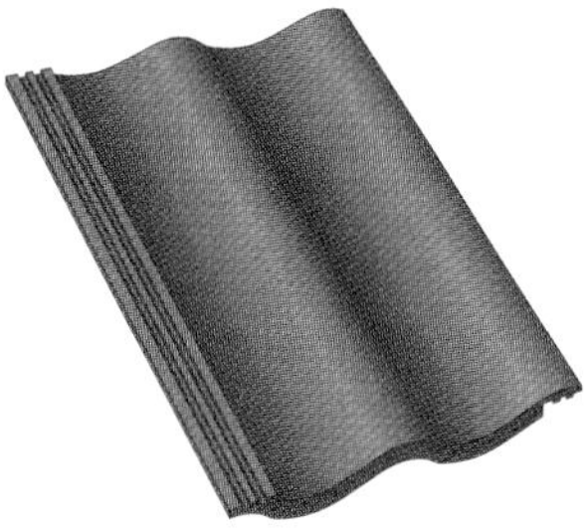

tuile[F]
tile

papier[M] goudronné
tar paper

lattis[M] métallique à losanges[M]
diamond mesh metal lath

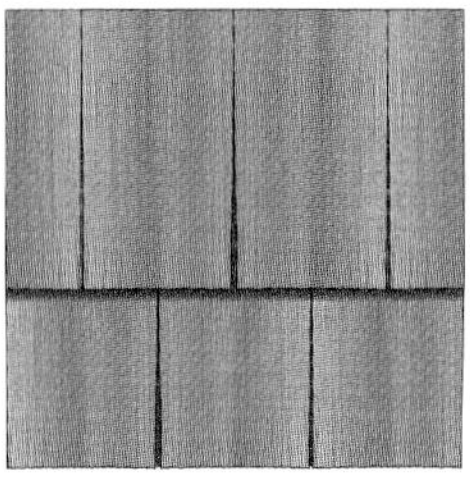

bardeau[M]
shingle

carreau[M] de plâtre[M]
gypsum tile

lattis[M] de plâtre[M] lisse
plain gypsum lath

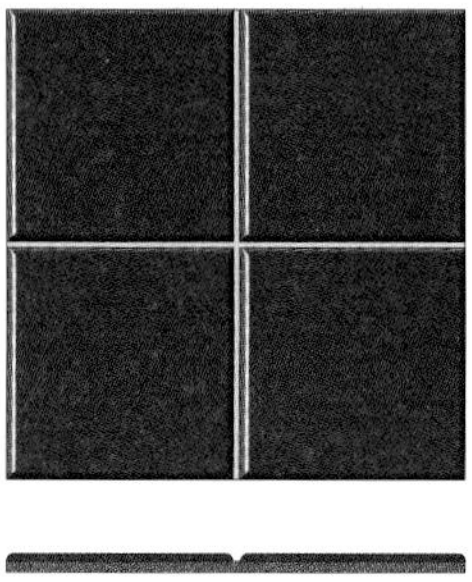

carreau[M]
floor tile

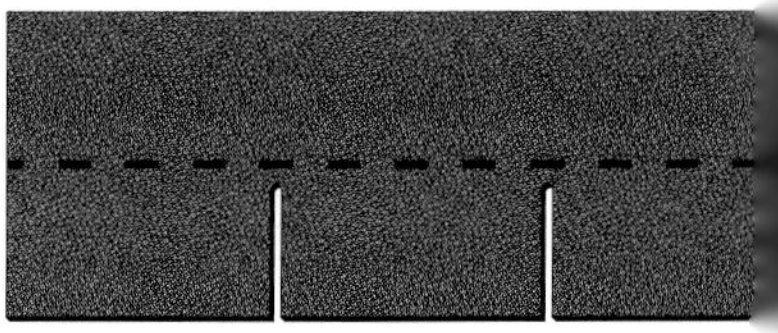

bardeau[M] d'asphalte[M]
asphalt shingle

isolant^{M} de ruban^{M} métallique
spring-metal insulation

isolant^{M} moussé
foam insulation

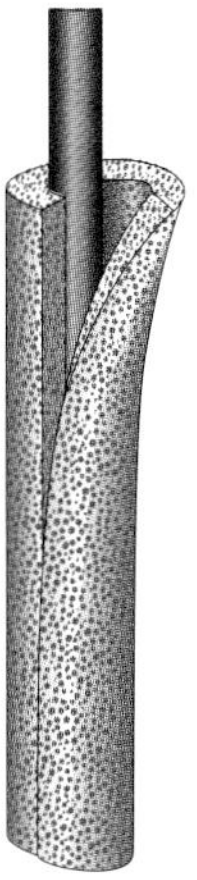

isolant^{M} en coquille^{F}
molded insulation; *moulded insulation*

isolant^{M} en caoutchouc^{M}-mousse^{F}
foam-rubber insulation

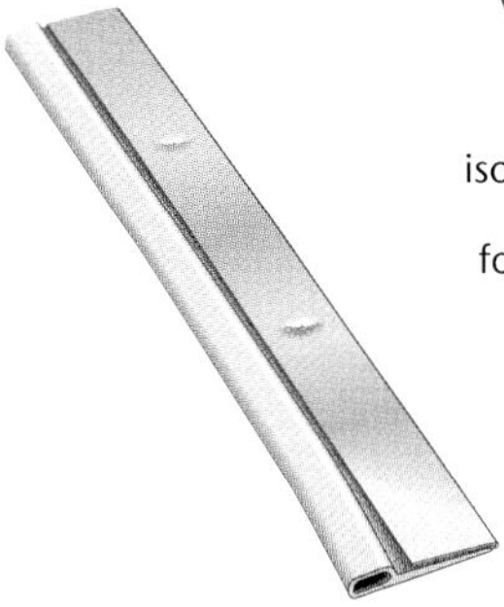

isolant^{M} en vinyle^{M}
vinyl insulation

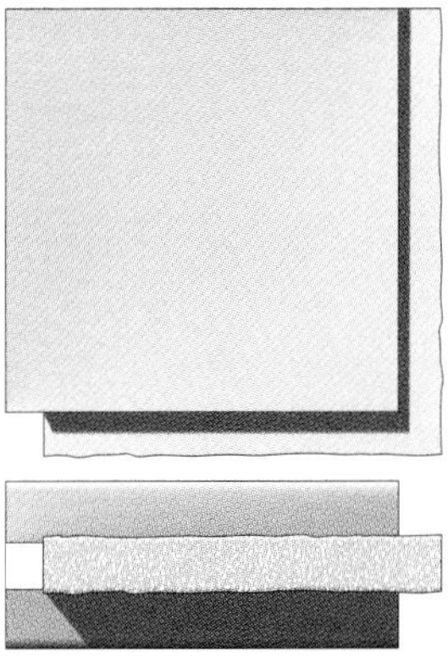

isolant^{M} en panneau^{M}
board insulation

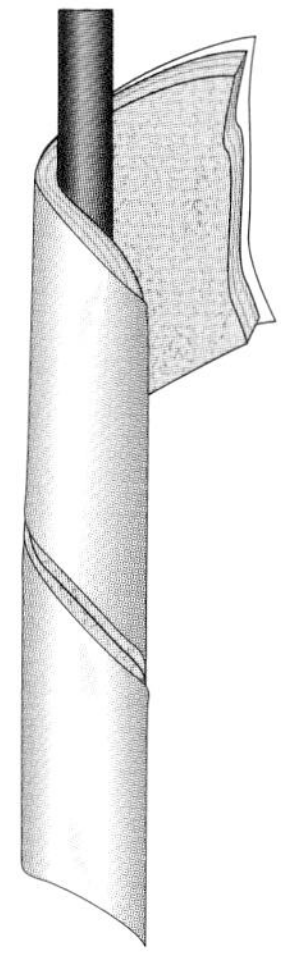

isolant^{M} en ruban^{M}
pipe-wrapping insulation

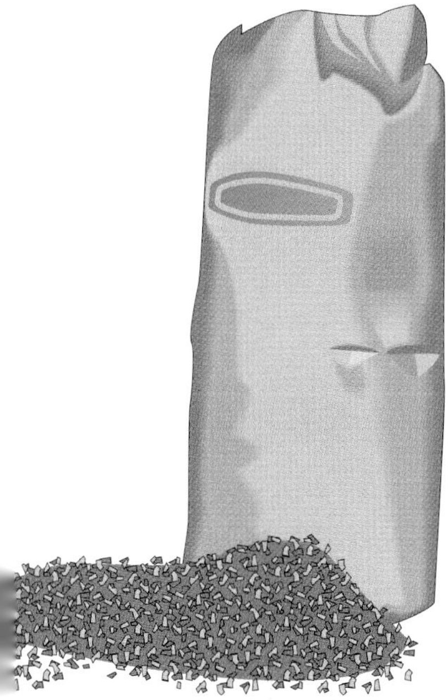

isolant^{M} en vrac^{M}
loose fill insulation

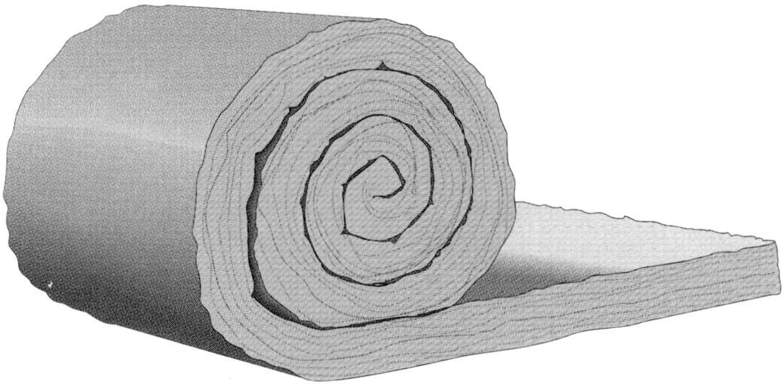

isolant^{M} en rouleau^{M}
blanket insulation

MATÉRIAUX[M] DE CONSTRUCTION[F]
BUILDING MATERIALS

BOIS[M]
WOOD

COUPE[F] D'UNE BILLE[F]
SECTION OF A LOG

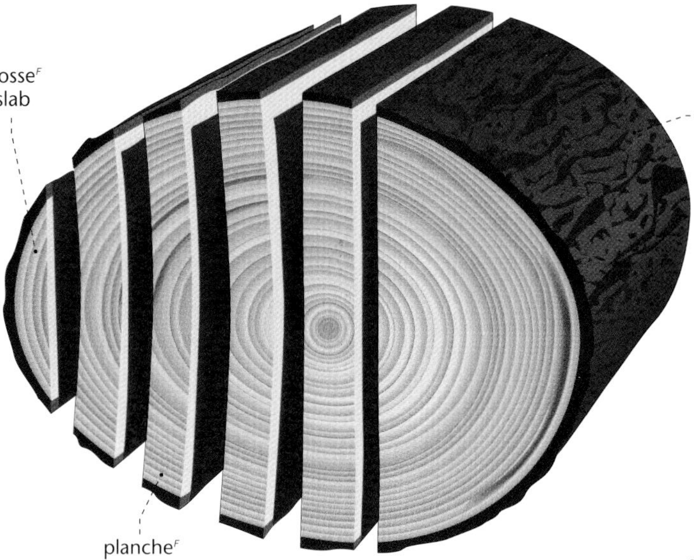
dosse[F]
slab
bille[F]
log
planche[F]
board

PLANCHE[F]
BOARD

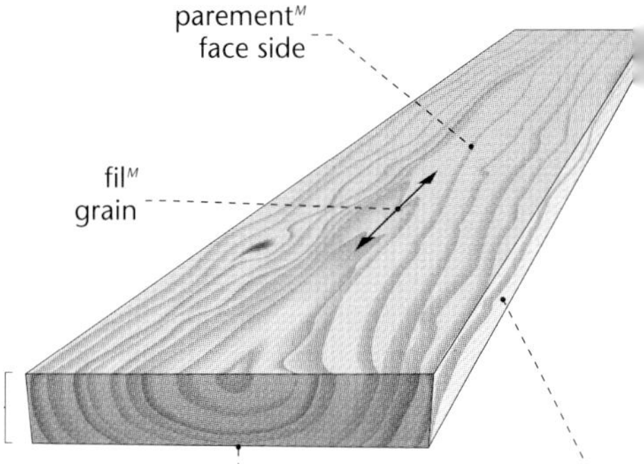
parement[M]
face side
fil[M]
grain
bois[M] de bout[M]
end grain
contreparement[M]
back
rive[F]
edge

DÉRIVÉS[M] DU BOIS[M]
WOOD-BASED MATERIALS

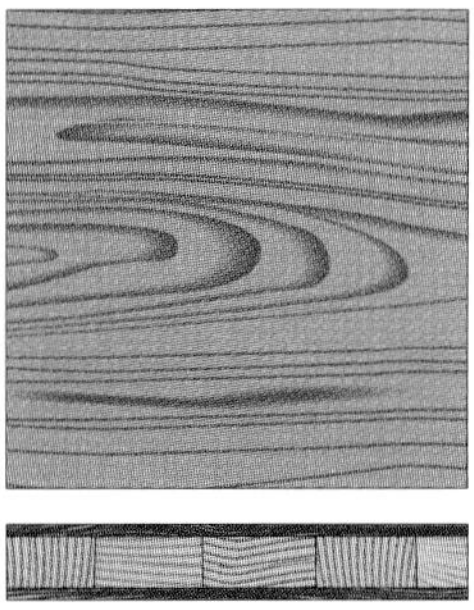
panneau[M] à âme[F] lattée
blockboard

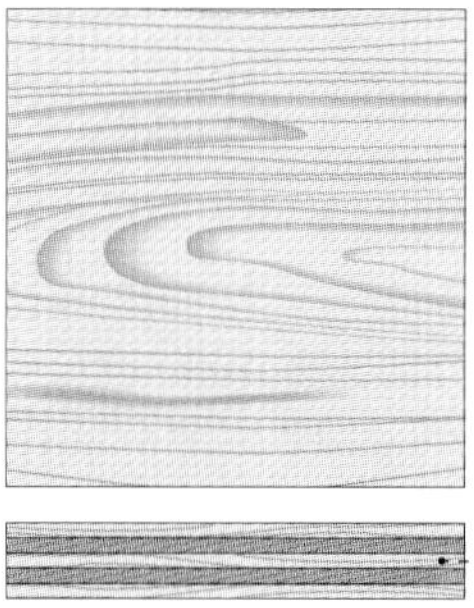
pli[M]
ply
contre-plaqué[M] multiplis
multi-ply plywood

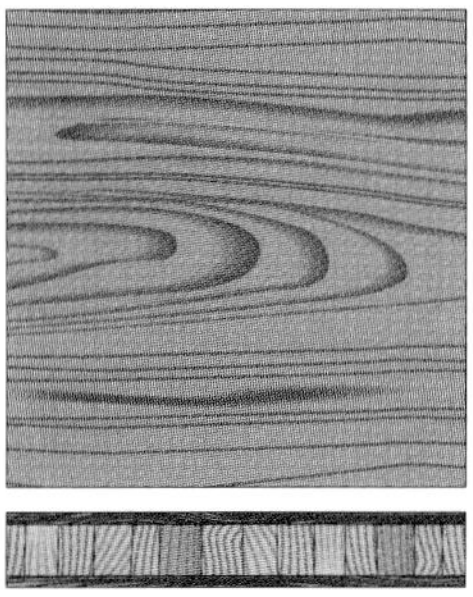
panneau[M] à âme[F] lamellée
laminboard

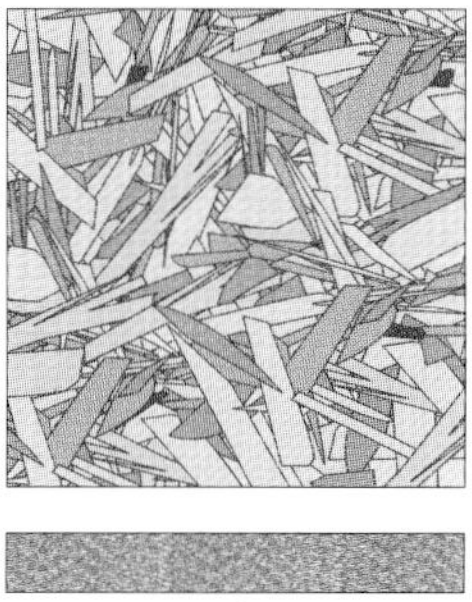
panneau[M] de copeaux[F]
waferboard

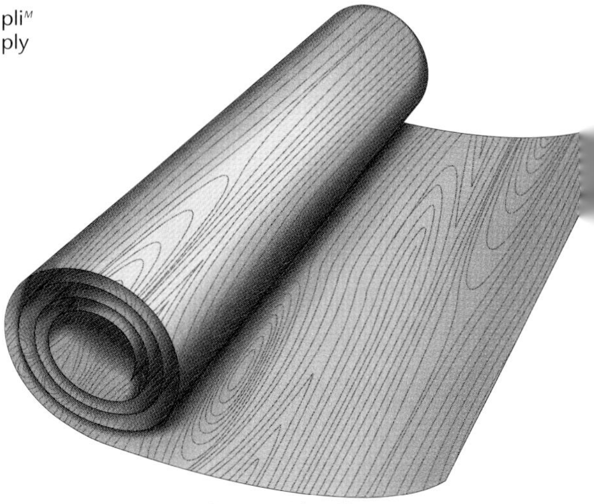
placage[M] déroulé
peeled veneer

panneau[M] de fibres[F]
hardboard

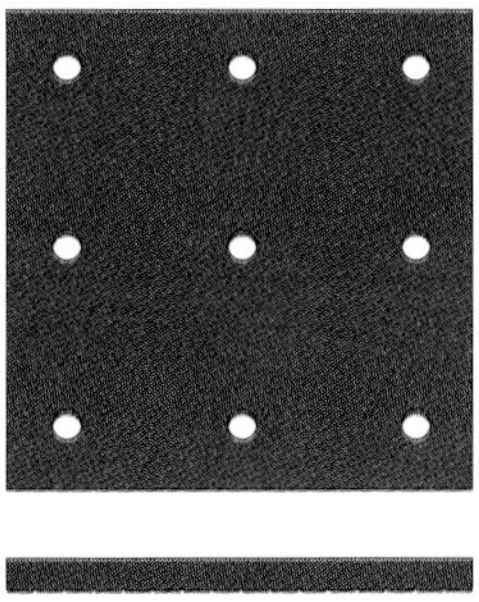

panneau[M] de fibres[F] perforé
perforated hardboard

panneau[M] de particules[F] lamifié
plastic-laminated particle board;
plastic-laminated chipboard

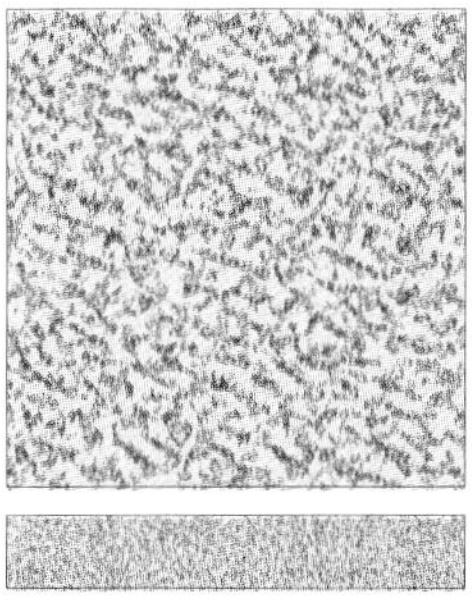

panneau[M] de particules[F]
particle board; *chipboard*

SERRURE[F]
LOCK

VUE[F] D'ENSEMBLE[M]
GENERAL VIEW

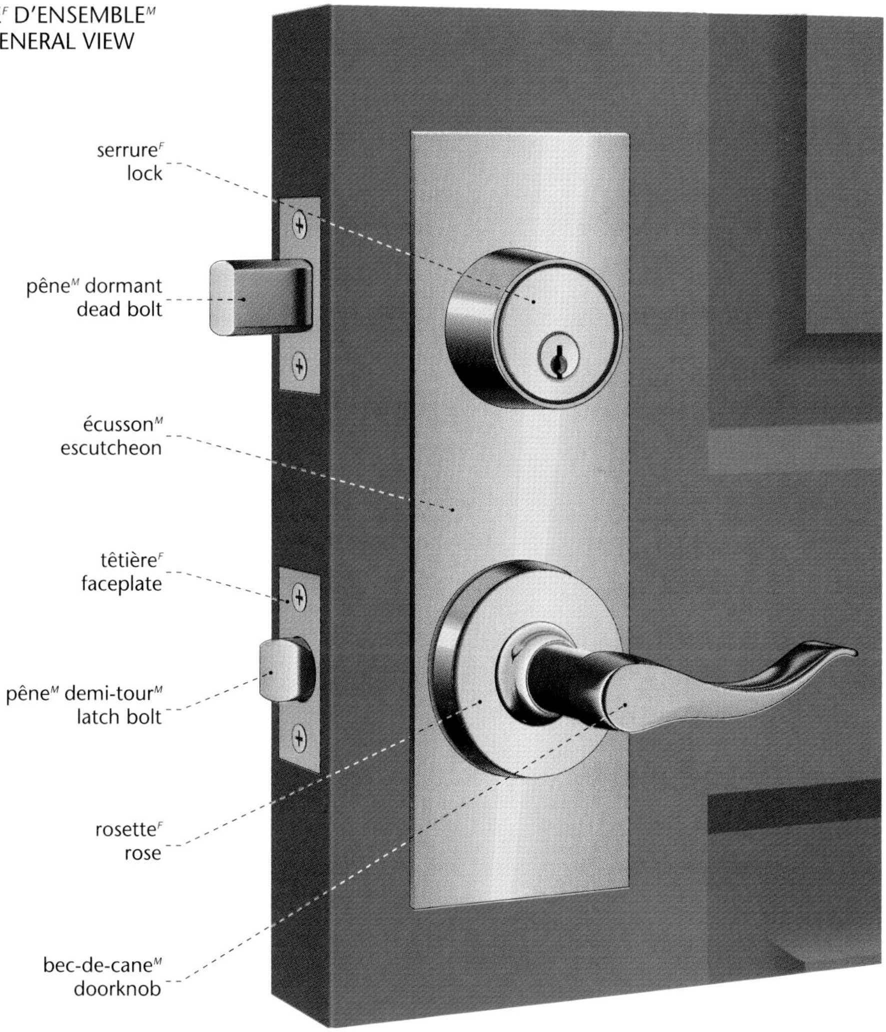
serrure[F]
lock
pêne[M] dormant
dead bolt
écusson[M]
escutcheon
têtière[F]
faceplate
pêne[M] demi-tour[M]
latch bolt
rosette[F]
rose
bec-de-cane[M]
doorknob

SERRURE^F
LOCK

SERRURE^F À MORTAISER
MORTISE LOCK

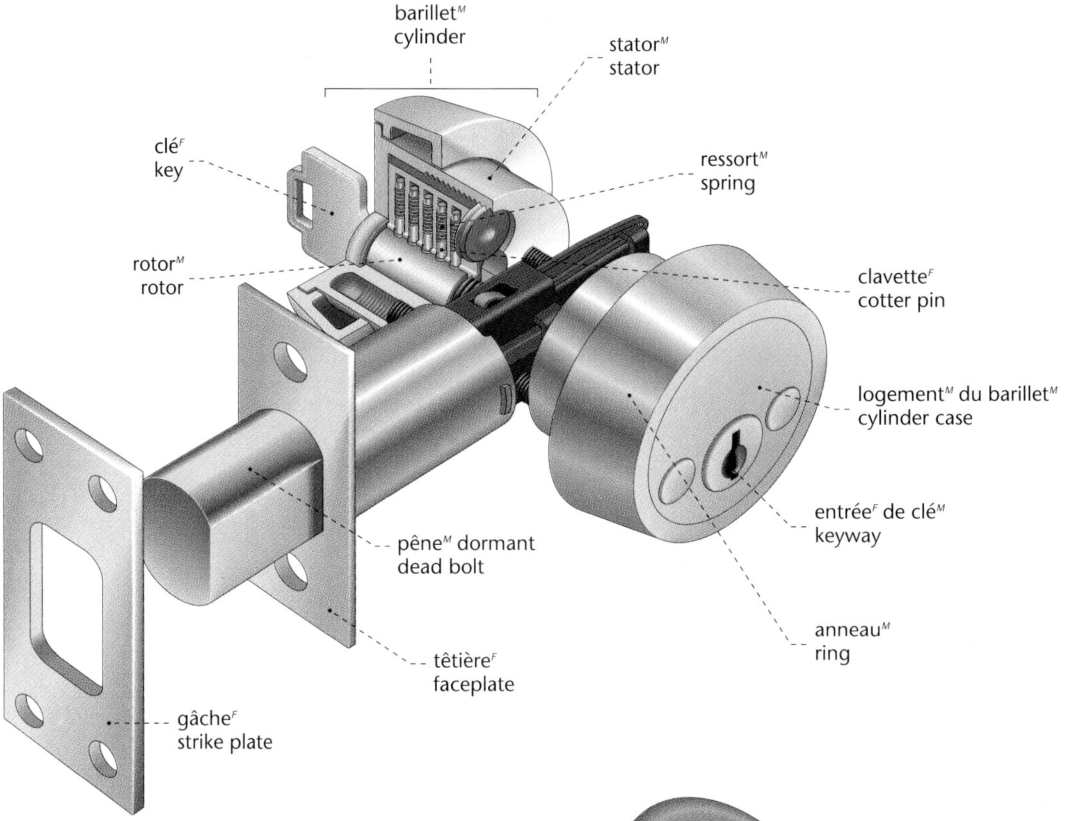
barillet^M
cylinder
stator^M
stator
clé^F
key
ressort^M
spring
rotor^M
rotor
clavette^F
cotter pin
logement^M du barillet^M
cylinder case
entrée^F de clé^M
keyway
pêne^M dormant
dead bolt
anneau^M
ring
têtière^F
faceplate
gâche^F
strike plate

SERRURE^F TUBULAIRE
TUBULAR LOCK

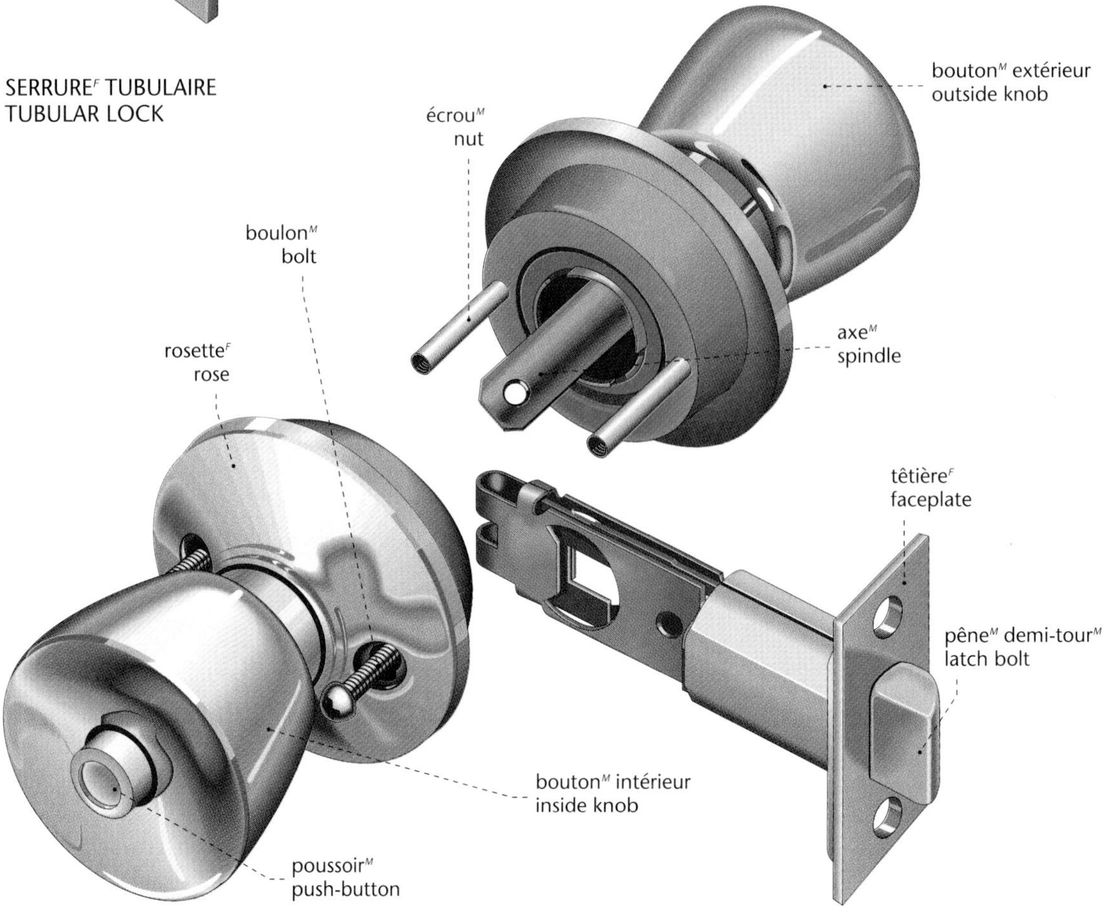
bouton^M extérieur
outside knob
écrou^M
nut
boulon^M
bolt
axe^M
spindle
rosette^F
rose
têtière^F
faceplate
pêne^M demi-tour^M
latch bolt
bouton^M intérieur
inside knob
poussoir^M
push-button

MAÇONNERIE[F]
MASONRY

TRUELLE[F] DE MAÇON[M]
MASON'S TROWEL

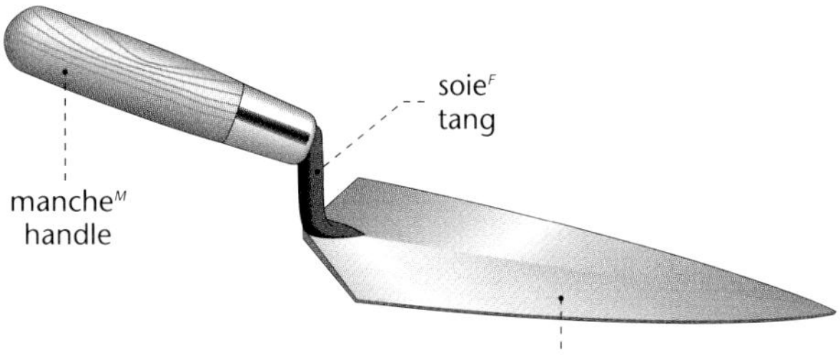
soie[F]
tang
manche[M]
handle
lame[F]
blade

truelle[F] de plâtrier[M]
square trowel

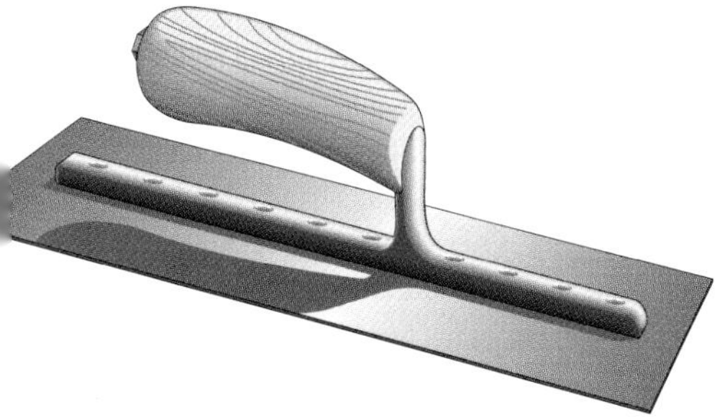

marteau[M] de maçon[M]
bricklayer's hammer

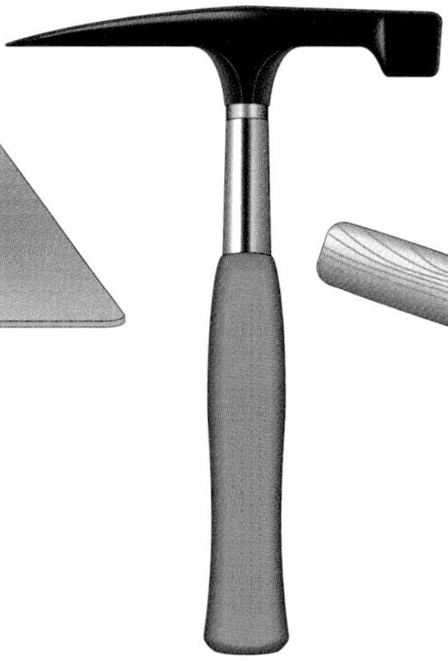

taloche[F]
hawk

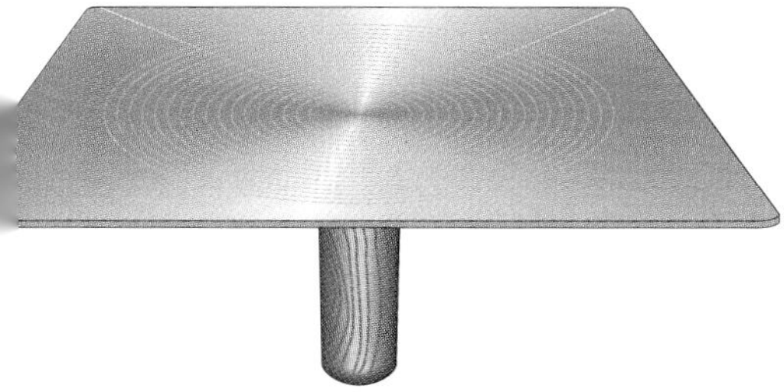

tire-joint[M]
joint filler

niveau[M] à bulle[F]
spirit level

PISTOLET[M] À CALFEUTRER
CAULKING GUN

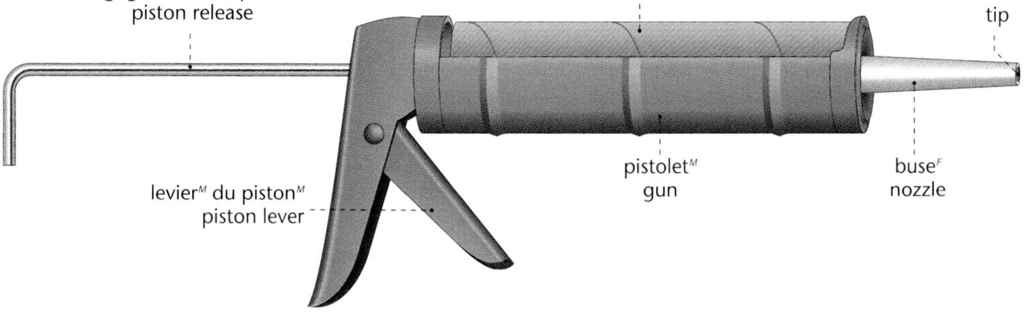
cartouche[F]
cartridge
dégagement[M] du piston[M]
piston release
bec[M]
tip
pistolet[M]
gun
buse[F]
nozzle
levier[M] du piston[M]
piston lever

PLOMBERIE[F] : SALLE[F] DE BAINS[M]
PLUMBING: BATHROOM

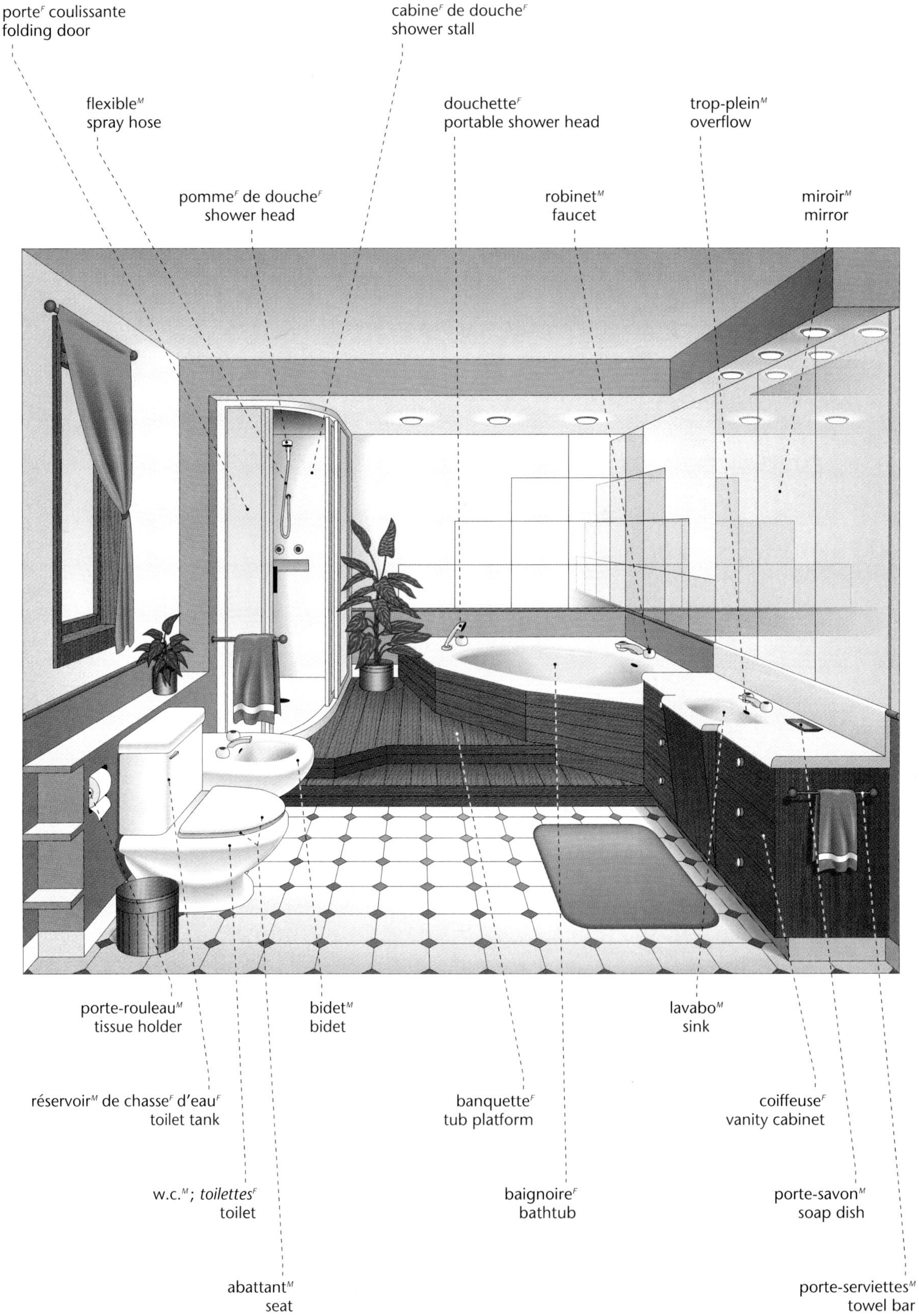

porte[F] coulissante
folding door
cabine[F] de douche[F]
shower stall
flexible[M]
spray hose
douchette[F]
portable shower head
trop-plein[M]
overflow
pomme[F] de douche[F]
shower head
robinet[M]
faucet
miroir[M]
mirror
porte-rouleau[M]
tissue holder
bidet[M]
bidet
lavabo[M]
sink
réservoir[M] de chasse[F] d'eau[F]
toilet tank
banquette[F]
tub platform
coiffeuse[F]
vanity cabinet
w.c.[M]; *toilettes*[F]
toilet
baignoire[F]
bathtub
porte-savon[M]
soap dish
abattant[M]
seat
porte-serviettes[M]
towel bar

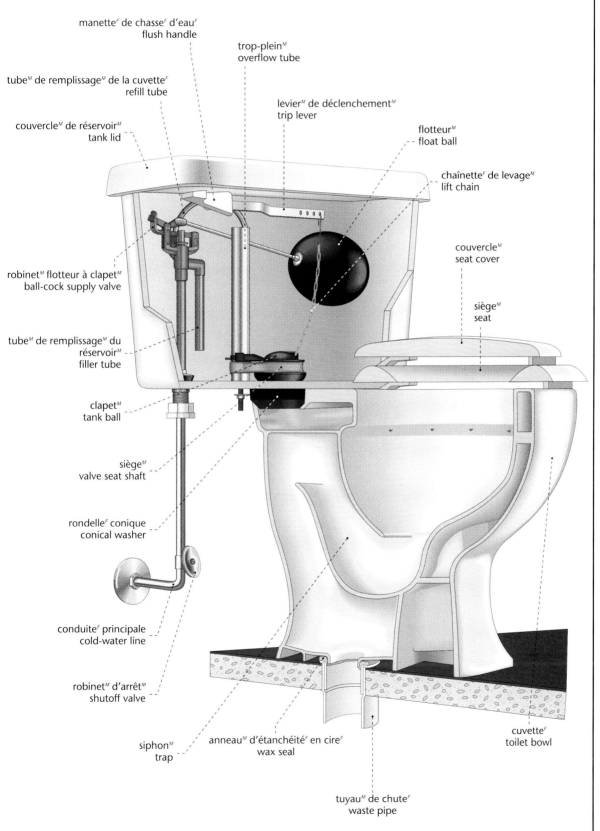

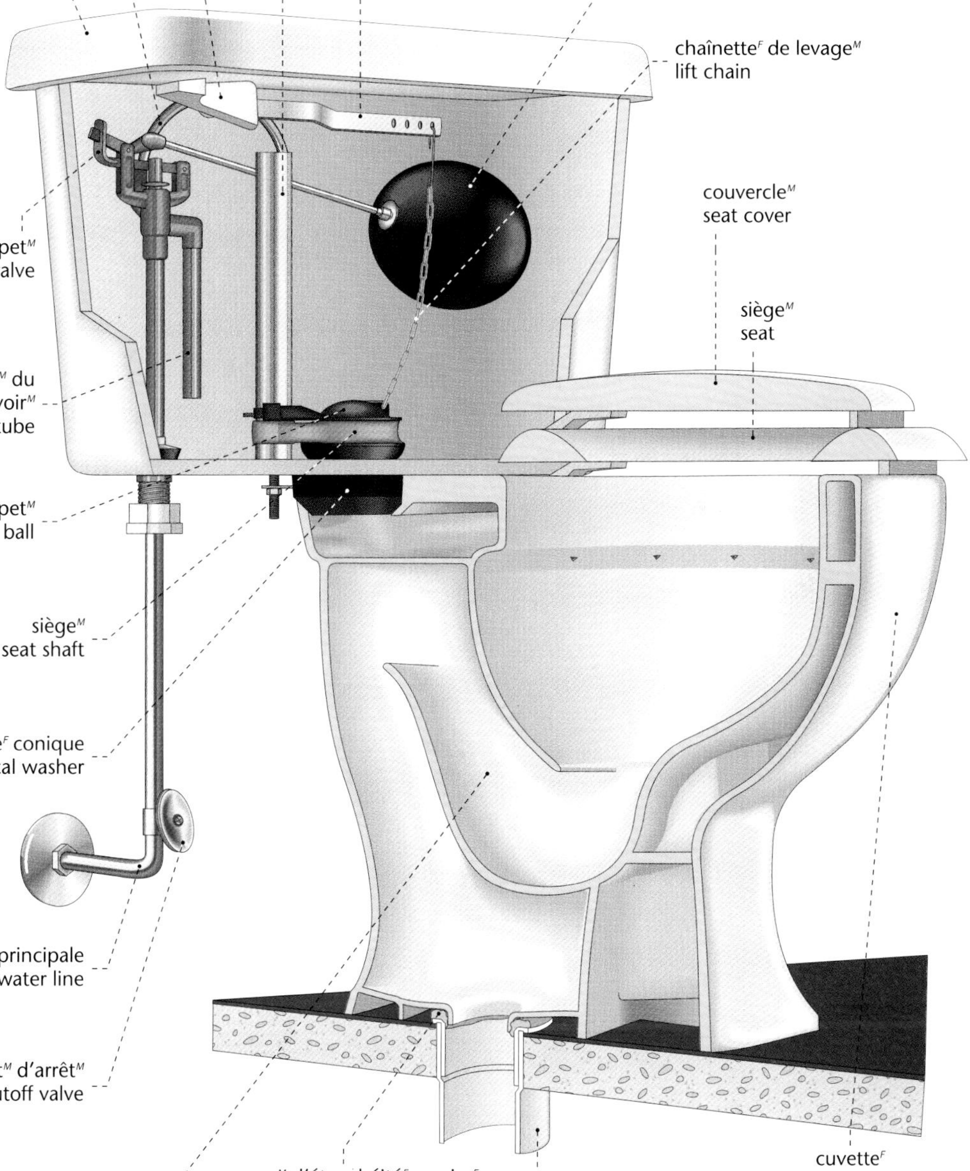
manette[F] de chasse[F] d'eau[F]
flush handle
trop-plein[M]
overflow tube
tube[M] de remplissage[M] de la cuvette[F]
refill tube
levier[M] de déclenchement[M]
trip lever
couvercle[M] de réservoir[M]
tank lid
flotteur[M]
float ball
chaînette[F] de levage[M]
lift chain
couvercle[M]
seat cover
robinet[M] flotteur à clapet[M]
ball-cock supply valve
siège[M]
seat
tube[M] de remplissage[M] du réservoir[M]
filler tube
clapet[M]
tank ball
siège[M]
valve seat shaft
rondelle[F] conique
conical washer
conduite[F] principale
cold-water line
robinet[M] d'arrêt[M]
shutoff valve
siphon[M]
trap
anneau[M] d'étanchéité[F] en cire[F]
wax seal
cuvette[F]
toilet bowl
tuyau[M] de chute[F]
waste pipe

PLOMBERIE[F]
PLUMBING

ROBINET[M]
STEM FAUCET; *BIB TAP*

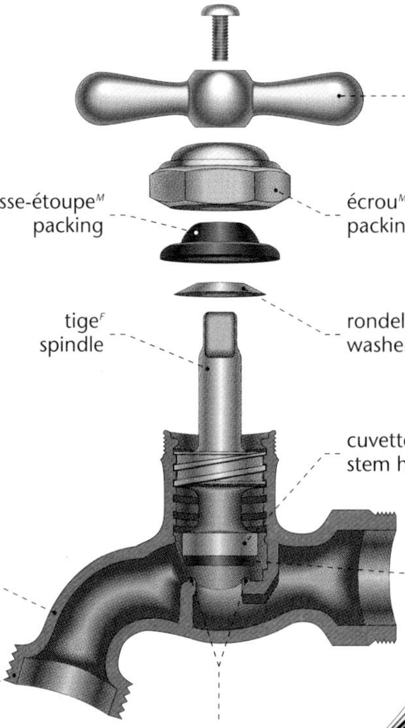
poignée[F]
handle
presse-étoupe[M]
packing
écrou[M] du presse-étoupe[M]
packing nut
tige[F]
spindle
rondelle[F]
washer
cuvette[F] porte-clapet[M]
stem holder
bec[M]
spout
clapet[M]
stem washer
filetage[M]
thread
siège[M]
valve seat

MITIGEUR[M] À BILLE[F] CREUSE
BALL-TYPE FAUCET;
BALL-TYPE TAP

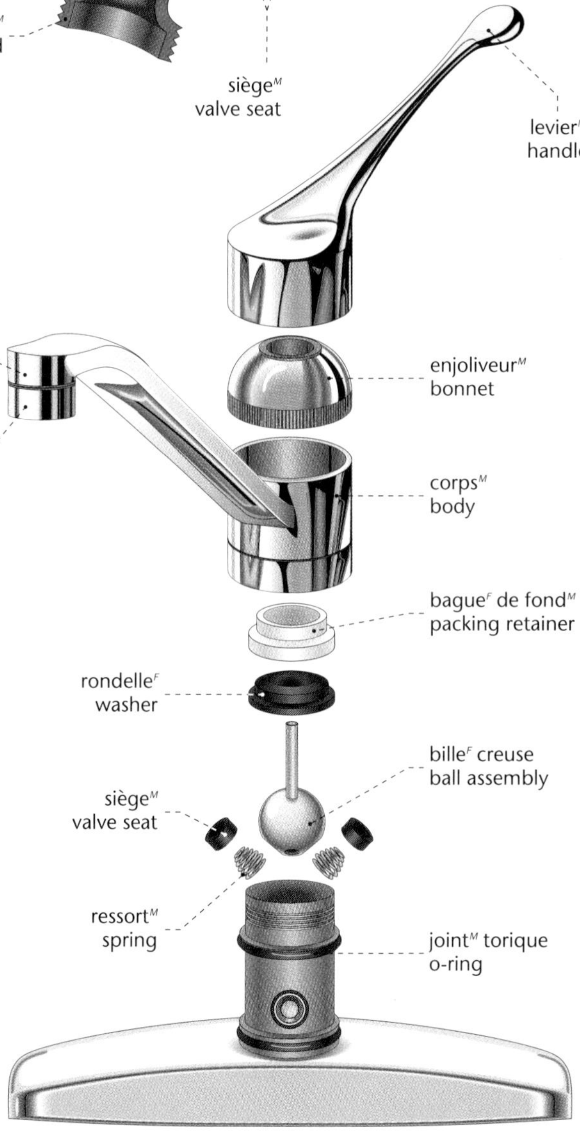
levier[M]
handle
bec[M]
spout
enjoliveur[M]
bonnet
aérateur[M]
aerator
corps[M]
body
bague[F] de fond[M]
packing retainer ring
rondelle[F]
washer
bille[F] creuse
ball assembly
siège[M]
valve seat
ressort[M]
spring
joint[M] torique
o-ring

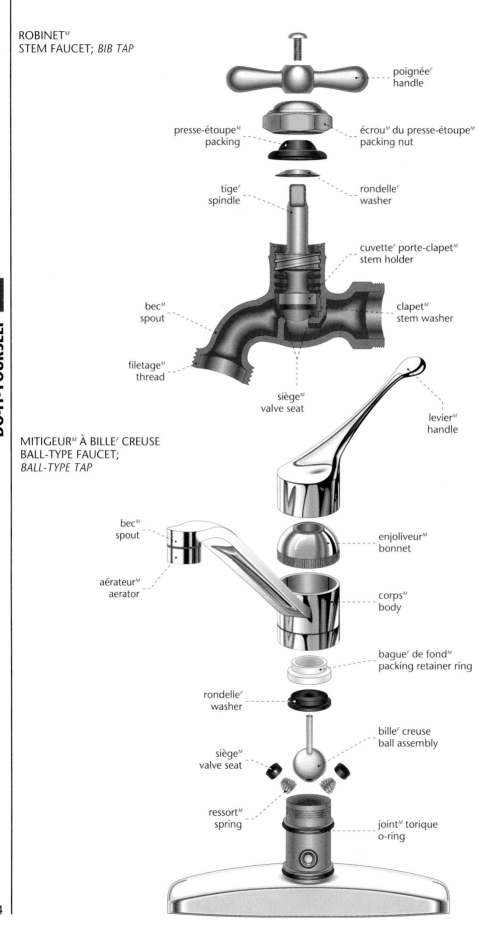

MITIGEUR[M] À DISQUE[M]
DISC FAUCET; *DISK TAP*

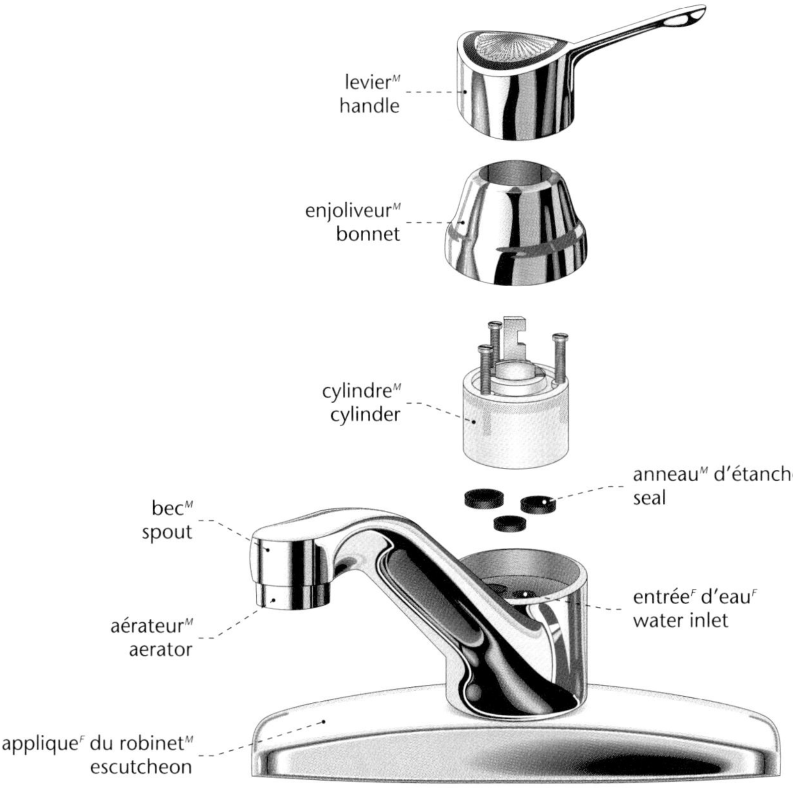
levier[M]
handle
enjoliveur[M]
bonnet
cylindre[M]
cylinder
anneau[M] d'étanchéité[F]
seal
bec[M]
spout
entrée[F] d'eau[F]
water inlet
aérateur[M]
aerator
applique[F] du robinet[M]
escutcheon

MITIGEUR[M] À CARTOUCHE[F]
CARTRIDGE FAUCET; *CARTRIDGE TAP*

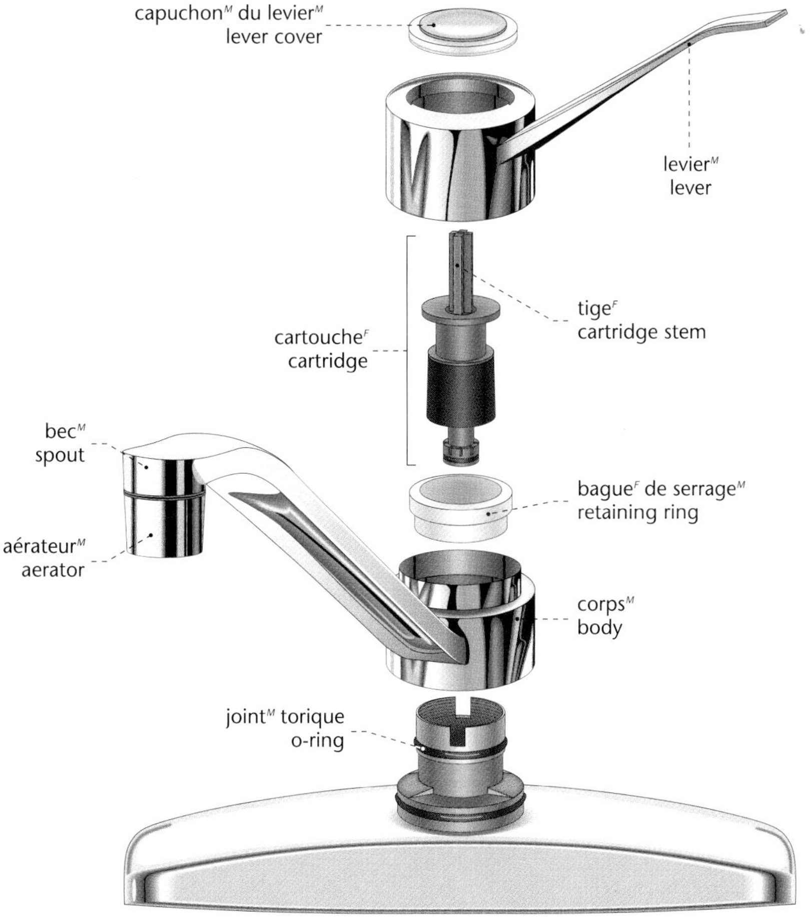
capuchon[M] du levier[M]
lever cover
levier[M]
lever
tige[F]
cartridge stem
cartouche[F]
cartridge
bec[M]
spout
bague[F] de serrage[M]
retaining ring
aérateur[M]
aerator
corps[M]
body
joint[M] torique
o-ring

ÉVIER[M]-BROYEUR[M]
GARBAGE DISPOSAL SINK

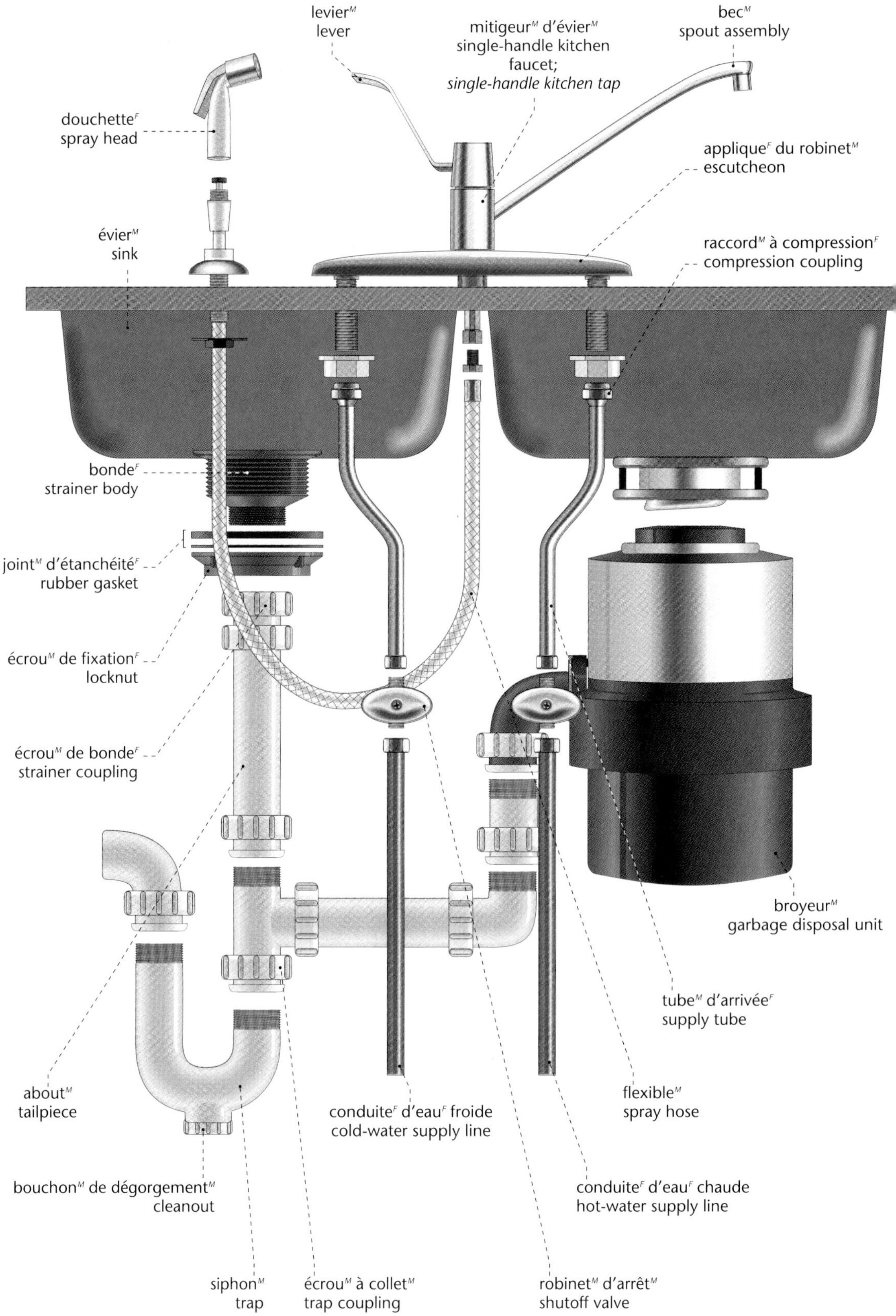

levier[M]
lever
mitigeur[M] d'évier[M]
single-handle kitchen faucet;
single-handle kitchen tap
bec[M]
spout assembly
douchette[F]
spray head
applique[F] du robinet[M]
escutcheon
évier[M]
sink
raccord[M] à compression[F]
compression coupling
bonde[F]
strainer body
joint[M] d'étanchéité[F]
rubber gasket
écrou[M] de fixation[F]
locknut
écrou[M] de bonde[F]
strainer coupling
broyeur[M]
garbage disposal unit
tube[M] d'arrivée[F]
supply tube
about[M]
tailpiece
conduite[F] d'eau[F] froide
cold-water supply line
flexible[M]
spray hose
bouchon[M] de dégorgement[M]
cleanout
conduite[F] d'eau[F] chaude
hot-water supply line
siphon[M]
trap
écrou[M] à collet[M]
trap coupling
robinet[M] d'arrêt[M]
shutoff valve

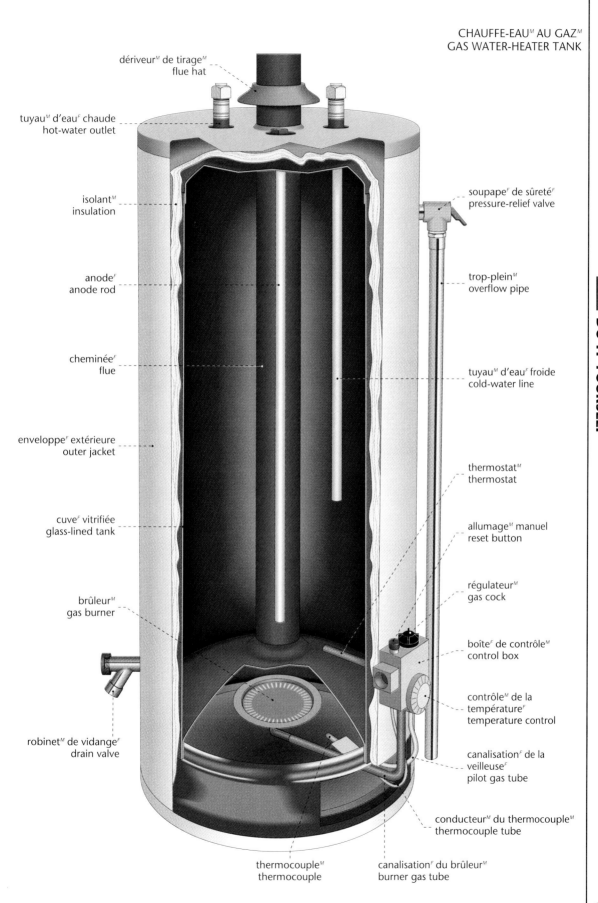

CHAUFFE-EAU[M] AU GAZ[M]
GAS WATER-HEATER TANK

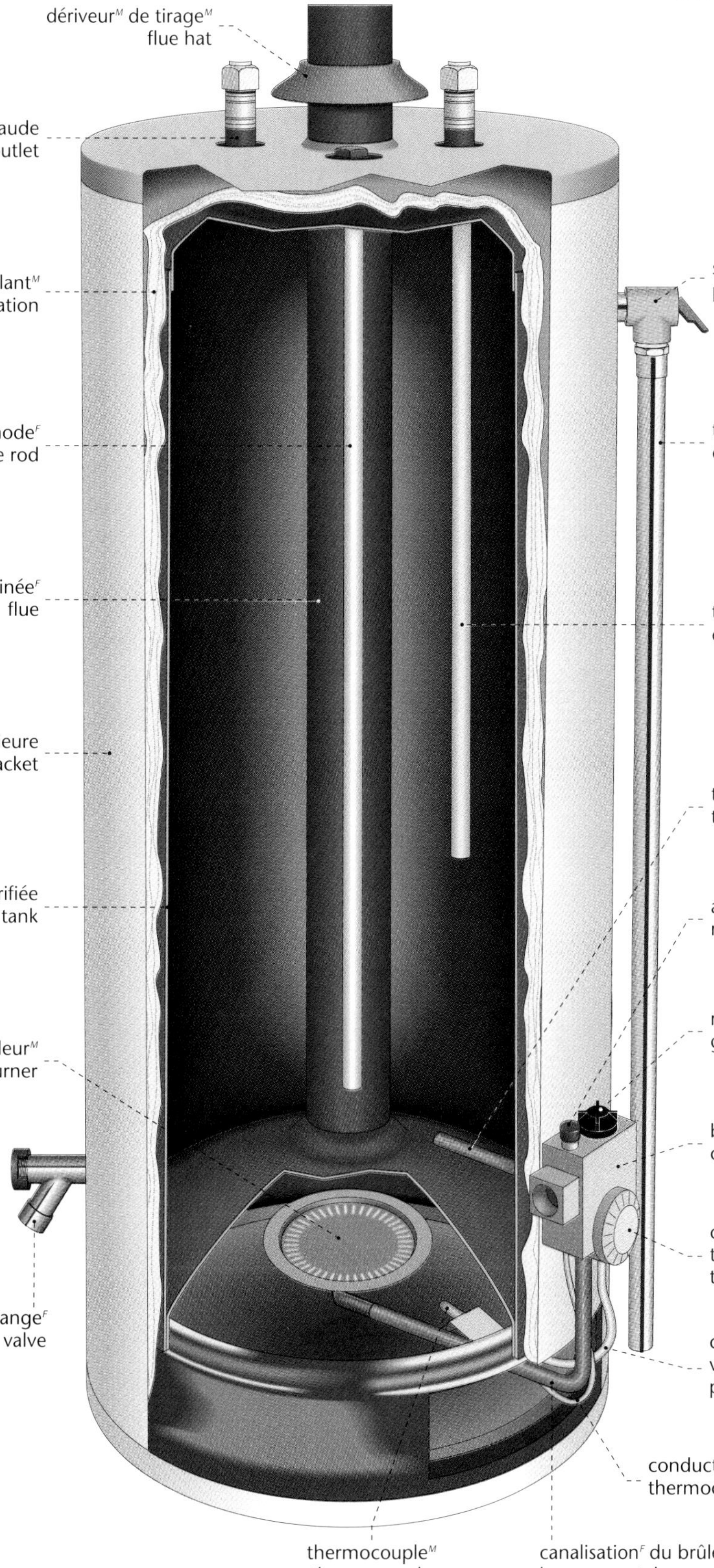
dériveur[M] de tirage[M]
flue hat
tuyau[M] d'eau[F] chaude
hot-water outlet
isolant[M]
insulation
anode[F]
anode rod
cheminée[F]
flue
enveloppe[F] extérieure
outer jacket
cuve[F] vitrifiée
glass-lined tank
brûleur[M]
gas burner
robinet[M] de vidange[F]
drain valve
thermocouple[M]
thermocouple
canalisation[F] du brûleur[M]
burner gas tube
conducteur[M] du thermocouple[M]
thermocouple tube
canalisation[F] de la veilleuse[F]
pilot gas tube
contrôle[M] de la température[F]
temperature control
boîte[F] de contrôle[M]
control box
régulateur[M]
gas cock
allumage[M] manuel
reset button
thermostat[M]
thermostat
tuyau[M] d'eau[F] froide
cold-water line
trop-plein[M]
overflow pipe
soupape[F] de sûreté[F]
pressure-relief valve

PLOMBERIE[F] : EXEMPLES[M] DE BRANCHEMENT[M]
PLUMBING: EXAMPLES OF BRANCHING

LAVE-LINGE[M] ; *LAVEUSE*[F]
WASHER; *WASHING MACHINE*

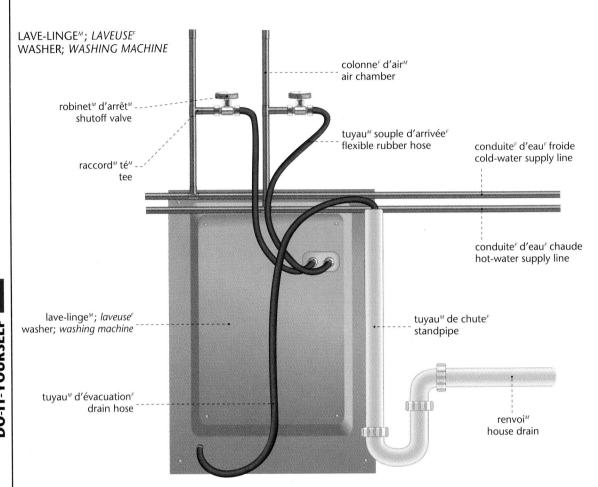

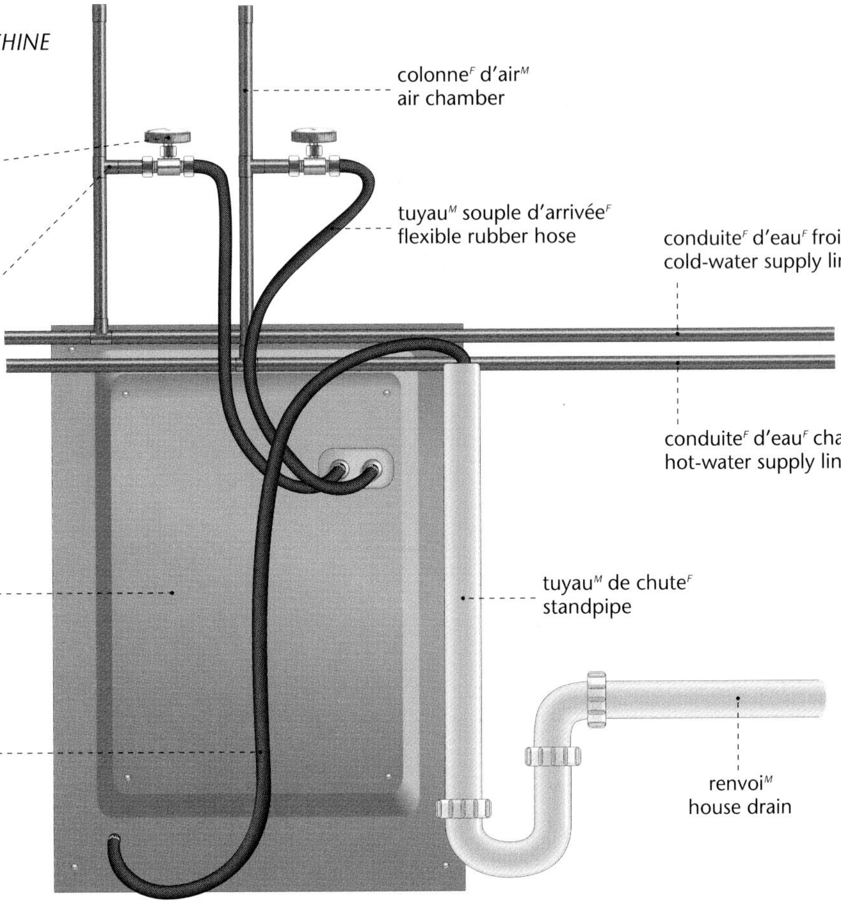
colonne[F] d'air[M]
air chamber
robinet[M] d'arrêt[M]
shutoff valve
tuyau[M] souple d'arrivée[F]
flexible rubber hose
conduite[F] d'eau[F] froide
cold-water supply line
raccord[M] té[M]
tee
conduite[F] d'eau[F] chaude
hot-water supply line
lave-linge[M] ; *laveuse*[F]
washer; *washing machine*
tuyau[M] de chute[F]
standpipe
tuyau[M] d'évacuation[F]
drain hose
renvoi[M]
house drain

LAVE-VAISSELLE[M]
DISHWASHER

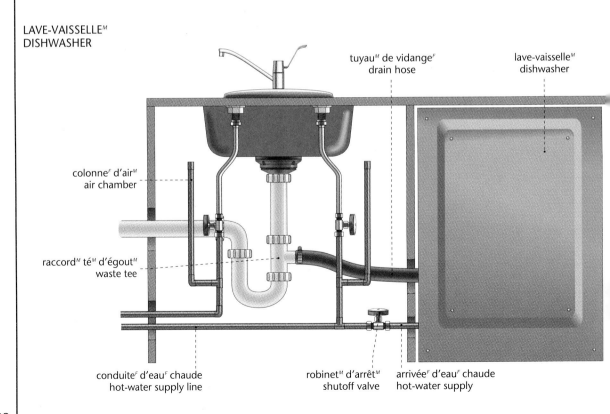

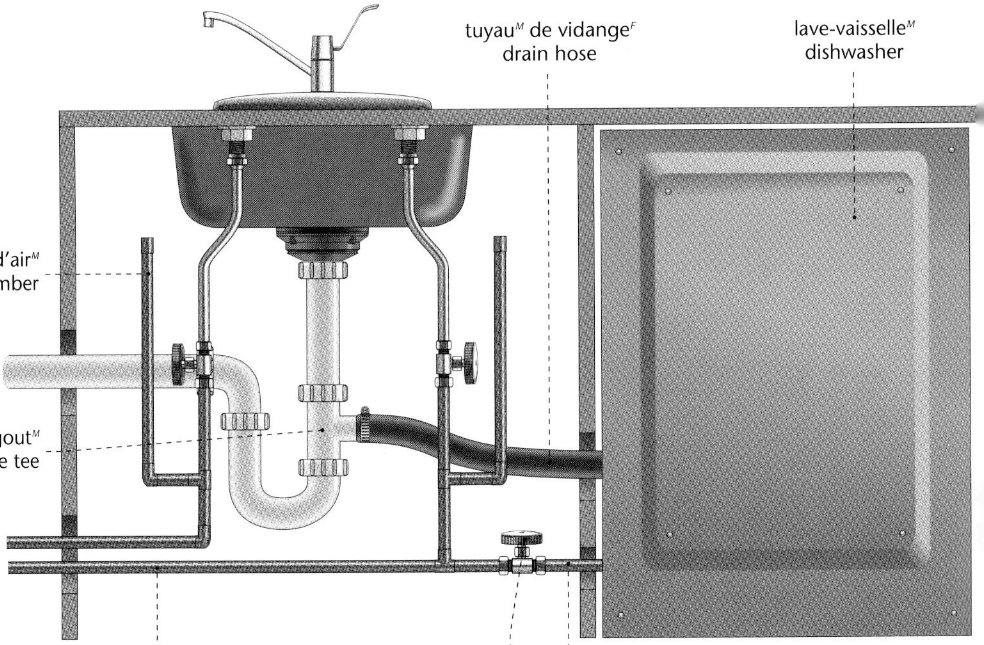
tuyau[M] de vidange[F]
drain hose
lave-vaisselle[M]
dishwasher
colonne[F] d'air[M]
air chamber
raccord[M] té[M] d'égout[M]
waste tee
conduite[F] d'eau[F] chaude
hot-water supply line
robinet[M] d'arrêt[M]
shutoff valve
arrivée[F] d'eau[F] chaude
hot-water supply

PLOMBERIE[F]
PLUMBING

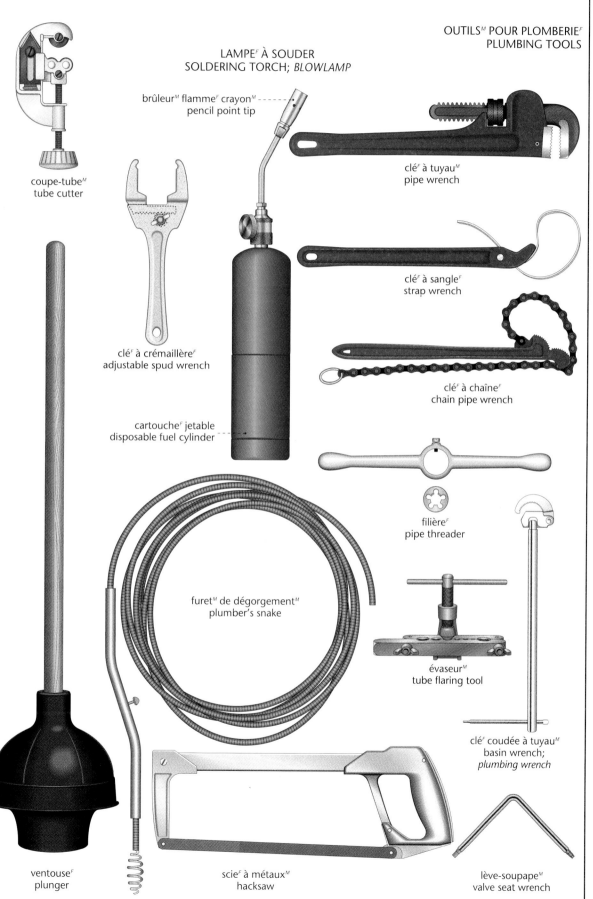

OUTILS[M] POUR PLOMBERIE[F]
PLUMBING TOOLS

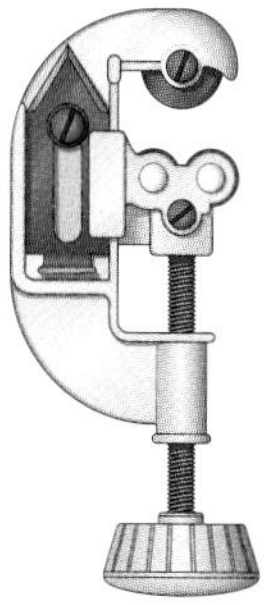

coupe-tube[M]
tube cutter

LAMPE[F] À SOUDER
SOLDERING TORCH; *BLOWLAMP*

brûleur[M] flamme[F] crayon[M]
pencil point tip

cartouche[F] jetable
disposable fuel cylinder

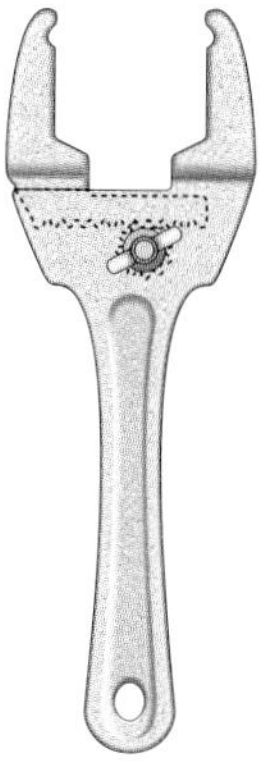

clé[F] à crémaillère[F]
adjustable spud wrench

clé[F] à tuyau[M]
pipe wrench

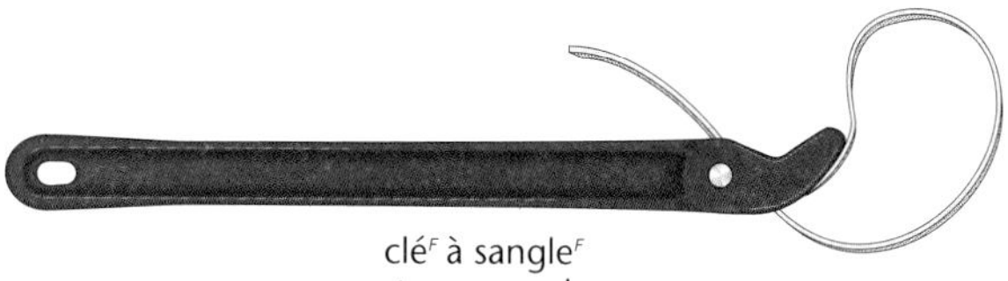

clé[F] à sangle[F]
strap wrench

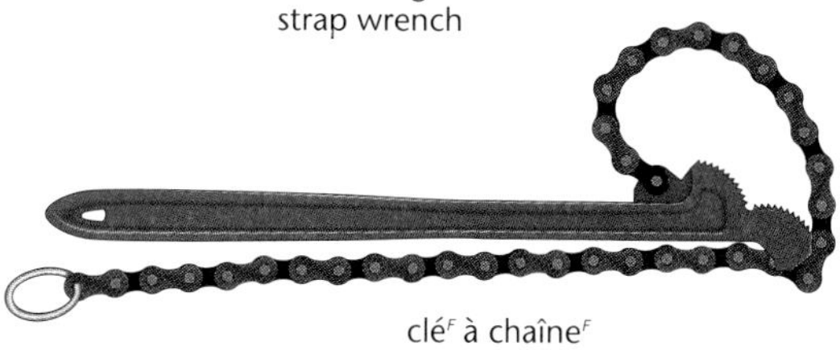

clé[F] à chaîne[F]
chain pipe wrench

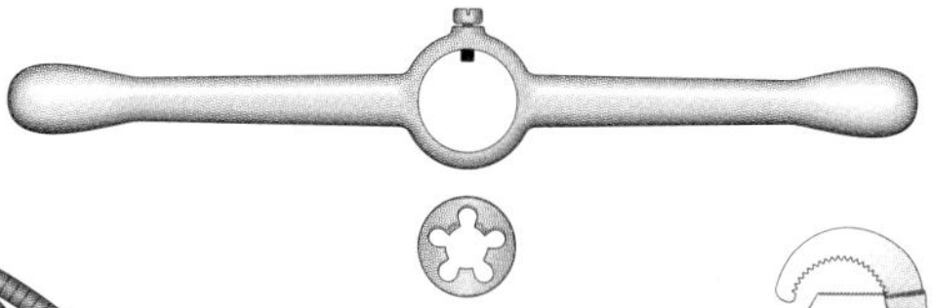

filière[F]
pipe threader

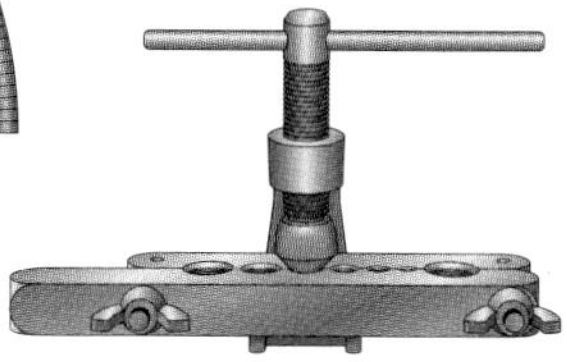

évaseur[M]
tube flaring tool

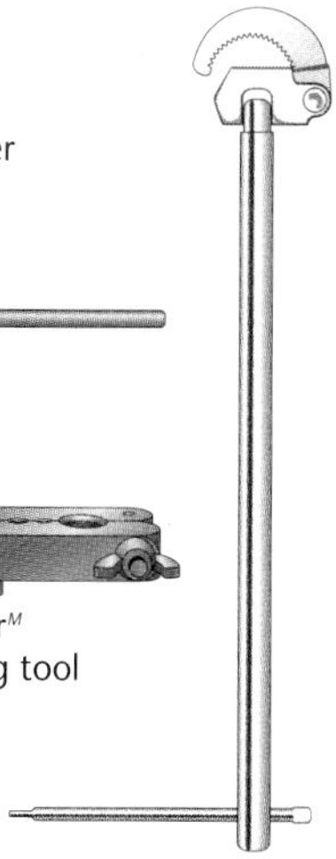

clé[F] coudée à tuyau[M]
basin wrench;
plumbing wrench

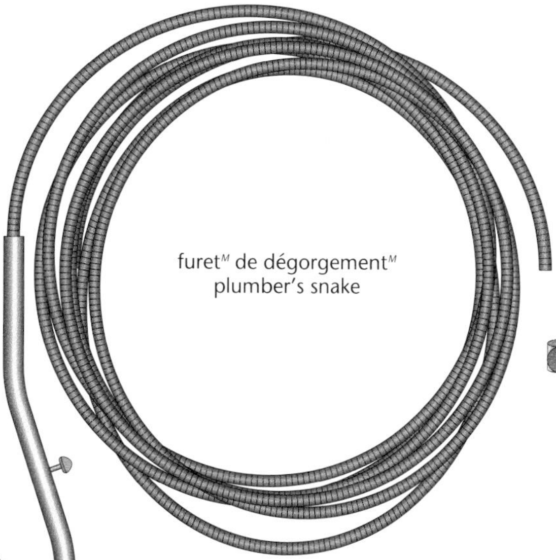

furet[M] de dégorgement[M]
plumber's snake

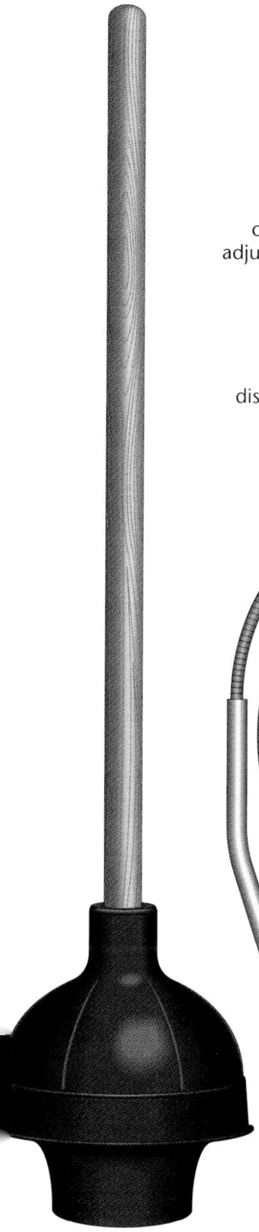

ventouse[F]
plunger

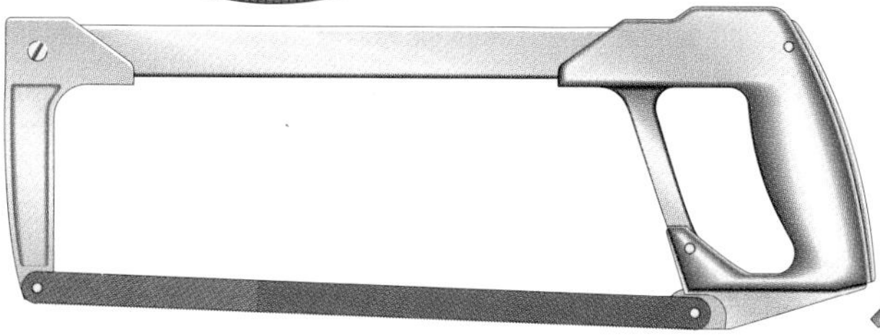

scie[F] à métaux[M]
hacksaw

lève-soupape[M]
valve seat wrench

PLOMBERIE[F]
PLUMBING

RACCORDS[M] MÉCANIQUES
MECHANICAL CONNECTORS

RACCORD[M] À COMPRESSION[F]
COMPRESSION FITTING

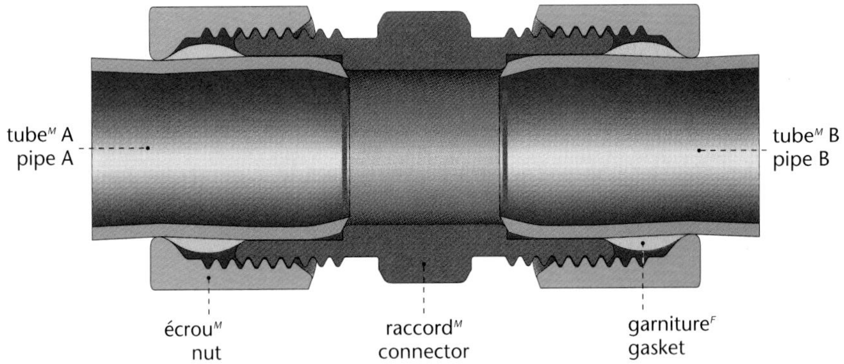
tube[M] A
pipe A
tube[M] B
pipe B
écrou[M]
nut
raccord[M]
connector
garniture[F]
gasket

RACCORD[M] À COLLET[M] REPOUSSÉ
FLARE JOINT

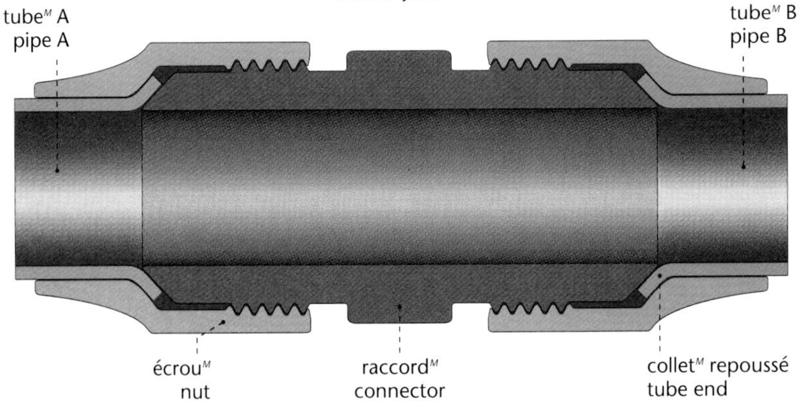
tube[M] A
pipe A
tube[M] B
pipe B
écrou[M]
nut
raccord[M]
connector
collet[M] repoussé
tube end

RACCORD[M] UNION[F]
UNION

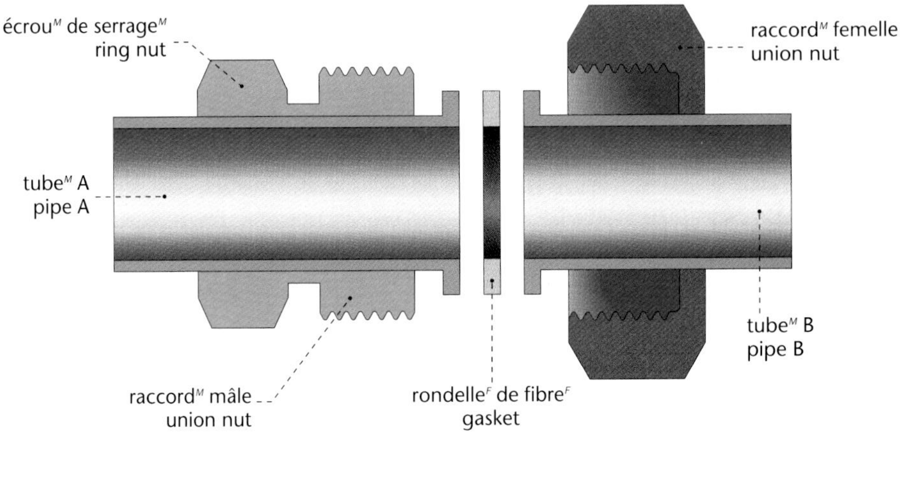
écrou[M] de serrage[M]
ring nut
raccord[M] femelle
union nut
tube[M] A
pipe A
tube[M] B
pipe B
raccord[M] mâle
union nut
rondelle[F] de fibre[F]
gasket

ADAPTEURS[M]
TRANSITION FITTINGS

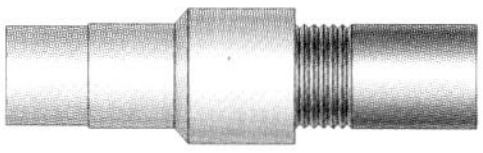

plastique[M] et acier[M]
steel to plastic

plastique[M] et cuivre[M]
copper to plastic

cuivre[M] et acier[M]
copper to steel

RACCORDS[M]
FITTINGS

coude[M] à 45°
45° elbow

coude[M]
elbow

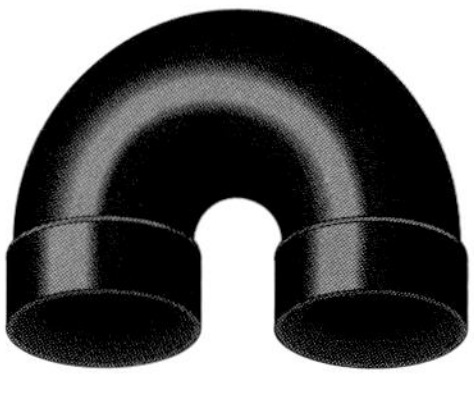

coude[M] à 180°
U-bend

té[M]
tee

culotte[F]
Y-branch

coude[M] de renvoi[M]
offset

siphon[M]
trap

uchon[M] mâle sans bourrelet[M]
square head plug

bouchon[M] femelle
cap

réduction[F] mâle-femelle
flush bushing

mamelon[M] double
nipple

raccord[M] de réduction[F]
reducing coupling

bouchon[M] femelle à visser
threaded cap

manchon[M]
pipe coupling

réduction[F] mâle-femelle
hexagonale
hexagon bushing

ÉCHELLES[F] ET ESCABEAUX[M]
LADDERS AND STEPLADDERS

ESCABEAU[M]
STEPLADDER

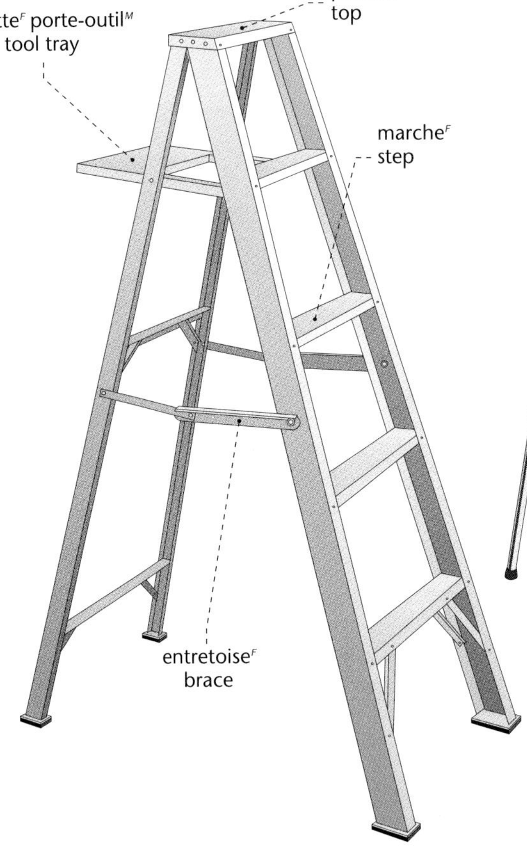
plateau[M]
top
tablette[F] porte-outil[M]
tool tray
marche[F]
step
entretoise[F]
brace

tabouret[M]-escabeau[M]
step stool

ÉCHELLE[F] COULISSANTE
EXTENSION LADDER

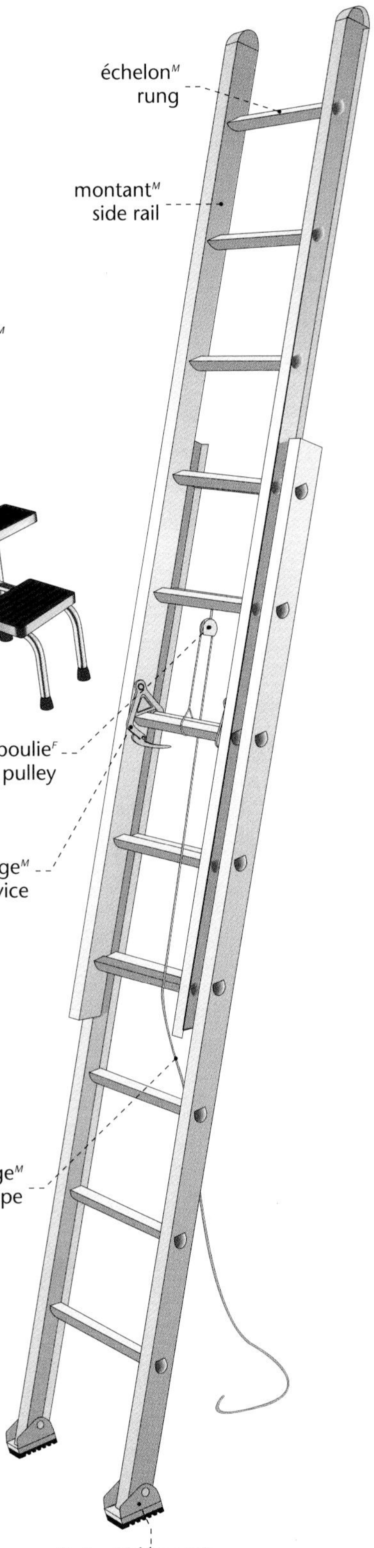
échelon[M]
rung
montant[M]
side rail
poulie[F]
pulley
dispositif[M] de blocage[M]
locking device
corde[F] de tirage[M]
hoisting rope
patin[M] antidérapant
anti-slip shoe

MARCHEPIED[M]
PLATFORM LADDER

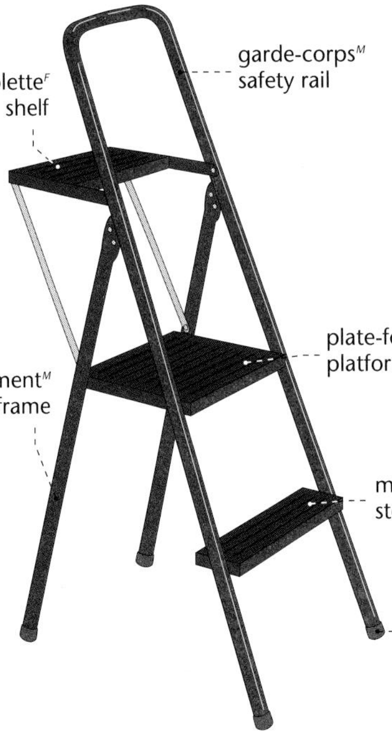
garde-corps[M]
safety rail
tablette[F]
shelf
plate-forme[F]
platform
piètement[M]
frame
marche[F]
step
embout[M]
rubber tip; *rubber ferrule*

échelle[F] droite
straight ladder

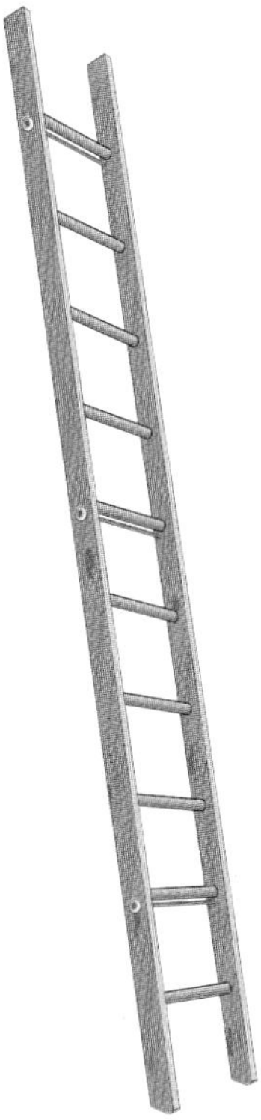

échelle[F] escamotable
foldaway ladder

échelle[F] à crochets[M]
hook ladder

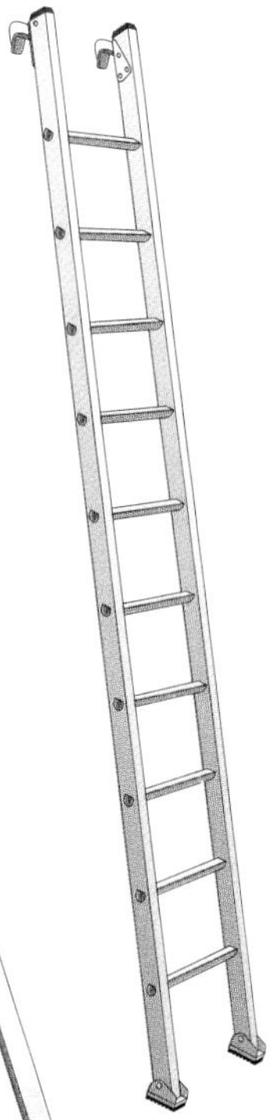

échelle[F] de corde[F]
rope ladder

échelle[F] transformable
multi-purpose ladder

échelle[F] d'échafaudage[M]
ladder scaffold

échelle[F] fruitière
fruit-picking ladder

échelle[F] roulante
rolling ladder

PEINTURE[F] D'ENTRETIEN[M]
PAINTING UPKEEP

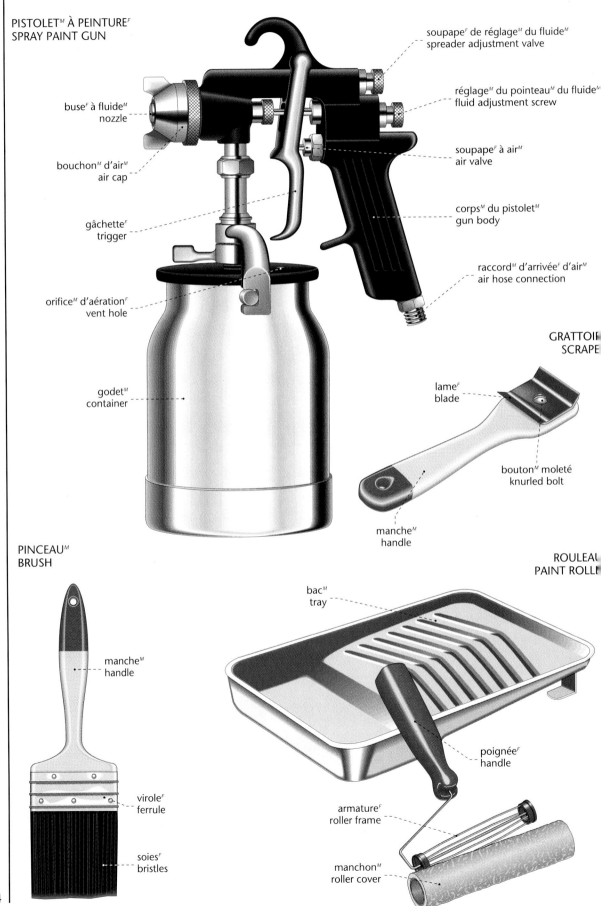

PISTOLET[M] À PEINTURE[F]
SPRAY PAINT GUN

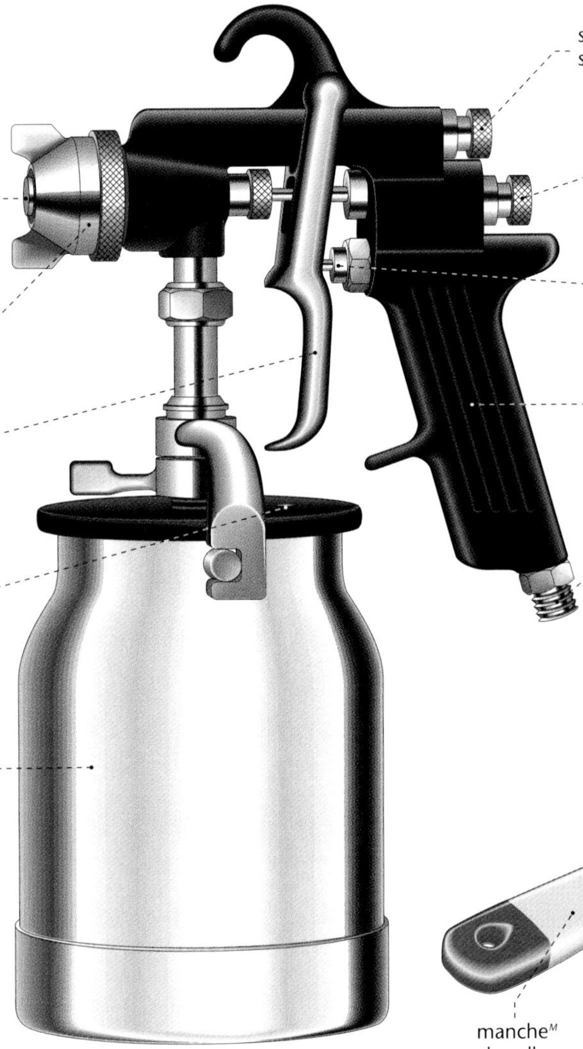
soupape[F] de réglage[M] du fluide[M]
spreader adjustment valve
réglage[M] du pointeau[M] du fluide[M]
fluid adjustment screw
buse[F] à fluide[M]
nozzle
soupape[F] à air[M]
air valve
bouchon[M] d'air[M]
air cap
corps[M] du pistolet[M]
gun body
gâchette[F]
trigger
raccord[M] d'arrivée[F] d'air[M]
air hose connection
orifice[M] d'aération[F]
vent hole
godet[M]
container

GRATTOIR
SCRAPER

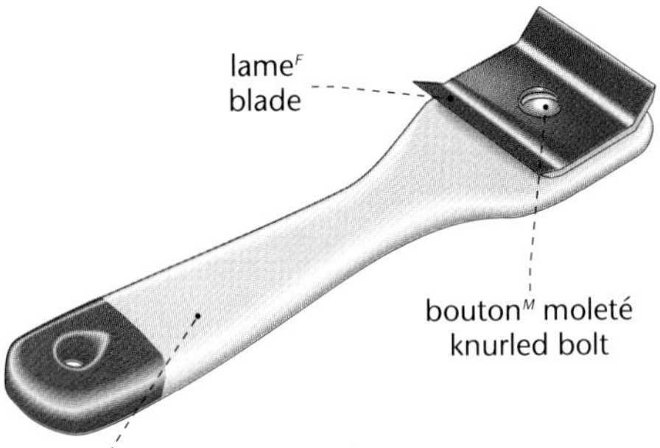
lame[F]
blade
bouton[M] moleté
knurled bolt
manche[M]
handle

PINCEAU[M]
BRUSH

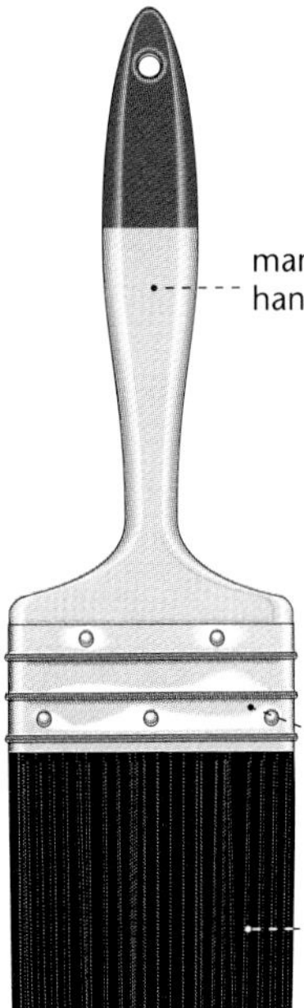
manche[M]
handle
virole[F]
ferrule
soies[F]
bristles

ROULEAU
PAINT ROLLER

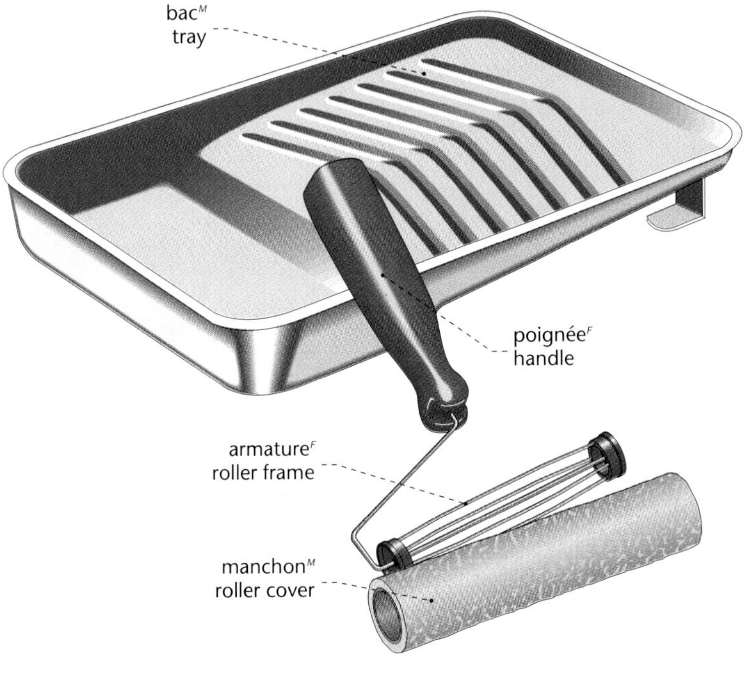
bac[M]
tray
poignée[F]
handle
armature[F]
roller frame
manchon[M]
roller cover

SOUDAGE[M]
SOLDERING AND WELDING

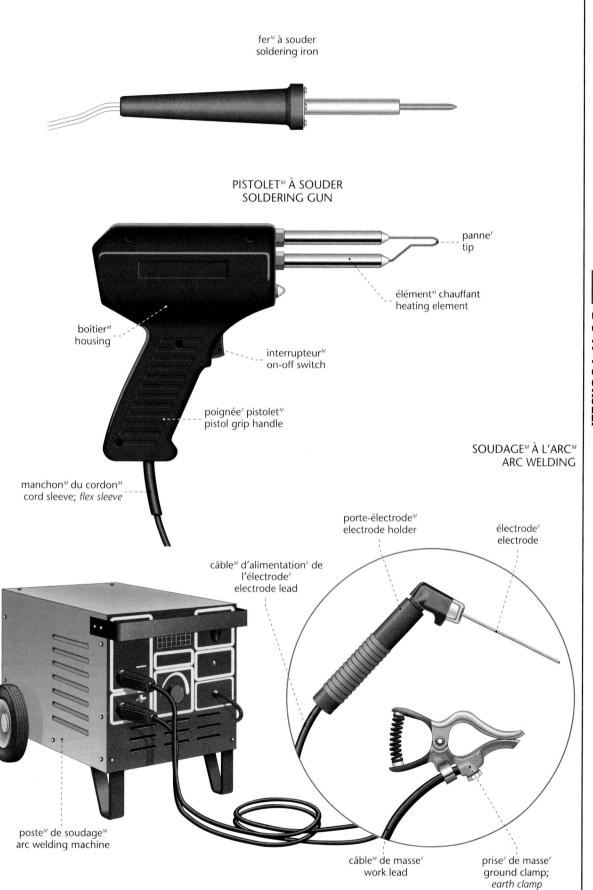

fer[M] à souder
soldering iron

PISTOLET[M] À SOUDER
SOLDERING GUN

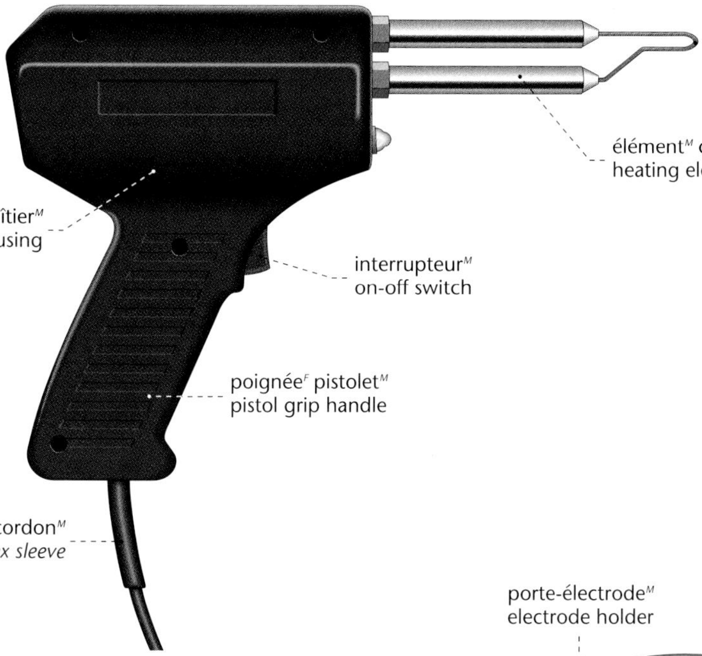
panne[F]
tip
élément[M] chauffant
heating element
boîtier[M]
housing
interrupteur[M]
on-off switch
poignée[F] pistolet[M]
pistol grip handle
manchon[M] du cordon[M]
cord sleeve; *flex sleeve*

SOUDAGE[M] À L'ARC[M]
ARC WELDING

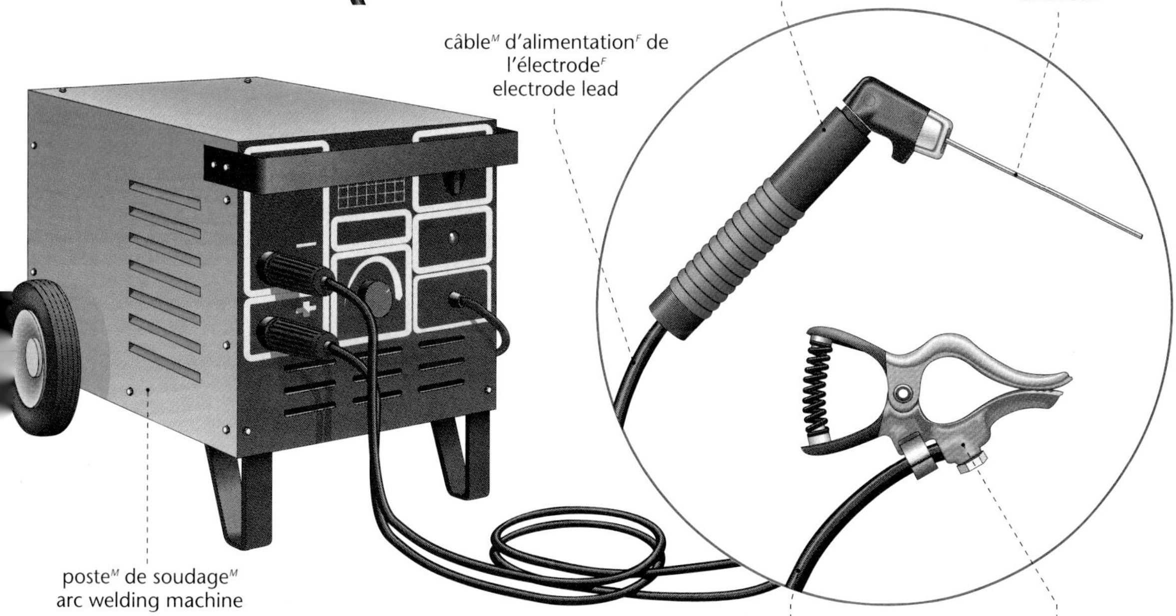
porte-électrode[M]
electrode holder
électrode[F]
electrode
câble[M] d'alimentation[F] de l'électrode[F]
electrode lead
poste[M] de soudage[M]
arc welding machine
câble[M] de masse[F]
work lead
prise[F] de masse[F]
ground clamp;
earth clamp

SOUDAGE^{M}
SOLDERING AND WELDING

CHALUMEAU^{M} COUPEUR
CUTTING TORCH

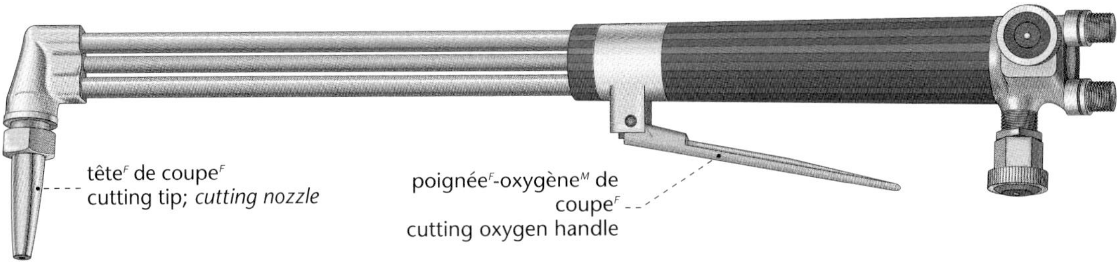
tête^{F} de coupe^{F}
cutting tip; *cutting nozzle*
poignée^{F}-oxygène^{M} de coupe^{F}
cutting oxygen handle

CHALUMEAU^{M} SOUDEUR
WELDING TORCH

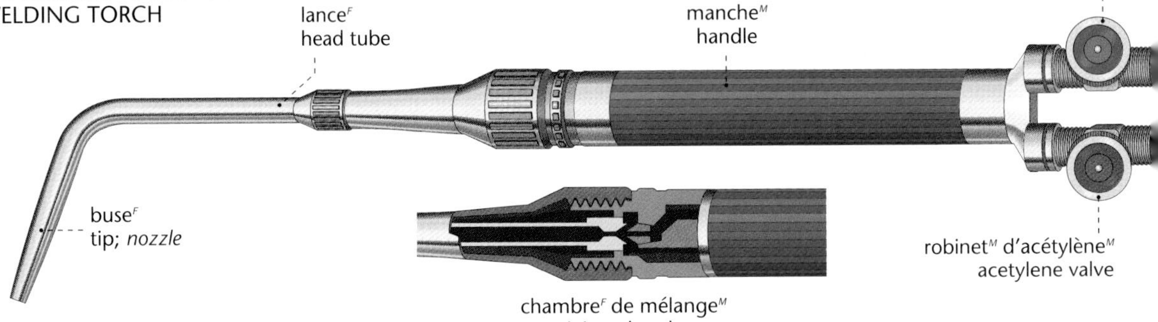
robinet^{M} d'oxygène^{M}
oxygen valve
lance^{F}
head tube
manche^{M}
handle
buse^{F}
tip; *nozzle*
robinet^{M} d'acétylène^{M}
acetylene valve
chambre^{F} de mélange^{M}
mixing chamber

SOUDAGE^{M} OXYACÉTYLÉNIQUE
OXYACETYLENE WELDING

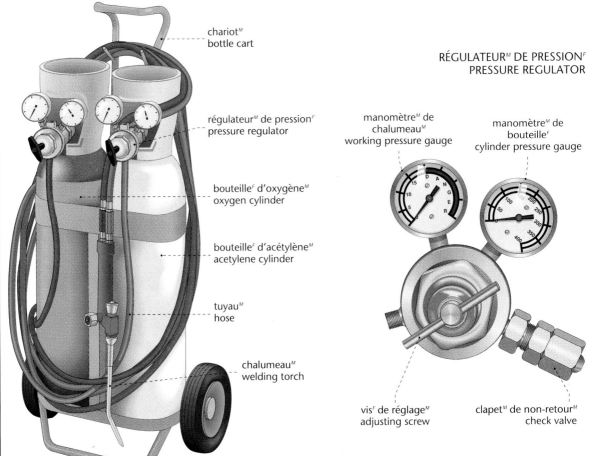

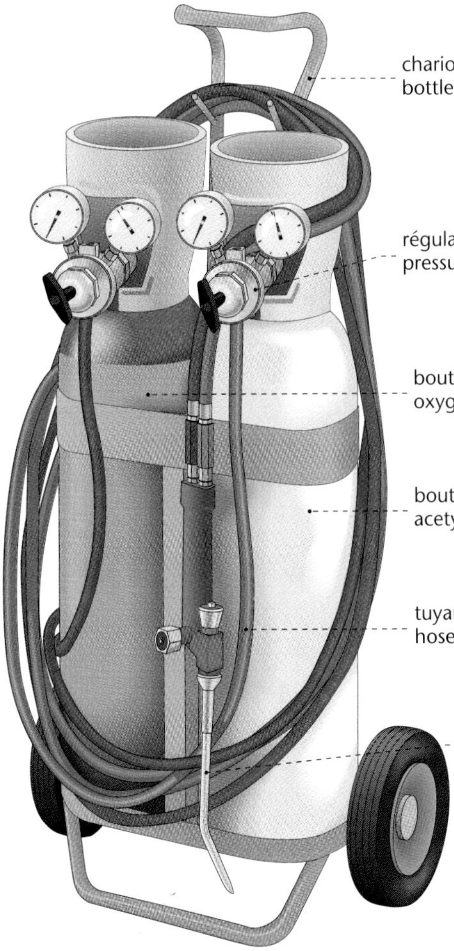
chariot^{M}
bottle cart
régulateur^{M} de pression^{F}
pressure regulator
bouteille^{F} d'oxygène^{M}
oxygen cylinder
bouteille^{F} d'acétylène^{M}
acetylene cylinder
tuyau^{M}
hose
chalumeau^{M}
welding torch

RÉGULATEUR^{M} DE PRESSION^{F}
PRESSURE REGULATOR

manomètre^{M} de chalumeau^{M}
working pressure gauge
manomètre^{M} de bouteille^{F}
cylinder pressure gauge
vis^{F} de réglage^{M}
adjusting screw
clapet^{M} de non-retour^{M}
check valve

SOUDAGE[M] BOUT[M] À BOUT[M]
BUTT WELDING

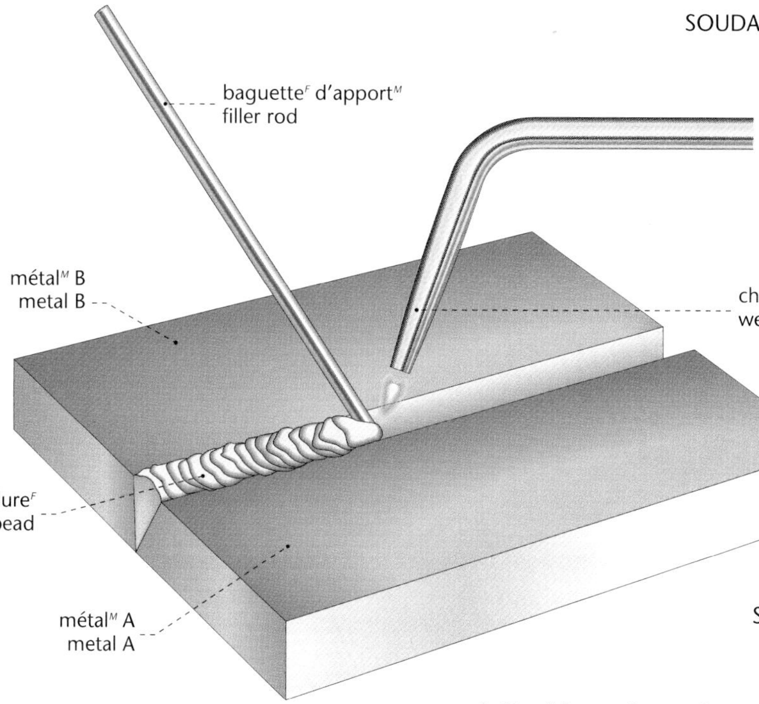
baguette[F] d'apport[M]
filler rod
métal[M] B
metal B
chalumeau[M] soudeur
welding torch
cordon[M] de soudure[F]
weld bead
métal[M] A
metal A

LAMPE[F] À SOUDER
SOLDERING TORCH; *BLOWLAMP*

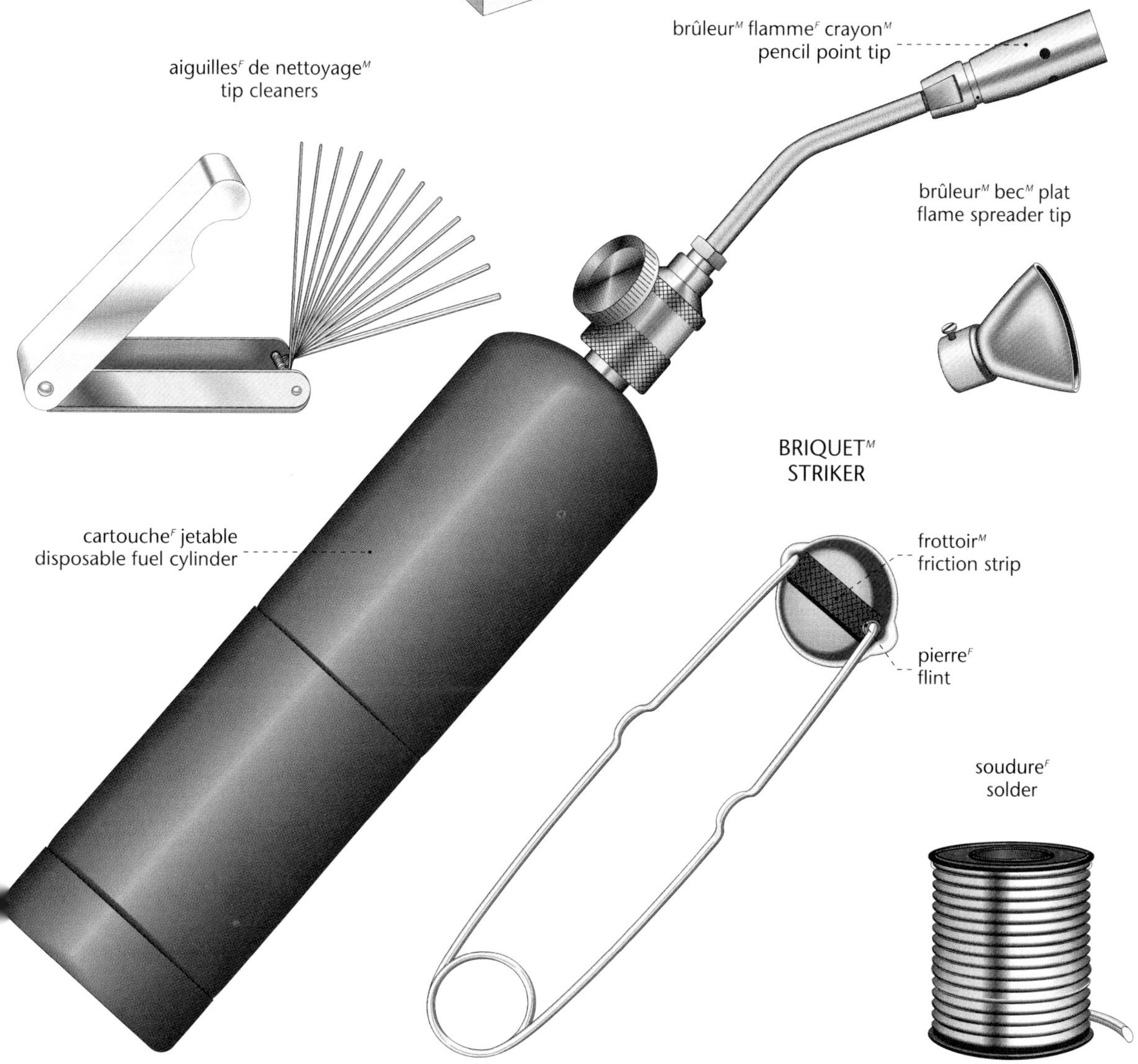
brûleur[M] flamme[F] crayon[M]
pencil point tip
aiguilles[F] de nettoyage[M]
tip cleaners
brûleur[M] bec[M] plat
flame spreader tip
cartouche[F] jetable
disposable fuel cylinder
BRIQUET[M]
STRIKER
frottoir[M]
friction strip
pierre[F]
flint
soudure[F]
solder

SOUDAGE[M] : ÉQUIPEMENT[M] DE PROTECTION[F]
SOLDERING AND WELDING: PROTECTIVE CLOTHING

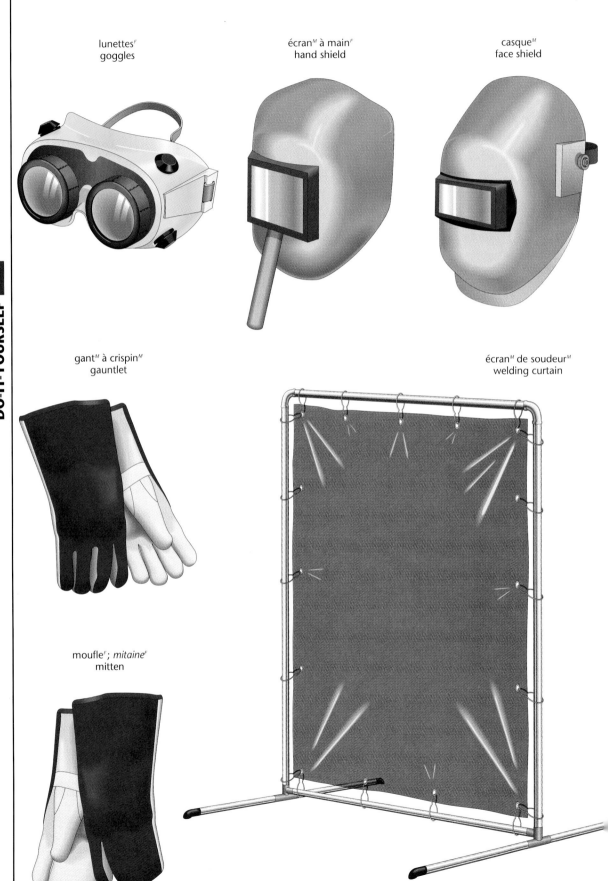

lunettes[F]
goggles

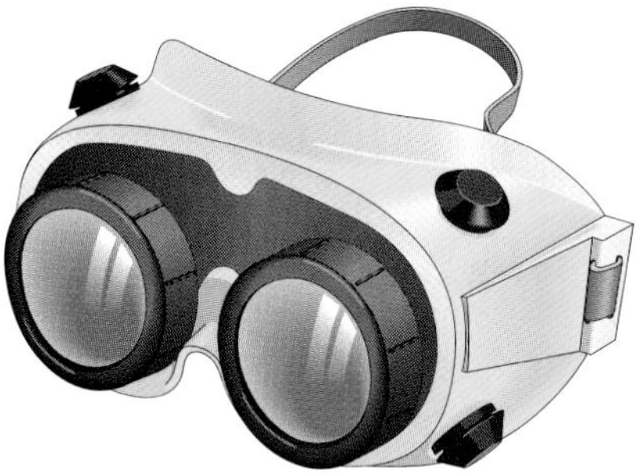

écran[M] à main[F]
hand shield

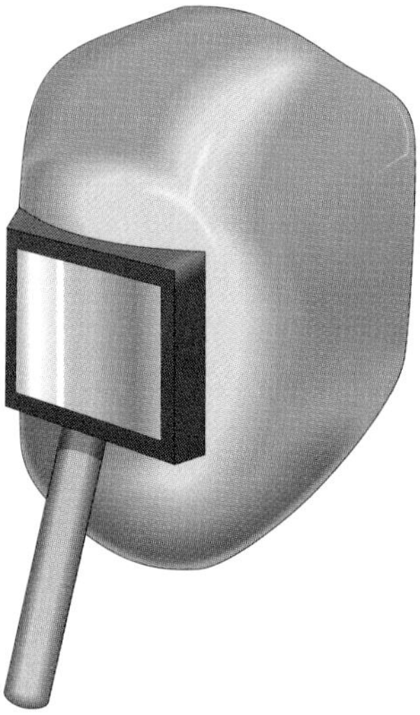

casque[M]
face shield

gant[M] à crispin[M]
gauntlet

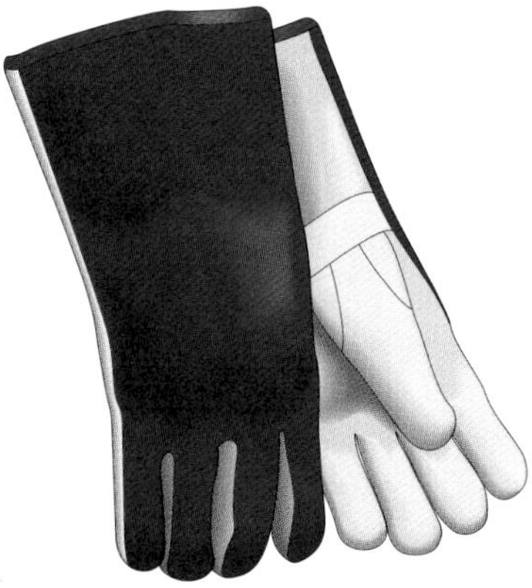

écran[M] de soudeur[M]
welding curtain

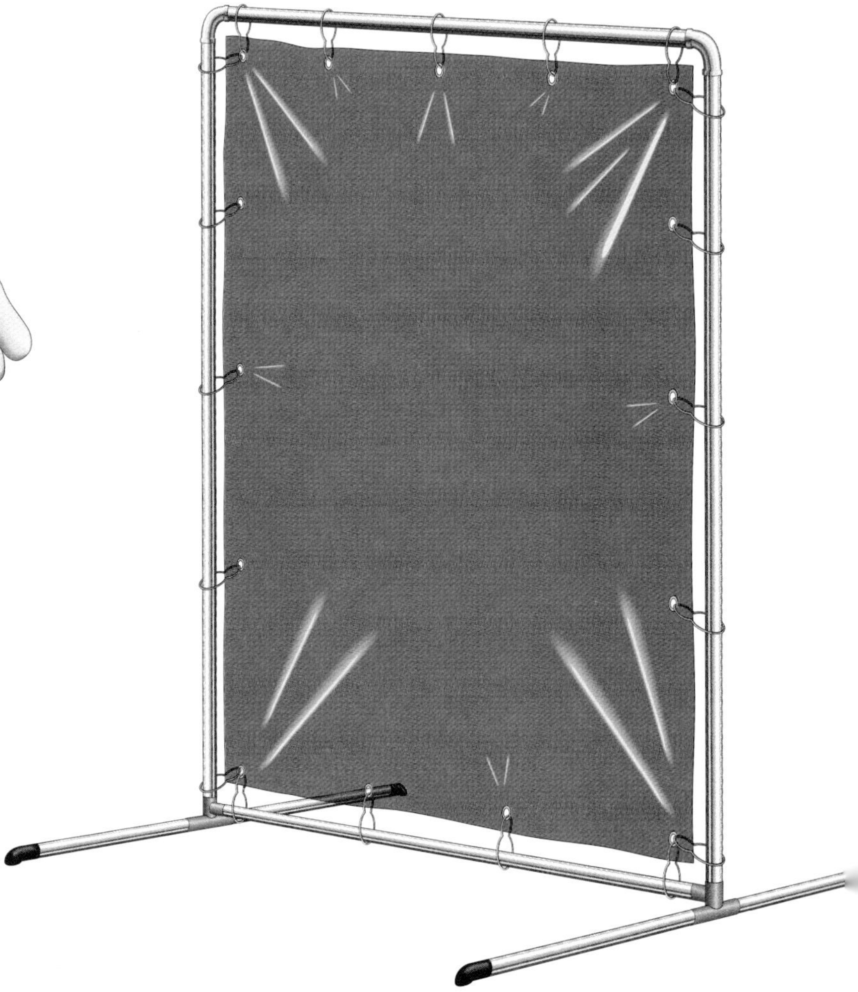

moufle[F]; *mitaine*[F]
mitten

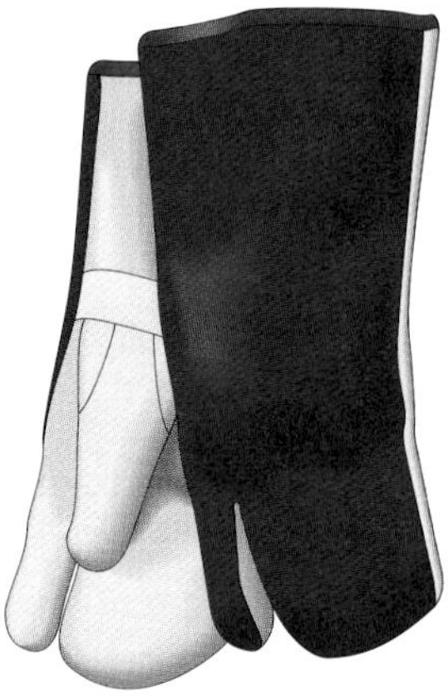

ÉLECTRICITÉ^F
ELECTRICITY

rhéostat^M
dimmer switch

plaque^F de commutateur^M
switch plate

DOUILLE^F DE LAMPE^F
LAMP SOCKET

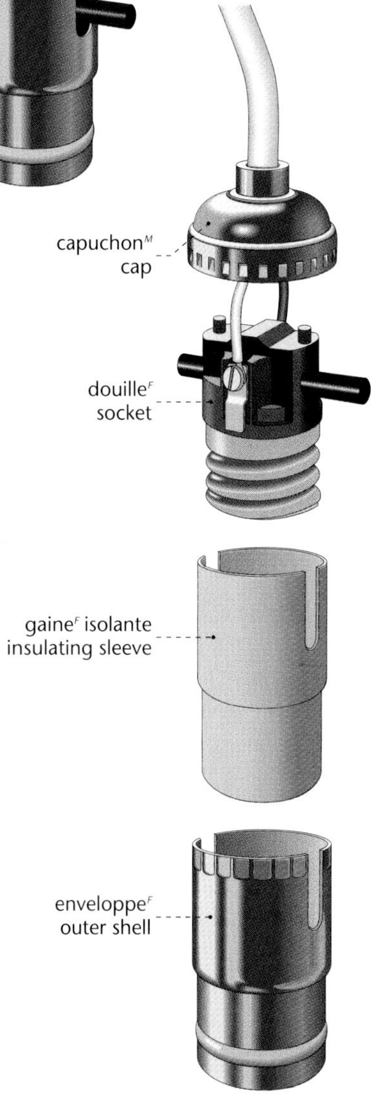
capuchon^M
cap
douille^F
socket
gaine^F isolante
insulating sleeve
enveloppe^F
outer shell

boîte^F électrique
electrical box

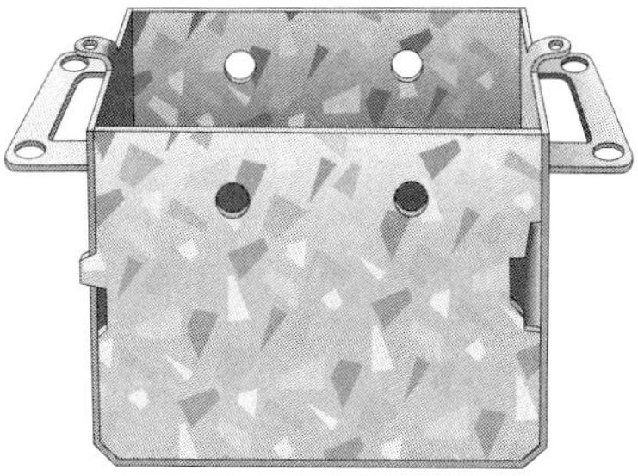

interrupteur^M
switch

prise^F de courant^M
outlet

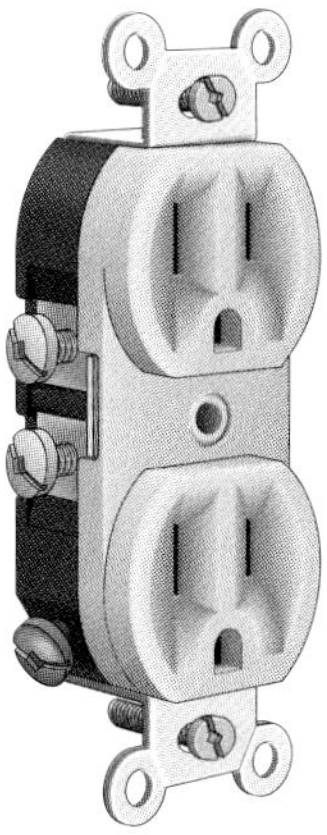

FICHE^F AMÉRICAINE
AMERICAN PLUG

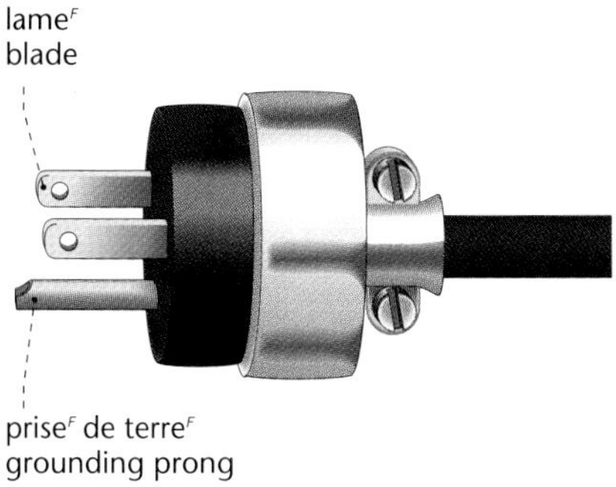
lame^F
blade
prise^F de terre^F
grounding prong

FICHE^F EUROPÉENNE
EUROPEAN PLUG

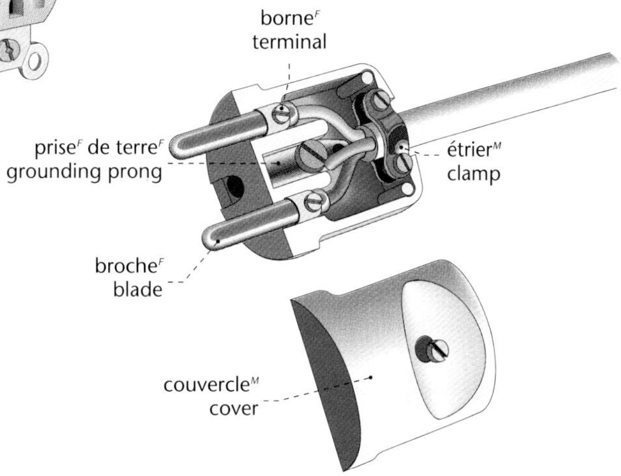
borne^F
terminal
prise^F de terre^F
grounding prong
étrier^M
clamp
broche^F
blade
couvercle^M
cover

BRICOLAGE
DO-IT-YOURSELF

ÉLECTRICITÉ^{F}
ELECTRICITY

OUTILS^{M} D'ÉLECTRICIEN^{M}
ELECTRICIAN'S TOOLS

MULTIMÈTRE^{M}
MULTIMETER

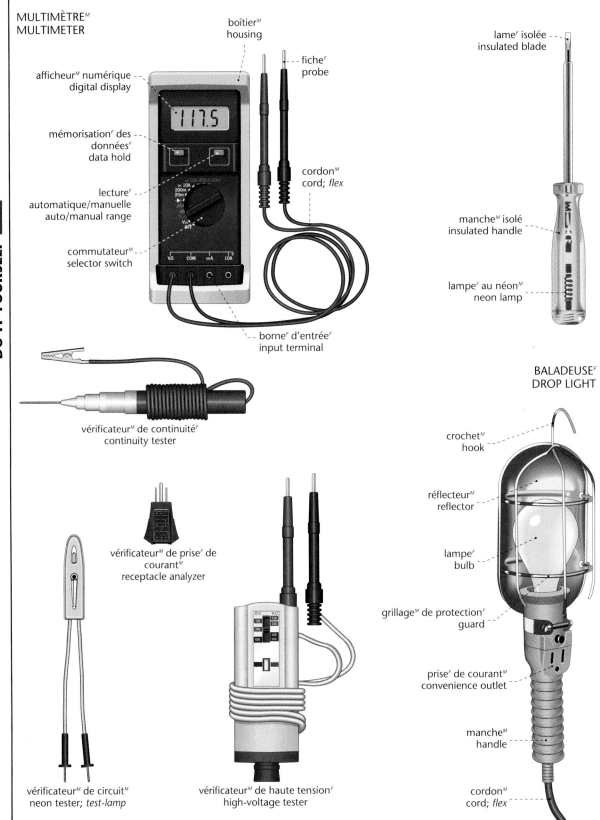

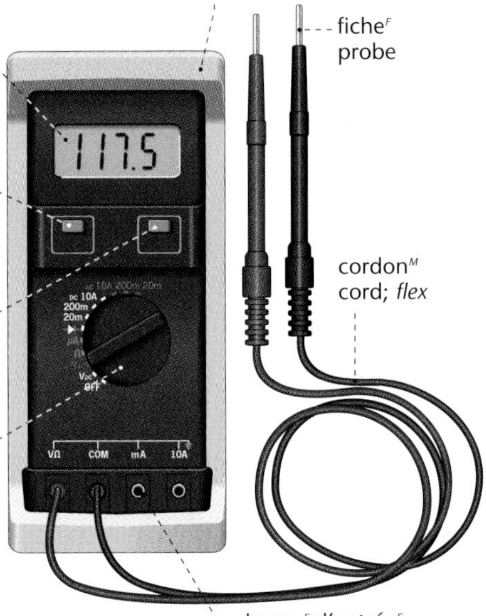
boîtier^{M}
housing
fiche^{F}
probe
afficheur^{M} numérique
digital display
mémorisation^{F} des données^{F}
data hold
cordon^{M}
cord; *flex*
lecture^{F} automatique/manuelle
auto/manual range
commutateur^{M}
selector switch
borne^{F} d'entrée^{F}
input terminal

vérificateur^{M} de continuité^{F}
continuity tester

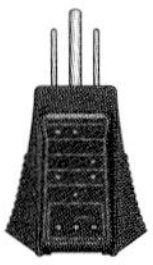

vérificateur^{M} de prise^{F} de courant^{M}
receptacle analyzer

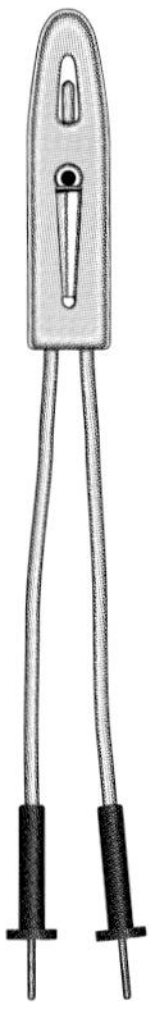

vérificateur^{M} de circuit^{M}
neon tester; *test-lamp*

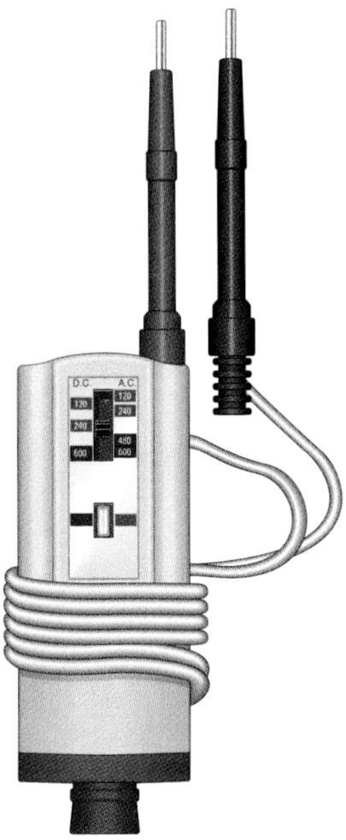

vérificateur^{M} de haute tension^{F}
high-voltage tester

VÉRIFICATEUR^{M} DE TENSION^{F}
VOLTAGE TESTER; *NEON SCREWDRIVER*

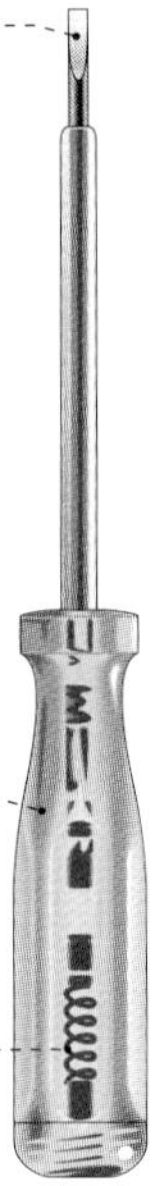
lame^{F} isolée
insulated blade
manche^{M} isolé
insulated handle
lampe^{F} au néon^{M}
neon lamp

BALADEUSE^{F}
DROP LIGHT

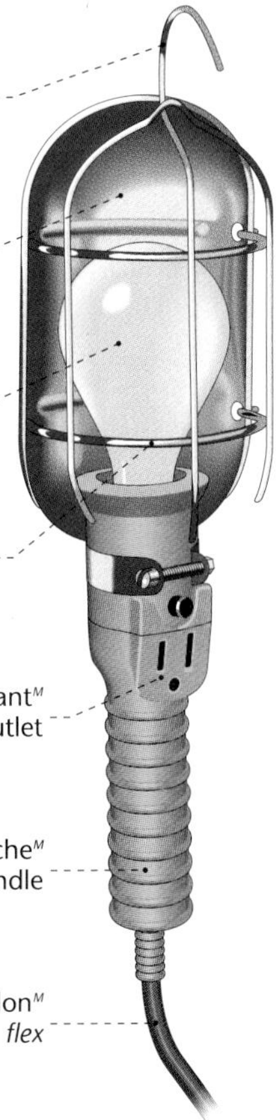
crochet^{M}
hook
réflecteur^{M}
reflector
lampe^{F}
bulb
grillage^{M} de protection^{F}
guard
prise^{F} de courant^{M}
convenience outlet
manche^{M}
handle
cordon^{M}
cord; *flex*

OUTILS[M] D'ÉLECTRICIEN[M]
ELECTRICIAN'S TOOLS

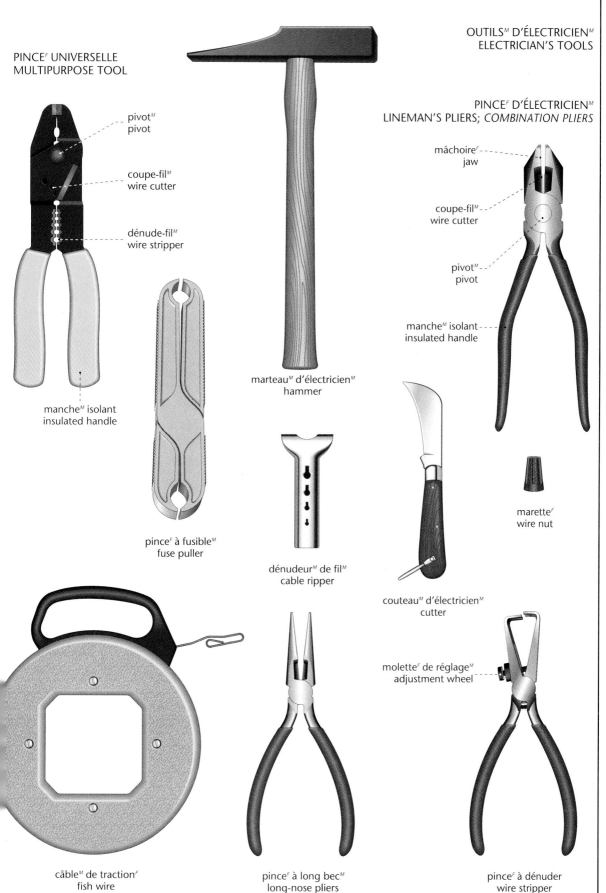

PINCE[F] UNIVERSELLE
MULTIPURPOSE TOOL

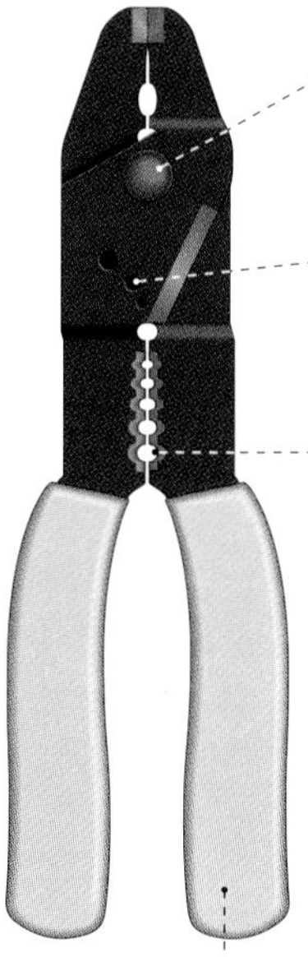

pivot[M]
pivot
coupe-fil[M]
wire cutter
dénude-fil[M]
wire stripper
manche[M] isolant
insulated handle

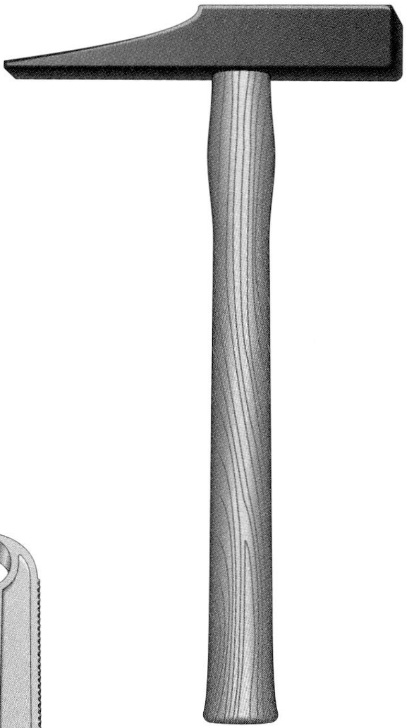

marteau[M] d'électricien[M]
hammer

PINCE[F] D'ÉLECTRICIEN[M]
LINEMAN'S PLIERS; *COMBINATION PLIERS*

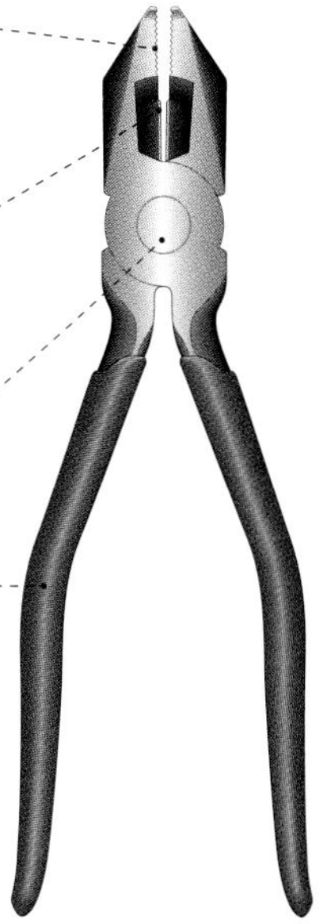

mâchoire[F]
jaw
coupe-fil[M]
wire cutter
pivot[M]
pivot
manche[M] isolant
insulated handle

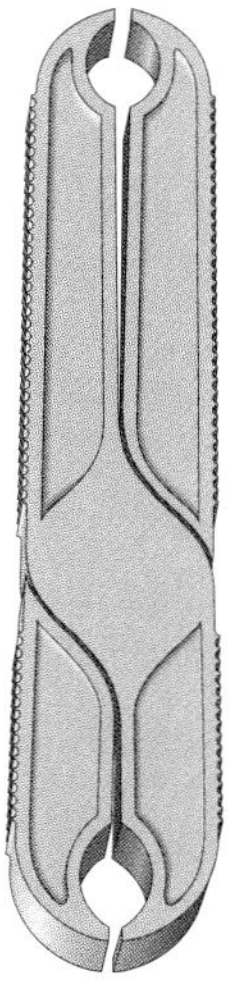

pince[F] à fusible[M]
fuse puller

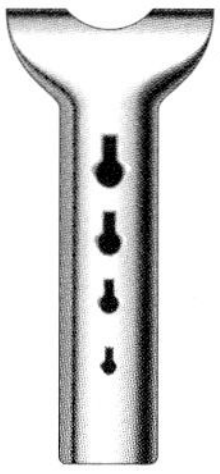

dénudeur[M] de fil[M]
cable ripper

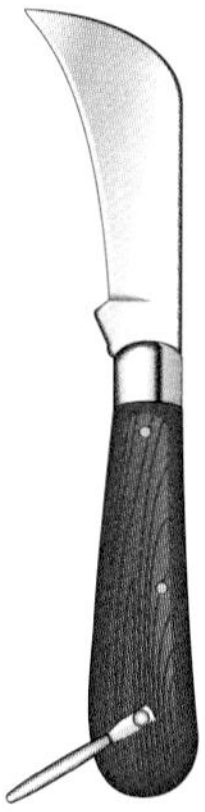

couteau[M] d'électricien[M]
cutter

marette[F]
wire nut

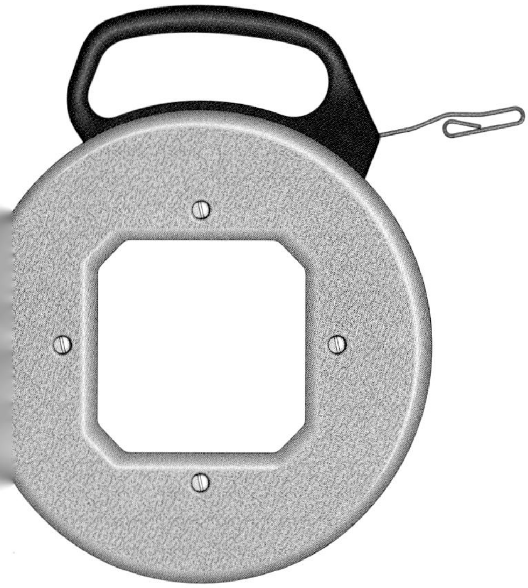

câble[M] de traction[F]
fish wire

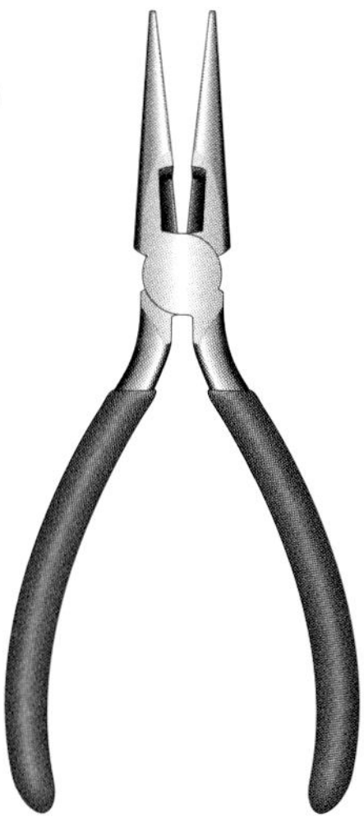

pince[F] à long bec[M]
long-nose pliers

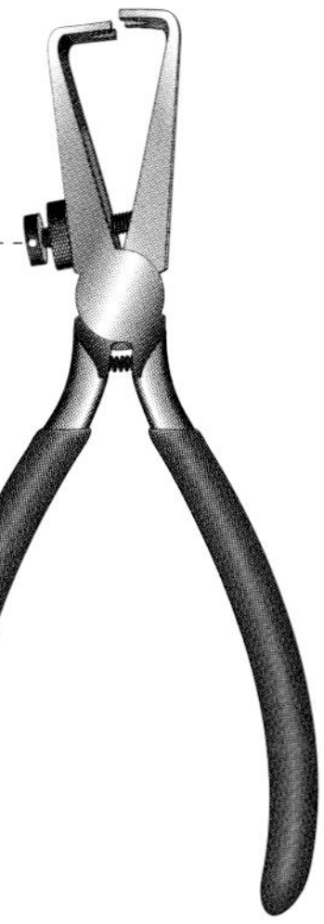

molette[F] de réglage[M]
adjustment wheel

pince[F] à dénuder
wire stripper

ÉLECTRICITÉ[F]
ELECTRICITY

TABLEAU[M] DE DISTRIBUTION[F]
FUSE BOX

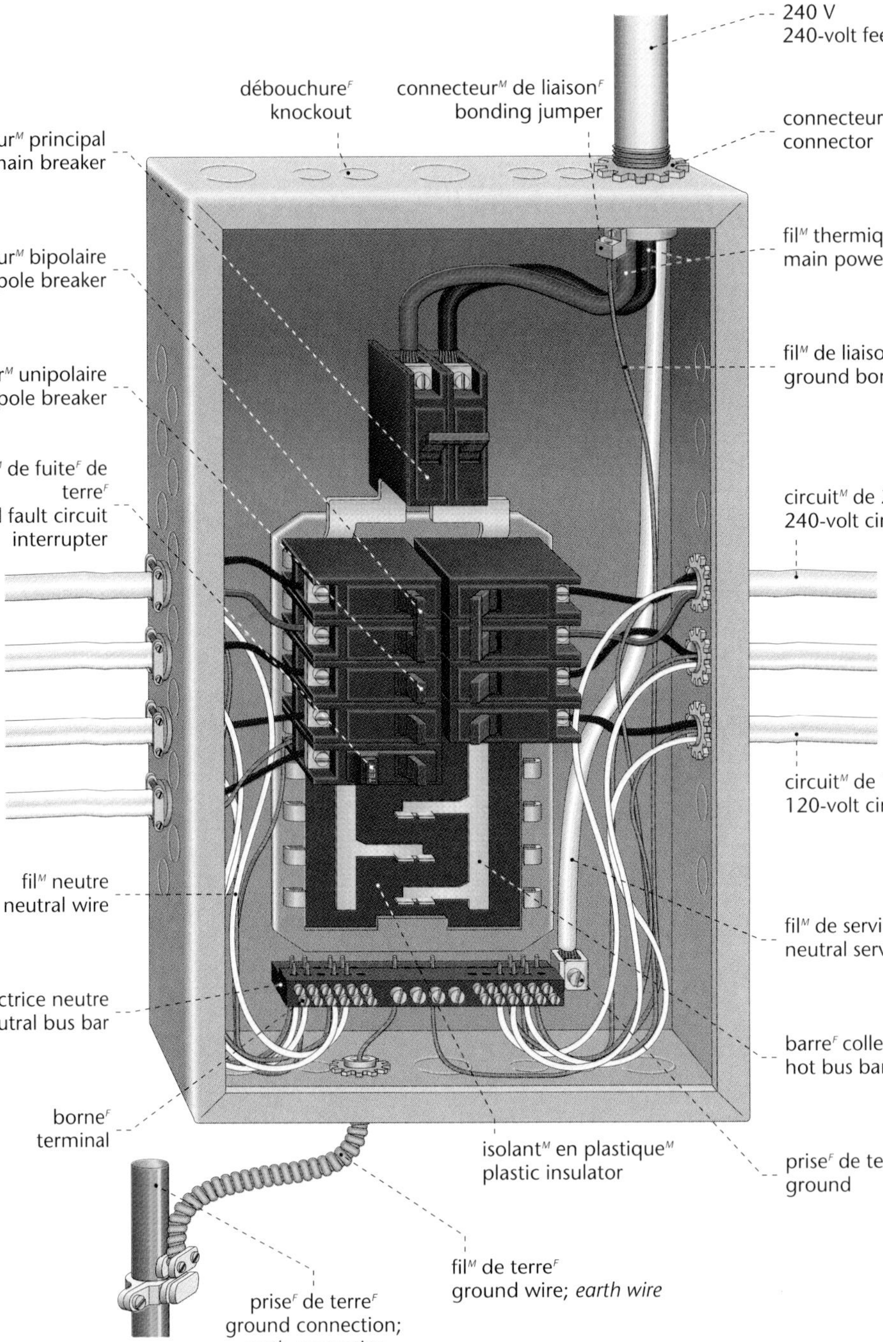
câble[M] d'alimentation[F] de 240 V
240-volt feeder cable
débouchure[F]
knockout
connecteur[M] de liaison[F]
bonding jumper
disjoncteur[M] principal
main breaker
connecteur[M]
connector
fil[M] thermique
main power cable
disjoncteur[M] bipolaire
double pole breaker
fil[M] de liaison[F]
ground bond
disjoncteur[M] unipolaire
single pole breaker
disjoncteur[M] de fuite[F] de terre[F]
ground fault circuit interrupter
circuit[M] de 240 V
240-volt circuit
circuit[M] de 120 V
120-volt circuit
fil[M] neutre
neutral wire
fil[M] de service[M] neutre
neutral service wire
barre[F] collectrice neutre
ground/neutral bus bar
barre[F] collectrice thermique
hot bus bar
borne[F]
terminal
isolant[M] en plastique[M]
plastic insulator
prise[F] de terre[F]
ground
fil[M] de terre[F]
ground wire; *earth wire*
prise[F] de terre[F]
ground connection;
earth connection

FUSIBLES[M]
FUSES

fusible[M]-cartouche[F]
cartridge fuse

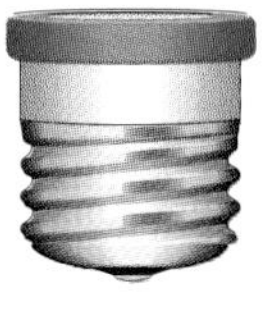

fusible[M] à culot[M]
plug fuse

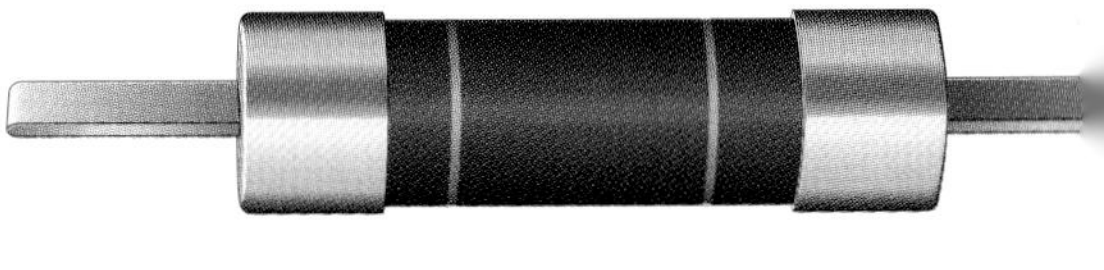

fusible[M]-cartouche[F] à lames[F]
knife-blade cartridge fuse

VÊTEMENTS • CLOTHING

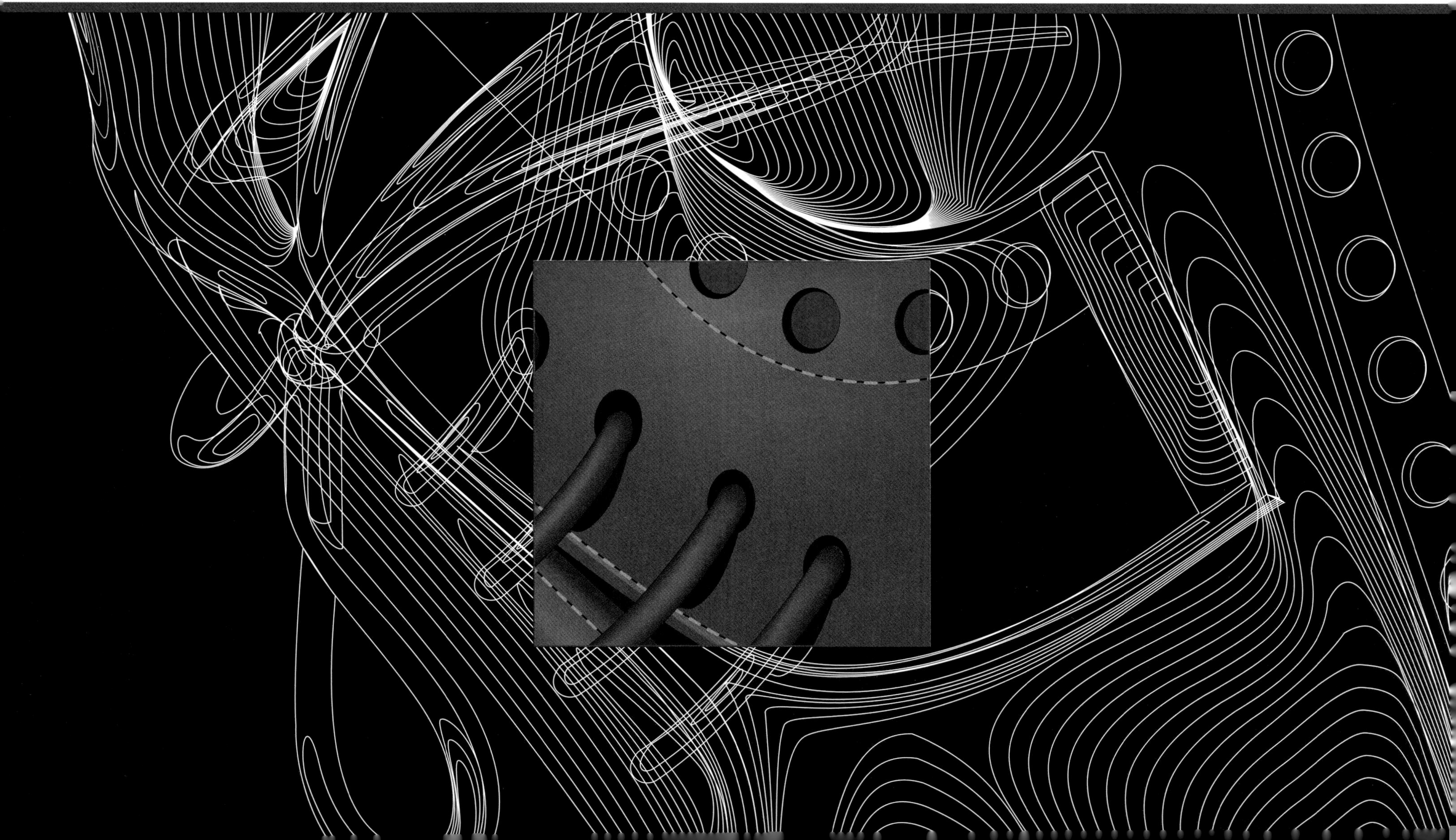

SOMMAIRE

ÉLÉMENTS[M] DU COSTUME[M] ANCIEN
ELEMENTS OF ANCIENT COSTUME

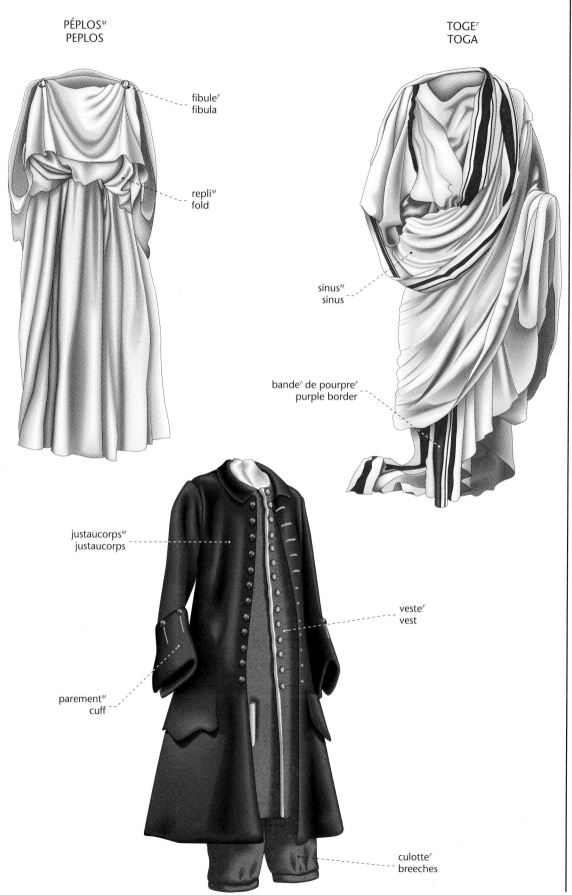

PÉPLOS[M]
PEPLOS

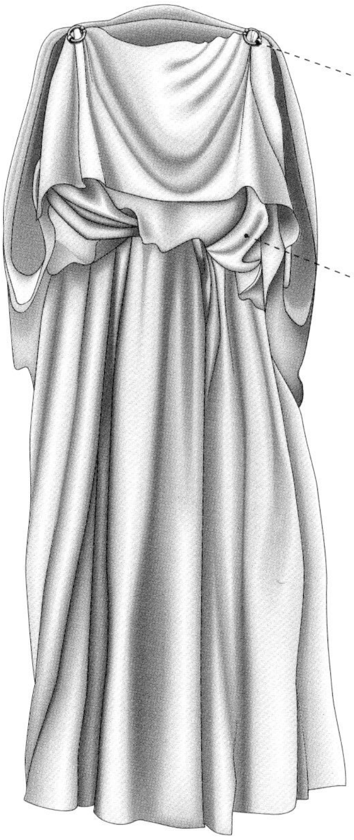
fibule[F]
fibula
repli[M]
fold

TOGE[F]
TOGA

sinus[M]
sinus
bande[F] de pourpre[F]
purple border

justaucorps[M]
justaucorps
veste[F]
vest
parement[M]
cuff
culotte[F]
breeches

ÉLÉMENTS[M] DU COSTUME[M] ANCIEN
ELEMENTS OF ANCIENT COSTUME

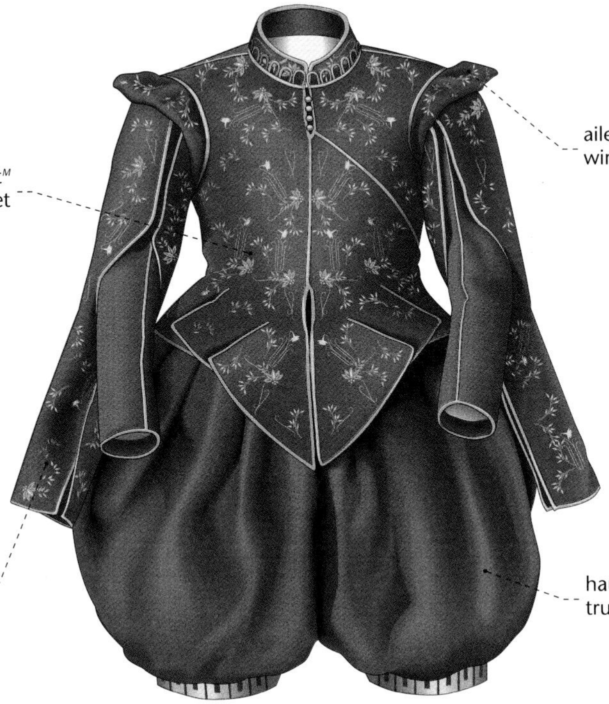

pourpoint[M]
doublet
aileron[M]
wing
manche[F] pendante
hanging sleeve
haut-de-chausse[M]
trunk hose

COTARDIE[F]
COTEHARDIE

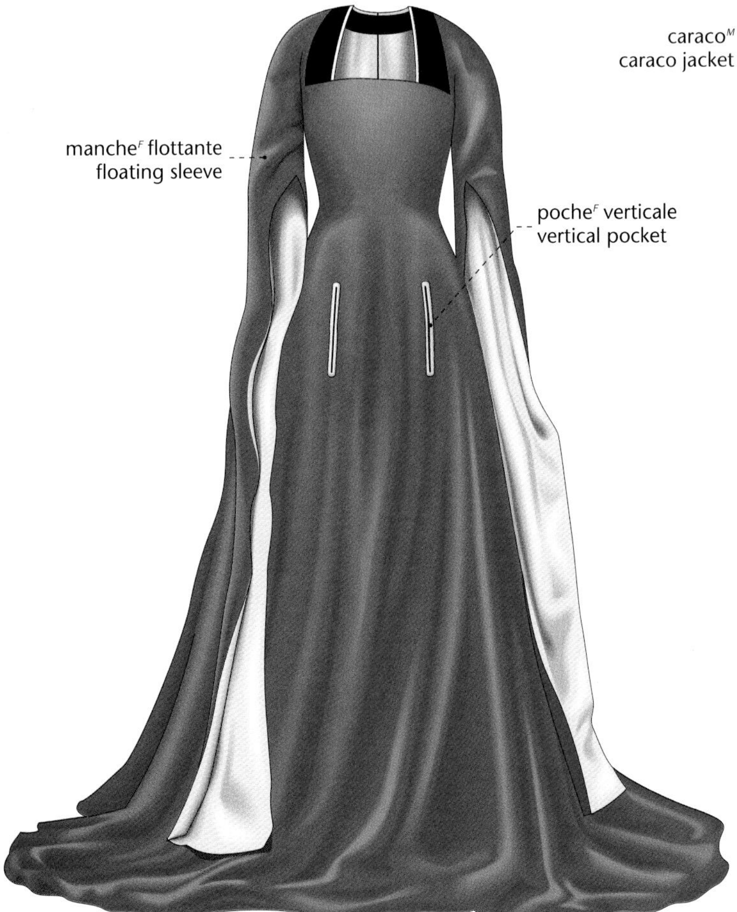

manche[F] flottante
floating sleeve
poche[F] verticale
vertical pocket

ROBE[F] À TOURNURE[F]
DRESS WITH BUSTLE

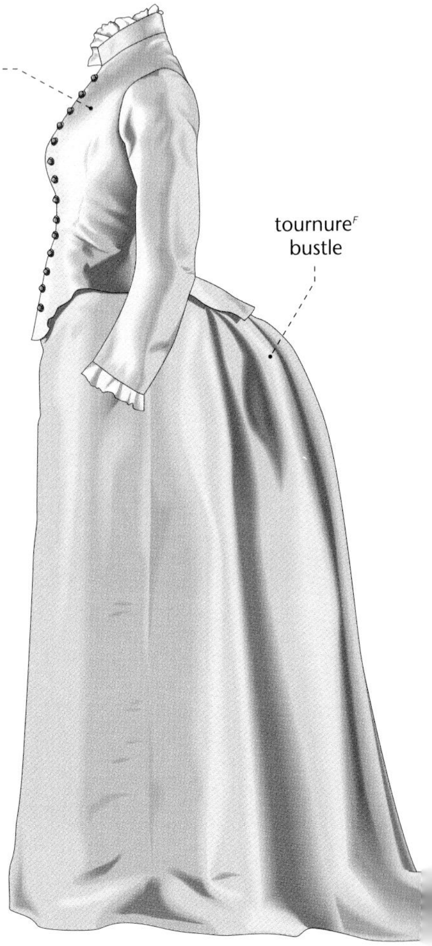

caraco[M]
caraco jacket
tournure[F]
bustle

frac^M
frock coat
gilet^M
waistcoat
culotte^F
breeches

HOUPPELANDE^F
HOUPPELANDE

ROBE^F À PANIERS^M
DRESS WITH
PANNIERS

engageante^F
ruffle
pièce^F d'estomac^M
stomacker

ÉLÉMENTS[M] DU COSTUME[M] ANCIEN
ELEMENTS OF ANCIENT COSTUME

ROBE[F] À CRINOLINE[F]
DRESS WITH CRINOLINE

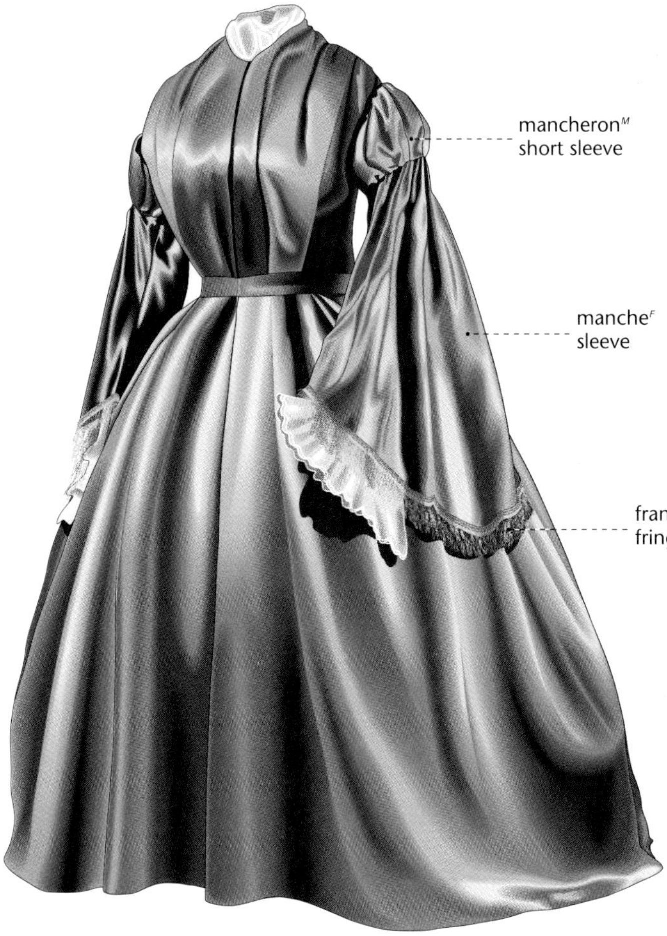
mancheron[M]
short sleeve
manche[F]
sleeve
frange[F]
fringe

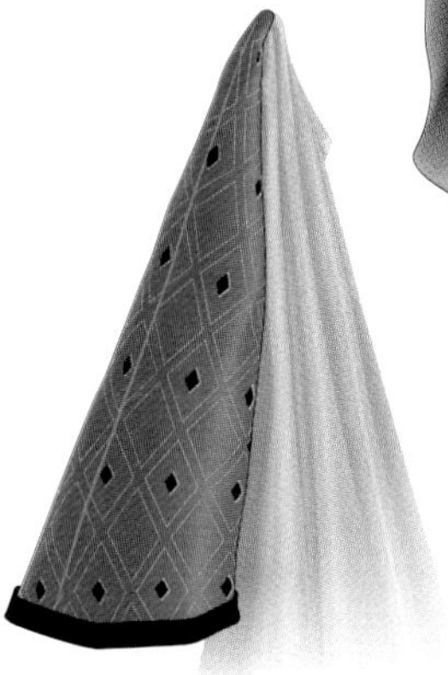

hennin[M]
hennin

bicorne[M]
bicorne

tricorne[M]
tricorne

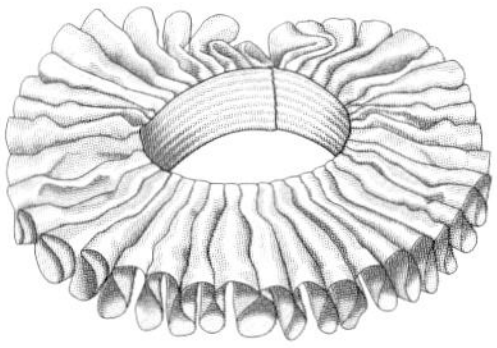

fraise[F]
fraise

collerette[F]
collaret

soulier[M] à talon[M]
heeled shoe

soulier[M] à la poulaine[F]
crakow

VÊTEMENTS^{M} D'HOMME^{M}
MEN'S CLOTHING

IMPERMÉABLE^{M}
RAINCOAT

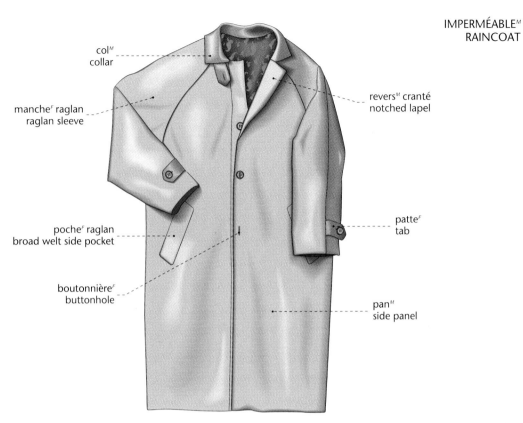

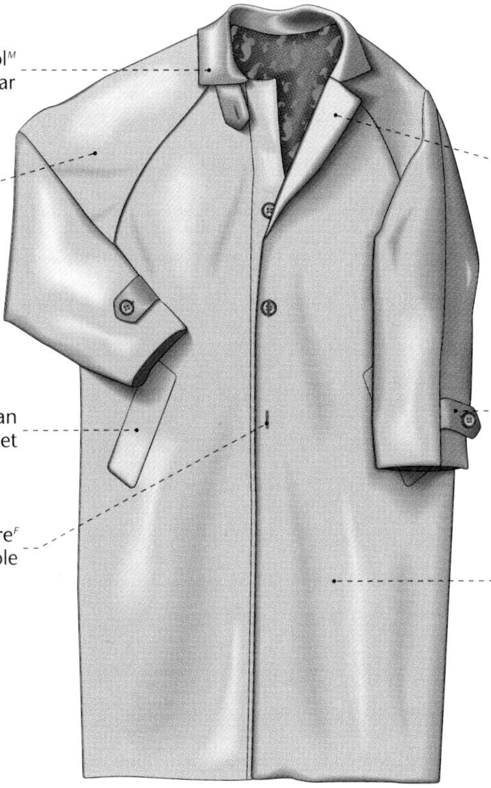

col^{M}
collar
manche^{F} raglan
raglan sleeve
revers^{M} cranté
notched lapel
poche^{F} raglan
broad welt side pocket
patte^{F}
tab
boutonnière^{F}
buttonhole
pan^{M}
side panel

TRENCH^{M}
TRENCH COAT

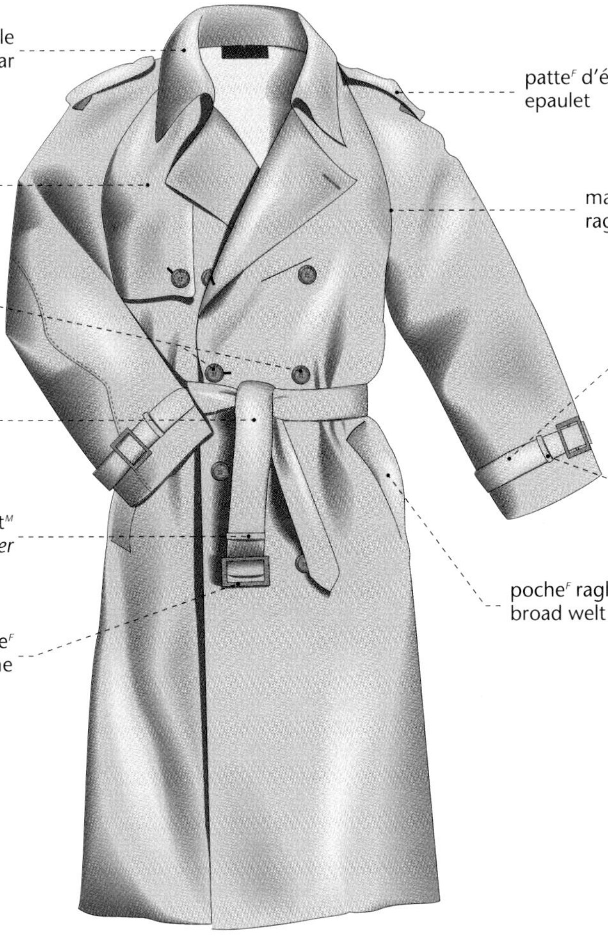

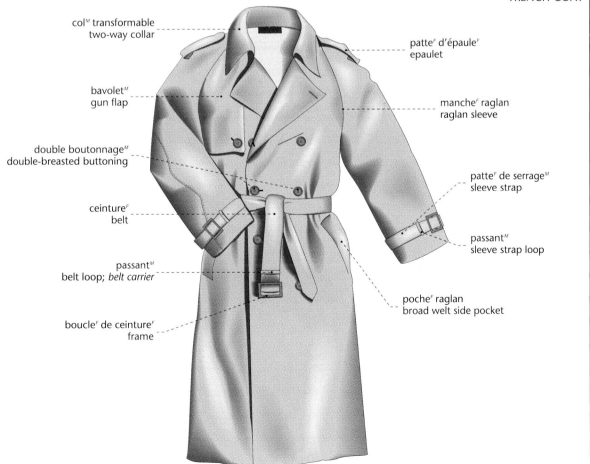

col^{M} transformable
two-way collar
patte^{F} d'épaule^{F}
epaulet
bavolet^{M}
gun flap
manche^{F} raglan
raglan sleeve
double boutonnage^{M}
double-breasted buttoning
patte^{F} de serrage^{M}
sleeve strap
ceinture^{F}
belt
passant^{M}
sleeve strap loop
passant^{M}
belt loop; *belt carrier*
poche^{F} raglan
broad welt side pocket
boucle^{F} de ceinture^{F}
frame

VÊTEMENTS[M] D'HOMME[M]
MEN'S CLOTHING

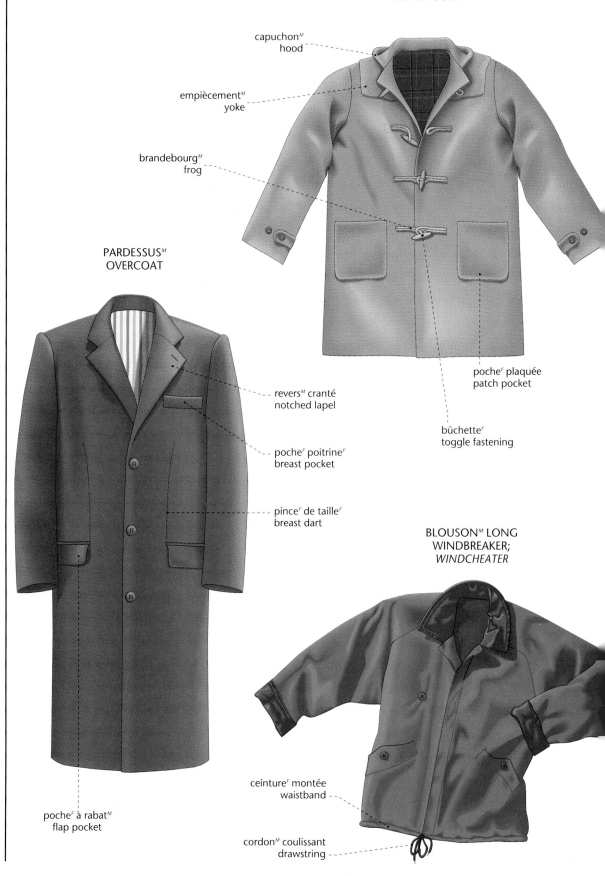

DUFFLE-COAT[M]; *CORVETTE*[F]
DUFFLE COAT

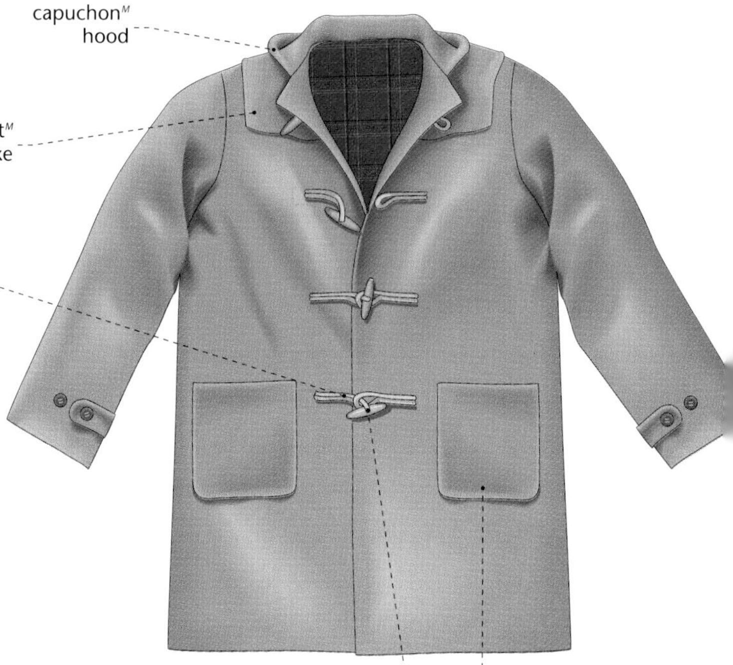
capuchon[M]
hood
empiècement[M]
yoke
brandebourg[M]
frog
poche[F] plaquée
patch pocket
bûchette[F]
toggle fastening

PARDESSUS[M]
OVERCOAT

revers[M] cranté
notched lapel
poche[F] poitrine[F]
breast pocket
pince[F] de taille[F]
breast dart
poche[F] à rabat[M]
flap pocket

BLOUSON[M] LONG
WINDBREAKER;
WINDCHEATER

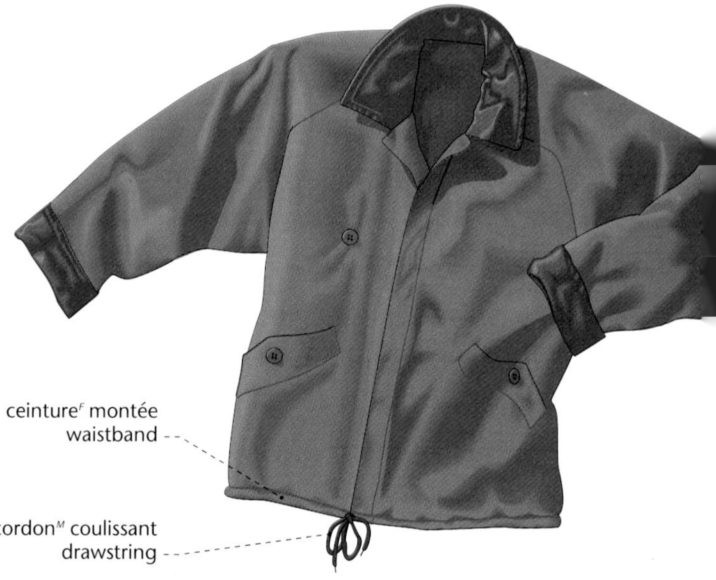
ceinture[F] montée
waistband
cordon[M] coulissant
drawstring

PALETOT^{M}
THREE-QUARTER COAT

PARKA^{F}; *PARKA*^{M}
PARKA

fermeture^{F} à glissière^{F}
zipper
patte^{F} à boutons^{M}-pression^{F}
snap-fastening tab

BLOUSON^{M} COURT
JACKET; *WINDCHEATER*

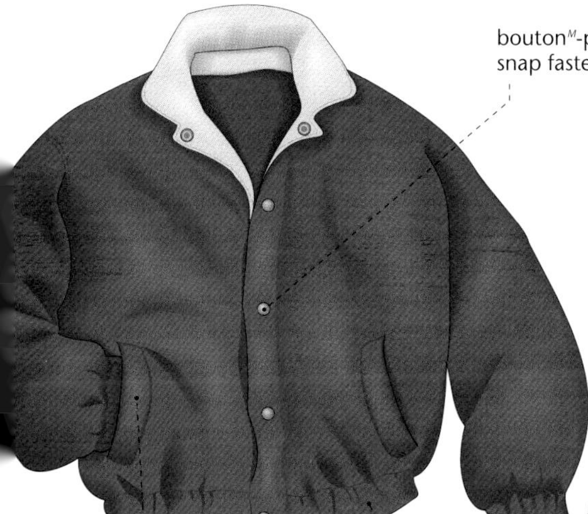
bouton^{M}-pression^{F}
snap fastener
poche^{F} repose-bras^{M}
hand-warmer pocket
ceinture^{F} élastique
elastic waistband

CANADIENNE^{F}
SHEEPSKIN JACKET

VÊTEMENTS[M] D'HOMME[M]
MEN'S CLOTHING

VESTON[M] CROISÉ
DOUBLE-BREASTED JACKET

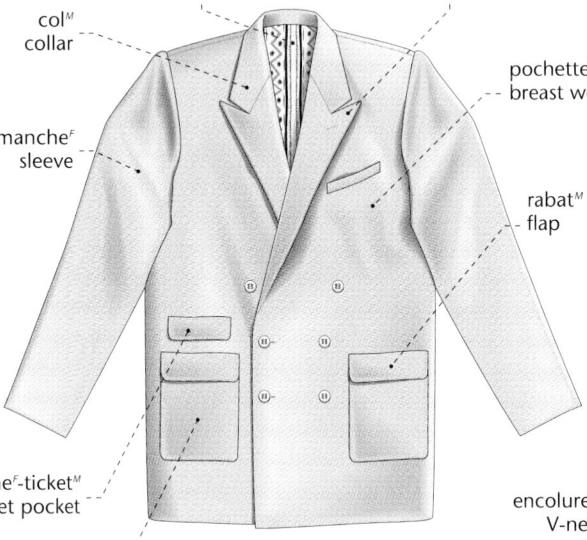
doublure[F]
lining
revers[M] à cran[M] aigu
peaked lapel
col[M]
collar
pochette[F]
breast welt pocket
manche[F]
sleeve
rabat[M]
flap
poche[F]-ticket[M]
outside ticket pocket
poche[F] plaquée
patch pocket

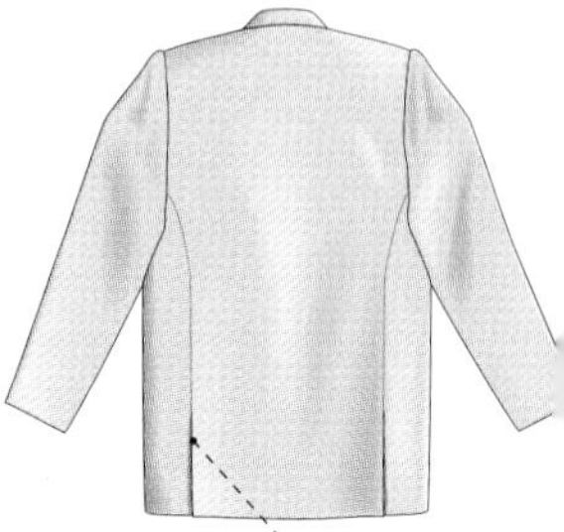
fente[F] latérale
side back vent

GILET[M]
VEST; *WAISTCOAT*

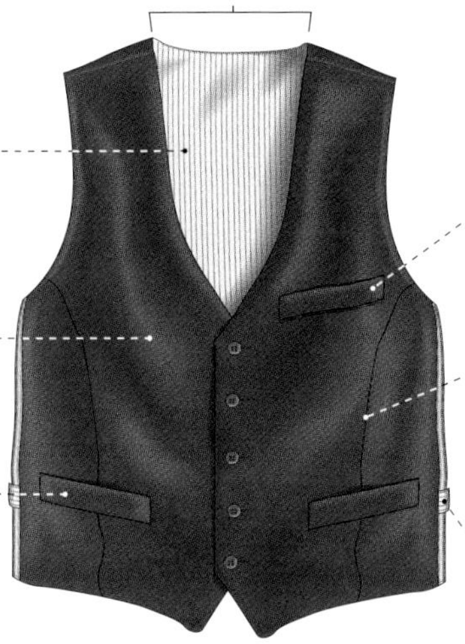
encolure[F] en V
V-neck
doublure[F]
lining
patte[F]
welt
devant[M]
front
découpe[F]
seaming
poche[F] gilet[M]
welt pocket
tirant[M] de réglage[M]
adjustable waist tab

VESTE[F] DROITE
SINGLE-BREASTED JACKET

doublure[F]
lining
cran[M]
notch
pochette[F]
pocket handkerchief
revers[M]
lapel
manche[F]
sleeve
devant[M]
front
poche[F] tiroir[M]
flap pocket

dos[M]
back
fente[F] médiane
center back vent;
centre back vent

CEINTURE^{F}
BELT

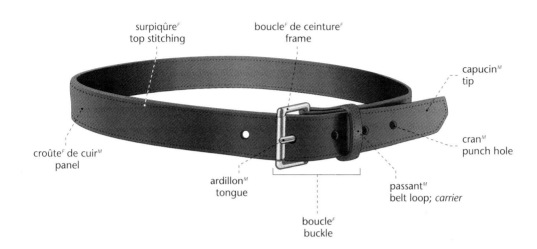

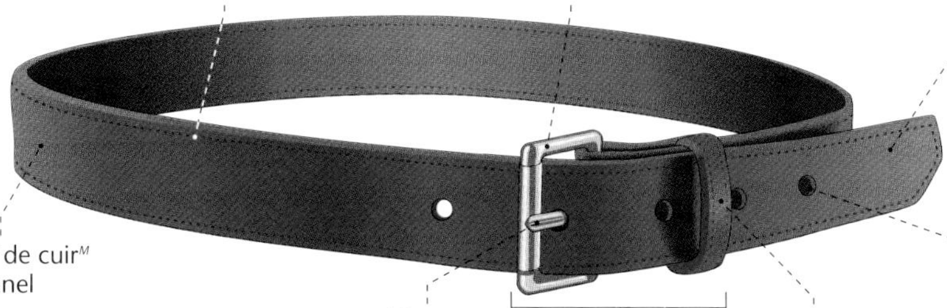
surpiqûre^{F}
top stitching
boucle^{F} de ceinture^{F}
frame
capucin^{M}
tip
cran^{M}
punch hole
croûte^{F} de cuir^{M}
panel
ardillon^{M}
tongue
passant^{M}
belt loop; *carrier*
boucle^{F}
buckle

BRETELLES^{F}
SUSPENDERS; *BRACES*

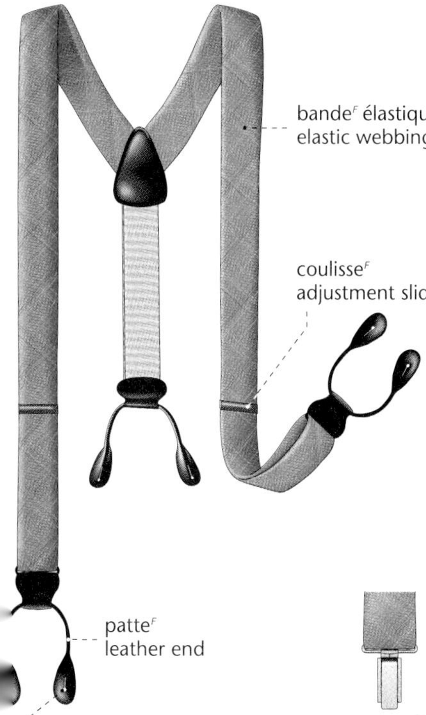
bande^{F} élastique
elastic webbing
coulisse^{F}
adjustment slide
patte^{F}
leather end
boutonnière^{F}
button loop
pince^{F}
suspender clip; *brace clip*

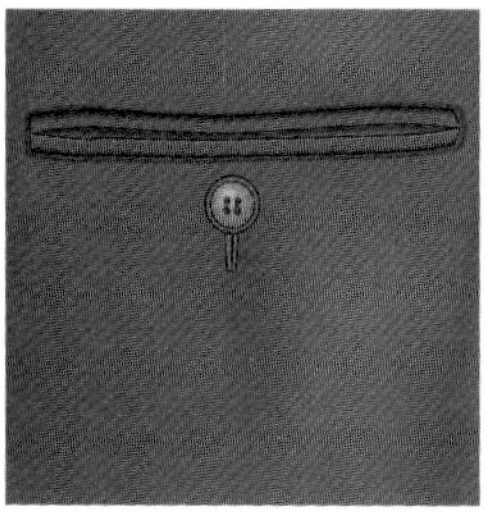
poche^{F}-revolver^{M}
back pocket

PANTALON^{M}
PANTS; *TROUSERS*

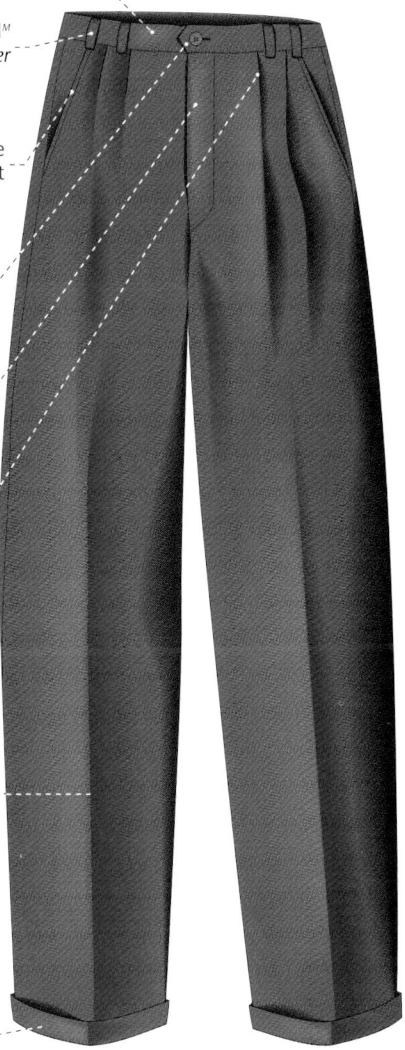
ceinture^{F} montée
waistband
passant^{M} tunnel^{M}
belt loop; *belt carrier*
poche^{F} cavalière
front top pocket
patte^{F} boutonnée
waistband extension
braguette^{F}
fly
pli^{M} plat
knife pleat
pli^{M}
crease
revers^{M}
cuff; *turn-up*

VÊTEMENTS[M] D'HOMME[M]
MEN'S CLOTHING

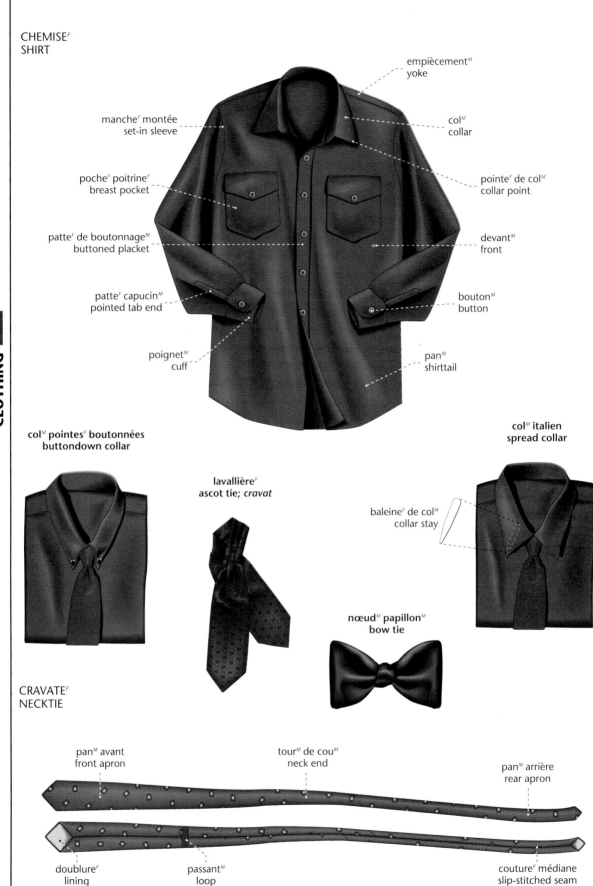

CHEMISE[F]
SHIRT

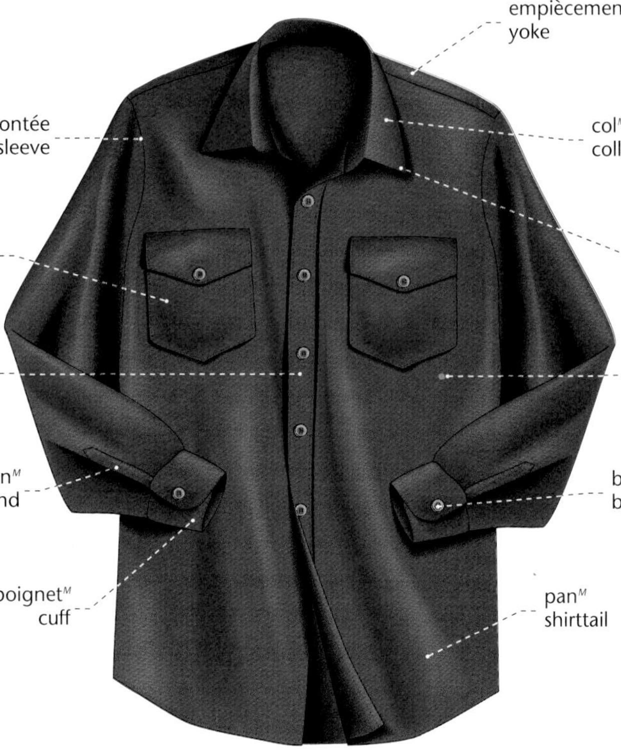

empiècement[M]
yoke
manche[F] montée
set-in sleeve
col[M]
collar
poche[F] poitrine[F]
breast pocket
pointe[F] de col[M]
collar point
patte[F] de boutonnage[M]
buttoned placket
devant[M]
front
patte[F] capucin[M]
pointed tab end
bouton[M]
button
poignet[M]
cuff
pan[M]
shirttail

col[M] pointes[F] boutonnées
buttondown collar

lavallière[F]
ascot tie; *cravat*

col[M] italien
spread collar

baleine[F] de col[M]
collar stay

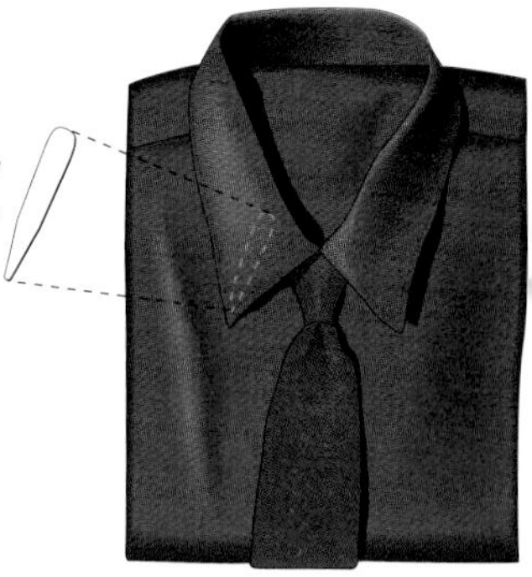

nœud[M] papillon[M]
bow tie

CRAVATE[F]
NECKTIE

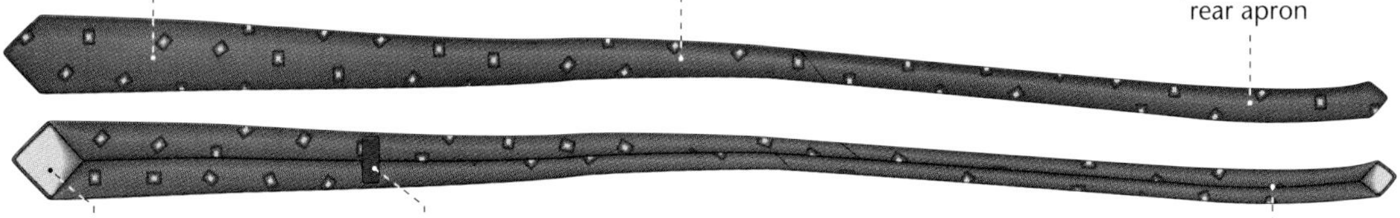

pan[M] avant
front apron
tour[M] de cou[M]
neck end
pan[M] arrière
rear apron
doublure[F]
lining
passant[M]
loop
couture[F] médiane
slip-stitched seam

ilet^{M} athlétique
thletic shirt; *vest*

encolure^{F}
neckhole
emmanchure^{F}
armhole

slip^{M} ouvert
briefs

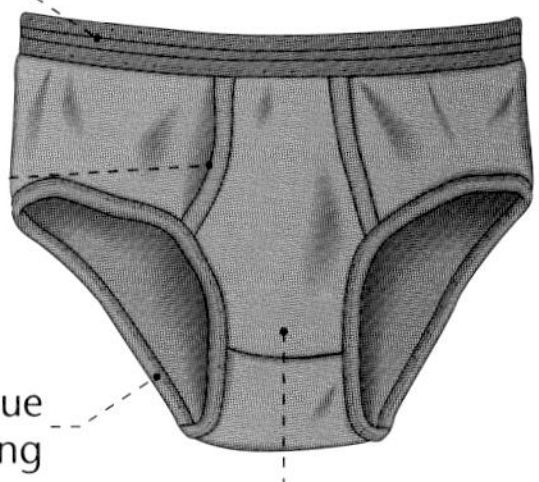
ceinture^{F} élastique
waistband
braguette^{F}
fly
jambe^{F} élastique
elasticized leg opening
enfourchure^{F}
crotch

combinaison^{F}
union suit

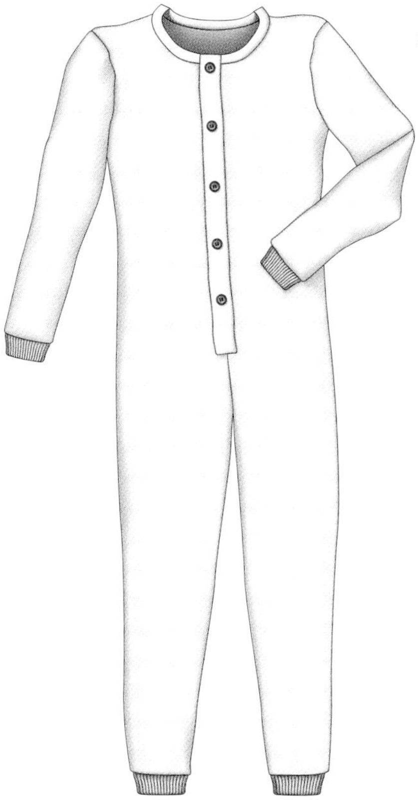

caleçon^{M} long
drawers; *long johns*

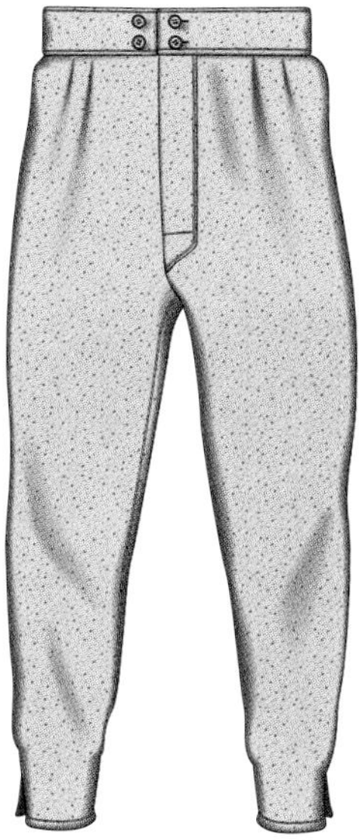

mini-slip^{M}
bikini briefs

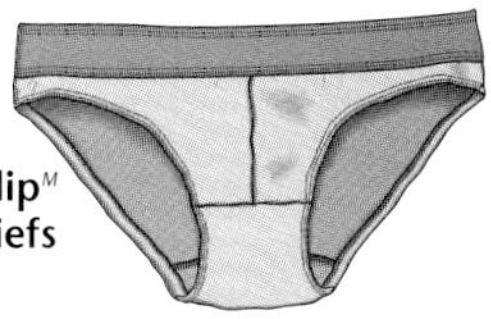

caleçon^{M}
boxer shorts

CHAUSSETTES^{F}
SOCKS

chaussette^{F}
mid-calf length; *short*

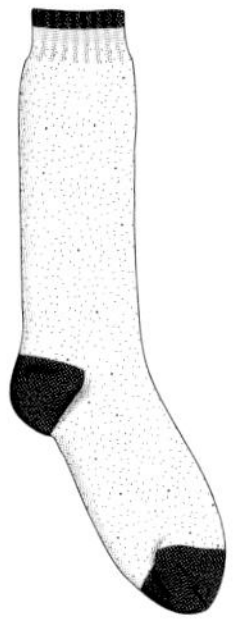

mi-chaussette^{F}
ankle length

mi-bas^{M}
executive length; *half hoe*

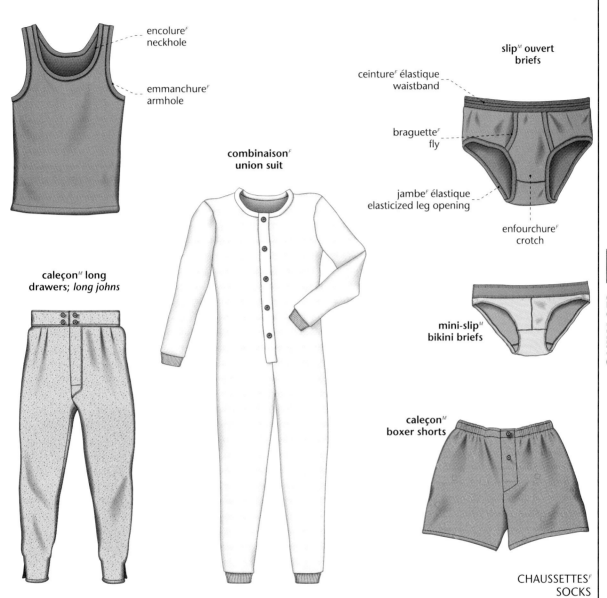

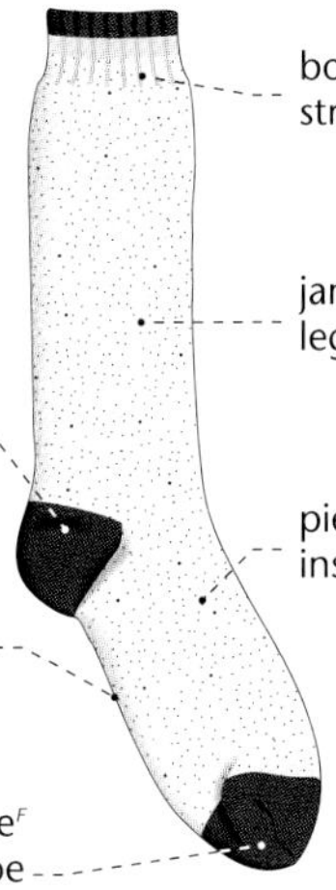
bord^{M}-côte^{F}
straight-up ribbed top
jambe^{F}
leg
talon^{M}
heel
pied^{M}
instep
semelle^{F}
sole
pointe^{F}
toe

TRICOTS^{M}
SWEATERS

GILET^{M} DE LAINE^{F}
V-NECK CARDIGAN

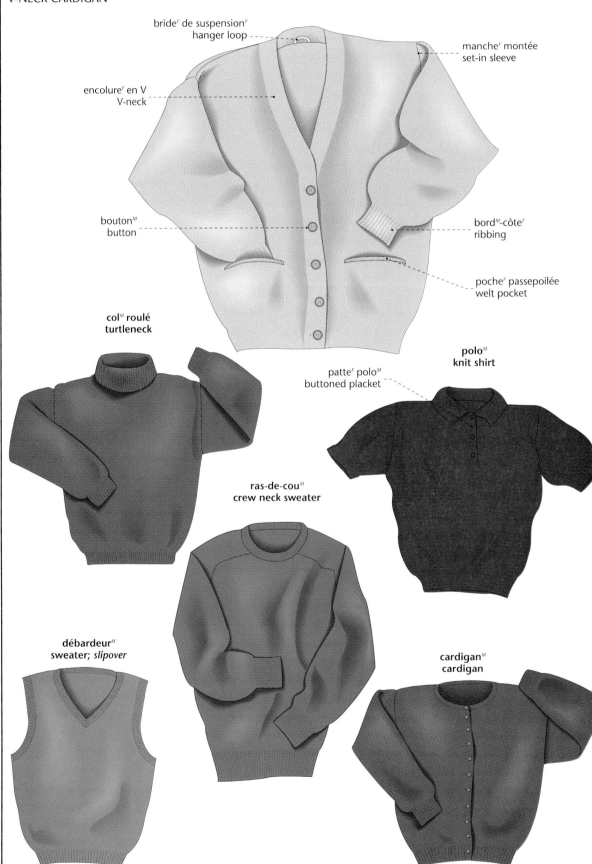

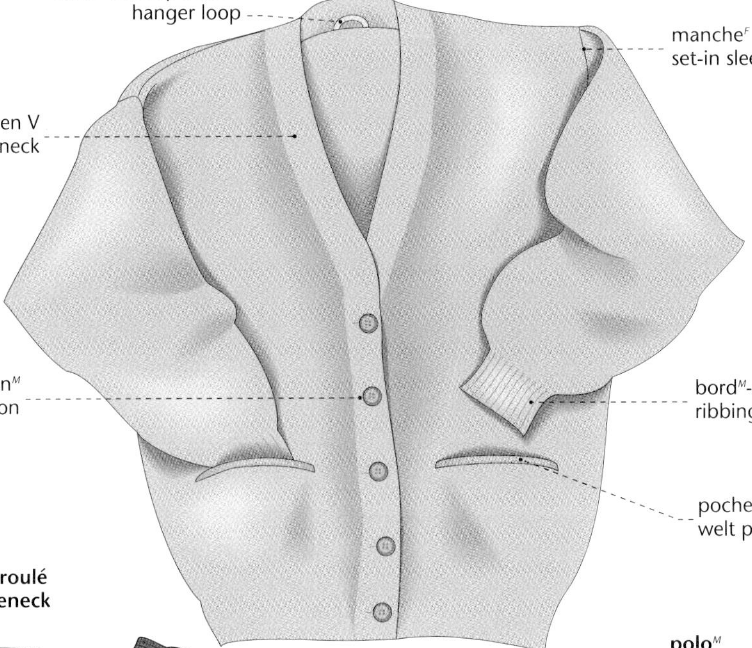
bride^{F} de suspension^{F}
hanger loop
manche^{F} montée
set-in sleeve
encolure^{F} en V
V-neck
bouton^{M}
button
bord^{M}-côte^{F}
ribbing
poche^{F} passepoilée
welt pocket

col^{M} roulé
turtleneck

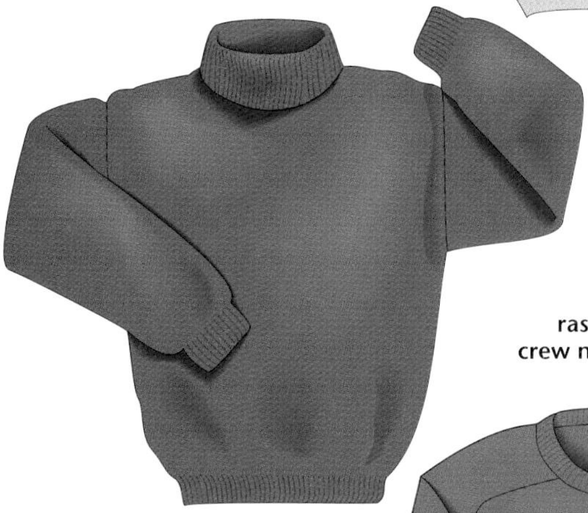

polo^{M}
knit shirt

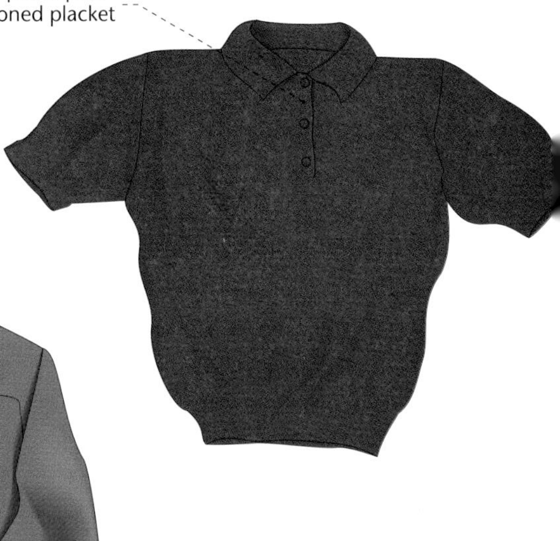
patte^{F} polo^{M}
buttoned placket

ras-de-cou^{M}
crew neck sweater

débardeur^{M}
sweater; *slipover*

cardigan^{M}
cardigan

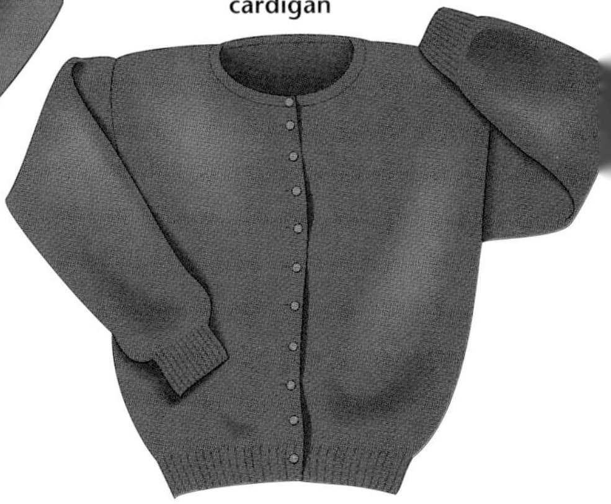

GANTS[M]
GLOVES

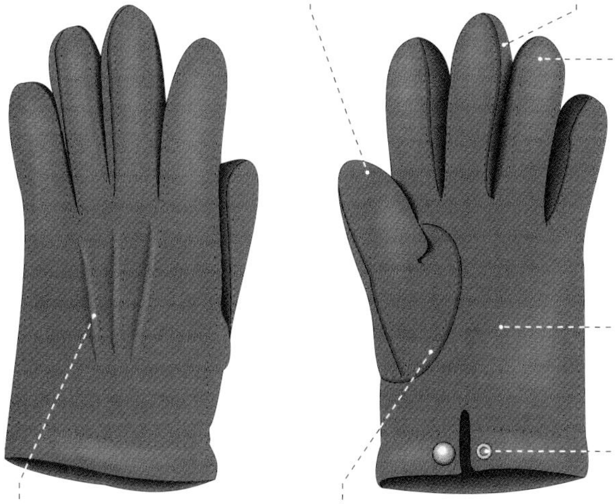
pouce[M]
thumb
fourchette[F]
fourchette
doigt[M]
glove finger
paume[F]
palm
bouton[M]-pression[F]
snap fastener
baguette[F]
stitching
couture[F] d'assemblage[M]
seam

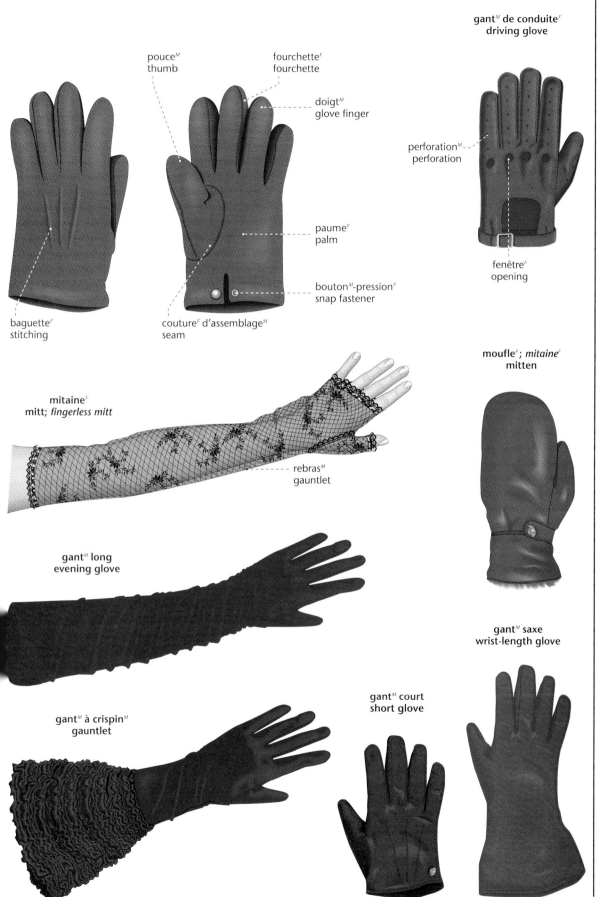

gant[M] de conduite[F]
driving glove

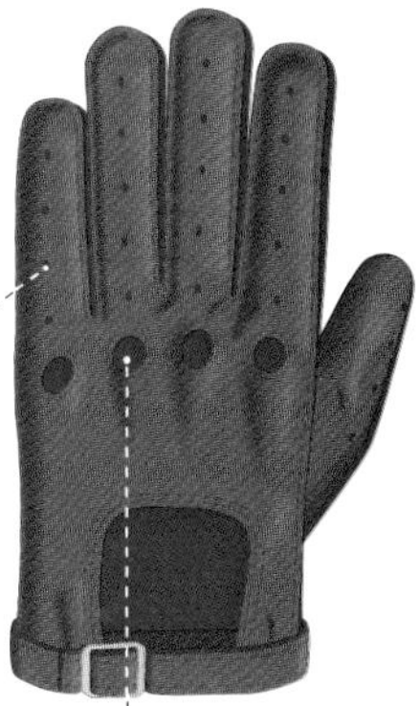
perforation[M]
perforation
fenêtre[F]
opening

mitaine[F]
mitt; *fingerless mitt*

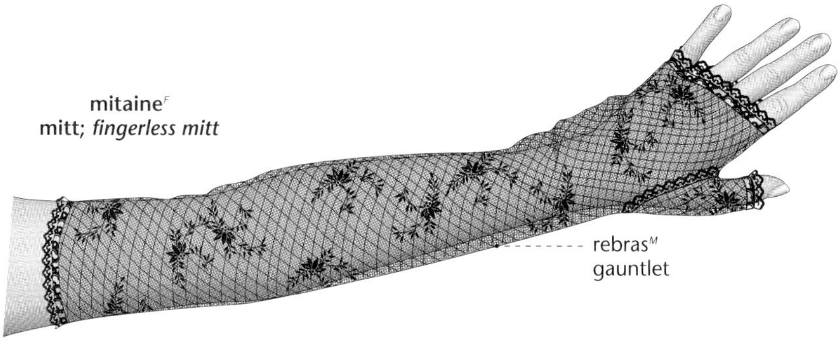
rebras[M]
gauntlet

moufle[F]; *mitaine*[F]
mitten

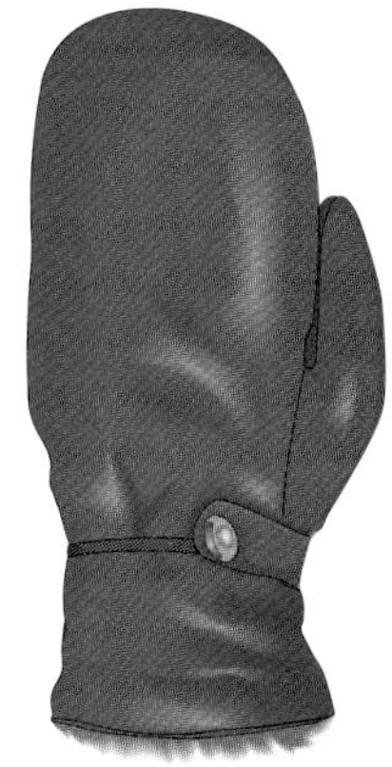

gant[M] long
evening glove

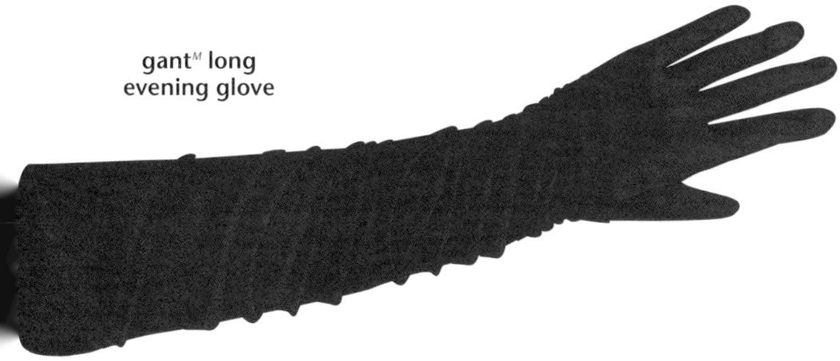

gant[M] saxe
wrist-length glove

gant[M] à crispin[M]
gauntlet

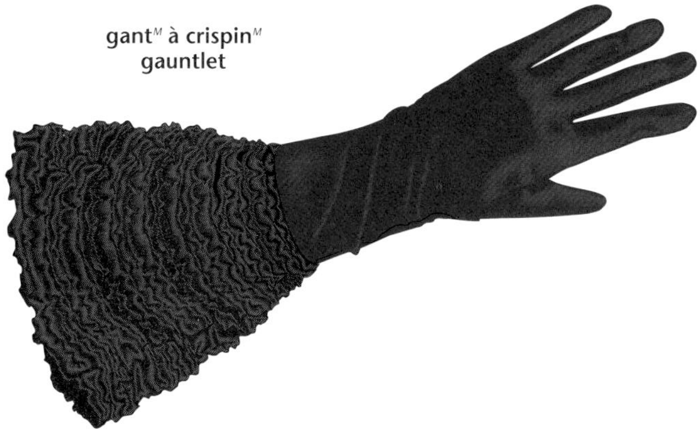

gant[M] court
short glove

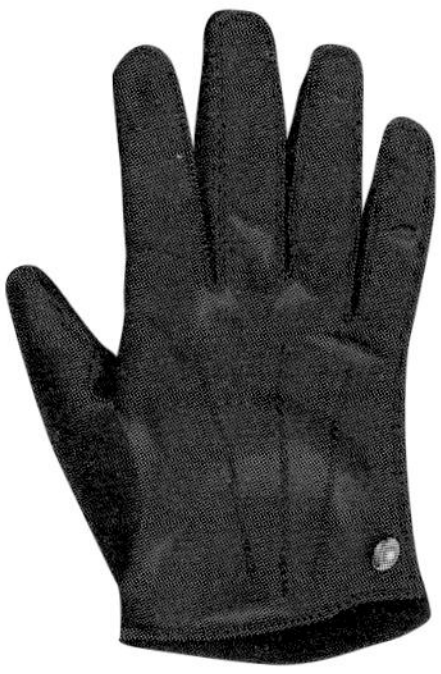

COIFFURE[F]
HEADGEAR

CHAPEAU[M] DE FEUTRE[M]
FELT HAT

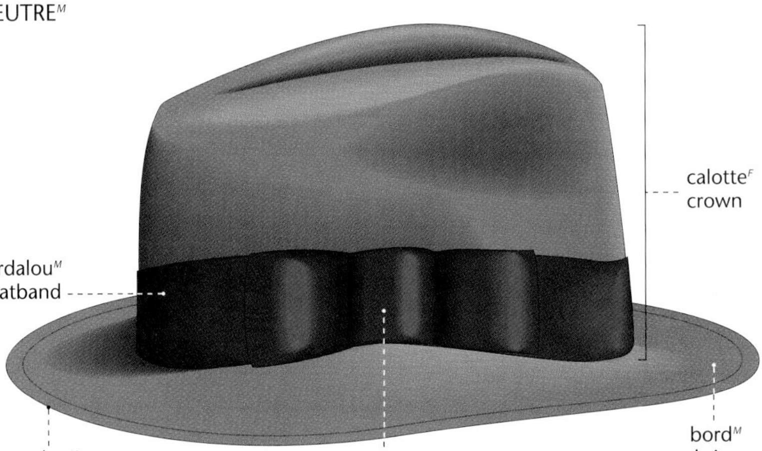
calotte[F]
crown
bourdalou[M]
hatband
galon[M]
binding
nœud[M] plat
bow
bord[M]
brim

canotier[M]
boater

haut-de-forme[M]
top hat

melon[M]
derby; *bowler*

casquette[F] norvégienne
hunting cap

cache-oreilles[M] abattant
ear flap

chapka[M]
shapka

casquette[F]
cap

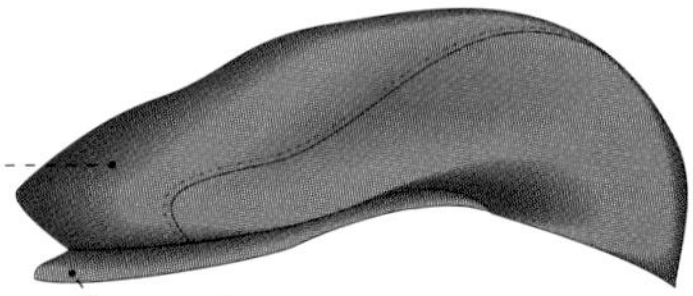
calotte[F]
crown
visière[F]
peak

panama[M]
panama

calot[M]
garrison cap

calotte[F]
skullcap

toque[F]
toque

tambourin[M]
pillbox hat

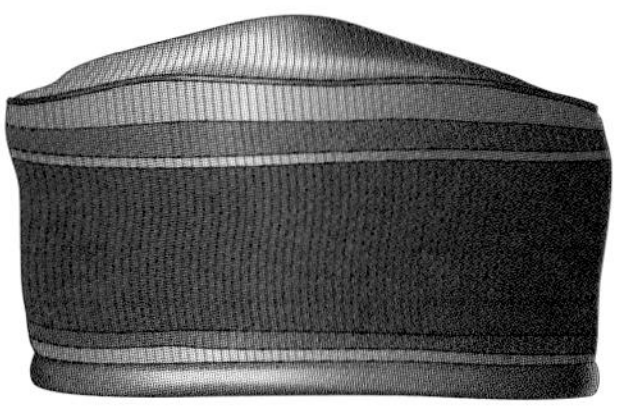

béret[M]
beret

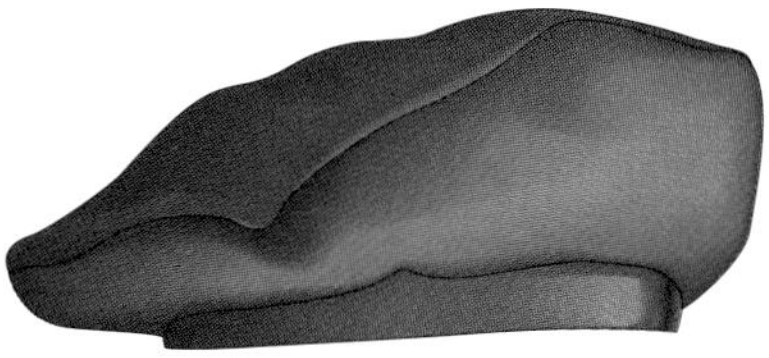

turban[M]
turban

cloche[F]
cloche

feutre[M]
felt hat; *trilby*

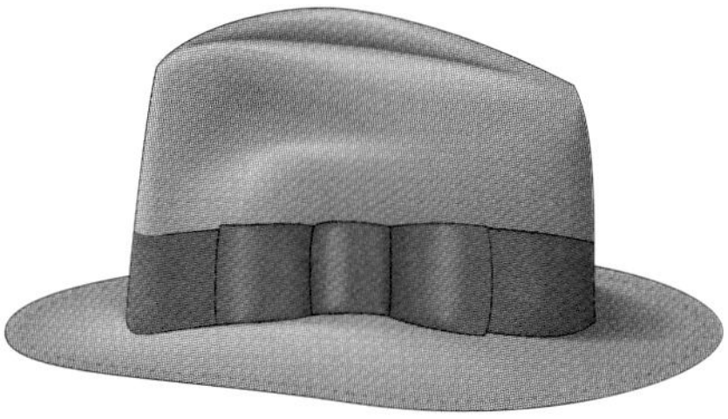

suroît[M]
southwester

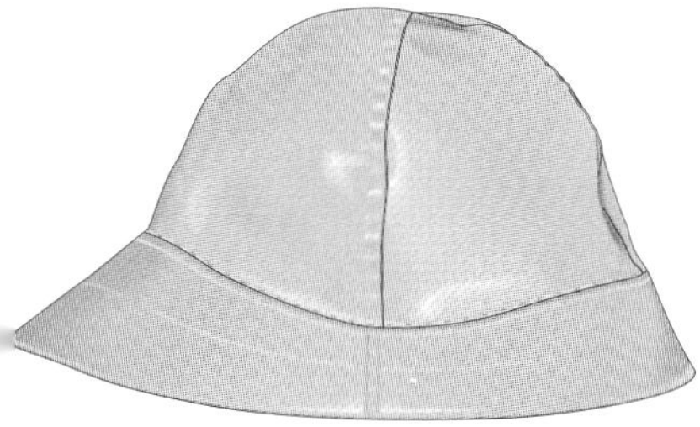

cagoule[F]
balaclava

visière[F]
peak

bonnet[M] pompon[M]; *tuque*[F]
stocking cap

bonnet[M]
knit cap

capeline[F]
cartwheel hat

bob[M]
gob hat

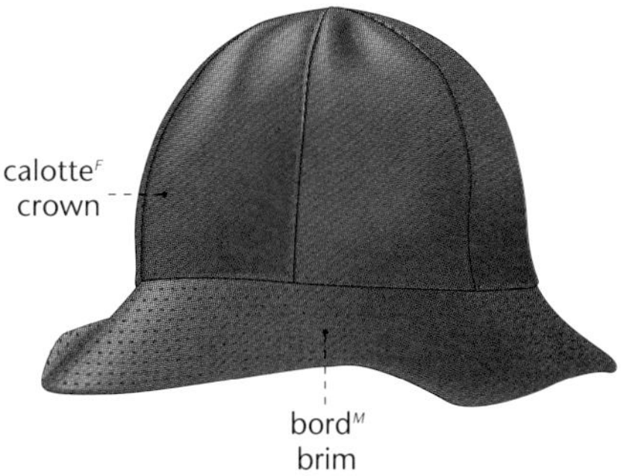
calotte[F]
crown
bord[M]
brim

VÊTEMENTS[M] DE FEMME[F]
WOMEN'S CLOTHING

TYPES[M] DE MANTEAUX[M]
TYPES OF COATS

caban[M]
pea jacket

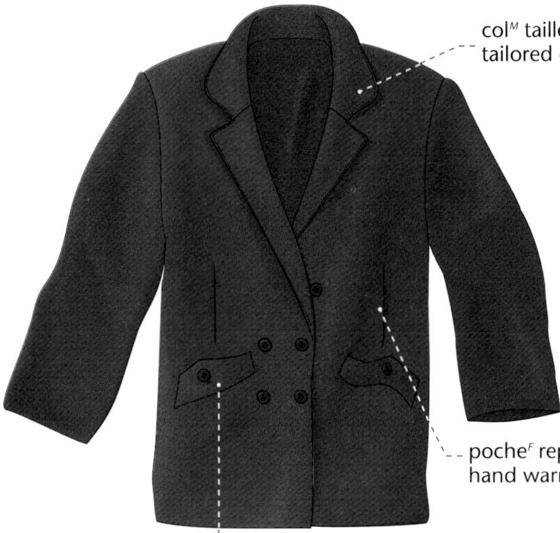
col[M] tailleur[M]
tailored collar
poche[F] repose-bras[M]
hand warmer pocket
fausse poche[F]
mock pocket

paletot[M]
car coat

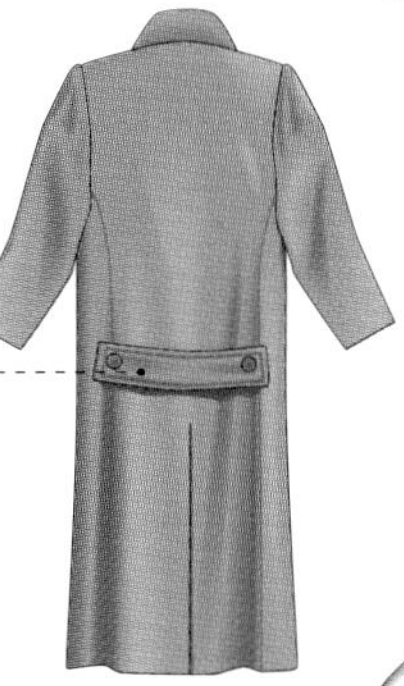
martingale[F]
back belt

raglan[M]
raglan

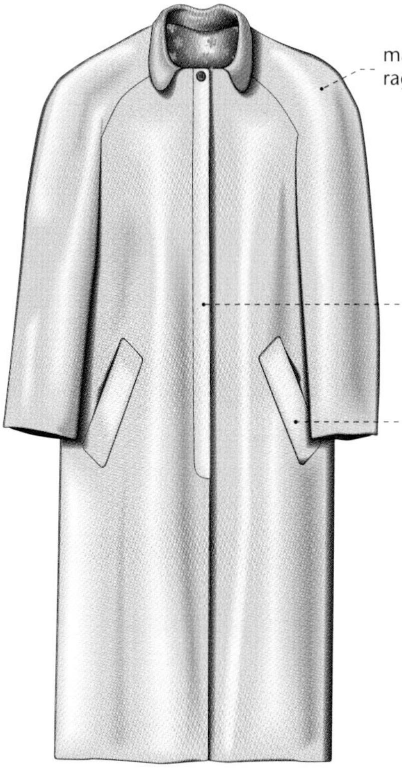
manche[F] raglan
raglan sleeve
boutonnage[M] sous patte[F]
fly front closing
poche[F] raglan
broad welt side pocket

pèlerine[F]
pelerine

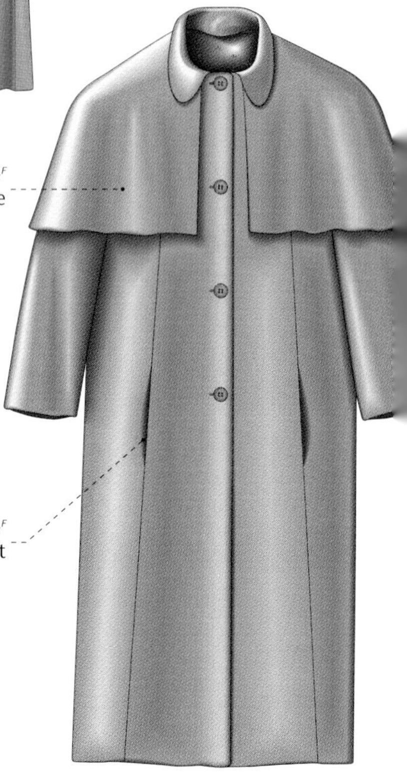
pèlerine[F]
pelerine
poche[F] prise dans une couture[F]
seam pocket

cape[F]
cape

passe-bras[M]
arm slit

manteau[M]
overcoat

redingote[F]
top coat

poncho[M]
poncho

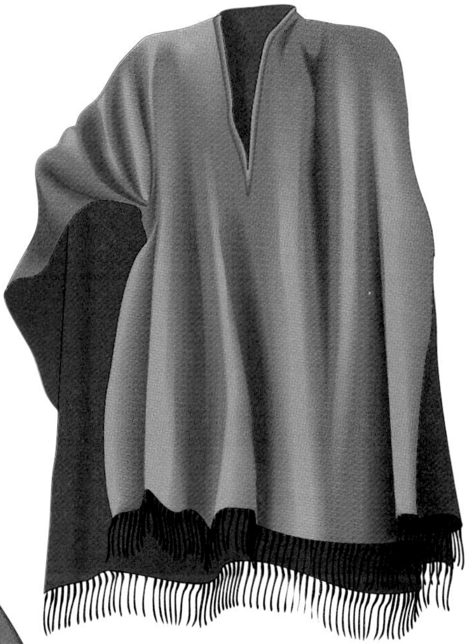

tailleur[M]
suit

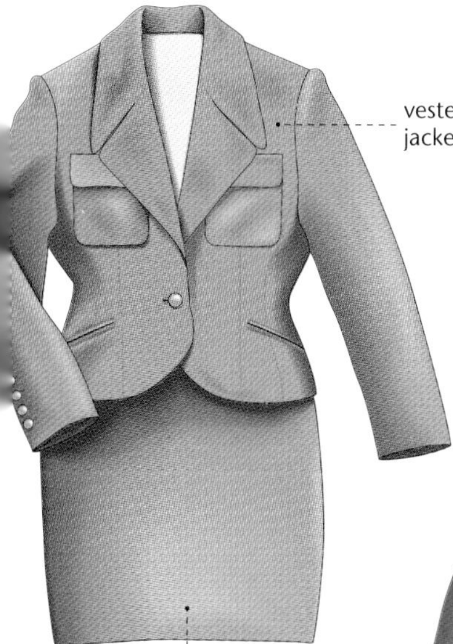
veste[F]
jacket
jupe[F]
skirt

veste[F]
jacket

VÊTEMENTS^{M} DE FEMME^{F}
WOMEN'S CLOTHING

TYPES^{M} DE ROBES^{F}
TYPES OF DRESSES

robe^{F} fourreau^{M}
sheath dress

robe^{F} princesse^{F}
princess dress

robe^{F}-manteau^{M}
coat dress

robe^{F} taille^{F} basse
drop waist dress

robe^{F} trapèze^{M}
trapeze dress

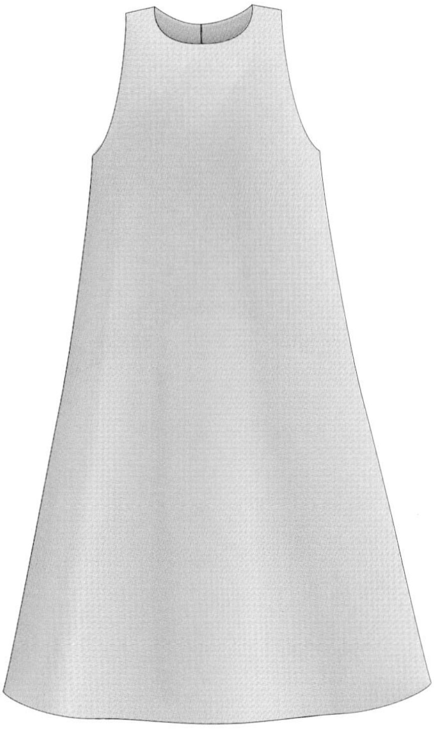

robe^{F} bain^{M}-de-soleil^{M}
sundress

robe[F]-polo[M]
polo dress

robe[F] de maison[F]
house dress

robe[F] chemisier[M]
shirtwaist dress

chasuble[F]
jumper; *pinafore*

robe[F] enveloppe[F]
wraparound dress;
wrap-over dress

robe[F] tunique[F]
tunic dress

VÊTEMENTS^{M} DE FEMME^{F}
WOMEN'S CLOTHING

TYPES^{M} DE JUPES^{F}
TYPES OF SKIRTS

jupe^{F} à empiècement^{M}
yoke skirt

jupe^{F} à lés^{M}
gored skirt

jupe^{F} fourreau^{M}
sheath skirt

jupe^{F} à volants^{M} étagés
ruffled skirt

paréo^{M}
sarong

jupe^{F} portefeuille^{M}
wraparound skirt; *wrap-over sk.*

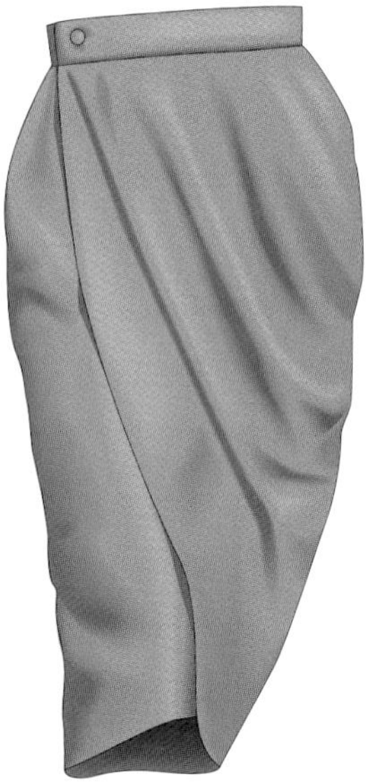

jupe^{F} droite
straight skirt

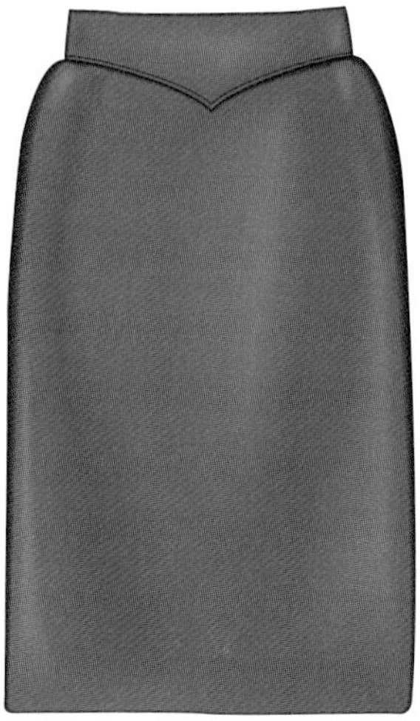

jupe^{F}-culotte^{F}
culotte

kilt[M]
kilt

jupe[F] froncée
gather skirt

TYPES[M] DE PLIS[M]
TYPES OF PLEATS

pli[M] creux
inverted pleat

pli[M] d'aisance[F]
kick pleat

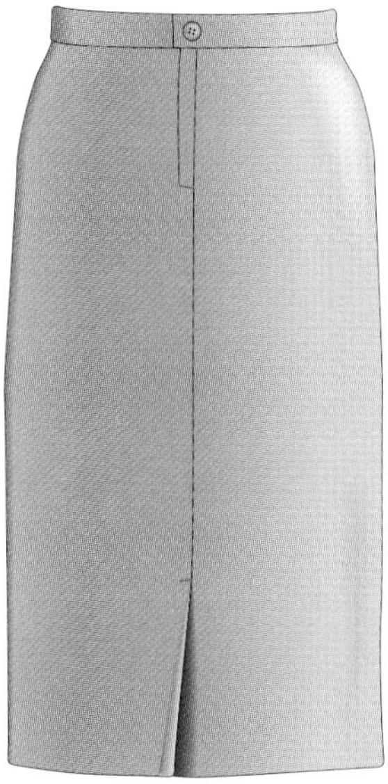

plissé[M] accordéon[M]
accordion pleat

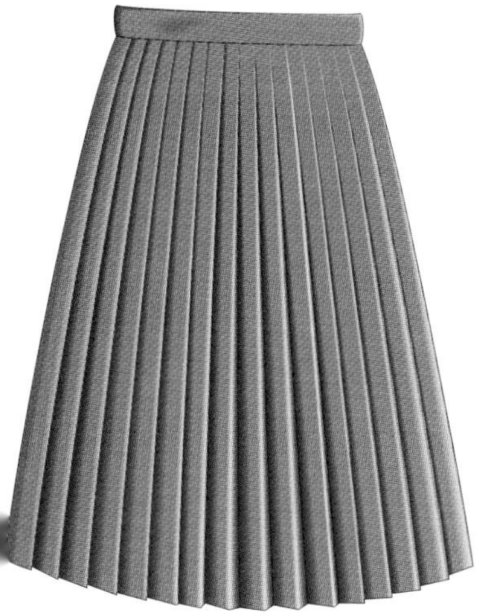

pli[M] plat
knife pleat

pli[M] surpiqué
top stitched pleat

VÊTEMENTS^M DE FEMME^F
WOMEN'S CLOTHING

TYPES^M DE PANTALONS^M
TYPES OF PANTS;
TYPES OF TROUSERS

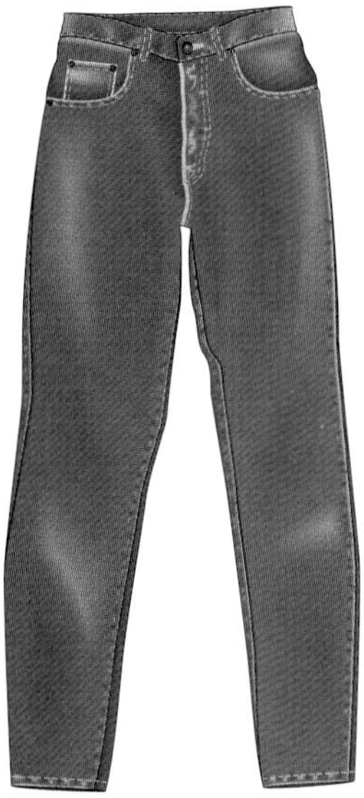

jean^M
jeans

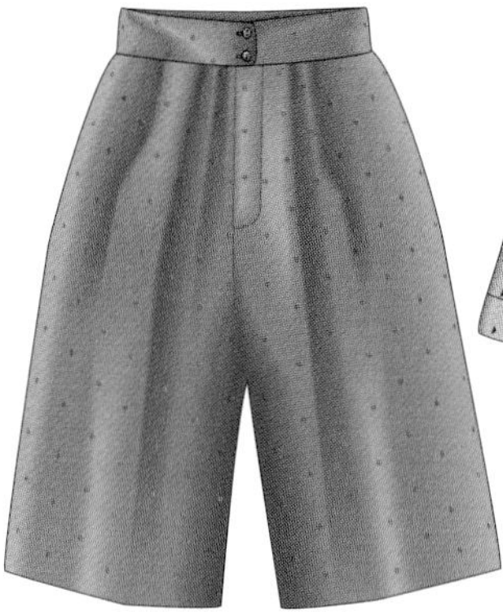

bermuda^M
Bermuda shorts

short^M
shorts

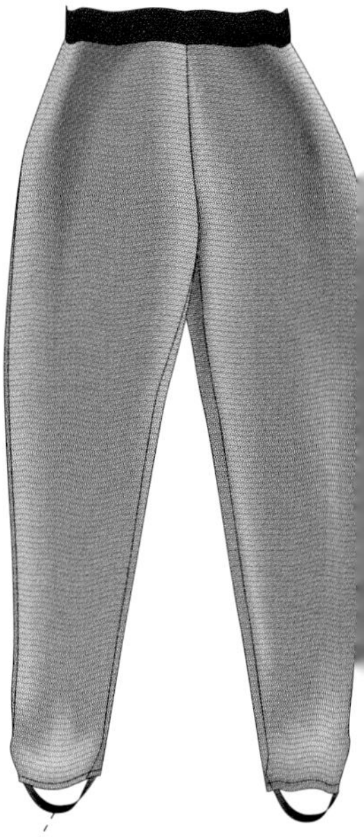

fuseau^M
ski pants

sous-pied^M
footstrap

knicker^M
knickers

corsaire^M
pedal pushers

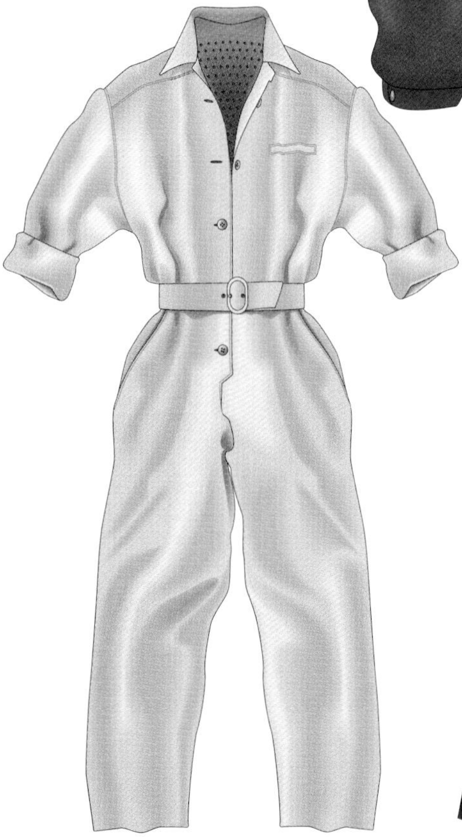

combinaison^F-pantalon^M
jumpsuit

pantalon^M pattes^F d'éléphant^M
bell bottoms

salopette^F
overalls

TYPES[M] DE CHEMISIERS[M]
TYPES OF BLOUSES

chemisier[M] classique
classic blouse

marinière[F]
middy; *sailor tunic*

polo[M]
polo shirt; *T-shirt*

tablier[M]-blouse[F]
smock;
button-through smock

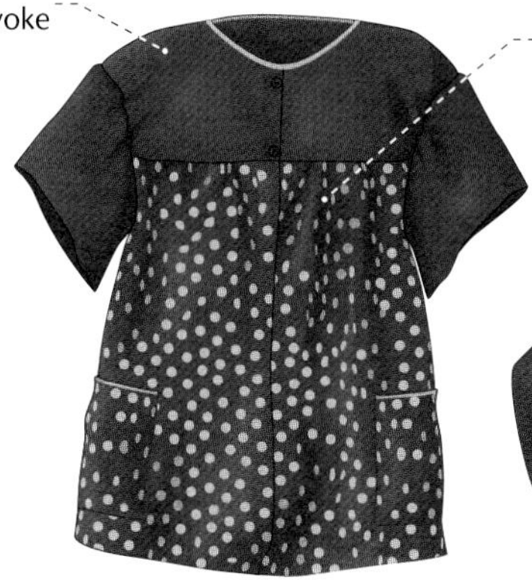
empiècement[M]
yoke
fronce[F]
gather

tunique[F]
tunic; *smock*

cache-cœur[M]
wrap-over top

liquette[F]
mini shirtdress; *overshirt*

pan[M]
shirttail

corsage[M]-culotte[F]
body shirt

patte[F] d'entrejambe[M]
crotch piece

casaque[F]
over-blouse; *tunic*

VÊTEMENTS[M] DE FEMME[F]
WOMEN'S CLOTHING

VESTES[F] ET PULLS[M]
JACKETS, VEST AND SWEATERS;
WAISTCOATS AND PULLOVERS

saharienne[F]
safari jacket

poche[F] soufflet[M]
gusset pocket

blazer[M]
blazer

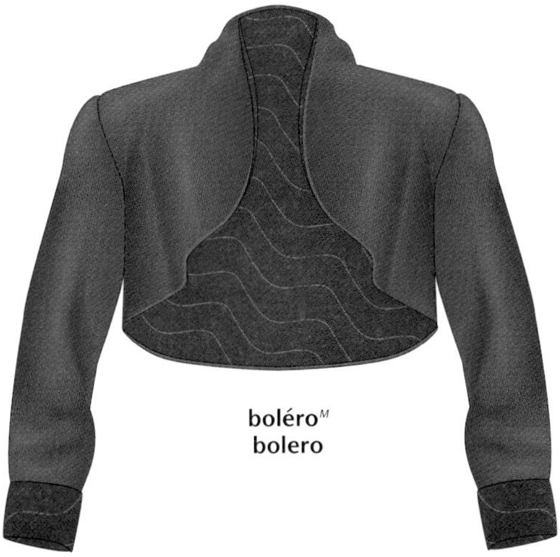

boléro[M]
bolero

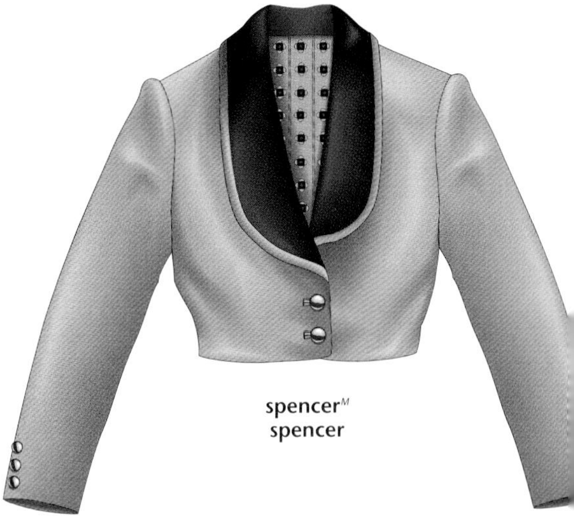

spencer[M]
spencer

gilet[M]
vest; *waistcoat*

tandem[M]
twin-set

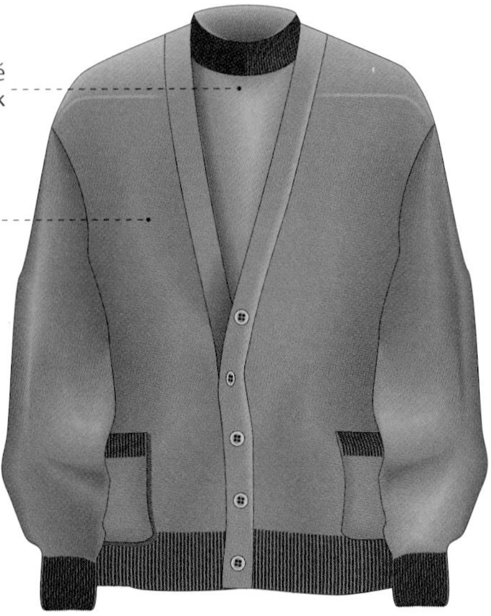
col[M] roulé
turtleneck
gilet[M] de laine[F]
V-neck cardigan

TYPES[M] DE POCHES[F]
TYPES OF POCKETS

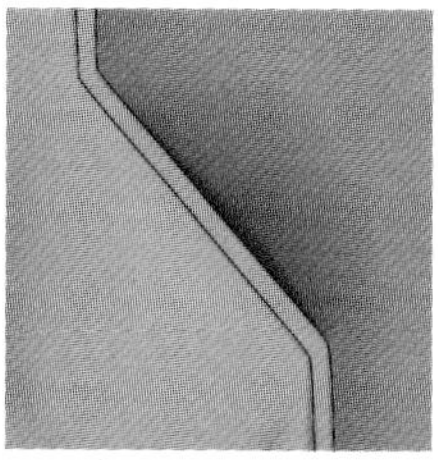

poche[F] prise dans une découpe[F]
inset pocket

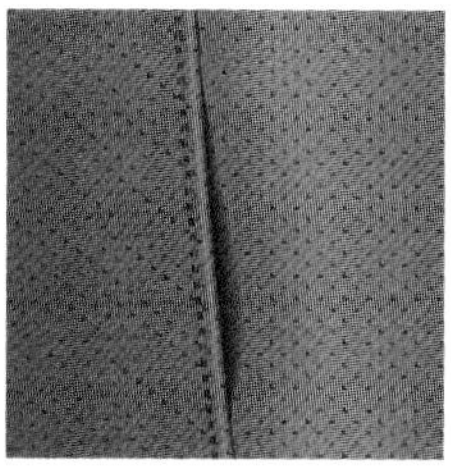

poche[F] prise dans une couture[F]
seam pocket

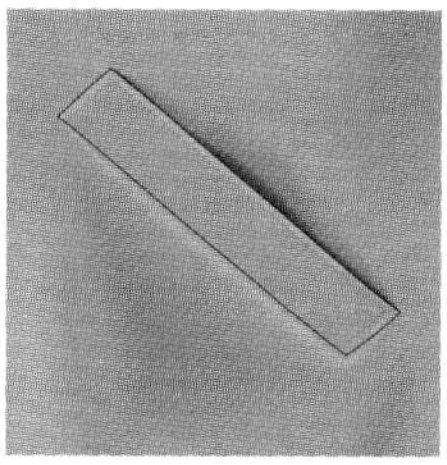

poche[F] raglan
broad welt side pocket

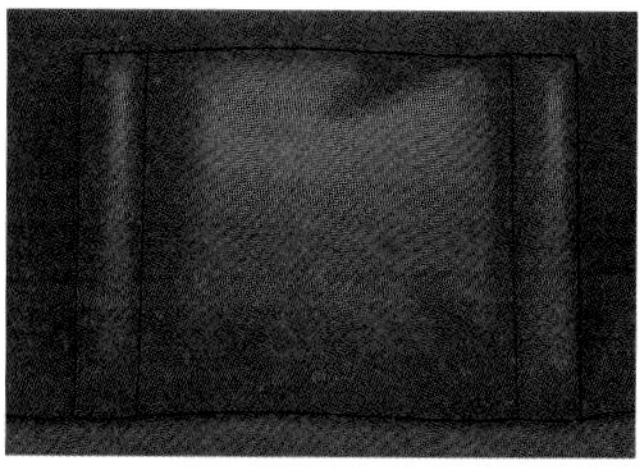

poche[F] manchon[M]
hand warmer pouch

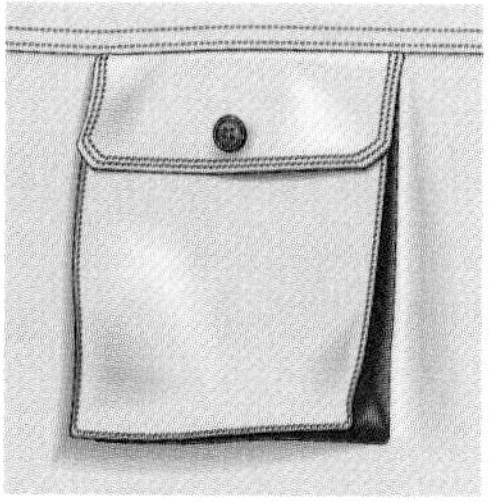

poche[F] soufflet[M]
gusset pocket

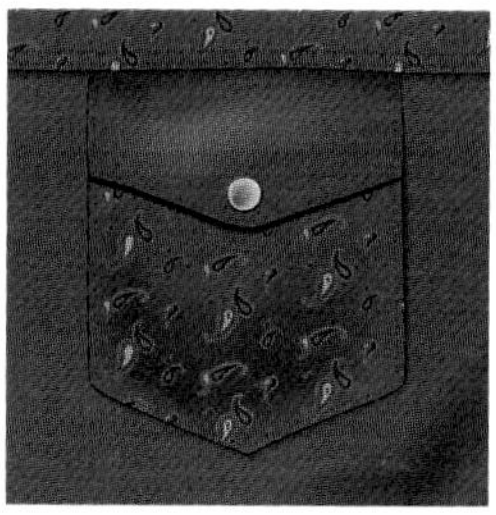

poche[F] à rabat[M]
flap pocket

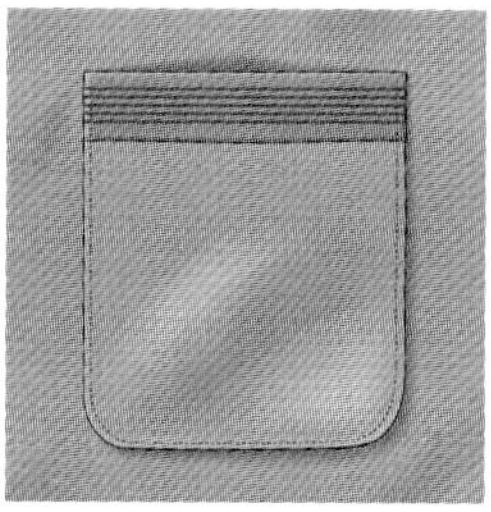

poche[F] plaquée
patch pocket

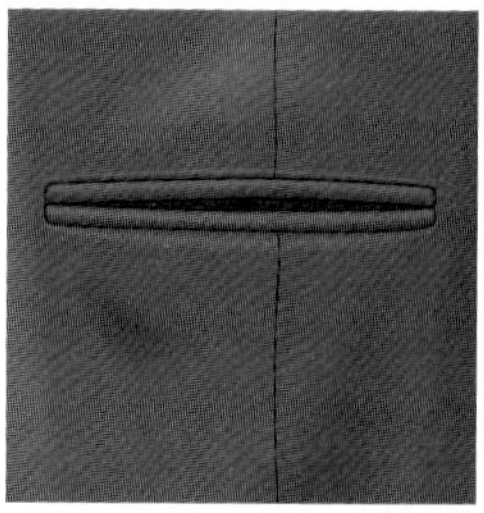

poche[F] passepoilée
welt pocket

TYPES[M] DE MANCHES[F]
TYPES OF SLEEVES

poignet[M] mousquetaire[M]
French cuff

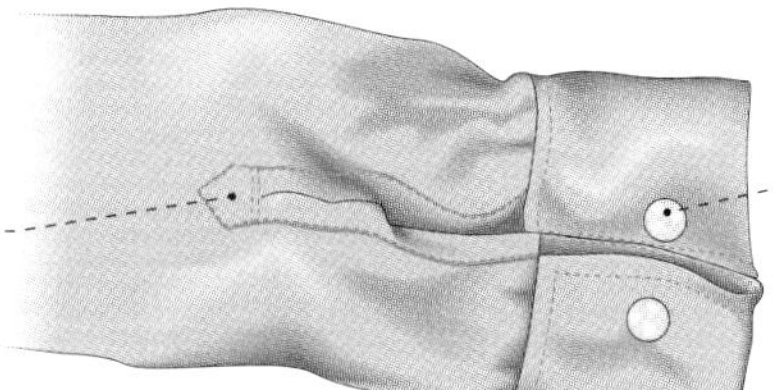
patte[F] capucin[M]
pointed tab end
bouton[M] de manchette[F]
cuff link

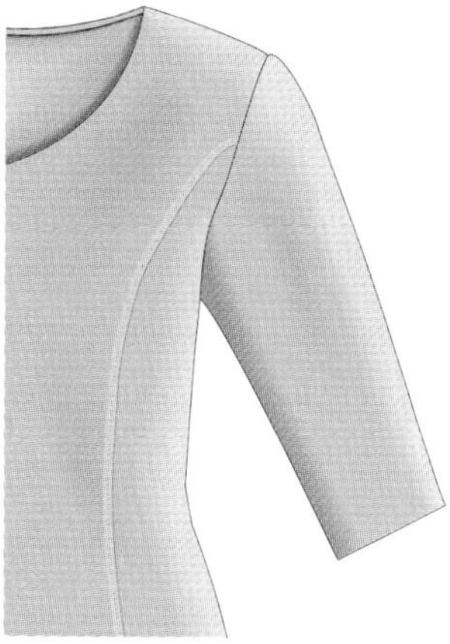

manche[F] trois-quarts
three-quarter sleeve

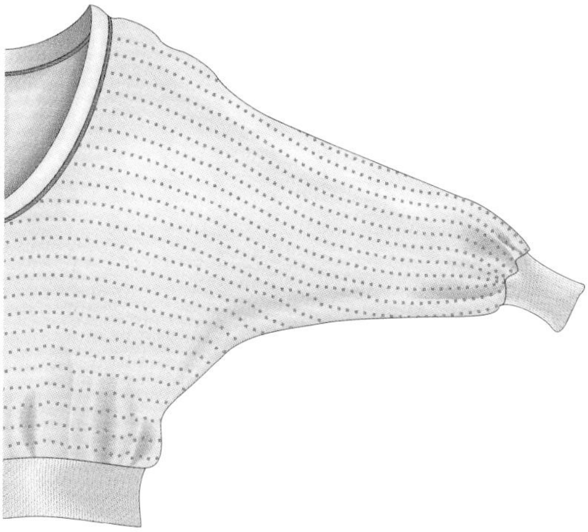

manche[F] chauve-souris[F]
batwing sleeve

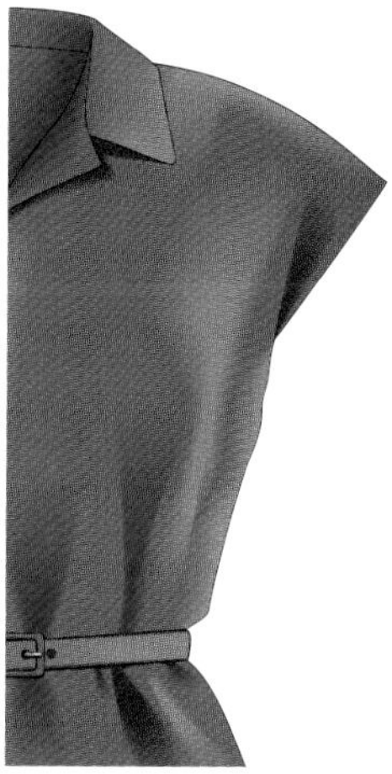

mancheron[M]
cap sleeve

VÊTEMENTS[M] DE FEMME[F]
WOMEN'S CLOTHING

TYPES[M] DE MANCHES[F]
TYPES OF SLEEVES

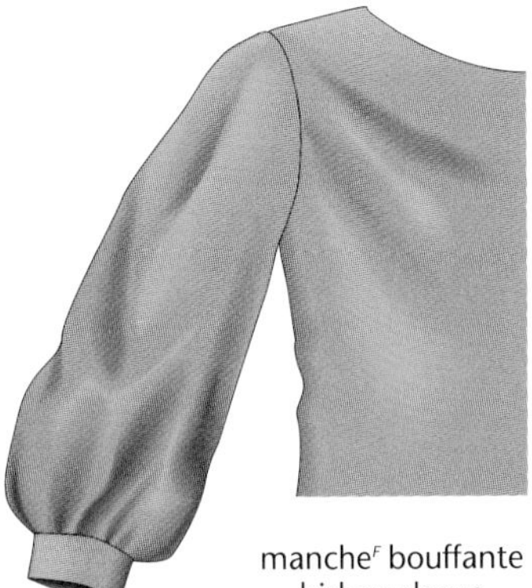

manche[F] bouffante
bishop sleeve

manche[F] gigot[M]
leg-of-mutton sleeve

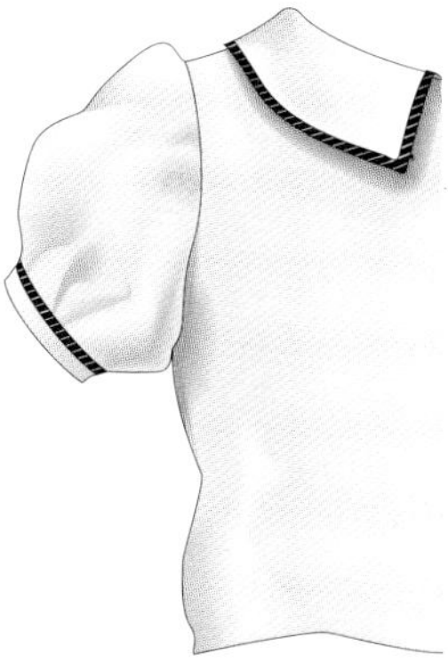

manche[F] ballon[M]
puff sleeve

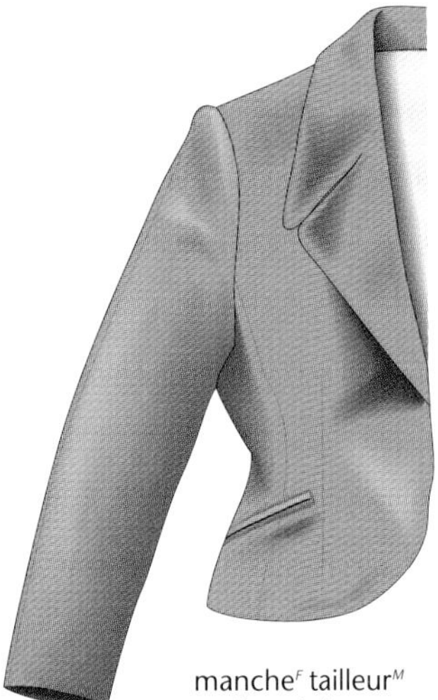

manche[F] tailleur[M]
tailored sleeve

manche[F] marteau[M]
epaulet sleeve

manche[F] kimono[M]
kimono sleeve

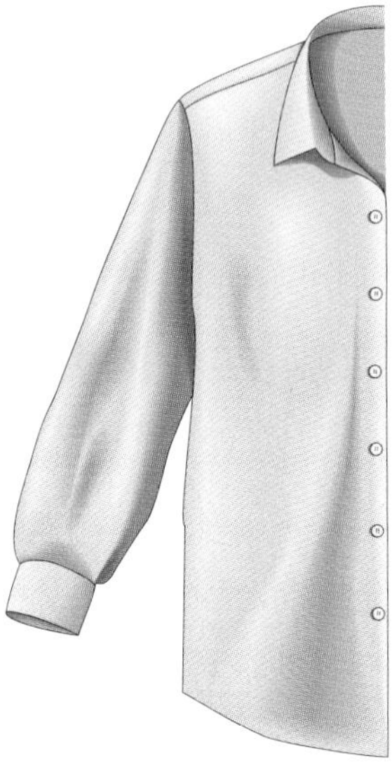

manche[F] chemisier[M]
shirt sleeve

manche[F] raglan
raglan sleeve

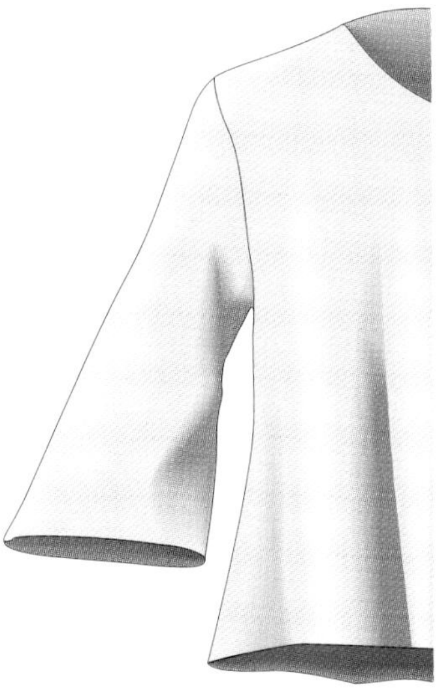

manche[F] pagode[F]
pagoda sleeve

COL[M]
COLLAR

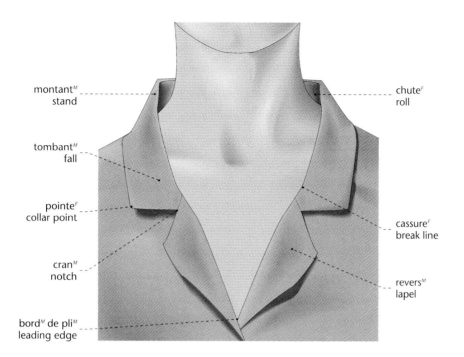

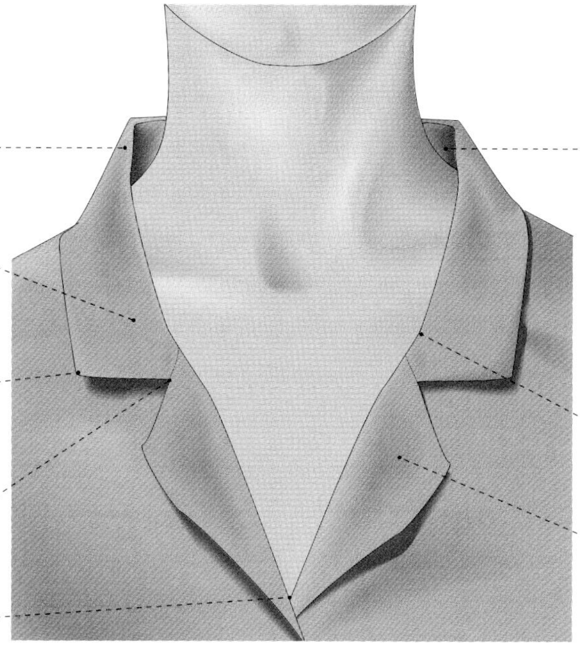
montant[M]
stand
tombant[M]
fall
pointe[F]
collar point
cran[M]
notch
bord[M] de pli[M]
leading edge
chute[F]
roll
cassure[F]
break line
revers[M]
lapel

TYPES[M] DE COLS[M]
TYPES OF COLLARS

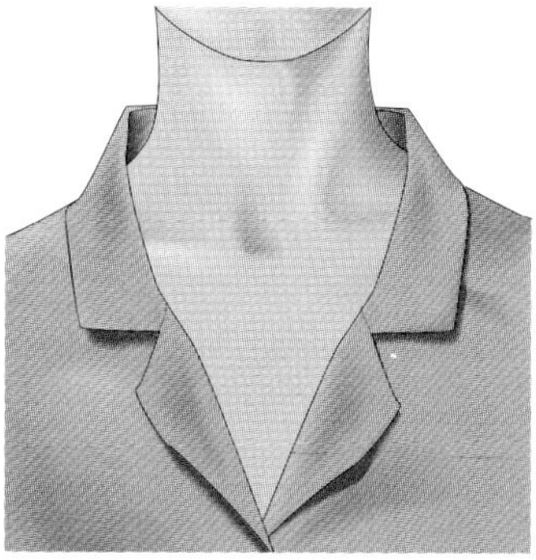
col[M] chemisier[M]
shirt collar

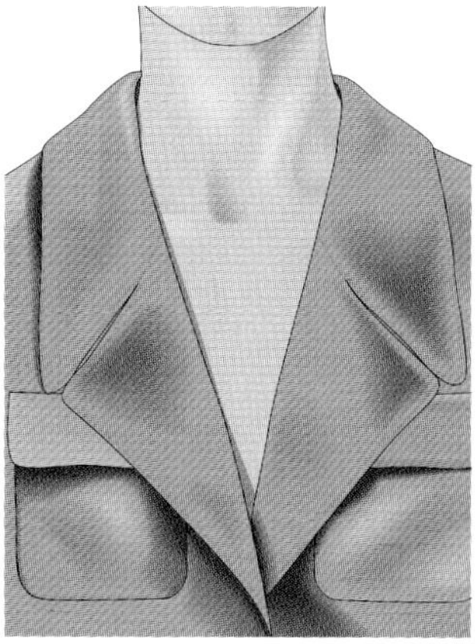
col[M] tailleur[M]
tailored collar

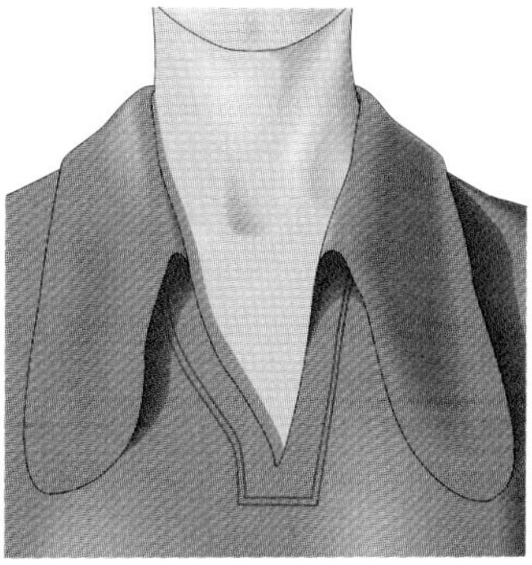
col[M] banane[F]
dog ear collar

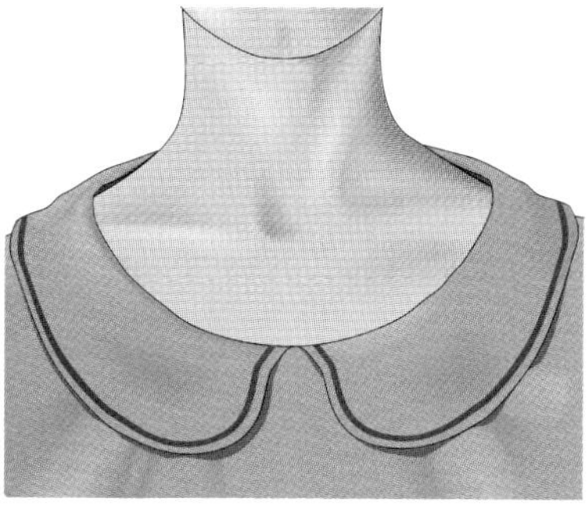
col[M] Claudine
Peter Pan collar

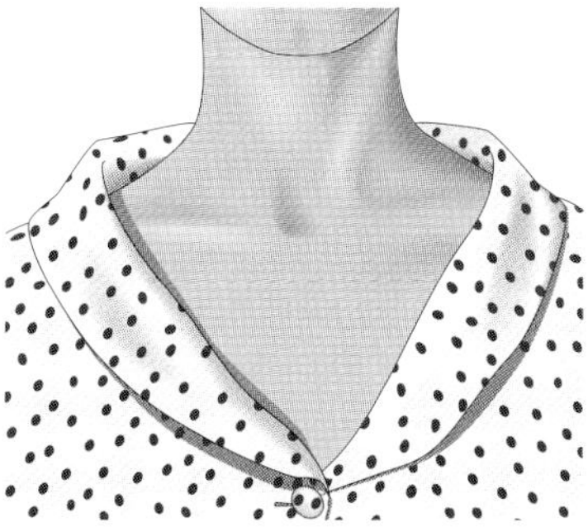
col[M] châle[M]
shawl collar

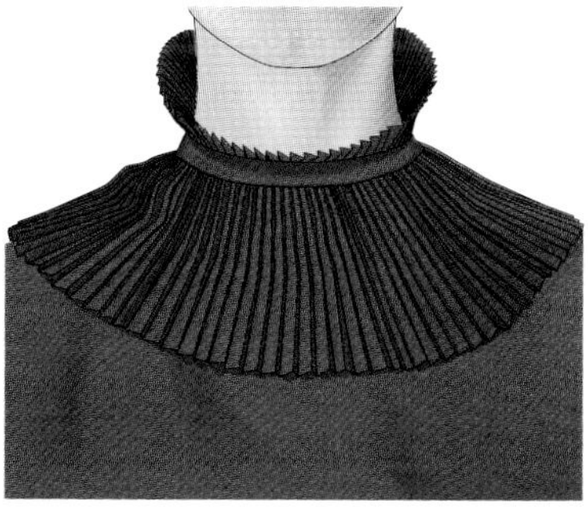
collerette[F]
collaret

VÊTEMENTS[M] DE FEMME[F]
WOMEN'S CLOTHING

TYPES[M] DE COLS[M]
TYPES OF COLLARS

col[M] berthe[F]
bertha collar

col[M] cravate[F]
bow collar

col[M] marin[M]
sailor collar

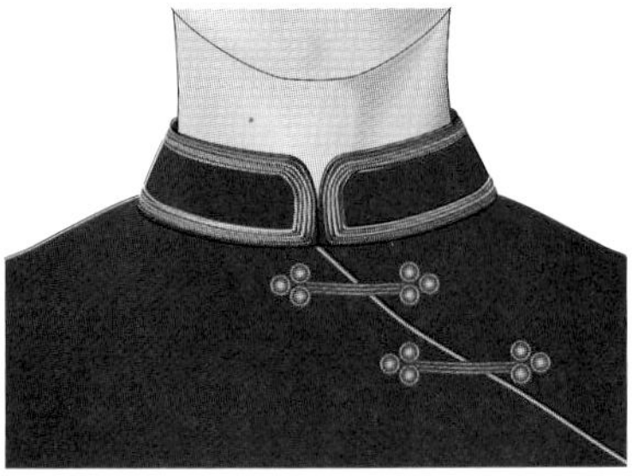

col[M] chinois
mandarin collar

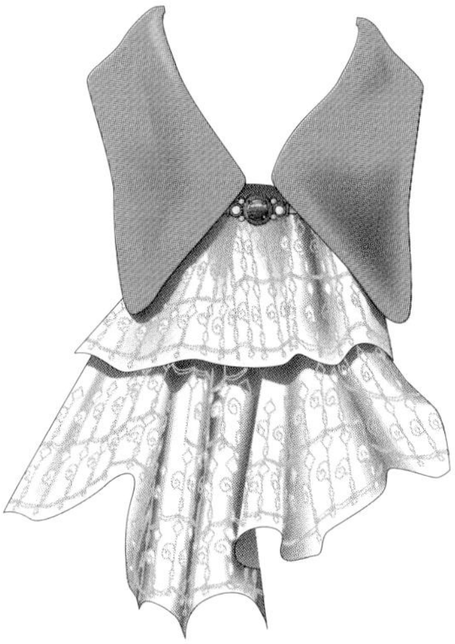

jabot[M]
jabot

col[M] officier[M]
stand-up collar

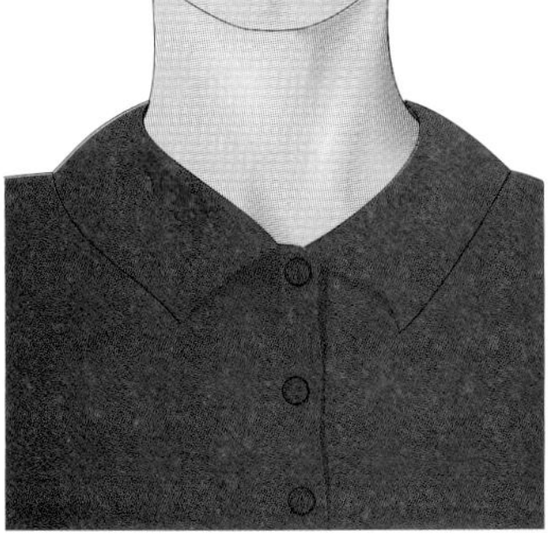

col[M] polo[M]
polo collar

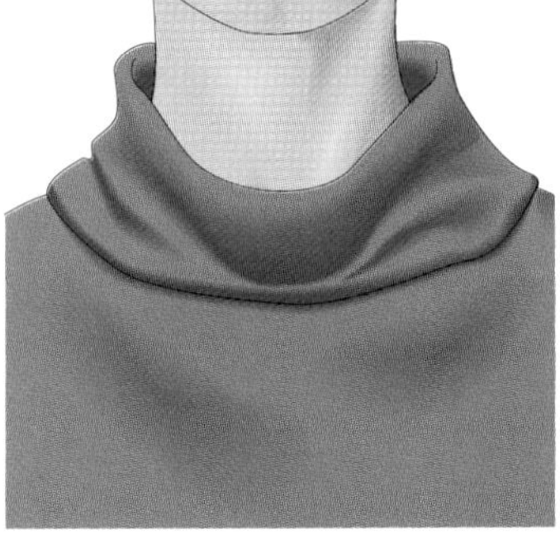

col[M] cagoule[F]
cowl neck

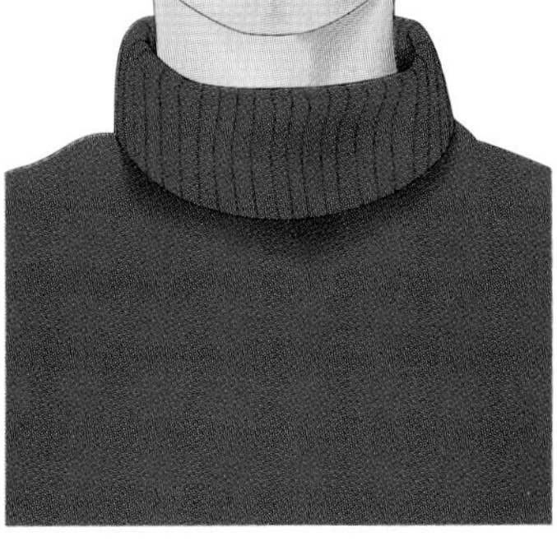

col[M] roulé
turtleneck

décolleté^{M} plongeant
plunging neckline

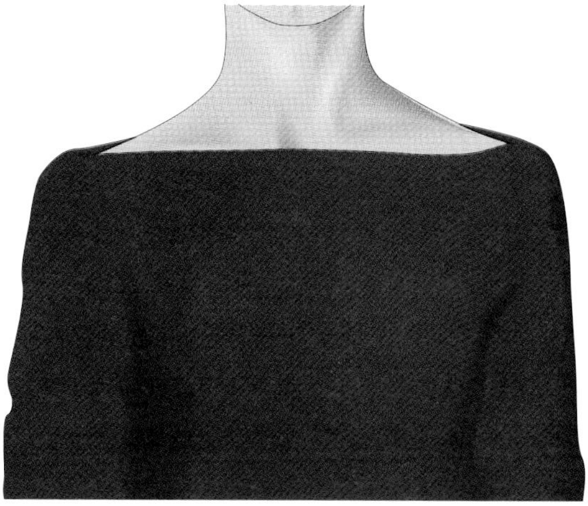

encolure^{F} bateau^{M}
bateau neck

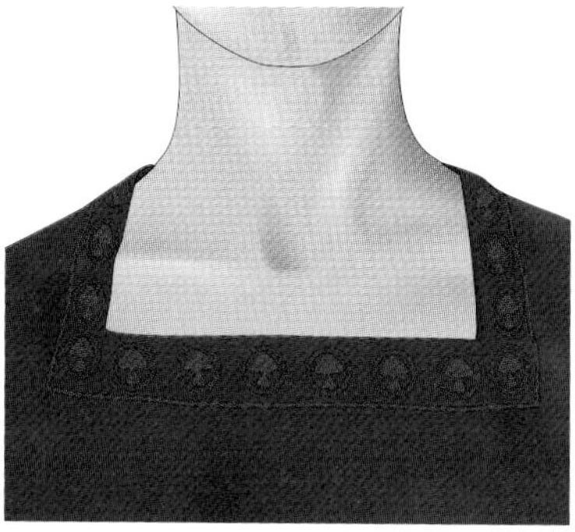

décolleté^{M} carré
square neck

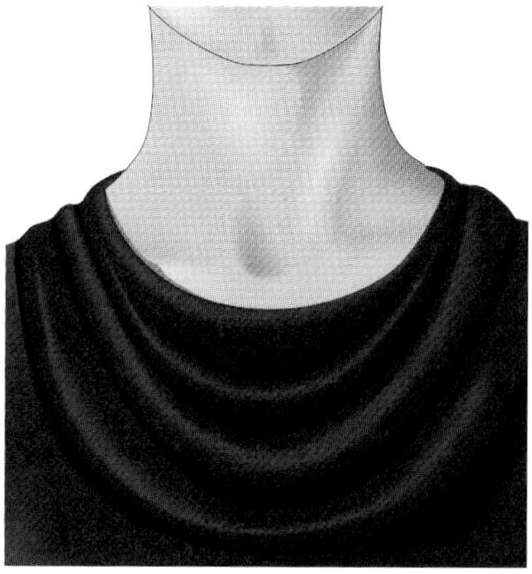

encolure^{F} drapée
draped neck

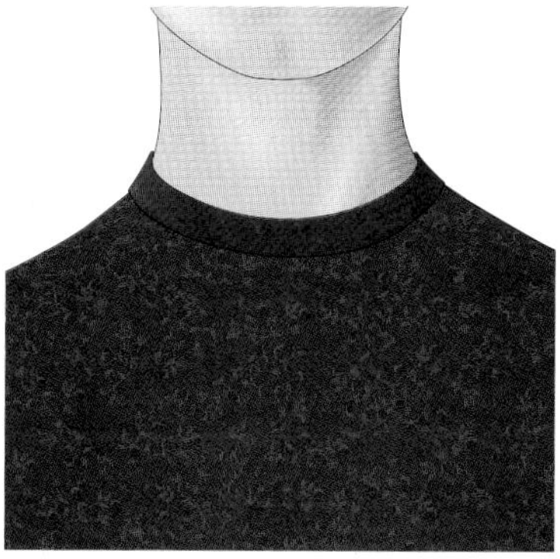

encolure^{F} ras-de-cou^{M}
round neck

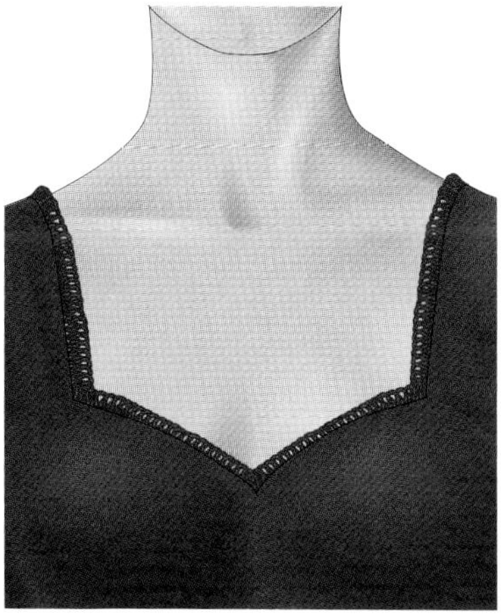

décolleté^{M} en cœur^{M}
sweetheart neckline

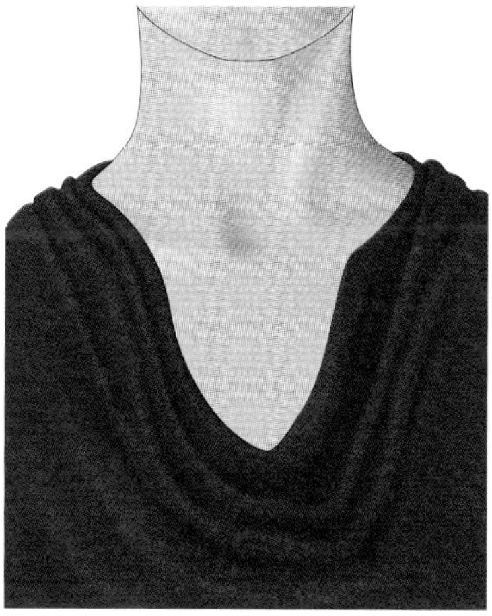

décolleté^{M} drapé
draped neckline

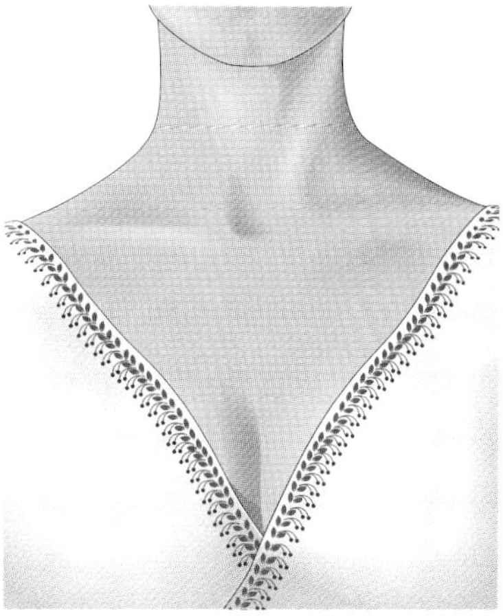

décolleté^{M} en V
V-shaped neck

VÊTEMENTS[M] DE FEMME[F]
WOMEN'S CLOTHING

BAS[M]
HOSE

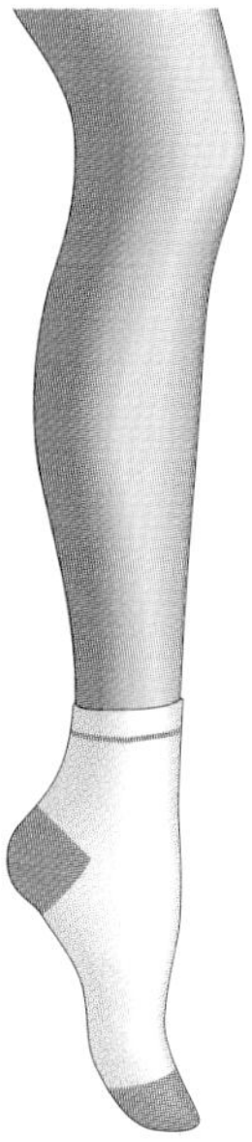

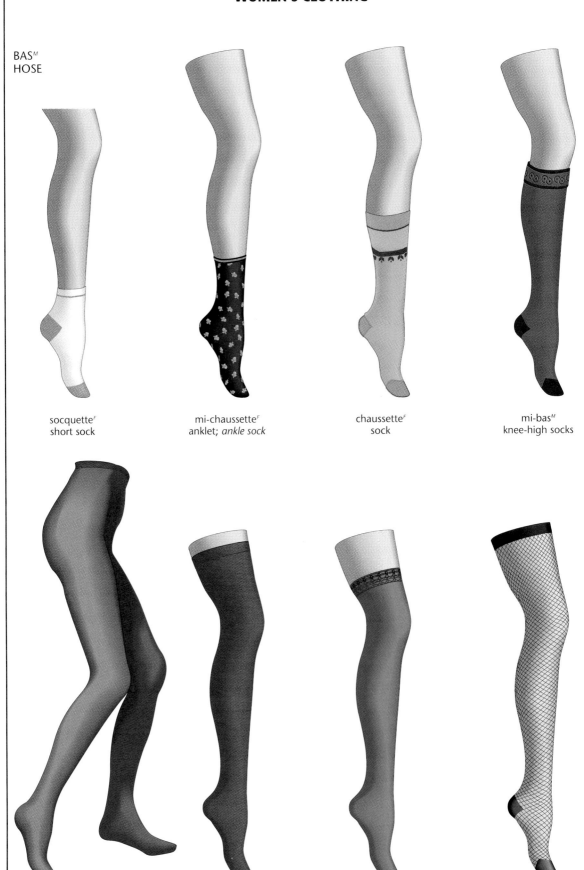

socquette[F]
short sock

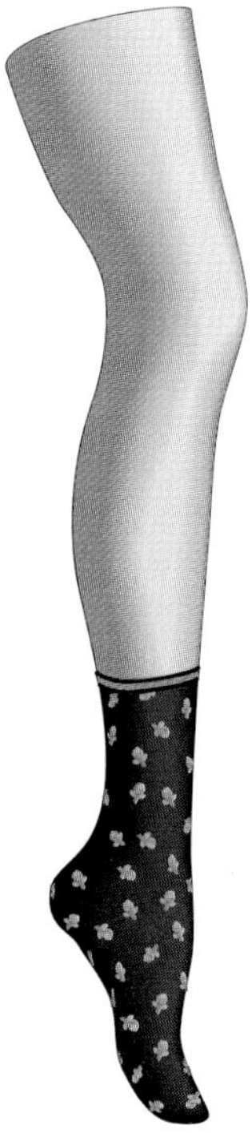

mi-chaussette[F]
anklet; *ankle sock*

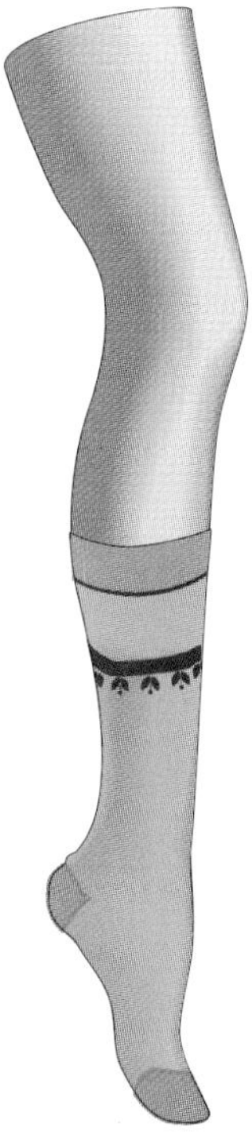

chaussette[F]
sock

mi-bas[M]
knee-high socks

collant[M]
panty hose; *tights*

bas[M]
hose; *stocking*

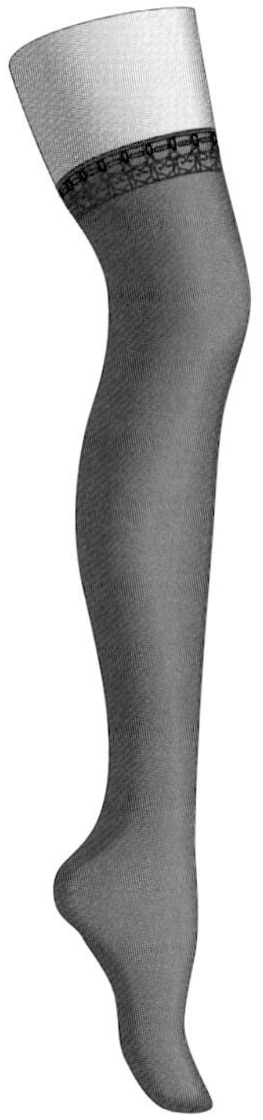

bas[M]-cuissarde[F]
thigh-high stocking

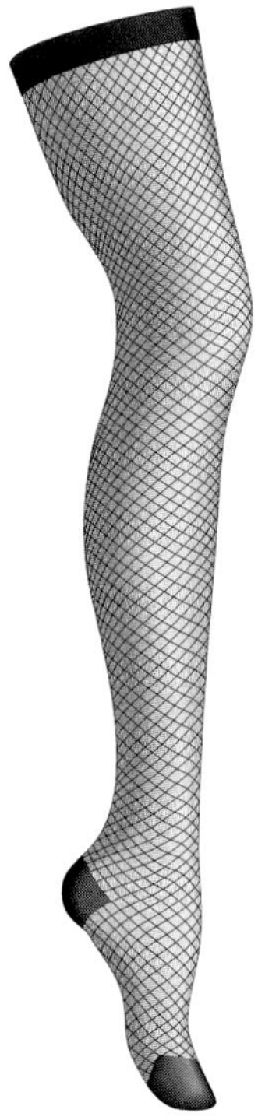

bas[M] résille[F]
net stocking; *fishnet tights*

body[M]; *combiné-slip*[M]
body suit

teddy[M]; *combinaison*[F]-culotte[F]
teddy

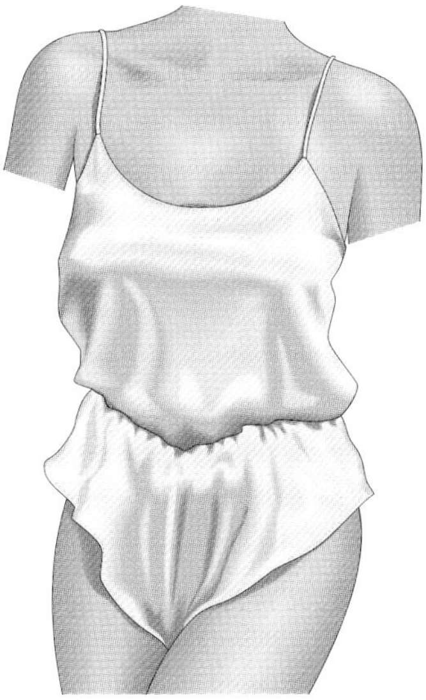

caraco[M]; *camisole*[F]
camisole

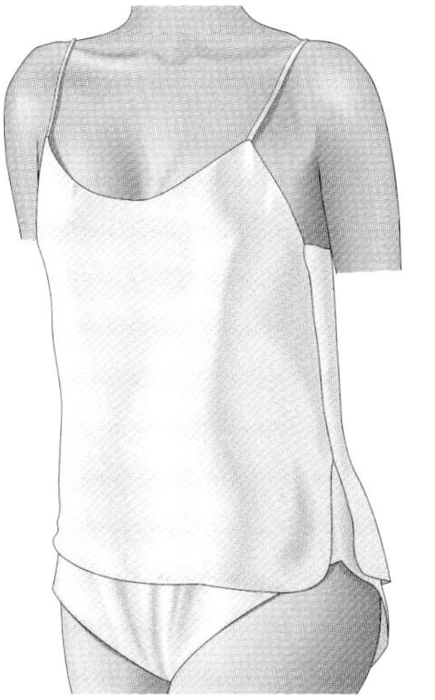

jupon[M]
half-slip

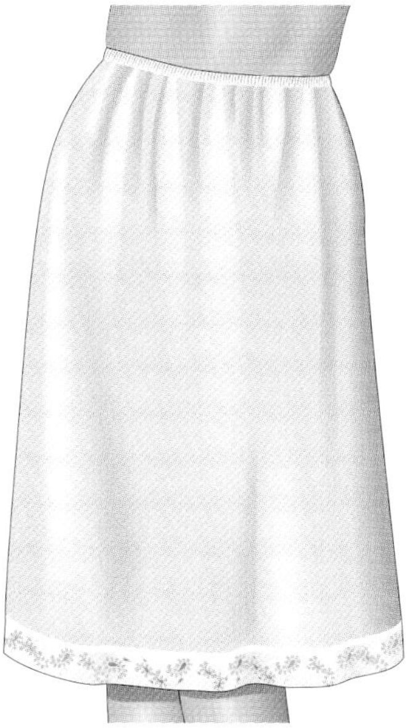

fond[M] de robe[F]
foundation slip

découpe[F] princesse[F]
princess seaming

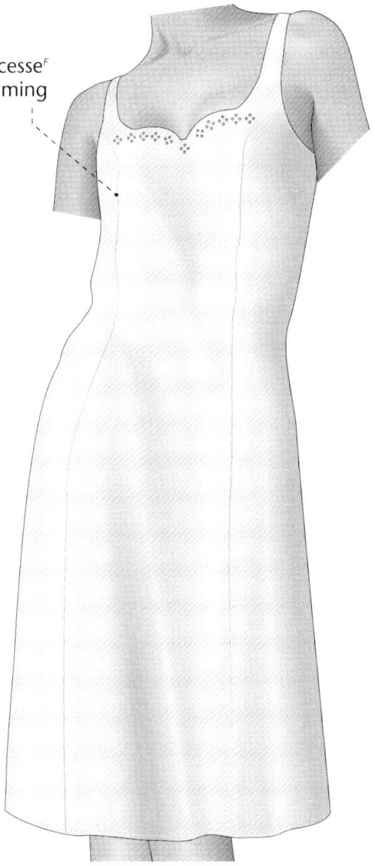

combinaison[F]-jupon[M]
slip

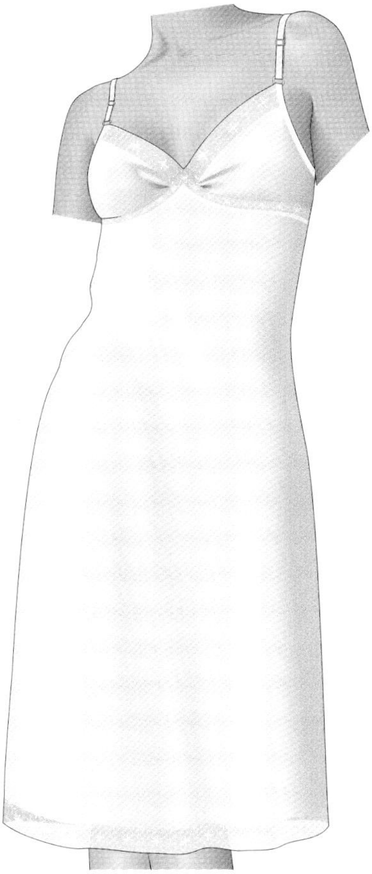

VÊTEMENTS^{M} DE FEMME^{F}
WOMEN'S CLOTHING

SOUS-VÊTEMENTS^{M}
UNDERWEAR

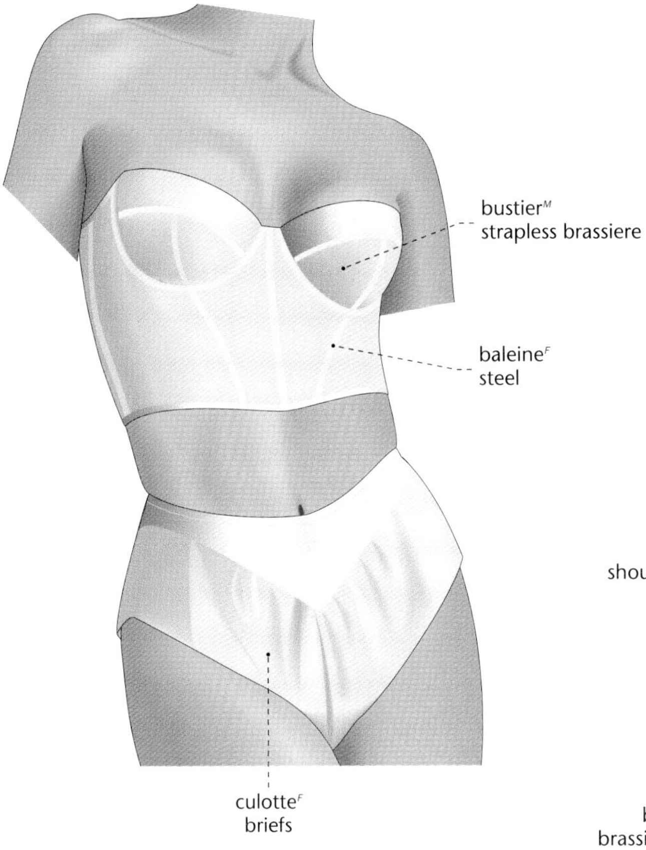
bustier^{M}
strapless brassiere
baleine^{F}
steel
culotte^{F}
briefs

soutien-gorge^{M} corbeille^{F}
décolleté bra

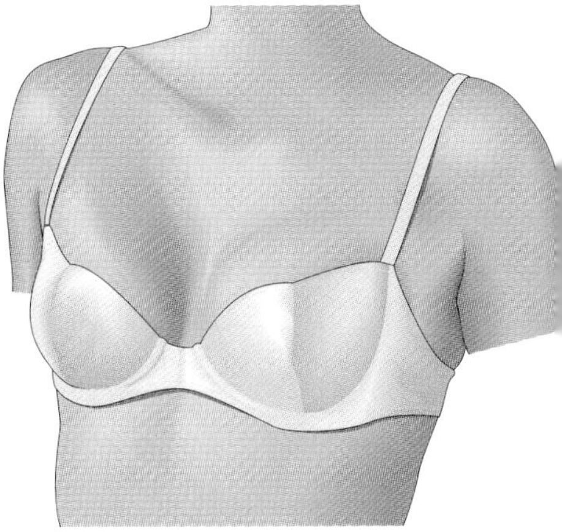

soutien-gorge^{M}
bra

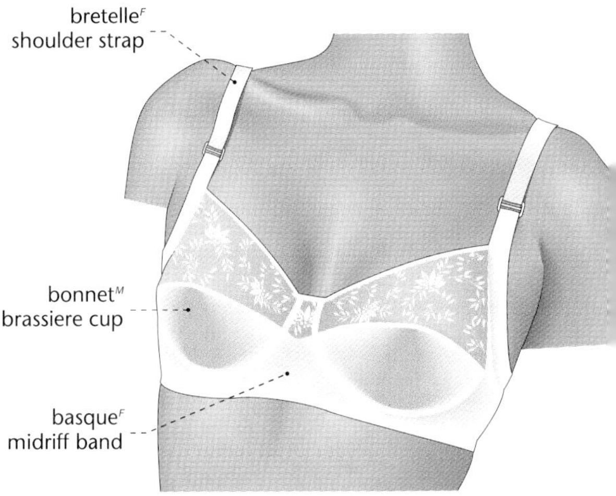
bretelle^{F}
shoulder strap
bonnet^{M}
brassiere cup
basque^{F}
midriff band

gaine^{F}
girdle

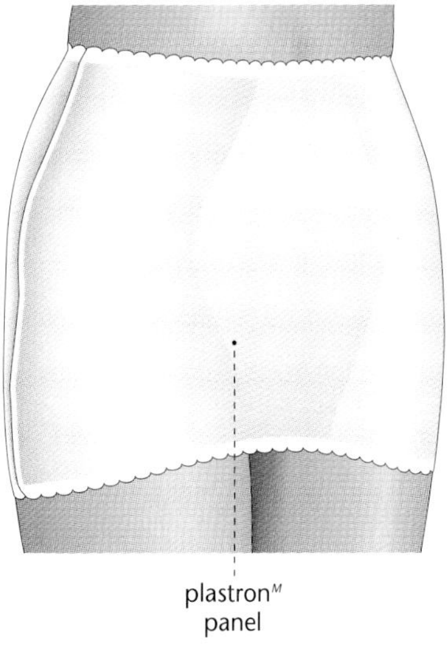
plastron^{M}
panel

gaine^{F}-culotte^{F}
panty girdle

corset^{M}
corset

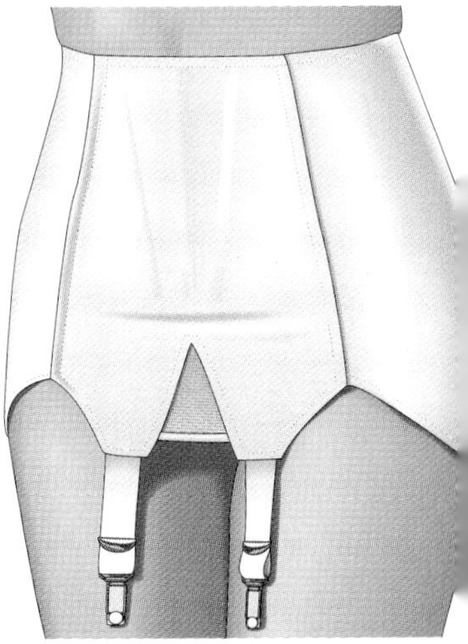

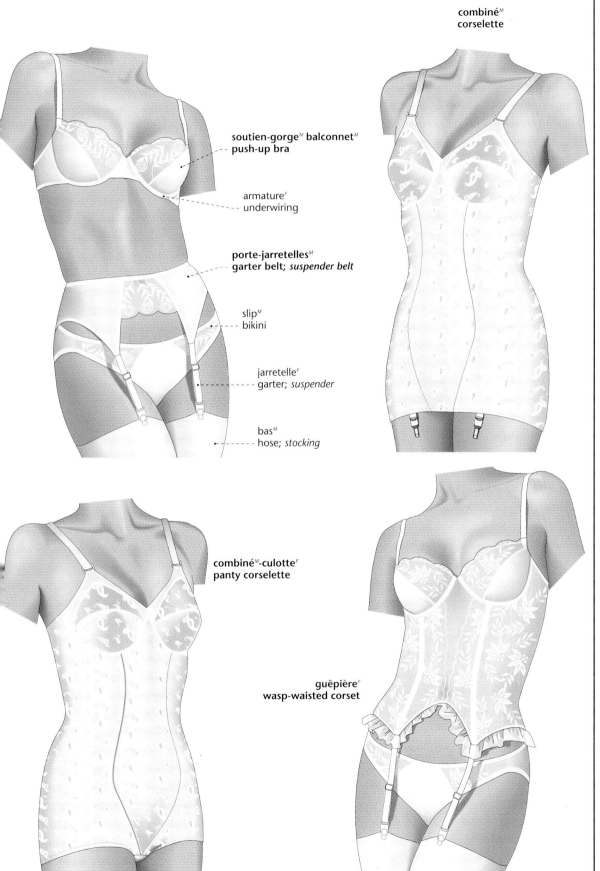

combiné^{M}
corselette

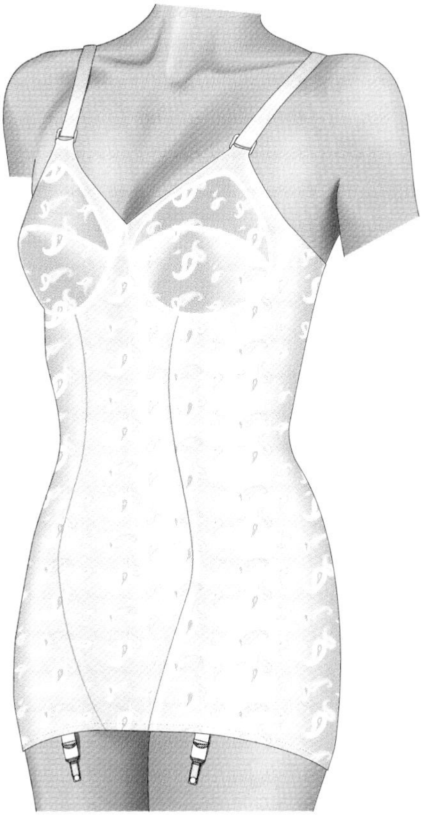

soutien-gorge^{M} balconnet^{M}
push-up bra
armature^{F}
underwiring
porte-jarretelles^{M}
garter belt; *suspender belt*
slip^{M}
bikini
jarretelle^{F}
garter; *suspender*
bas^{M}
hose; *stocking*

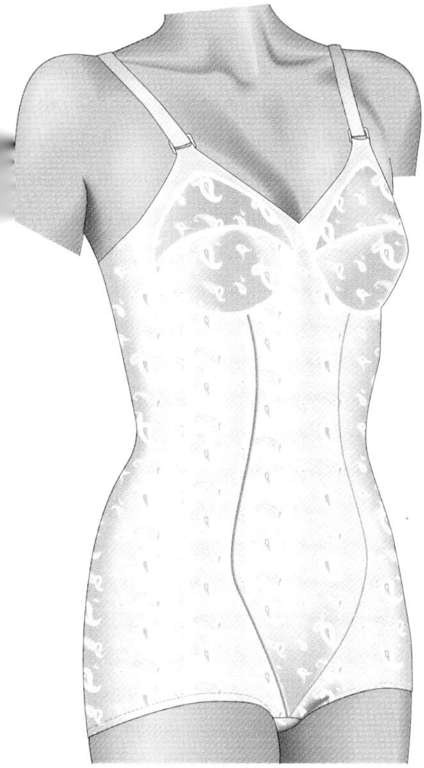

combiné^{M}-culotte^{F}
panty corselette

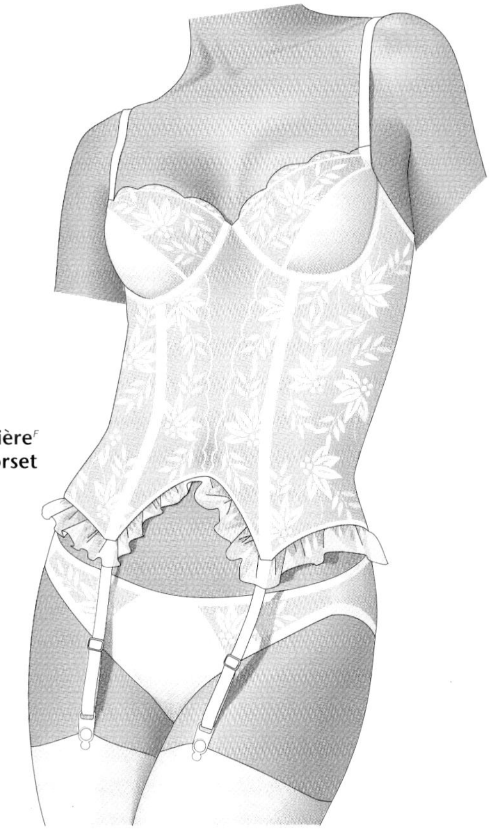

guêpière^{F}
wasp-waisted corset

VÊTEMENTS[M] DE FEMME[F]
WOMEN'S CLOTHING

VÊTEMENTS[M] DE NUIT[F]
NIGHTWEAR

kimono[M]
kimono

chemise[F] de nuit[F]
nightgown

nuisette[F]
baby doll

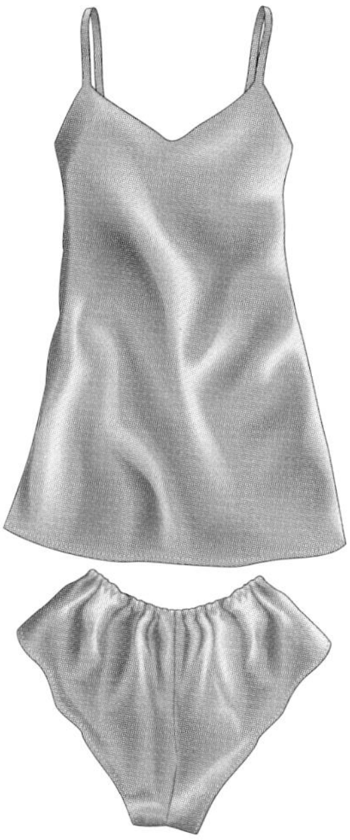

pyjama[M]
pajamas; *pyjamas*

déshabillé[M]
negligee

peignoir[M]
bathrobe

VÊTEMENTS^M^ D'ENFANT^M^
CHILDREN'S CLOTHING

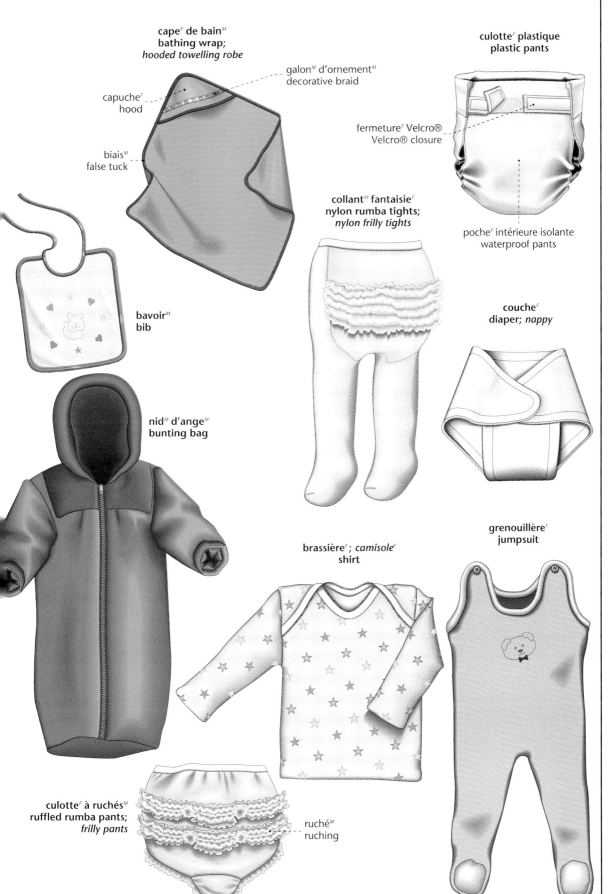

cape^F^ de bain^M^
bathing wrap;
hooded towelling robe

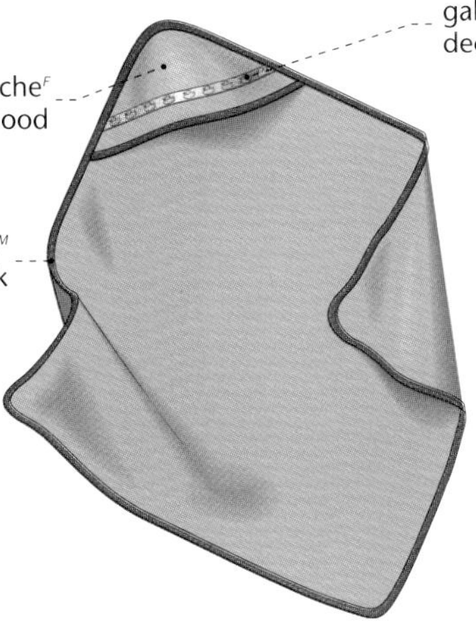

galon^M^ d'ornement^M^
decorative braid
capuche^F^
hood
biais^M^
false tuck

culotte^F^ plastique
plastic pants

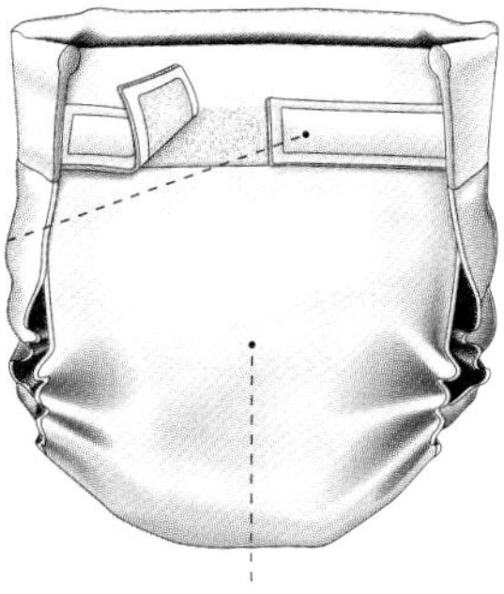

fermeture^F^ Velcro®
Velcro® closure
poche^F^ intérieure isolante
waterproof pants

bavoir^M^
bib

collant^M^ fantaisie^F^
nylon rumba tights;
nylon frilly tights

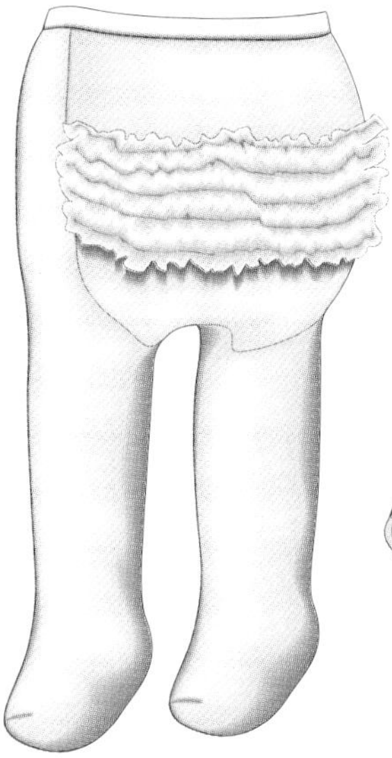

couche^F^
diaper; ***nappy***

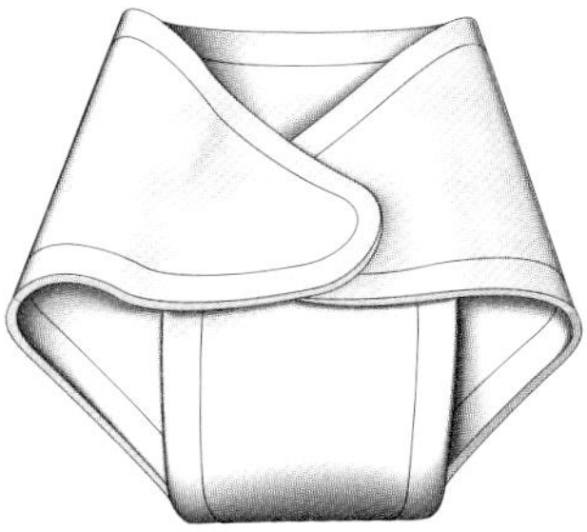

nid^M^ d'ange^M^
bunting bag

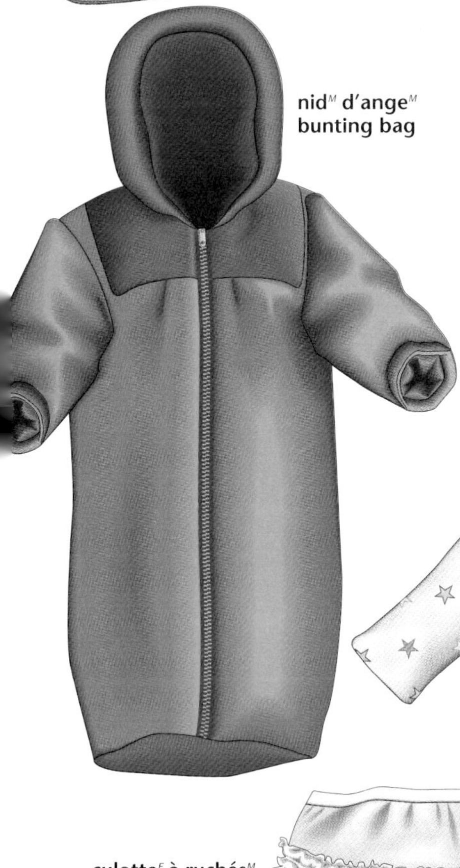

brassière^F^; ***camisole^F^***
shirt

grenouillère^F^
jumpsuit

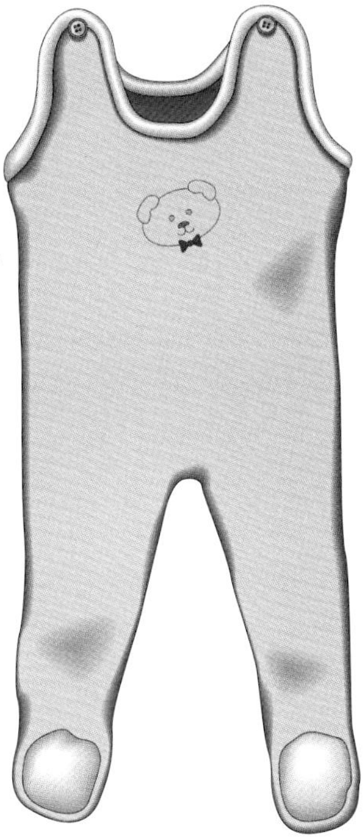

culotte^F^ à ruchés^M^
ruffled rumba pants;
frilly pants

ruché^M^
ruching

VÊTEMENTS[M] D'ENFANT[M]
CHILDREN'S CLOTHING

dormeuse[F]-couverture[F]
blanket sleepers; *sleepsuit*

bord[M]-côte[F]
ribbing
fermeture[F] à glissière[F]
zipper
semelle[F] antidérapante
vinyl grip sole

combinaison[F] de nuit[F]; *dormeuse[F]*
sleepers; *sleeping-suit*

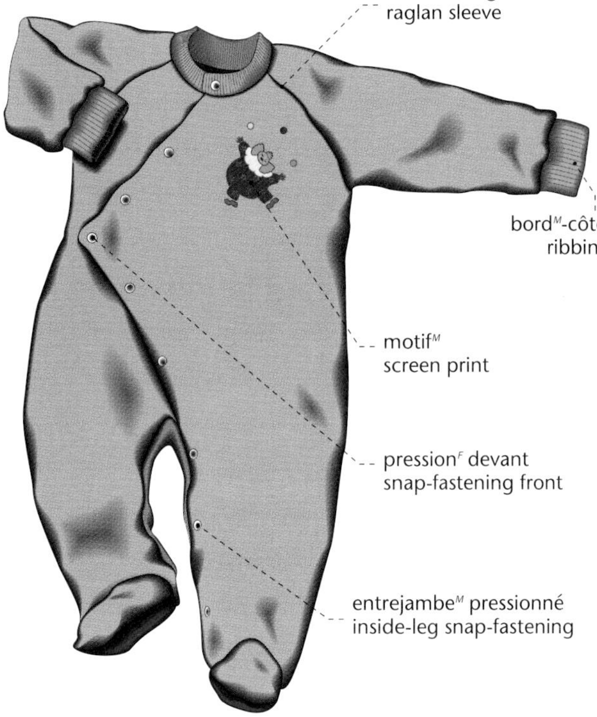

manche[F] raglan
raglan sleeve
bord[M]-côte[F]
ribbing
motif[M]
screen print
pression[F] devant
snap-fastening front
entrejambe[M] pressionné
inside-leg snap-fastening

salopette[F] à dos[M] montant
high-back overalls

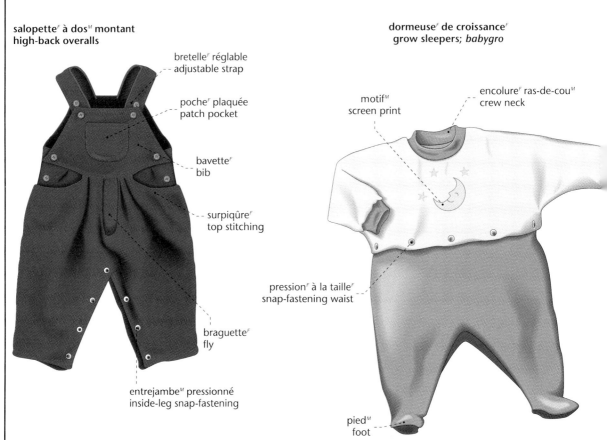

bretelle[F] réglable
adjustable strap
poche[F] plaquée
patch pocket
bavette[F]
bib
surpiqûre[F]
top stitching
braguette[F]
fly
entrejambe[M] pressionné
inside-leg snap-fastening

dormeuse[F] de croissance[F]
grow sleepers; *babygro*

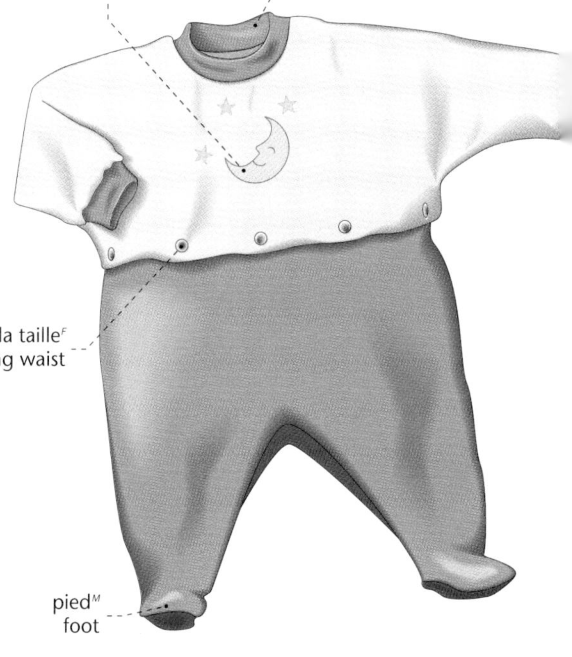

motif[M]
screen print
encolure[F] ras-de-cou[M]
crew neck
pression[F] à la taille[F]
snap-fastening waist
pied[M]
foot

tenue[F] d'exercice[M]
training set

débardeur[M]
tank top
short[M]
shorts

salopette[F] à bretelles[F] croisées
crossover back straps overalls

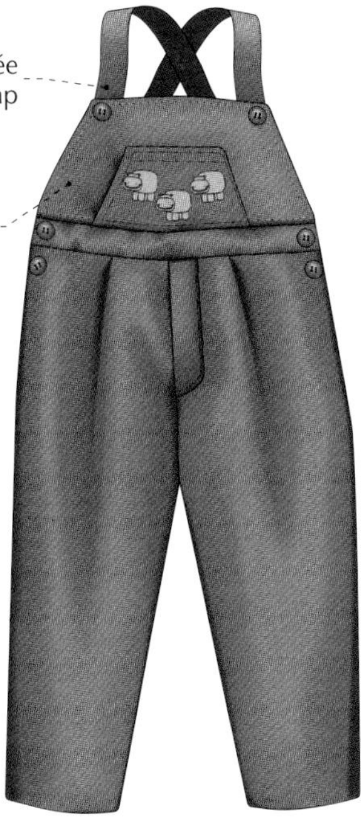
bretelle[F] boutonnée
button strap
bavette[F]
bib

polojama[M]
polojama

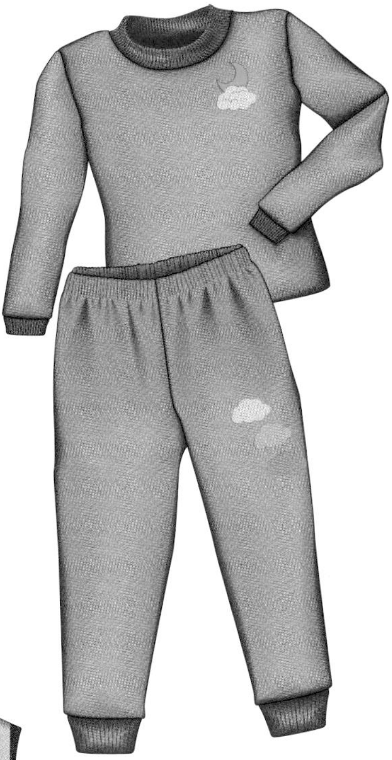

esquimau[M]
snowsuit

capuche[F] coulissée
drawstring hood
fermeture[F] sous patte[F]
fly front closing

barboteuse[F]
rompers

robe[F] tee-shirt[M]
T-shirt dress

combinaison[F]
jumpsuit

TENUE[F] D'EXERCICE[M]
SPORTSWEAR

CHAUSSURE[F] DE SPORT[M]
RUNNING SHOE

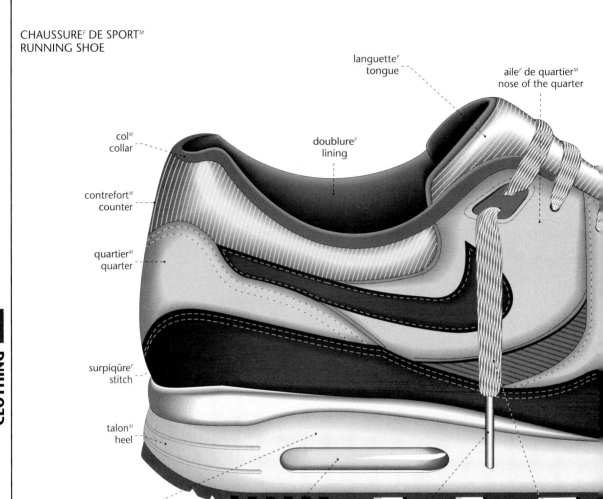

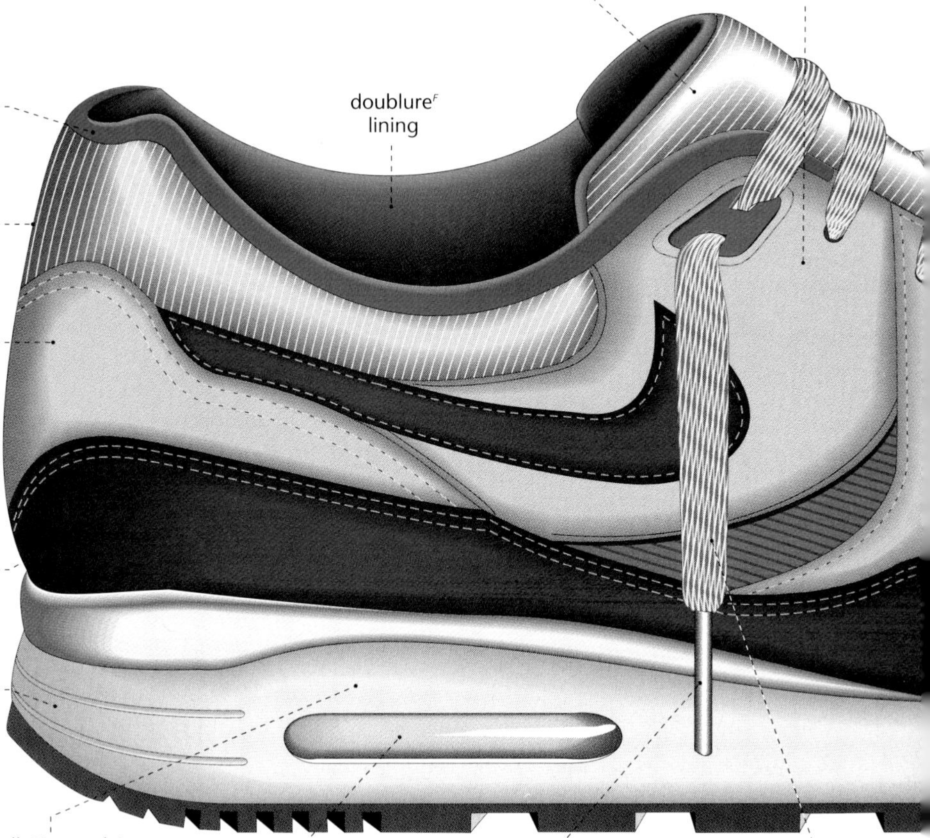
languette[F]
tongue
aile[F] de quartier[M]
nose of the quarter
col[M]
collar
doublure[F]
lining
contrefort[M]
counter
quartier[M]
quarter
surpiqûre[F]
stitch
talon[M]
heel
semelle[F] intercalaire
middle sole
coussin[M] d'air[M]
air unit
ferret[M]
tag
lacet[M]
shoelace

SURVÊTEMENT[M]
TRAINING SUIT

pull[M] à capuche[F]
hooded sweat shirt

pantalon[M] molleton[M]
sweat pants; *sweat trousers*

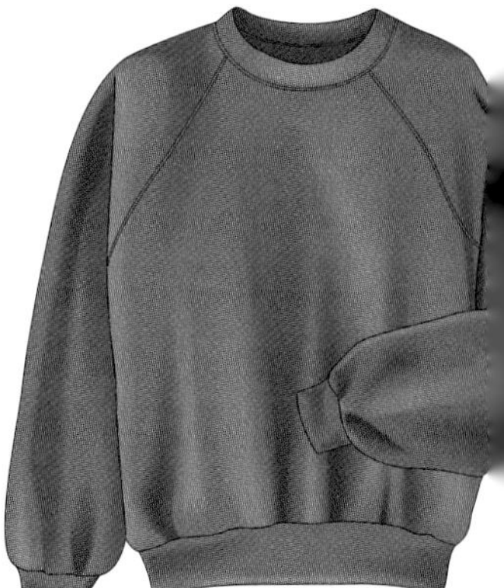
pull[M] d'entraînement[M]
sweat shirt

VÊTEMENT[M] D'EXERCICE[M]
EXERCISE WEAR

slip[M] de bain[M]
swimming trunks

maillot[M] de bain[M]
swimsuit

justaucorps[M]
leotard

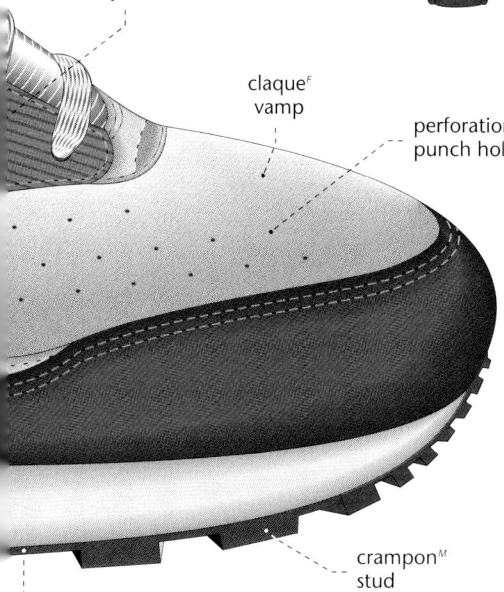
œillet[M]
eyelet
claque[F]
vamp
perforation[F]
punch hole
crampon[M]
stud
semelle[F] d'usure[F]
outsole

collant[M] sans pied[M]
footless tights

jambière[F]
leg-warmer

short[M] boxeur[M]
boxer shorts

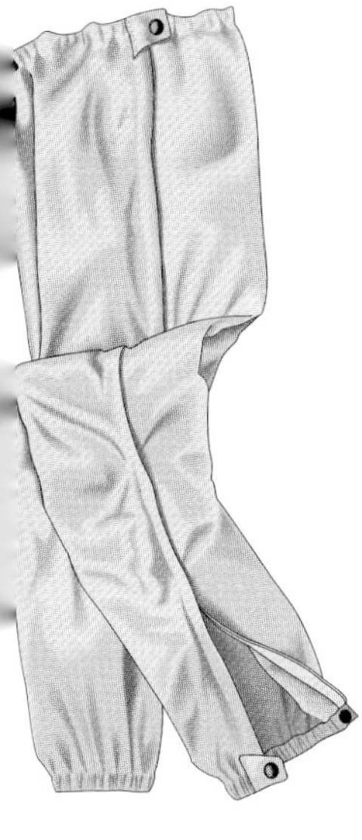

pantalon[M]
pants; *trousers*

anorak[M]
anorak

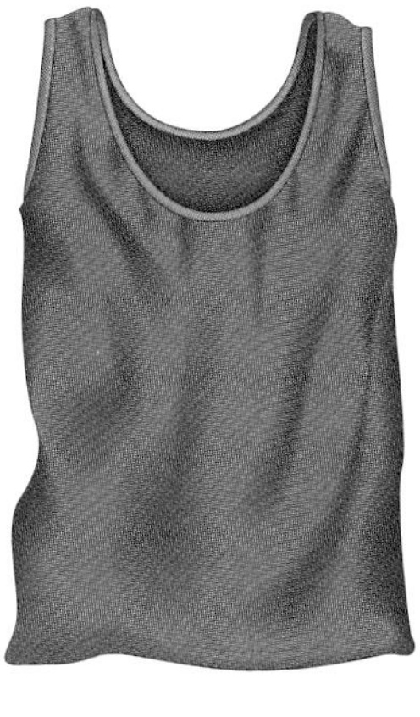

débardeur[M]
tank top

CHAUSSURES[F]
SHOES

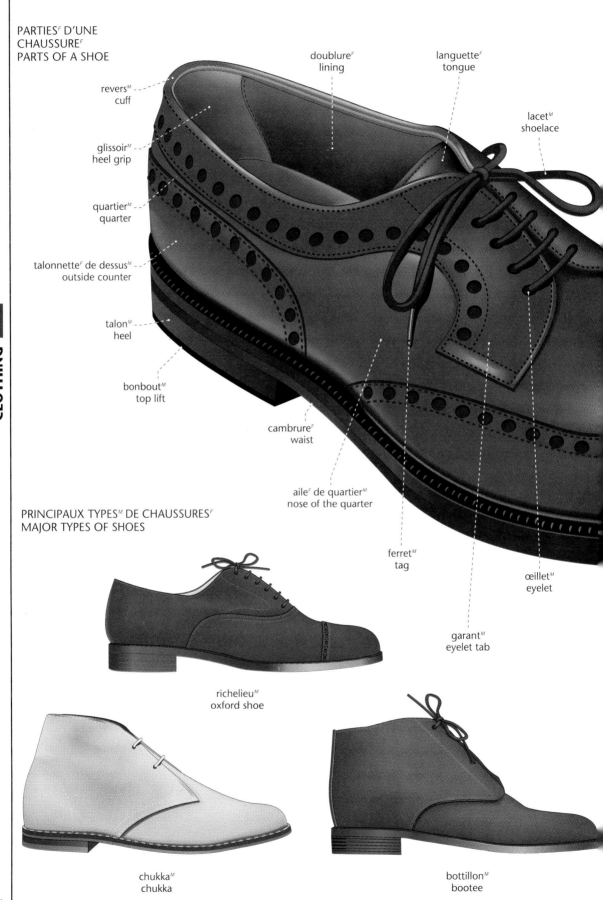

PARTIES[F] D'UNE CHAUSSURE[F]
PARTS OF A SHOE

revers[M]
cuff
glissoir[M]
heel grip
quartier[M]
quarter
talonnette[F] de dessus[M]
outside counter
talon[M]
heel
bonbout[M]
top lift
doublure[F]
lining
languette[F]
tongue
lacet[M]
shoelace
cambrure[F]
waist
aile[F] de quartier[M]
nose of the quarter
ferret[M]
tag
œillet[M]
eyelet
garant[M]
eyelet tab

PRINCIPAUX TYPES[M] DE CHAUSSURES[F]
MAJOR TYPES OF SHOES

richelieu[M]
oxford shoe

chukka[M]
chukka

bottillon[M]
bootee

PRINCIPAUX TYPES[M] DE CHAUSSURES[F]
MAJOR TYPES OF SHOES

tennis[M]
tennis shoe

derby[M]
blucher oxford; *lace-up*

mocassin[M]
moccasin

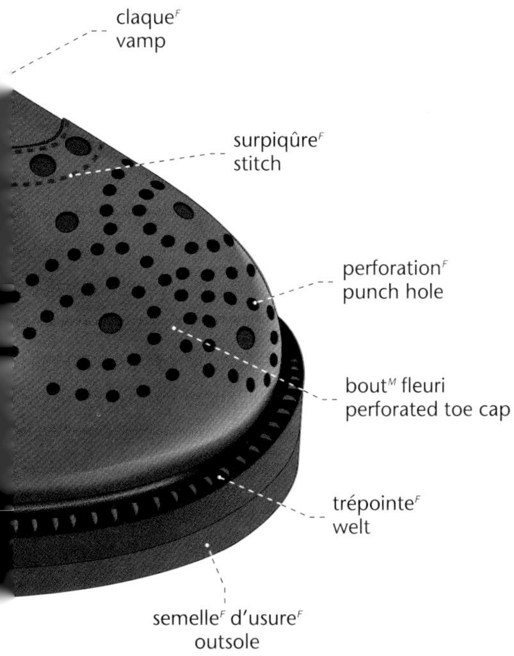
claque[F]
vamp
surpiqûre[F]
stitch
perforation[F]
punch hole
bout[M] fleuri
perforated toe cap
trépointe[F]
welt
semelle[F] d'usure[F]
outsole

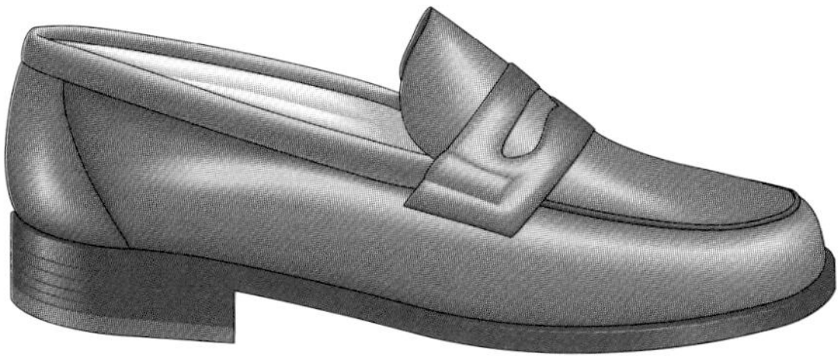

loafer[M]; *flâneur*[M]
loafer; *slip-on*

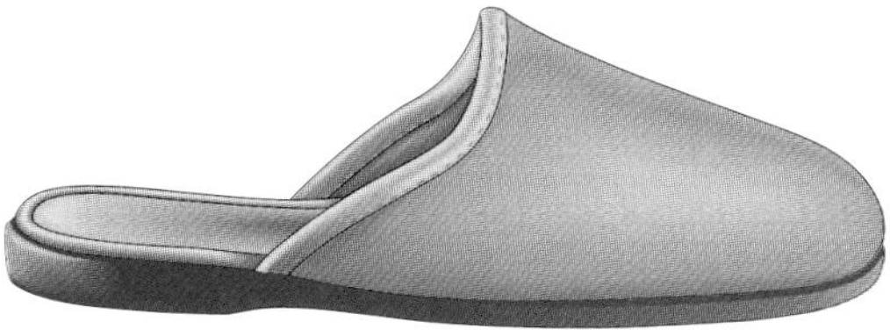

mule[F]
mule

brodequin[M]
heavy duty boot

claque[F]
rubber; *galosh*

CHAUSSURES^F
SHOES

PRINCIPAUX TYPES^M DE CHAUSSURES^F
MAJOR TYPES OF SHOES

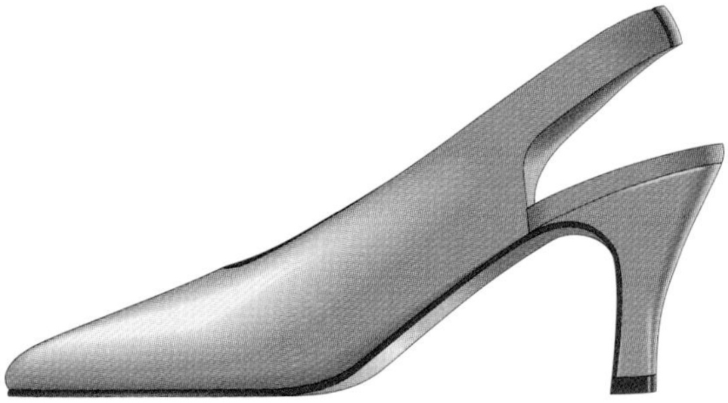

escarpin^M-sandale^F
sling back shoe

escarpin^M
pump; *court*

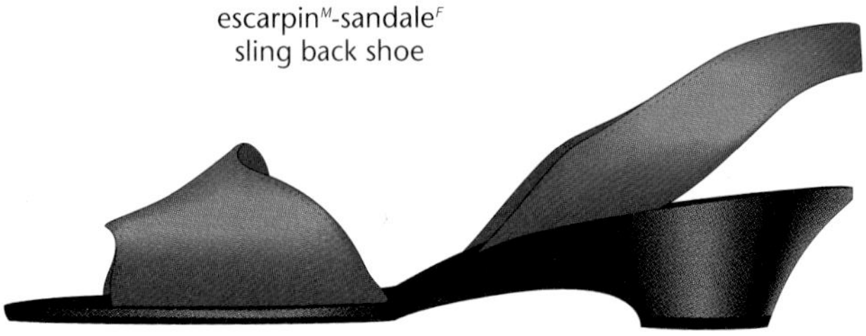

sandale^F
sandal; *ankle-strap*

salomé^M
T-strap shoe

Charles IX^M
one-bar shoe

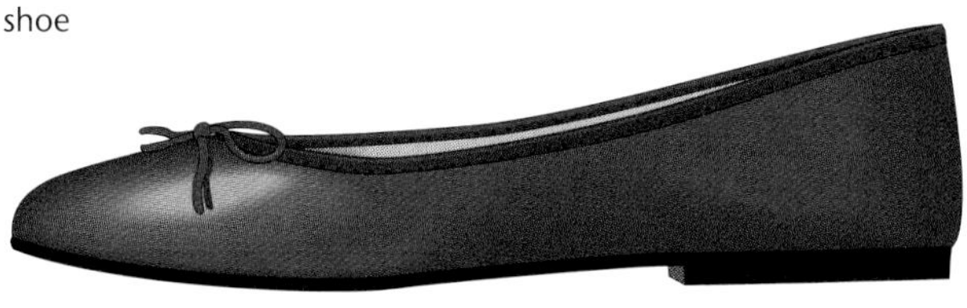

ballerine^F
ballerina; *pump*

trotteur^M
casual shoe

botte^F
boot

nu-pied[M]
sandal; *toe-strap*

tong[M]
thong; *flip-flop*

bottine[F]
ankle boot

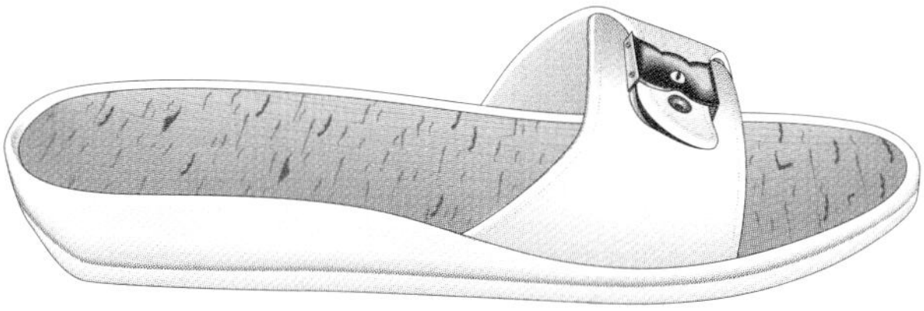

socque[M]
clog

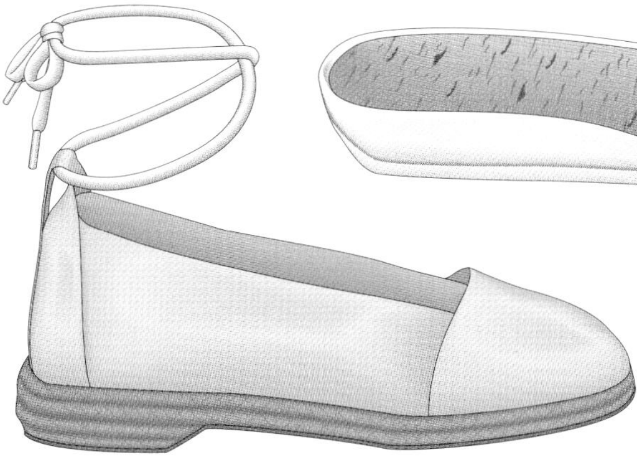

espadrille[F]
espadrille

cuissarde[F]
thigh-boot

sandalette[F]
sandal

CHAUSSURES^F
SHOES

ACCESSOIRES^M
ACCESSORIES

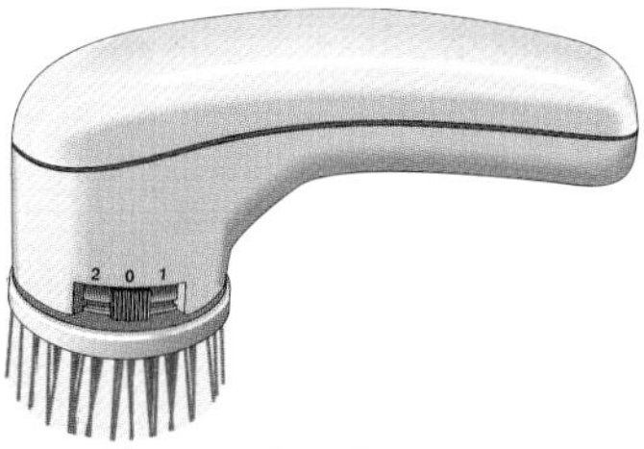

cireur^M
shoe polisher

chausse-pied^M
shoehorn

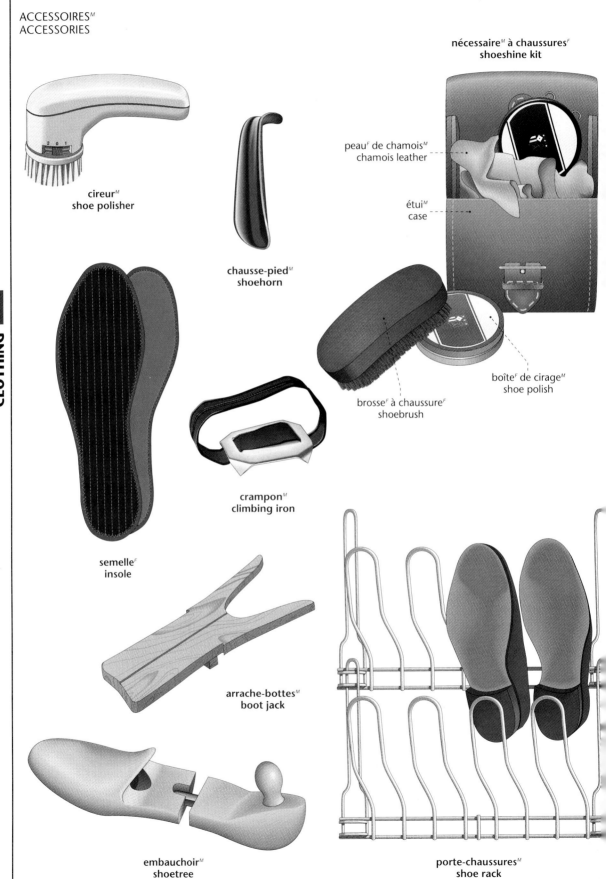

nécessaire^M à chaussures^F
shoeshine kit

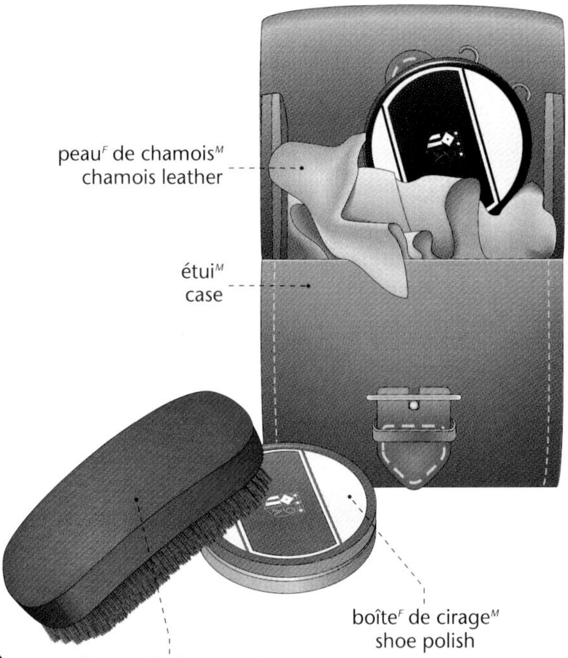
peau^F de chamois^M
chamois leather
étui^M
case
boîte^F de cirage^M
shoe polish
brosse^F à chaussure^F
shoebrush

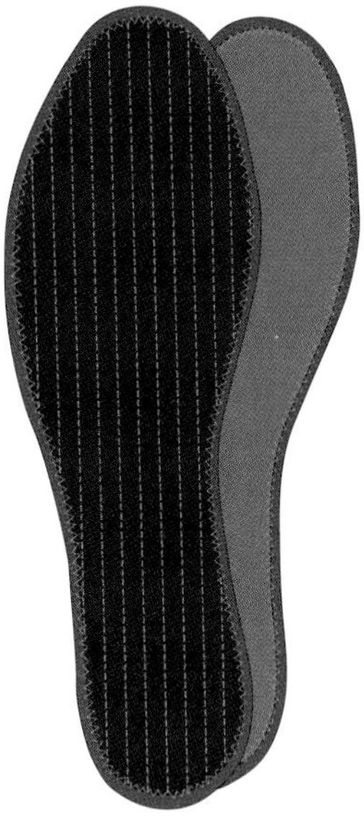

semelle^F
insole

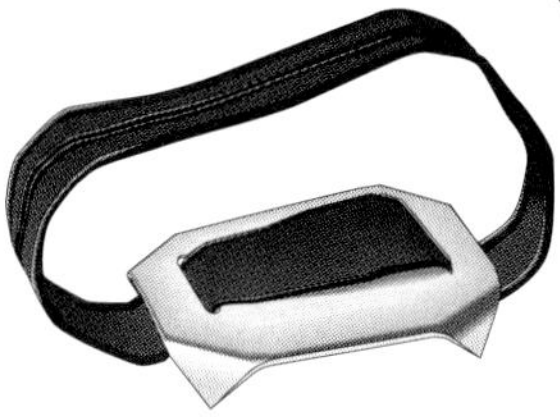

crampon^M
climbing iron

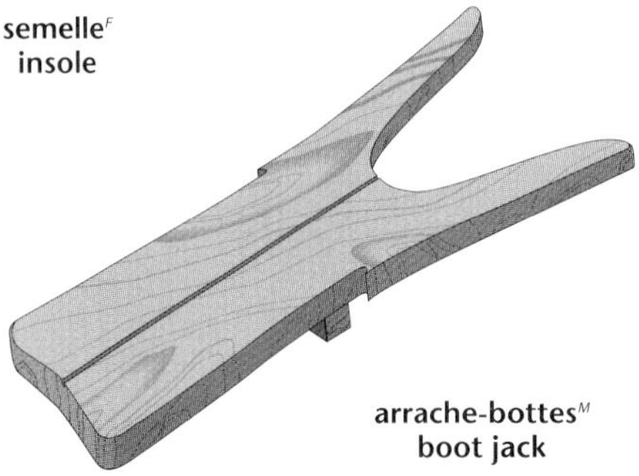

arrache-bottes^M
boot jack

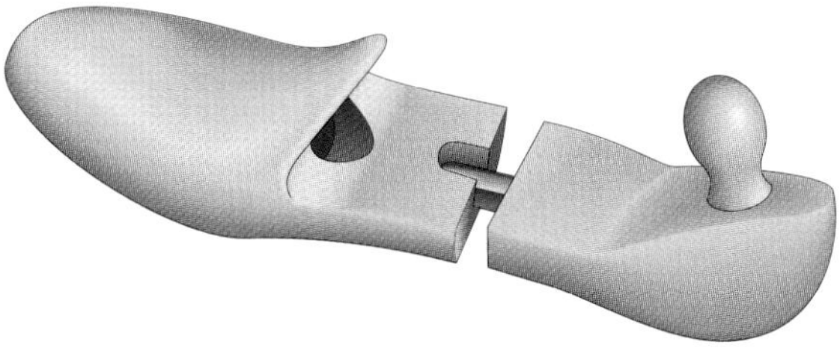

embauchoir^M
shoetree

porte-chaussures^M
shoe rack

PARURE • PERSONAL ADORNMENT

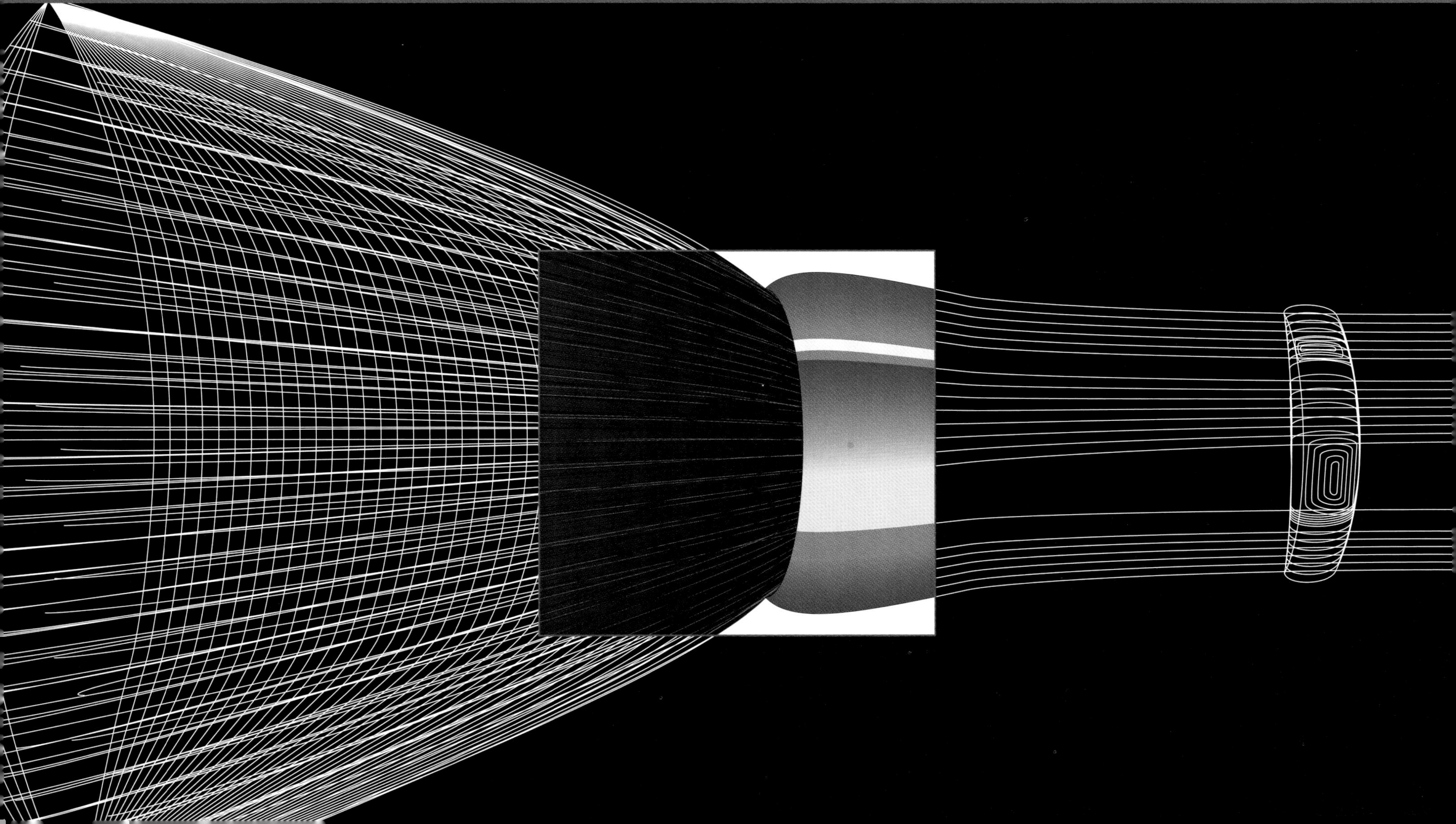

SOMMAIRE

BIJOUTERIE[F]
JEWELRY; *JEWELLERY*

BOUCLES[F] D'OREILLE[F]
EARRINGS

pendants[M] d'oreille[F]
drop earrings

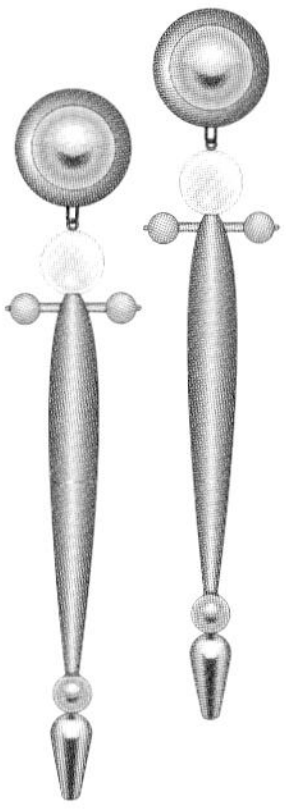

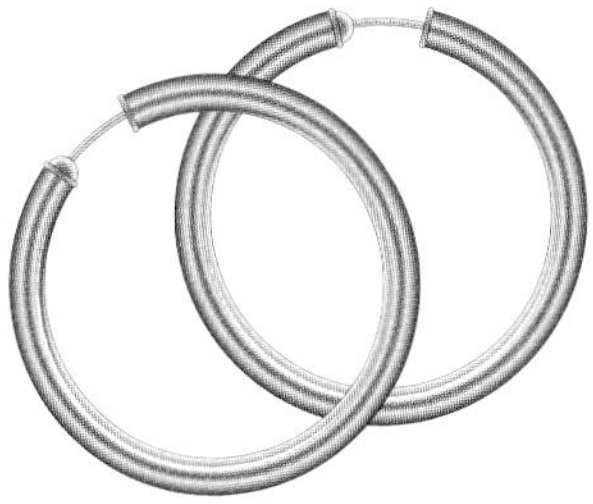

anneaux[M]
hoop earrings

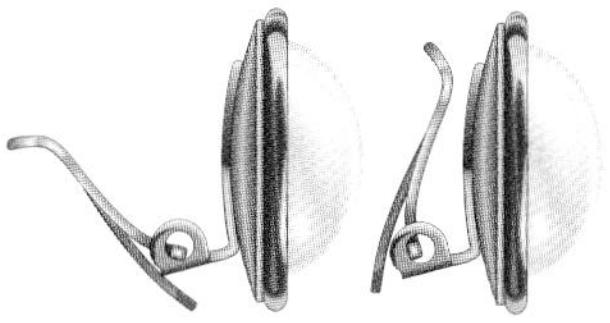

boucles[F] d'oreille[F] à pince[F]
clip earrings

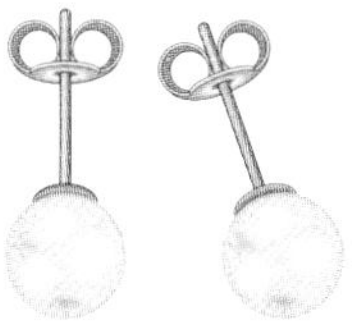

boucles[F] d'oreille[F] à tige[F]
pierced earrings

boucles[F] d'oreille[F] à vis[F]
screw earrings

COLLIERS[M]
NECKLACES

pendentif[M]
pendant

médaillon[M]
locket

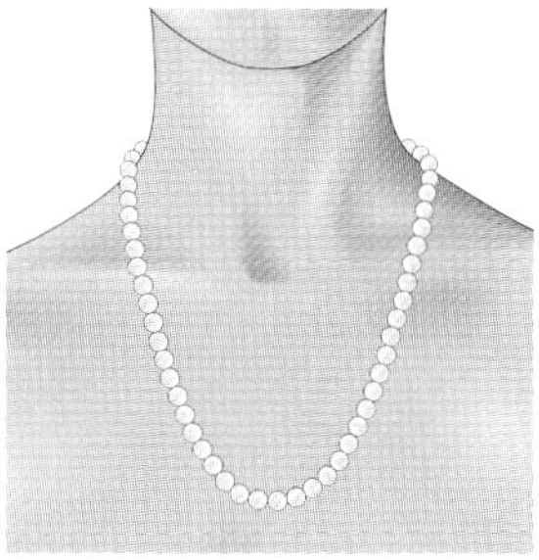

collier[M] de perles[F], longueur[F] matinée[F]
matinee-length necklace

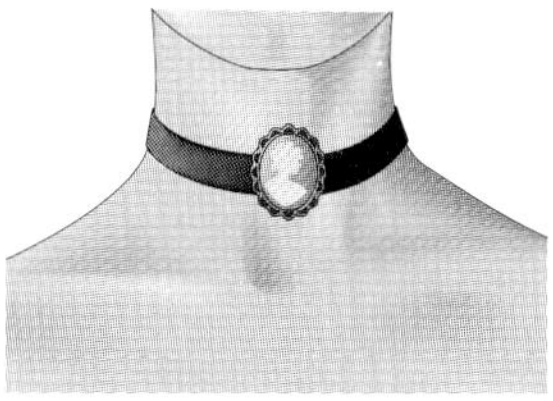

collier[M]-de-chien[M]
velvet-band choker

sautoir[M], longueur[F] opéra[M]
opera-length necklace

sautoir[M]
rope

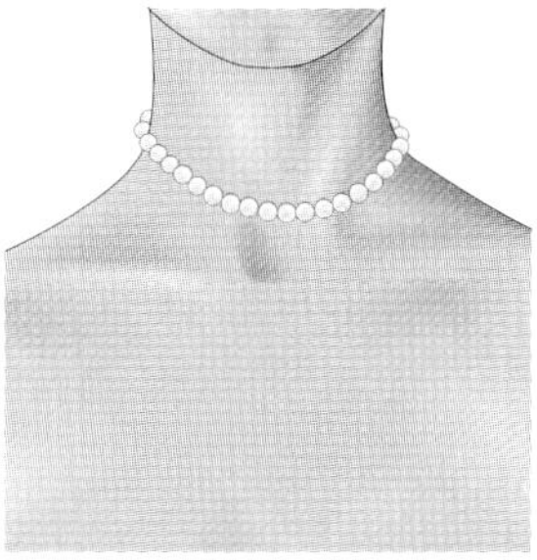

ras-de-cou[M]
choker

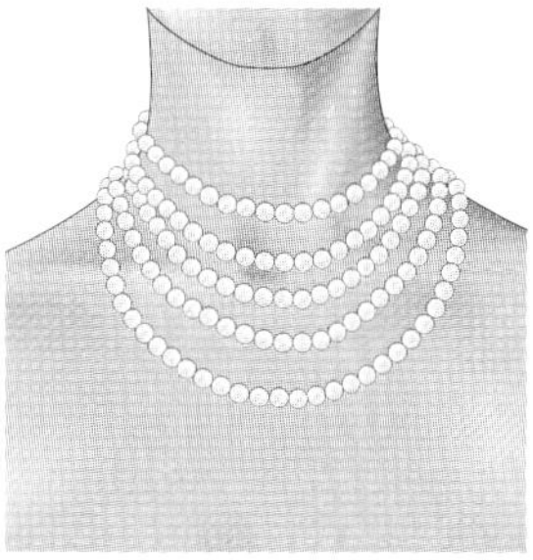

collier[M] de soirée[F]
bib necklace

BIJOUTERIE[F]
JEWELRY; *JEWELLERY*

TAILLE[F] DES PIERRES[F]
CUT FOR GEMSTONES

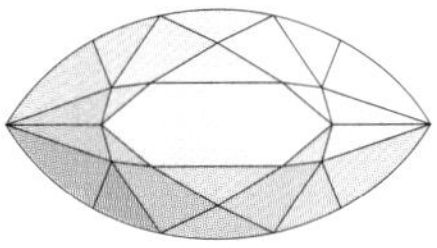

taille[F] marquise[F]
navette cut

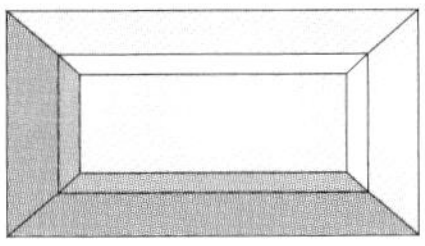

taille[F] baguette[F]
baguette cut

taille[F] ovale
oval cut

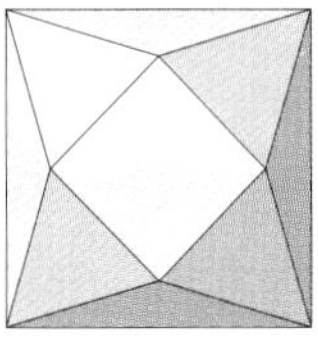

taille[F] française
French cut

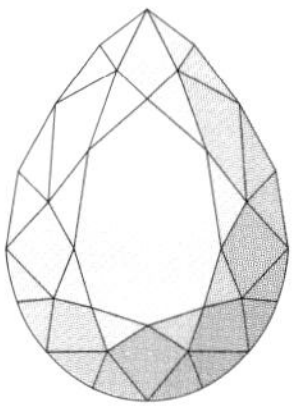

taille[F] en poire[F]
pear-shaped cut

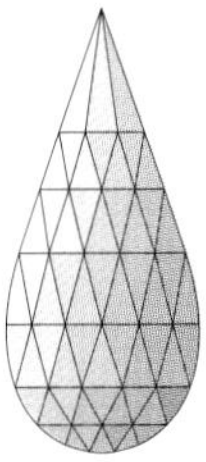

taille[F] en goutte[F]
briolette cut

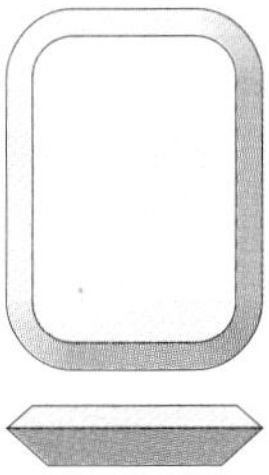

taille[F] en table[F]
table cut

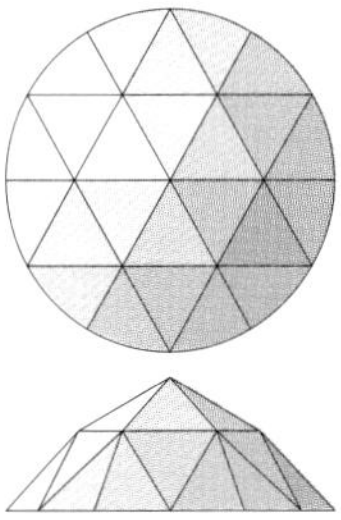

taille[F] en rose[F]
rose cut

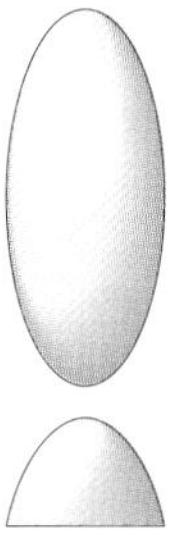

taille[F] cabochon[M]
cabochon cut

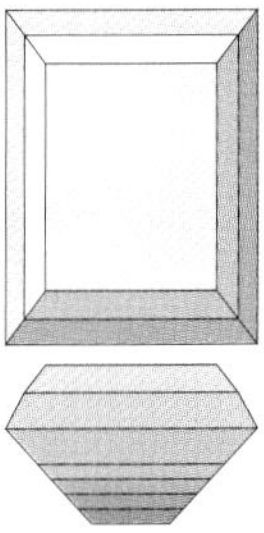

taille[F] en escalier[M]
step cut

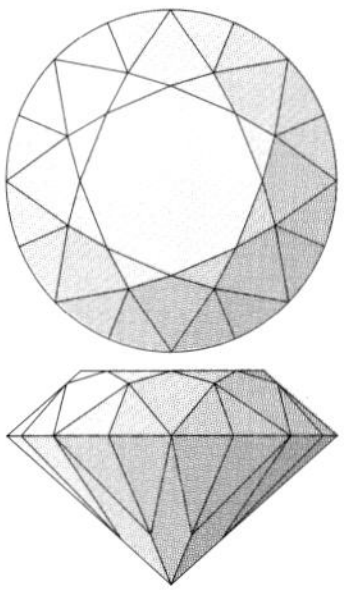

taille[F] brillant[M]
brilliant full cut

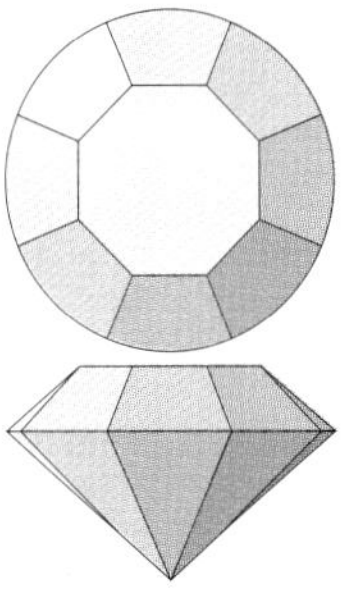

taille[F] huit facettes[F]
eight cut

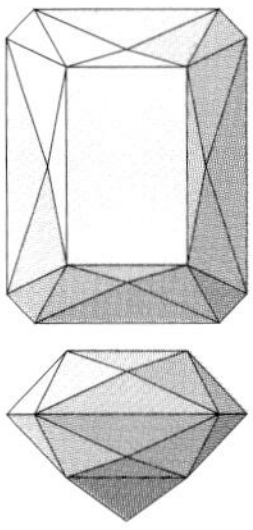

taille[F] en ciseaux[M]
scissors cut

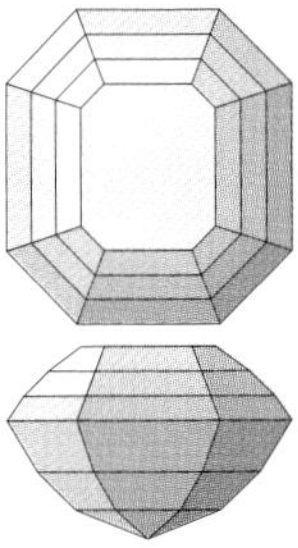

taille[F] émeraude[F]
emerald cut

TAILLE^F D'UN DIAMANT^M
BRILLIANT CUT FACETS

FACE^F INFÉRIEURE
BOTTOM FACE

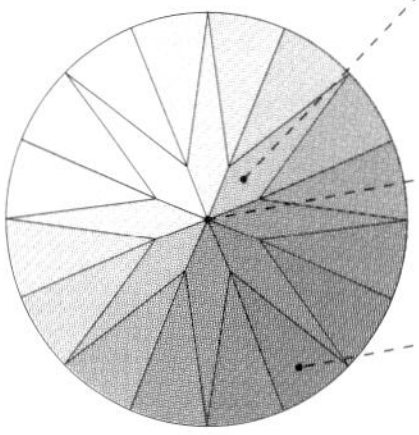

pavillon^M (8)
pavilion facet (8)
colette^F
culet
halefis^M de culasse^F (16)
lower girdle facet (16)

FACE^F SUPÉRIEURE
TOP FACE

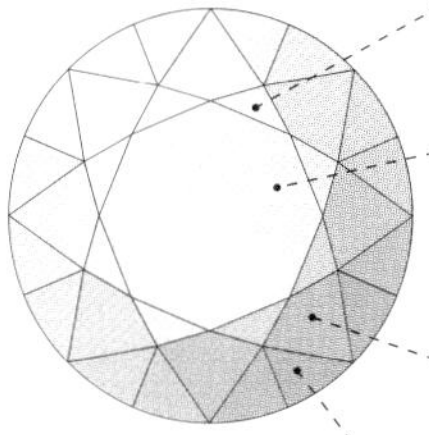

étoile^F (8)
star facet (8)
table^F
table
bezel^M (8)
bezel facet (8)
halefis^M de table^F (16)
upper girdle facet (16)

PROFIL^M
SIDE FACE

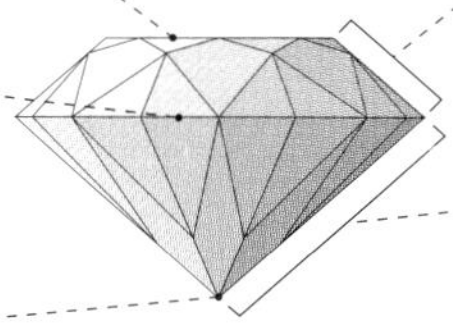

table^F
table
rondiste^M
girdle
colette^F
culet
couronne^F de table^F
crown
culasse^F
pavilion

PIERRES^F PRÉCIEUSES
PRECIOUS STONES

émeraude^F
emerald

rubis^M
ruby

saphir^M
sapphire

diamant^M
diamond

PIERRES^F FINES
SEMIPRECIOUS STONES

améthyste^F
amethyst

grenat^M
garnet

topaze^F
topaz

aigue-marine^F
aquamarine

tourmaline^F
tourmaline

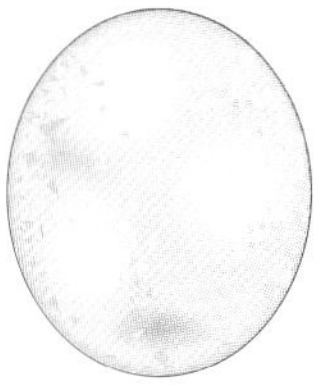

opale^F
opal

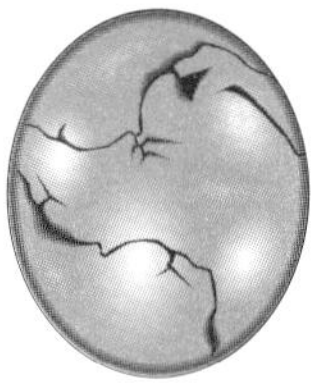

turquoise^F
turquoise

lapis-lazuli^M
lapis lazuli

BIJOUTERIE[F]
JEWELRY; *JEWELLERY*

BAGUES[F]
RINGS

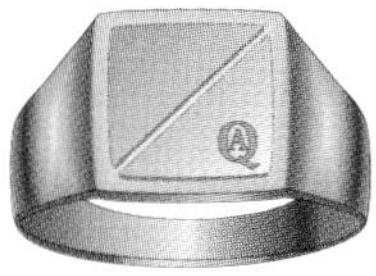

chevalière[F]
signet ring

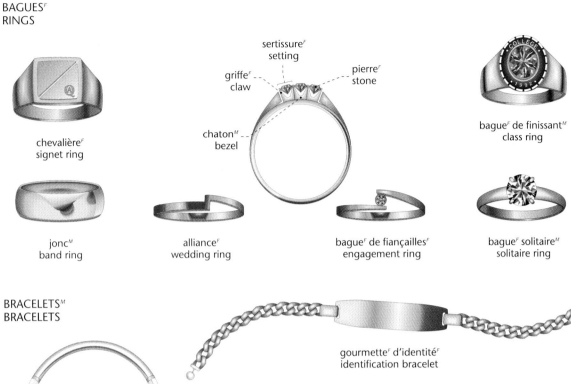

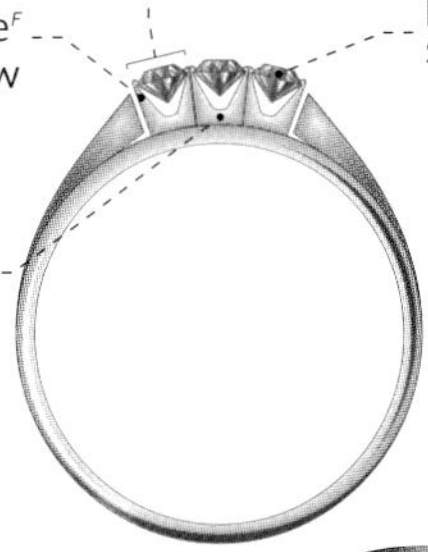
sertissure[F]
setting
griffe[F]
claw
pierre[F]
stone
chaton[M]
bezel

bague[F] de finissant[M]
class ring

jonc[M]
band ring

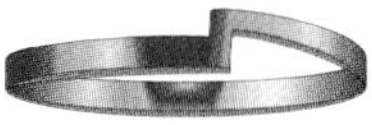

alliance[F]
wedding ring

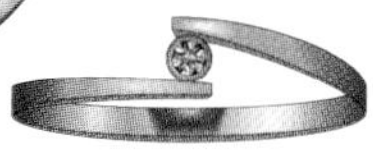

bague[F] de fiançailles[F]
engagement ring

bague[F] solitaire[M]
solitaire ring

BRACELETS[M]
BRACELETS

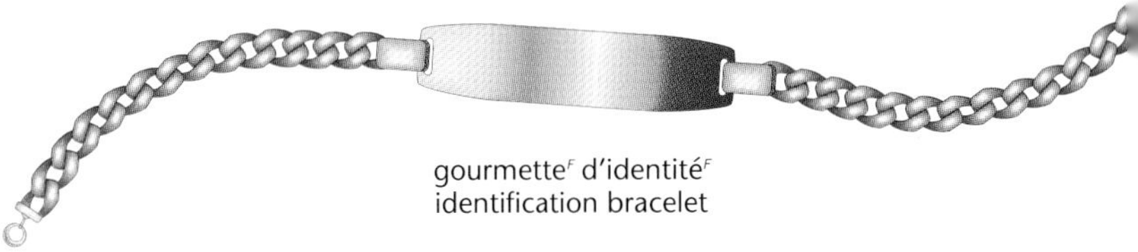

gourmette[F] d'identité[F]
identification bracelet

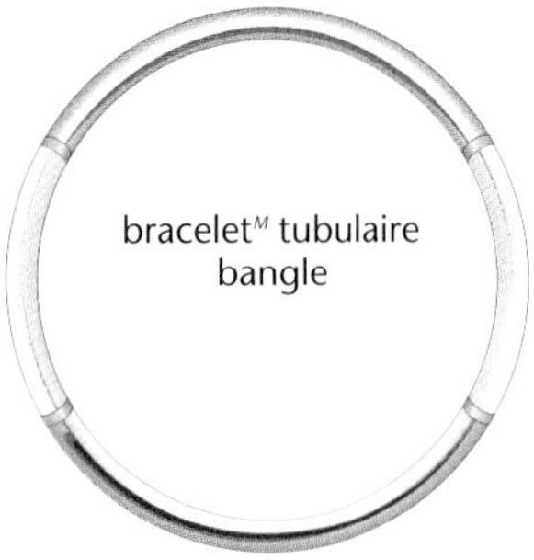

bracelet[M] tubulaire
bangle

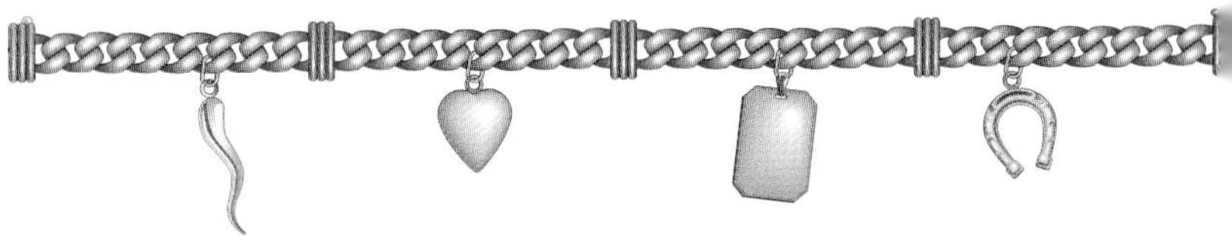

gourmette[F]
charm bracelet

ÉPINGLES[F]
PINS

broche[F]
brooch

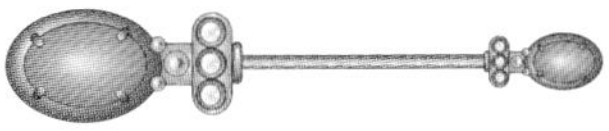

broche[F] épingle[F]
stickpin

épingle[F] à cravate[F]
tiepin

tige[F] pour col[M]
collar bar

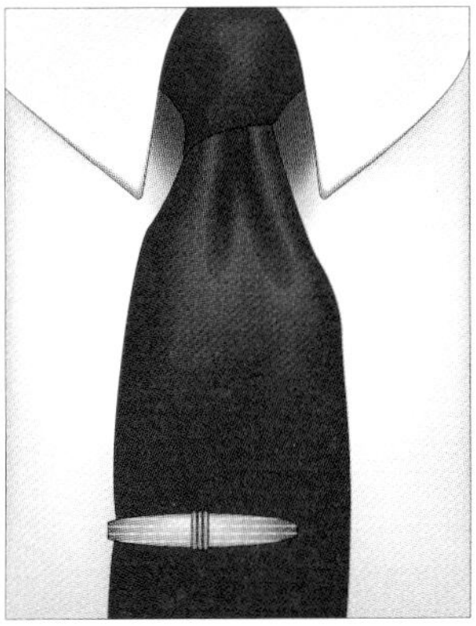

pince[F] à cravate[F]
tie bar

BRELOQUES[F]
CHARMS

plaque[F] d'identité[F]
nameplate

fer[M] à cheval[M]
horseshoe

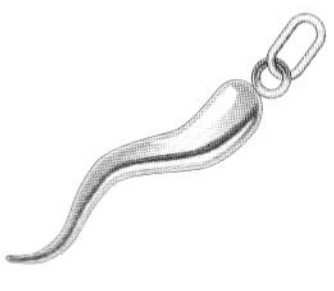

corne[F]
horn

MANUCURE^F
MANICURE

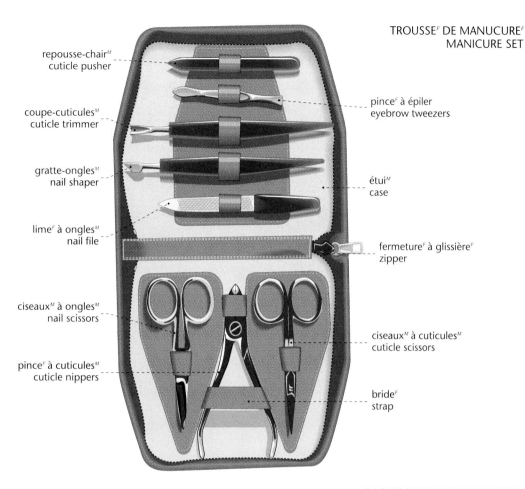

TROUSSE^F DE MANUCURE^F
MANICURE SET

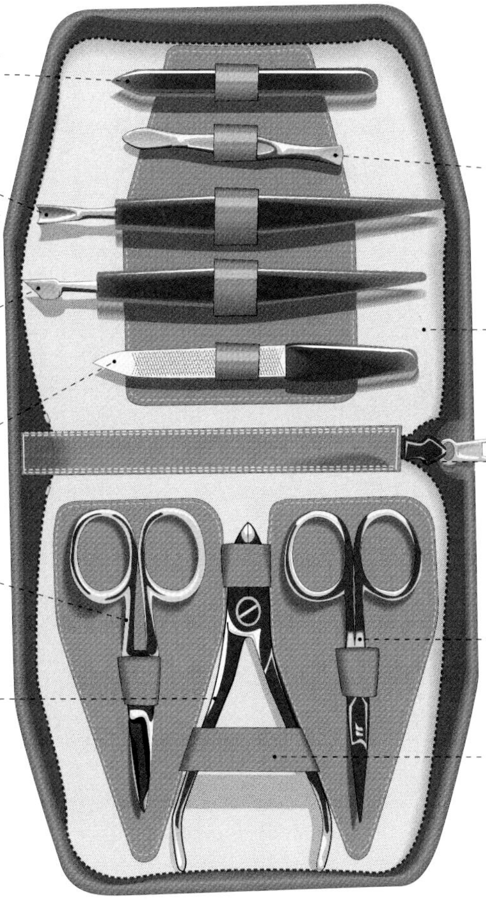
repousse-chair^M
cuticle pusher
coupe-cuticules^M
cuticle trimmer
gratte-ongles^M
nail shaper
lime^F à ongles^M
nail file
ciseaux^M à ongles^M
nail scissors
pince^F à cuticules^M
cuticle nippers
pince^F à épiler
eyebrow tweezers
étui^M
case
fermeture^F à glissière^F
zipper
ciseaux^M à cuticules^M
cuticle scissors
bride^F
strap

COUPE-ONGLES^M
NAIL CLIPPERS

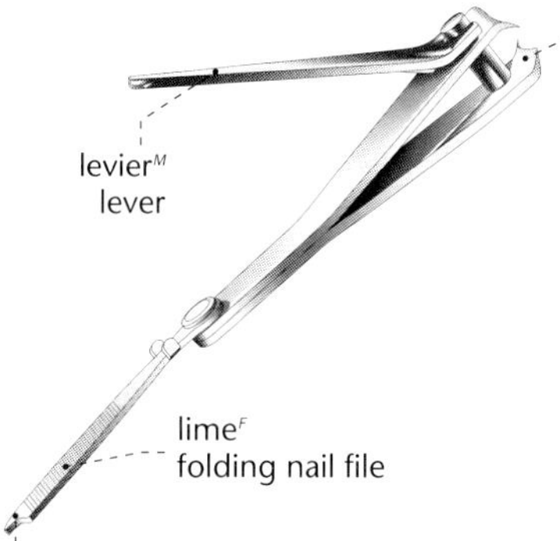
mors^M
jaw
levier^M
lever
lime^F
folding nail file
cure-ongles^M
nail cleaner

ACCESSOIRES^M DE MANUCURE^F
MANICURING IMPLEMENTS

ciseaux^M de sûreté^F
safety scissors

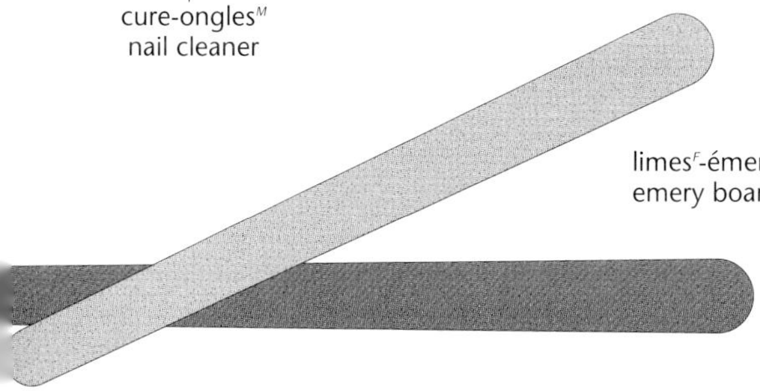
limes^F-émeri^M
emery boards

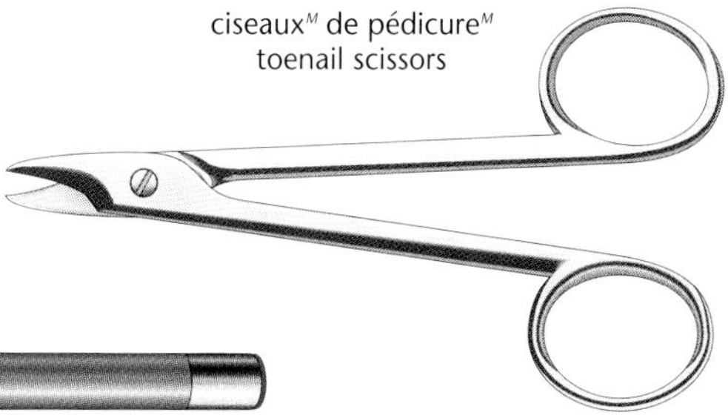
ciseaux^M de pédicure^M
toenail scissors

crayon^M blanchisseur d'ongles^M
nail whitener pencil

MAQUILLAGE[M]
MAKEUP; *MAKE-UP*

MAQUILLAGE[M]
FACIAL MAKEUP; *MAKE-UP*

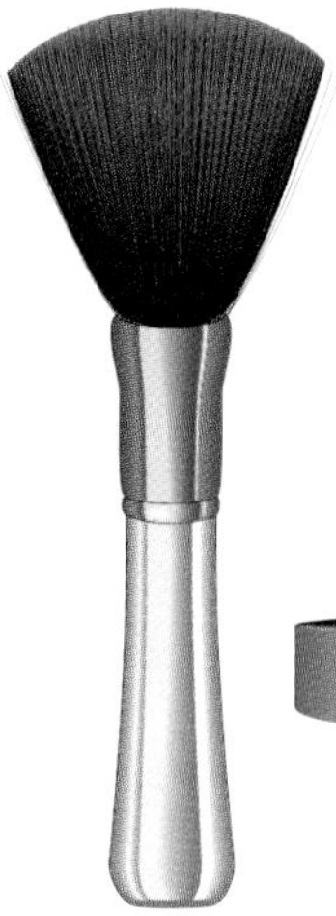

pinceau[M] pour poudre[F] libre
loose powder brush

poudre[F] libre
loose powder

pinceau[M] éventail[M]
fan brush

fond[M] de teint[M] liquide
liquid foundation

poudrier[M]
compact

poudre[F] pressée
pressed powder

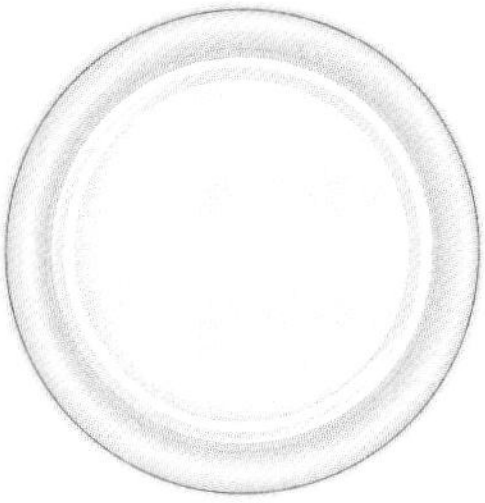

houpette[F]
powder puff

pinceau[M] pour fard[M] à joues[F]
blusher brush

fard[M] à joues[F] en poudre[F]
powder blusher

MAQUILLAGE[M] DES LÈVRES[F]
LIP MAKEUP; *LIP MAKE-UP*

pinceau[M] à lèvres[F]
lipbrush

rouge[M] à lèvres[F]
lipstick

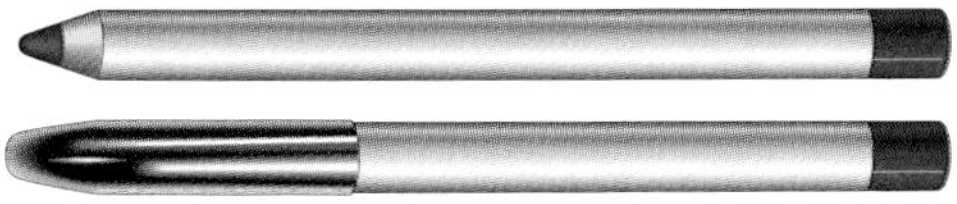

crayon[M] contour[M] des lèvres[F]
lipliner

MAQUILLAGE^{M} DES YEUX^{M}
EYE MAKEUP; *EYE MAKE-UP*

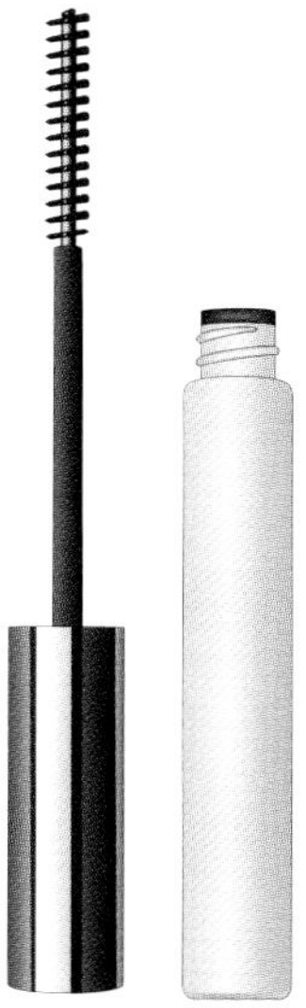

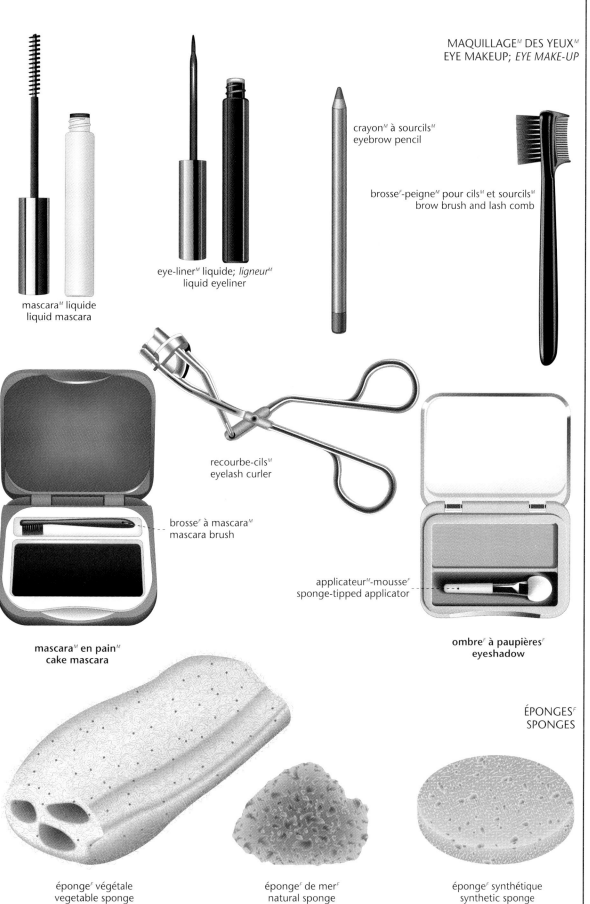

mascara^{M} liquide
liquid mascara

eye-liner^{M} liquide; *ligneur*^{M}
liquid eyeliner

crayon^{M} à sourcils^{M}
eyebrow pencil

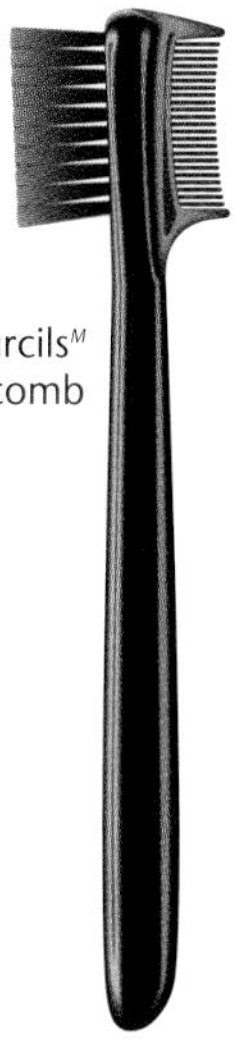

brosse^{F}-peigne^{M} pour cils^{M} et sourcils^{M}
brow brush and lash comb

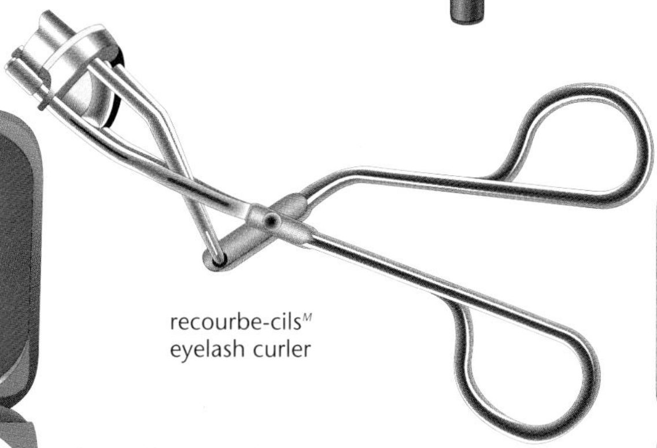

recourbe-cils^{M}
eyelash curler

brosse^{F} à mascara^{M}
mascara brush

mascara^{M} en pain^{M}
cake mascara

applicateur^{M}-mousse^{F}
sponge-tipped applicator

ombre^{F} à paupières^{F}
eyeshadow

ÉPONGES^{F}
SPONGES

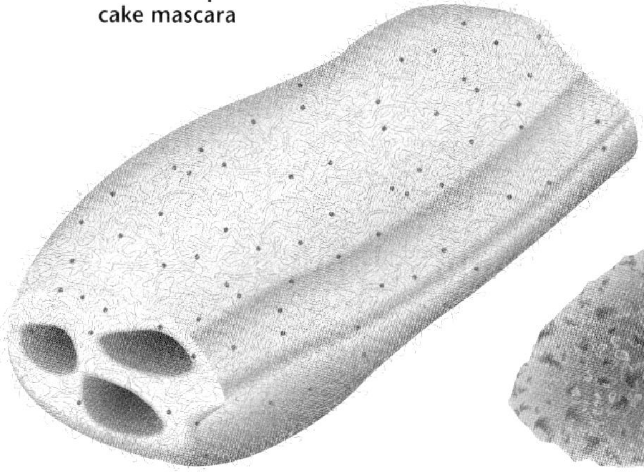

éponge^{F} végétale
vegetable sponge

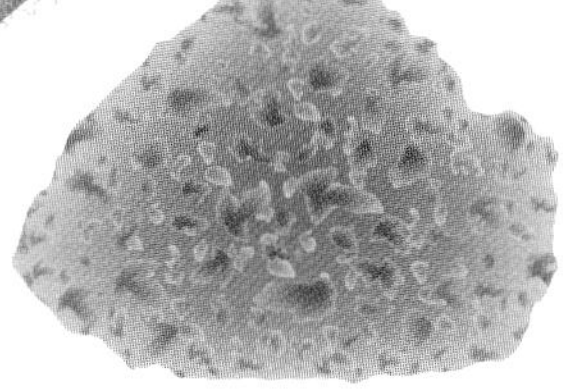

éponge^{F} de mer^{F}
natural sponge

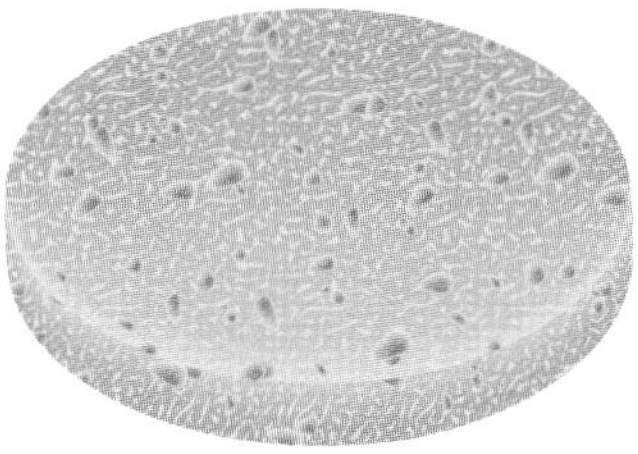

éponge^{F} synthétique
synthetic sponge

COIFFURE[F]
HAIRDRESSING

MIROIR[M] LUMINEUX
LIGHTED MIRROR

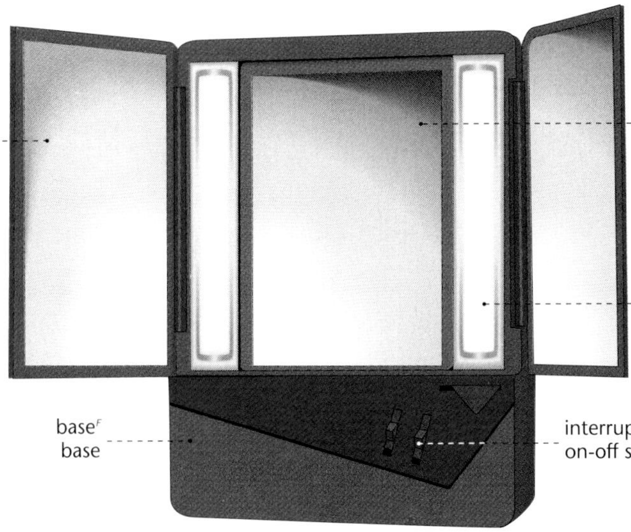
miroir[M] latéral
side mirror
miroir[M] double pivotant
dual swivel mirror
éclairage[M]
lighting
base[F]
base
interrupteur[M] d'éclairage[M]
on-off switch

BROSSES[F] À CHEVEUX[M]
HAIRBRUSHES

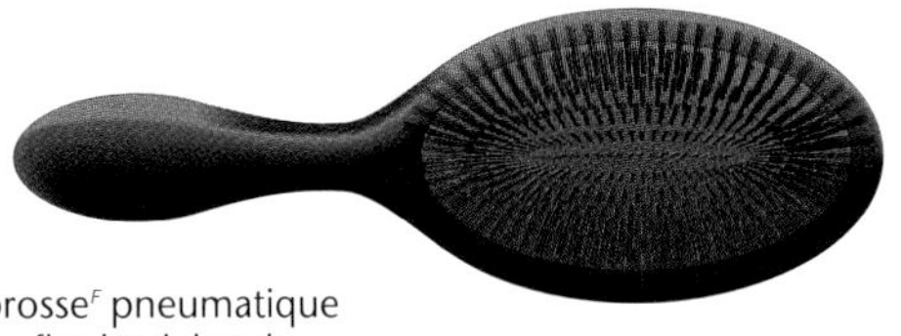

brosse[F] pneumatique
flat-back brush

brosse[F] ronde
round brush

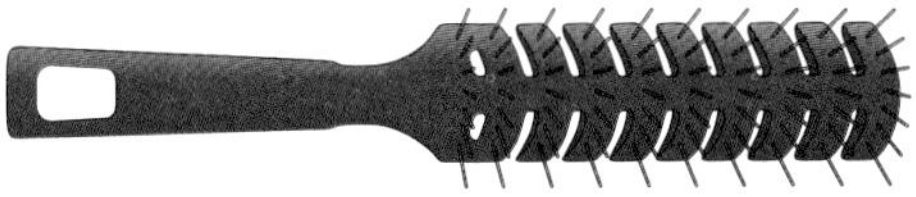

brosse[F]-araignée[F]
vent brush

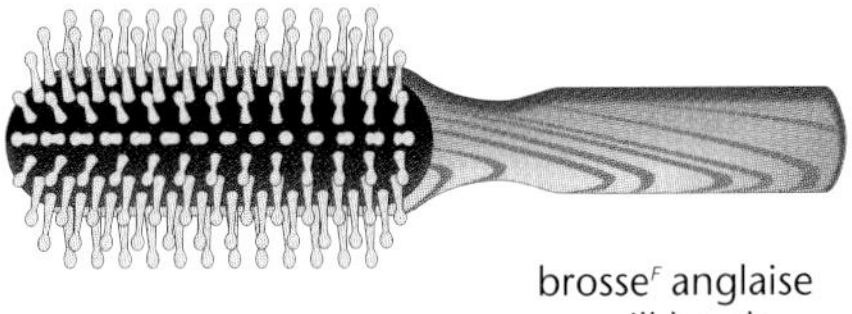

brosse[F] anglaise
quill brush

PEIGNES[M]
COMBS

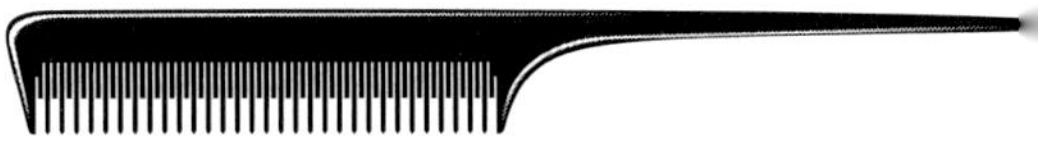

peigne[M] à crêper
teaser comb

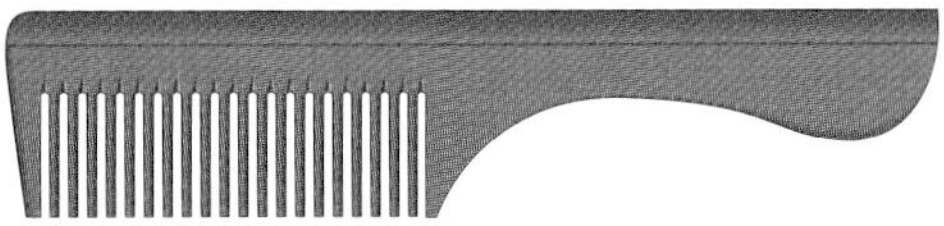

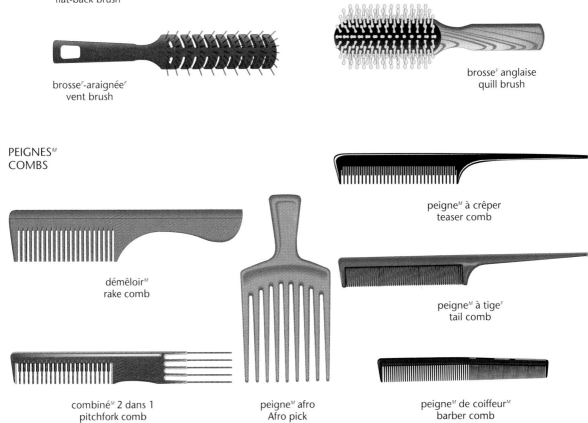

démêloir[M]
rake comb

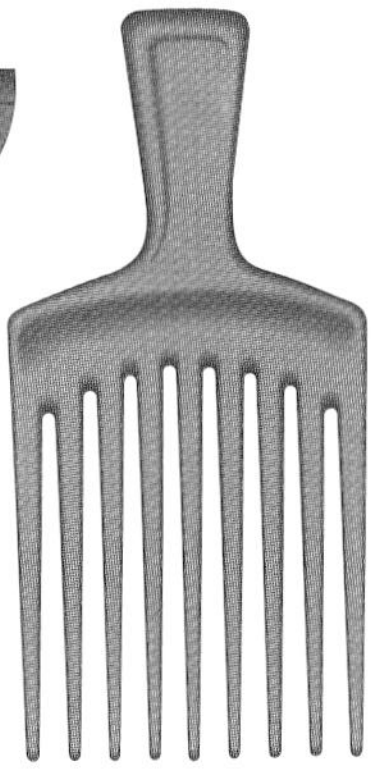

peigne[M] afro
Afro pick

peigne[M] à tige[F]
tail comb

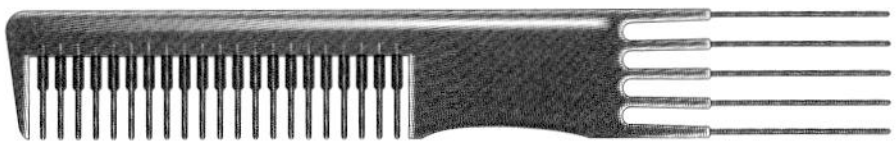

combiné[M] 2 dans 1
pitchfork comb

peigne[M] de coiffeur[M]
barber comb

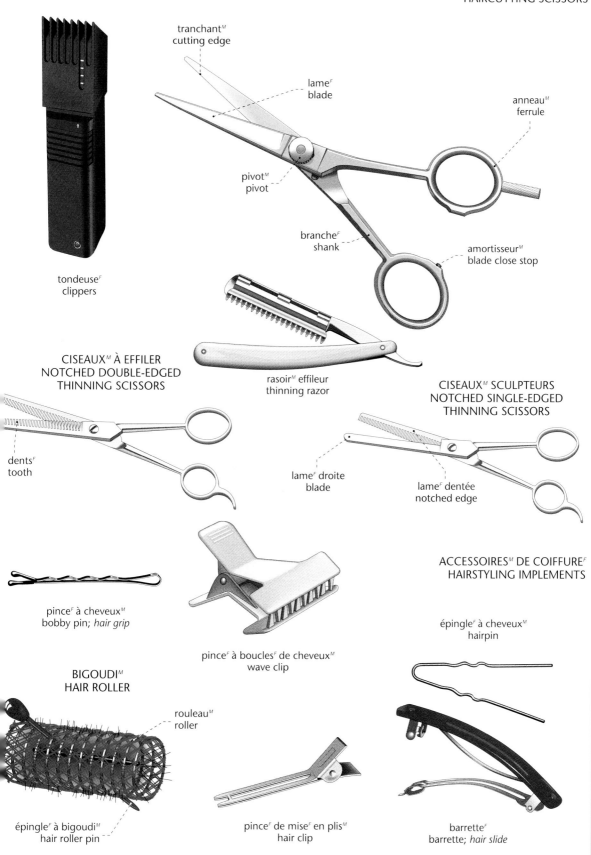

CISEAUX^M DE COIFFEUR^M
HAIRCUTTING SCISSORS

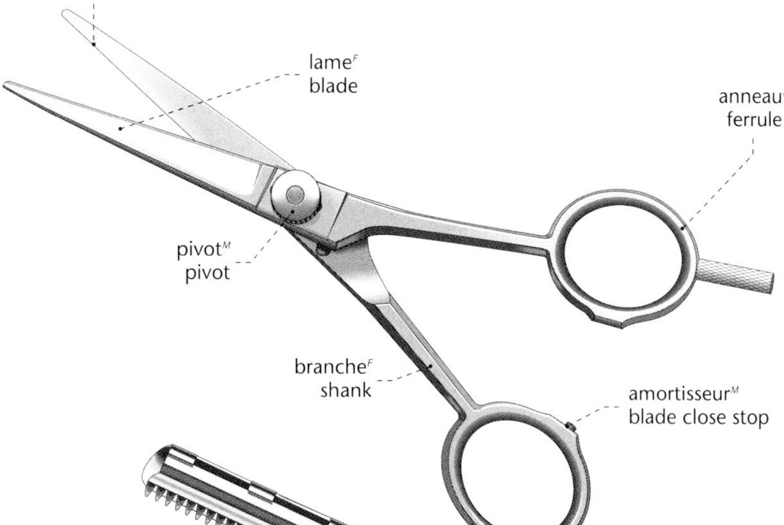
tranchant^M
cutting edge
lame^F
blade
anneau^M
ferrule
pivot^M
pivot
branche^F
shank
amortisseur^M
blade close stop

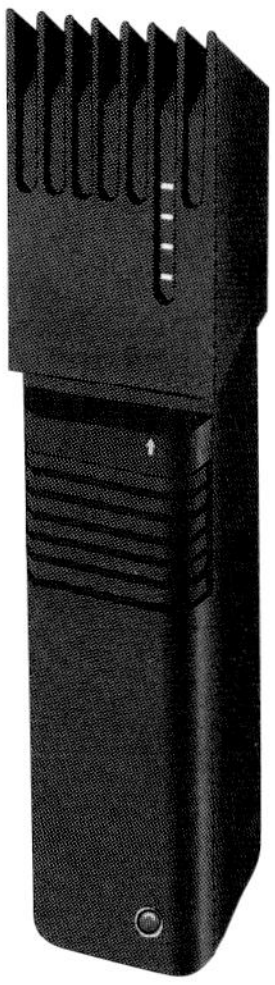

tondeuse^F
clippers

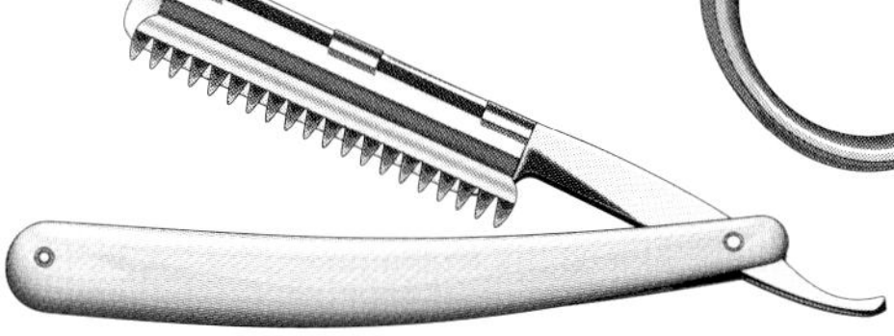

rasoir^M effileur
thinning razor

CISEAUX^M À EFFILER
NOTCHED DOUBLE-EDGED THINNING SCISSORS

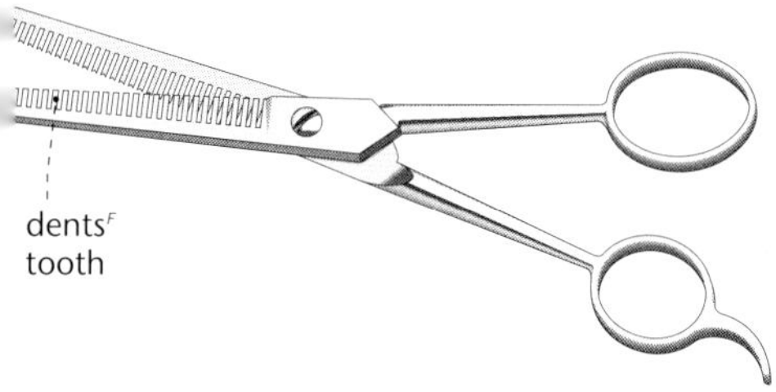
dents^F
tooth

CISEAUX^M SCULPTEURS
NOTCHED SINGLE-EDGED THINNING SCISSORS

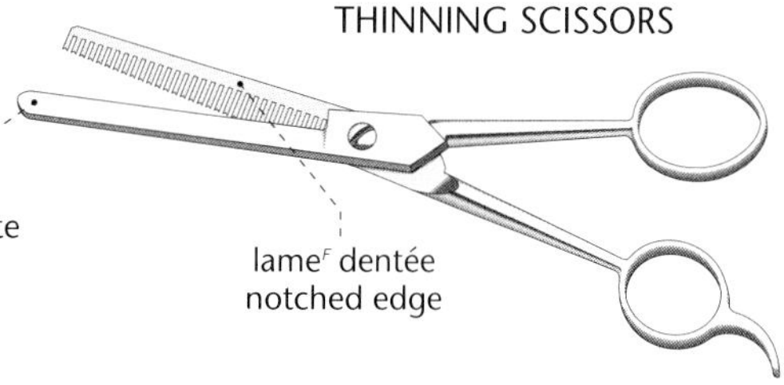
lame^F droite
blade
lame^F dentée
notched edge

ACCESSOIRES^M DE COIFFURE^F
HAIRSTYLING IMPLEMENTS

pince^F à cheveux^M
bobby pin; *hair grip*

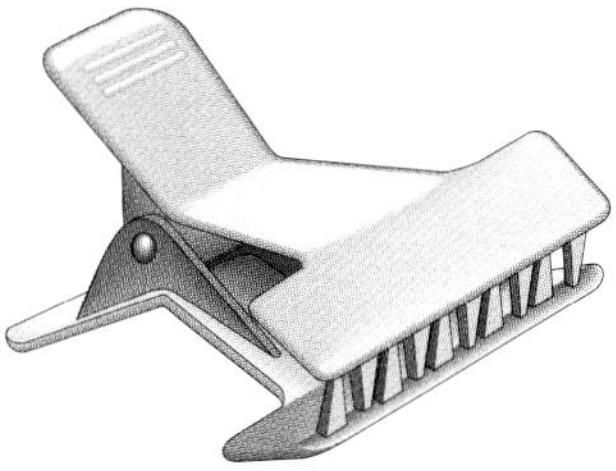

pince^F à boucles^F de cheveux^M
wave clip

épingle^F à cheveux^M
hairpin

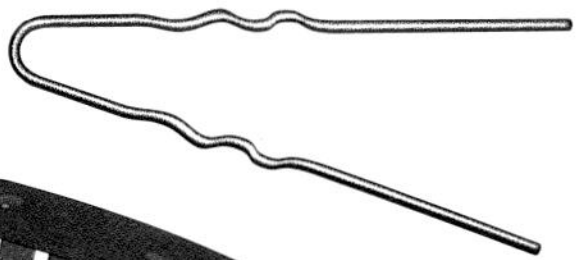

BIGOUDI^M
HAIR ROLLER

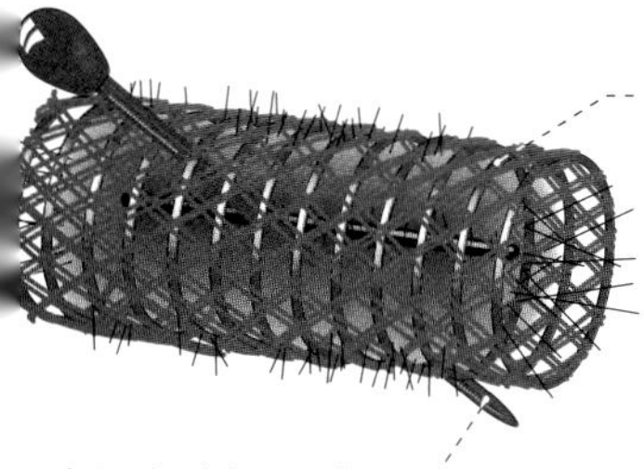
rouleau^M
roller
épingle^F à bigoudi^M
hair roller pin

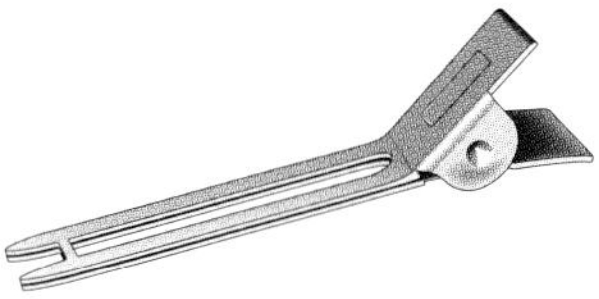

pince^F de mise^F en plis^M
hair clip

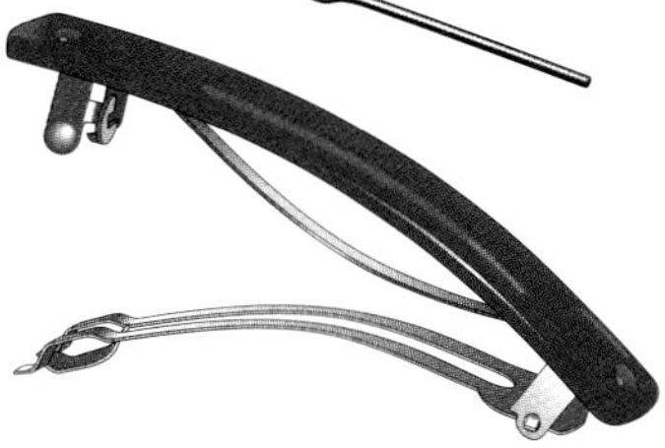

barrette^F
barrette; *hair slide*

COIFFURE[F]
HAIRDRESSING

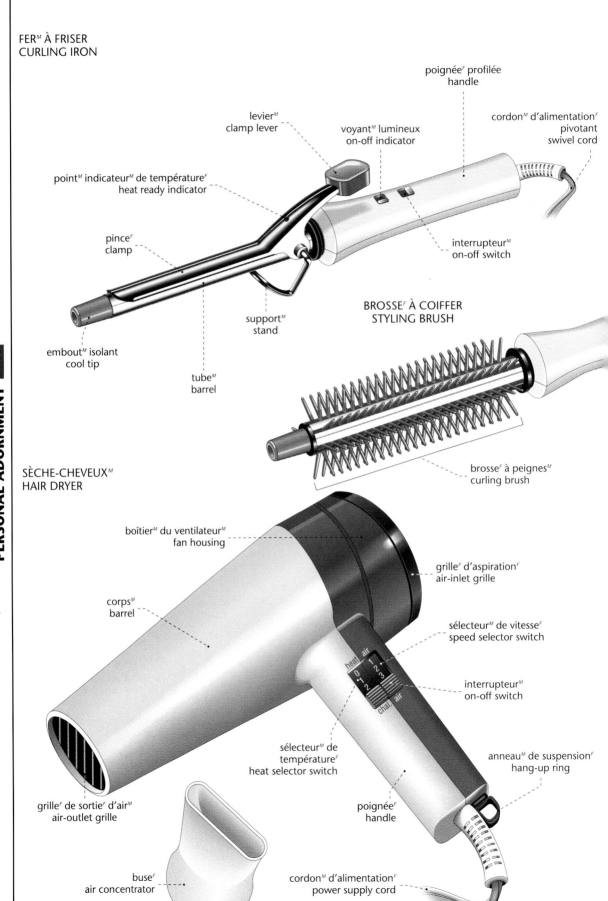

FER[M] À FRISER
CURLING IRON

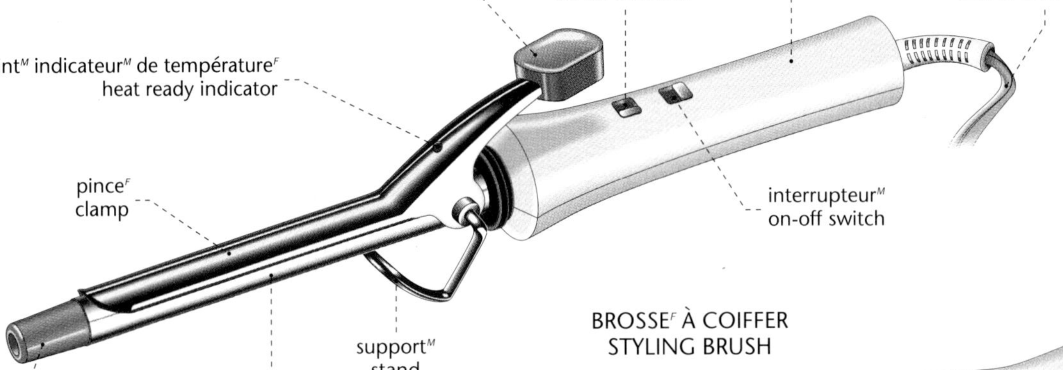
poignée[F] profilée
handle
levier[M]
clamp lever
voyant[M] lumineux
on-off indicator
cordon[M] d'alimentation[F] pivotant
swivel cord
point[M] indicateur[M] de température[F]
heat ready indicator
pince[F]
clamp
interrupteur[M]
on-off switch
support[M]
stand
embout[M] isolant
cool tip
tube[M]
barrel

BROSSE[F] À COIFFER
STYLING BRUSH

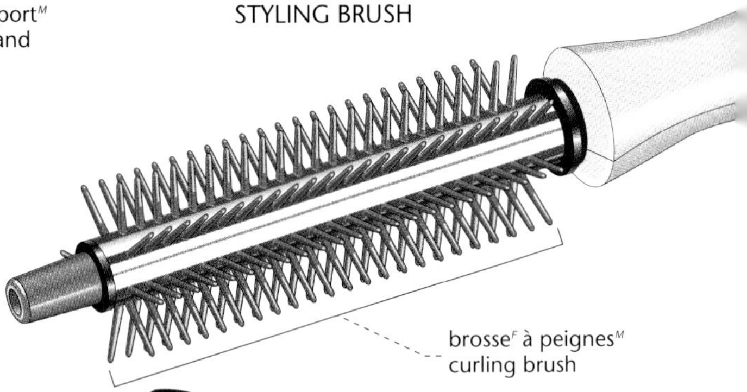
brosse[F] à peignes[M]
curling brush

SÈCHE-CHEVEUX[M]
HAIR DRYER

boîtier[M] du ventilateur[M]
fan housing
grille[F] d'aspiration[F]
air-inlet grille
corps[M]
barrel
sélecteur[M] de vitesse[F]
speed selector switch
heat
air
0
1
2
3
chal.
interrupteur[M]
on-off switch
sélecteur[M] de température[F]
heat selector switch
anneau[M] de suspension[F]
hang-up ring
grille[F] de sortie[F] d'air[M]
air-outlet grille
poignée[F]
handle
buse[F]
air concentrator
cordon[M] d'alimentation[F]
power supply cord

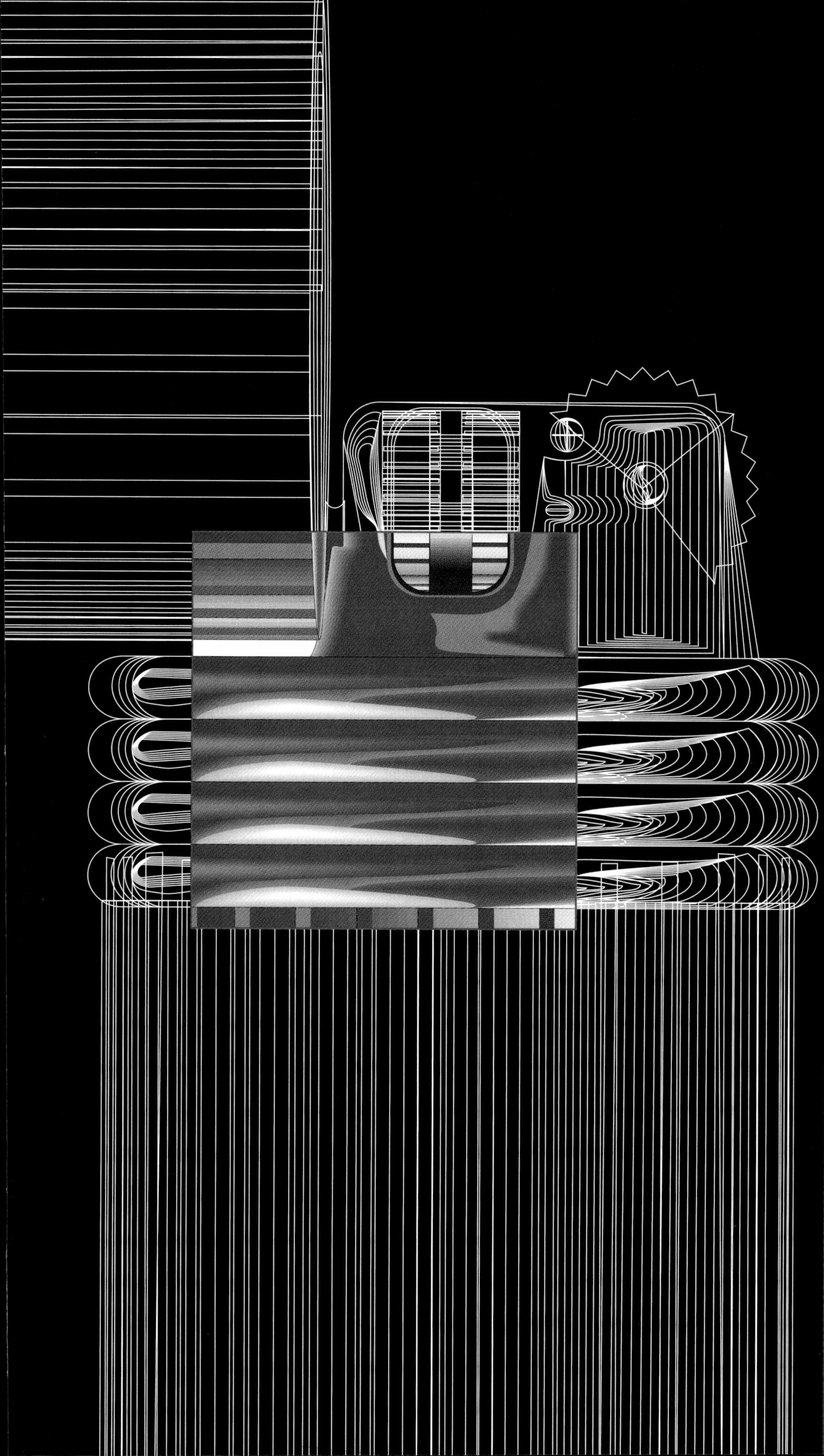

OBJETS PERSONNELS • PERSONAL ARTICLES

SOMMAIRE

HYGIÈNE[F] DENTAIRE
DENTAL CARE

BROSSE[F] À DENTS[F]
TOOTHBRUSH

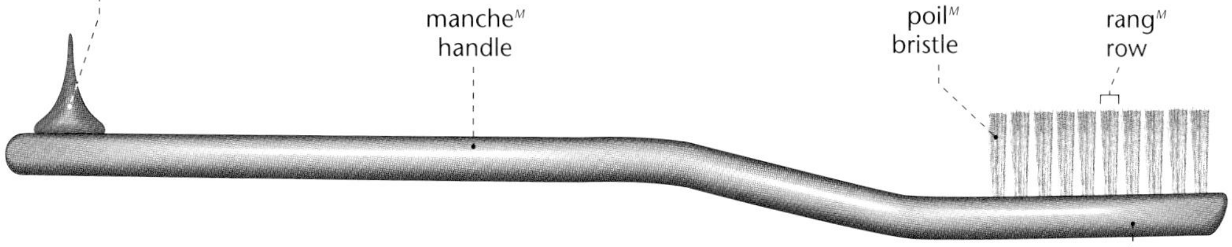
stimulateur[M] de gencives[F]
stimulator tip
manche[M]
handle
poil[M]
bristle
rang[M]
row
tête[F]
head

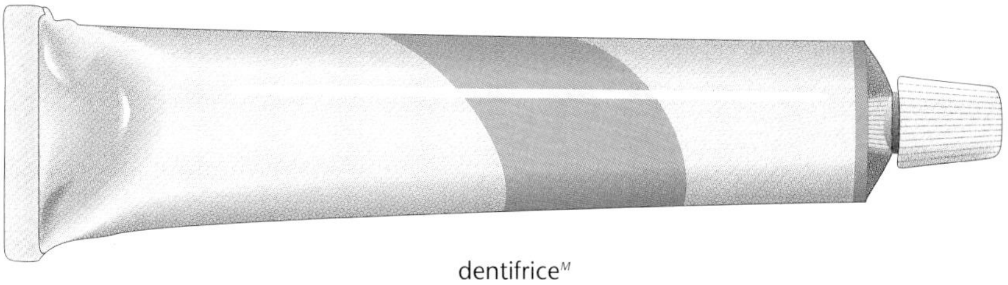
dentifrice[M]
toothpaste

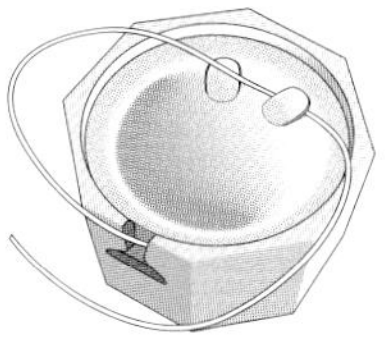
soie[F] dentaire
dental floss

COMBINÉ[M] BUCCO-DENTAIRE
ORAL HYGIENE CENTER; *ELECTRIC TOOTHBRUSH*

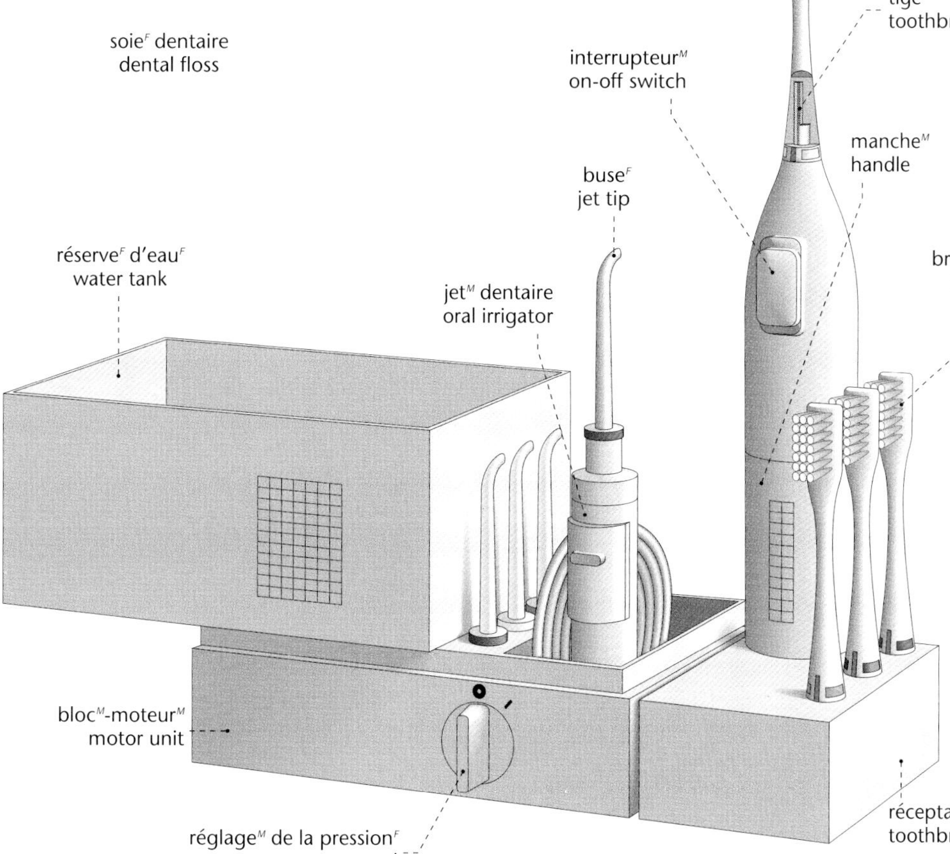
brosse[F]
brush
tige[F]
toothbrush shaft
interrupteur[M]
on-off switch
manche[M]
handle
buse[F]
jet tip
réserve[F] d'eau[F]
water tank
jet[M] dentaire
oral irrigator
brosse[F] à dents[F]
toothbrush
bloc[M]-moteur[M]
motor unit
réceptacle[M] de brosses[F]
toothbrush well
réglage[M] de la pression[F]
pressure control

RASOIRS[M]
RAZORS

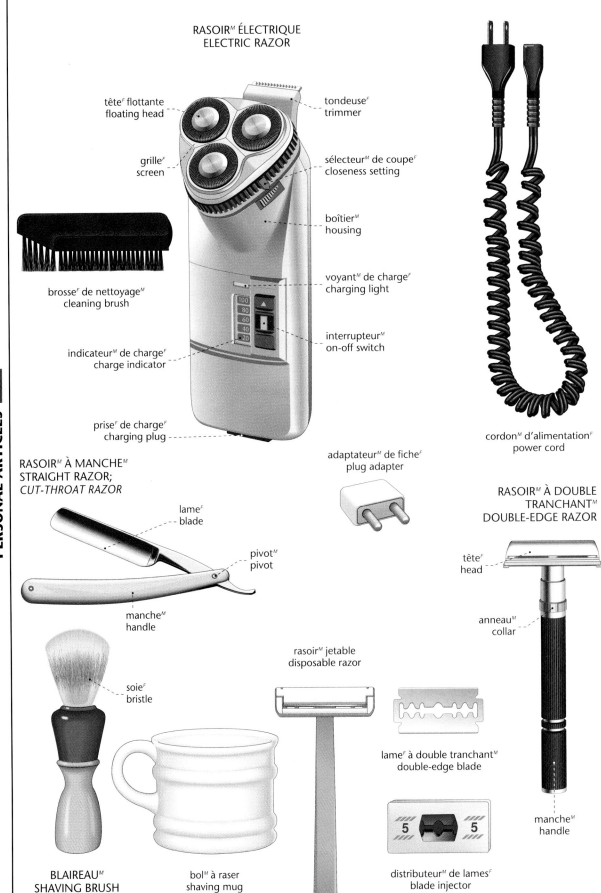

RASOIR[M] ÉLECTRIQUE
ELECTRIC RAZOR

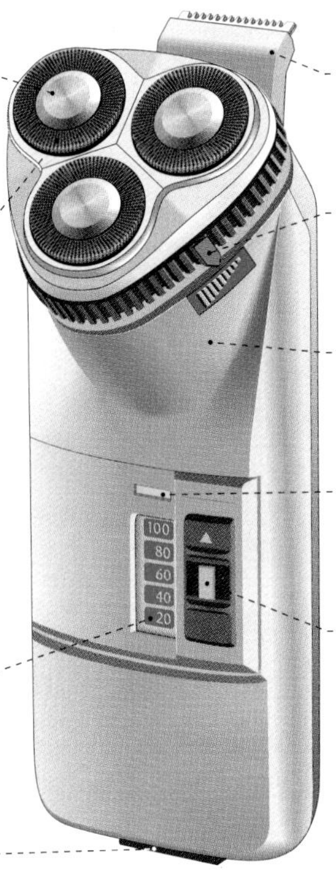
tête[F] flottante
floating head
grille[F]
screen
tondeuse[F]
trimmer
sélecteur[M] de coupe[F]
closeness setting
boîtier[M]
housing
voyant[M] de charge[F]
charging light
100
80
60
40
20
interrupteur[M]
on-off switch
indicateur[M] de charge[F]
charge indicator
prise[F] de charge[F]
charging plug

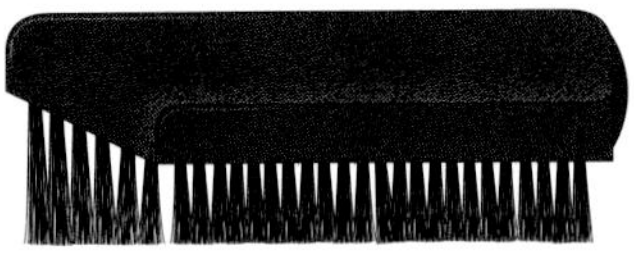

brosse[F] de nettoyage[M]
cleaning brush

cordon[M] d'alimentation[F]
power cord

adaptateur[M] de fiche[F]
plug adapter

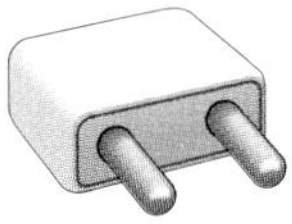

RASOIR[M] À MANCHE[M]
STRAIGHT RAZOR;
CUT-THROAT RAZOR

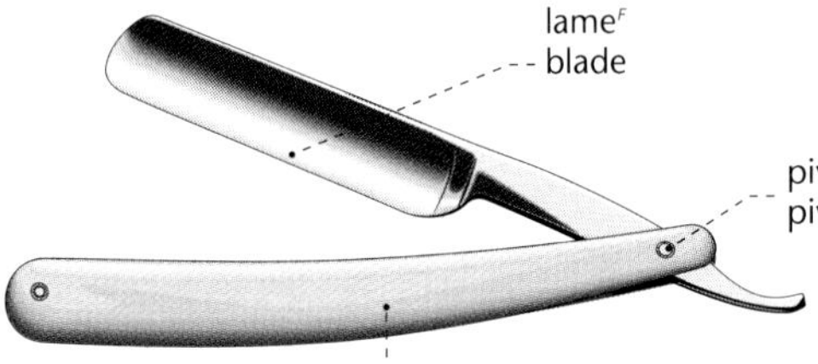
lame[F]
blade
pivot[M]
pivot
manche[M]
handle

RASOIR[M] À DOUBLE TRANCHANT[M]
DOUBLE-EDGE RAZOR

tête[F]
head
anneau[M]
collar
manche[M]
handle

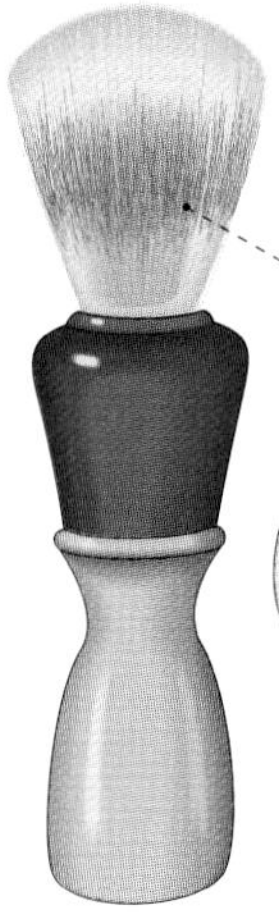
soie[F]
bristle

BLAIREAU[M]
SHAVING BRUSH

bol[M] à raser
shaving mug

rasoir[M] jetable
disposable razor

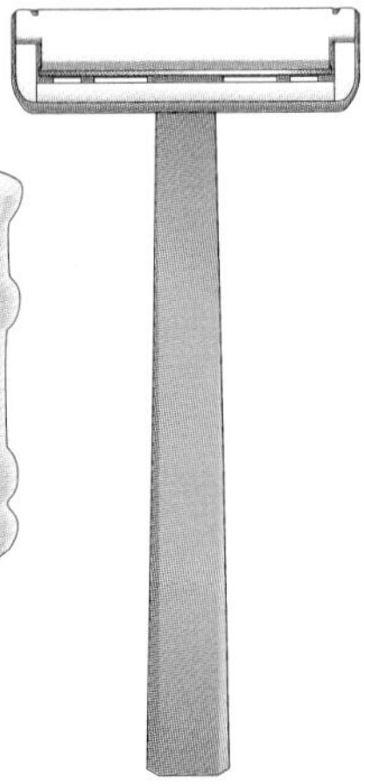

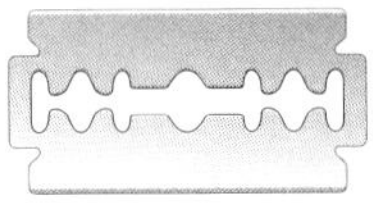

lame[F] à double tranchant[M]
double-edge blade

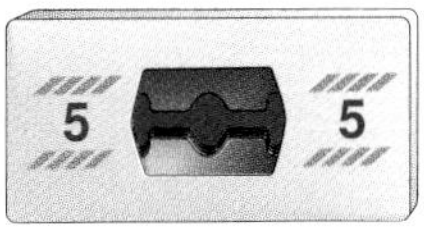
5
5

distributeur[M] de lames[F]
blade injector

PARAPLUIE[M] ET CANNE[F]
UMBRELLA AND STICK

PARAPLUIE[M]
UMBRELLA

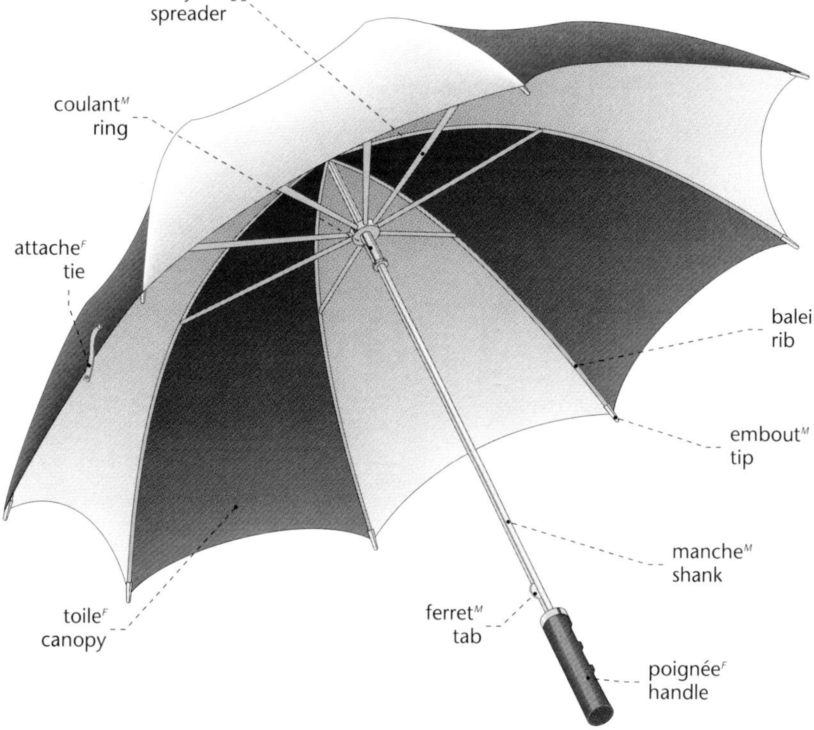
rayon[M]
spreader
coulant[M]
ring
attache[F]
tie
baleine[F]
rib
embout[M] de baleine[F]
tip
manche[M]
shank
toile[F]
canopy
ferret[M]
tab
poignée[F]
handle

PARAPLUIE[M] TÉLESCOPIQUE
TELESCOPIC UMBRELLA

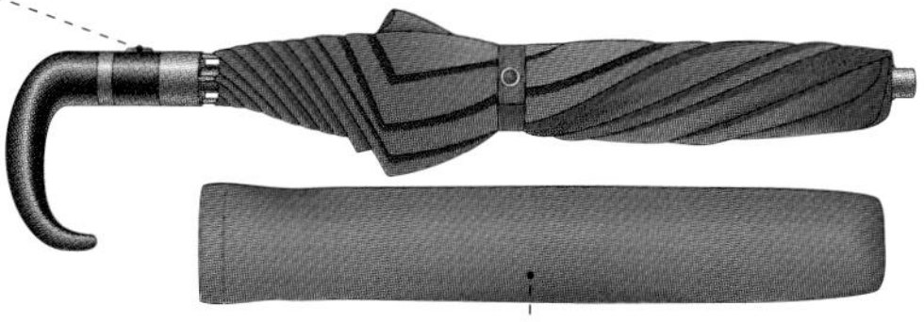
poussoir[M] d'ouverture[F]
push button
fourreau[M]
cover

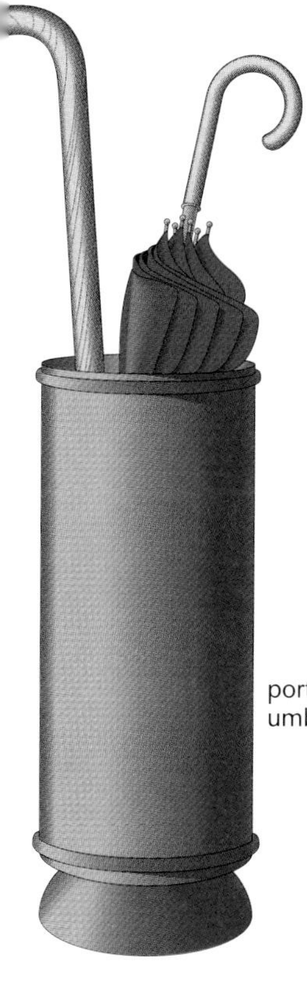
porte-parapluies[M]
umbrella stand

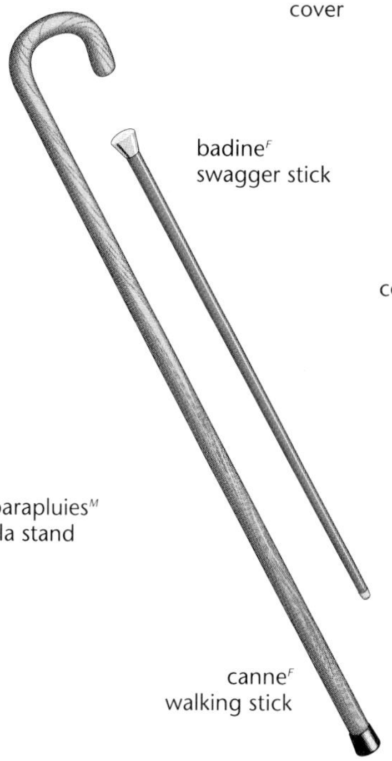
badine[F]
swagger stick
canne[F]
walking stick

PARAPLUIE[M]-CANNE[F]
STICK UMBRELLA

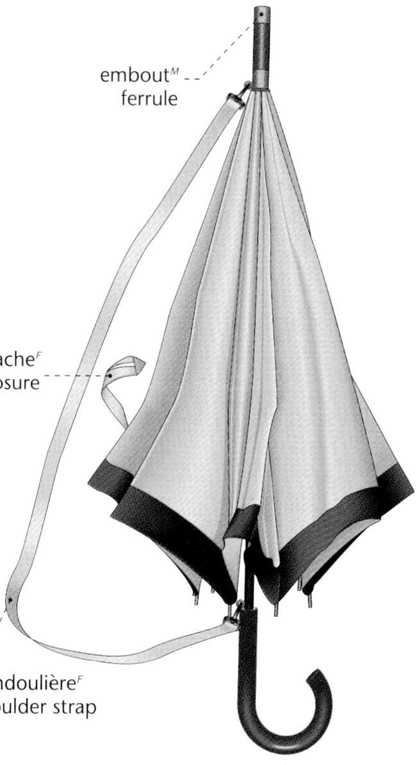
embout[M]
ferrule
courroie[F] d'attache[F]
tie closure
bandoulière[F]
shoulder strap

LUNETTES[F]
EYEGLASSES

PARTIES[F] DES LUNETTES[F]
EYEGLASSES PARTS

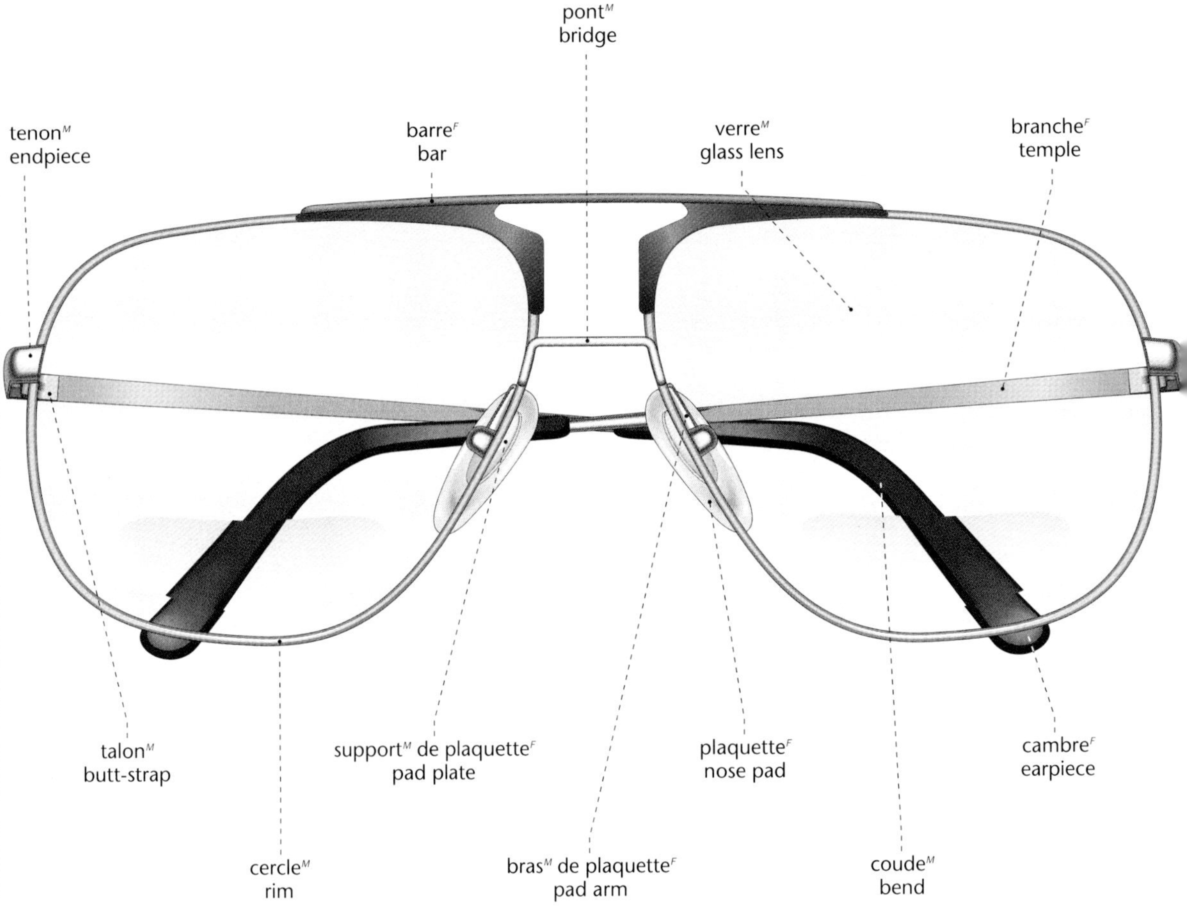
pont[M]
bridge
tenon[M]
endpiece
barre[F]
bar
verre[M]
glass lens
branche[F]
temple
talon[M]
butt-strap
support[M] de plaquette[F]
pad plate
plaquette[F]
nose pad
cambre[F]
earpiece
cercle[M]
rim
bras[M] de plaquette[F]
pad arm
coude[M]
bend

VERRE[M] BIFOCAL
BIFOCAL LENS

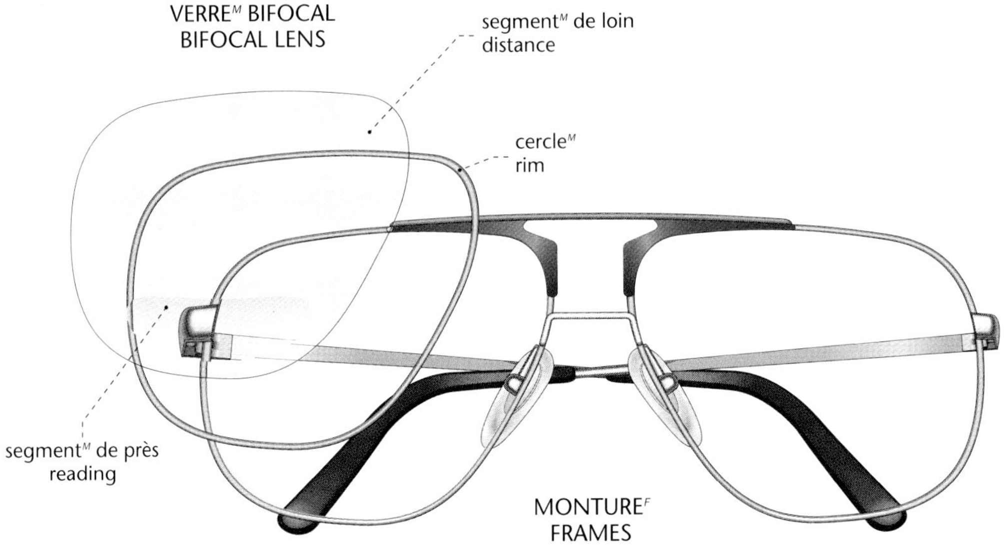
segment[M] de loin
distance
cercle[M]
rim
segment[M] de près
reading
MONTURE[F]
FRAMES

PRINCIPAUX TYPES[M] DE LUNETTES[F]
MAJOR TYPES OF EYEGLASSES

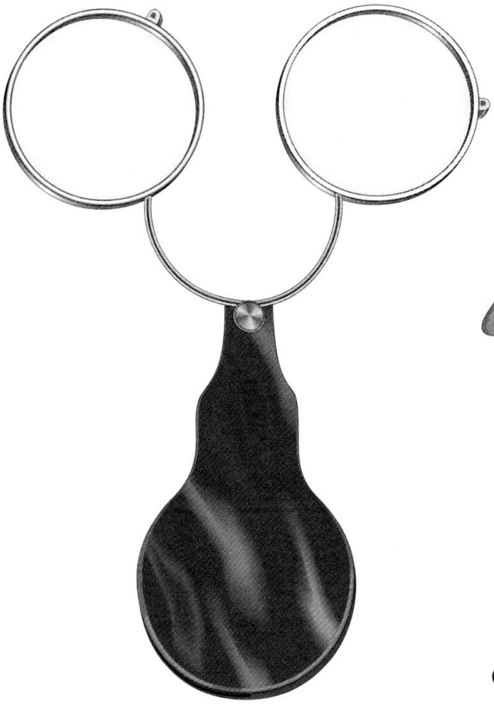

binocle[M]
scissors-glasses

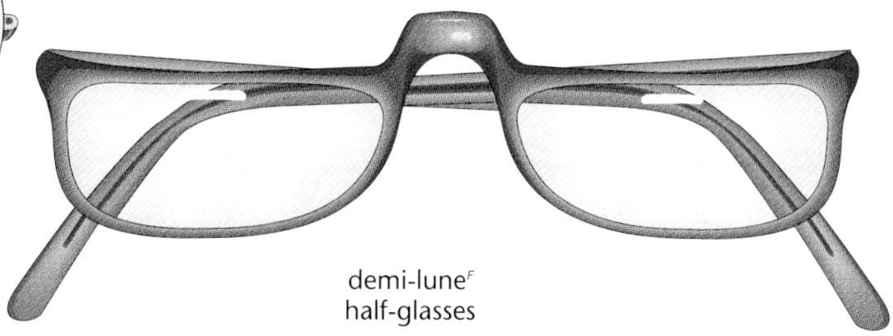

demi-lune[F]
half-glasses

lunettes[F] de soleil[M]
sunglasses

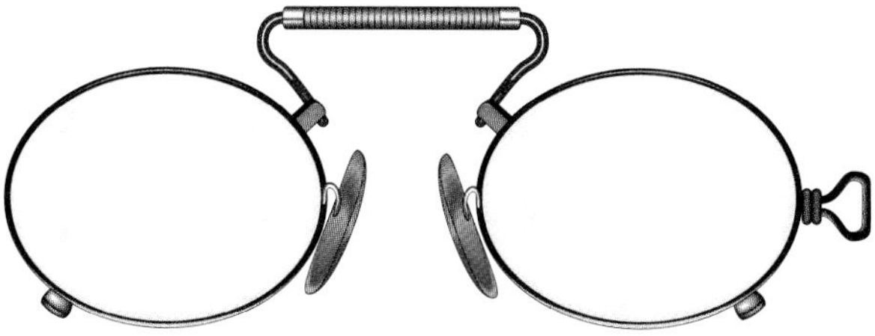

bésicles[F] à pont[M] élastique
pince-nez

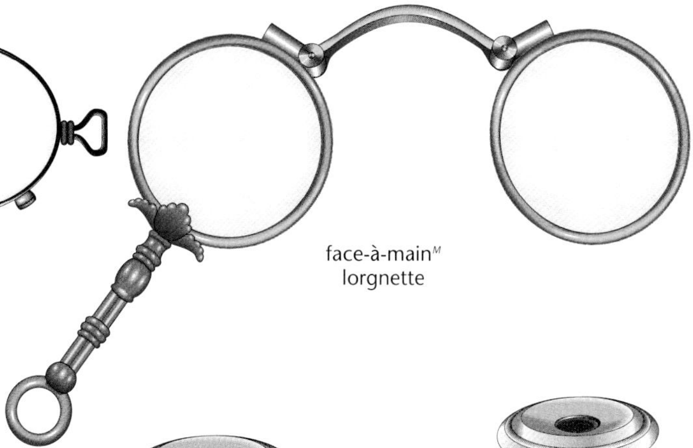

face-à-main[M]
lorgnette

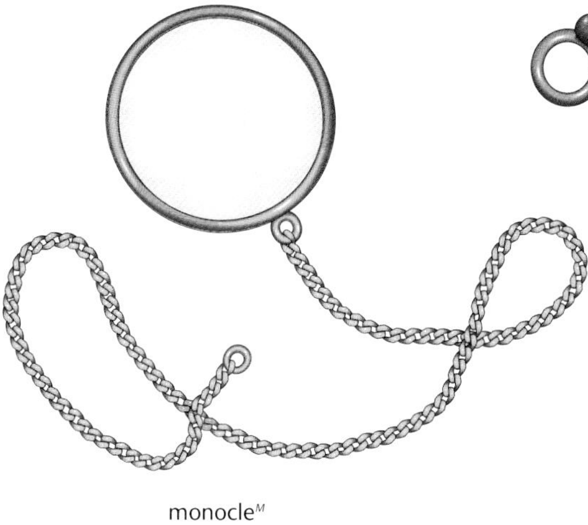

monocle[M]
monocle

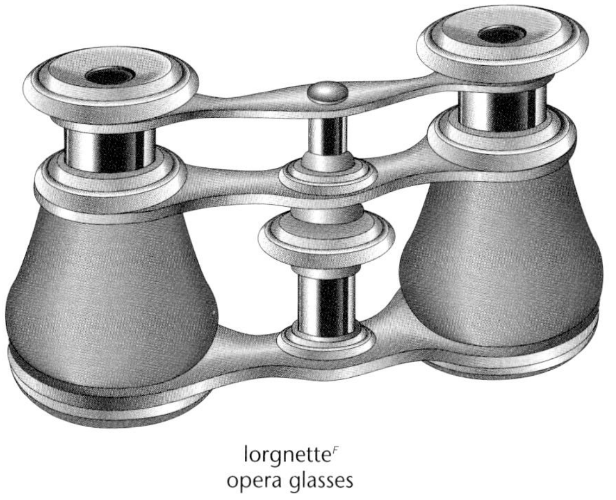

lorgnette[F]
opera glasses

ARTICLES[M] DE MAROQUINERIE[F]
LEATHER GOODS

MALLETTE[F] PORTE-DOCUMENTS[M]
ATTACHÉ CASE

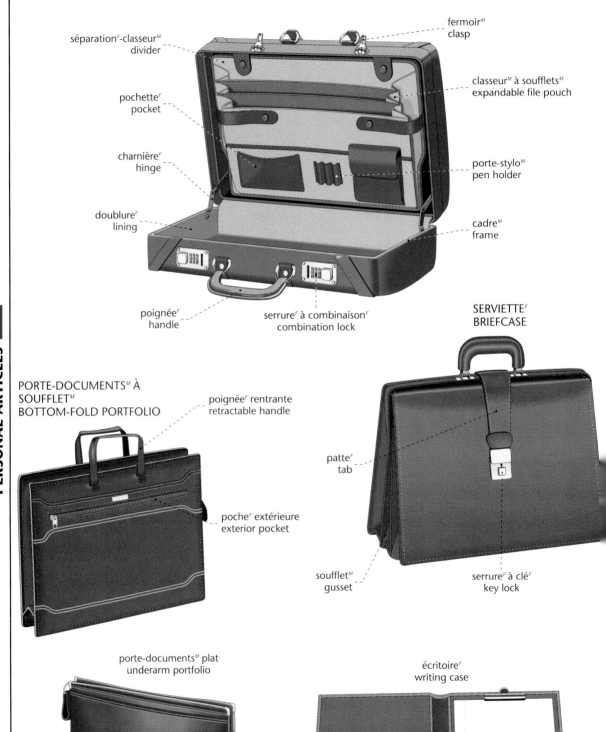

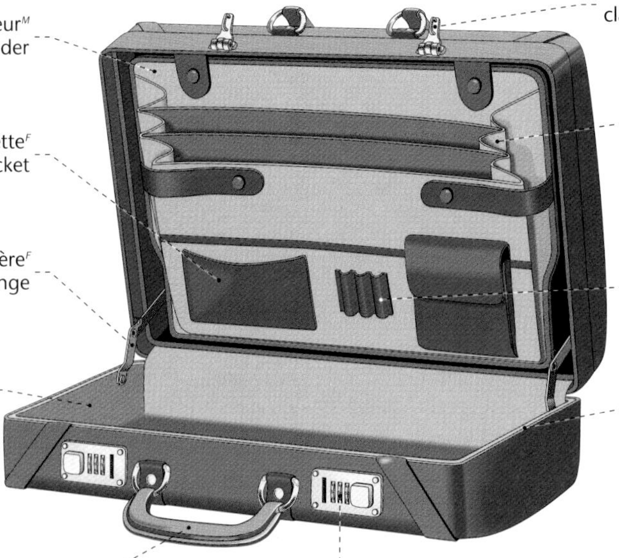
séparation[F]-classeur[M]
divider
fermoir[M]
clasp
classeur[M] à soufflets[M]
expandable file pouch
pochette[F]
pocket
charnière[F]
hinge
porte-stylo[M]
pen holder
doublure[F]
lining
cadre[M]
frame
poignée[F]
handle
serrure[F] à combinaison[F]
combination lock

SERVIETTE[F]
BRIEFCASE

patte[F]
tab
soufflet[M]
gusset
serrure[F] à clé[F]
key lock

PORTE-DOCUMENTS[M] À SOUFFLET[M]
BOTTOM-FOLD PORTFOLIO

poignée[F] rentrante
retractable handle
poche[F] extérieure
exterior pocket

porte-documents[M] plat
underarm portfolio

écritoire[F]
writing case

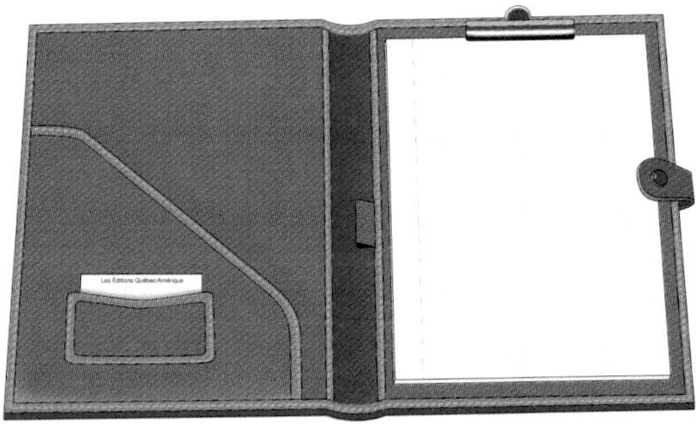

étui[M] à lunettes[F]
eyeglasses case

PORTEFEUILLE[M] CHÉQUIER[M]
CHECKBOOK/SECRETARY CLUTCH; *CALCULATOR/CHEQUE BOOK HOLDER*

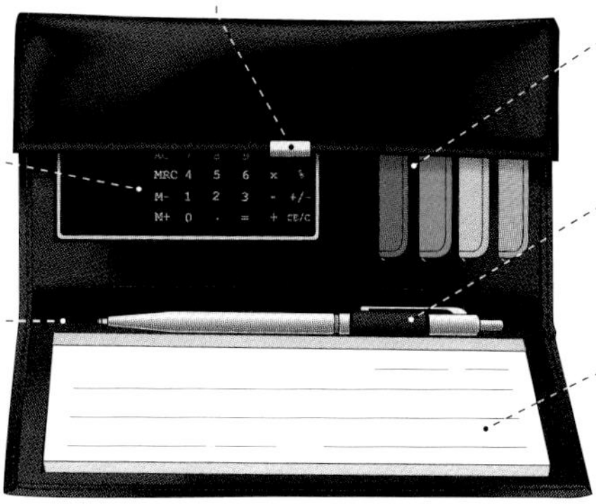
grébiche[F]
trimming
porte-cartes[M]
card case;
credit card wallet
calculette[F]
calculator
porte-stylo[M]
pen holder
poche[F] secrète
hidden pocket
chéquier[M]
checkbook; *cheque book*

PORTE-CARTES[M]
CARD CASE; *CREDIT CARD WALLET*

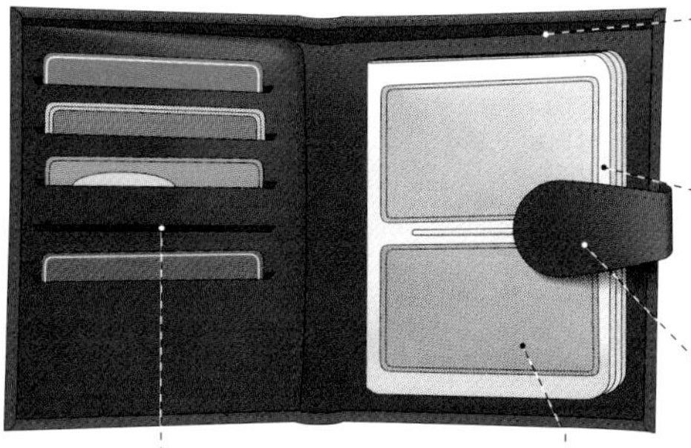
poche[F] américaine
bill compartment; *wallet section*
feuillets[M]
windows
patte[F]
tab
fente[F]
slot
volet[M] transparent
window

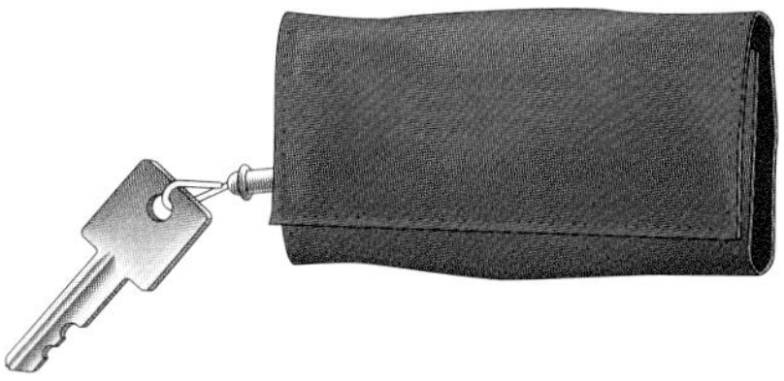
porte-clés[M]
key case

porte-coupures[M]
billfold; *wallet*

bourse[F] à monnaie[F]
purse

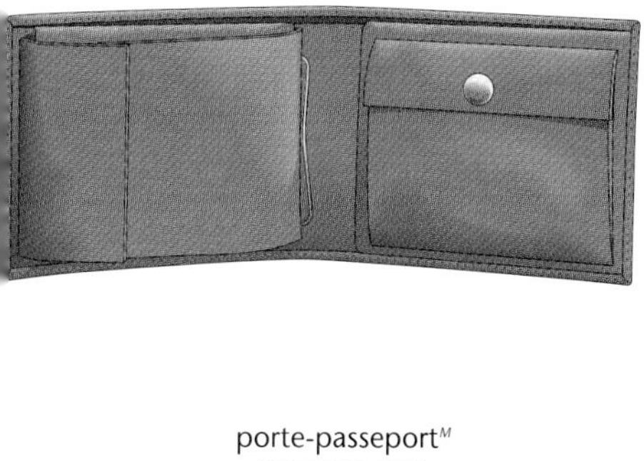
portefeuille[M]
wallet

Notes
porte-chéquier[M]
checkbook; *cheque book cover*

porte-passeport[M]
passport case

porte-monnaie[M]
coin purse

SACS[M] À MAIN[F]
HANDBAGS

pochette[F] d'homme[M]
men's bag

SAC[M] CARTABLE[M]
SATCHEL BAG

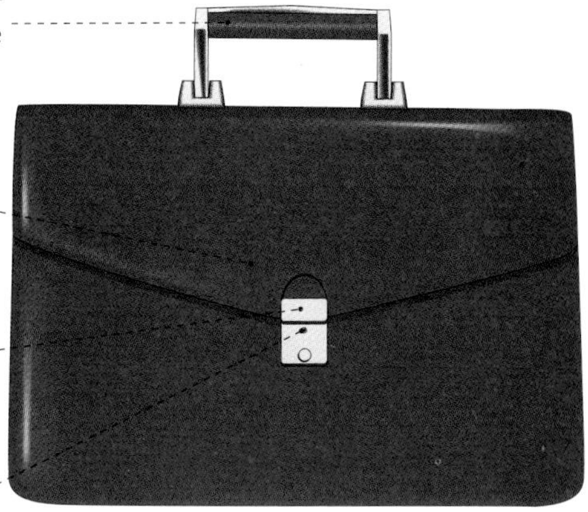
poignée[F]
handle
rabat[M]
flap
fermoir[M]
clasp
serrure[F]
lock

aumonière[F]
pouch

SAC[M] À BANDOULIÈRE[F]
SHOULDER BAG

boucle[F]
buckle
bandoulière[F]
shoulder strap

SAC[M] ACCORDÉON[M]
ACCORDION BAG

soufflet[M]
gusset

sac[M] fourre-tout[M]
tote bag

balluchon[M]
duffel bag

sac[M] besace[F]
hobo bag

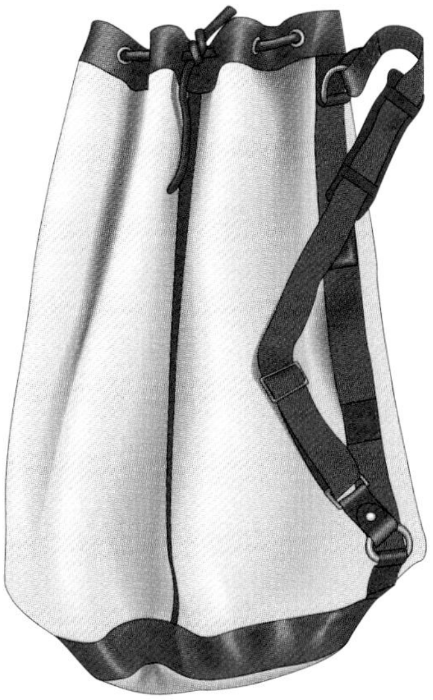

sac^M marin^M
sea bag

sac^M boîte^F
box bag

pochette^F
clutch bag

SAC^M SEAU^M
DRAWSTRING BAG

œillet^M
eyelet
lacet^M de serrage^M
drawstring
poche^F frontale
front pocket

sac^M polochon^M
duffel bag

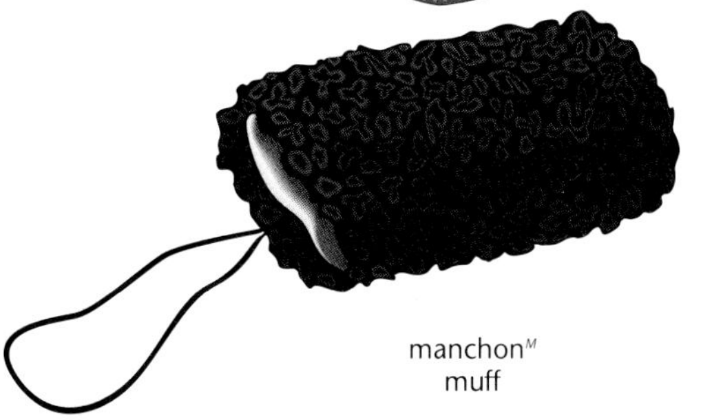

manchon^M
muff

cabas^M
shopping bag

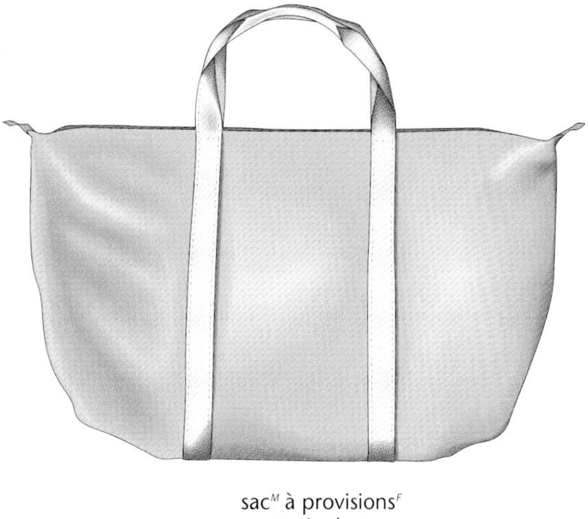

sac^M à provisions^F
carrier bag

BAGAGES[M]
LUGGAGE

SAC[M] DE VOL[M]
CARRY-ON BAG; *HOLDALL*

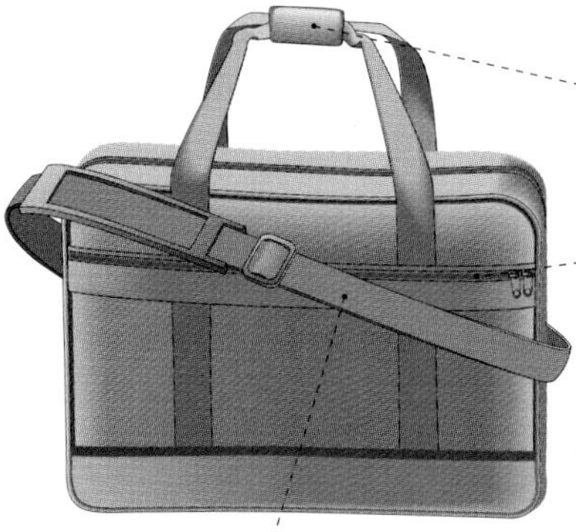
poignée[F]
handle
poche[F] extérieure
exterior pocket
bandoulière[F]
shoulder strap

sac[M] fourre-tout[M]
tote bag; *flight bag*

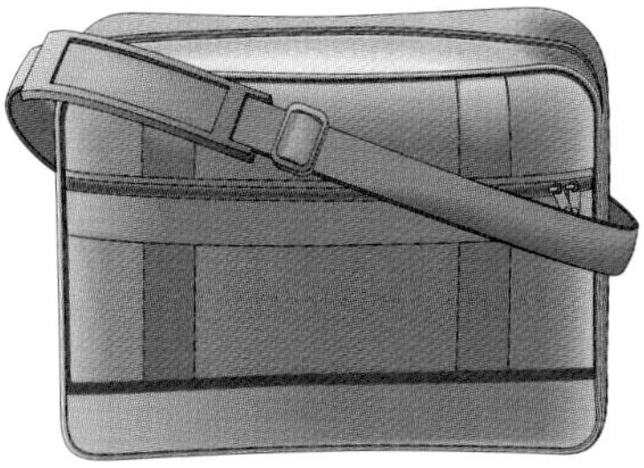

MALLETTE[F] DE TOILETTE[F]
VANITY CASE

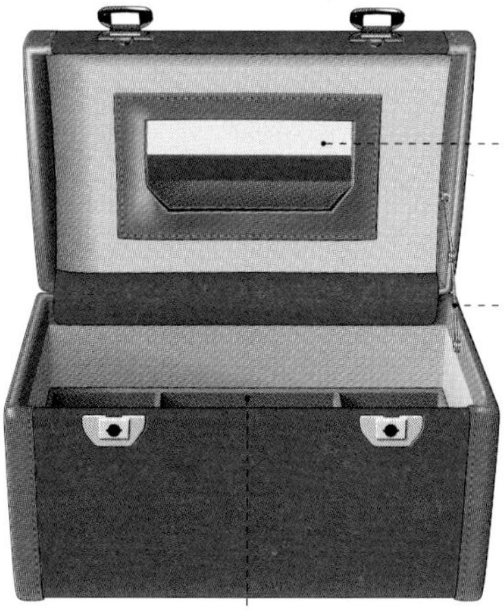
miroir[M]
mirror
charnière[F]
hinge
plateau[M]
cosmetic tray

HOUSSE[F] À VÊTEMENTS[M]
GARMENT BAG

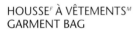

fermeture[F] à glissière[F]
zipper

trousse[F] de toilette[F]
utility case

PORTE-BAGAGES[M]
LUGGAGE CARRIER;
LUGGAGE TROLLEY

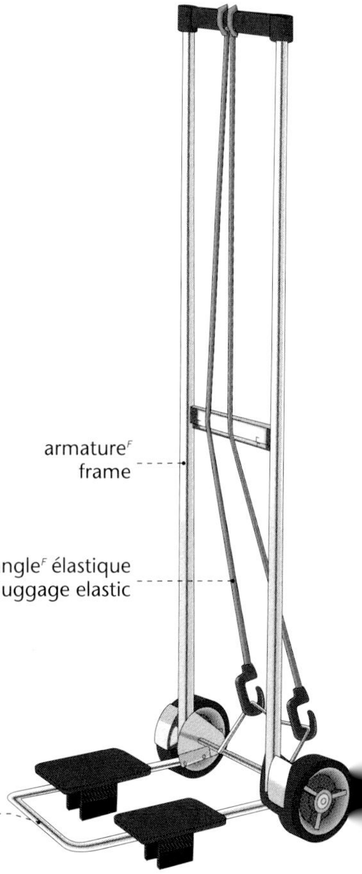
armature[F]
frame
sangle[F] élastique
luggage elastic
béquille[F]
stand

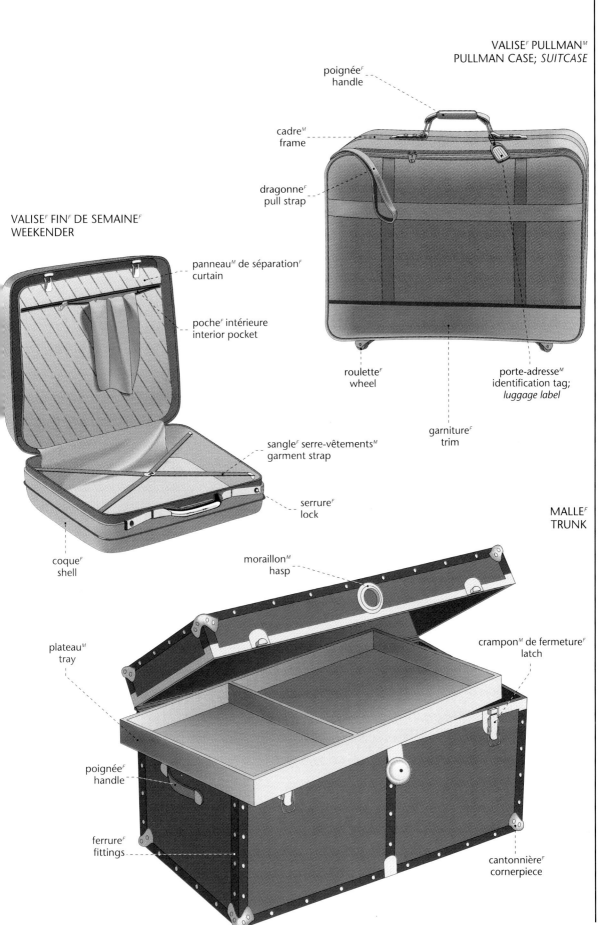

VALISE[F] PULLMAN[M]
PULLMAN CASE; *SUITCASE*

poignée[F]
handle
cadre[M]
frame
dragonne[F]
pull strap
roulette[F]
wheel
porte-adresse[M]
identification tag;
luggage label
garniture[F]
trim

VALISE[F] FIN[F] DE SEMAINE[F]
WEEKENDER

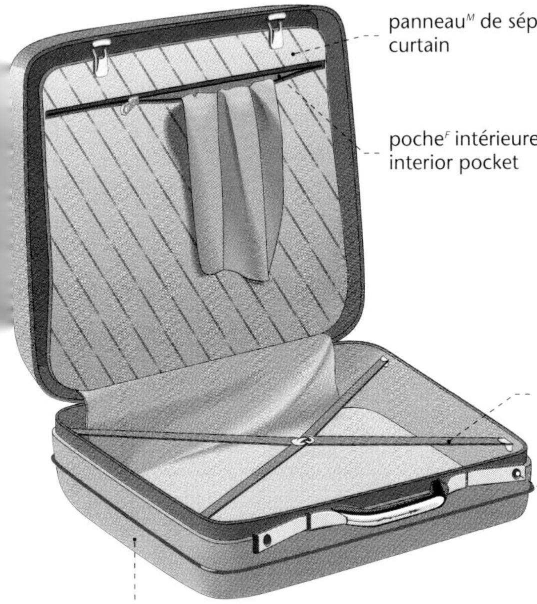
panneau[M] de séparation[F]
curtain
poche[F] intérieure
interior pocket
sangle[F] serre-vêtements[M]
garment strap
serrure[F]
lock
coque[F]
shell

MALLE[F]
TRUNK

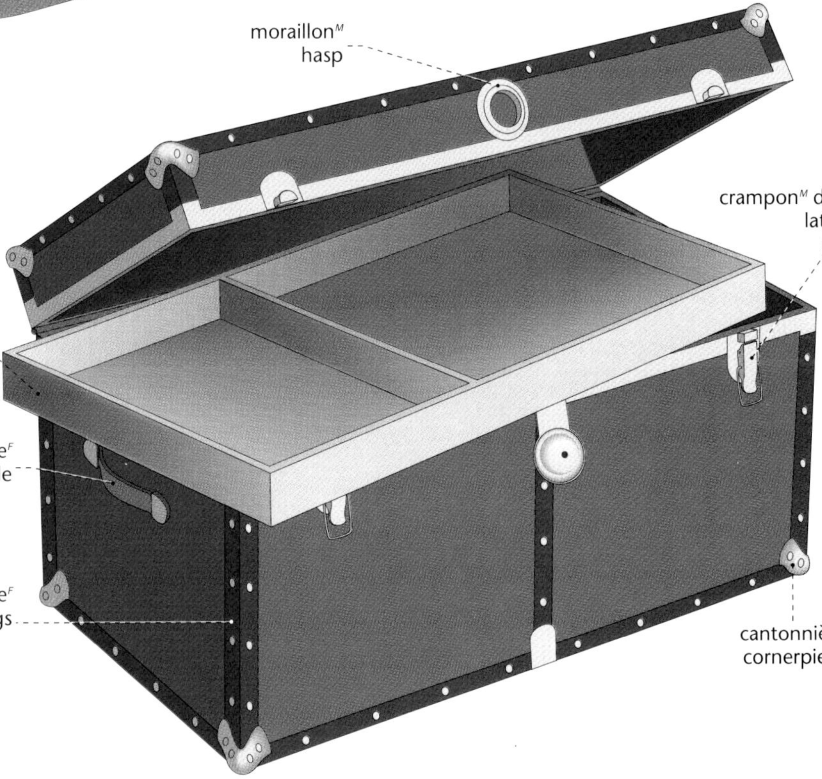
moraillon[M]
hasp
plateau[M]
tray
crampon[M] de fermeture[F]
latch
poignée[F]
handle
ferrure[F]
fittings
cantonnière[F]
cornerpiece

ARTICLES[M] DE FUMEUR[M]
SMOKING ACCESSORIES

CIGARE[M]
CIGAR

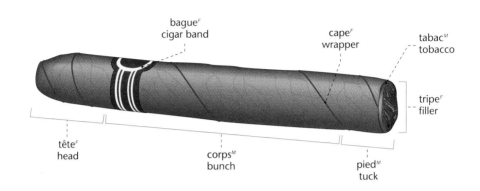

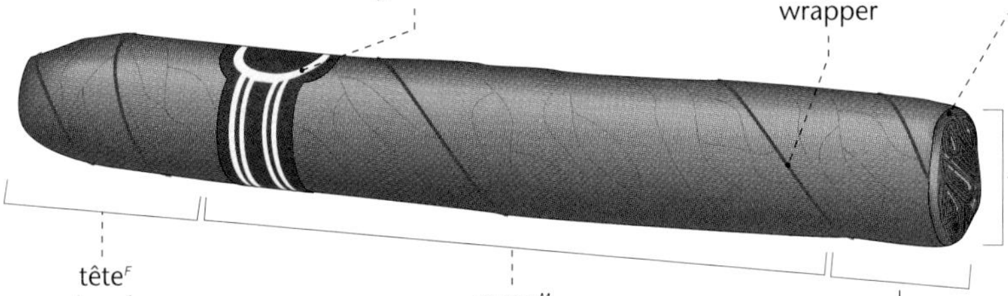
bague[F]
cigar band
cape[F]
wrapper
tabac[M]
tobacco
tripe[F]
filler
tête[F]
head
corps[M]
bunch
pied[M]
tuck

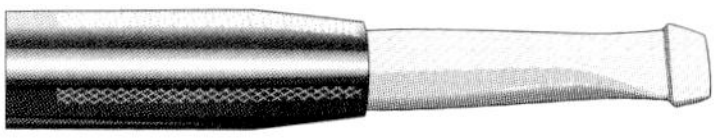
fume-cigarettes[M]
cigarette holder

CIGARETTE[F]
CIGARETTE

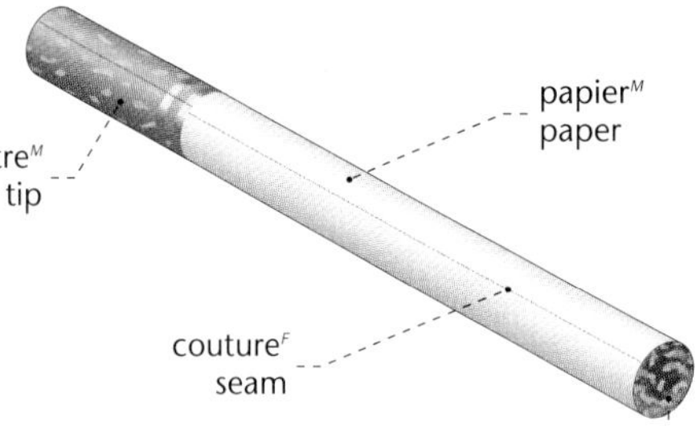
papier[M]
paper
bout[M]-filtre[M]
filter tip
couture[F]
seam
tabac[M]
tobacco

papier[M] à cigarettes[F]
cigarette papers

PAQUET[M] DE CIGARETTES[F]
CIGARETTE PACK

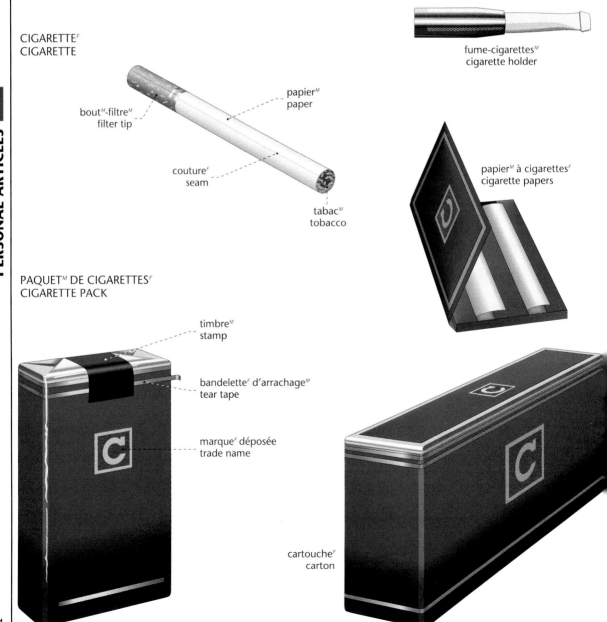

timbre[M]
stamp
bandelette[F] d'arrachage[M]
tear tape
marque[F] déposée
trade name

cartouche[F]
carton

PIPE[F]
PIPE

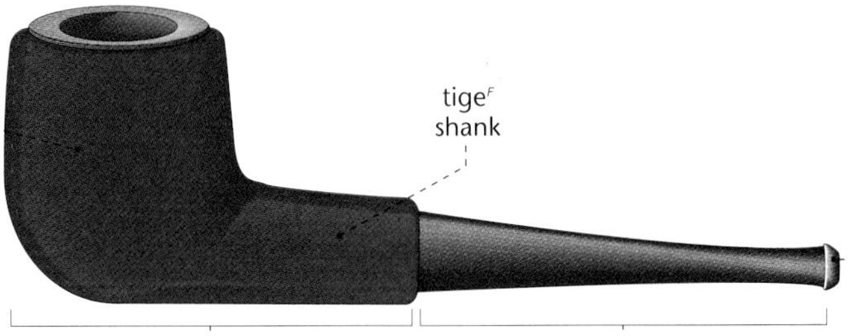

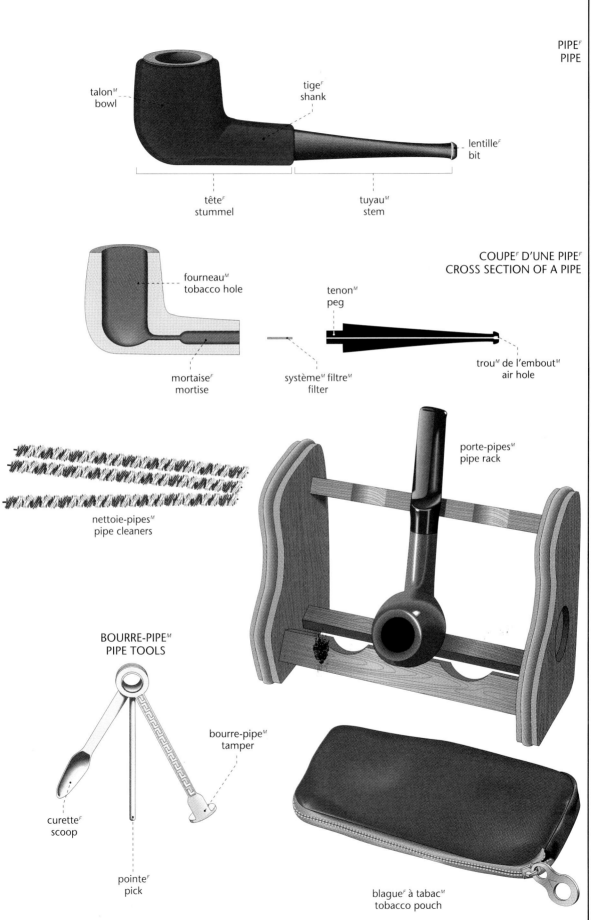

talon[M]
bowl
tige[F]
shank
lentille[F]
bit
tête[F]
stummel
tuyau[M]
stem

COUPE[F] D'UNE PIPE[F]
CROSS SECTION OF A PIPE

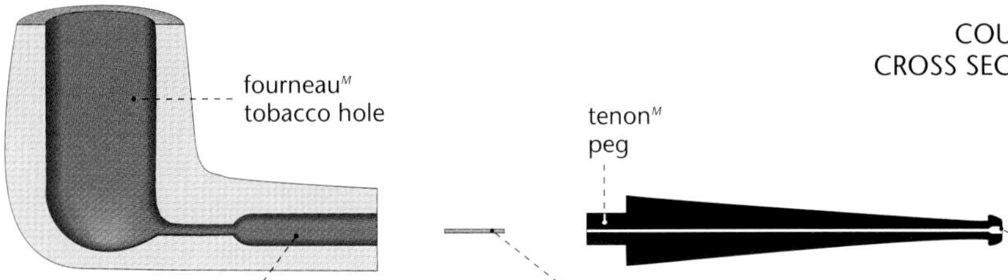

fourneau[M]
tobacco hole
tenon[M]
peg
mortaise[F]
mortise
système[M] filtre[M]
filter
trou[M] de l'embout[M]
air hole

nettoie-pipes[M]
pipe cleaners

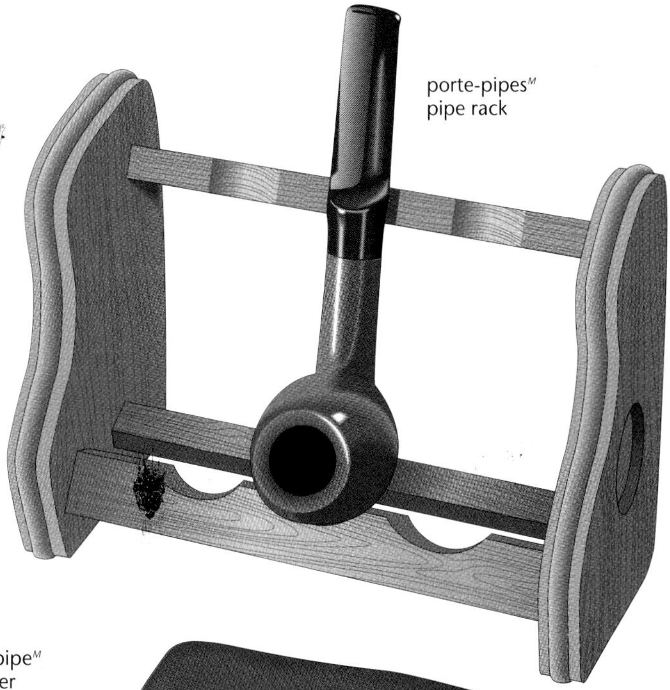

porte-pipes[M]
pipe rack

BOURRE-PIPE[M]
PIPE TOOLS

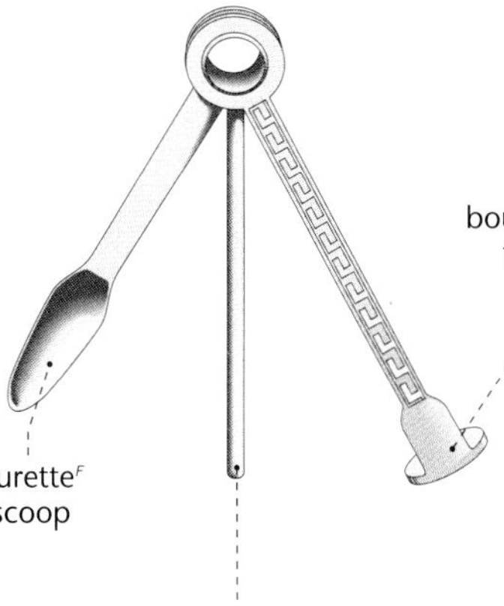

bourre-pipe[M]
tamper
curette[F]
scoop
pointe[F]
pick

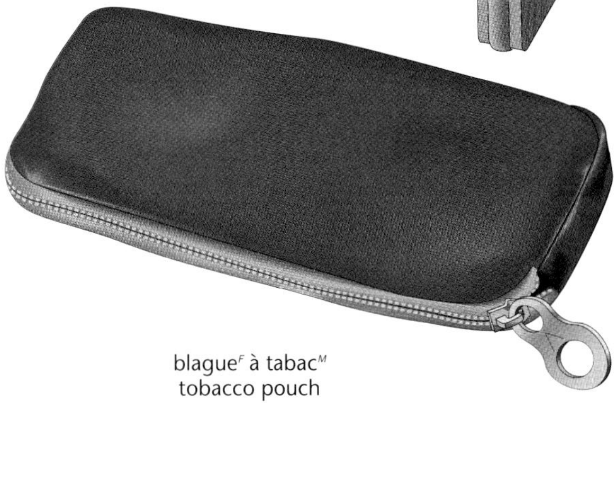

blague[F] à tabac[M]
tobacco pouch

ARTICLES[M] DE FUMEUR[M]
SMOKING ACCESSORIES

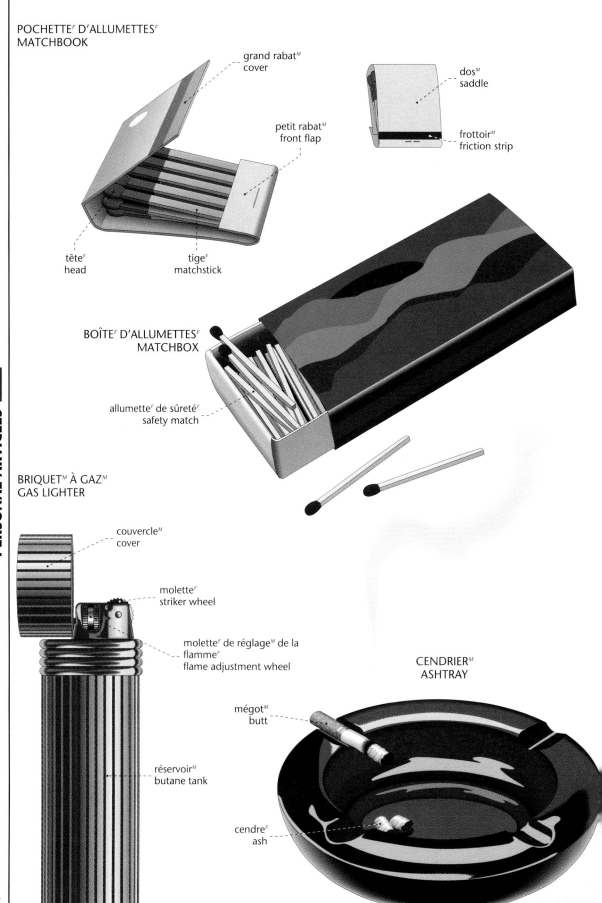

POCHETTE[F] D'ALLUMETTES[F]
MATCHBOOK

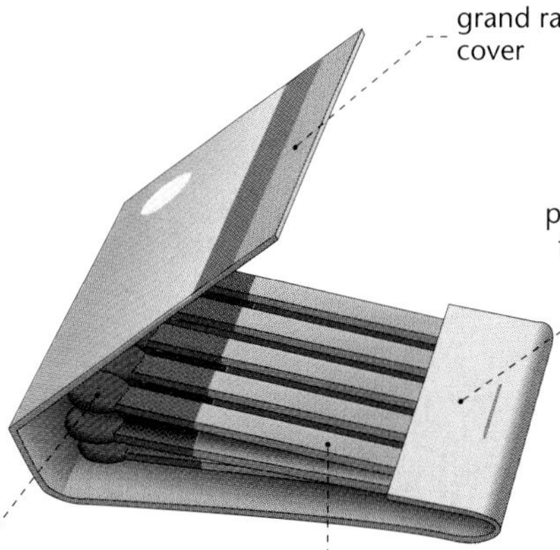
grand rabat[M]
cover
petit rabat[M]
front flap
tête[F]
head
tige[F]
matchstick

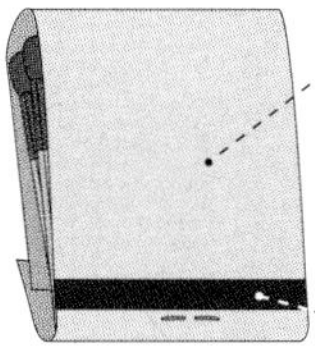
dos[M]
saddle
frottoir[M]
friction strip

BOÎTE[F] D'ALLUMETTES[F]
MATCHBOX

allumette[F] de sûreté[F]
safety match

BRIQUET[M] À GAZ[M]
GAS LIGHTER

couvercle[M]
cover
molette[F]
striker wheel
molette[F] de réglage[M] de la flamme[F]
flame adjustment wheel
réservoir[M]
butane tank

CENDRIER[M]
ASHTRAY

mégot[M]
butt
cendre[F]
ash

COMMUNICATIONS • COMMUNICATIONS

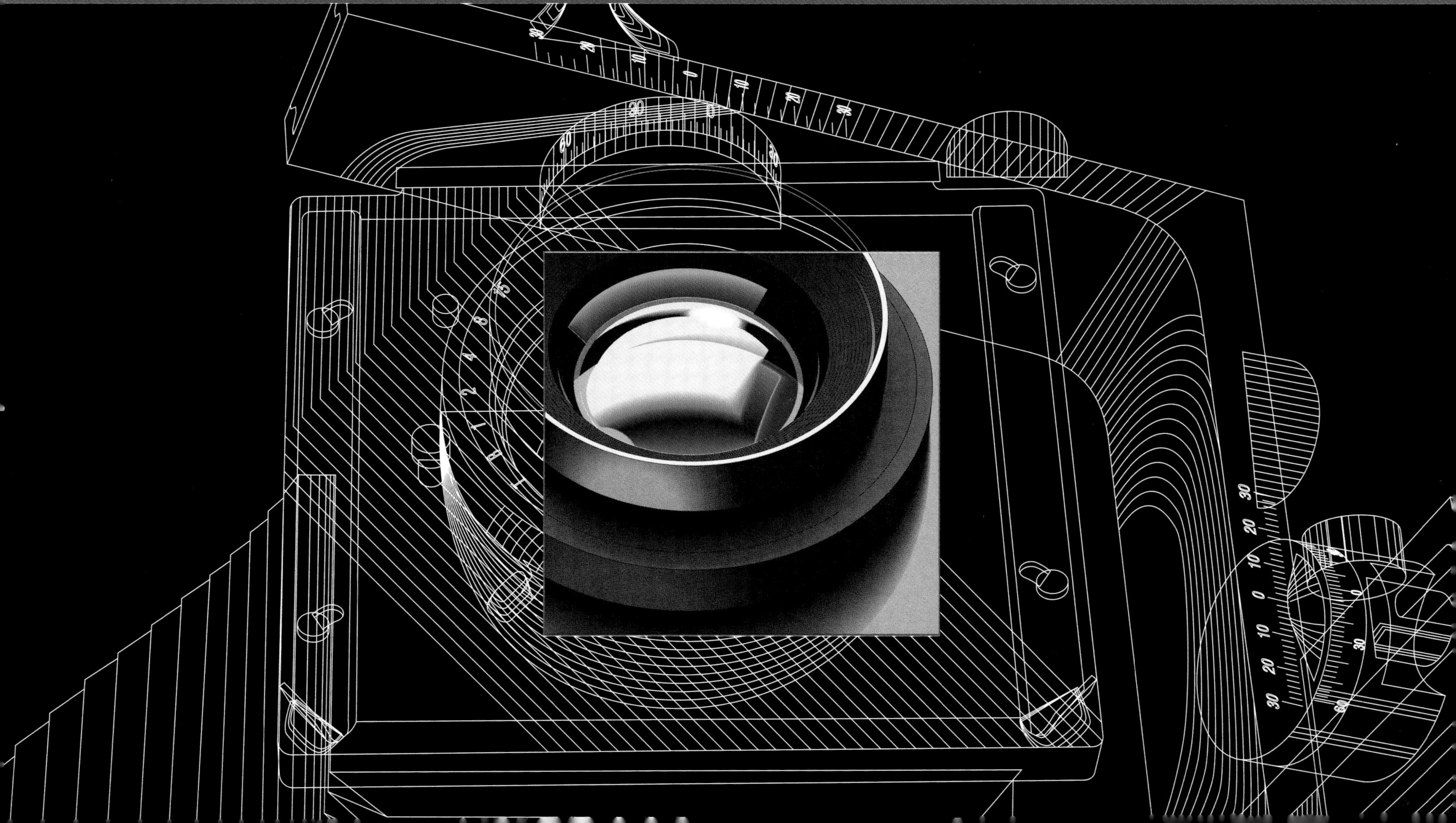

SOMMAIRE

COMMUNICATIONS

INSTRUMENTS[M] D'ÉCRITURE[F]
WRITING INSTRUMENTS

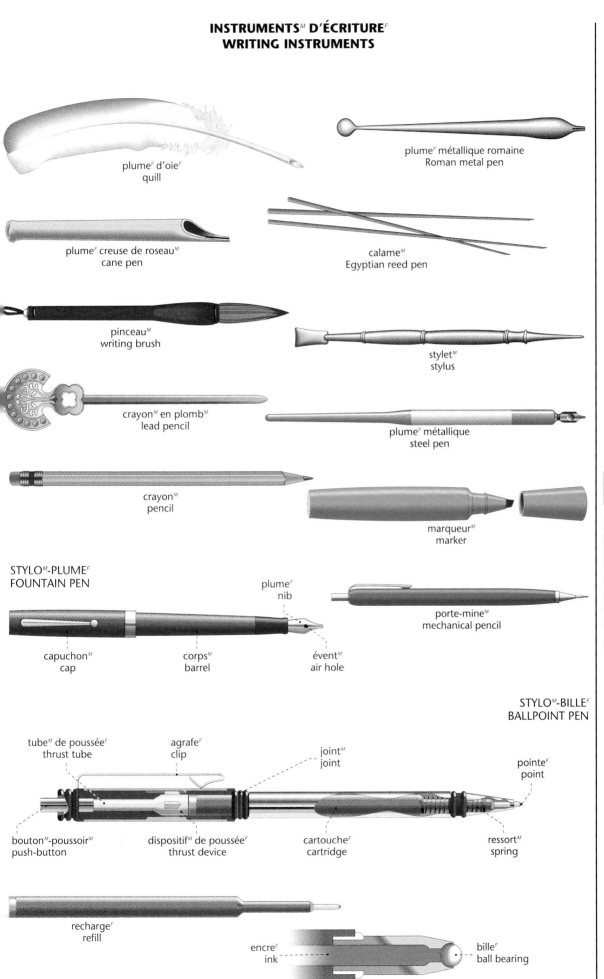

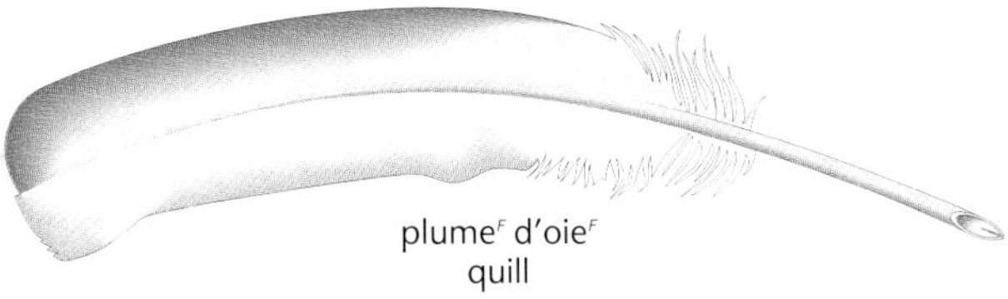
plume[F] d'oie[F]
quill

plume[F] métallique romaine
Roman metal pen

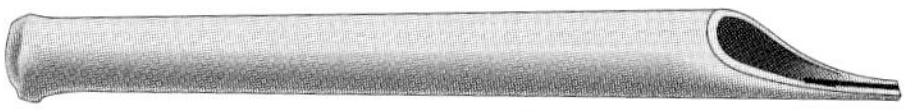
plume[F] creuse de roseau[M]
cane pen

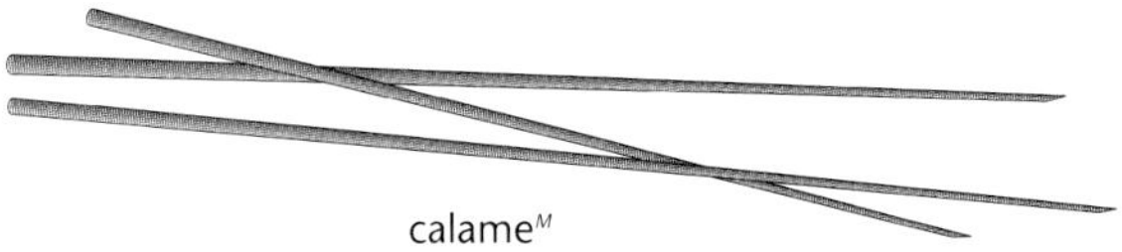
calame[M]
Egyptian reed pen

pinceau[M]
writing brush

stylet[M]
stylus

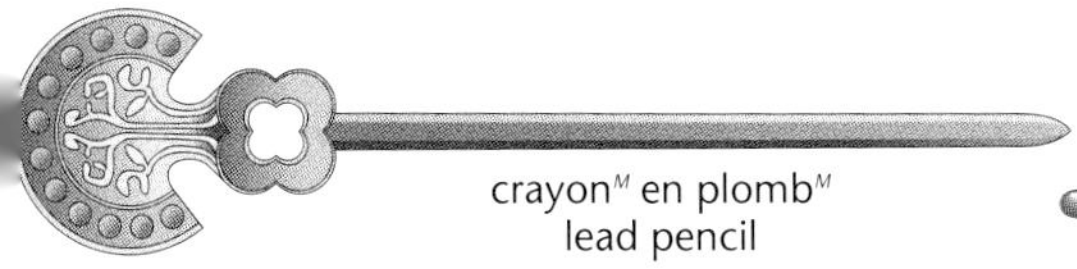
crayon[M] en plomb[M]
lead pencil

plume[F] métallique
steel pen

crayon[M]
pencil

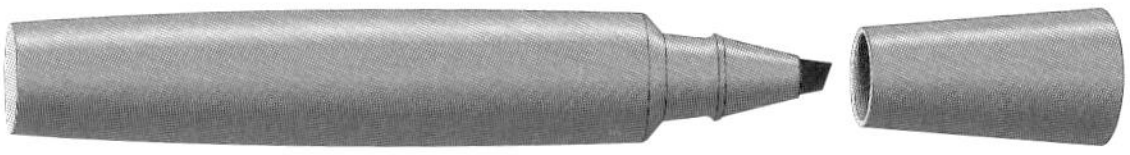
marqueur[M]
marker

STYLO[M]-PLUME[F]
FOUNTAIN PEN

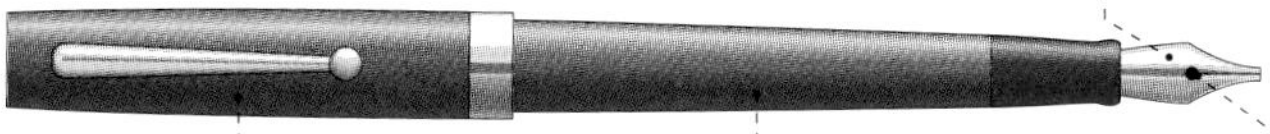
plume[F]
nib
capuchon[M]
cap
corps[M]
barrel
évent[M]
air hole

porte-mine[M]
mechanical pencil

STYLO[M]-BILLE[F]
BALLPOINT PEN

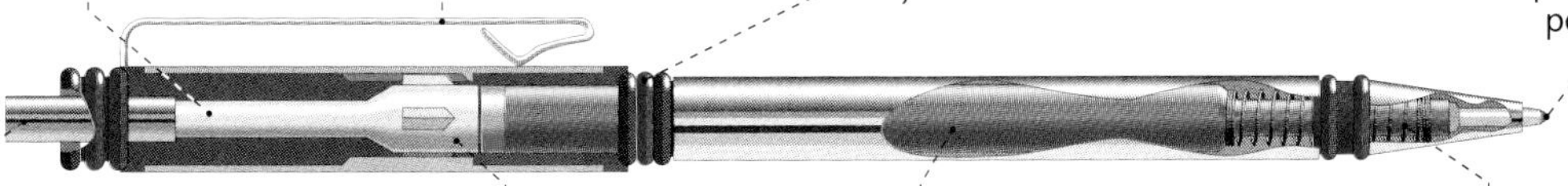
tube[M] de poussée[F]
thrust tube
agrafe[F]
clip
joint[M]
joint
pointe[F]
point
bouton[M]-poussoir[M]
push-button
dispositif[M] de poussée[F]
thrust device
cartouche[F]
cartridge
ressort[M]
spring

recharge[F]
refill

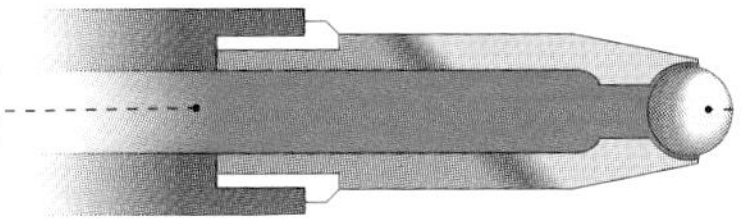
encre[F]
ink
bille[F]
ball bearing

PHOTOGRAPHIE[F]
PHOTOGRAPHY

COUPE[F] D'UN APPAREIL[M] REFLEX
CROSS SECTION OF A REFLEX CAMERA

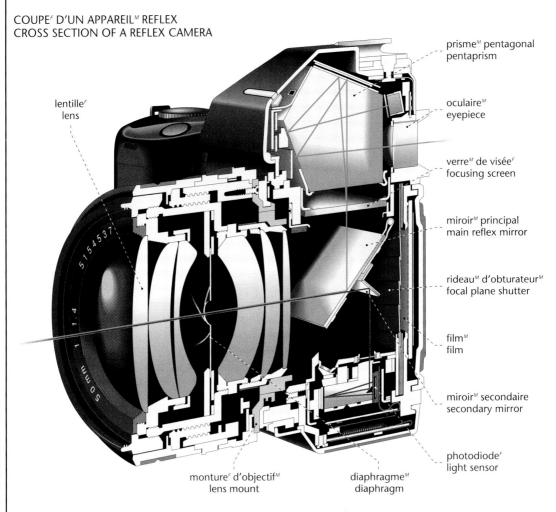

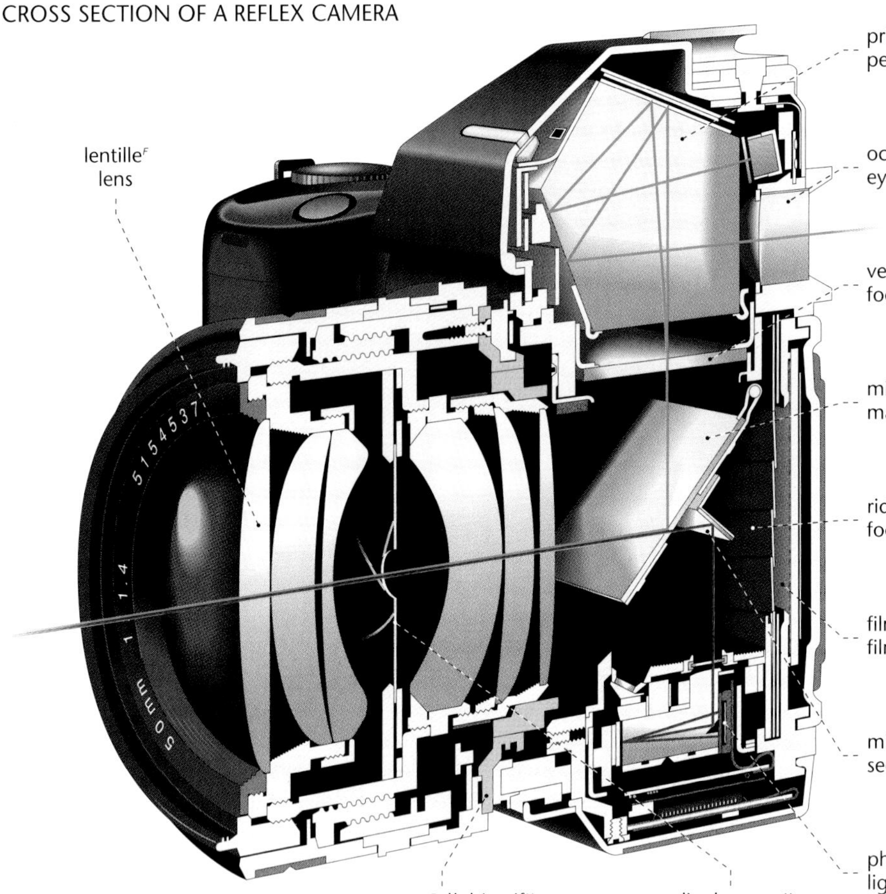
prisme[M] pentagonal
pentaprism
lentille[F]
lens
oculaire[M]
eyepiece
verre[M] de visée[F]
focusing screen
miroir[M] principal
main reflex mirror
rideau[M] d'obturateur[M]
focal plane shutter
film[M]
film
miroir[M] secondaire
secondary mirror
photodiode[F]
light sensor
monture[F] d'objectif[M]
lens mount
diaphragme[M]
diaphragm
5154537
50 mm 1 : 1.4

DOS[M] DE L'APPAREIL[M]
CAMERA BACK

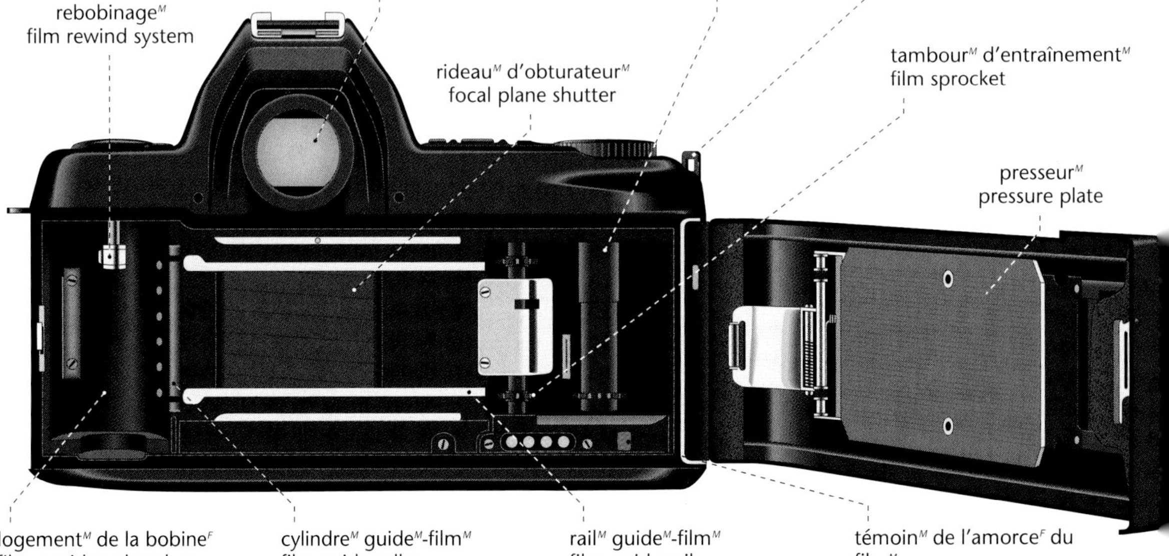
mécanisme[M] de
rebobinage[M]
film rewind system
viseur[M]
viewfinder
bobine[F] réceptrice
take-up spool
œillet[M] d'attache[F]
neckstrap eyelet
tambour[M] d'entraînement[M]
film sprocket
rideau[M] d'obturateur[M]
focal plane shutter
presseur[M]
pressure plate
logement[M] de la bobine[F]
film cartidge chamber
cylindre[M] guide[M]-film[M]
film guide roller
rail[M] guide[M]-film[M]
film guide rail
témoin[M] de l'amorce[F] du
film[M]
film leader indicator

APPAREIL[M] À VISÉE[F] REFLEX MONO-OBJECTIF[M]
SINGLE-LENS REFLEX (SLR) CAMERA

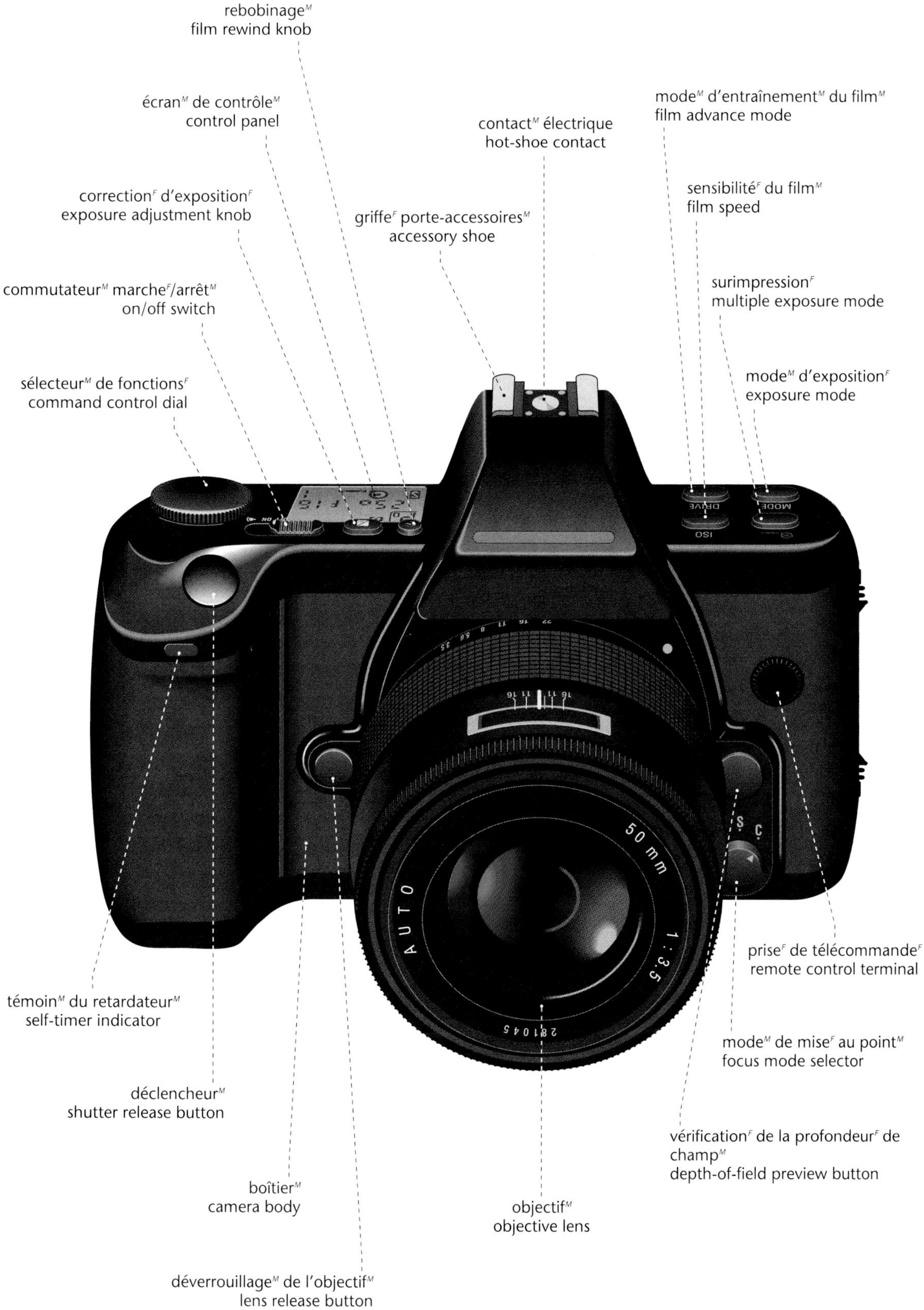

rebobinage[M]
film rewind knob
écran[M] de contrôle[M]
control panel
correction[F] d'exposition[F]
exposure adjustment knob
commutateur[M] marche[F]/arrêt[M]
on/off switch
sélecteur[M] de fonctions[F]
command control dial
contact[M] électrique
hot-shoe contact
griffe[F] porte-accessoires[M]
accessory shoe
mode[M] d'entraînement[M] du film[M]
film advance mode
sensibilité[F] du film[M]
film speed
surimpression[F]
multiple exposure mode
mode[M] d'exposition[F]
exposure mode
DRIVE
MODE
ISO
S
C
50 mm
AUTO
1:3.5
281045
prise[F] de télécommande[F]
remote control terminal
témoin[M] du retardateur[M]
self-timer indicator
mode[M] de mise[F] au point[M]
focus mode selector
déclencheur[M]
shutter release button
vérification[F] de la profondeur[F] de champ[M]
depth-of-field preview button
boîtier[M]
camera body
objectif[M]
objective lens
déverrouillage[M] de l'objectif[M]
lens release button

PHOTOGRAPHIE^F
PHOTOGRAPHY

OBJECTIFS^M
LENSES

OBJECTIF^M NORMAL
STANDARD LENS

lentille^F
lens

bague^F de mise^F au point^M
focus setting ring

échelle^F de profondeur^F de champ^M
depth-of-field scale

échelle^F d'ouverture^F de diaphragme^M
lens aperture scale

échelle^F des distances^F
distance scale

monture^F baïonnette^F
bayonet mount

objectif^M grand-angulaire
wide-angle lens

objectif^M zoom^M
zoom lens

objectif^M super-grand-angle^M
semi-fisheye lens

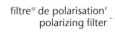

téléobjectif^M
telephoto lens

hypergone^M
fisheye lens

ACCESSOIRES^M DE L'OBJECTIF^M
LENS ACCESSORIES

capuchon^M d'objectif^M
lens cap

parasoleil^M
lens hood

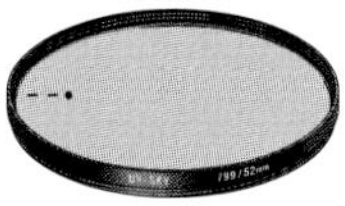

filtre^M de couleur^F
color filter; *colour filter*

lentille^F de macrophotographie^F
close-up lens

filtre^M de polarisation^F
polarizing filter

objectif^M
objective lens

multiplicateur^M de focale^F
tele-converter

ACCESSOIRES[M] PHOTOGRAPHIQUES
PHOTOGRAPHIC ACCESSORIES

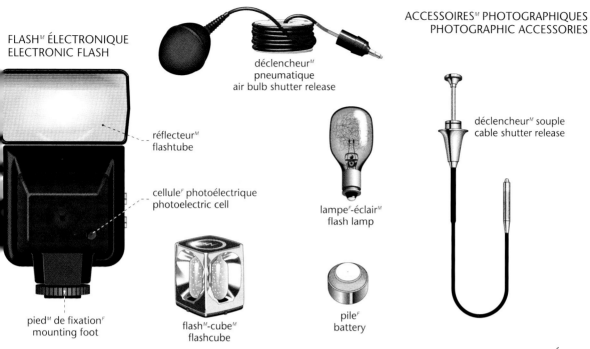

FLASH[M] ÉLECTRONIQUE
ELECTRONIC FLASH

réflecteur[M]
flashtube
cellule[F] photoélectrique
photoelectric cell
pied[M] de fixation[F]
mounting foot

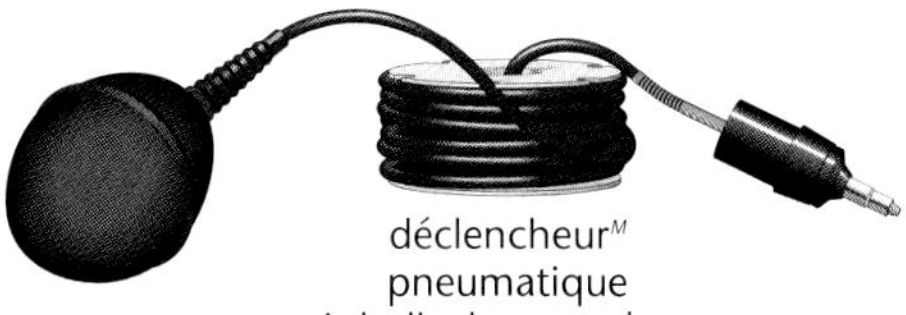
déclencheur[M]
pneumatique
air bulb shutter release

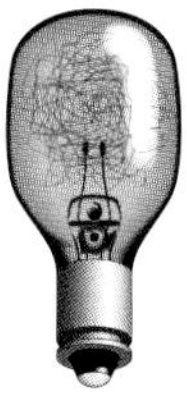
lampe[F]-éclair[M]
flash lamp

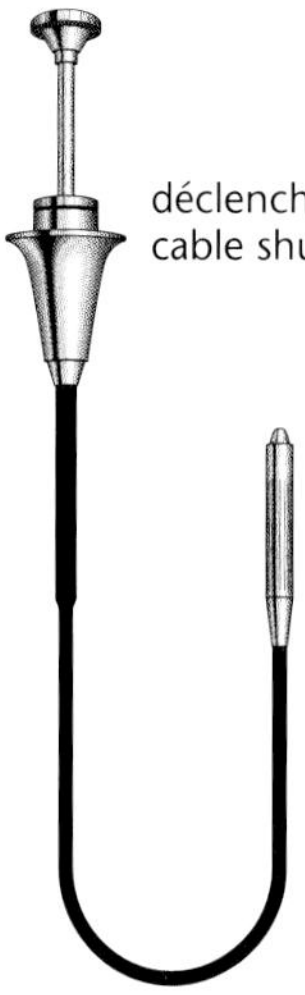
déclencheur[M] souple
cable shutter release

flash[M]-cube[M]
flashcube

pile[F]
battery

TRÉPIED[M]
TRIPOD

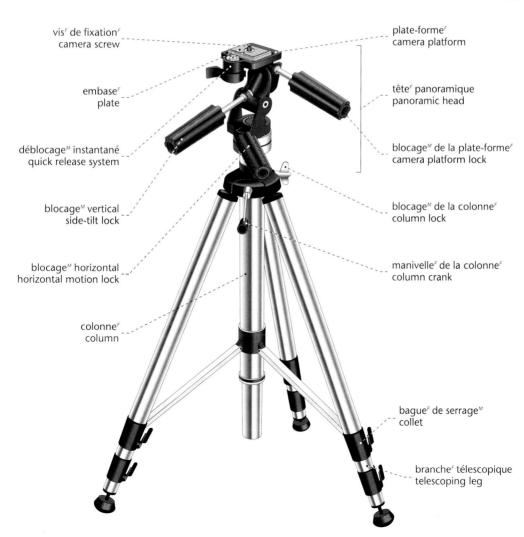

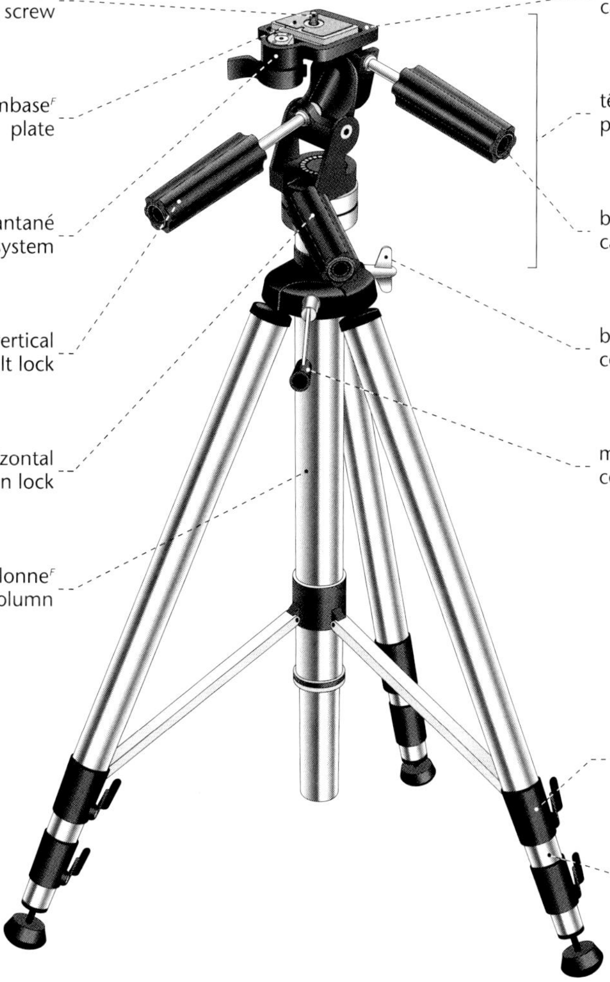
vis[F] de fixation[F]
camera screw
embase[F]
plate
déblocage[M] instantané
quick release system
blocage[M] vertical
side-tilt lock
blocage[M] horizontal
horizontal motion lock
colonne[F]
column
plate-forme[F]
camera platform
tête[F] panoramique
panoramic head
blocage[M] de la plate-forme[F]
camera platform lock
blocage[M] de la colonne[F]
column lock
manivelle[F] de la colonne[F]
column crank
bague[F] de serrage[M]
collet
branche[F] télescopique
telescoping leg

PHOTOGRAPHIE[F]
PHOTOGRAPHY

APPAREILS[M] PHOTOGRAPHIQUES
STILL CAMERAS

appareil[M] à télémètre[M] couplé
rangefinder

appareil[M] de plongée[F]
underwater camera

Polaroid®[M]
Polaroid® Land camera

appareil[M] à visée[F] reflex
mono-objectif[M]
single-lens reflex camera

appareil[M] jetable
disposable camera

appareil[M] reflex à deux objectifs[M]
twin-lens reflex camera

chambre[F] photographique
view camera

APPAREILS^{M} PHOTOGRAPHIQUES
STILL CAMERAS

appareil^{M} reflex 6 X 6 mono-objectif^{M}
medium format SLR (6 x 6)

appareil^{M} petit-format^{M}
pocket camera

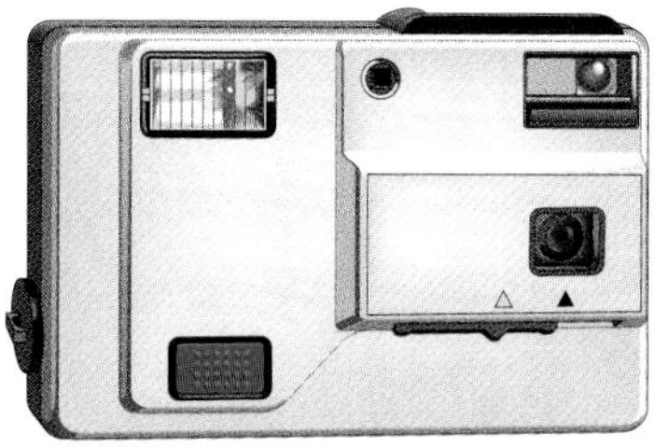

appareil^{M} pour photodisque^{M}
disk camera; *disc camera*

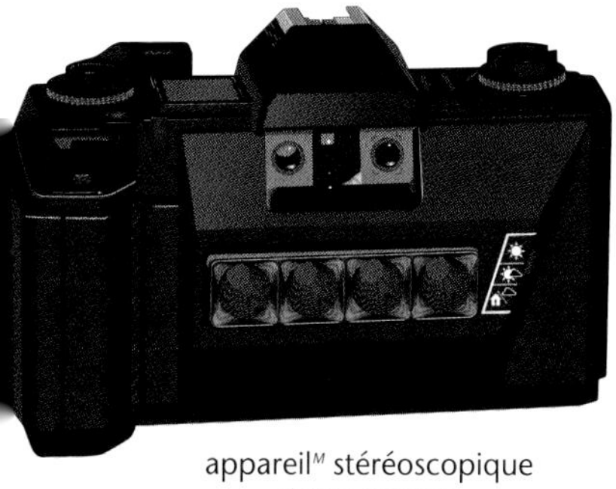

appareil^{M} stéréoscopique
stereo camera

appareil^{M} de videophoto^{F}
still video camera

PELLICULES^{F}
FILMS

disque^{M} videophoto^{F}
still video film disk;
still video film disc

amorce^{F}
film leader

perforation^{F}
perforation

cassette^{F} de pellicule^{F}
cassette film

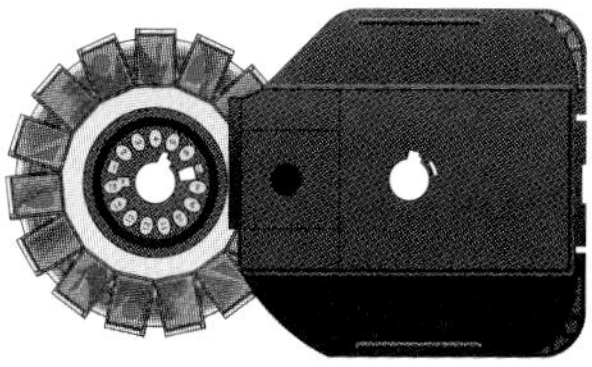

film^{M}-disque^{M}
film disk; *film disc*

cartouche^{F} de pellicule^{F}
cartridge film

pellicule^{F} en feuille^{F}
sheet film

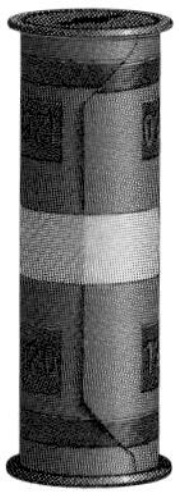

rouleau^{M} de pellicule^{F}
roll film

film^{M}-pack^{M}
film pack

PHOTOGRAPHIE[F]
PHOTOGRAPHY

POSEMÈTRE[M] PHOTO-ÉLECTRIQUE
EXPOSURE METER

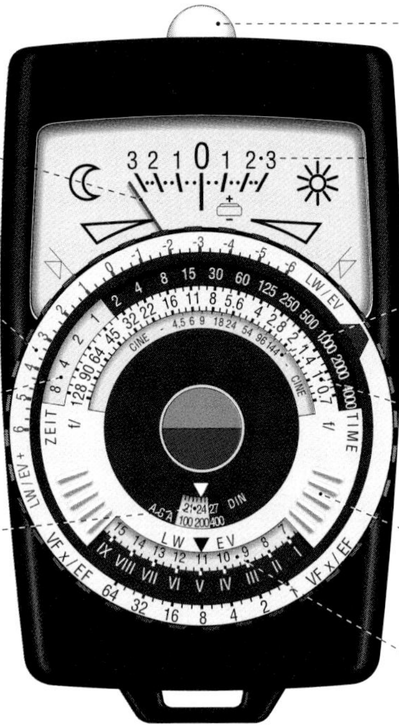

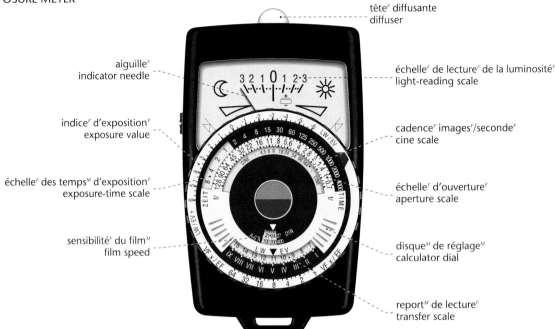

tête[F] diffusante
diffuser

aiguille[F]
indicator needle

échelle[F] de lecture[F] de la luminosité[F]
light-reading scale

indice[F] d'exposition[F]
exposure value

cadence[F] images[F]/seconde[F]
cine scale

échelle[F] des temps[M] d'exposition[F]
exposure-time scale

échelle[F] d'ouverture[F]
aperture scale

sensibilité[F] du film[M]
film speed

disque[M] de réglage[M]
calculator dial

report[M] de lecture[F]
transfer scale

POSEMÈTRE[M] À VISÉE[F] REFLEX
SPOTMETER

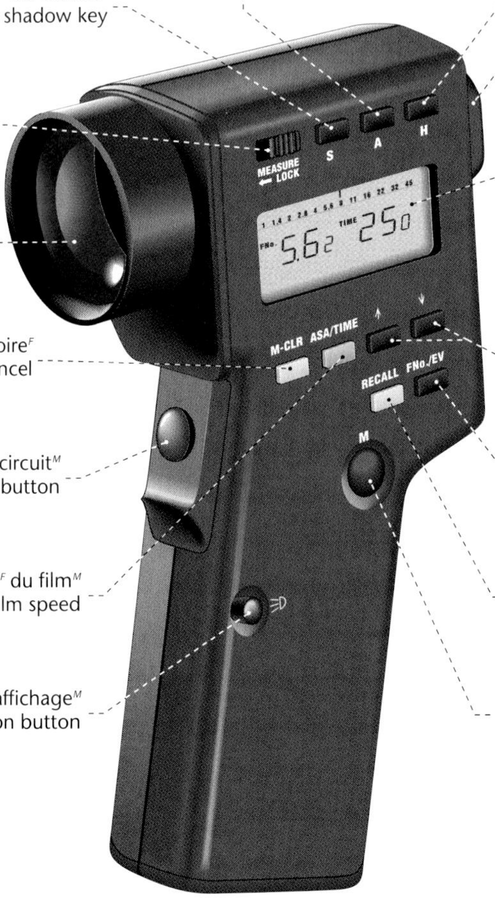

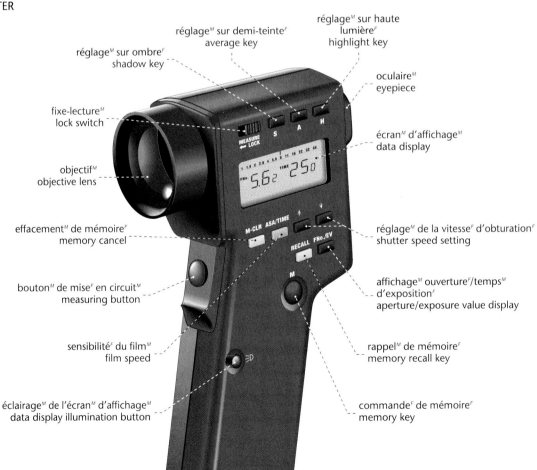

réglage[M] sur demi-teinte[F]
average key

réglage[M] sur haute lumière[F]
highlight key

réglage[M] sur ombre[F]
shadow key

oculaire[M]
eyepiece

fixe-lecture[M]
lock switch

écran[M] d'affichage[M]
data display

objectif[M]
objective lens

effacement[M] de mémoire[F]
memory cancel

réglage[M] de la vitesse[F] d'obturation[F]
shutter speed setting

bouton[M] de mise[F] en circuit[M]
measuring button

affichage[M] ouverture[F]/temps[M] d'exposition[F]
aperture/exposure value display

sensibilité[F] du film[M]
film speed

rappel[M] de mémoire[F]
memory recall key

éclairage[M] de l'écran[M] d'affichage[M]
data display illumination button

commande[F] de mémoire[F]
memory key

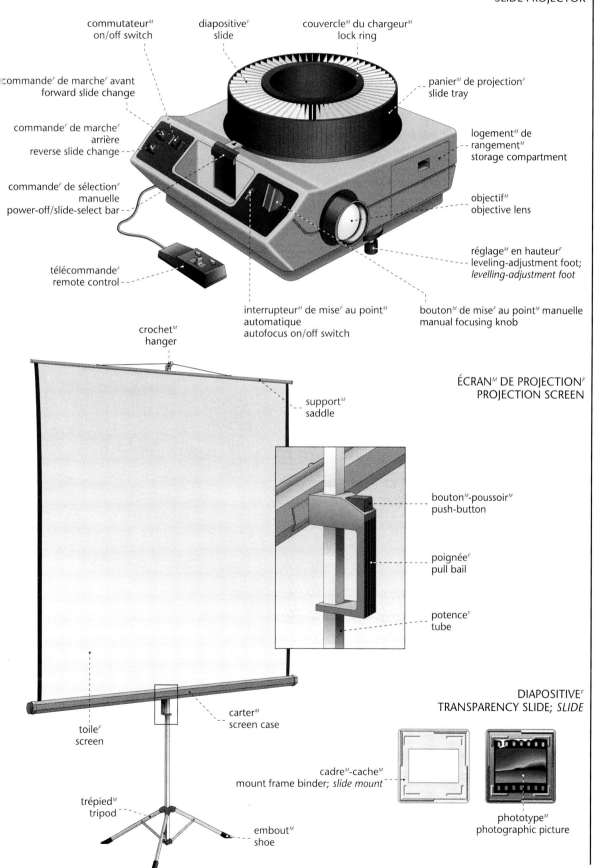

PROJECTEUR[M] DE DIAPOSITIVES[F]
SLIDE PROJECTOR

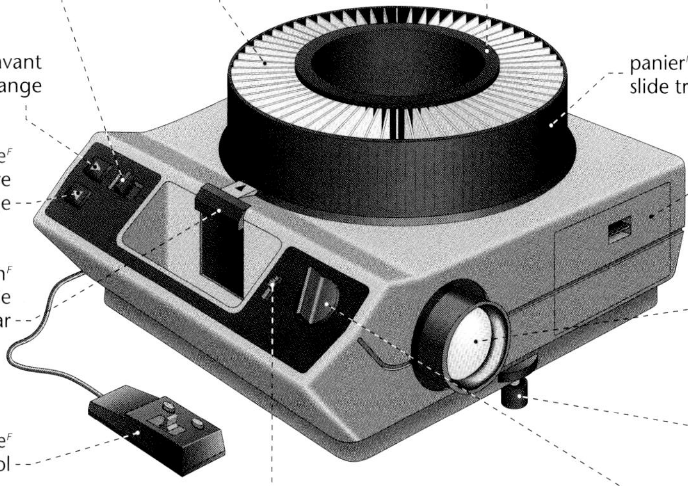

commutateur[M]
on/off switch
diapositive[F]
slide
couvercle[M] du chargeur[M]
lock ring
commande[F] de marche[F] avant
forward slide change
panier[M] de projection[F]
slide tray
commande[F] de marche[F] arrière
reverse slide change
logement[M] de rangement[M]
storage compartment
commande[F] de sélection[F] manuelle
power-off/slide-select bar
objectif[M]
objective lens
réglage[M] en hauteur[F]
leveling-adjustment foot; *levelling-adjustment foot*
télécommande[F]
remote control
interrupteur[M] de mise[F] au point[M] automatique
autofocus on/off switch
bouton[M] de mise[F] au point[M] manuelle
manual focusing knob

ÉCRAN[M] DE PROJECTION[F]
PROJECTION SCREEN

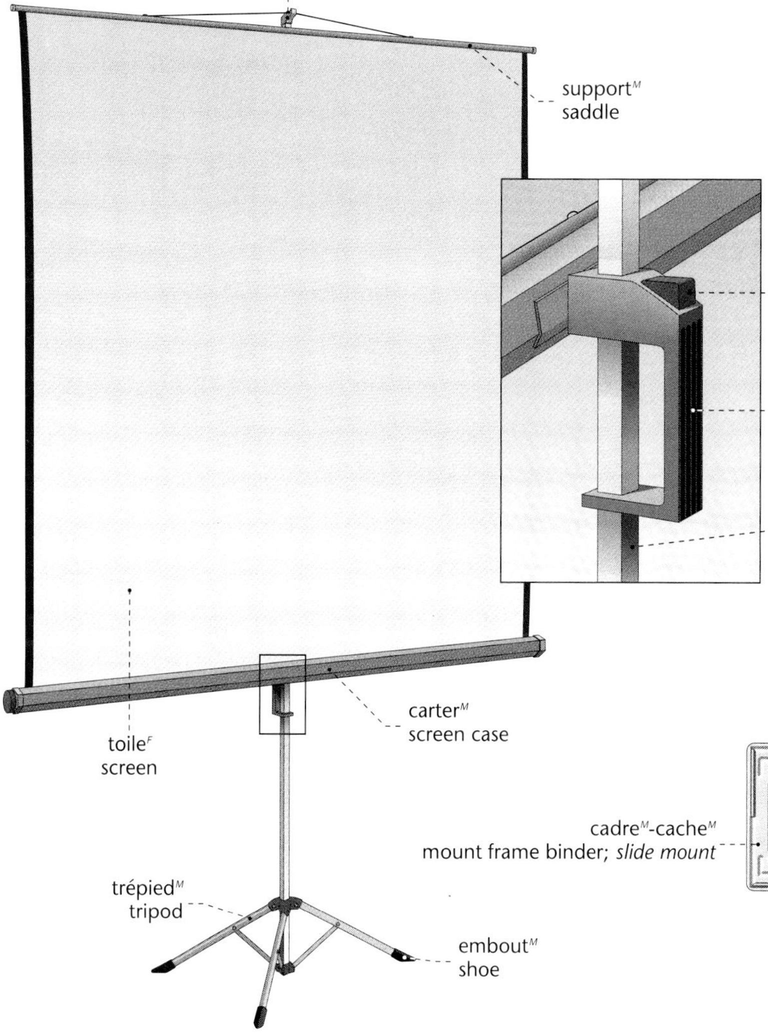

crochet[M]
hanger
support[M]
saddle
bouton[M]-poussoir[M]
push-button
poignée[F]
pull bail
potence[F]
tube
toile[F]
screen
carter[M]
screen case
trépied[M]
tripod
embout[M]
shoe

DIAPOSITIVE[F]
TRANSPARENCY SLIDE; *SLIDE*

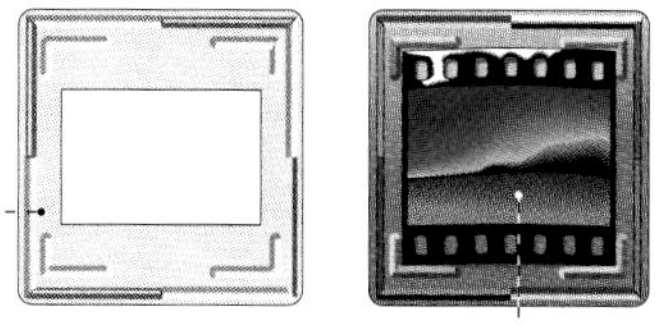

cadre[M]-cache[M]
mount frame binder; *slide mount*
phototype[M]
photographic picture

PHOTOGRAPHIE^F
PHOTOGRAPHY

CUVE^F DE DÉVELOPPEMENT^M
DEVELOPING TANK

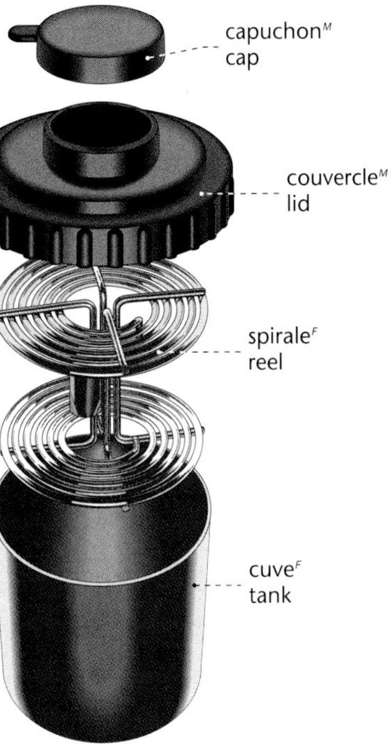
capuchon^M
cap
couvercle^M
lid
spirale^F
reel
cuve^F
tank

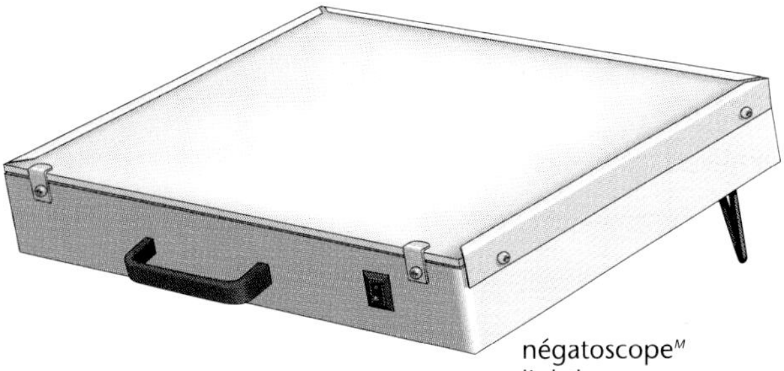

négatoscope^M
lightbox

0
5
10
15
20
25
30
35
40
45
50
55

minuterie^F
timer

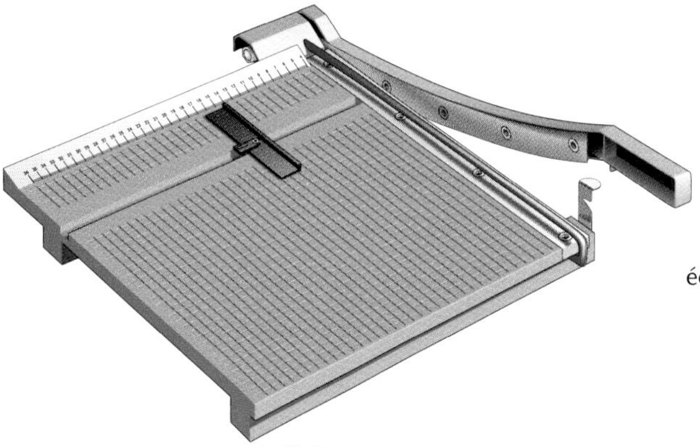

cisaille^F
guillotine trimmer

éclairage^M inactinique
safelight

armoire^F de séchage^M
film drying cabinet

margeur^M
easel

châssis^M-presse^F
contact printer

PORTE-NÉGATIF[M]
NEGATIVE CARRIER

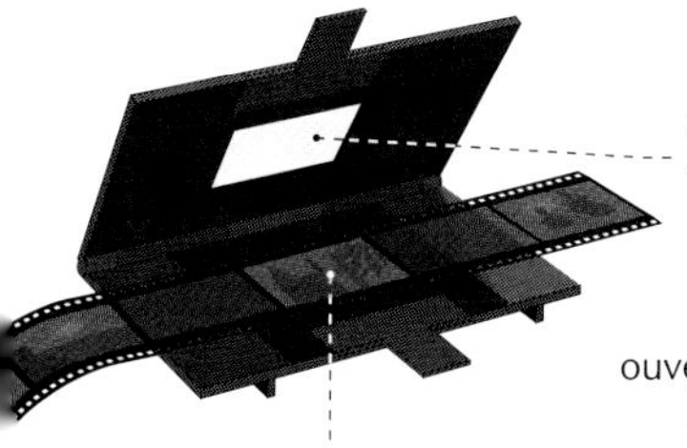
fenêtre[F]
window
négatif[M]
negative

AGRANDISSEUR[M]
ENLARGER

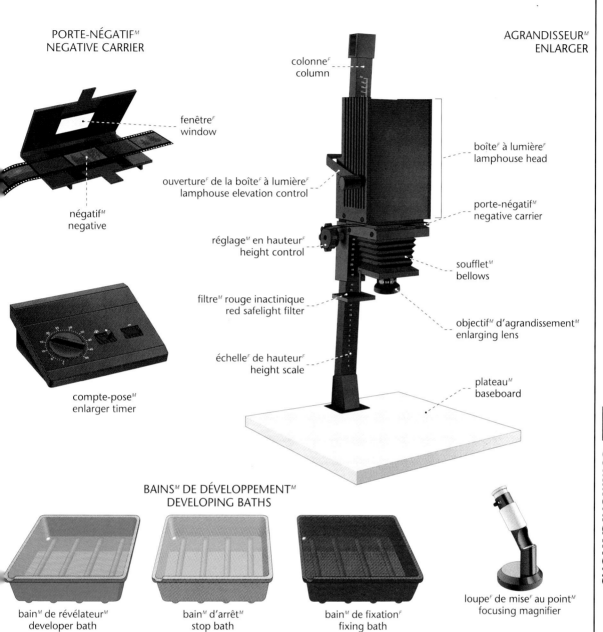

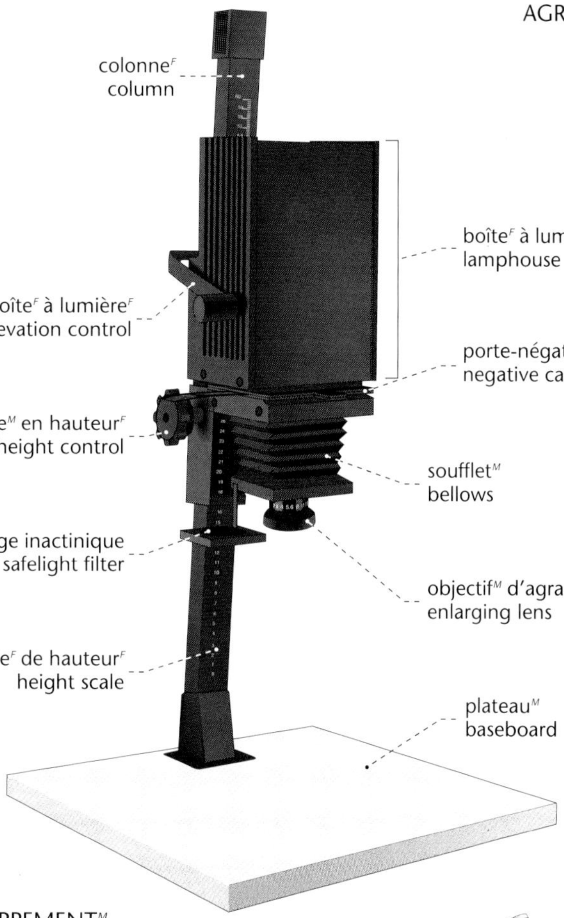
colonne[F]
column
boîte[F] à lumière[F]
lamphouse head
ouverture[F] de la boîte[F] à lumière[F]
lamphouse elevation control
porte-négatif[M]
negative carrier
réglage[M] en hauteur[F]
height control
soufflet[M]
bellows
filtre[M] rouge inactinique
red safelight filter
objectif[M] d'agrandissement[M]
enlarging lens
échelle[F] de hauteur[F]
height scale
plateau[M]
baseboard

compte-pose[M]
enlarger timer

BAINS[M] DE DÉVELOPPEMENT[M]
DEVELOPING BATHS

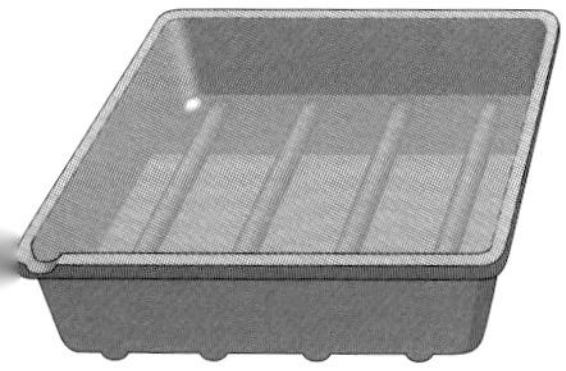

bain[M] de révélateur[M]
developer bath

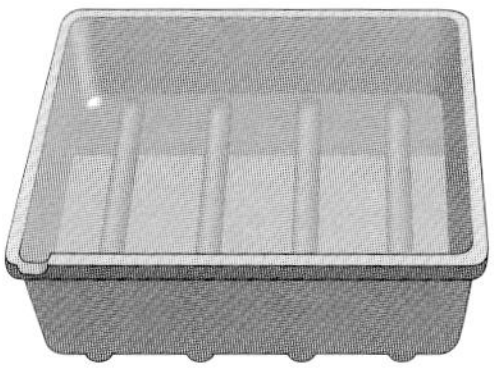

bain[M] d'arrêt[M]
stop bath

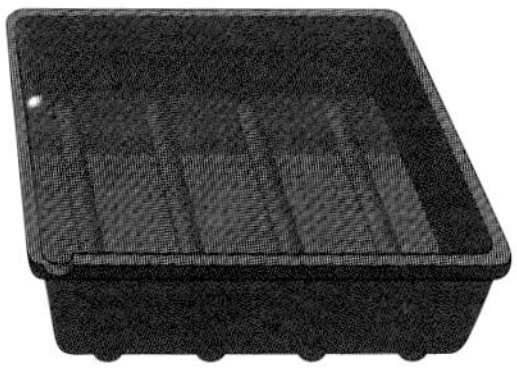

bain[M] de fixation[F]
fixing bath

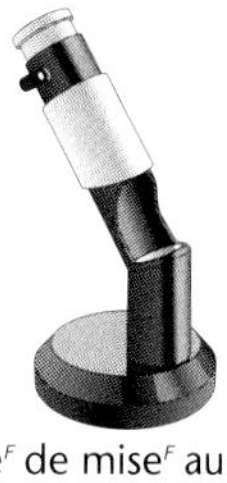

loupe[F] de mise[F] au point[M]
focusing magnifier

LAVEUSE[F] POUR ÉPREUVES[F]
PRINT WASHER

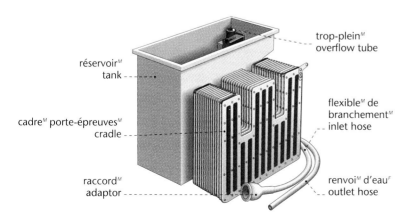

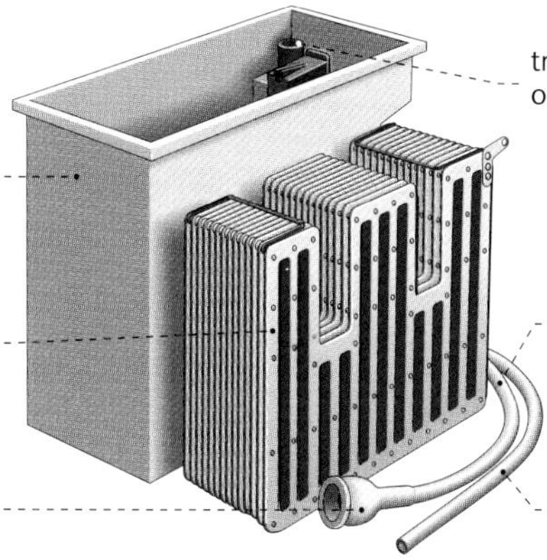
trop-plein[M]
overflow tube
réservoir[M]
tank
flexible[M] de branchement[M]
inlet hose
cadre[M] porte-épreuves[M]
cradle
raccord[M]
adaptor
renvoi[M] d'eau[F]
outlet hose

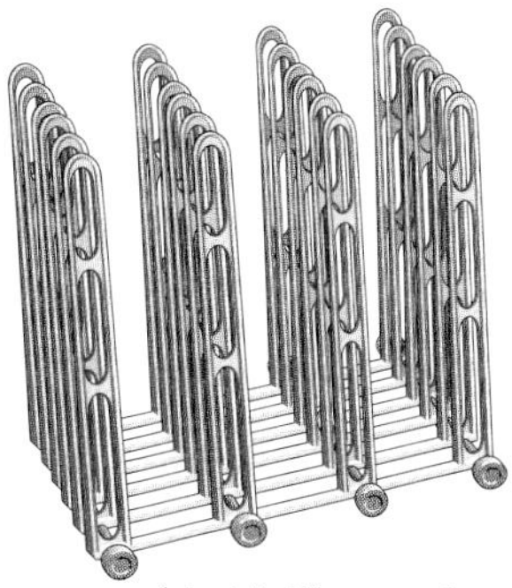

séchoir[M] d'épreuves[F]
print drying rack

CHAÎNE^F STÉRÉO
SOUND REPRODUCING SYSTEM

COMPOSANTES^F D'UN SYSTÈME^M
SYSTEM COMPONENTS

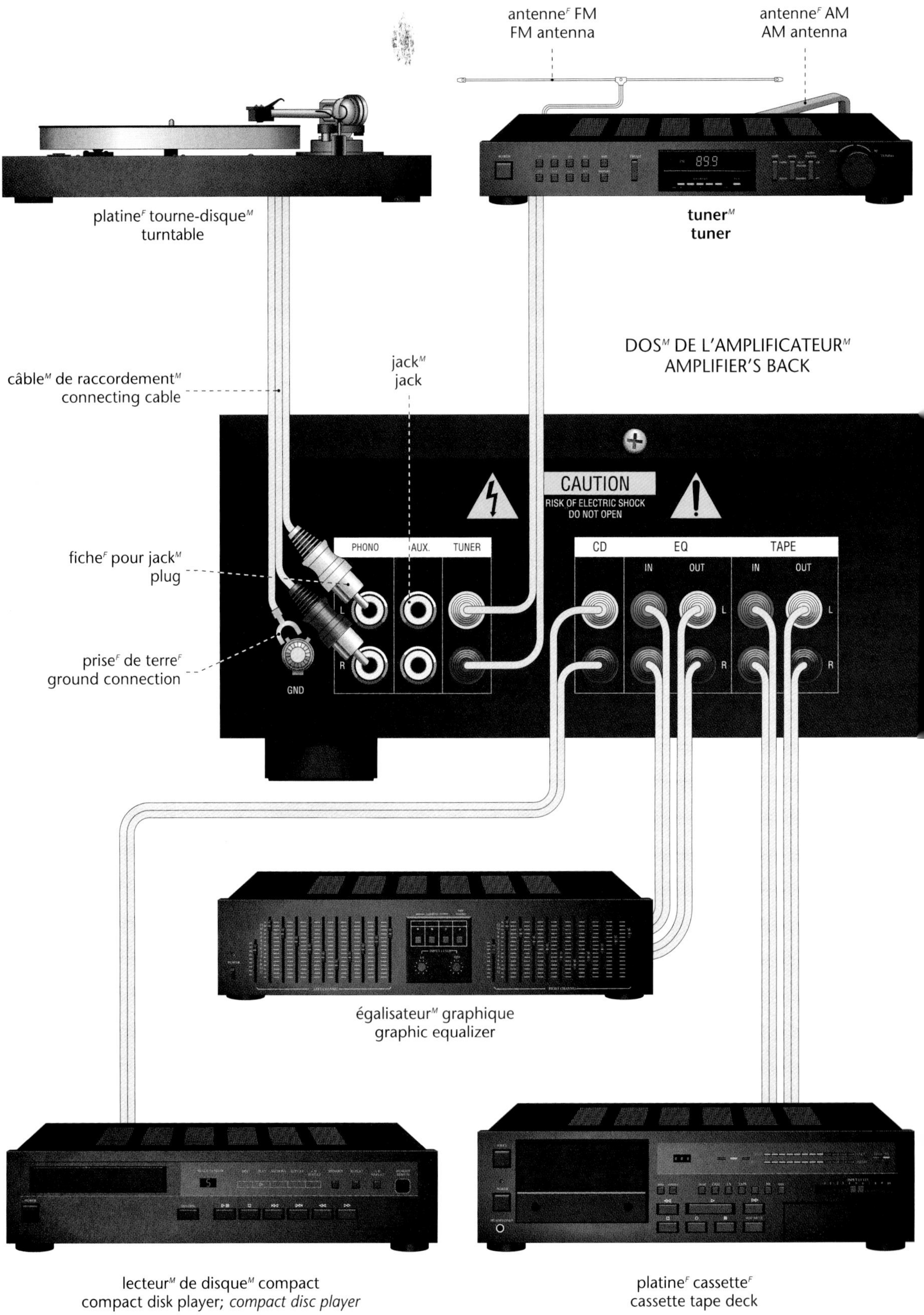

antenne^F FM
FM antenna
antenne^F AM
AM antenna
platine^F tourne-disque^M
turntable
tuner^M
tuner
DOS^M DE L'AMPLIFICATEUR^M
AMPLIFIER'S BACK
câble^M de raccordement^M
connecting cable
jack^M
jack
fiche^F pour jack^M
plug
prise^F de terre^F
ground connection
CAUTION
RISK OF ELECTRIC SHOCK
DO NOT OPEN
PHONO
AUX.
TUNER
CD
EQ
TAPE
IN
OUT
IN
OUT
L
R
GND
égalisateur^M graphique
graphic equalizer
lecteur^M de disque^M compact
compact disk player; *compact disc player*
platine^F cassette^F
cassette tape deck

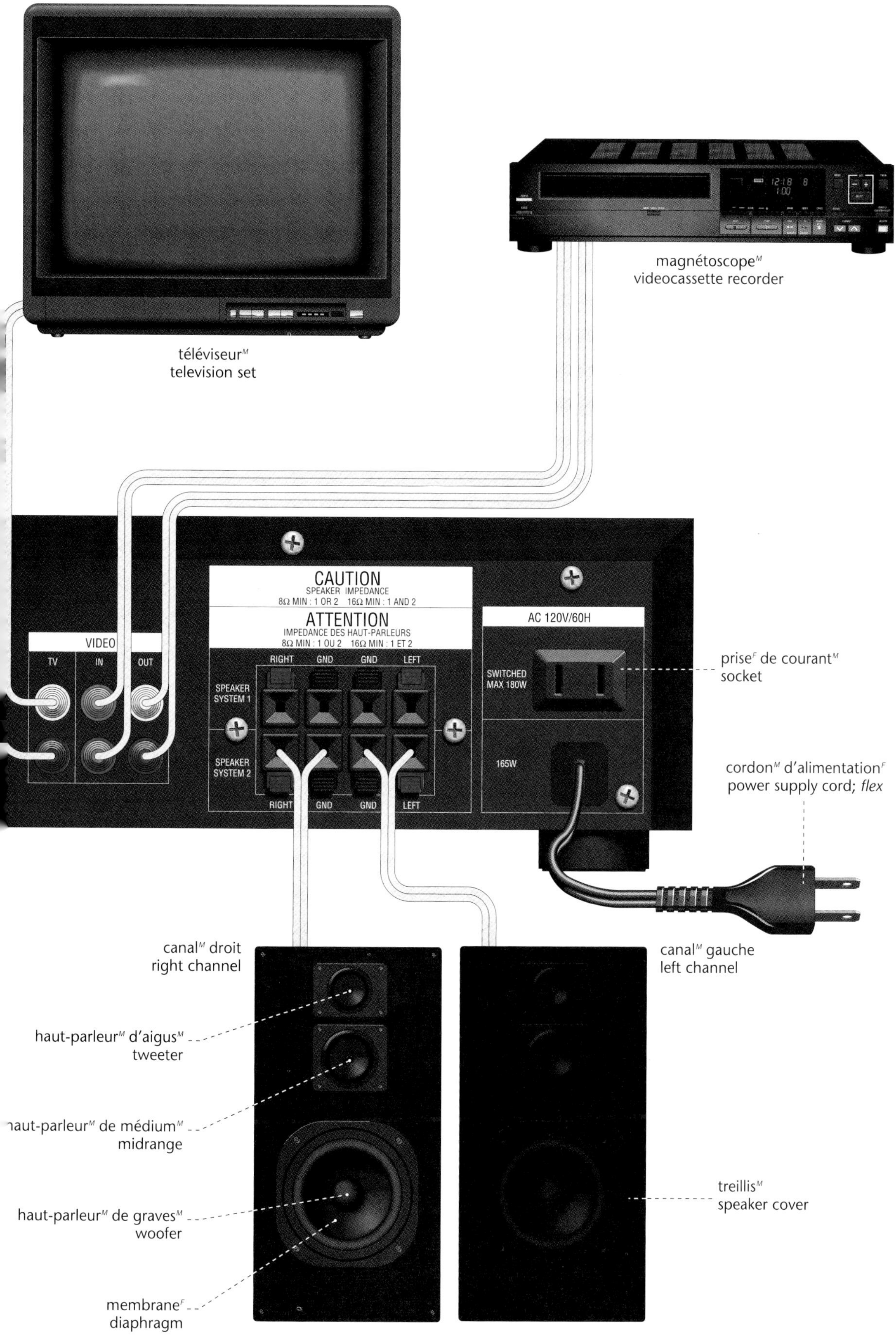
magnétoscope[M]
videocassette recorder
téléviseur[M]
television set
VIDEO
TV
IN
OUT
CAUTION
SPEAKER IMPEDANCE
8Ω MIN : 1 OR 2 16Ω MIN : 1 AND 2
ATTENTION
IMPEDANCE DES HAUT-PARLEURS
8Ω MIN : 1 OU 2 16Ω MIN : 1 ET 2
RIGHT
GND
GND
LEFT
SPEAKER SYSTEM 1
SPEAKER SYSTEM 2
AC 120V/60H
SWITCHED MAX 180W
165W
prise[F] de courant[M]
socket
cordon[M] d'alimentation[F]
power supply cord; *flex*
canal[M] droit
right channel
canal[M] gauche
left channel
haut-parleur[M] d'aigus[M]
tweeter
haut-parleur[M] de médium[M]
midrange
haut-parleur[M] de graves[M]
woofer
membrane[F]
diaphragm
treillis[M]
speaker cover

ENCEINTE[F] ACOUSTIQUE
LOUDSPEAKER

CHAÎNE[F] STÉRÉO
SOUND REPRODUCING SYSTEM

TUNER[M]
TUNER

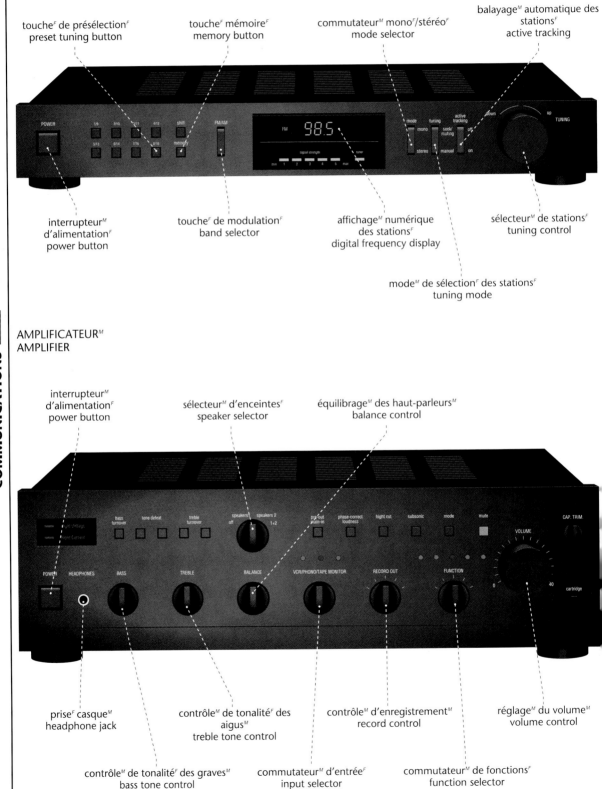

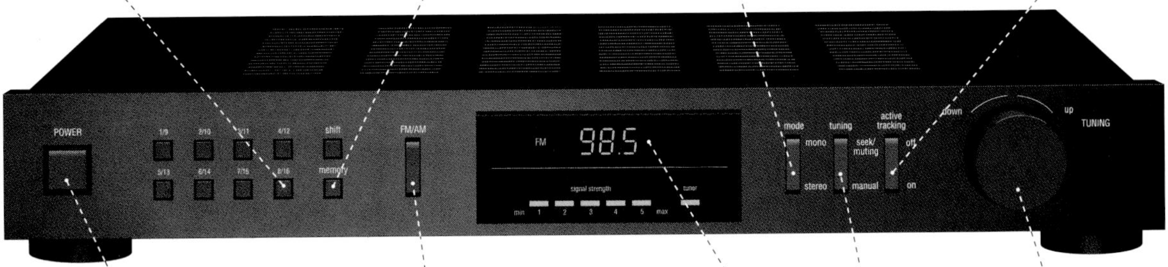
touche[F] de présélection[F]
preset tuning button
touche[F] mémoire[F]
memory button
commutateur[M] mono[F]/stéréo[F]
mode selector
balayage[M] automatique des stations[F]
active tracking
interrupteur[M] d'alimentation[F]
power button
touche[F] de modulation[F]
band selector
affichage[M] numérique des stations[F]
digital frequency display
sélecteur[M] de stations[F]
tuning control
mode[M] de sélection[F] des stations[F]
tuning mode

AMPLIFICATEUR[M]
AMPLIFIER

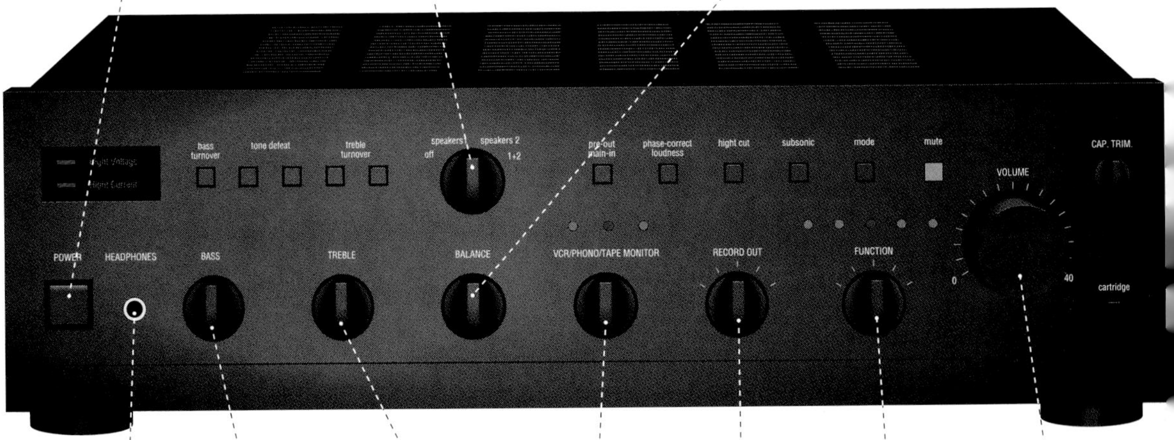
interrupteur[M] d'alimentation[F]
power button
sélecteur[M] d'enceintes[F]
speaker selector
équilibrage[M] des haut-parleurs[M]
balance control
prise[F] casque[M]
headphone jack
contrôle[M] de tonalité[F] des aigus[M]
treble tone control
contrôle[M] d'enregistrement[M]
record control
réglage[M] du volume[M]
volume control
contrôle[M] de tonalité[F] des graves[M]
bass tone control
commutateur[M] d'entrée[F]
input selector
commutateur[M] de fonctions[F]
function selector

CASSETTE[F]
CASSETTE

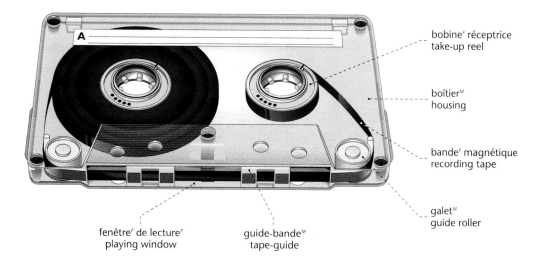

A
bobine[F] réceptrice
take-up reel
boîtier[M]
housing
bande[F] magnétique
recording tape
galet[M]
guide roller
fenêtre[F] de lecture[F]
playing window
guide-bande[M]
tape-guide

PLATINE[F] CASSETTE[F]
CASSETTE TAPE DECK

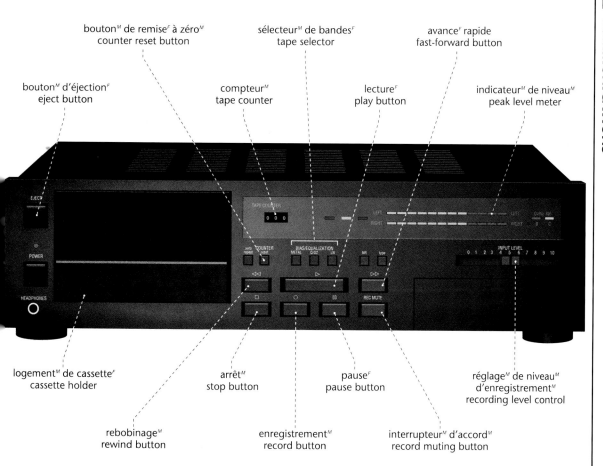

bouton[M] de remise[F] à zéro[M]
counter reset button
sélecteur[M] de bandes[F]
tape selector
avance[F] rapide
fast-forward button
bouton[M] d'éjection[F]
eject button
compteur[M]
tape counter
lecture[F]
play button
indicateur[M] de niveau[M]
peak level meter
EJECT
POWER
HEADPHONES
TAPE COUNTER
0 0 0
LEFT
RIGHT
auto repeat
COUNTER reset
BIAS/EQUALIZATION
METAL
CrO2
LN
NR
type
INPUT LEVEL
0 1 2 3 4 5 6 7 8 9 10
REC MUTE
logement[M] de cassette[F]
cassette holder
arrêt[M]
stop button
pause[F]
pause button
réglage[M] de niveau[M] d'enregistrement[M]
recording level control
rebobinage[M]
rewind button
enregistrement[M]
record button
interrupteur[M] d'accord[M]
record muting button

CHAÎNE[F] STÉRÉO
SOUND REPRODUCING SYSTEM

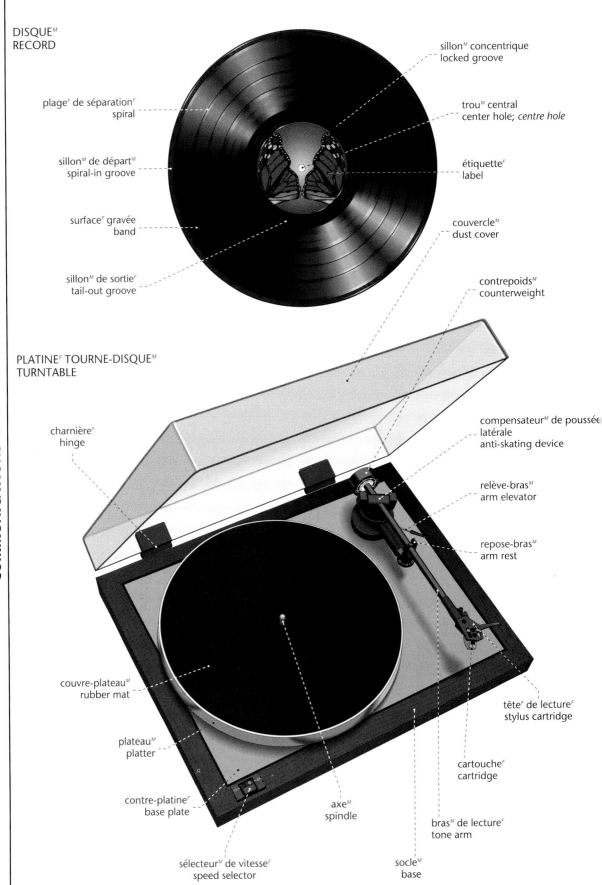

DISQUE[M]
RECORD

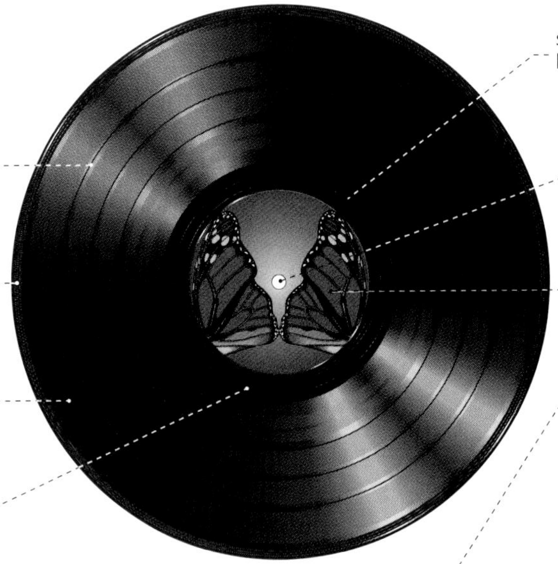
silllon[M] concentrique
locked groove
plage[F] de séparation[F]
spiral
trou[M] central
center hole; *centre hole*
sillon[M] de départ[M]
spiral-in groove
étiquette[F]
label
surface[F] gravée
band
sillon[M] de sortie[F]
tail-out groove

PLATINE[F] TOURNE-DISQUE[M]
TURNTABLE

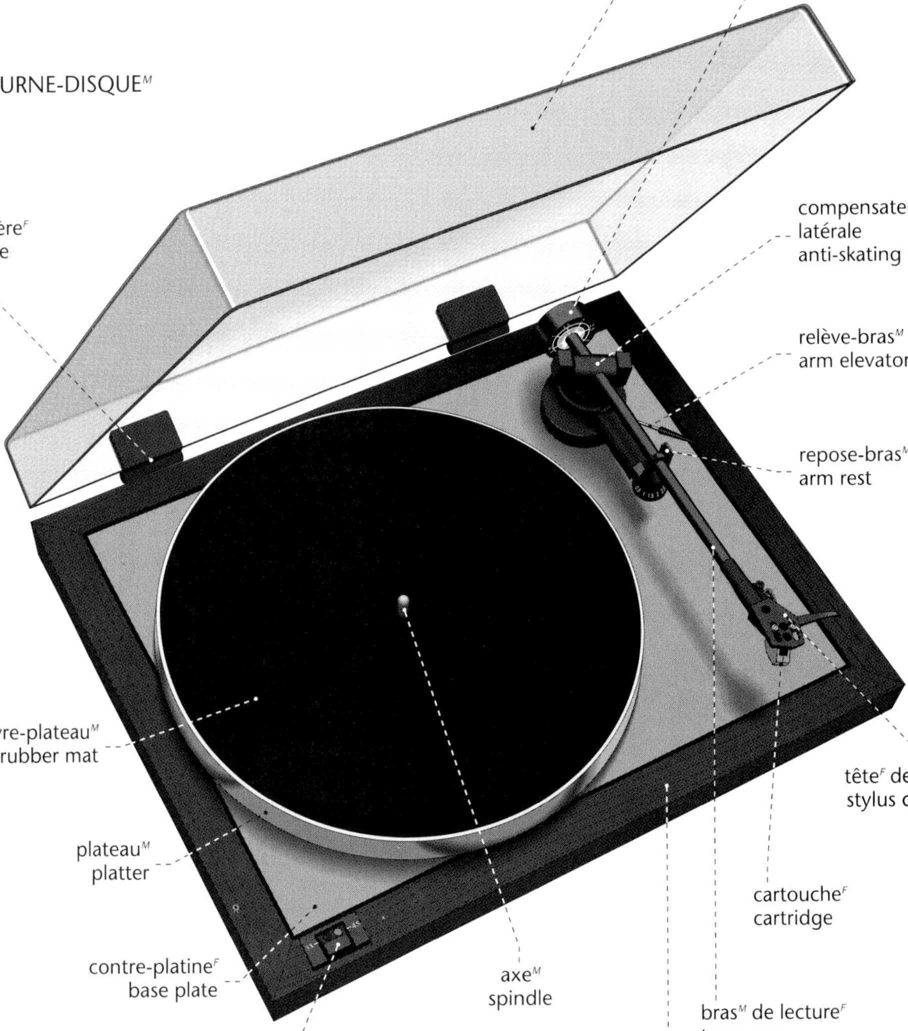
couvercle[M]
dust cover
contrepoids[M]
counterweight
charnière[F]
hinge
compensateur[M] de poussée latérale
anti-skating device
relève-bras[M]
arm elevator
repose-bras[M]
arm rest
couvre-plateau[M]
rubber mat
tête[F] de lecture[F]
stylus cartridge
plateau[M]
platter
cartouche[F]
cartridge
contre-platine[F]
base plate
axe[M]
spindle
bras[M] de lecture[F]
tone arm
sélecteur[M] de vitesse[F]
speed selector
socle[M]
base

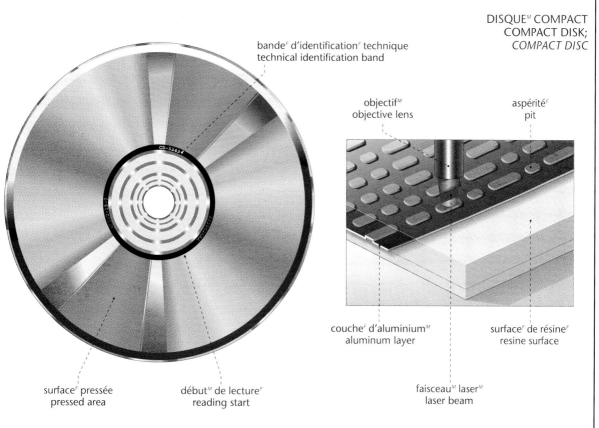

DISQUE[M] COMPACT
COMPACT DISK; *COMPACT DISC*

bande[F] d'identification[F] technique
technical identification band
surface[F] pressée
pressed area
début[M] de lecture[F]
reading start

objectif[M]
objective lens
aspérité[F]
pit
couche[F] d'aluminium[M]
aluminum layer
surface[F] de résine[F]
resine surface
faisceau[M] laser[M]
laser beam

LECTEUR[M] DE DISQUE[M] COMPACT
COMPACT DISK PLAYER; *COMPACT DISC PLAYER*

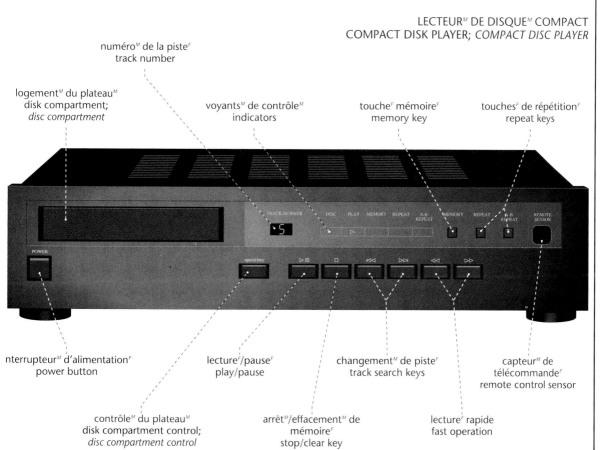

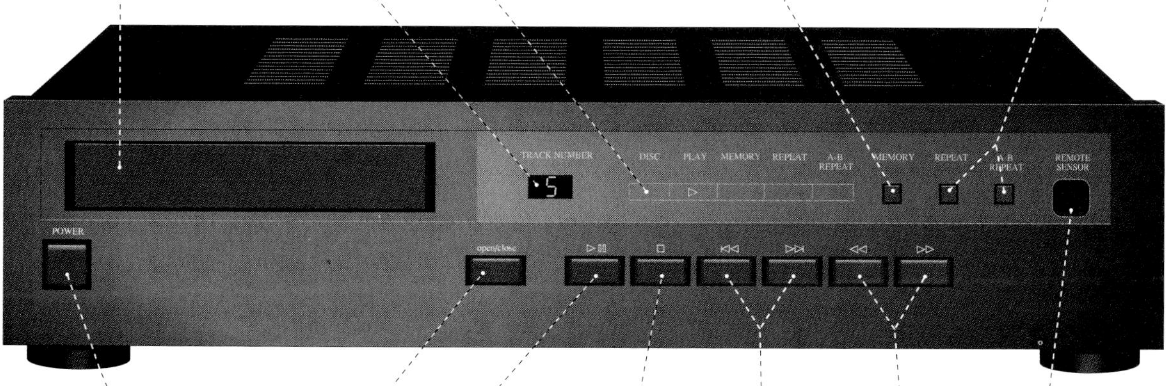
numéro[M] de la piste[F]
track number
logement[M] du plateau[M]
disk compartment;
disc compartment
voyants[M] de contrôle[M]
indicators
touche[F] mémoire[F]
memory key
touches[F] de répétition[F]
repeat keys
TRACK NUMBER
DISC
PLAY
MEMORY
REPEAT
A-B REPEAT
MEMORY
REPEAT
A-B REPEAT
REMOTE SENSOR
POWER
open/close
nterrupteur[M] d'alimentation[F]
power button
lecture[F]/pause[F]
play/pause
changement[M] de piste[F]
track search keys
capteur[M] de
télécommande[F]
remote control sensor
contrôle[M] du plateau[M]
disk compartment control;
disc compartment control
arrêt[M]/effacement[M] de
mémoire[F]
stop/clear key
lecture[F] rapide
fast operation

MICROPHONE[M] DYNAMIQUE
DYNAMIC MICROPHONE

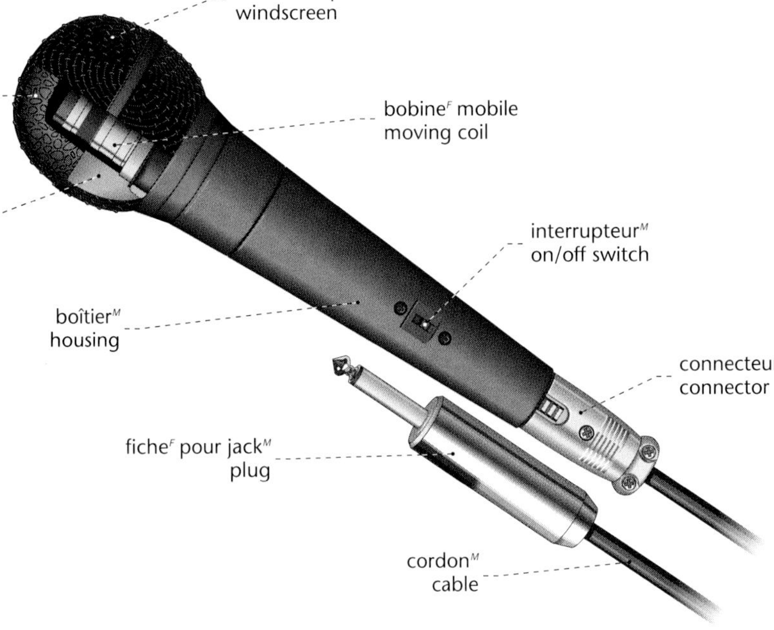
treillis[M] de protection[F]
windscreen
membrane[F]
diaphragm
bobine[F] mobile
moving coil
aimant[M]
magnet
interrupteur[M]
on/off switch
boîtier[M]
housing
connecteur[M]
connector
fiche[F] pour jack[M]
plug
cordon[M]
cable

CASQUE[M] D'ÉCOUTE[F]
HEADPHONE

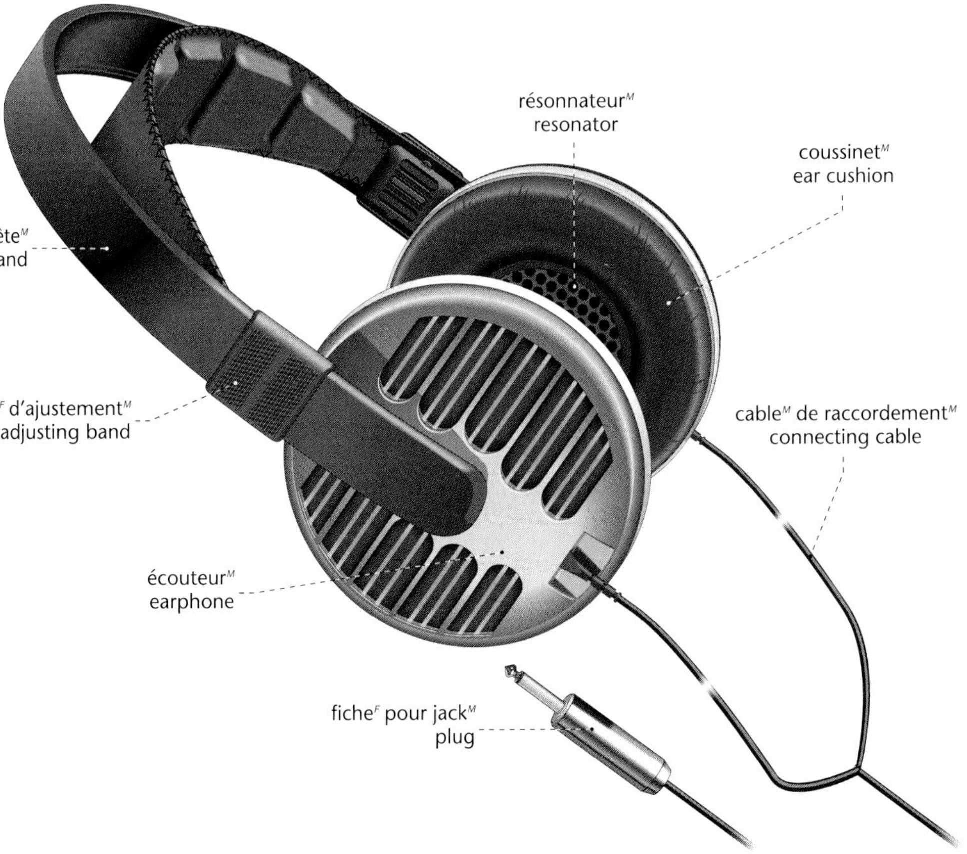
résonnateur[M]
resonator
coussinet[M]
ear cushion
serre-tête[M]
headband
glissière[F] d'ajustement[M]
adjusting band
câble[M] de raccordement[M]
connecting cable
écouteur[M]
earphone
fiche[F] pour jack[M]
plug

RADIO[F]: STUDIO[M] ET RÉGIE[F]
RADIO: STUDIO AND CONTROL ROOM

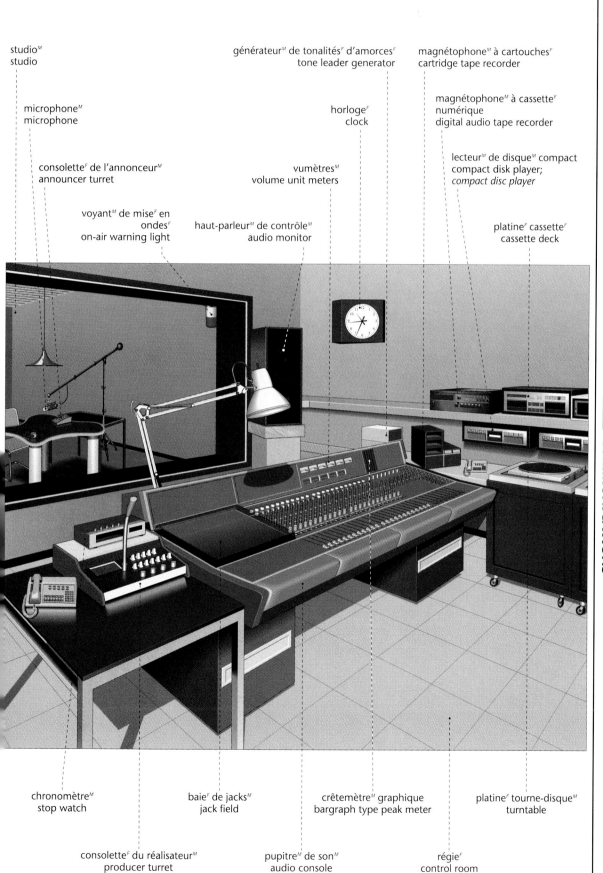

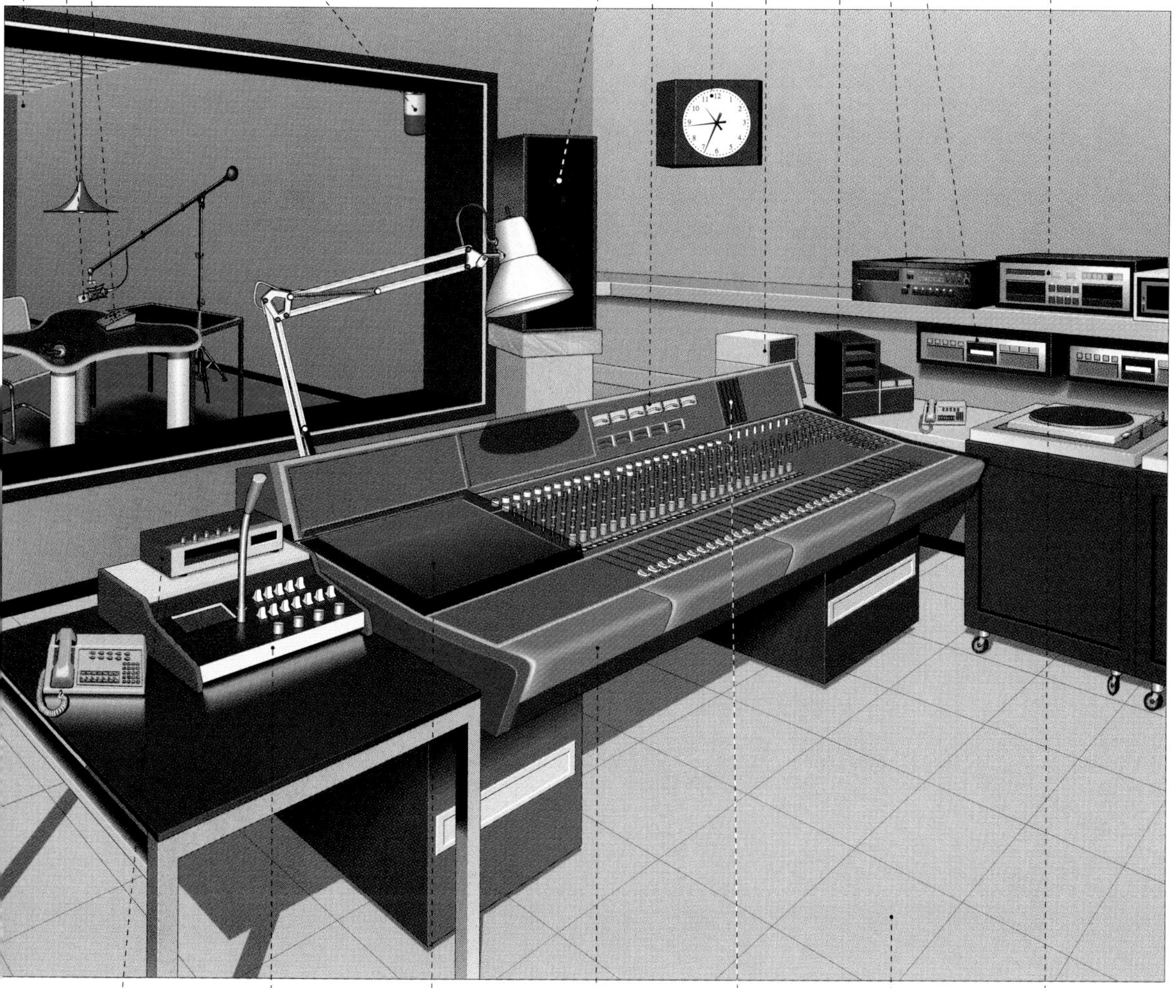
studio[M]
studio
microphone[M]
microphone
consolette[F] de l'annonceur[M]
announcer turret
voyant[M] de mise[F] en ondes[F]
on-air warning light
haut-parleur[M] de contrôle[M]
audio monitor
vumètres[M]
volume unit meters
générateur[M] de tonalités[F] d'amorces[F]
tone leader generator
horloge[F]
clock
magnétophone[M] à cartouches[F]
cartridge tape recorder
magnétophone[M] à cassette[F] numérique
digital audio tape recorder
lecteur[M] de disque[M] compact
compact disk player; *compact disc player*
platine[F] cassette[F]
cassette deck
chronomètre[M]
stop watch
baie[F] de jacks[M]
jack field
crêtemètre[M] graphique
bargraph type peak meter
platine[F] tourne-disque[M]
turntable
consolette[F] du réalisateur[M]
producer turret
pupitre[M] de son[M]
audio console
régie[F]
control room

BALADEUR[M]
PERSONAL AM-FM CASSETTE PLAYER

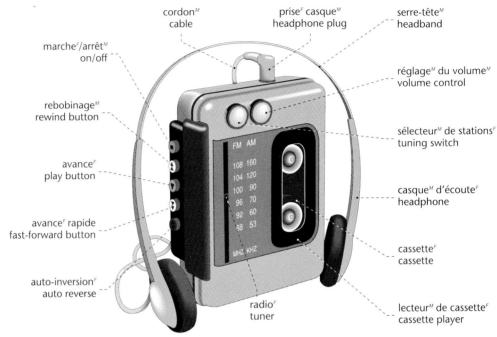

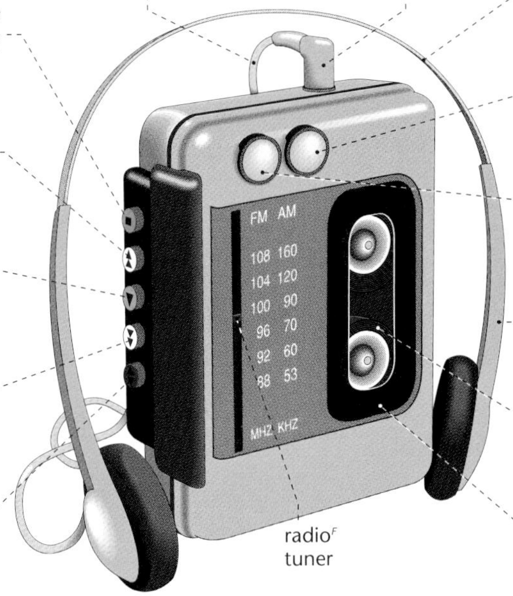
cordon[M]
cable
prise[F] casque[M]
headphone plug
serre-tête[M]
headband
marche[F]/arrêt[M]
on/off
réglage[M] du volume[M]
volume control
rebobinage[M]
rewind button
sélecteur[M] de stations[F]
tuning switch
avance[F]
play button
casque[M] d'écoute[F]
headphone
avance[F] rapide
fast-forward button
cassette[F]
cassette
auto-inversion[F]
auto reverse
radio[F]
tuner
lecteur[M] de cassette[F]
cassette player
FM AM
108 160
104 120
100 90
96 70
92 60
88 53
MHZ KHZ

RADIOCASSETTE[F]
PORTABLE AM-FM CASSETTE RECORDER

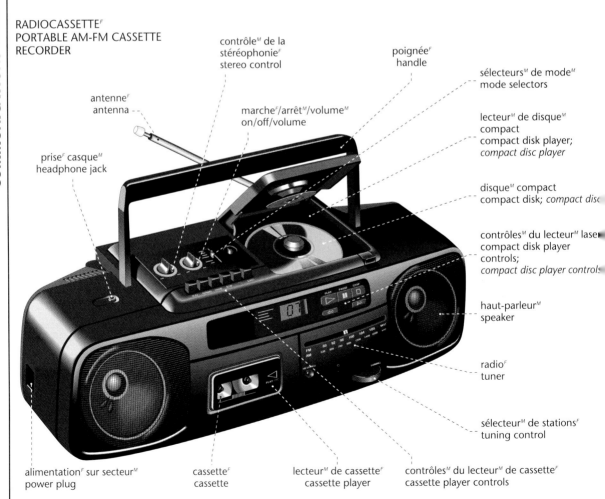

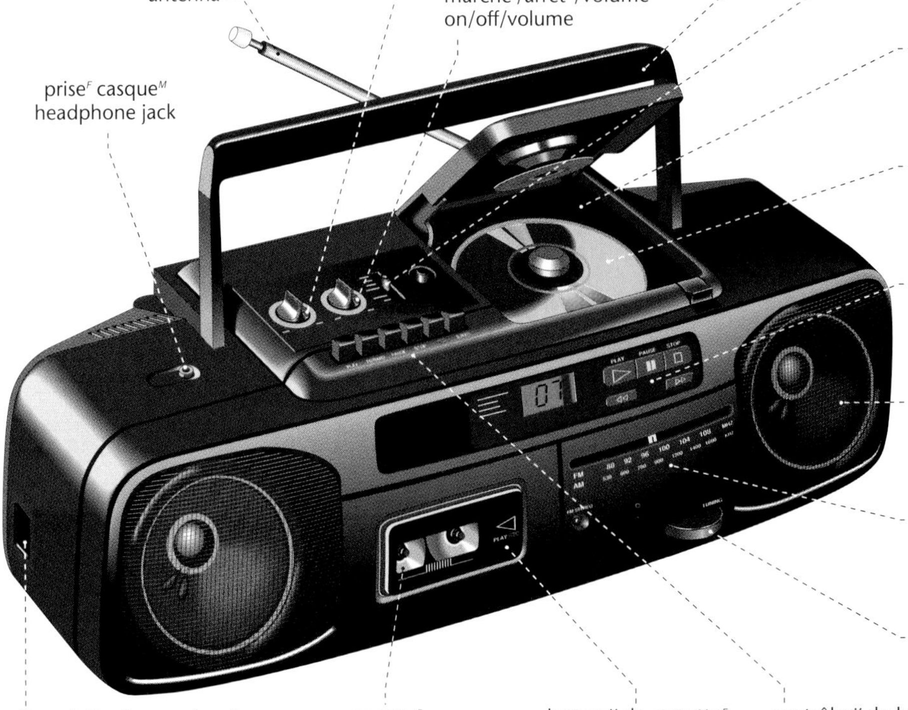
contrôle[M] de la stéréophonie[F]
stereo control
poignée[F]
handle
sélecteurs[M] de mode[M]
mode selectors
antenne[F]
antenna
marche[F]/arrêt[M]/volume[M]
on/off/volume
lecteur[M] de disque[M] compact
compact disk player; *compact disc player*
prise[F] casque[M]
headphone jack
disque[M] compact
compact disk; *compact disc*
contrôles[M] du lecteur[M] laser
compact disk player controls;
compact disc player controls
haut-parleur[M]
speaker
radio[F]
tuner
sélecteur[M] de stations[F]
tuning control
alimentation[F] sur secteur[M]
power plug
cassette[F]
cassette
lecteur[M] de cassette[F]
cassette player
contrôles[M] du lecteur[M] de cassette[F]
cassette player controls

CAMÉRA[M] VIDÉO
VIDEO CAMERA

oculaire[M]
eyepiece
commande[F] électrique du zoom[M]
power zoom button
viseur[M] électronique
electronic viewfinder
senseur[M] d'équilibrage[M] des blancs[M]
white balance sensor
griffe[F] porte-accessoires[M]
accessory shoe
commande[F] d'éjection[F] de la cassette[F]
cassette eject switch
commandes[F] de la bande[F] vidéo
videotape operation controls
réglage[M] du viseur[M]
viewfinder adjustment keys
microphone[M] incorporé
built-in microphone
00425
DATA SET
ADJUST
ZERO MEM.
RESET
SELECT
EDIT SEARCH
EXPOSURE
SPEED
FOCUS
WHITE BAL.
FADER
AUTO LOCK
BATT
commande[F] de réglage[M] macro[F]
macro set button
logement[M] de la cassette[F]
cassette compartment
objectif[M] zoom[M]
zoom lens
affichage[M] des données[F]
data display
commande[F] d'éjection[F] de la pile[F]
battery eject switch
pare-soleil[M]
lens hood
commandes[F] de prise[F] de vue[F]
shooting adjustment keys
pile[F]
battery
commandes[F] de montage[M]
edit/search buttons

TÉLÉVISION[F]
TELEVISION

TÉLÉVISEUR[M]
TELEVISION SET

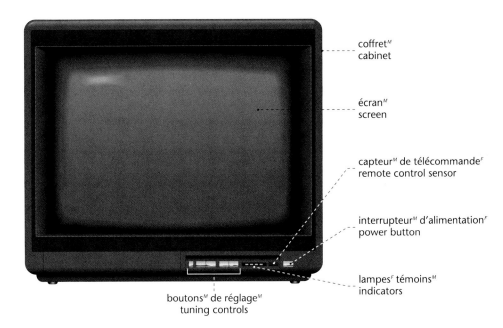

coffret[M]
cabinet
écran[M]
screen
capteur[M] de télécommande[F]
remote control sensor
interrupteur[M] d'alimentation[F]
power button
lampes[F] témoins[M]
indicators
boutons[M] de réglage[M]
tuning controls

TUBE[M]-IMAGE[F]
PICTURE TUBE

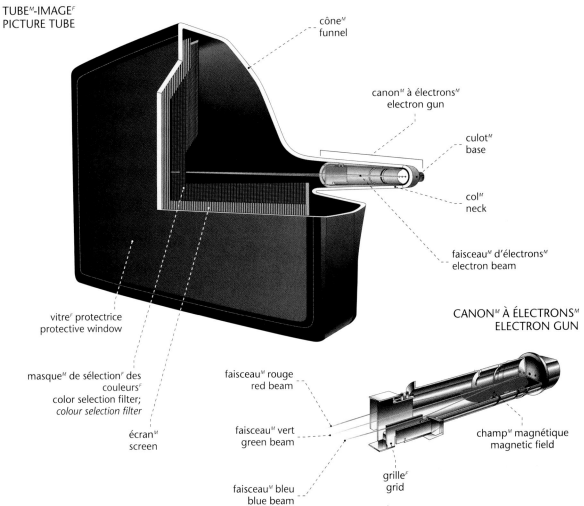

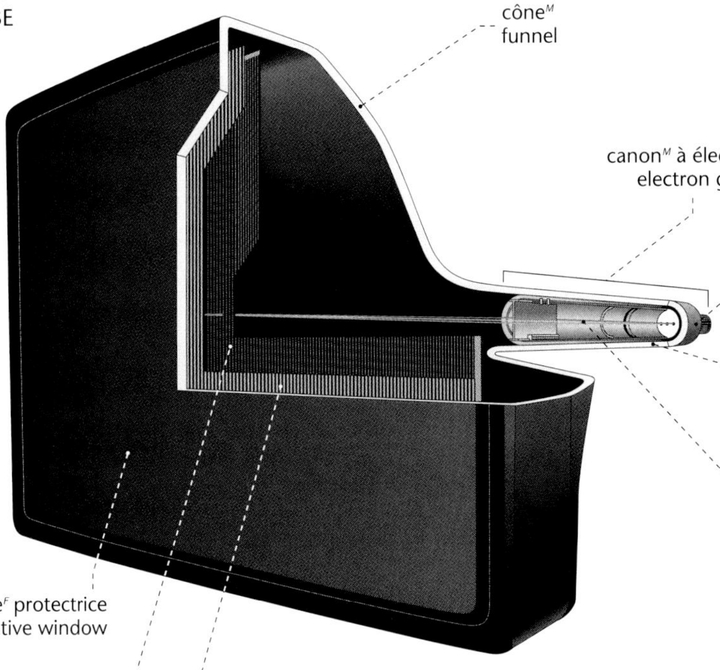
cône[M]
funnel
canon[M] à électrons[M]
electron gun
culot[M]
base
col[M]
neck
faisceau[M] d'électrons[M]
electron beam
vitre[F] protectrice
protective window
masque[M] de sélection[F] des couleurs[F]
color selection filter; *colour selection filter*
écran[M]
screen

CANON[M] À ÉLECTRONS[M]
ELECTRON GUN

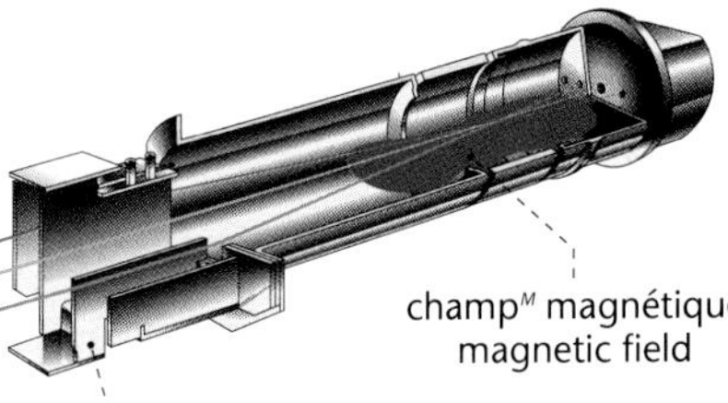
faisceau[M] rouge
red beam
faisceau[M] vert
green beam
faisceau[M] bleu
blue beam
champ[M] magnétique
magnetic field
grille[F]
grid

TÉLÉCOMMANDE[F]
REMOTE CONTROL

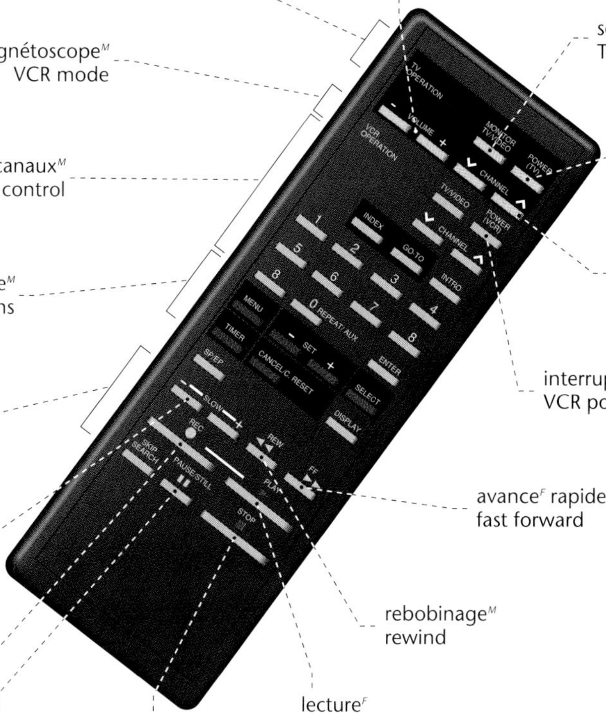

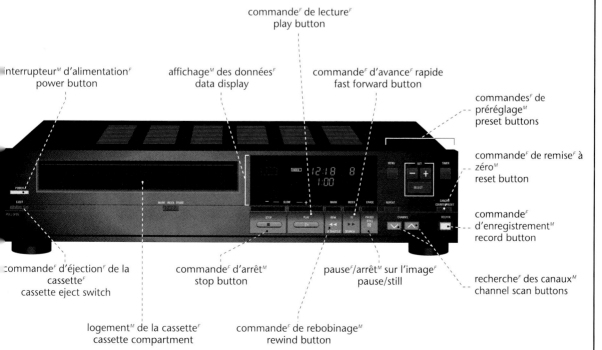

mode[M] télévision[F]
TV mode

réglage[M] du volume[M]
volume control

sélecteur[M] télé[F]/vidéo[F]
TV/video button

mode[M] magnétoscope[M]
VCR mode

interrupteur[M] du téléviseur[M]
TV power button

sélection[F] des canaux[M]
channel selector control

recherche[F] des canaux[M]
channel scan buttons

commandes[F] de préréglage[M]
preset buttons

interrupteur[M] du magnétoscope[M]
VCR power button

commandes[F] du magnétoscope[M]
VCR controls

avance[F] rapide
fast forward

ralenti[M]
slow-motion

rebobinage[M]
rewind

enregistrement[M]
record

lecture[F]
play

pause[F]/arrêt[M] sur l'image[F]
pause/still

arrêt[M]
stop

MAGNÉTOSCOPE[M]
VIDEOCASSETTE RECORDER

commande[F] de lecture[F]
play button

interrupteur[M] d'alimentation[F]
power button

affichage[M] des données[F]
data display

commande[F] d'avance[F] rapide
fast forward button

commandes[F] de préréglage[M]
preset buttons

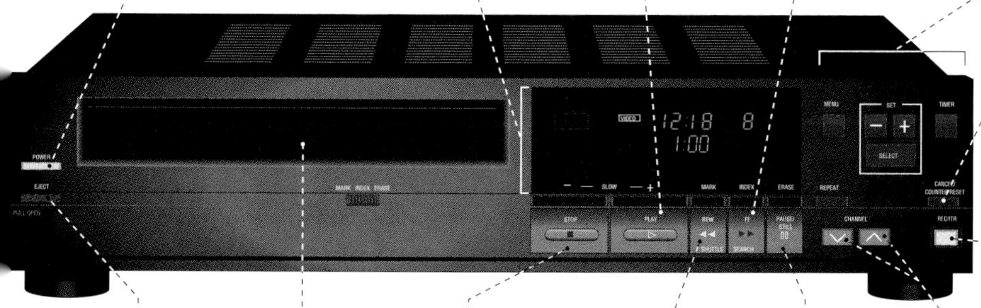

commande[F] de remise[F] à zéro[M]
reset button

commande[F] d'enregistrement[M]
record button

commande[F] d'éjection[F] de la cassette[F]
cassette eject switch

commande[F] d'arrêt[M]
stop button

pause[F]/arrêt[M] sur l'image[F]
pause/still

recherche[F] des canaux[M]
channel scan buttons

logement[M] de la cassette[F]
cassette compartment

commande[F] de rebobinage[M]
rewind button

TÉLÉVISION[F]
TELEVISION

PLATEAU[M] ET RÉGIES[F]
STUDIO AND CONTROL ROOMS

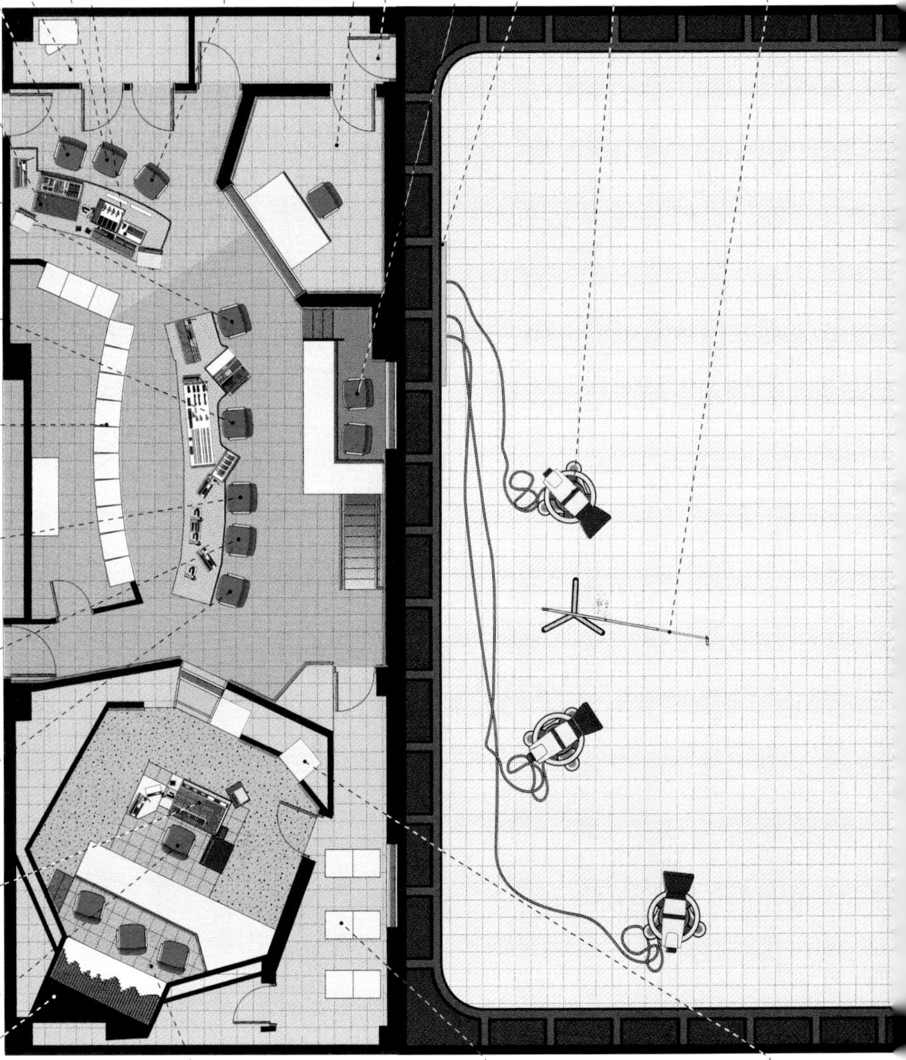

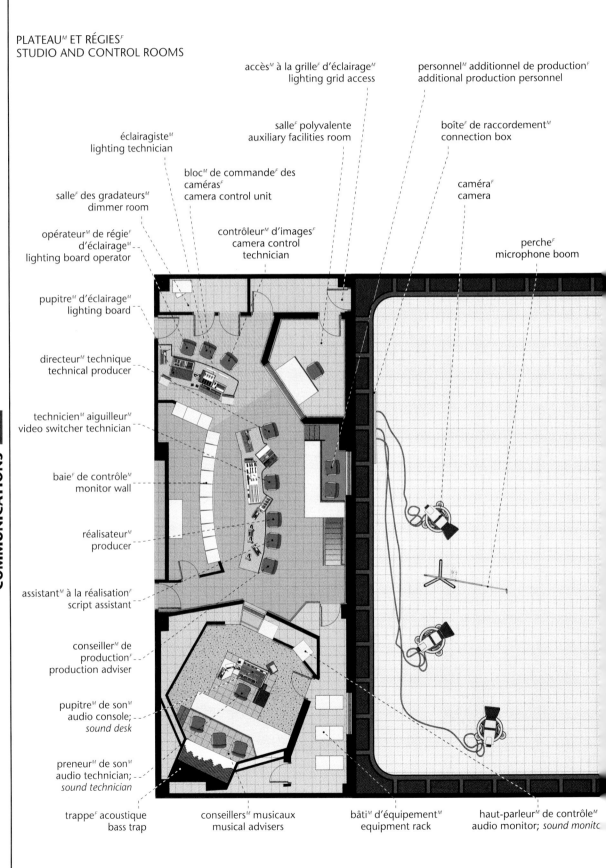

accès[M] à la grille[F] d'éclairage[M]
lighting grid access
personnel[M] additionnel de production[F]
additional production personnel
salle[F] polyvalente
auxiliary facilities room
boîte[F] de raccordement[M]
connection box
éclairagiste[M]
lighting technician
bloc[M] de commande[F] des caméras[F]
camera control unit
caméra[F]
camera
salle[F] des gradateurs[M]
dimmer room
opérateur[M] de régie[F] d'éclairage[M]
lighting board operator
contrôleur[M] d'images[F]
camera control technician
perche[F]
microphone boom
pupitre[M] d'éclairage[M]
lighting board
directeur[M] technique
technical producer
technicien[M] aiguilleur[M]
video switcher technician
baie[F] de contrôle[M]
monitor wall
réalisateur[M]
producer
assistant[M] à la réalisation[F]
script assistant
conseiller[M] de production[F]
production adviser
pupitre[M] de son[M]
audio console; *sound desk*
preneur[M] de son[M]
audio technician; *sound technician*
trappe[F] acoustique
bass trap
conseillers[M] musicaux
musical advisers
bâti[M] d'équipement[M]
equipment rack
haut-parleur[M] de contrôle[M]
audio monitor; *sound monitc*

plateau[M]
studio floor

régie[F] image[F]/éclairage[M]
lighting/camera control area

régie[F] du son[M]
audio control room; *sound control room*

régie[F] de production[F]
production control room

COMMUNICATIONS
COMMUNICATIONS

RÉGIE[F] DE PRODUCTION[F]
PRODUCTION CONTROL ROOM

poste[M] de contrôle[M] audio/vidéo
audio/video preview unit
oscilloscope[M] de phase[F] audio
stereo phase monitor
baie[F] de contrôle[M]
monitor wall
écrans[M] de précontrôle[M]
preview monitors
oscilloscope[M]/vectoscope[M]
vector/waveform monitor
écrans[M] d'entrée[F]
input monitors
écran[M] du truqueur[M] numérique
digital video effects monitor
écran[M] du directeur[M] technique
technical producer monitor
haut-parleur[M] de contrôle[M]
audio monitor; *sound monitor*
horloge[F]
clock
microphone[M] d'interphone[M]
intercom microphone
sélecteur[M] vidéo auxiliaire
auxiliary video switcher
sélecteur[M] de contrôle[M] vidéo
video monitoring selector
interphone[M]
intercom station
écran[M] de sortie[F]
output monitor
sélecteur[M] de contrôle[M] audio
audio monitoring selector
poste[M] téléphonique
telephone
écran[M] principal de précontrôle[M]
main preview monitor
vumètres[M] audio
audio volume unit meters
table[F] de production[F]
production desk
aiguilleur[M] vidéo de production[F]
production video switcher
truqueur[M] numérique
digital video special effects

TÉLÉVISION[F]
TELEVISION

PLATEAU[M]
STUDIO FLOOR

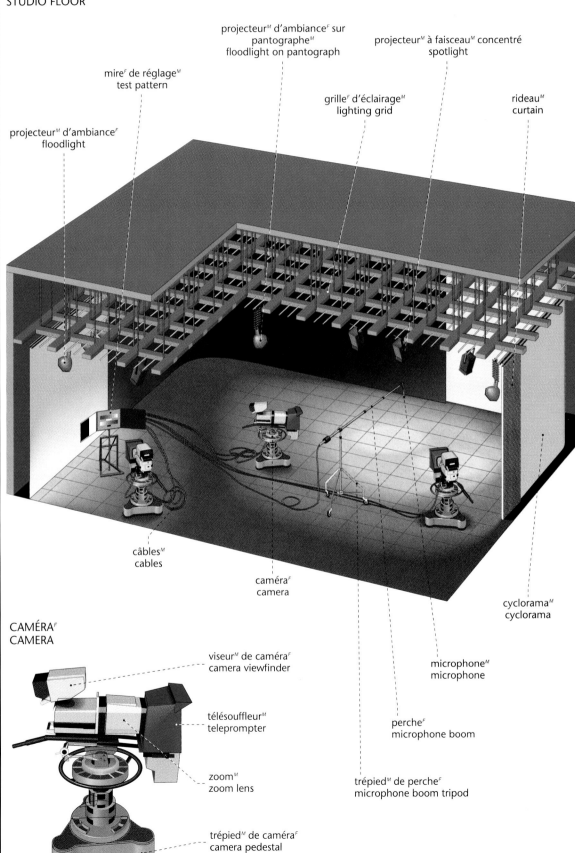

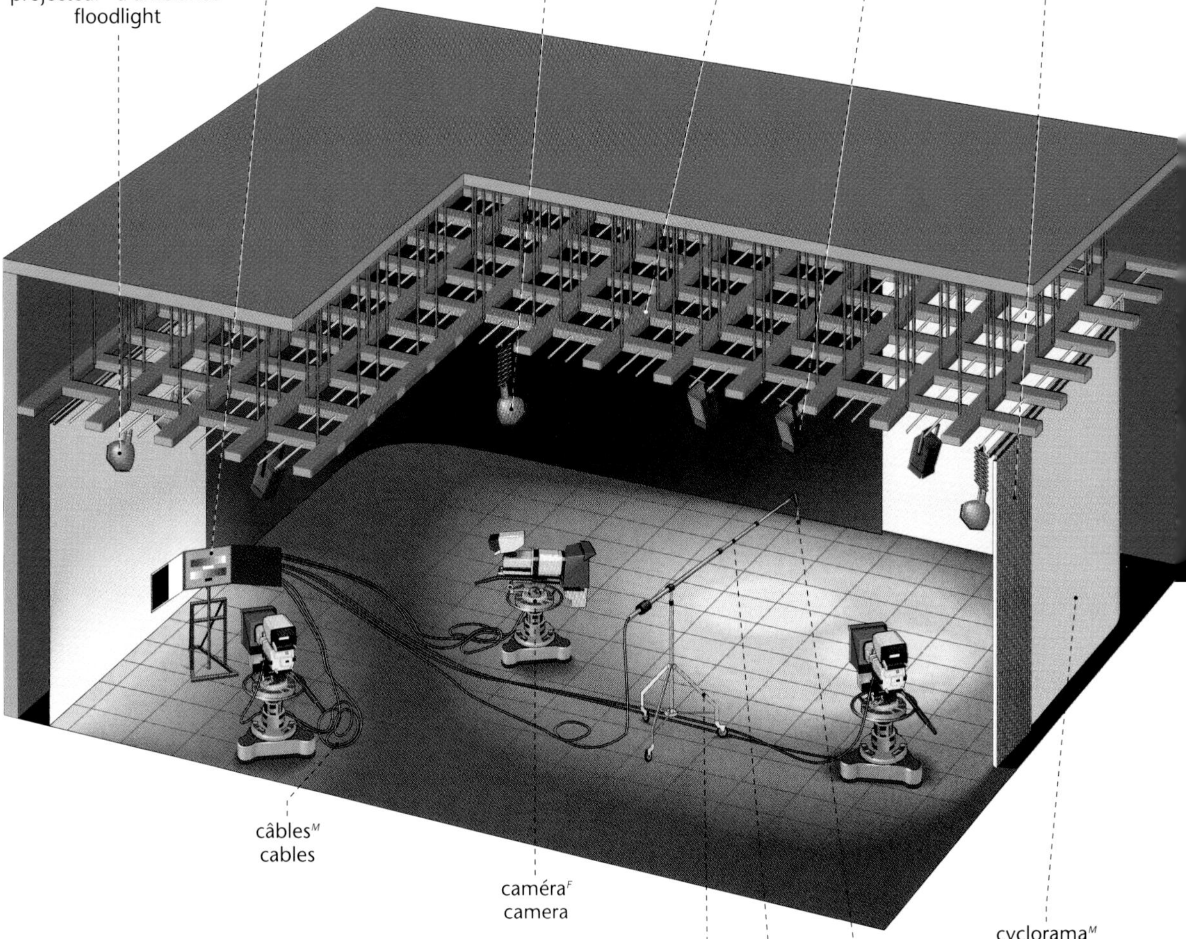
projecteur[M] d'ambiance[F] sur pantographe[M]
floodlight on pantograph
projecteur[M] à faisceau[M] concentré
spotlight
mire[F] de réglage[M]
test pattern
grille[F] d'éclairage[M]
lighting grid
rideau[M]
curtain
projecteur[M] d'ambiance[F]
floodlight
câbles[M]
cables
caméra[F]
camera
cyclorama[M]
cyclorama
microphone[M]
microphone
perche[F]
microphone boom
trépied[M] de perche[F]
microphone boom tripod

CAMÉRA[F]
CAMERA

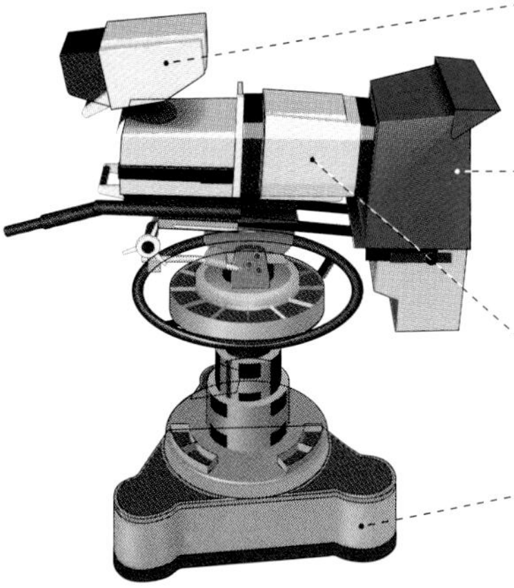
viseur[M] de caméra[F]
camera viewfinder
télésouffleur[M]
teleprompter
zoom[M]
zoom lens
trépied[M] de caméra[F]
camera pedestal

CAR[M] DE REPORTAGE[M]
MOBILE UNIT

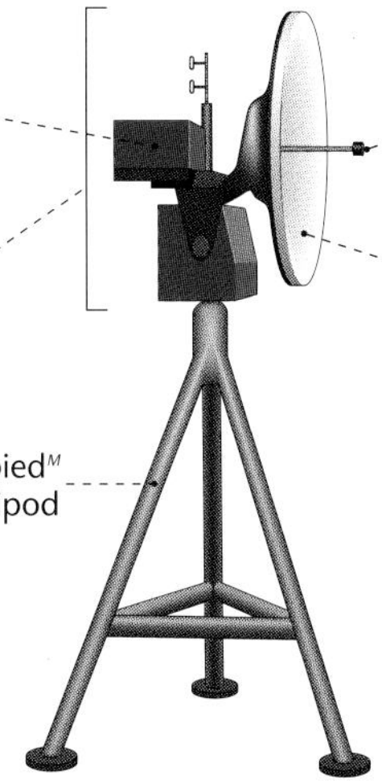

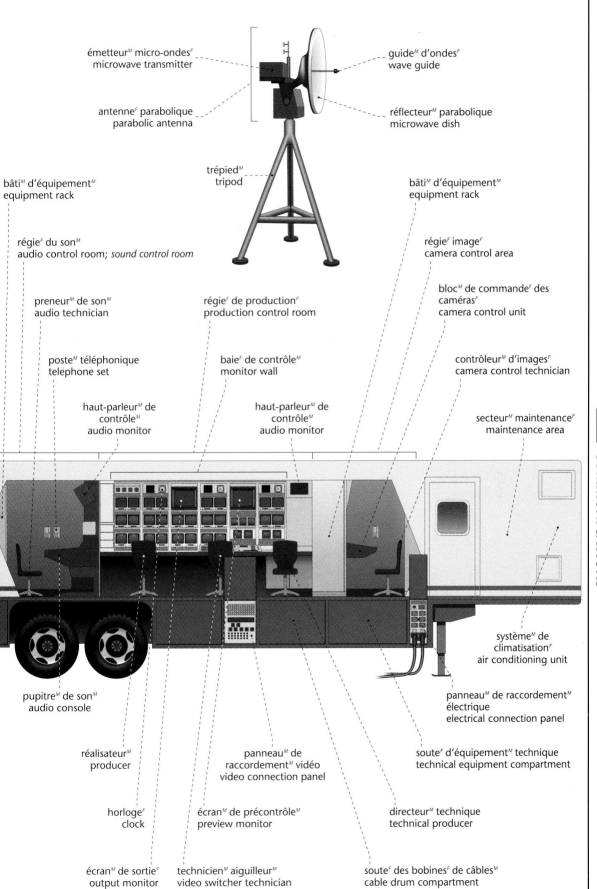

émetteur[M] micro-ondes[F]
microwave transmitter
antenne[F] parabolique
parabolic antenna
guide[M] d'ondes[F]
wave guide
réflecteur[M] parabolique
microwave dish
trépied[M]
tripod

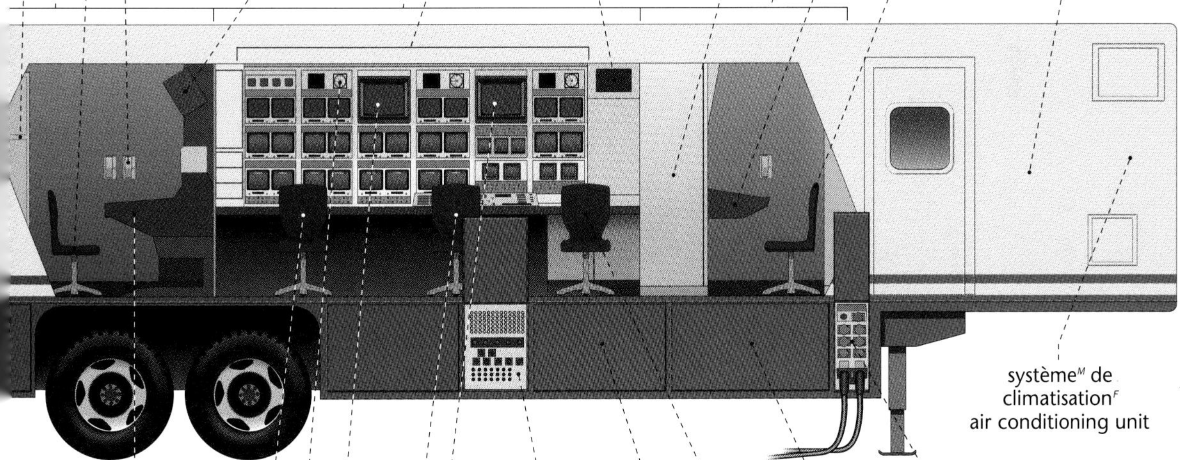

bâti[M] d'équipement[M]
equipment rack
régie[F] du son[M]
audio control room; *sound control room*
preneur[M] de son[M]
audio technician
poste[M] téléphonique
telephone set
haut-parleur[M] de contrôle[M]
audio monitor
régie[F] de production[F]
production control room
baie[F] de contrôle[M]
monitor wall
haut-parleur[M] de contrôle[M]
audio monitor
bâti[M] d'équipement[M]
equipment rack
régie[F] image[F]
camera control area
bloc[M] de commande[F] des caméras[F]
camera control unit
contrôleur[M] d'images[F]
camera control technician
secteur[M] maintenance[F]
maintenance area
système[M] de climatisation[F]
air conditioning unit
panneau[M] de raccordement[M] électrique
electrical connection panel
pupitre[M] de son[M]
audio console
réalisateur[M]
producer
panneau[M] de raccordement[M] vidéo
video connection panel
soute[F] d'équipement[M] technique
technical equipment compartment
horloge[F]
clock
écran[M] de précontrôle[M]
preview monitor
directeur[M] technique
technical producer
écran[M] de sortie[F]
output monitor
technicien[M] aiguilleur[M]
video switcher technician
soute[F] des bobines[F] de câbles[M]
cable drum compartment

TÉLÉDIFFUSION[F] PAR SATELLITE[M]
BROADCAST SATELLITE COMMUNICATION

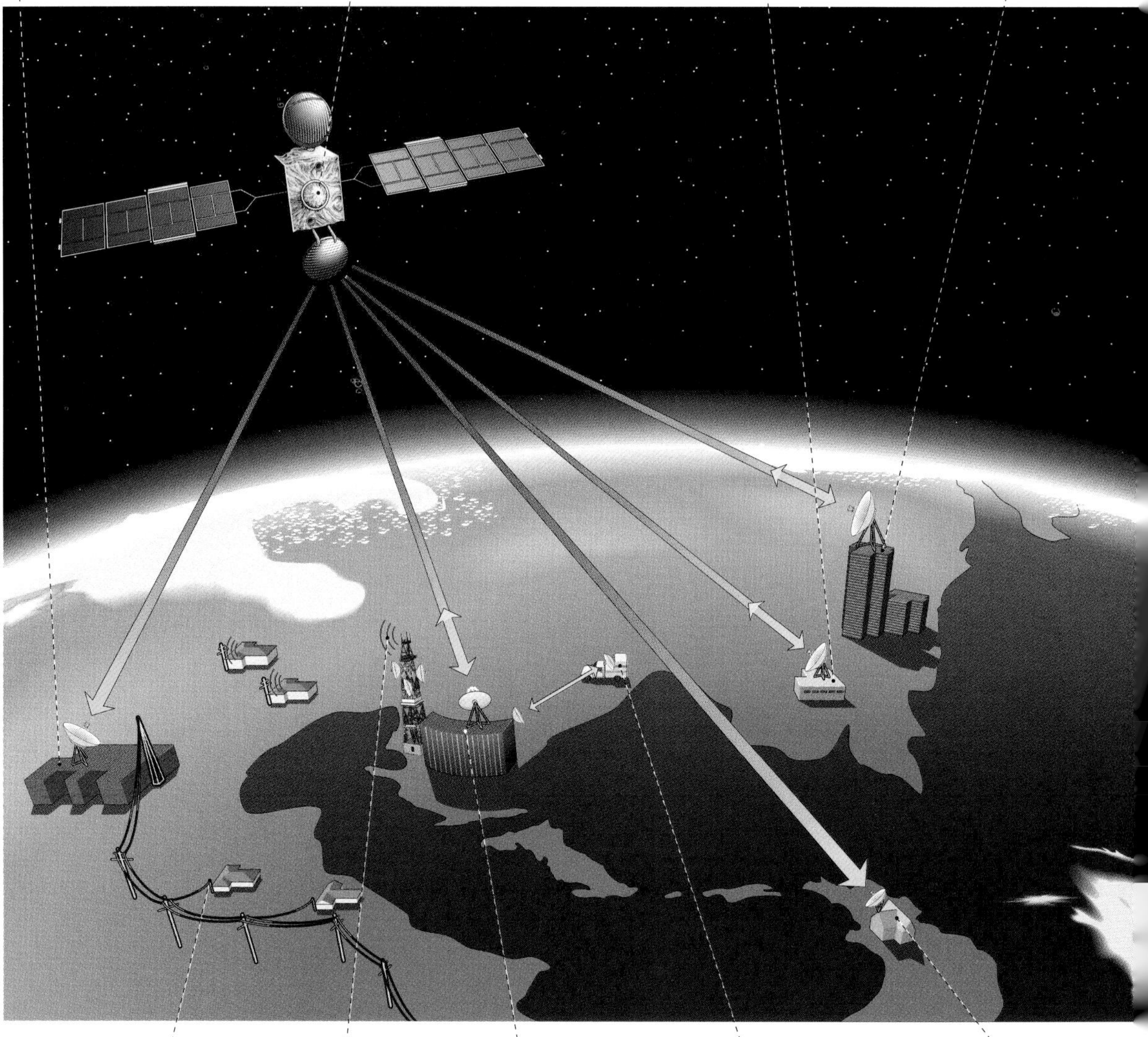
satellite[M]
satellite
station[F] locale
local station
câblodistributeur[M]
cable distributor
réseau[M] privé
private broadcasting network
transmission[F] par câble[M]
distribution by cable network
réception[F] directe
direct home reception
transmission[F] hertzienne
Hertzian wave transmission
car[M] de reportage[M]
mobile unit
réseau[M] national
national broadcasting network

TÉLÉCOMMUNICATIONS[F] PAR SATELLITE[M]
TELECOMMUNICATIONS BY SATELLITE

communications[F] industrielles
industrial communications

téléport[M]
teleport

communications[F] aériennes
air communications

communications[F] militaires
military communications

communications[F] maritimes
maritime communications

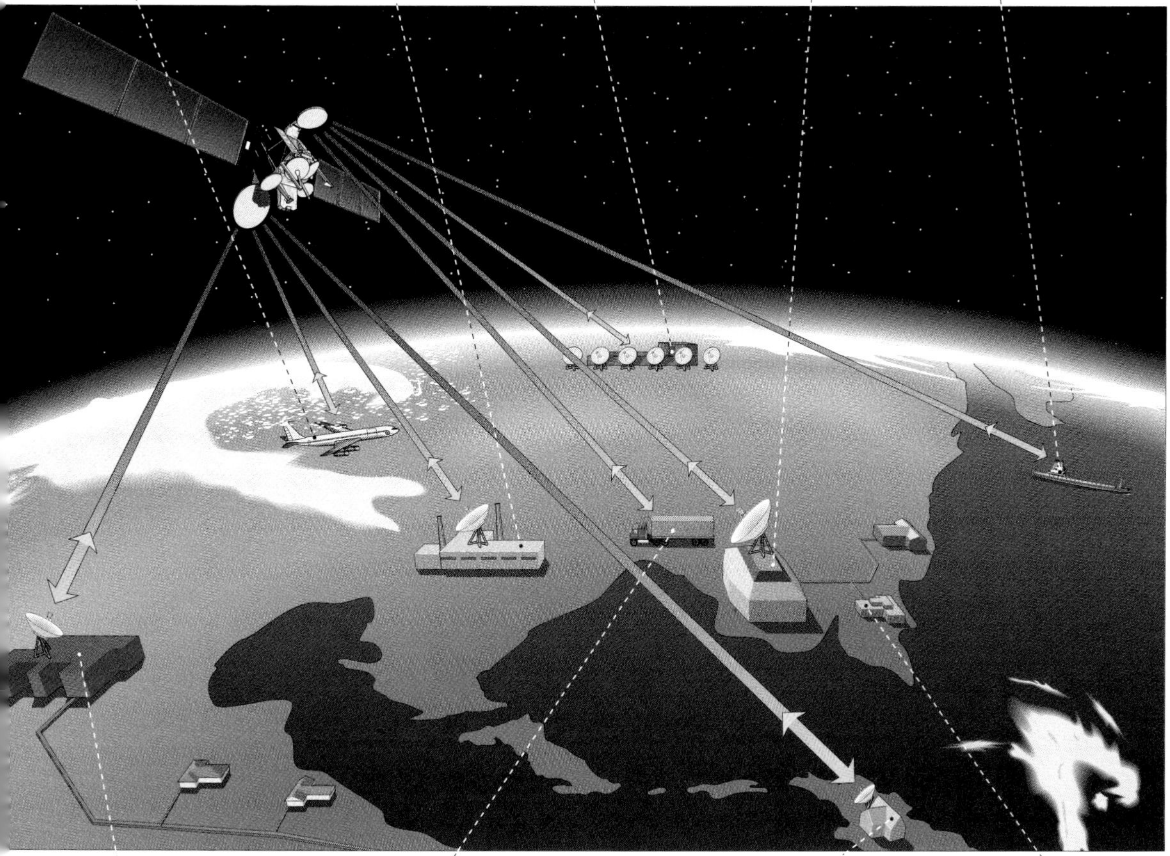

réseau[M] téléphonique
telephone network

communications[F] routières
road communications

communications[F] individuelles
personal communications

client[M]
consumer

TÉLÉCOMMUNICATIONS[F] PAR LIGNE[F] TÉLÉPHONIQUE
TELECOMMUNICATIONS BY TELEPHONE NETWORK

téléinformatique[F]
computer communication

télécopieur[M]
facsimile machine

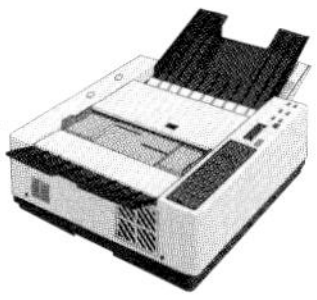

téléphone[M] cellulaire
cellular telephone

télex[M]
telex

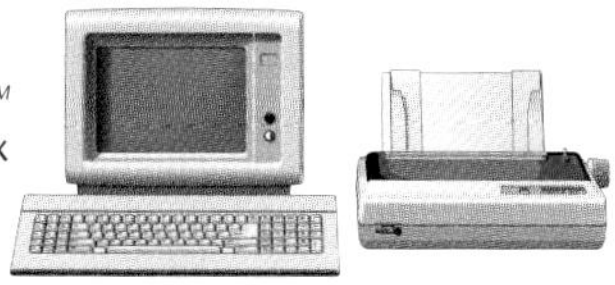

poste[M] téléphonique
telephone set

SATELLITES[M] DE TÉLÉCOMMUNICATIONS[F]
TELECOMMUNICATION SATELLITES

EXEMPLES[M] DE SATELLITES[M]
EXAMPLES OF SATELLITES

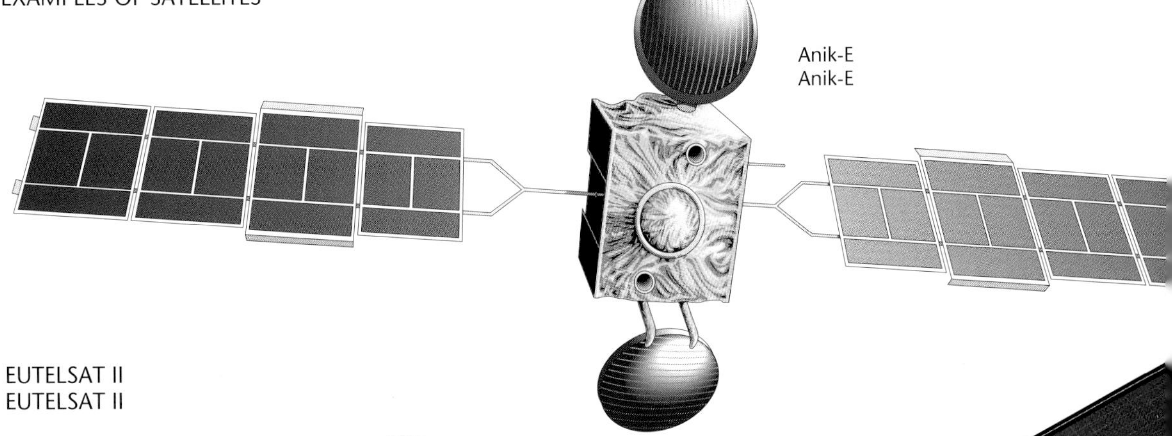
Anik-E
Anik-E

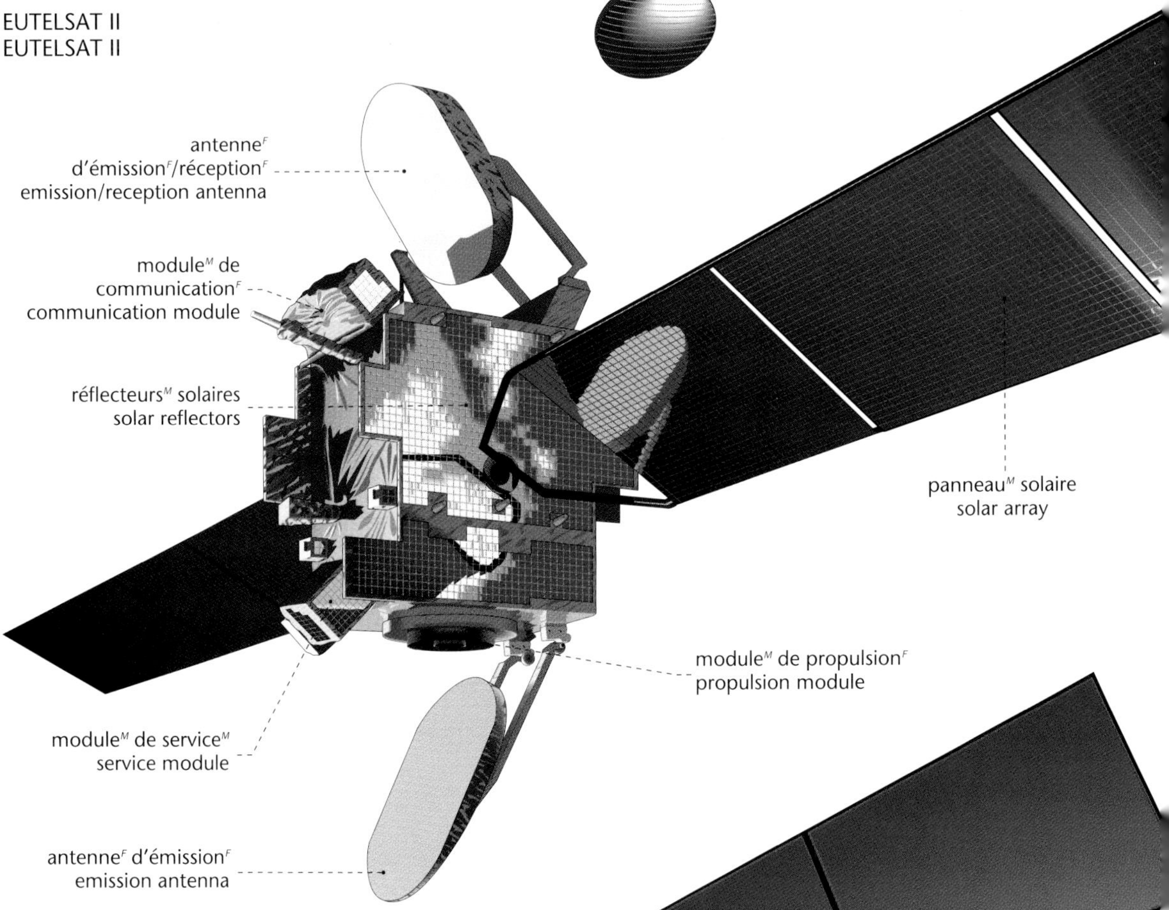
EUTELSAT II
EUTELSAT II
antenne[F] d'émission[F]/réception[F]
emission/reception antenna
module[M] de communication[F]
communication module
réflecteurs[M] solaires
solar reflectors
panneau[M] solaire
solar array
module[M] de propulsion[F]
propulsion module
module[M] de service[M]
service module
antenne[F] d'émission[F]
emission antenna

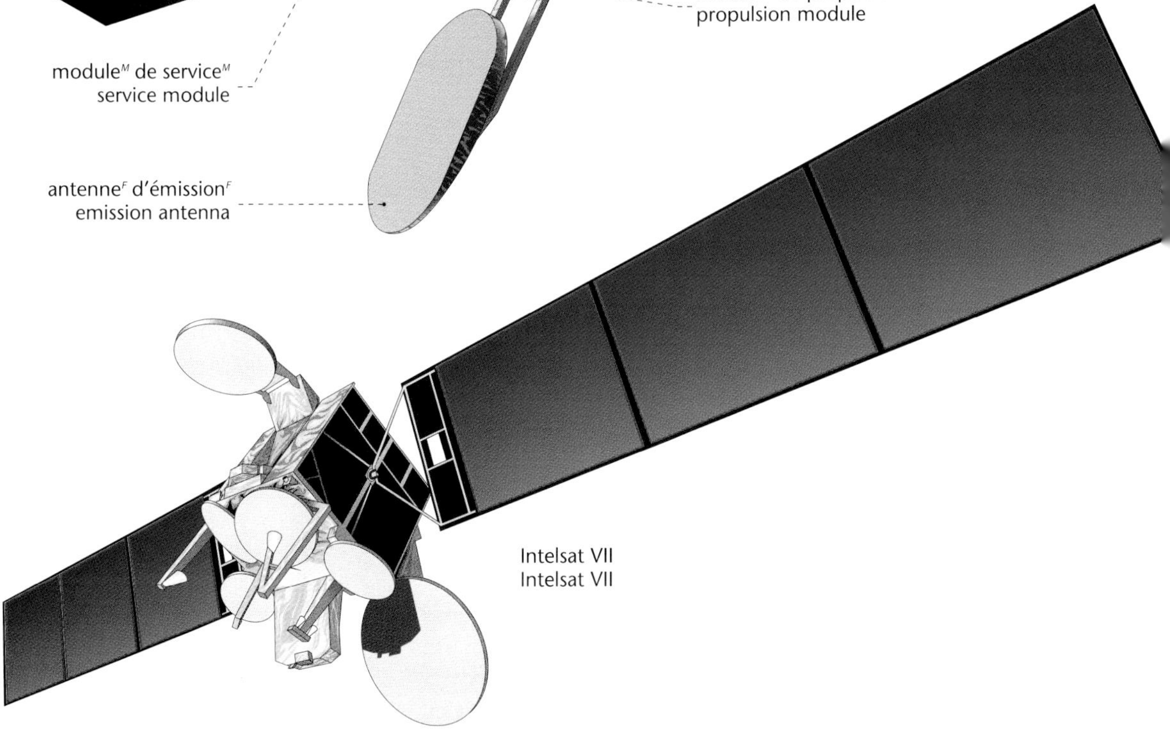
Intelsat VII
Intelsat VII

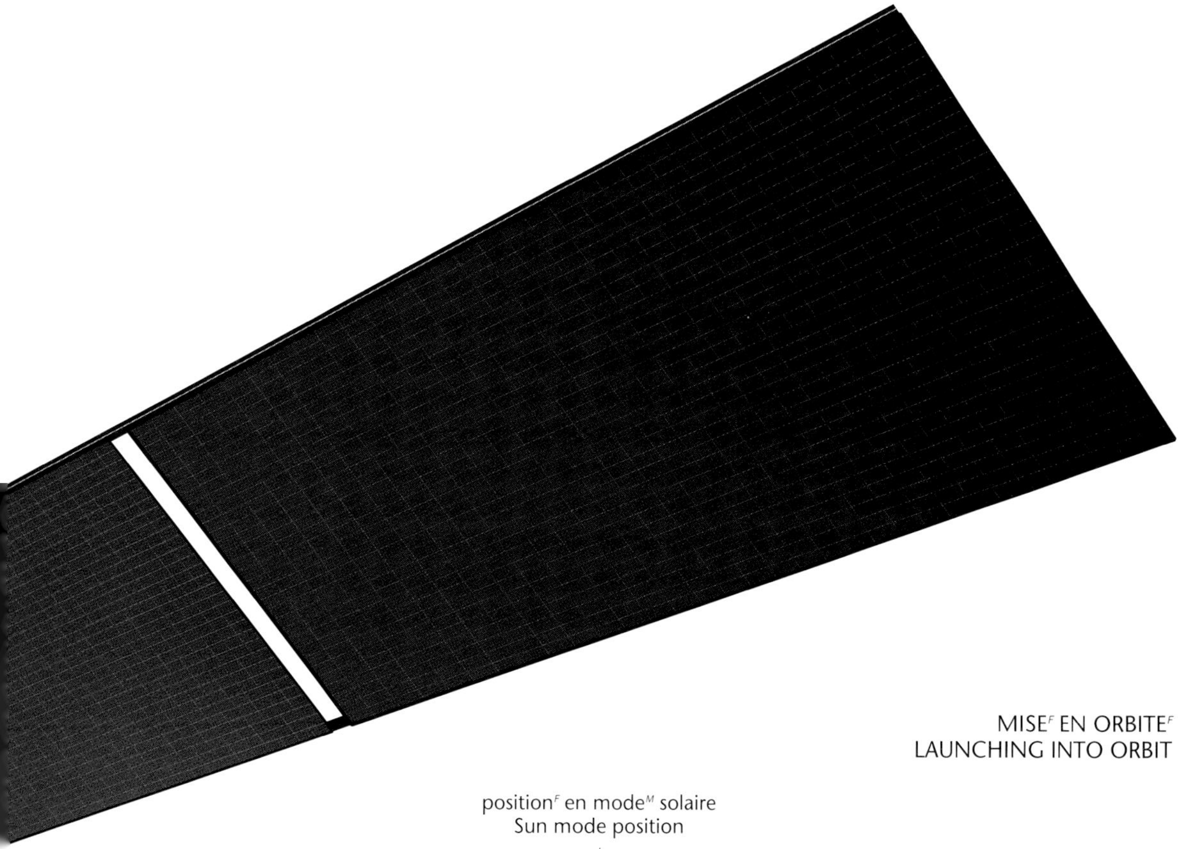

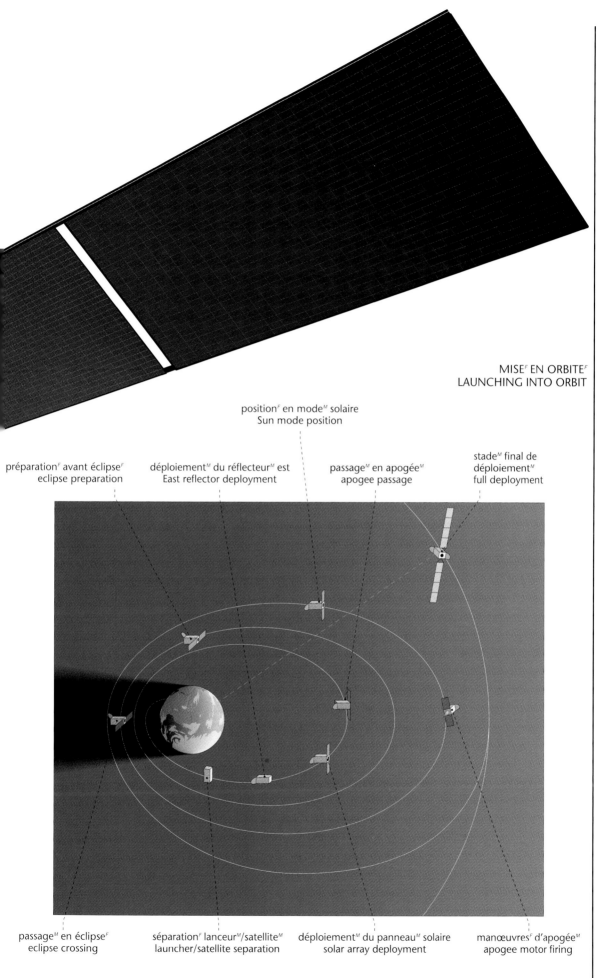

MISE[F] EN ORBITE[F]
LAUNCHING INTO ORBIT

position[F] en mode[M] solaire
Sun mode position
préparation[F] avant éclipse[F]
eclipse preparation
déploiement[M] du réflecteur[M] est
East reflector deployment
passage[M] en apogée[M]
apogee passage
stade[M] final de déploiement[M]
full deployment
passage[M] en éclipse[F]
eclipse crossing
séparation[F] lanceur[M]/satellite[M]
launcher/satellite separation
déploiement[M] du panneau[M] solaire
solar array deployment
manœuvres[F] d'apogée[M]
apogee motor firing

COMMUNICATION[F] PAR TÉLÉPHONE[M]
COMMUNICATION BY TELEPHONE

RÉPONDEUR[M] TÉLÉPHONIQUE
TELEPHONE ANSWERING MACHINE

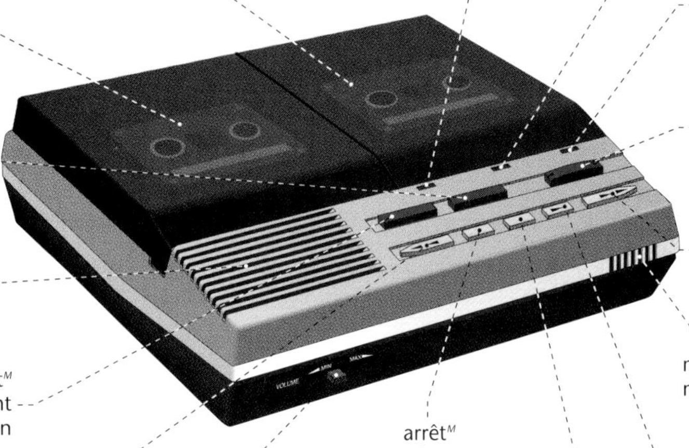
cassette[F] messages[M]
incoming message cassette
voyant[M] de réception[F] de messages[M]
calls indicator
voyant[M] de mise[F] en circuit
power-on light
voyant[M] de réponse[F] automatique
auto answer indicator
cassette[F] annonce[F]
outgoing announcement cassette
écoute[F]
listen button
bouton[M] de mise[F] en circuit[M]
power-on button
avance[F] rapide
fast-forward button
haut-parleur[M]
speaker
microphone[M]
microphone
enregistrement[M]
record announcement button
arrêt[M]
stop button
mise[F] en marche[F]
on/play button
rebobinage[M]
rewind button
commande[F] de volume[M]
volume control
effacement[M]
erase button

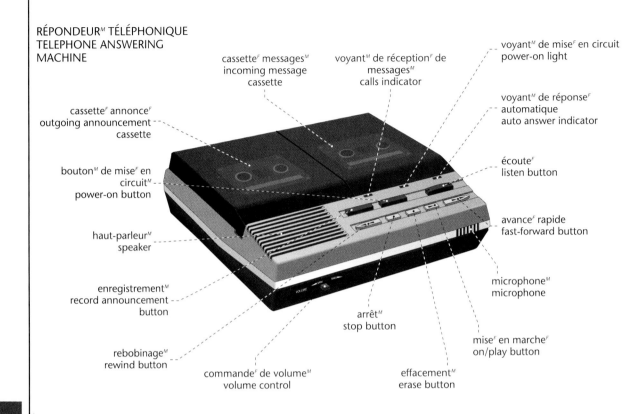

POSTE[M] TÉLÉPHONIQUE
TELEPHONE SET

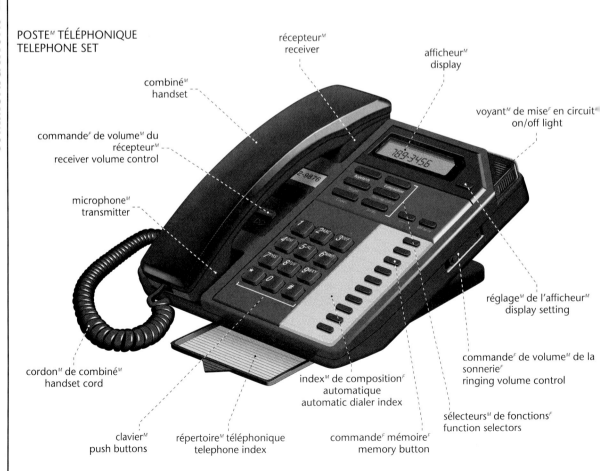

récepteur[M]
receiver
afficheur[M]
display
combiné[M]
handset
voyant[M] de mise[F] en circuit
on/off light
commande[F] de volume[M] du récepteur[M]
receiver volume control
microphone[M]
transmitter
réglage[M] de l'afficheur[M]
display setting
commande[F] de volume[M] de la sonnerie[F]
ringing volume control
cordon[M] de combiné[M]
handset cord
index[M] de composition[F] automatique
automatic dialer index
sélecteurs[M] de fonctions[F]
function selectors
clavier[M]
push buttons
répertoire[M] téléphonique
telephone index
commande[F] mémoire[F]
memory button

TÉLEX[M]
TELEX

terminal[M]
terminal
écran[M] d'affichage[M]
visual display unit
expédition[F]/réception[F] des messages[M]
transmission/reception of messages

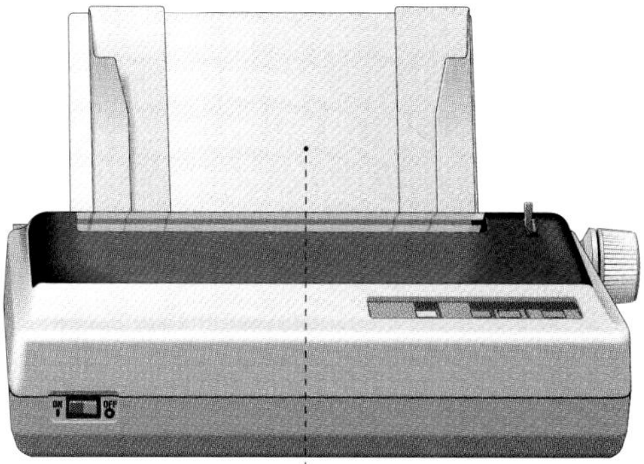
imprimante[F]
printer
impression[F] des messages[M]
printing of messages

TÉLÉCOPIEUR[M]
FACSIMILE MACHINE

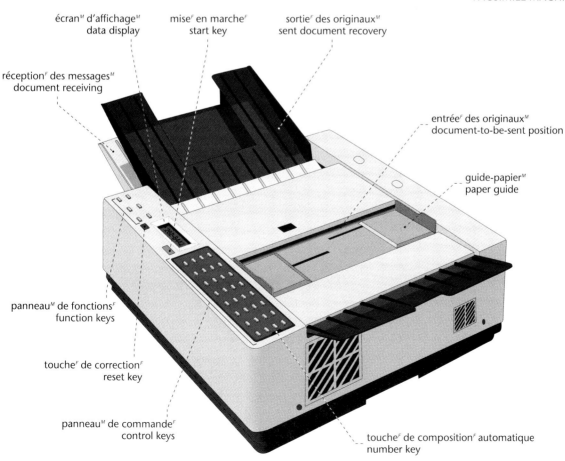

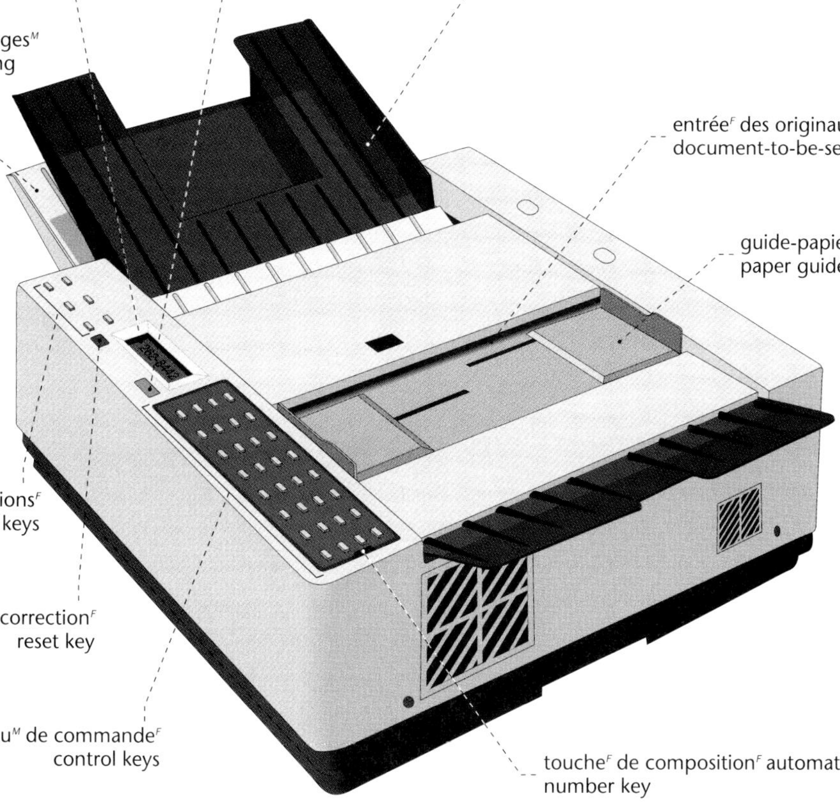
écran[M] d'affichage[M]
data display
mise[F] en marche[F]
start key
sortie[F] des originaux[M]
sent document recovery
réception[F] des messages[M]
document receiving
entrée[F] des originaux[M]
document-to-be-sent position
guide-papier[M]
paper guide
panneau[M] de fonctions[F]
function keys
touche[F] de correction[F]
reset key
panneau[M] de commande[F]
control keys
touche[F] de composition[F] automatique
number key

COMMUNICATION^F PAR TÉLÉPHONE^M
COMMUNICATION BY TELEPHONE

TYPES^M DE POSTES^M TÉLÉPHONIQUES
TYPES OF TELEPHONES

TERMINAL^M DE TÉLÉCOMMUNICATION^F
TELECOMMUNICATION TERMINAL

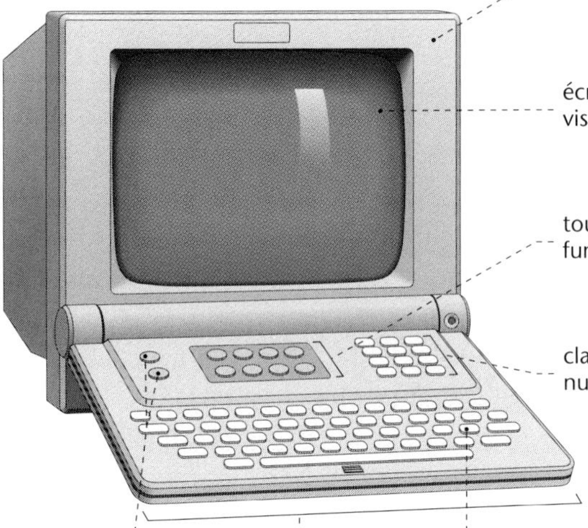
boîtier^M
housing
écran^M
visual display unit
touches^F de fonctions^F
function keys
clavier^M numérique
numeric keyboard
touches^F de commande^F
operation keys
clavier^M alphanumérique
alphanumeric keyboard
clavier^M
keyboard

poste^M sans cordon^M
cordless telephone

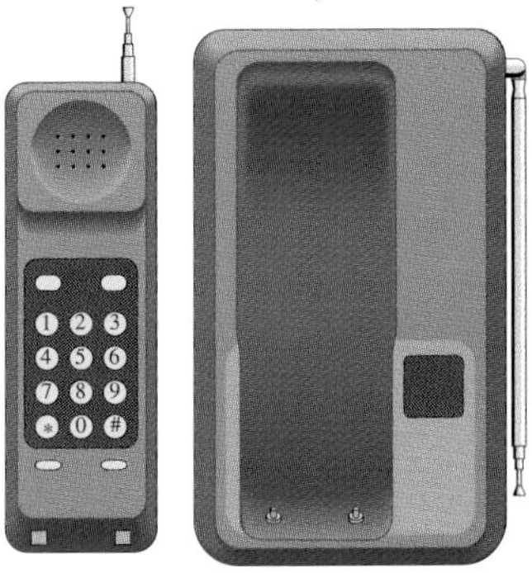

pupitre^M dirigeur
call director telephone

téléphone^M cellulaire portatif
portable cellular telephone

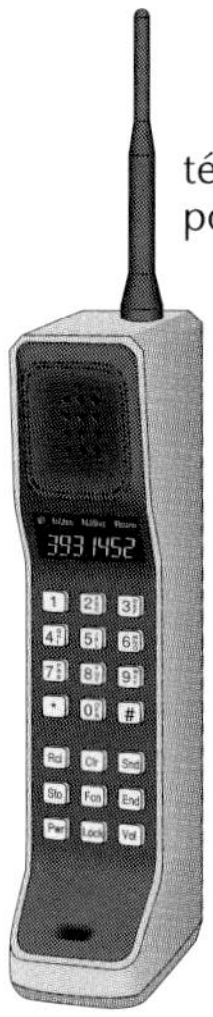

TÉLÉPHONE^M PUBLIC
PAY PHONE

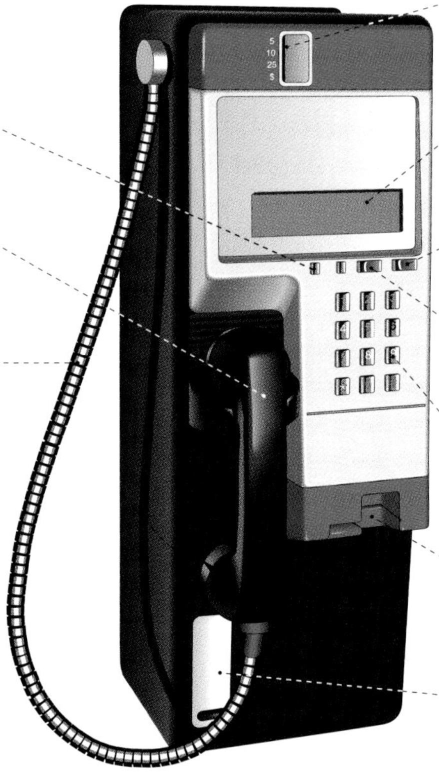
fente^F à monnaie^F
coin slot
écran^M
display
contrôle^M du volume^M
volume control
appel^M suivant
next call
combiné^M
handset
choix^M de la langue^F d'affichage^M
language display button
cordon^M à gaine^F métallique
armored cord
clavier^M
push buttons
lecteur^M de carte^F
card reader
sébile^F de remboursement^M
coin return bucket

poste^M à clavier^M
push-button telephone

COMMUNICATIONS
COMMUNICATIONS

TRANSPORT • TRANSPORT

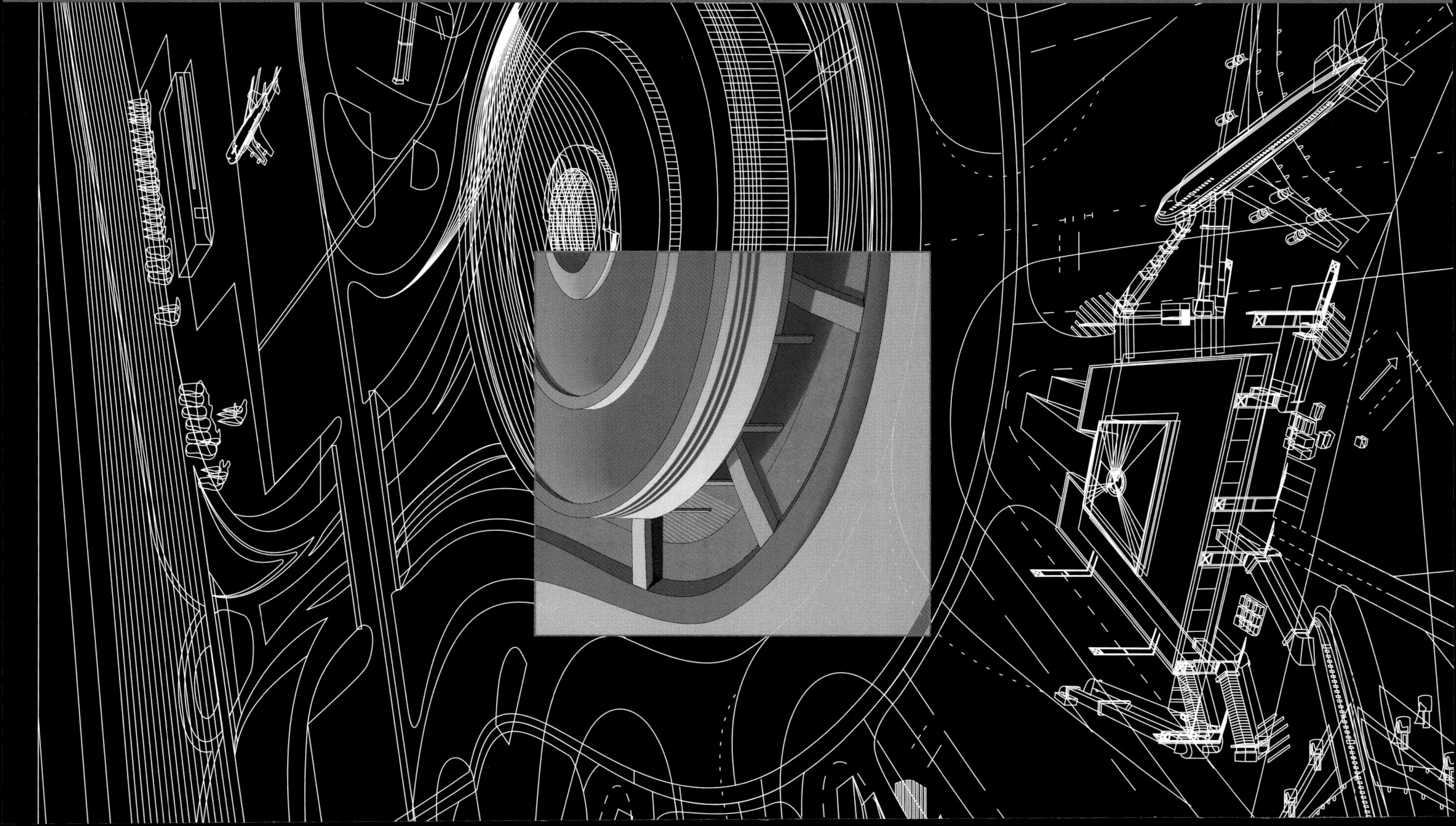

SOMMAIRE

AUTOMOBILE^{F}
AUTOMOBILE; *CAR*

TYPES^{M} DE CARROSSERIES^{F}
TYPES OF BODIES

voiture^{F} sport^{M}
sports car

coach^{M}
two-door sedan; *coupé*

trois-portes^{F}
hatchback

break^{M}; *familiale^{F}*
station wagon; *estate car*

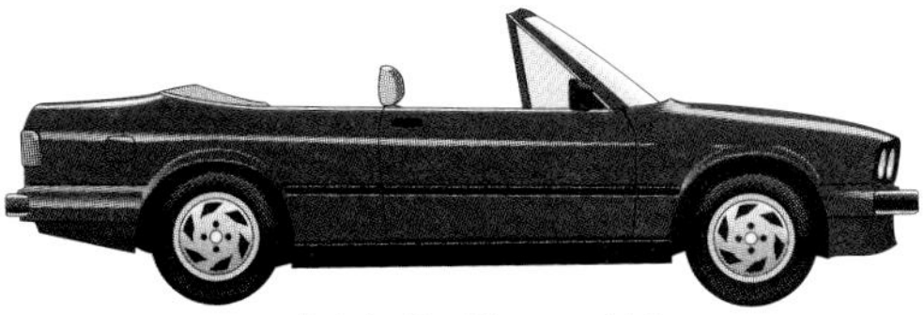

cabriolet^{M}; *décapotable^{F}*
convertible

camionnette^{F}
pickup truck

berline^{F}
four-door sedan; *four-door saloon*

fourgonnette^{F}
minivan; *minibus*

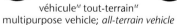

véhicule^{M} tout-terrain^{M}
multipurpose vehicle; *all-terrain vehicle*

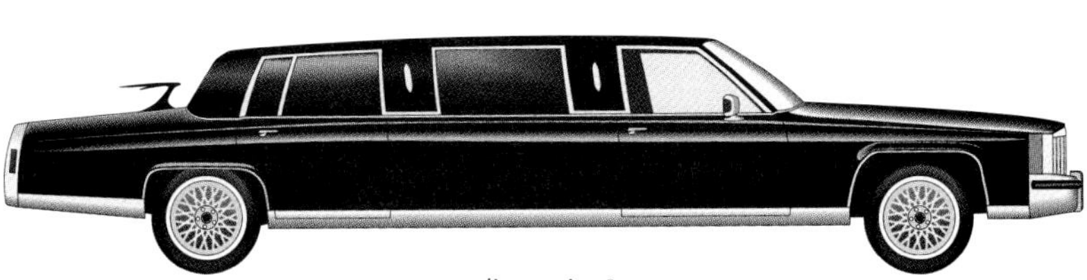

limousine^{F}
limousine; *stretch-limousine*

AUTOMOBILE^F
AUTOMOBILE; *CAR*

CARROSSERIE^F
BODY

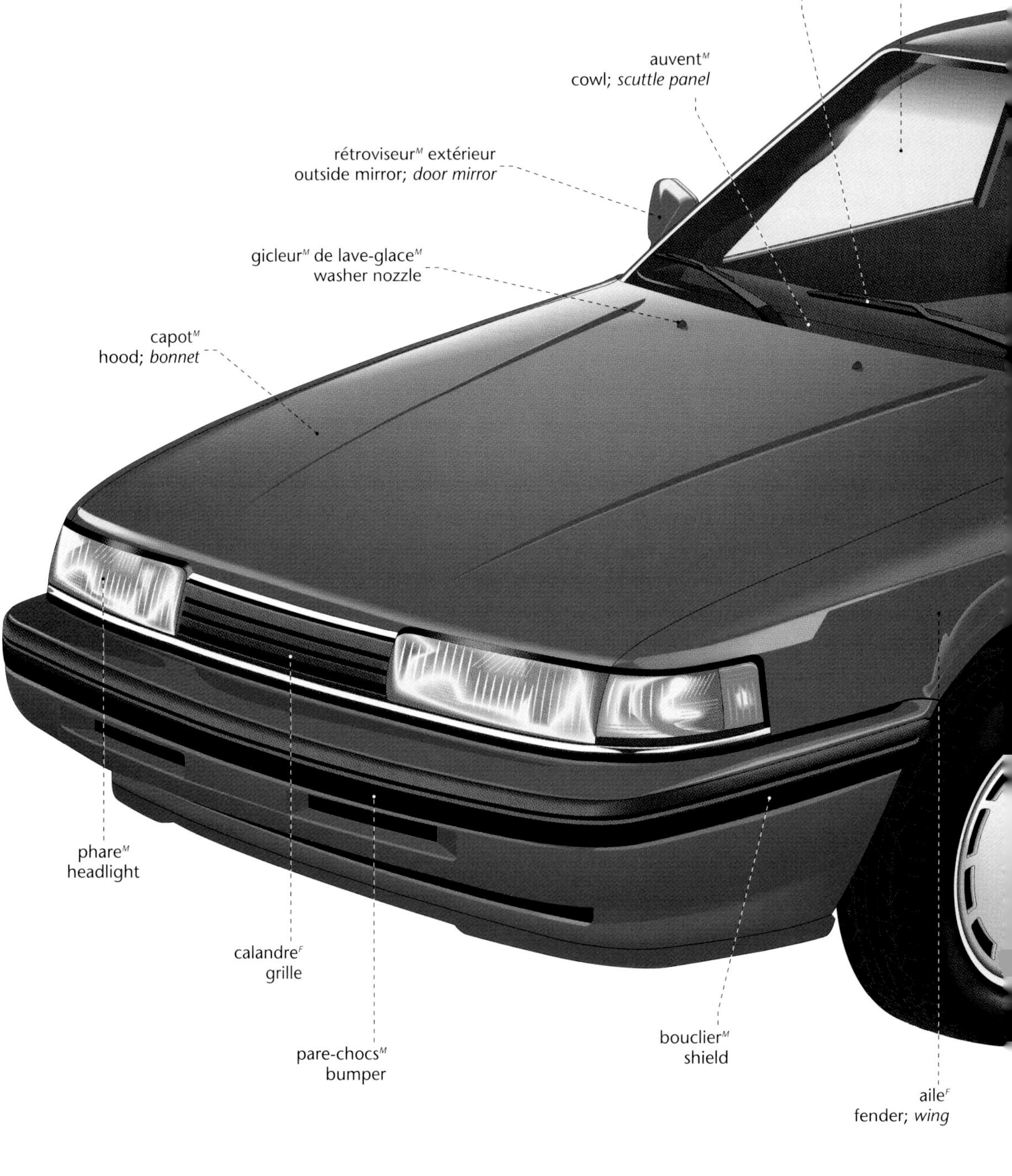
pare-brise^M
windshield; *windscreen*
essuie-glace^M
windshield wiper; *windscreen wiper*
auvent^M
cowl; *scuttle panel*
rétroviseur^M extérieur
outside mirror; *door mirror*
gicleur^M de lave-glace^M
washer nozzle
capot^M
hood; *bonnet*
phare^M
headlight
calandre^F
grille
pare-chocs^M
bumper
bouclier^M
shield
aile^F
fender; *wing*

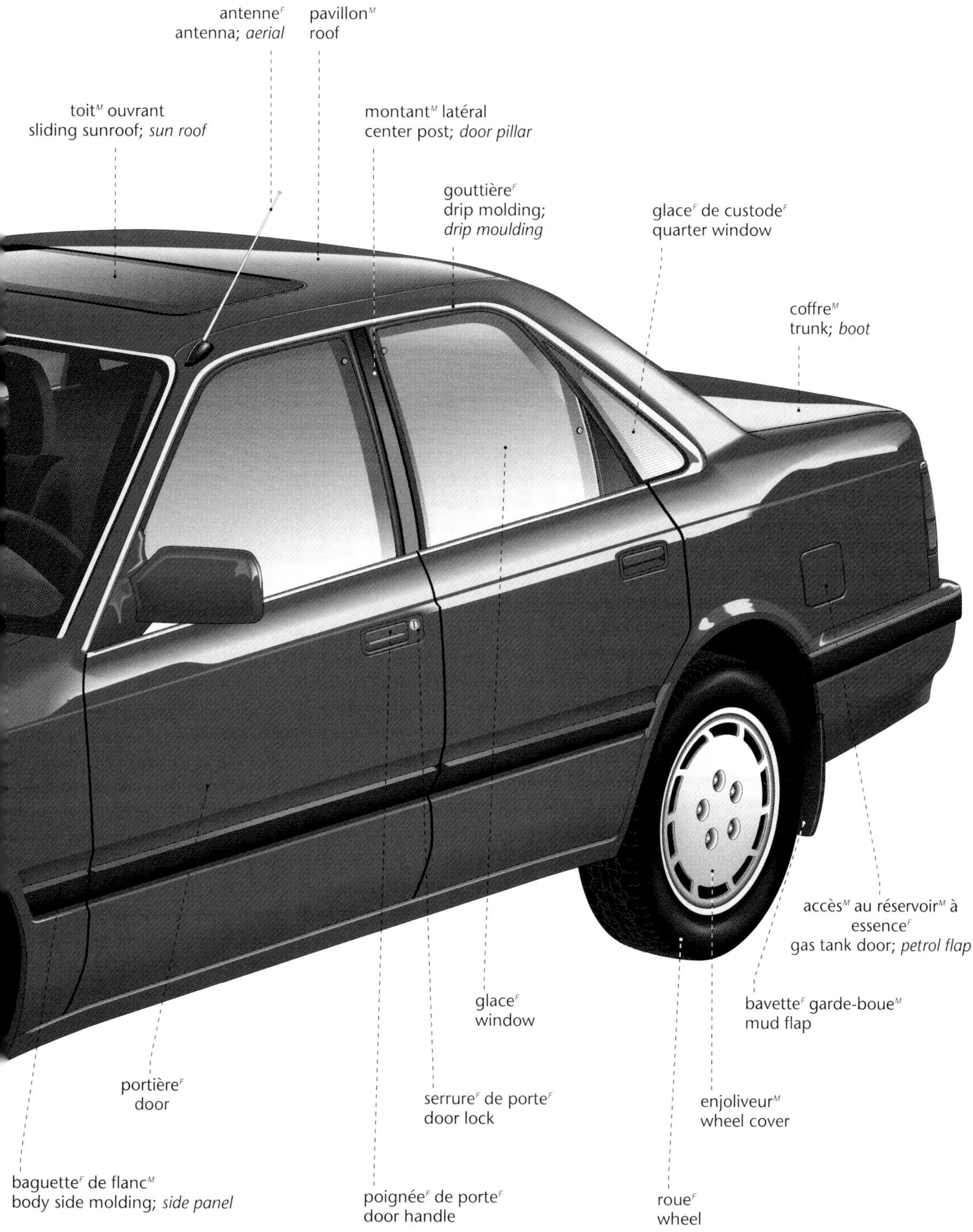
antenne[F]
antenna; *aerial*
pavillon[M]
roof
toit[M] ouvrant
sliding sunroof; *sun roof*
montant[M] latéral
center post; *door pillar*
gouttière[F]
drip molding;
drip moulding
glace[F] de custode[F]
quarter window
coffre[M]
trunk; *boot*
accès[M] au réservoir[M] à
essence[F]
gas tank door; *petrol flap*
glace[F]
window
bavette[F] garde-boue[M]
mud flap
portière[F]
door
serrure[F] de porte[F]
door lock
enjoliveur[M]
wheel cover
baguette[F] de flanc[M]
body side molding; *side panel*
poignée[F] de porte[F]
door handle
roue[F]
wheel

AUTOMOBILE[F]
AUTOMOBILE; *CAR*

SIÈGE[M]-BAQUET[M]
BUCKET SEAT

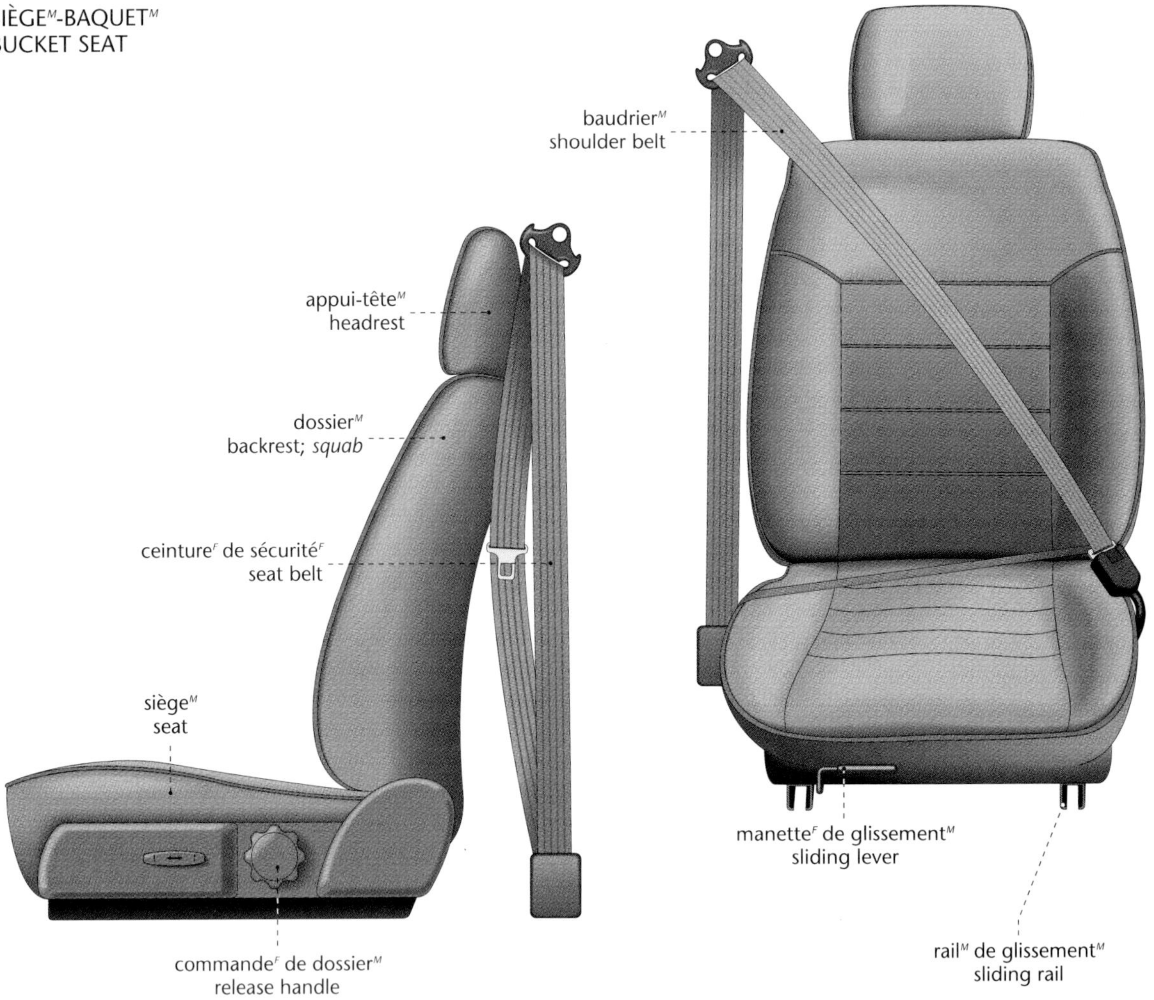
baudrier[M]
shoulder belt
appui-tête[M]
headrest
dossier[M]
backrest; *squab*
ceinture[F] de sécurité[F]
seat belt
siège[M]
seat
commande[F] de dossier[M]
release handle
manette[F] de glissement[M]
sliding lever
rail[M] de glissement[M]
sliding rail

BANQUETTE[F] ARRIÈRE
REAR SEAT

appui-bras[M]
armrest
sangle[F]
webbing
boucle[F]
buckle
banquette[F]
bench seat

PORTIÈRE[F]
DOOR

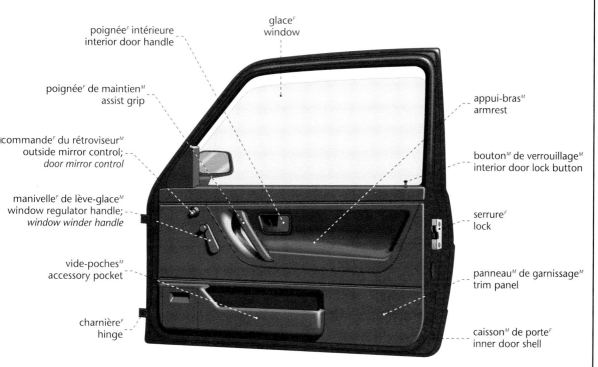

glace[F]
window
poignée[F] intérieure
interior door handle
poignée[F] de maintien[M]
assist grip
commande[F] du rétroviseur[M]
outside mirror control; *door mirror control*
manivelle[F] de lève-glace[M]
window regulator handle; *window winder handle*
vide-poches[M]
accessory pocket
charnière[F]
hinge
appui-bras[M]
armrest
bouton[M] de verrouillage[M]
interior door lock button
serrure[F]
lock
panneau[M] de garnissage[M]
trim panel
caisson[M] de porte[F]
inner door shell

FEUX[M]
LIGHTS; *CAR LIGHTS*

feux[M] avant
headlights; *front lights*

feux[M] de route[F]
high beam; *main beam*
feux[M] de croisement[M]
low beam; *dipped*
feux[M] de brouillard[M]
fog light; *fog lamp*
feux[M] clignotants
turn signal; *indicator*
feux[M] de gabarit[M]
side-marker light; *side light*

feux[M] arrière
taillights; *rear lights*

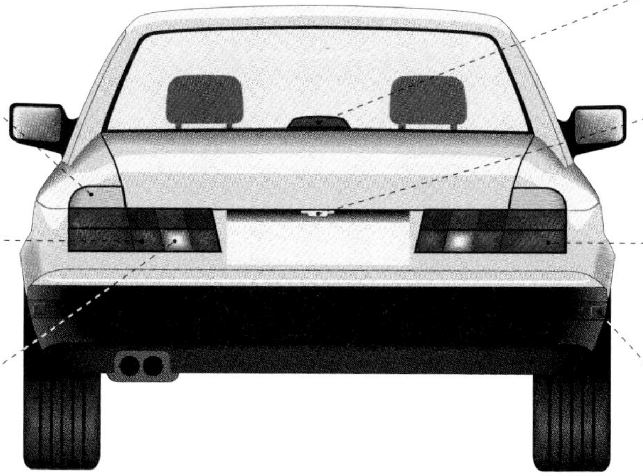
feux[M] clignotants
turn signal; *indicator*
feux[M] stop[M]
brakelight; *brake light*
feux[M] de recul[M]
backup light; *reversing light*
feu[M] stop[M]
brakelight; *brake light*
feu[M] de plaque[F]
license plate light; *number plate light*
feux[M] rouges arrière
taillight; *rear light*
feux[M] de gabarit[M]
side-marker light; *side light*

TABLEAU^M DE BORD^M
DASHBOARD

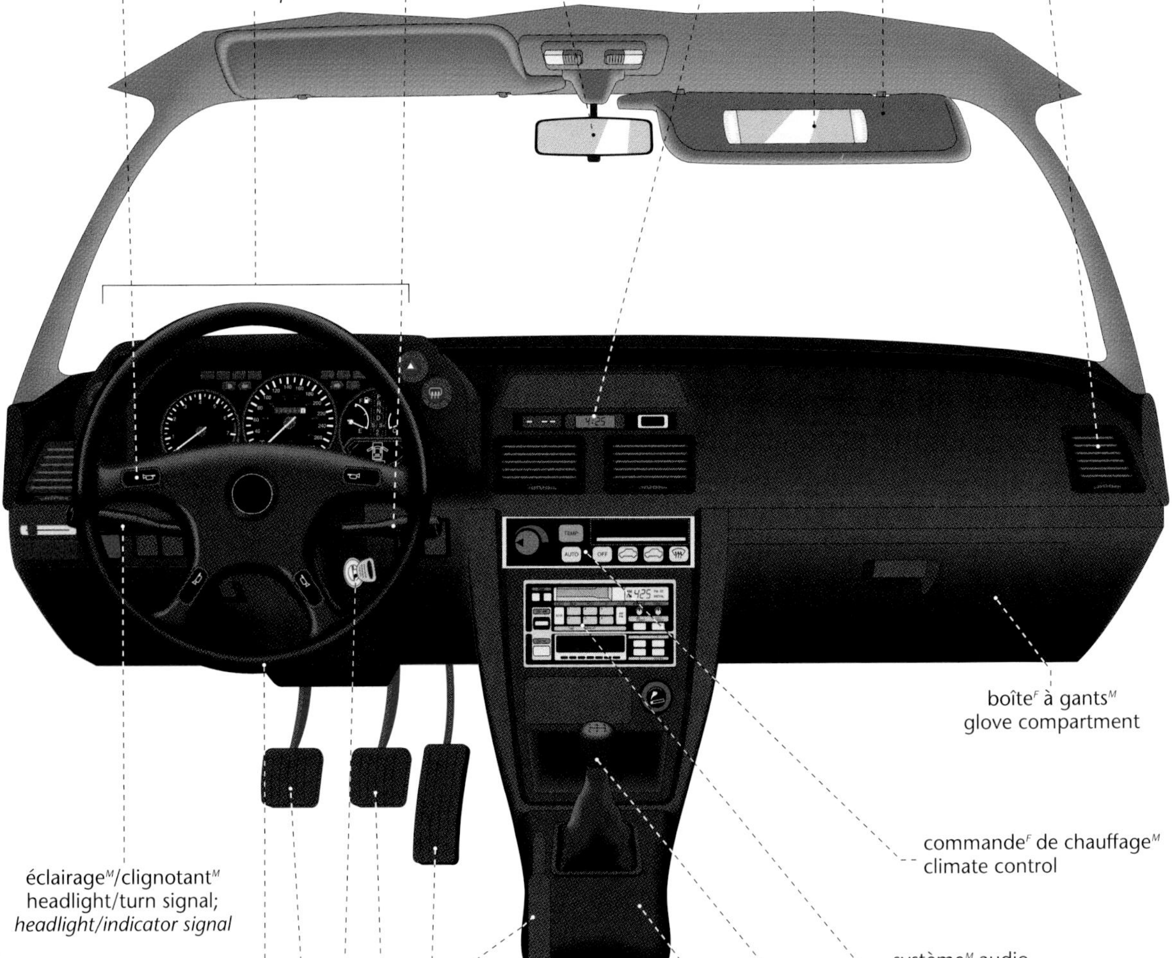

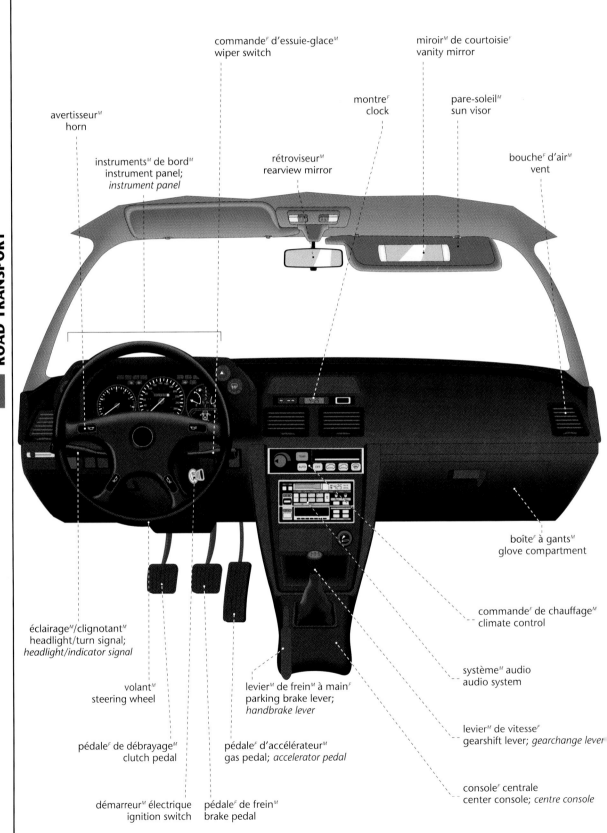

commande^F d'essuie-glace^M
wiper switch
miroir^M de courtoisie^F
vanity mirror
montre^F
clock
pare-soleil^M
sun visor
avertisseur^M
horn
instruments^M de bord^M
instrument panel;
instrument panel
rétroviseur^M
rearview mirror
bouche^F d'air^M
vent
boîte^F à gants^M
glove compartment
commande^F de chauffage^M
climate control
éclairage^M/clignotant^M
headlight/turn signal;
headlight/indicator signal
système^M audio
audio system
volant^M
steering wheel
levier^M de frein^M à main^F
parking brake lever;
handbrake lever
levier^M de vitesse^F
gearshift lever; *gearchange lever*
pédale^F de débrayage^M
clutch pedal
pédale^F d'accélérateur^M
gas pedal; *accelerator pedal*
console^F centrale
center console; *centre console*
démarreur^M électrique
ignition switch
pédale^F de frein^M
brake pedal

INSTRUMENTS[M] DE BORD[M]
INSTRUMENT PANEL; *INSTRUMENT PANEL*

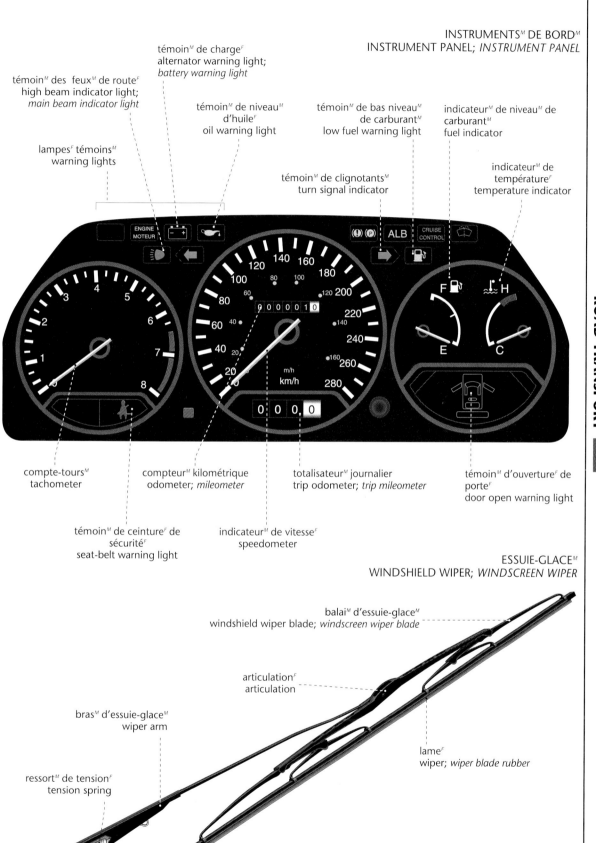

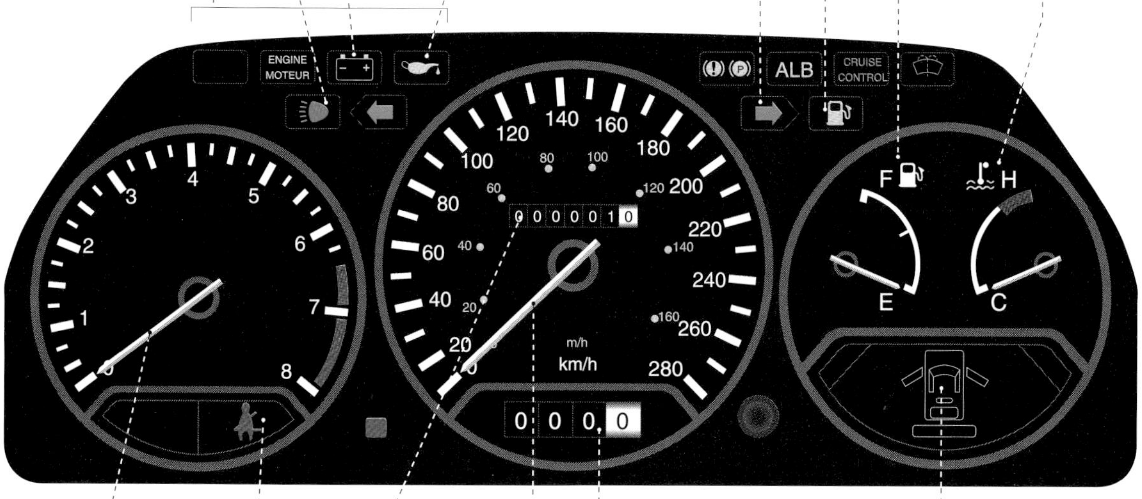
témoin[M] de charge[F]
alternator warning light; *battery warning light*
témoin[M] des feux[M] de route[F]
high beam indicator light; *main beam indicator light*
témoin[M] de niveau[M] d'huile[F]
oil warning light
témoin[M] de bas niveau[M] de carburant[M]
low fuel warning light
indicateur[M] de niveau[M] de carburant[M]
fuel indicator
lampes[F] témoins[M]
warning lights
indicateur[M] de température[F]
temperature indicator
témoin[M] de clignotants[M]
turn signal indicator
ENGINE
MOTEUR
ALB
CRUISE
CONTROL
km/h
m/h
compte-tours[M]
tachometer
compteur[M] kilométrique
odometer; *mileometer*
totalisateur[M] journalier
trip odometer; *trip mileometer*
témoin[M] d'ouverture[F] de porte[F]
door open warning light
témoin[M] de ceinture[F] de sécurité[F]
seat-belt warning light
indicateur[M] de vitesse[F]
speedometer

ESSUIE-GLACE[M]
WINDSHIELD WIPER; *WINDSCREEN WIPER*

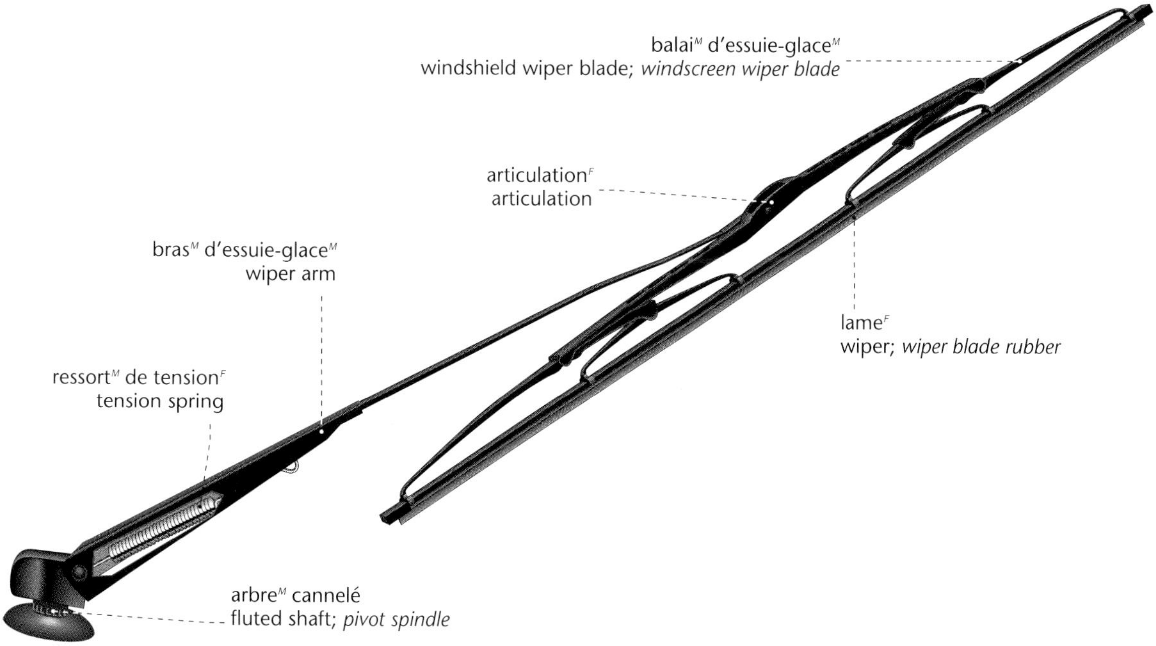
balai[M] d'essuie-glace[M]
windshield wiper blade; *windscreen wiper blade*
articulation[F]
articulation
bras[M] d'essuie-glace[M]
wiper arm
lame[F]
wiper; *wiper blade rubber*
ressort[M] de tension[F]
tension spring
arbre[M] cannelé
fluted shaft; *pivot spindle*

AUTOMOBILE[F]
AUTOMOBILE; *CAR*

FREIN[M] À DISQUE[M]
DISK BRAKE; *DISC BRAKE*

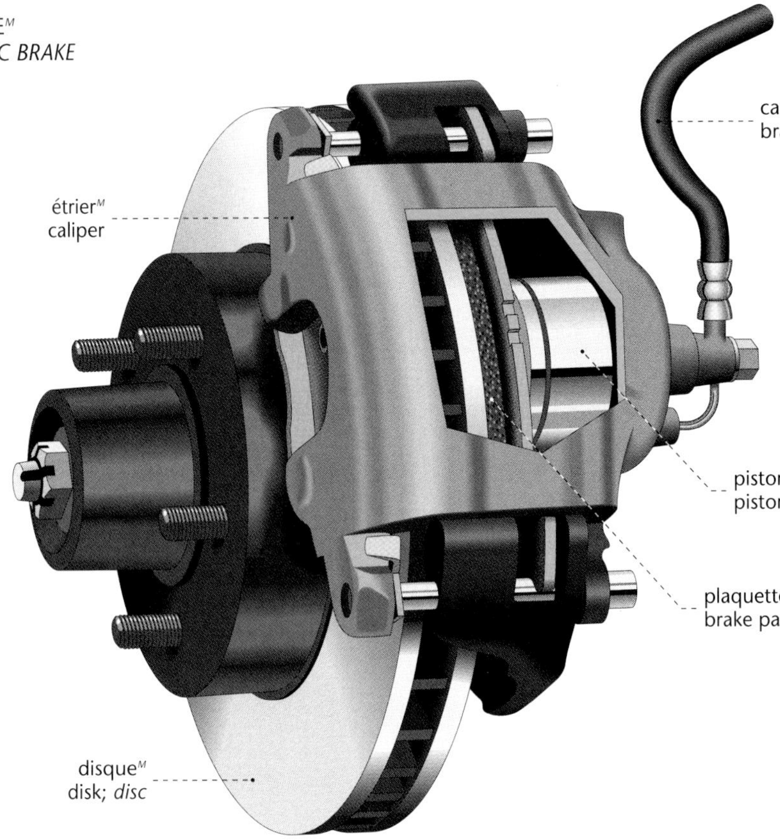
canalisation[F]
brake line
étrier[M]
caliper
piston[M]
piston
plaquette[F]
brake pad
disque[M]
disk; *disc*

FREIN[M] À TAMBOUR[M]
DRUM BRAKE

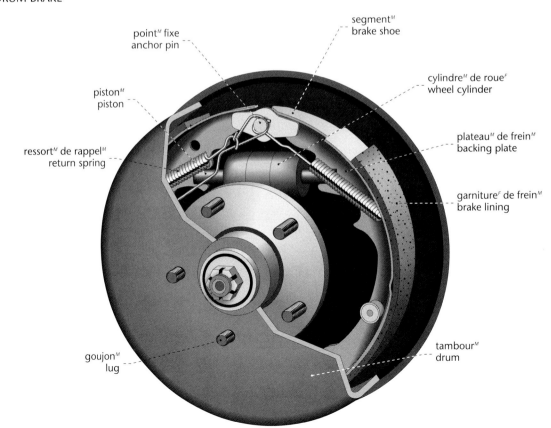

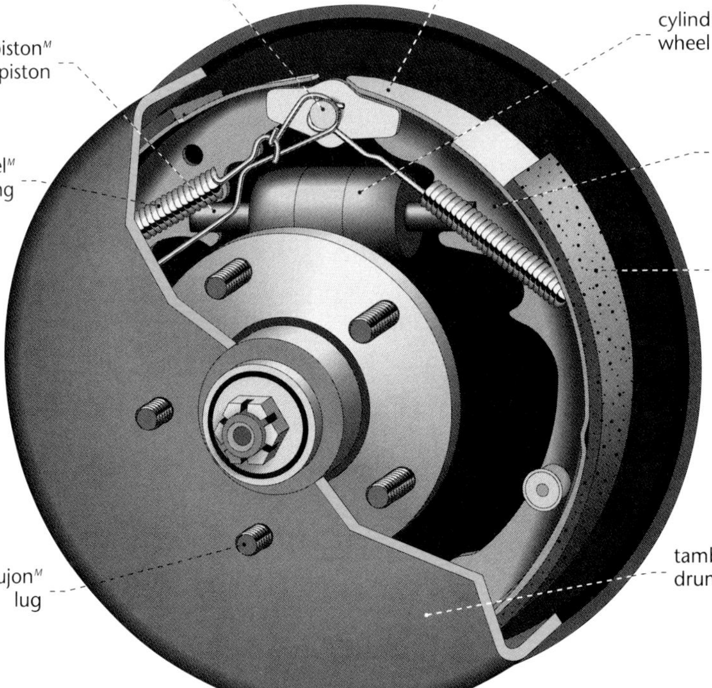
segment[M]
brake shoe
point[M] fixe
anchor pin
cylindre[M] de roue[F]
wheel cylinder
piston[M]
piston
plateau[M] de frein[M]
backing plate
ressort[M] de rappel[M]
return spring
garniture[F] de frein[M]
brake lining
tambour[M]
drum
goujon[M]
lug

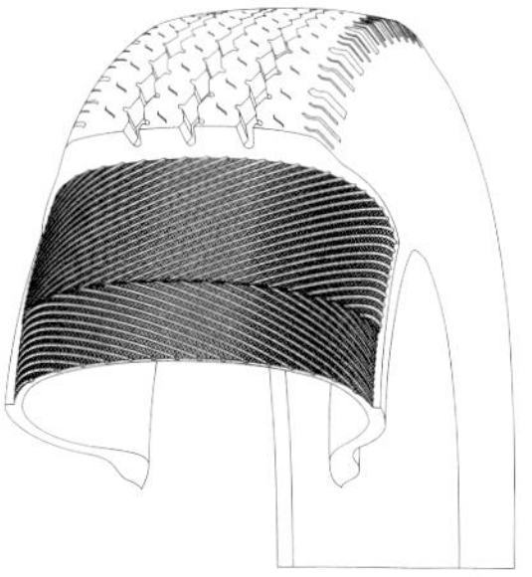

pneu[M] à carcasse[F] diagonale
bias-ply tire; *bias-ply tyre*

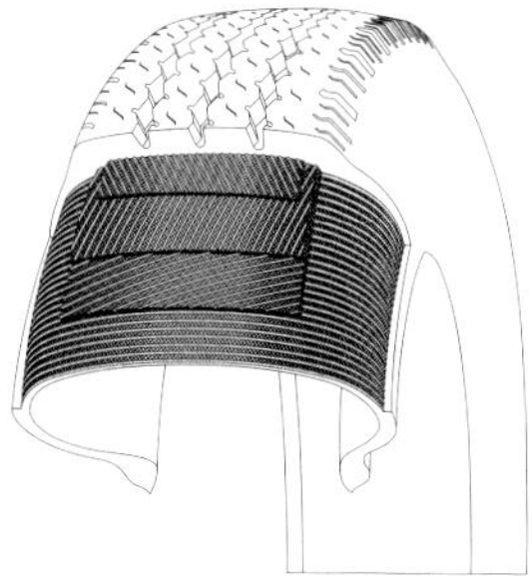

pneu[M] à carcasse[F] radiale
radial tire; *radial tyre*

PNEU[M] À CARCASSE[F] RADIALE CEINTURÉE
STEEL BELTED RADIAL TIRE;
BELTED RADIAL TYRE

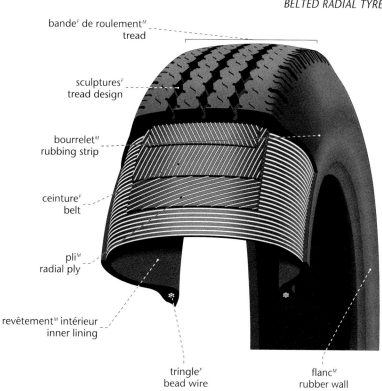

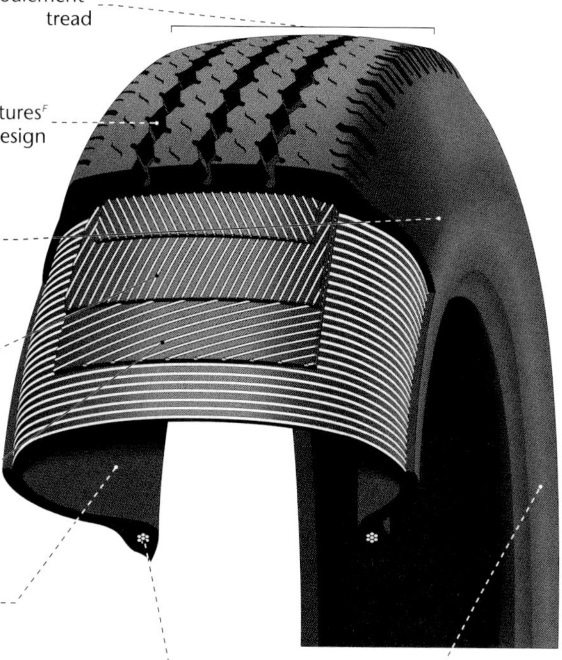
bande[F] de roulement[M]
tread
sculptures[F]
tread design
bourrelet[M]
rubbing strip
ceinture[F]
belt
pli[M]
radial ply
revêtement[M] intérieur
inner lining
tringle[F]
bead wire
flanc[M]
rubber wall

PNEU[M]
TIRE; *TYRE*

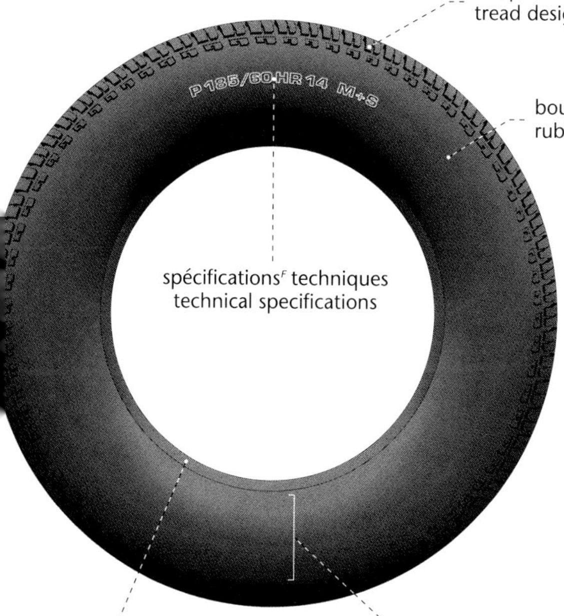
sculptures[F]
tread design
P185/60HR14 M+S
bourrelet[M]
rubbing strip
spécifications[F] techniques
technical specifications
talon[M]
bead
flanc[M]
rubber wall

ROUE[F]
WHEEL

voile[M]
disk; *disc*
jante[F]
rim
joue[F] de jante[F]
rim flange

AUTOMOBILE[F]
AUTOMOBILE; *CAR*

MOTEUR[M] À ESSENCE[F]
GASOLINE ENGINE; *PETROL ENGINE*

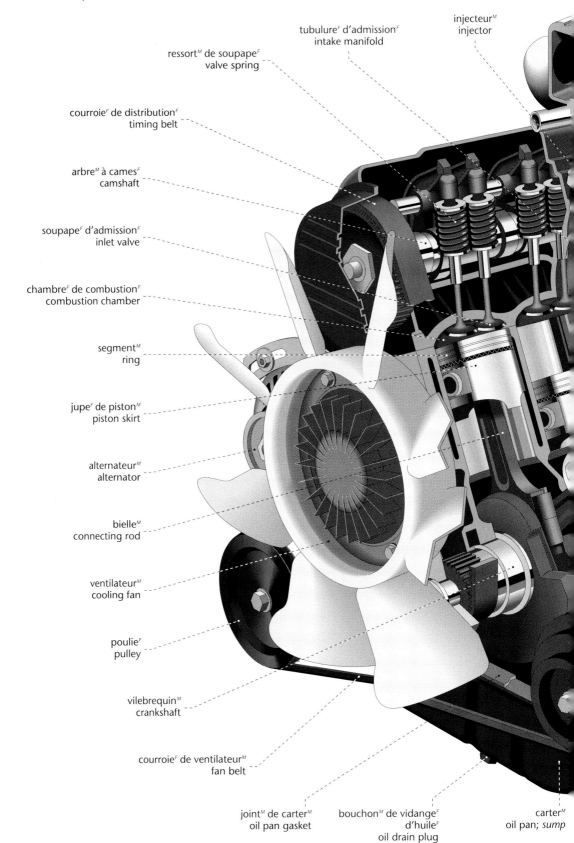

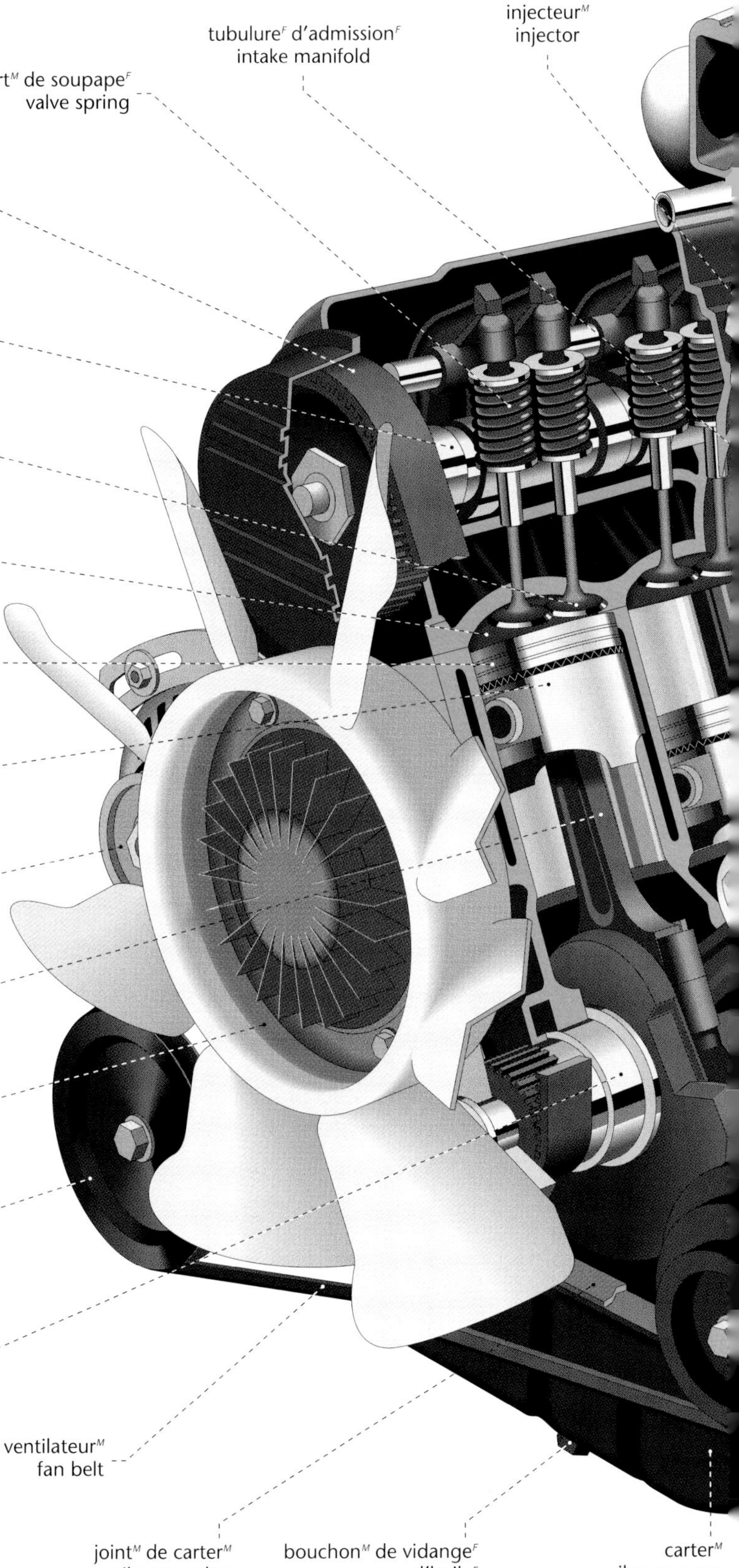
tubulure[F] d'admission[F]
intake manifold
injecteur[M]
injector
ressort[M] de soupape[F]
valve spring
courroie[F] de distribution[F]
timing belt
arbre[M] à cames[F]
camshaft
soupape[F] d'admission[F]
inlet valve
chambre[F] de combustion[F]
combustion chamber
segment[M]
ring
jupe[F] de piston[M]
piston skirt
alternateur[M]
alternator
bielle[M]
connecting rod
ventilateur[M]
cooling fan
poulie[F]
pulley
vilebrequin[M]
crankshaft
courroie[F] de ventilateur[M]
fan belt
joint[M] de carter[M]
oil pan gasket
bouchon[M] de vidange[F] d'huile[F]
oil drain plug
carter[M]
oil pan; *sump*

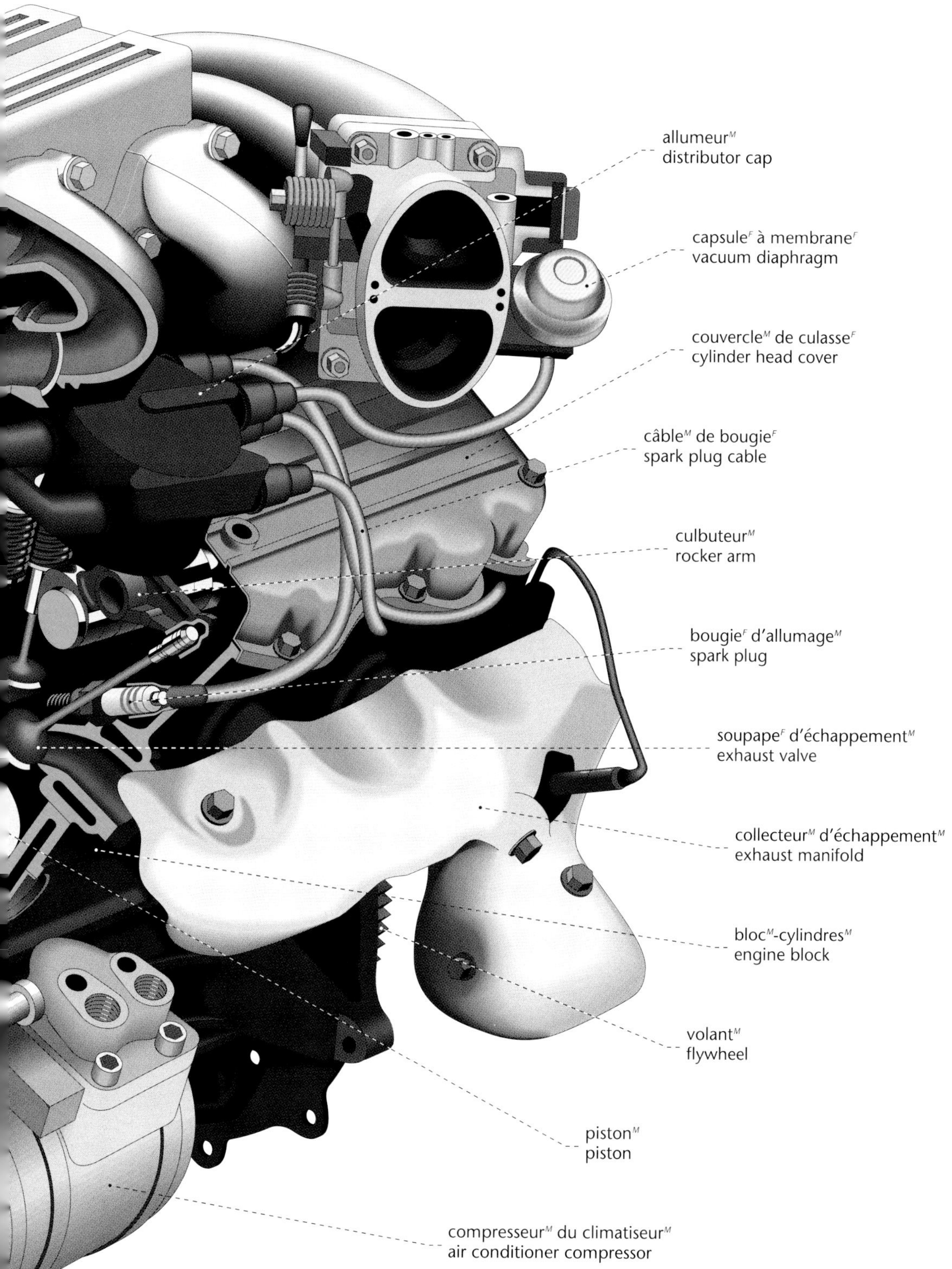
allumeur[M]
distributor cap
capsule[F] à membrane[F]
vacuum diaphragm
couvercle[M] de culasse[F]
cylinder head cover
câble[M] de bougie[F]
spark plug cable
culbuteur[M]
rocker arm
bougie[F] d'allumage[M]
spark plug
soupape[F] d'échappement[M]
exhaust valve
collecteur[M] d'échappement[M]
exhaust manifold
bloc[M]-cylindres[M]
engine block
volant[M]
flywheel
piston[M]
piston
compresseur[M] du climatiseur[M]
air conditioner compressor

TYPES[M] DE MOTEURS[M]
TYPES OF ENGINES

MOTEUR[M] À QUATRE TEMPS[M]
FOUR-STROKE-CYCLE ENGINE

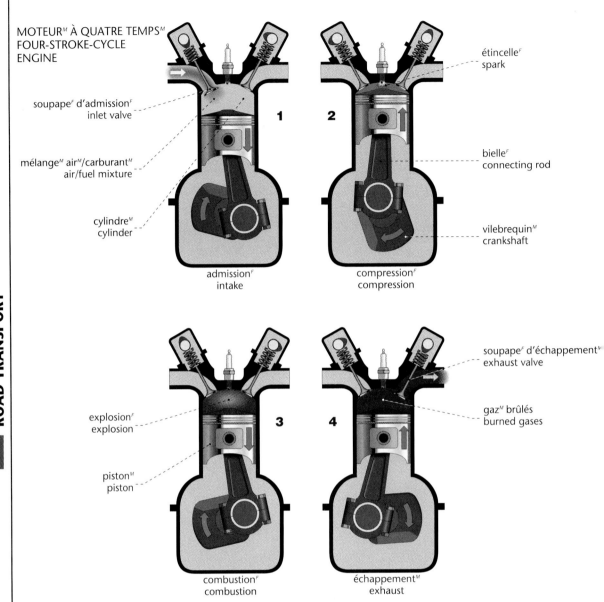

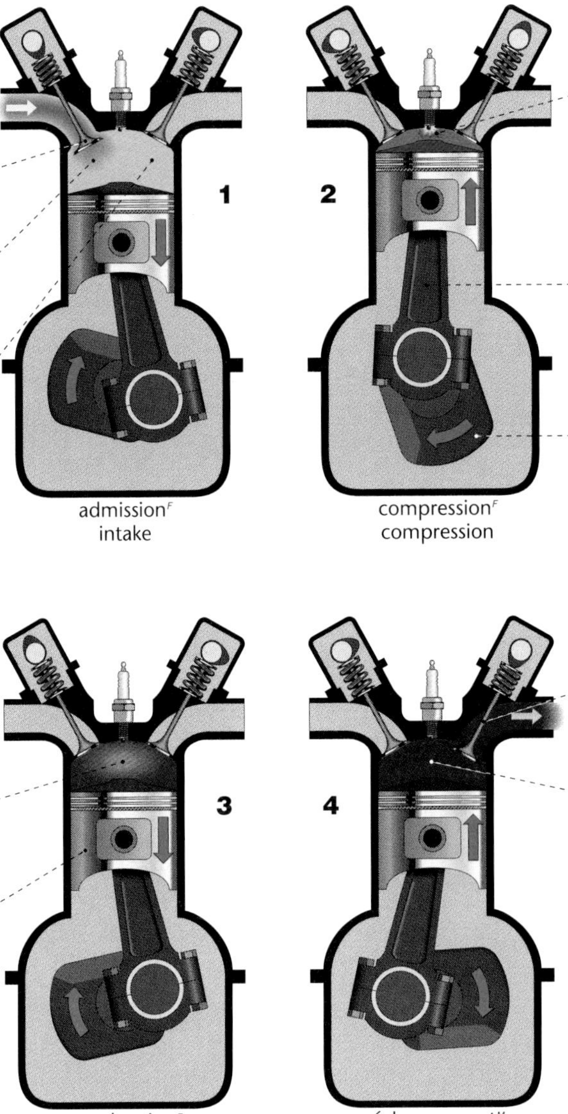
soupape[F] d'admission[F]
inlet valve
mélange[M] air[M]/carburant[M]
air/fuel mixture
cylindre[M]
cylinder
1
2
étincelle[F]
spark
bielle[F]
connecting rod
vilebrequin[M]
crankshaft
admission[F]
intake
compression[F]
compression
explosion[F]
explosion
piston[M]
piston
3
4
soupape[F] d'échappement[M]
exhaust valve
gaz[M] brûlés
burned gases
combustion[F]
combustion
échappement[M]
exhaust

MOTEUR[M] À DEUX TEMPS[M]
TWO-STROKE-CYCLE ENGINE

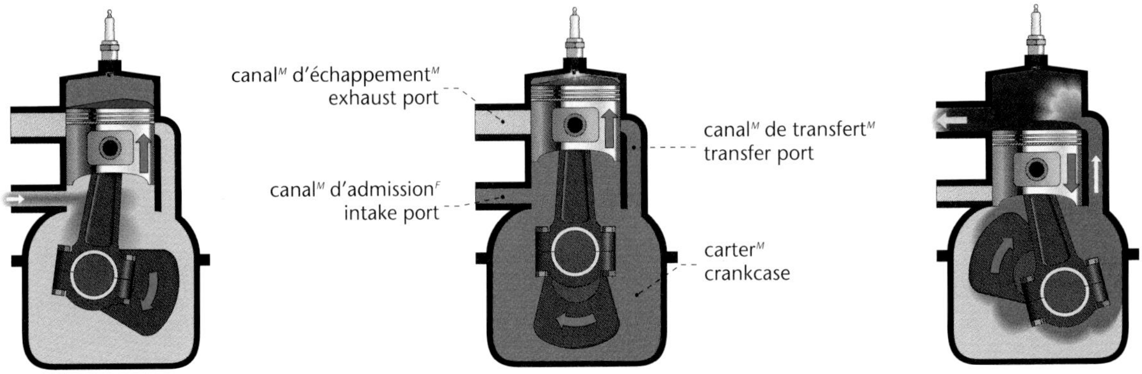
canal[M] d'échappement[M]
exhaust port
canal[M] d'admission[F]
intake port
canal[M] de transfert[M]
transfer port
carter[M]
crankcase
compression[F]/admission[F]
compression/admission
combustion[F]
combustion
échappement[M]
exhaust

MOTEUR[M] DIESEL
DIESEL ENGINE

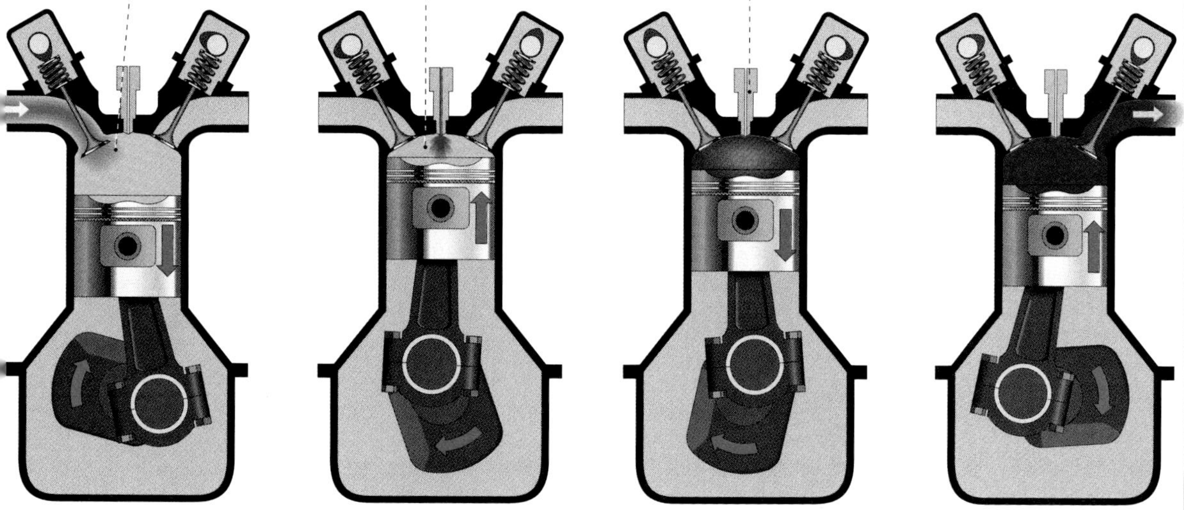
air[M]
air
injection[F]/explosion[F]
injection/explosion
injecteur[M]
fuel injector
admission[F]
intake
compression[F]
compression
combustion[F]
combustion
échappement[M]
exhaust

MOTEUR[M] ROTATIF
ROTARY ENGINE

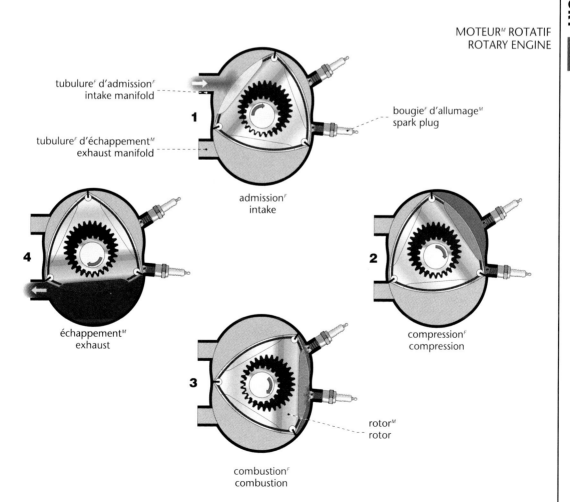

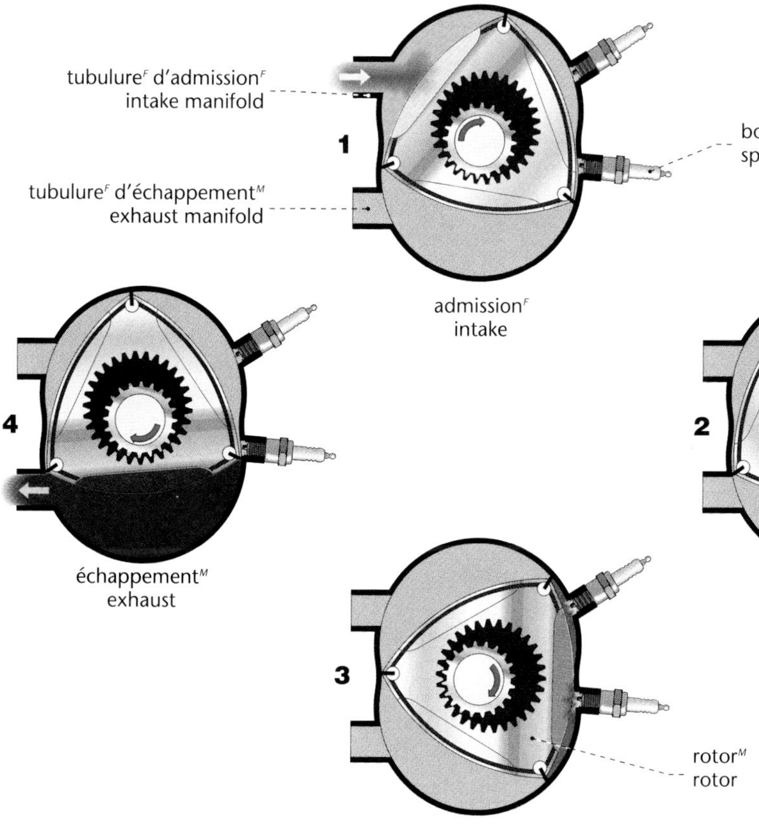
tubulure[F] d'admission[F]
intake manifold
tubulure[F] d'échappement[M]
exhaust manifold
bougie[F] d'allumage[M]
spark plug
1
admission[F]
intake
2
compression[F]
compression
3
combustion[F]
combustion
4
échappement[M]
exhaust
rotor[M]
rotor

RADIATEUR^M
RADIATOR

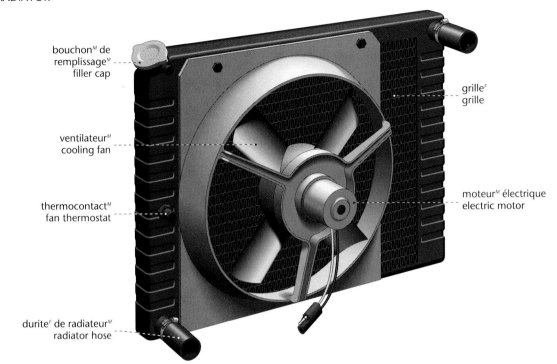

bouchon^M de remplissage^M
filler cap
grille^F
grille
ventilateur^M
cooling fan
moteur^M électrique
electric motor
thermocontact^M
fan thermostat
durite^F de radiateur^M
radiator hose

MOTEUR^M À TURBOCOMPRESSION^F
TURBO-COMPRESSOR ENGINE;
TURBO-CHARGED ENGINE

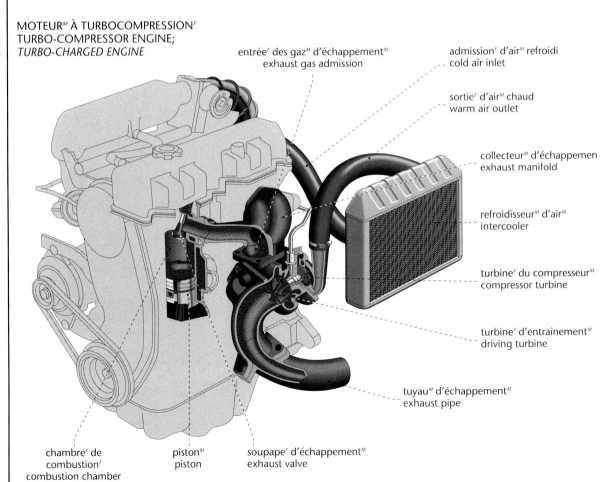

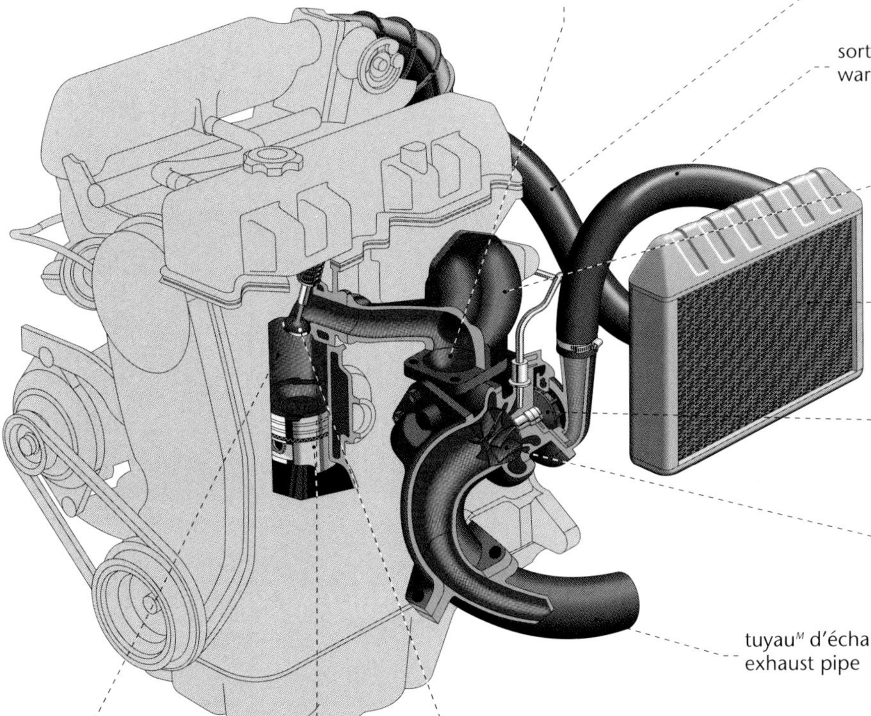
entrée^F des gaz^M d'échappement^M
exhaust gas admission
admission^F d'air^M refroidi
cold air inlet
sortie^F d'air^M chaud
warm air outlet
collecteur^M d'échappemen
exhaust manifold
refroidisseur^M d'air^M
intercooler
turbine^F du compresseur^M
compressor turbine
turbine^F d'entraînement^M
driving turbine
tuyau^M d'échappement^M
exhaust pipe
chambre^F de combustion^F
combustion chamber
piston^M
piston
soupape^F d'échappement^M
exhaust valve

BOUGIE[F] D'ALLUMAGE[M]
SPARK PLUG

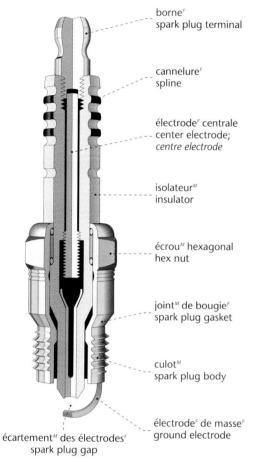

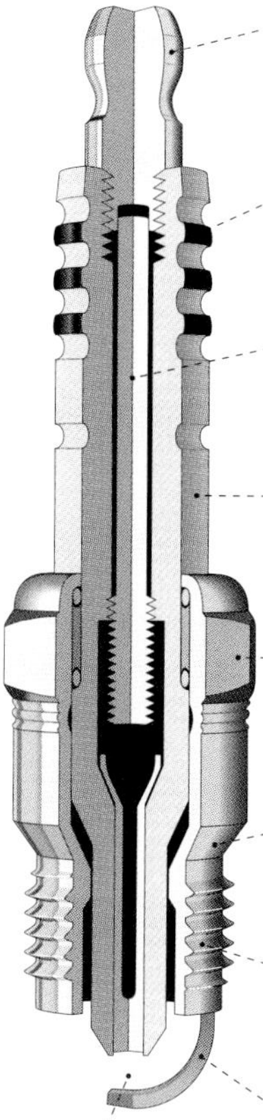
borne[F]
spark plug terminal
cannelure[F]
spline
électrode[F] centrale
center electrode; *centre electrode*
isolateur[M]
insulator
écrou[M] hexagonal
hex nut
joint[M] de bougie[F]
spark plug gasket
culot[M]
spark plug body
électrode[F] de masse[F]
ground electrode
écartement[M] des électrodes[F]
spark plug gap

SYSTÈME[M] D'ÉCHAPPEMENT[M]
EXHAUST SYSTEM

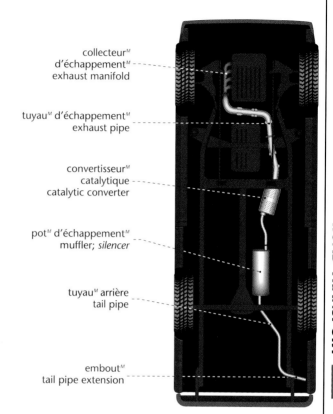

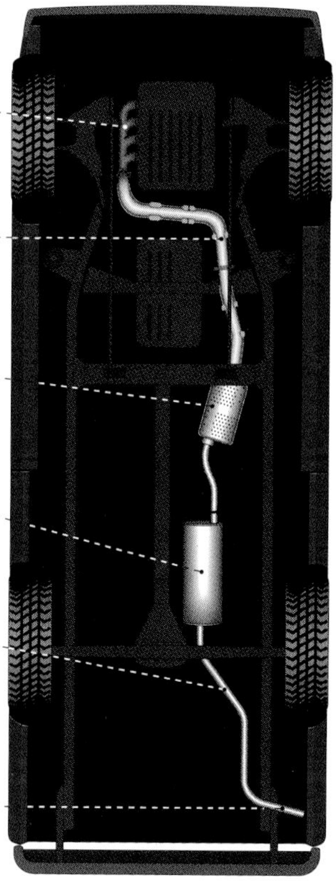
collecteur[M] d'échappement[M]
exhaust manifold
tuyau[M] d'échappement[M]
exhaust pipe
convertisseur[M] catalytique
catalytic converter
pot[M] d'échappement[M]
muffler; *silencer*
tuyau[M] arrière
tail pipe
embout[M]
tail pipe extension

BATTERIE[F] D'ACCUMULATEURS[M]
BATTERY

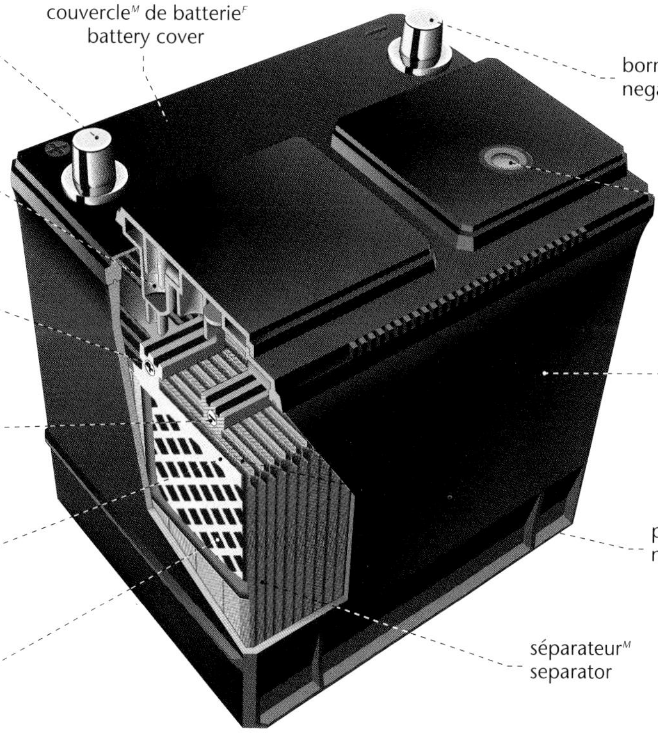
couvercle[M] de batterie[F]
battery cover
borne[F] positive
positive terminal
borne[F] négative
negative terminal
séparateur[M] liquide[M]/gaz[M]
liquid/gas separator
hydromètre[M]
hydrometer
barrette[F] positive
positive plate strap
boîtier[M] de batterie[F]
battery case
barrette[F] négative
negative plate strap
plaque[F] positive
positive plate
plaque[F] négative
negative plate
alvéole[F] de plaque[F]
plate grid
séparateur[M]
separator

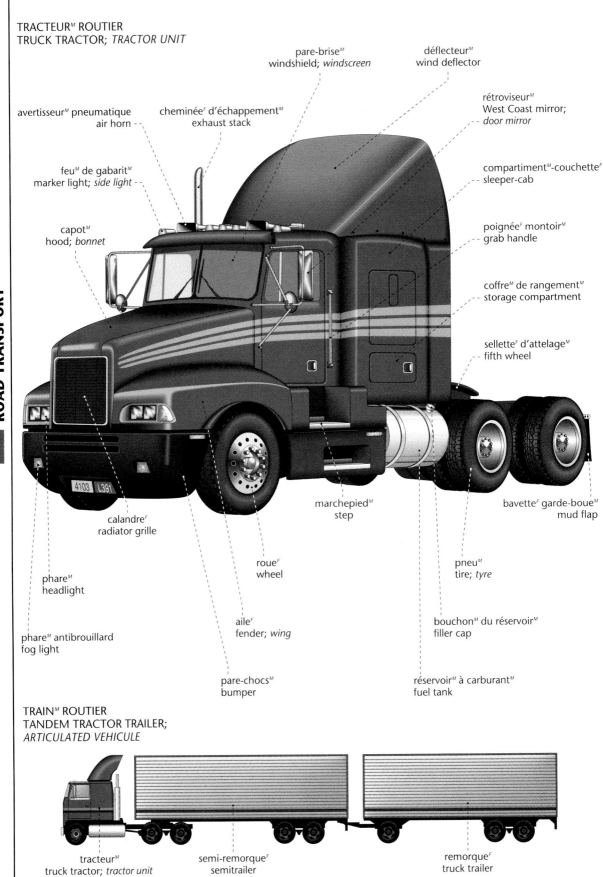

CAMIONNAGE[M]
TRUCKING

TRACTEUR[M] ROUTIER
TRUCK TRACTOR; *TRACTOR UNIT*

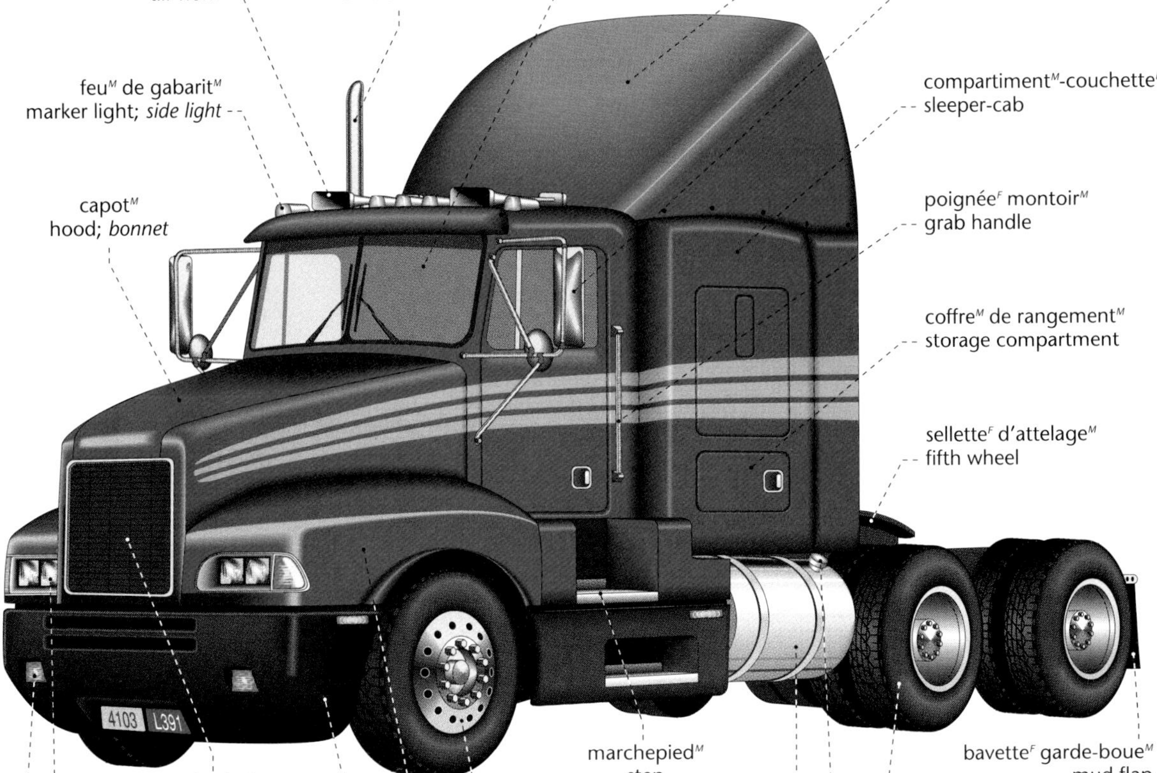
pare-brise[M]
windshield; *windscreen*
déflecteur[M]
wind deflector
avertisseur[M] pneumatique
air horn
cheminée[F] d'échappement[M]
exhaust stack
rétroviseur[M]
West Coast mirror;
door mirror
feu[M] de gabarit[M]
marker light; *side light*
compartiment[M]-couchette[F]
sleeper-cab
capot[M]
hood; *bonnet*
poignée[F] montoir[M]
grab handle
coffre[M] de rangement[M]
storage compartment
sellette[F] d'attelage[M]
fifth wheel
4103 L391
marchepied[M]
step
bavette[F] garde-boue[M]
mud flap
calandre[F]
radiator grille
roue[F]
wheel
pneu[M]
tire; *tyre*
phare[M]
headlight
aile[F]
fender; *wing*
bouchon[M] du réservoir[M]
filler cap
phare[M] antibrouillard
fog light
pare-chocs[M]
bumper
réservoir[M] à carburant[M]
fuel tank

TRAIN[M] ROUTIER
TANDEM TRACTOR TRAILER; *ARTICULATED VEHICULE*

tracteur[M]
truck tractor; *tractor unit*
semi-remorque[F]
semitrailer
remorque[F]
truck trailer

SEMI-REMORQUE[F]
SEMITRAILER

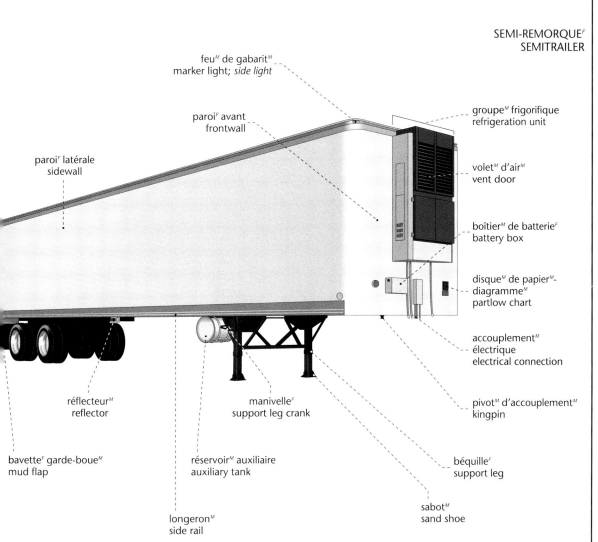

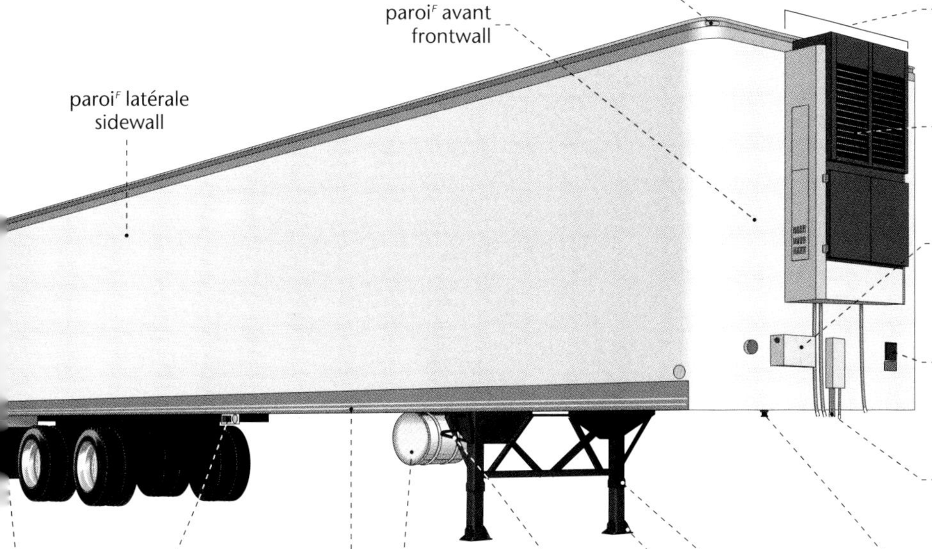
feu[M] de gabarit[M]
marker light; *side light*
paroi[F] avant
frontwall
groupe[M] frigorifique
refrigeration unit
paroi[F] latérale
sidewall
volet[M] d'air[M]
vent door
boîtier[M] de batterie[F]
battery box
disque[M] de papier[M]-diagramme[M]
partlow chart
accouplement[M] électrique
electrical connection
réflecteur[M]
reflector
manivelle[F]
support leg crank
pivot[M] d'accouplement[M]
kingpin
bavette[F] garde-boue[M]
mud flap
réservoir[M] auxiliaire
auxiliary tank
béquille[F]
support leg
sabot[M]
sand shoe
longeron[M]
side rail

SEMI-REMORQUE[F] PLATE-FORME[F]
FLATBED

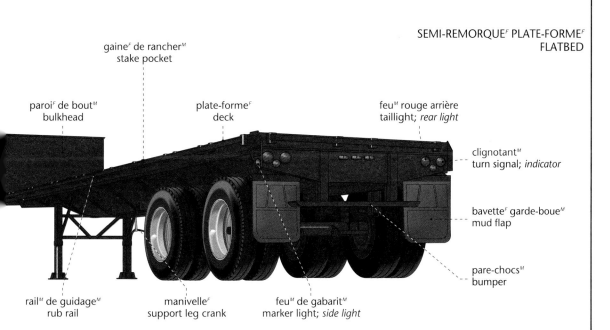

gaine[F] de rancher[M]
stake pocket
paroi[F] de bout[M]
bulkhead
plate-forme[F]
deck
feu[M] rouge arrière
taillight; *rear light*
clignotant[M]
turn signal; *indicator*
bavette[F] garde-boue[M]
mud flap
pare-chocs[M]
bumper
rail[M] de guidage[M]
rub rail
manivelle[F]
support leg crank
feu[M] de gabarit[M]
marker light; *side light*

MOTO[F]
MOTORCYCLE

VUE[F] LATÉRALE
SIDE VIEW

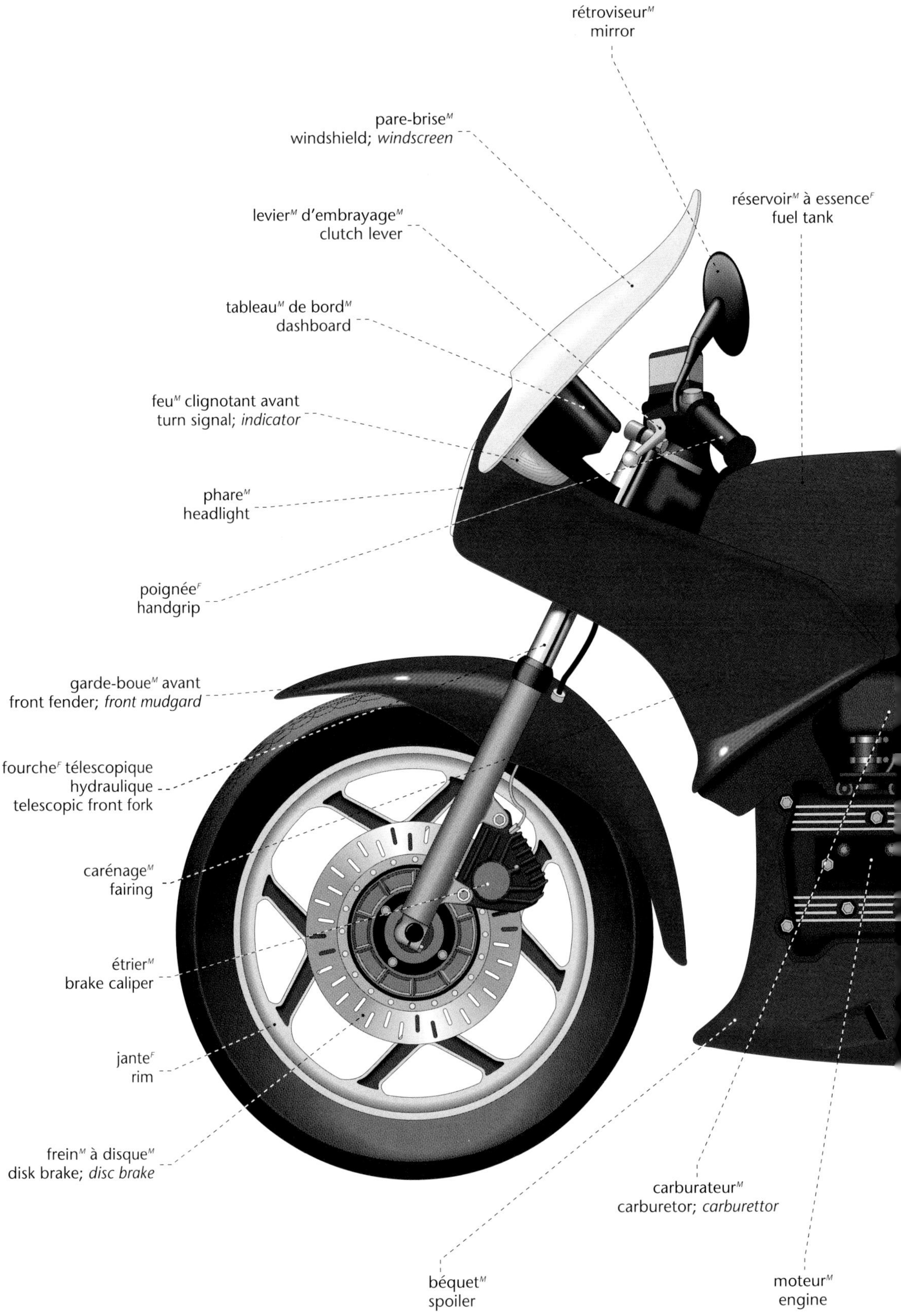
rétroviseur[M]
mirror
pare-brise[M]
windshield; *windscreen*
réservoir[M] à essence[F]
fuel tank
levier[M] d'embrayage[M]
clutch lever
tableau[M] de bord[M]
dashboard
feu[M] clignotant avant
turn signal; *indicator*
phare[M]
headlight
poignée[F]
handgrip
garde-boue[M] avant
front fender; *front mudgard*
fourche[F] télescopique
hydraulique
telescopic front fork
carénage[M]
fairing
étrier[M]
brake caliper
jante[F]
rim
frein[M] à disque[M]
disk brake; *disc brake*
carburateur[M]
carburetor; *carburettor*
béquet[M]
spoiler
moteur[M]
engine

CASQUE^{M} DE PROTECTION^{F}
PROTECTIVE HELMET

coque^{F}
bubble
visière^{F}
visor
grille^{F} d'entrée^{F} d'air^{M}
air inlet
mentonnière^{F}
chin protector
charnière^{F} de la visière^{F}
visor hinge

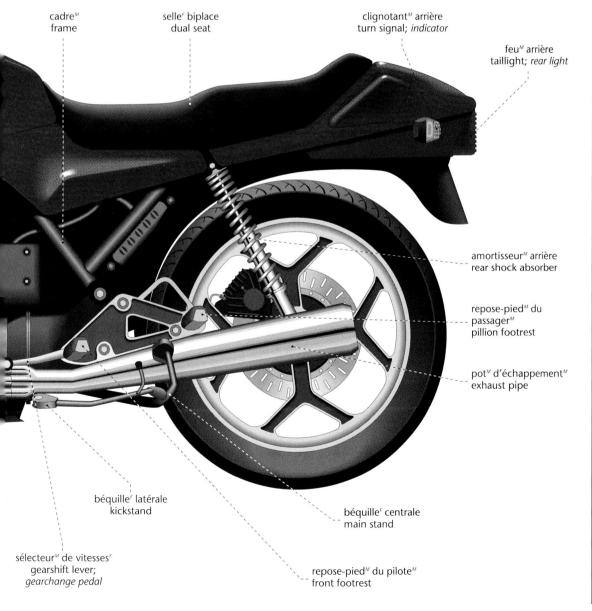

cadre^{M}
frame
selle^{F} biplace
dual seat
clignotant^{M} arrière
turn signal; *indicator*
feu^{M} arrière
taillight; *rear light*
amortisseur^{M} arrière
rear shock absorber
repose-pied^{M} du passager^{M}
pillion footrest
pot^{M} d'échappement^{M}
exhaust pipe
béquille^{F} latérale
kickstand
béquille^{F} centrale
main stand
sélecteur^{M} de vitesses^{F}
gearshift lever; *gearchange pedal*
repose-pied^{M} du pilote^{M}
front footrest

MOTO^F
MOTORCYCLE

VUE^F EN PLONGÉE^F
VIEW FROM ABOVE

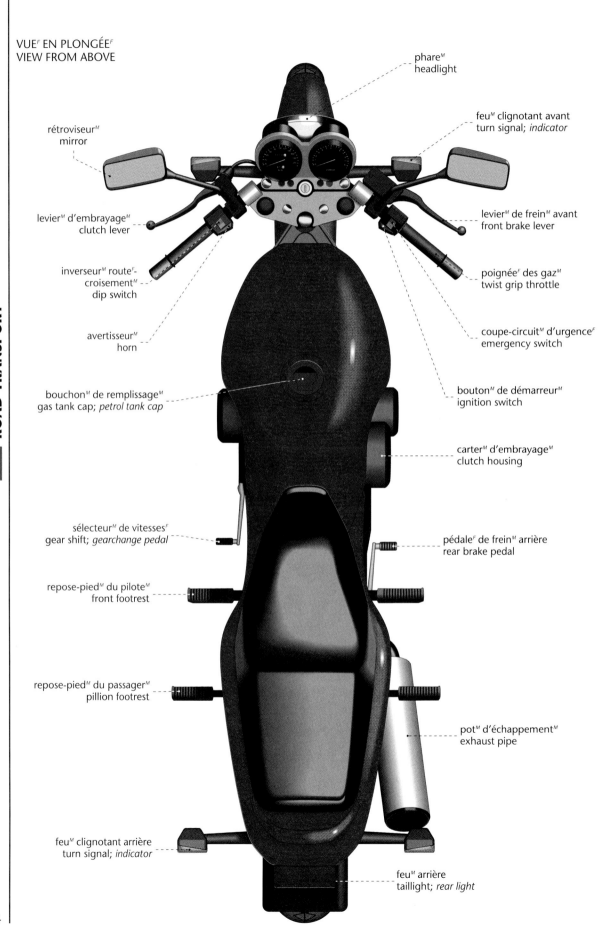

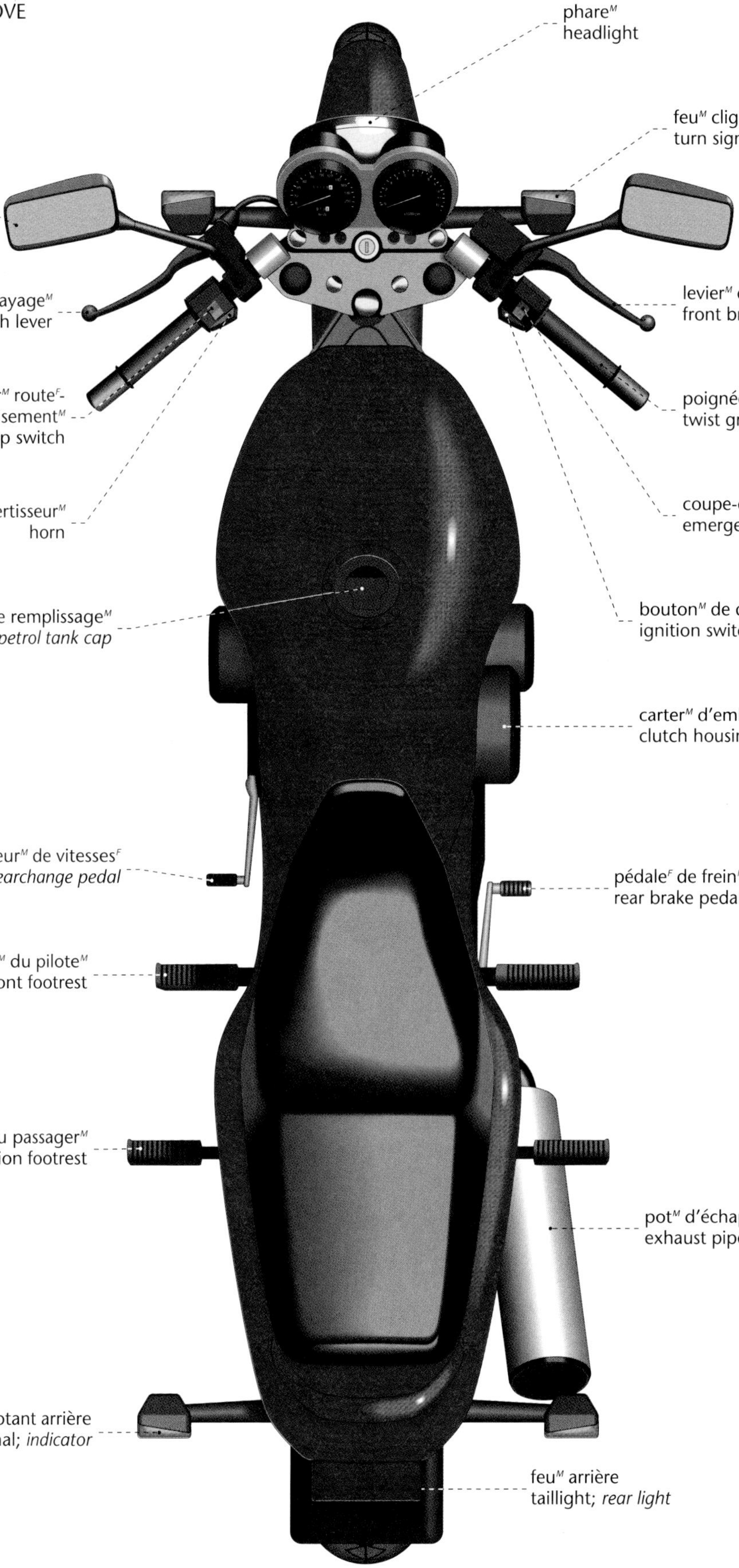
phare^M
headlight
feu^M clignotant avant
turn signal; *indicator*
rétroviseur^M
mirror
levier^M d'embrayage^M
clutch lever
levier^M de frein^M avant
front brake lever
inverseur^M route^F-croisement^M
dip switch
poignée^F des gaz^M
twist grip throttle
avertisseur^M
horn
coupe-circuit^M d'urgence^F
emergency switch
bouchon^M de remplissage^M
gas tank cap; *petrol tank cap*
bouton^M de démarreur^M
ignition switch
carter^M d'embrayage^M
clutch housing
sélecteur^M de vitesses^F
gear shift; *gearchange pedal*
pédale^F de frein^M arrière
rear brake pedal
repose-pied^M du pilote^M
front footrest
repose-pied^M du passager^M
pillion footrest
pot^M d'échappement^M
exhaust pipe
feu^M clignotant arrière
turn signal; *indicator*
feu^M arrière
taillight; *rear light*

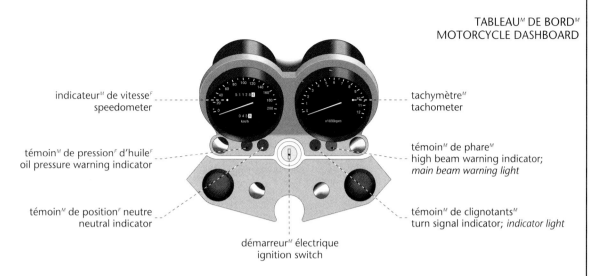

TABLEAU^M DE BORD^M
MOTORCYCLE DASHBOARD

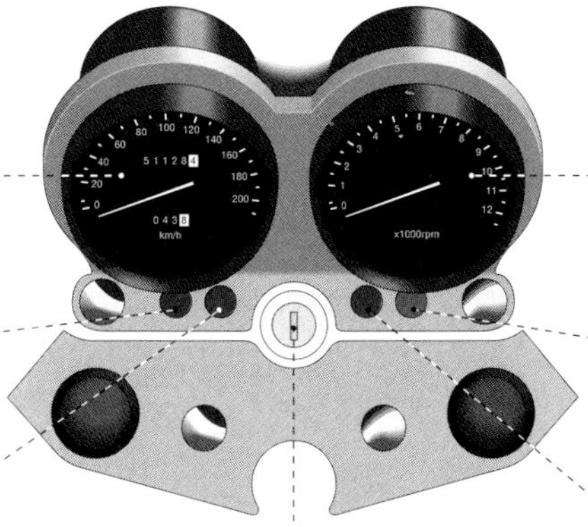

indicateur^M de vitesse^F
speedometer
tachymètre^M
tachometer
témoin^M de pression^F d'huile^F
oil pressure warning indicator
témoin^M de phare^M
high beam warning indicator; *main beam warning light*
témoin^M de position^F neutre
neutral indicator
témoin^M de clignotants^M
turn signal indicator; *indicator light*
démarreur^M électrique
ignition switch

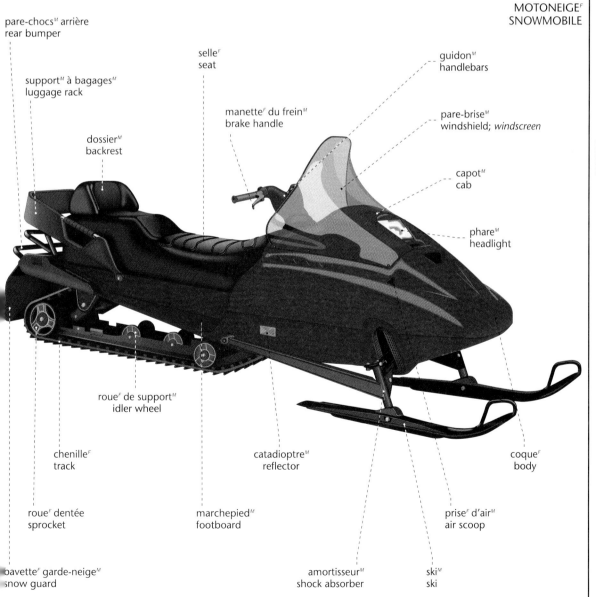

MOTONEIGE^F
SNOWMOBILE

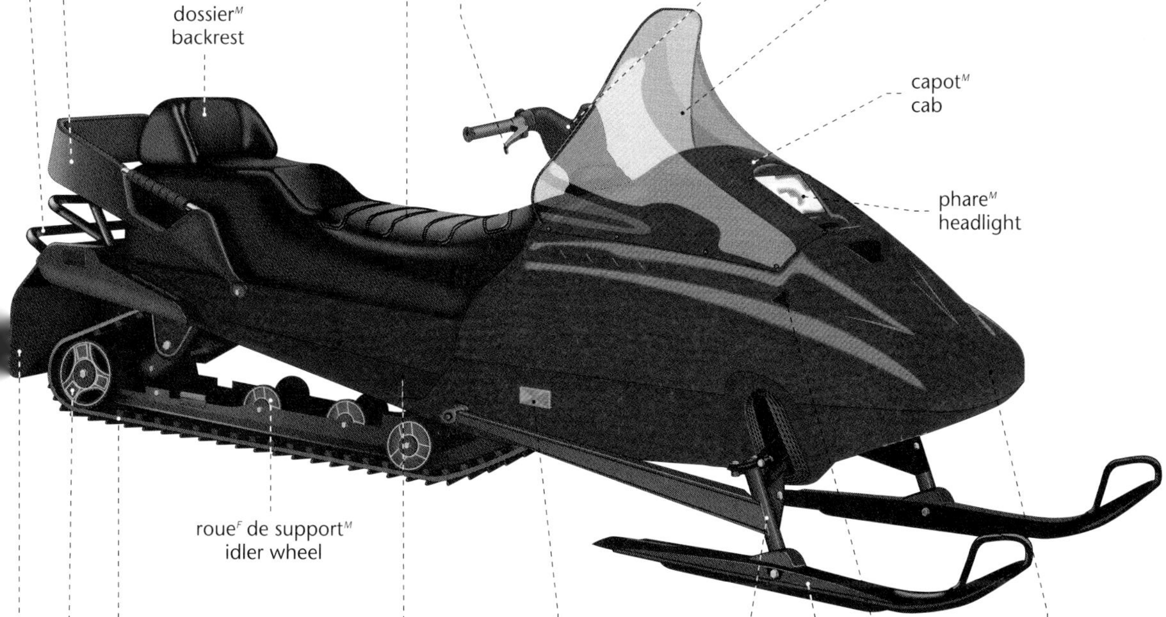

pare-chocs^M arrière
rear bumper
selle^F
seat
guidon^M
handlebars
support^M à bagages^M
luggage rack
manette^F du frein^M
brake handle
pare-brise^M
windshield; *windscreen*
dossier^M
backrest
capot^M
cab
phare^M
headlight
roue^F de support^M
idler wheel
chenille^F
track
catadioptre^M
reflector
coque^F
body
roue^F dentée
sprocket
marchepied^M
footboard
prise^F d'air^M
air scoop
bavette^F garde-neige^M
snow guard
amortisseur^M
shock absorber
ski^M
ski

TRANSPORT ROUTIER
ROAD TRANSPORT

BICYCLETTE[F]
BICYCLE

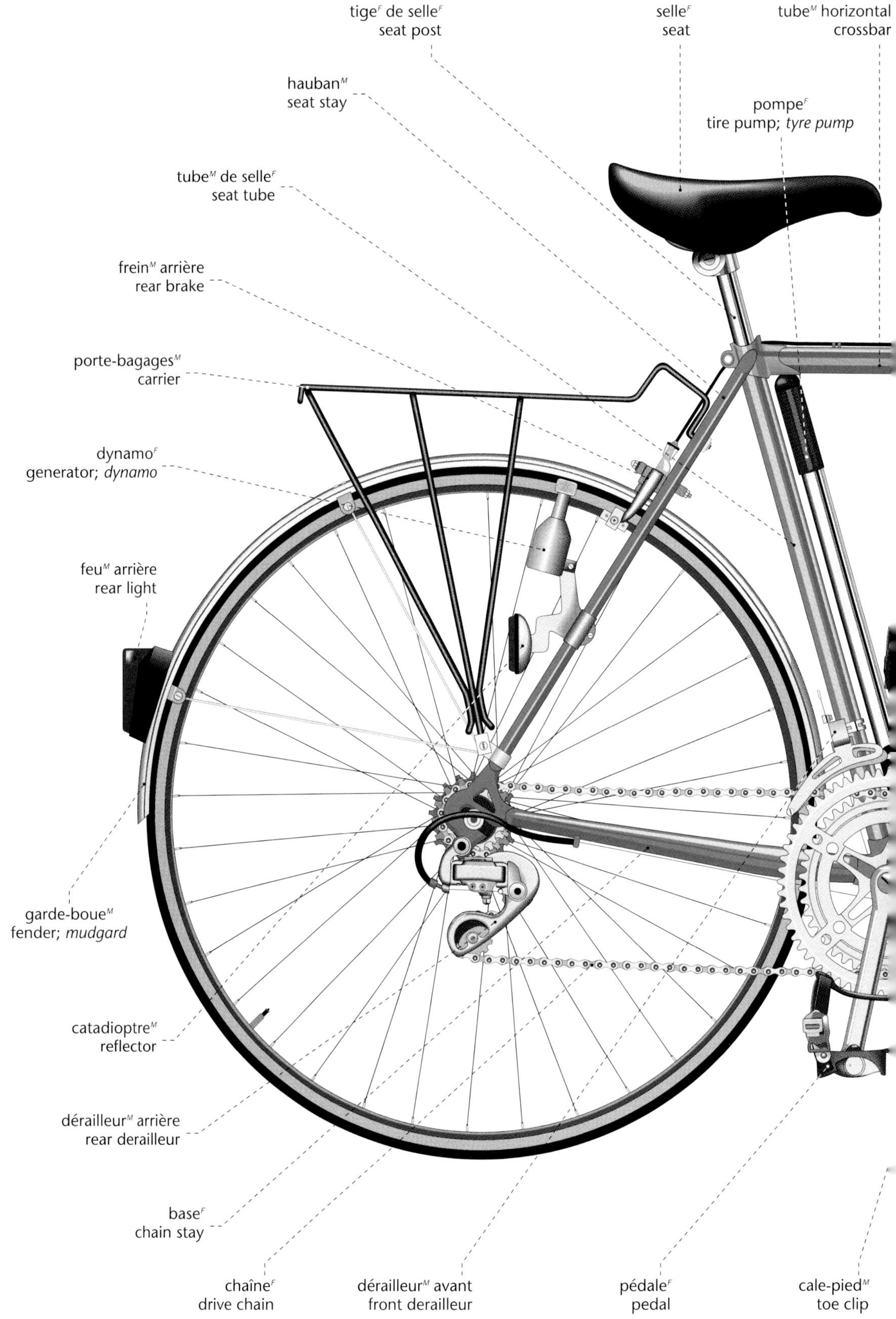
tige[F] de selle[F]
seat post
selle[F]
seat
tube[M] horizontal
crossbar
hauban[M]
seat stay
pompe[F]
tire pump; *tyre pump*
tube[M] de selle[F]
seat tube
frein[M] arrière
rear brake
porte-bagages[M]
carrier
dynamo[F]
generator; *dynamo*
feu[M] arrière
rear light
garde-boue[M]
fender; *mudgard*
catadioptre[M]
reflector
dérailleur[M] arrière
rear derailleur
base[F]
chain stay
chaîne[F]
drive chain
dérailleur[M] avant
front derailleur
pédale[F]
pedal
cale-pied[M]
toe clip

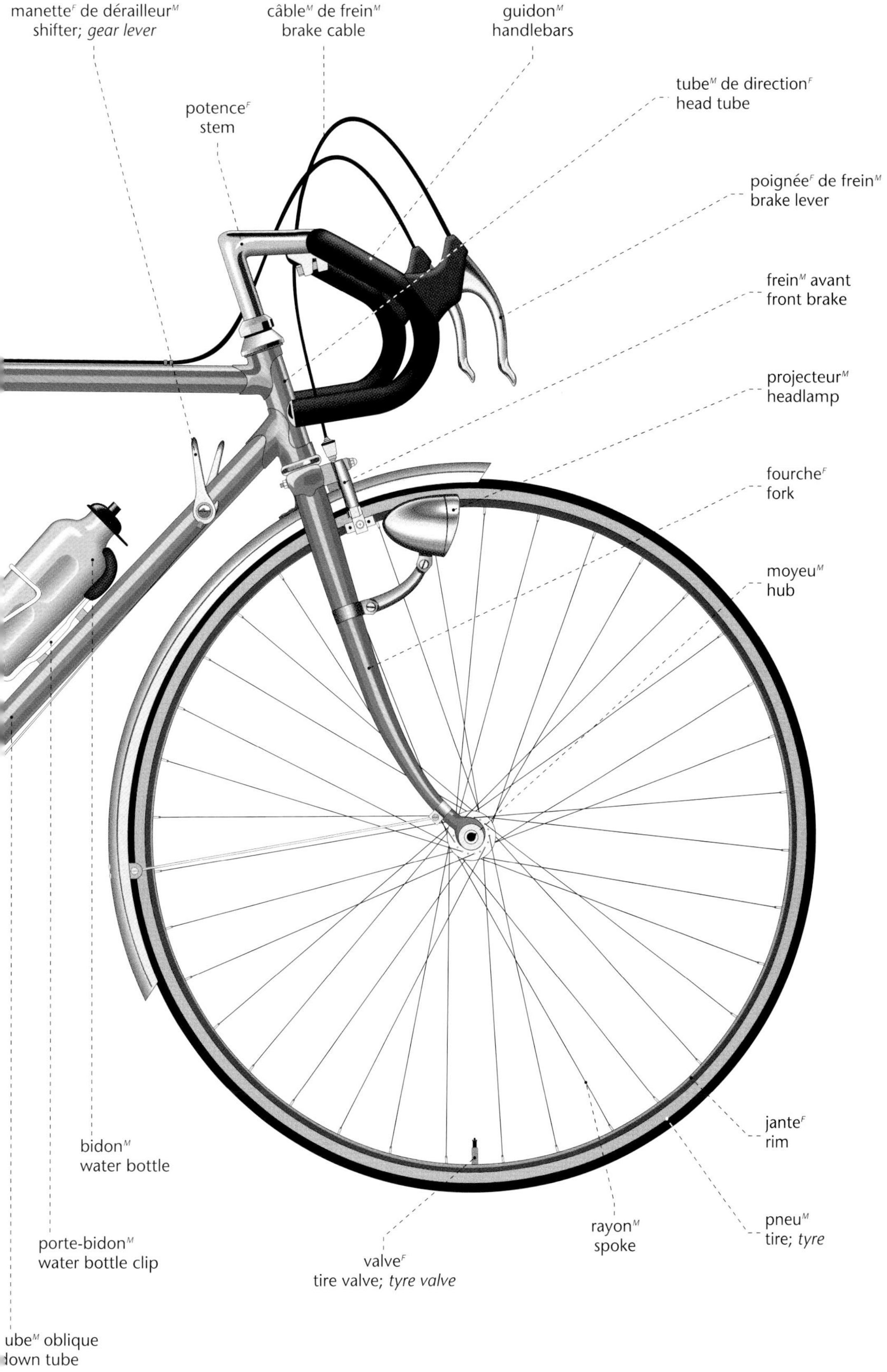
manette[F] de dérailleur[M]
shifter; *gear lever*
câble[M] de frein[M]
brake cable
guidon[M]
handlebars
tube[M] de direction[F]
head tube
potence[F]
stem
poignée[F] de frein[M]
brake lever
frein[M] avant
front brake
projecteur[M]
headlamp
fourche[F]
fork
moyeu[M]
hub
jante[F]
rim
bidon[M]
water bottle
pneu[M]
tire; *tyre*
rayon[M]
spoke
porte-bidon[M]
water bottle clip
valve[F]
tire valve; *tyre valve*
ube[M] oblique
lown tube

BICYCLETTE[F]
BICYCLE

MÉCANISME[M] DE PROPULSION[F]
POWER TRAIN

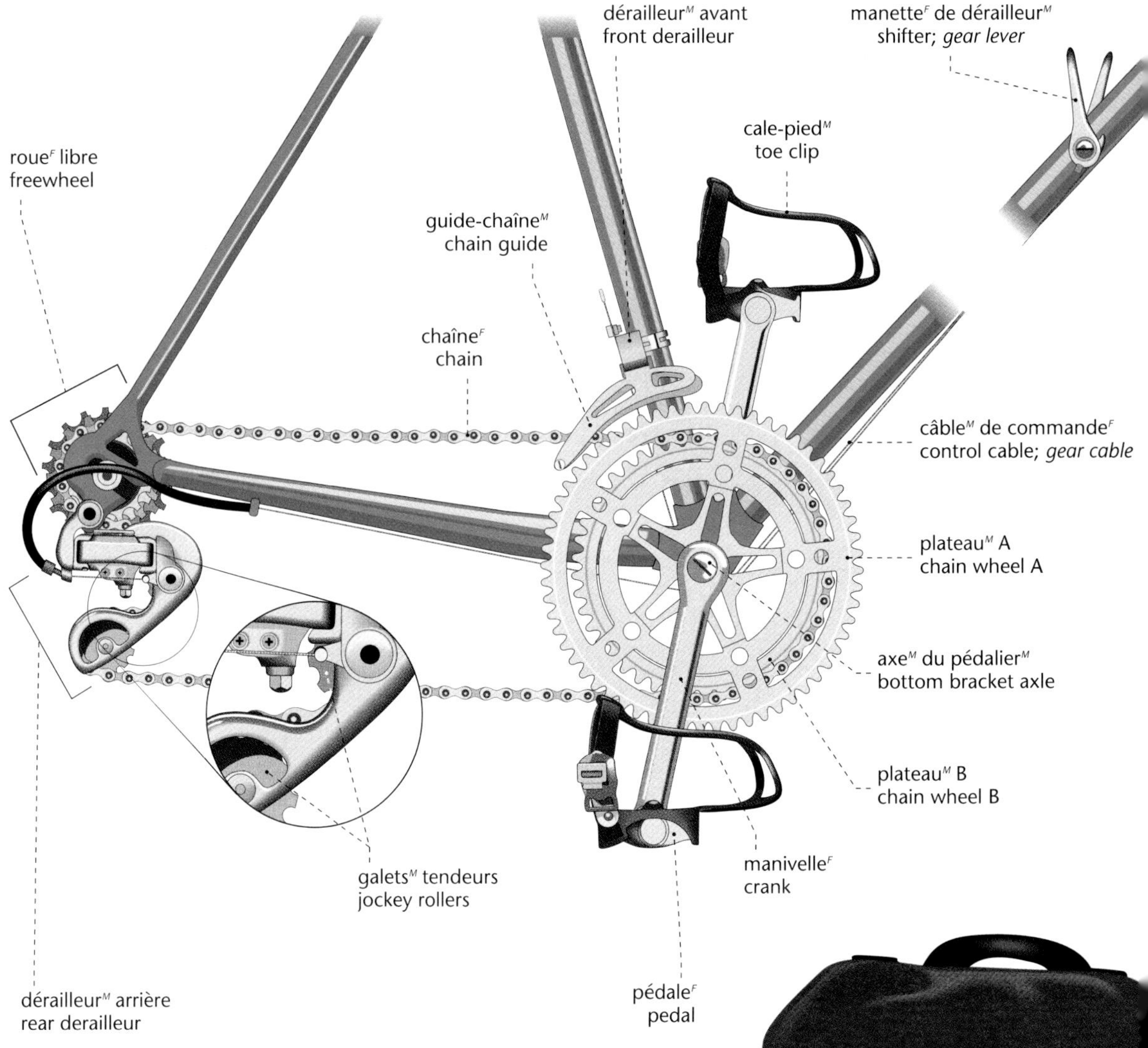
dérailleur[M] avant
front derailleur
manette[F] de dérailleur[M]
shifter; *gear lever*
roue[F] libre
freewheel
cale-pied[M]
toe clip
guide-chaîne[M]
chain guide
chaîne[F]
chain
câble[M] de commande[F]
control cable; *gear cable*
plateau[M] A
chain wheel A
axe[M] du pédalier[M]
bottom bracket axle
plateau[M] B
chain wheel B
galets[M] tendeurs
jockey rollers
manivelle[F]
crank
dérailleur[M] arrière
rear derailleur
pédale[F]
pedal

ACCESSOIRES[M]
ACCESSORIES

cadenas[M]
lock

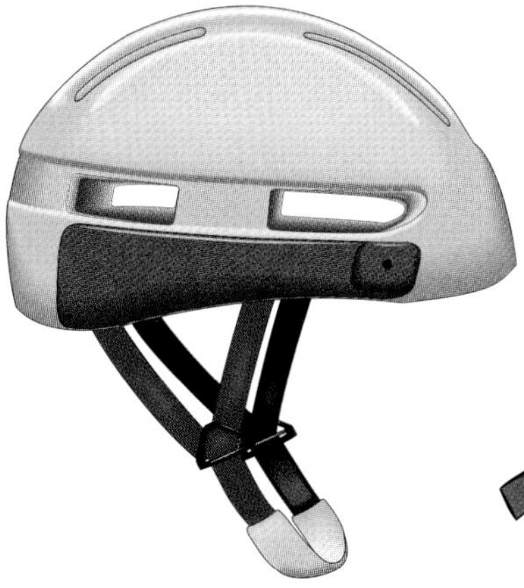

casque[M] de protection[F]
protective helmet

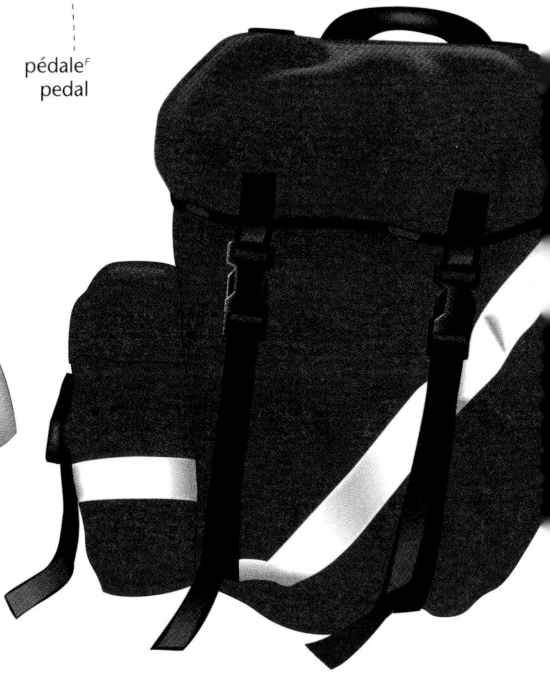

sacoche[F]
bicycle bag; *pannier bag*

CARAVANE[F]
CARAVAN

CARAVANE[F] TRACTÉE
TRAILER; *TRAILER CARAVAN*

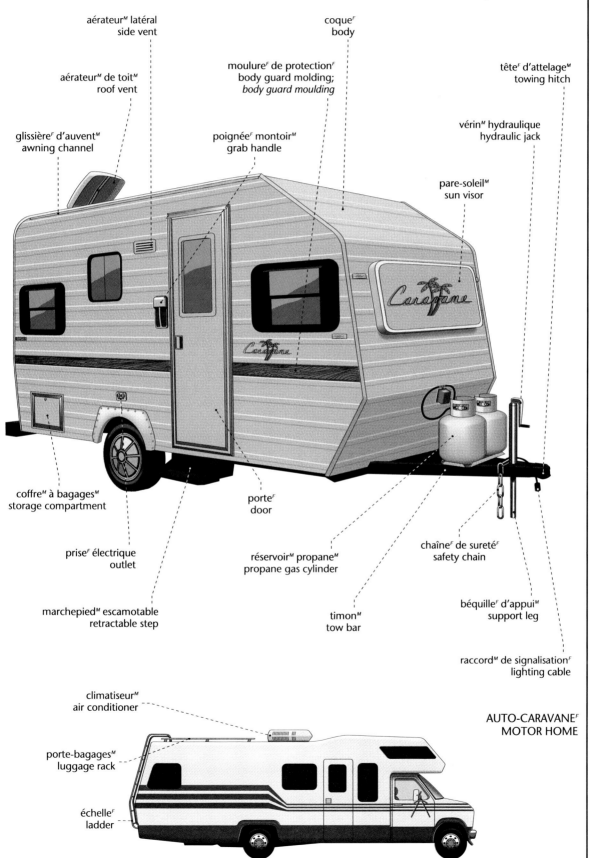

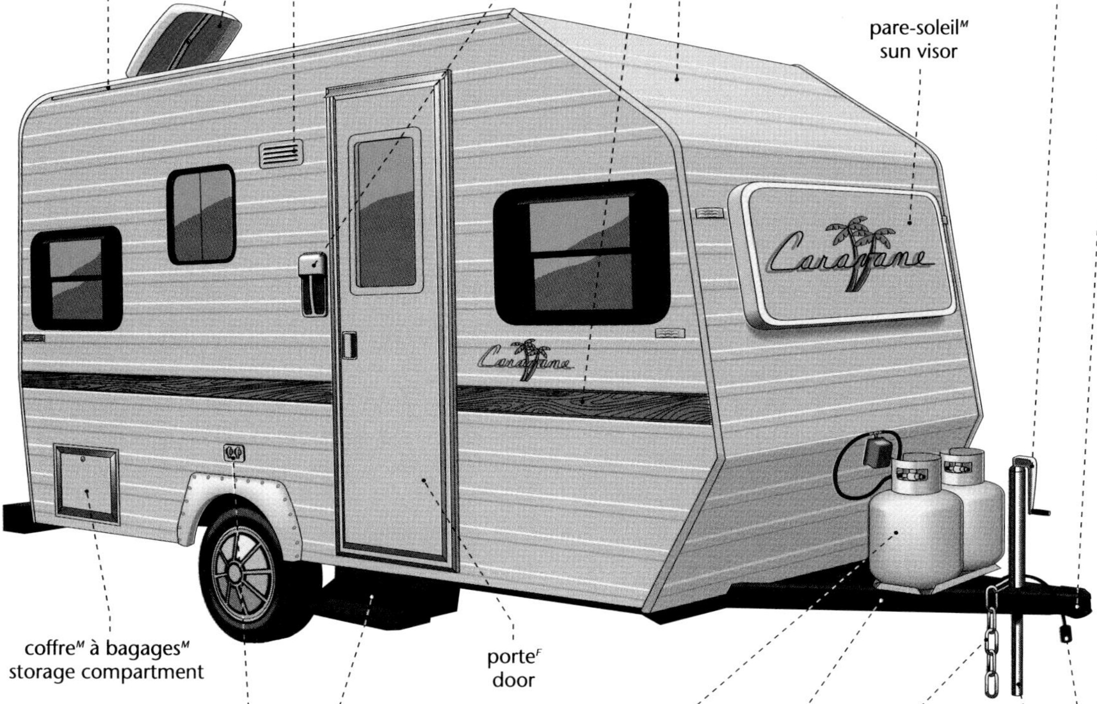
aérateur[M] latéral
side vent
coque[F]
body
aérateur[M] de toit[M]
roof vent
moulure[F] de protection[F]
body guard molding;
body guard moulding
tête[F] d'attelage[M]
towing hitch
glissière[F] d'auvent[M]
awning channel
poignée[F] montoir[M]
grab handle
vérin[M] hydraulique
hydraulic jack
pare-soleil[M]
sun visor
coffre[M] à bagages[M]
storage compartment
porte[F]
door
prise[F] électrique
outlet
réservoir[M] propane[M]
propane gas cylinder
chaîne[F] de sureté[F]
safety chain
marchepied[M] escamotable
retractable step
timon[M]
tow bar
béquille[F] d'appui[M]
support leg
raccord[M] de signalisation[F]
lighting cable

AUTO-CARAVANE[F]
MOTOR HOME

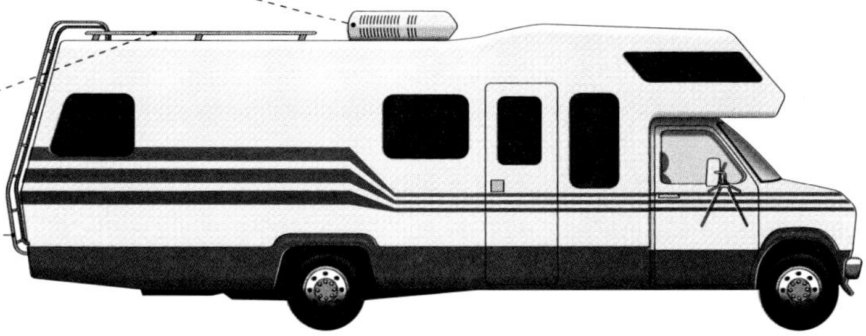
climatiseur[M]
air conditioner
porte-bagages[M]
luggage rack
échelle[F]
ladder

SYSTÈME[M] ROUTIER
ROAD SYSTEM

COUPE[F] D'UNE ROUTE[F]
CROSS SECTION OF A ROAD

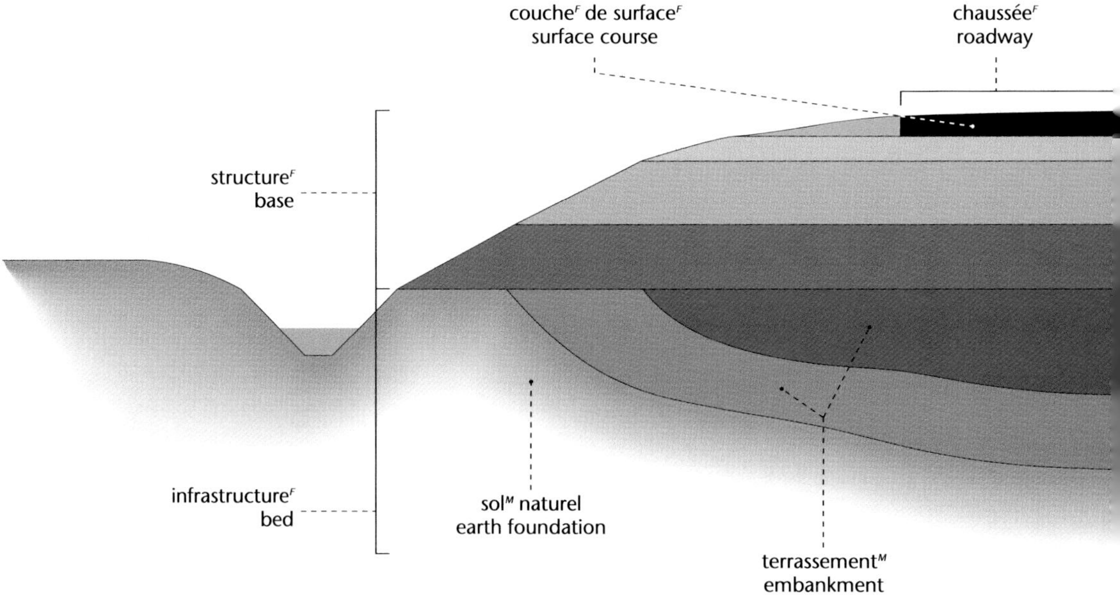
couche[F] de surface[F]
surface course
chaussée[F]
roadway
structure[F]
base
infrastructure[F]
bed
sol[M] naturel
earth foundation
terrassement[M]
embankment

PRINCIPAUX TYPES[M] D'ÉCHANGEURS[M]
MAJOR TYPES OF INTERCHANGES

échangeur[M] en trèfle[M]
cloverleaf

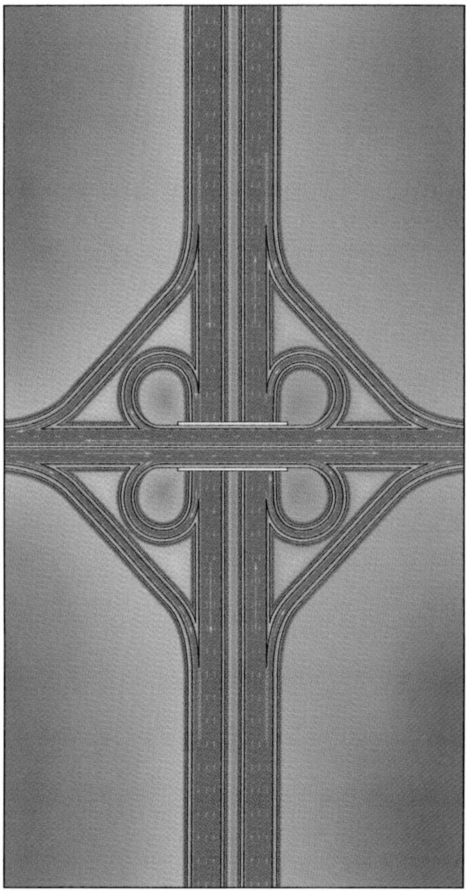

carrefour[M] giratoire
traffic circle

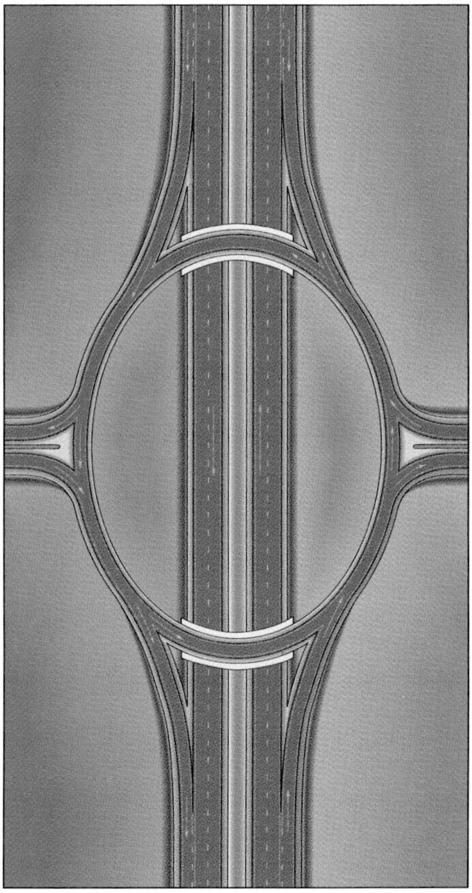

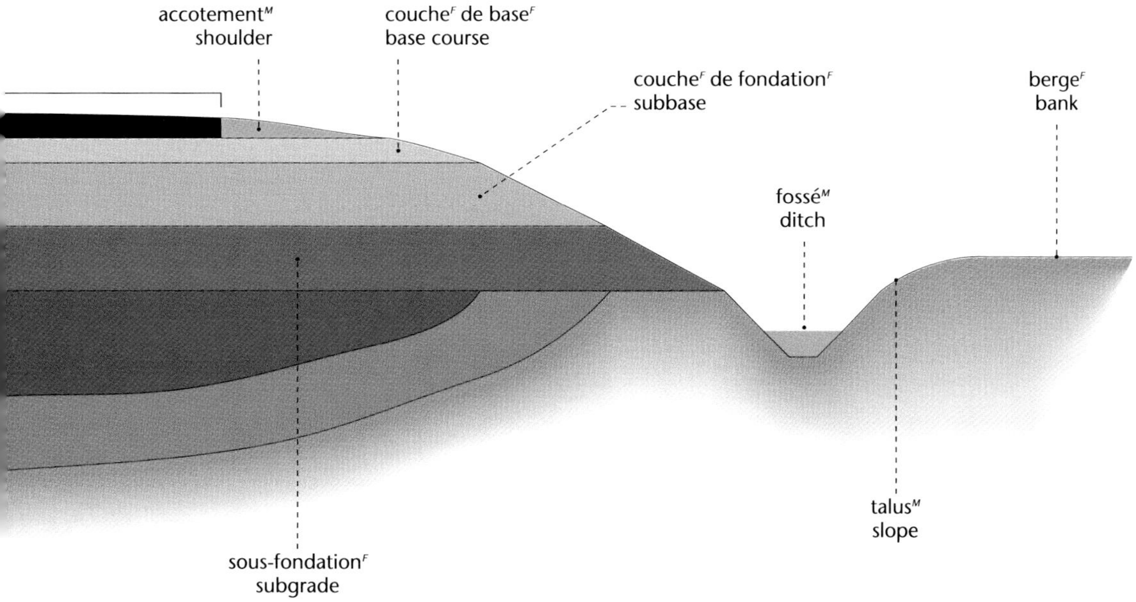
accotement[M]
shoulder
couche[F] de base[F]
base course
couche[F] de fondation[F]
subbase
berge[F]
bank
fossé[M]
ditch
talus[M]
slope
sous-fondation[F]
subgrade

échangeur[M] en losange[M]
diamond interchange

échangeur[M] en trompette[F]
trumpet interchange

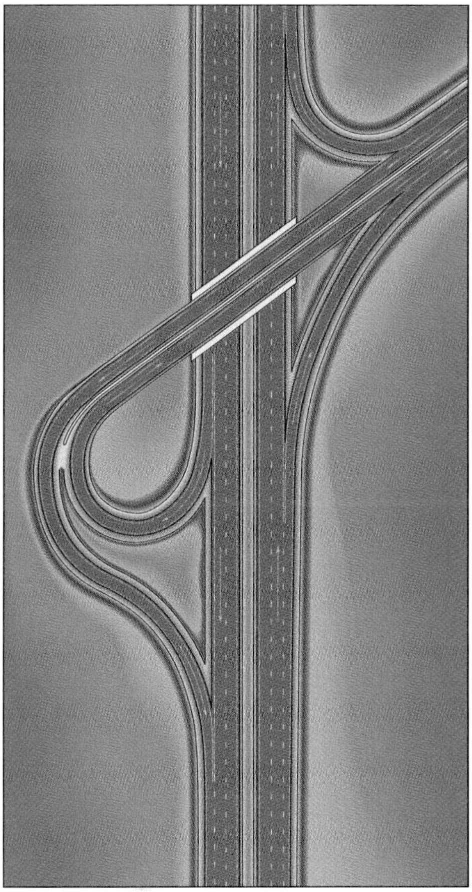

ÉCHANGEUR[M] EN TRÈFLE[M]
CLOVERLEAF

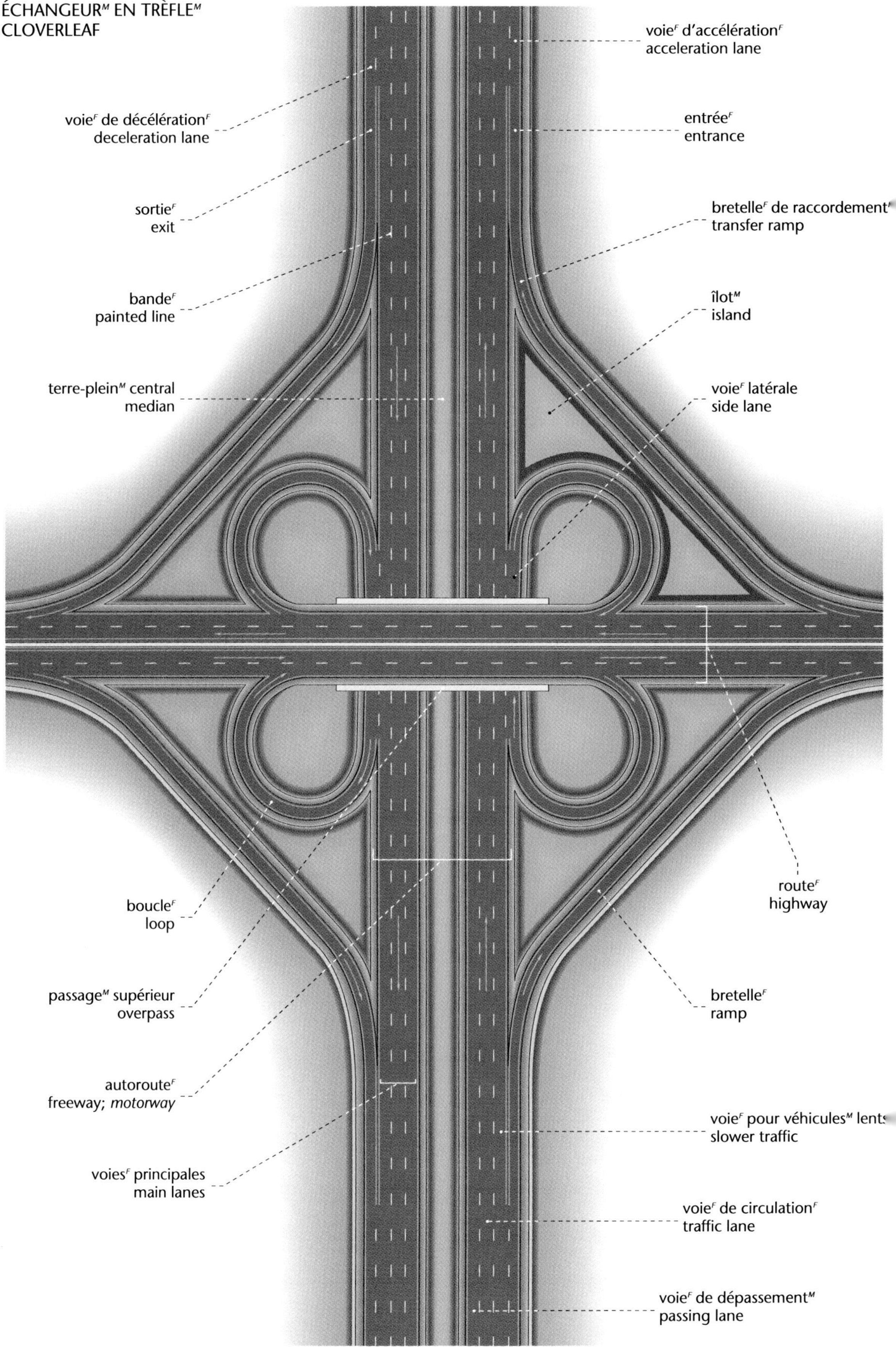
voie[F] d'accélération[F]
acceleration lane
voie[F] de décélération[F]
deceleration lane
entrée[F]
entrance
sortie[F]
exit
bretelle[F] de raccordement[F]
transfer ramp
bande[F]
painted line
îlot[M]
island
terre-plein[M] central
median
voie[F] latérale
side lane
route[F]
highway
boucle[F]
loop
passage[M] supérieur
overpass
bretelle[F]
ramp
autoroute[F]
freeway; *motorway*
voie[F] pour véhicules[M] lents
slower traffic
voies[F] principales
main lanes
voie[F] de circulation[F]
traffic lane
voie[F] de dépassement[M]
passing lane

STATION[F]-SERVICE[M]
SERVICE STATION; *PETROL STATION*

DISTRIBUTEUR[M] D'ESSENCE[F]
GASOLINE PUMP; *PETROL PUMP*

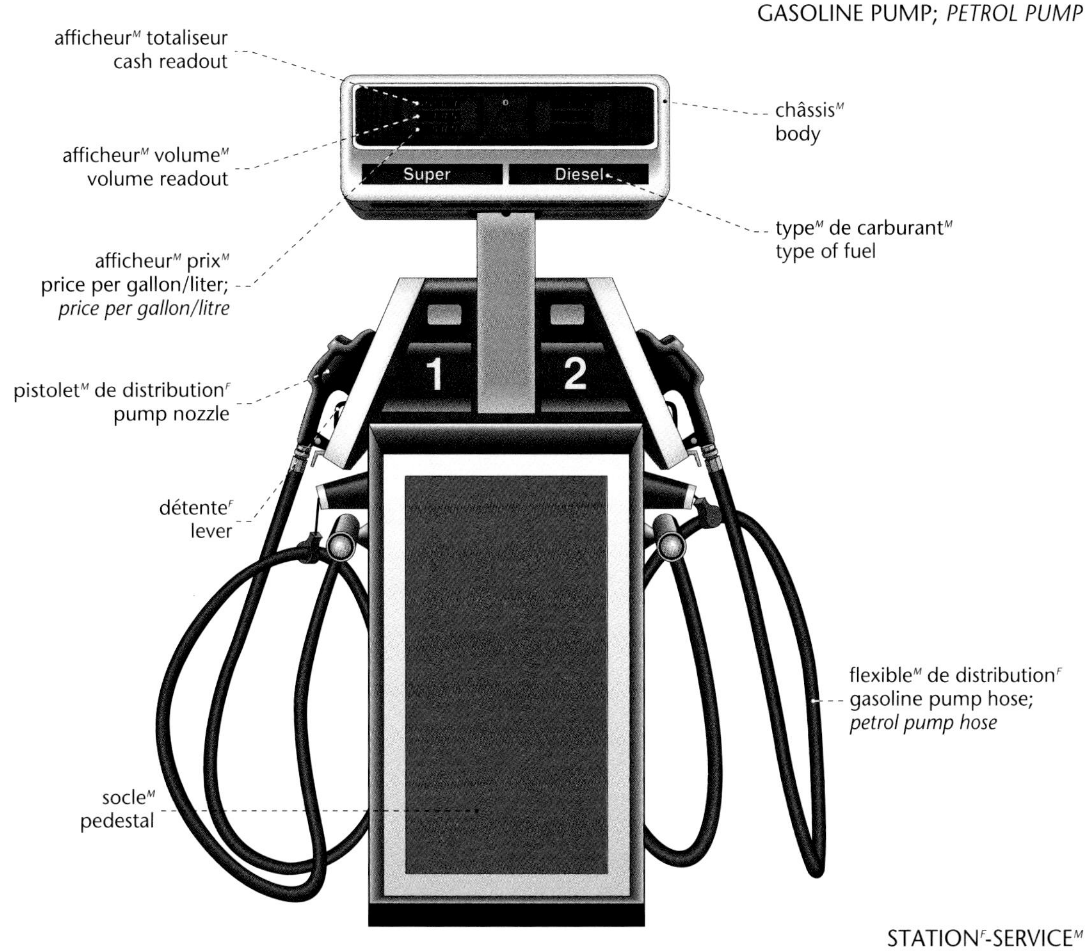

afficheur[M] totaliseur
cash readout
afficheur[M] volume[M]
volume readout
afficheur[M] prix[M]
price per gallon/liter; *price per gallon/litre*
pistolet[M] de distribution[F]
pump nozzle
détente[F]
lever
socle[M]
pedestal
châssis[M]
body
Super
Diesel
1
2
type[M] de carburant[M]
type of fuel
flexible[M] de distribution[F]
gasoline pump hose; *petrol pump hose*

STATION[F]-SERVICE[M]
SERVICE STATION;
PETROL STATION

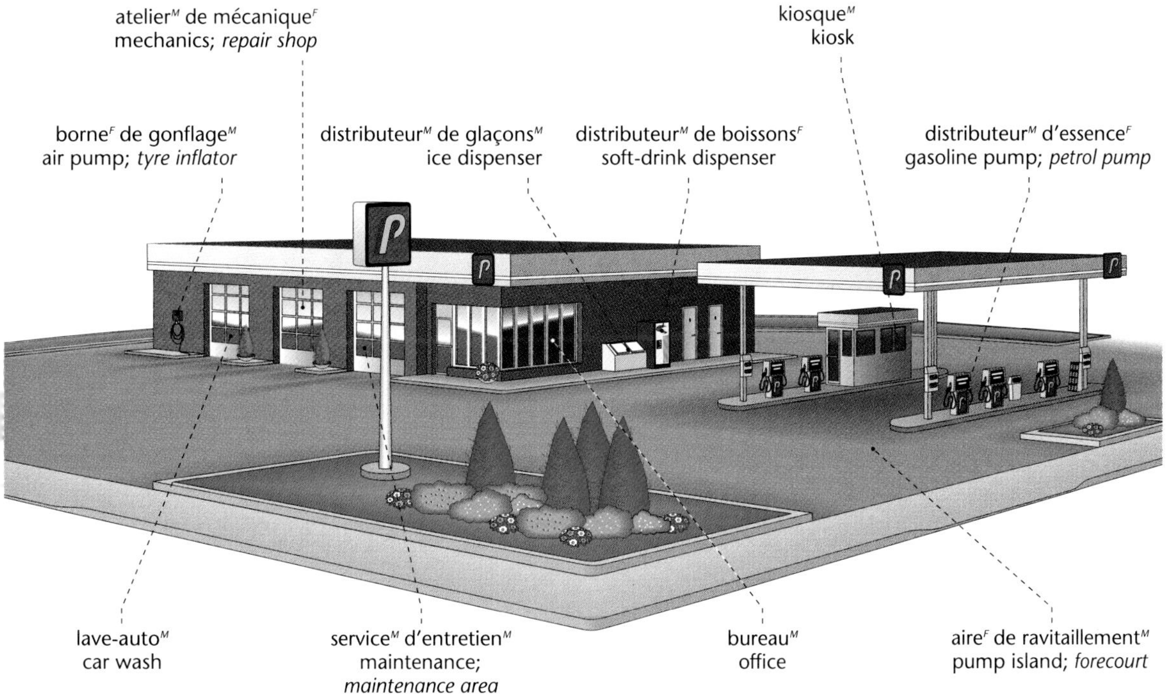

atelier[M] de mécanique[F]
mechanics; *repair shop*
kiosque[M]
kiosk
borne[F] de gonflage[M]
air pump; *tyre inflator*
distributeur[M] de glaçons[M]
ice dispenser
distributeur[M] de boissons[F]
soft-drink dispenser
distributeur[M] d'essence[F]
gasoline pump; *petrol pump*
lave-auto[M]
car wash
service[M] d'entretien[M]
maintenance; *maintenance area*
bureau[M]
office
aire[F] de ravitaillement[M]
pump island; *forecourt*

PONTS^M FIXES
FIXED BRIDGES

PONT^M À POUTRE^F
BEAM BRIDGE

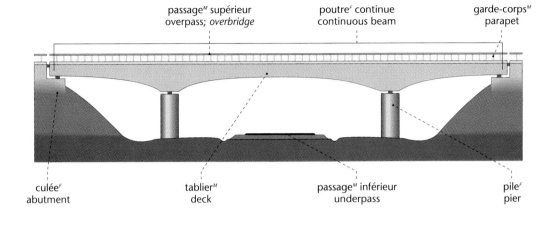

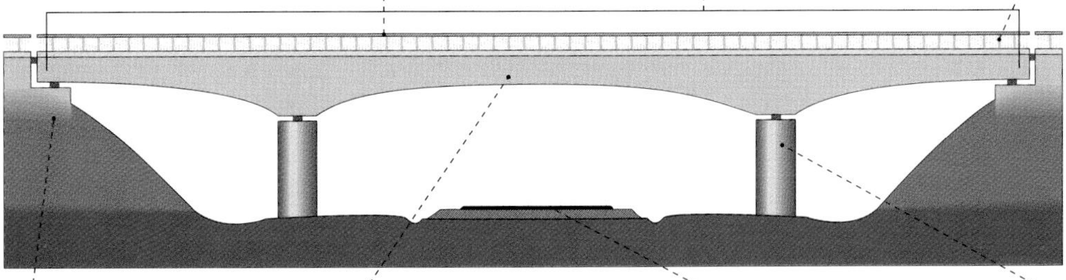
passage^M supérieur
overpass; *overbridge*
poutre^F continue
continuous beam
garde-corps^M
parapet
culée^F
abutment
tablier^M
deck
passage^M inférieur
underpass
pile^F
pier

TYPES^M DE PONTS^M À POUTRE^F
TYPES OF BEAM BRIDGES

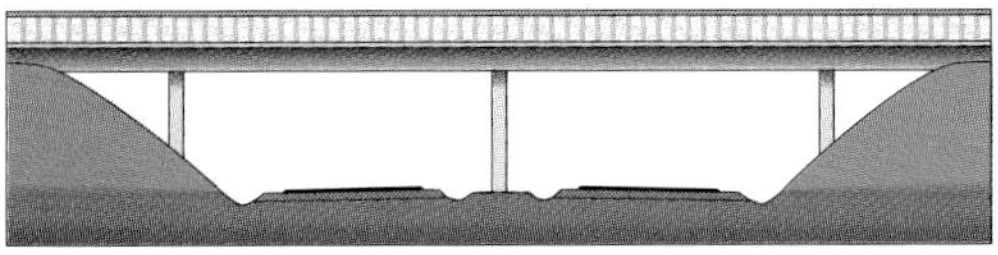

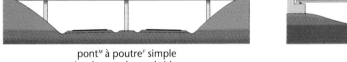

pont^M à poutre^F simple
simple-span beam bridge

pont^M à poutres^F indépendantes
multiple-span beam bridge

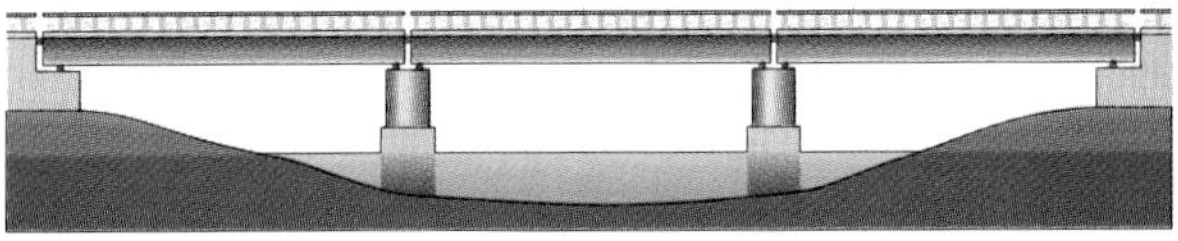

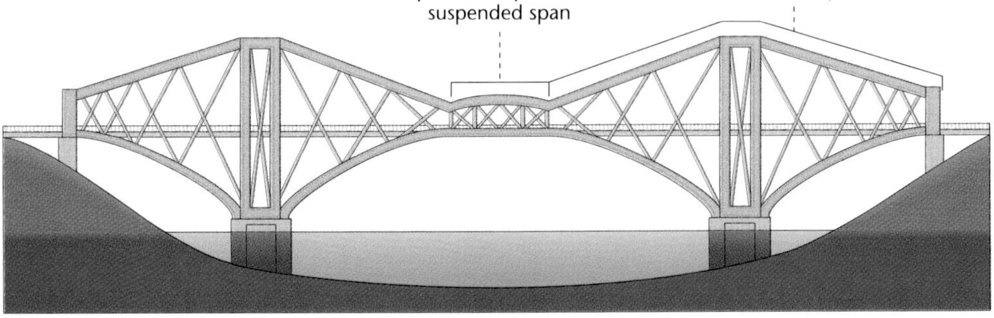
poutre^F suspendue
suspended span
poutre^F cantilever
cantilever span

pont^M cantilever
cantilever bridge

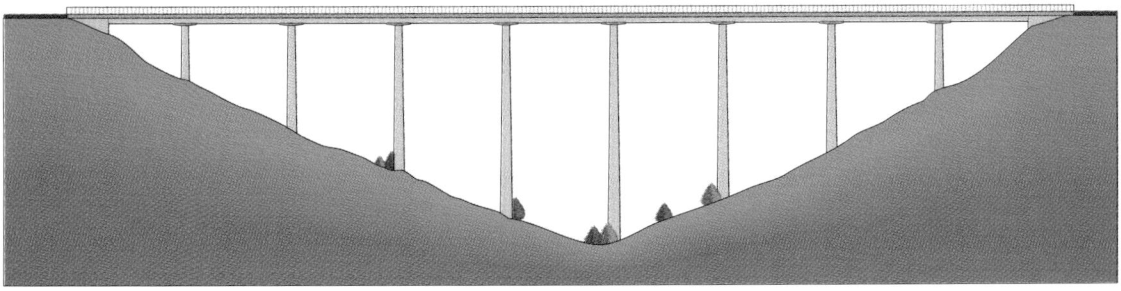

viaduc^M
viaduct

PONT[M] EN ARC[M]
ARCH BRIDGE

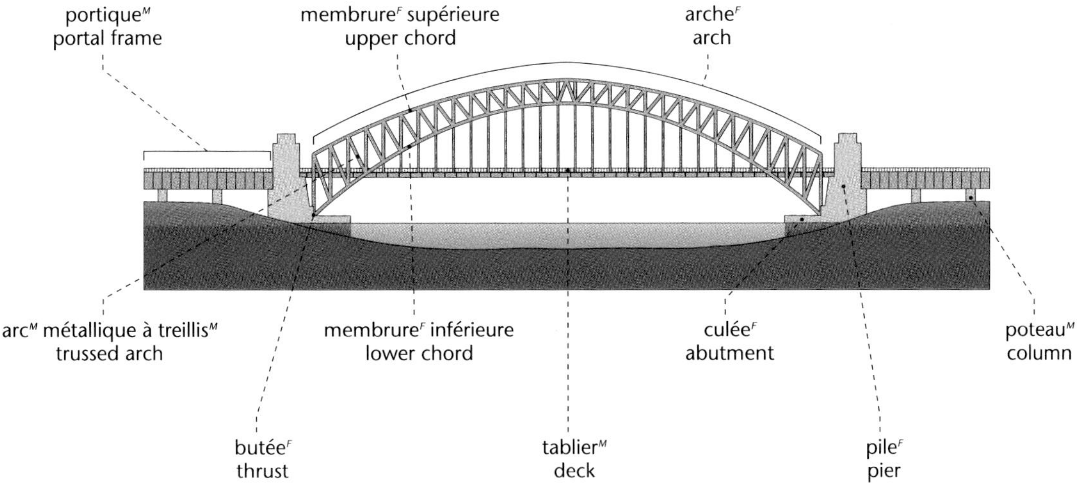
portique[M]
portal frame
membrure[F] supérieure
upper chord
arche[F]
arch
arc[M] métallique à treillis[M]
trussed arch
membrure[F] inférieure
lower chord
culée[F]
abutment
poteau[M]
column
butée[F]
thrust
tablier[M]
deck
pile[F]
pier

TYPES[M] DE PONTS[M] EN ARC[M]
TYPES OF ARCH BRIDGES

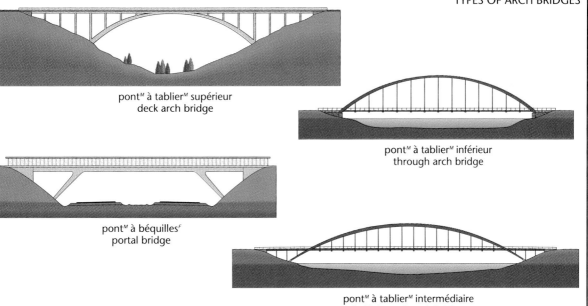

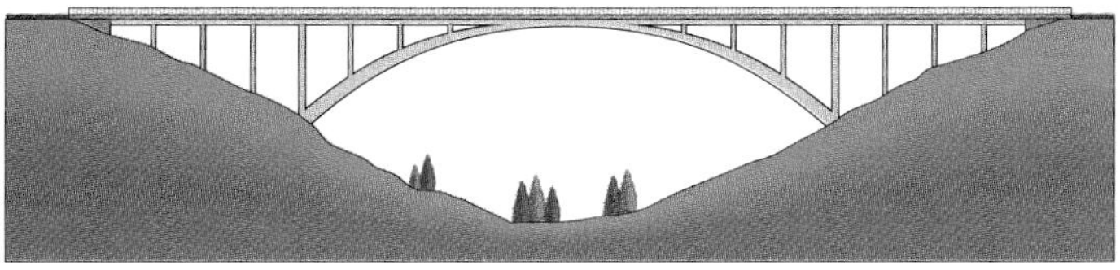
pont[M] à tablier[M] supérieur
deck arch bridge

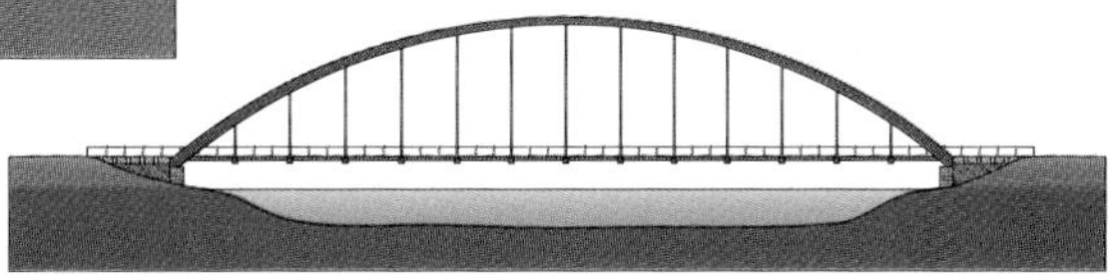
pont[M] à tablier[M] inférieur
through arch bridge

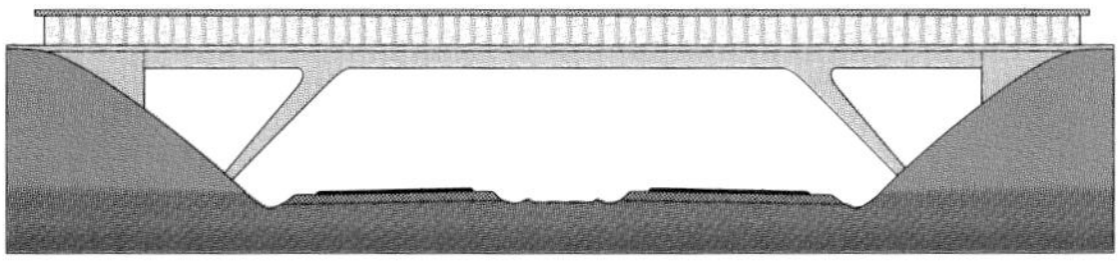
pont[M] à béquilles[F]
portal bridge

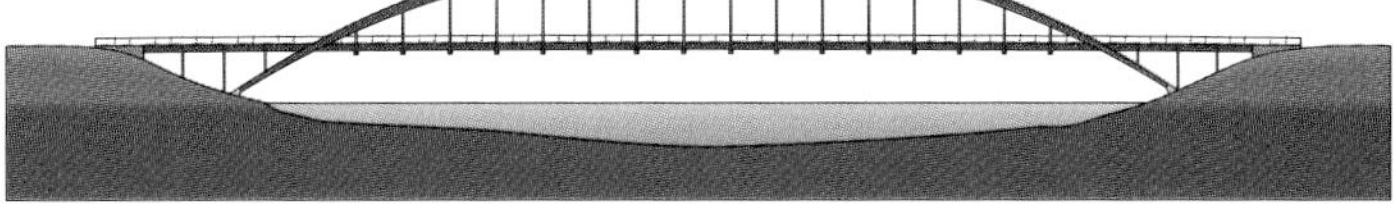
pont[M] à tablier[M] intermédiaire
half-through arch bridge

TYPES[M] D'ARCS[M]
TYPES OF ARCHES

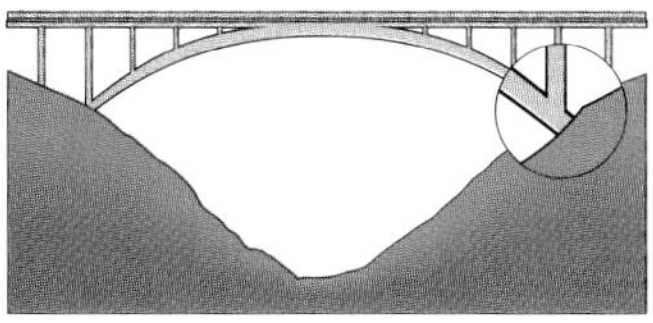
arc[M] encastré
fixed arch

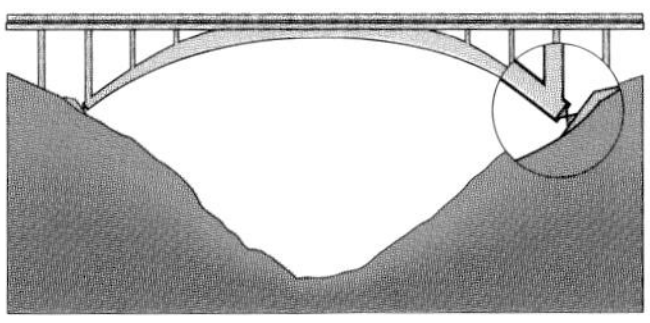
arc[M] à deux articulations[F]
two-hinged arch

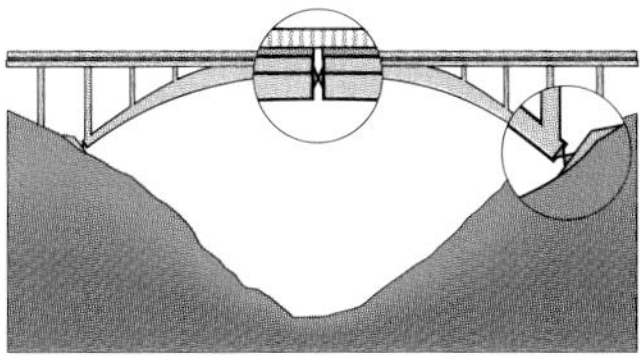
arc[M] à trois articulations[F]
three-hinged arch

PONTS[M] FIXES
FIXED BRIDGES

PONT[M] SUSPENDU À CÂBLE[M] PORTEUR
SUSPENSION BRIDGE

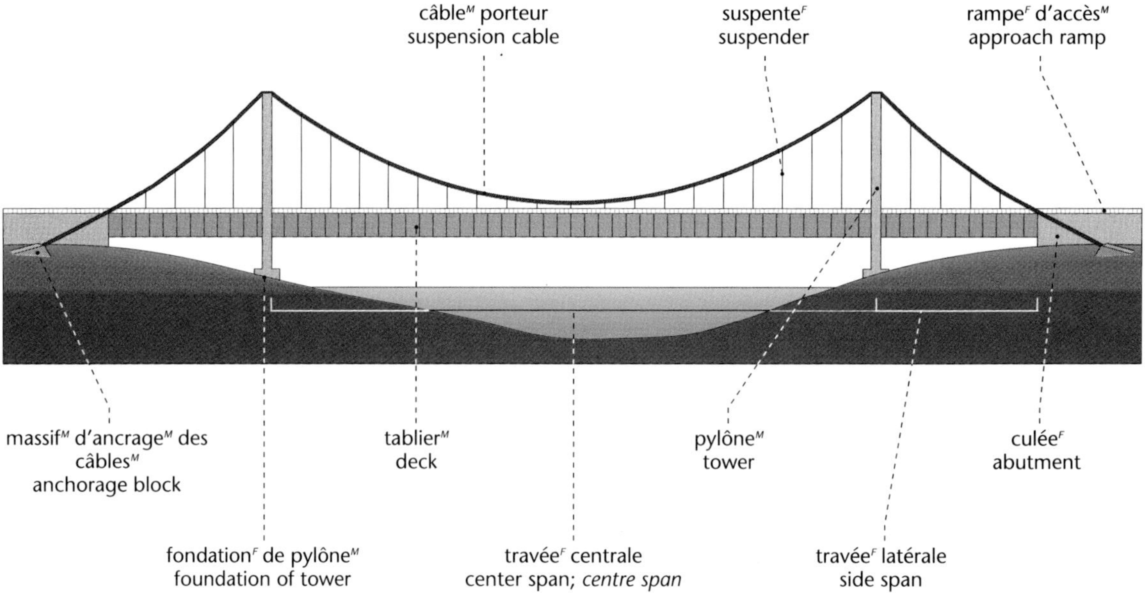
câble[M] porteur
suspension cable
suspente[F]
suspender
rampe[F] d'accès[M]
approach ramp
massif[M] d'ancrage[M] des câbles[M]
anchorage block
tablier[M]
deck
pylône[M]
tower
culée[F]
abutment
fondation[F] de pylône[M]
foundation of tower
travée[F] centrale
center span; *centre span*
travée[F] latérale
side span

PONTS[M] SUSPENDUS À HAUBANS[M]
CABLE-STAYED BRIDGES

haubans[M] en éventail[M]
fan cable stays

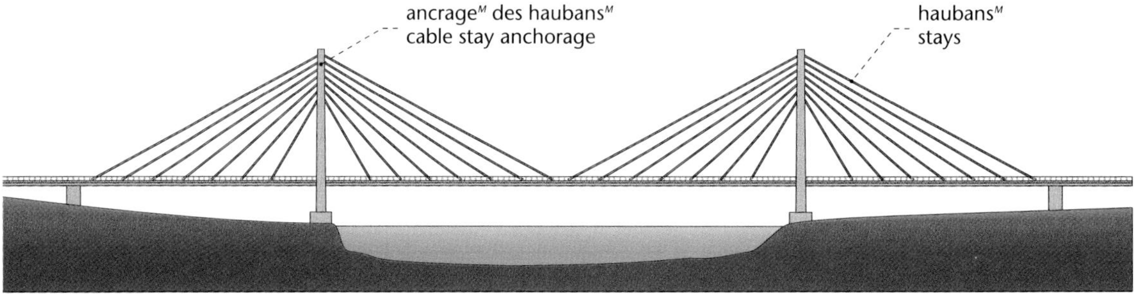
ancrage[M] des haubans[M]
cable stay anchorage
haubans[M]
stays

haubans[M] en harpe[F]
harp cable stays

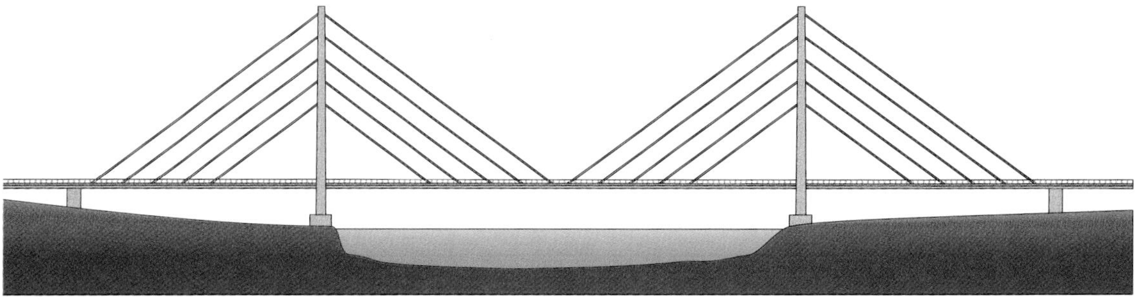

PONTS[M] MOBILES
MOVABLE BRIDGES

plaque[F] tournante
turntable

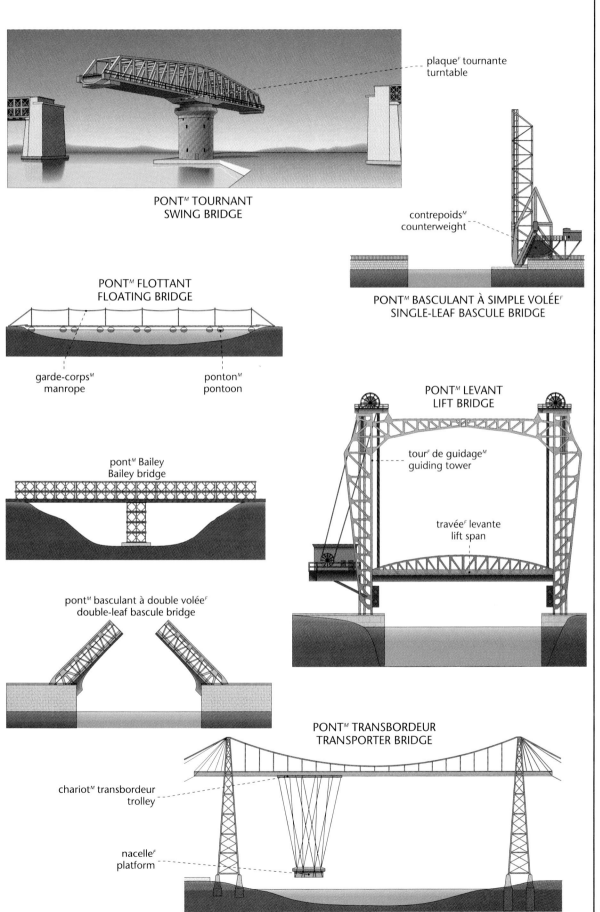

PONT[M] TOURNANT
SWING BRIDGE

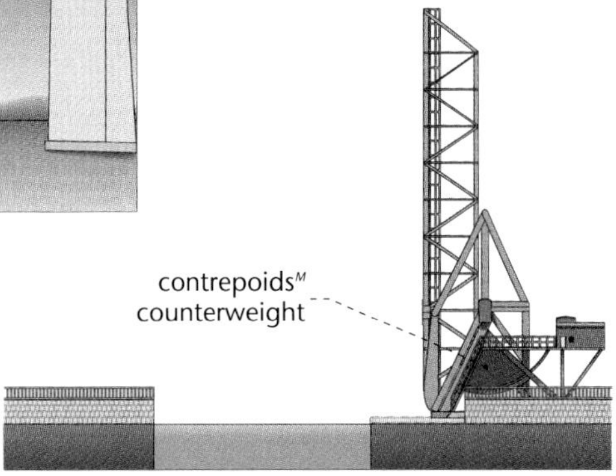
contrepoids[M]
counterweight

PONT[M] BASCULANT À SIMPLE VOLÉE[F]
SINGLE-LEAF BASCULE BRIDGE

PONT[M] FLOTTANT
FLOATING BRIDGE

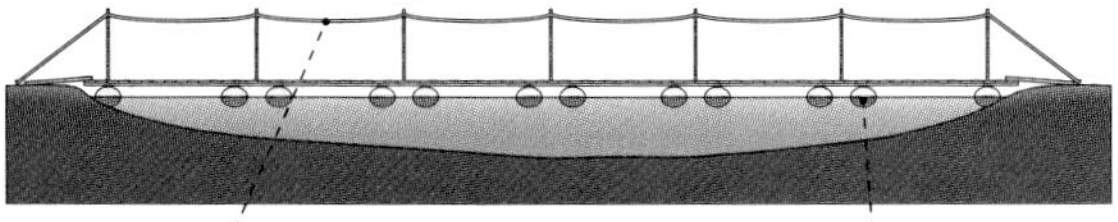
garde-corps[M]
manrope
ponton[M]
pontoon

PONT[M] LEVANT
LIFT BRIDGE

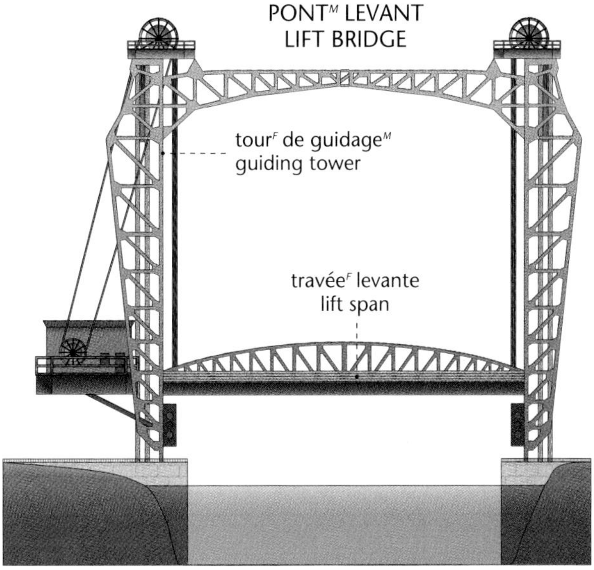
tour[F] de guidage[M]
guiding tower
travée[F] levante
lift span

pont[M] Bailey
Bailey bridge

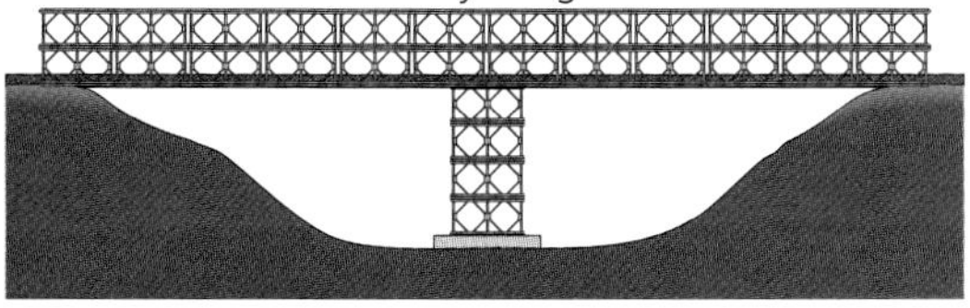

pont[M] basculant à double volée[F]
double-leaf bascule bridge

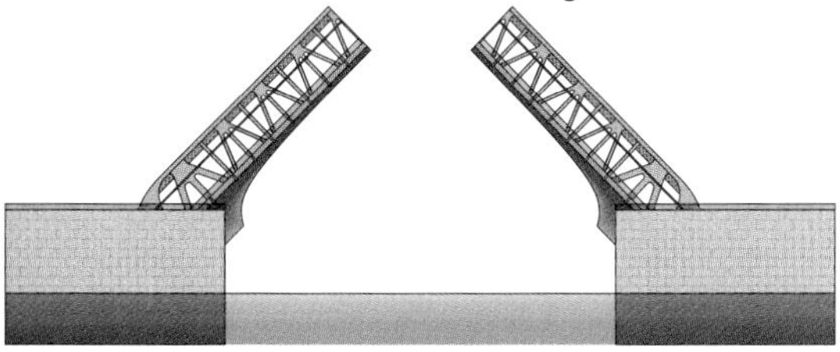

PONT[M] TRANSBORDEUR
TRANSPORTER BRIDGE

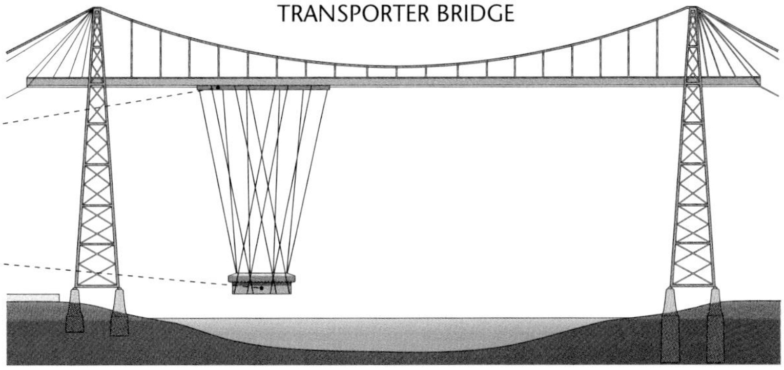
chariot[M] transbordeur
trolley
nacelle[F]
platform

TRAIN^{M} À GRANDE VITESSE^{F} (T.G.V.)
HIGH-SPEED TRAIN

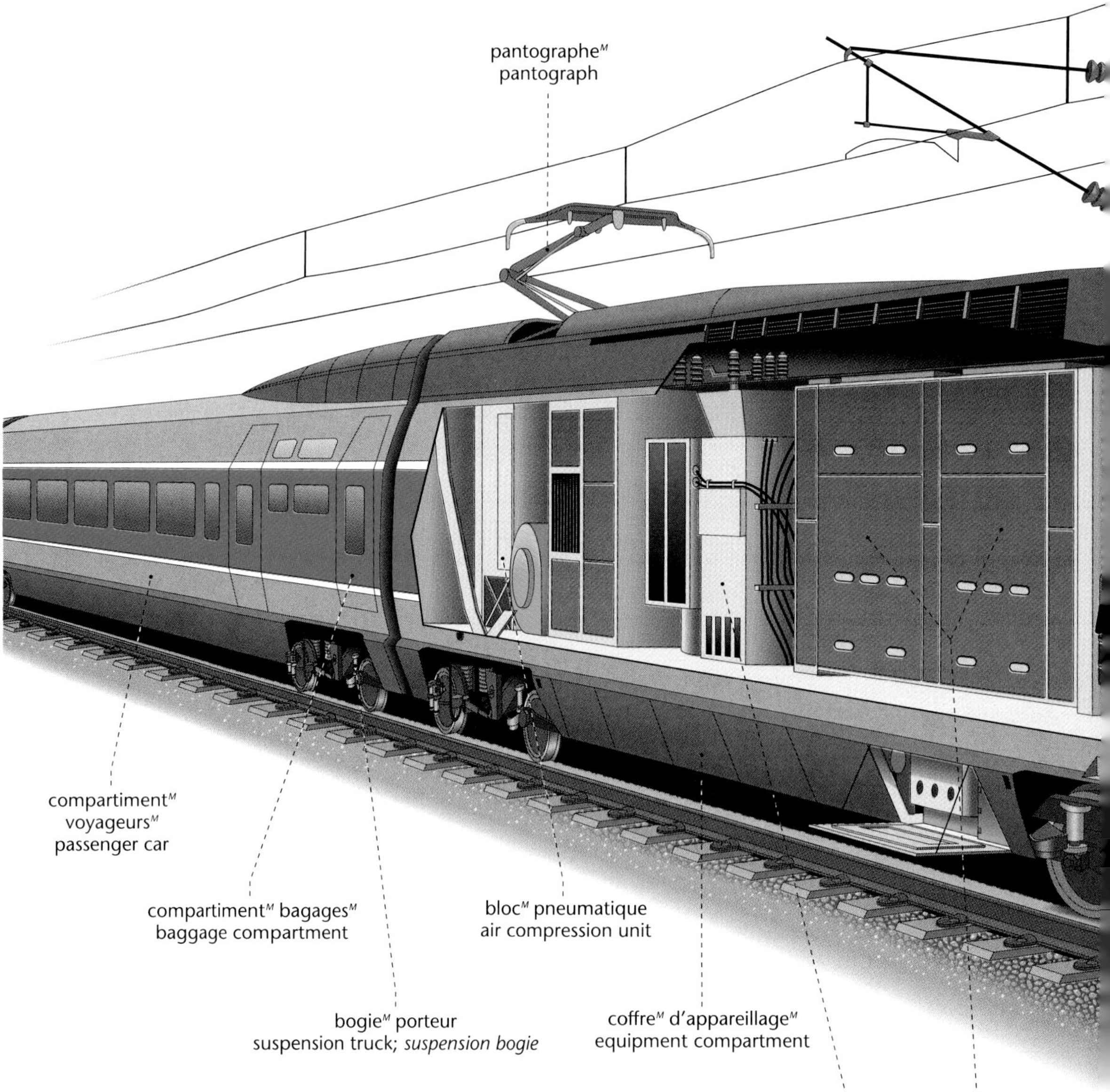
pantographe^{M}
pantograph
compartiment^{M} voyageurs^{M}
passenger car
compartiment^{M} bagages^{M}
baggage compartment
bloc^{M} pneumatique
air compression unit
bogie^{M} porteur
suspension truck; *suspension bogie*
coffre^{M} d'appareillage^{M}
equipment compartment
transformateur^{M} principal
main transformer
bloc^{M}-moteur^{M}
motor unit

caténaire^F
catenary
phare^M central
headlight
cabine^F de conduite^F
driver's cab
motrice^F
power car
projecteur^M
headlight
feu^M de position^F
position light
bogie^M moteur
motor truck; *motor bogie*
chasse-pierres^M
pilot
corne^F de guidage^M de l'attelage^M
coupling guide device

TYPES[M] DE VOITURES[F]
TYPES OF PASSENGER CARS; *TYPES OF PASSENGER COACHES*

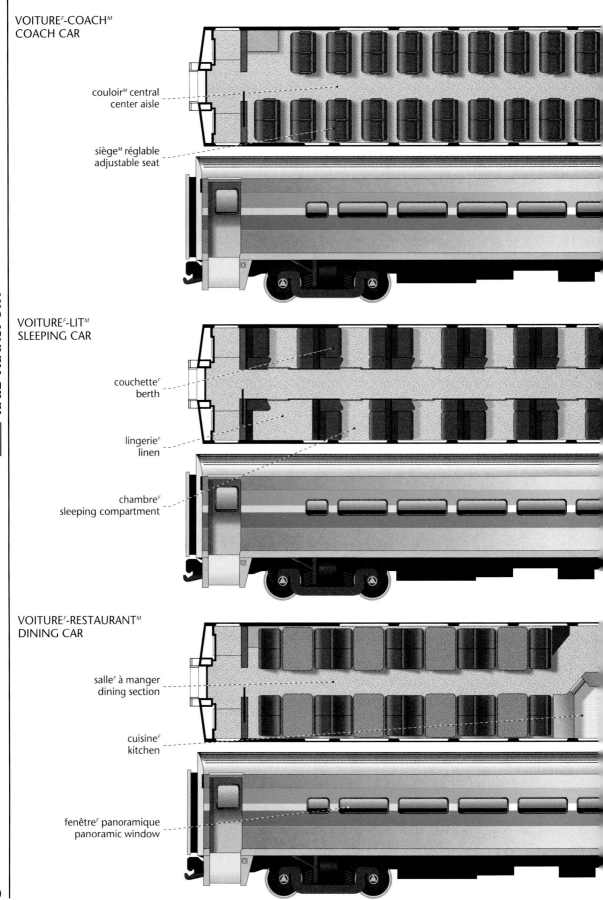

VOITURE[F]-COACH[M]
COACH CAR

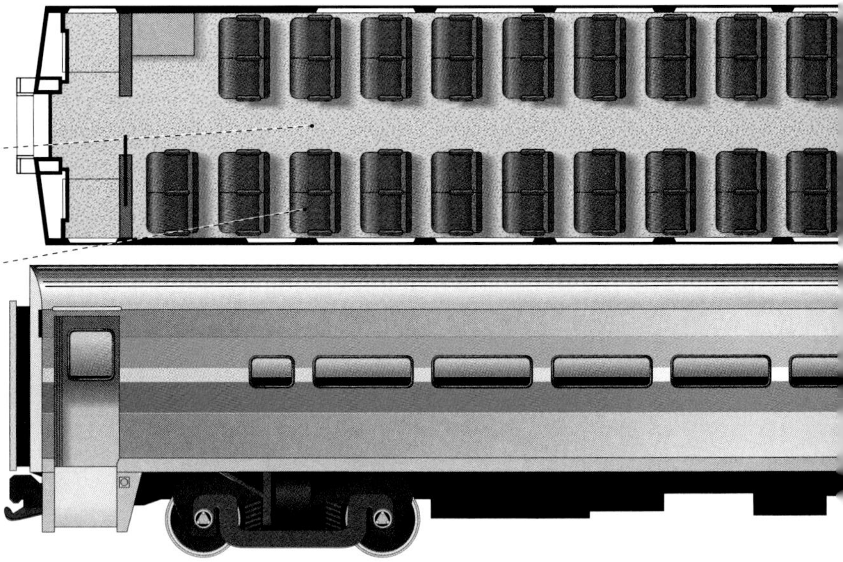
couloir[M] central
center aisle
siège[M] réglable
adjustable seat

VOITURE[F]-LIT[M]
SLEEPING CAR

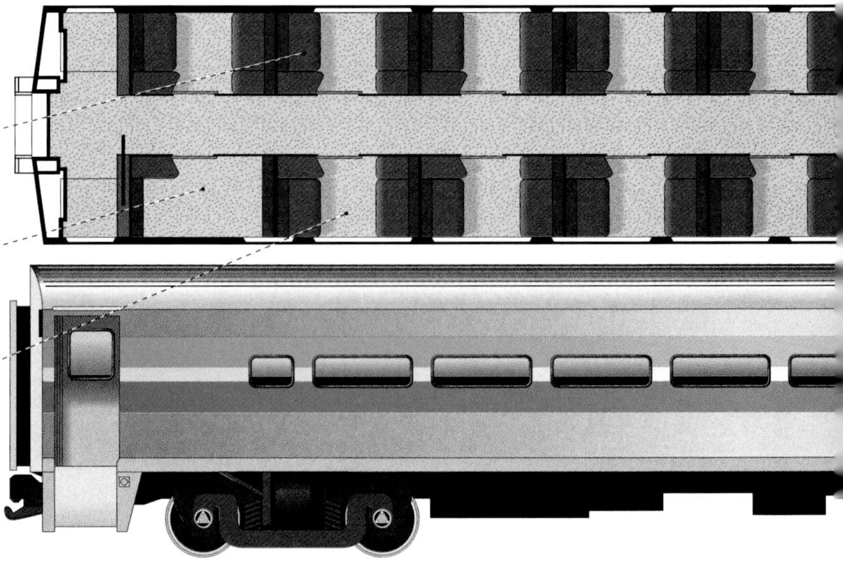
couchette[F]
berth
lingerie[F]
linen
chambre[F]
sleeping compartment

VOITURE[F]-RESTAURANT[M]
DINING CAR

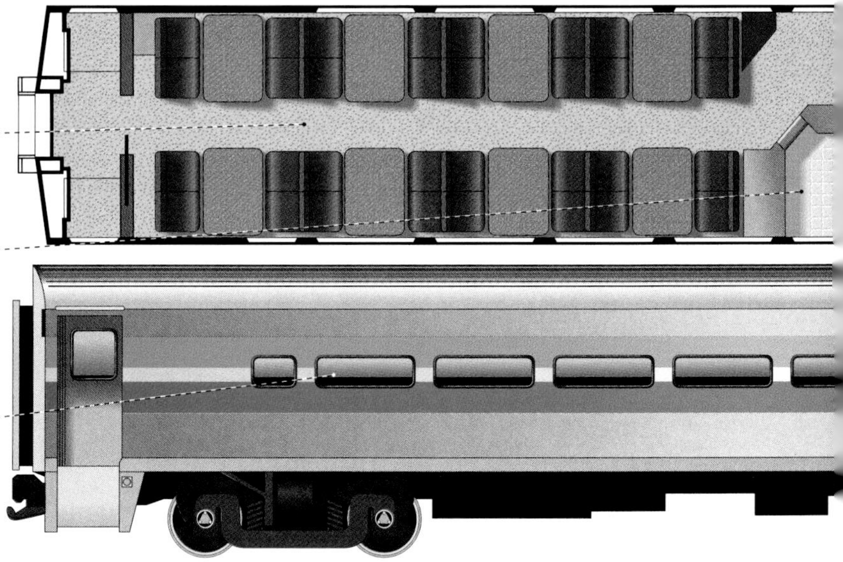
salle[F] à manger
dining section
cuisine[F]
kitchen
fenêtre[F] panoramique
panoramic window

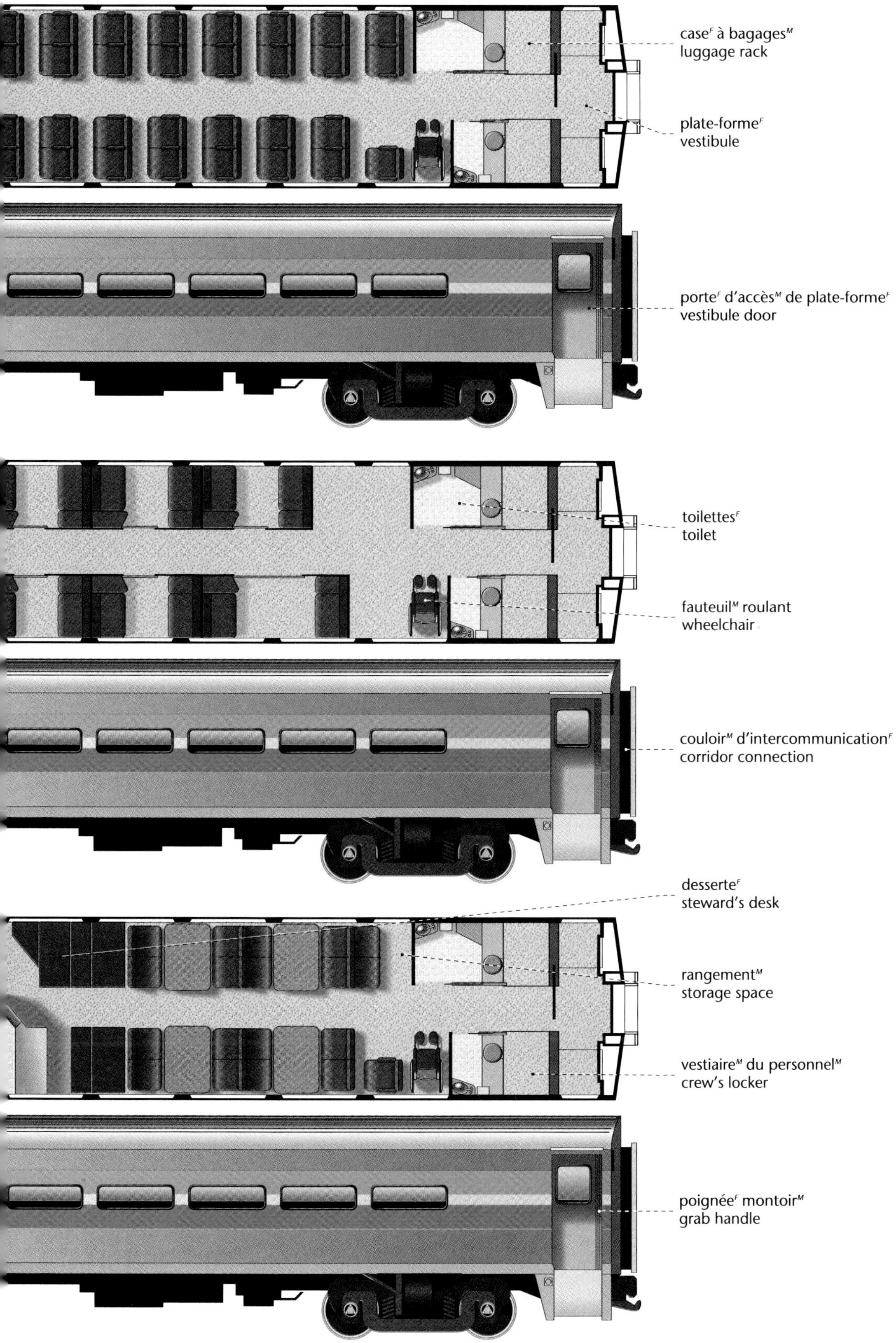
case[F] à bagages[M]
luggage rack
plate-forme[F]
vestibule
porte[F] d'accès[M] de plate-forme[F]
vestibule door
toilettes[F]
toilet
fauteuil[M] roulant
wheelchair
couloir[M] d'intercommunication[F]
corridor connection
desserte[F]
steward's desk
rangement[M]
storage space
vestiaire[M] du personnel[M]
crew's locker
poignée[F] montoir[M]
grab handle

GARE^F DE VOYAGEURS^M
PASSENGER STATION

locaux^M administratifs
office
verrière^F
glassed roof
panneau^M indicateur
indicator board
train^M
passenger train
salle^F des pas^M perdus
booking hall
service^M de colis^M
parcels office
bordure^F de quai^M
platform edge
numéro^M de quai^M
platform number
enregistrement^M des bagages^M
baggage room;
left-luggage office
quai^M de gare^F
passenger platform
barrière^F
gate

structure[M] métallique
metal structure
chariot[M] à bagages[M]
baggage cart; *baggage trolley*
5
6
7
affichage[M] de l'heure[F] de départ[M]
departure time indicator
contrôleur[M]
ticket collector
consigne[F] automatique
baggage lockers
destination[F]
destination
accès[M] aux quais[M]
platform entrance
voie[F] ferrée
track
tableau[M] horaire
schedules; *timetables*
contrôle[M] des billets[M]
ticket control

GARE^{F}
RAILROAD STATION; *RAILWAY STATION*

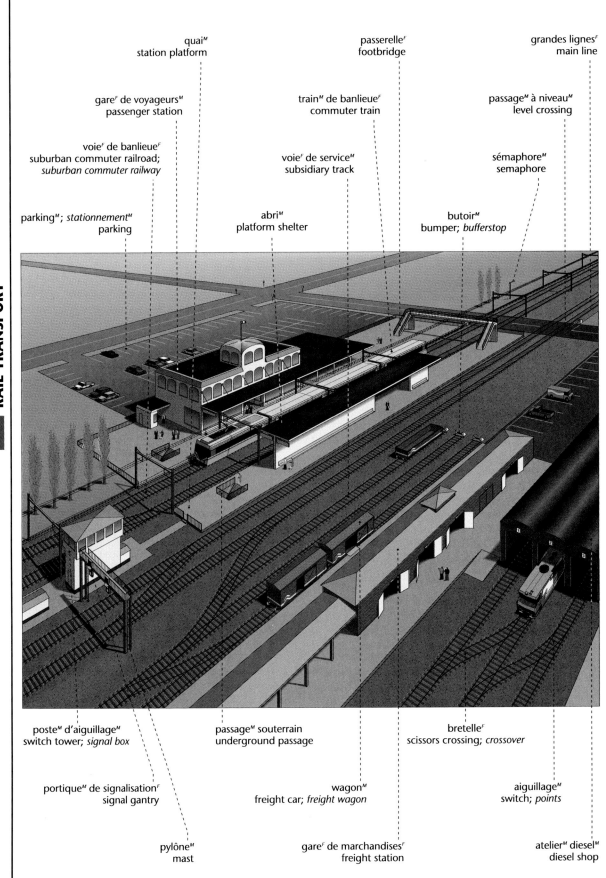

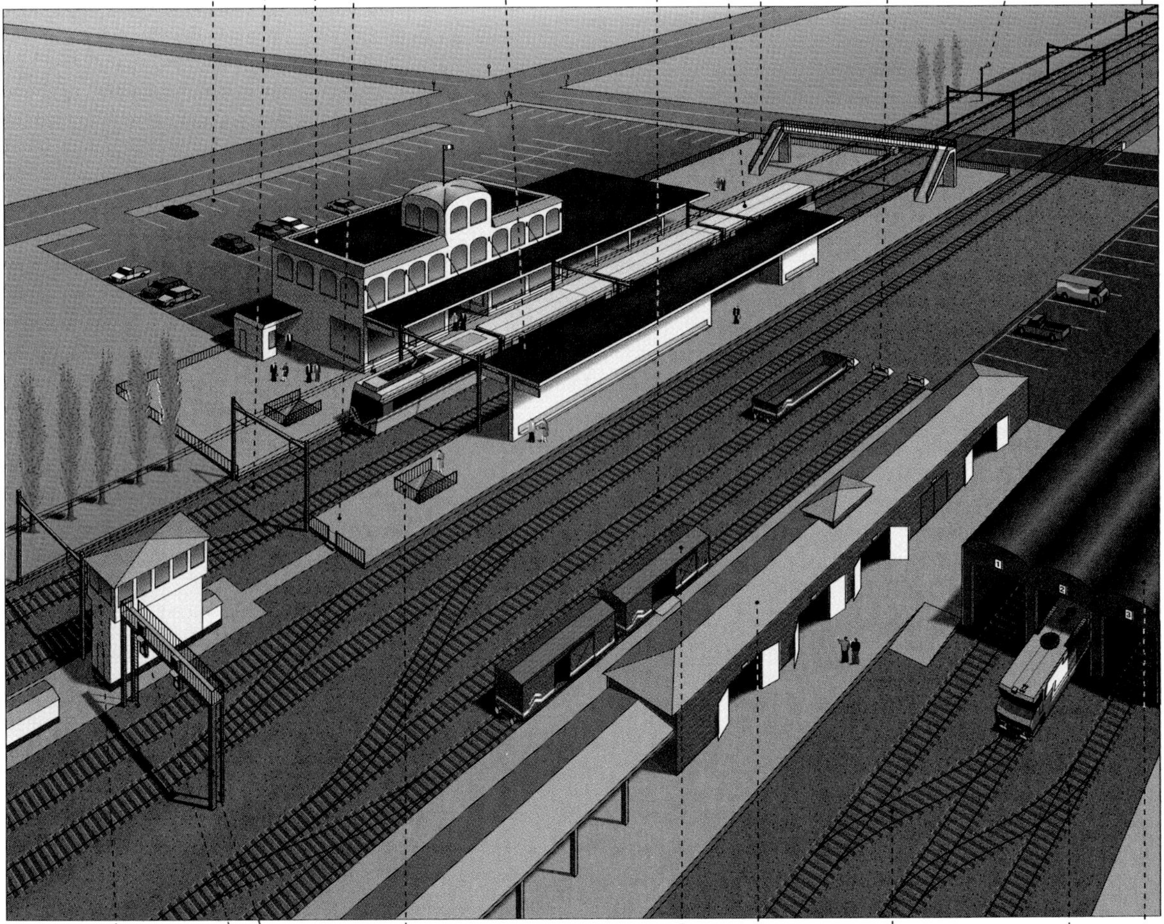
quai^{M}
station platform
passerelle^{F}
footbridge
grandes lignes^{F}
main line
gare^{F} de voyageurs^{M}
passenger station
train^{M} de banlieue^{F}
commuter train
passage^{M} à niveau^{M}
level crossing
voie^{F} de banlieue^{F}
suburban commuter railroad;
suburban commuter railway
voie^{F} de service^{M}
subsidiary track
sémaphore^{M}
semaphore
parking^{M}; *stationnement^{M}*
parking
abri^{M}
platform shelter
butoir^{M}
bumper; *bufferstop*
poste^{M} d'aiguillage^{M}
switch tower; *signal box*
passage^{M} souterrain
underground passage
bretelle^{F}
scissors crossing; *crossover*
portique^{M} de signalisation^{F}
signal gantry
wagon^{M}
freight car; *freight wagon*
aiguillage^{M}
switch; *points*
pylône^{M}
mast
gare^{F} de marchandises^{F}
freight station
atelier^{M} diesel^{M}
diesel shop

GARE^F DE TRIAGE^M
YARD

zone^F de triage^M
classification yard
voie^F de sortie^F
outbound track
atelier^M de réparation^F des wagons^M
car repair shop
zone^F de réception^F
receiving yard
voie^F de tri^M secondaire
second classification track
zone^F de lavage^M des wagons^M
car cleaning yard
château^M d'eau^F
water tower
voie^F de circulation^F des locomotives^F
locomotive track
oste^M de débranchement^M
hump office
butte^F de débranchement^M
hump
voie^F de butte^F
hump lead
voie^F de tri^M primaire
first classification track

VOIE[F] FERRÉE
RAILROAD TRACK; *RAILWAY TRACK*

JOINT[M] DE RAIL[M]
RAIL JOINT

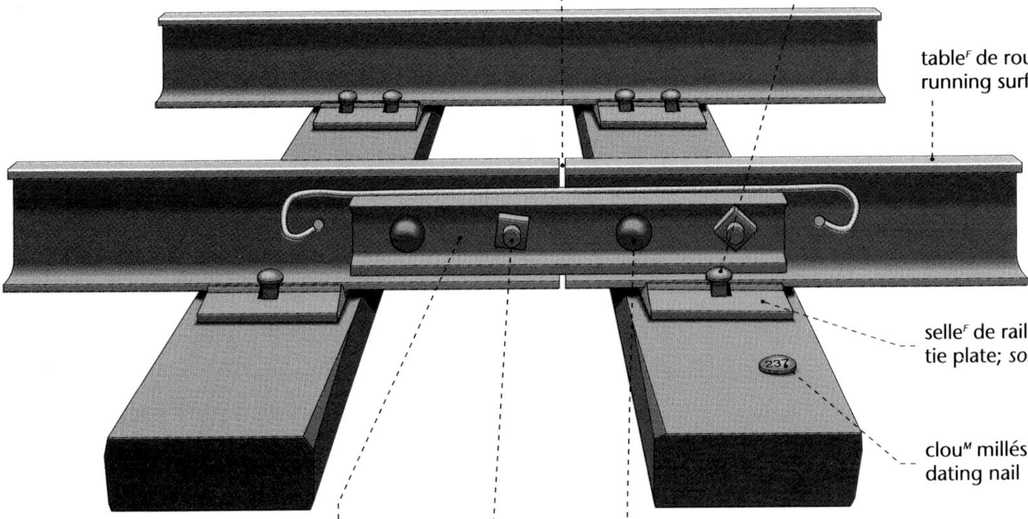
jeu[M] de dilatation[F]
expansion space
crampon[M]
spike
table[F] de roulement[M]
running surface
selle[F] de rail[M]
tie plate; *soleplate*
237
clou[M] millésimé
dating nail
éclisse[F]
fishplate
boulon[M] d'éclisse[F]
fishplate bolt
écrou[M]
nut

PROFIL[M] DE RAIL[M]
RAIL SECTION

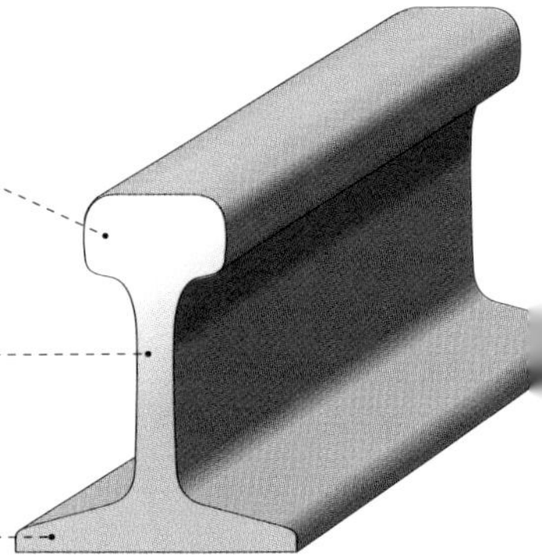
champignon[M]
head
âme[F]
web
patin[M]
base

VOIE[F] FERRÉE
RAILROAD TRACK; *RAILWAY TRACK*

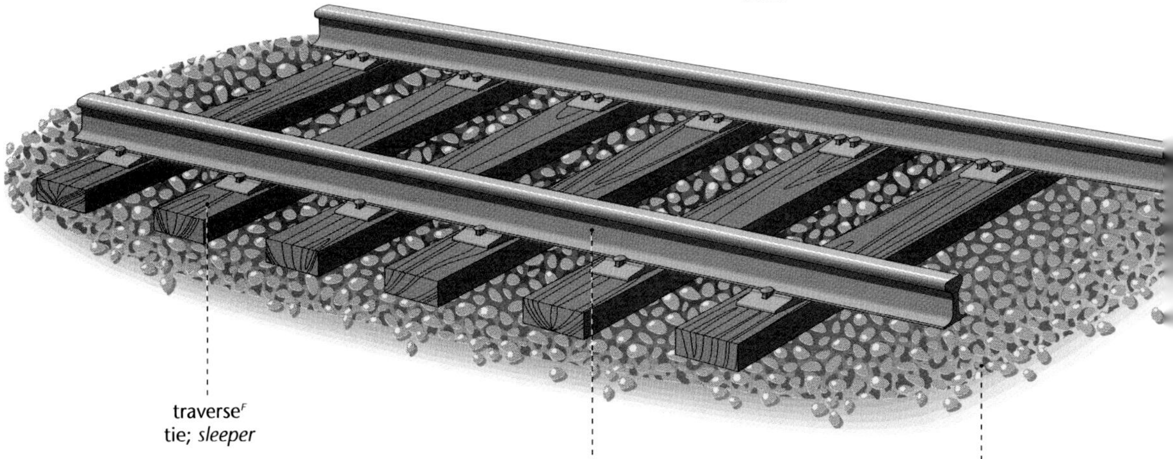
traverse[F]
tie; *sleeper*
rail[M]
rail
ballast[M]
ballast

AIGUILLAGE[M] MANŒUVRÉ À DISTANCE[F]
REMOTE-CONTROLLED SWITCH; *REMOTE-CONTROLLED POINTS*

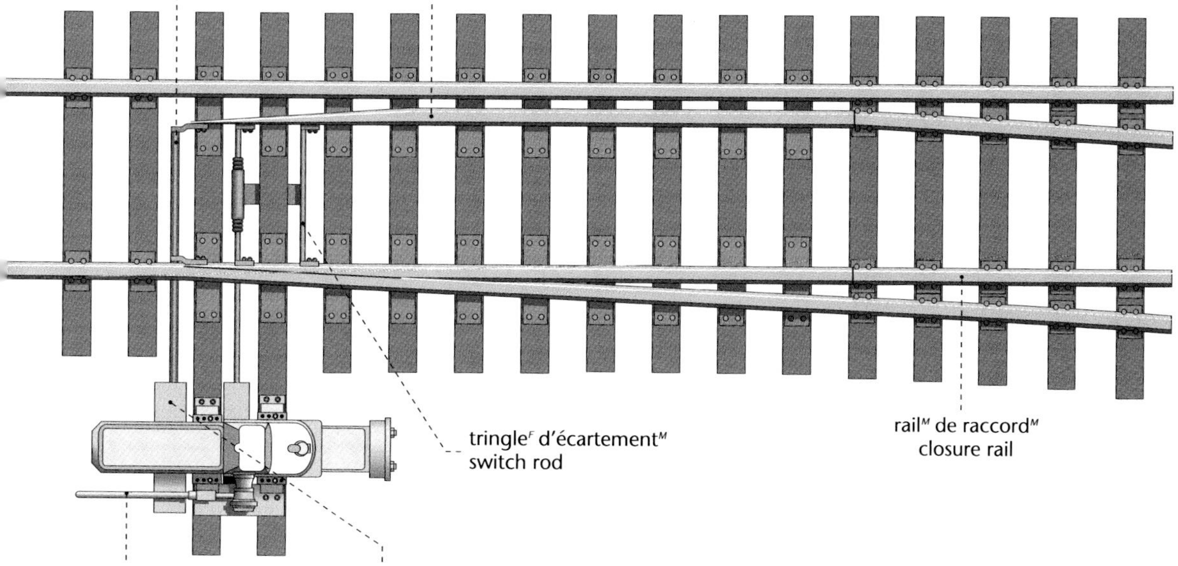
aiguille[F]
switch point
tringle[F] de commande[F]
pull rod
tringle[F] d'écartement[M]
switch rod
rail[M] de raccord[M]
closure rail
transmission[F] funiculaire
point wire
moteur[M] d'aiguillage[M]
power switch machine

AIGUILLAGE[M] MANŒUVRÉ À PIED[M] D'ŒUVRE[F]
MANUALLY-OPERATED SWITCH; *MANUALLY-OPERATED POINTS*

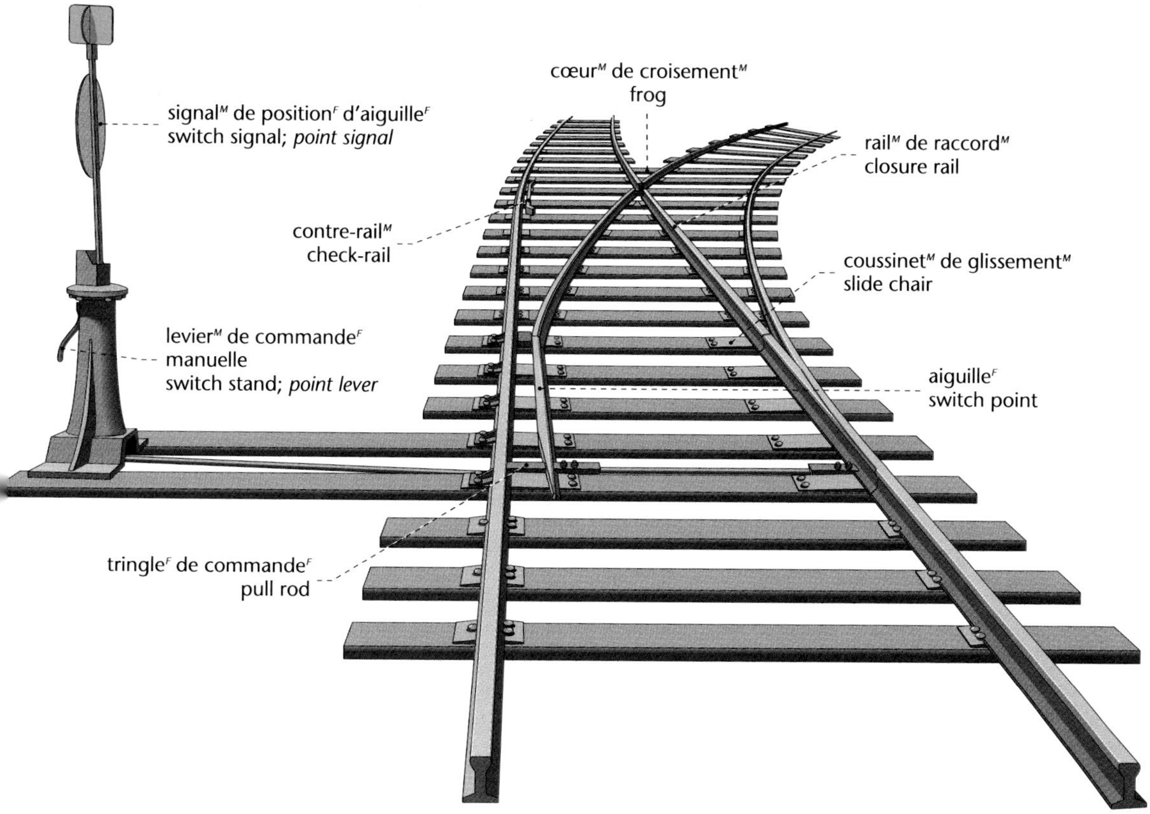
cœur[M] de croisement[M]
frog
signal[M] de position[F] d'aiguille[F]
switch signal; *point signal*
rail[M] de raccord[M]
closure rail
contre-rail[M]
check-rail
coussinet[M] de glissement[M]
slide chair
levier[M] de commande[F] manuelle
switch stand; *point lever*
aiguille[F]
switch point
tringle[F] de commande[F]
pull rod

LOCOMOTIVE[F] DIESEL-ÉLECTRIQUE
DIESEL-ELECTRIC LOCOMOTIVE

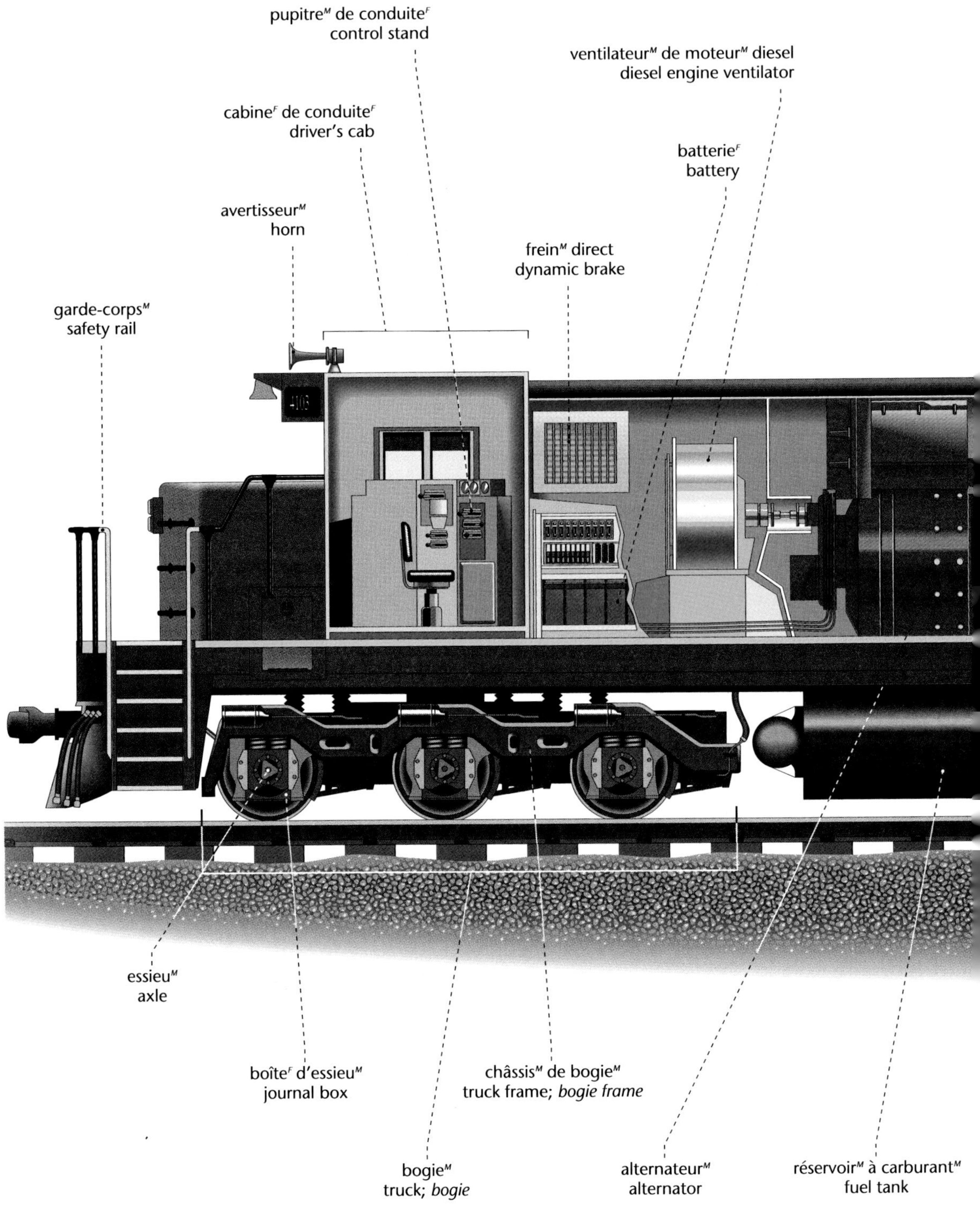
pupitre[M] de conduite[F]
control stand
ventilateur[M] de moteur[M] diesel
diesel engine ventilator
cabine[F] de conduite[F]
driver's cab
batterie[F]
battery
avertisseur[M]
horn
frein[M] direct
dynamic brake
garde-corps[M]
safety rail
essieu[M]
axle
boîte[F] d'essieu[M]
journal box
châssis[M] de bogie[M]
truck frame; *bogie frame*
bogie[M]
truck; *bogie*
alternateur[M]
alternator
réservoir[M] à carburant[M]
fuel tank

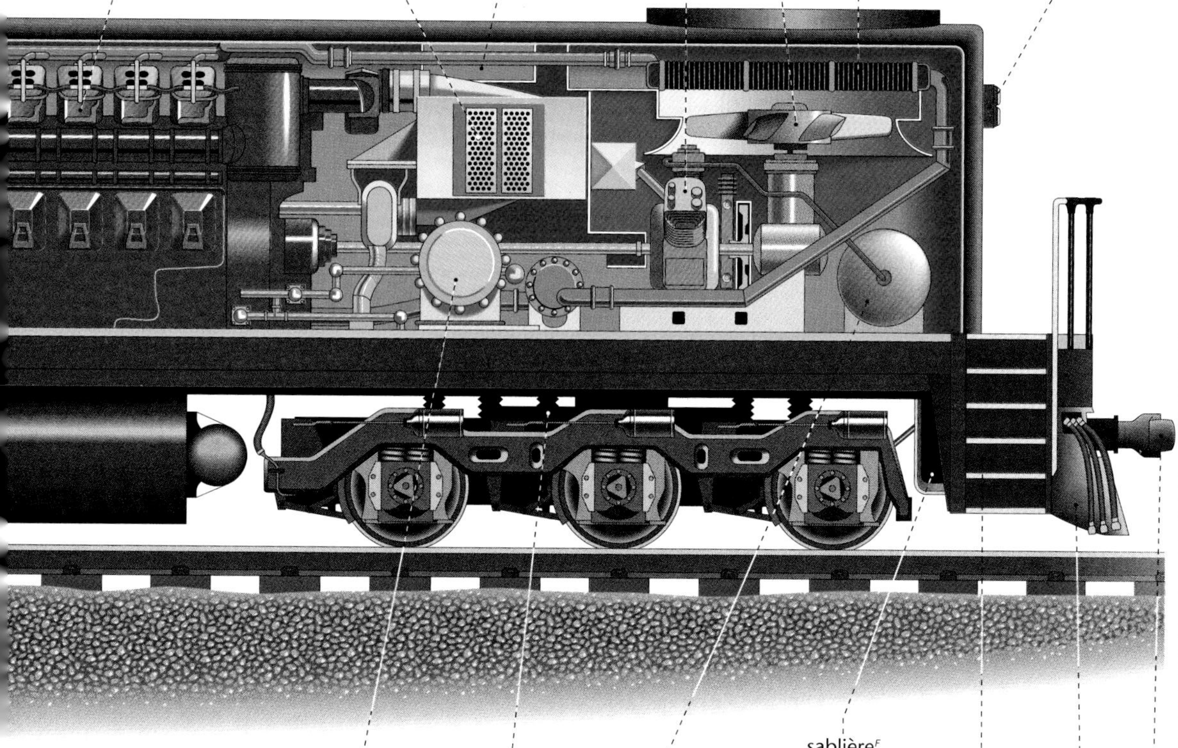
compresseurᴹ d'airᴹ
air compressor
ventilateurᴹ des radiateursᴹ
ventilating fan
filtreᴹ à airᴹ
air filter
radiateurᴹ
radiator
moteurᴹ diesel
diesel engine
souteᶠ à eauᶠ
water tank
phareᴹ
headlight
sablièreᶠ
sandbox
systèmeᴹ de lubrificationᶠ
lubricating system
réservoirᴹ d'airᴹ
comprimé
compressed air reservoir
marchepiedᴹ latéral
side footboard
ressortᴹ de suspensionᶠ
spring
chasse-pierresᴹ
pilot
têteᶠ d'attelageᴹ
coupler head

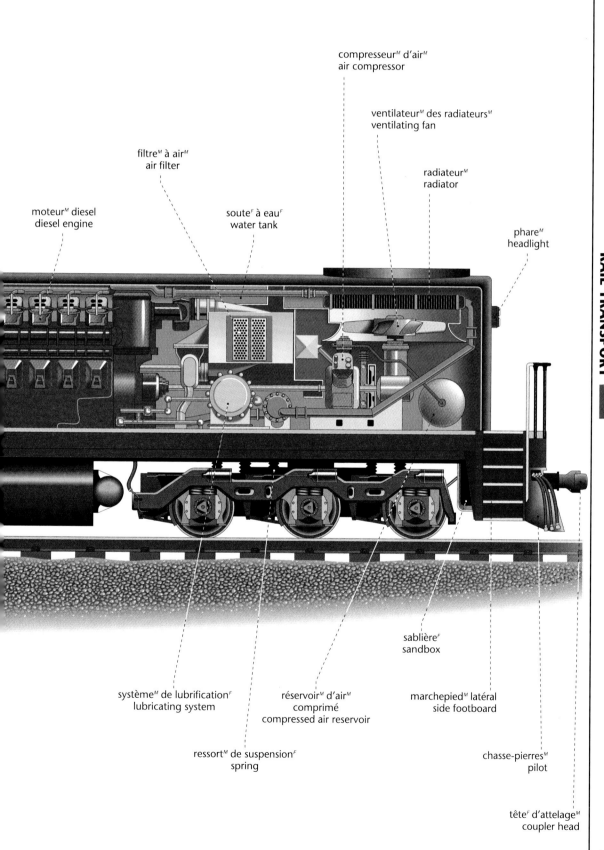

WAGON^M
CAR; *WAGON*

WAGON^M COUVERT
BOX CAR; *BOGIE WAGON*

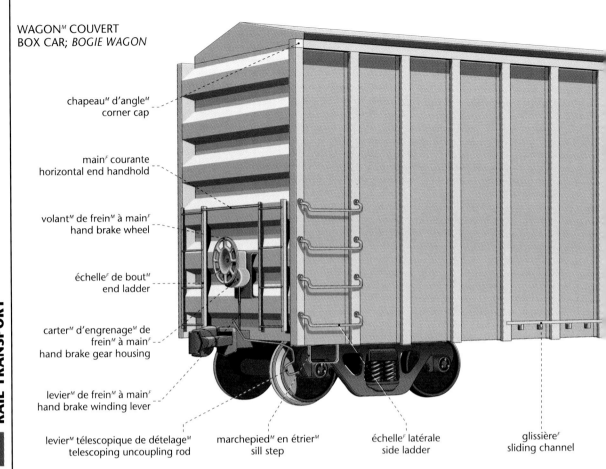

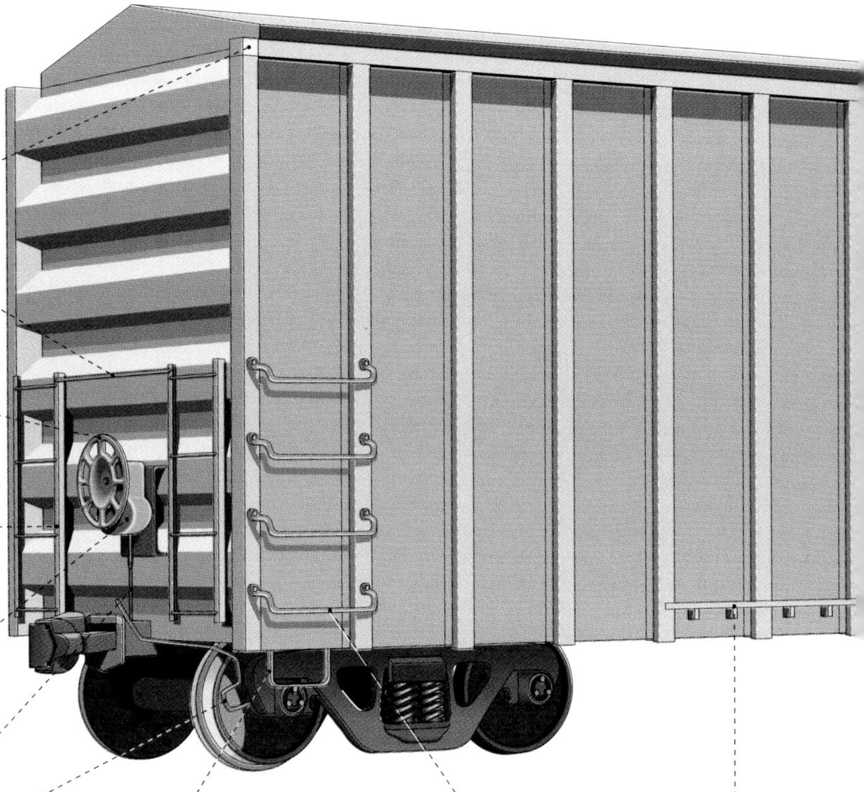
chapeau^M d'angle^M
corner cap
main^F courante
horizontal end handhold
volant^M de frein^M à main^F
hand brake wheel
échelle^F de bout^M
end ladder
carter^M d'engrenage^M de frein^M à main^F
hand brake gear housing
levier^M de frein^M à main^F
hand brake winding lever
levier^M télescopique de dételage^M
telescoping uncoupling rod
marchepied^M en étrier^M
sill step
échelle^F latérale
side ladder
glissière^F
sliding channel

CONTENEUR^M
CONTAINER

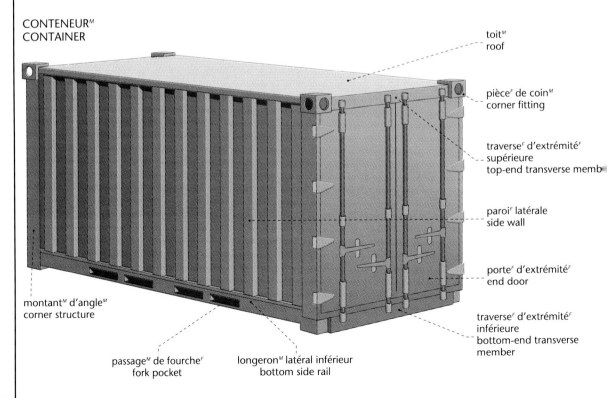

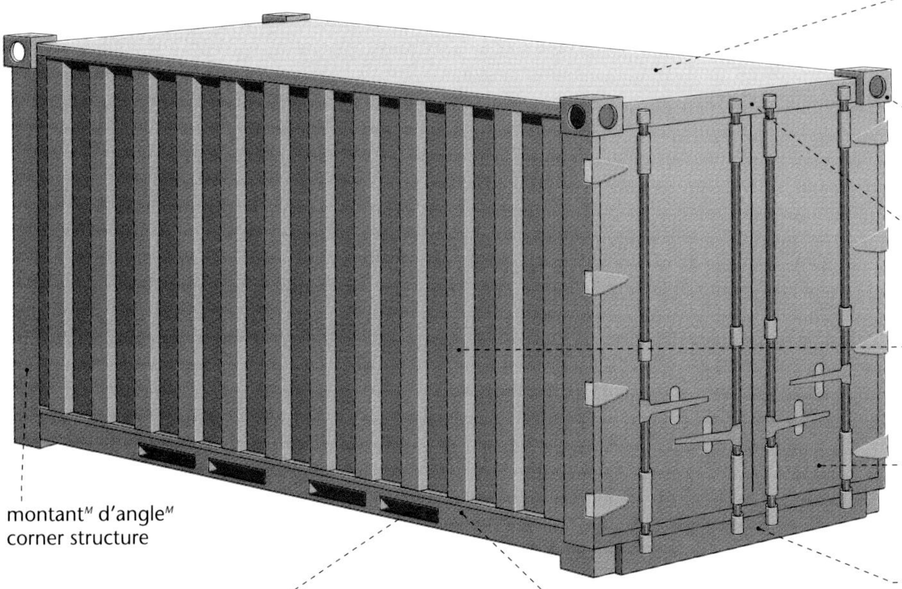
toit^M
roof
pièce^F de coin^M
corner fitting
traverse^F d'extrémité^F supérieure
top-end transverse memb
paroi^F latérale
side wall
porte^F d'extrémité^F
end door
traverse^F d'extrémité^F inférieure
bottom-end transverse member
montant^M d'angle^M
corner structure
passage^M de fourche^F
fork pocket
longeron^M latéral inférieur
bottom side rail

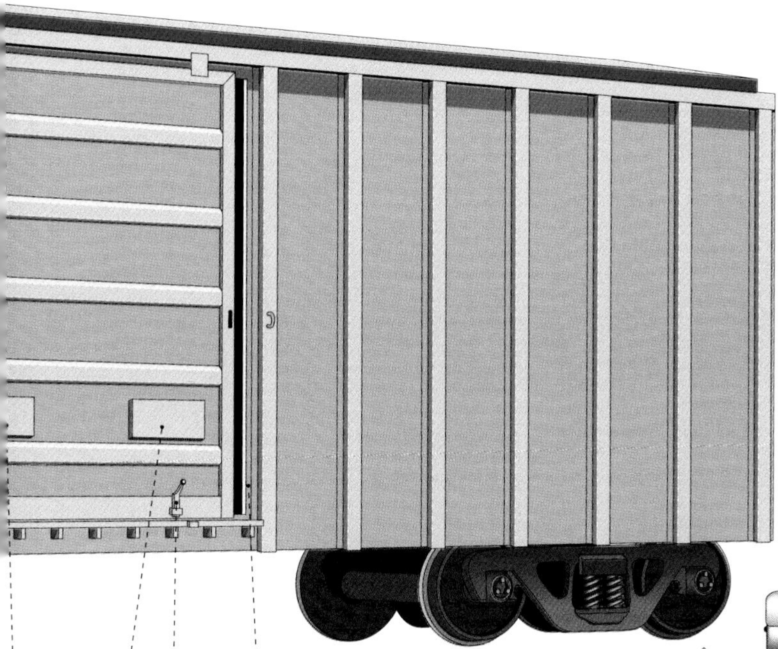
butée^{F} de porte^{F}
door stop
levier^{M} de verrouillage^{M}
locking lever
porte-étiquette^{M}
placard board
porte-étiquette^{M} d'acheminement^{M}
routing cardboard

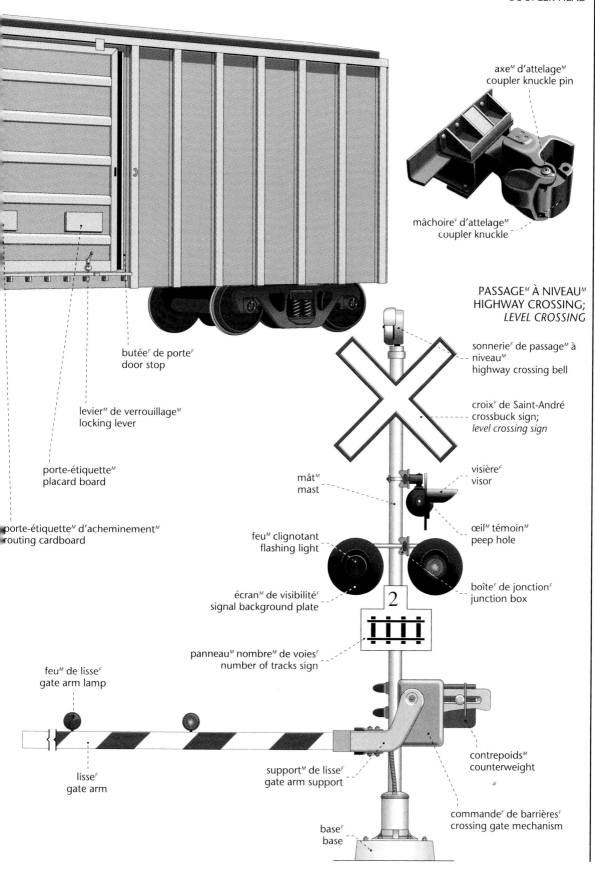

TÊTE^{F} D'ATTELAGE^{M}
COUPLER HEAD

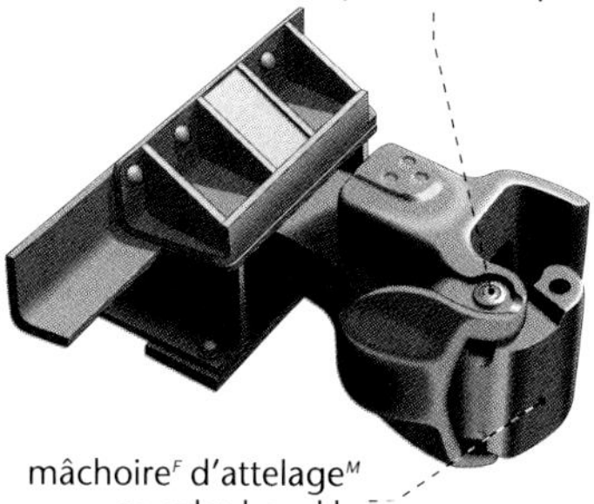
axe^{M} d'attelage^{M}
coupler knuckle pin
mâchoire^{F} d'attelage^{M}
coupler knuckle

PASSAGE^{M} À NIVEAU^{M}
HIGHWAY CROSSING;
LEVEL CROSSING

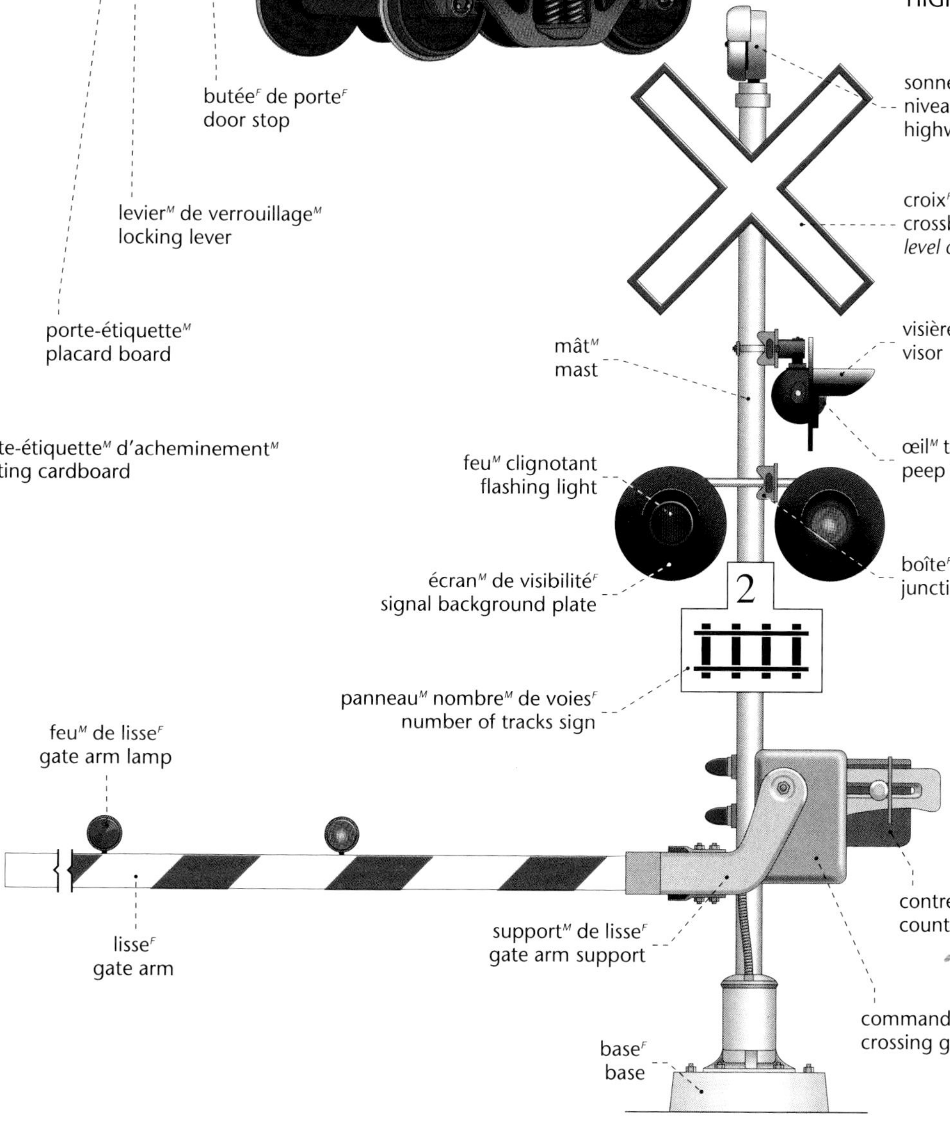
sonnerie^{F} de passage^{M} à niveau^{M}
highway crossing bell
croix^{F} de Saint-André
crossbuck sign;
level crossing sign
mât^{M}
mast
visière^{F}
visor
œil^{M} témoin^{M}
peep hole
feu^{M} clignotant
flashing light
boîte^{F} de jonction^{F}
junction box
écran^{M} de visibilité^{F}
signal background plate
2
panneau^{M} nombre^{M} de voies^{F}
number of tracks sign
feu^{M} de lisse^{F}
gate arm lamp
lisse^{F}
gate arm
support^{M} de lisse^{F}
gate arm support
contrepoids^{M}
counterweight
commande^{F} de barrières^{F}
crossing gate mechanism
base^{F}
base

TYPES^{M} DE WAGONS^{M}
TYPES OF FREIGHT CARS; *TYPES OF FREIGHT WAGONS*

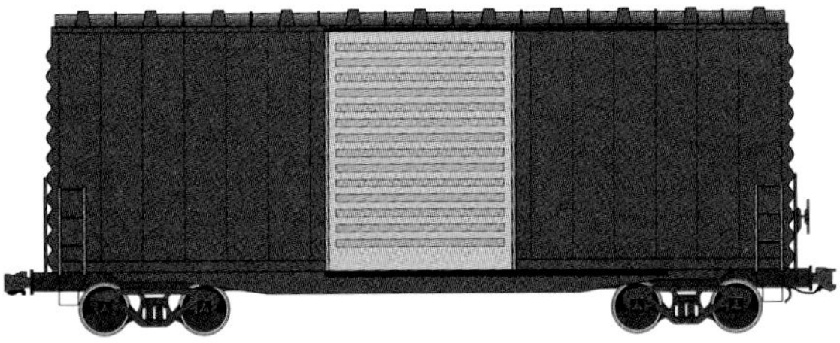

wagon^{M} couvert
box car; *bogie wagon*

wagon^{M}-citerne^{F}
tank car; *bogie tank wagon*

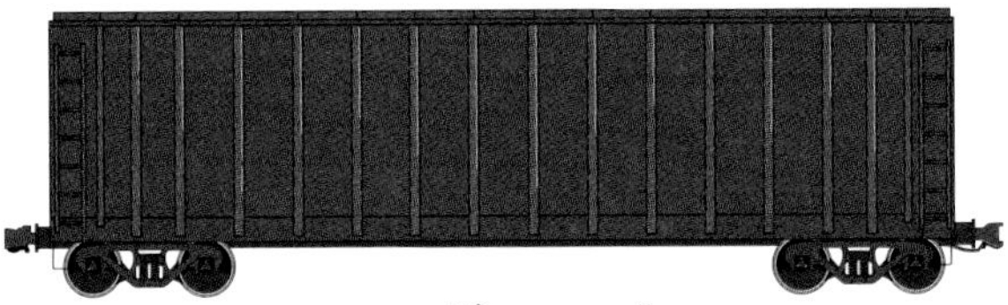

wagon^{M} à copeaux^{M}
wood chip car; *bogie van*

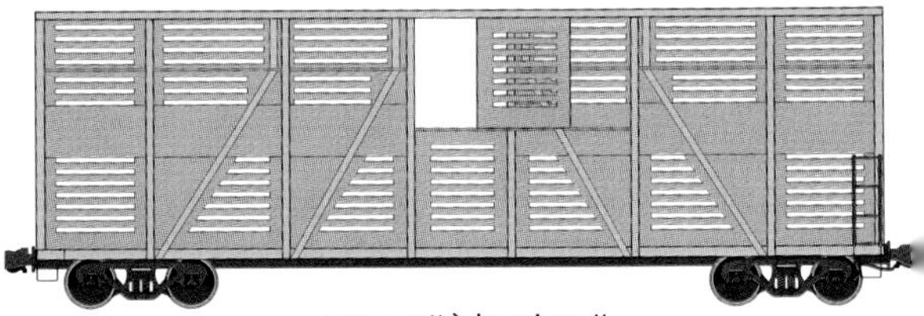

wagon^{M} à bestiaux^{M}
livestock car; *livestock van*

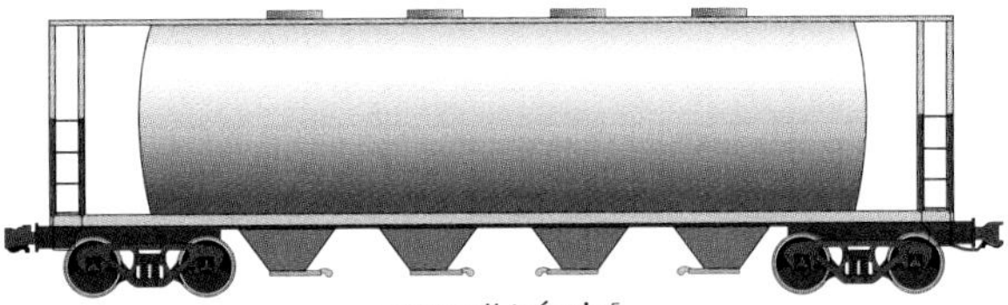

wagon^{M}-trémie^{F}
hopper car; *hopper wagon*

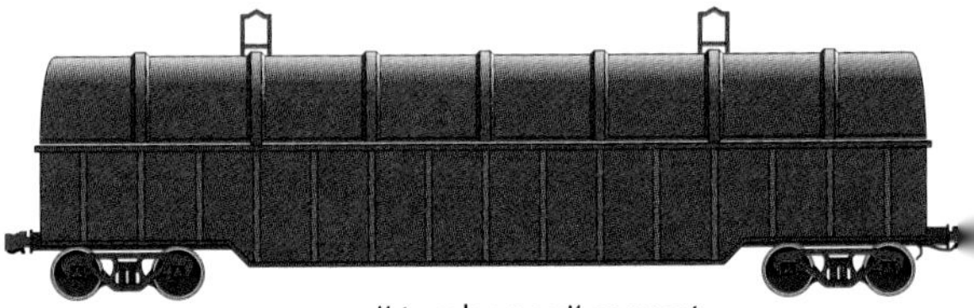

wagon^{M}-tombereau^{M} couvert
hard top gondola; *hard top open wagon*

wagon^{M}-trémie^{F} à minerai^{M}
hopper ore car; *hopper ore wagon*

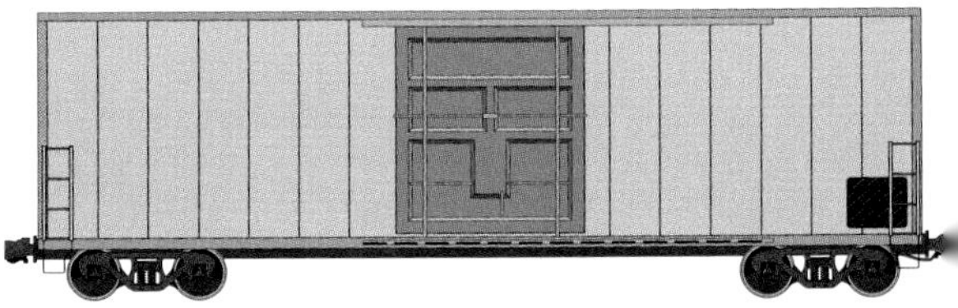

wagon^{M} réfrigérant
refrigerator car; *refrigerator van*

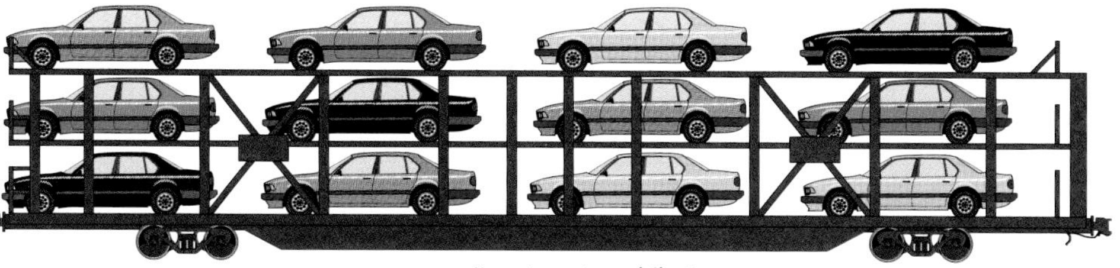

wagon^{M} porte-automobiles^{M}
automobile car; *bogie car-carrying wagon*

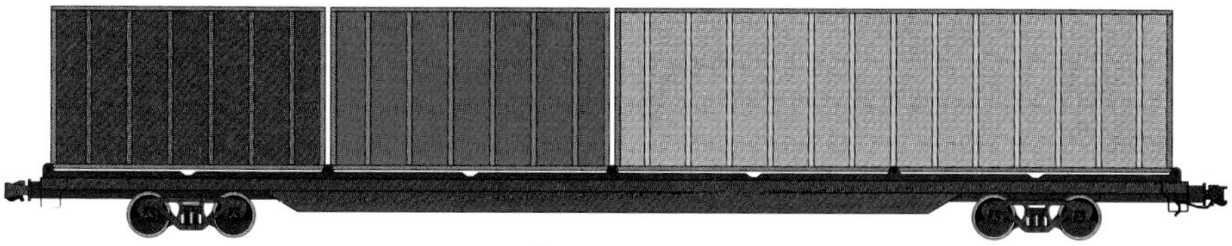

wagon^{M} porte-conteneurs^{M}
container car; *container flat wagon*

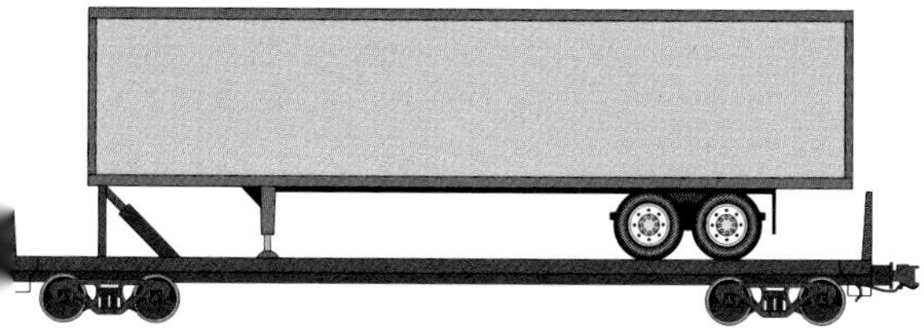

wagon^{M} rail^{M}-route^{F}
piggyback car; *piggyback flat wagon*

wagon^{M} plat
flat car; *bogie flat wagon*

wagon^{M} plat à parois^{F} de bout
bulkhead flat car; *bulkhead flat wagon*

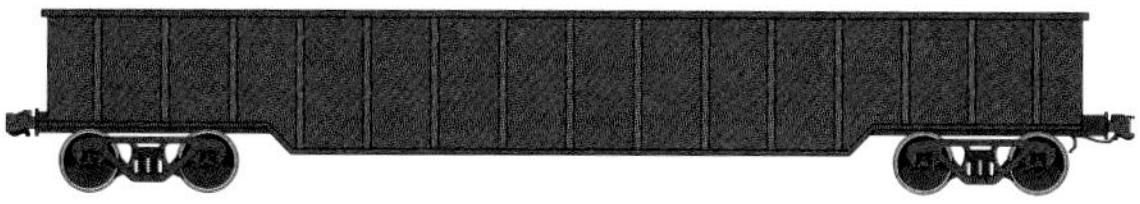

wagon^{M}-tombereau^{M}
gondola car; *bogie open wagon*

wagon^{M} plat surbaissé
depressed-center flat car; *bogie well wagon*

wagon^{M} de queue^{F}
caboose; *brake van*

CHEMIN[M] DE FER[M] MÉTROPOLITAIN
SUBWAY; *UNDERGROUND RAILWAY*

STATION[F] DE MÉTRO[M]
SUBWAY STATION;
UNDERGROUND STATION

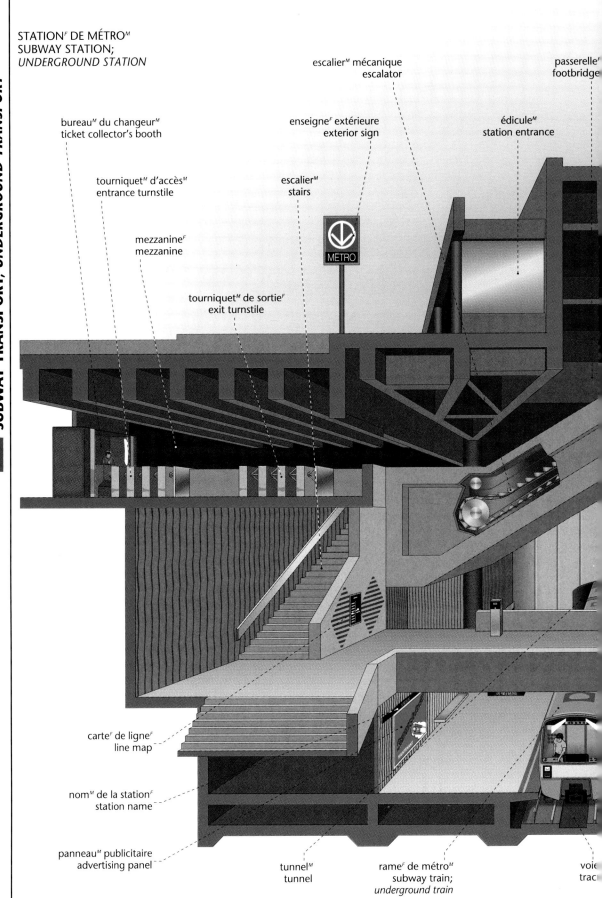

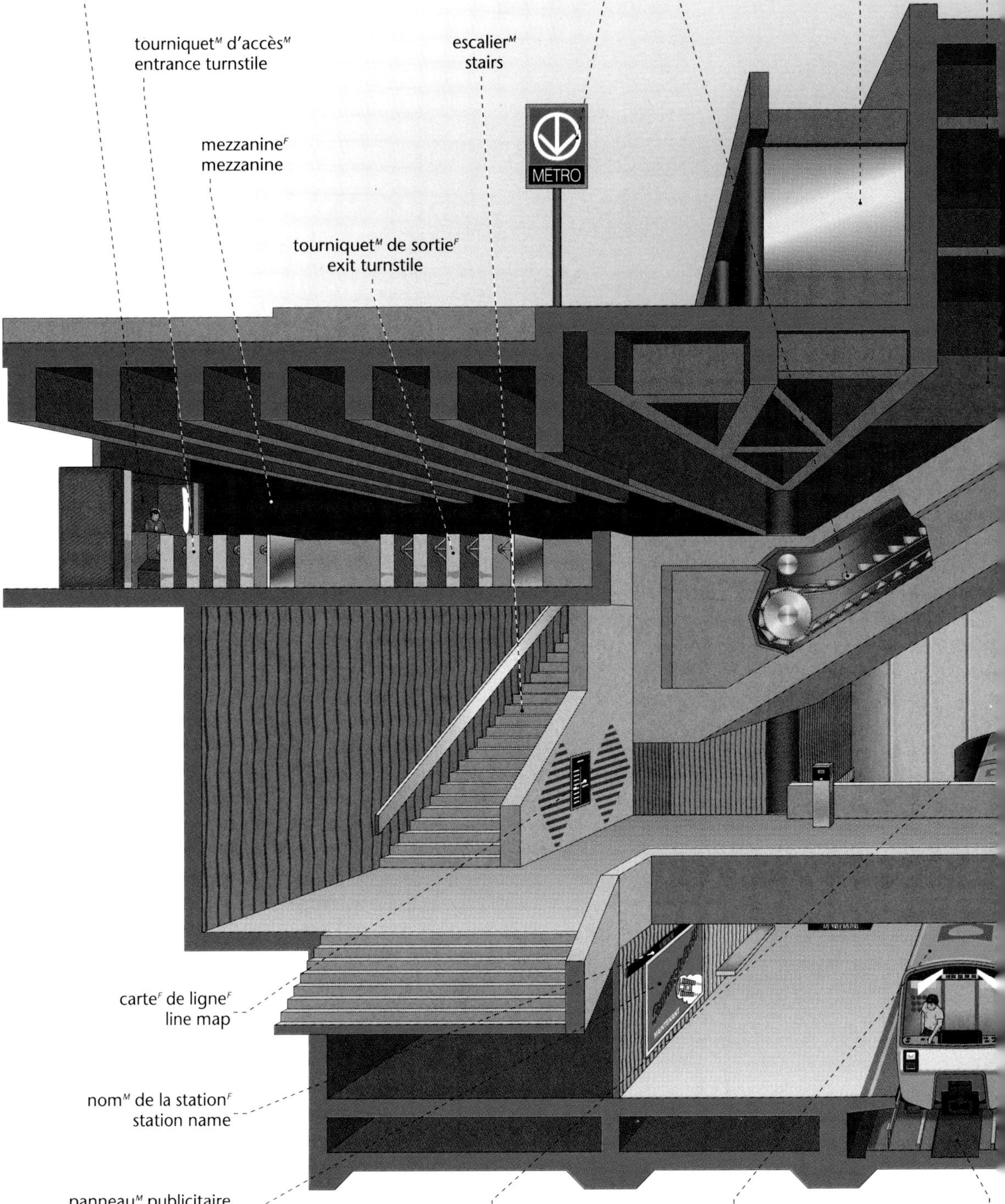
escalier[M] mécanique
escalator
passerelle[F]
footbridge
bureau[M] du changeur[M]
ticket collector's booth
enseigne[F] extérieure
exterior sign
édicule[M]
station entrance
tourniquet[M] d'accès[M]
entrance turnstile
escalier[M]
stairs
MÉTRO
mezzanine[F]
mezzanine
tourniquet[M] de sortie[F]
exit turnstile
carte[F] de ligne[F]
line map
nom[M] de la station[F]
station name
panneau[M] publicitaire
advertising panel
tunnel[M]
tunnel
rame[F] de métro[M]
subway train;
underground train
voie
trac

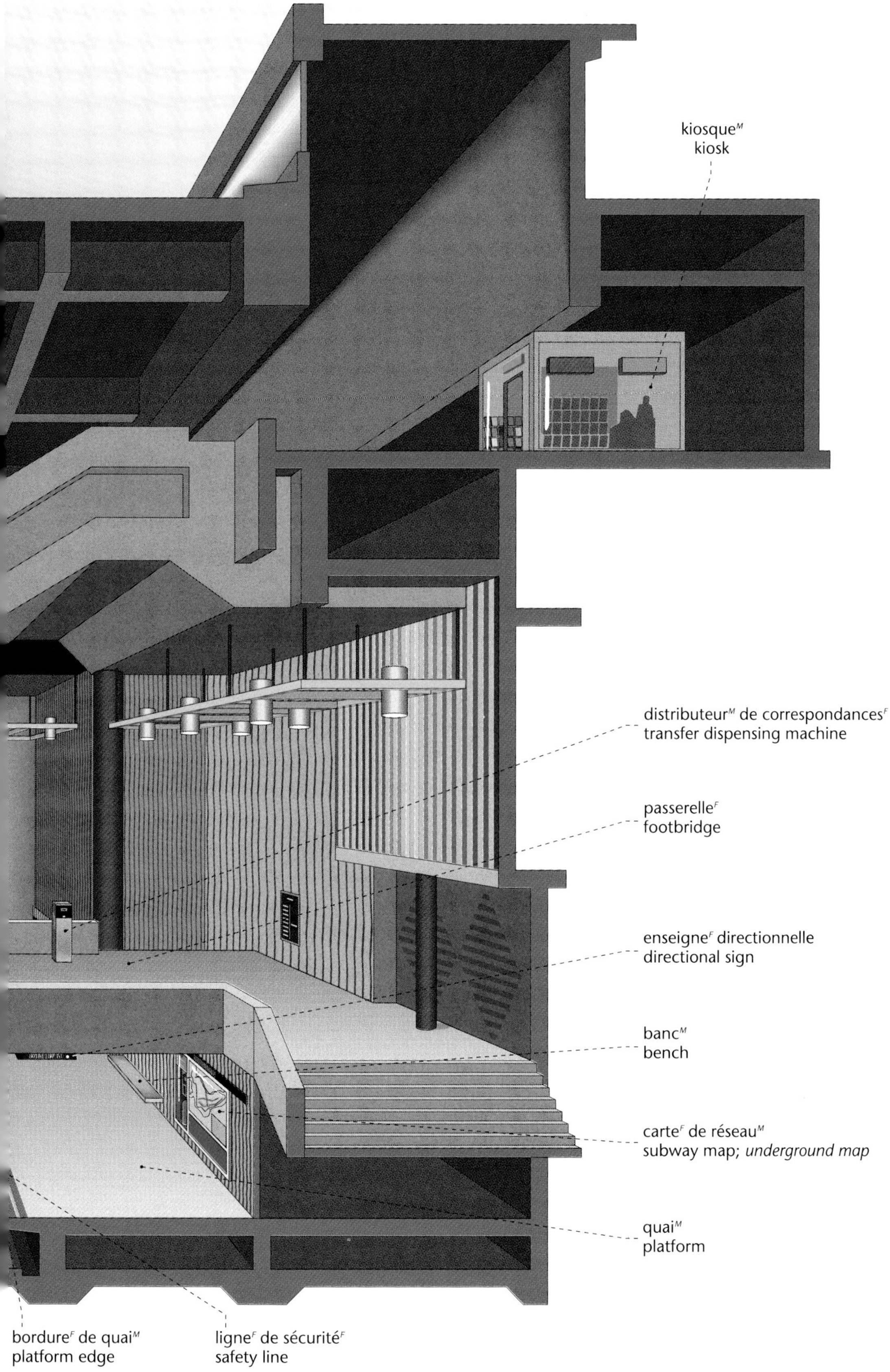
kiosqueᴹ
kiosk
distributeurᴹ de correspondancesᶠ
transfer dispensing machine
passerelleᶠ
footbridge
enseigneᶠ directionnelle
directional sign
bancᴹ
bench
carteᶠ de réseauᴹ
subway map; *underground map*
quaiᴹ
platform
bordureᶠ de quaiᴹ
platform edge
ligneᶠ de sécuritéᶠ
safety line

CHEMIN[M] DE FER[M] MÉTROPOLITAIN
SUBWAY; *UNDERGROUND RAILWAY*

BOGIE[M] ET VOIE[F]
TRUCK AND TRACK; *BOGIE AND TRACK*

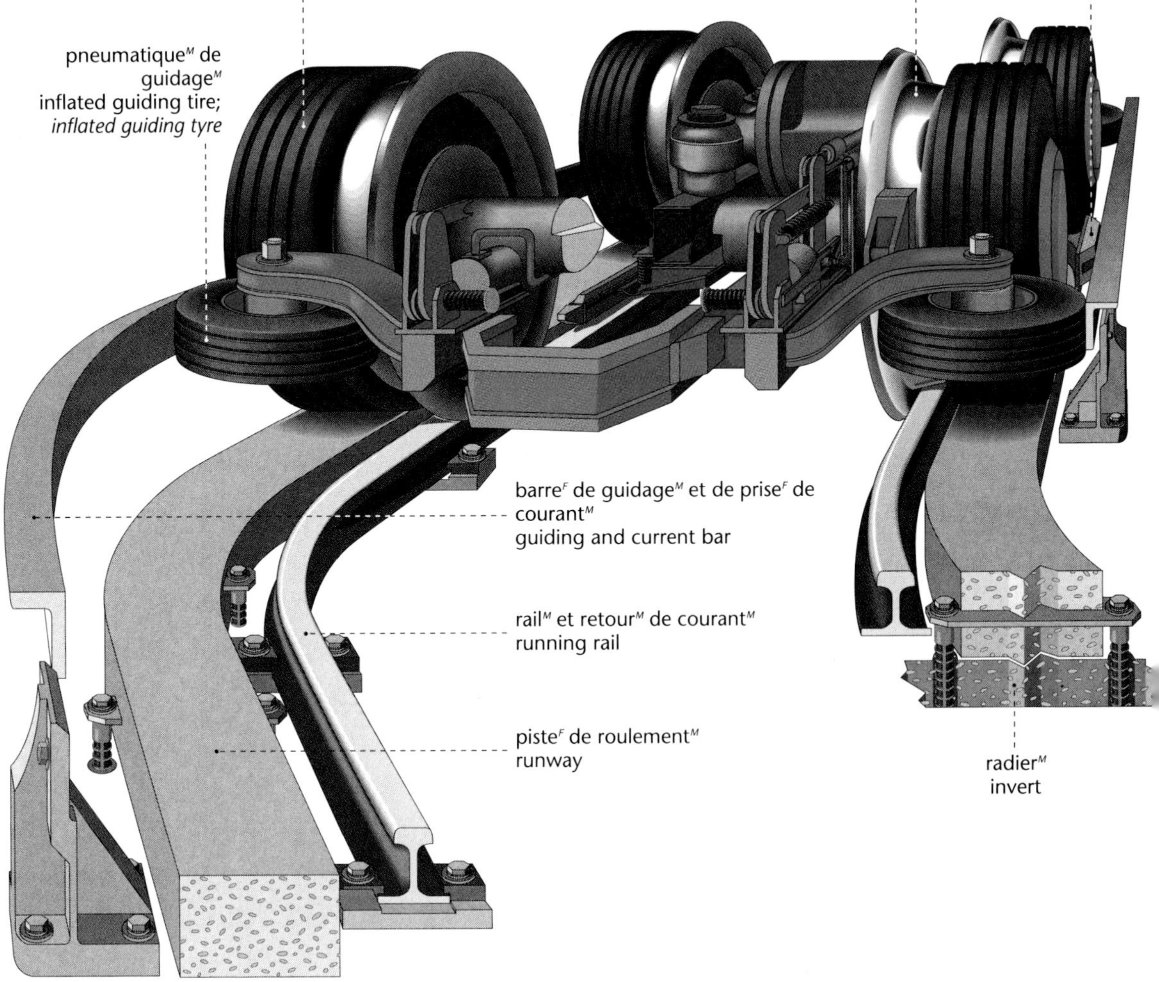
frotteur[M]
sliding block
pneumatique[M] porteur
inflated carrying tire;
inflated carrying tyre
roue[F] de sécurité[F]
steel safety wheel
pneumatique[M] de guidage[M]
inflated guiding tire;
inflated guiding tyre
barre[F] de guidage[M] et de prise[F] de courant[M]
guiding and current bar
rail[M] et retour[M] de courant[M]
running rail
piste[F] de roulement[M]
runway
radier[M]
invert

RAME[F] DE MÉTRO[M]
SUBWAY TRAIN; *UNDERGROUND TRAIN*

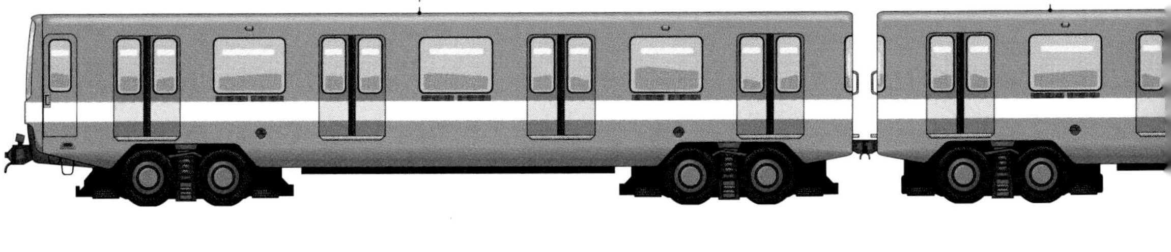
motrice[F]
motor car
remorque[F]
passenger car

VOITURE[F]
PASSENGER CAR

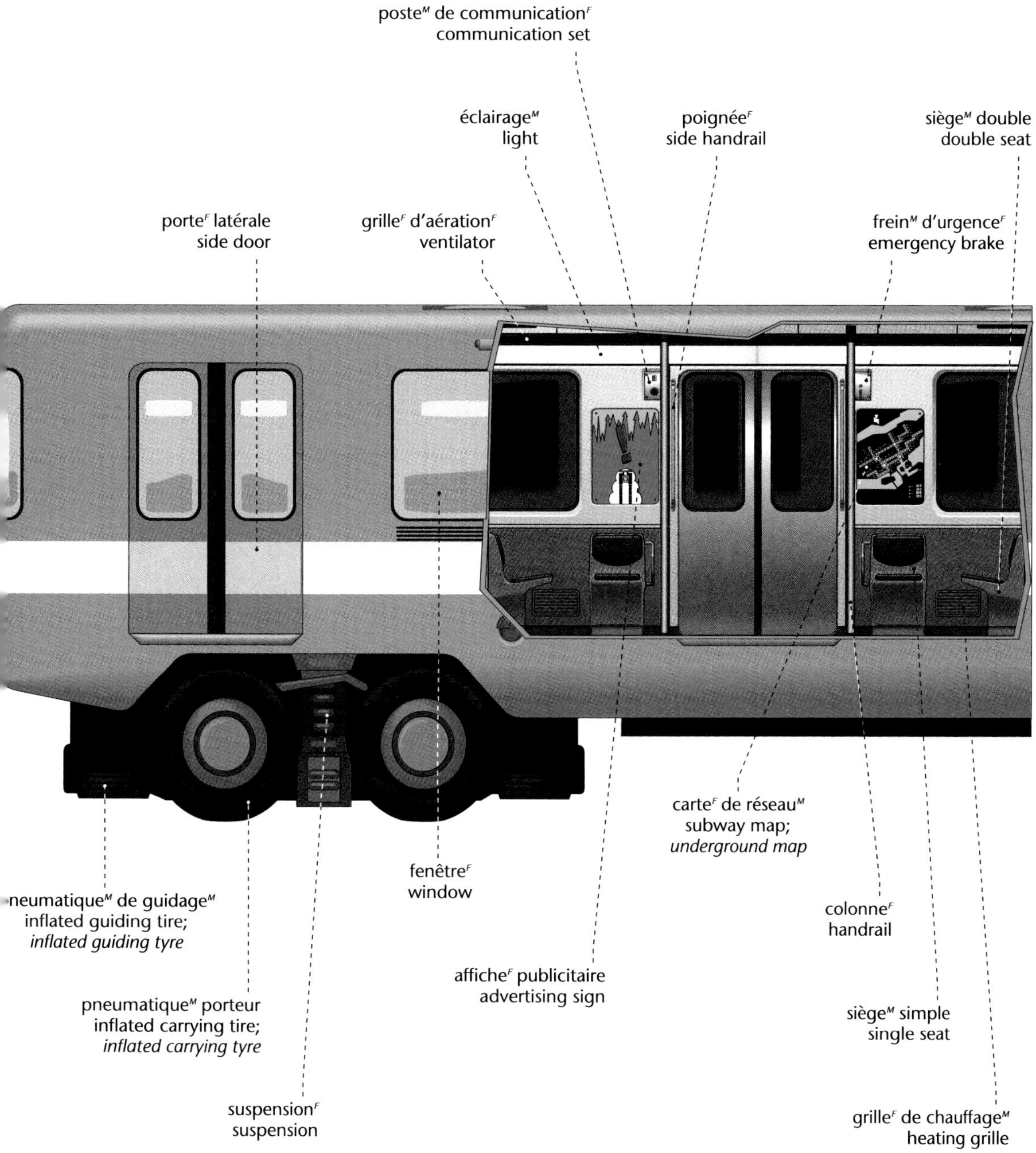
poste[M] de communication[F]
communication set
éclairage[M]
light
poignée[F]
side handrail
siège[M] double
double seat
porte[F] latérale
side door
grille[F] d'aération[F]
ventilator
frein[M] d'urgence[F]
emergency brake
carte[F] de réseau[M]
subway map;
underground map
fenêtre[F]
window
neumatique[M] de guidage[M]
inflated guiding tire;
inflated guiding tyre
colonne[F]
handrail
affiche[F] publicitaire
advertising sign
pneumatique[M] porteur
inflated carrying tire;
inflated carrying tyre
siège[M] simple
single seat
suspension[F]
suspension
grille[F] de chauffage[M]
heating grille

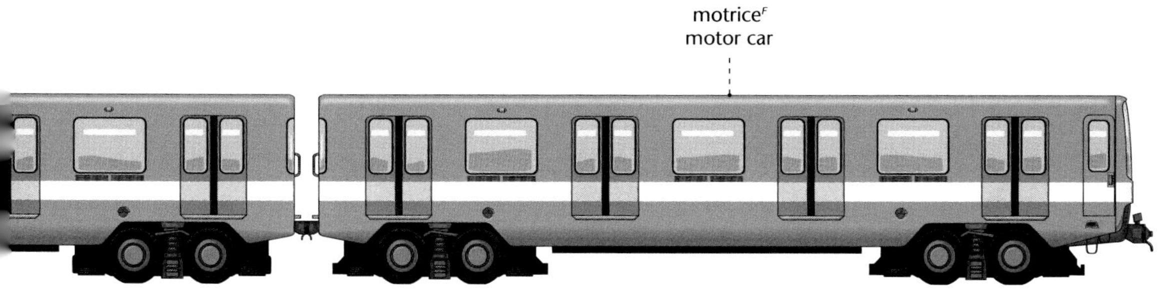
motrice[F]
motor car

QUATRE-MÂTS^M BARQUE^F
FOUR-MASTED BARK

MÂTURE^F ET GRÉEMENT^M
MASTING AND RIGGING

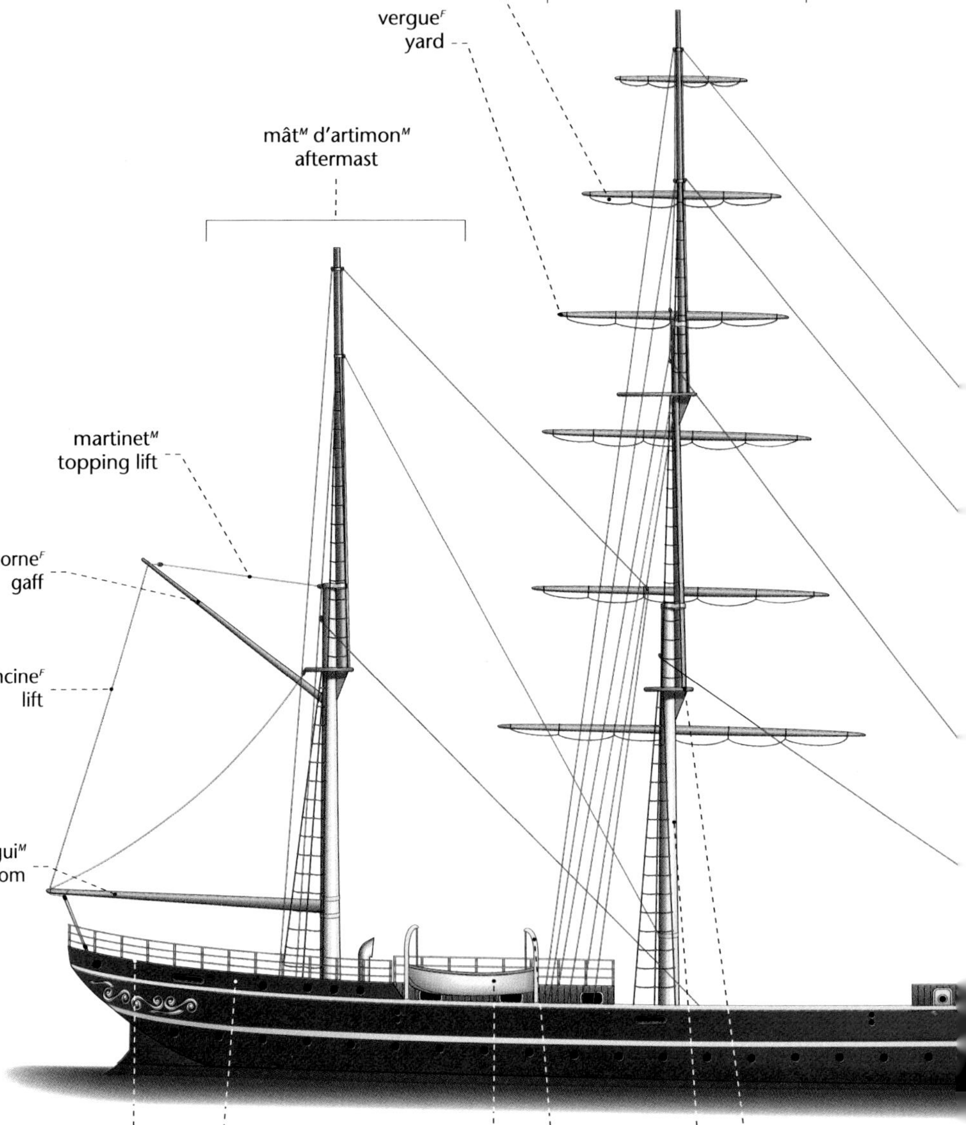

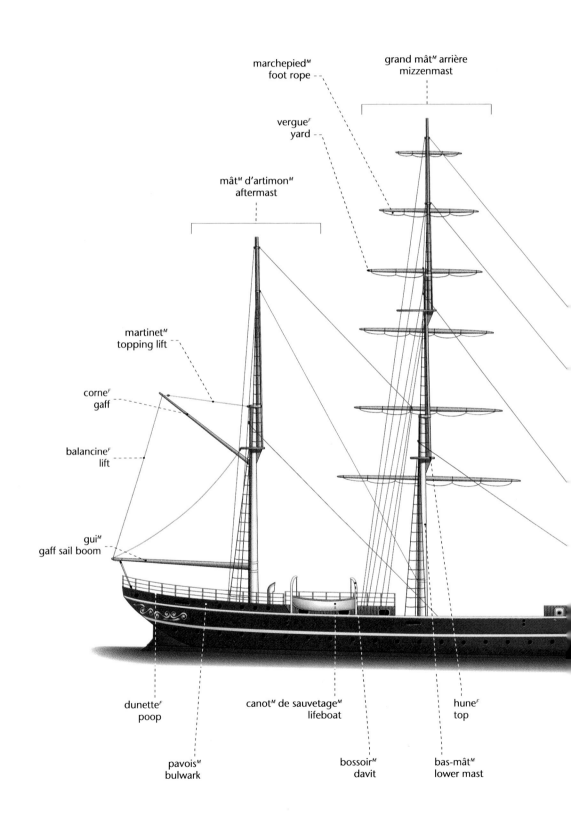

marchepied^M
foot rope
grand mât^M arrière
mizzenmast
vergue^F
yard
mât^M d'artimon^M
aftermast
martinet^M
topping lift
corne^F
gaff
balancine^F
lift
gui^M
gaff sail boom
dunette^F
poop
canot^M de sauvetage^M
lifeboat
hune^F
top
pavois^M
bulwark
bossoir^M
davit
bas-mât^M
lower mast

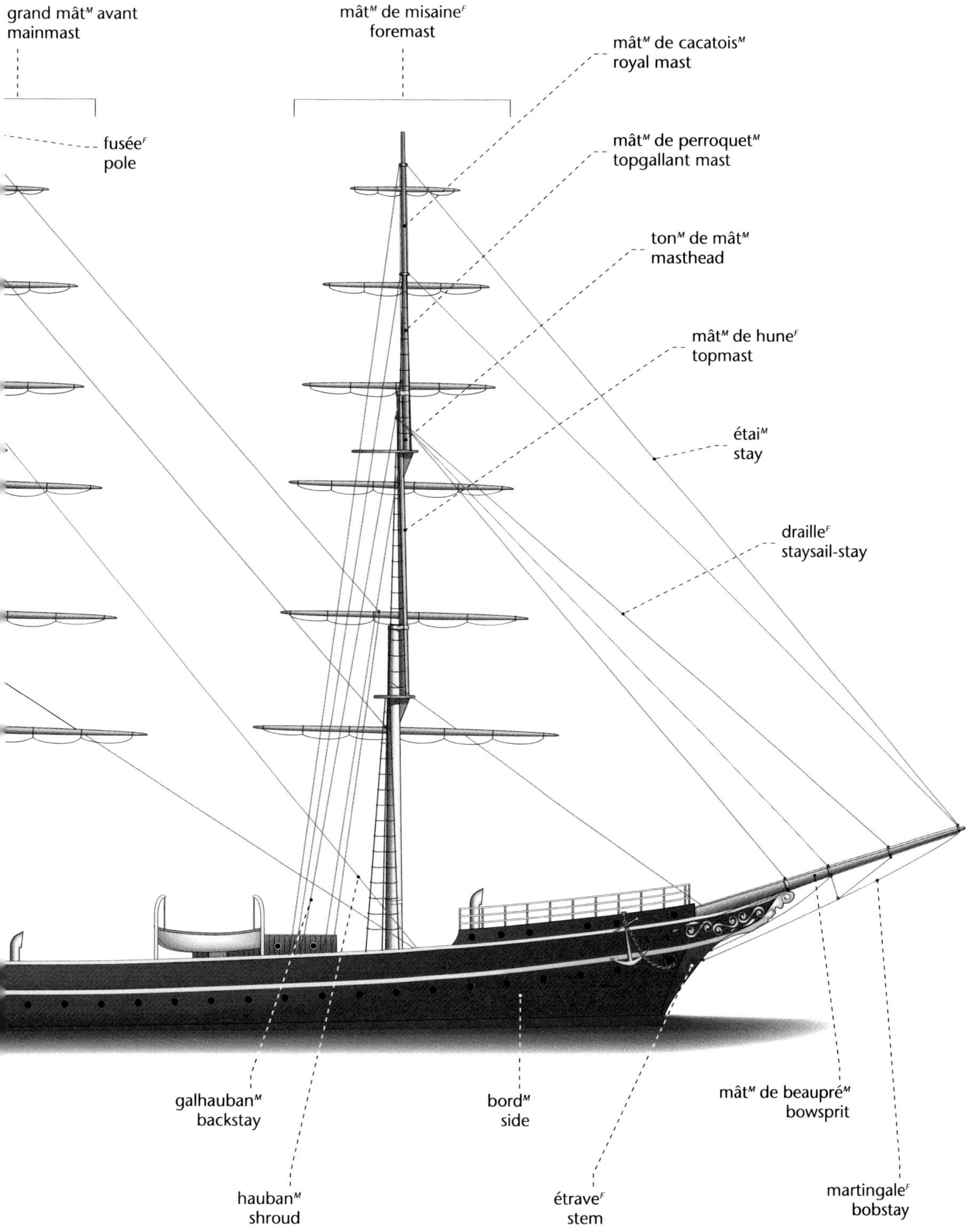
grand mât[M] avant
mainmast
mât[M] de misaine[F]
foremast
mât[M] de cacatois[M]
royal mast
fusée[F]
pole
mât[M] de perroquet[M]
topgallant mast
ton[M] de mât[M]
masthead
mât[M] de hune[F]
topmast
étai[M]
stay
draille[F]
staysail-stay
galhauban[M]
backstay
bord[M]
side
mât[M] de beaupré[M]
bowsprit
hauban[M]
shroud
étrave[F]
stem
martingale[F]
bobstay

QUATRE-MÂTS[M] BARQUE[F]
FOUR-MASTED BARK

VOILURE[F]
SAILS

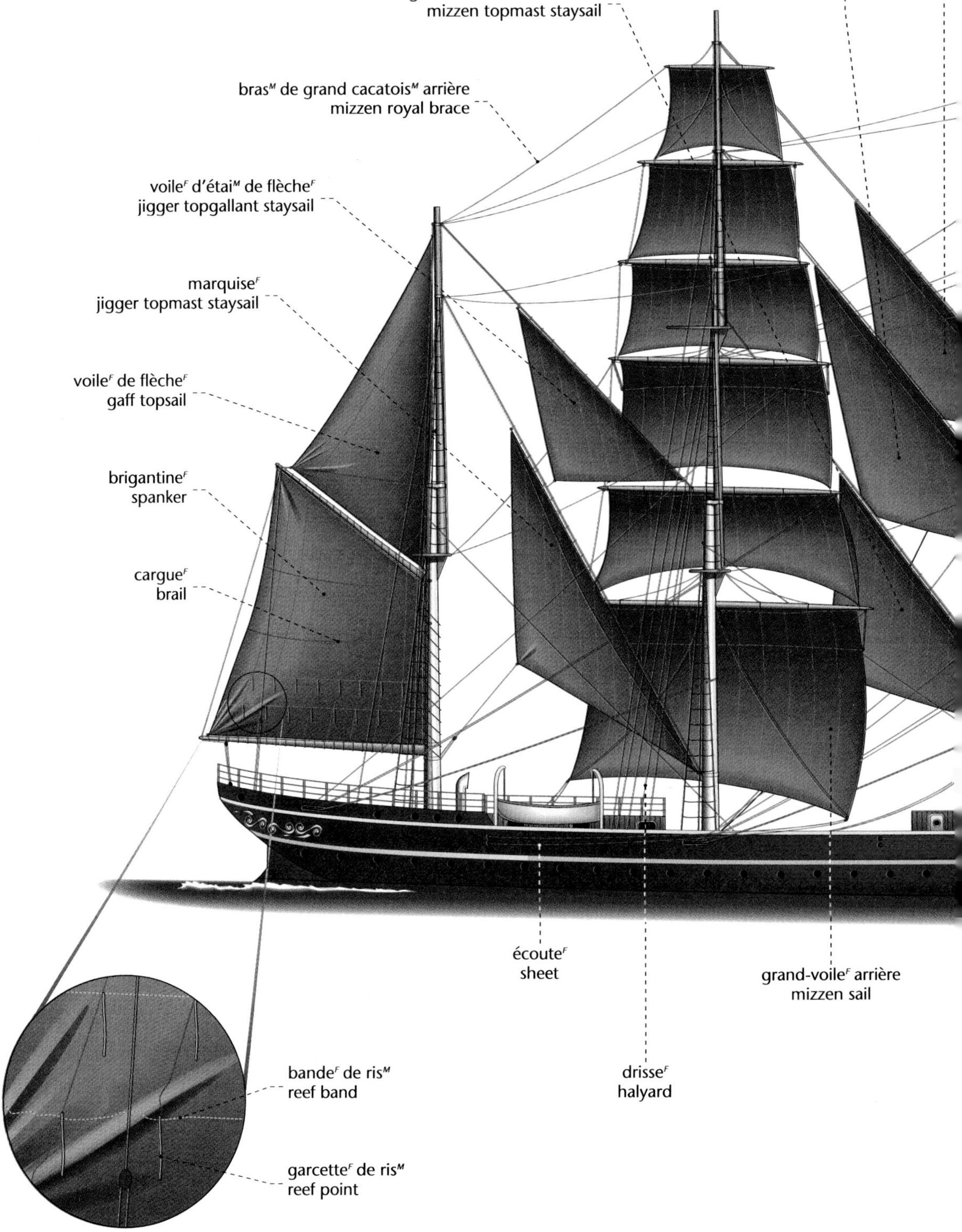
voile[F] d'étai[M] de grand perroquet[M] arrière
mizzen royal staysail
voile[F] d'étai[M] de hune[F] arrière
mizzen topgallant staysail
grand-voile[F] d'étai[M] arrière
mizzen topmast staysail
bras[M] de grand cacatois[M] arrière
mizzen royal brace
voile[F] d'étai[M] de flèche[F]
jigger topgallant staysail
marquise[F]
jigger topmast staysail
voile[F] de flèche[F]
gaff topsail
brigantine[F]
spanker
cargue[F]
brail
écoute[F]
sheet
grand-voile[F] arrière
mizzen sail
drisse[F]
halyard
bande[F] de ris[M]
reef band
garcette[F] de ris[M]
reef point

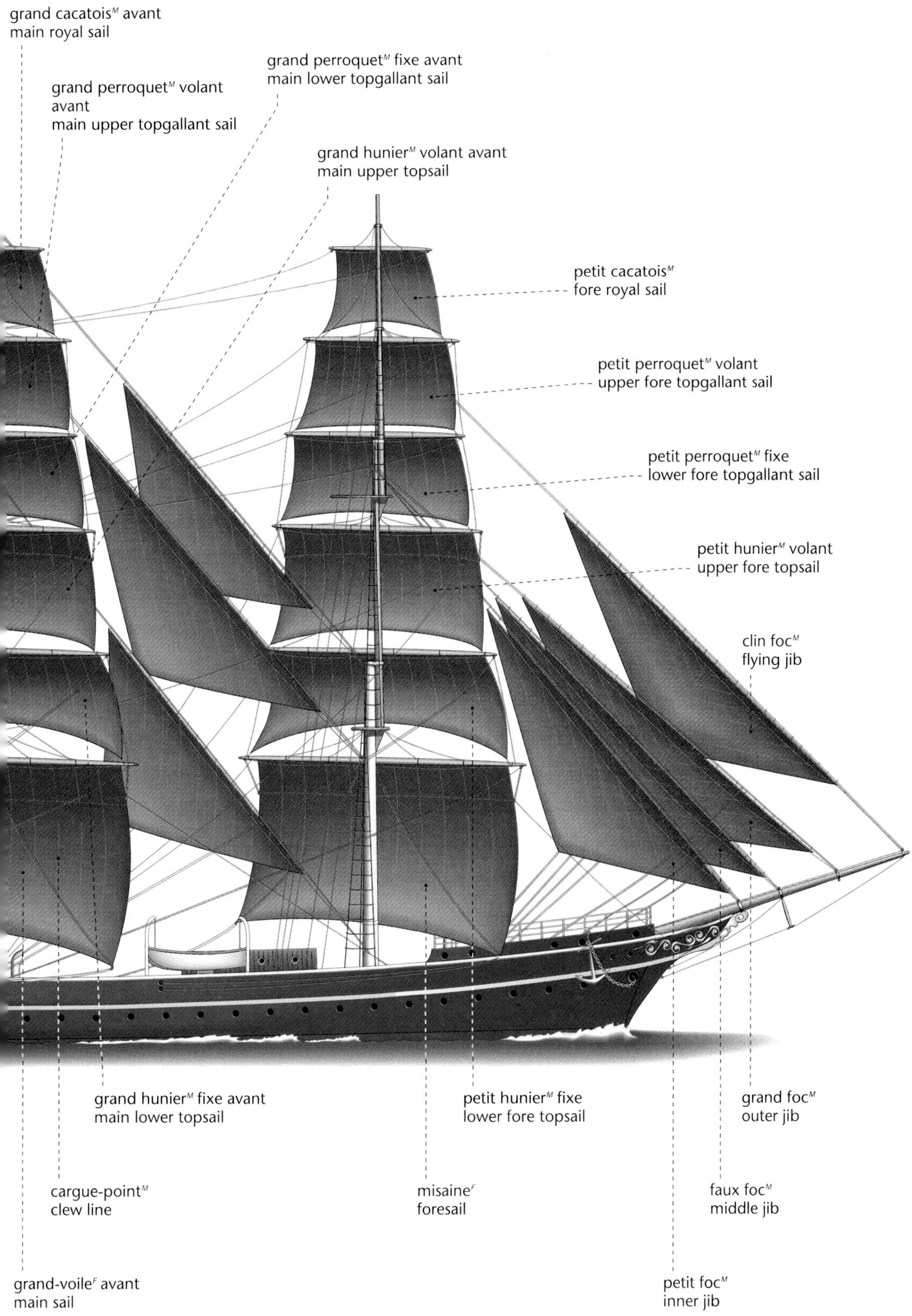
grand cacatois[M] avant
main royal sail
grand perroquet[M] volant avant
main upper topgallant sail
grand perroquet[M] fixe avant
main lower topgallant sail
grand hunier[M] volant avant
main upper topsail
petit cacatois[M]
fore royal sail
petit perroquet[M] volant
upper fore topgallant sail
petit perroquet[M] fixe
lower fore topgallant sail
petit hunier[M] volant
upper fore topsail
clin foc[M]
flying jib
grand hunier[M] fixe avant
main lower topsail
petit hunier[M] fixe
lower fore topsail
grand foc[M]
outer jib
cargue-point[M]
clew line
misaine[F]
foresail
faux foc[M]
middle jib
grand-voile[F] avant
main sail
petit foc[M]
inner jib

TYPES[M] DE VOILES[F]
TYPES OF SAILS

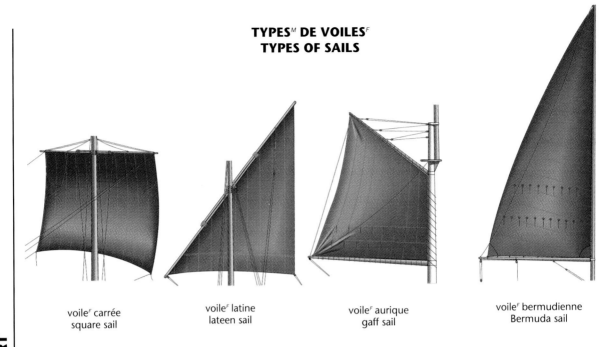

voile[F] carrée
square sail

voile[F] latine
lateen sail

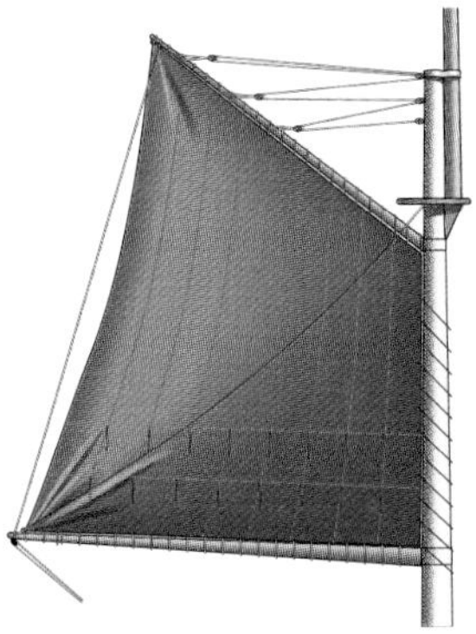

voile[F] aurique
gaff sail

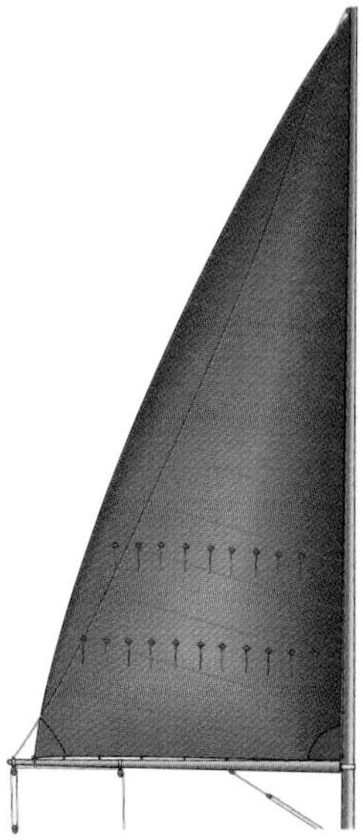

voile[F] bermudienne
Bermuda sail

TYPES[M] DE GRÉEMENTS[M]
TYPES OF RIGS

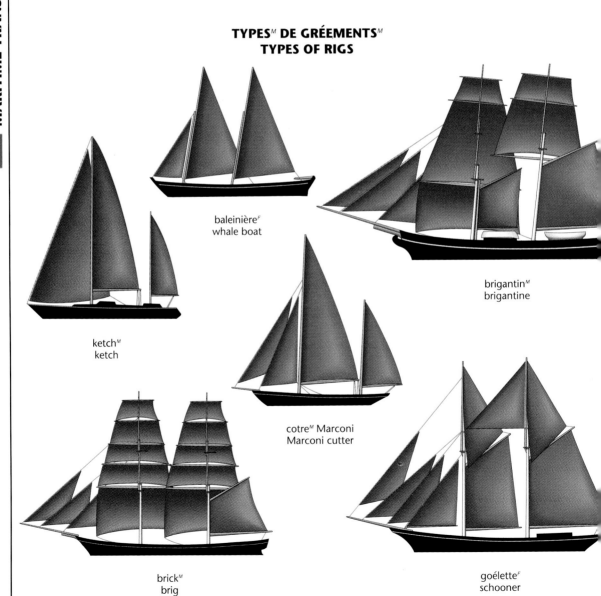

baleinière[F]
whale boat

brigantin[M]
brigantine

ketch[M]
ketch

cotre[M] Marconi
Marconi cutter

brick[M]
brig

goélette[F]
schooner

ANCRE^{F}
ANCHOR

ANCRE^{F} DE MARINE^{F}
SHIP'S ANCHOR

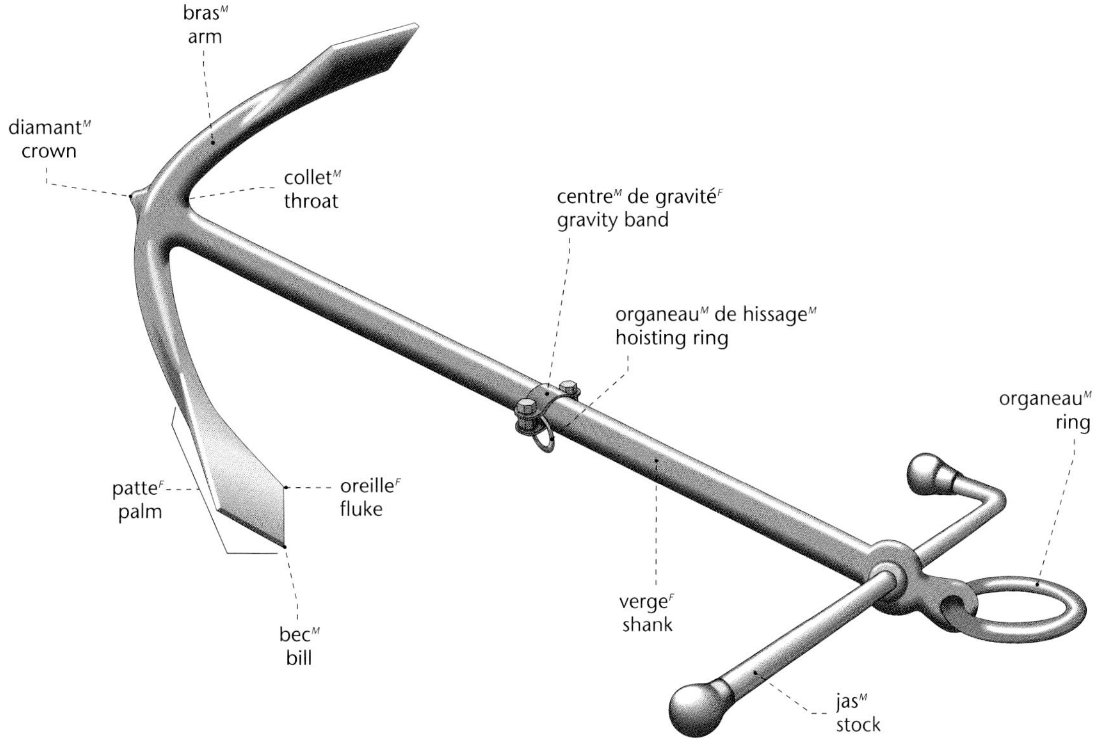

bras^{M}
arm
diamant^{M}
crown
collet^{M}
throat
centre^{M} de gravité^{F}
gravity band
organeau^{M} de hissage^{M}
hoisting ring
organeau^{M}
ring
patte^{F}
palm
oreille^{F}
fluke
verge^{F}
shank
bec^{M}
bill
jas^{M}
stock

TYPES^{M} D'ANCRES^{F}
TYPES OF ANCHORS

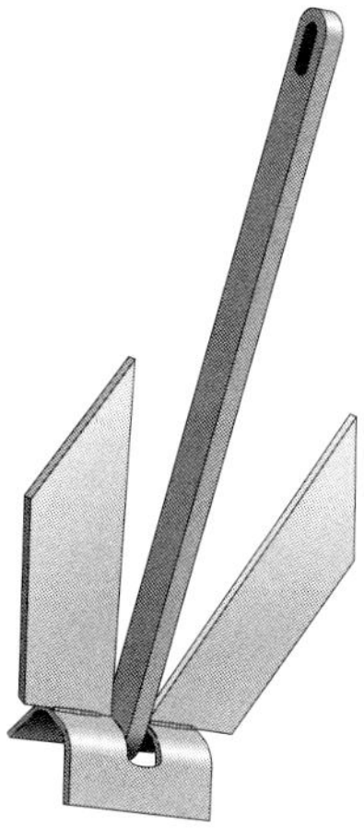

ancre^{F} sans jas^{M}
stockless anchor

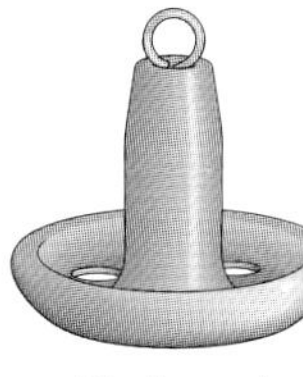

ancre^{F} à champignon^{M}
mushroom anchor

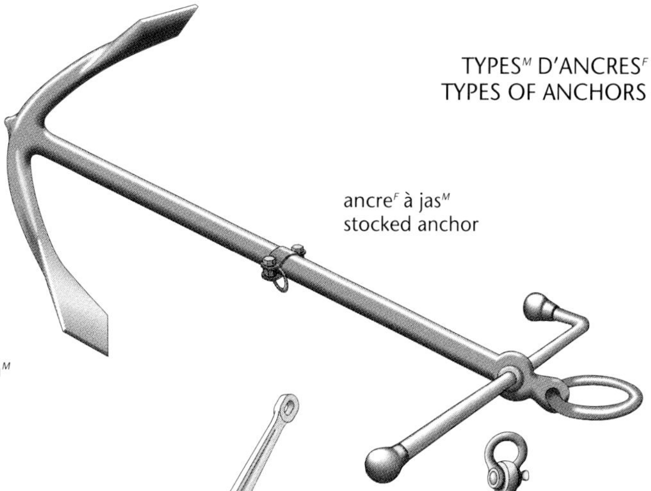

ancre^{F} à jas^{M}
stocked anchor

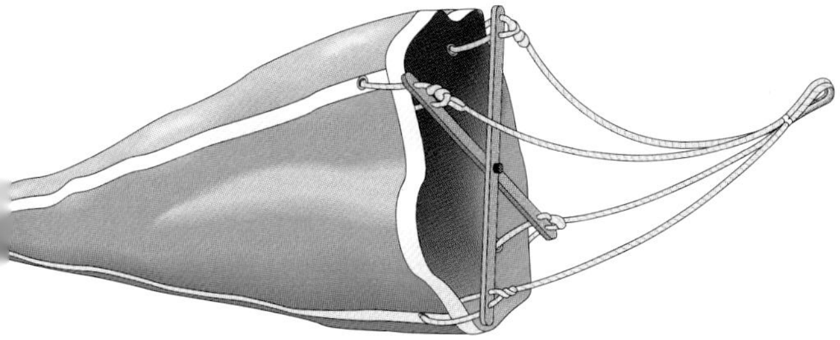

ancre^{F} flottante
sea anchor

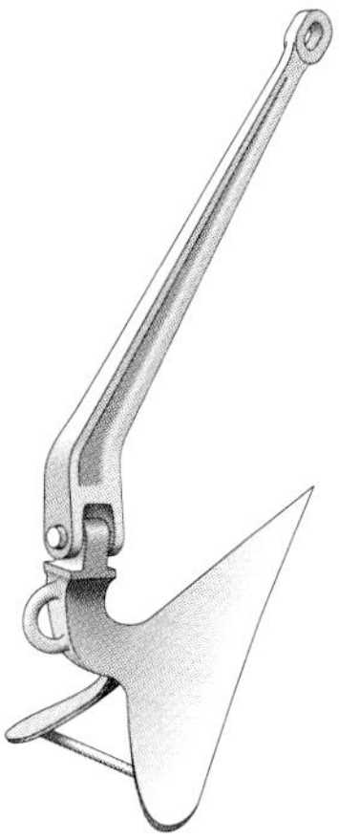

ancre^{F} charrue^{F}
plow anchor; *car anchor*

grappin^{M}
grapnel

APPAREILS[M] DE NAVIGATION[F]
NAVIGATION DEVICES

SEXTANT[M]
SEXTANT

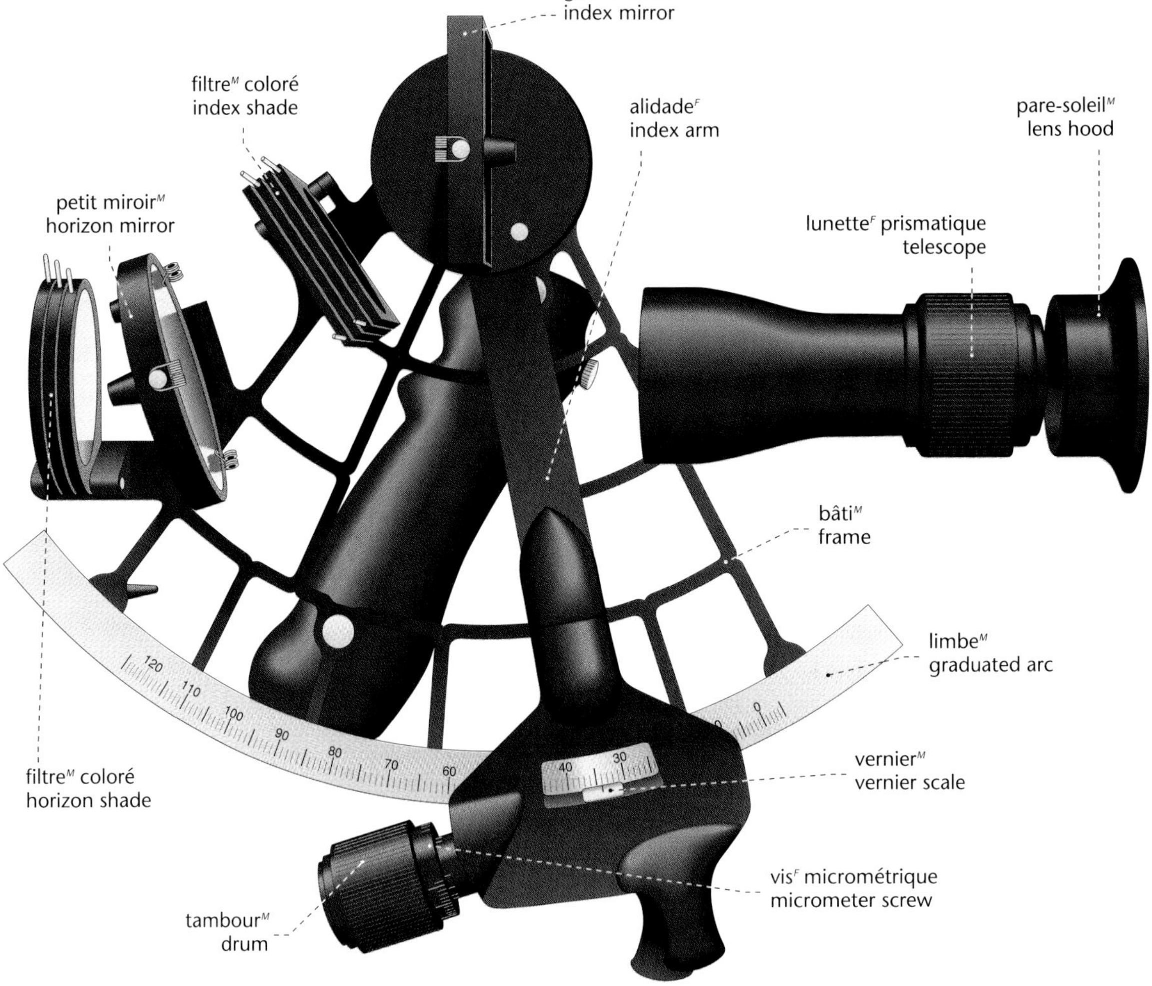
grand miroir[M]
index mirror
filtre[M] coloré
index shade
alidade[F]
index arm
pare-soleil[M]
lens hood
petit miroir[M]
horizon mirror
lunette[F] prismatique
telescope
bâti[M]
frame
limbe[M]
graduated arc
filtre[M] coloré
horizon shade
vernier[M]
vernier scale
vis[F] micrométrique
micrometer screw
tambour[M]
drum

COMPAS[M] MAGNÉTIQUE LIQUIDE
LIQUID COMPASS

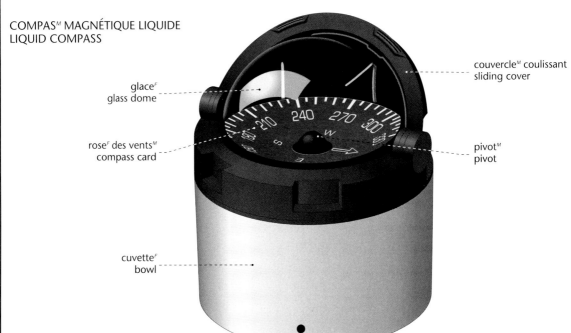

couvercle[M] coulissant
sliding cover
glace[F]
glass dome
rose[F] des vents[M]
compass card
pivot[M]
pivot
cuvette[F]
bowl

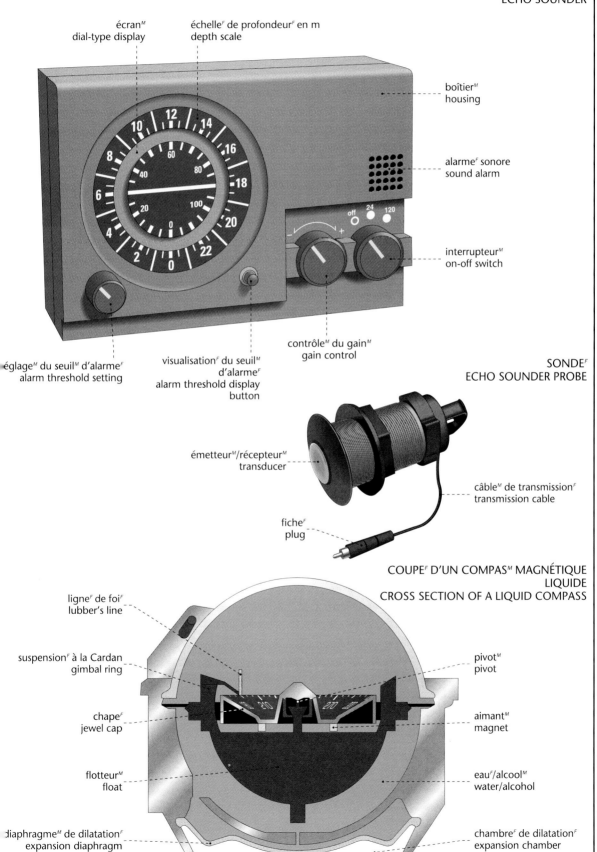

SONDEUR[M] À ÉCLATS[M]
ECHO SOUNDER

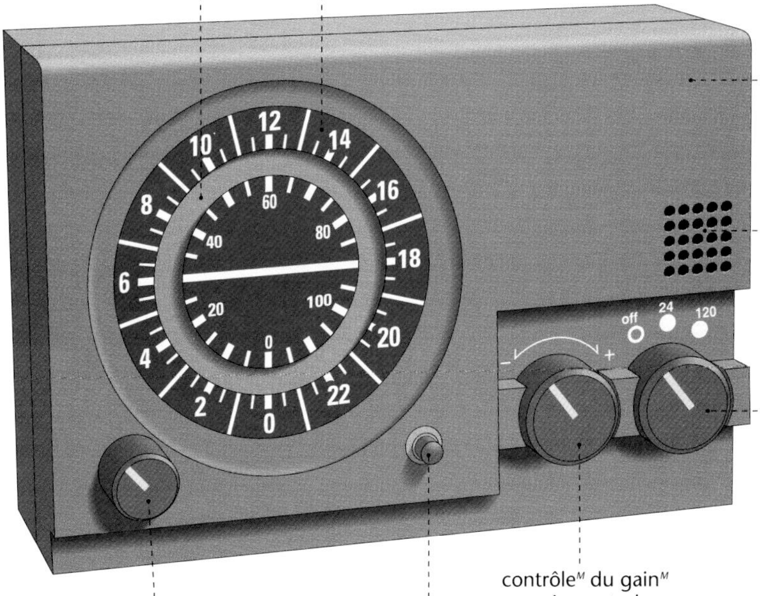
écran[M]
dial-type display
échelle[F] de profondeur[F] en m
depth scale
boîtier[M]
housing
alarme[F] sonore
sound alarm
off
24
120
interrupteur[M]
on-off switch
contrôle[M] du gain[M]
gain control
réglage[M] du seuil[M] d'alarme[F]
alarm threshold setting
visualisation[F] du seuil[M] d'alarme[F]
alarm threshold display button

SONDE[F]
ECHO SOUNDER PROBE

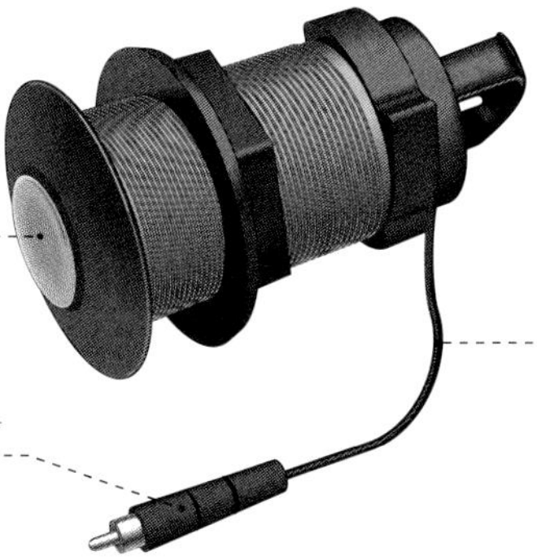
émetteur[M]/récepteur[M]
transducer
câble[M] de transmission[F]
transmission cable
fiche[F]
plug

COUPE[F] D'UN COMPAS[M] MAGNÉTIQUE LIQUIDE
CROSS SECTION OF A LIQUID COMPASS

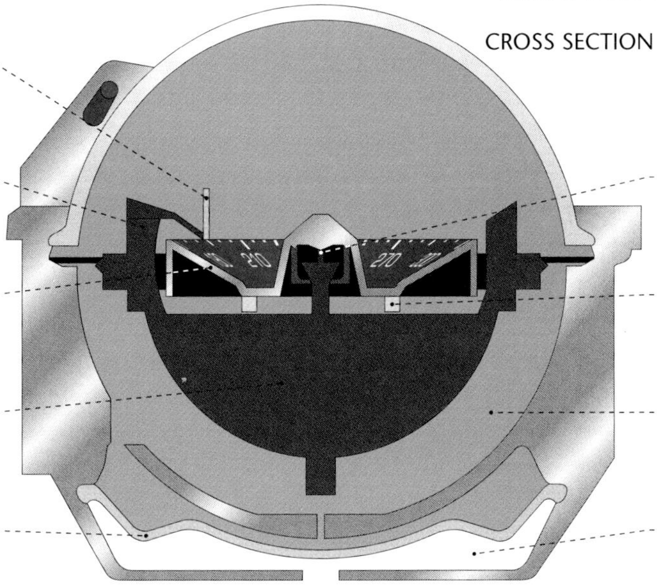
ligne[F] de foi[F]
lubber's line
suspension[F] à la Cardan
gimbal ring
pivot[M]
pivot
chape[F]
jewel cap
aimant[M]
magnet
flotteur[M]
float
eau[F]/alcool[M]
water/alcohol
diaphragme[M] de dilatation[F]
expansion diaphragm
chambre[F] de dilatation[F]
expansion chamber

SIGNALISATION[F] MARITIME
MARITIME SIGNALS

LANTERNE[F] DE PHARE[M]
LIGHTHOUSE LANTERN

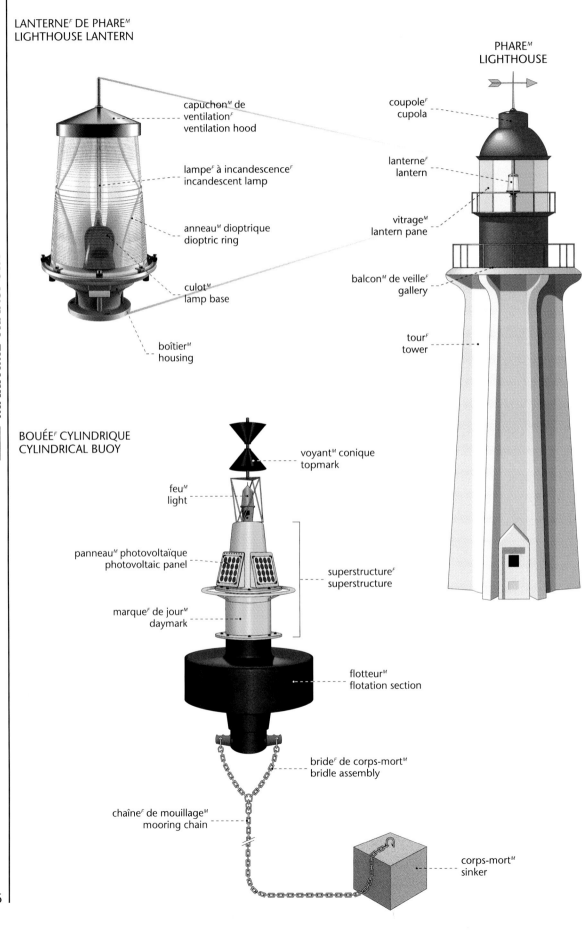

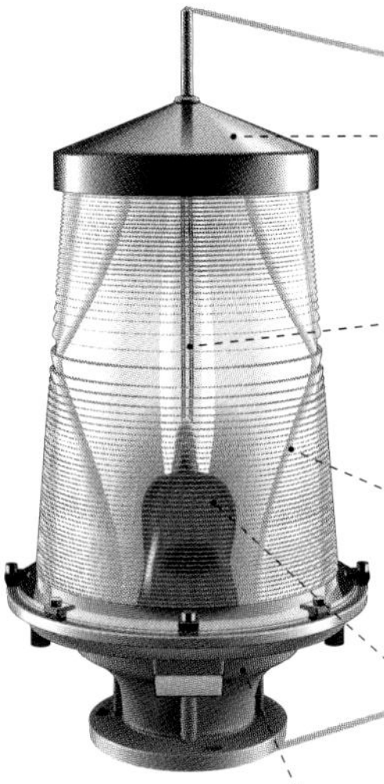
capuchon[M] de ventilation[F]
ventilation hood
lampe[F] à incandescence[F]
incandescent lamp
anneau[M] dioptrique
dioptric ring
culot[M]
lamp base
boîtier[M]
housing

PHARE[M]
LIGHTHOUSE

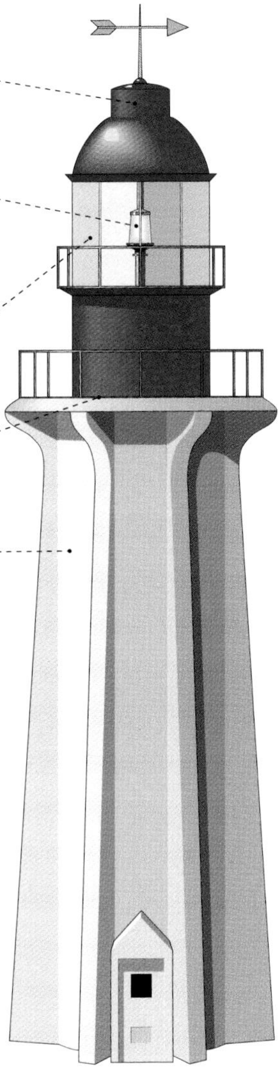
coupole[F]
cupola
lanterne[F]
lantern
vitrage[M]
lantern pane
balcon[M] de veille[F]
gallery
tour[F]
tower

BOUÉE[F] CYLINDRIQUE
CYLINDRICAL BUOY

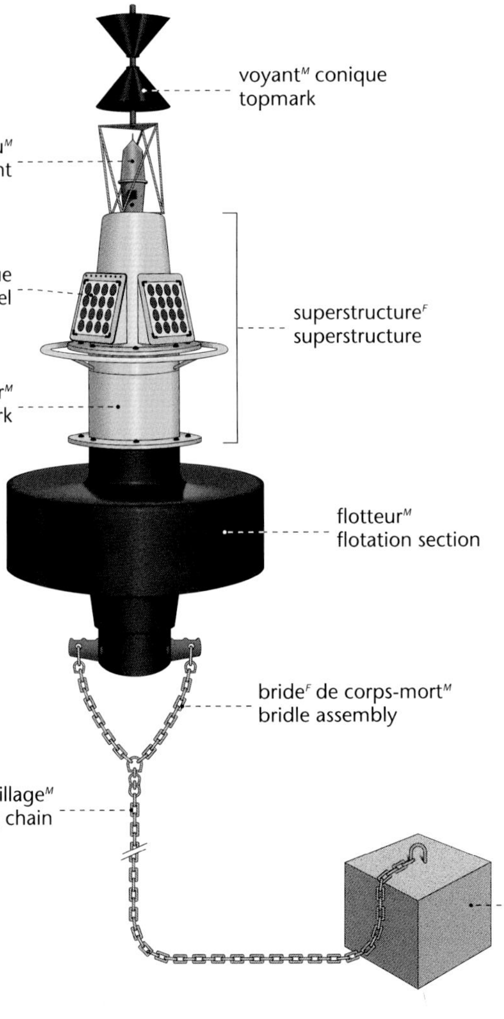
voyant[M] conique
topmark
feu[M]
light
panneau[M] photovoltaïque
photovoltaic panel
superstructure[F]
superstructure
marque[F] de jour[M]
daymark
flotteur[M]
flotation section
bride[F] de corps-mort[M]
bridle assembly
chaîne[F] de mouillage[M]
mooring chain
corps-mort[M]
sinker

BOUÉE[F] À PLAN[M] FOCAL ÉLEVÉ
HIGH FOCAL PLANE BUOY

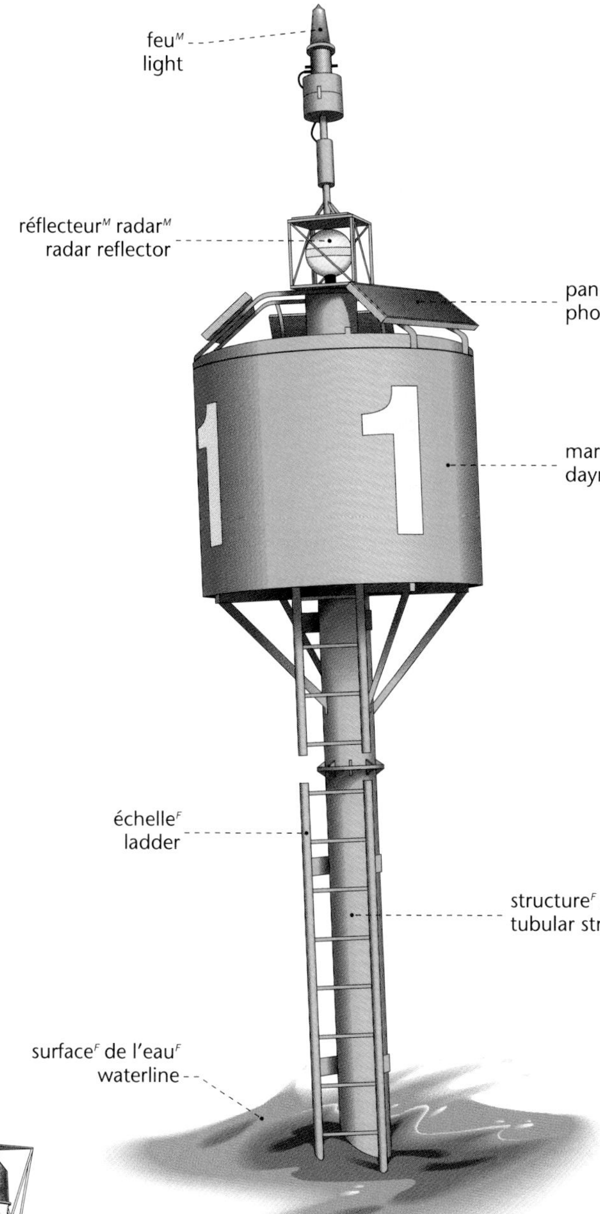
feu[M]
light
réflecteur[M] radar[M]
radar reflector
panneau[M] photovoltaïque
photovoltaic panel
marque[F] de jour[M]
daymark
1
échelle[F]
ladder
structure[F] tubulaire
tubular structure
surface[F] de l'eau[F]
waterline

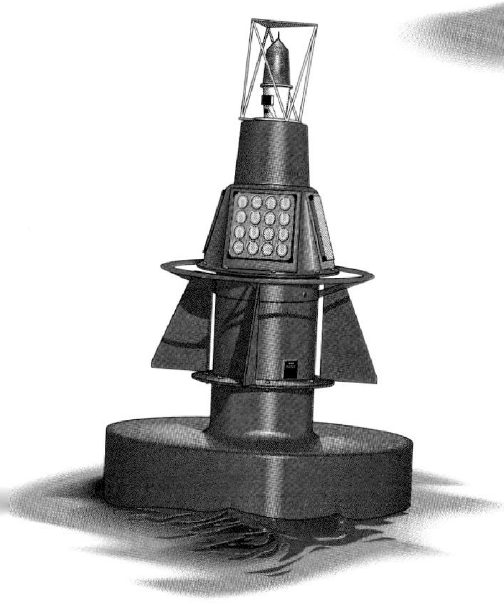

bouée[F] conique
conical buoy

bouée[F] charpente[F]
pillar buoy

SYSTÈME^M DE BALISAGE^M MARITIME
MARITIME BUOYAGE SYSTEM

MARQUES^F CARDINALES
CARDINAL MARKS

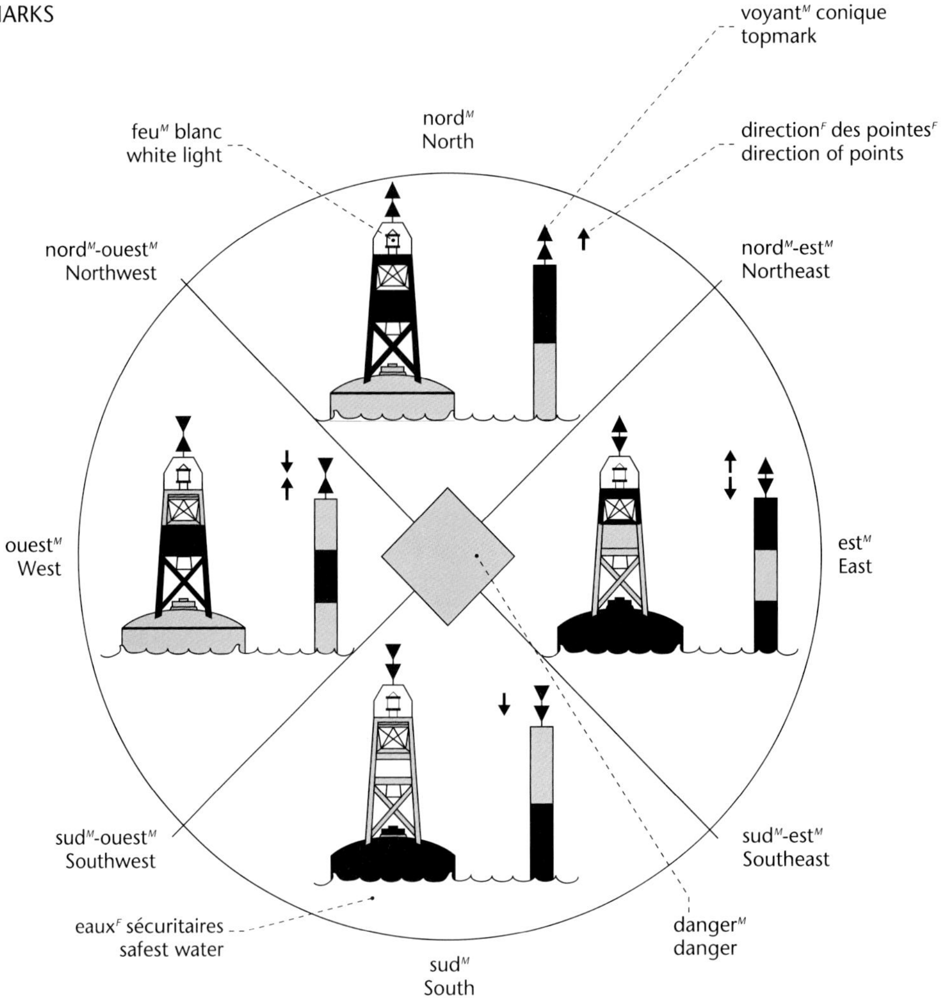
voyant^M conique
topmark
feu^M blanc
white light
nord^M
North
direction^F des pointes^F
direction of points
nord^M-ouest^M
Northwest
nord^M-est^M
Northeast
ouest^M
West
est^M
East
sud^M-ouest^M
Southwest
sud^M-est^M
Southeast
eaux^F sécuritaires
safest water
danger^M
danger
sud^M
South

RÉGIONS^F DE BALISAGE^M
BUOYAGE REGIONS

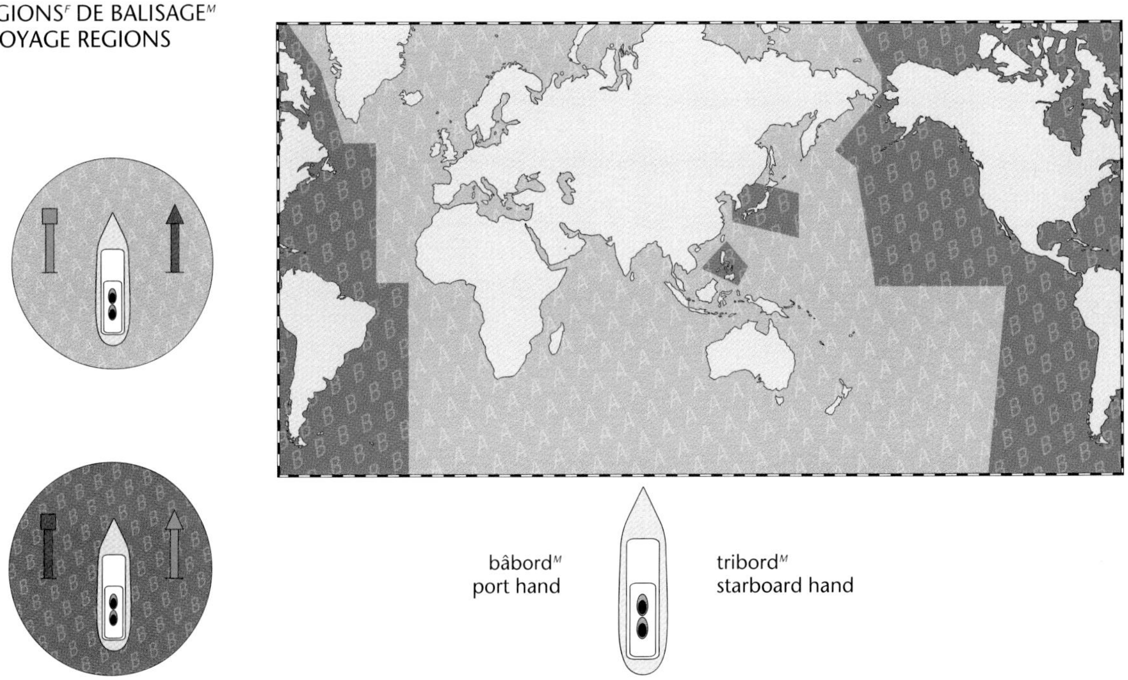
bâbord^M
port hand
tribord^M
starboard hand

RYTHME[M] DES MARQUES[F] DE NUIT[F]
RHYTHM OF MARKS BY NIGHT

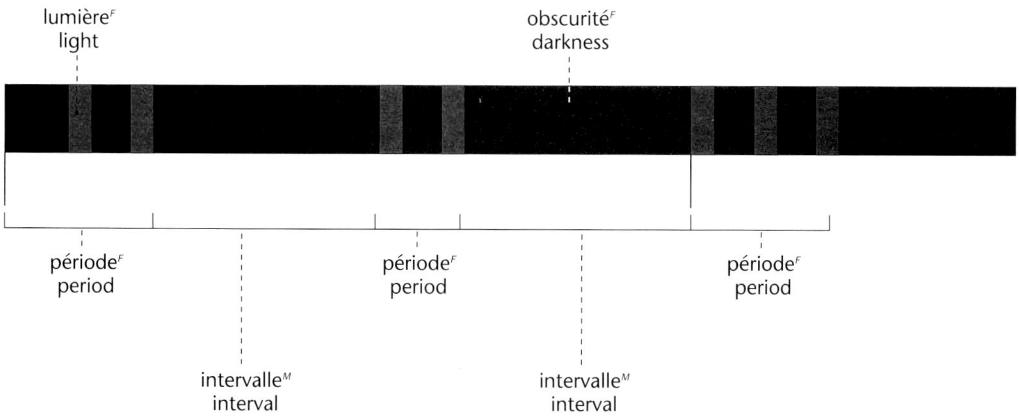
lumière[F]
light
obscurité[F]
darkness
période[F]
period
période[F]
period
période[F]
period
intervalle[M]
interval
intervalle[M]
interval

MARQUES[F] DE JOUR[M] (RÉGION[F] B)
DAYMARKS (REGION B)

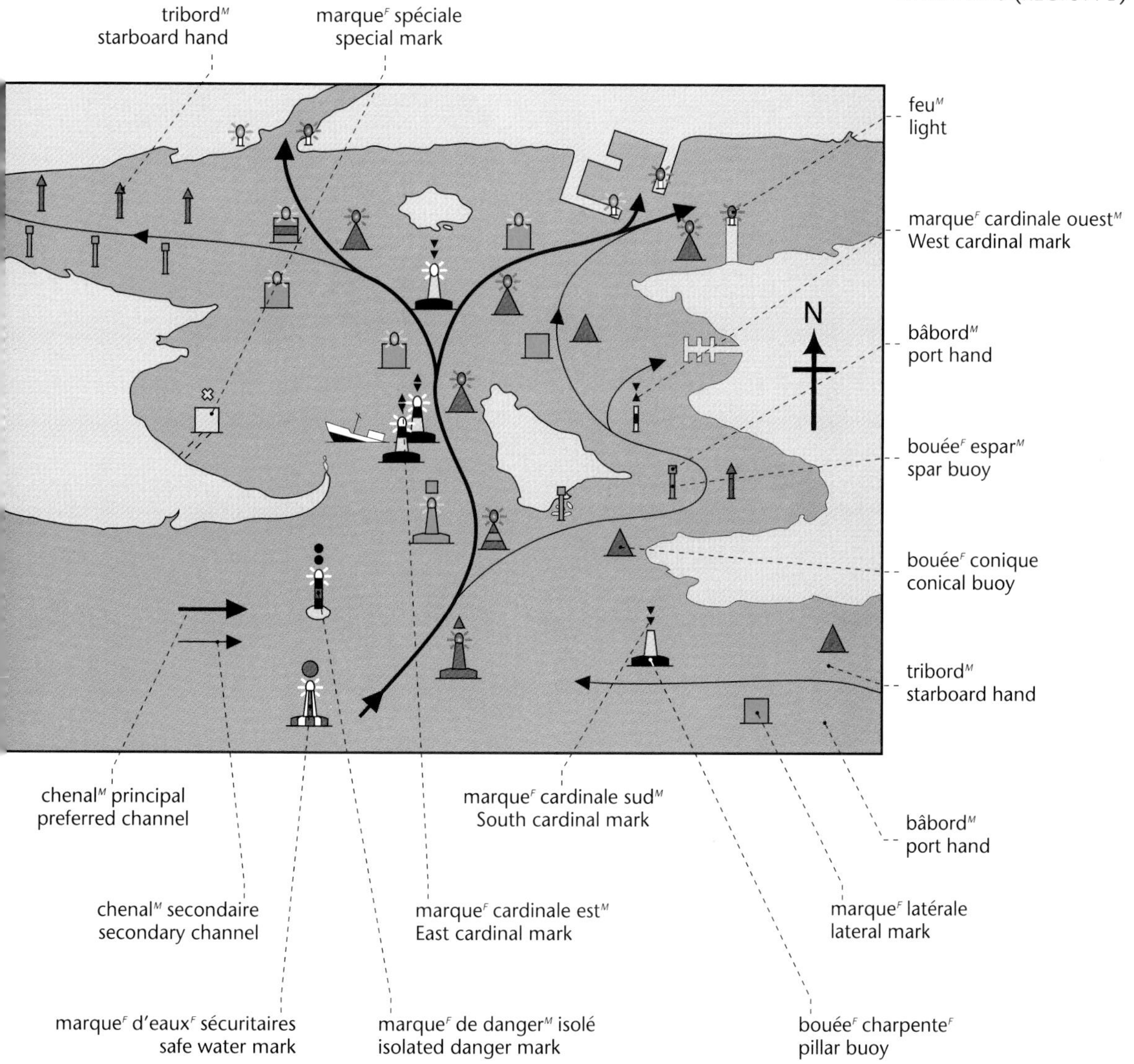
tribord[M]
starboard hand
marque[F] spéciale
special mark
feu[M]
light
marque[F] cardinale ouest[M]
West cardinal mark
N
bâbord[M]
port hand
bouée[F] espar[M]
spar buoy
bouée[F] conique
conical buoy
tribord[M]
starboard hand
chenal[M] principal
preferred channel
marque[F] cardinale sud[M]
South cardinal mark
bâbord[M]
port hand
chenal[M] secondaire
secondary channel
marque[F] cardinale est[M]
East cardinal mark
marque[F] latérale
lateral mark
marque[F] d'eaux[F] sécuritaires
safe water mark
marque[F] de danger[M] isolé
isolated danger mark
bouée[F] charpente[F]
pillar buoy

PORT[M] MARITIME
HARBOR; *HARBOUR*

porte[F]
gate
hangar[M] de transit[M]
transit shed
bassin[M] de radoub[M]
dry dock
grue[F] à flèche[F]
quayside crane
quai[M]
quay
terminal[M] de vrac[M]
bulk terminal
écluse[F]
canal lock
grue[F] sur ponton[M]
floating crane
portique[M] de chargement[M]
de conteneurs[M]
container-loading bridge
silos[M]
silos
bassin[M]
dock
rampe[F] de quai[M]
quay ramp
terminal[M] à céréales[F]
grain terminal
navire[M] porte-conteneurs[M]
container ship

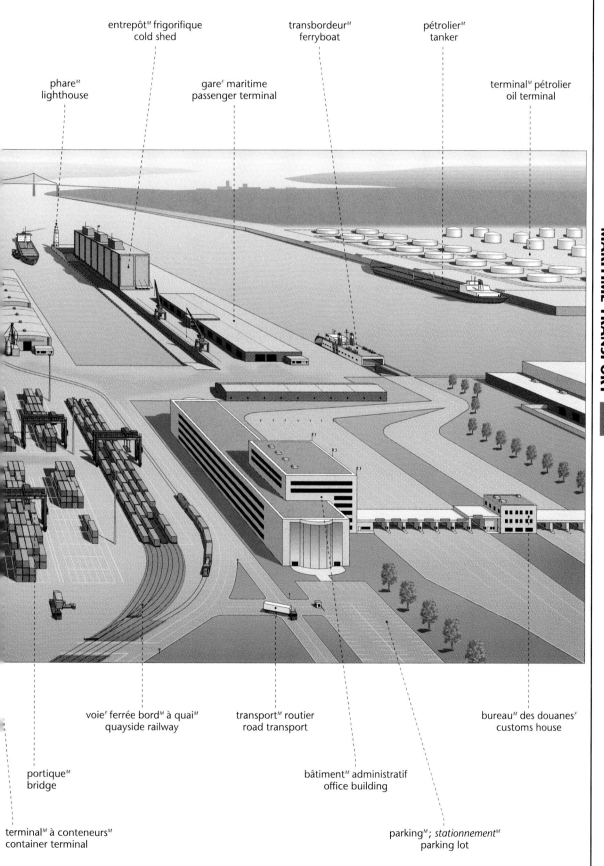

entrepôt^M frigorifique
cold shed
transbordeur^M
ferryboat
pétrolier^M
tanker
phare^M
lighthouse
gare^F maritime
passenger terminal
terminal^M pétrolier
oil terminal
voie^F ferrée bord^M à quai^M
quayside railway
transport^M routier
road transport
bureau^M des douanes^F
customs house
portique^M
bridge
bâtiment^M administratif
office building
terminal^M à conteneurs^M
container terminal
parking^M; *stationnement*^M
parking lot

ÉCLUSE[F]
CANAL LOCK

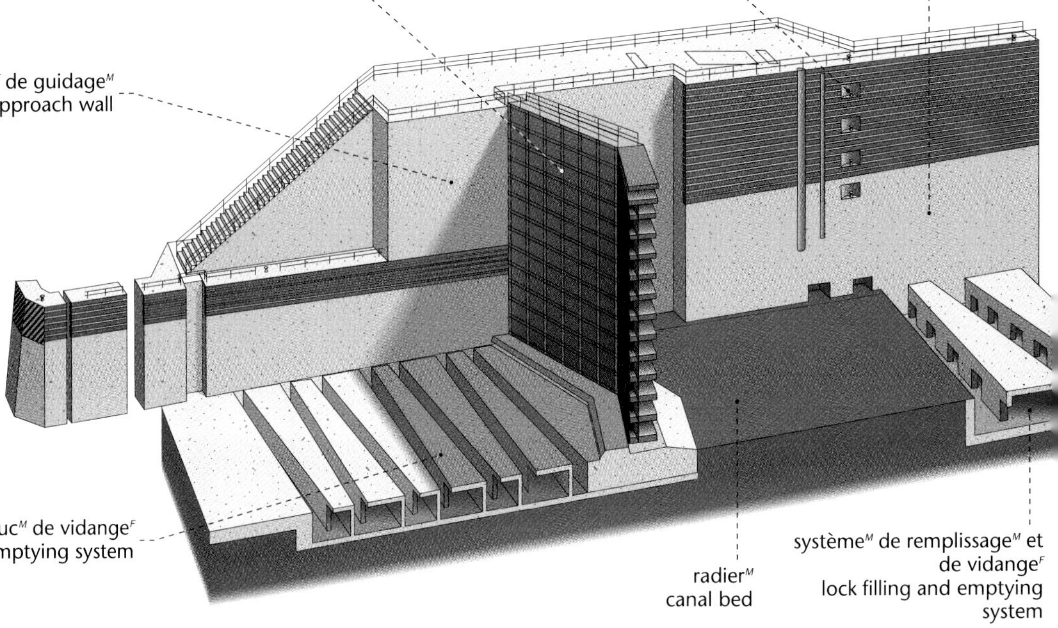
porte[F] aval[M]
lower gate
taquet[M] d'amarrage[M]
line hook
bajoyer[M]
side wall
estacade[F] de guidage[M]
approach wall
aqueduc[M] de vidange[F]
lock emptying system
radier[M]
canal bed
système[M] de remplissage[M] et de vidange[F]
lock filling and emptying system

AÉROGLISSEUR[M]
HOVERCRAFT

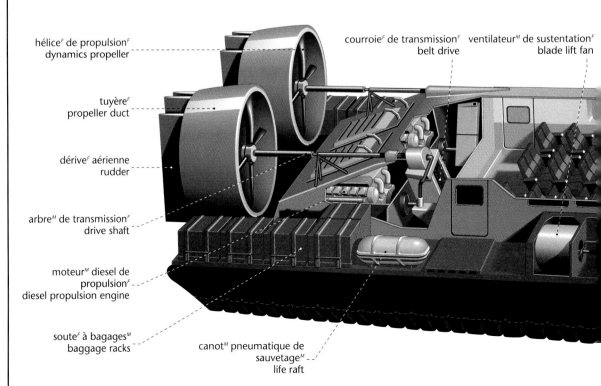

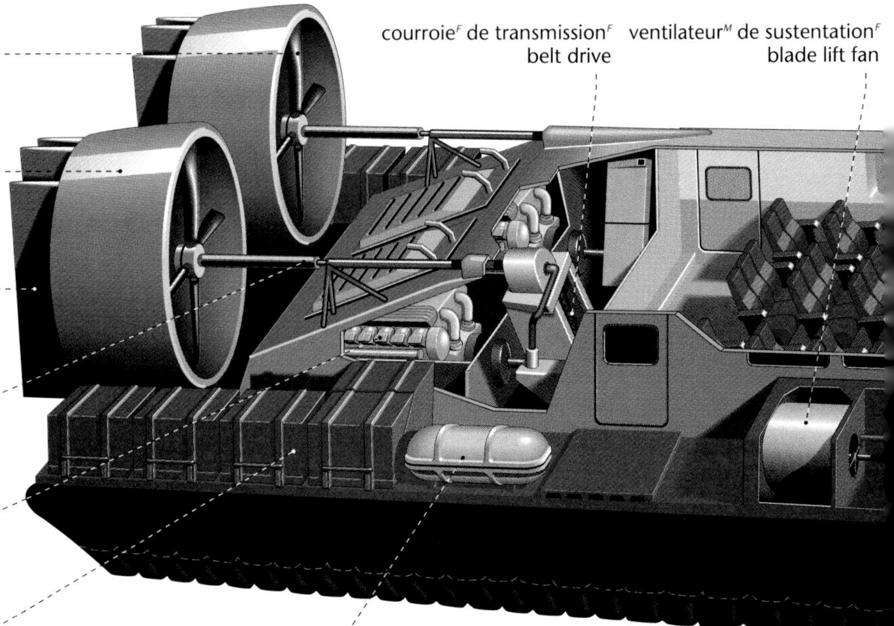
hélice[F] de propulsion[F]
dynamics propeller
courroie[F] de transmission[F]
belt drive
ventilateur[M] de sustentation[F]
blade lift fan
tuyère[F]
propeller duct
dérive[F] aérienne
rudder
arbre[M] de transmission[F]
drive shaft
moteur[M] diesel de propulsion[F]
diesel propulsion engine
soute[F] à bagages[M]
baggage racks
canot[M] pneumatique de sauvetage[M]
life raft

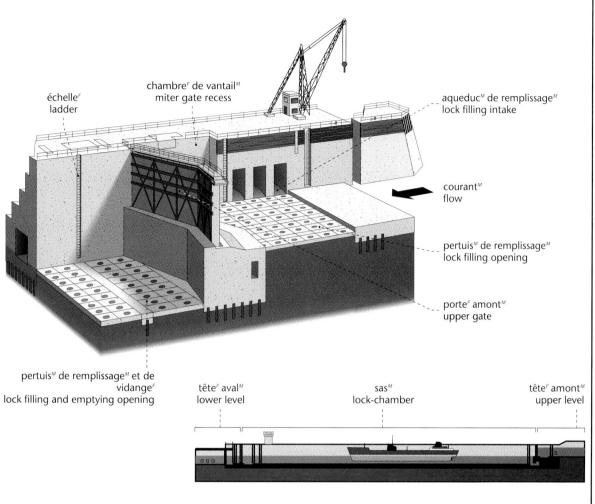

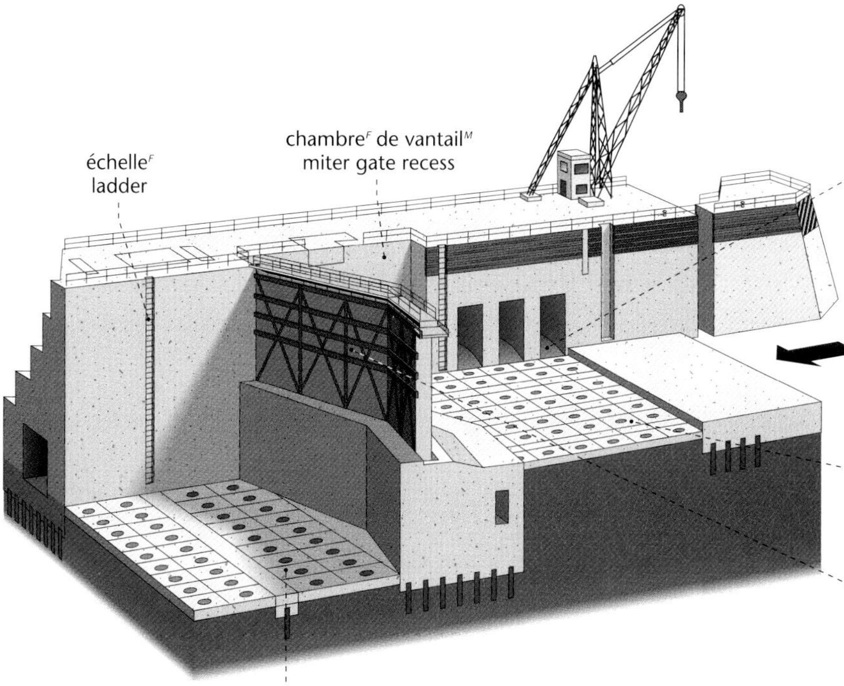
échelle[F]
ladder
chambre[F] de vantail[M]
miter gate recess
aqueduc[M] de remplissage[M]
lock filling intake
courant[M]
flow
pertuis[M] de remplissage[M]
lock filling opening
porte[F] amont[M]
upper gate
pertuis[M] de remplissage[M] et de vidange[F]
lock filling and emptying opening

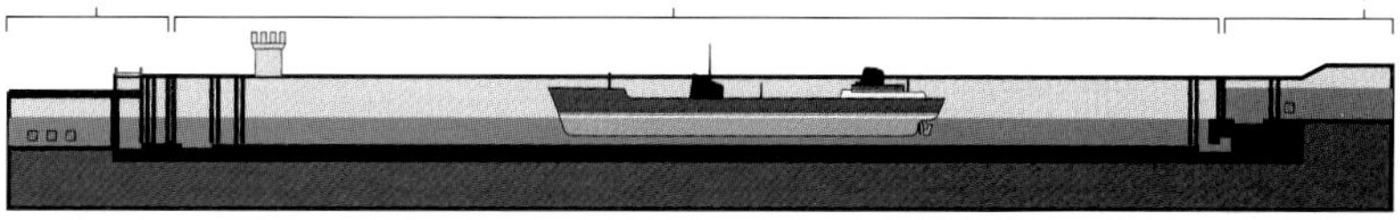
tête[F] aval[M]
lower level
sas[M]
lock-chamber
tête[F] amont[M]
upper level

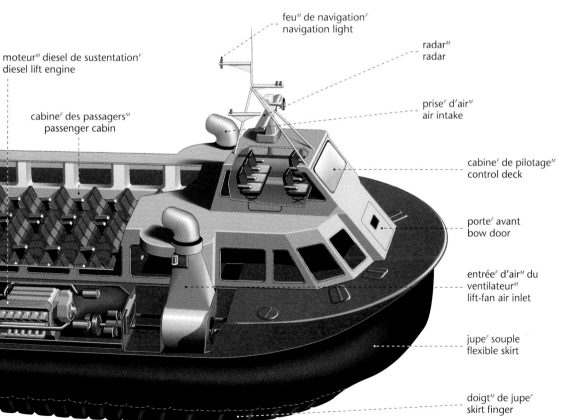

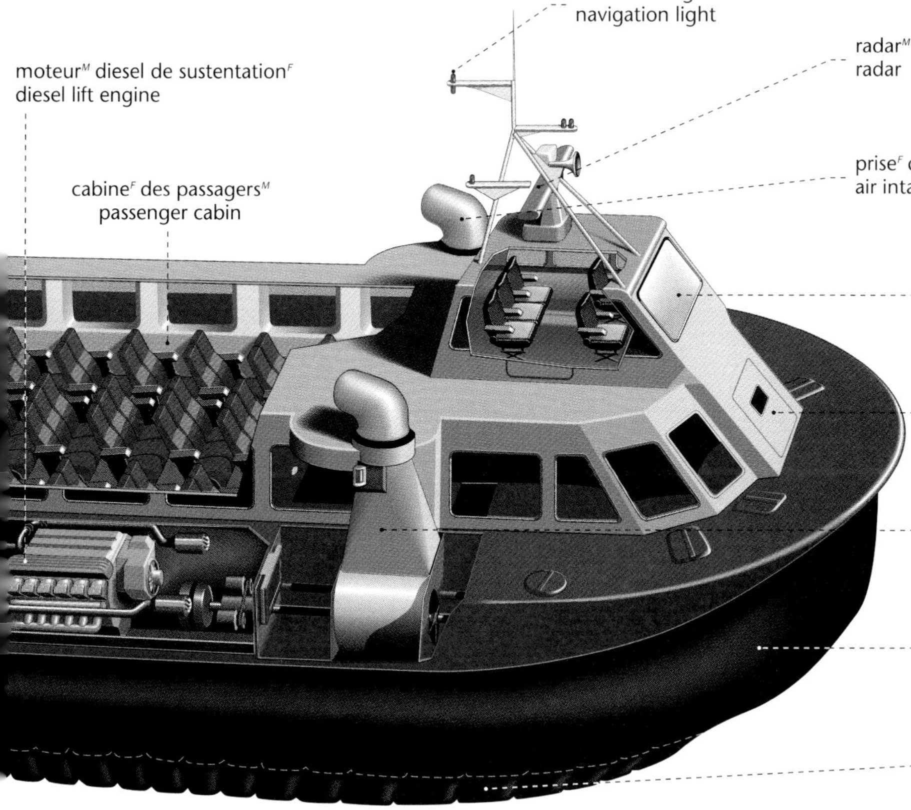
feu[M] de navigation[F]
navigation light
moteur[M] diesel de sustentation[F]
diesel lift engine
radar[M]
radar
prise[F] d'air[M]
air intake
cabine[F] des passagers[M]
passenger cabin
cabine[F] de pilotage[M]
control deck
porte[F] avant
bow door
entrée[F] d'air[M] du ventilateur[M]
lift-fan air inlet
jupe[F] souple
flexible skirt
doigt[M] de jupe[F]
skirt finger

TRANSBORDEUR[M]
FERRY

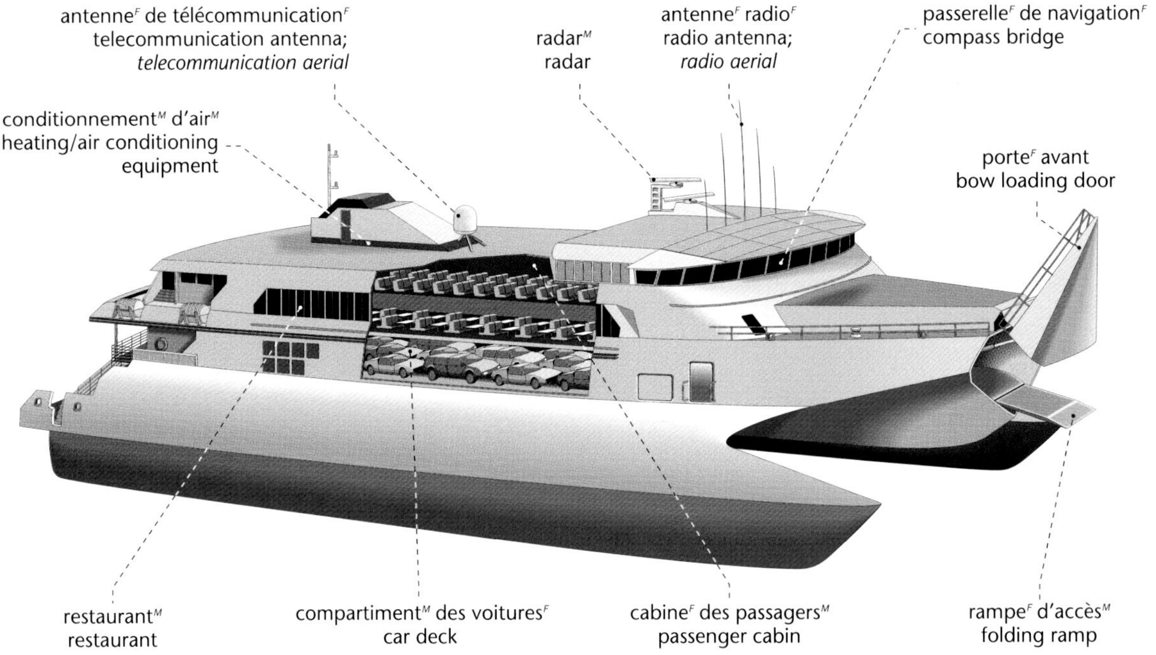
antenne[F] de télécommunication[F]
telecommunication antenna; *telecommunication aerial*
radar[M]
radar
antenne[F] radio[F]
radio antenna; *radio aerial*
passerelle[F] de navigation[F]
compass bridge
conditionnement[M] d'air[M]
heating/air conditioning equipment
porte[F] avant
bow loading door
restaurant[M]
restaurant
compartiment[M] des voitures[F]
car deck
cabine[F] des passagers[M]
passenger cabin
rampe[F] d'accès[M]
folding ramp

CARGO[M] PORTE-CONTENEURS[M]
CONTAINER SHIP

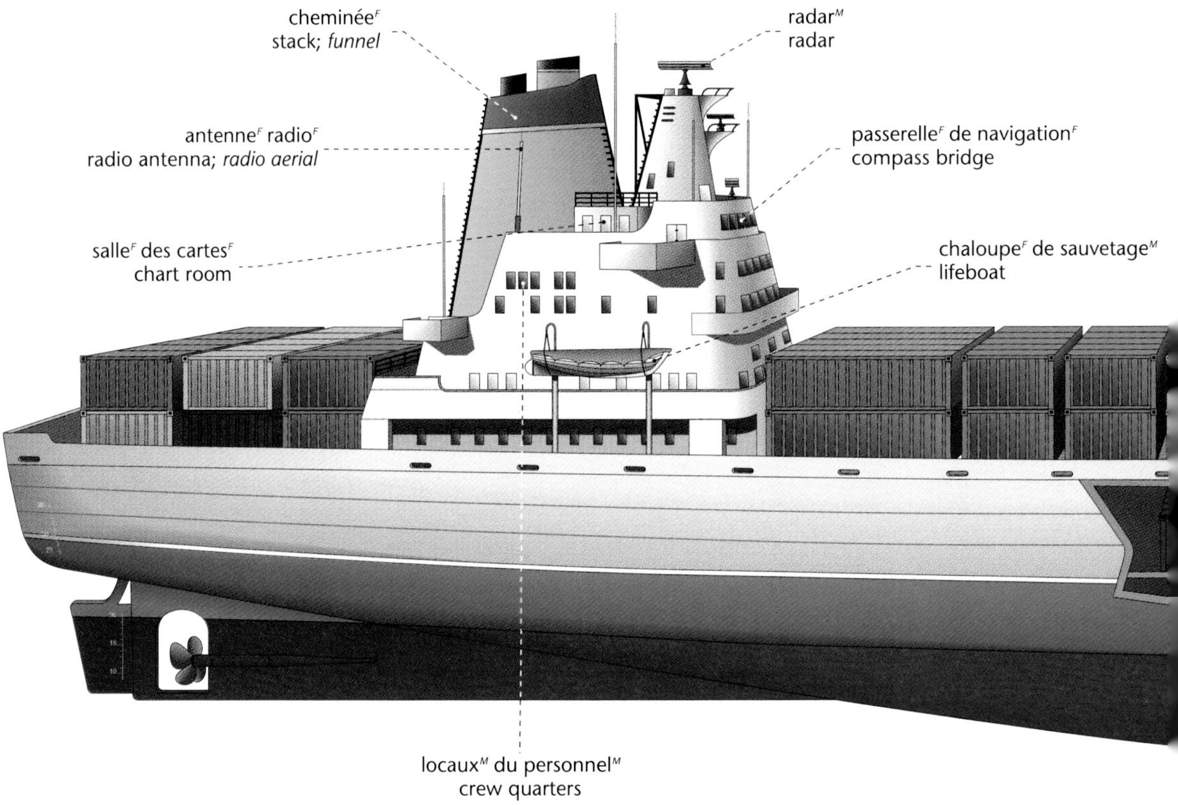
cheminée[F]
stack; *funnel*
radar[M]
radar
antenne[F] radio[F]
radio antenna; *radio aerial*
passerelle[F] de navigation[F]
compass bridge
salle[F] des cartes[F]
chart room
chaloupe[F] de sauvetage[M]
lifeboat
locaux[M] du personnel[M]
crew quarters

HYDROPTÈRE[M]
HYDROFOIL BOAT

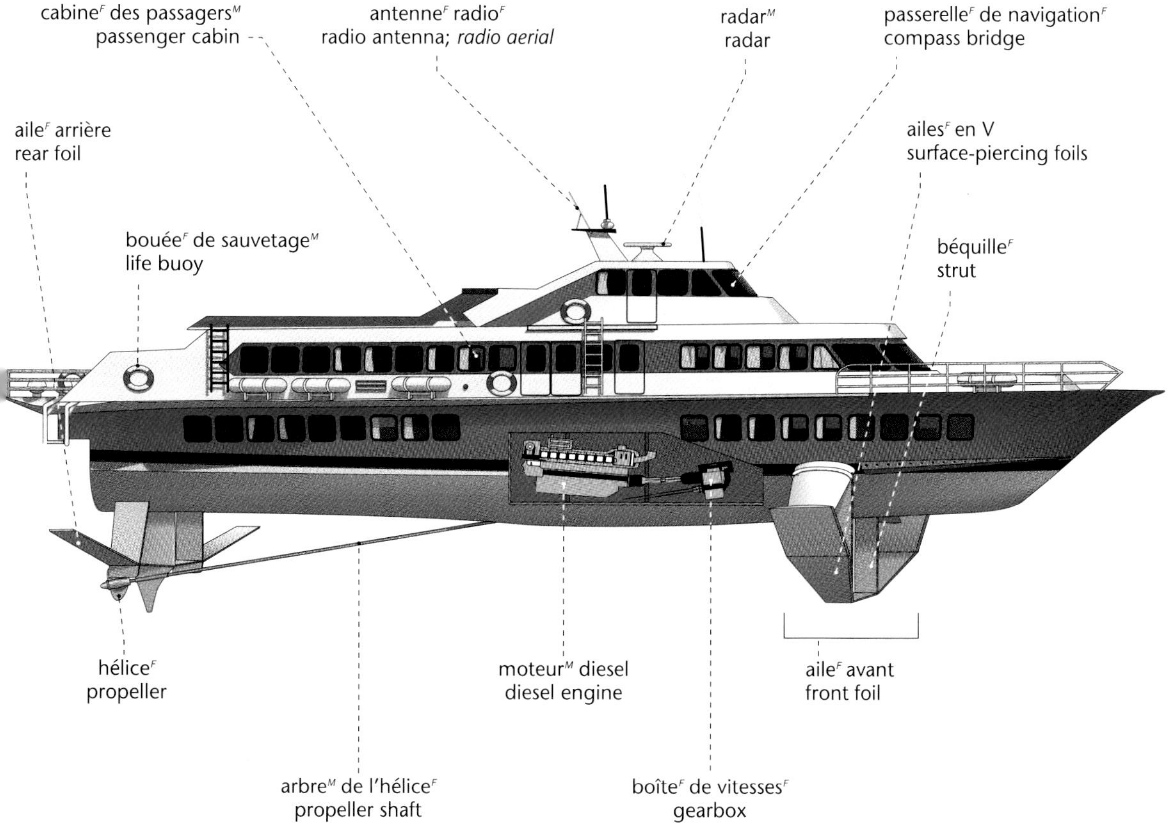
cabine[F] des passagers[M]
passenger cabin
antenne[F] radio[F]
radio antenna; *radio aerial*
radar[M]
radar
passerelle[F] de navigation[F]
compass bridge
aile[F] arrière
rear foil
ailes[F] en V
surface-piercing foils
bouée[F] de sauvetage[M]
life buoy
béquille[F]
strut
hélice[F]
propeller
moteur[M] diesel
diesel engine
aile[F] avant
front foil
arbre[M] de l'hélice[F]
propeller shaft
boîte[F] de vitesses[F]
gearbox

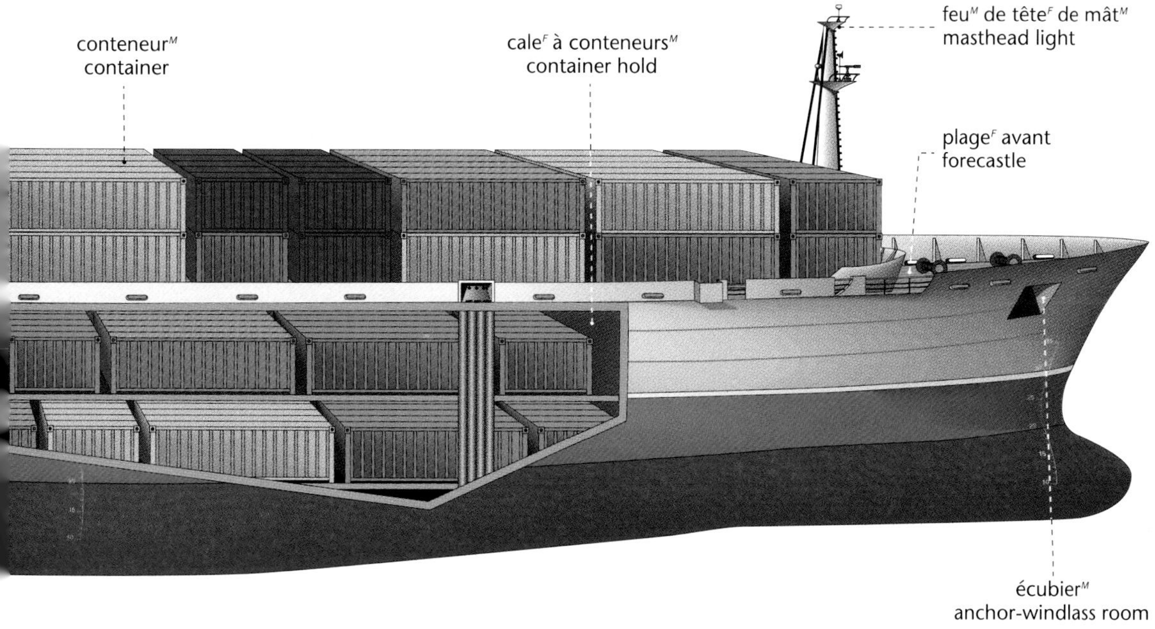
feu[M] de tête[F] de mât[M]
masthead light
conteneur[M]
container
cale[F] à conteneurs[M]
container hold
plage[F] avant
forecastle
écubier[M]
anchor-windlass room

PAQUEBOT^M
PASSENGER LINER

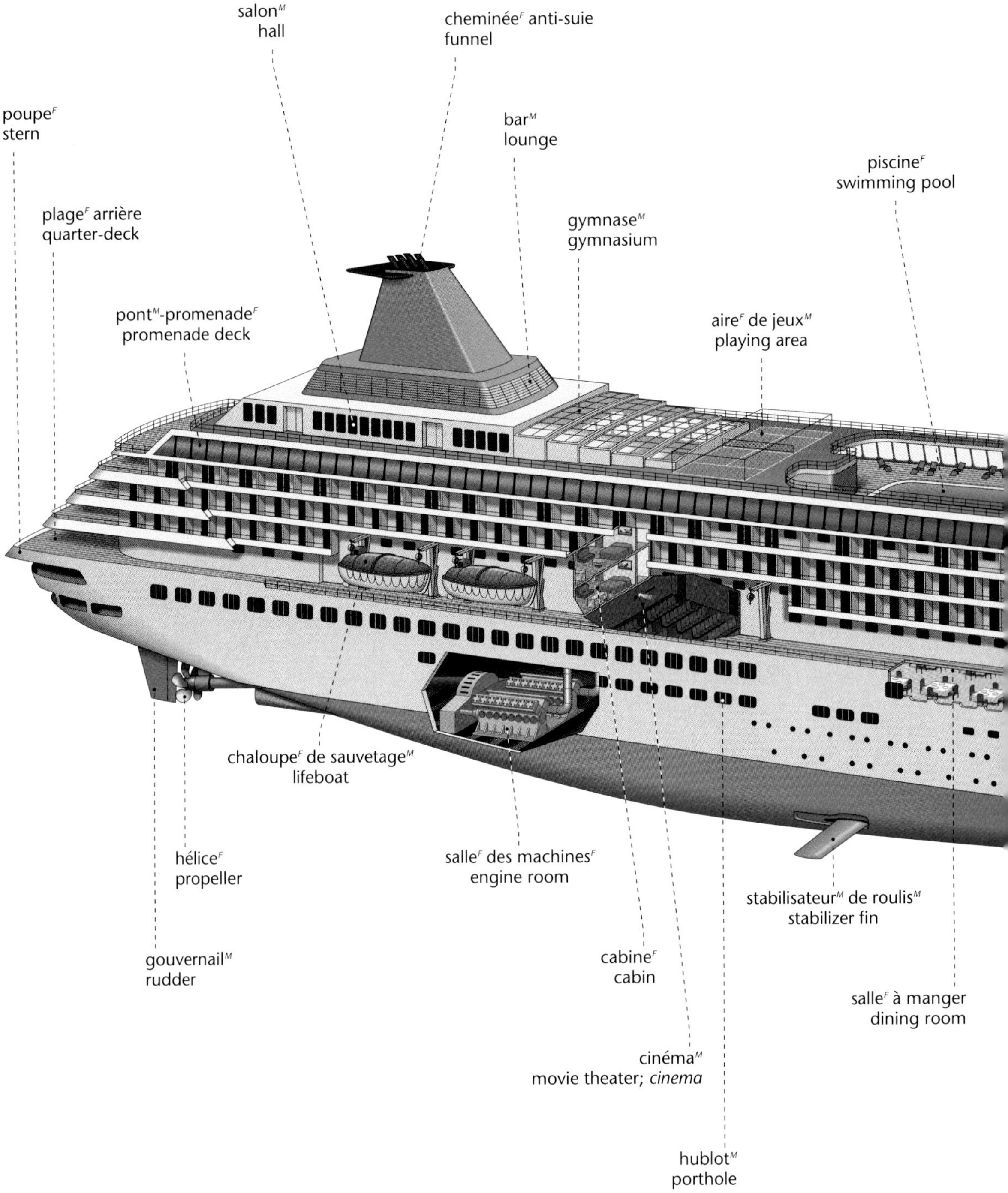
salon^M
hall
cheminée^F anti-suie
funnel
poupe^F
stern
bar^M
lounge
piscine^F
swimming pool
plage^F arrière
quarter-deck
gymnase^M
gymnasium
pont^M-promenade^F
promenade deck
aire^F de jeux^M
playing area
chaloupe^F de sauvetage^M
lifeboat
hélice^F
propeller
salle^F des machines^F
engine room
stabilisateur^M de roulis^M
stabilizer fin
gouvernail^M
rudder
cabine^F
cabin
salle^F à manger
dining room
cinéma^M
movie theater; *cinema*
hublot^M
porthole

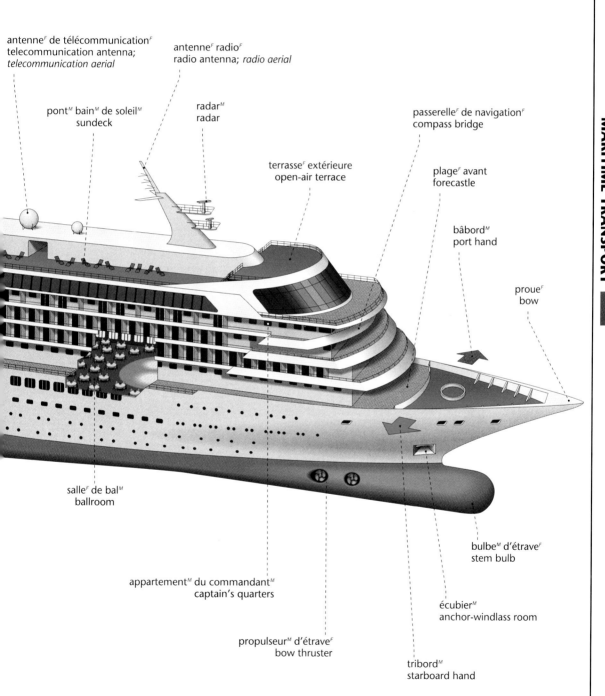

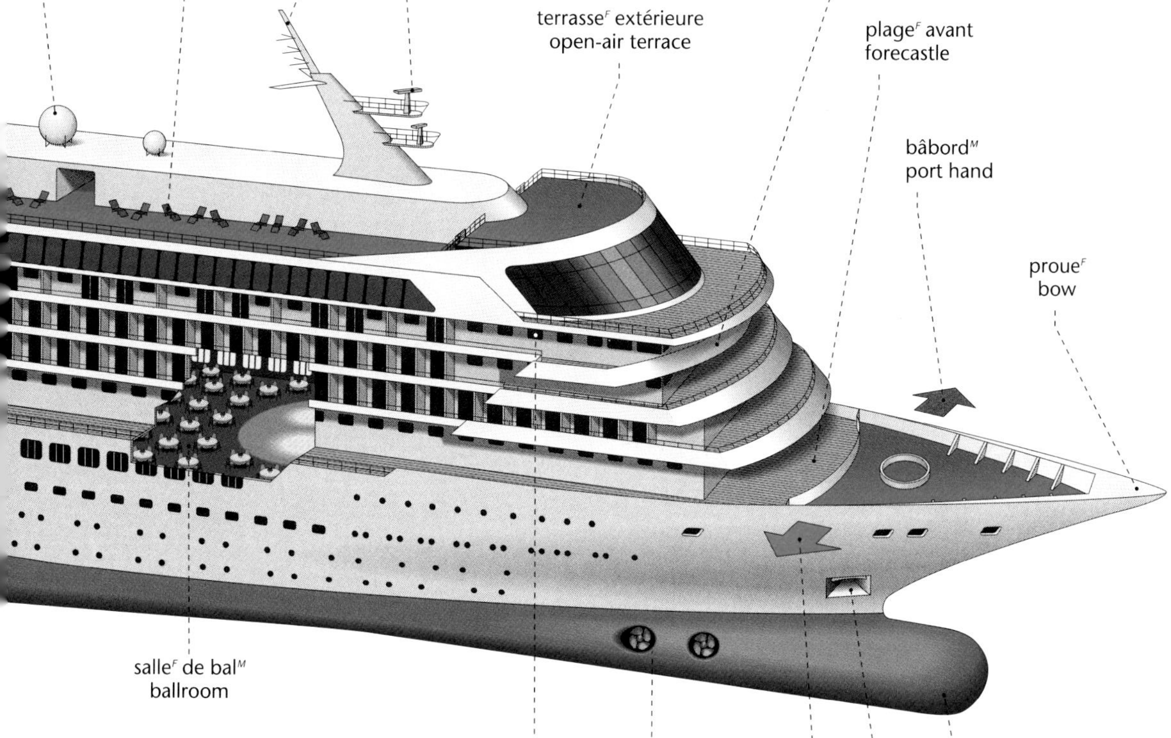
antenne^F de télécommunication^F
telecommunication antenna; *telecommunication aerial*
antenne^F radio^F
radio antenna; *radio aerial*
pont^M bain^M de soleil^M
sundeck
radar^M
radar
passerelle^F de navigation^F
compass bridge
terrasse^F extérieure
open-air terrace
plage^F avant
forecastle
bâbord^M
port hand
proue^F
bow
salle^F de bal^M
ballroom
bulbe^M d'étrave^F
stem bulb
appartement^M du commandant^M
captain's quarters
écubier^M
anchor-windlass room
propulseur^M d'étrave^F
bow thruster
tribord^M
starboard hand

AVION[M] LONG-COURRIER[M]
LONG-RANGE JET

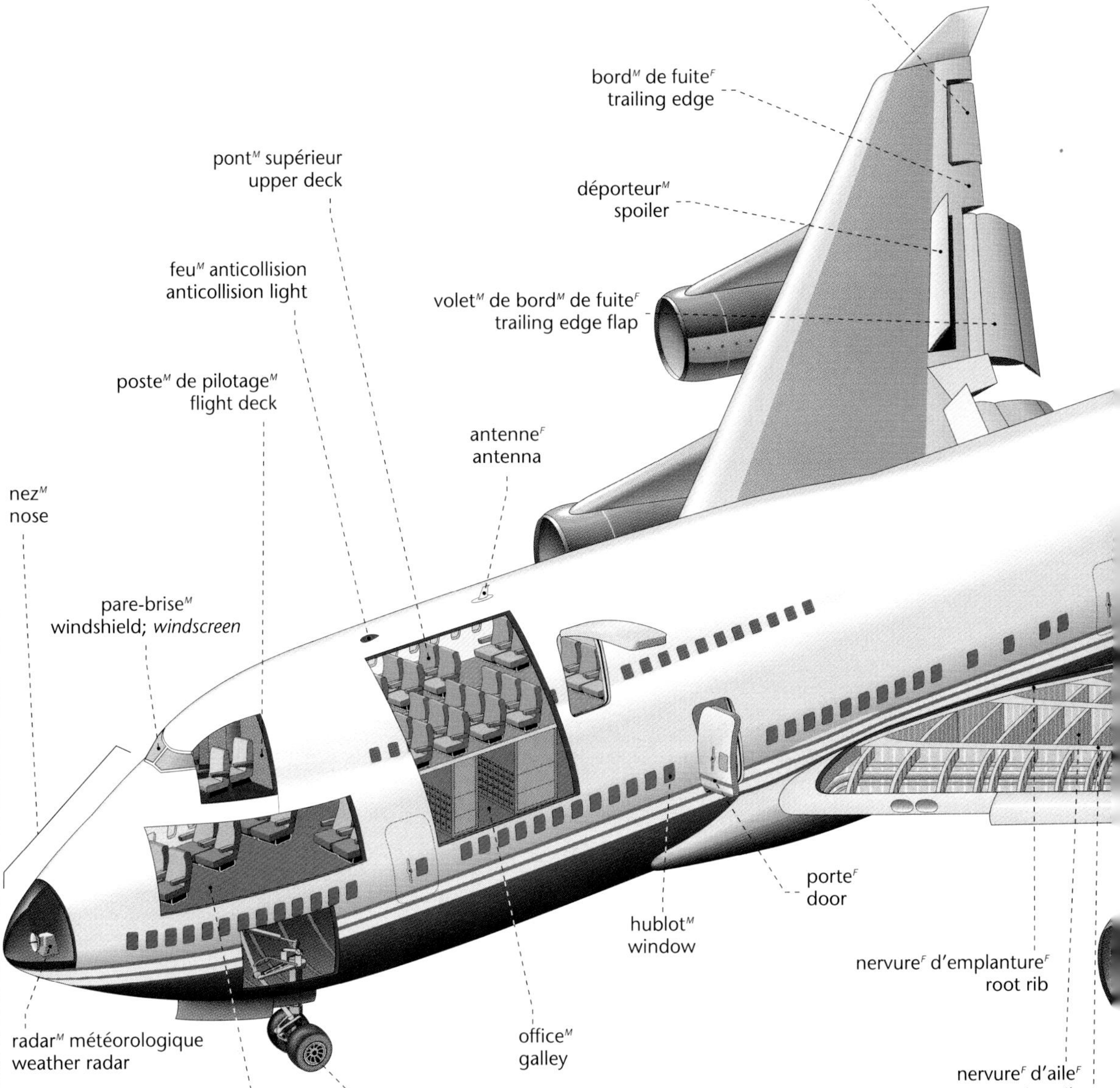
aileron[M]
aileron
bord[M] de fuite[F]
trailing edge
pont[M] supérieur
upper deck
déporteur[M]
spoiler
feu[M] anticollision
anticollision light
volet[M] de bord[M] de fuite[F]
trailing edge flap
poste[M] de pilotage[M]
flight deck
antenne[F]
antenna
nez[M]
nose
pare-brise[M]
windshield; *windscreen*
porte[F]
door
hublot[M]
window
nervure[F] d'emplanture[F]
root rib
radar[M] météorologique
weather radar
office[M]
galley
nervure[F] d'aile[F]
wing rib
compartiment[M] de première classe[F]
first-class cabin
train[M] d'atterrissage[M] avant
nose landing gear
longeron[M]
spar

TYPES[M] D'EMPENNAGES[M]
TYPES OF TAIL SHAPES

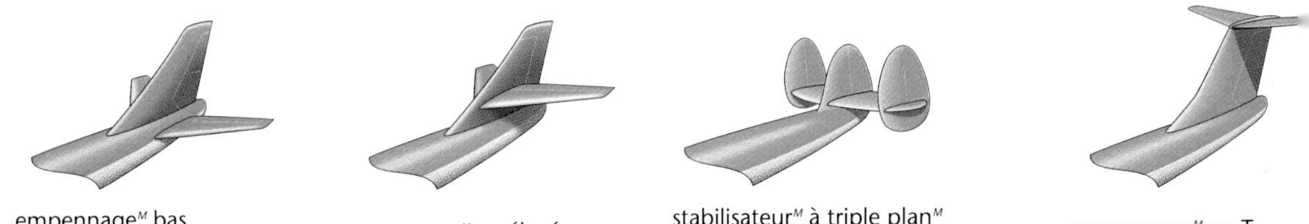
empennage[M] bas
fuselage mounted tail unit
empennage[M] surélevé
fin-mounted tail unit
stabilisateur[M] à triple plan[M] vertical
triple tail unit
empennage[M] en T
T-tail unit

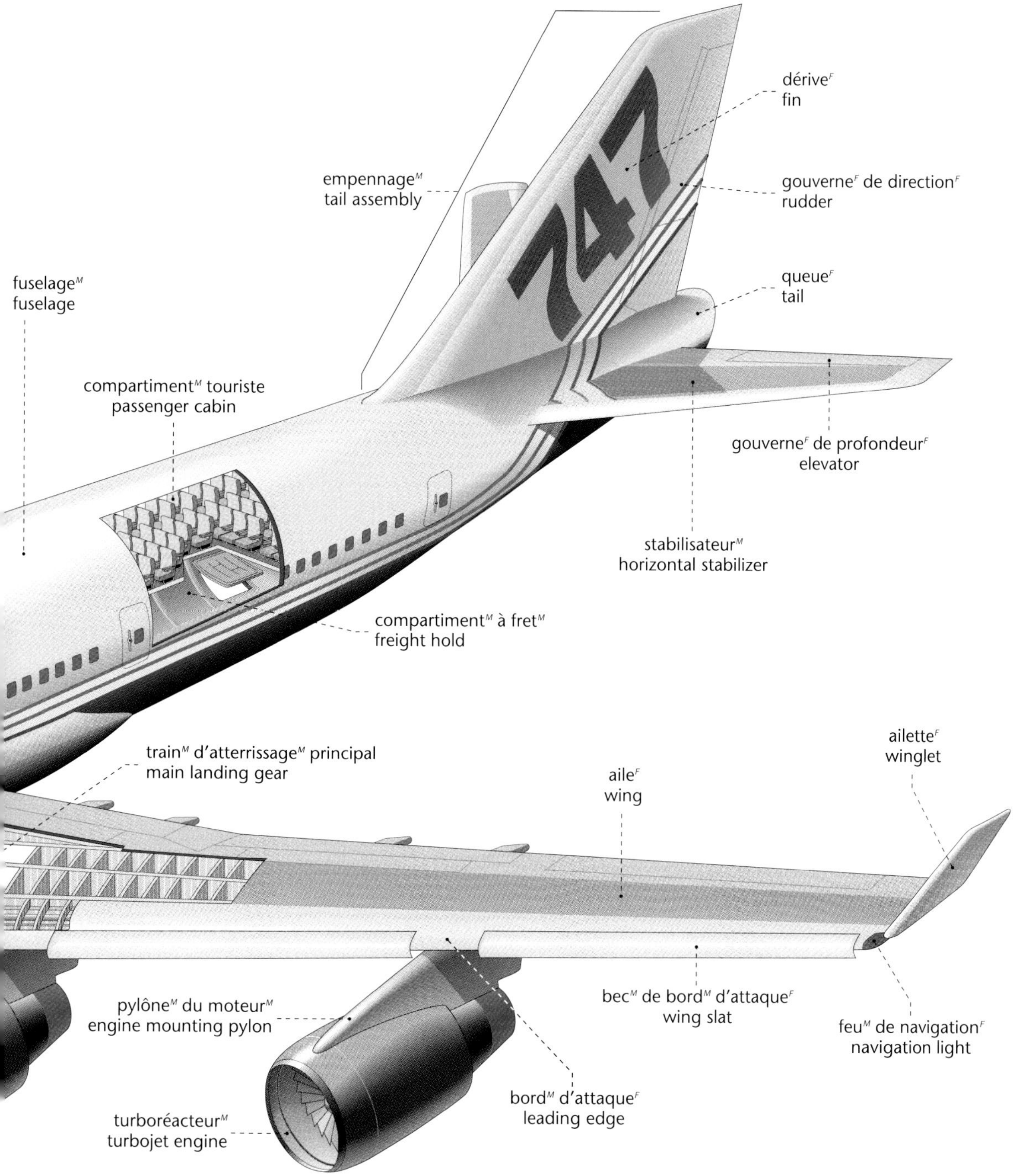
empennage[M]
tail assembly
dérive[F]
fin
gouverne[F] de direction[F]
rudder
fuselage[M]
fuselage
queue[F]
tail
compartiment[M] touriste
passenger cabin
gouverne[F] de profondeur[F]
elevator
stabilisateur[M]
horizontal stabilizer
compartiment[M] à fret[M]
freight hold
train[M] d'atterrissage[M] principal
main landing gear
ailette[F]
winglet
aile[F]
wing
pylône[M] du moteur[M]
engine mounting pylon
bec[M] de bord[M] d'attaque[F]
wing slat
feu[M] de navigation[F]
navigation light
bord[M] d'attaque[F]
leading edge
turboréacteur[M]
turbojet engine

TYPES[M] DE VOILURES[F]
TYPES OF WING SHAPES

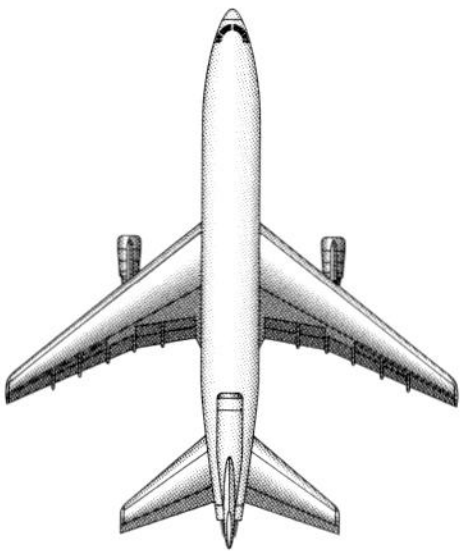

voilure[F] en flèche[F]
tapered wing

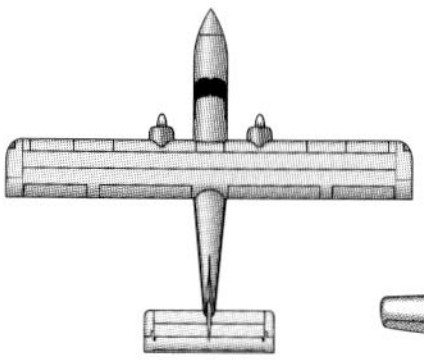

voilure[F] droite
straight wing

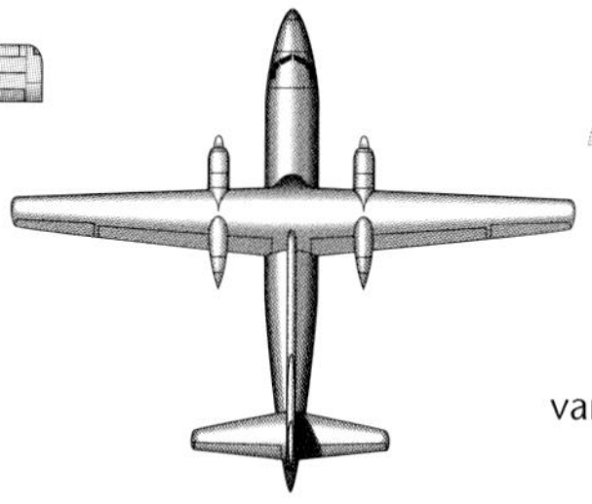

voilure[F] trapézoïdale
swept-back wing

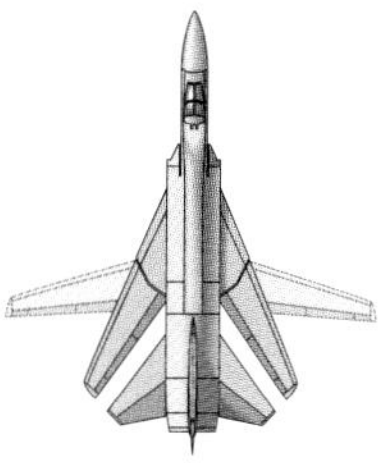

aile[F] à géométrie[F]
variable
variable geometry wing

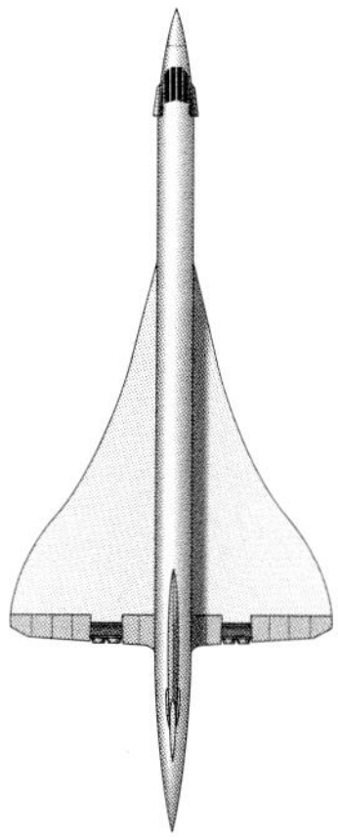

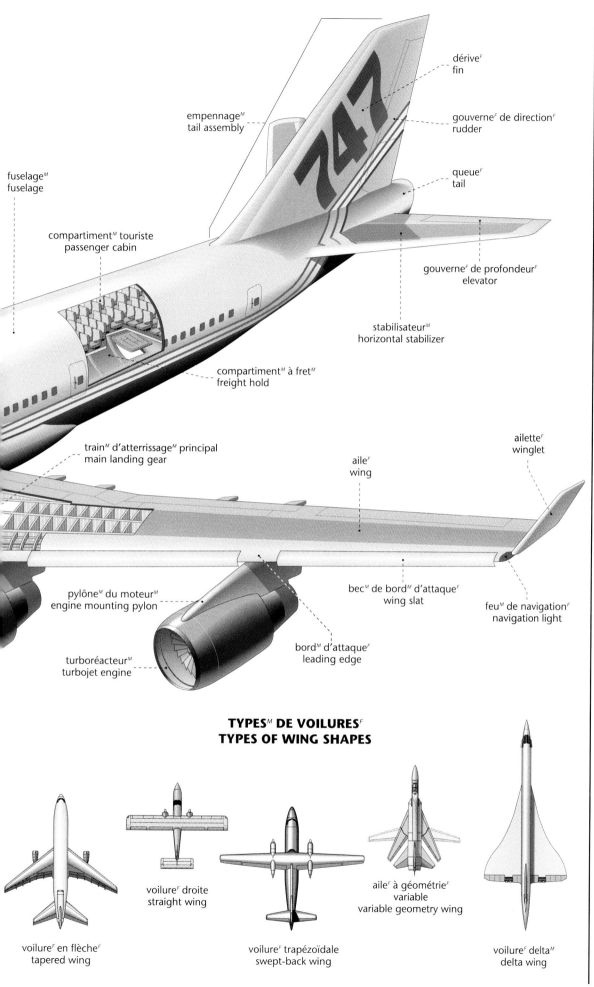

voilure[F] delta[M]
delta wing

POSTE[M] DE PILOTAGE[M]
FLIGHT DECK

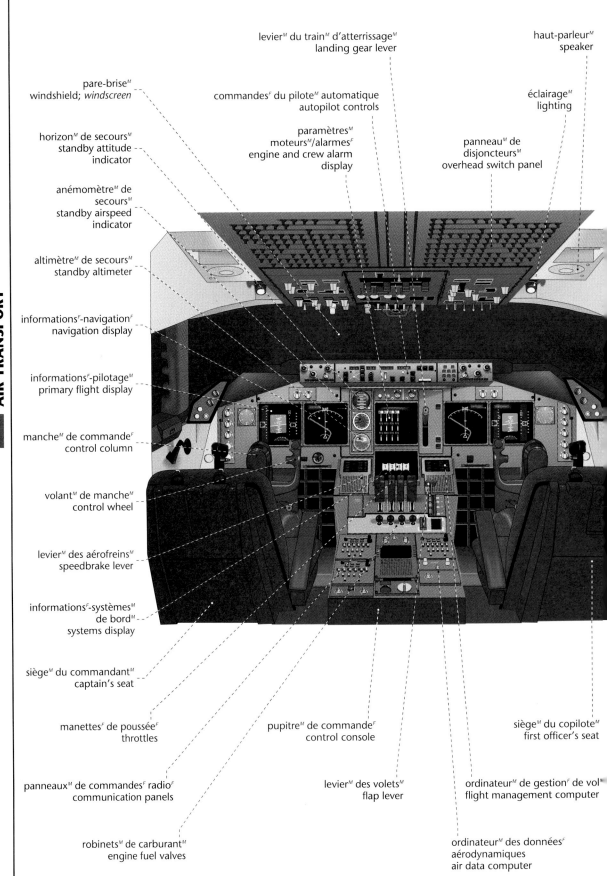

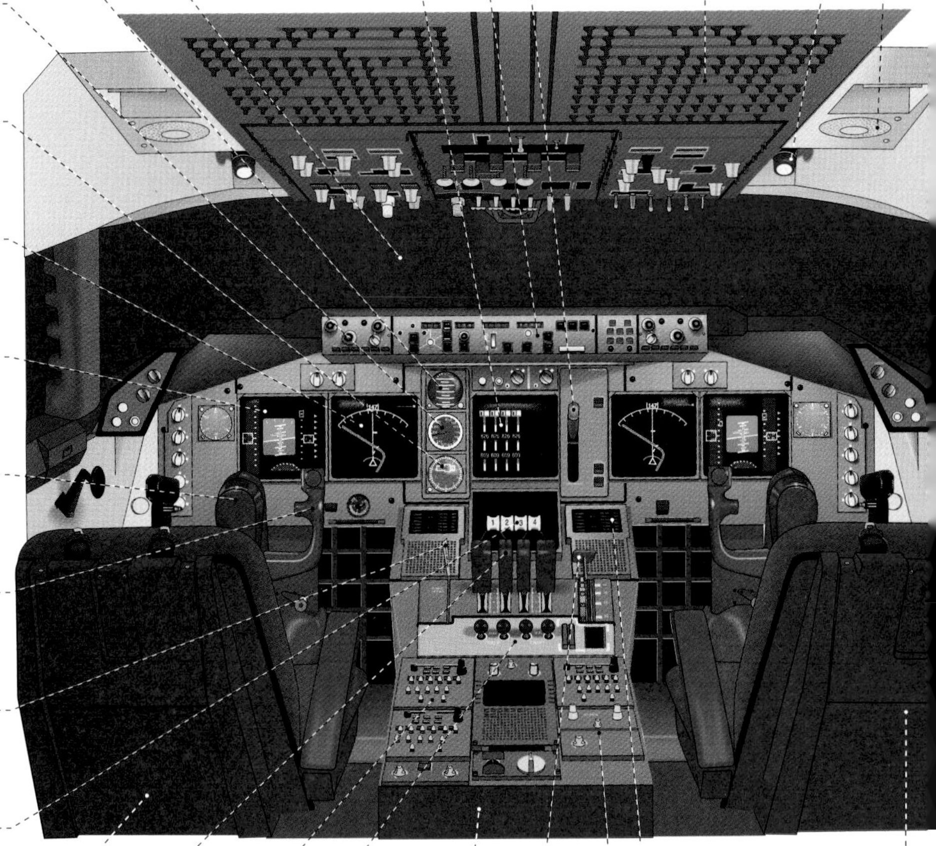
levier[M] du train[M] d'atterrissage[M]
landing gear lever
haut-parleur[M]
speaker
pare-brise[M]
windshield; *windscreen*
commandes[F] du pilote[M] automatique
autopilot controls
éclairage[M]
lighting
horizon[M] de secours[M]
standby attitude indicator
paramètres[M] moteurs[M]/alarmes[F]
engine and crew alarm display
panneau[M] de disjoncteurs[M]
overhead switch panel
anémomètre[M] de secours[M]
standby airspeed indicator
altimètre[M] de secours[M]
standby altimeter
informations[F]-navigation[F]
navigation display
informations[F]-pilotage[M]
primary flight display
manche[M] de commande[F]
control column
volant[M] de manche[M]
control wheel
levier[M] des aérofreins[M]
speedbrake lever
informations[F]-systèmes[M] de bord[M]
systems display
siège[M] du commandant[M]
captain's seat
manettes[F] de poussée[F]
throttles
pupitre[M] de commande[F]
control console
siège[M] du copilote[M]
first officer's seat
panneaux[M] de commandes[F] radio[F]
communication panels
levier[M] des volets[M]
flap lever
ordinateur[M] de gestion[F] de vol[M]
flight management computer
robinets[M] de carburant[M]
engine fuel valves
ordinateur[M] des données[F] aérodynamiques
air data computer

TURBORÉACTEUR[M] À DOUBLE FLUX[M]
TURBOFAN ENGINE

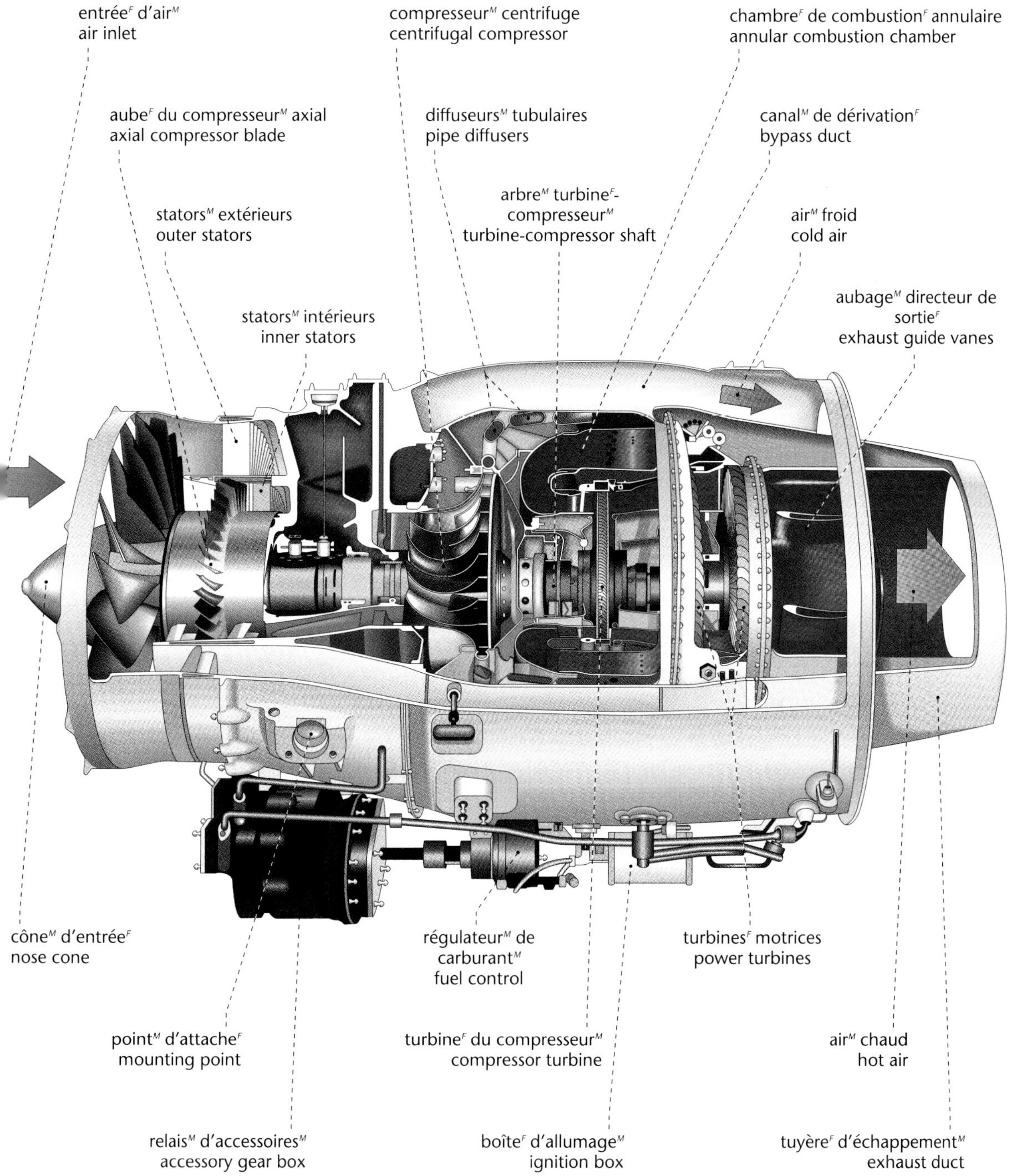
entrée[F] d'air[M]
air inlet
compresseur[M] centrifuge
centrifugal compressor
chambre[F] de combustion[F] annulaire
annular combustion chamber
aube[F] du compresseur[M] axial
axial compressor blade
diffuseurs[M] tubulaires
pipe diffusers
canal[M] de dérivation[F]
bypass duct
arbre[M] turbine[F]-compresseur[M]
turbine-compressor shaft
stators[M] extérieurs
outer stators
air[M] froid
cold air
stators[M] intérieurs
inner stators
aubage[M] directeur de sortie[F]
exhaust guide vanes
cône[M] d'entrée[F]
nose cone
régulateur[M] de carburant[M]
fuel control
turbines[F] motrices
power turbines
point[M] d'attache[F]
mounting point
turbine[F] du compresseur[M]
compressor turbine
air[M] chaud
hot air
relais[M] d'accessoires[M]
accessory gear box
boîte[F] d'allumage[M]
ignition box
tuyère[F] d'échappement[M]
exhaust duct

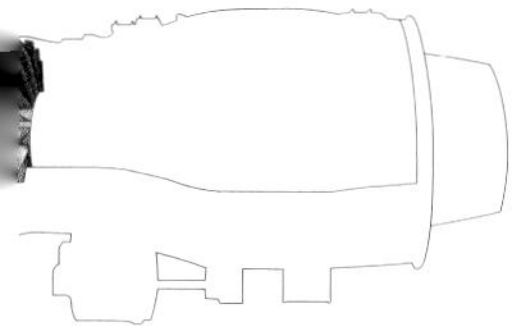

soufflante[F]
fan

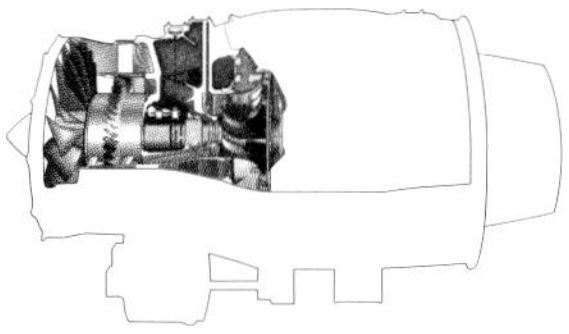

compression[F]
compression

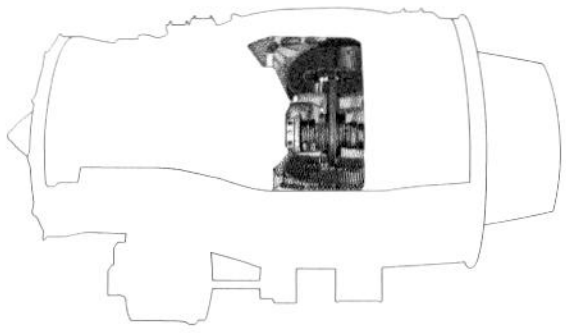

combustion[F]
combustion

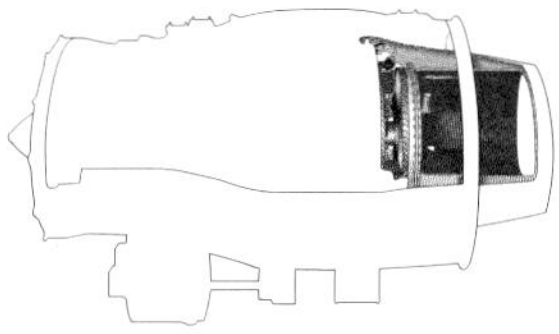

échappement[M]
exhaust

AÉROPORT[M]
AIRPORT

vigie[F]
control tower cab
route[F] d'accès[M]
access road
sortie[F] de piste[F] à grande vitesse[F]
high-speed exit taxiway
tour[F] de contrôle[M]
control tower
voie[F] de circulation[F]
taxiway
bretelle[F]
by-pass taxiway
aire[F] de trafic[M]
apron
aire[F] de manœuvre[F]
apron
voie[F] de circulation[F]
taxiway
voie[F] de service[M]
service road

hangar^M
maintenance hangar
aérogare^F de passagers^M
passenger terminal
aire^F de stationnement^M
parking area
passerelle^F télescopique
telescopic corridor
quai^M d'embarquement^M
boarding walkway
aérogare^F satellite^M
radial passenger loading area
aire^F de service^M
service area
marques^F de circulation^F
taxiway line

AÉROPORT^{M}
AIRPORT

AÉROGARE^{F}
PASSENGER TERMINAL

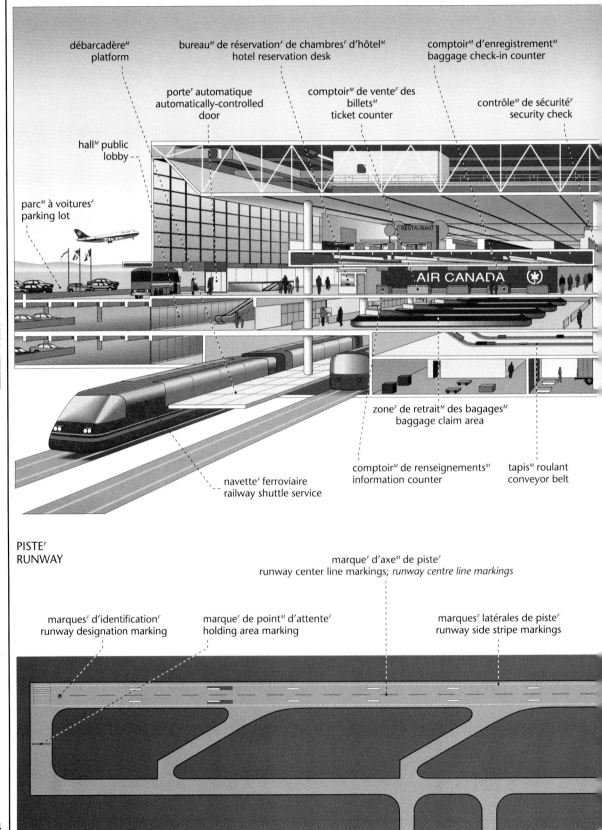

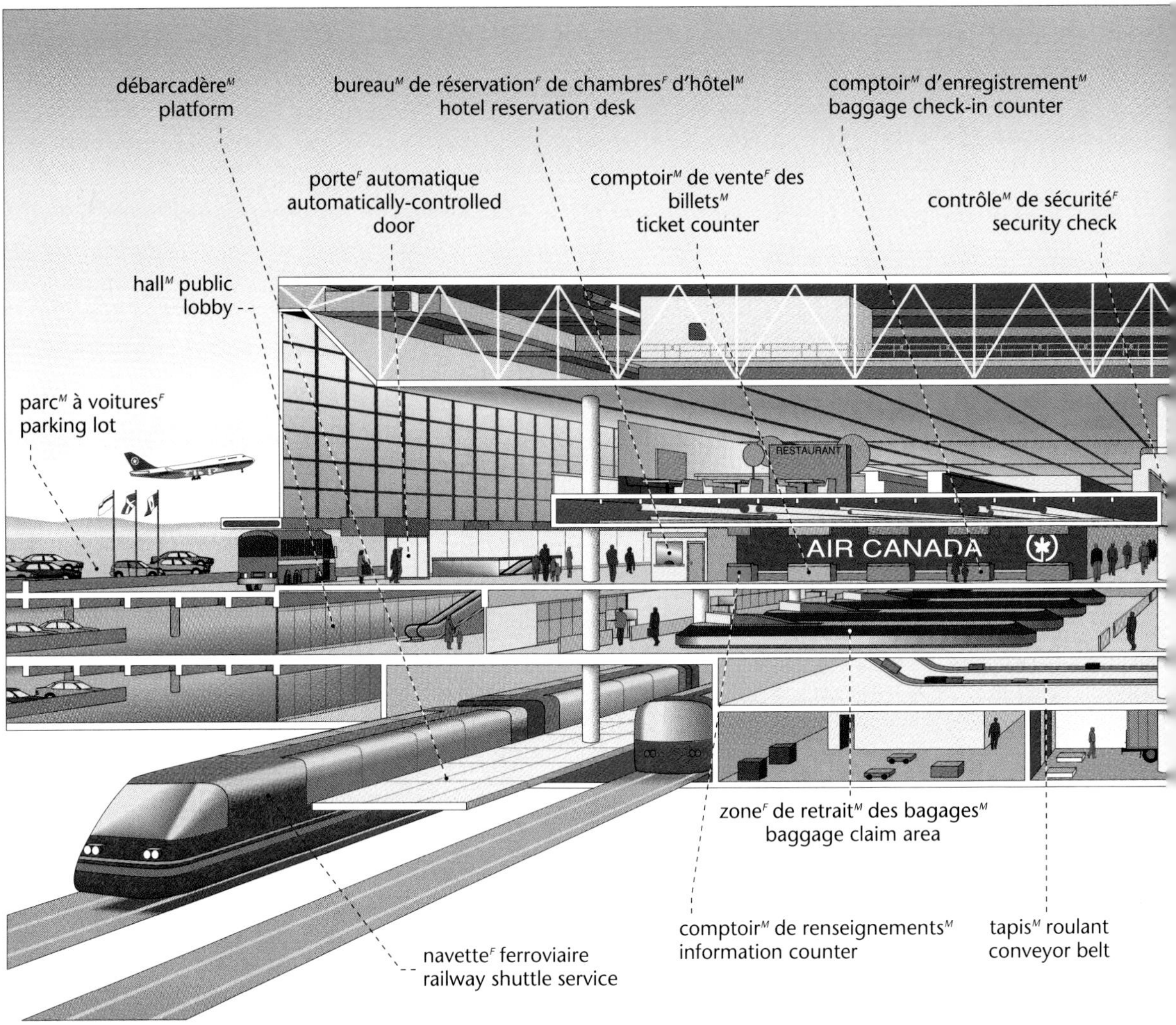
débarcadère^{M}
platform
bureau^{M} de réservation^{F} de chambres^{F} d'hôtel^{M}
hotel reservation desk
comptoir^{M} d'enregistrement^{M}
baggage check-in counter
porte^{F} automatique
automatically-controlled door
comptoir^{M} de vente^{F} des billets^{M}
ticket counter
contrôle^{M} de sécurité^{F}
security check
hall^{M} public
lobby
parc^{M} à voitures^{F}
parking lot
RESTAURANT
AIR CANADA
zone^{F} de retrait^{M} des bagages^{M}
baggage claim area
comptoir^{M} de renseignements^{M}
information counter
tapis^{M} roulant
conveyor belt
navette^{F} ferroviaire
railway shuttle service

PISTE^{F}
RUNWAY

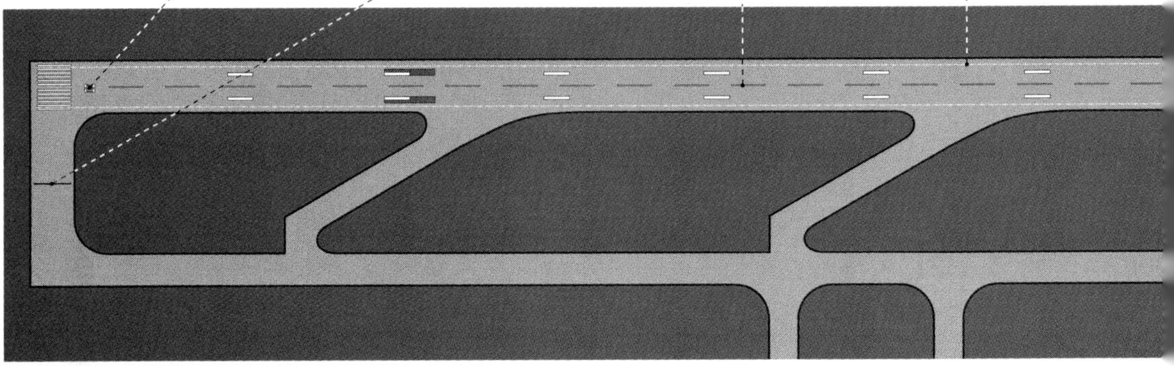
marque^{F} d'axe^{M} de piste^{F}
runway center line markings; *runway centre line markings*
marques^{F} d'identification^{F}
runway designation marking
marque^{F} de point^{M} d'attente^{F}
holding area marking
marques^{F} latérales de piste^{F}
runway side stripe markings

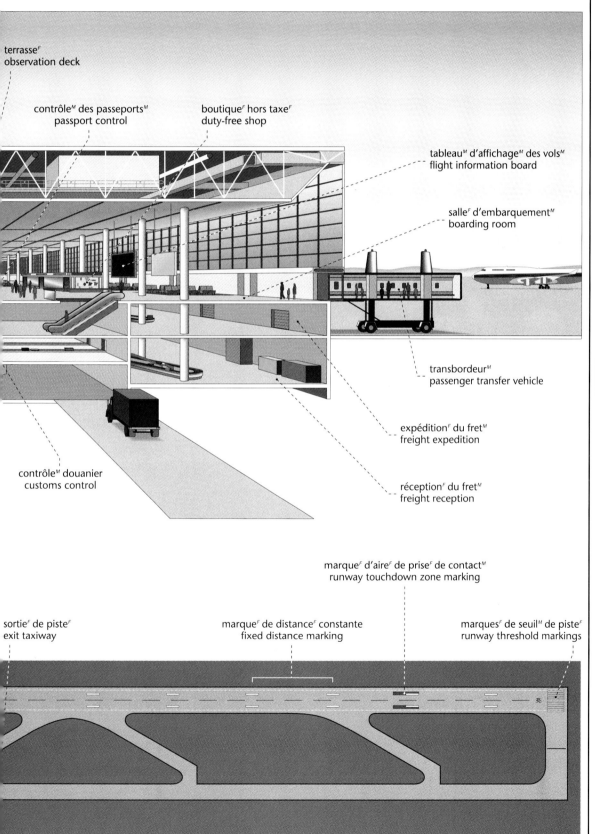

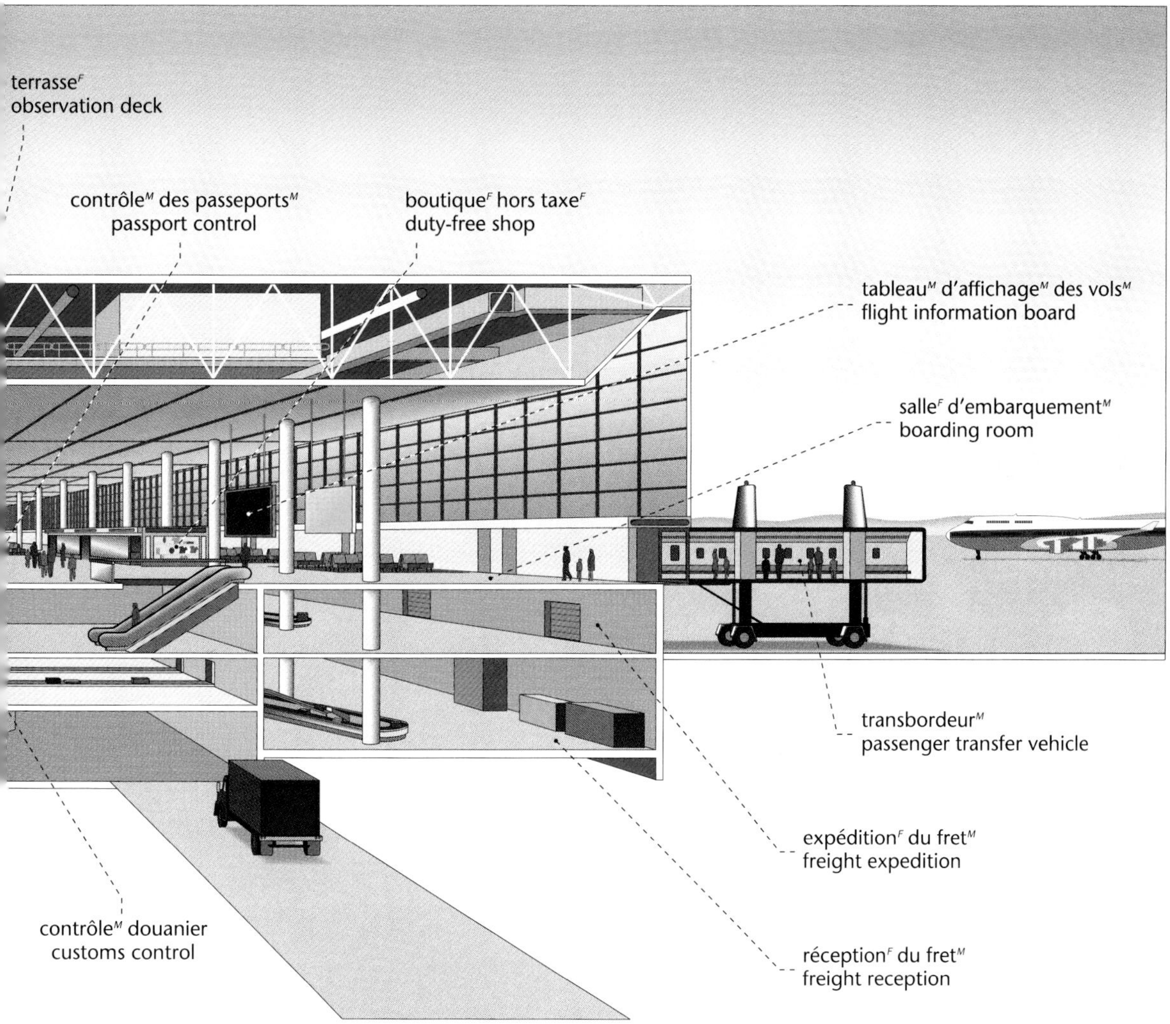
terrasse[F]
observation deck
contrôle[M] des passeports[M]
passport control
boutique[F] hors taxe[F]
duty-free shop
tableau[M] d'affichage[M] des vols[M]
flight information board
salle[F] d'embarquement[M]
boarding room
transbordeur[M]
passenger transfer vehicle
expédition[F] du fret[M]
freight expedition
réception[F] du fret[M]
freight reception
contrôle[M] douanier
customs control

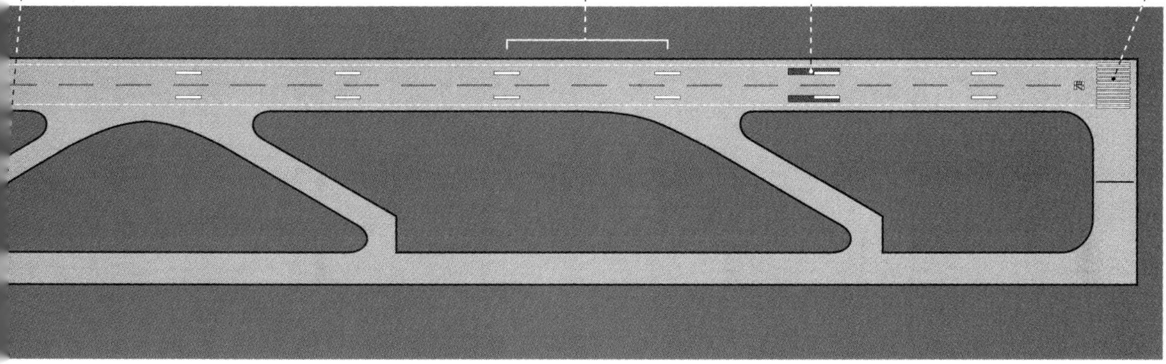
marque[F] d'aire[F] de prise[F] de contact[M]
runway touchdown zone marking
sortie[F] de piste[F]
exit taxiway
marque[F] de distance[F] constante
fixed distance marking
marques[F] de seuil[M] de piste[F]
runway threshold markings

AÉROPORT[M]
AIRPORT

ÉQUIPEMENTS[M] AÉROPORTUAIRES
GROUND AIRPORT EQUIPMENT

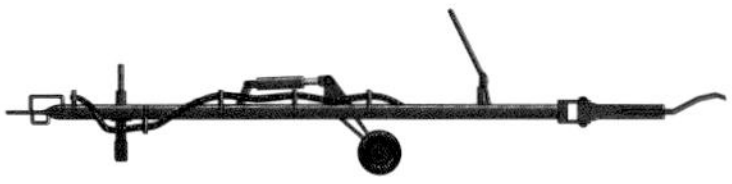

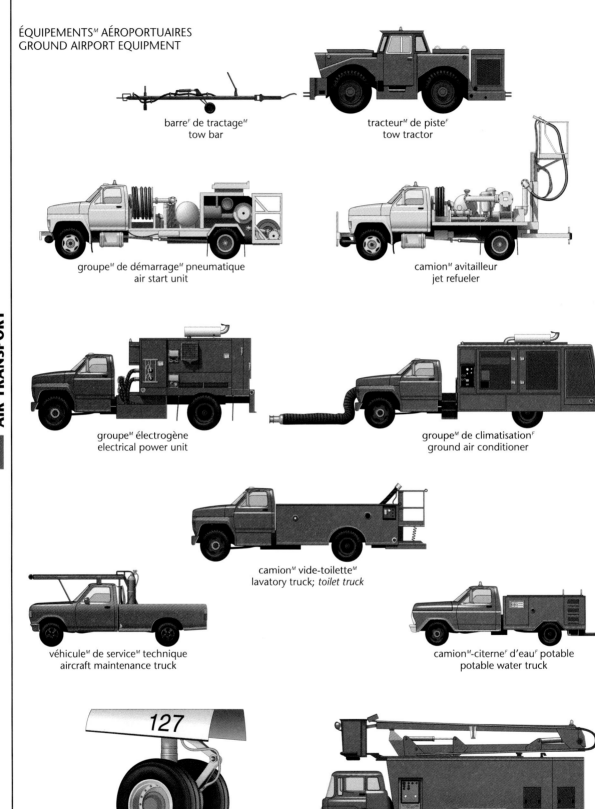

barre[F] de tractage[M]
tow bar

tracteur[M] de piste[F]
tow tractor

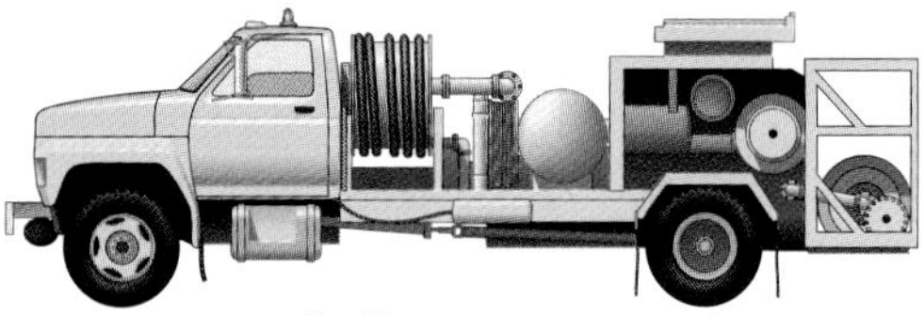

groupe[M] de démarrage[M] pneumatique
air start unit

camion[M] avitailleur
jet refueler

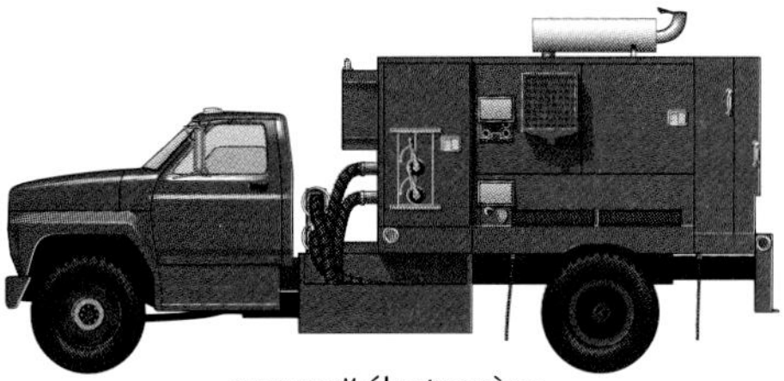

groupe[M] électrogène
electrical power unit

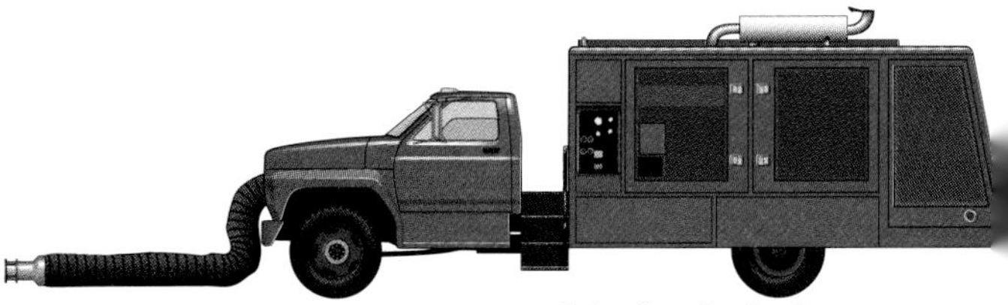

groupe[M] de climatisation[F]
ground air conditioner

camion[M] vide-toilette[M]
lavatory truck; *toilet truck*

véhicule[M] de service[M] technique
aircraft maintenance truck

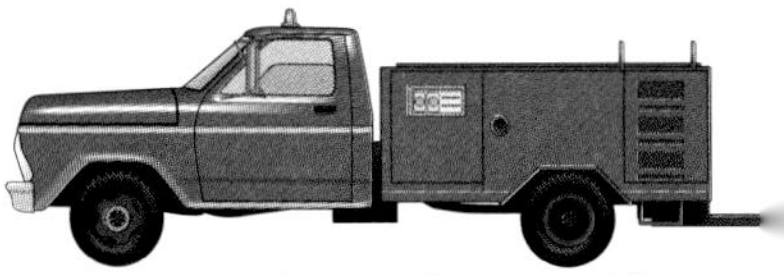

camion[M]-citerne[F] d'eau[F] potable
potable water truck

cale[F]
wheel chock

nacelle[F] élévatrice
boom truck

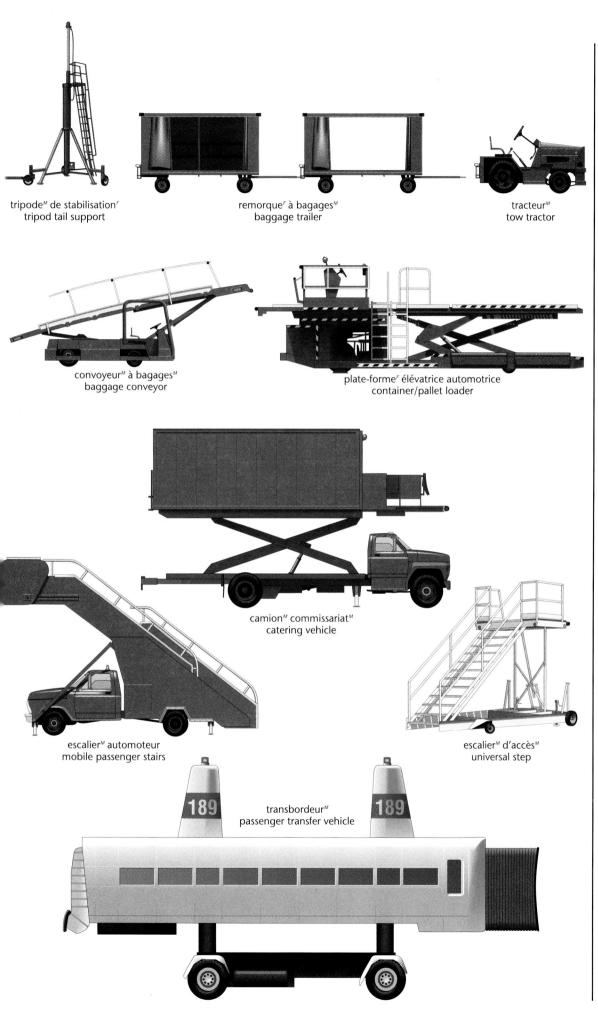

tripode[M] de stabilisation[F]
tripod tail support

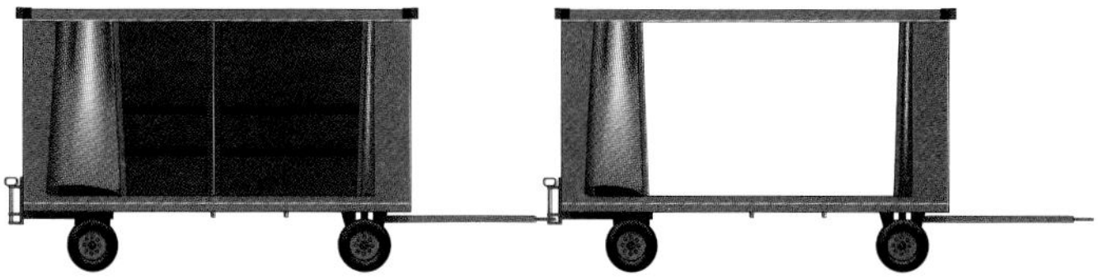

remorque[F] à bagages[M]
baggage trailer

tracteur[M]
tow tractor

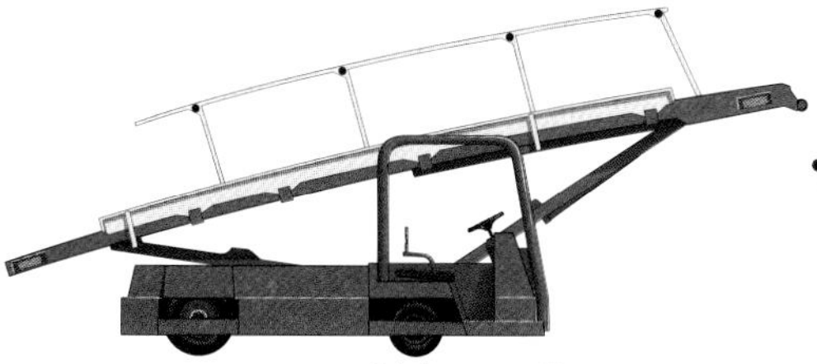

convoyeur[M] à bagages[M]
baggage conveyor

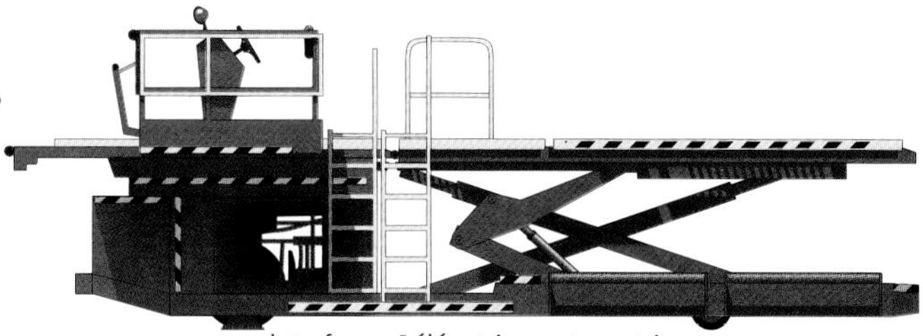

plate-forme[F] élévatrice automotrice
container/pallet loader

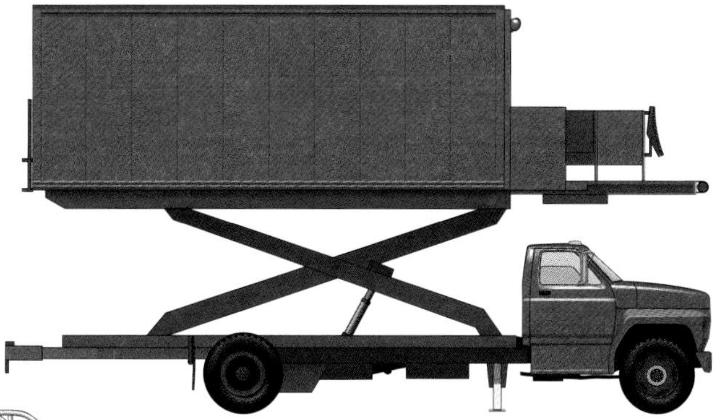

camion[M] commissariat[M]
catering vehicle

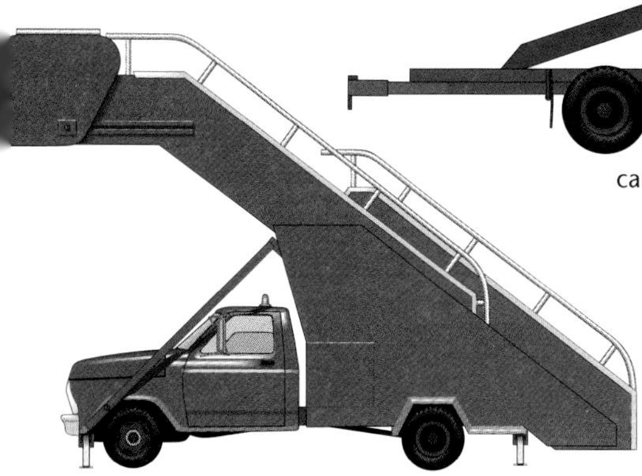

escalier[M] automoteur
mobile passenger stairs

escalier[M] d'accès[M]
universal step

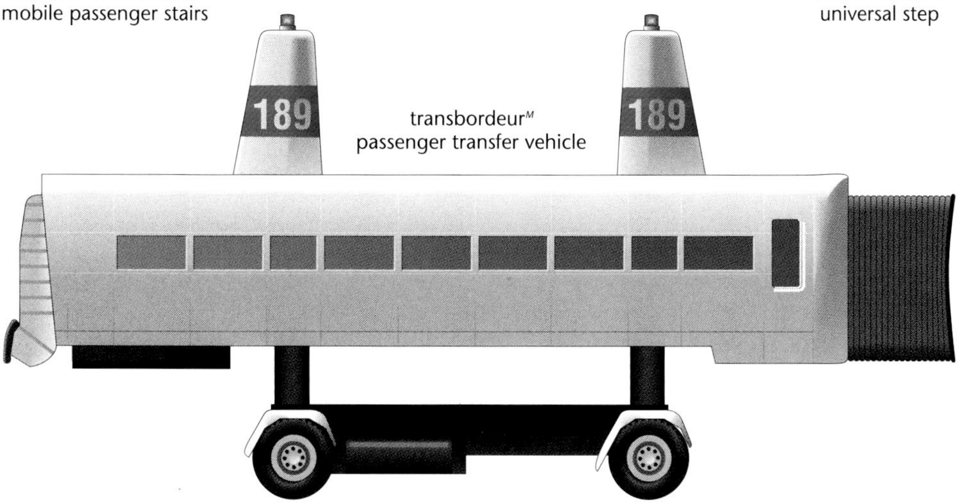

transbordeur[M]
passenger transfer vehicle

HÉLICOPTÈRE^M^ HELICOPTER

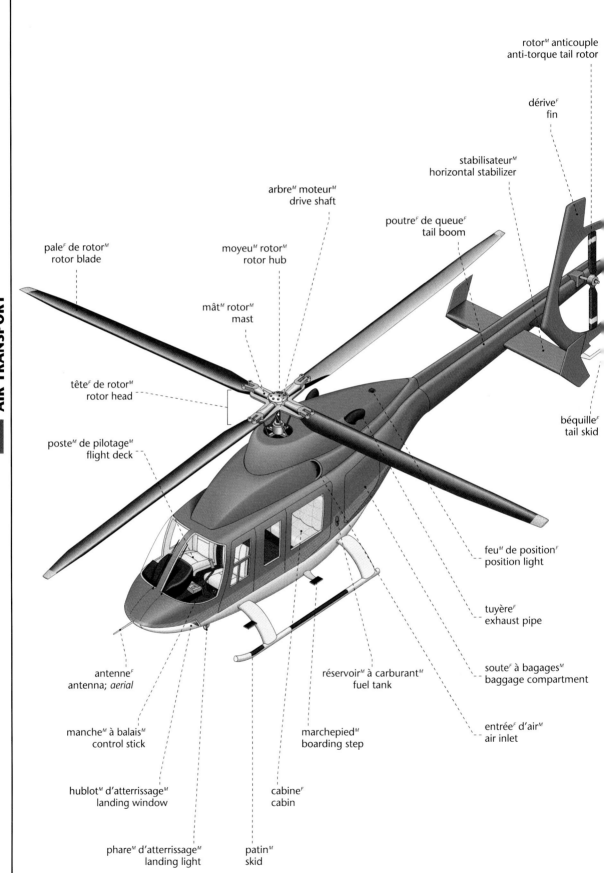

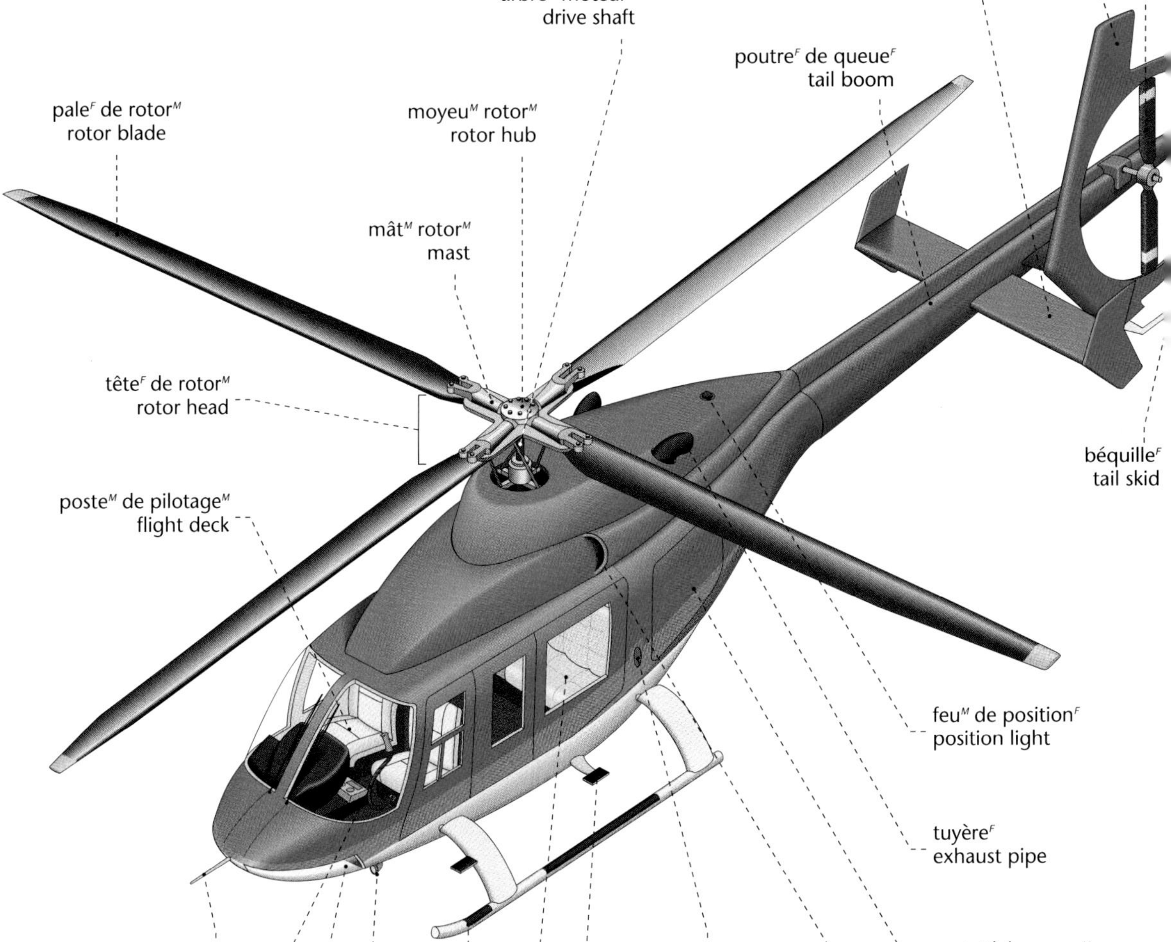
rotorᴹ anticouple
anti-torque tail rotor
dériveᶠ
fin
stabilisateurᴹ
horizontal stabilizer
arbreᴹ moteurᴹ
drive shaft
poutreᶠ de queueᶠ
tail boom
paleᶠ de rotorᴹ
rotor blade
moyeuᴹ rotorᴹ
rotor hub
mâtᴹ rotorᴹ
mast
têteᶠ de rotorᴹ
rotor head
béquilleᶠ
tail skid
posteᴹ de pilotageᴹ
flight deck
feuᴹ de positionᶠ
position light
tuyèreᶠ
exhaust pipe
souteᶠ à bagagesᴹ
baggage compartment
antenneᶠ
antenna; aerial
réservoirᴹ à carburantᴹ
fuel tank
entréeᶠ d'airᴹ
air inlet
mancheᴹ à balaisᴹ
control stick
marchepiedᴹ
boarding step
hublotᴹ d'atterrissageᴹ
landing window
cabineᶠ
cabin
phareᴹ d'atterrissageᴹ
landing light
patinᴹ
skid

FUSÉE[F]
ROCKET

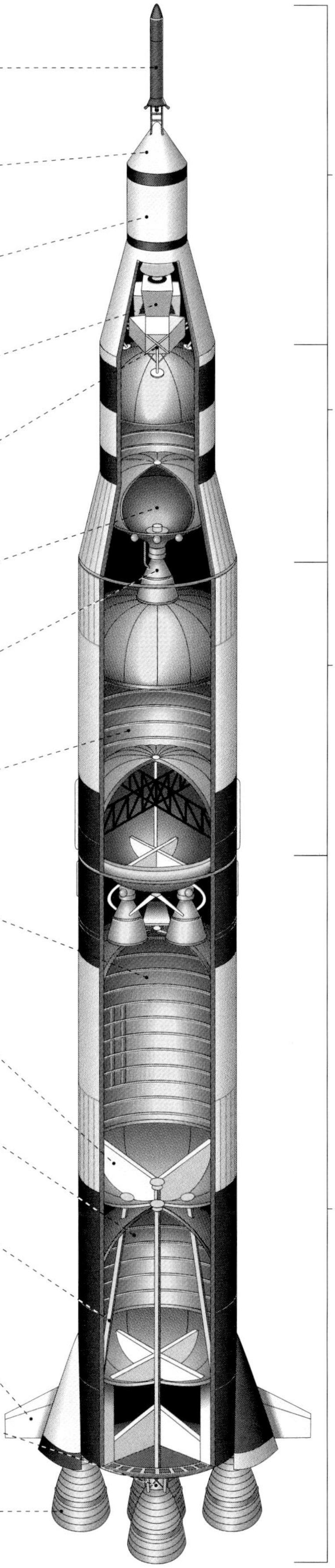

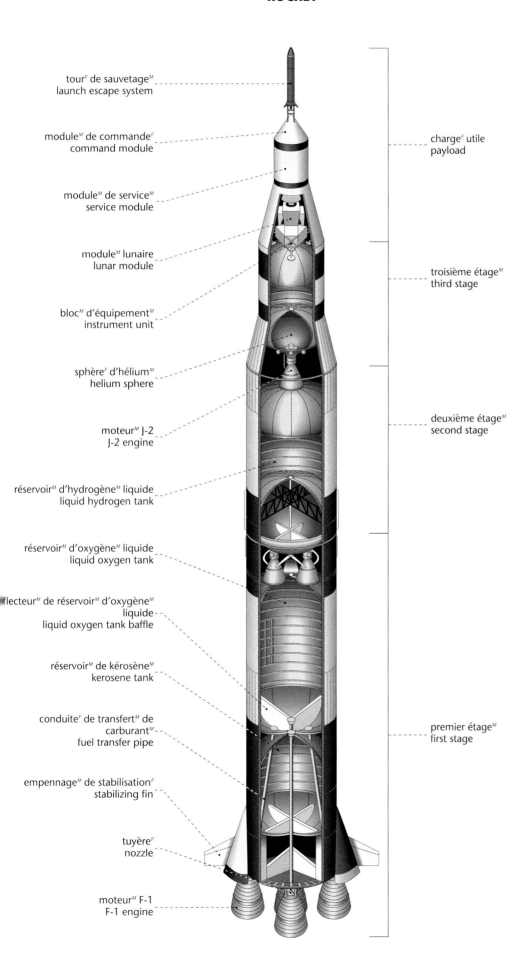

tour[F] de sauvetage[M]
launch escape system
module[M] de commande[F]
command module
module[M] de service[M]
service module
module[M] lunaire
lunar module
bloc[M] d'équipement[M]
instrument unit
sphère[F] d'hélium[M]
helium sphere
moteur[M] J-2
J-2 engine
réservoir[M] d'hydrogène[M] liquide
liquid hydrogen tank
réservoir[M] d'oxygène[M] liquide
liquid oxygen tank
flecteur[M] de réservoir[M] d'oxygène[M] liquide
liquid oxygen tank baffle
réservoir[M] de kérosène[M]
kerosene tank
conduite[F] de transfert[M] de carburant[M]
fuel transfer pipe
empennage[M] de stabilisation[F]
stabilizing fin
tuyère[F]
nozzle
moteur[M] F-1
F-1 engine
charge[F] utile
payload
troisième étage[M]
third stage
deuxième étage[M]
second stage
premier étage[M]
first stage

NAVETTE[F] SPATIALE
SPACE SHUTTLE

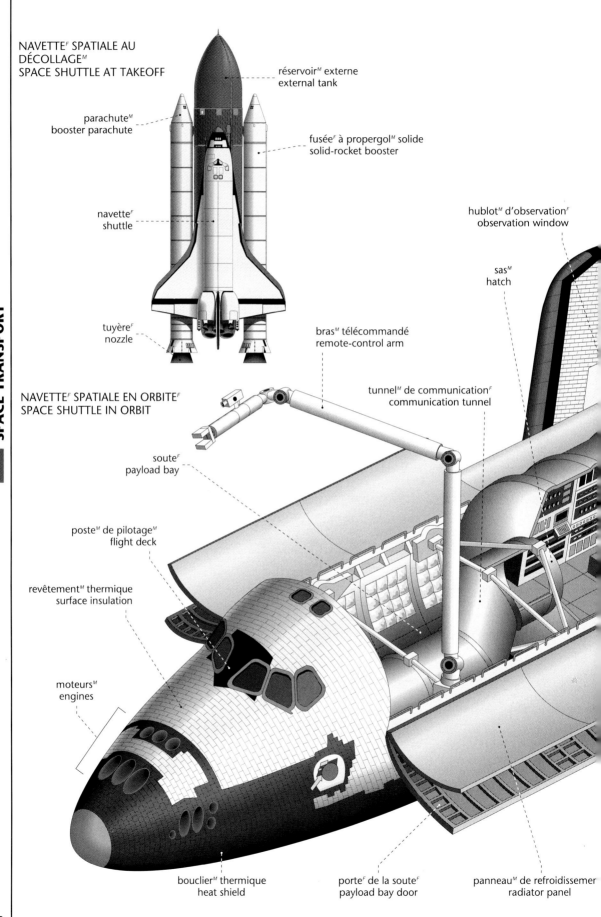

NAVETTE[F] SPATIALE AU DÉCOLLAGE[M]
SPACE SHUTTLE AT TAKEOFF

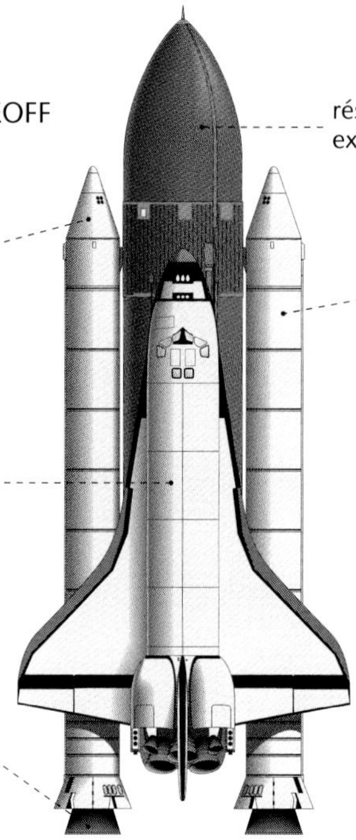
réservoir[M] externe
external tank
parachute[M]
booster parachute
fusée[F] à propergol[M] solide
solid-rocket booster
navette[F]
shuttle
tuyère[F]
nozzle

NAVETTE[F] SPATIALE EN ORBITE[F]
SPACE SHUTTLE IN ORBIT

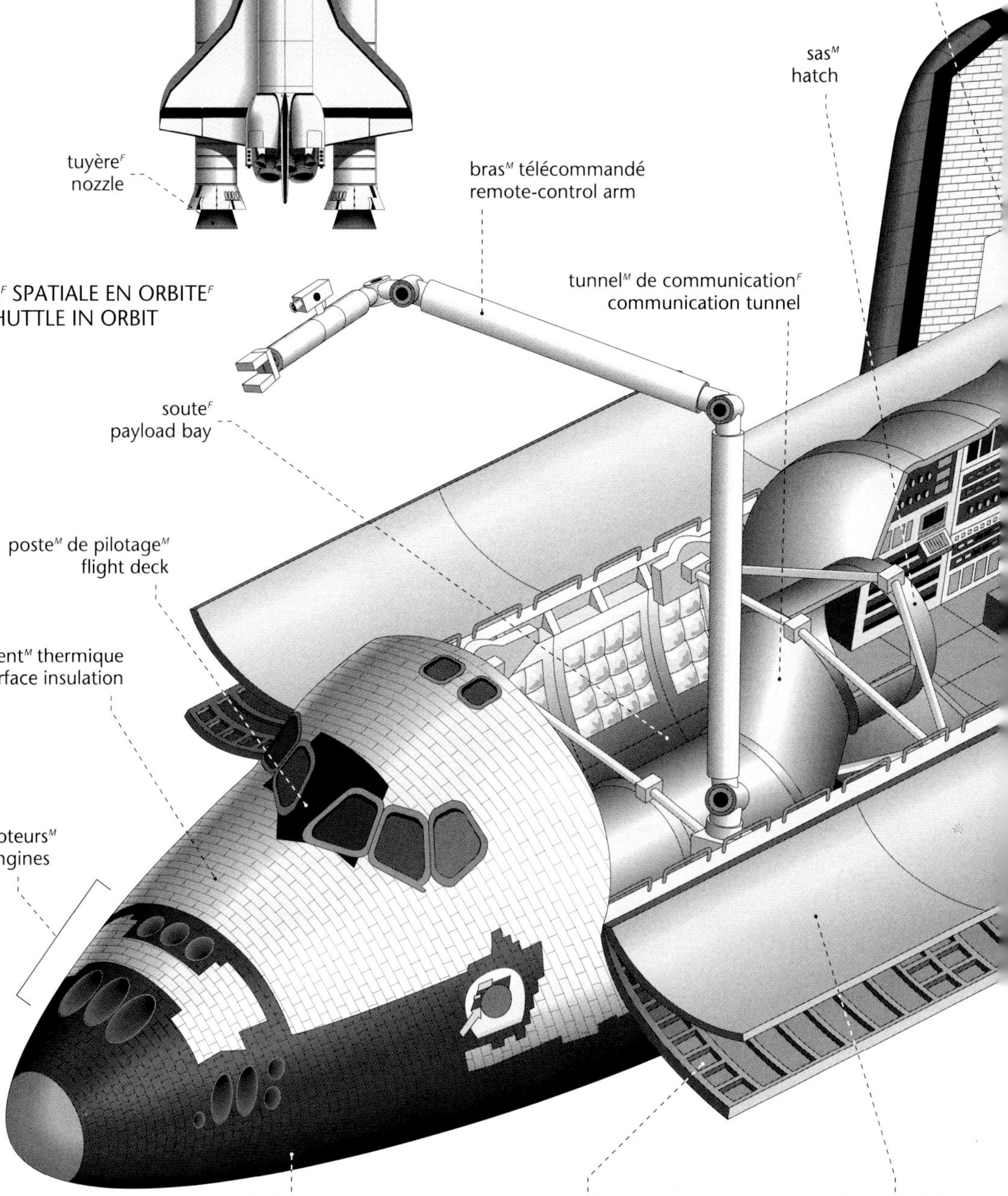
hublot[M] d'observation[F]
observation window
sas[M]
hatch
bras[M] télécommandé
remote-control arm
tunnel[M] de communication[F]
communication tunnel
soute[F]
payload bay
poste[M] de pilotage[M]
flight deck
revêtement[M] thermique
surface insulation
moteurs[M]
engines
bouclier[M] thermique
heat shield
porte[F] de la soute[F]
payload bay door
panneau[M] de refroidissemer
radiator panel

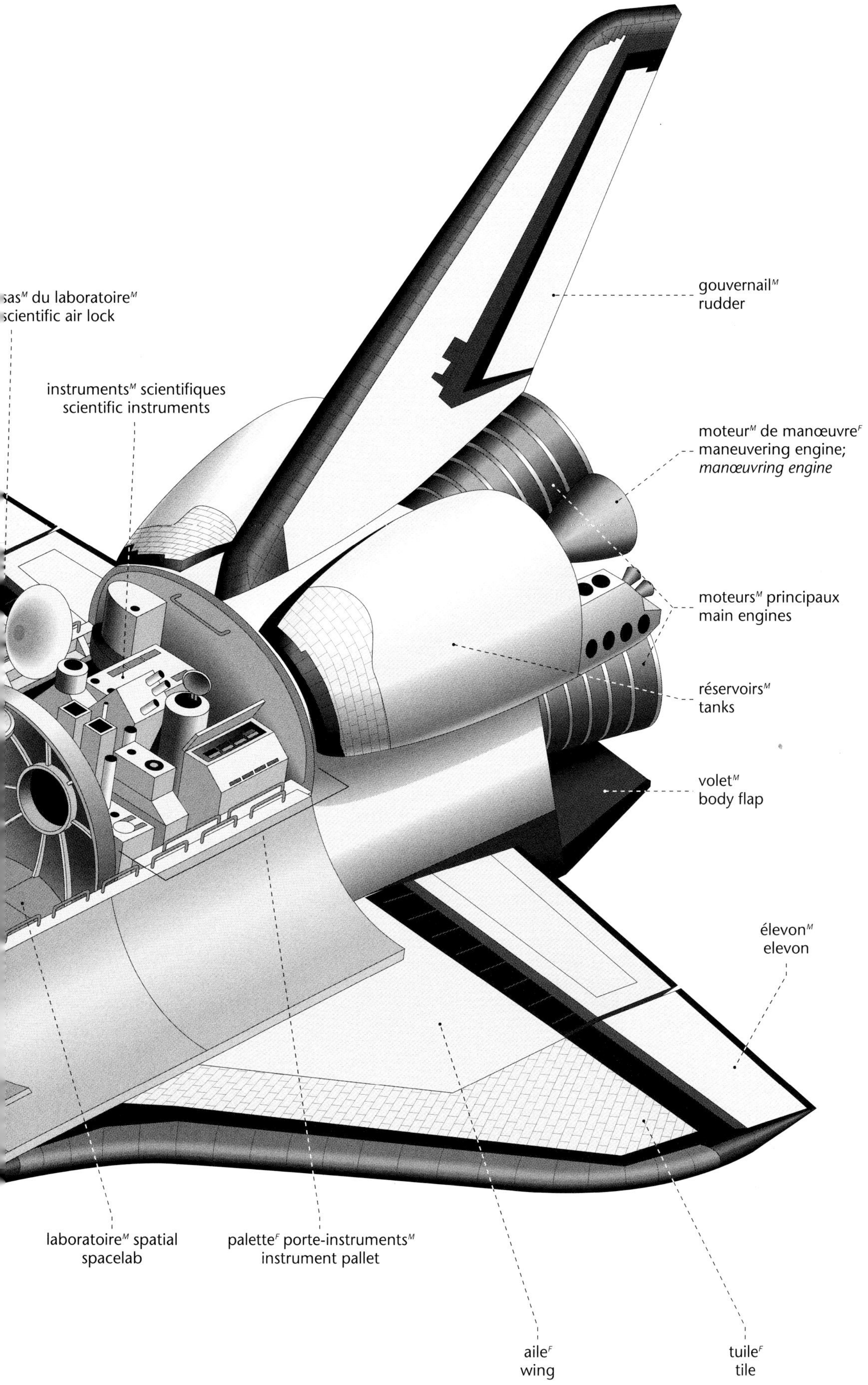
sas[M] du laboratoire[M]
scientific air lock
instruments[M] scientifiques
scientific instruments
gouvernail[M]
rudder
moteur[M] de manœuvre[F]
maneuvering engine; *manœuvring engine*
moteurs[M] principaux
main engines
réservoirs[M]
tanks
volet[M]
body flap
élevon[M]
elevon
laboratoire[M] spatial
spacelab
palette[F] porte-instruments[M]
instrument pallet
aile[F]
wing
tuile[F]
tile

SCAPHANDRE[M] SPATIAL
SPACESUIT

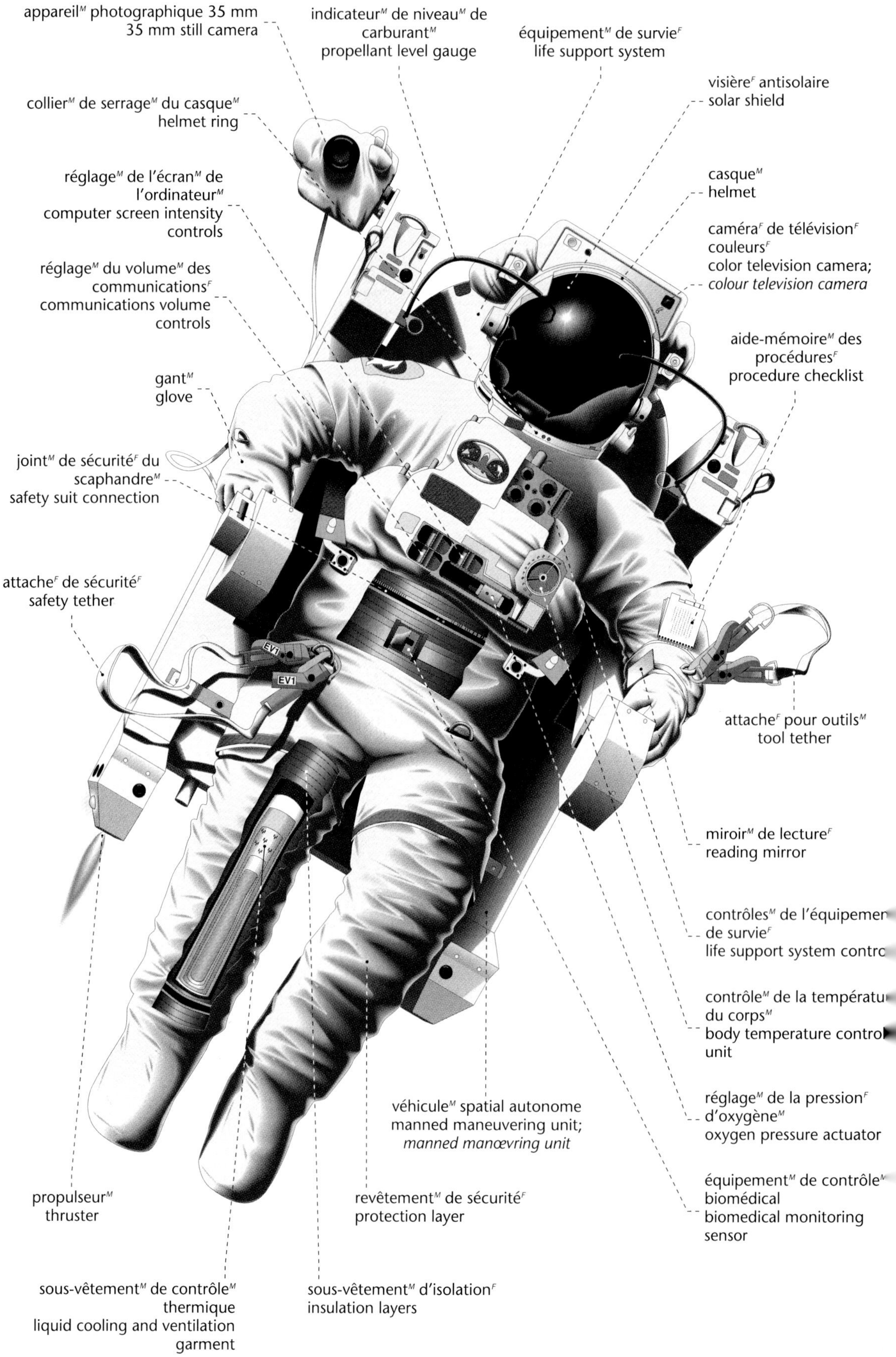
appareil[M] photographique 35 mm
35 mm still camera
indicateur[M] de niveau[M] de carburant[M]
propellant level gauge
équipement[M] de survie[F]
life support system
visière[F] antisolaire
solar shield
collier[M] de serrage[M] du casque[M]
helmet ring
casque[M]
helmet
réglage[M] de l'écran[M] de l'ordinateur[M]
computer screen intensity controls
caméra[F] de télévision[F] couleurs[F]
color television camera; *colour television camera*
réglage[M] du volume[M] des communications[F]
communications volume controls
aide-mémoire[M] des procédures[F]
procedure checklist
gant[M]
glove
joint[M] de sécurité[F] du scaphandre[M]
safety suit connection
attache[F] de sécurité[F]
safety tether
attache[F] pour outils[M]
tool tether
miroir[M] de lecture[F]
reading mirror
contrôles[M] de l'équipemen
de survie[F]
life support system contro
contrôle[M] de la températu
du corps[M]
body temperature contro
unit
réglage[M] de la pression[F] d'oxygène[M]
oxygen pressure actuator
véhicule[M] spatial autonome
manned maneuvering unit; *manned manœvring unit*
équipement[M] de contrôle
biomédical
biomedical monitoring sensor
propulseur[M]
thruster
revêtement[M] de sécurité[F]
protection layer
sous-vêtement[M] de contrôle[M] thermique
liquid cooling and ventilation garment
sous-vêtement[M] d'isolation[F]
insulation layers

FOURNITURES DE BUREAU • OFFICE SUPPLIES

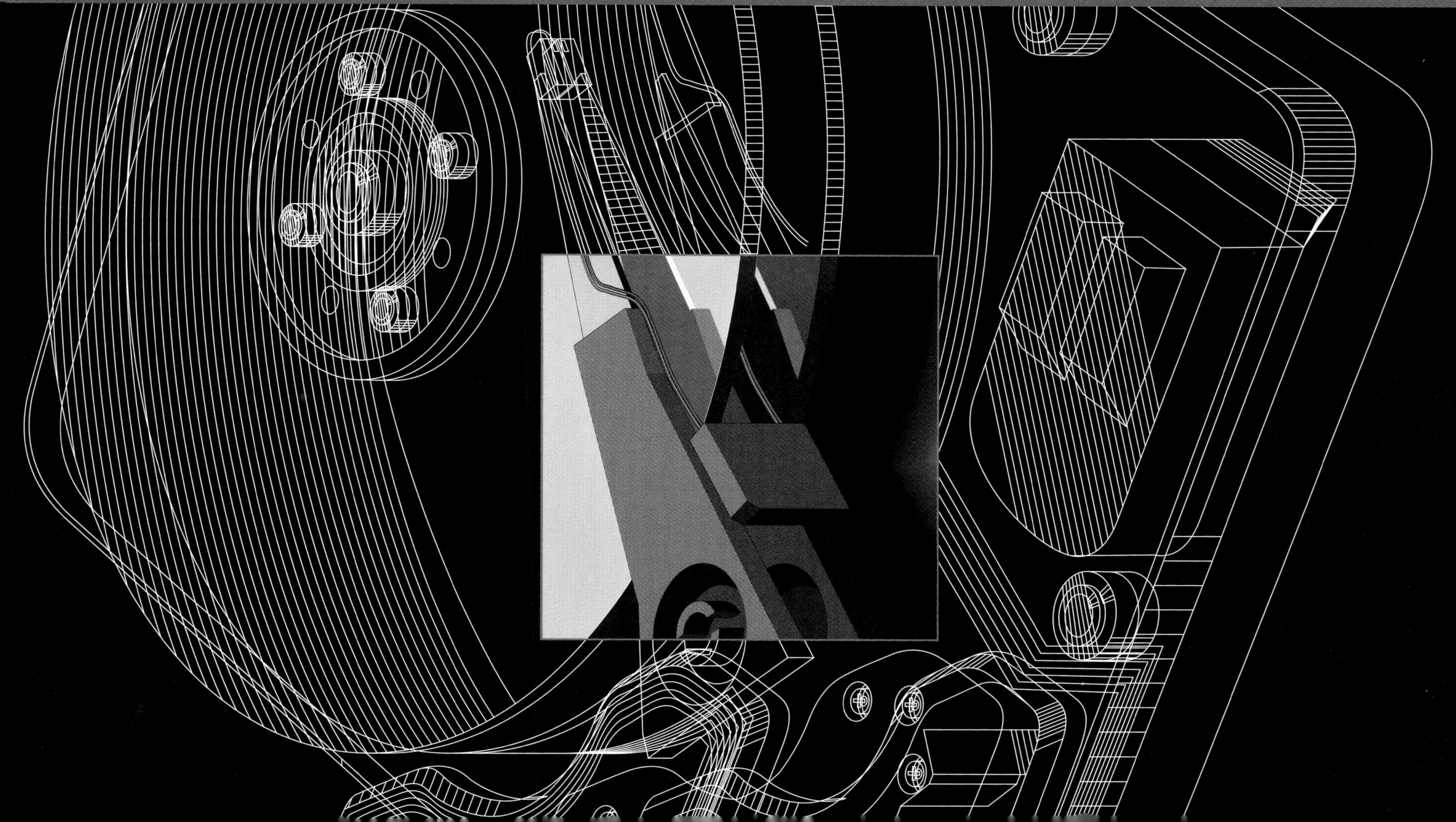

SOMMAIRE

ARTICLES[M] DE BUREAU[M]
STATIONERY

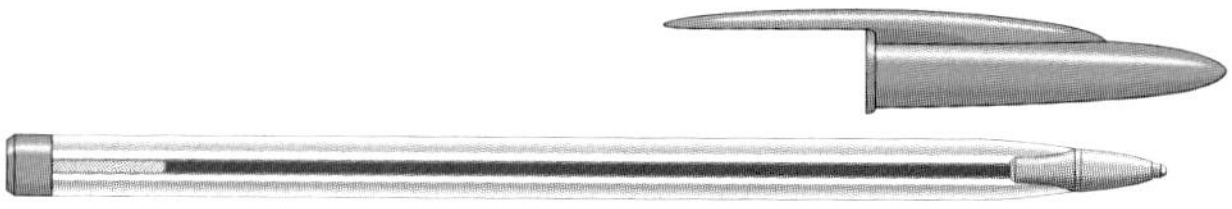

stylo[M]-bille[F]
ballpoint pen

porte-mine[M]
mechanical pencil

crayon[M]
pencil

stylo[M]-plume[F]
fountain pen

porte-gomme[M]
eraser holder

crayon[M] gomme[F]
stick eraser

marqueur[M]
marker

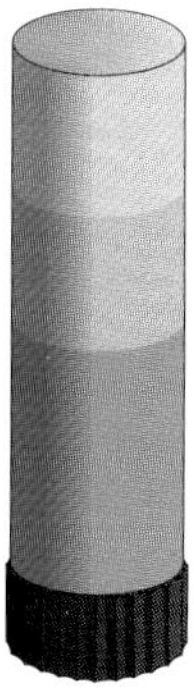

bâtonnet[M] de colle[F]
glue stick

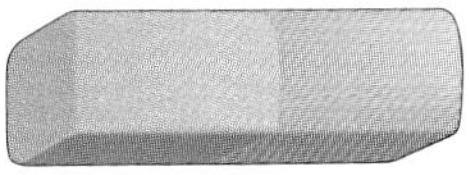

gomme[F]
eraser

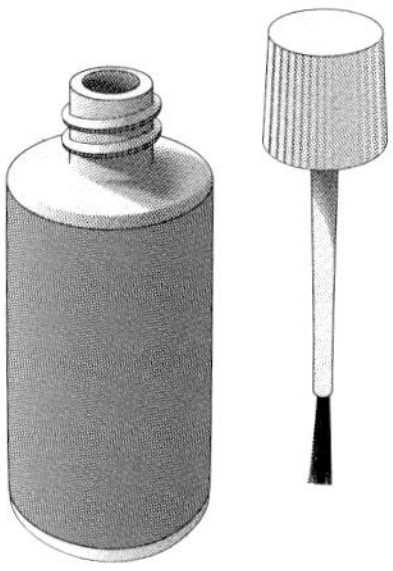

correcteur[M] liquide
correction fluid

surligneur[M]
highlighter pen

pince-notes[M]
clip

trombones[M]
paper clips

agrafeuse[F]
stapler

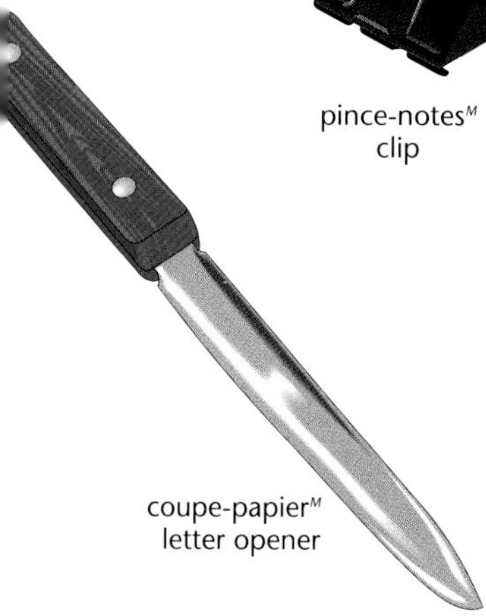

coupe-papier[M]
letter opener

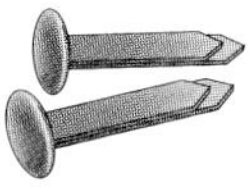

attaches[F] parisiennes
paper fasteners

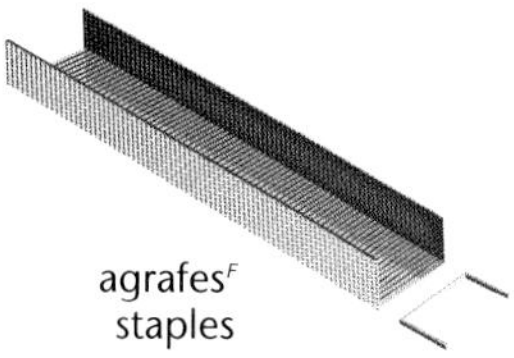

agrafes[F]
staples

dégrafeuse[F]
staple remover

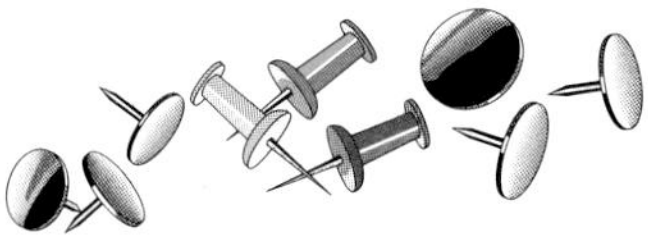

punaises[F]
thumb tacks

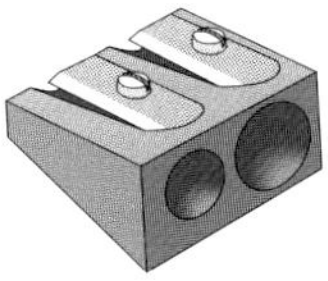

taille-crayon[M]
pencil sharpener

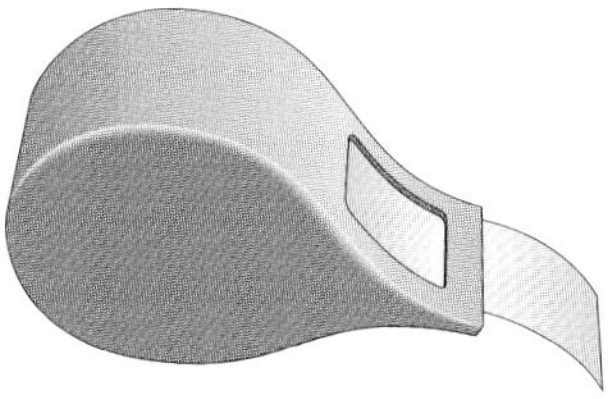

ruban[M] correcteur
correction paper

ARTICLES^{M} DE BUREAU^{M}
STATIONERY

timbre^{M} caoutchouc^{M}
rubber stamp

tampon^{M} encreur
stamp pad

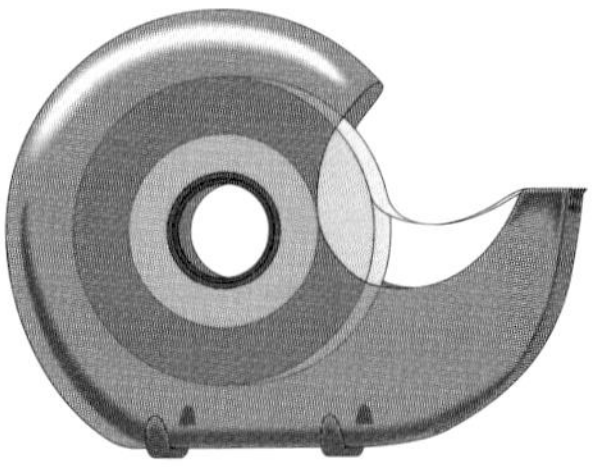

dévidoir^{M} de ruban^{M} adhésif
tape dispenser

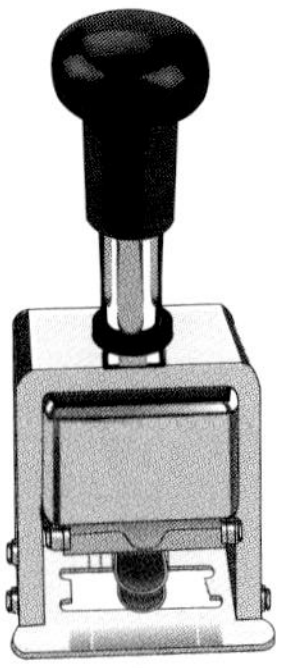

numéroteur^{M}
numbering machine

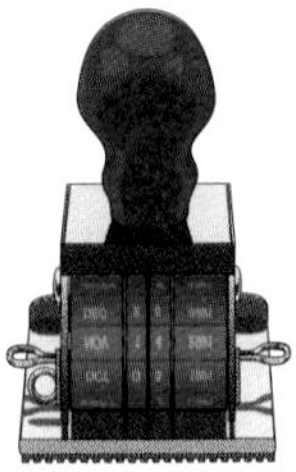

timbre^{M} dateur
dater

porte-timbres^{M}
stamp rack

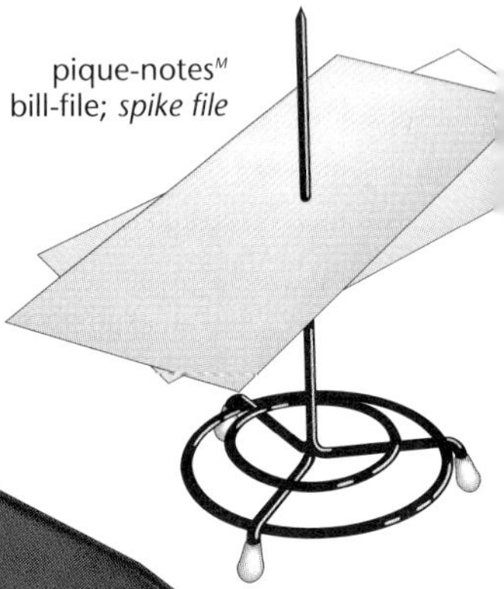

pique-notes^{M}
bill-file; *spike file*

perforatrice^{F}
paper punch

pince^{F} à étiqueter
label maker

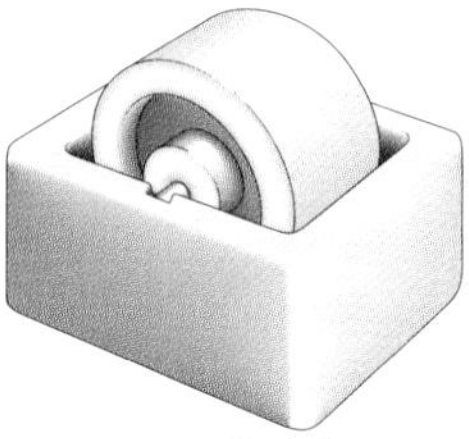

mouilleur^{M}
moistener

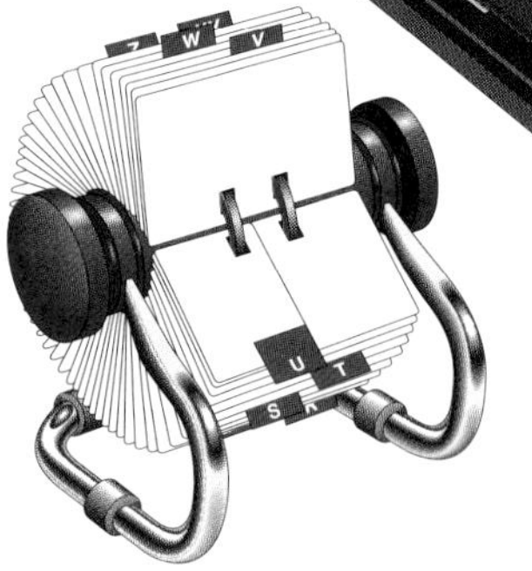

fichier^{M} rotatif
rotary file

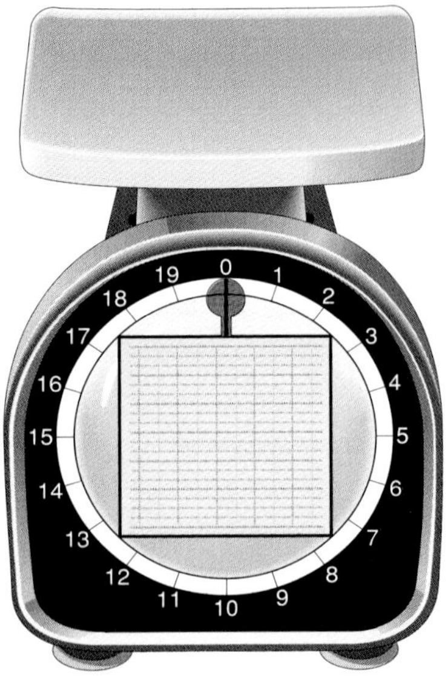

pèse-lettres^{M}
letter scale

taille-crayon^{M}
pencil sharpener

répertoire^{M} téléphonique
telephone index

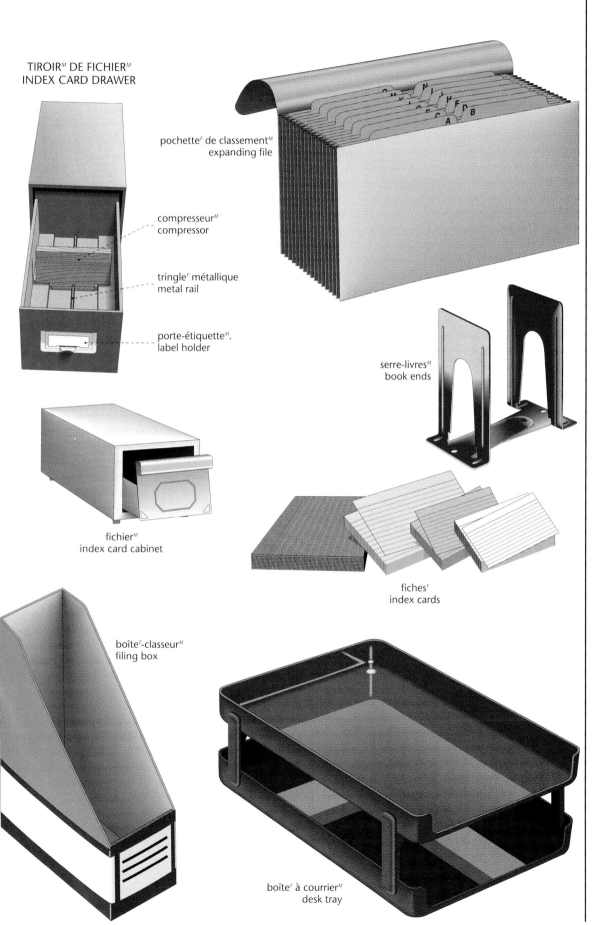

TIROIR^M DE FICHIER^M
INDEX CARD DRAWER

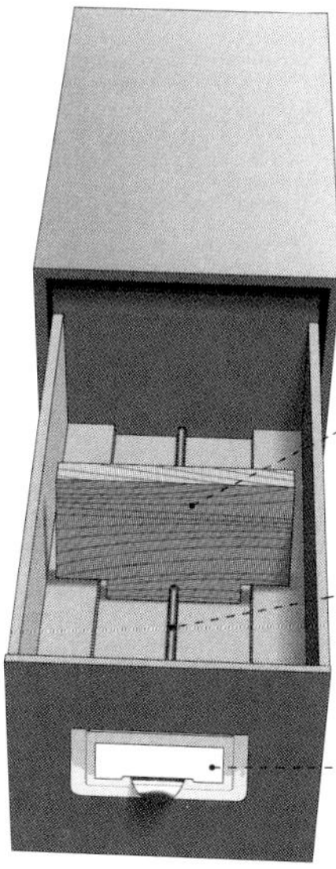

compresseur^M
compressor

tringle^F métallique
metal rail

porte-étiquette^M.
label holder

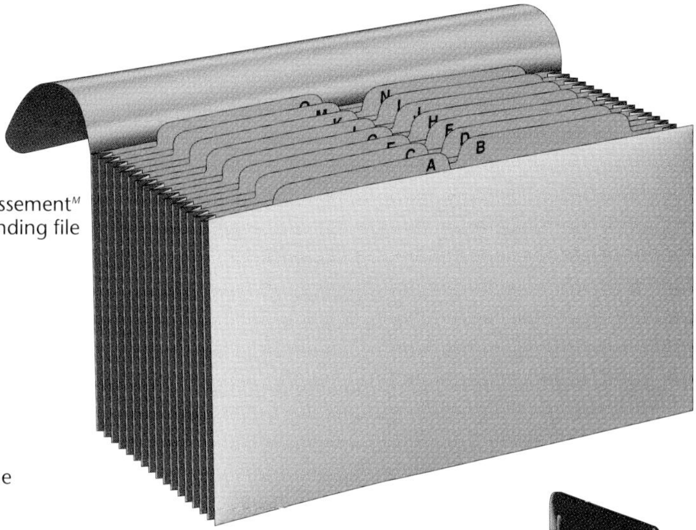

pochette^F de classement^M
expanding file

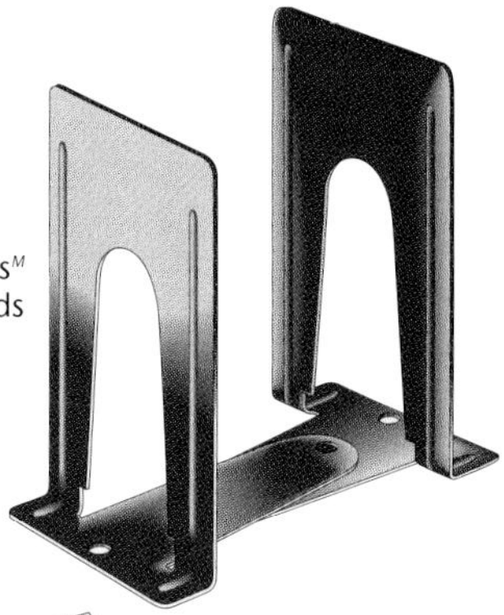

serre-livres^M
book ends

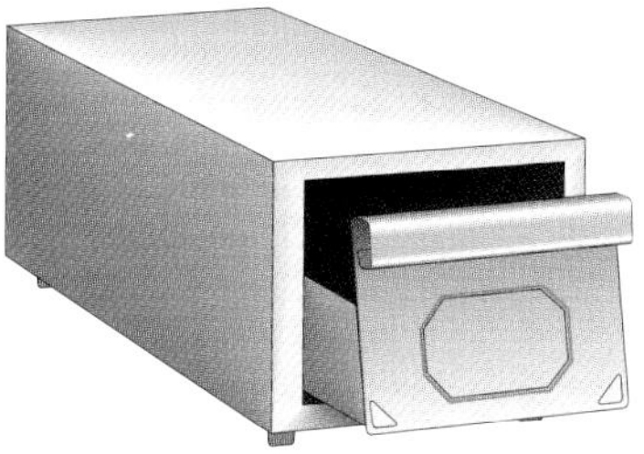

fichier^M
index card cabinet

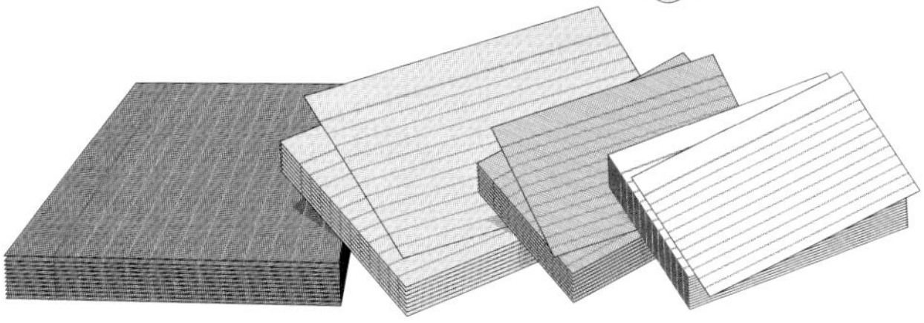

fiches^F
index cards

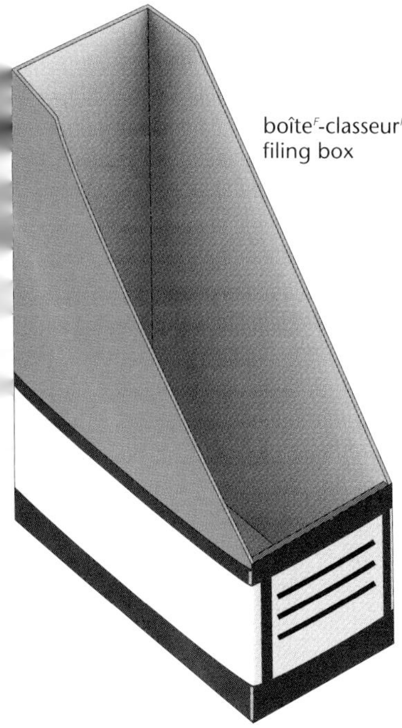

boîte^F-classeur^M
filing box

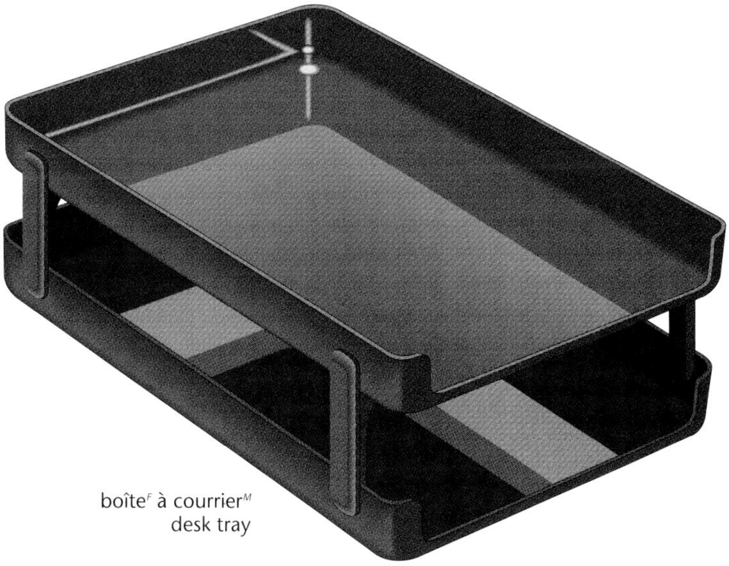

boîte^F à courrier^M
desk tray

ARTICLES[M] DE BUREAU[M]
STATIONERY

calendrier[M]-mémorandum[M]
tear-off calendar

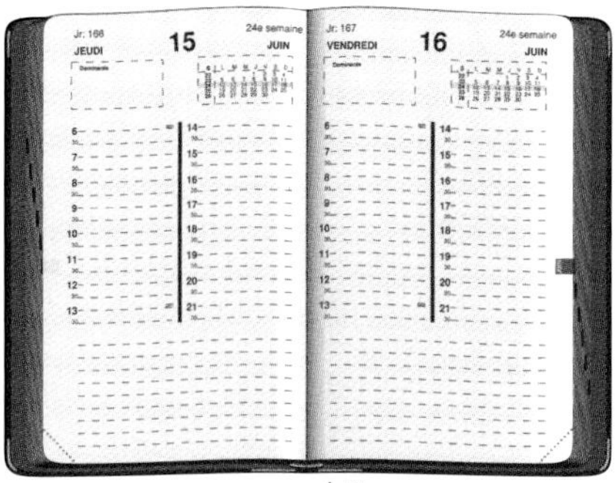

agenda[M]
appointment book

bloc[M]-éphéméride[F]
calendar pad

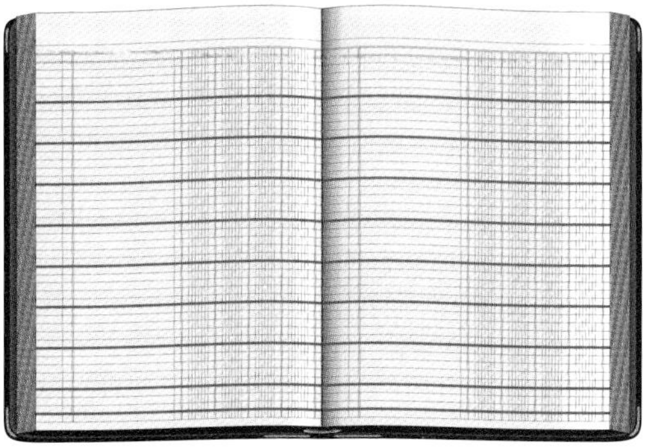

registre[M] de comptabilité[F]
account book

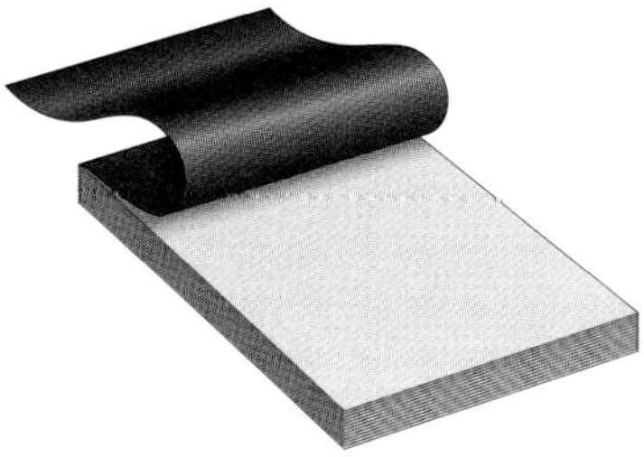

bloc[M]-notes[F]
memo pad

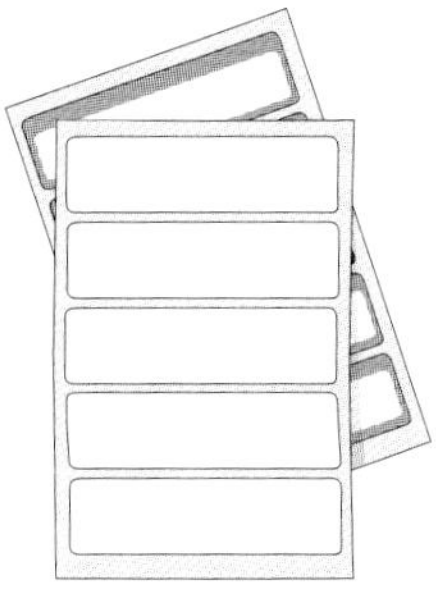

étiquettes[F] autocollantes
self-adhesive labels

onglet[M]
tab

planchette[F] à arches[F]
archboard

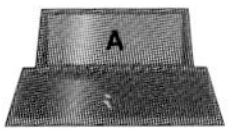

onglet[M] à fenêtre[F]
window tab

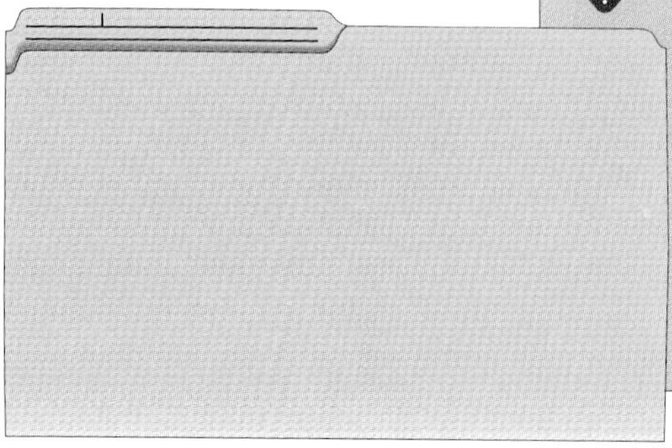

chemise[F]
folder

guides[M] de classement[M]
file guides

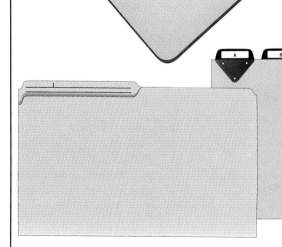

dossier[M] suspendu
hanging file

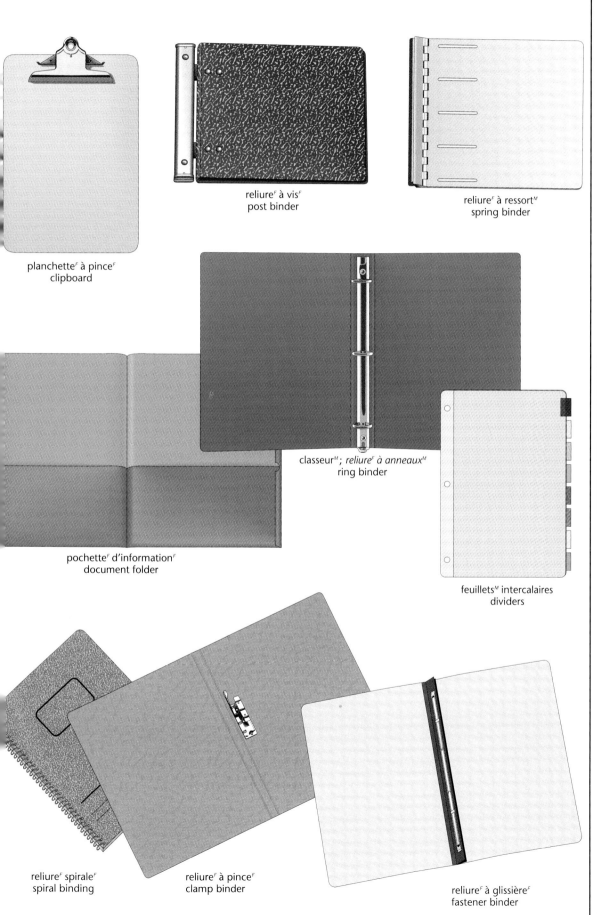

planchette[F] à pince[F]
clipboard

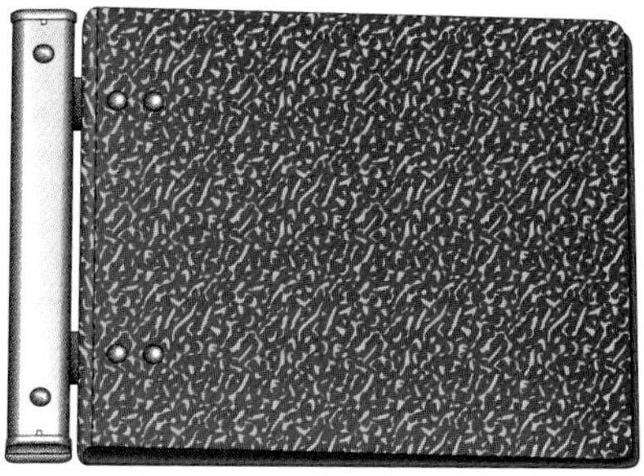

reliure[F] à vis[F]
post binder

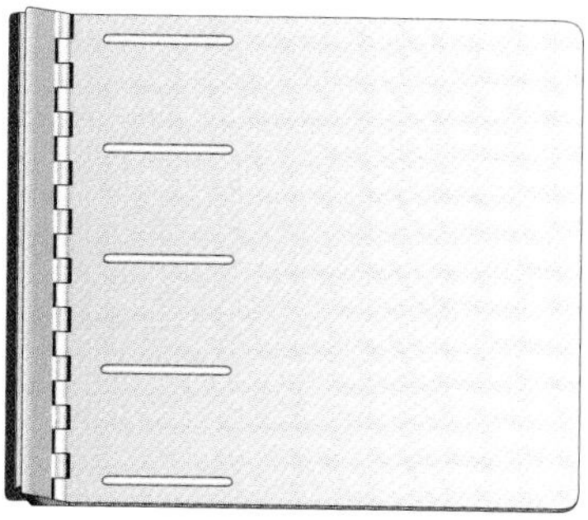

reliure[F] à ressort[M]
spring binder

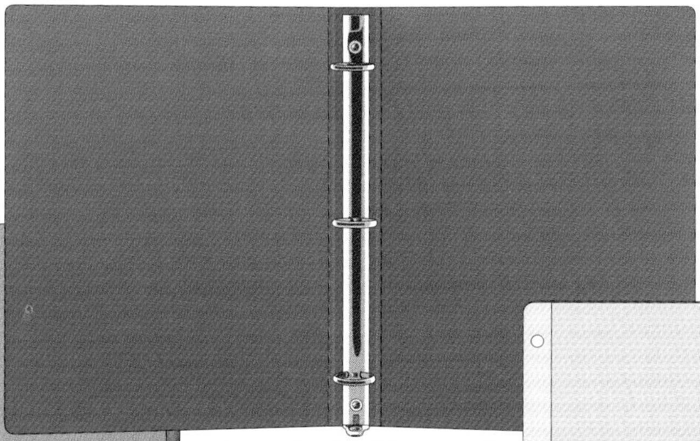

classeur[M]; *reliure[F] à anneaux[M]*
ring binder

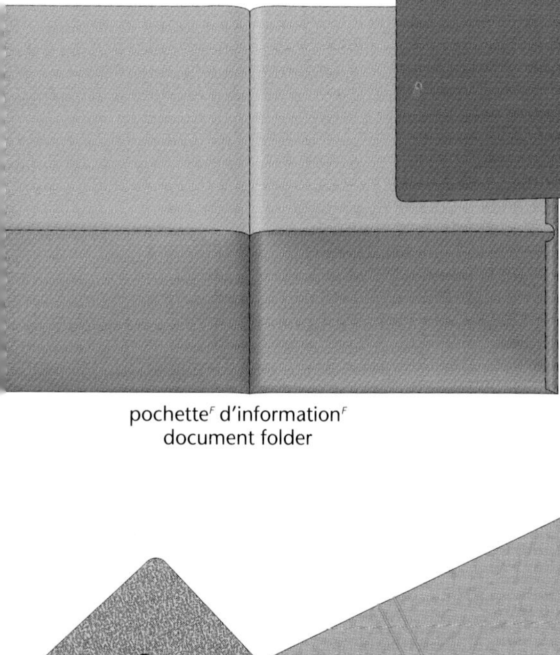

pochette[F] d'information[F]
document folder

feuillets[M] intercalaires
dividers

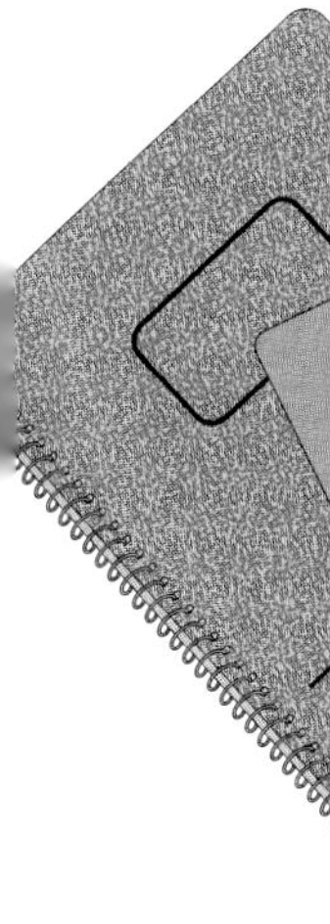

reliure[F] spirale[F]
spiral binding

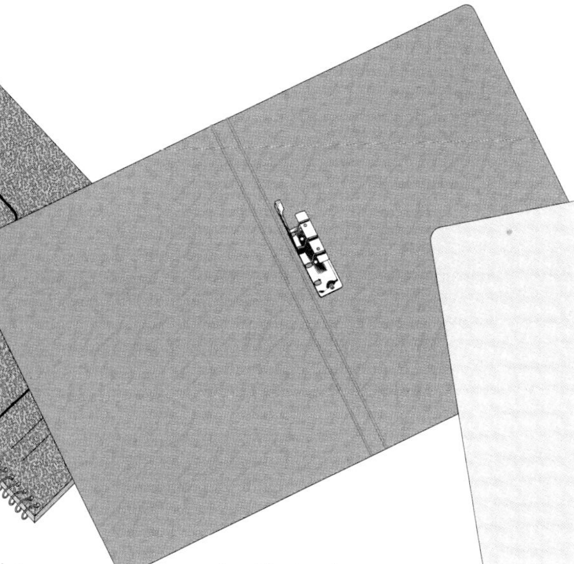

reliure[F] à pince[F]
clamp binder

reliure[F] à glissière[F]
fastener binder

MOBILIER[M] DE BUREAU[M]
OFFICE FURNITURE

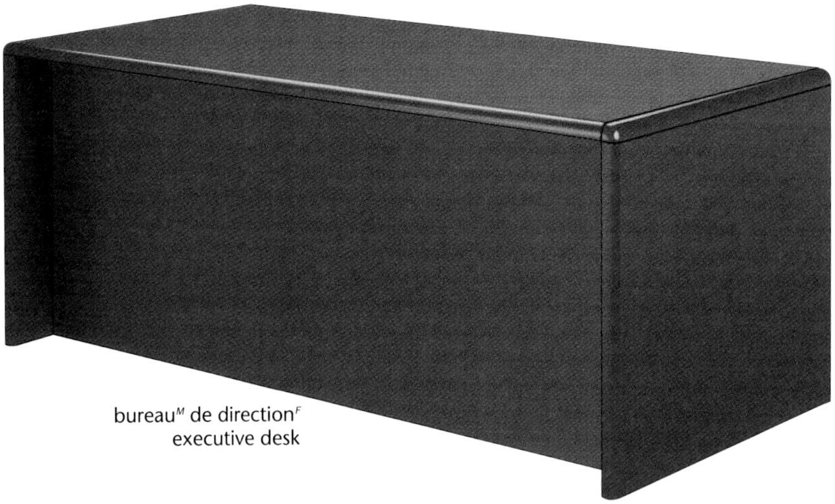

bureau[M] de direction[F]
executive desk

fauteuil[M] pivotant à bascule[F]
swivel-tilter armchair

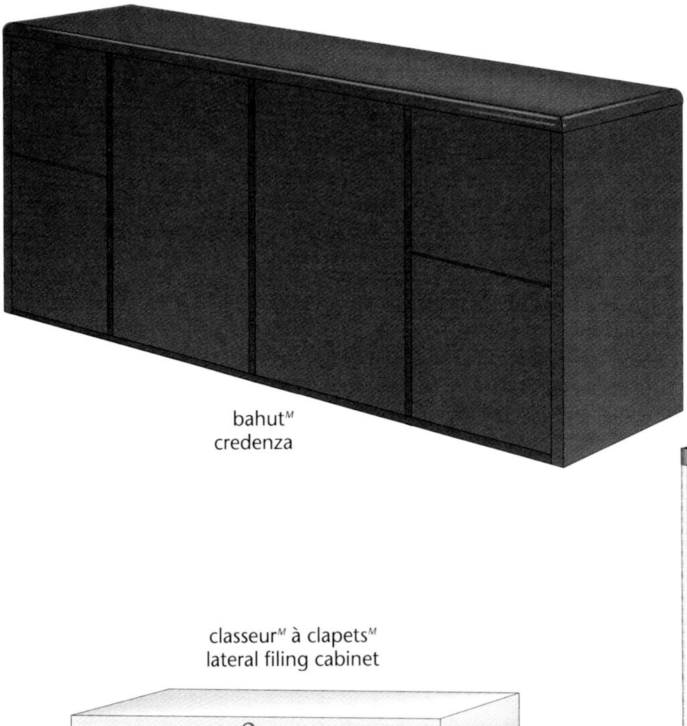

bahut[M]
credenza

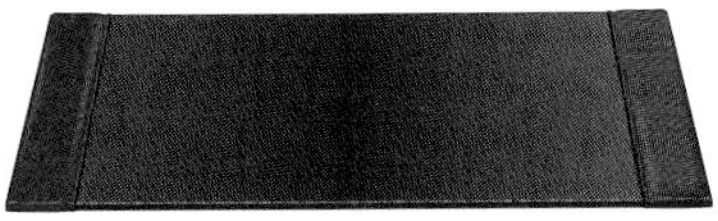

sous-main[M]
desk mat

cloison[F] amovible
partition

classeur[M] à clapets[M]
lateral filing cabinet

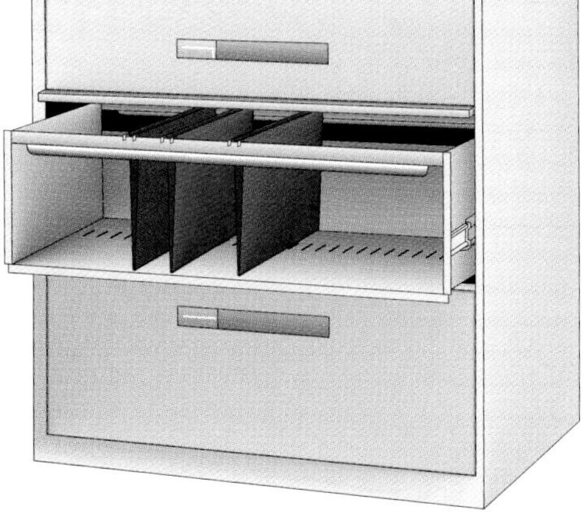

TABLE[F] D'ORDINATEUR[M]
COMPUTER TABLE

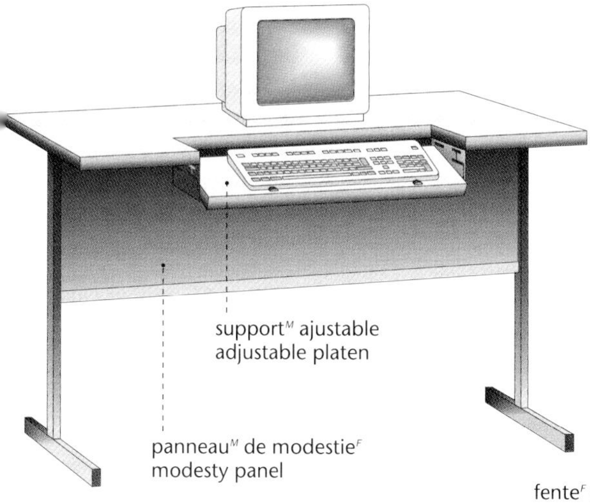
support[M] ajustable
adjustable platen
panneau[M] de modestie[F]
modesty panel

TABLE[F] D'IMPRIMANTE[F]
PRINTER TABLE

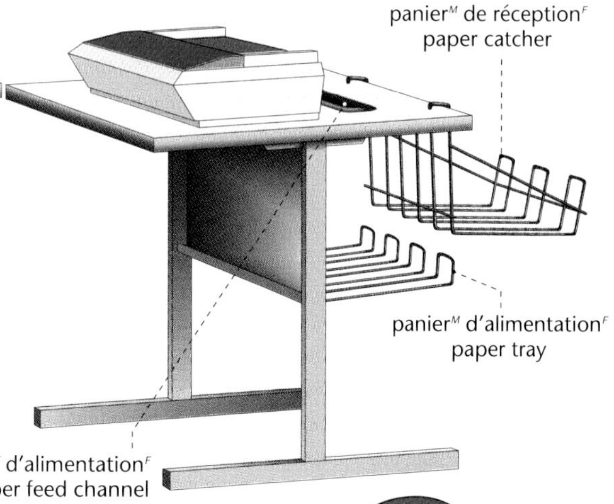
panier[M] de réception[F]
paper catcher
panier[M] d'alimentation[F]
paper tray
fente[F] d'alimentation[F]
paper feed channel

classeur[M] mobile
mobile filing unit

caisson[M]
mobile drawer unit

chaise[F] dactylo[M]
typist's chair

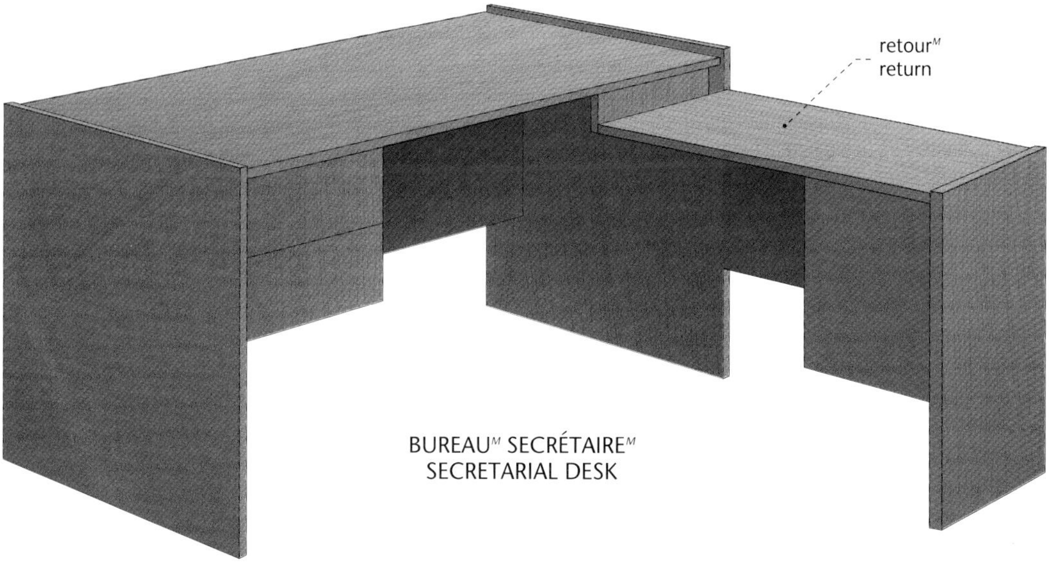
retour[M]
return

BUREAU[M] SECRÉTAIRE[M]
SECRETARIAL DESK

MOBILIER^{M} DE BUREAU^{M}
OFFICE FURNITURE

patère^{F}
coat hook

présentoir^{M} à revues^{F}
display cabinet

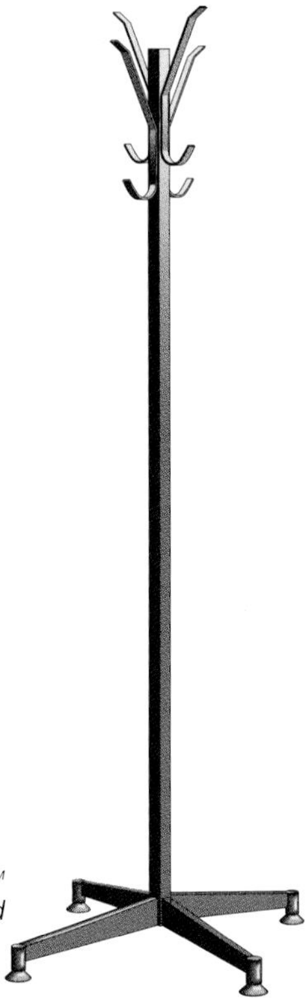

porte-manteau^{M}
coat tree; *hat stand*

armoire^{F} à papeterie^{F}
stationery cabinet

vestiaire^{M} de bureau^{M}
coat rack

armoire^{F}-vestiaire^{M}
locker

CALCULATRICE[F]
CALCULATOR

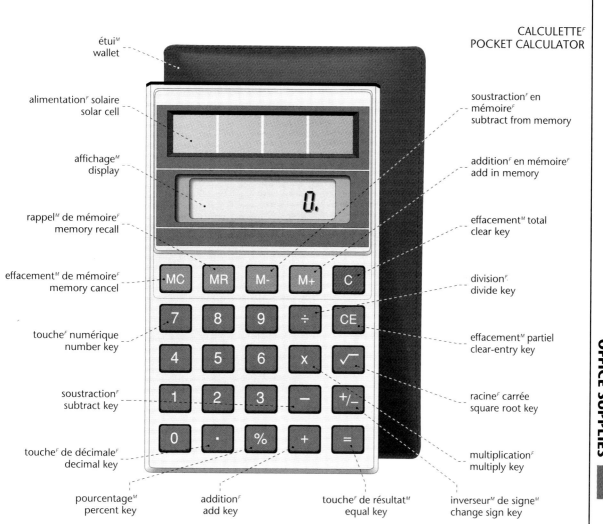

CALCULETTE[F]
POCKET CALCULATOR

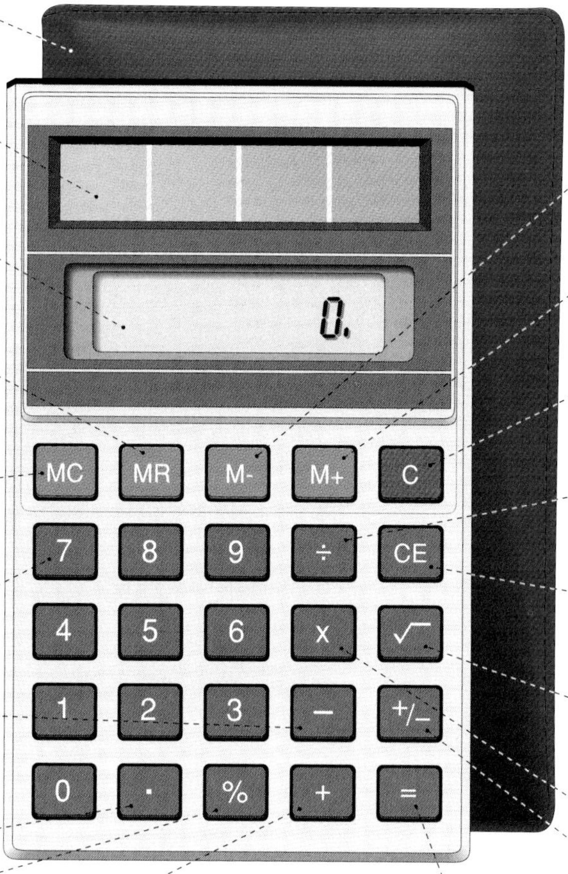

étui[M]
wallet
alimentation[F] solaire
solar cell
affichage[M]
display
rappel[M] de mémoire[F]
memory recall
effacement[M] de mémoire[F]
memory cancel
touche[F] numérique
number key
soustraction[F]
subtract key
touche[F] de décimale[F]
decimal key
pourcentage[M]
percent key
addition[F]
add key
touche[F] de résultat[M]
equal key
inverseur[M] de signe[M]
change sign key
multiplication[F]
multiply key
racine[F] carrée
square root key
effacement[M] partiel
clear-entry key
division[F]
divide key
effacement[M] total
clear key
addition[F] en mémoire[F]
add in memory
soustraction[F] en mémoire[F]
subtract from memory
MC
MR
M-
M+
C
7
8
9
÷
CE
4
5
6
x
1
2
3
+/_
0
%
+
=
0.

CALCULATRICE[F] À IMPRIMANTE[F]
PRINTING CALCULATOR

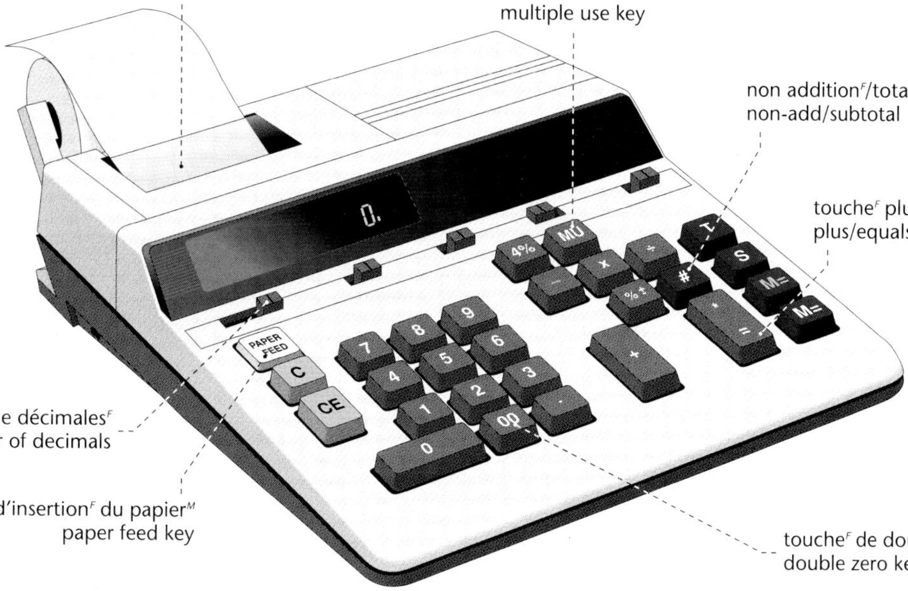

imprimante[F]
printer
touche[F] multifonctionnelle
multiple use key
non addition[F]/total[M] partiel
non-add/subtotal
touche[F] plus[M]-égalité[F]
plus/equals key
nombre[M] de décimales[F]
number of decimals
commande[F] d'insertion[F] du papier[M]
paper feed key
touche[F] de double zéro[M]
double zero key
PAPER FEED
C
CE
0.

MACHINE[F] À ÉCRIRE ÉLECTRONIQUE
ELECTRONIC TYPEWRITER

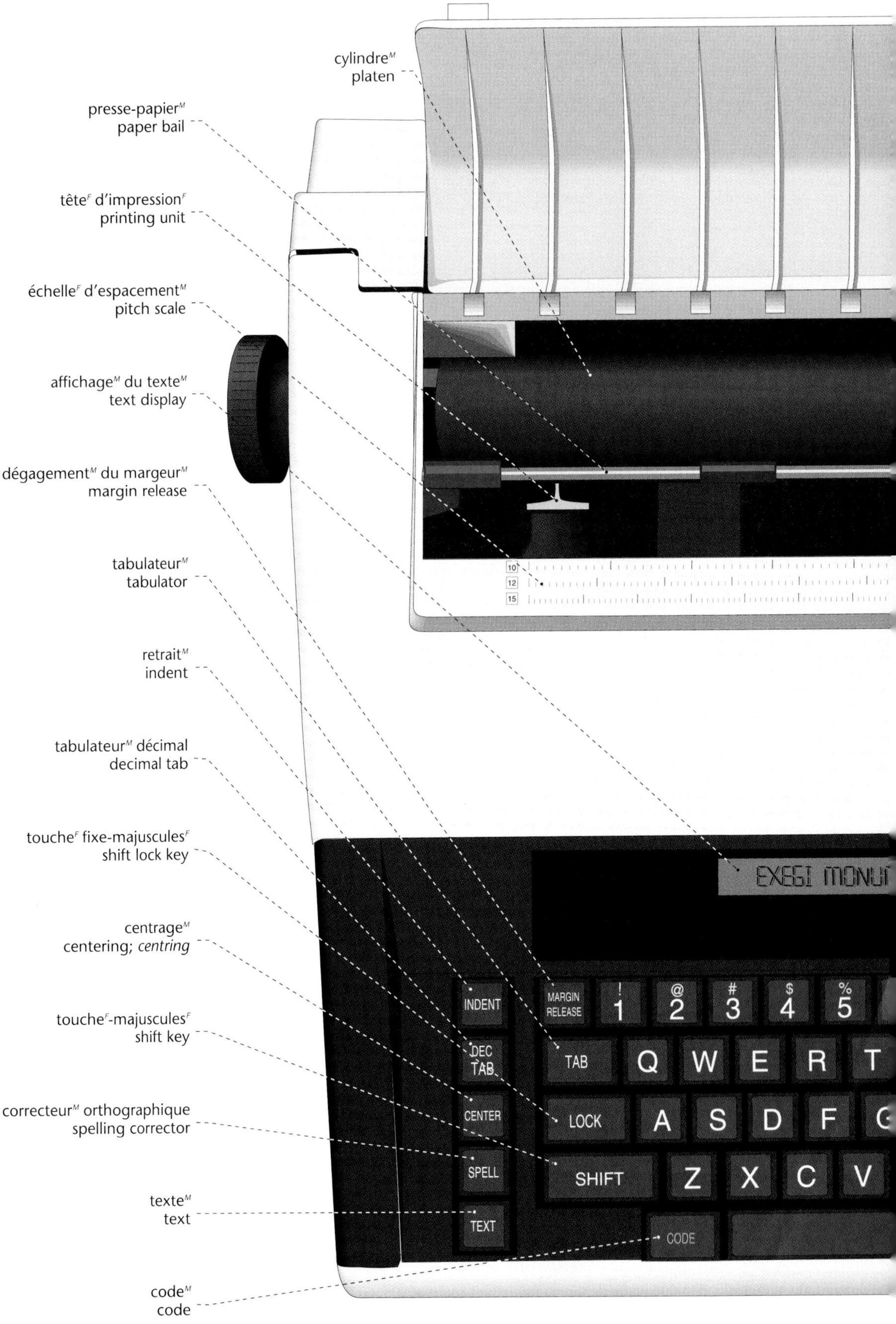

cylindre[M]
platen
presse-papier[M]
paper bail
tête[F] d'impression[F]
printing unit
échelle[F] d'espacement[M]
pitch scale
affichage[M] du texte[M]
text display
dégagement[M] du margeur[M]
margin release
tabulateur[M]
tabulator
retrait[M]
indent
tabulateur[M] décimal
decimal tab
touche[F] fixe-majuscules[F]
shift lock key
centrage[M]
centering; *centring*
touche[F]-majuscules[F]
shift key
correcteur[M] orthographique
spelling corrector
texte[M]
text
code[M]
code

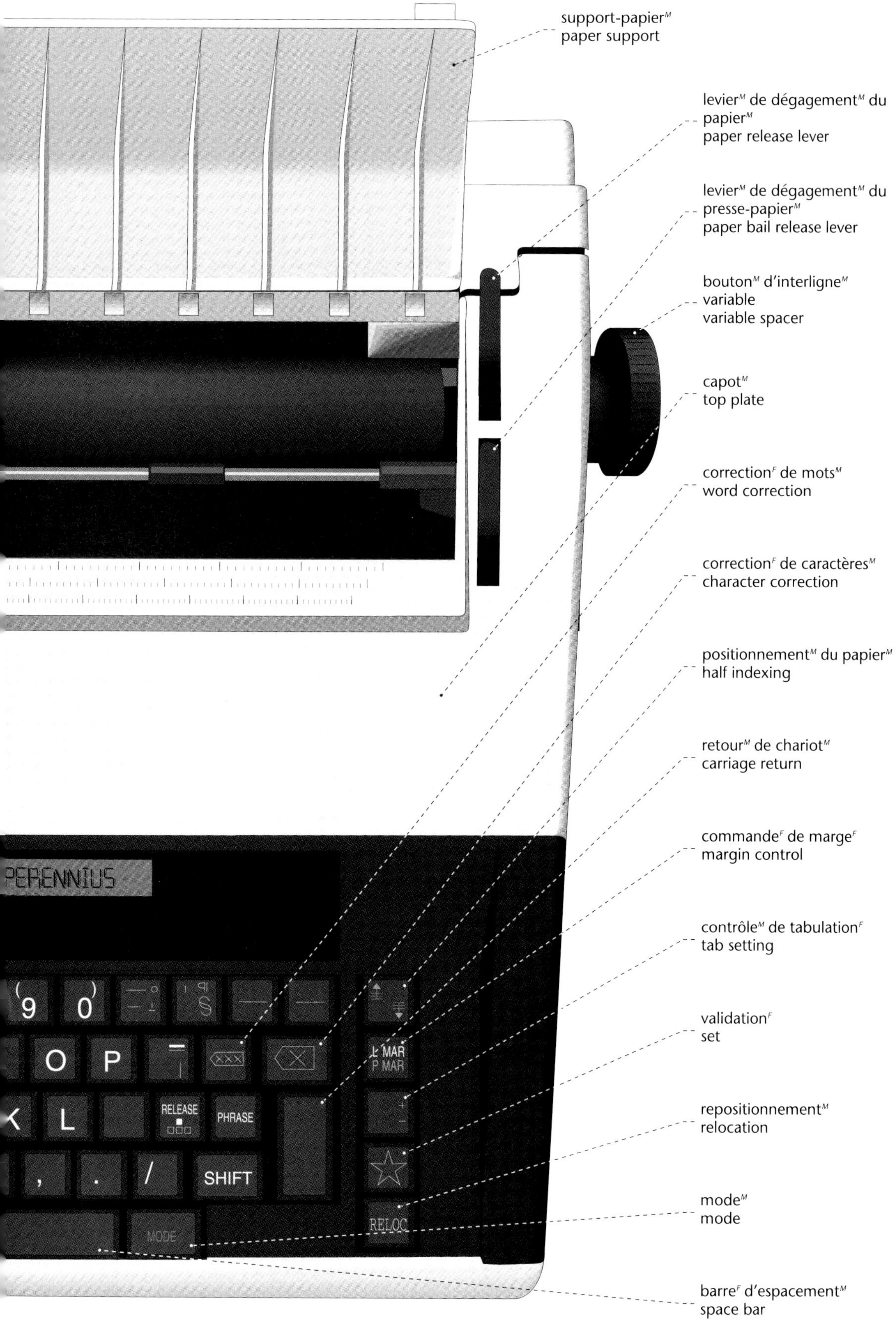
support-papier[M]
paper support
levier[M] de dégagement[M] du papier[M]
paper release lever
levier[M] de dégagement[M] du presse-papier[M]
paper bail release lever
bouton[M] d'interligne[M] variable
variable spacer
capot[M]
top plate
correction[F] de mots[M]
word correction
correction[F] de caractères[M]
character correction
positionnement[M] du papier[M]
half indexing
retour[M] de chariot[M]
carriage return
commande[F] de marge[F]
margin control
contrôle[M] de tabulation[F]
tab setting
validation[F]
set
repositionnement[M]
relocation
mode[M]
mode
barre[F] d'espacement[M]
space bar
PERENNIUS
9
0
O
P
RELEASE
PHRASE
L
SHIFT
MODE
MAR
P MAR
RELOC

CONFIGURATION[F] D'UN SYSTÈME[M] BUREAUTIQUE
CONFIGURATION OF AN OFFICE AUTOMATION SYSTEM

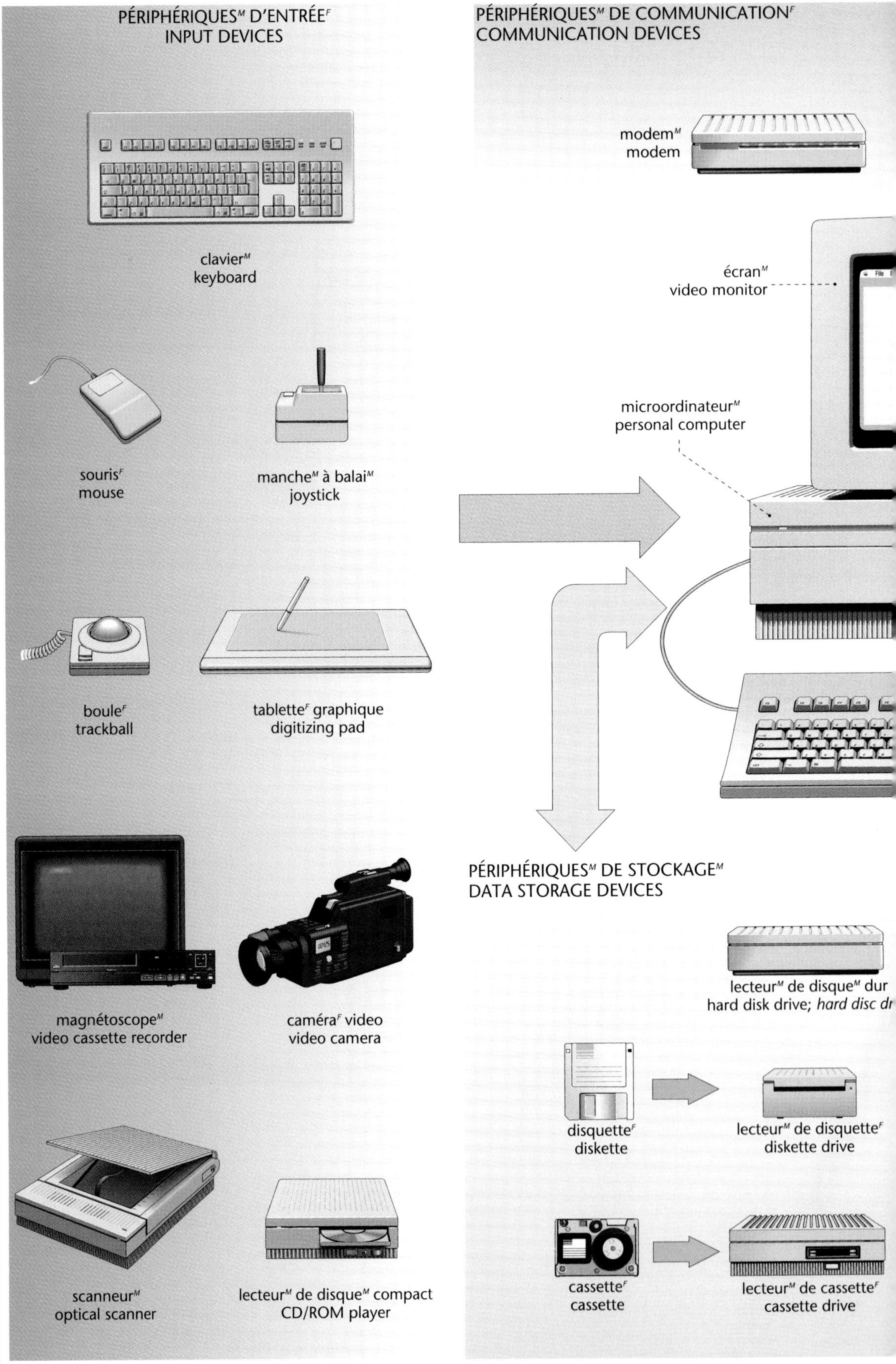
PÉRIPHÉRIQUES[M] D'ENTRÉE[F]
INPUT DEVICES
clavier[M]
keyboard
souris[F]
mouse
manche[M] à balai[M]
joystick
boule[F]
trackball
tablette[F] graphique
digitizing pad
magnétoscope[M]
video cassette recorder
caméra[F] video
video camera
scanneur[M]
optical scanner
lecteur[M] de disque[M] compact
CD/ROM player
PÉRIPHÉRIQUES[M] DE COMMUNICATION[F]
COMMUNICATION DEVICES
modem[M]
modem
écran[M]
video monitor
microordinateur[M]
personal computer
PÉRIPHÉRIQUES[M] DE STOCKAGE[M]
DATA STORAGE DEVICES
lecteur[M] de disque[M] dur
hard disk drive; *hard disc dr*
disquette[F]
diskette
lecteur[M] de disquette[F]
diskette drive
cassette[F]
cassette
lecteur[M] de cassette[F]
cassette drive

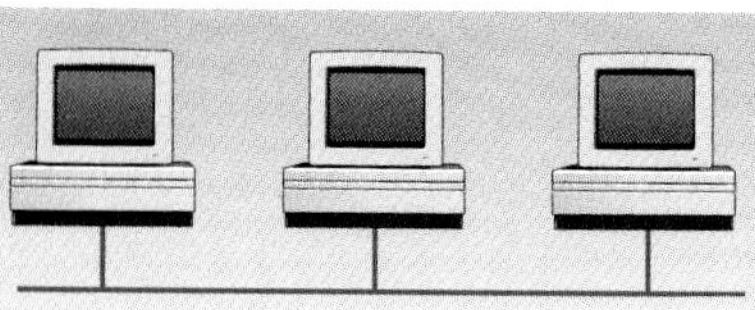

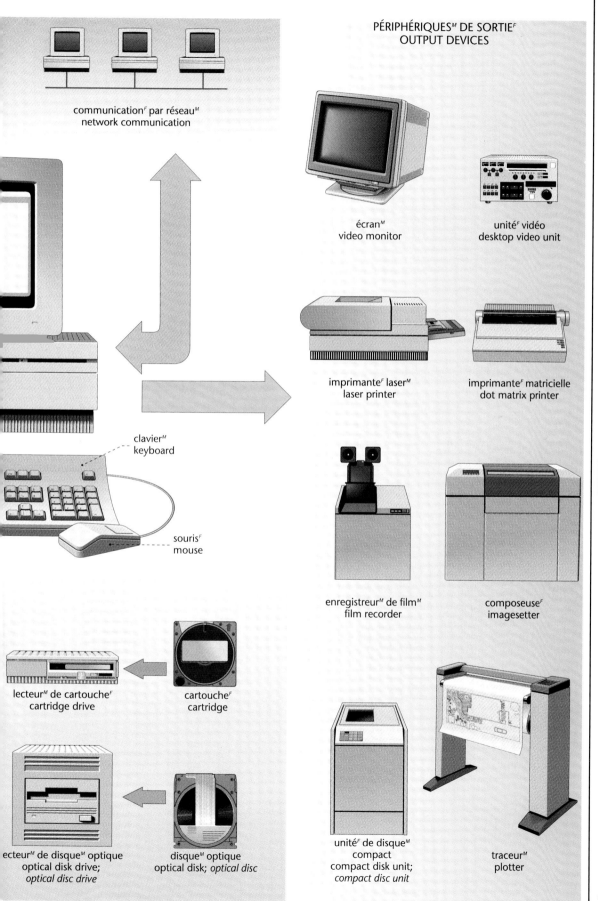

communication^F par réseau^M
network communication

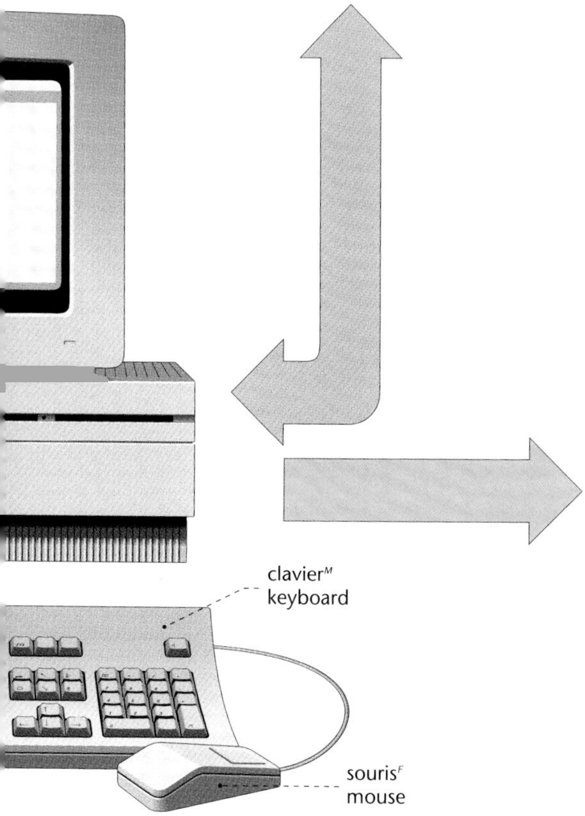
clavier^M
keyboard
souris^F
mouse

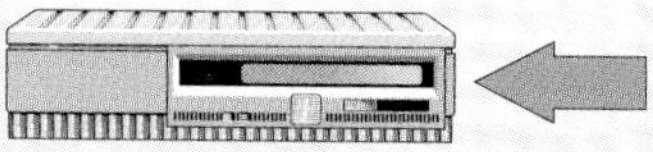

lecteur^M de cartouche^F
cartridge drive

cartouche^F
cartridge

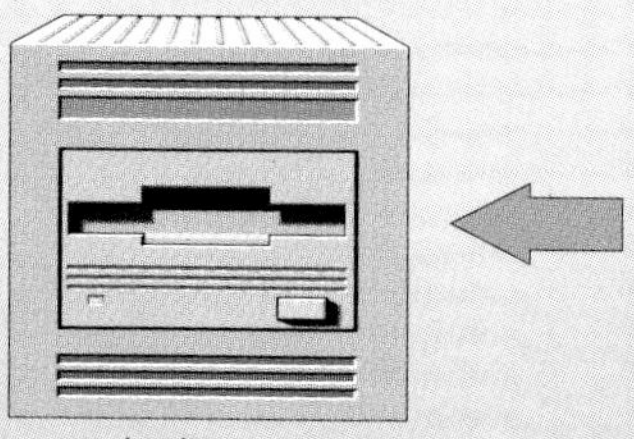

ecteur^M de disque^M optique
optical disk drive;
optical disc drive

disque^M optique
optical disk; *optical disc*

PÉRIPHÉRIQUES^M DE SORTIE^F
OUTPUT DEVICES

écran^M
video monitor

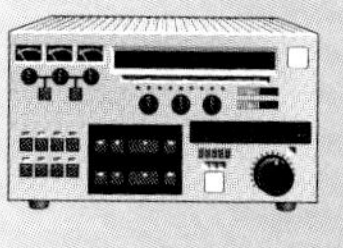

unité^F vidéo
desktop video unit

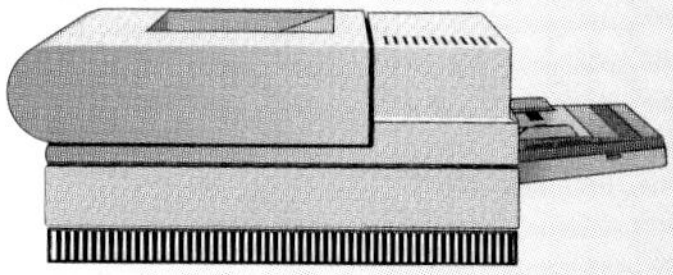

imprimante^F laser^M
laser printer

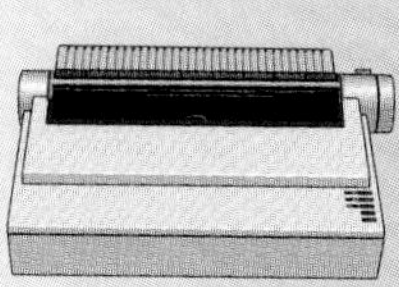

imprimante^F matricielle
dot matrix printer

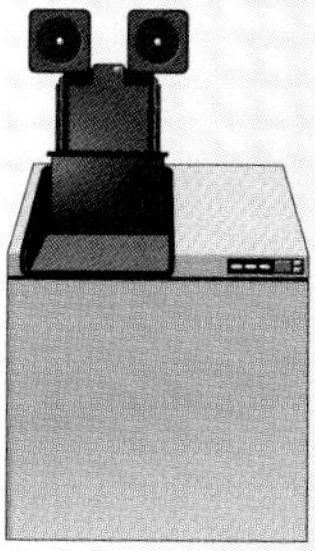

enregistreur^M de film^M
film recorder

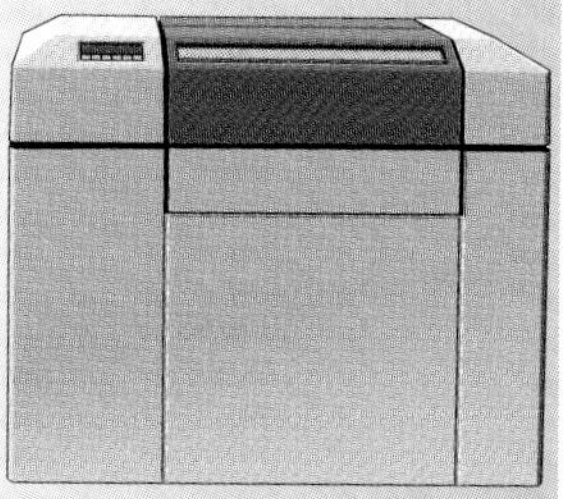

composeuse^F
imagesetter

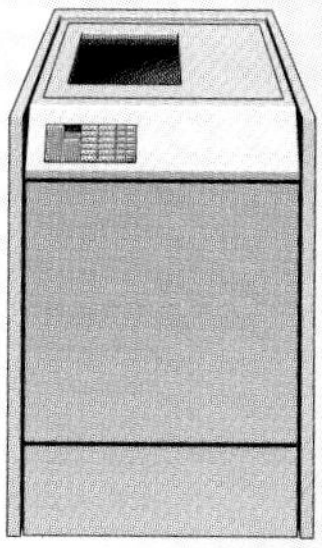

unité^F de disque^M
compact
compact disk unit;
compact disc unit

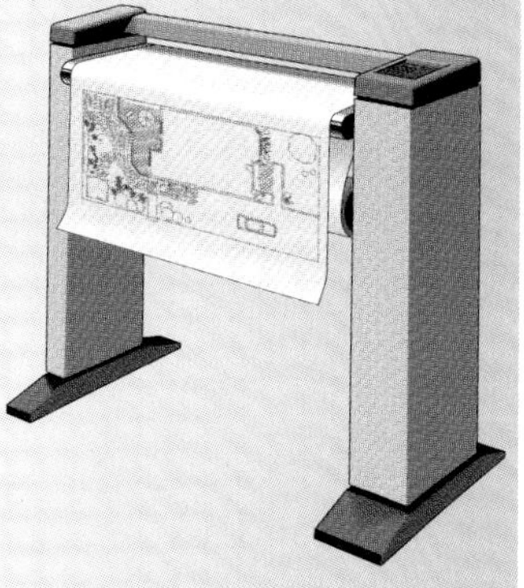

traceur^M
plotter

SYSTÈME^{M} DE BASE^{F}
BASIC COMPONENTS

MICRO-ORDINATEUR^{M} (VUE^{F} EN PLONGÉE^{F})
PERSONAL COMPUTER (VIEW FROM ABOVE)

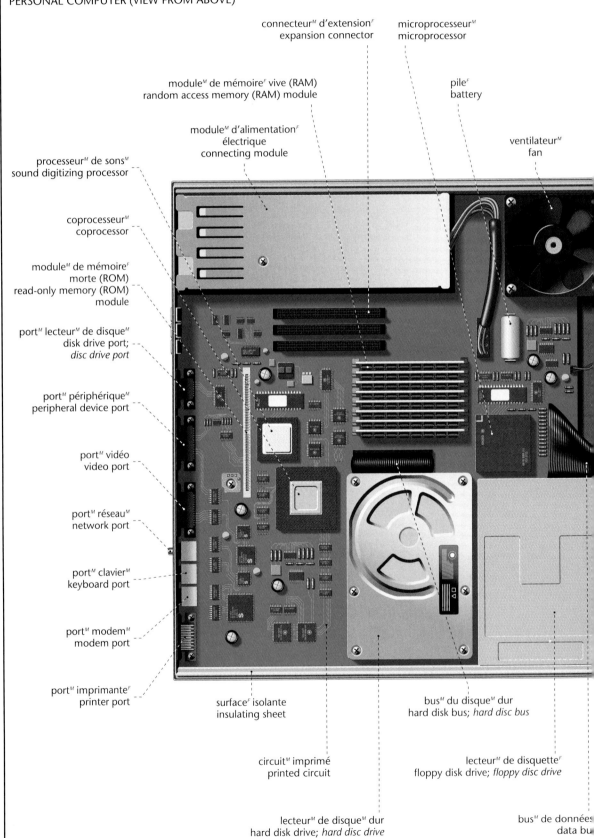

connecteur^{M} d'extension^{F}
expansion connector
microprocesseur^{M}
microprocessor
module^{M} de mémoire^{F} vive (RAM)
random access memory (RAM) module
pile^{F}
battery
module^{M} d'alimentation^{F} électrique
connecting module
ventilateur^{M}
fan
processeur^{M} de sons^{M}
sound digitizing processor
coprocesseur^{M}
coprocessor
module^{M} de mémoire^{F} morte (ROM)
read-only memory (ROM) module
port^{M} lecteur^{M} de disque^{M}
disk drive port; *disc drive port*
port^{M} périphérique^{M}
peripheral device port
port^{M} vidéo
video port
port^{M} réseau^{M}
network port
port^{M} clavier^{M}
keyboard port
port^{M} modem^{M}
modem port
port^{M} imprimante^{F}
printer port
surface^{F} isolante
insulating sheet
bus^{M} du disque^{M} dur
hard disk bus; *hard disc bus*
circuit^{M} imprimé
printed circuit
lecteur^{M} de disquette^{F}
floppy disk drive; *floppy disc drive*
lecteur^{M} de disque^{M} dur
hard disk drive; *hard disc drive*
bus^{M} de données
data bu

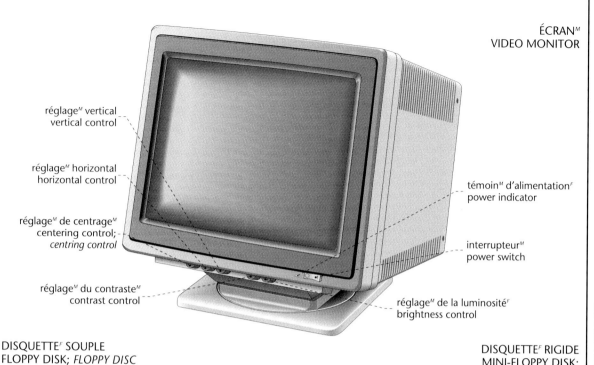

ÉCRAN[M]
VIDEO MONITOR

réglage[M] vertical
vertical control
réglage[M] horizontal
horizontal control
réglage[M] de centrage[M]
centering control; *centring control*
réglage[M] du contraste[M]
contrast control
témoin[M] d'alimentation[F]
power indicator
interrupteur[M]
power switch
réglage[M] de la luminosité[F]
brightness control

DISQUETTE[F] SOUPLE
FLOPPY DISK; *FLOPPY DISC*

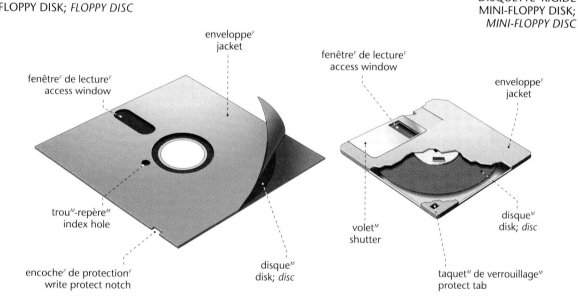

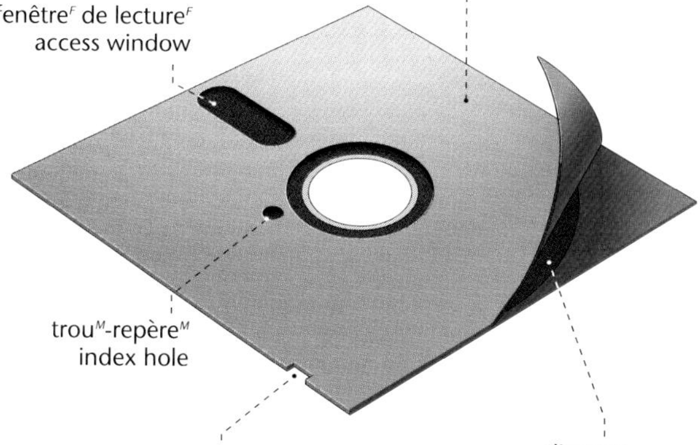
enveloppe[F]
jacket
fenêtre[F] de lecture[F]
access window
trou[M]-repère[M]
index hole
encoche[F] de protection[F]
write protect notch
disque[M]
disk; *disc*

DISQUETTE[F] RIGIDE
MINI-FLOPPY DISK; *MINI-FLOPPY DISC*

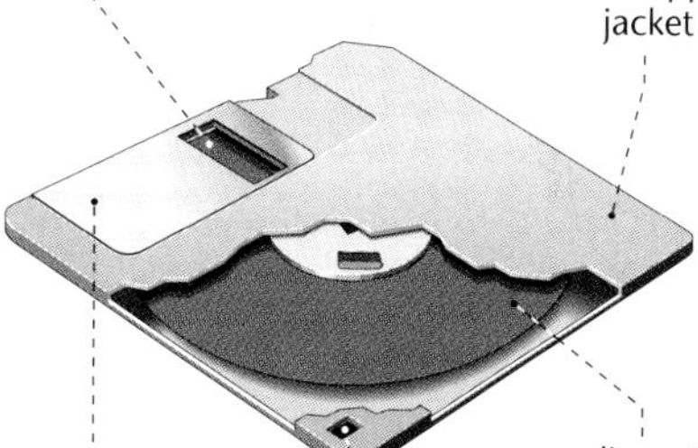
fenêtre[F] de lecture[F]
access window
enveloppe[F]
jacket
volet[M]
shutter
disque[M]
disk; *disc*
taquet[M] de verrouillage[M]
protect tab

LECTEUR[M] DE DISQUE[M] DUR
HARD DISK DRIVE; *HARD DISC DRIVE*

guide[M]
actuator arm
moteur[M] de guides[M]
actuator arm motor
disque[M]
disk; *disc*
moteur[M] de disques[M]
disk motor; *disc motor*
tête[F] de lecture[F]/écriture[F]
read/write head

SYSTÈME[M] DE BASE[F]
BASIC COMPONENTS

CLAVIER[M]
KEYBOARD

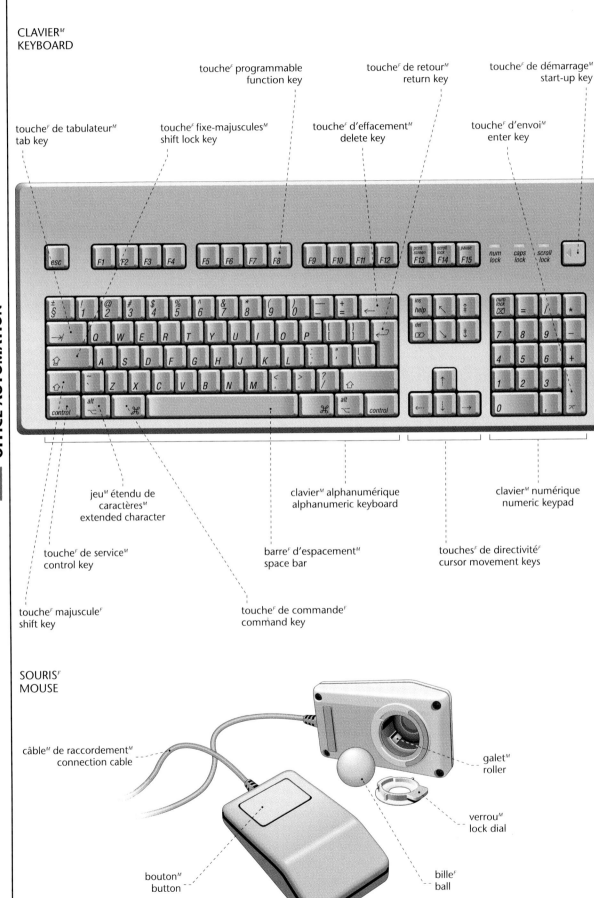

touche[F] programmable
function key
touche[F] de retour[M]
return key
touche[F] de démarrage[M]
start-up key
touche[F] de tabulateur[M]
tab key
touche[F] fixe-majuscules[M]
shift lock key
touche[F] d'effacement[M]
delete key
touche[F] d'envoi[M]
enter key
jeu[M] étendu de caractères[M]
extended character
clavier[M] alphanumérique
alphanumeric keyboard
clavier[M] numérique
numeric keypad
touche[F] de service[M]
control key
barre[F] d'espacement[M]
space bar
touches[F] de directivité[F]
cursor movement keys
touche[F] majuscule[F]
shift key
touche[F] de commande[F]
command key

SOURIS[F]
MOUSE

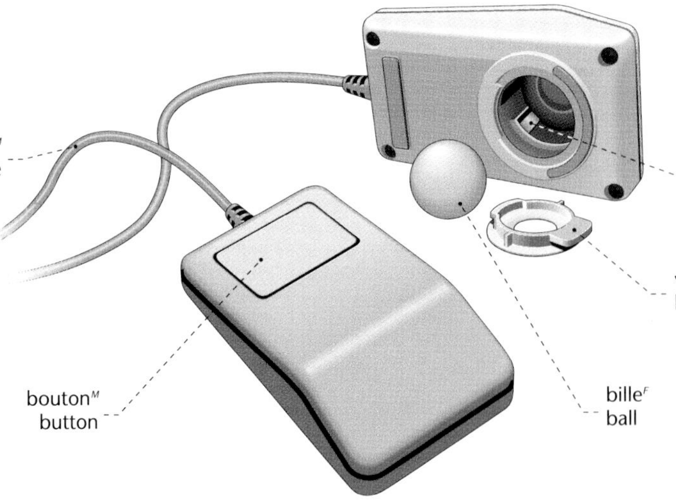
câble[M] de raccordement[M]
connection cable
galet[M]
roller
verrou[M]
lock dial
bouton[M]
button
bille[F]
ball

IMPRIMANTE[F] MATRICIELLE
DOT MATRIX PRINTER

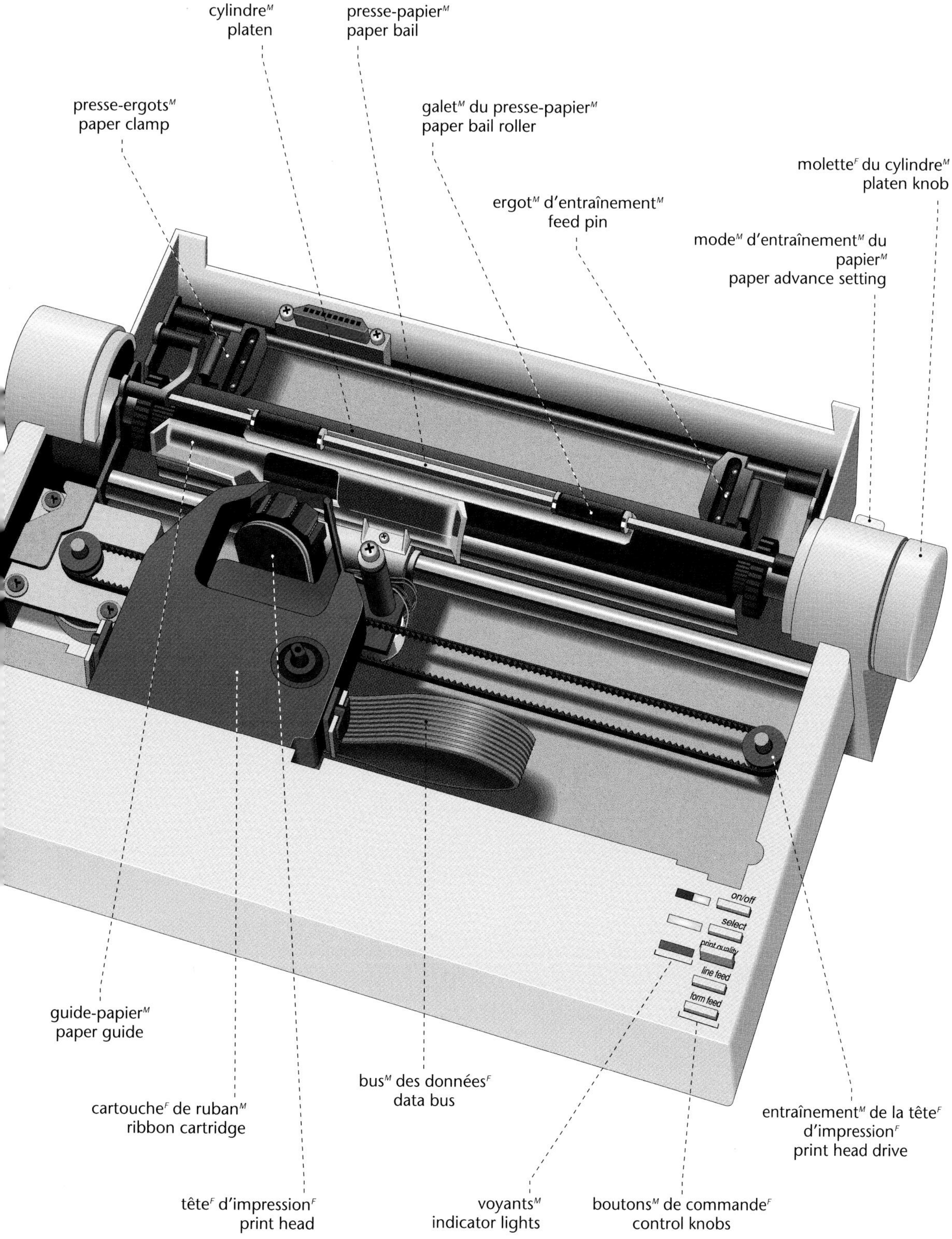
cylindre[M]
platen
presse-papier[M]
paper bail
presse-ergots[M]
paper clamp
galet[M] du presse-papier[M]
paper bail roller
molette[F] du cylindre[M]
platen knob
ergot[M] d'entraînement[M]
feed pin
mode[M] d'entraînement[M] du papier[M]
paper advance setting
on/off
select
print quality
line feed
form feed
guide-papier[M]
paper guide
bus[M] des données[F]
data bus
cartouche[F] de ruban[M]
ribbon cartridge
entraînement[M] de la tête[F] d'impression[F]
print head drive
tête[F] d'impression[F]
print head
voyants[M]
indicator lights
boutons[M] de commande[F]
control knobs

PHOTOCOPIEUR[M]
PHOTOCOPIER

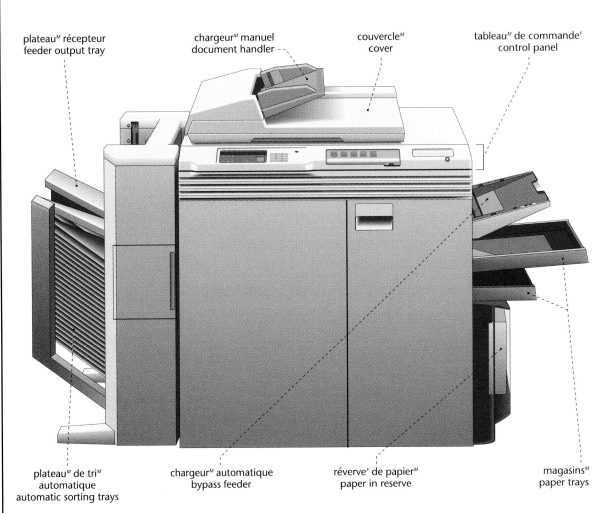

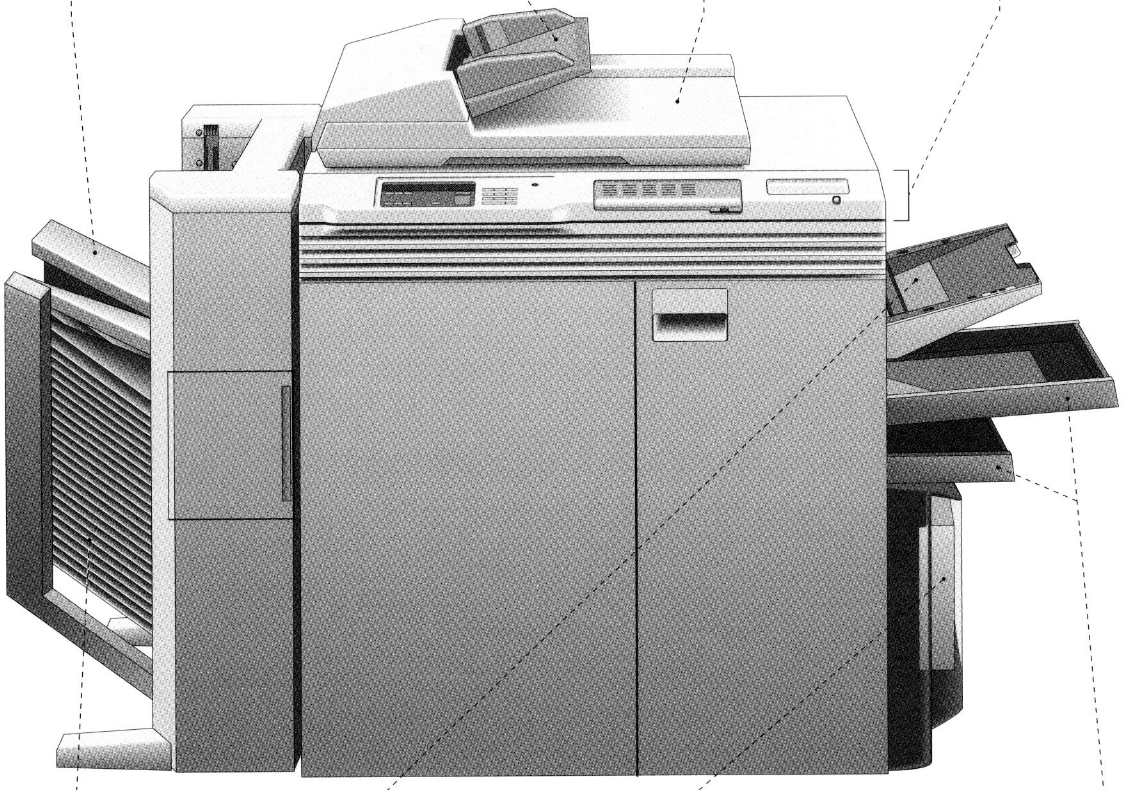
plateau[M] récepteur
feeder output tray
chargeur[M] manuel
document handler
couvercle[M]
cover
tableau[M] de commande[F]
control panel
plateau[M] de tri[M] automatique
automatic sorting trays
chargeur[M] automatique
bypass feeder
réverve[F] de papier[M]
paper in reserve
magasins[M]
paper trays

TABLEAU[M] DE COMMANDE[F]
CONTROL PANEL

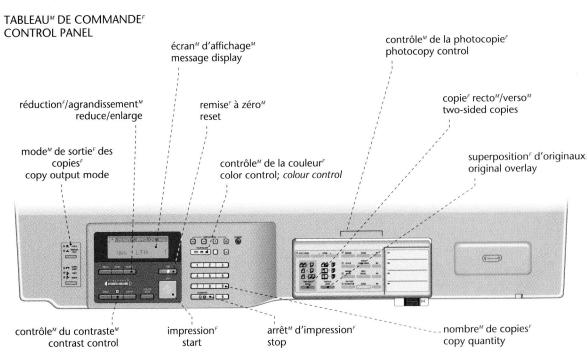

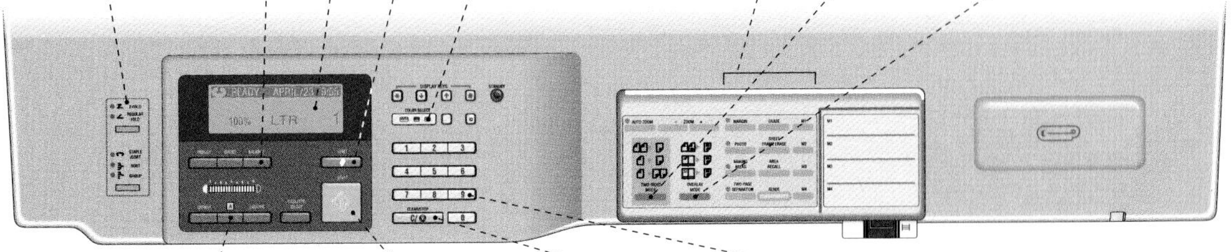
écran[M] d'affichage[M]
message display
contrôle[M] de la photocopie[F]
photocopy control
réduction[F]/agrandissement[M]
reduce/enlarge
remise[F] à zéro[M]
reset
copie[F] recto[M]/verso[M]
two-sided copies
mode[M] de sortie[F] des copies[F]
copy output mode
contrôle[M] de la couleur[F]
color control; *colour control*
superposition[F] d'originaux
original overlay
contrôle[M] du contraste[M]
contrast control
impression[F]
start
arrêt[M] d'impression[F]
stop
nombre[M] de copies[F]
copy quantity

MUSIQUE • MUSIC

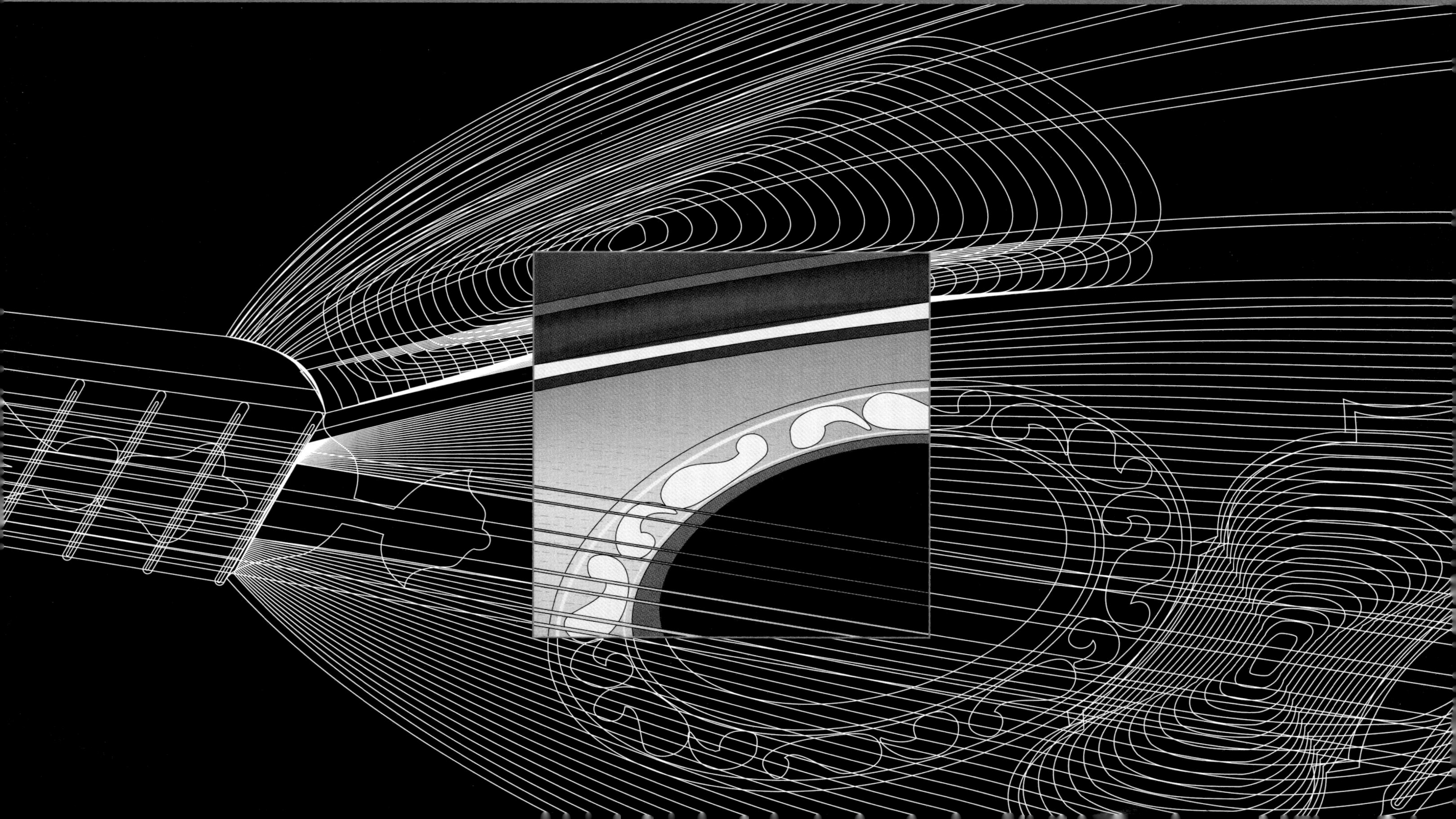

SOMMAIRE

INSTRUMENTS^{M} TRADITIONNELS
TRADITIONAL MUSICAL INSTRUMENTS

CITHARE^{F}
ZITHER

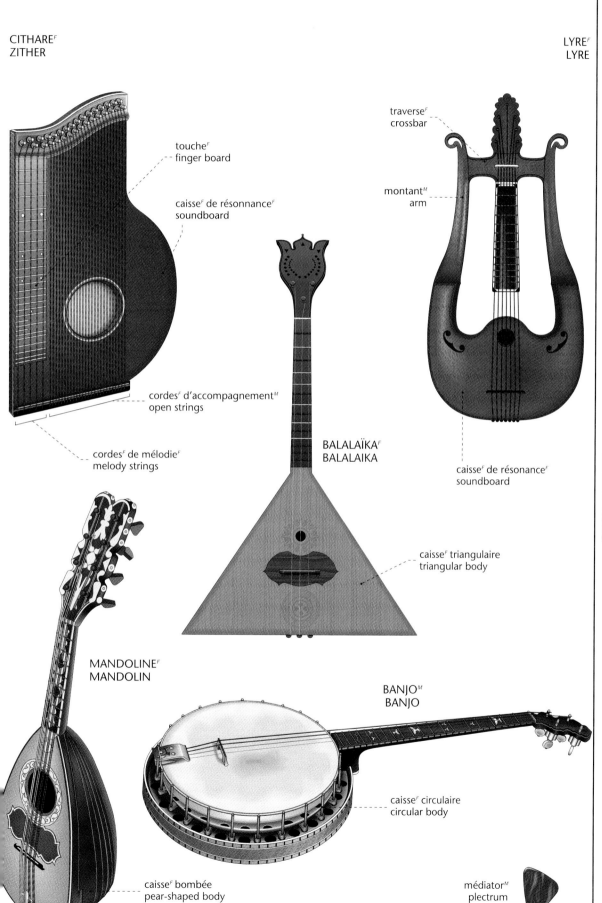

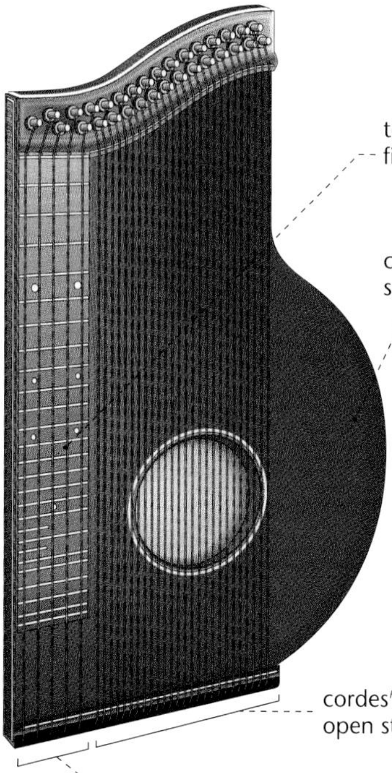
touche^{F}
finger board
caisse^{F} de résonnance^{F}
soundboard
cordes^{F} d'accompagnement^{M}
open strings
cordes^{F} de mélodie^{F}
melody strings

LYRE^{F}
LYRE

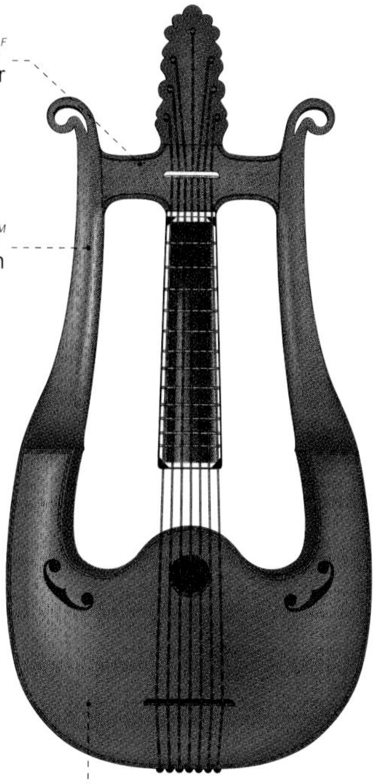
traverse^{F}
crossbar
montant^{M}
arm
caisse^{F} de résonance^{F}
soundboard

BALALAÏKA^{F}
BALALAIKA

caisse^{F} triangulaire
triangular body

MANDOLINE^{F}
MANDOLIN

caisse^{F} bombée
pear-shaped body

BANJO^{M}
BANJO

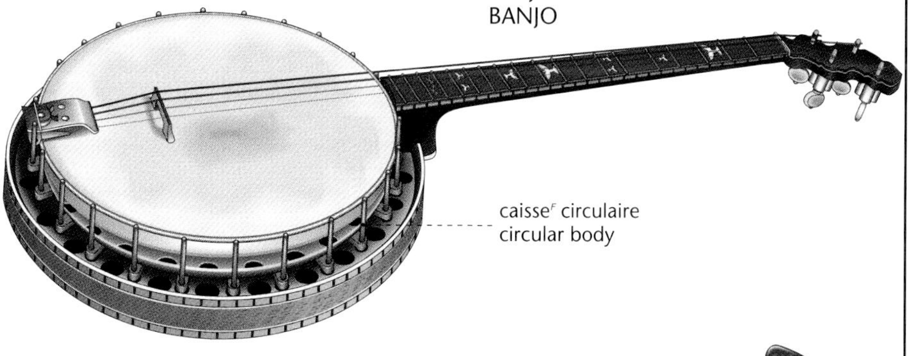
caisse^{F} circulaire
circular body

médiator^{M}
plectrum

INSTRUMENTS[M] TRADITIONNELS
TRADITIONAL MUSICAL INSTRUMENTS

ACCORDÉON[M]
ACCORDION

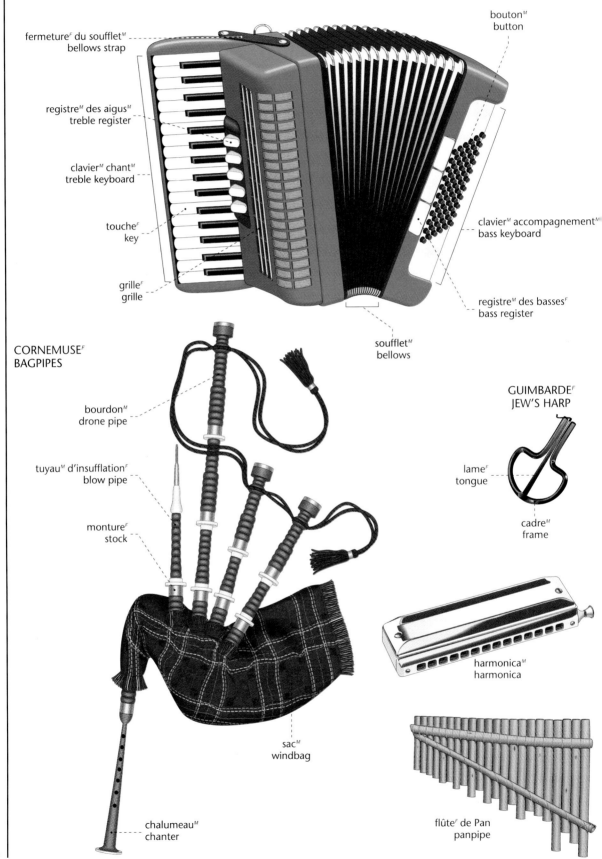

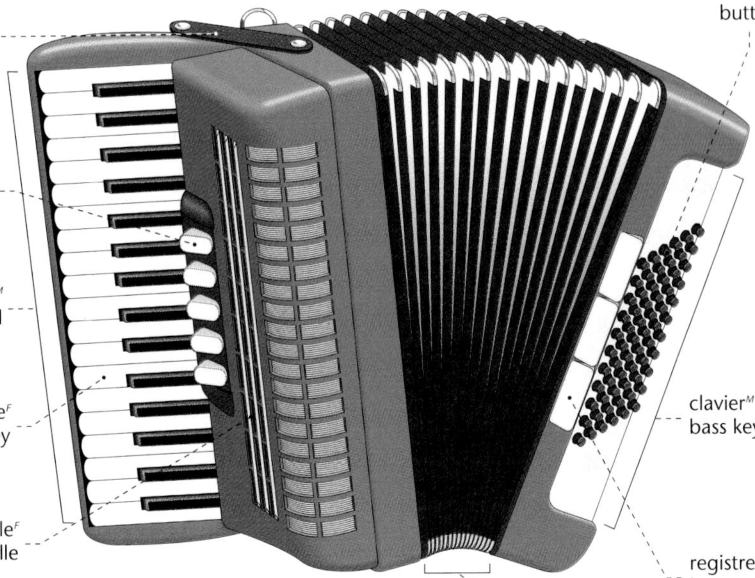
fermeture[F] du soufflet[M]
bellows strap
registre[M] des aigus[M]
treble register
clavier[M] chant[M]
treble keyboard
touche[F]
key
grille[F]
grille
bouton[M]
button
clavier[M] accompagnement[M]
bass keyboard
registre[M] des basses[F]
bass register
soufflet[M]
bellows

CORNEMUSE[F]
BAGPIPES

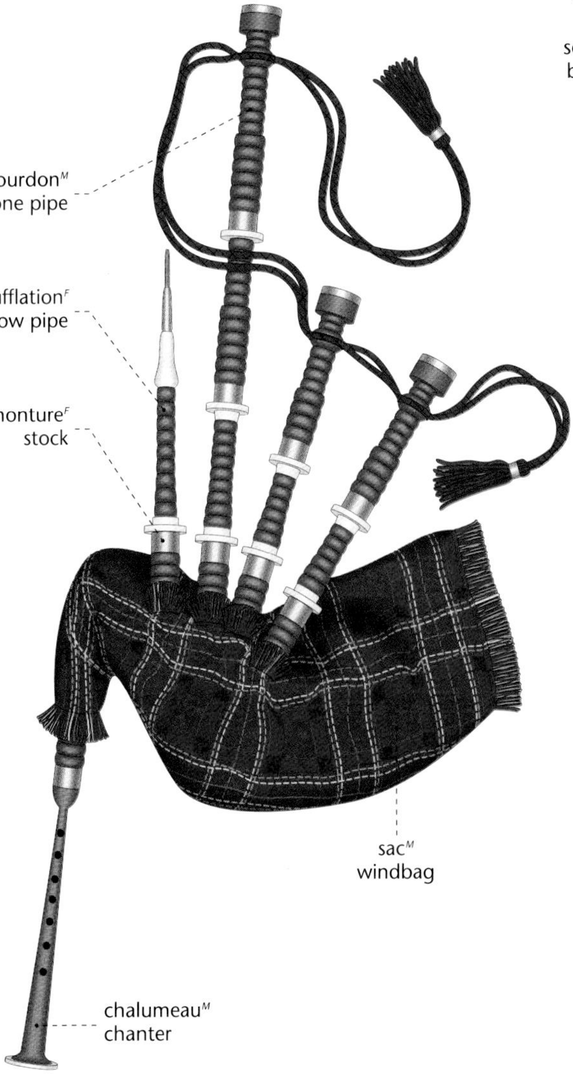
bourdon[M]
drone pipe
tuyau[M] d'insufflation[F]
blow pipe
monture[F]
stock
sac[M]
windbag
chalumeau[M]
chanter

GUIMBARDE[F]
JEW'S HARP

lame[F]
tongue
cadre[M]
frame

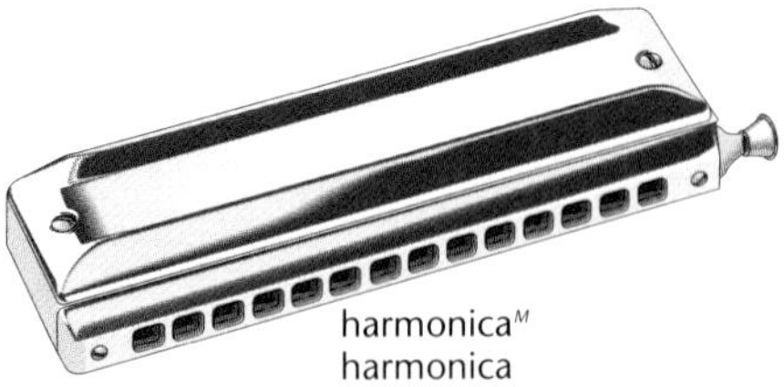
harmonica[M]
harmonica

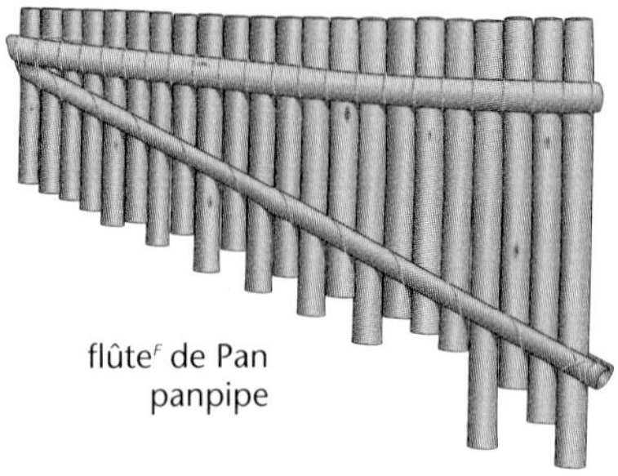
flûte[F] de Pan
panpipe

NOTATION[F] MUSICALE
MUSICAL NOTATION

PORTÉE[F]
STAFF

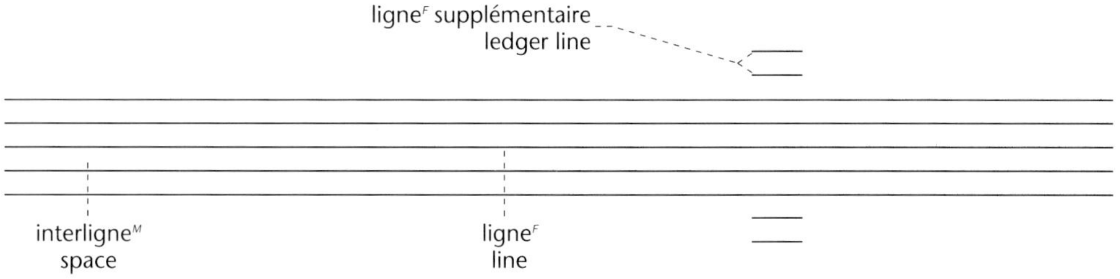

ligne[F] supplémentaire
ledger line
interligne[M]
space
ligne[F]
line

CLÉS[F]
CLEFS

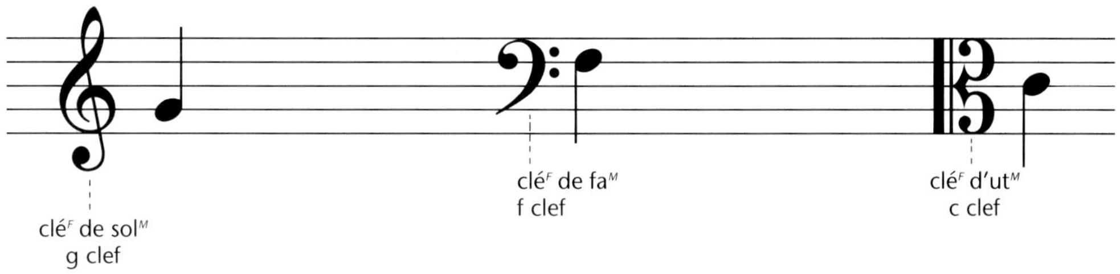

clé[F] de sol[M]
g clef
clé[F] de fa[M]
f clef
clé[F] d'ut[M]
c clef

MESURES[F]
TIME SIGNATURES

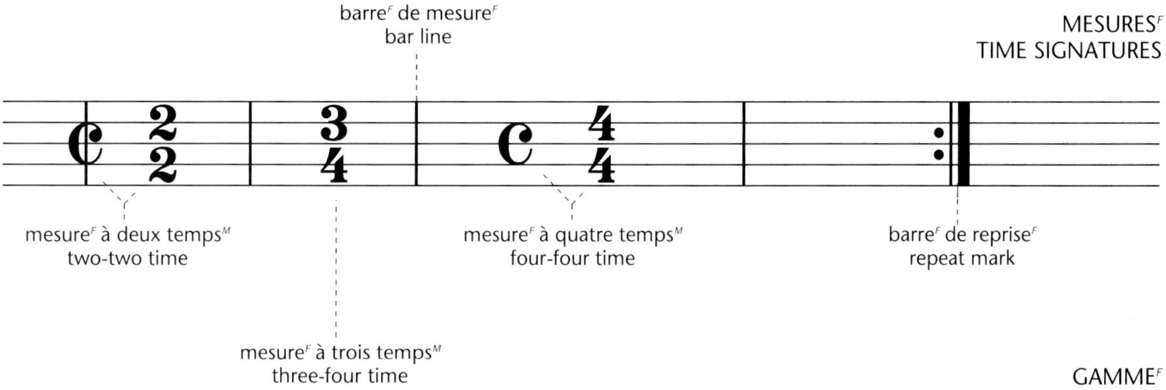

barre[F] de mesure[F]
bar line
mesure[F] à deux temps[M]
two-two time
mesure[F] à trois temps[M]
three-four time
mesure[F] à quatre temps[M]
four-four time
barre[F] de reprise[F]
repeat mark

GAMME[F]
SCALE

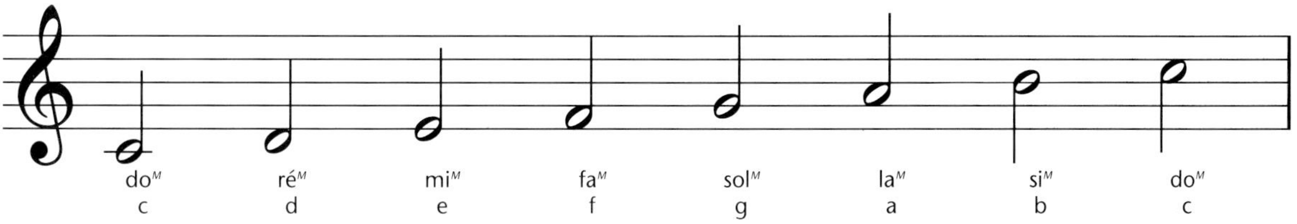

do[M]
c
ré[M]
d
mi[M]
e
fa[M]
f
sol[M]
g
la[M]
a
si[M]
b
do[M]
c

INTERVALLES[M]
INTERVALS

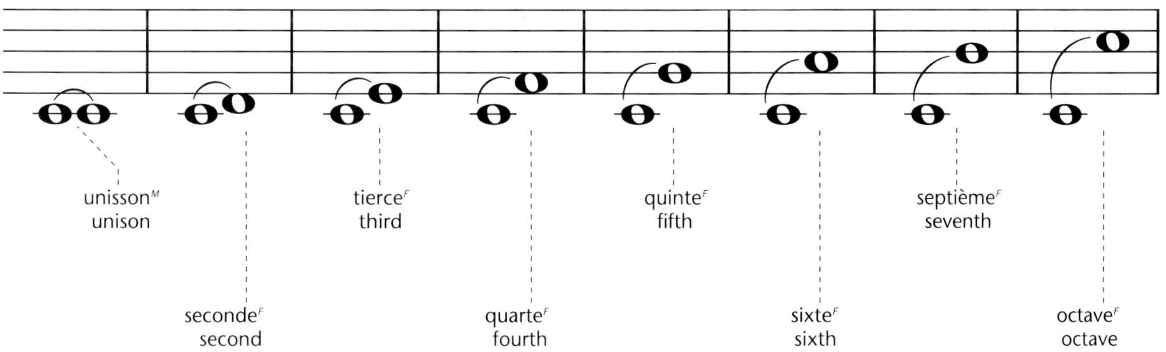

unisson[M]
unison
seconde[F]
second
tierce[F]
third
quarte[F]
fourth
quinte[F]
fifth
sixte[F]
sixth
septième[F]
seventh
octave[F]
octave

NOTATION[F] MUSICALE
MUSICAL NOTATION

VALEUR[F] DES NOTES[F]
NOTE SYMBOLS

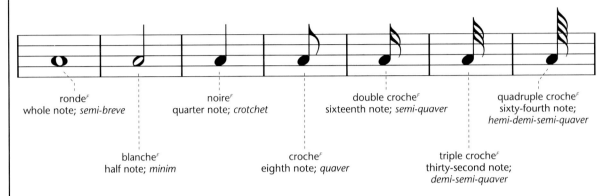

ronde[F]
whole note; *semi-breve*
blanche[F]
half note; *minim*
noire[F]
quarter note; *crotchet*
croche[F]
eighth note; *quaver*
double croche[F]
sixteenth note; *semi-quaver*
triple croche[F]
thirty-second note; *demi-semi-quaver*
quadruple croche[F]
sixty-fourth note; *hemi-demi-semi-quaver*

VALEUR[F] DES SILENCES[M]
REST SYMBOLS

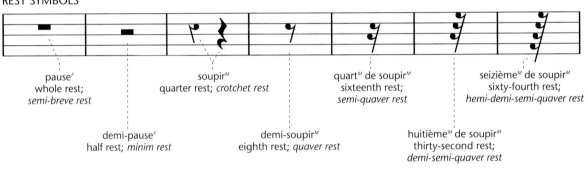

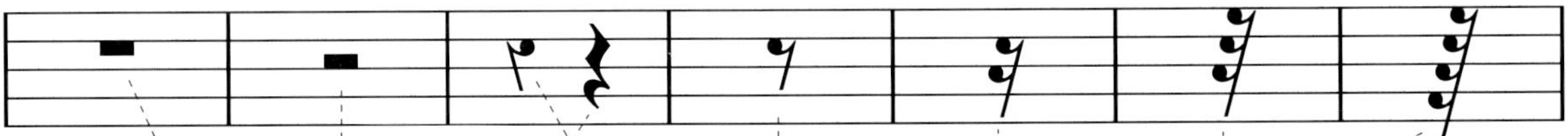
pause[F]
whole rest; *semi-breve rest*
demi-pause[F]
half rest; *minim rest*
soupir[M]
quarter rest; *crotchet rest*
demi-soupir[M]
eighth rest; *quaver rest*
quart[M] de soupir[M]
sixteenth rest; *semi-quaver rest*
huitième[M] de soupir[M]
thirty-second rest; *demi-semi-quaver rest*
seizième[M] de soupir[M]
sixty-fourth rest; *hemi-demi-semi-quaver rest*

ALTÉRATIONS[F]
ACCIDENTALS

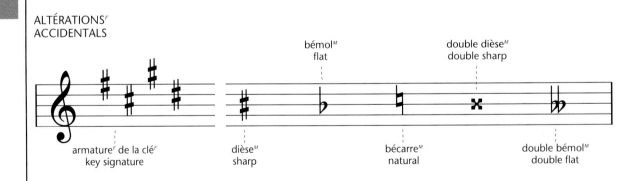

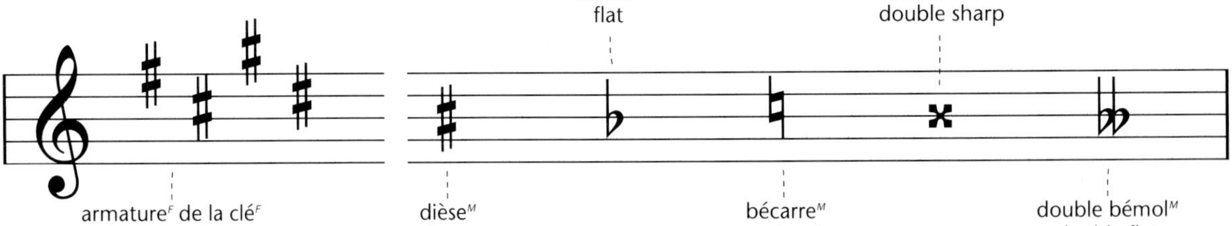
armature[F] de la clé[F]
key signature
dièse[M]
sharp
bémol[M]
flat
bécarre[M]
natural
double dièse[M]
double sharp
double bémol[M]
double flat

ORNEMENTS[M]
ORNAMENTS

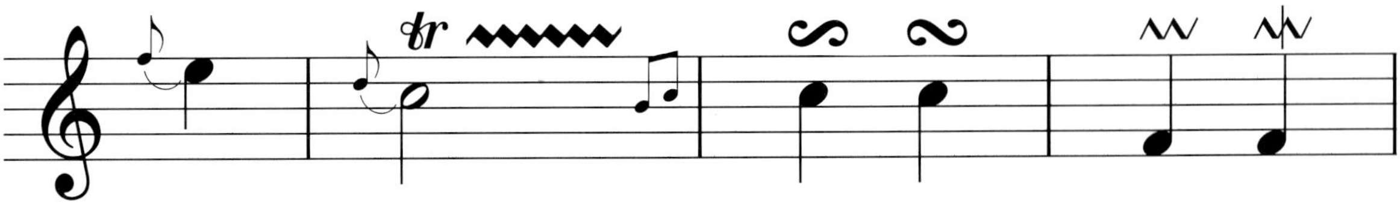
appoggiature[F]
appoggiatura
trille[M]
trill
tr
gruppetto[M]
turn
mordant[M]
mordent

MUSIQUE
MUSIC

ACCORD[M]
CHORD

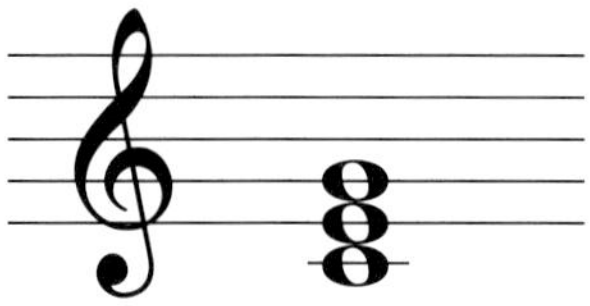

AUTRES SIGNES[M]
OTHER SIGNS

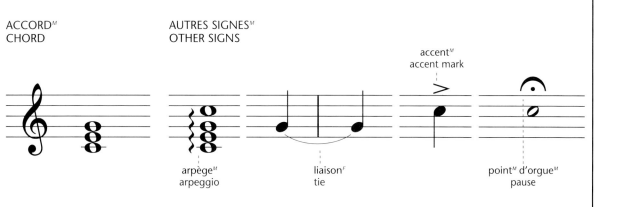

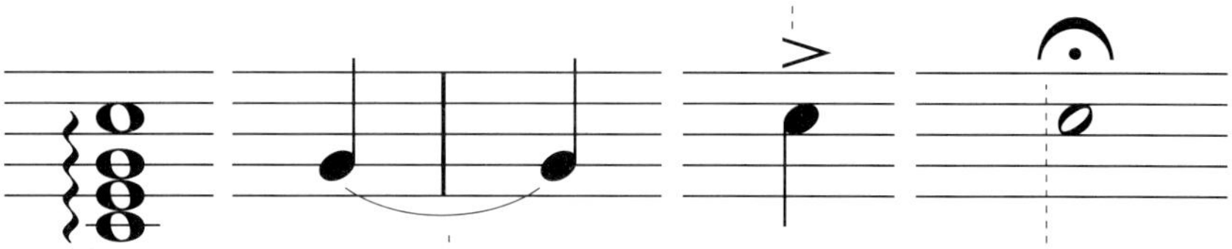
accent[M]
accent mark
arpège[M]
arpeggio
liaison[F]
tie
point[M] d'orgue[M]
pause

ACCESSOIRES[M]
MUSICAL ACCESSORIES

PUPITRE[M] À MUSIQUE[F]
MUSIC STAND

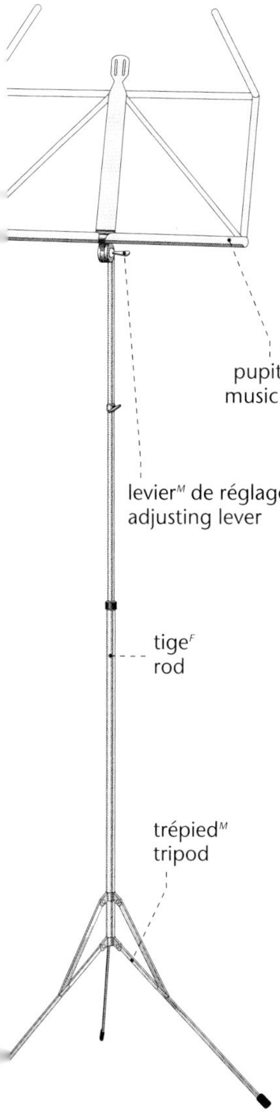
pupitre[M]
music rest
levier[M] de réglage[M]
adjusting lever
tige[F]
rod
trépied[M]
tripod

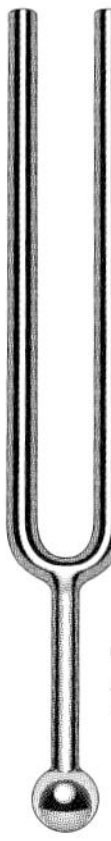
diapason[M]
tuning fork

MÉTRONOME[M] À QUARTZ[M]
QUARTZ METRONOME

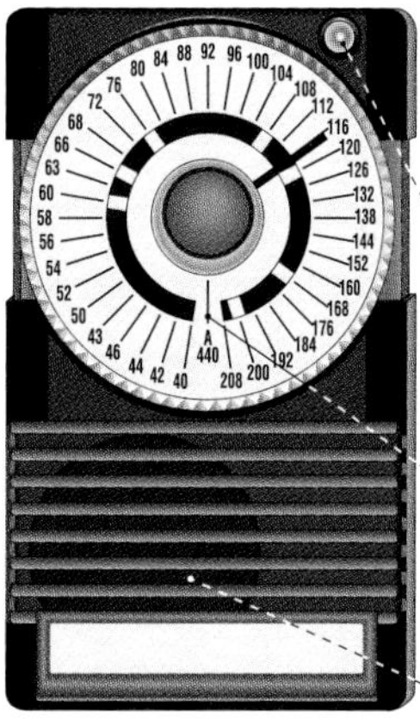
signal[M] lumineux
light signal
la[M] universel
standard A
signal[M] sonore
sound signal

MÉTRONOME[M] MÉCANIQUE
METRONOME

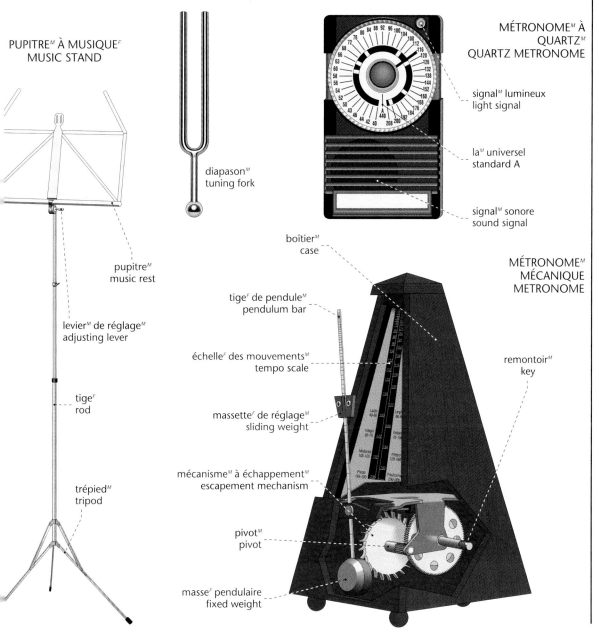

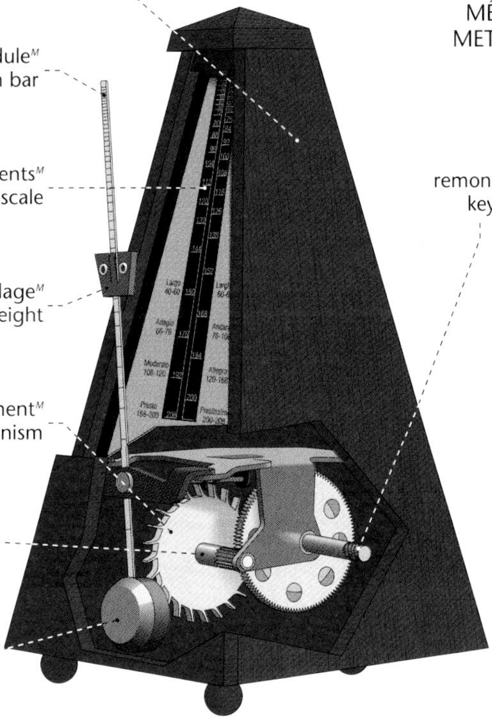
boîtier[M]
case
tige[F] de pendule[M]
pendulum bar
échelle[F] des mouvements[M]
tempo scale
massette[F] de réglage[M]
sliding weight
mécanisme[M] à échappement[M]
escapement mechanism
pivot[M]
pivot
masse[F] pendulaire
fixed weight
remontoir[M]
key

INSTRUMENTS^{M} À CLAVIER^{M}
KEYBOARD INSTRUMENTS

PIANO^{M} DROIT
UPRIGHT PIANO

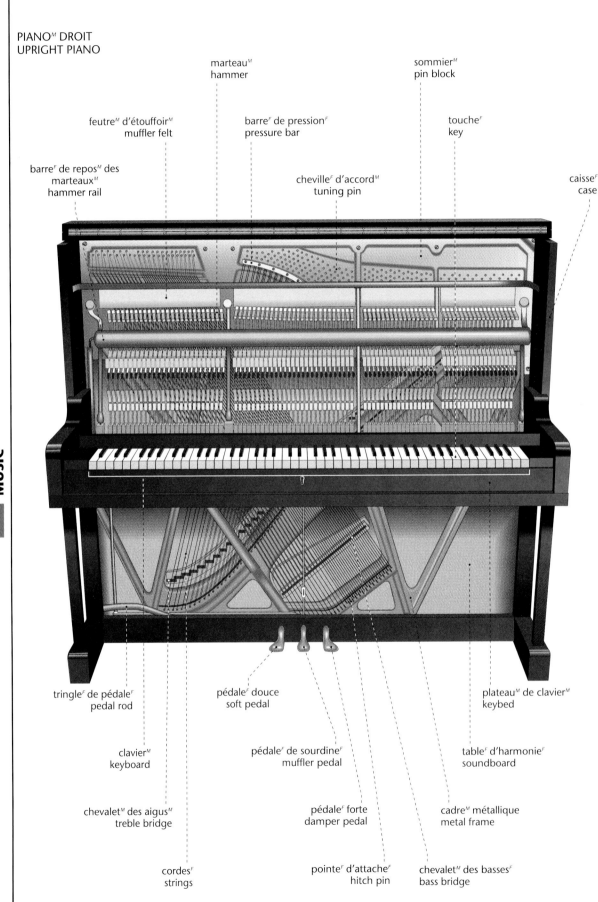

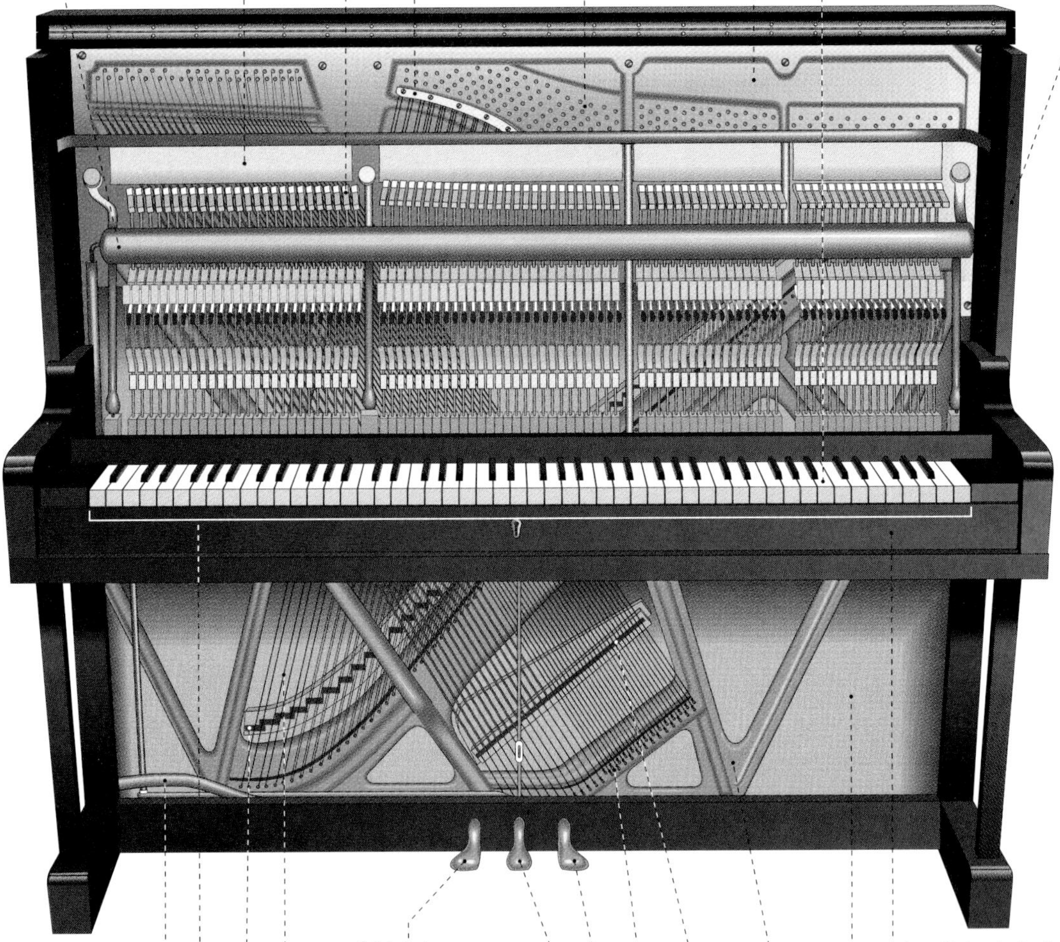
marteau^{M}
hammer
sommier^{M}
pin block
feutre^{M} d'étouffoir^{M}
muffler felt
barre^{F} de pression^{F}
pressure bar
touche^{F}
key
barre^{F} de repos^{M} des marteaux^{M}
hammer rail
cheville^{F} d'accord^{M}
tuning pin
caisse^{F}
case
tringle^{F} de pédale^{F}
pedal rod
pédale^{F} douce
soft pedal
plateau^{M} de clavier^{M}
keybed
clavier^{M}
keyboard
pédale^{F} de sourdine^{F}
muffler pedal
table^{F} d'harmonie^{F}
soundboard
chevalet^{M} des aigus^{M}
treble bridge
pédale^{F} forte
damper pedal
cadre^{M} métallique
metal frame
cordes^{F}
strings
pointe^{F} d'attache^{F}
hitch pin
chevalet^{M} des basses^{F}
bass bridge

MÉCANIQUE^{F} DU PIANO^{M} DROIT
UPRIGHT PIANO ACTION

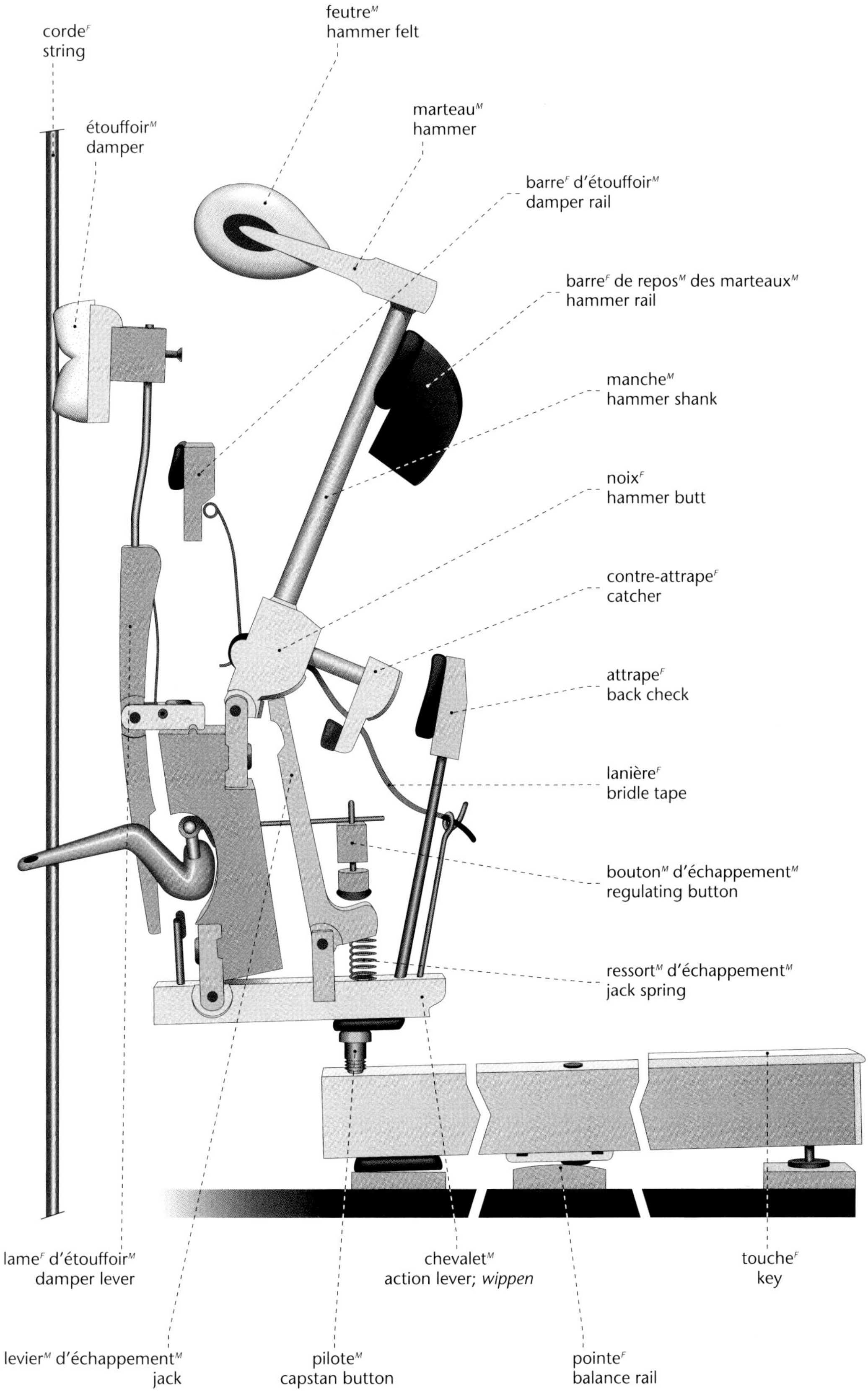
corde^{F}
string
feutre^{M}
hammer felt
étouffoir^{M}
damper
marteau^{M}
hammer
barre^{F} d'étouffoir^{M}
damper rail
barre^{F} de repos^{M} des marteaux^{M}
hammer rail
manche^{M}
hammer shank
noix^{F}
hammer butt
contre-attrape^{F}
catcher
attrape^{F}
back check
lanière^{F}
bridle tape
bouton^{M} d'échappement^{M}
regulating button
ressort^{M} d'échappement^{M}
jack spring
lame^{F} d'étouffoir^{M}
damper lever
chevalet^{M}
action lever; *wippen*
touche^{F}
key
levier^{M} d'échappement^{M}
jack
pilote^{M}
capstan button
pointe^{F}
balance rail

ORGUE[M]
ORGAN

CONSOLE[F] D'ORGUE[M]
ORGAN CONSOLE

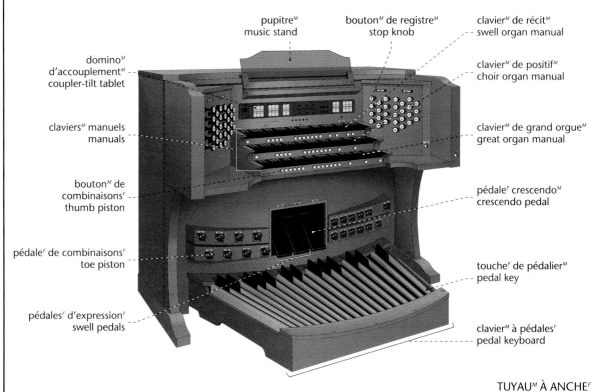

pupitre[M]
music stand
bouton[M] de registre[M]
stop knob
clavier[M] de récit[M]
swell organ manual
domino[M] d'accouplement[M]
coupler-tilt tablet
clavier[M] de positif[M]
choir organ manual
claviers[M] manuels
manuals
clavier[M] de grand orgue[M]
great organ manual
bouton[M] de combinaisons[F]
thumb piston
pédale[F] crescendo[M]
crescendo pedal
pédale[F] de combinaisons[F]
toe piston
touche[F] de pédalier[M]
pedal key
pédales[F] d'expression[F]
swell pedals
clavier[M] à pédales[F]
pedal keyboard

TUYAU[M] À BOUCHE[F]
FLUE PIPE

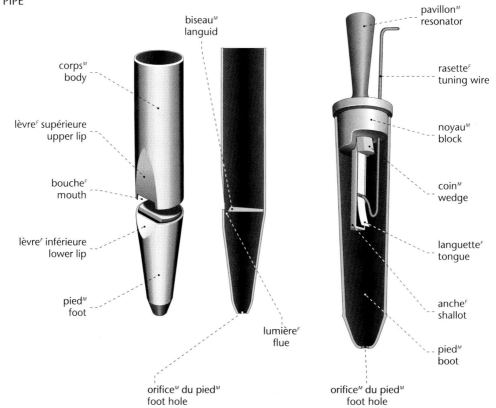

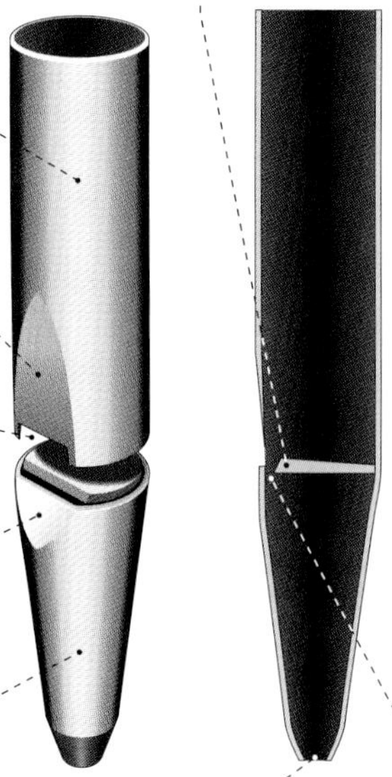
biseau[M]
languid
corps[M]
body
lèvre[F] supérieure
upper lip
bouche[F]
mouth
lèvre[F] inférieure
lower lip
pied[M]
foot
lumière[F]
flue
orifice[M] du pied[M]
foot hole

TUYAU[M] À ANCHE[F]
REED PIPE

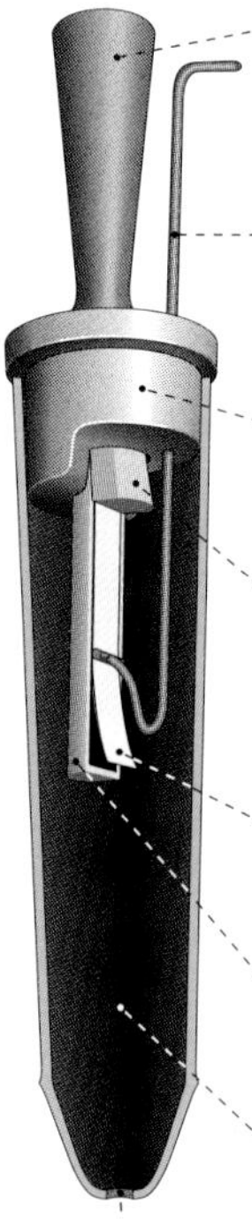
pavillon[M]
resonator
rasette[F]
tuning wire
noyau[M]
block
coin[M]
wedge
languette[F]
tongue
anche[F]
shallot
pied[M]
boot
orifice[M] du pied[M]
foot hole

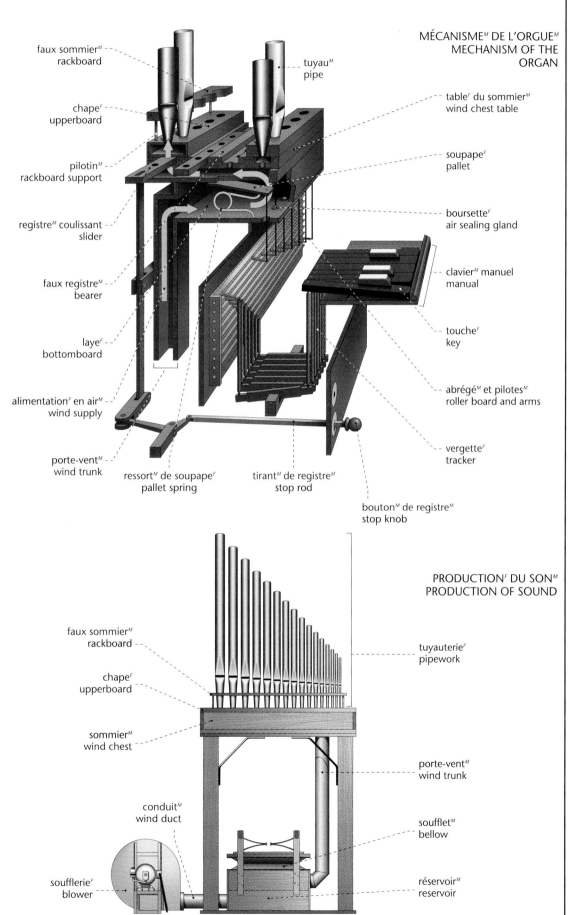

MÉCANISME^{M} DE L'ORGUE^{M}
MECHANISM OF THE ORGAN

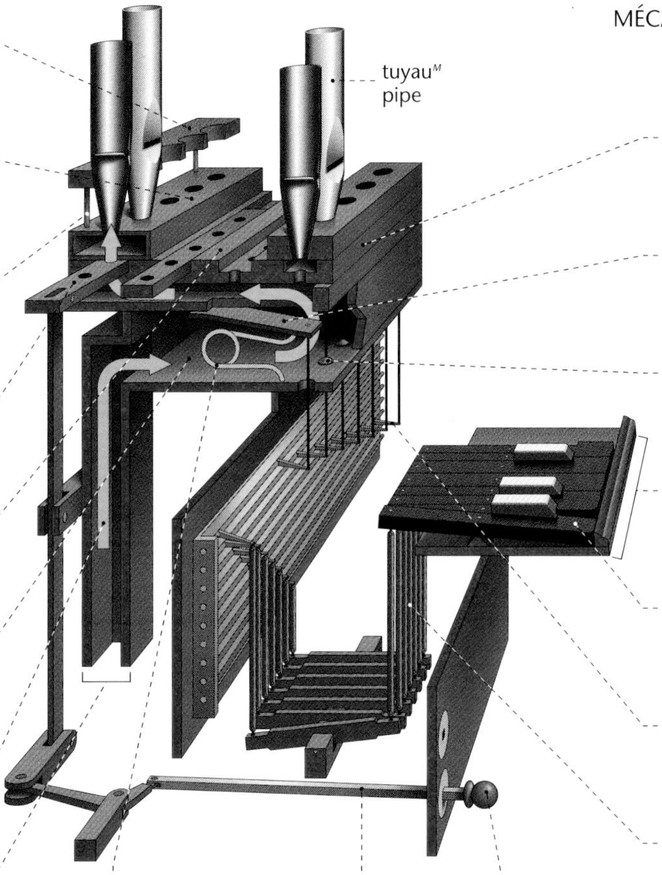
faux sommier^{M}
rackboard
chape^{F}
upperboard
pilotin^{M}
rackboard support
registre^{M} coulissant
slider
faux registre^{M}
bearer
laye^{F}
bottomboard
alimentation^{F} en air^{M}
wind supply
porte-vent^{M}
wind trunk
ressort^{M} de soupape^{F}
pallet spring
tirant^{M} de registre^{M}
stop rod
bouton^{M} de registre^{M}
stop knob
tuyau^{M}
pipe
table^{F} du sommier^{M}
wind chest table
soupape^{F}
pallet
boursette^{F}
air sealing gland
clavier^{M} manuel
manual
touche^{F}
key
abrégé^{M} et pilotes^{M}
roller board and arms
vergette^{F}
tracker

PRODUCTION^{F} DU SON^{M}
PRODUCTION OF SOUND

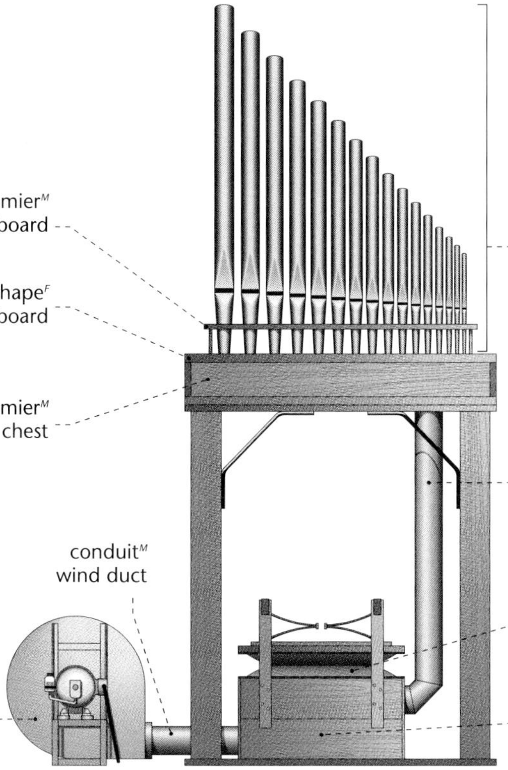
faux sommier^{M}
rackboard
chape^{F}
upperboard
sommier^{M}
wind chest
conduit^{M}
wind duct
soufflerie^{F}
blower
tuyauterie^{F}
pipework
porte-vent^{M}
wind trunk
soufflet^{M}
bellow
réservoir^{M}
reservoir

INSTRUMENTS[M] À CORDES[F]
STRINGED INSTRUMENTS

VIOLON[M]
VIOLIN

ARCHET[M]
BOW

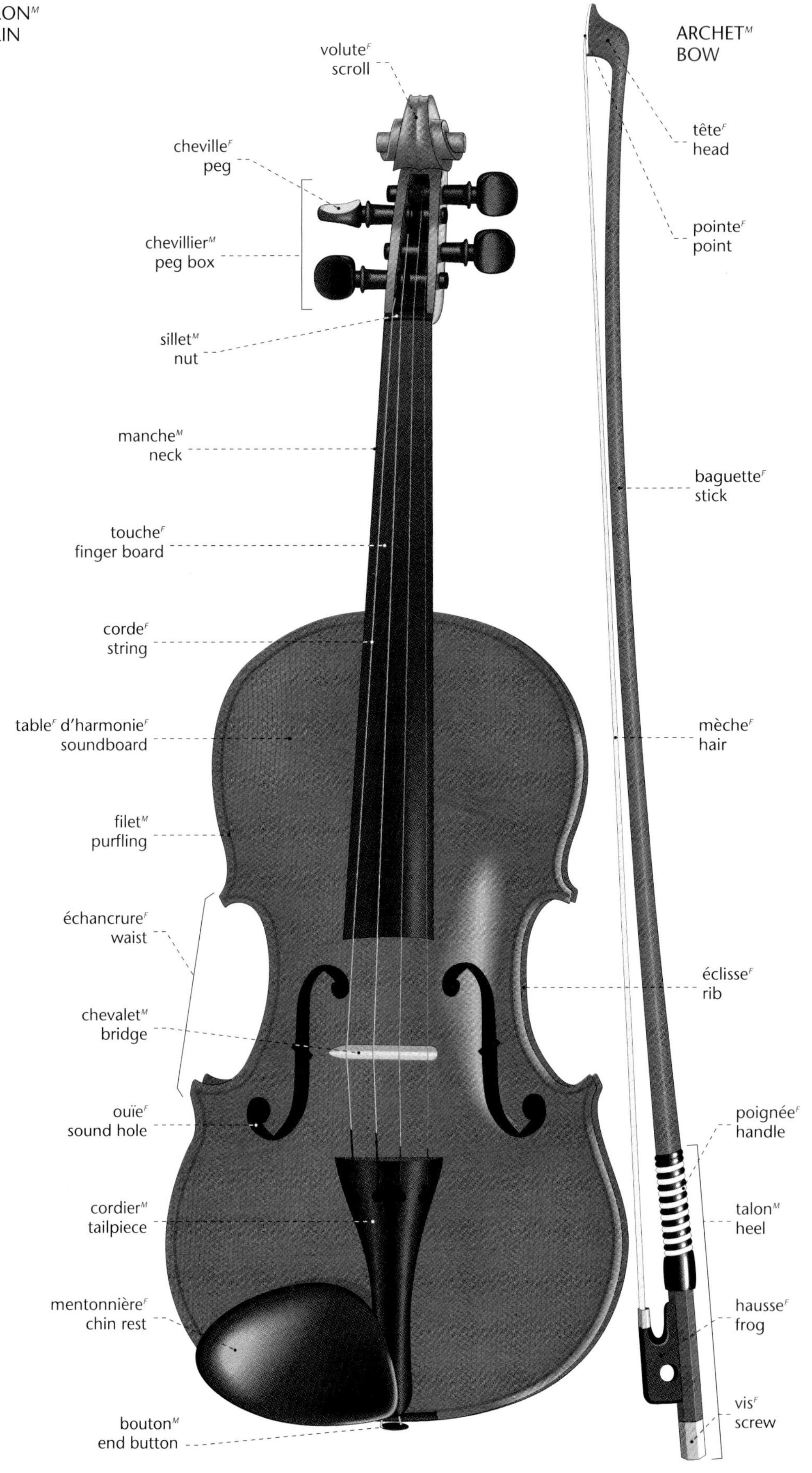

volute[F]
scroll
cheville[F]
peg
chevillier[M]
peg box
sillet[M]
nut
manche[M]
neck
touche[F]
finger board
corde[F]
string
table[F] d'harmonie[F]
soundboard
filet[M]
purfling
échancrure[F]
waist
chevalet[M]
bridge
ouïe[F]
sound hole
cordier[M]
tailpiece
mentonnière[F]
chin rest
bouton[M]
end button
tête[F]
head
pointe[F]
point
baguette[F]
stick
mèche[F]
hair
éclisse[F]
rib
poignée[F]
handle
talon[M]
heel
hausse[F]
frog
vis[F]
screw

FAMILLE[F] DU VIOLON[M]
VIOLIN FAMILY

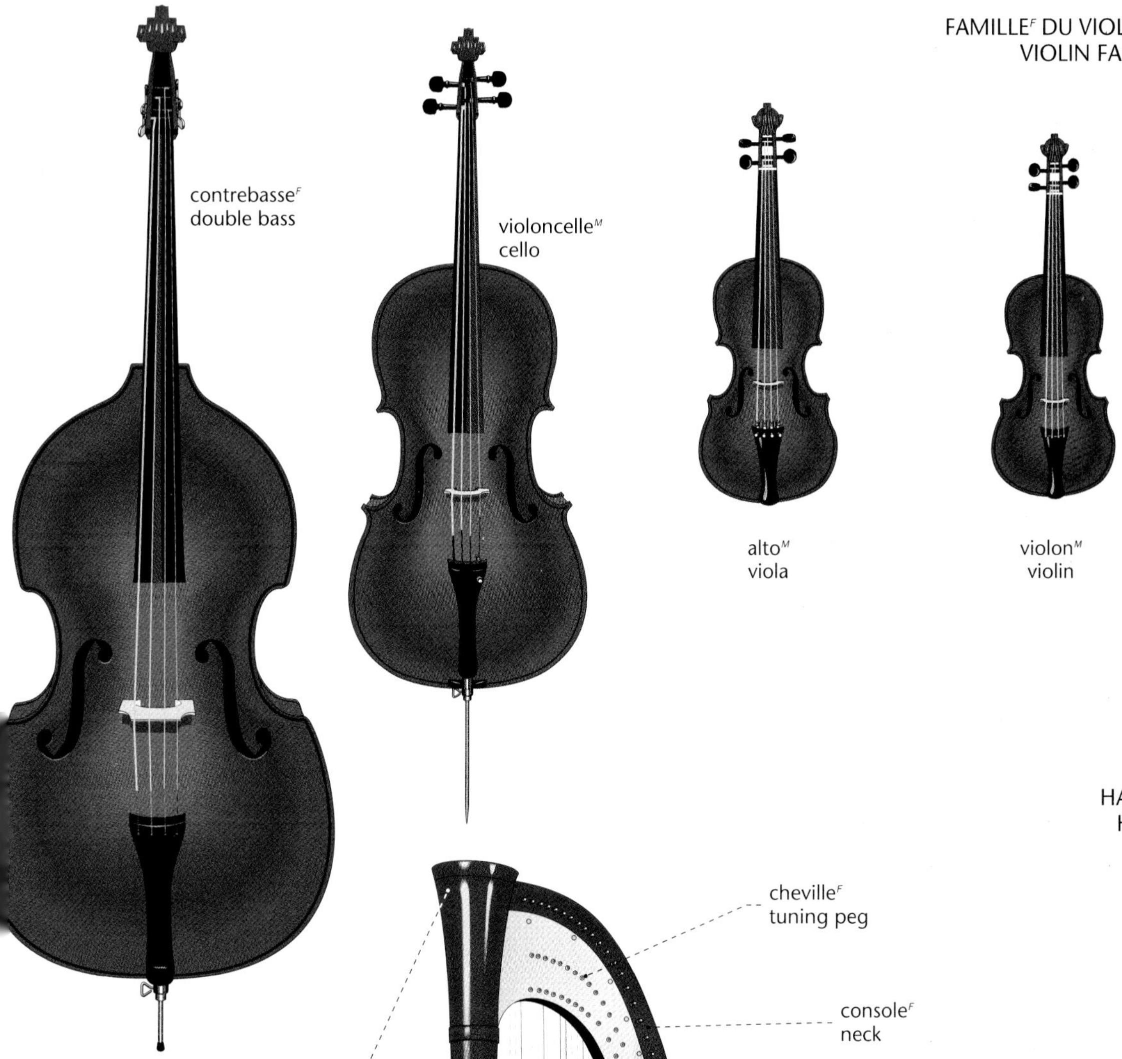
contrebasse[F]
double bass
violoncelle[M]
cello
alto[M]
viola
violon[M]
violin

HARPE[F]
HARP

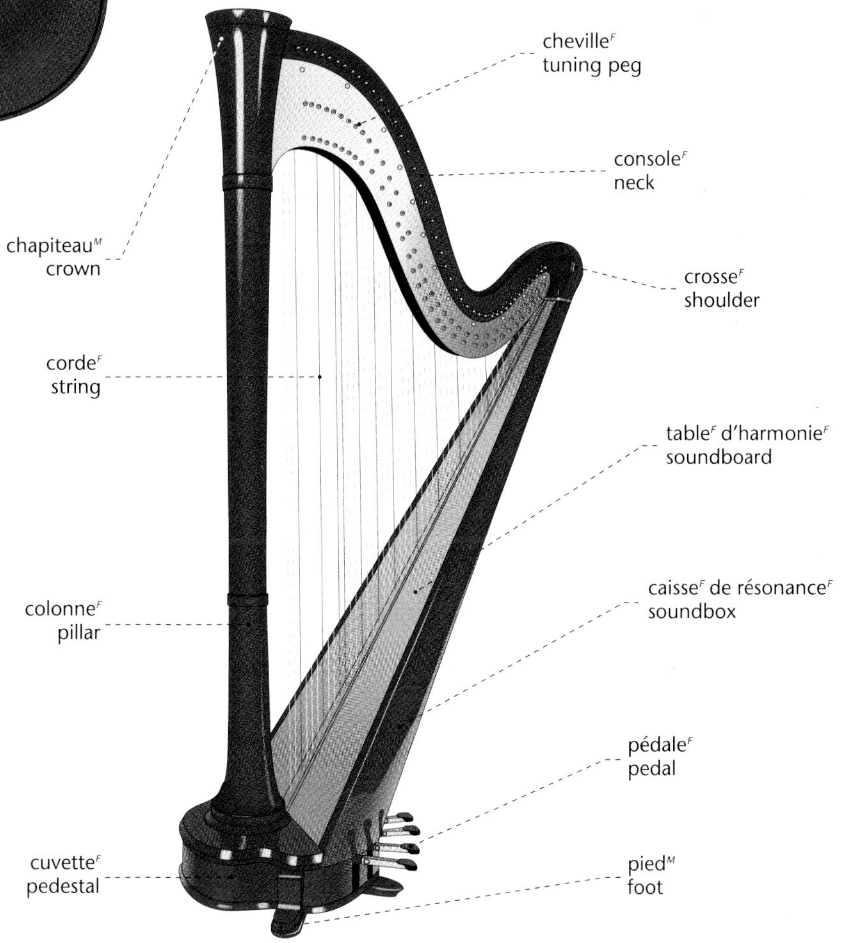
cheville[F]
tuning peg
console[F]
neck
chapiteau[M]
crown
crosse[F]
shoulder
corde[F]
string
table[F] d'harmonie[F]
soundboard
caisse[F] de résonance[F]
soundbox
colonne[F]
pillar
pédale[F]
pedal
cuvette[F]
pedestal
pied[M]
foot

GUITARE ACOUSTIQUE
ACOUSTIC GUITAR

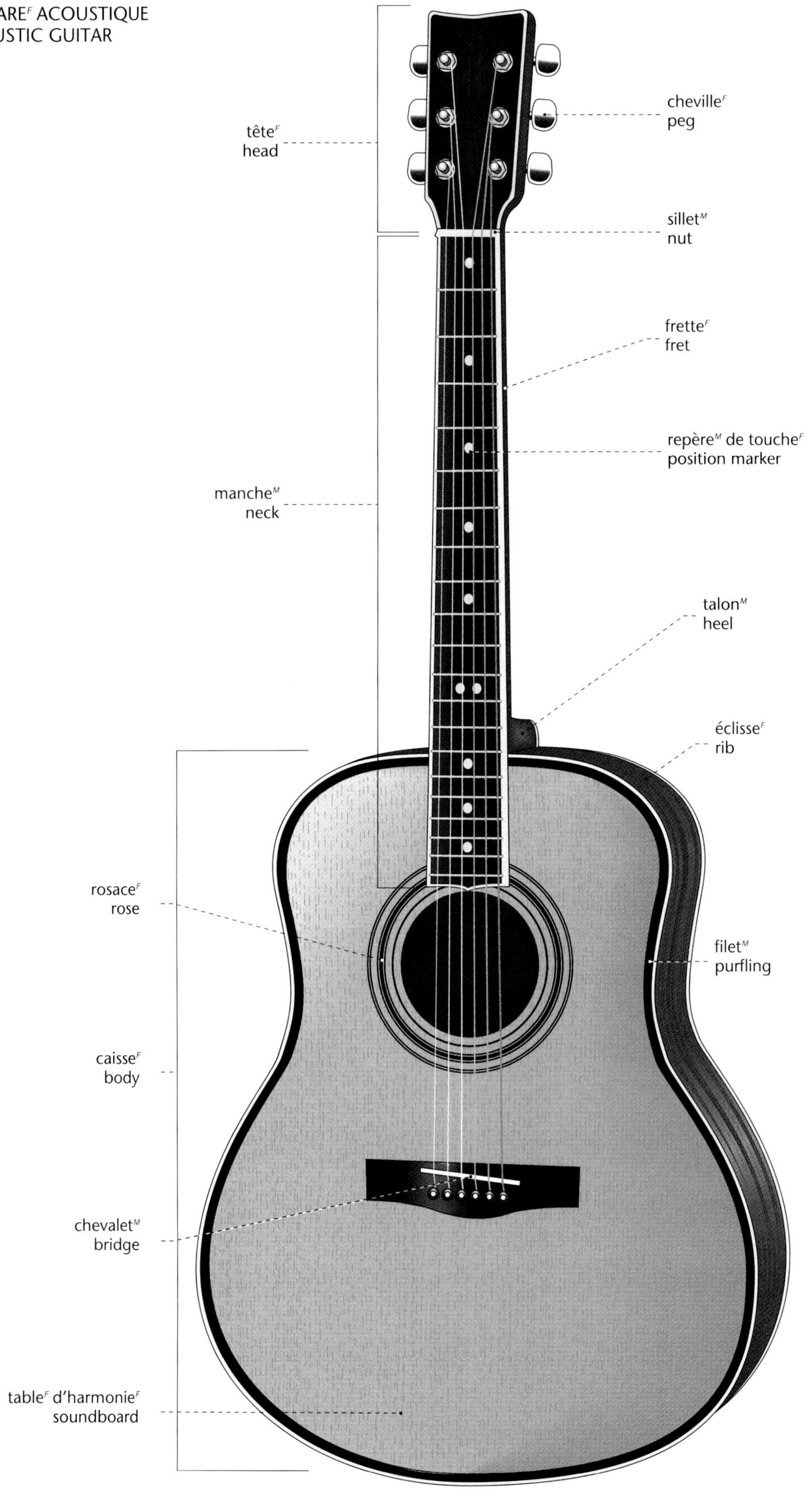
tête
head
cheville
peg
sillet
nut
frette
fret
repère de touche
position marker
manche
neck
talon
heel
éclisse
rib
rosace
rose
filet
purfling
caisse
body
chevalet
bridge
table d'harmonie
soundboard

GUITARE[F] ÉLECTRIQUE
ELECTRIC GUITAR

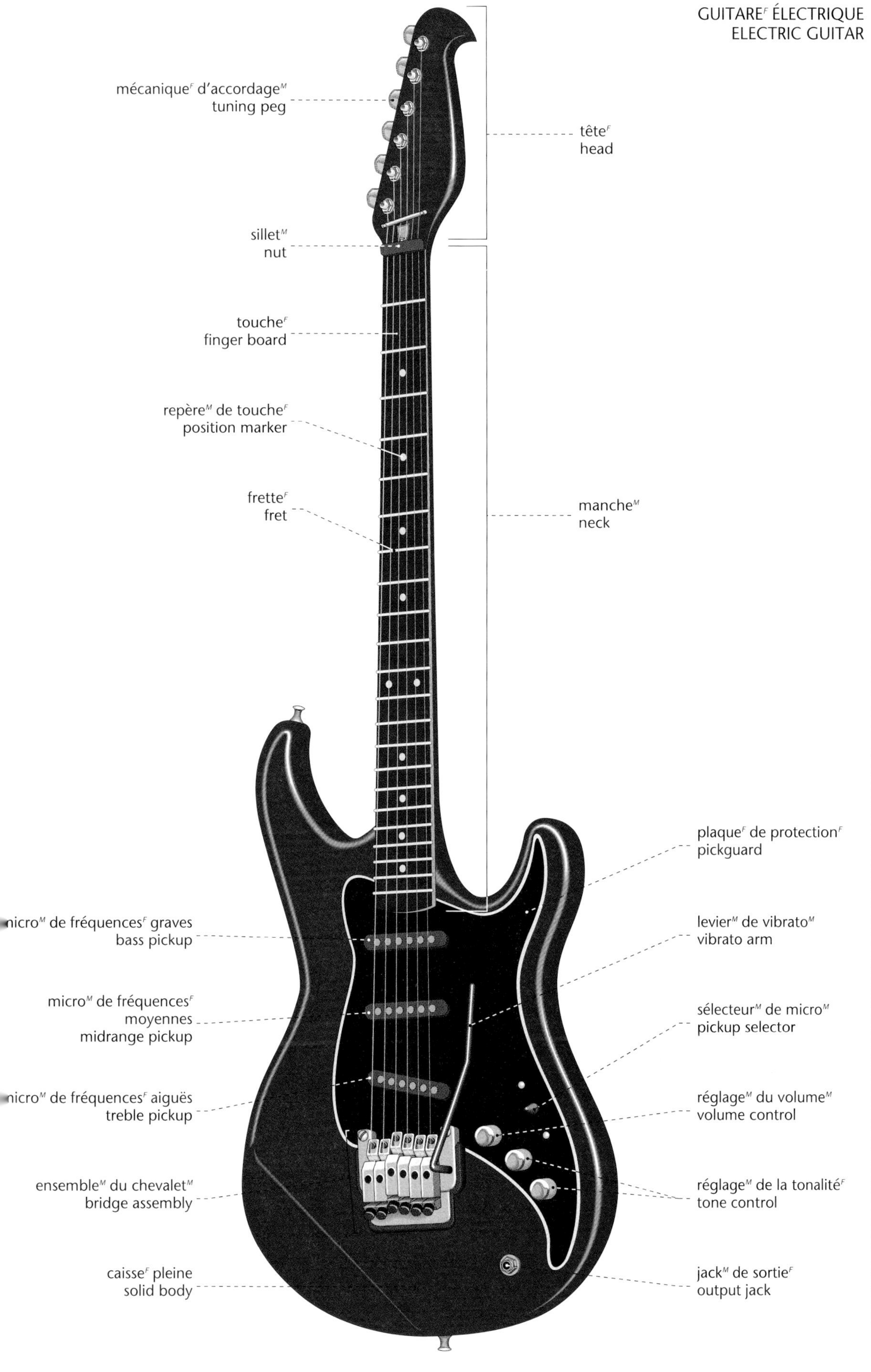
mécanique[F] d'accordage[M]
tuning peg
tête[F]
head
sillet[M]
nut
touche[F]
finger board
repère[M] de touche[F]
position marker
frette[F]
fret
manche[M]
neck
plaque[F] de protection[F]
pickguard
micro[M] de fréquences[F] graves
bass pickup
levier[M] de vibrato[M]
vibrato arm
micro[M] de fréquences[F] moyennes
midrange pickup
sélecteur[M] de micro[M]
pickup selector
micro[M] de fréquences[F] aiguës
treble pickup
réglage[M] du volume[M]
volume control
ensemble[M] du chevalet[M]
bridge assembly
réglage[M] de la tonalité[F]
tone control
caisse[F] pleine
solid body
jack[M] de sortie[F]
output jack

INSTRUMENTS[M] À VENT[M]
WIND INSTRUMENTS

SAXOPHONE[M]
SAXOPHONE

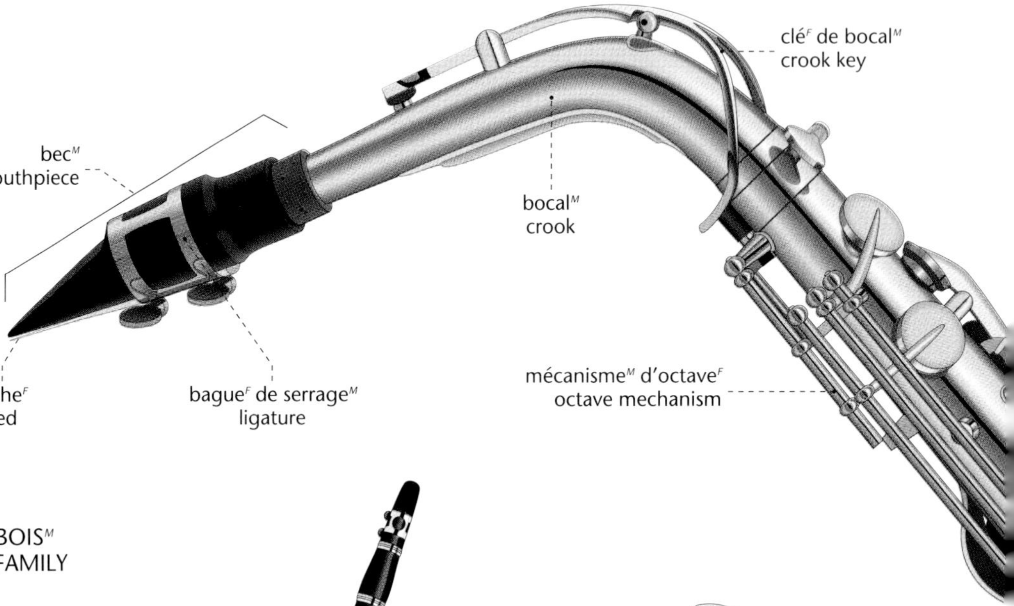
clé[F] de bocal[M]
crook key
bec[M]
mouthpiece
bocal[M]
crook
anche[F]
reed
bague[F] de serrage[M]
ligature
mécanisme[M] d'octave[F]
octave mechanism

FAMILLE[F] DES BOIS[M]
WOODWIND FAMILY

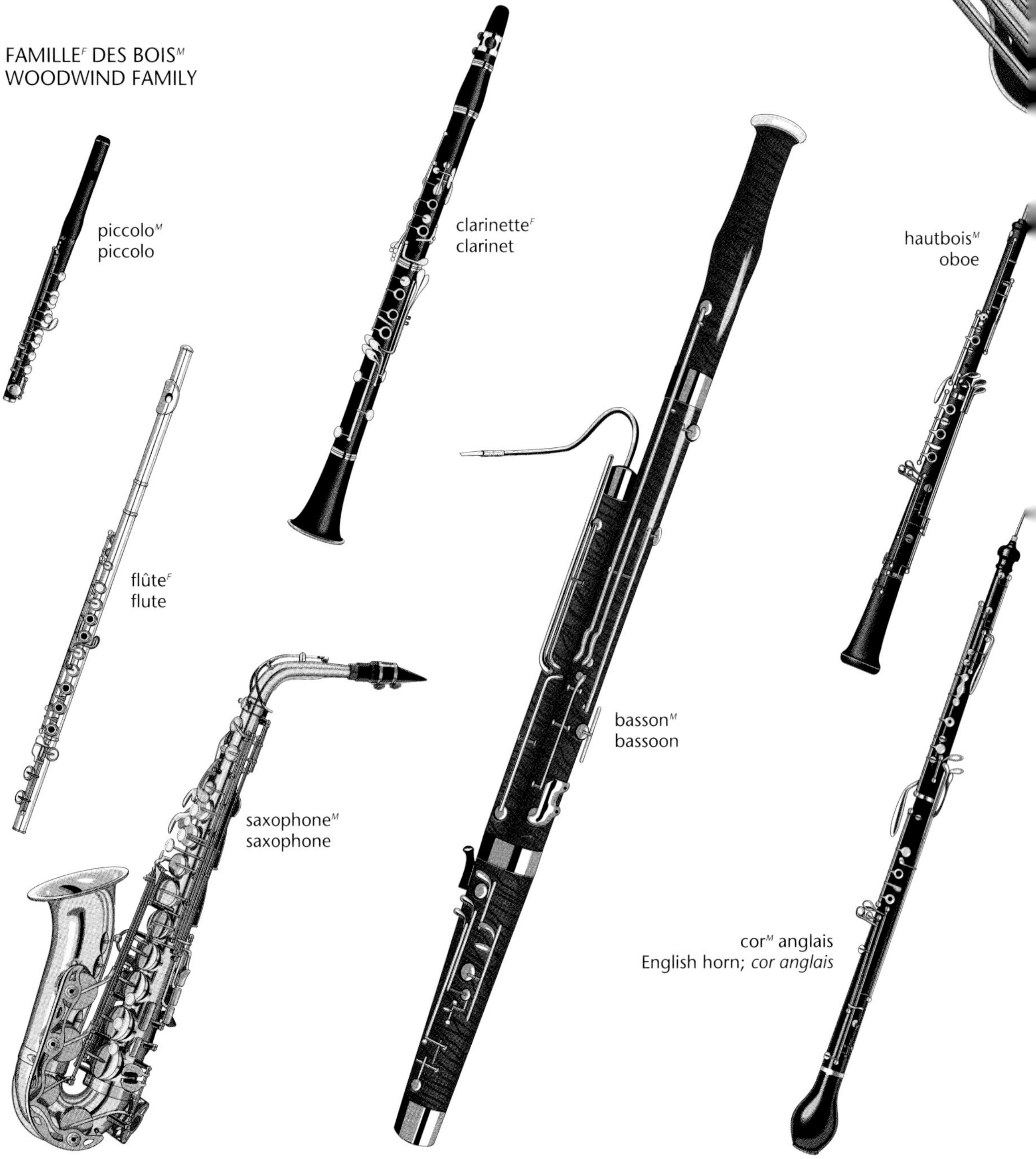
piccolo[M]
piccolo
clarinette[F]
clarinet
hautbois[M]
oboe
flûte[F]
flute
basson[M]
bassoon
saxophone[M]
saxophone
cor[M] anglais
English horn; *cor anglais*

ANCHES[F]
REEDS

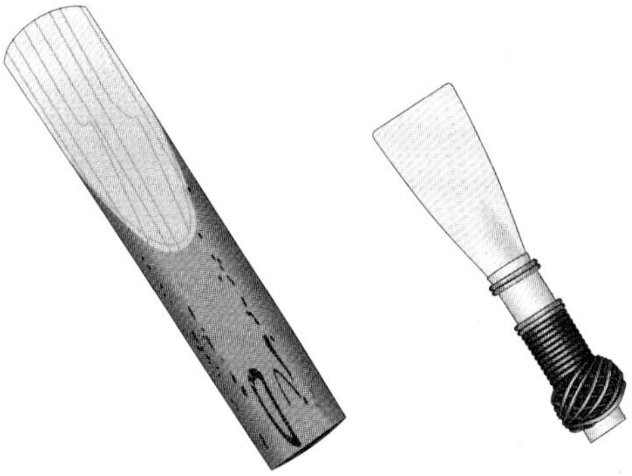
anche[F] simple
single reed
anche[F] double
double reed

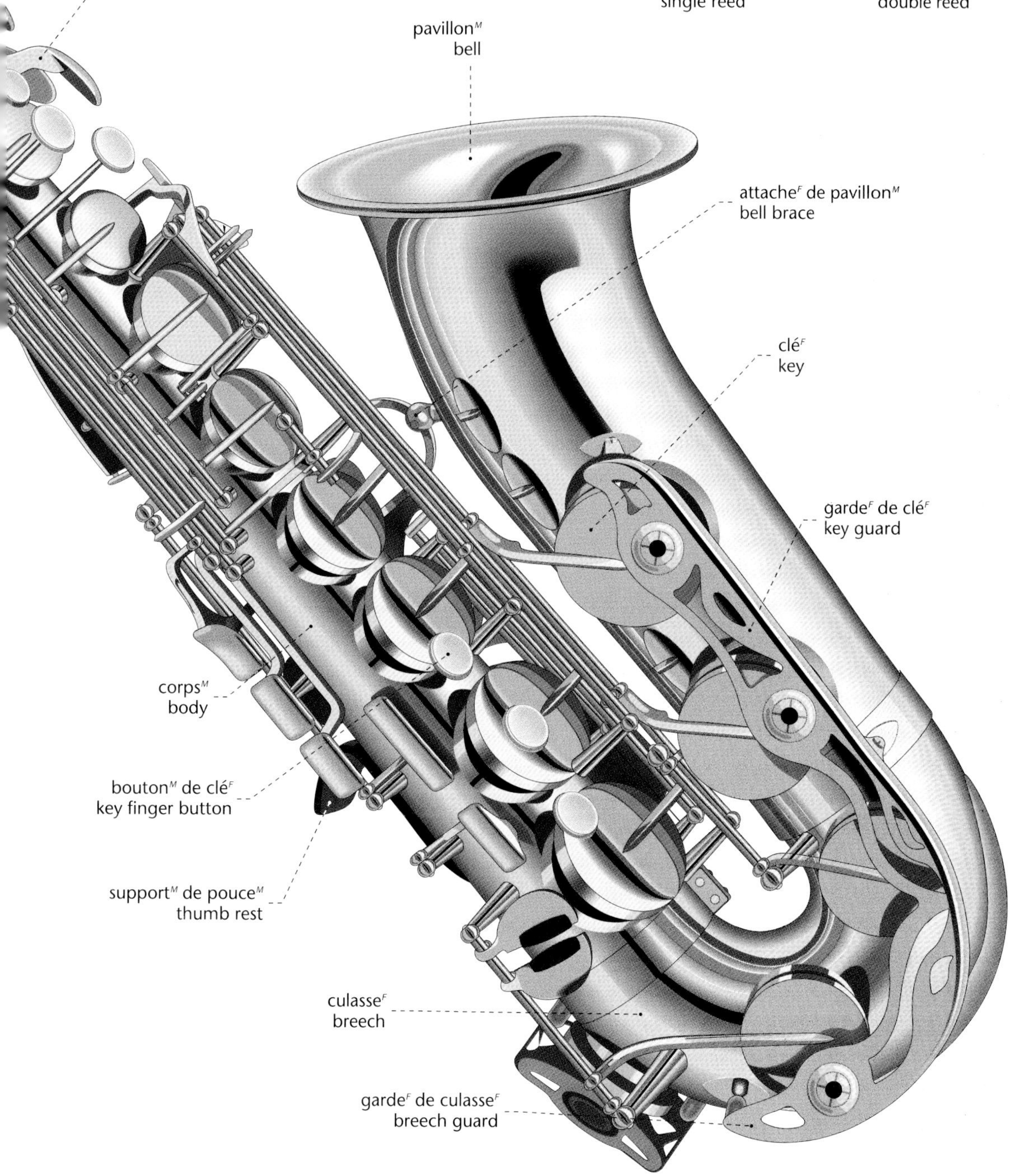
levier[M] de clé[F]
key lever
pavillon[M]
bell
attache[F] de pavillon[M]
bell brace
clé[F]
key
garde[F] de clé[F]
key guard
corps[M]
body
bouton[M] de clé[F]
key finger button
support[M] de pouce[M]
thumb rest
culasse[F]
breech
garde[F] de culasse[F]
breech guard

INSTRUMENTS[M] À VENT[M]
WIND INSTRUMENTS

TROMPETTE[F]
TRUMPET

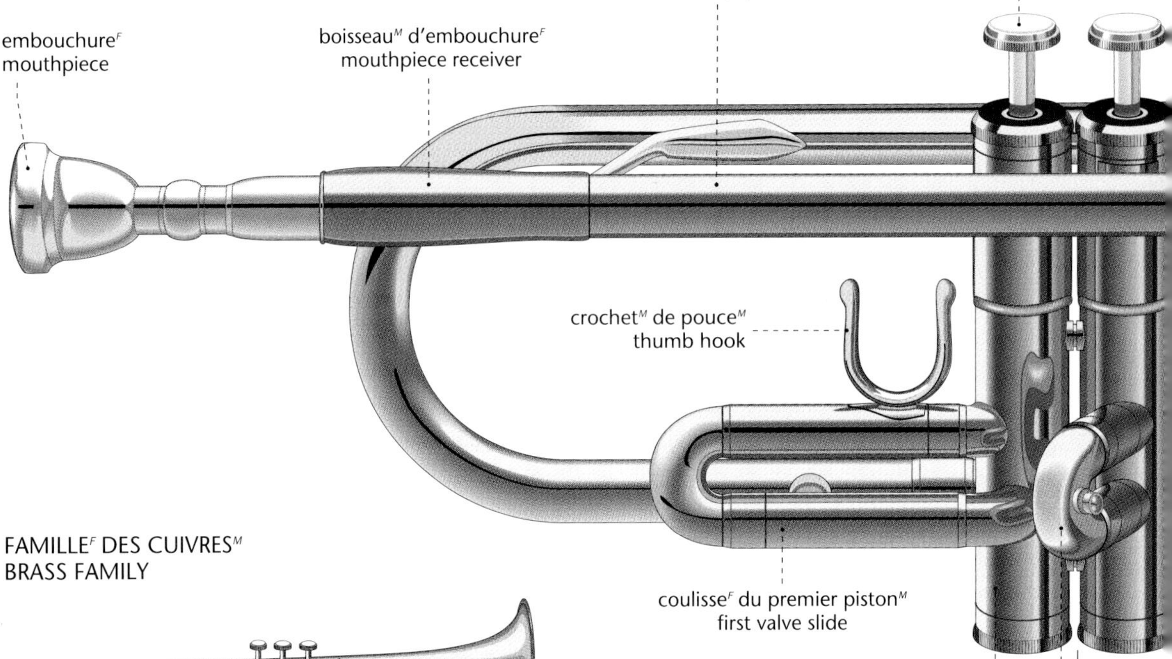
bouton[M] de piston[M]
finger button
branche[F] d'embouchure[F]
mouthpipe
embouchure[F]
mouthpiece
boisseau[M] d'embouchure[F]
mouthpiece receiver
crochet[M] de pouce[M]
thumb hook
coulisse[F] du premier piston[M]
first valve slide
corps[M] de piston[M]
valve casing
coulisse[F] du deuxième piston[M]
second valve slide
piston[M]
valve

FAMILLE[F] DES CUIVRES[M]
BRASS FAMILY

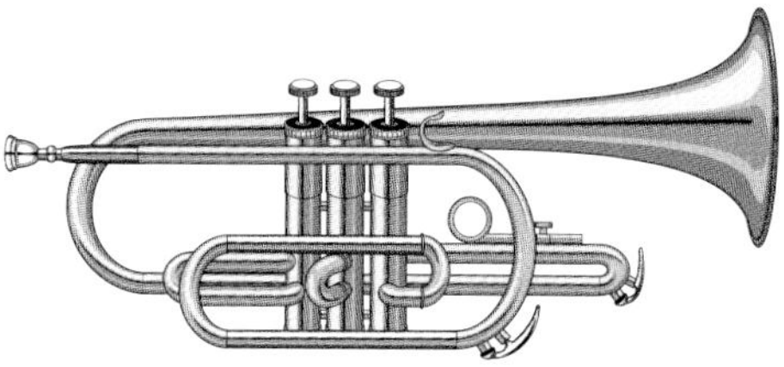
cornet[M] à pistons[M]
cornet

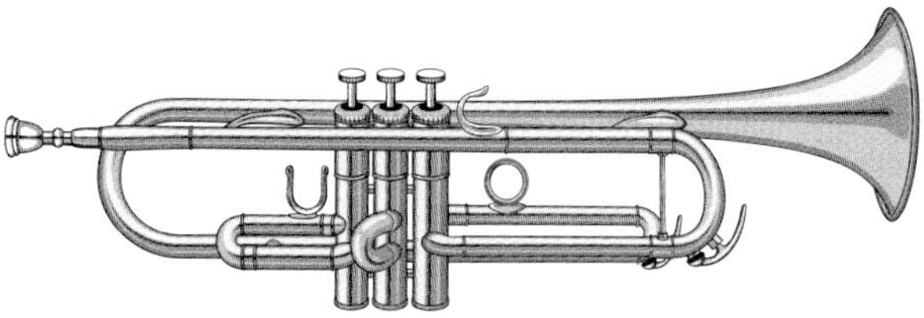
trompette[F]
trumpet

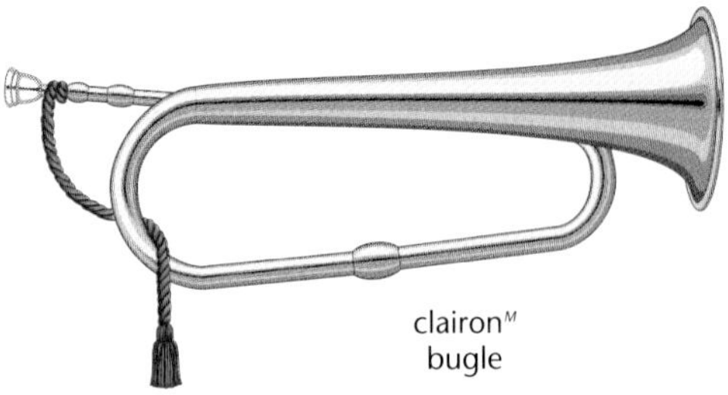
clairon[M]
bugle

trombone[M]
trombone

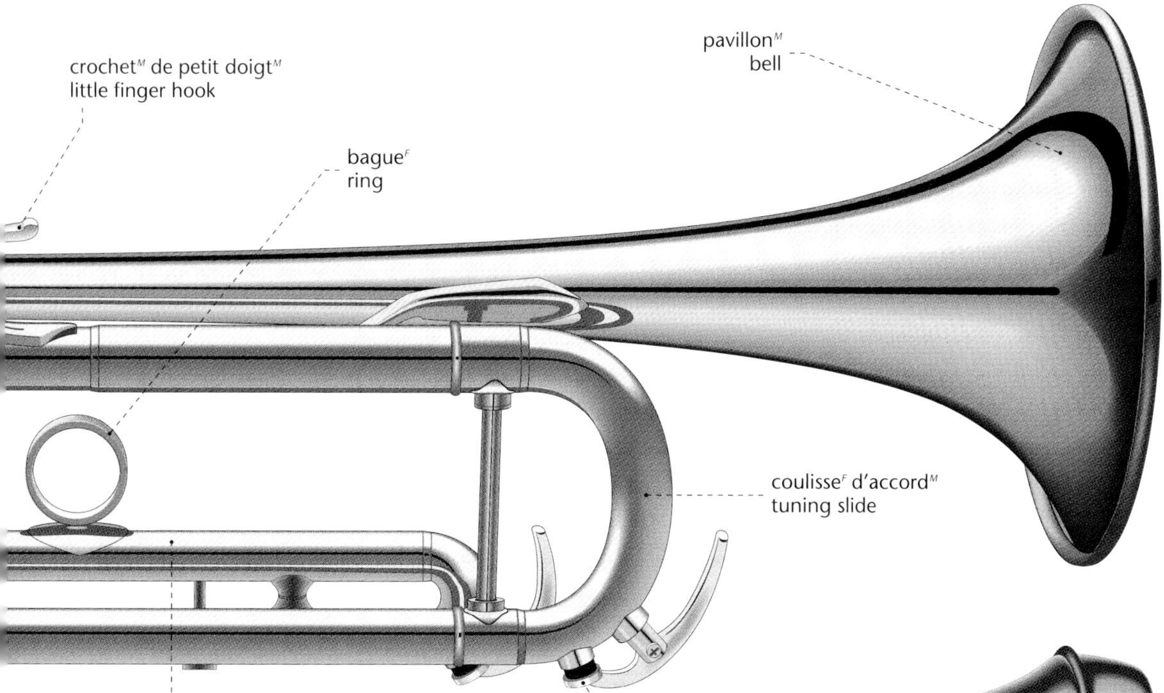
pavillon[M]
bell
crochet[M] de petit doigt[M]
little finger hook
bague[F]
ring
coulisse[F] d'accord[M]
tuning slide
coulisse[F] du troisième piston[M]
third valve slide
soupape[F] d'évacuation[F]
water key

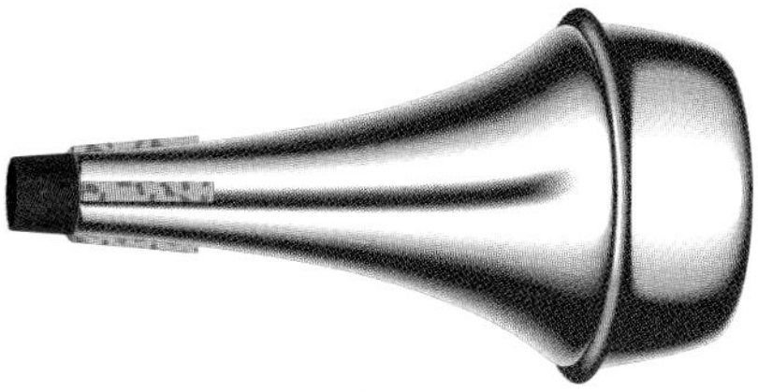

sourdine[F]
mute

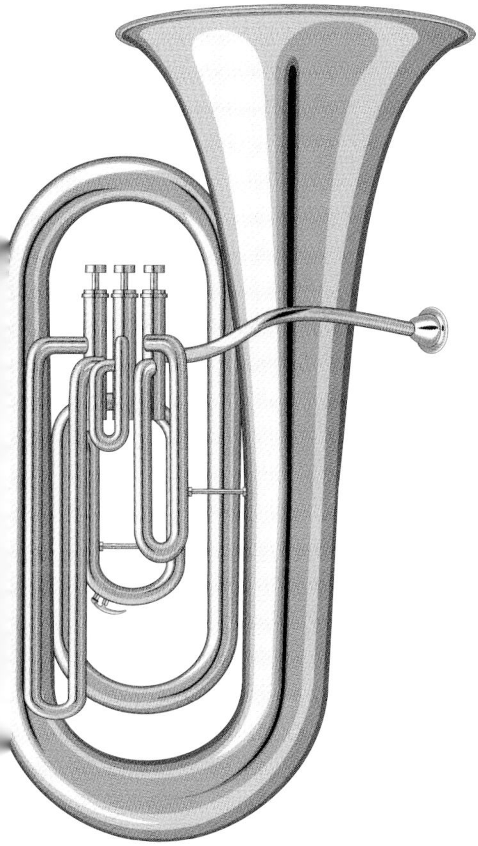

tuba[M]
tuba

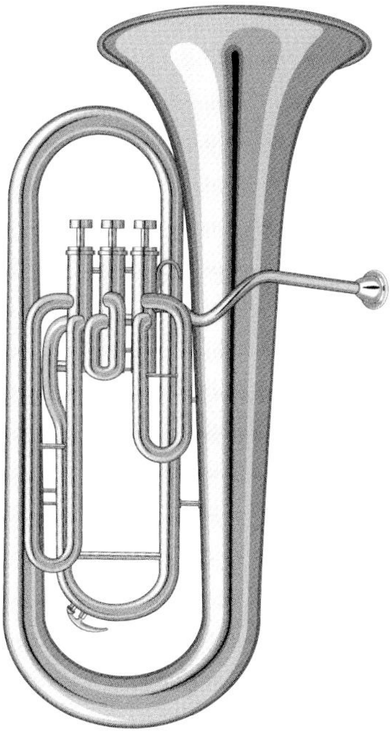

saxhorn[M]
saxhorn

cor[M] d'harmonie[F]
French horn

BATTERIE^{F}
DRUMS

cymbale^{F} suspendue
cymbal
tam-tam^{M}
tom-tom
cymbale^{F} charleston
Charleston cymbal
cymbale^{F} supérieure
superior cymbal
cymbale^{F} inférieure
inferior cymbal
peau^{F} de batterie^{F}
batter head
caisse^{F} claire
snare drum
trépied^{M}
tripod stand
grosse caisse^{F}
bass drum
vis^{F} de tension^{F}
tension screw
éperon^{M}
spur
pédale^{F}
pedal
support^{M}
stand
mailloche^{F}
mallet

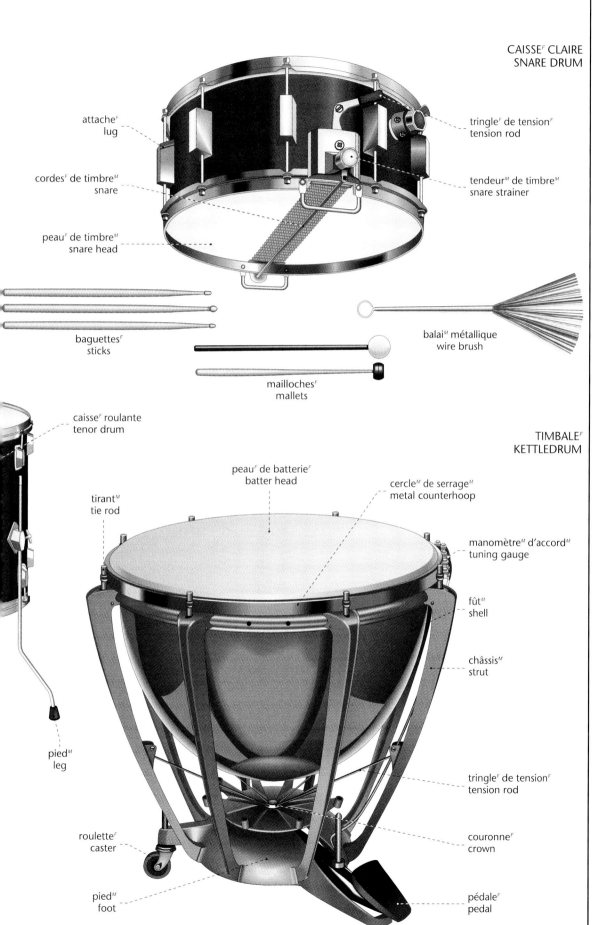

CAISSE[F] CLAIRE
SNARE DRUM

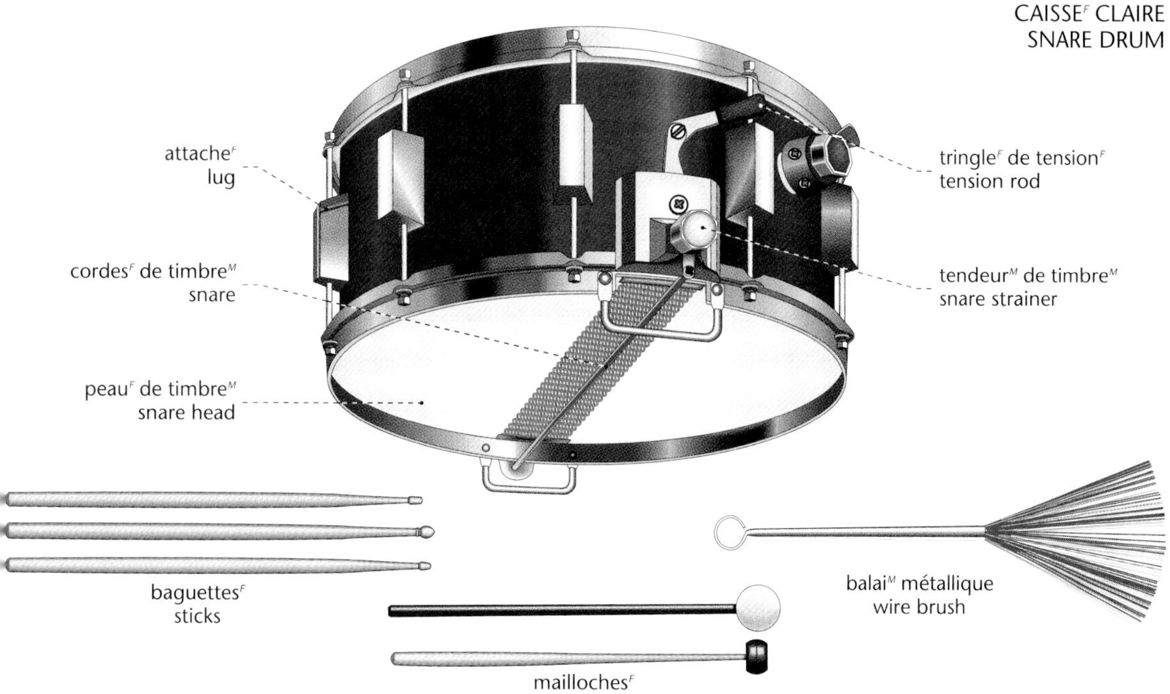
attache[F]
lug
cordes[F] de timbre[M]
snare
peau[F] de timbre[M]
snare head
tringle[F] de tension[F]
tension rod
tendeur[M] de timbre[M]
snare strainer
baguettes[F]
sticks
balai[M] métallique
wire brush
mailloches[F]
mallets

TIMBALE[F]
KETTLEDRUM

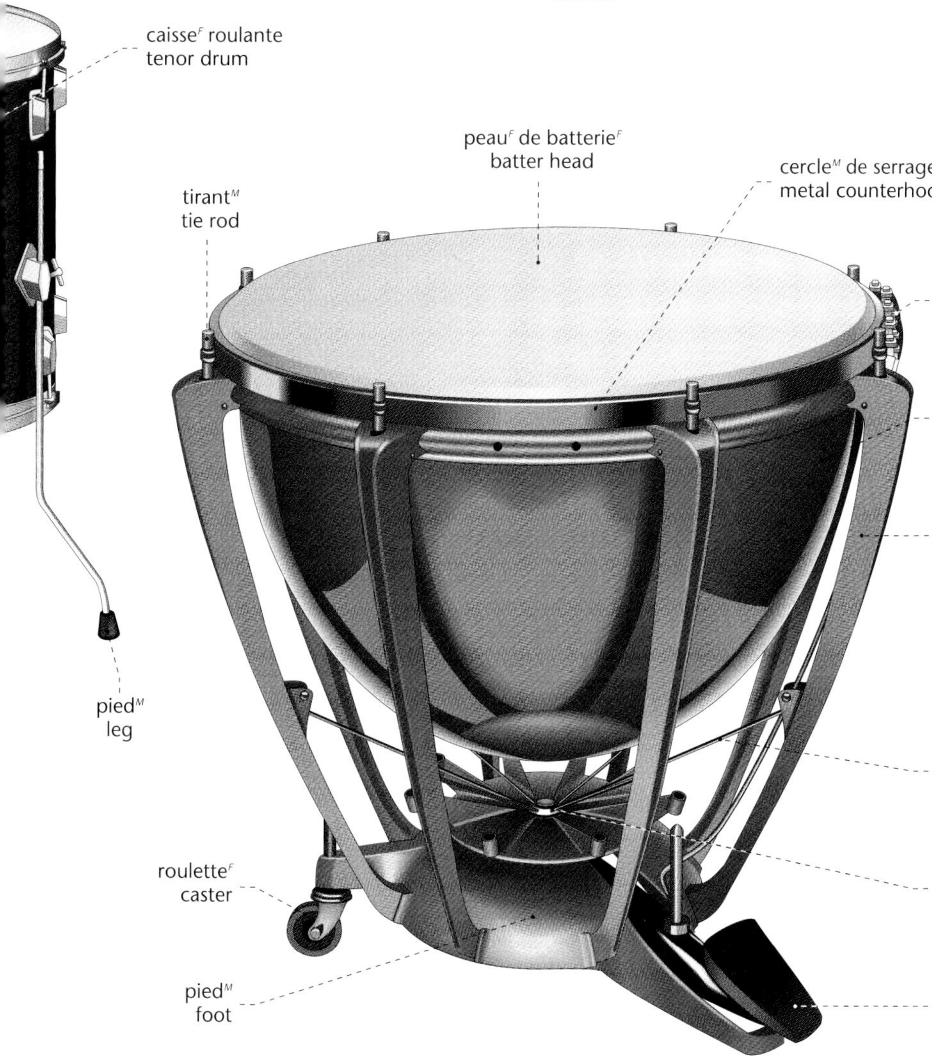
caisse[F] roulante
tenor drum
pied[M]
leg
peau[F] de batterie[F]
batter head
tirant[M]
tie rod
cercle[M] de serrage[M]
metal counterhoop
manomètre[M] d'accord[M]
tuning gauge
fût[M]
shell
châssis[M]
strut
tringle[F] de tension[F]
tension rod
couronne[F]
crown
roulette[F]
caster
pied[M]
foot
pédale[F]
pedal

INSTRUMENTS[M] À PERCUSSION[F]
PERCUSSION INSTRUMENTS

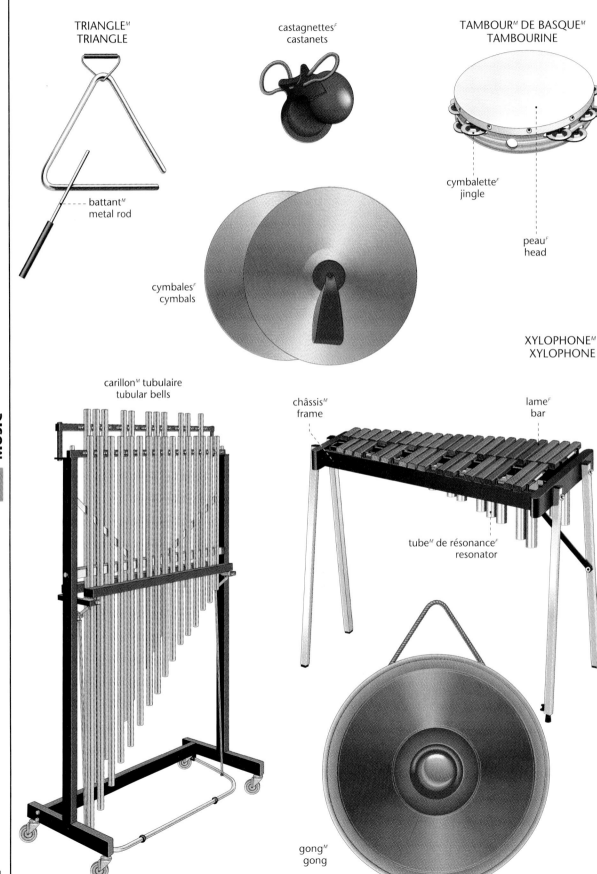

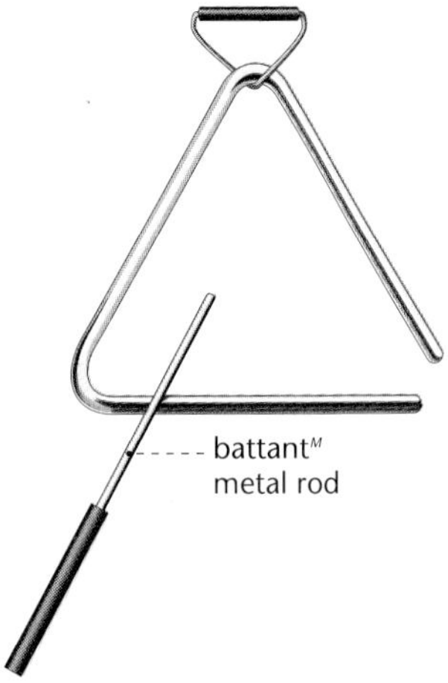
TRIANGLE[M]
TRIANGLE
battant[M]
metal rod

castagnettes[F]
castanets

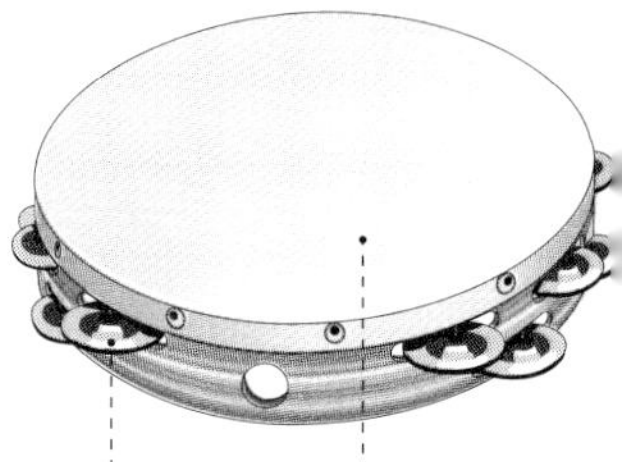
TAMBOUR[M] DE BASQUE[M]
TAMBOURINE
cymbalette[F]
jingle
peau[F]
head

cymbales[F]
cymbals

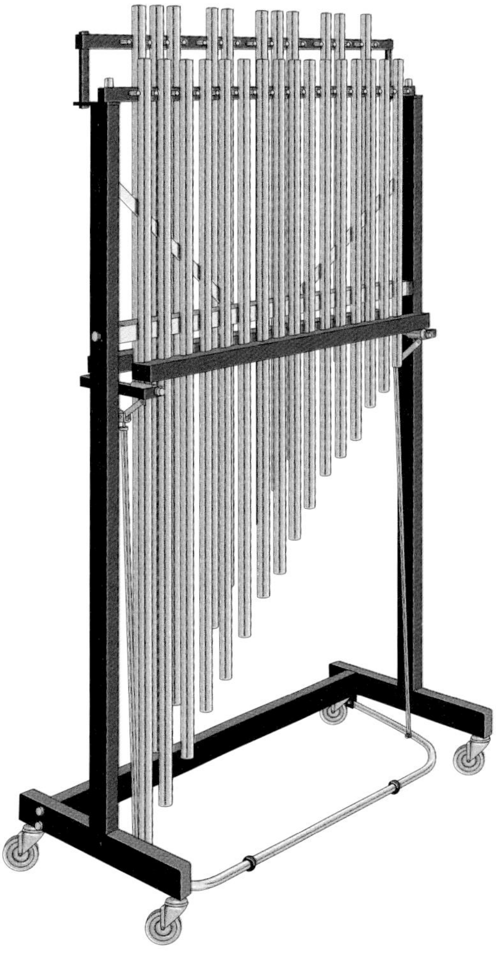
carillon[M] tubulaire
tubular bells

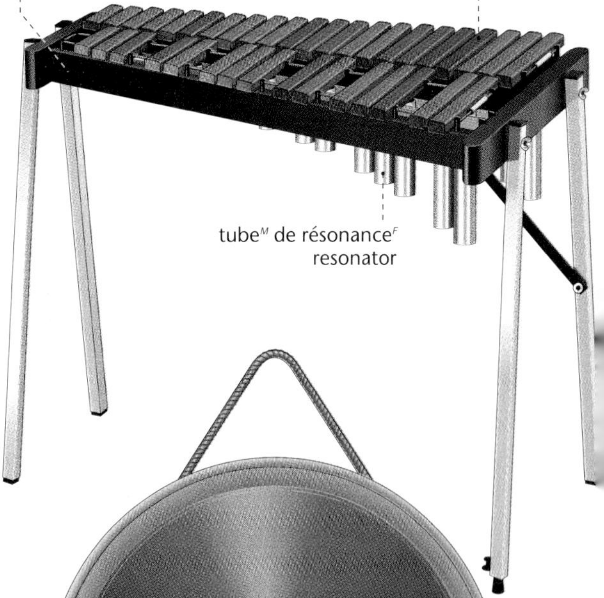
XYLOPHONE[M]
XYLOPHONE
châssis[M]
frame
lame[F]
bar
tube[M] de résonance[F]
resonator

gong[M]
gong

INSTRUMENTS[M] ÉLECTRONIQUES
ELECTRONIC INSTRUMENTS

SYNTHÉTISEUR[M]
SYNTHESIZER

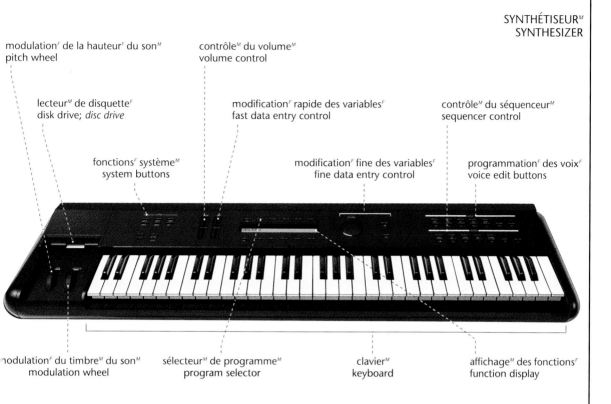

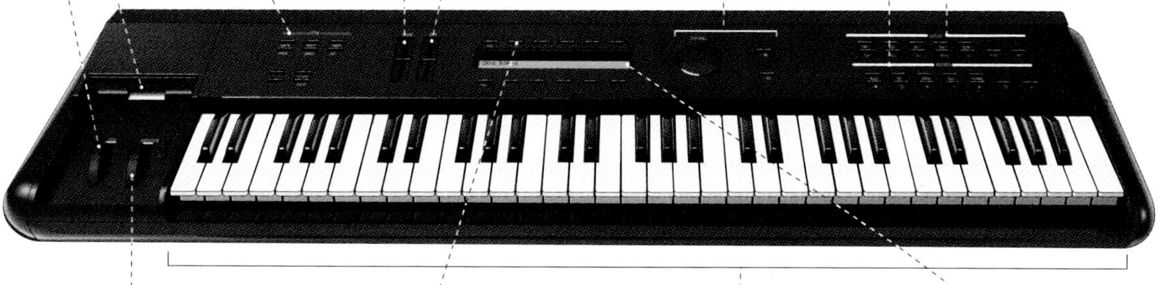
modulation[F] de la hauteur[F] du son[M]
pitch wheel
contrôle[M] du volume[M]
volume control
lecteur[M] de disquette[F]
disk drive; *disc drive*
modification[F] rapide des variables[F]
fast data entry control
contrôle[M] du séquenceur[M]
sequencer control
fonctions[F] système[M]
system buttons
modification[F] fine des variables[F]
fine data entry control
programmation[F] des voix[F]
voice edit buttons
nodulation[F] du timbre[M] du son[M]
modulation wheel
sélecteur[M] de programme[M]
program selector
clavier[M]
keyboard
affichage[M] des fonctions[F]
function display

PIANO[M] ÉLECTRONIQUE
ELECTRONIC PIANO

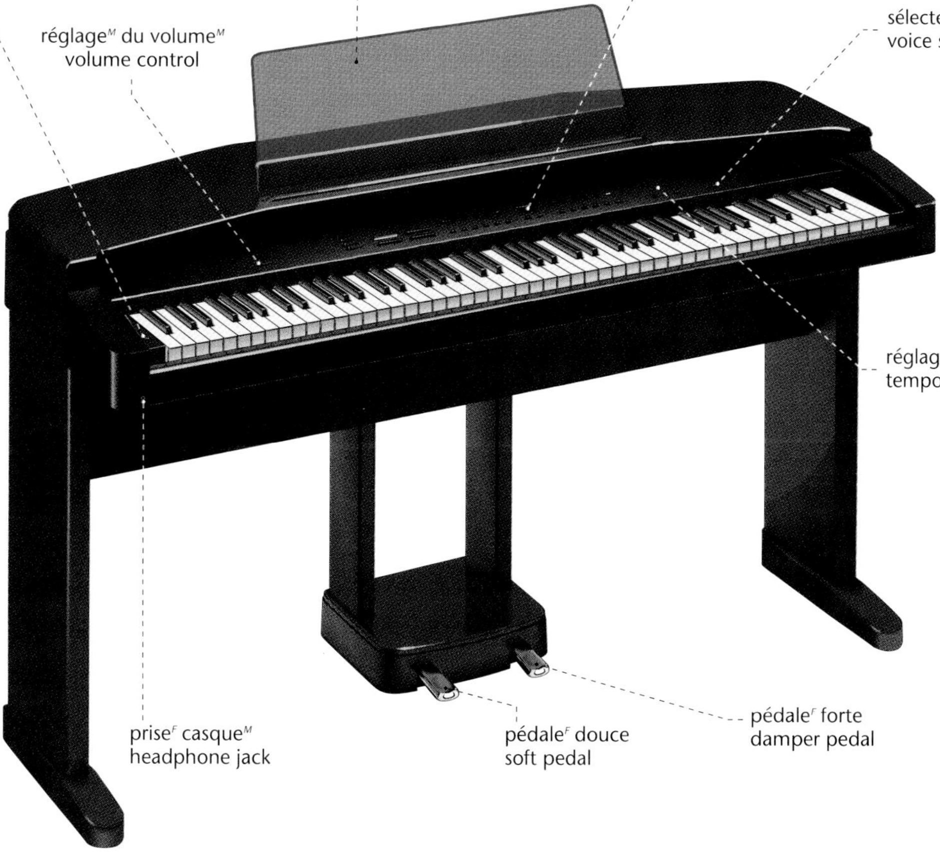
interrupteur[M] d'alimentation[F]
power switch
pupitre[M]
music stand
sélecteur[M] de rythme[M]
rhythm selector
sélecteur[M] de voix[F]
voice selector
réglage[M] du volume[M]
volume control
réglage[M] de tempo[M]
tempo control
prise[F] casque[M]
headphone jack
pédale[F] douce
soft pedal
pédale[F] forte
damper pedal

ORCHESTRE^M SYMPHONIQUE
SYMPHONY ORCHESTRA

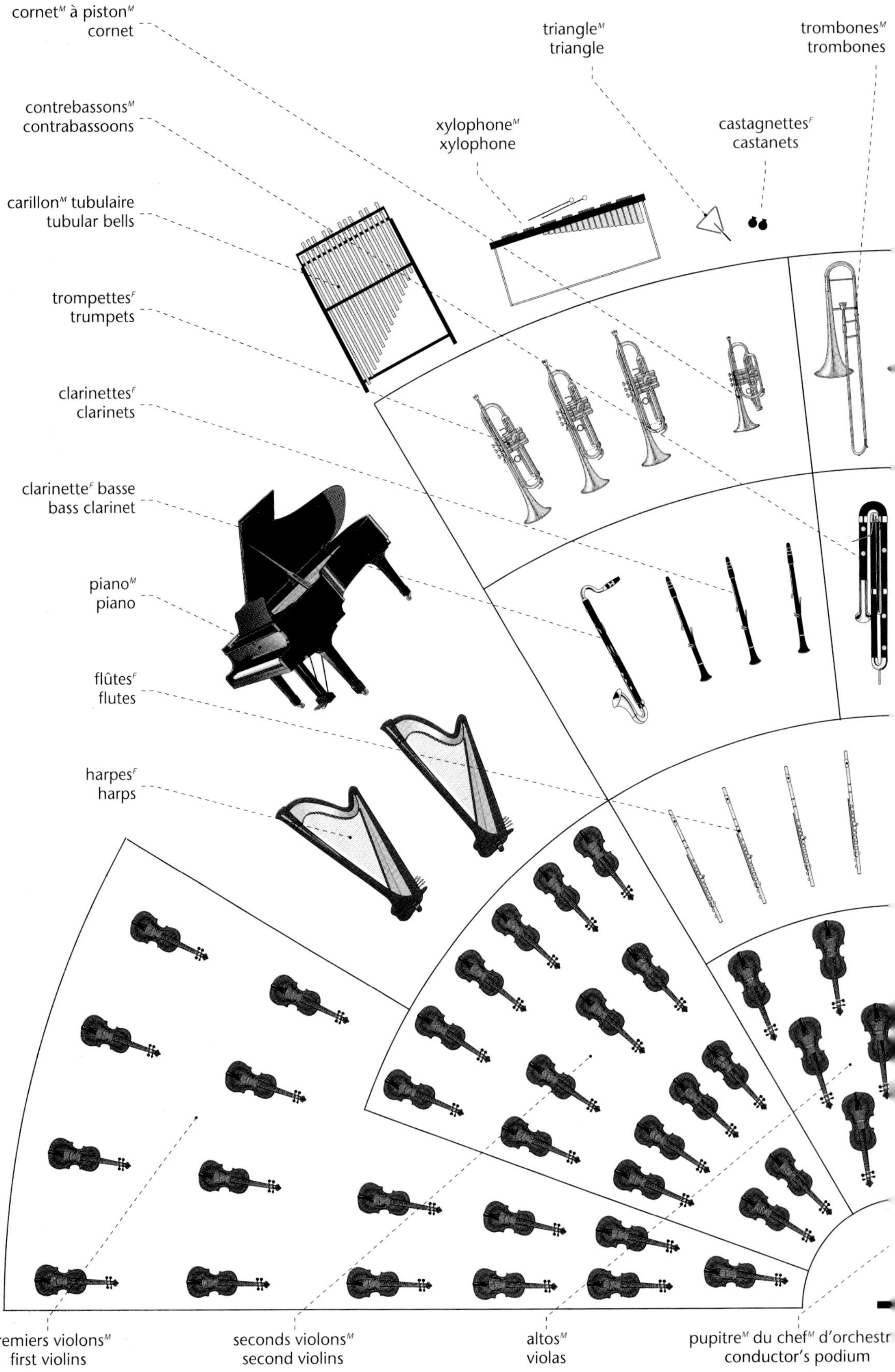

cornet^M à piston^M
cornet
contrebassons^M
contrabassoons
carillon^M tubulaire
tubular bells
trompettes^F
trumpets
clarinettes^F
clarinets
clarinette^F basse
bass clarinet
piano^M
piano
flûtes^F
flutes
harpes^F
harps
triangle^M
triangle
trombones^M
trombones
xylophone^M
xylophone
castagnettes^F
castanets
premiers violons^M
first violins
seconds violons^M
second violins
altos^M
violas
pupitre^M du chef^M d'orchestr
conductor's podium

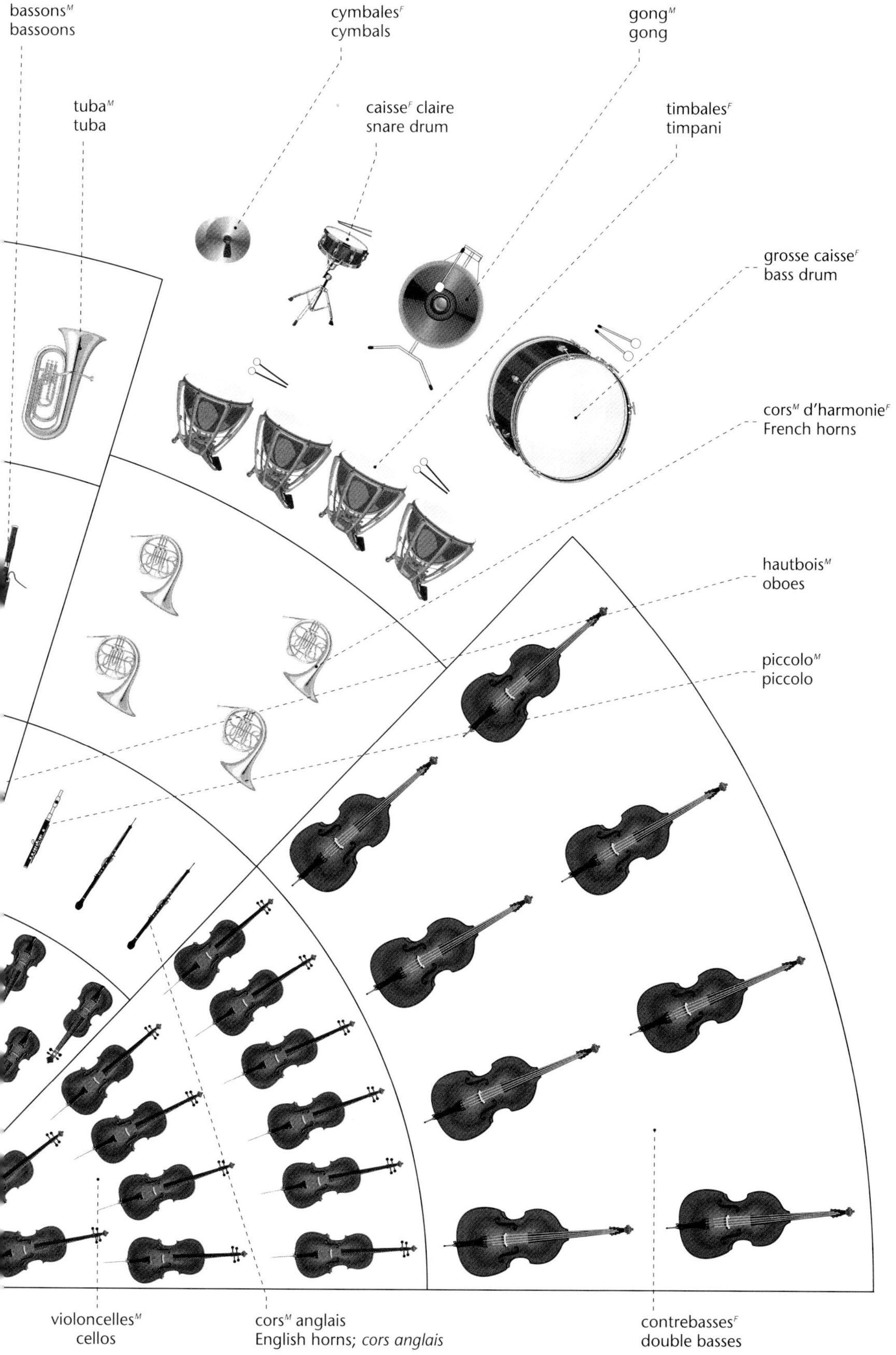
bassons^M
bassoons
cymbales^F
cymbals
gong^M
gong
tuba^M
tuba
caisse^F claire
snare drum
timbales^F
timpani
grosse caisse^F
bass drum
cors^M d'harmonie^F
French horns
hautbois^M
oboes
piccolo^M
piccolo
violoncelles^M
cellos
cors^M anglais
English horns; *cors anglais*
contrebasses^F
double basses

MUSIQUE
MUSIC

EXEMPLES^M DE GROUPES^M INSTRUMENTAUX
EXAMPLES OF INSTRUMENTAL GROUPS

duo^M
duo

trio^M
trio

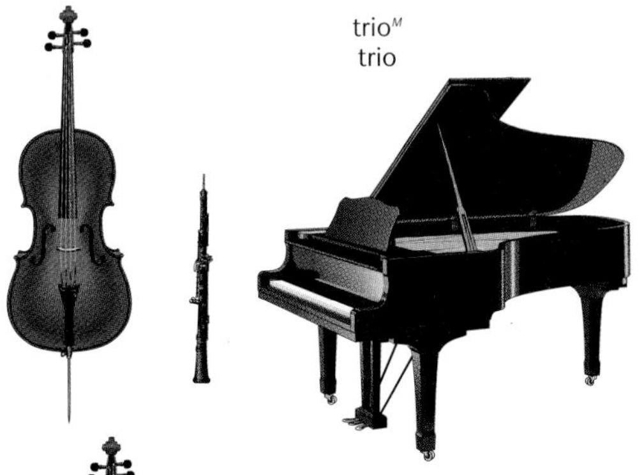

quatuor^M
quartet

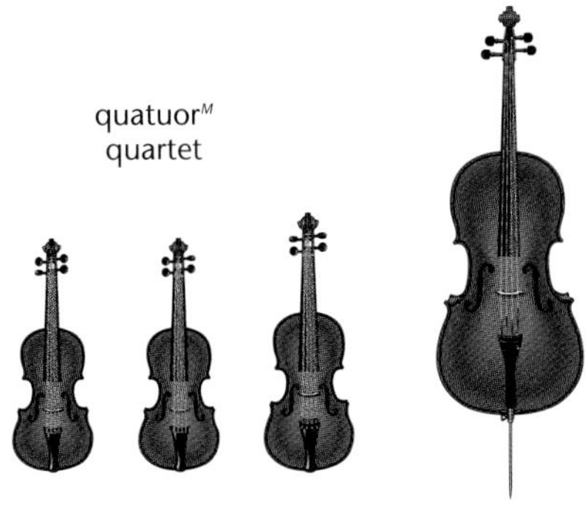

quintette^M
quintet

sextuor^M
sextet

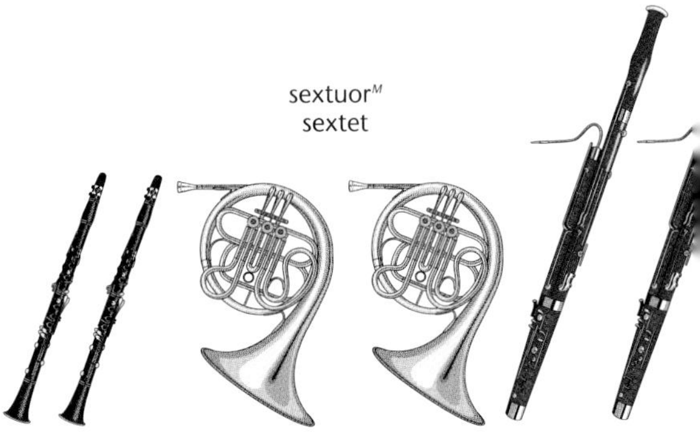

formation^F de jazz^M
jazz band

LOISIRS DE CRÉATION • CREATIVE LEISURE ACTIVITIES

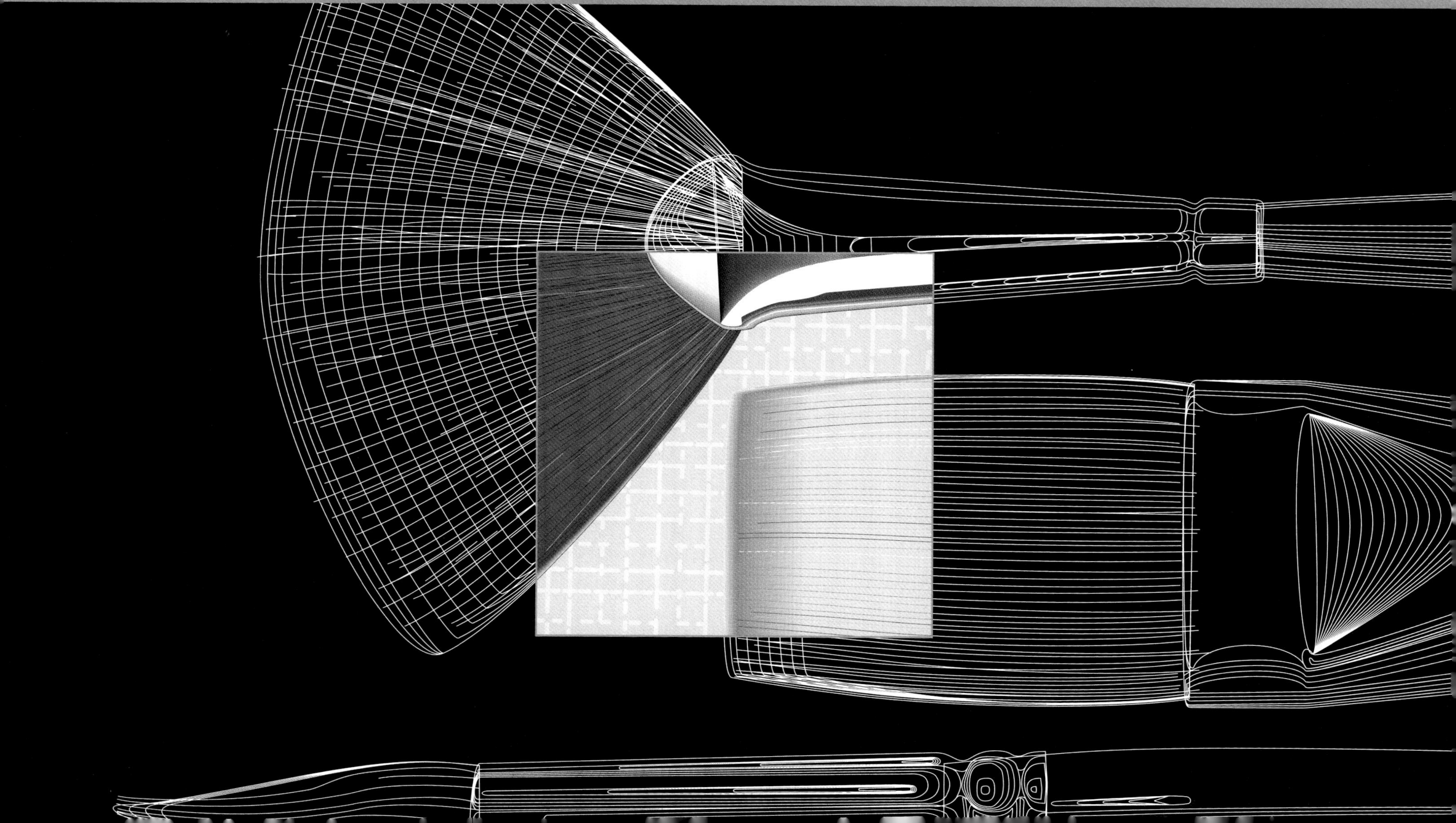

SOMMAIRE

COUTURE[F]
SEWING

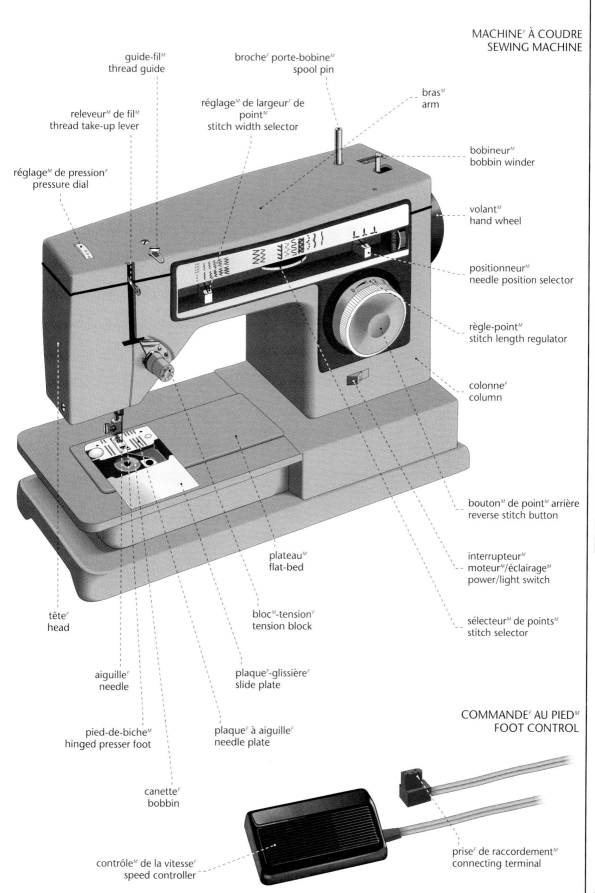

MACHINE[F] À COUDRE
SEWING MACHINE

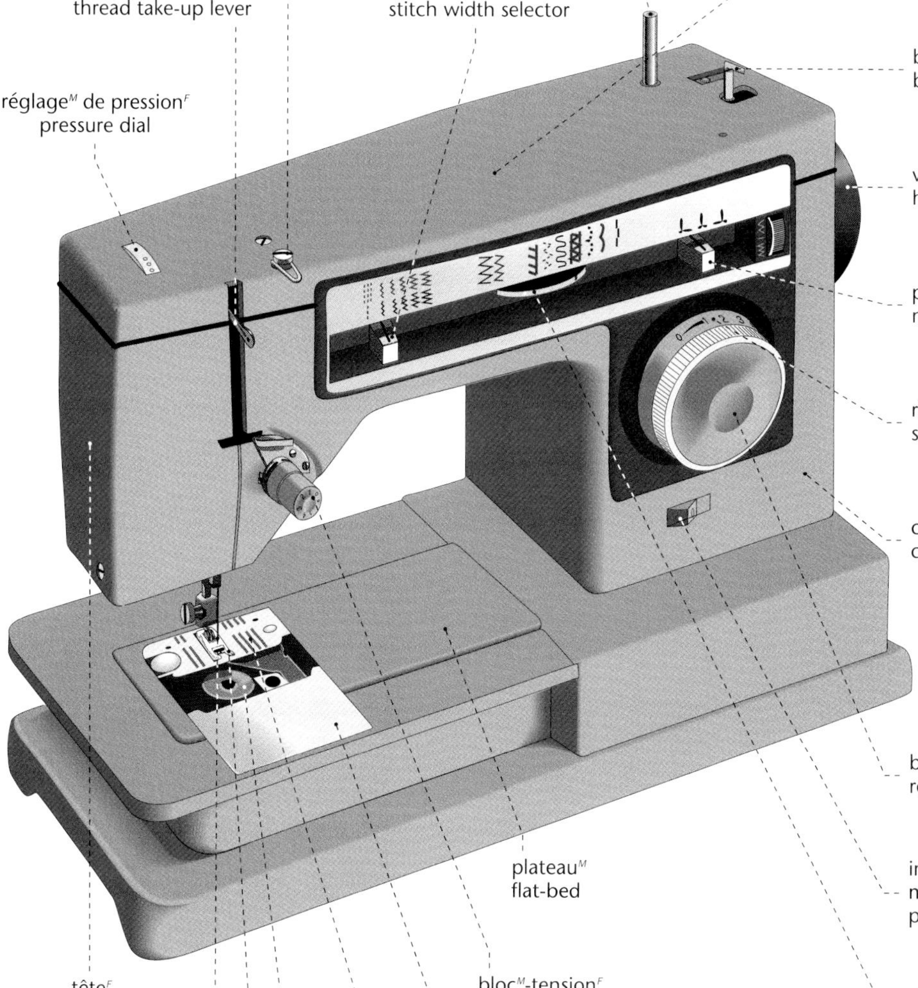
guide-fil[M]
thread guide
broche[F] porte-bobine[M]
spool pin
bras[M]
arm
réglage[M] de largeur[F] de point[M]
stitch width selector
releveur[M] de fil[M]
thread take-up lever
bobineur[M]
bobbin winder
réglage[M] de pression[F]
pressure dial
volant[M]
hand wheel
positionneur[M]
needle position selector
règle-point[M]
stitch length regulator
colonne[F]
column
bouton[M] de point[M] arrière
reverse stitch button
plateau[M]
flat-bed
interrupteur[M] moteur[M]/éclairage[M]
power/light switch
tête[F]
head
bloc[M]-tension[F]
tension block
sélecteur[M] de points[M]
stitch selector
aiguille[F]
needle
plaque[F]-glissière[F]
slide plate
pied-de-biche[M]
hinged presser foot
plaque[F] à aiguille[F]
needle plate
canette[F]
bobbin

COMMANDE[F] AU PIED[M]
FOOT CONTROL

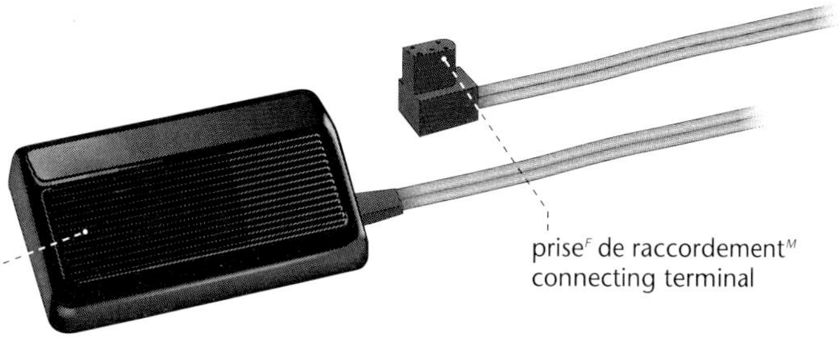
contrôle[M] de la vitesse[F]
speed controller
prise[F] de raccordement[M]
connecting terminal

COUTURE[F]
SEWING

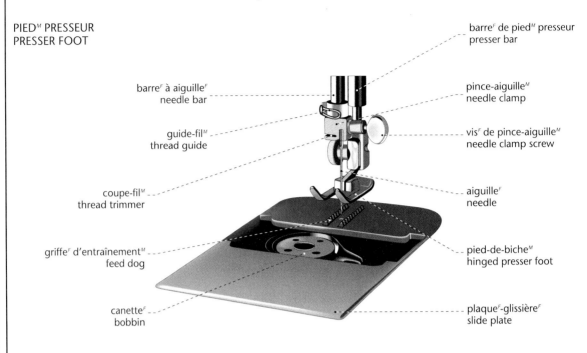

PIED[M] PRESSEUR
PRESSER FOOT

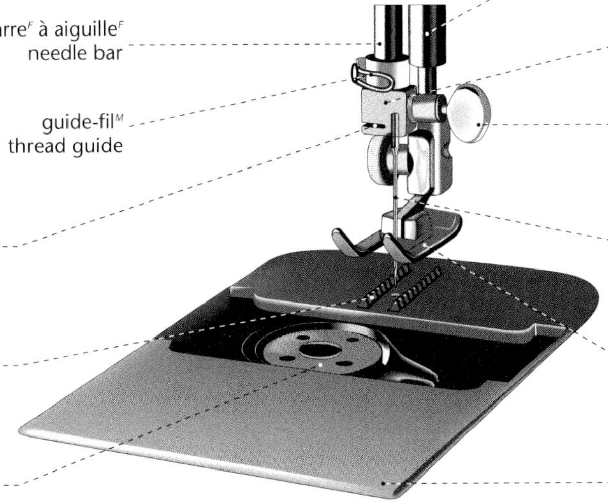
barre[F] de pied[M] presseur
presser bar
barre[F] à aiguille[F]
needle bar
pince-aiguille[M]
needle clamp
guide-fil[M]
thread guide
vis[F] de pince-aiguille[M]
needle clamp screw
coupe-fil[M]
thread trimmer
aiguille[F]
needle
griffe[F] d'entraînement[M]
feed dog
pied-de-biche[M]
hinged presser foot
canette[F]
bobbin
plaque[F]-glissière[F]
slide plate

AIGUILLE[F]
NEEDLE

talon[M]
shank
rainure[F]
groove
tige[F]
blade
chas[M]
eye
pointe[F]
point

BLOC[M]-TENSION[F]
TENSION BLOCK

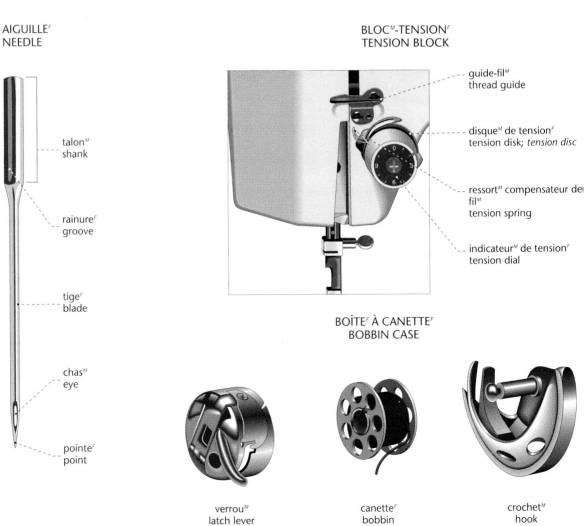

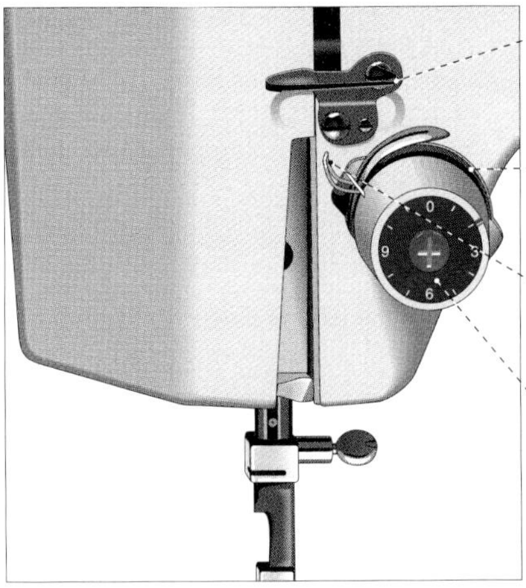
guide-fil[M]
thread guide
disque[M] de tension[F]
tension disk; *tension disc*
ressort[M] compensateur de fil[M]
tension spring
indicateur[M] de tension[F]
tension dial

BOÎTE[F] À CANETTE[F]
BOBBIN CASE

verrou[M]
latch lever
canette[F]
bobbin
crochet[M]
hook

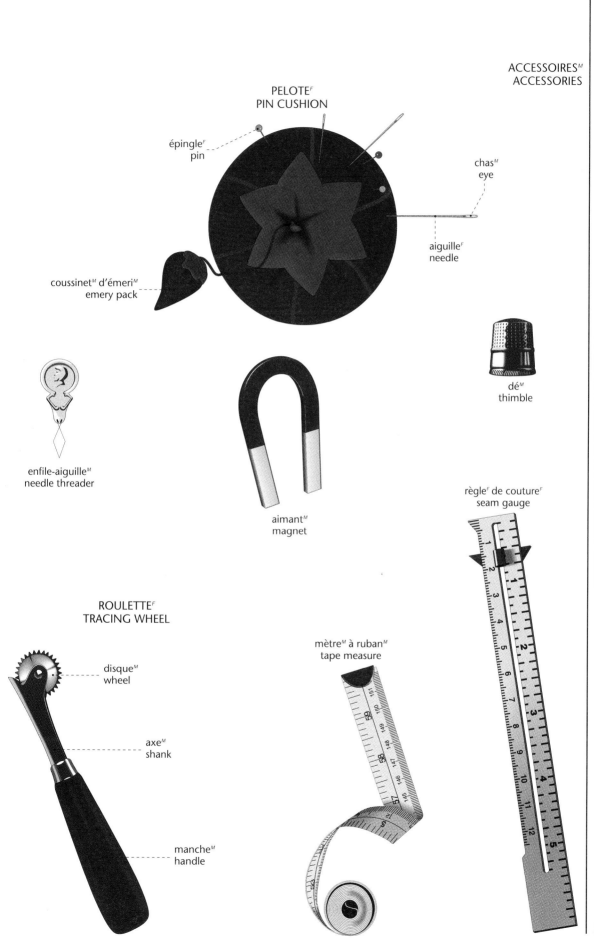

PELOTE^F
PIN CUSHION

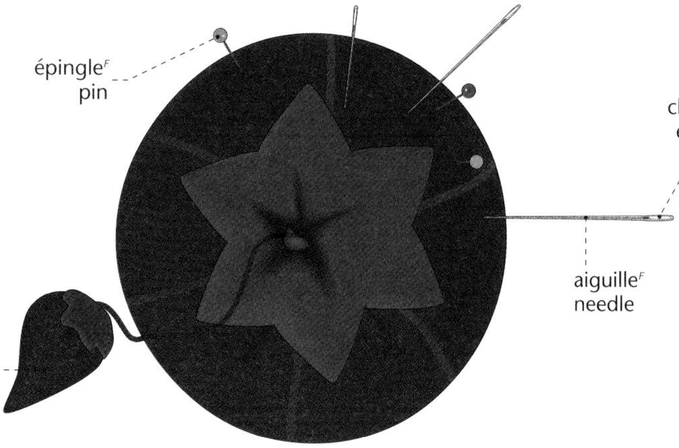

épingle^F
pin

chas^M
eye

aiguille^F
needle

coussinet^M d'émeri^M
emery pack

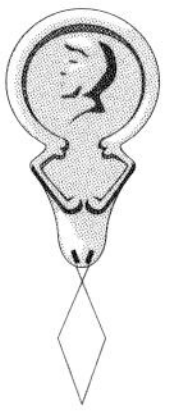

enfile-aiguille^M
needle threader

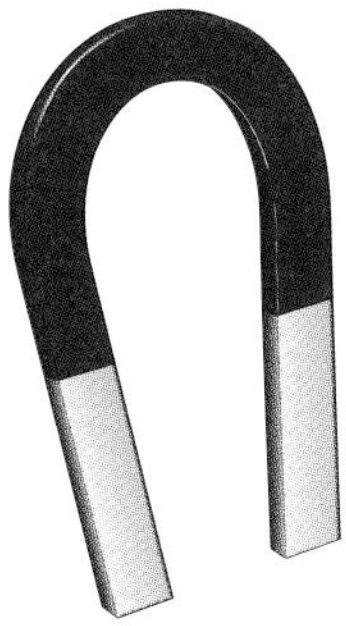

aimant^M
magnet

dé^M
thimble

règle^F de couture^F
seam gauge

ROULETTE^F
TRACING WHEEL

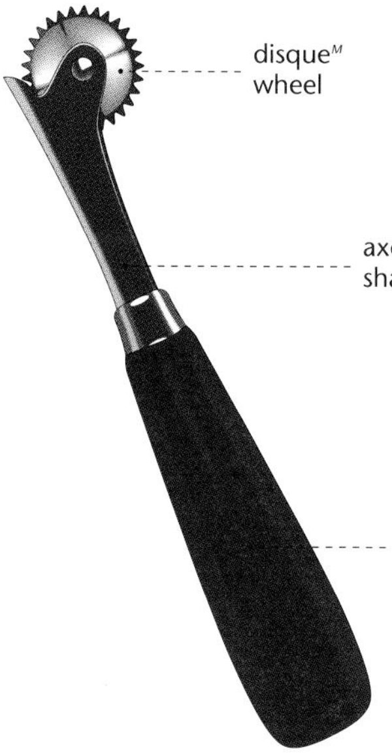

disque^M
wheel

axe^M
shank

manche^M
handle

mètre^M à ruban^M
tape measure

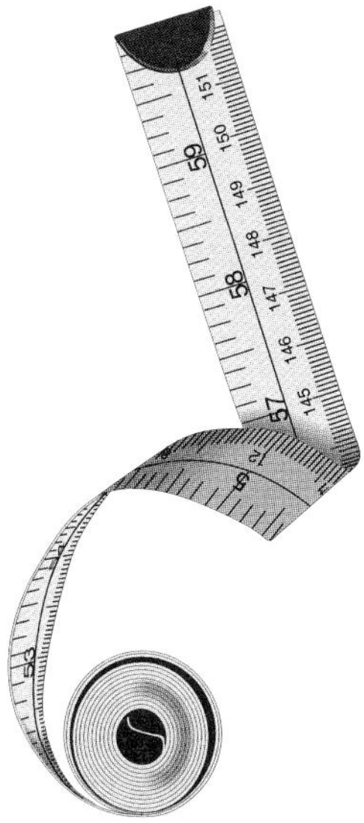

COUTURE^F
SEWING

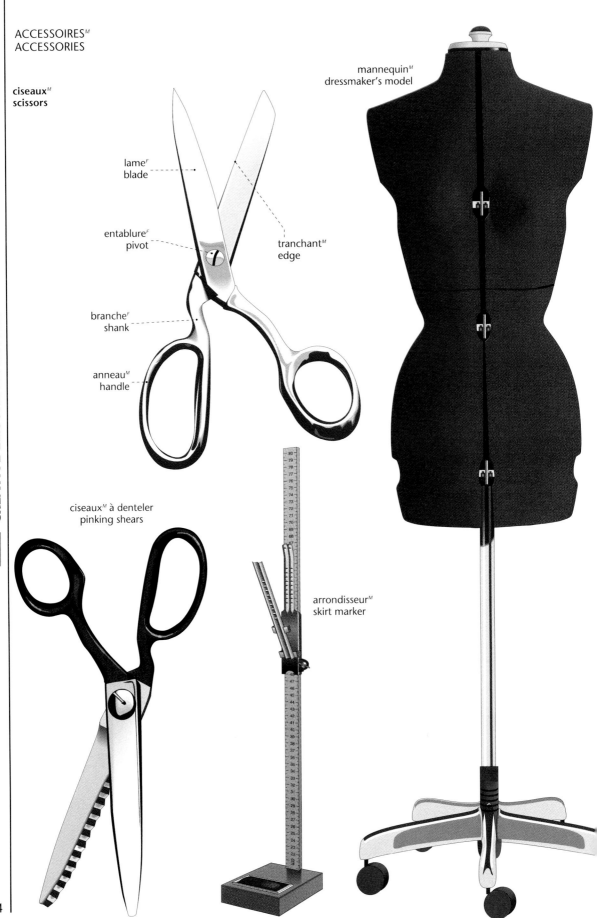

ACCESSOIRES^M
ACCESSORIES

ciseaux^M
scissors

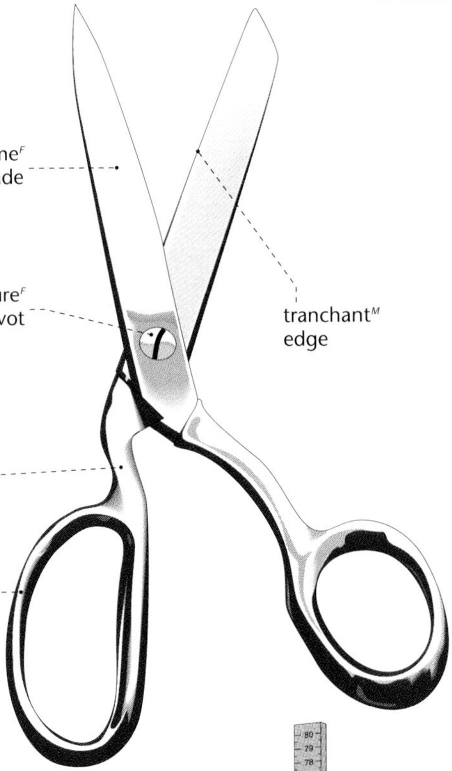
lame^F
blade
entablure^F
pivot
branche^F
shank
anneau^M
handle
tranchant^M
edge

mannequin^M
dressmaker's model

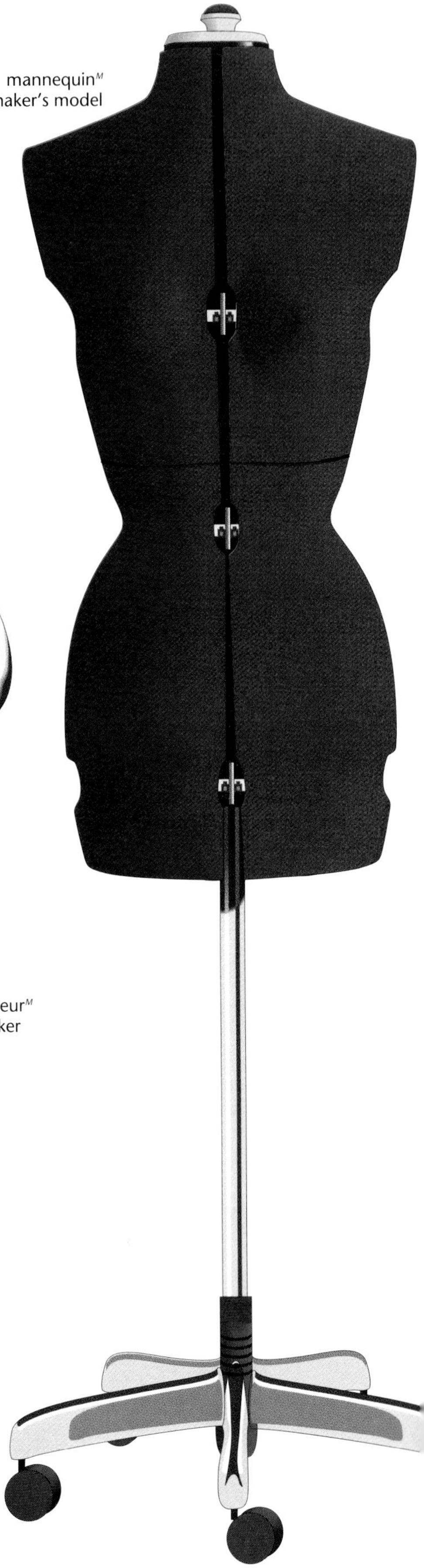

ciseaux^M à denteler
pinking shears

arrondisseur^M
skirt marker

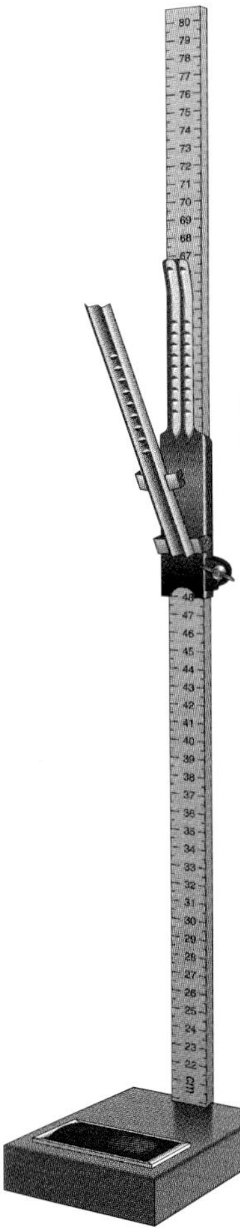

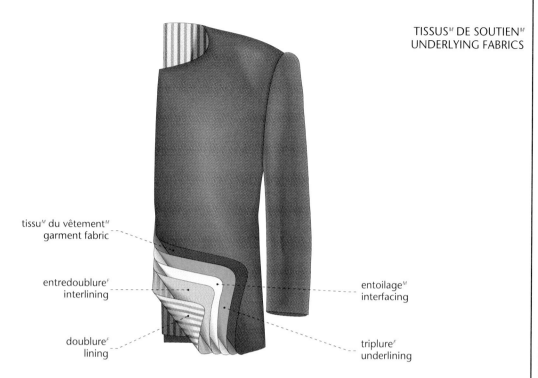

TISSUS[M] DE SOUTIEN[M]
UNDERLYING FABRICS

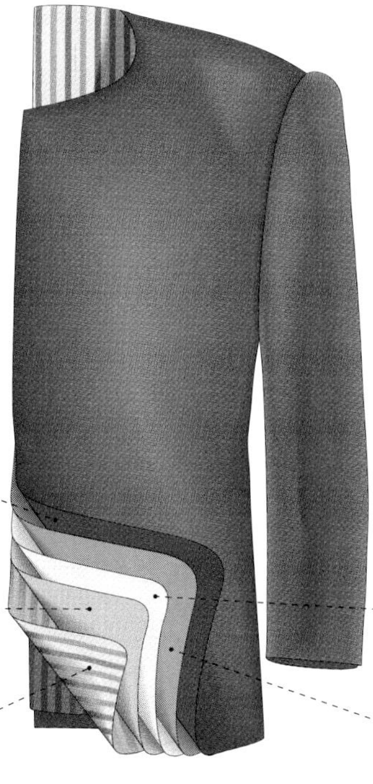
tissu[M] du vêtement[M]
garment fabric
entredoublure[F]
interlining
doublure[F]
lining
entoilage[M]
interfacing
triplure[F]
underlining

PATRON[M]
PATTERN

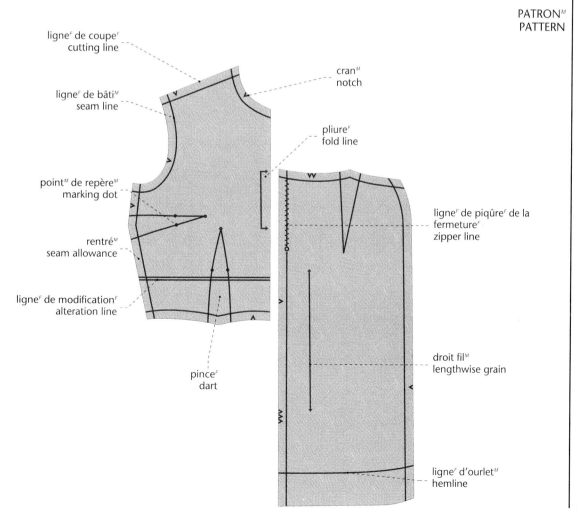

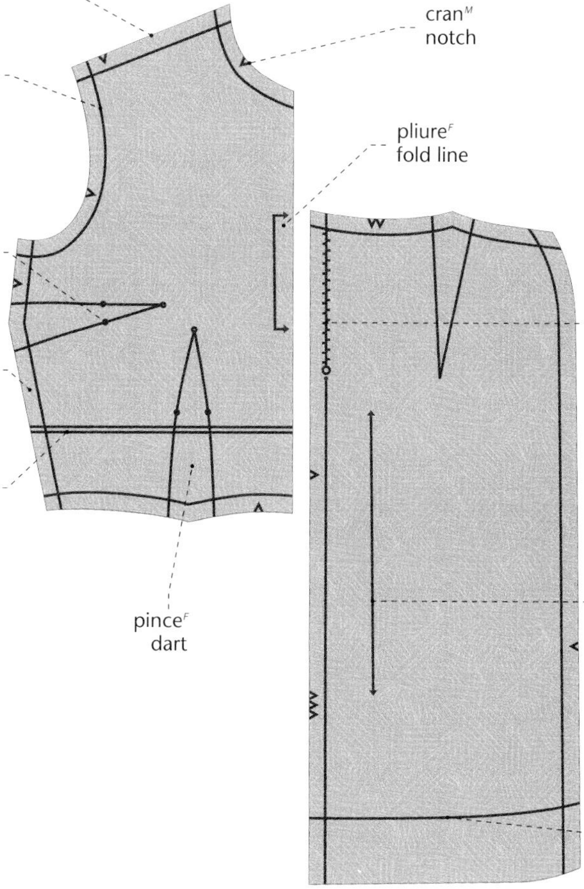
ligne[F] de coupe[F]
cutting line
ligne[F] de bâti[M]
seam line
point[M] de repère[M]
marking dot
rentré[M]
seam allowance
ligne[F] de modification[F]
alteration line
pince[F]
dart
cran[M]
notch
pliure[F]
fold line
ligne[F] de piqûre[F] de la fermeture[F]
zipper line
droit fil[M]
lengthwise grain
ligne[F] d'ourlet[M]
hemline

COUTURE^{F}
SEWING

ATTACHES^{F}
FASTENERS

bouton^{M} à tige^{F}
shank button

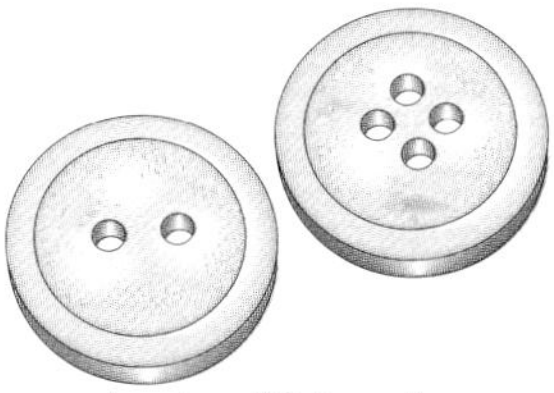
boutons^{M} à trous^{M}
sew-through buttons

bouton^{M}-pression^{F}
snap

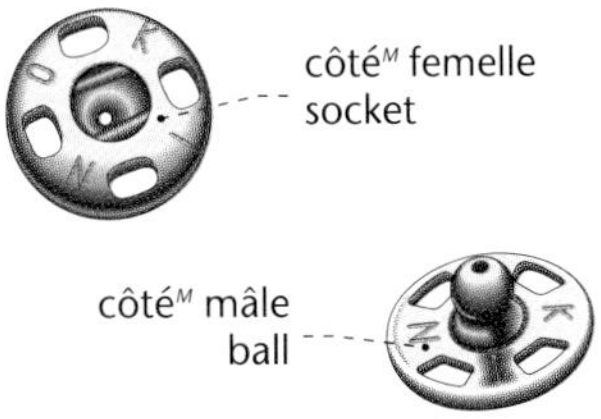
côté^{M} femelle
socket
côté^{M} mâle
ball

agrafes^{F}
hook and eyes

crochet^{M}
hook
porte^{F}
round eye
boucle^{F}
ring
bride^{F}
straight eye

boucle^{F}
buckle

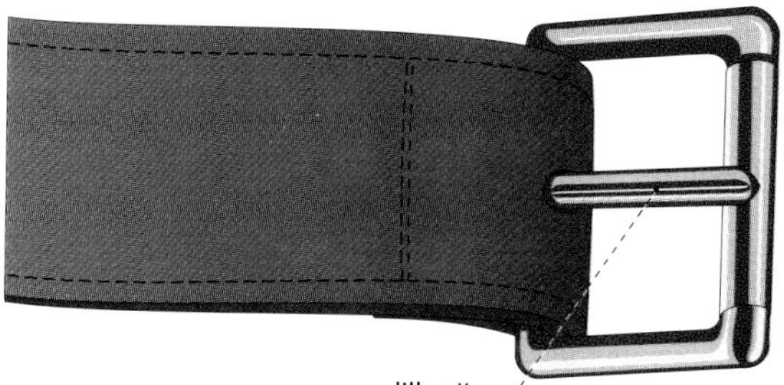
ardillon^{M}
tongue

épingle^{F} de sûreté^{F}
safety pin

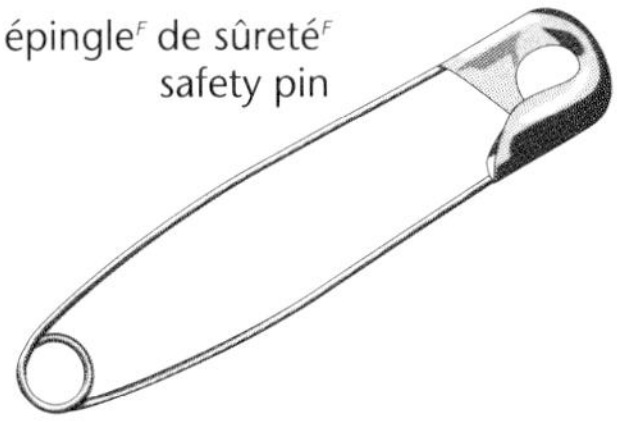

fermeture^{F} à glissière^{F}
zipper

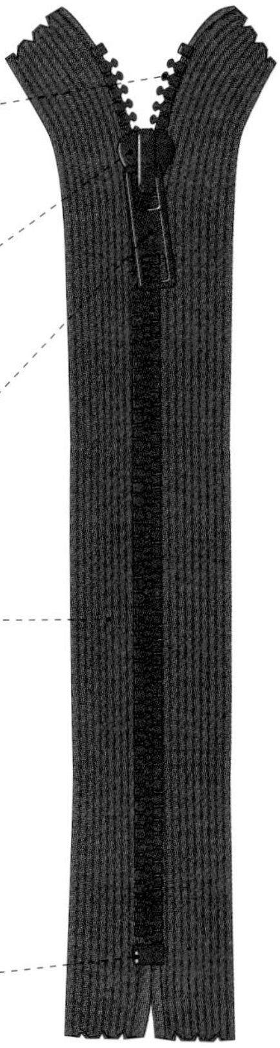
dents^{F}
teeth
curseur^{M}
slide
tirette^{F}
tab
ruban^{M}
tape
butée^{F}
stop

STRUCTURE^{F} DU TISSU^{M}
FABRIC STRUCTURE

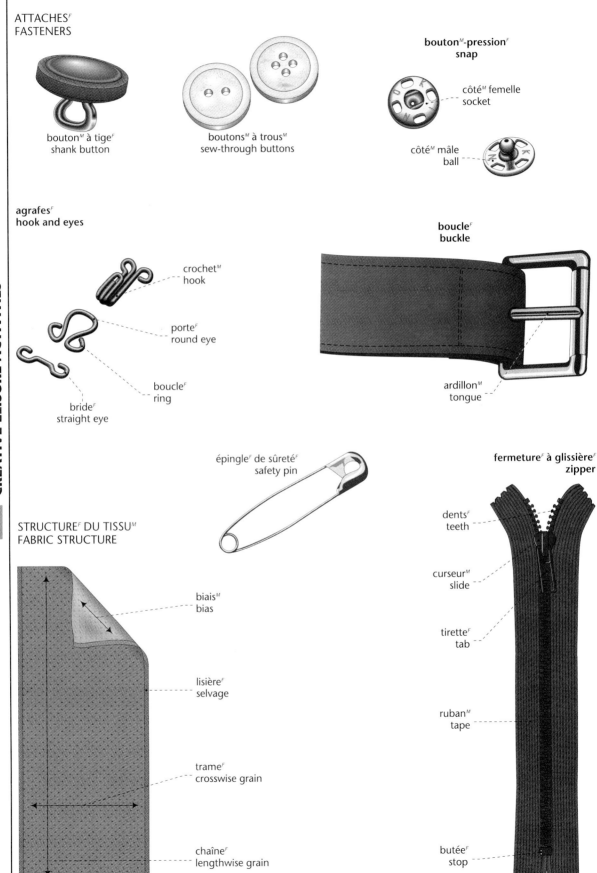

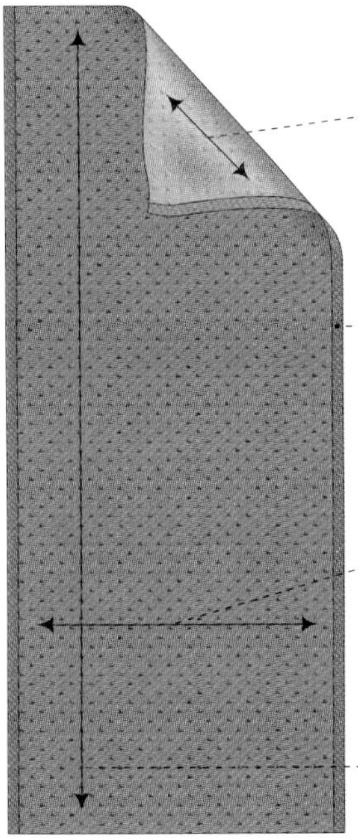
biais^{M}
bias
lisière^{F}
selvage
trame^{F}
crosswise grain
chaîne^{F}
lengthwise grain

TRICOT[M]
KNITTING

AIGUILLES[F] À TRICOTER
KNITTING NEEDLES

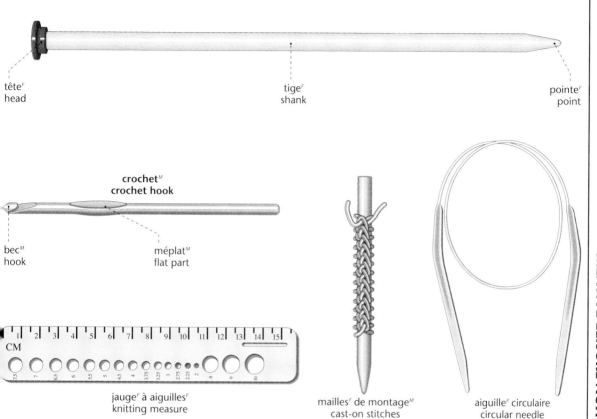

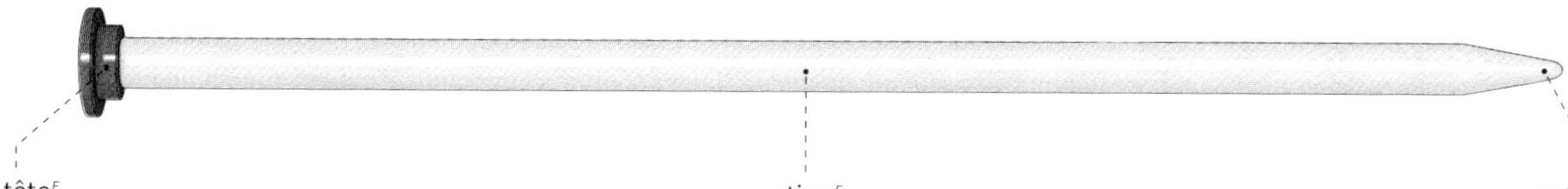
tête[F]
head
tige[F]
shank
pointe[F]
point

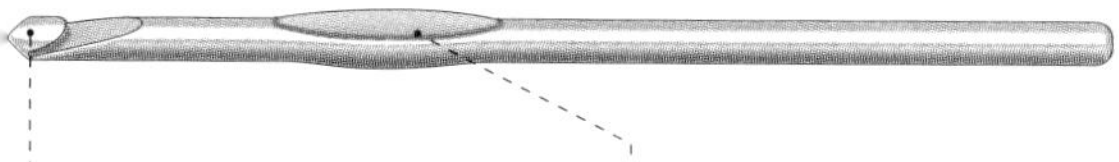
bec[M]
hook
méplat[M]
flat part

crochet[M]
crochet hook

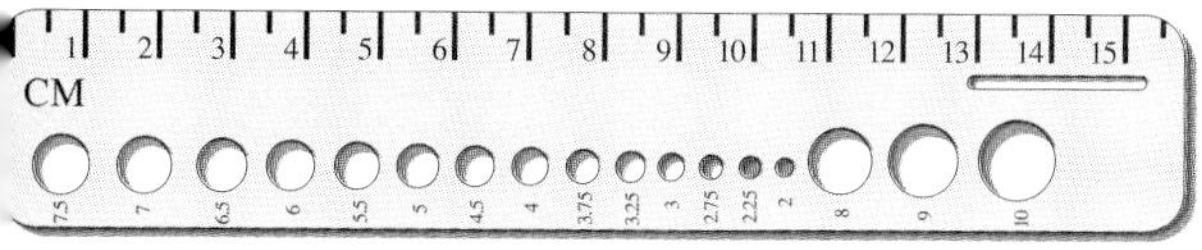
1 2 3 4 5 6 7 8 9 10 11 12 13 14 15
CM
7.5 7 6.5 6 5.5 5 4.5 4 3.75 3.25 3 2.75 2.25 2 8 9 10

jauge[F] à aiguilles[F]
knitting measure

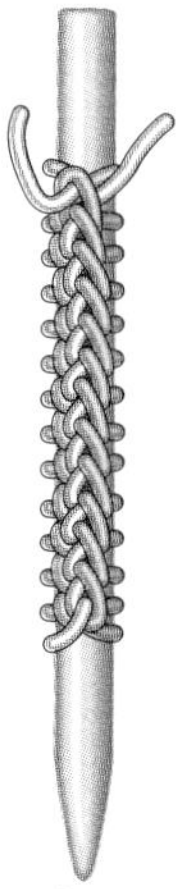

mailles[F] de montage[M]
cast-on stitches

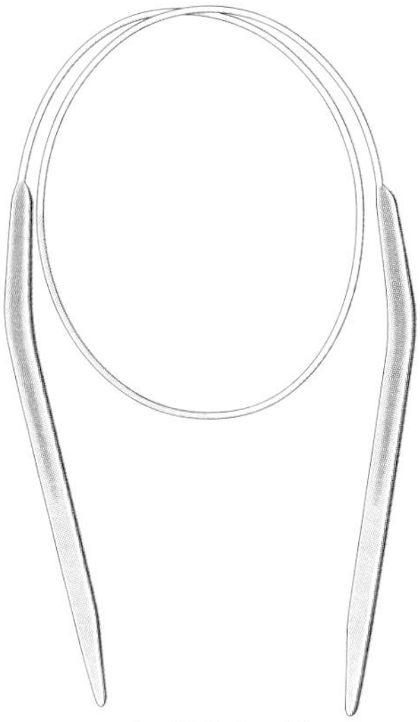

aiguille[F] circulaire
circular needle

POINTS[M] DE TRICOT[M]
STITCH PATTERNS

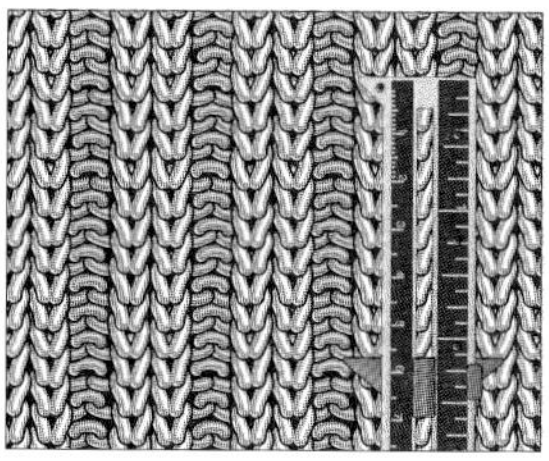

échantillon[M]
sample

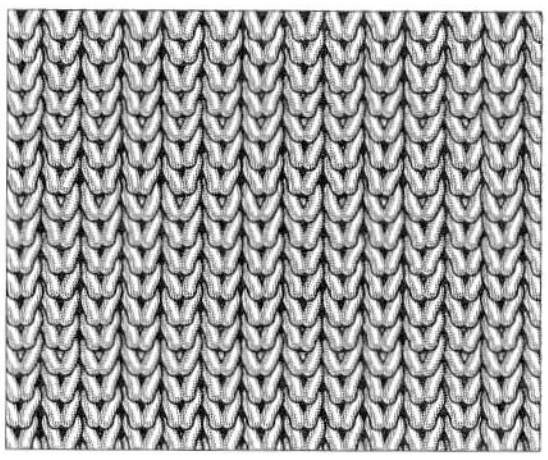

point[M] de jersey[M]
stocking stitch

point[M] mousse[F]
garter stitch

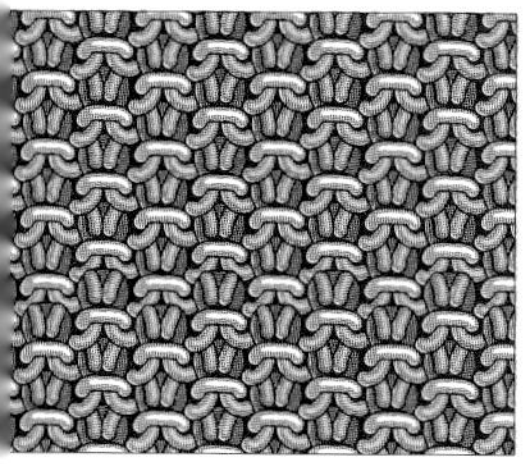

point[M] de riz[M]
moss stitch

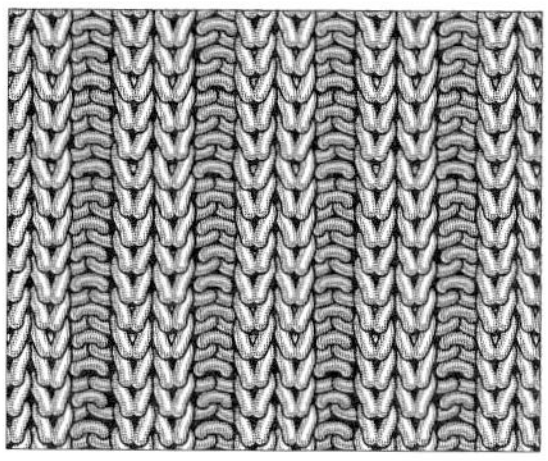

point[M] de côtes[F]
rib stitch

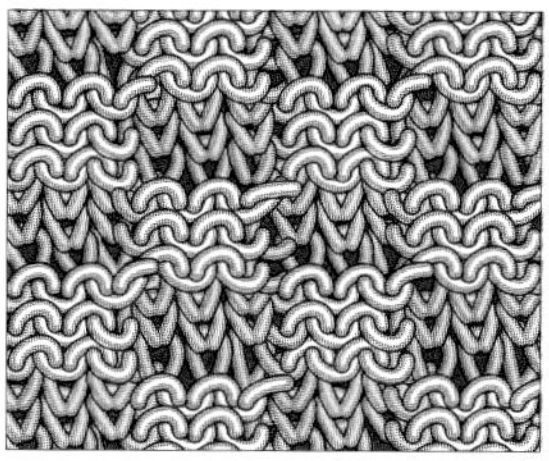

point[M] de damier[M]
basket stitch

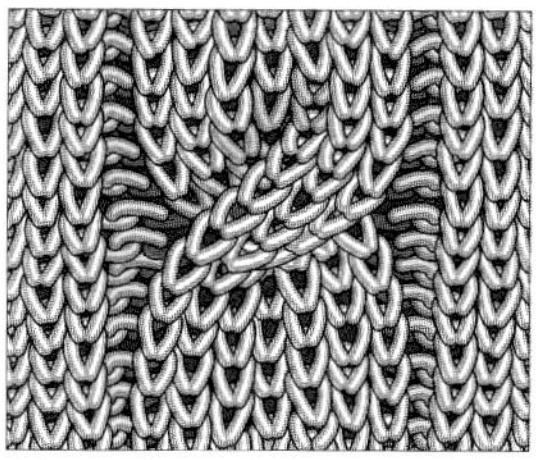

point[M] de torsades[F]
cable stitch

MACHINE[F] À TRICOTER
KNITTING MACHINE

FONTURE[F] ET CHARIOTS[M]
NEEDLE BED AND CARRIAGES

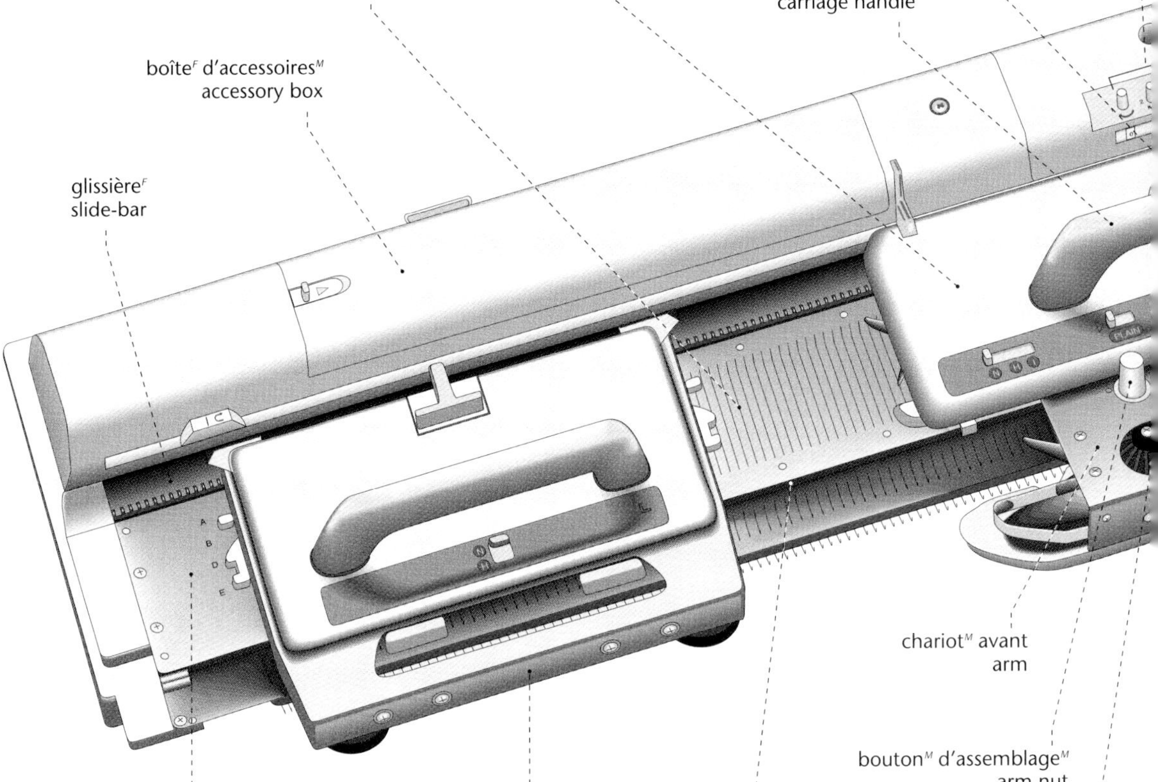

compte-rangs[M]
row counter
chariot[M]
main carriage
cadran[M] de tension[F]
tension dial
rainure[F]
needle bed groove
poignée[F] de chariot[M]
carriage handle
boîte[F] d'accessoires[M]
accessory box
glissière[F]
slide-bar
chariot[M] avant
arm
bouton[M] d'assemblage[M]
arm nut
fonture[F]
needle bed
chariot[M] à dentelle[F]
lace carriage
brosse[F] de tissage[M]
weaving pattern brush
rail[M]
rail
levier[M] de tissage[M]
weaving pattern lever

AIGUILLE[F] À CLAPET[M]
LATCH NEEDLE

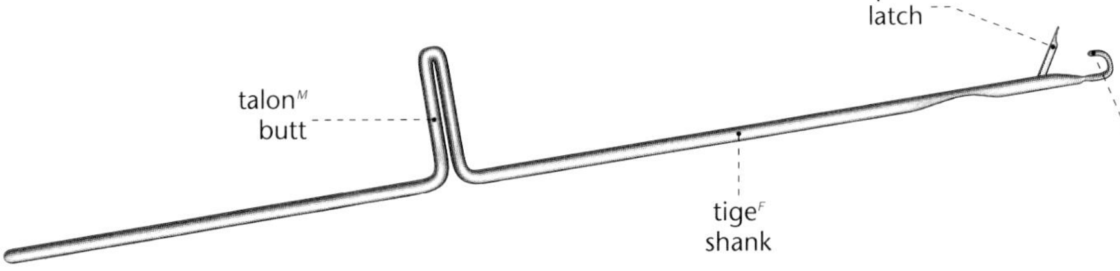

clapet[M]
latch
talon[M]
butt
tige[F]
shank
crochet[M]
hook

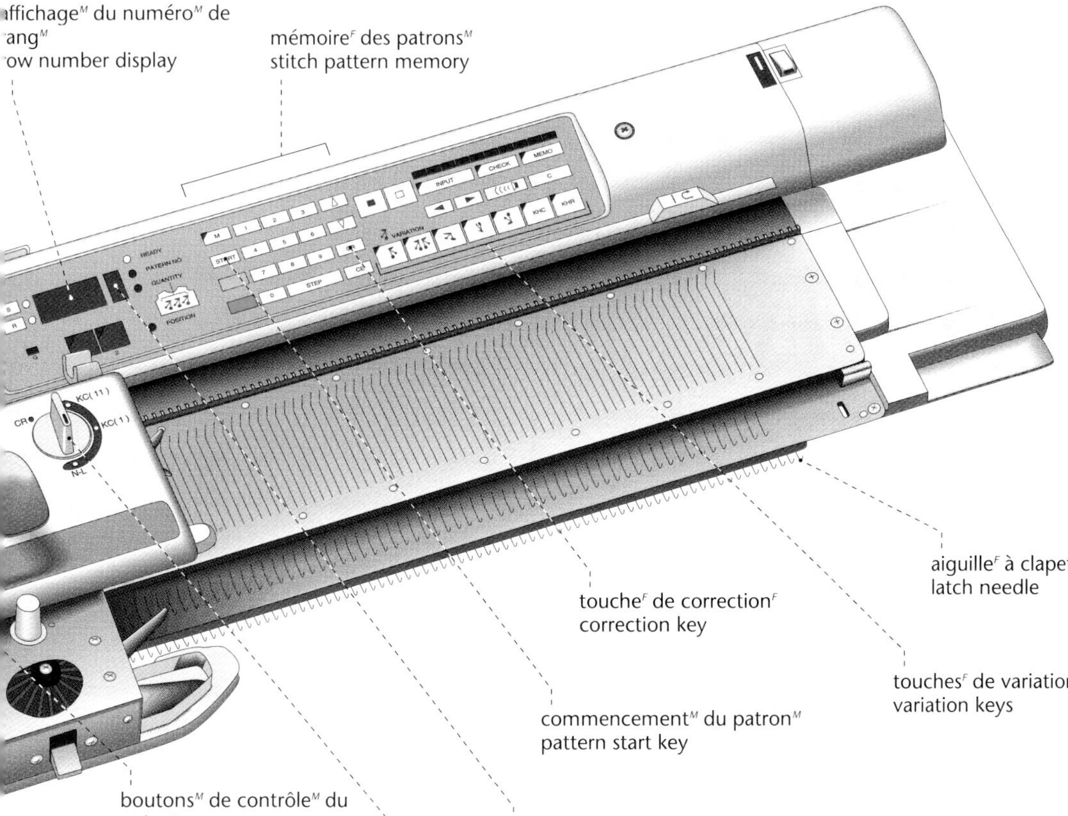
ffichage[M] du numéro[M] de
ang[M]
ow number display
mémoire[F] des patrons[M]
stitch pattern memory
aiguille[F] à clapet[M]
latch needle
touche[F] de correction[F]
correction key
touches[F] de variation[F]
variation keys
commencement[M] du patron[M]
pattern start key
boutons[M] de contrôle[M] du
point[M]
stitch control buttons
affichage[M] de la couleur[F]
color display; *colour display*
noix[F]
yarn feeder
commande[F] du chariot[M]
carriage control dial

BLOC[M]-TENSION[F]
TENSION BLOCK

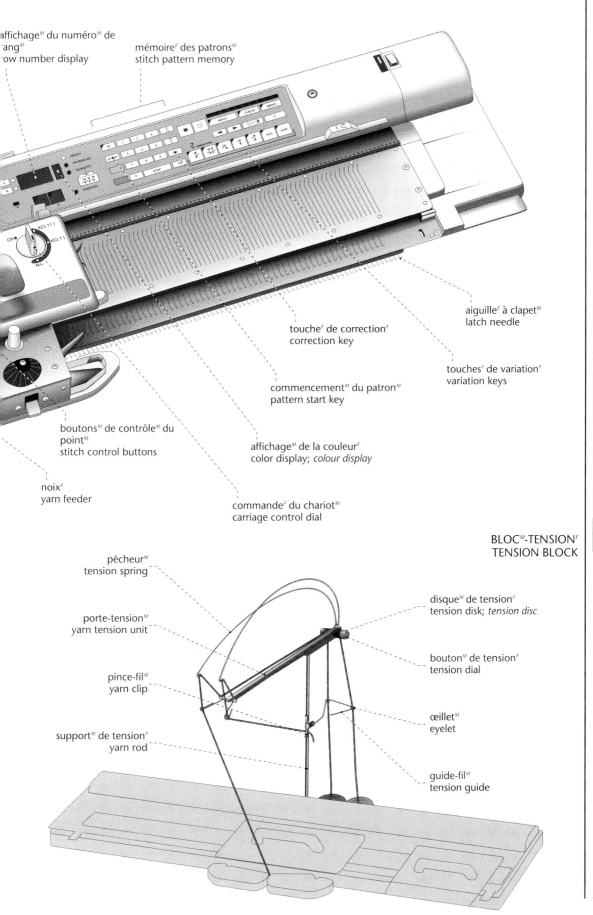

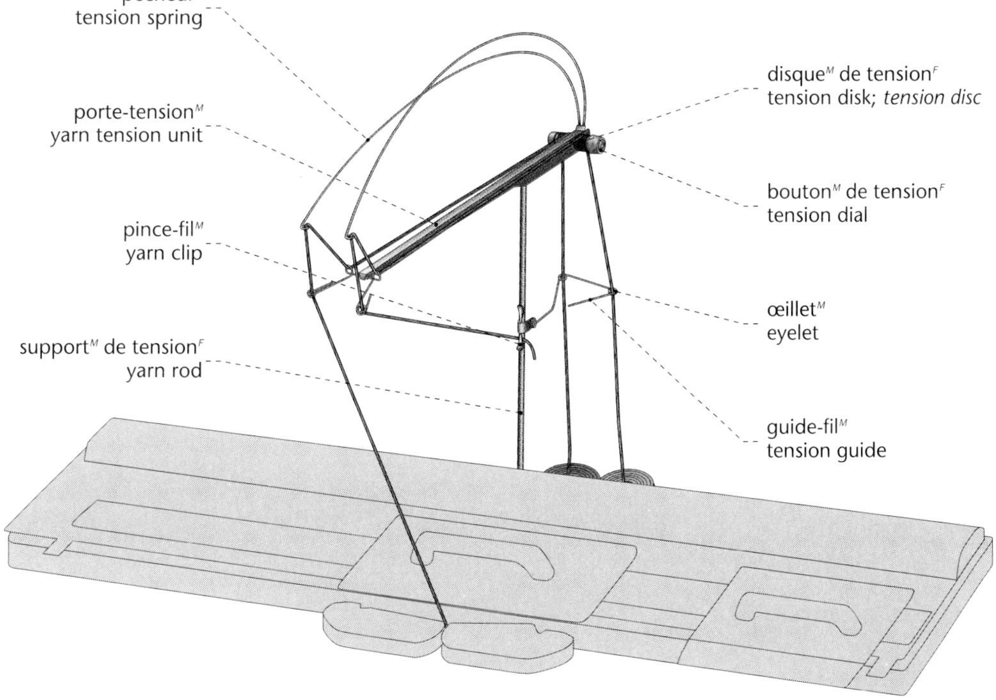
pêcheur[M]
tension spring
porte-tension[M]
yarn tension unit
pince-fil[M]
yarn clip
support[M] de tension[F]
yarn rod
disque[M] de tension[F]
tension disk; *tension disc*
bouton[M] de tension[F]
tension dial
œillet[M]
eyelet
guide-fil[M]
tension guide

DENTELLE[F] AUX FUSEAUX[M]
BOBBIN LACE

CARREAU[M]
PILLOW

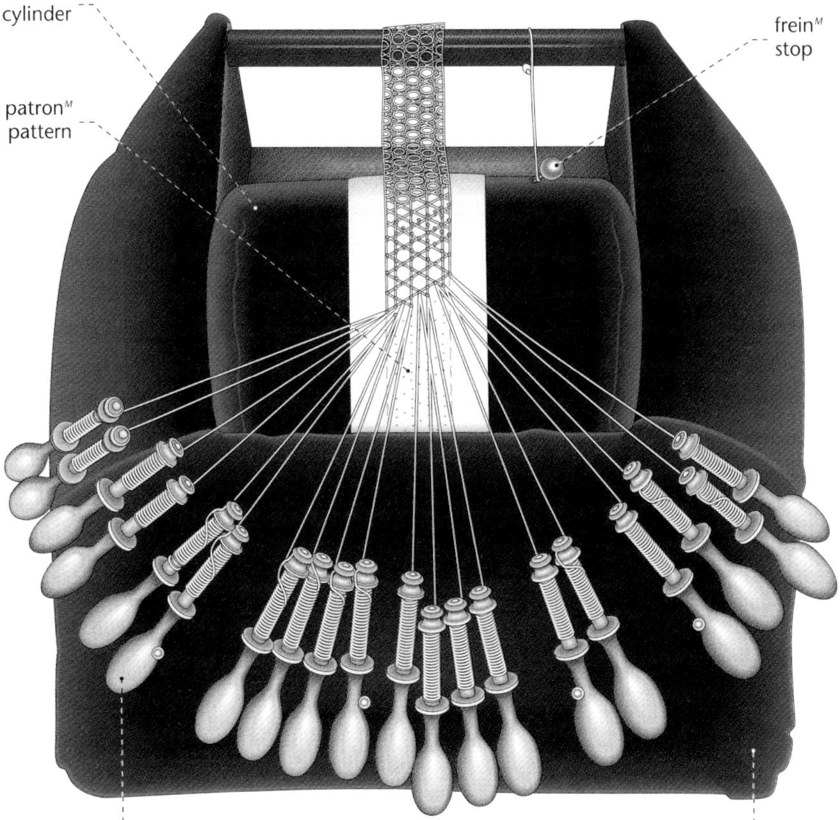
cylindre[M] rotatif
revolving cylinder
patron[M]
pattern
frein[M]
stop
fuseau[M]
bobbin
coussin[M]
pillow

piquoir[M]
pricker

FUSEAU[M]
BOBBIN

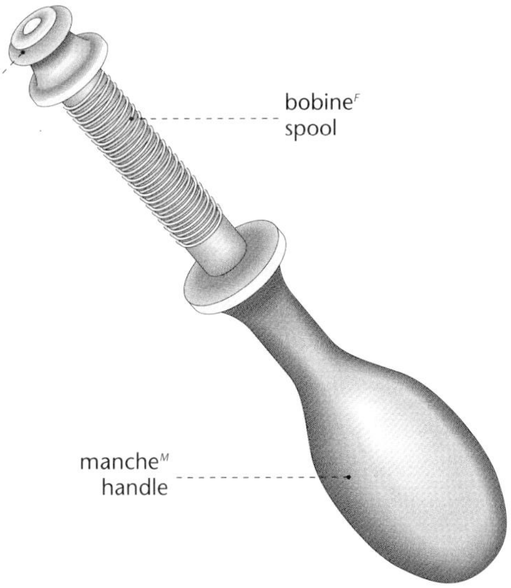
bobine[F]
spool
tête[F]
head
manche[M]
handle

BRODERIE[F]
EMBROIDERY

MÉTIER[M] À BRODER
FRAME

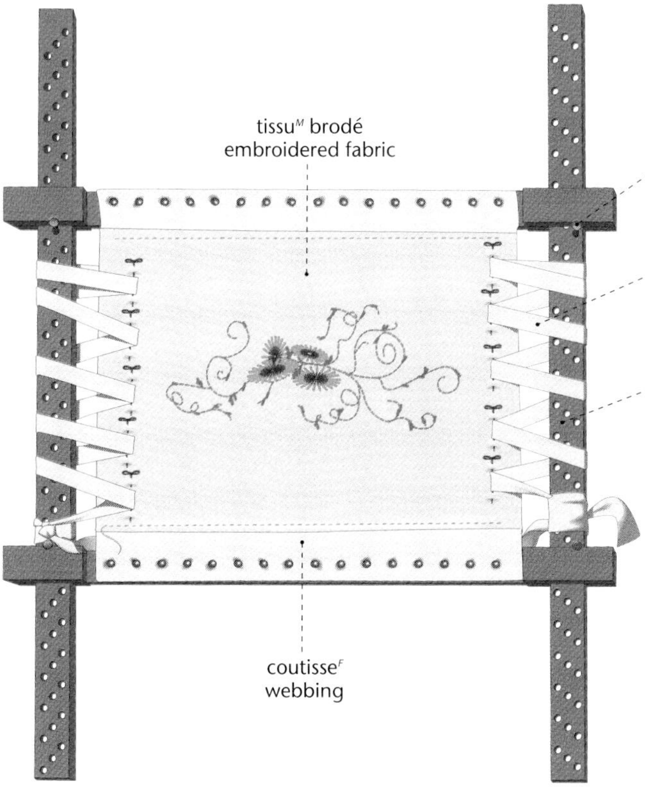
tissu[M] brodé
embroidered fabric
cheville[F]
peg
tirette[F]
tape
latte[F]
slat
coutisse[F]
webbing

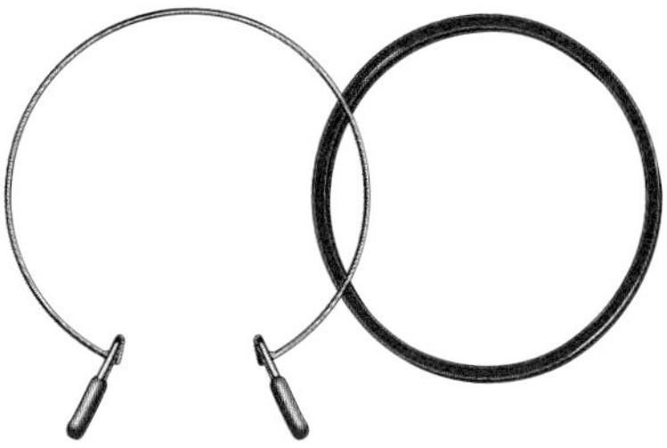
tambour[M]
hoop

CATÉGORIES[F] DE POINTS[M]
STITCHES

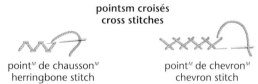

pointsm croisés
cross stitches

point[M] de chausson[M]
herringbone stitch

point[M] de chevron[M]
chevron stitch

pointsm plats
flat stitches

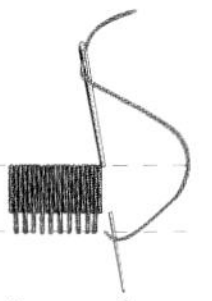
point[M] passé empiétant
long and short stitch

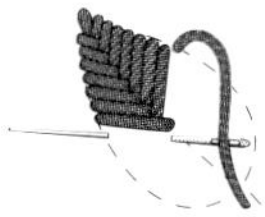
point[M] d'arête[F]
fishbone stitch

pointsm couchés
couched stitches

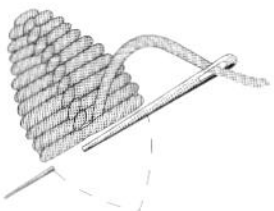
point[M] roumain
Romanian couching stitch

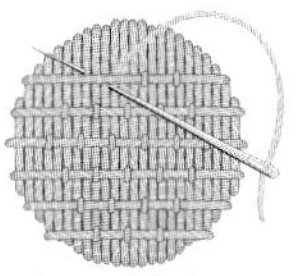
point[M] d'Orient[M]
Oriental couching stitch

pointsm noués
knot stitches

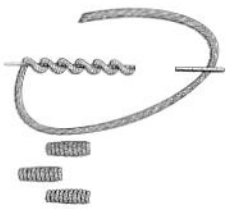
point[M] de poste[F]
bullion stitch

point[M] de nœud[M]
French knot stitch

pointsm bouclés
loop stitches

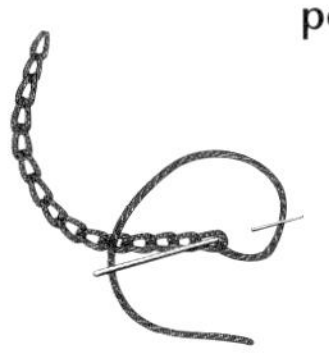
point[M] de chaînette[F]
chain stitch

point[M] d'épine[F]
feather stitch

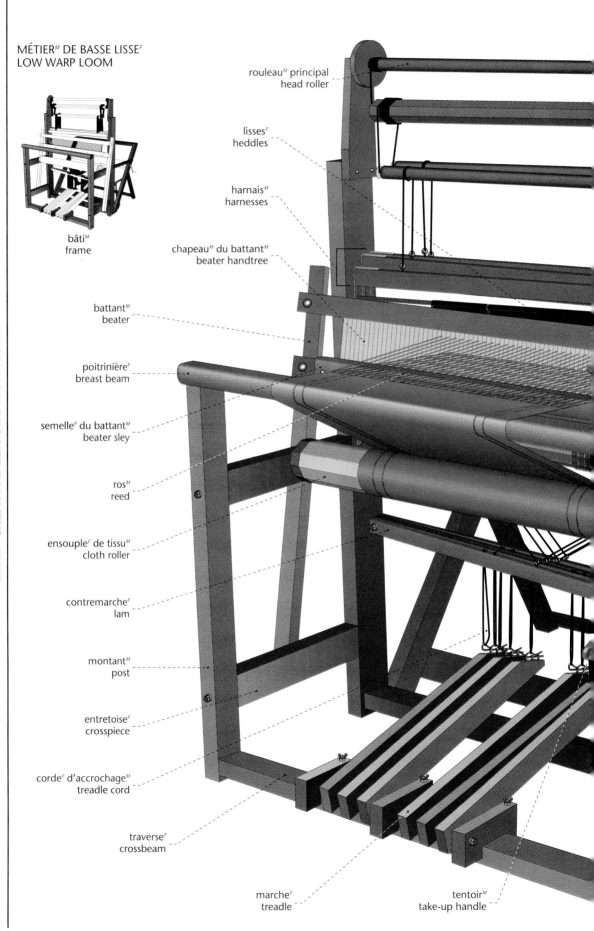

MÉTIER M DE BASSE LISSE F
LOW WARP LOOM

bâti M
frame

rouleau M principal
head roller
lisses F
heddles
harnais M
harnesses
chapeau M du battant M
beater handtree
battant M
beater
poitrinière F
breast beam
semelle F du battant M
beater sley
ros M
reed
ensouple F de tissu M
cloth roller
contremarche F
lam
montant M
post
entretoise F
crosspiece
corde F d'accrochage M
treadle cord
traverse F
crossbeam
marche F
treadle
tentoir M
take-up handle

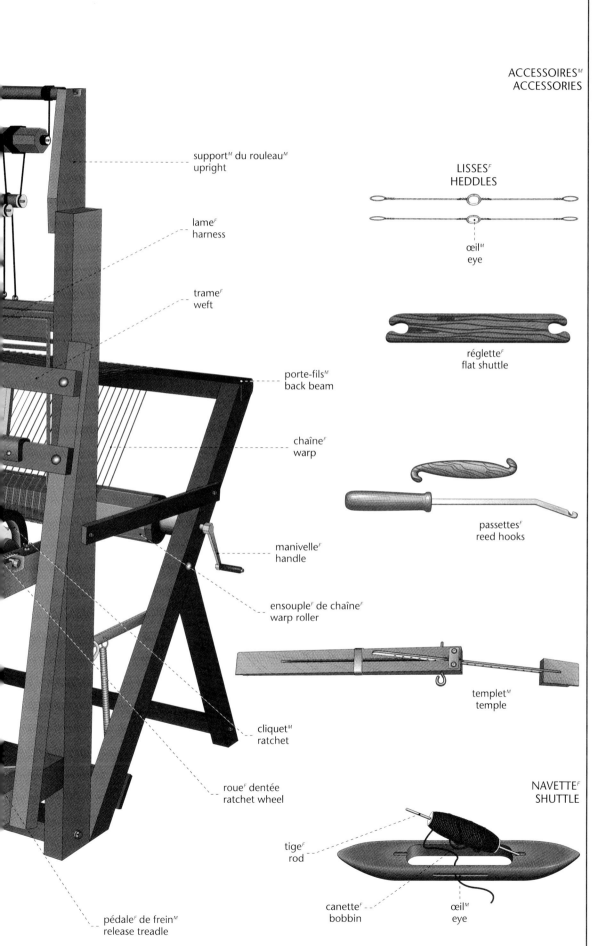

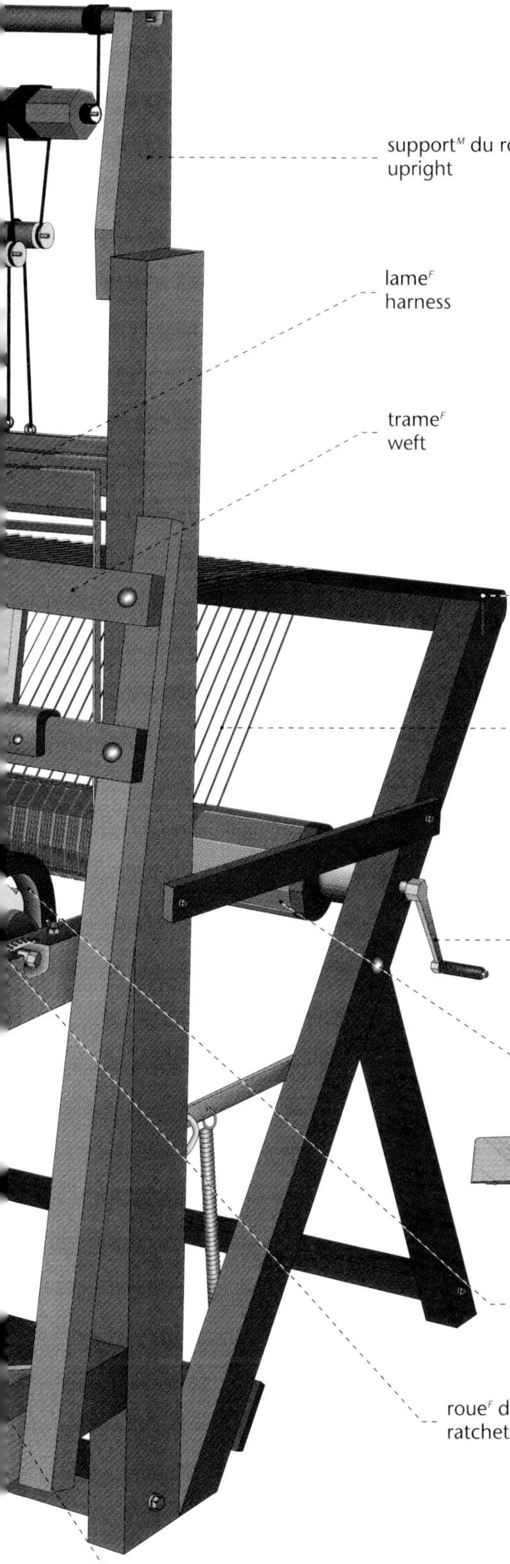
support^M du rouleau^M
upright
lame^F
harness
trame^F
weft
porte-fils^M
back beam
chaîne^F
warp
manivelle^F
handle
ensouple^F de chaîne^F
warp roller
cliquet^M
ratchet
roue^F dentée
ratchet wheel
pédale^F de frein^M
release treadle

ACCESSOIRES^M
ACCESSORIES

LISSES^F
HEDDLES

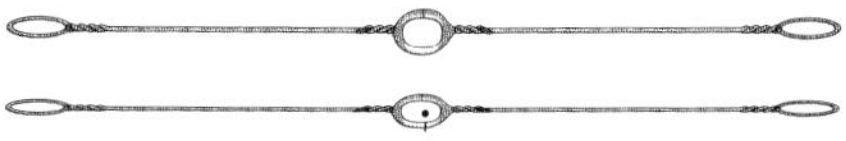
œil^M
eye

réglette^F
flat shuttle

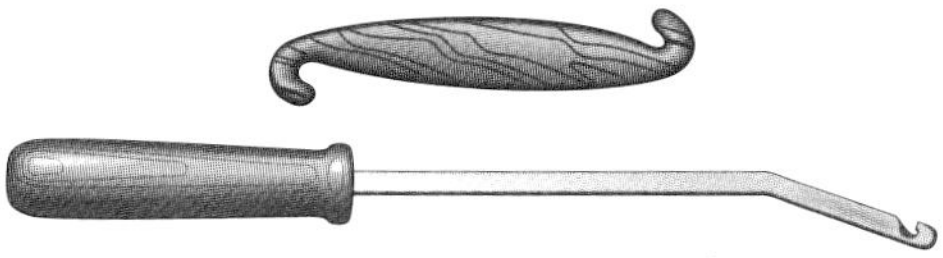

passettes^F
reed hooks

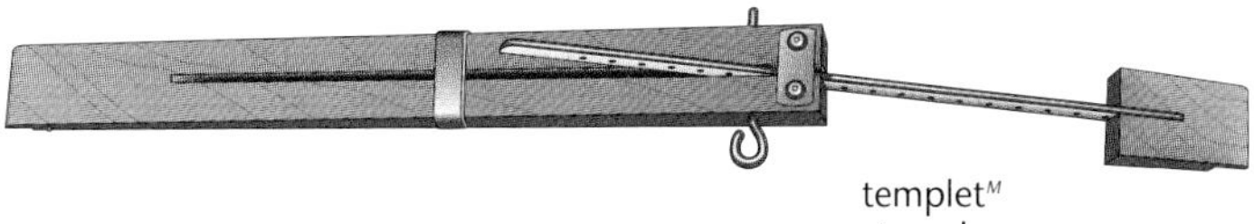

templet^M
temple

NAVETTE^F
SHUTTLE

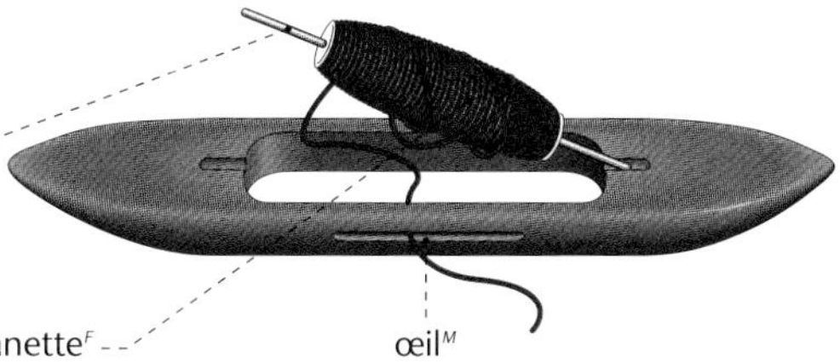
tige^F
rod
canette^F
bobbin
œil^M
eye

TISSAGE[M]
WEAVING

MÉTIER[M] DE HAUTE LISSE[F]
HIGH WARP LOOM

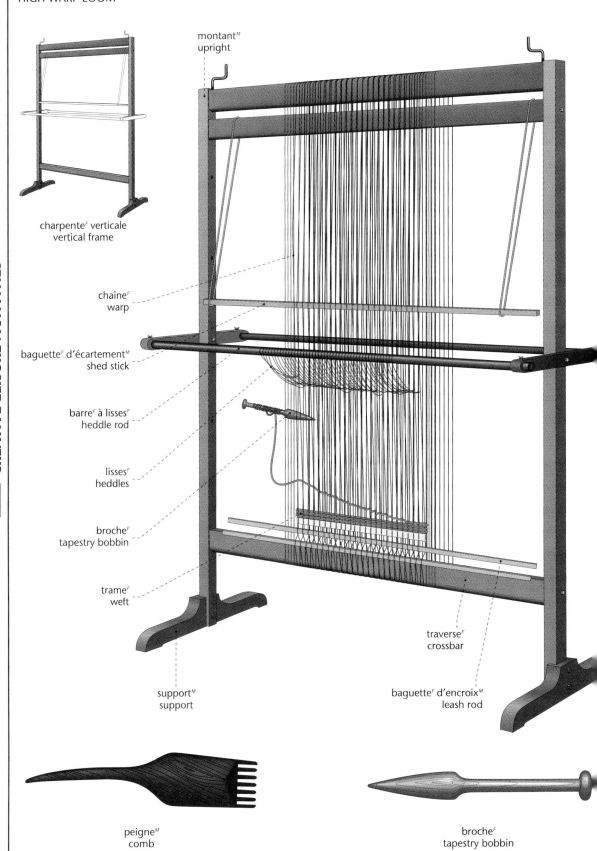

charpente[F] verticale
vertical frame

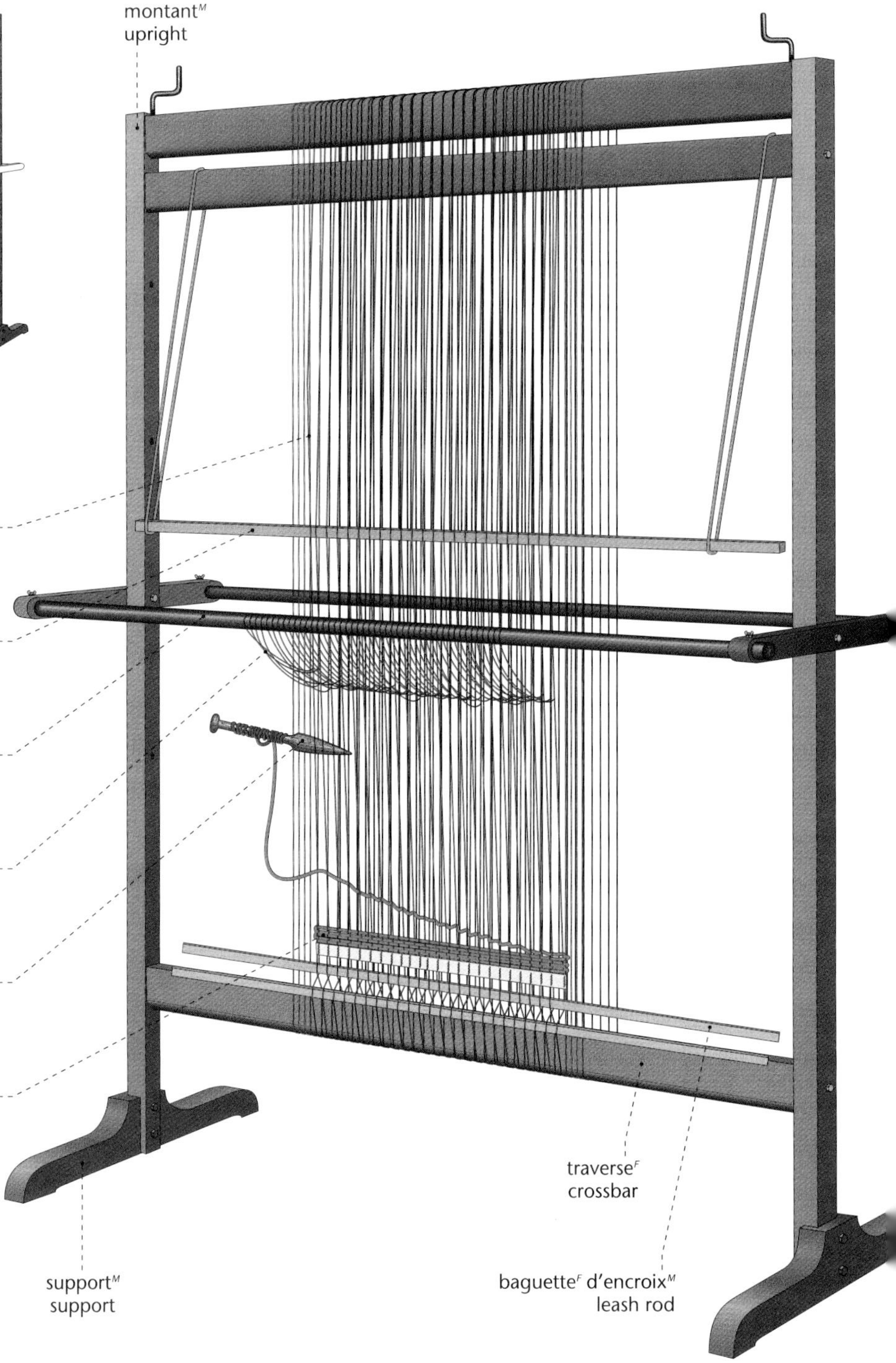
montant[M]
upright
chaîne[F]
warp
baguette[F] d'écartement[M]
shed stick
barre[F] à lisses[F]
heddle rod
lisses[F]
heddles
broche[F]
tapestry bobbin
trame[F]
weft
support[M]
support
traverse[F]
crossbar
baguette[F] d'encroix[M]
leash rod

peigne[M]
comb

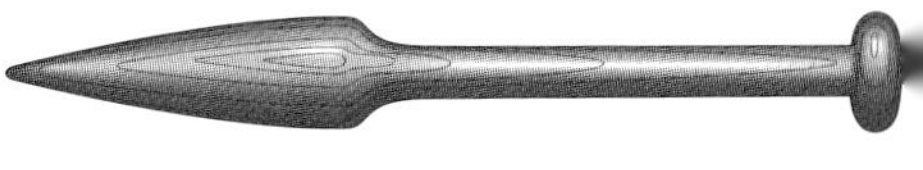

broche[F]
tapestry bobbin

ACCESSOIRES[M]
ACCESSORIES

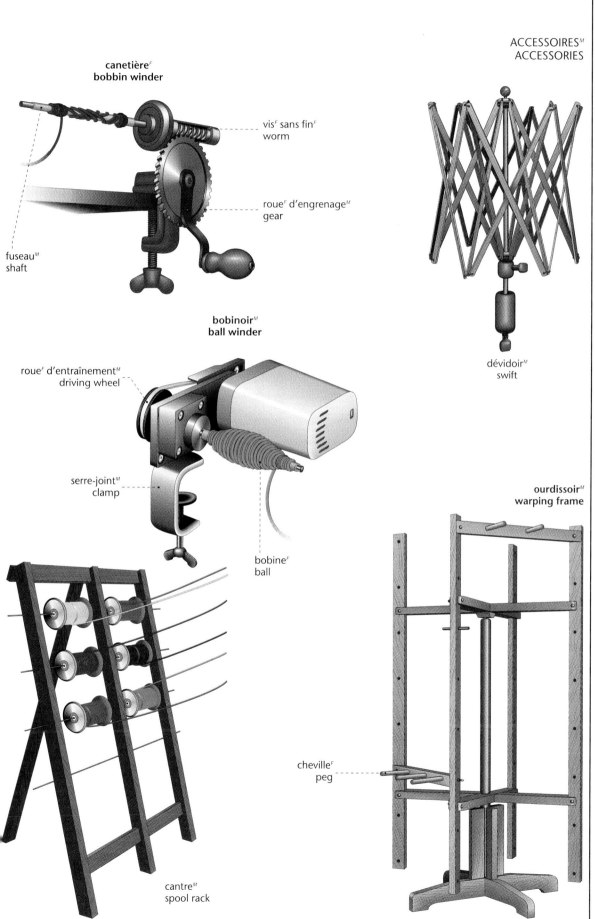

canetière[F]
bobbin winder

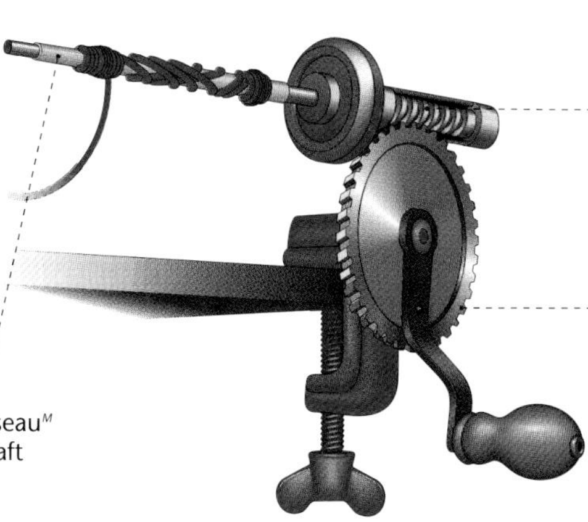
vis[F] sans fin[F]
worm
roue[F] d'engrenage[M]
gear
fuseau[M]
shaft

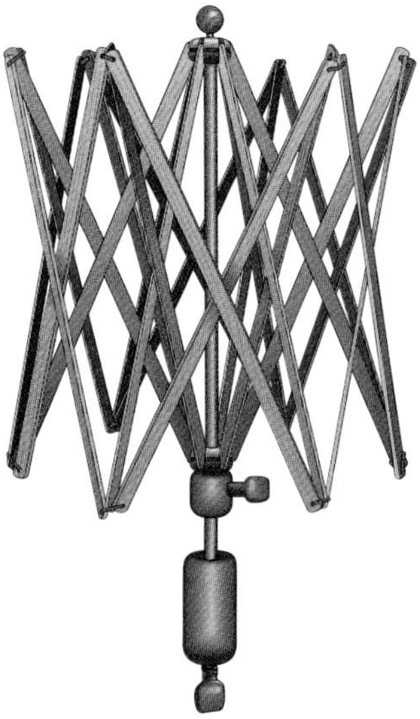
dévidoir[M]
swift

bobinoir[M]
ball winder

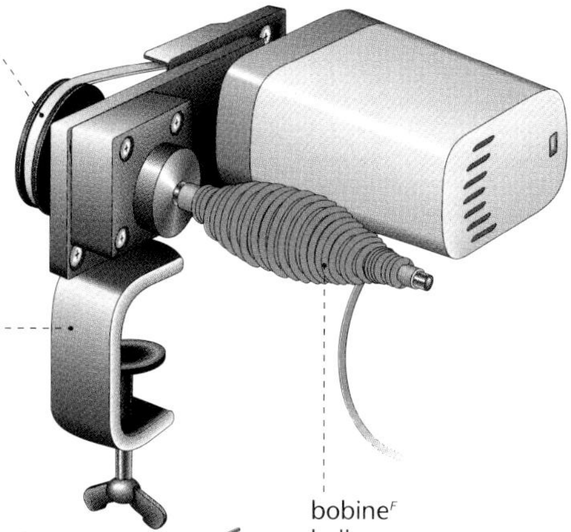
roue[F] d'entraînement[M]
driving wheel
serre-joint[M]
clamp
bobine[F]
ball

cantre[M]
spool rack

ourdissoir[M]
warping frame

cheville[F]
peg

TISSAGE[M]
WEAVING

SCHÉMA[M] DE PRINCIPE[M] DU TISSAGE[M]
DIAGRAM OF WEAVING PRINCIPLE

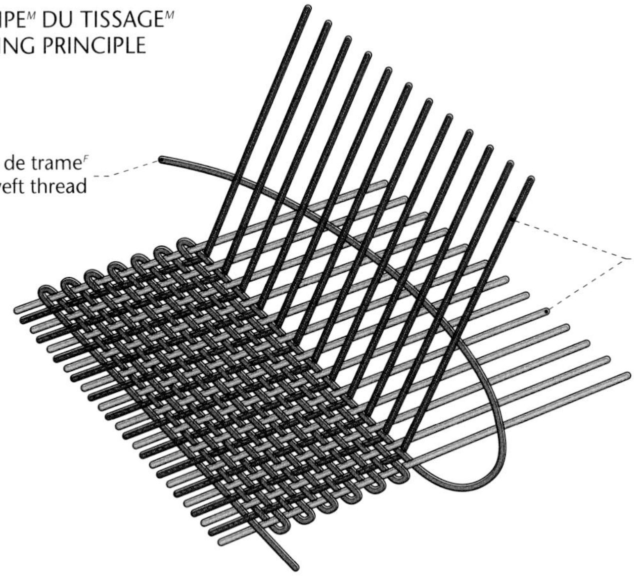
fil[M] de trame[F]
weft thread
fil[M] de chaîne[F]
warp thread

ARMURES[F] DE BASE[F]
BASIC WEAVES

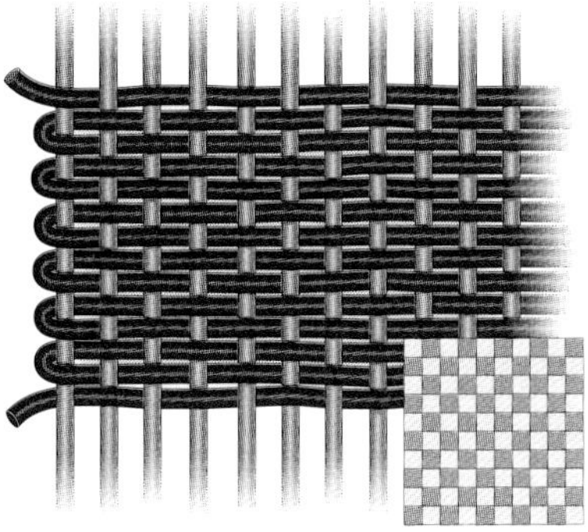

toile[F]
plain weave

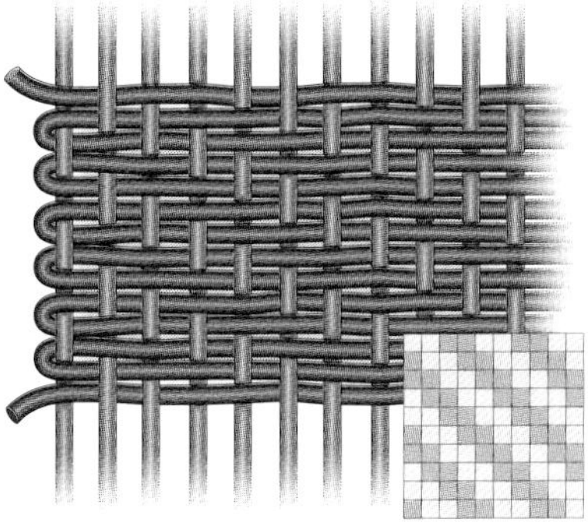

sergé[M]
twill weave

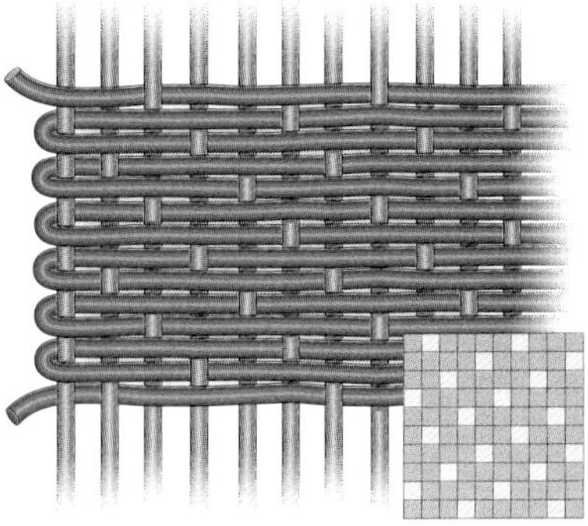

satin[M]
satin weave

AUTRES TECHNIQUES[F]
OTHER TECHNIQUES

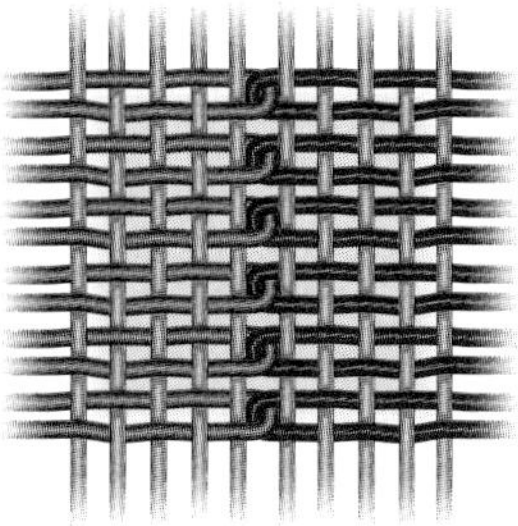

croisement[M]
interlock

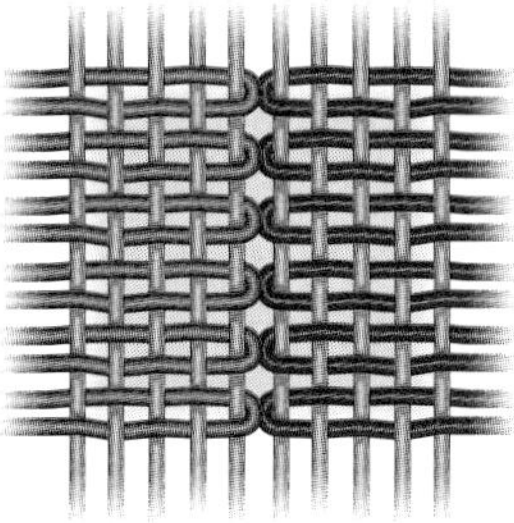

fente[F]
slit

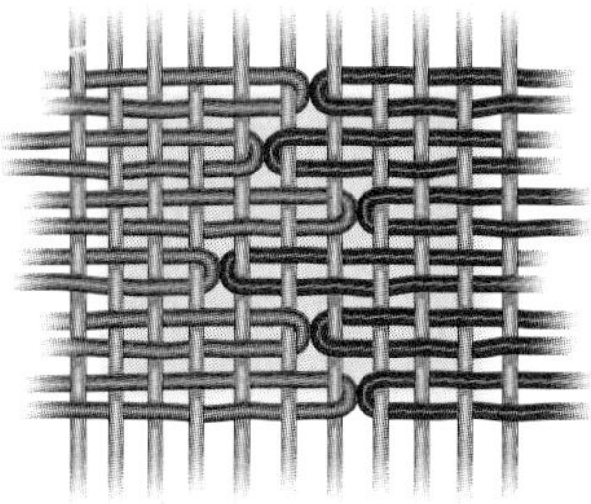

hachure[F]
hatching

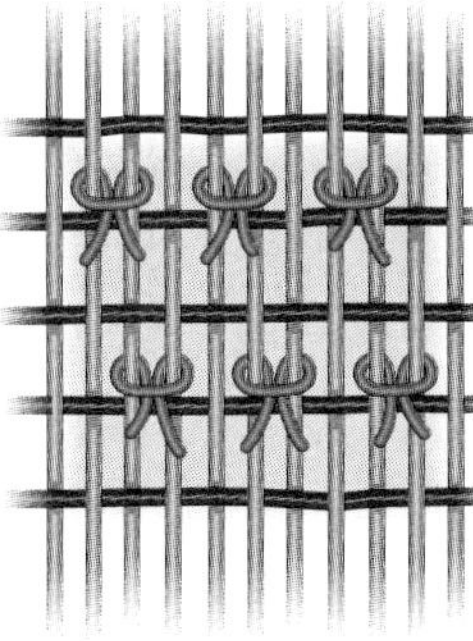

nœud[M]
knot

RELIURE[F] D'ART[M]
FINE BOOKBINDING

LIVRE[M] RELIÉ
BOUND BOOK

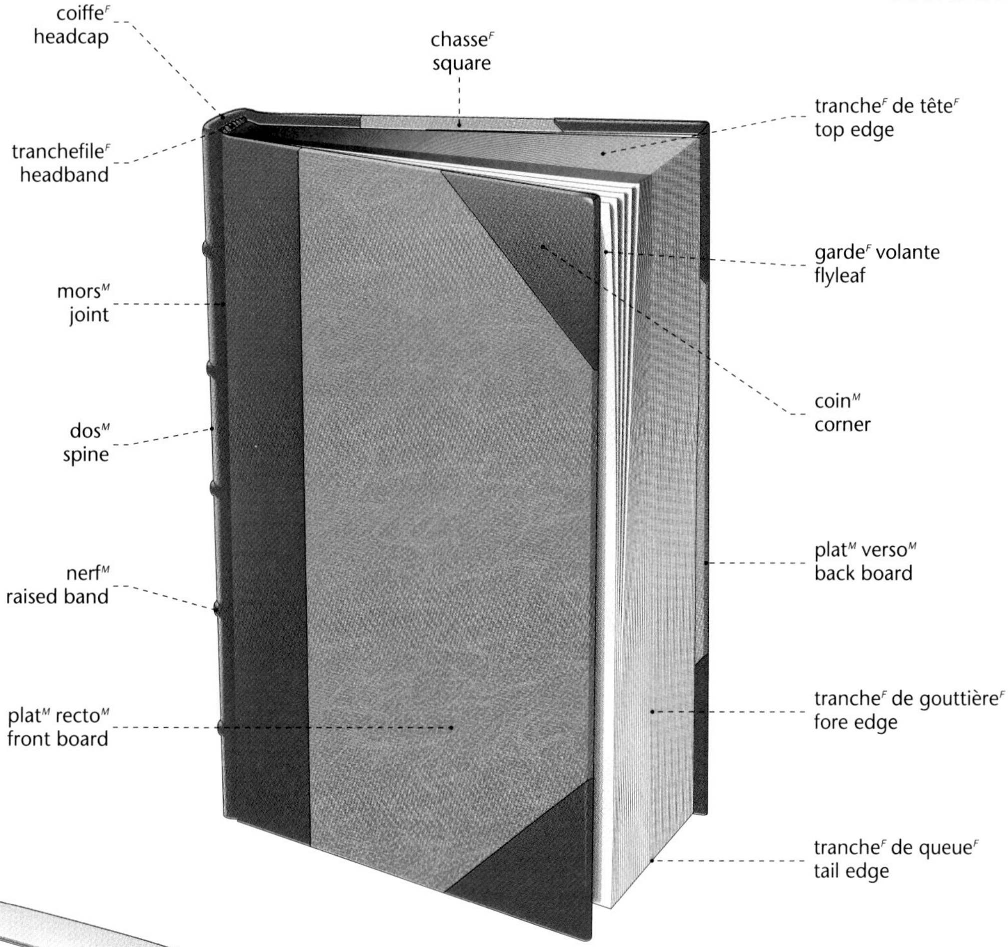
coiffe[F]
headcap
chasse[F]
square
tranche[F] de tête[F]
top edge
tranchefile[F]
headband
garde[F] volante
flyleaf
mors[M]
joint
coin[M]
corner
dos[M]
spine
plat[M] verso[M]
back board
nerf[M]
raised band
tranche[F] de gouttière[F]
fore edge
plat[M] recto[M]
front board
tranche[F] de queue[F]
tail edge

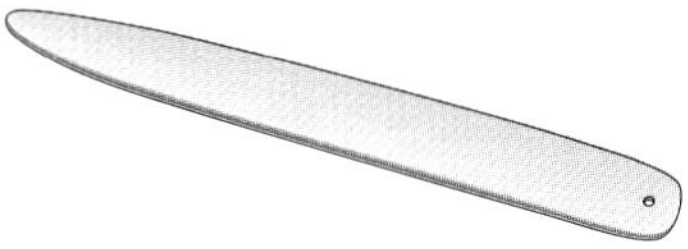
plioir[M]
bone folder

PLAÇURE[F]
GATHERING

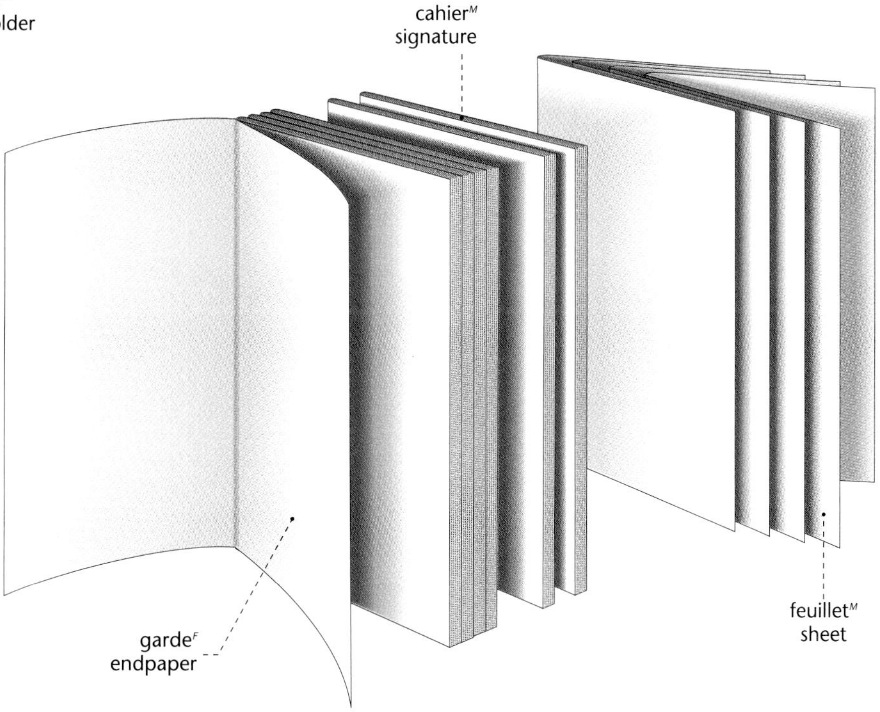
cahier[M]
signature
garde[F]
endpaper
feuillet[M]
sheet

RELIURE^F D'ART^M
FINE BOOKBINDING

ÉBARBAGE^M
TRIMMING

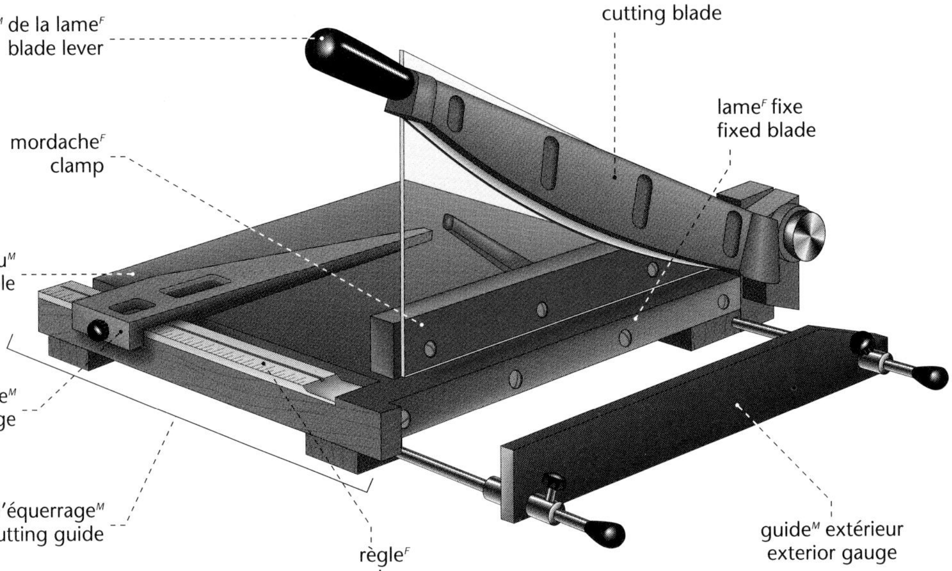
cisaille^F
board cutter
levier^M de la lame^F
blade lever
lame^F mobile
cutting blade
lame^F fixe
fixed blade
mordache^F
clamp
plateau^M
table
guide^M
gauge
règle^F d'équerrage^M
cutting guide
règle^F
ruler
guide^M extérieur
exterior gauge

GRECQUAGE^M
SAWING-IN

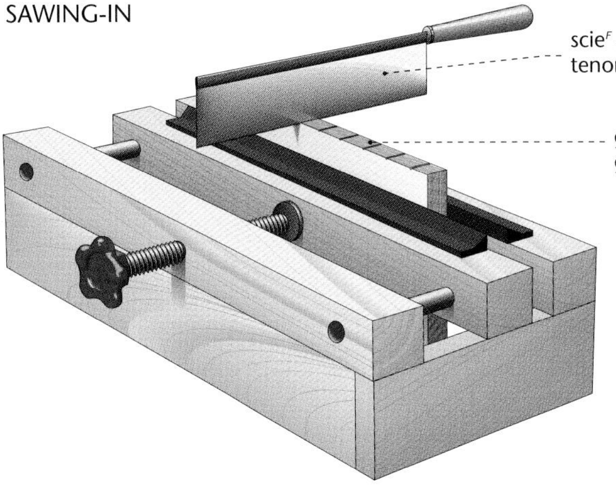
scie^F à grecquer
tenon saw
grecque^F
groove

COUTURE^F
SEWING

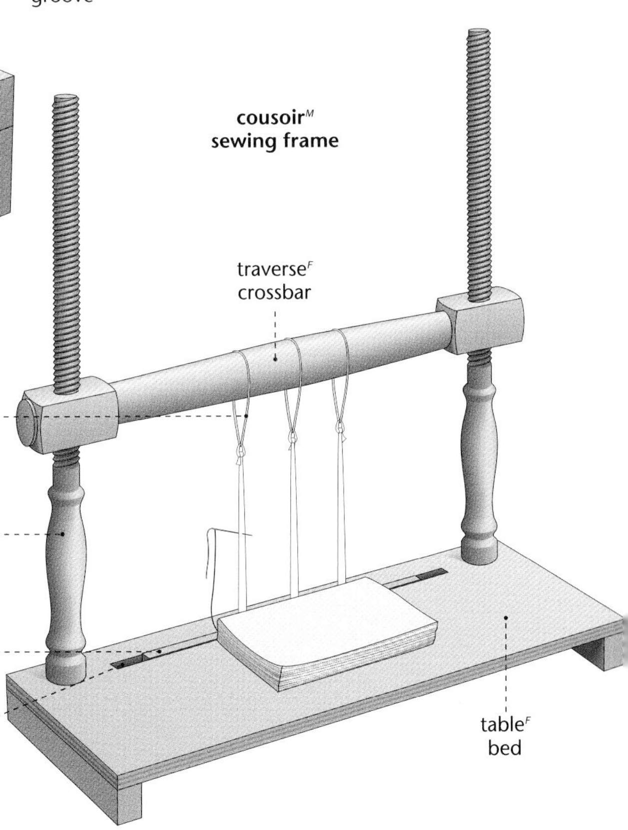
cousoir^M
sewing frame
traverse^F
crossbar
ficelle^F
cord
montant^M
upright
templet^M
temple
fente^F
slot
table^F
bed

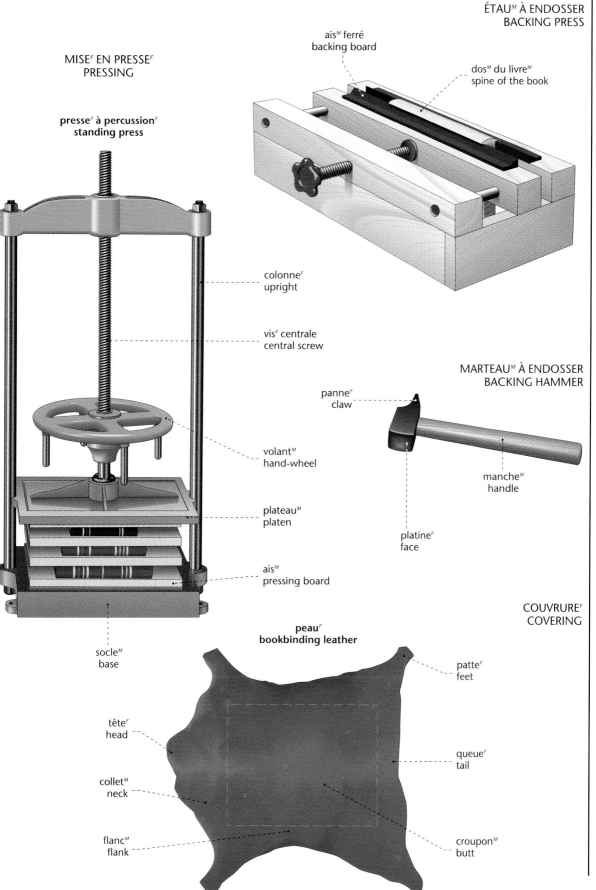

ENDOSSURE[F]
BACKING

ÉTAU[M] À ENDOSSER
BACKING PRESS

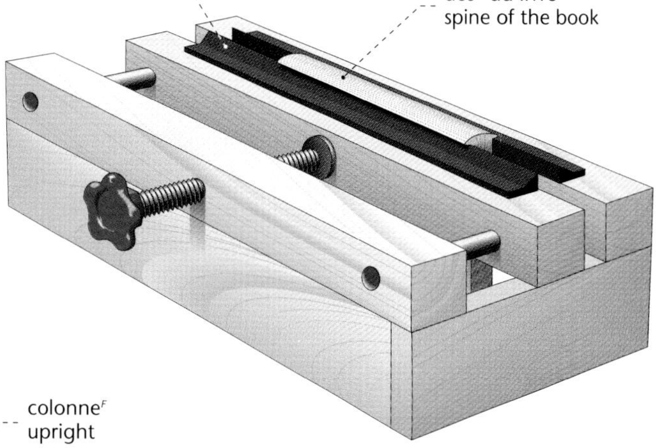
ais[M] ferré
backing board
dos[M] du livre[M]
spine of the book

MISE[F] EN PRESSE[F]
PRESSING

presse[F] à percussion[F]
standing press

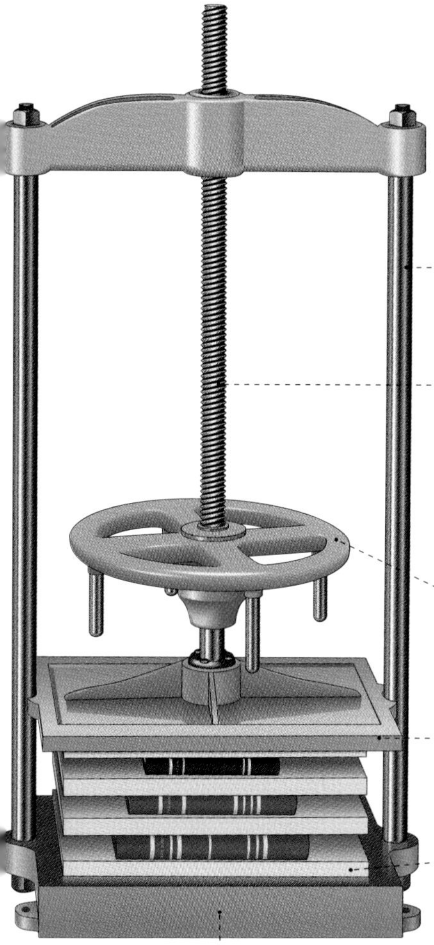
colonne[F]
upright
vis[F] centrale
central screw
volant[M]
hand-wheel
plateau[M]
platen
ais[M]
pressing board
socle[M]
base

MARTEAU[M] À ENDOSSER
BACKING HAMMER

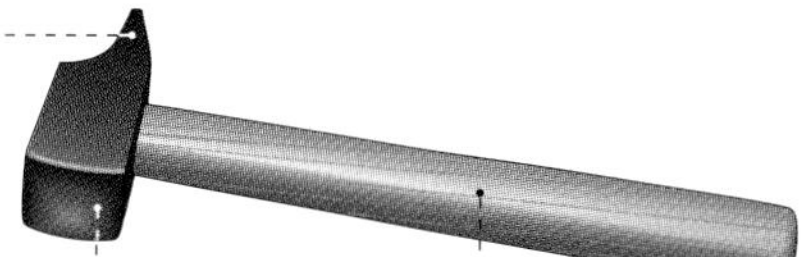
panne[F]
claw
manche[M]
handle
platine[F]
face

COUVRURE[F]
COVERING

peau[F]
bookbinding leather

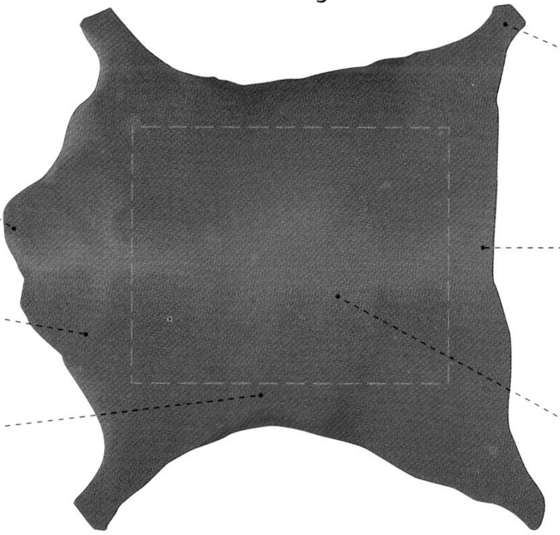
patte[F]
feet
tête[F]
head
queue[F]
tail
collet[M]
neck
flanc[M]
flank
croupon[M]
butt

IMPRESSION[F]
PRINTING

IMPRESSION[F] EN RELIEF[M]
RELIEF PRINTING

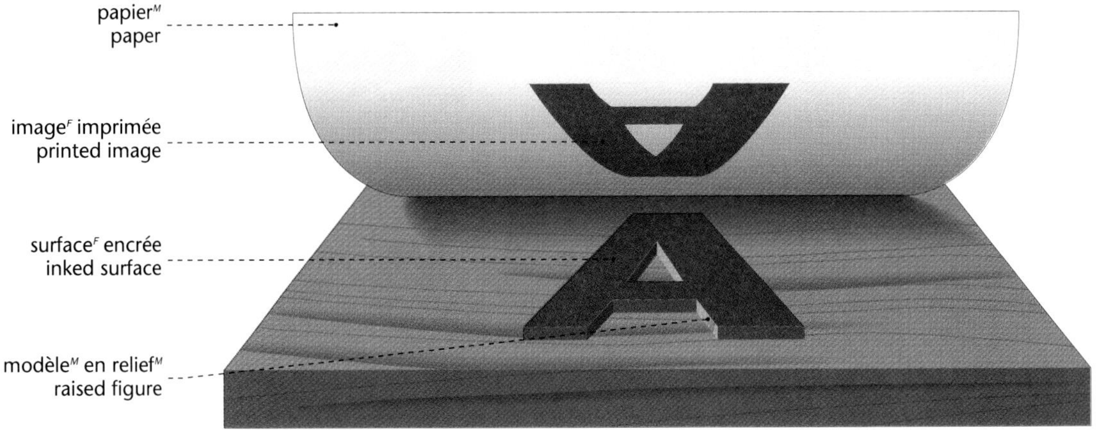
papier[M]
paper
image[F] imprimée
printed image
surface[F] encrée
inked surface
modèle[M] en relief[M]
raised figure

IMPRESSION[F] EN CREUX[M]
INTAGLIO PRINTING

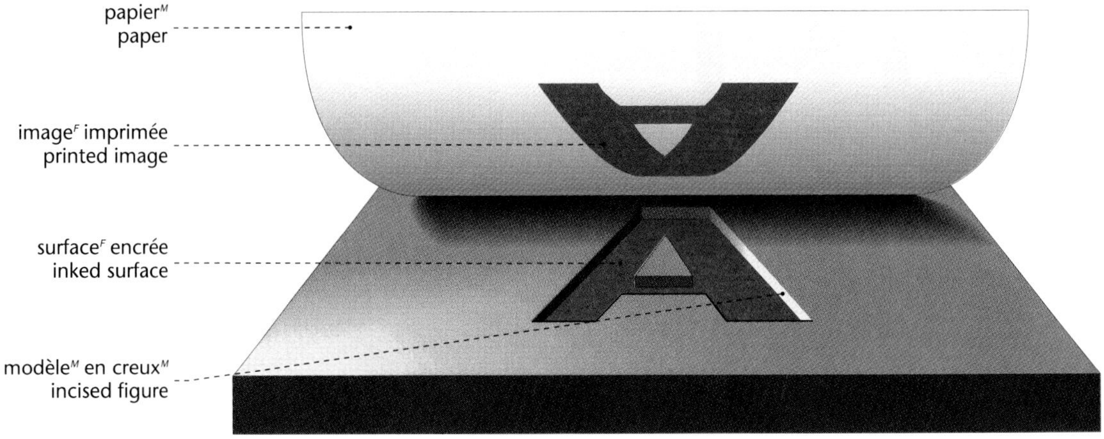
papier[M]
paper
image[F] imprimée
printed image
surface[F] encrée
inked surface
modèle[M] en creux[M]
incised figure

IMPRESSION[F] À PLAT[M]
LITHOGRAPHIC PRINTING

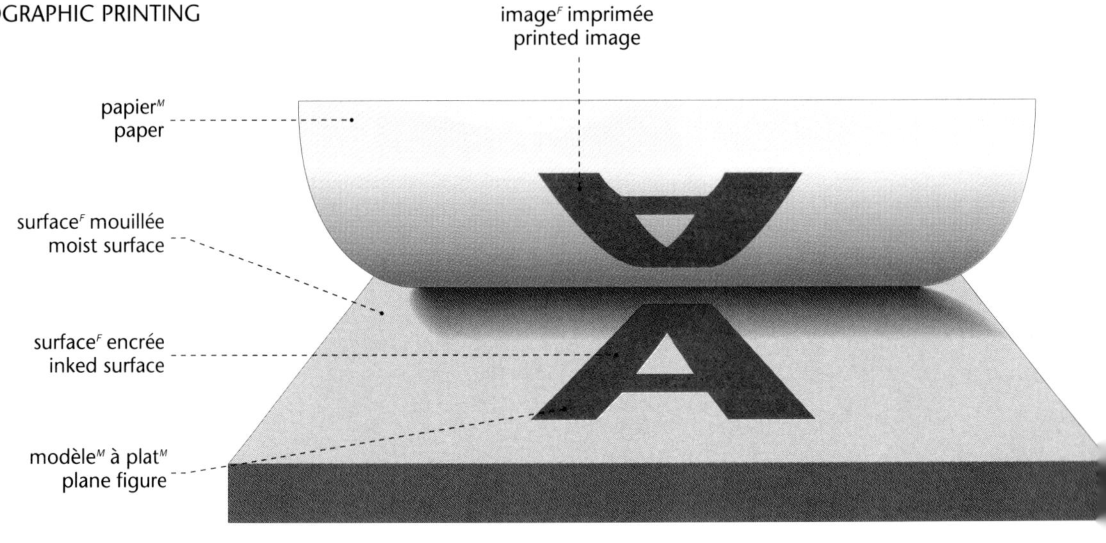
image[F] imprimée
printed image
papier[M]
paper
surface[F] mouillée
moist surface
surface[F] encrée
inked surface
modèle[M] à plat[M]
plane figure

GRAVURE[F] EN RELIEF[M]
RELIEF PRINTING PROCESS

MATÉRIEL[M]
EQUIPMENT

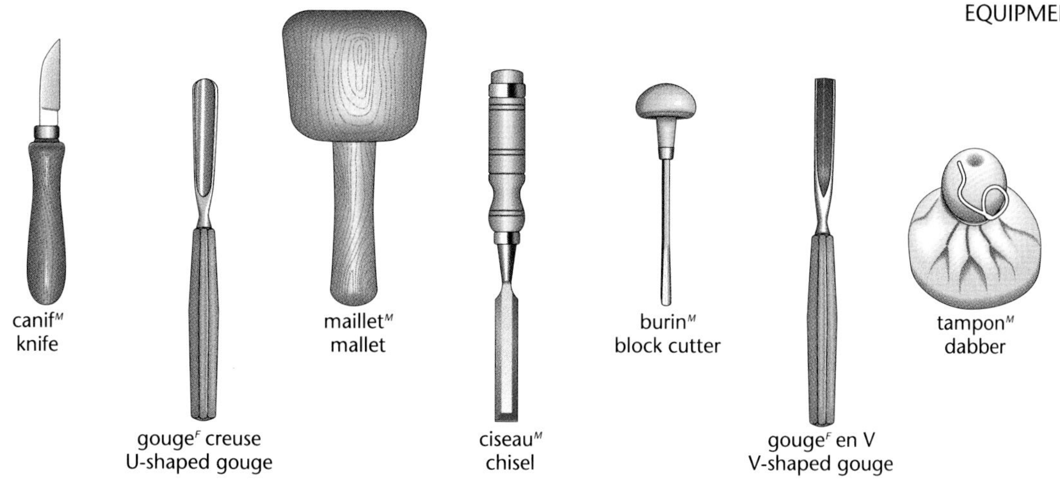
canif[M]
knife
gouge[F] creuse
U-shaped gouge
maillet[M]
mallet
ciseau[M]
chisel
burin[M]
block cutter
gouge[F] en V
V-shaped gouge
tampon[M]
dabber

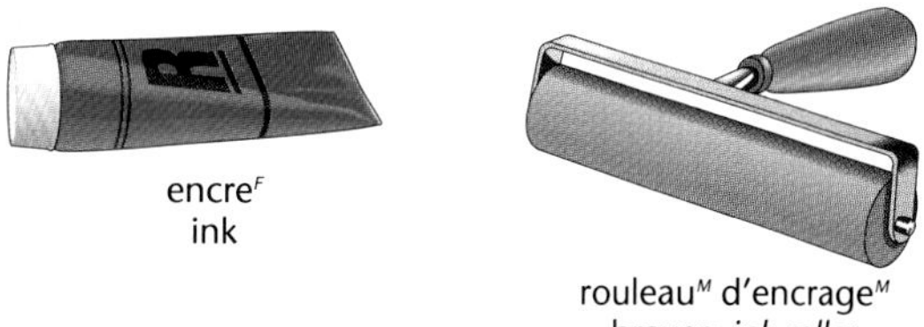
encre[F]
ink
rouleau[M] d'encrage[M]
brayer; *ink roller*

MARBRE[M]
INKING SLAB

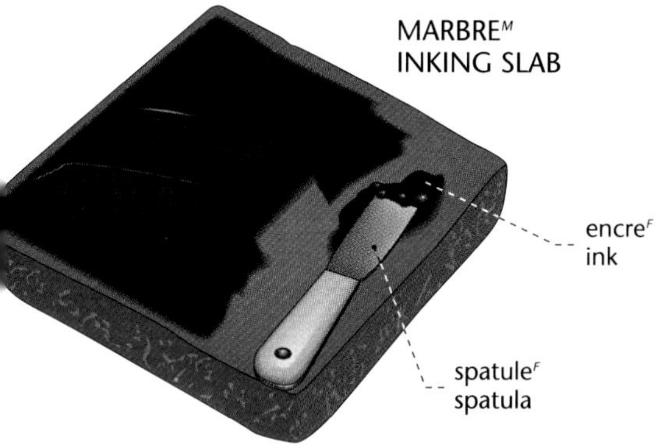
encre[F]
ink
spatule[F]
spatula

gravure[F] sur bois[M] de fil[M]
woodcut

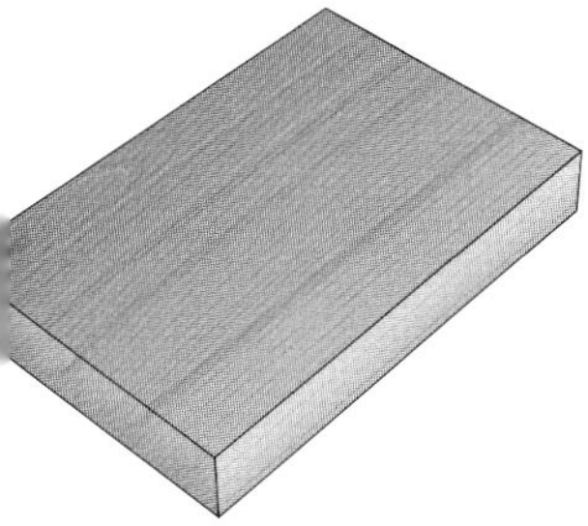

gravure[F] sur bois[M] debout
wood engraving

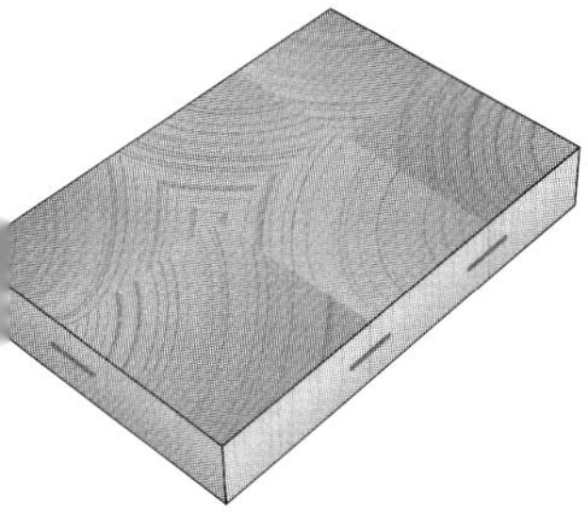

PRESSE[F] À TAILLE-DOUCE[F]
ETCHING PRESS

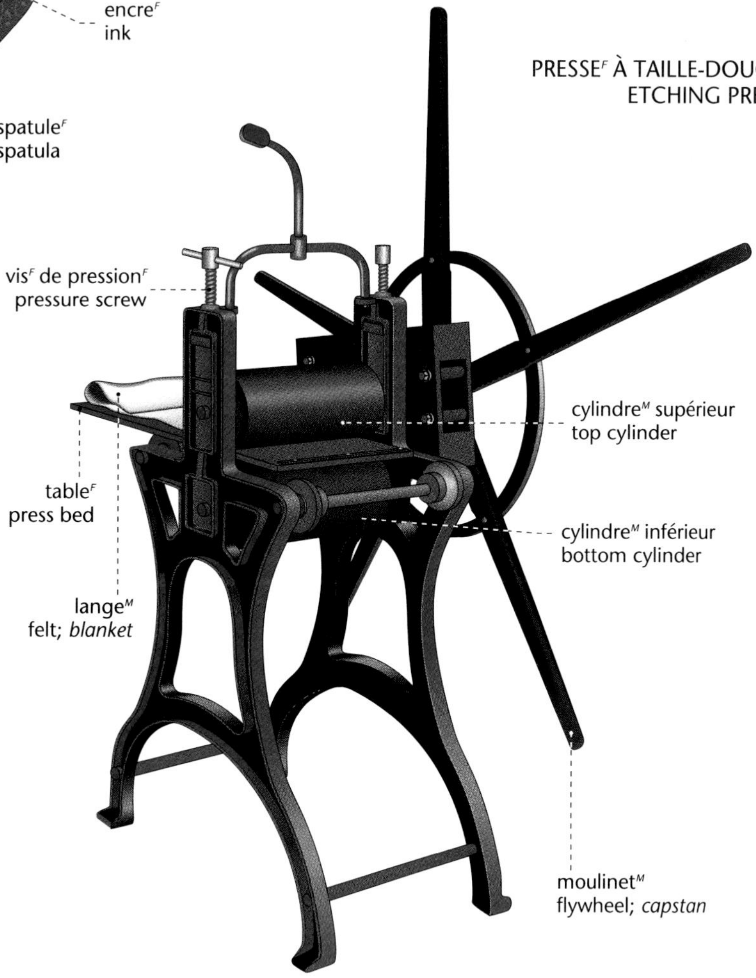
vis[F] de pression[F]
pressure screw
table[F]
press bed
lange[M]
felt; *blanket*
cylindre[M] supérieur
top cylinder
cylindre[M] inférieur
bottom cylinder
moulinet[M]
flywheel; *capstan*

GRAVURE[F] EN CREUX[M]
INTAGLIO PRINTING PROCESS

MATÉRIEL[M]
EQUIPMENT

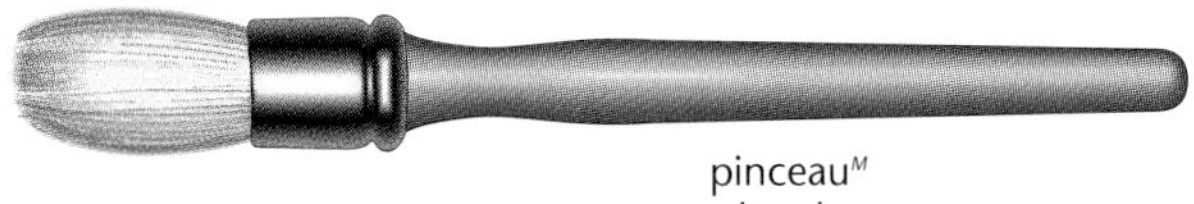

pinceau[M]
brush

planche[F] de cuivre[M]
copper plate; *copperplate*

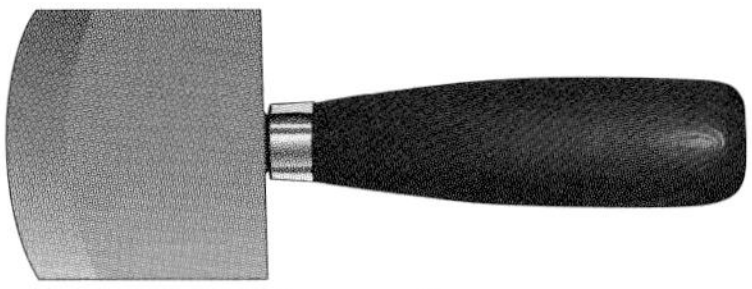

berceau[M]
rocking tool

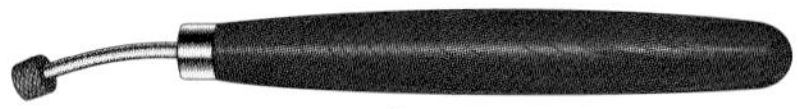

roulette[F]
roulette

pointe[F] sèche
dry point

brunissoir[M]
burnisher

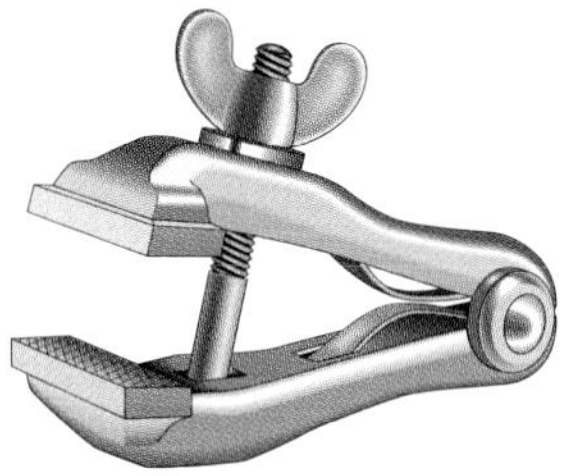

étau[M]
hand vice

ébarboir[M]
scraper

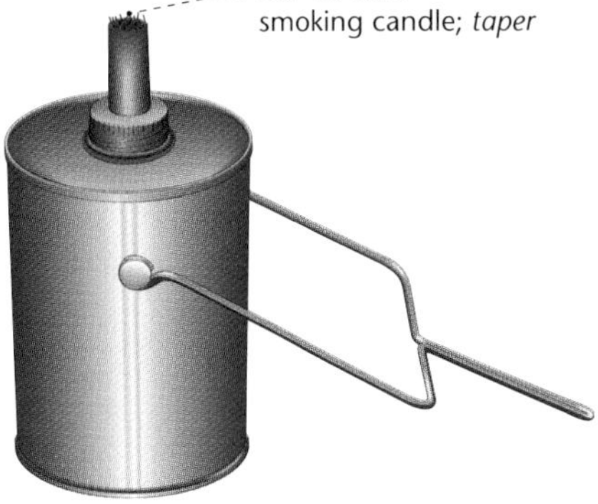

rat[M] de cave[F]
smoking candle; *taper*

enfumoir[M]
smoking-apparatus

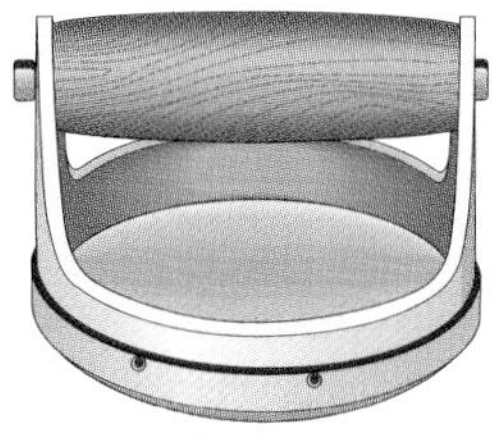

baren[M]
baren

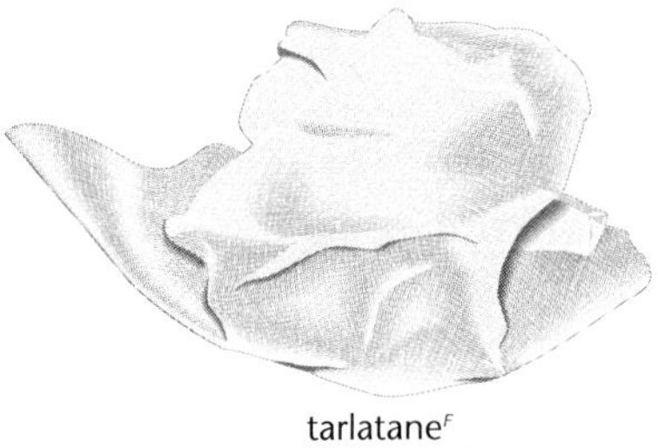

tarlatane[F]
tarlatan; *muslin*

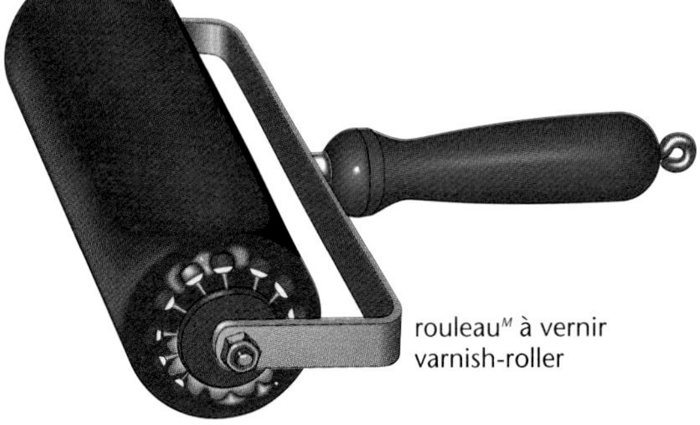

rouleau[M] à vernir
varnish-roller

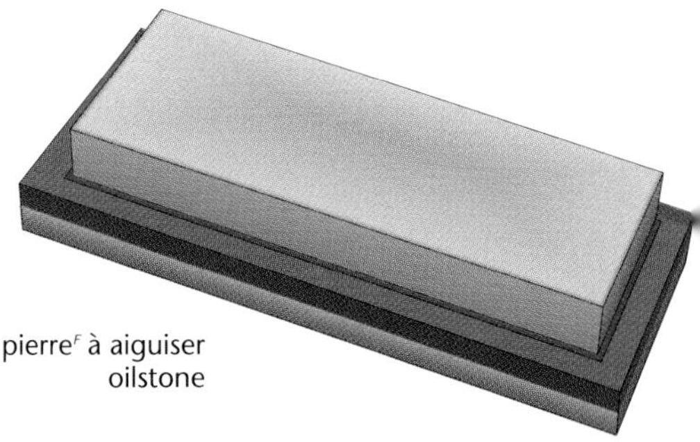

pierre[F] à aiguiser
oilstone

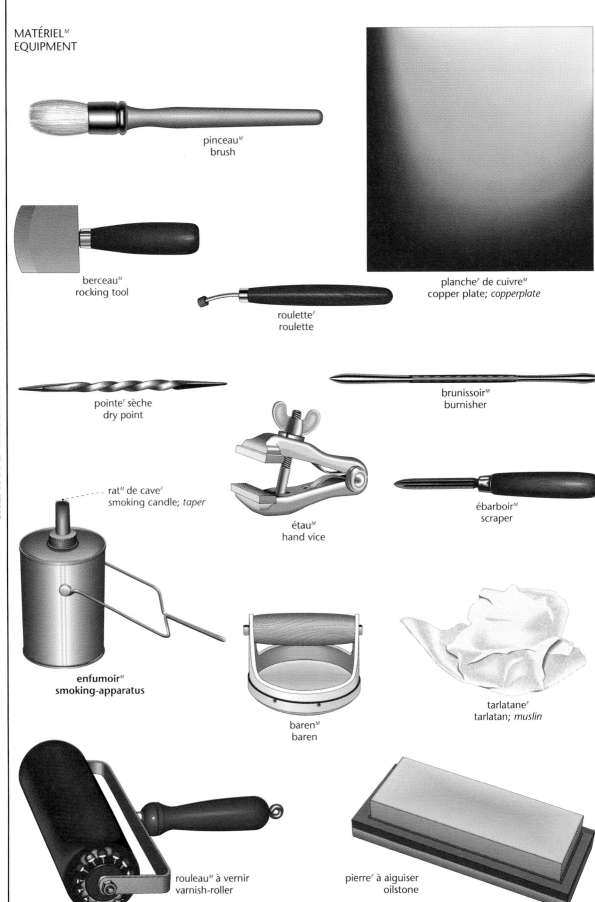

LITHOGRAPHIE^F
LITHOGRAPHY

MATÉRIEL^M
EQUIPMENT

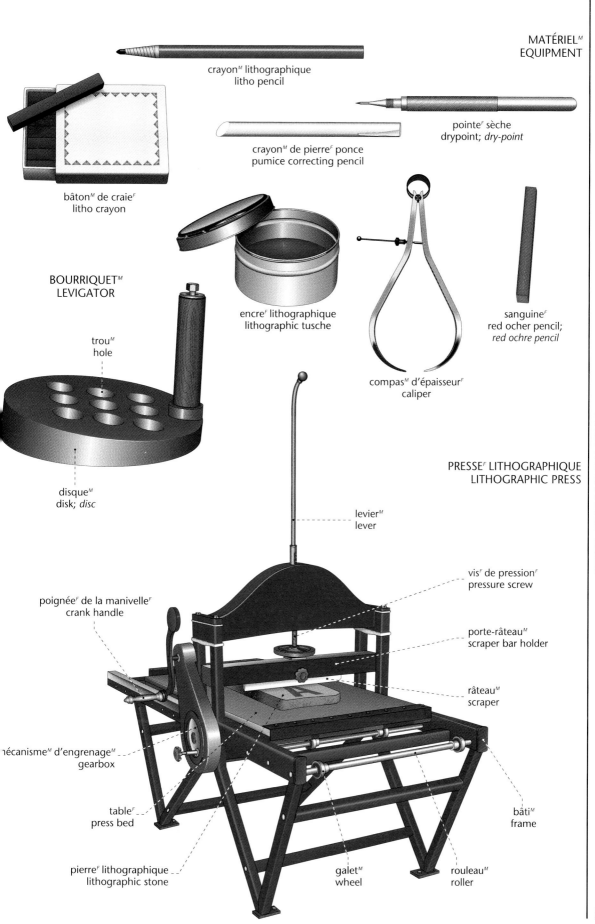

crayon^M lithographique
litho pencil

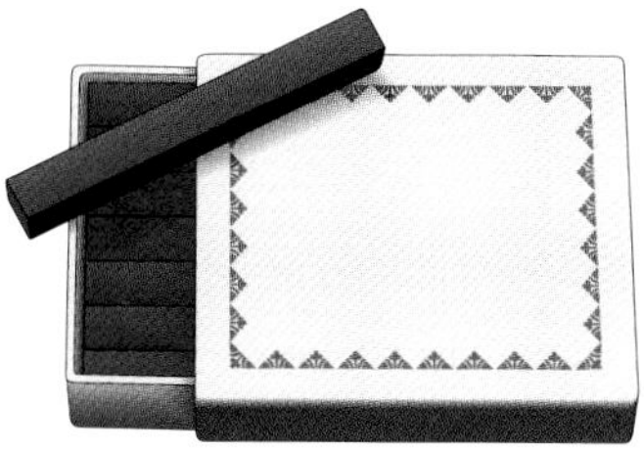

bâton^M de craie^F
litho crayon

pointe^F sèche
drypoint; *dry-point*

crayon^M de pierre^F ponce
pumice correcting pencil

encre^F lithographique
lithographic tusche

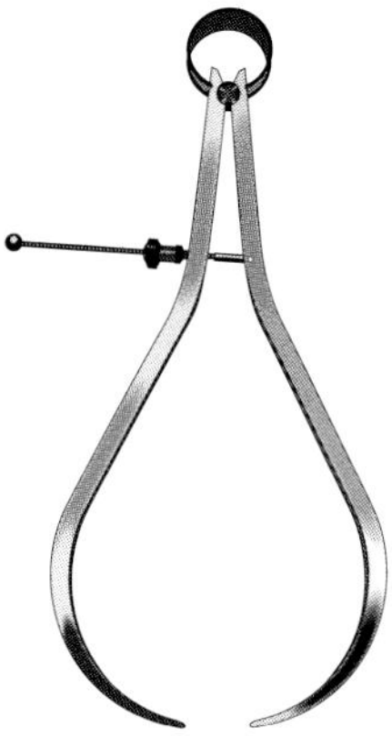

compas^M d'épaisseur^F
caliper

sanguine^F
red ocher pencil;
red ochre pencil

BOURRIQUET^M
LEVIGATOR

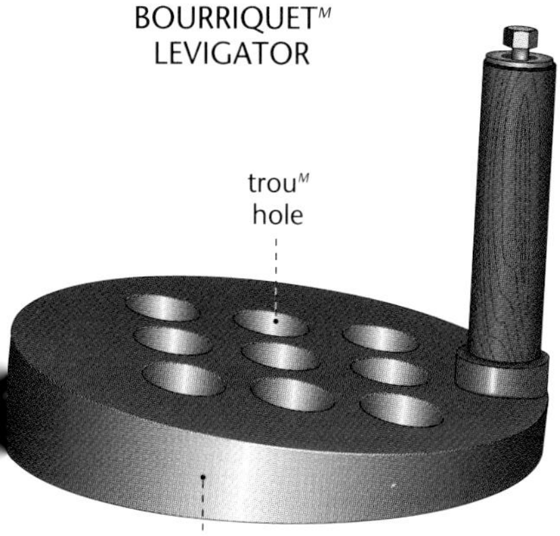
trou^M
hole
disque^M
disk; *disc*

PRESSE^F LITHOGRAPHIQUE
LITHOGRAPHIC PRESS

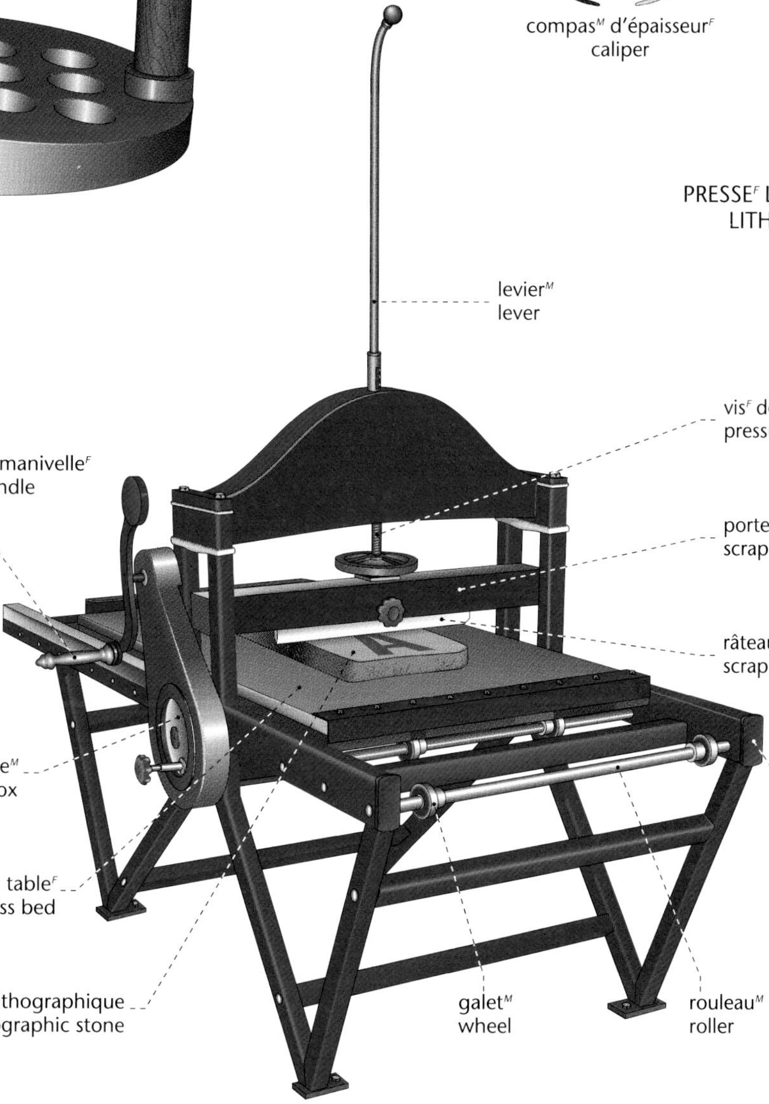
levier^M
lever
vis^F de pression^F
pressure screw
poignée^F de la manivelle^F
crank handle
porte-râteau^M
scraper bar holder
râteau^M
scraper
mécanisme^M d'engrenage^M
gearbox
table^F
press bed
bâti^M
frame
pierre^F lithographique
lithographic stone
galet^M
wheel
rouleau^M
roller

POTERIE[F]
POTTERY

TOURNAGE[M]
TURNING

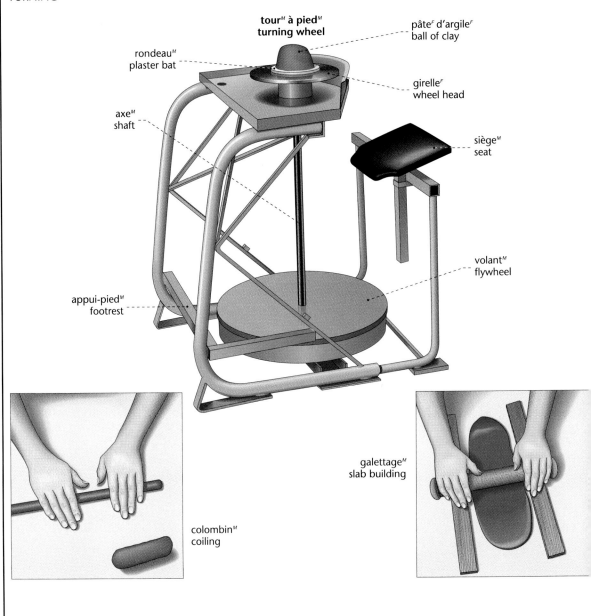

tour[M] à pied[M]
turning wheel

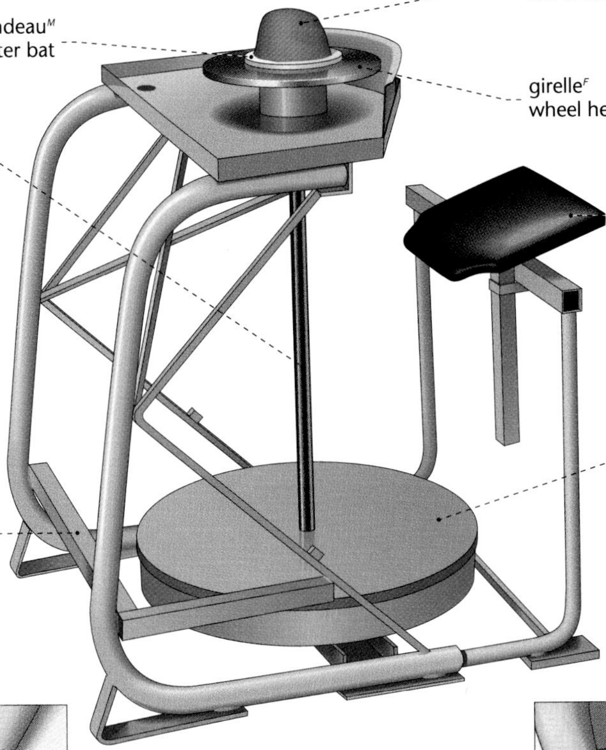
pâte[F] d'argile[F]
ball of clay
rondeau[M]
plaster bat
girelle[F]
wheel head
axe[M]
shaft
siège[M]
seat
volant[M]
flywheel
appui-pied[M]
footrest

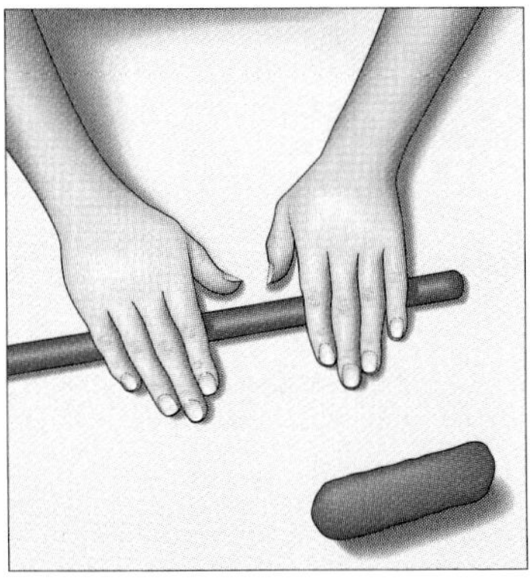

colombin[M]
coiling

galettage[M]
slab building

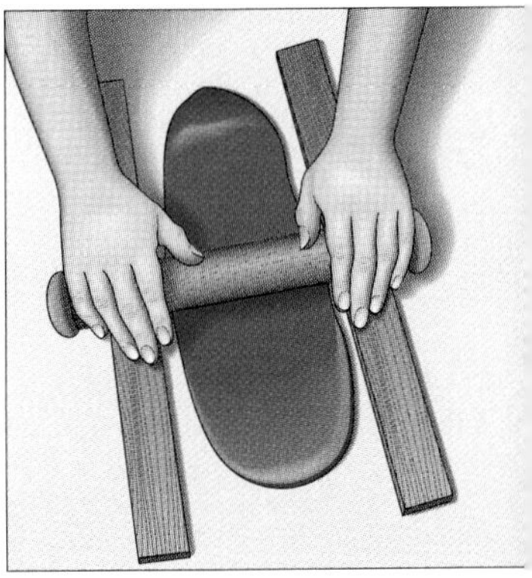

OUTILS[M]
TOOLS

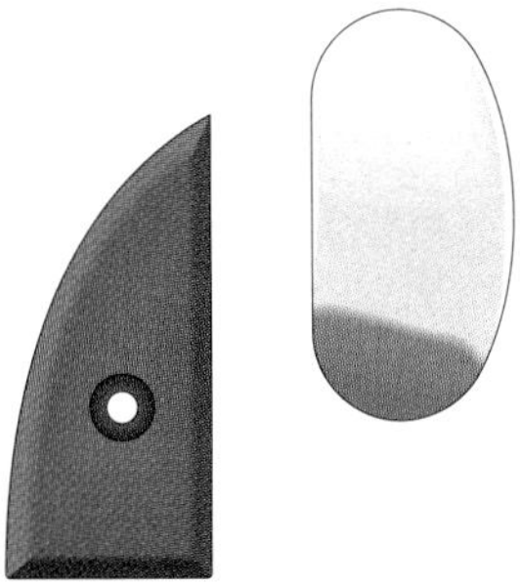

esthèques[F]
ribs

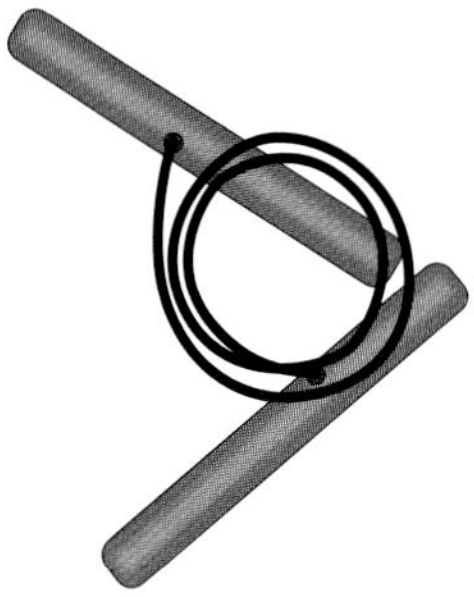

fil[M] à couper la pâte[F]
cutting wire

tournette[F]
banding wheel

OUTILS[M]
TOOLS

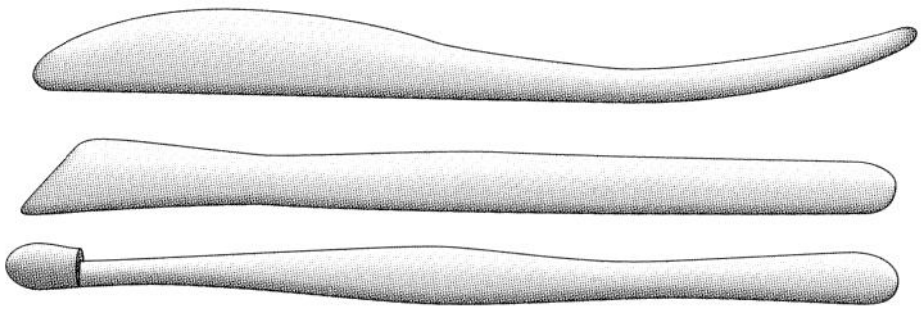

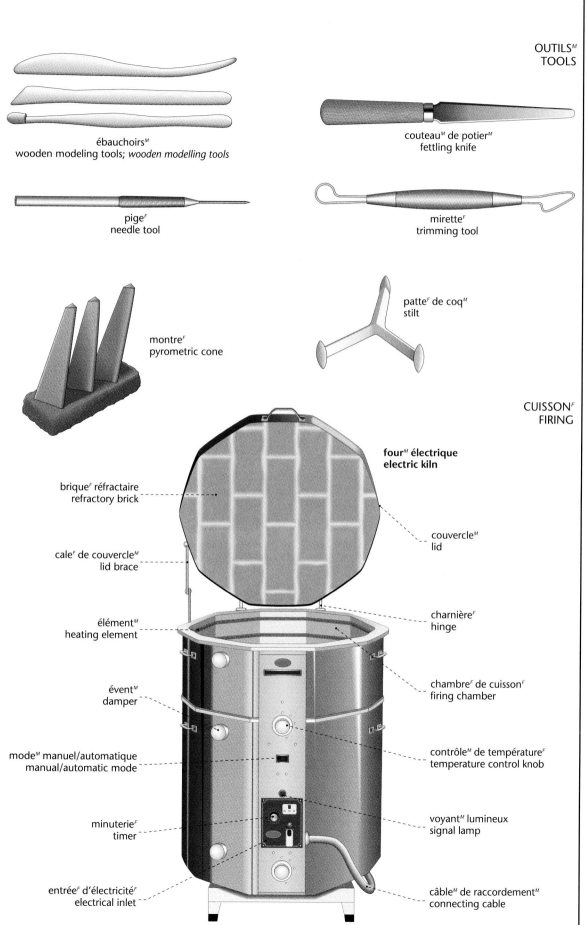

ébauchoirs[M]
wooden modeling tools; *wooden modelling tools*

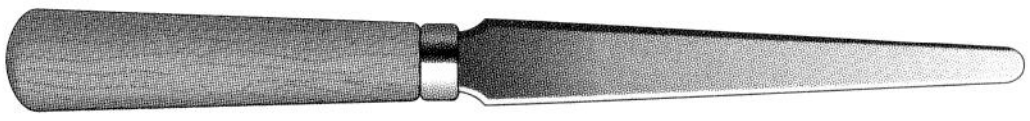

couteau[M] de potier[M]
fettling knife

pige[F]
needle tool

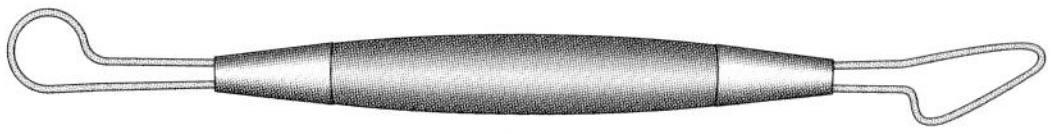

mirette[F]
trimming tool

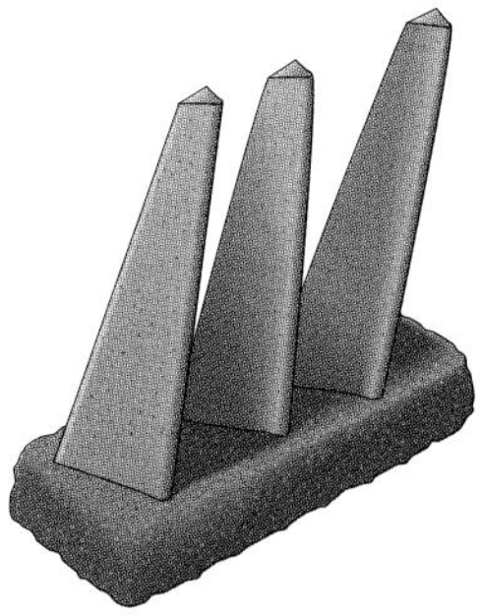

montre[F]
pyrometric cone

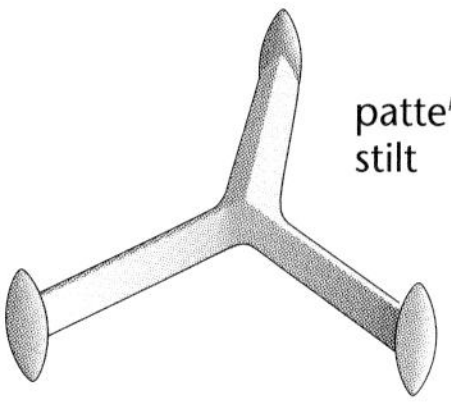

patte[F] de coq[M]
stilt

CUISSON[F]
FIRING

four[M] électrique
electric kiln

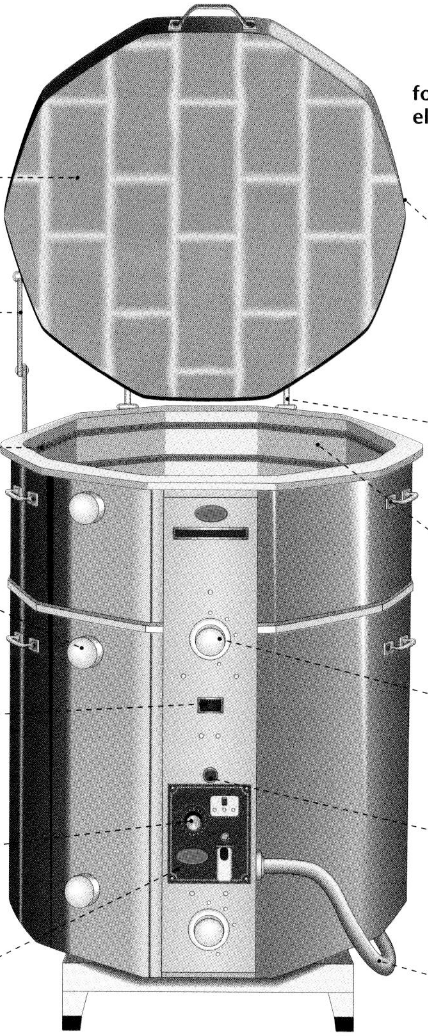
brique[F] réfractaire
refractory brick
couvercle[M]
lid
cale[F] de couvercle[M]
lid brace
charnière[F]
hinge
élément[M]
heating element
chambre[F] de cuisson[F]
firing chamber
évent[M]
damper
contrôle[M] de température[F]
temperature control knob
mode[M] manuel/automatique
manual/automatic mode
voyant[M] lumineux
signal lamp
minuterie[F]
timer
entrée[F] d'électricité[F]
electrical inlet
câble[M] de raccordement[M]
connecting cable

SCULPTURE^F SUR BOIS^M
WOOD CARVING

ÉTAPES^F
STEPS

traçage^M
drawing

dégrossissage^M
roughing out

sculpture^F
carving

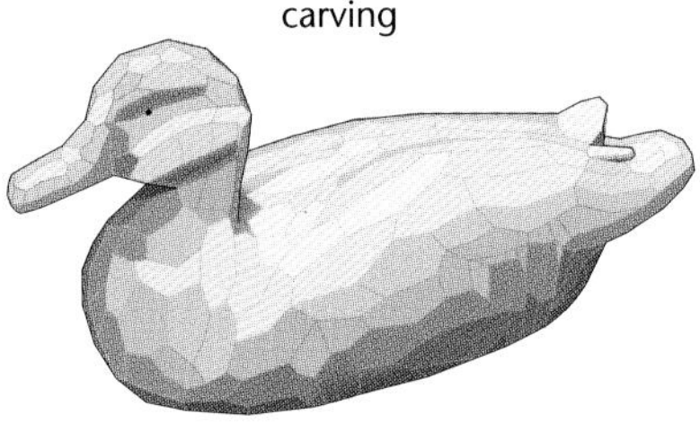

finition^F
finishing

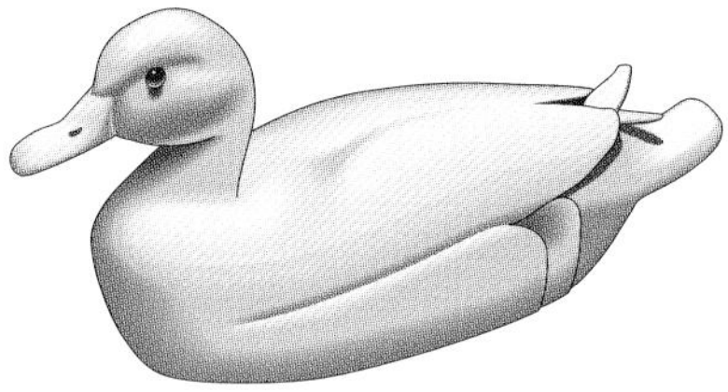

ACCESSOIRES^M
ACCESSORIES

queue-de-cochon^F
carver's bench screw

maillet^M
mallet

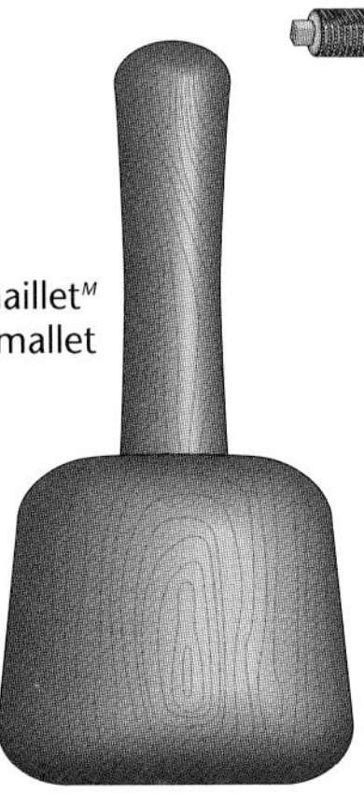

sellette^F
stand

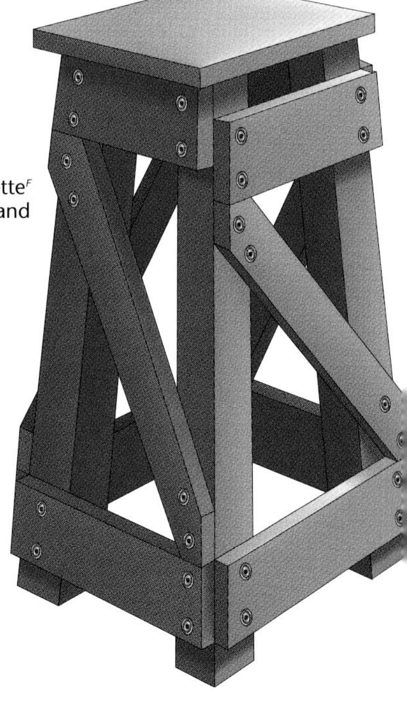

poinçon^M et fond^M
punch and pattern

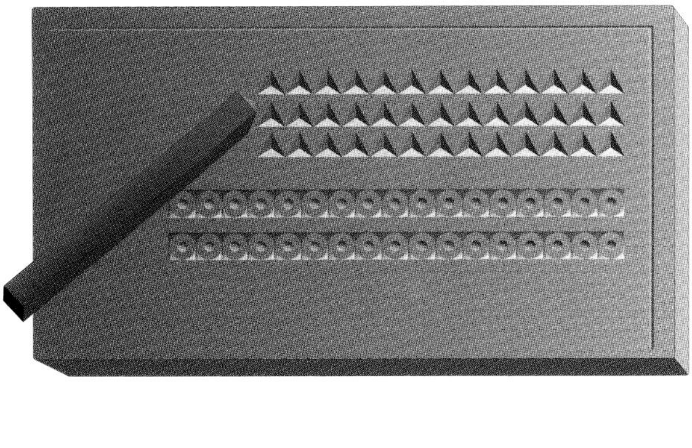

TYPES[M] D'OUTILS[M]
TYPES OF TOOLS

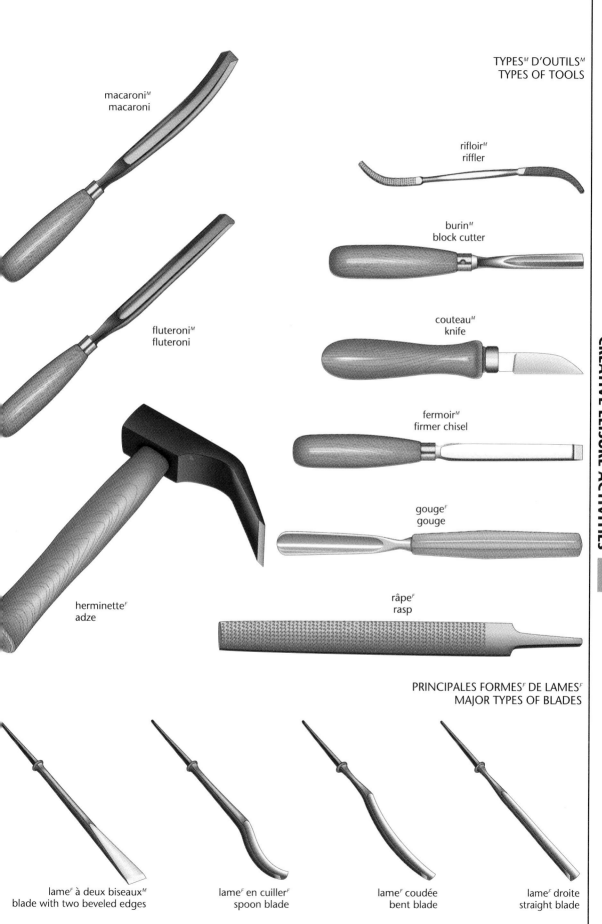

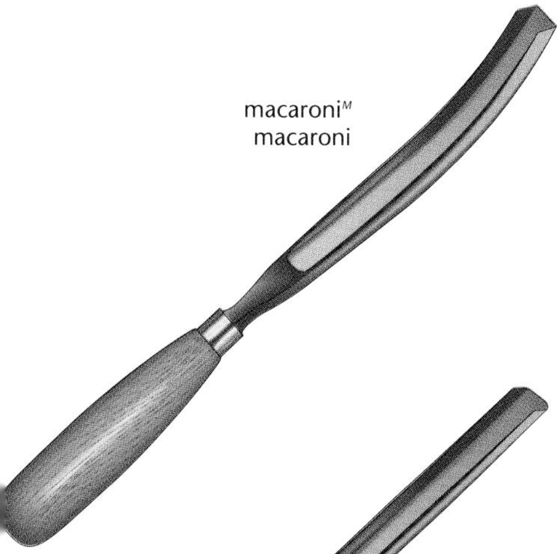
macaroni[M]
macaroni

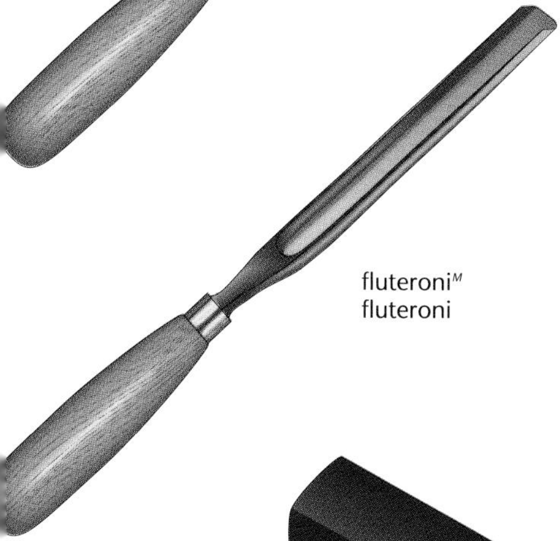
fluteroni[M]
fluteroni

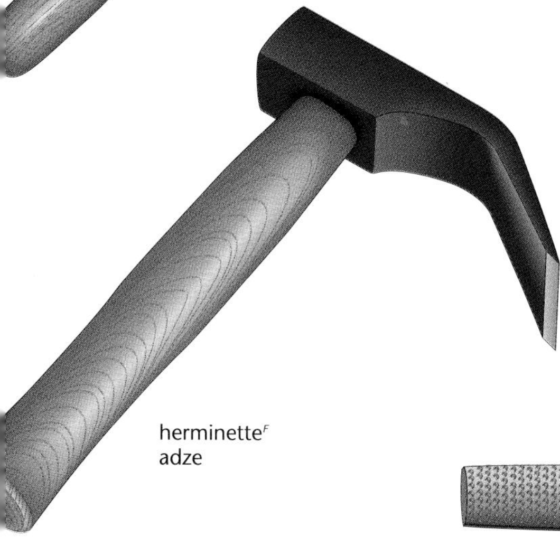
herminette[F]
adze

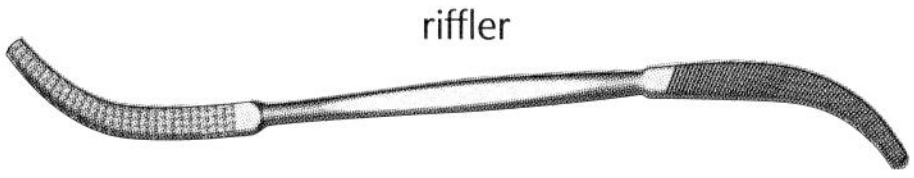
rifloir[M]
riffler

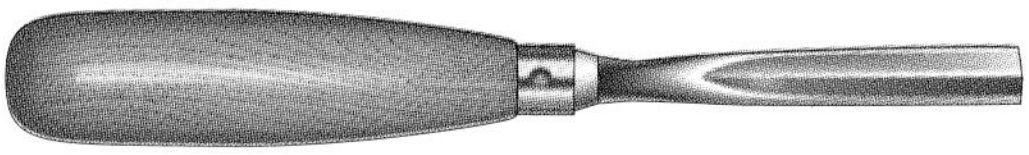
burin[M]
block cutter

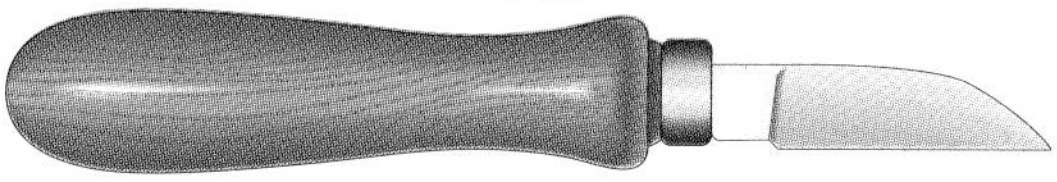
couteau[M]
knife

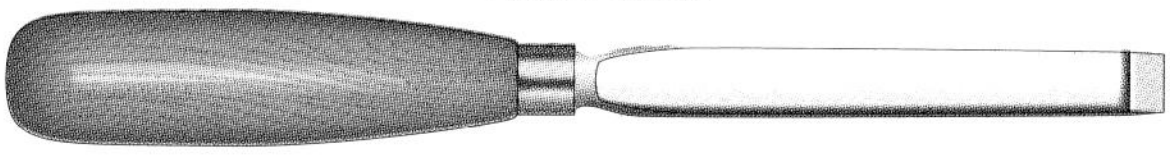
fermoir[M]
firmer chisel

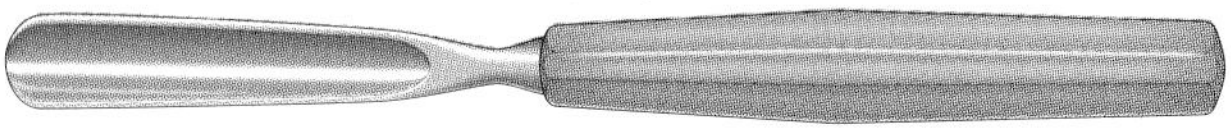
gouge[F]
gouge

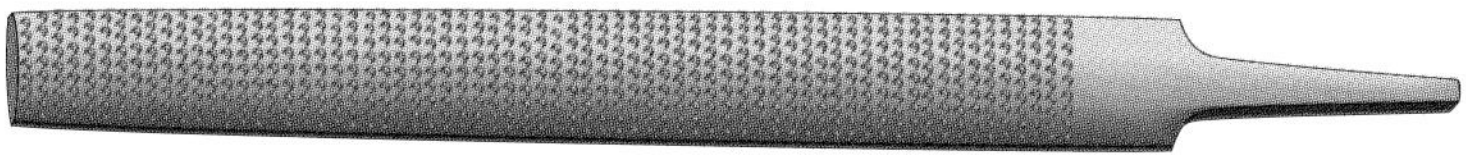
râpe[F]
rasp

PRINCIPALES FORMES[F] DE LAMES[F]
MAJOR TYPES OF BLADES

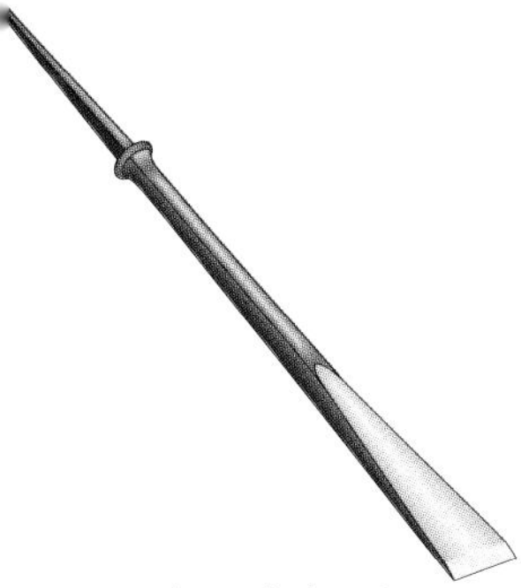
lame[F] à deux biseaux[M]
blade with two beveled edges

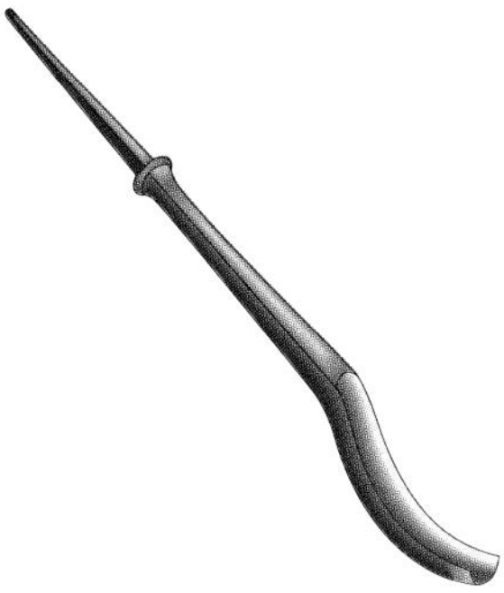
lame[F] en cuiller[F]
spoon blade

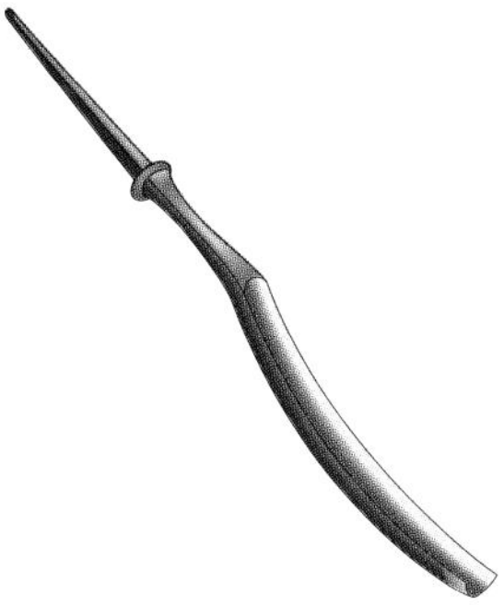
lame[F] coudée
bent blade

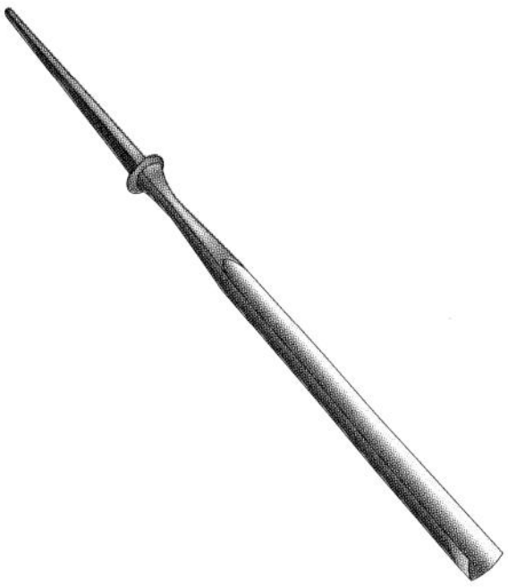
lame[F] droite
straight blade

PEINTURE^F ET DESSIN^M
PAINTING AND DRAWING

PRINCIPALES TECHNIQUES^F
MAJOR TECHNIQUES

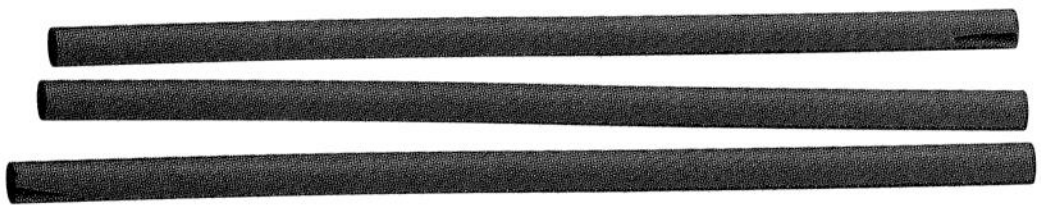

fusain^M
charcoal

encre^F
ink

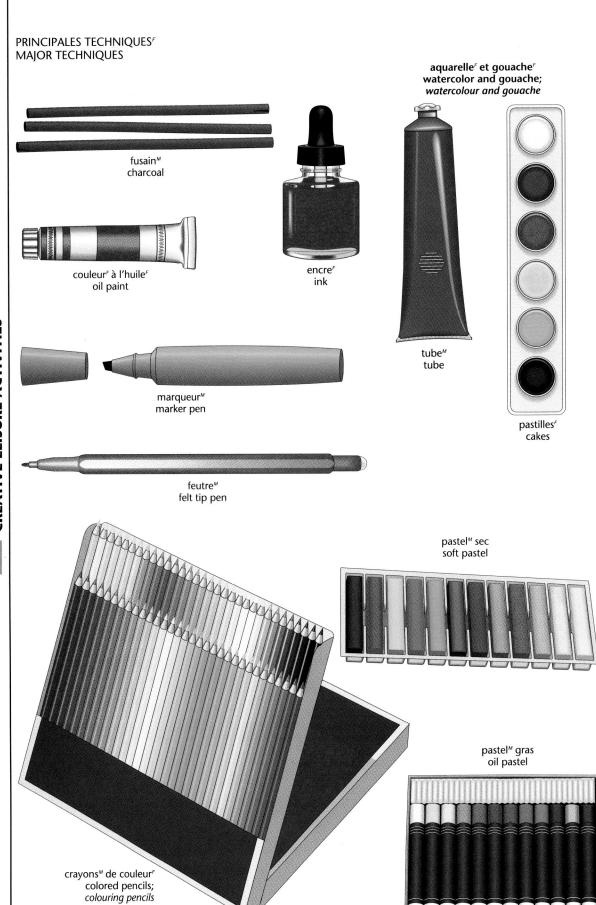

aquarelle^F et gouache^F
watercolor and gouache;
watercolour and gouache

tube^M
tube

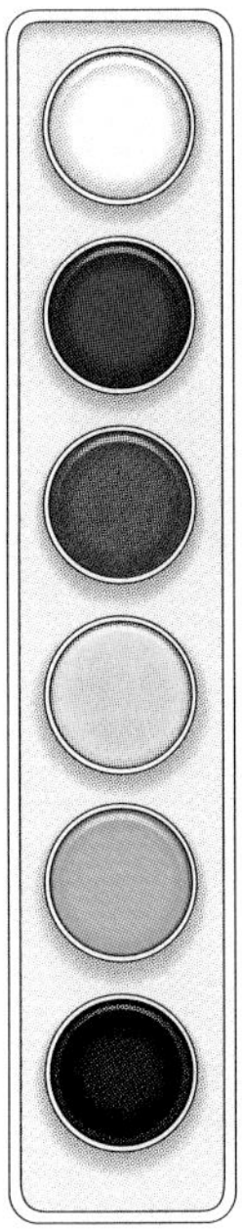

pastilles^F
cakes

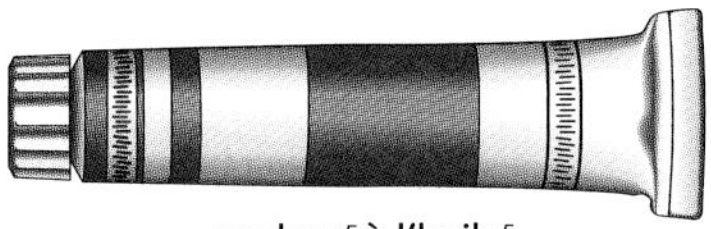

couleur^F à l'huile^F
oil paint

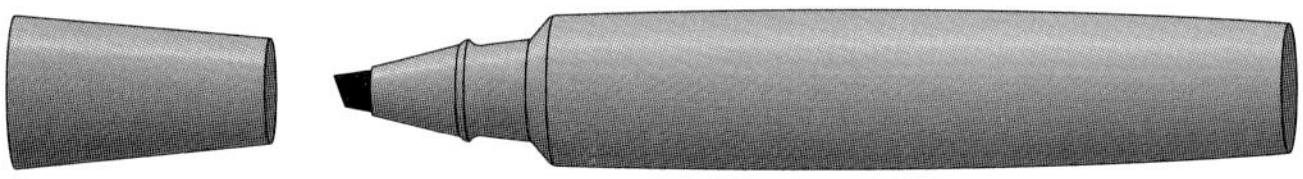

marqueur^M
marker pen

feutre^M
felt tip pen

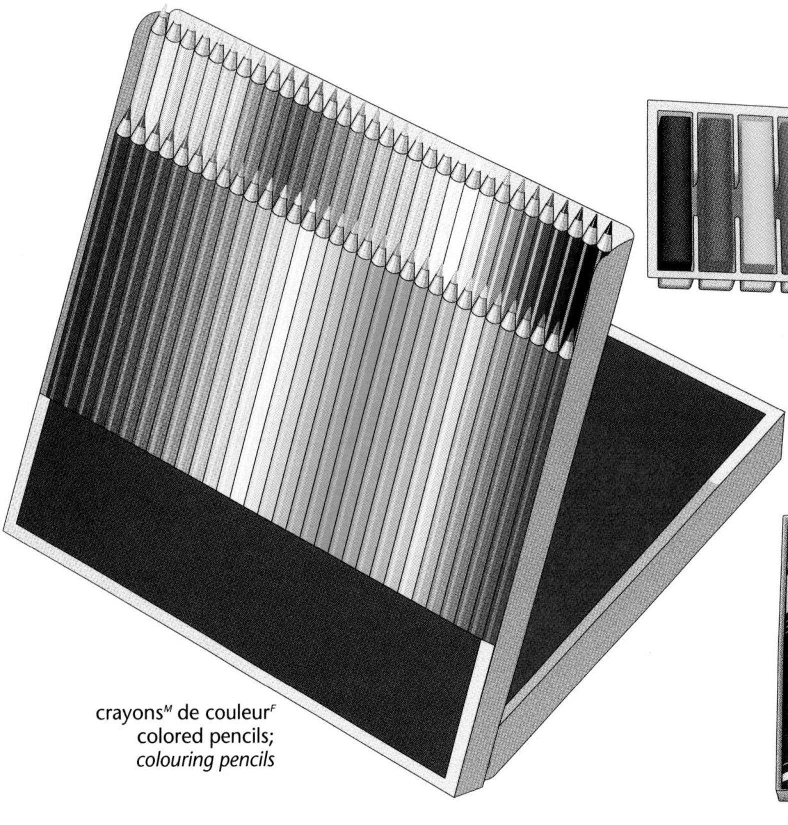

crayons^M de couleur^F
colored pencils;
colouring pencils

pastel^M sec
soft pastel

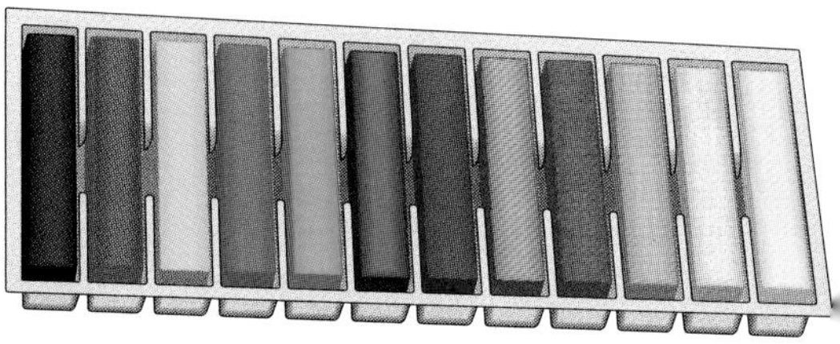

pastel^M gras
oil pastel

MATÉRIEL[M]
EQUIPMENT

spatule[F]
spatula
couteau[M] à peindre
painting knife
plume[F]
reservoir-nib pen
brosse[F]
flat brush
pinceau[M] à sumie[M]
sumie
brosse[F] éventail[M]
fan brush
pinceau[M]
brush

SUPPORTS[M]
SUPPORTS

papier[M]
paper
carton[M]
cardboard
toile[F]
canvas
panneau[M]
panel

PEINTURE[F] ET DESSIN[M]
PAINTING AND DRAWING

AÉROGRAPHE[M]
AIRBRUSH

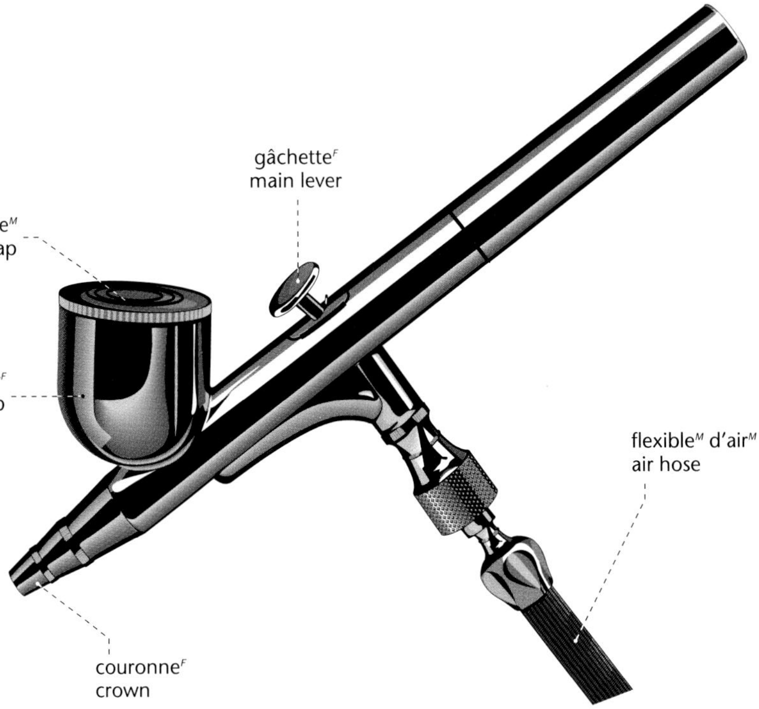
gâchette[F]
main lever
couvercle[M]
cap
godet[M] à couleur[F]
fluid cup
flexible[M] d'air[M]
air hose
couronne[F]
crown

COUPE[F] D'UN AÉROGRAPHE[M]
CROSS SECTION OF AN AIRBRUSH

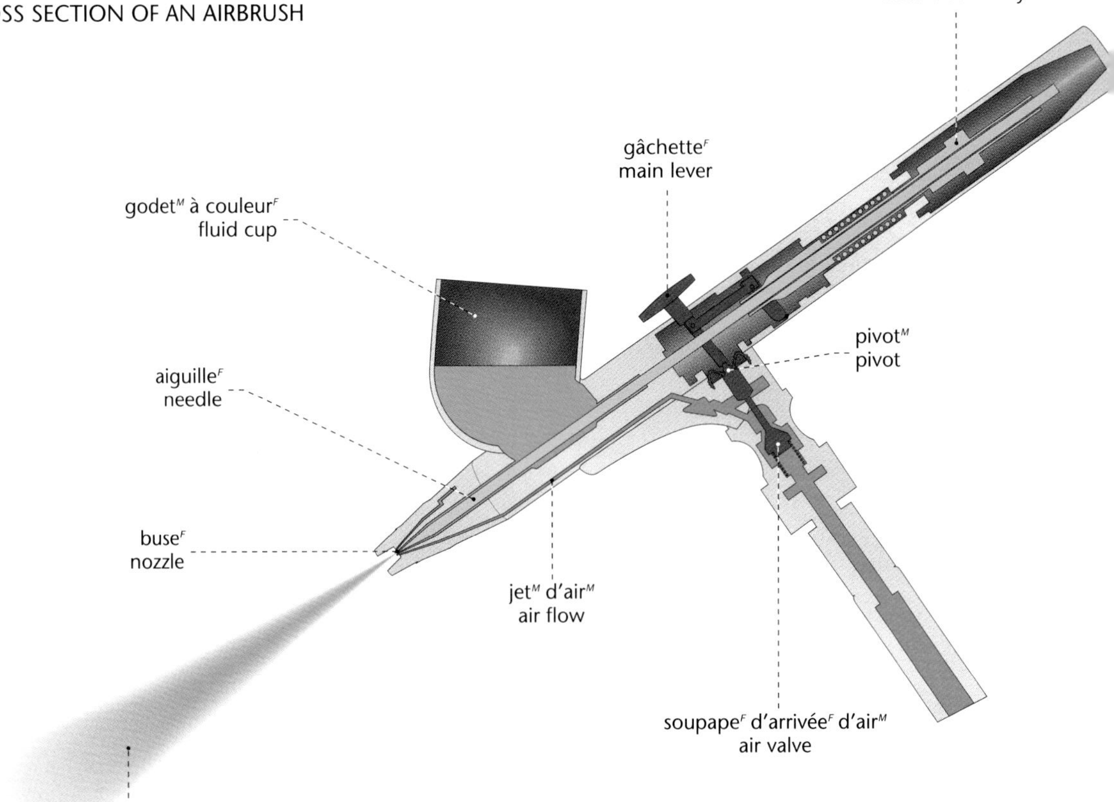
bloc[M] aiguille[F]
needle assembly
gâchette[F]
main lever
godet[M] à couleur[F]
fluid cup
pivot[M]
pivot
aiguille[F]
needle
buse[F]
nozzle
jet[M] d'air[M]
air flow
soupape[F] d'arrivée[F] d'air[M]
air valve
jet[M] de couleur[F]
color spray; *colour spray*

TABLE[F] À DESSIN[M]
DRAFTING TABLE

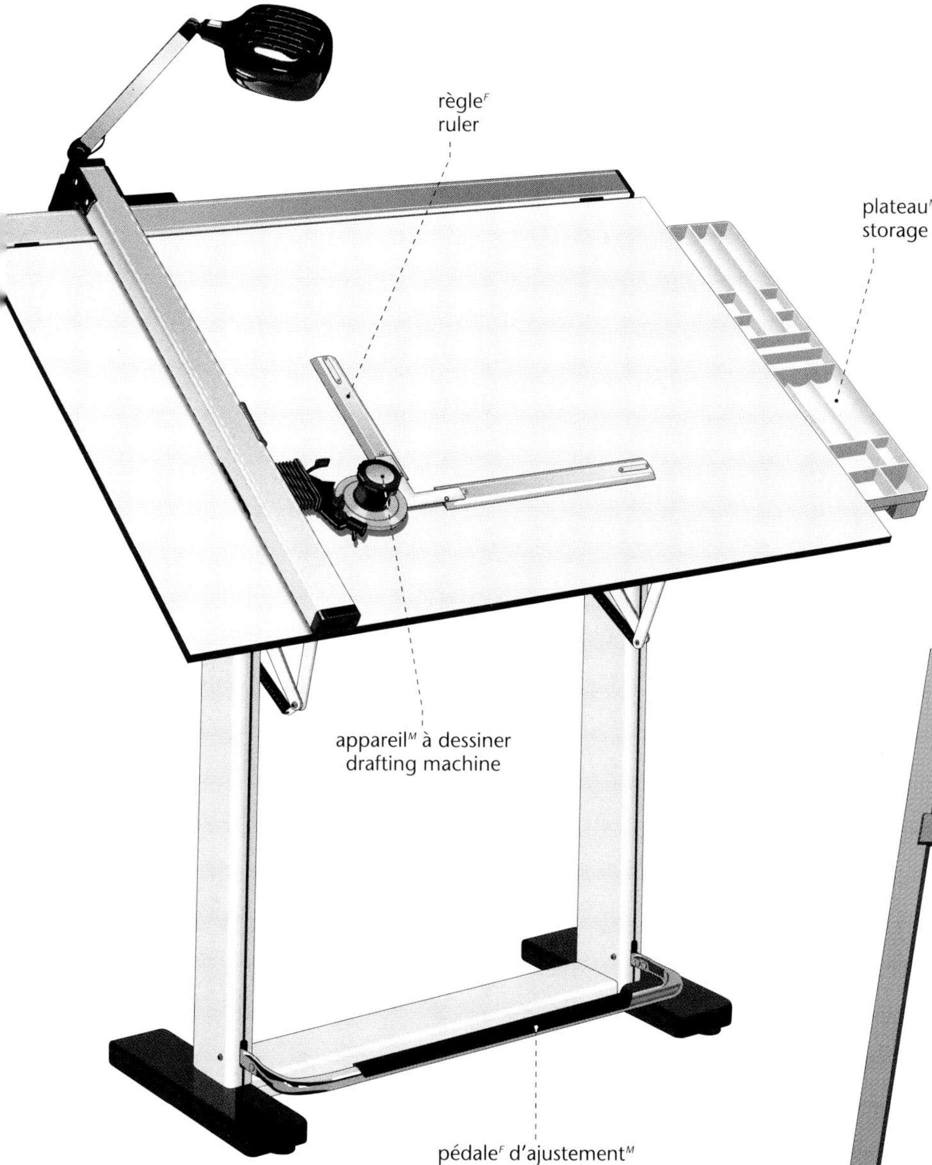
règle[F]
ruler
plateau[M] de rangement[M]
storage tray
appareil[M] à dessiner
drafting machine
pédale[F] d'ajustement[M]
adjustment pedal

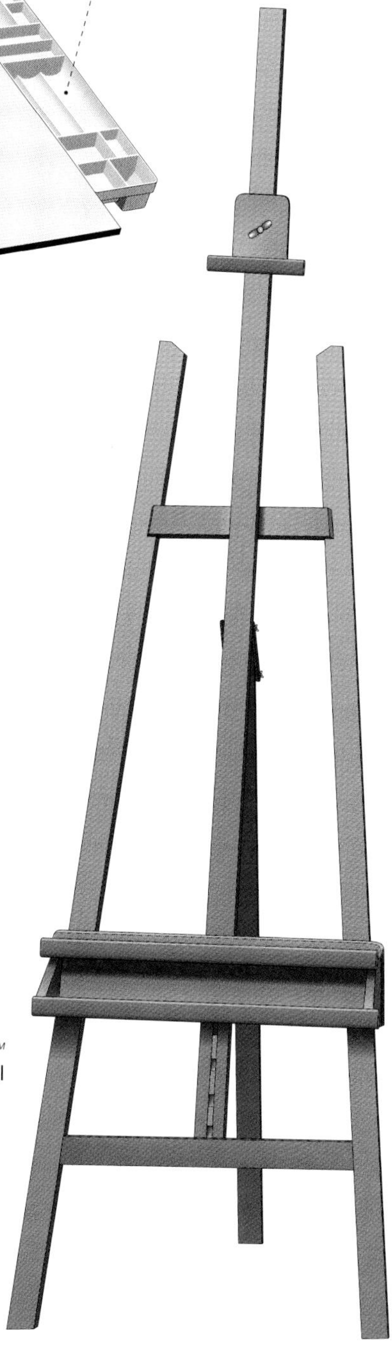
chevalet[M]
easel

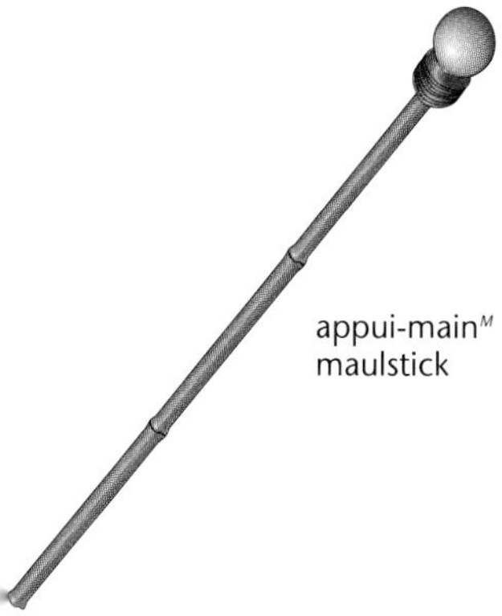
appui-main[M]
maulstick

PEINTURE^F ET DESSIN^M
PAINTING AND DRAWING

ACCESSOIRES^M
ACCESSORIES

nuancier^M
color chart; *colour chart*

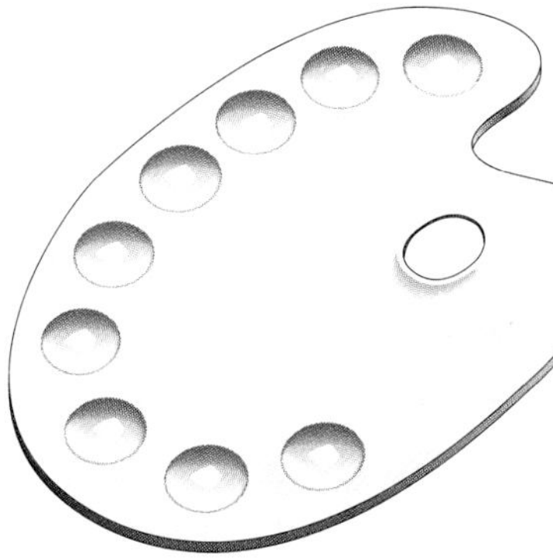

palette^F à alvéoles^F
palette with hollows

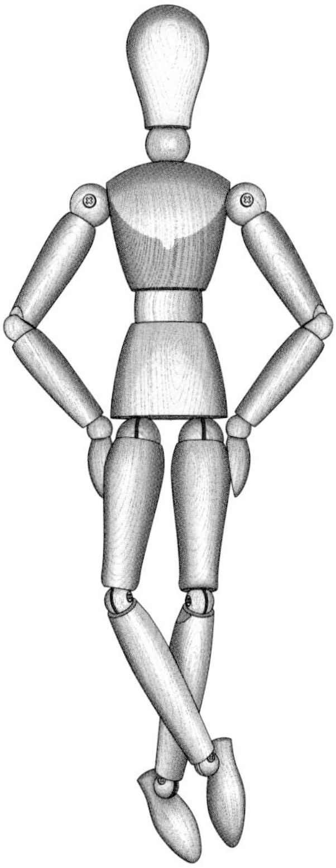

mannequin^M articulé
articulated mannequin

godet^M
dipper

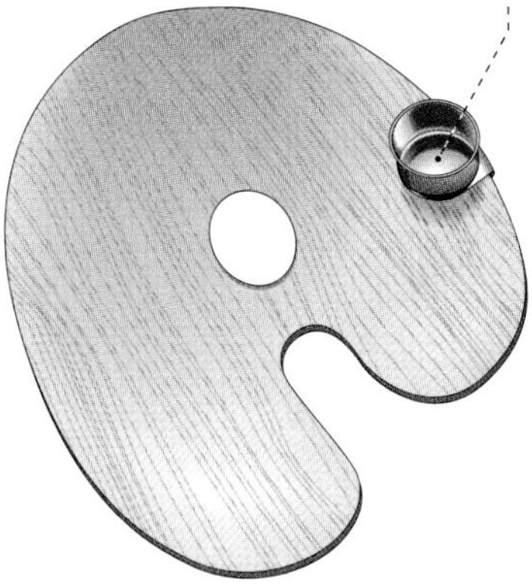

palette^F avec godet^M
palette with dipper

LIQUIDES^M D'APPOINT^M
UTILITY LIQUIDS

vernis^M
varnish

huile^F de lin^M
linseed oil

térébenthine^F
turpentine

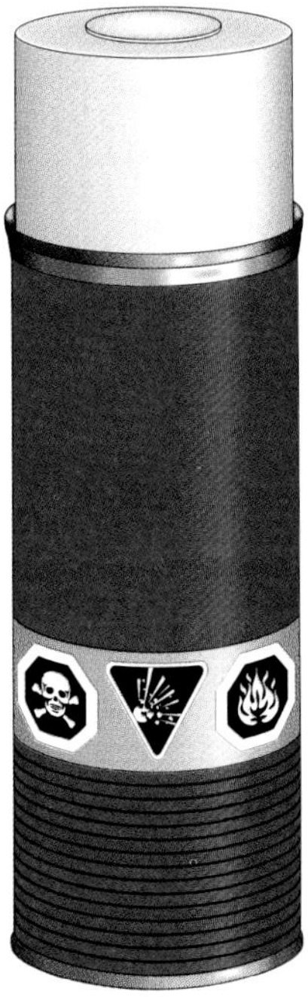

fixatif^M
fixative

SPORTS • SPORTS

SOMMAIRE

BASEBALL[M]
BASEBALL

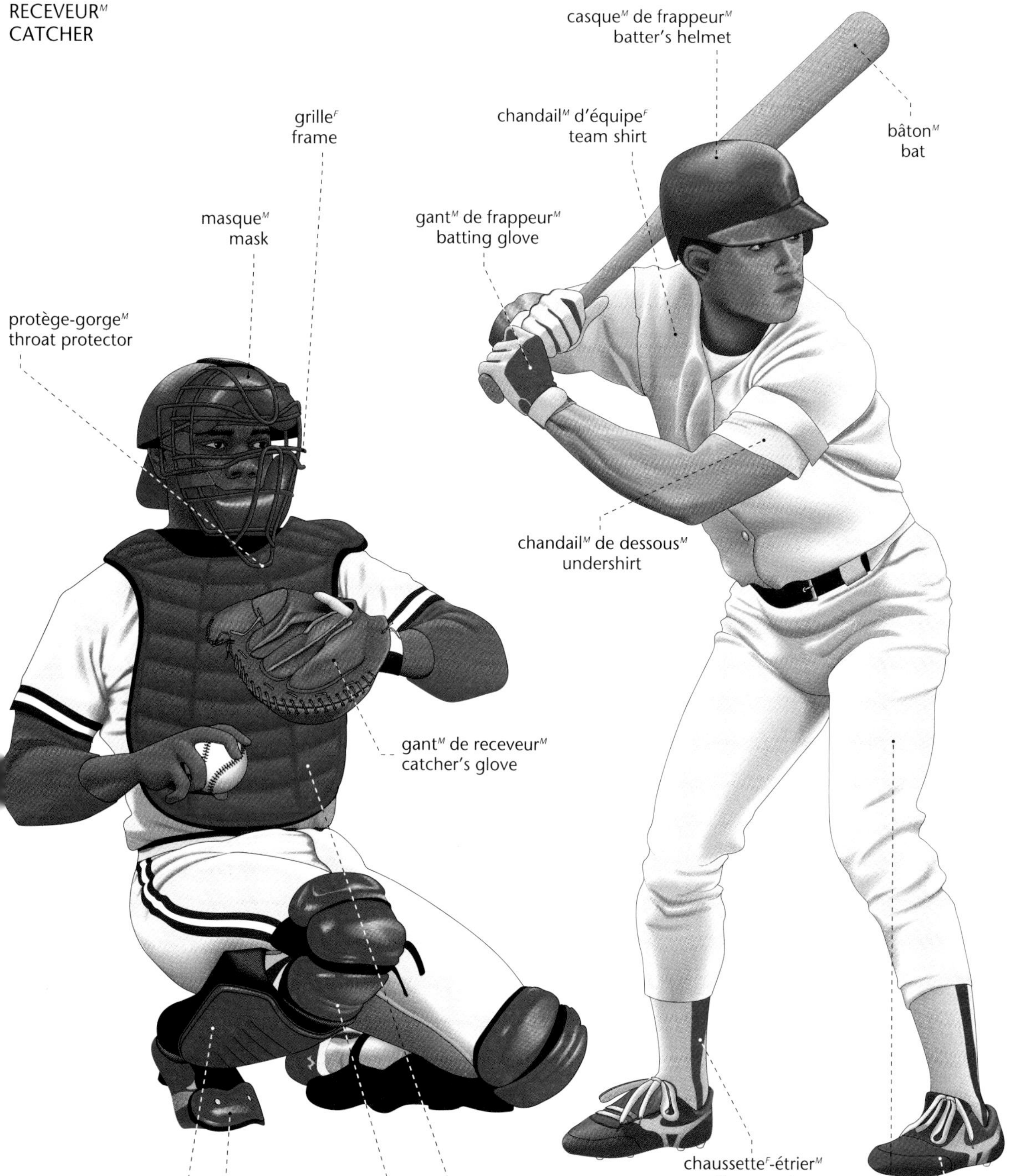

FRAPPEUR[M]
BATTER
RECEVEUR[M]
CATCHER
casque[M] de frappeur[M]
batter's helmet
bâton[M]
bat
grille[F]
frame
chandail[M] d'équipe[F]
team shirt
masque[M]
mask
gant[M] de frappeur[M]
batting glove
protège-gorge[M]
throat protector
chandail[M] de dessous[M]
undershirt
gant[M] de receveur[M]
catcher's glove
chaussette[F]-étrier[M]
stirrup sock
protège-tibia[M]
shin guard
protecteur[M] de poitrine[F]
chest protector
pantalon[M]
pants
protège-orteils[M]
toe guard
genouillère[F]
knee pad
chaussure[F] à crampons[M]
spiked shoe

BASEBALL[M]
BASEBALL

BÂTON[M]
BAT

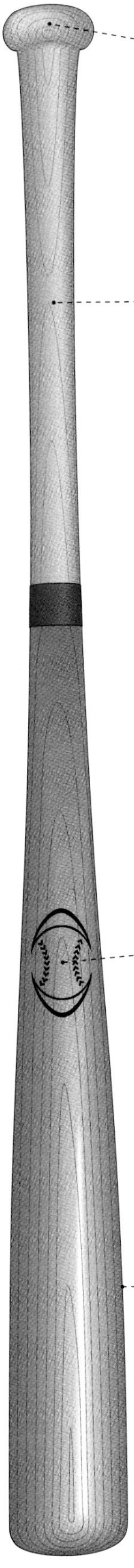
pommeau[M]
knob
manche[M]
handle
écusson[M]
crest
surface[F] de frappe[F]
hitting area

BALLE[F] DE BASEBALL[M]
BASEBALL

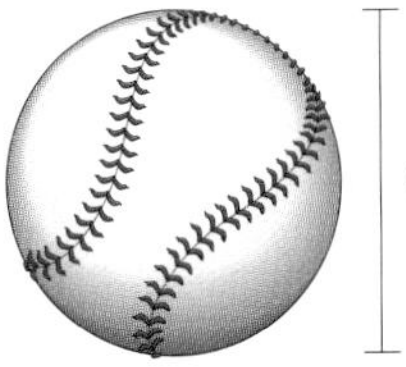
71 – 74 mm

COUPE[F] DE LA BALLE[F]
BASEBALL, CROSS SECTION

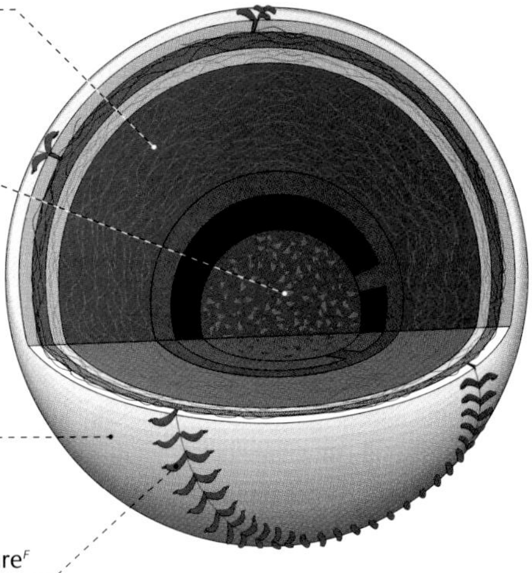
balle[F] de fil[M]
yarn ball
balle[F] de liège[M]
cork ball
enveloppe[F]
cover
couture[F]
stitches

GANT[M]
FIELDER'S GLOVE

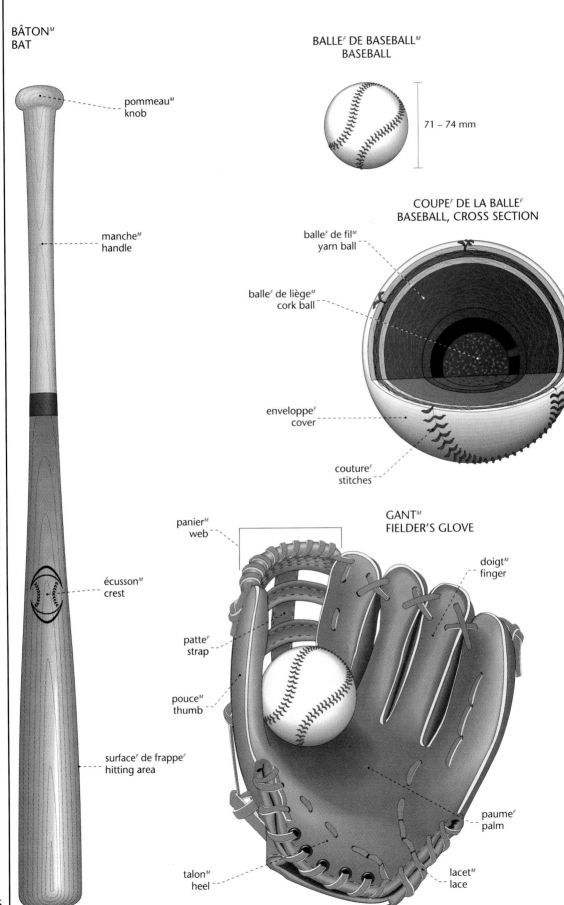

panier[M]
web
doigt[M]
finger
patte[F]
strap
pouce[M]
thumb
paume[F]
palm
talon[M]
heel
lacet[M]
lace

TERRAIN[M]
FIELD

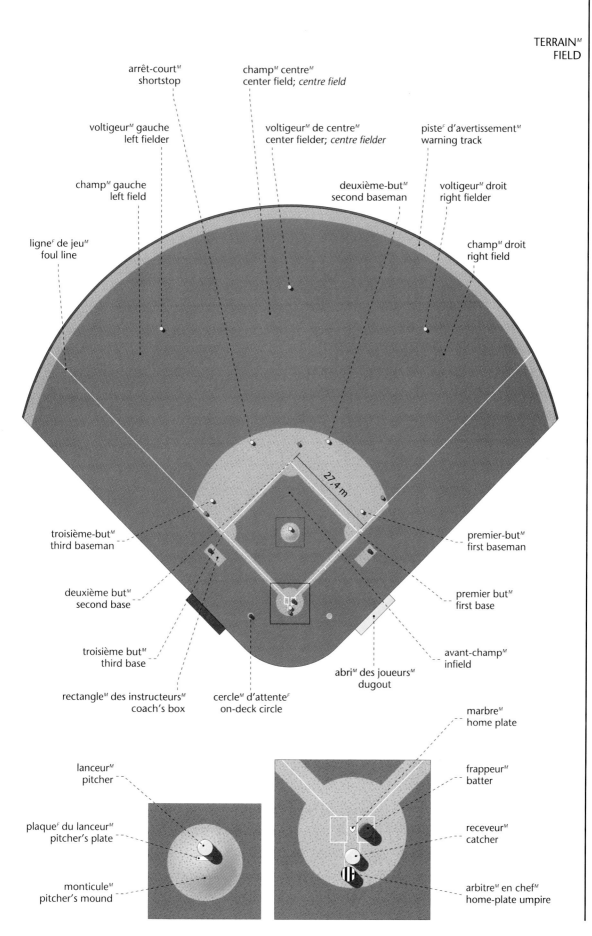

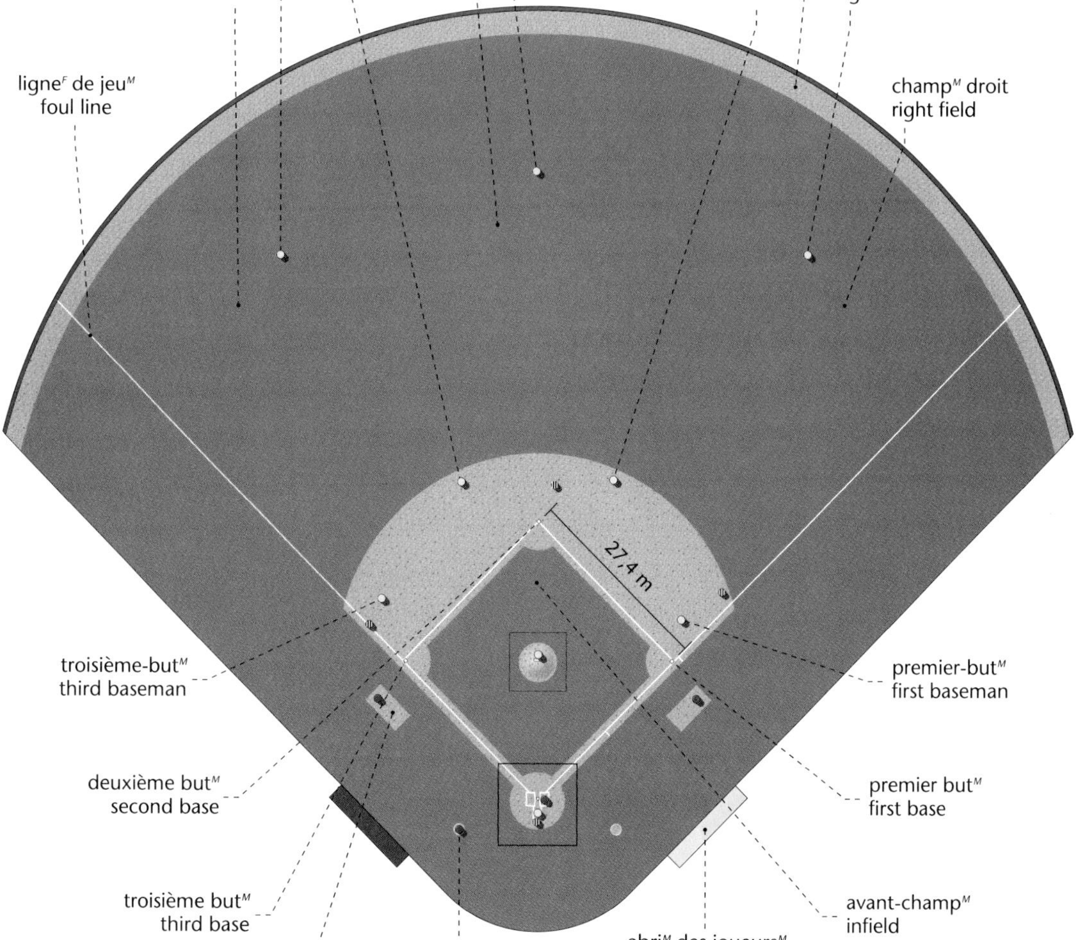
arrêt-court[M]
shortstop
champ[M] centre[M]
center field; *centre field*
voltigeur[M] gauche
left fielder
voltigeur[M] de centre[M]
center fielder; *centre fielder*
piste[F] d'avertissement[M]
warning track
champ[M] gauche
left field
deuxième-but[M]
second baseman
voltigeur[M] droit
right fielder
ligne[F] de jeu[M]
foul line
champ[M] droit
right field
27,4 m
troisième-but[M]
third baseman
premier-but[M]
first baseman
deuxième but[M]
second base
premier but[M]
first base
troisième but[M]
third base
avant-champ[M]
infield
abri[M] des joueurs[M]
dugout
rectangle[M] des instructeurs[M]
coach's box
cercle[M] d'attente[F]
on-deck circle

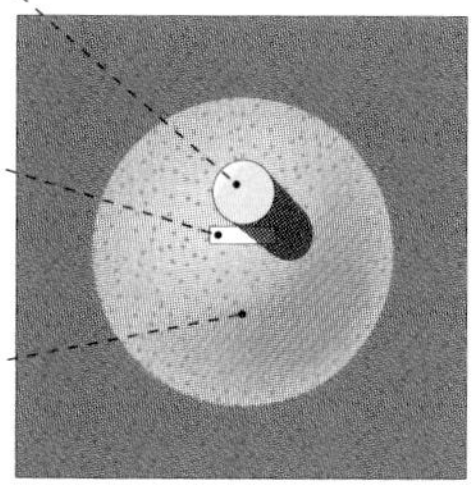
lanceur[M]
pitcher
plaque[F] du lanceur[M]
pitcher's plate
monticule[M]
pitcher's mound

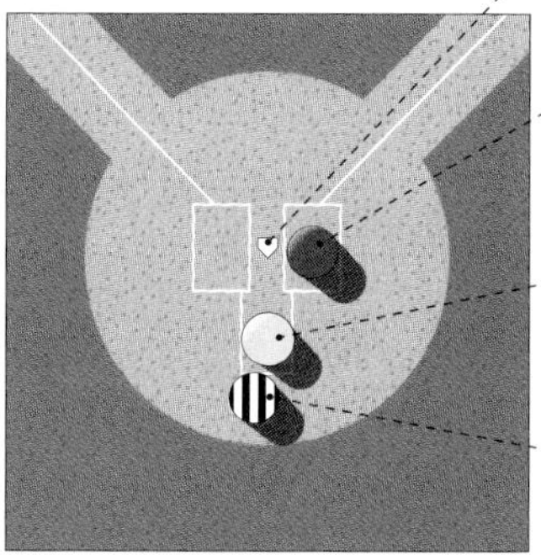
marbre[M]
home plate
frappeur[M]
batter
receveur[M]
catcher
arbitre[M] en chef[M]
home-plate umpire

CRICKET^{M}
CRICKET

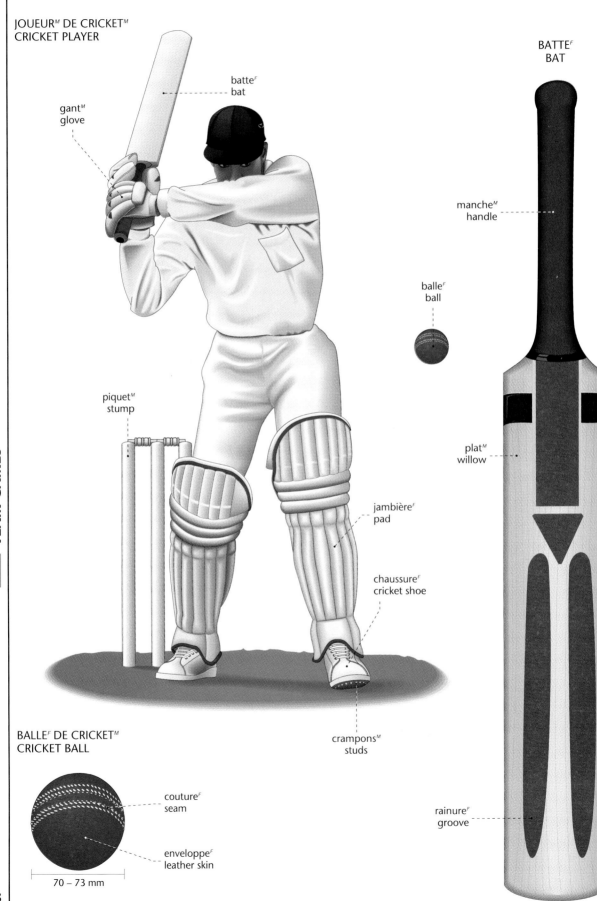

JOUEUR^{M} DE CRICKET^{M}
CRICKET PLAYER

batte^{F}
bat
gant^{M}
glove
piquet^{M}
stump
jambière^{F}
pad
chaussure^{F}
cricket shoe
crampons^{M}
studs
balle^{F}
ball

BATTE^{F}
BAT

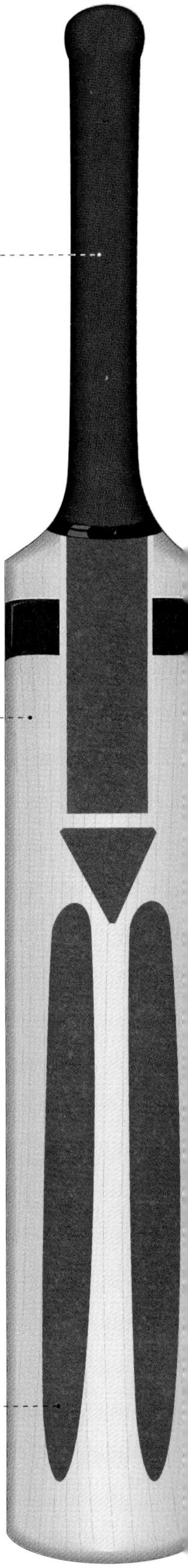
manche^{M}
handle
plat^{M}
willow
rainure^{F}
groove

BALLE^{F} DE CRICKET^{M}
CRICKET BALL

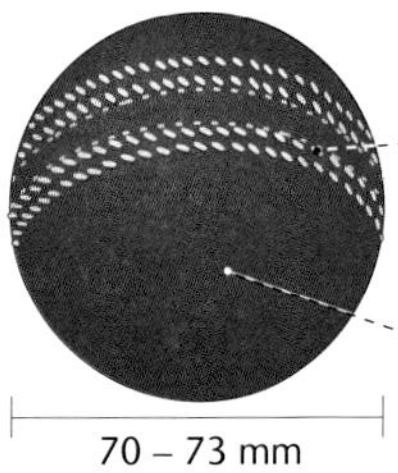
couture^{F}
seam
enveloppe^{F}
leather skin
70 – 73 mm

GUICHET[M]
WICKET

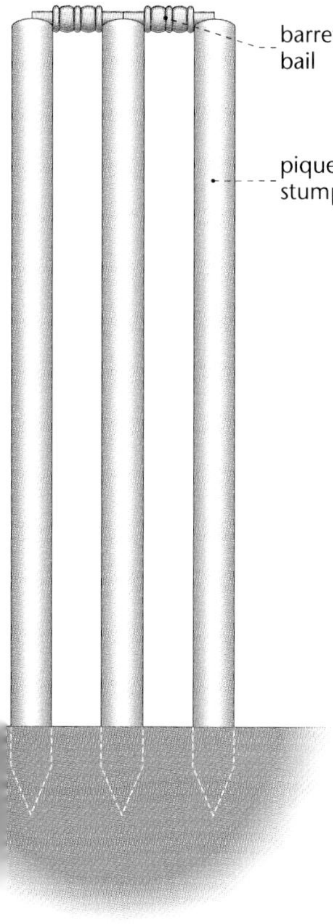

barrette[F]
bail
piquet[M]
stump

TERRAIN[M]
FIELD

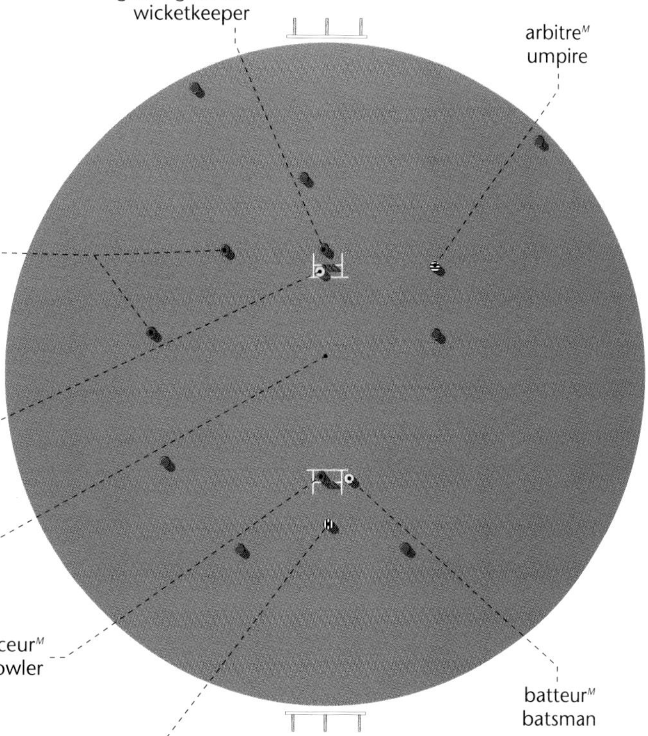

garde-guichet[M]
wicketkeeper
arbitre[M]
umpire
équipe[F] au champ[M]
fielders
batteur[M]
batsman
livrée[F]
pitch
lanceur[M]
bowler
batteur[M]
batsman
arbitre[M]
umpire

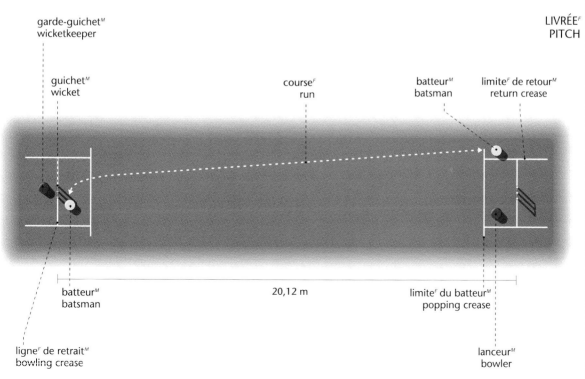

LIVRÉE[F]
PITCH

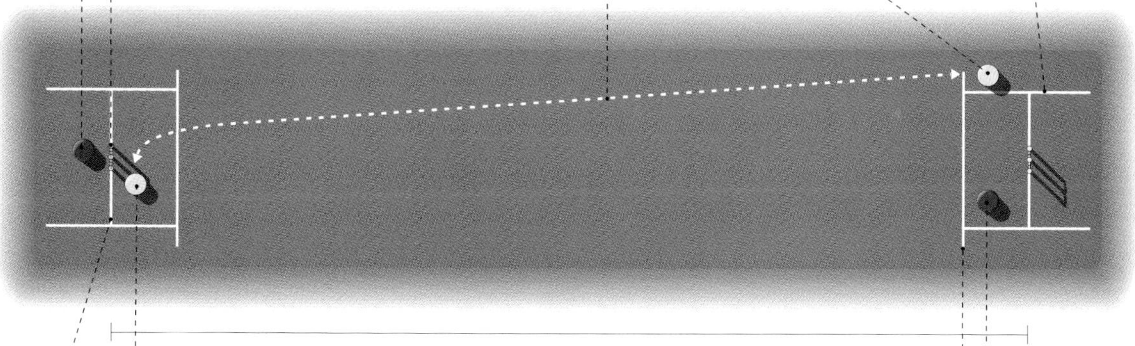

garde-guichet[M]
wicketkeeper
guichet[M]
wicket
course[F]
run
batteur[M]
batsman
limite[F] de retour[M]
return crease
batteur[M]
batsman
20,12 m
limite[F] du batteur[M]
popping crease
ligne[F] de retrait[M]
bowling crease
lanceur[M]
bowler

FOOTBALL^M SOCCER

FOOTBALLEUR^M
SOCCER PLAYER

BALLON^M DE FOOTBALL^M
SOCCER BALL

chandail^M d'équipe^F
team shirt
218 mm
short^M
shorts
protège-tibia^M
shin guard
chaussure^F de football^M
soccer shoe
crampons^M
interchangeables
interchangeable studs

TERRAIN[M]
PLAYING FIELD

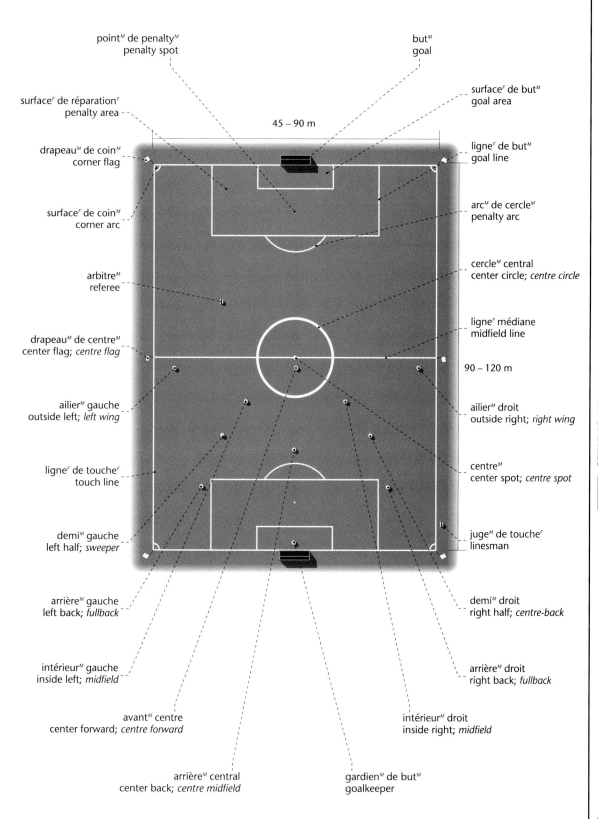

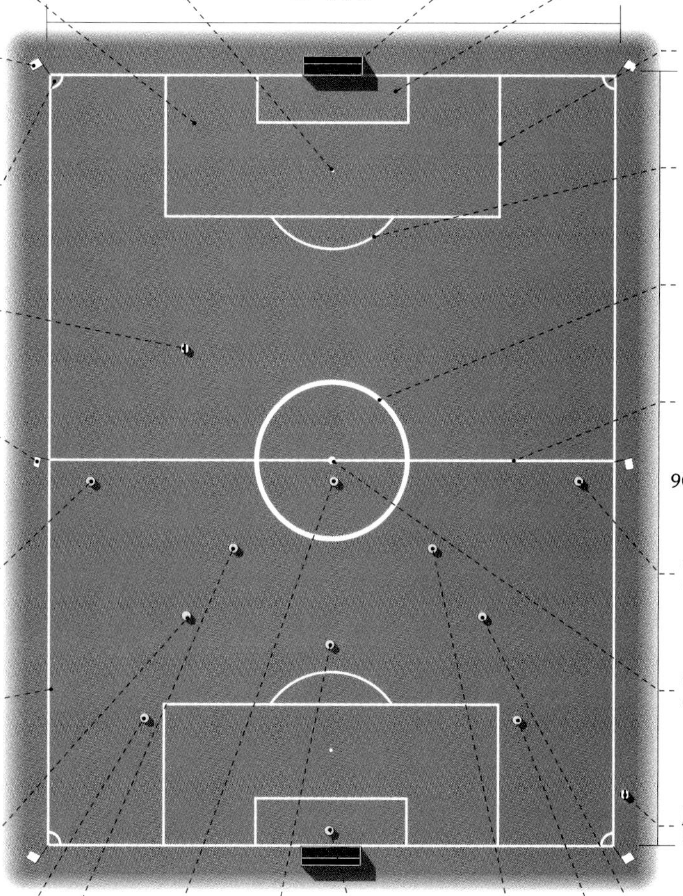
point[M] de penalty[M]
penalty spot
but[M]
goal
surface[F] de but[M]
goal area
surface[F] de réparation[F]
penalty area
45 – 90 m
drapeau[M] de coin[M]
corner flag
ligne[F] de but[M]
goal line
surface[F] de coin[M]
corner arc
arc[M] de cercle[M]
penalty arc
arbitre[M]
referee
cercle[M] central
center circle; *centre circle*
ligne[F] médiane
midfield line
drapeau[M] de centre[M]
center flag; *centre flag*
90 – 120 m
ailier[M] gauche
outside left; *left wing*
ailier[M] droit
outside right; *right wing*
ligne[F] de touche[F]
touch line
centre[M]
center spot; *centre spot*
demi[M] gauche
left half; *sweeper*
juge[M] de touche[F]
linesman
arrière[M] gauche
left back; *fullback*
demi[M] droit
right half; *centre-back*
intérieur[M] gauche
inside left; *midfield*
arrière[M] droit
right back; *fullback*
avant[M] centre
center forward; *centre forward*
intérieur[M] droit
inside right; *midfield*
arrière[M] central
center back; *centre midfield*
gardien[M] de but[M]
goalkeeper

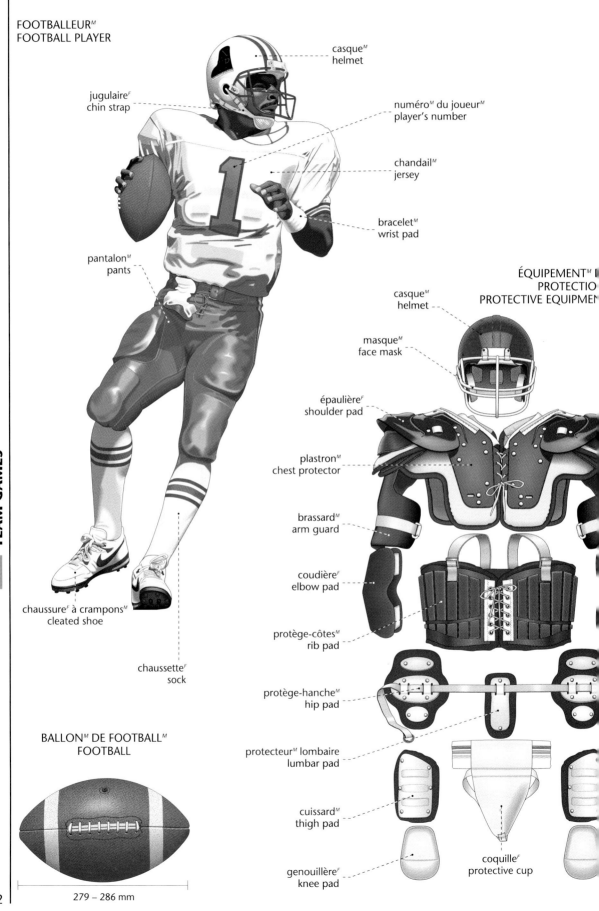

FOOTBALL[M] AMÉRICAIN
FOOTBALL

FOOTBALLEUR[M]
FOOTBALL PLAYER

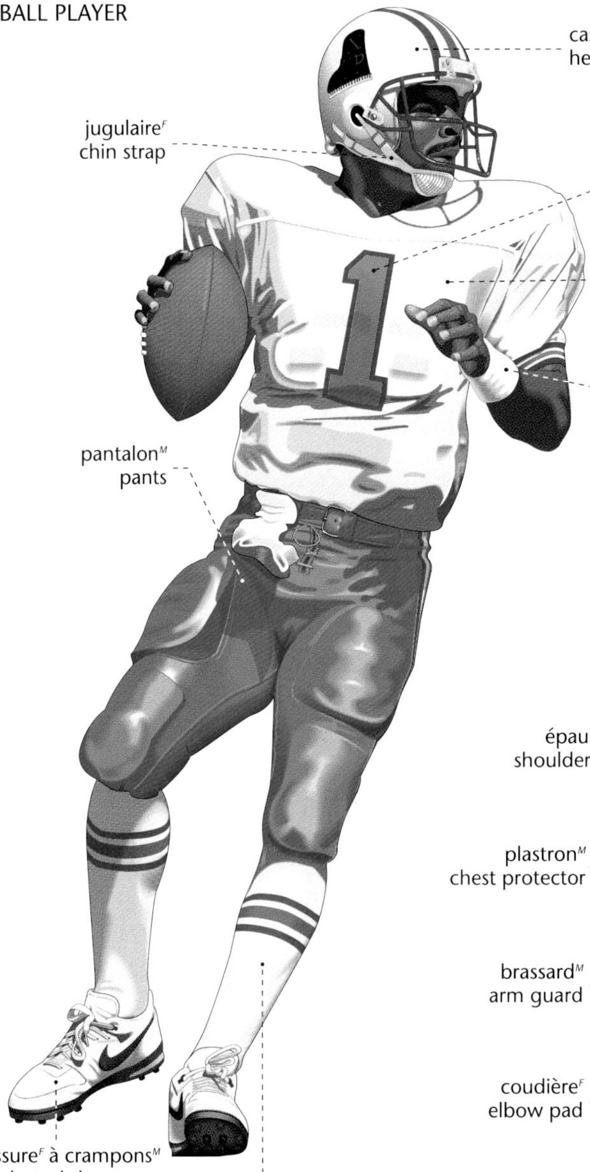

casque[M]
helmet
jugulaire[F]
chin strap
numéro[M] du joueur[M]
player's number
chandail[M]
jersey
bracelet[M]
wrist pad
pantalon[M]
pants
chaussure[F] à crampons[M]
cleated shoe
chaussette[F]
sock

ÉQUIPEMENT[M] I
PROTECTIO
PROTECTIVE EQUIPMEN

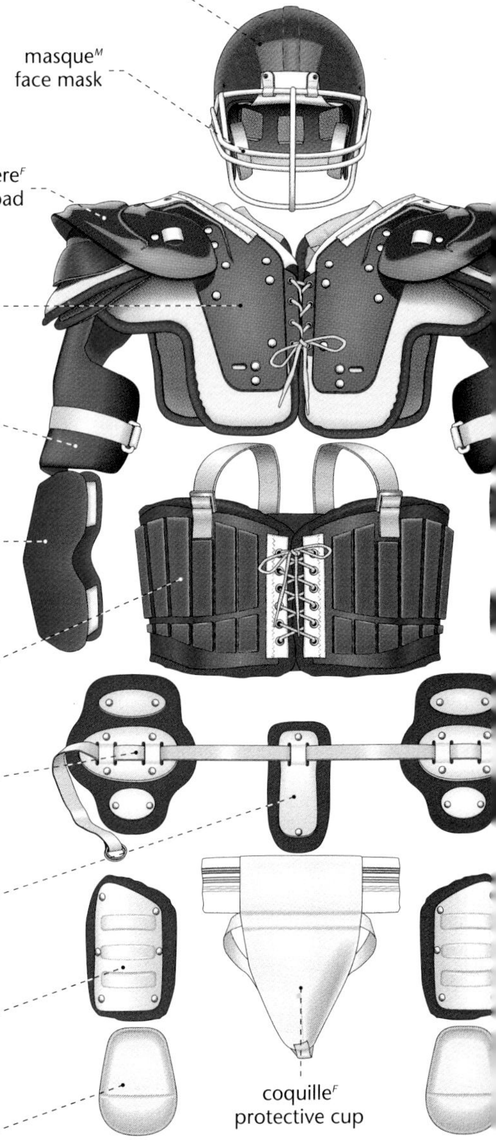

casque[M]
helmet
masque[M]
face mask
épaulière[F]
shoulder pad
plastron[M]
chest protector
brassard[M]
arm guard
coudière[F]
elbow pad
protège-côtes[M]
rib pad
protège-hanche[M]
hip pad
protecteur[M] lombaire
lumbar pad
cuissard[M]
thigh pad
genouillère[F]
knee pad
coquille[F]
protective cup

BALLON[M] DE FOOTBALL[M]
FOOTBALL

279 – 286 mm

MÊLÉE[F]
SCRIMMAGE

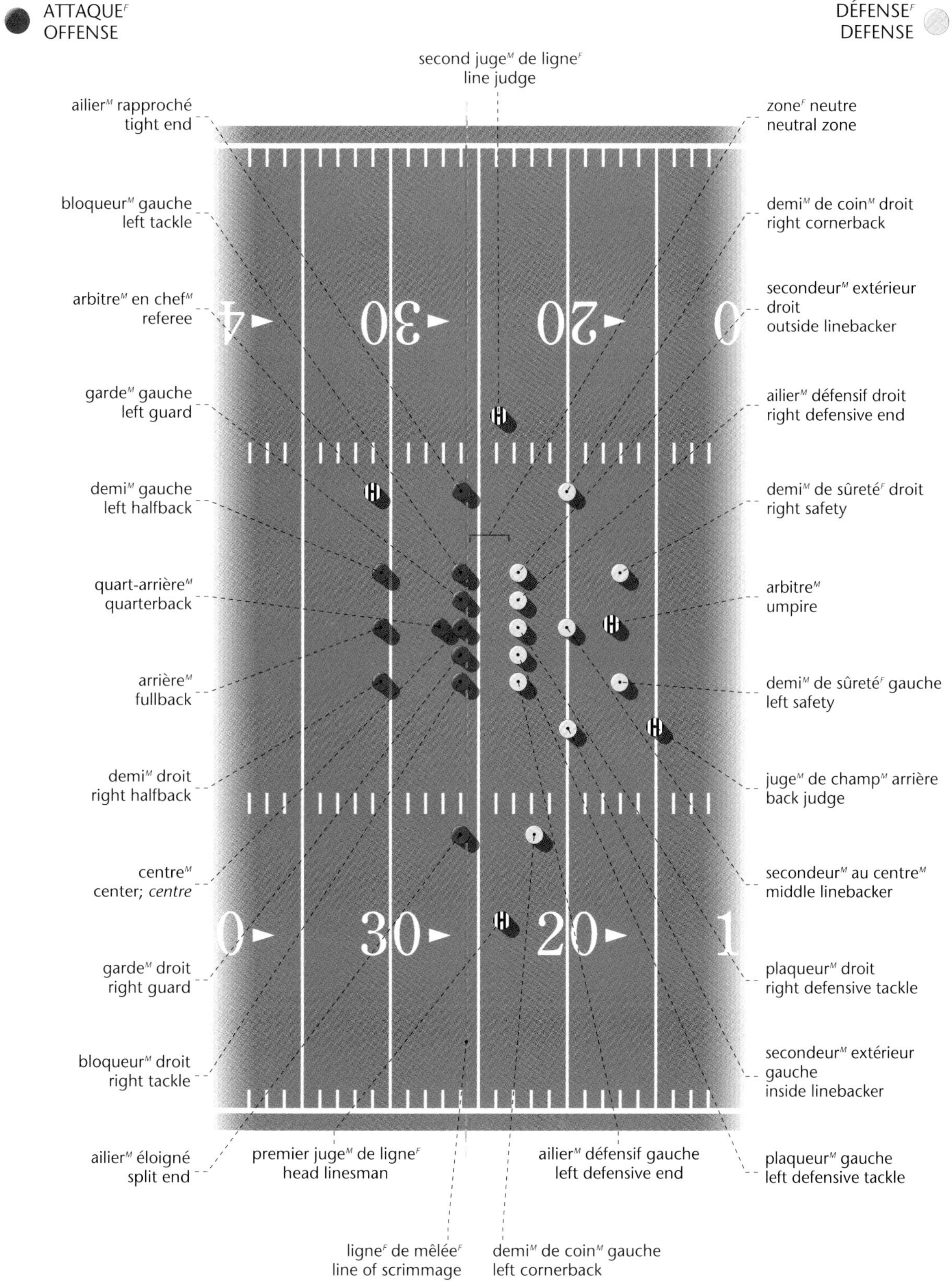

ATTAQUE[F]
OFFENSE
DÉFENSE[F]
DEFENSE
second juge[M] de ligne[F]
line judge
ailier[M] rapproché
tight end
zone[F] neutre
neutral zone
bloqueur[M] gauche
left tackle
demi[M] de coin[M] droit
right cornerback
arbitre[M] en chef[M]
referee
secondeur[M] extérieur droit
outside linebacker
garde[M] gauche
left guard
ailier[M] défensif droit
right defensive end
demi[M] gauche
left halfback
demi[M] de sûreté[F] droit
right safety
quart-arrière[M]
quarterback
arbitre[M]
umpire
arrière[M]
fullback
demi[M] de sûreté[F] gauche
left safety
demi[M] droit
right halfback
juge[M] de champ[M] arrière
back judge
centre[M]
center; *centre*
secondeur[M] au centre[M]
middle linebacker
garde[M] droit
right guard
plaqueur[M] droit
right defensive tackle
bloqueur[M] droit
right tackle
secondeur[M] extérieur gauche
inside linebacker
ailier[M] éloigné
split end
premier juge[M] de ligne[F]
head linesman
ailier[M] défensif gauche
left defensive end
plaqueur[M] gauche
left defensive tackle
ligne[F] de mêlée[F]
line of scrimmage
demi[M] de coin[M] gauche
left cornerback

FOOTBALL^{M}
FOOTBALL

TERRAIN^{M} DE FOOTBALL^{M} AMÉRICAIN
PLAYING FIELD FOR AMERICAN FOOTBALL

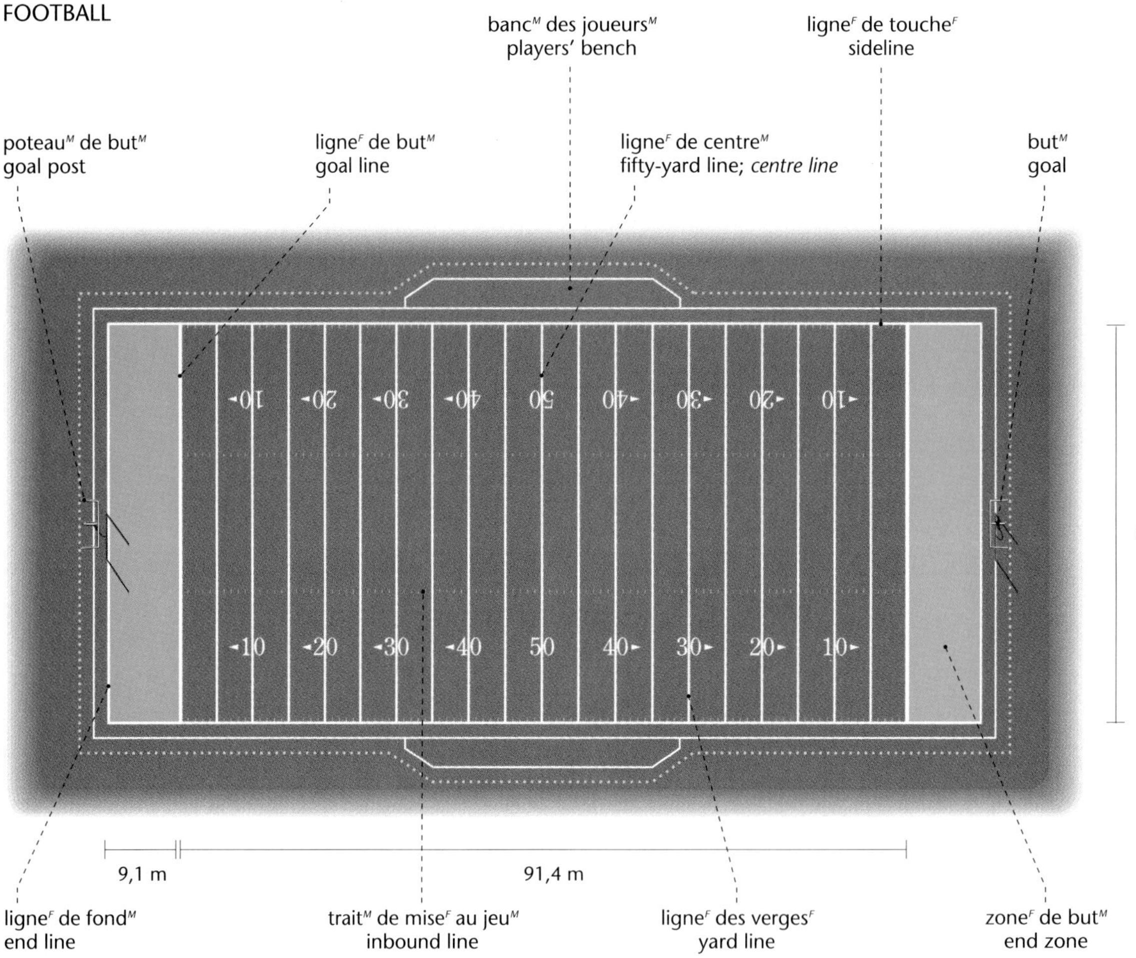
bancᴹ des joueursᴹ
players' bench
ligneᶠ de toucheᶠ
sideline
poteauᴹ de butᴹ
goal post
ligneᶠ de butᴹ
goal line
ligneᶠ de centreᴹ
fifty-yard line; centre line
butᴹ
goal
10 20 30 40 50 40 30 20 10
49 m
9,1 m
91,4 m
ligneᶠ de fondᴹ
end line
traitᴹ de miseᶠ au jeuᴹ
inbound line
ligneᶠ des vergesᶠ
yard line
zoneᶠ de butᴹ
end zone

TERRAIN^{M} DE FOOTBALL^{M} CANADIEN
PLAYING FIELD FOR CANADIAN FOOTBALL

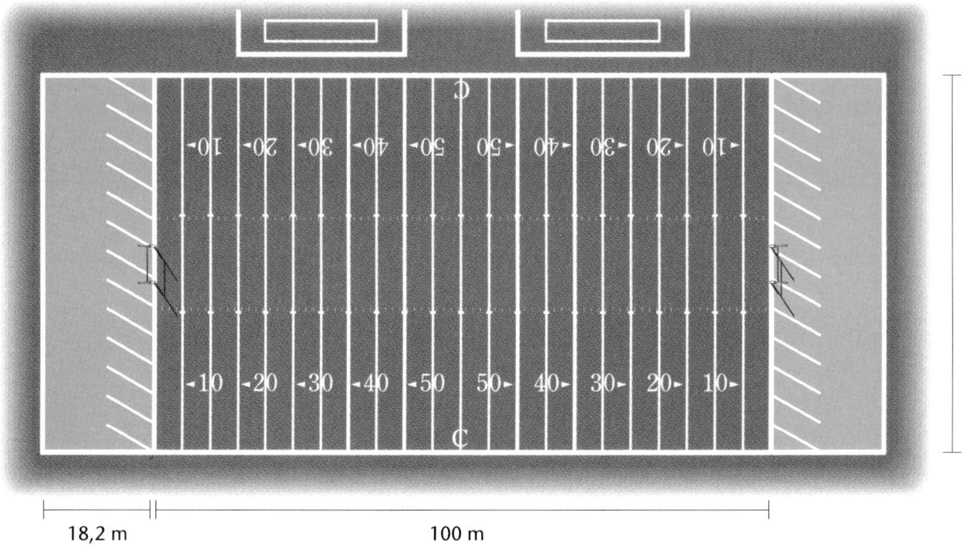
C
10 20 30 40 50 50 40 30 20 10
60 m
18,2 m
100 m

MÊLÉE[F] AU FOOTBALL[M] CANADIEN
SCRIMMAGE IN CANADIAN FOOTBALL

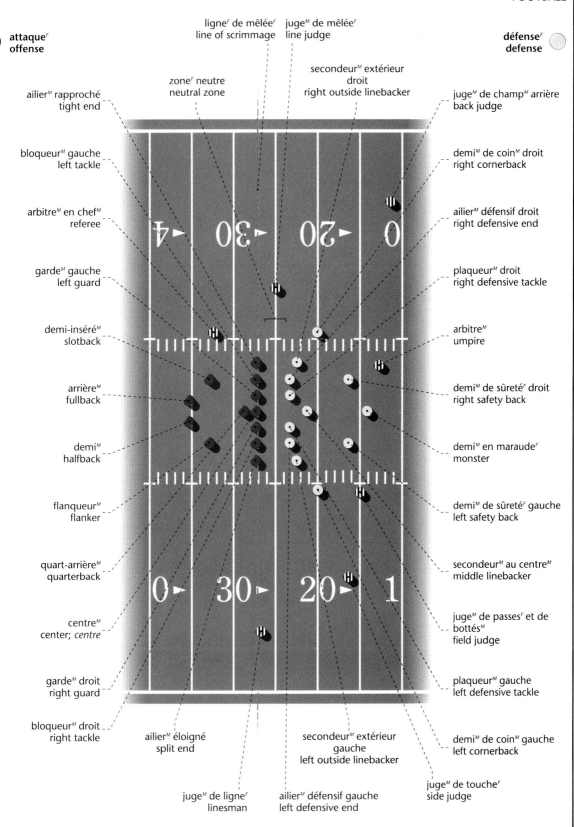

attaque[F]
offense

défense[F]
defense

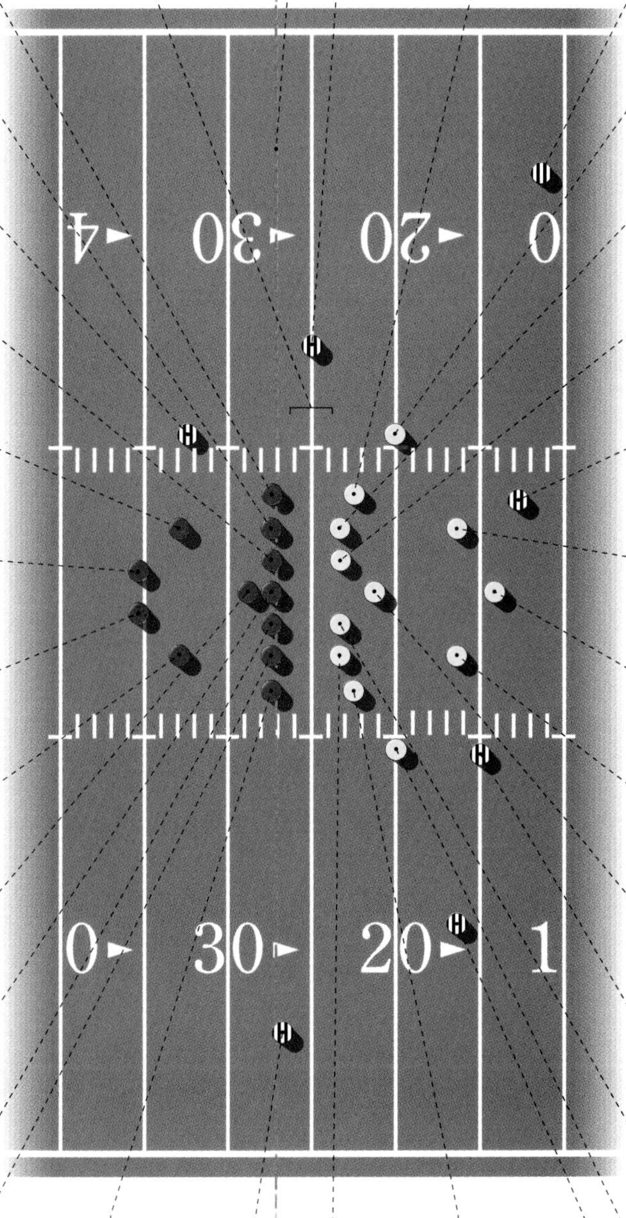

ligne[F] de mêlée[F]
line of scrimmage
juge[M] de mêlée[F]
line judge
zone[F] neutre
neutral zone
secondeur[M] extérieur droit
right outside linebacker
ailier[M] rapproché
tight end
bloqueur[M] gauche
left tackle
arbitre[M] en chef[M]
referee
garde[M] gauche
left guard
demi-inséré[M]
slotback
arrière[M]
fullback
demi[M]
halfback
flanqueur[M]
flanker
quart-arrière[M]
quarterback
centre[M]
center; *centre*
garde[M] droit
right guard
bloqueur[M] droit
right tackle
ailier[M] éloigné
split end
juge[M] de ligne[F]
linesman
ailier[M] défensif gauche
left defensive end
secondeur[M] extérieur gauche
left outside linebacker
juge[M] de touche[F]
side judge
juge[M] de champ[M] arrière
back judge
demi[M] de coin[M] droit
right cornerback
ailier[M] défensif droit
right defensive end
plaqueur[M] droit
right defensive tackle
arbitre[M]
umpire
demi[M] de sûreté[F] droit
right safety back
demi[M] en maraude[F]
monster
demi[M] de sûreté[F] gauche
left safety back
secondeur[M] au centre[M]
middle linebacker
juge[M] de passes[F] et de bottés[M]
field judge
plaqueur[M] gauche
left defensive tackle
demi[M] de coin[M] gauche
left cornerback

RUGBY[M]
RUGBY

TERRAIN[M]
FIELD

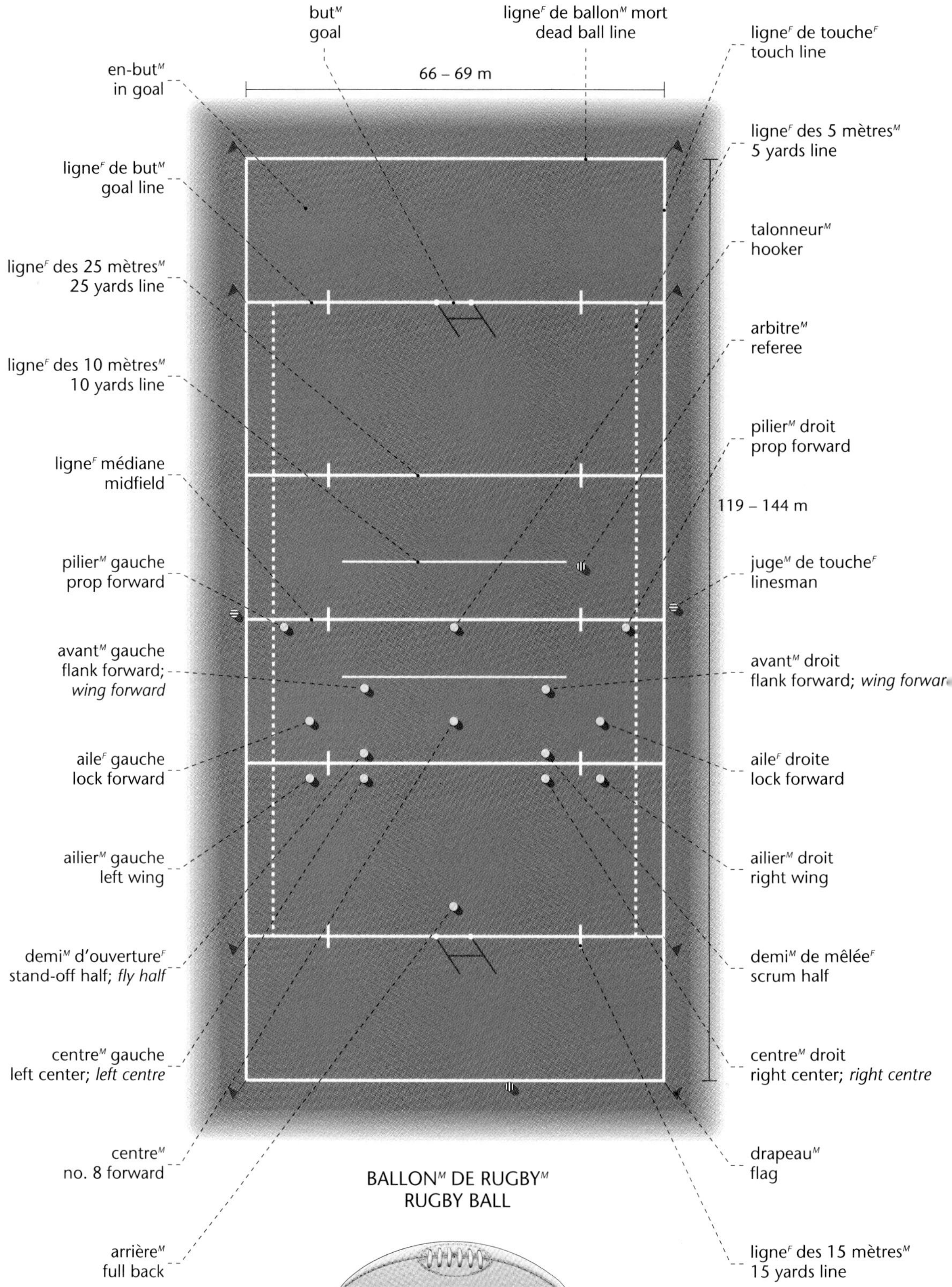
but[M]
goal
ligne[F] de ballon[M] mort
dead ball line
ligne[F] de touche[F]
touch line
en-but[M]
in goal
66 – 69 m
ligne[F] des 5 mètres[M]
5 yards line
ligne[F] de but[M]
goal line
talonneur[M]
hooker
ligne[F] des 25 mètres[M]
25 yards line
arbitre[M]
referee
ligne[F] des 10 mètres[M]
10 yards line
pilier[M] droit
prop forward
ligne[F] médiane
midfield
119 – 144 m
pilier[M] gauche
prop forward
juge[M] de touche[F]
linesman
avant[M] gauche
flank forward; *wing forward*
avant[M] droit
flank forward; *wing forwar*
aile[F] gauche
lock forward
aile[F] droite
lock forward
ailier[M] gauche
left wing
ailier[M] droit
right wing
demi[M] d'ouverture[F]
stand-off half; *fly half*
demi[M] de mêlée[F]
scrum half
centre[M] gauche
left center; *left centre*
centre[M] droit
right center; *right centre*
centre[M]
no. 8 forward
drapeau[M]
flag
arrière[M]
full back
ligne[F] des 15 mètres[M]
15 yards line

BALLON[M] DE RUGBY[M]
RUGBY BALL

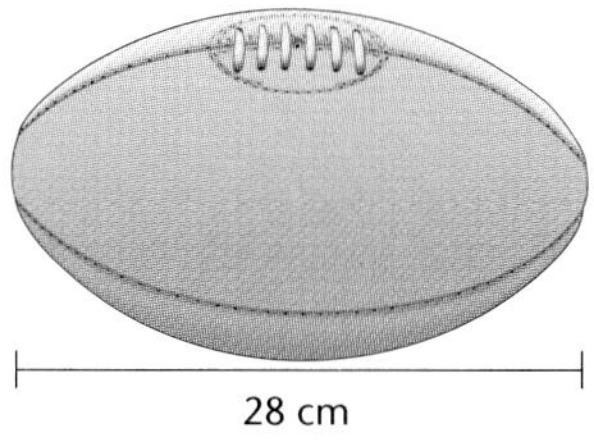
28 cm

HOCKEY[M] SUR GAZON[M]
FIELD HOCKEY

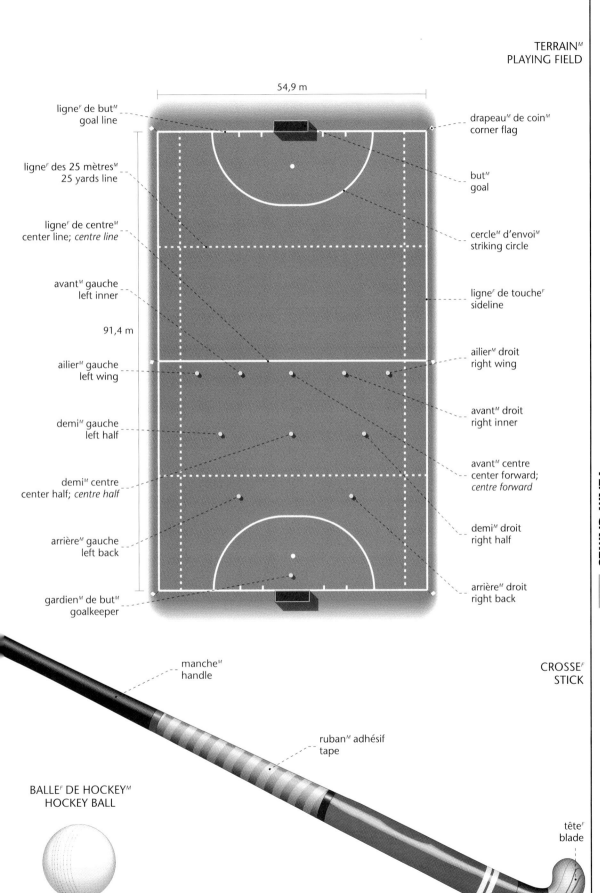

TERRAIN[M]
PLAYING FIELD

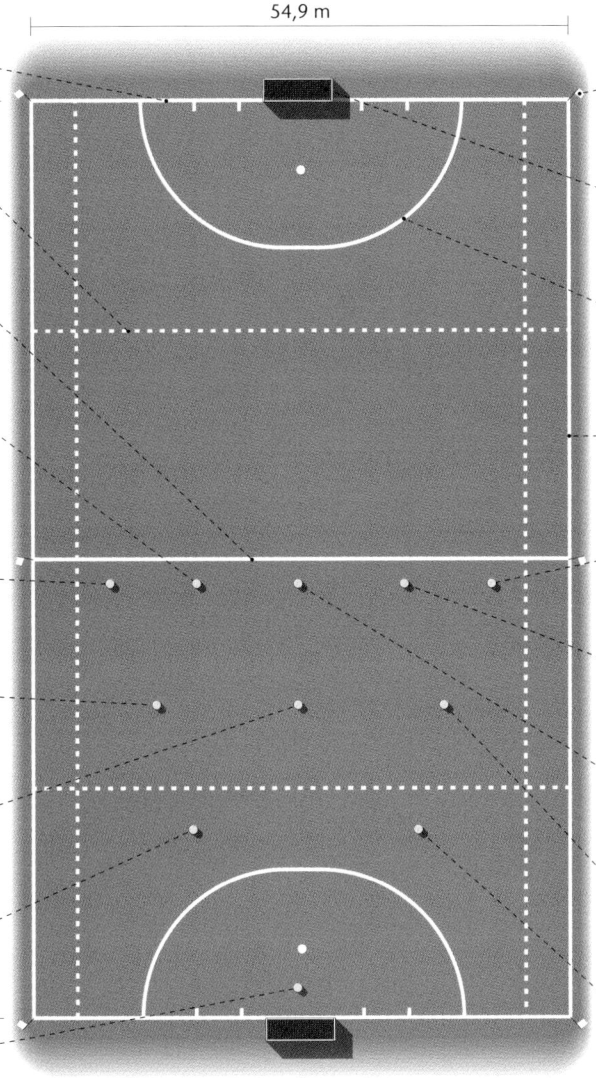

54,9 m
91,4 m
ligne[F] de but[M]
goal line
ligne[F] des 25 mètres[M]
25 yards line
ligne[F] de centre[M]
center line; *centre line*
avant[M] gauche
left inner
ailier[M] gauche
left wing
demi[M] gauche
left half
demi[M] centre
center half; *centre half*
arrière[M] gauche
left back
gardien[M] de but[M]
goalkeeper
drapeau[M] de coin[M]
corner flag
but[M]
goal
cercle[M] d'envoi[M]
striking circle
ligne[F] de touche[F]
sideline
ailier[M] droit
right wing
avant[M] droit
right inner
avant[M] centre
center forward;
centre forward
demi[M] droit
right half
arrière[M] droit
right back

CROSSE[F]
STICK

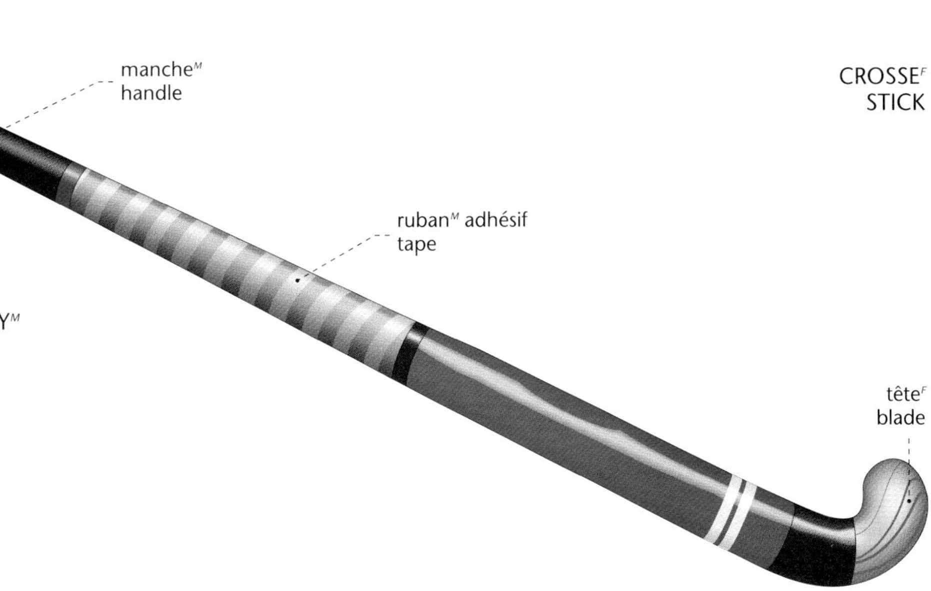

manche[M]
handle
ruban[M] adhésif
tape
tête[F]
blade

BALLE[F] DE HOCKEY[M]
HOCKEY BALL

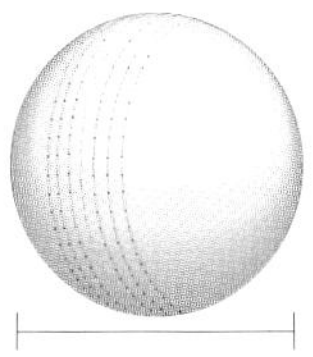

66 – 74 mm

HOCKEY^{M} SUR GLACE^{F}
ICE HOCKEY

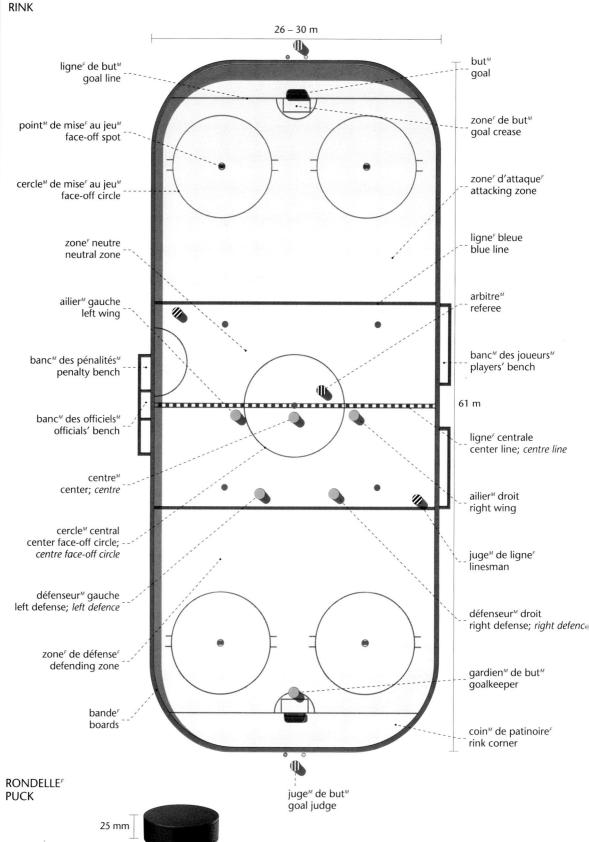

PATINOIRE^{F}
RINK

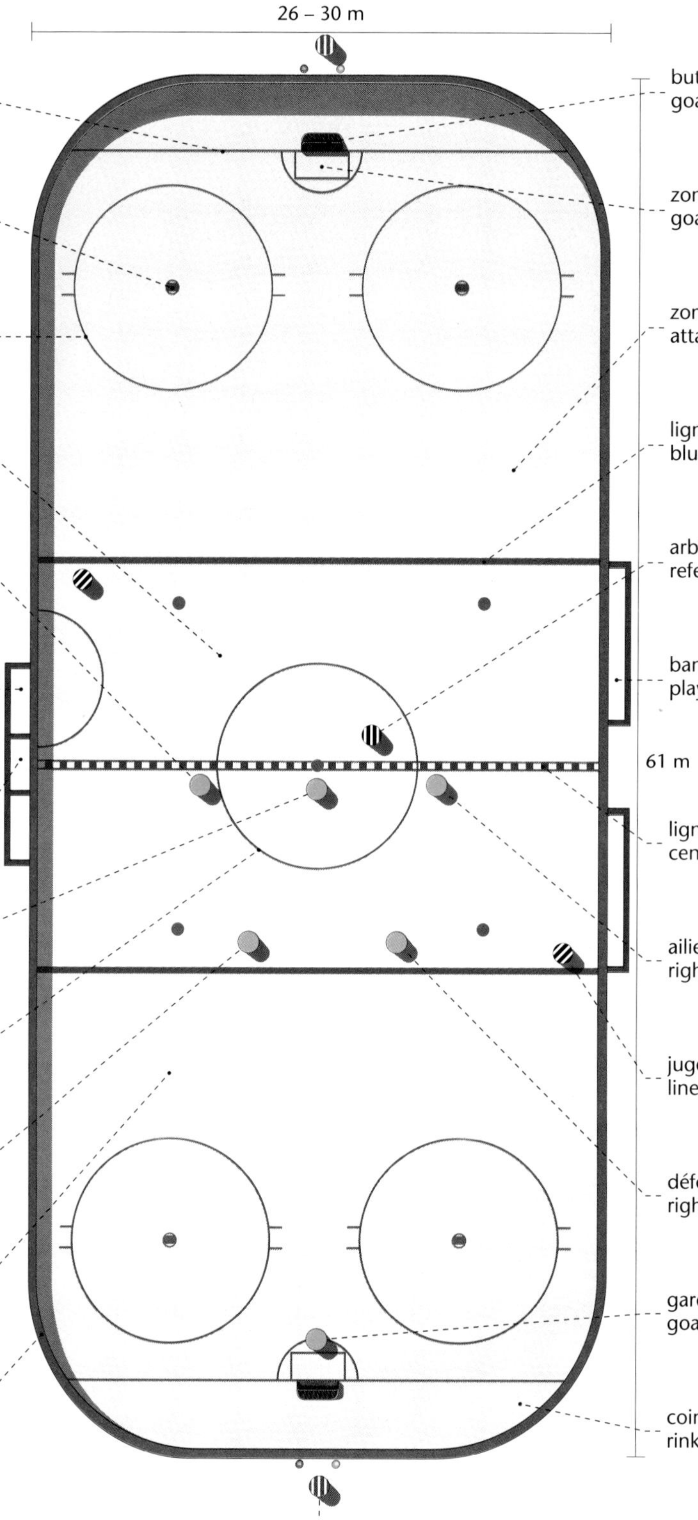

26 – 30 m
61 m
ligne^{F} de but^{M}
goal line
point^{M} de mise^{F} au jeu^{M}
face-off spot
cercle^{M} de mise^{F} au jeu^{M}
face-off circle
zone^{F} neutre
neutral zone
ailier^{M} gauche
left wing
banc^{M} des pénalités^{M}
penalty bench
banc^{M} des officiels^{M}
officials' bench
centre^{M}
center; *centre*
cercle^{M} central
center face-off circle; *centre face-off circle*
défenseur^{M} gauche
left defense; *left defence*
zone^{F} de défense^{F}
defending zone
bande^{F}
boards
but^{M}
goal
zone^{F} de but^{M}
goal crease
zone^{F} d'attaque^{F}
attacking zone
ligne^{F} bleue
blue line
arbitre^{M}
referee
banc^{M} des joueurs^{M}
players' bench
ligne^{F} centrale
center line; *centre line*
ailier^{M} droit
right wing
juge^{M} de ligne^{F}
linesman
défenseur^{M} droit
right defense; *right defenc*
gardien^{M} de but^{M}
goalkeeper
coin^{M} de patinoire^{F}
rink corner
juge^{M} de but^{M}
goal judge

RONDELLE^{F}
PUCK

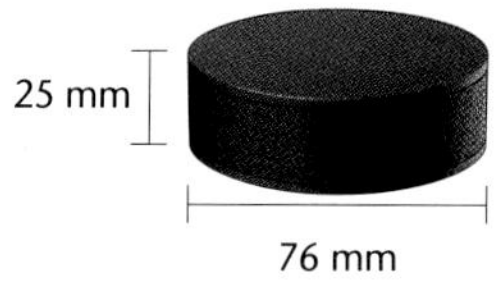

25 mm
76 mm

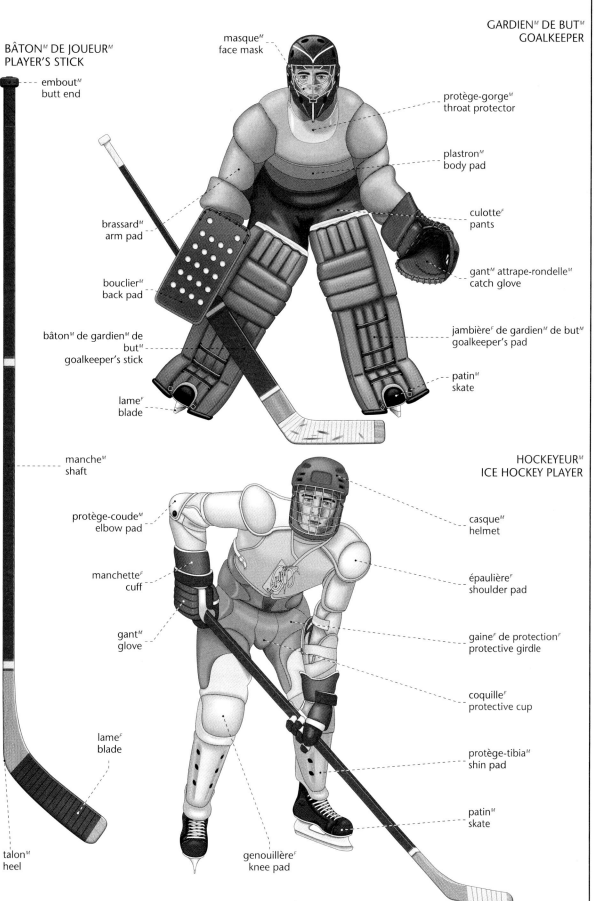

BÂTON[M] DE JOUEUR[M]
PLAYER'S STICK

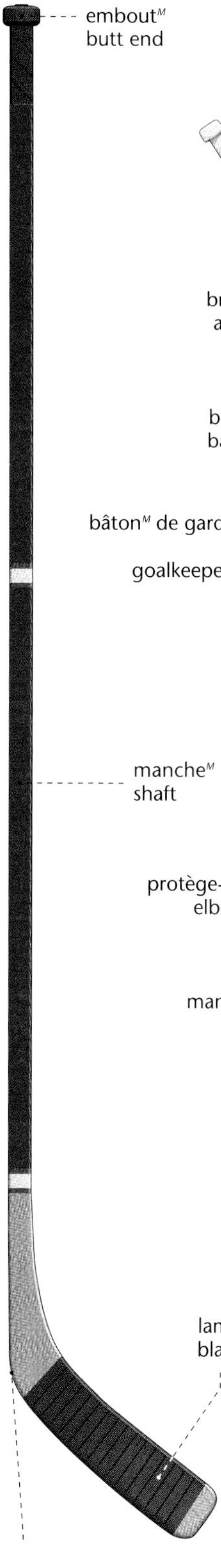
embout[M]
butt end
manche[M]
shaft
lame[F]
blade
talon[M]
heel

GARDIEN[M] DE BUT[M]
GOALKEEPER

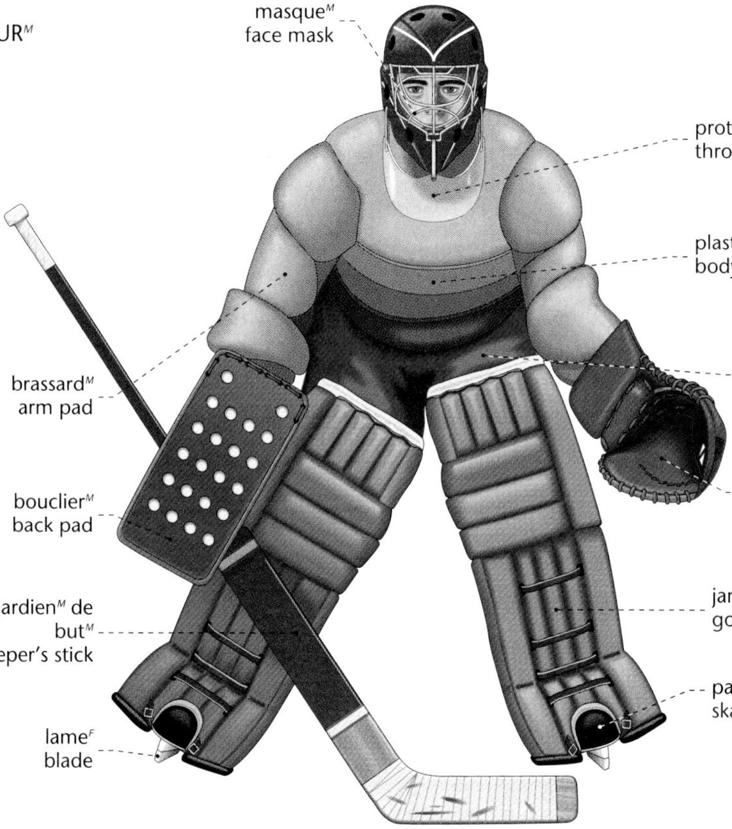
masque[M]
face mask
protège-gorge[M]
throat protector
plastron[M]
body pad
culotte[F]
pants
brassard[M]
arm pad
gant[M] attrape-rondelle[M]
catch glove
bouclier[M]
back pad
bâton[M] de gardien[M] de but[M]
goalkeeper's stick
jambière[F] de gardien[M] de but[M]
goalkeeper's pad
patin[M]
skate
lame[F]
blade

HOCKEYEUR[M]
ICE HOCKEY PLAYER

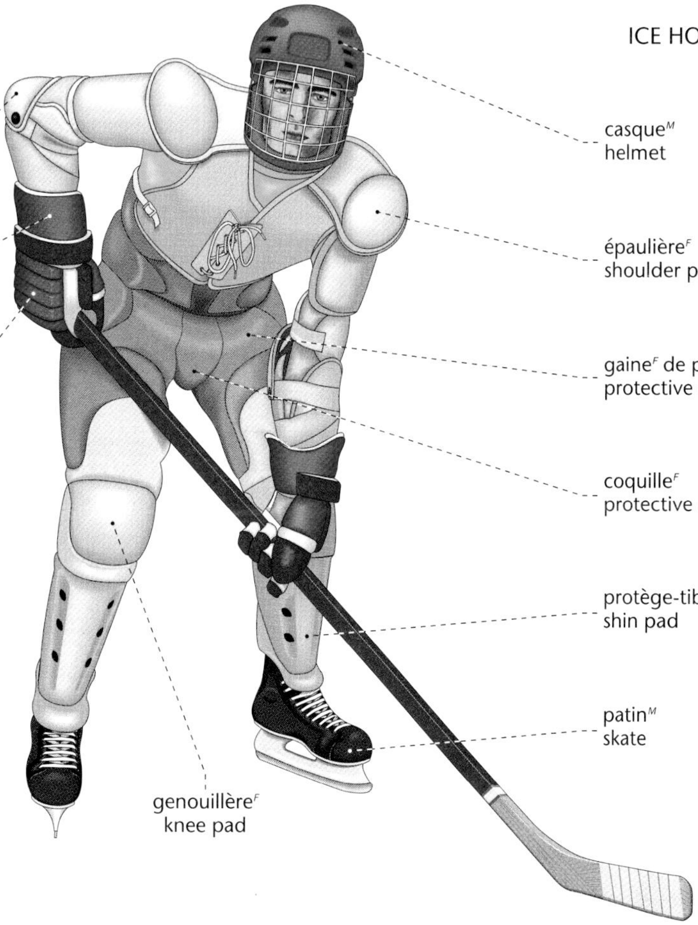
casque[M]
helmet
protège-coude[M]
elbow pad
épaulière[F]
shoulder pad
manchette[F]
cuff
gant[M]
glove
gaine[F] de protection[F]
protective girdle
coquille[F]
protective cup
protège-tibia[M]
shin pad
patin[M]
skate
genouillère[F]
knee pad

BASKETBALL[M]
BASKETBALL

TERRAIN[M]
COURT

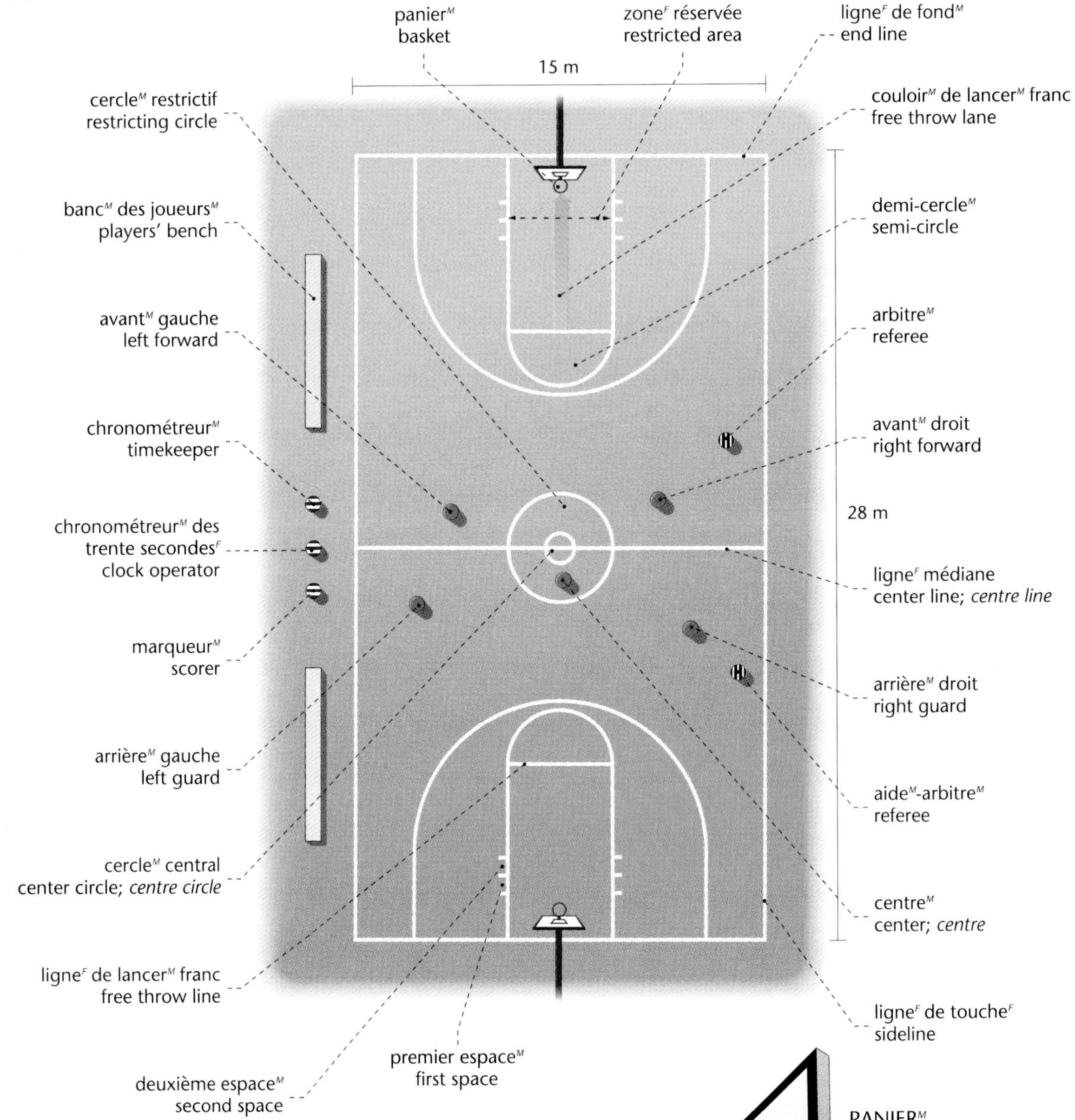
panier[M]
basket
zone[F] réservée
restricted area
ligne[F] de fond[M]
end line
15 m
cercle[M] restrictif
restricting circle
couloir[M] de lancer[M] franc
free throw lane
banc[M] des joueurs[M]
players' bench
demi-cercle[M]
semi-circle
avant[M] gauche
left forward
arbitre[M]
referee
chronométreur[M]
timekeeper
avant[M] droit
right forward
28 m
chronométreur[M] des
trente secondes[F]
clock operator
ligne[F] médiane
center line; *centre line*
marqueur[M]
scorer
arrière[M] droit
right guard
arrière[M] gauche
left guard
aide[M]-arbitre[M]
referee
cercle[M] central
center circle; *centre circle*
centre[M]
center; *centre*
ligne[F] de lancer[M] franc
free throw line
ligne[F] de touche[F]
sideline
premier espace[M]
first space
deuxième espace[M]
second space

PANIER[M]
BASKET

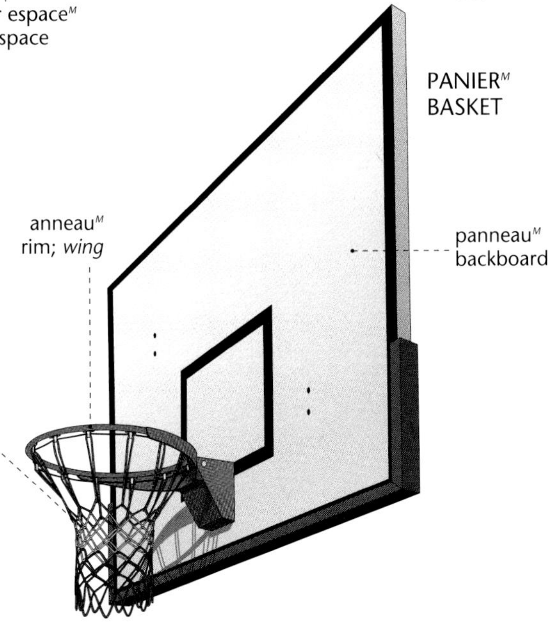
anneau[M]
rim; *wing*
panneau[M]
backboard
filet[M]
net

BALLON[M] DE BASKET[M]
BASKETBALL

244 mm

NETBALL[M]
NETBALL

TERRAIN[M]
COURT

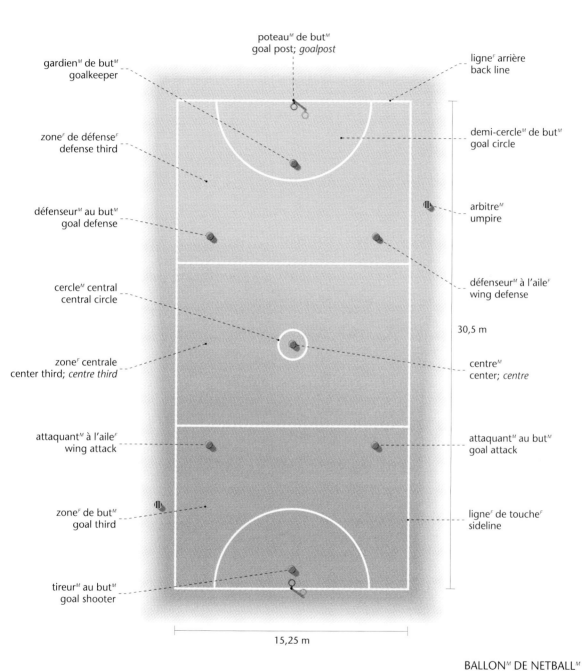

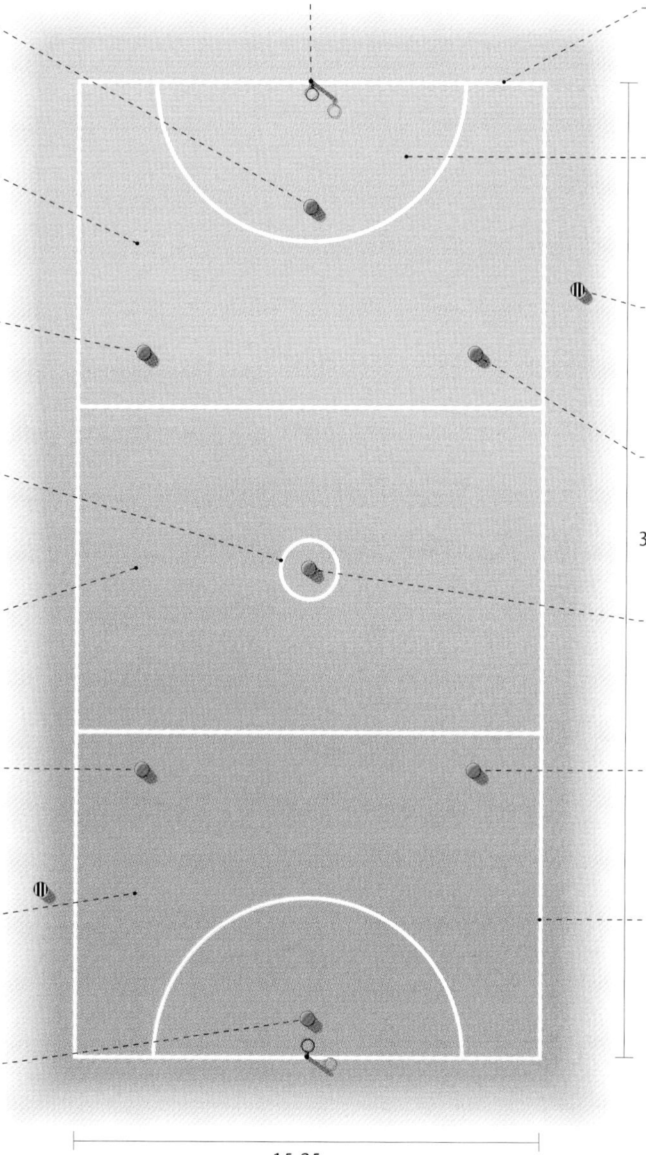
poteau[M] de but[M]
goal post; *goalpost*
gardien[M] de but[M]
goalkeeper
ligne[F] arrière
back line
zone[F] de défense[F]
defense third
demi-cercle[M] de but[M]
goal circle
défenseur[M] au but[M]
goal defense
arbitre[M]
umpire
défenseur[M] à l'aile[F]
wing defense
cercle[M] central
central circle
30,5 m
zone[F] centrale
center third; *centre third*
centre[M]
center; *centre*
attaquant[M] à l'aile[F]
wing attack
attaquant[M] au but[M]
goal attack
zone[F] de but[M]
goal third
ligne[F] de touche[F]
sideline
tireur[M] au but[M]
goal shooter
15,25 m

BALLON[M] DE NETBALL[M]
NETBALL

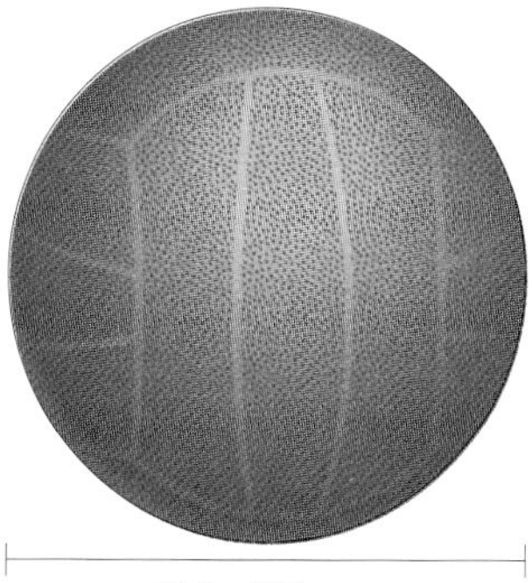
218 – 226 mm

HANDBALL[M]
HANDBALL

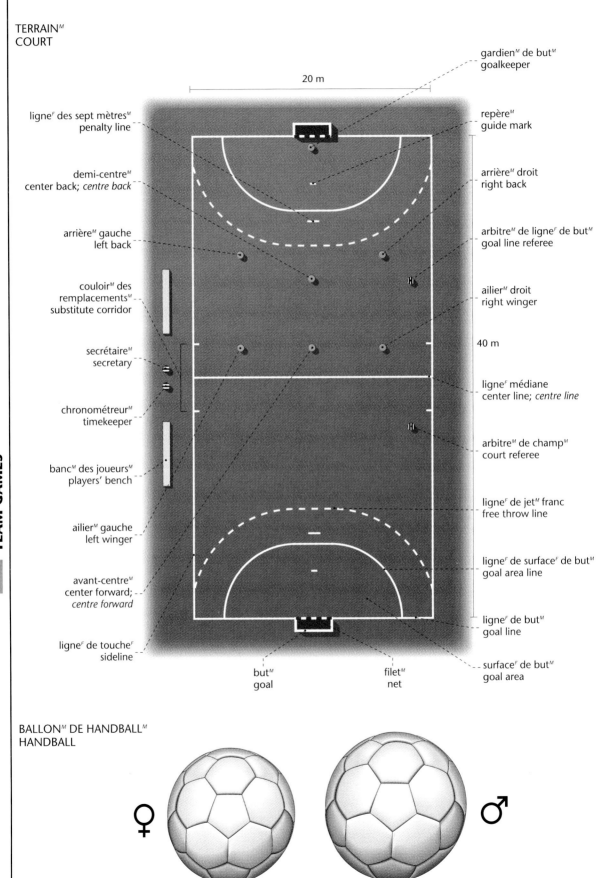

TERRAIN[M]
COURT

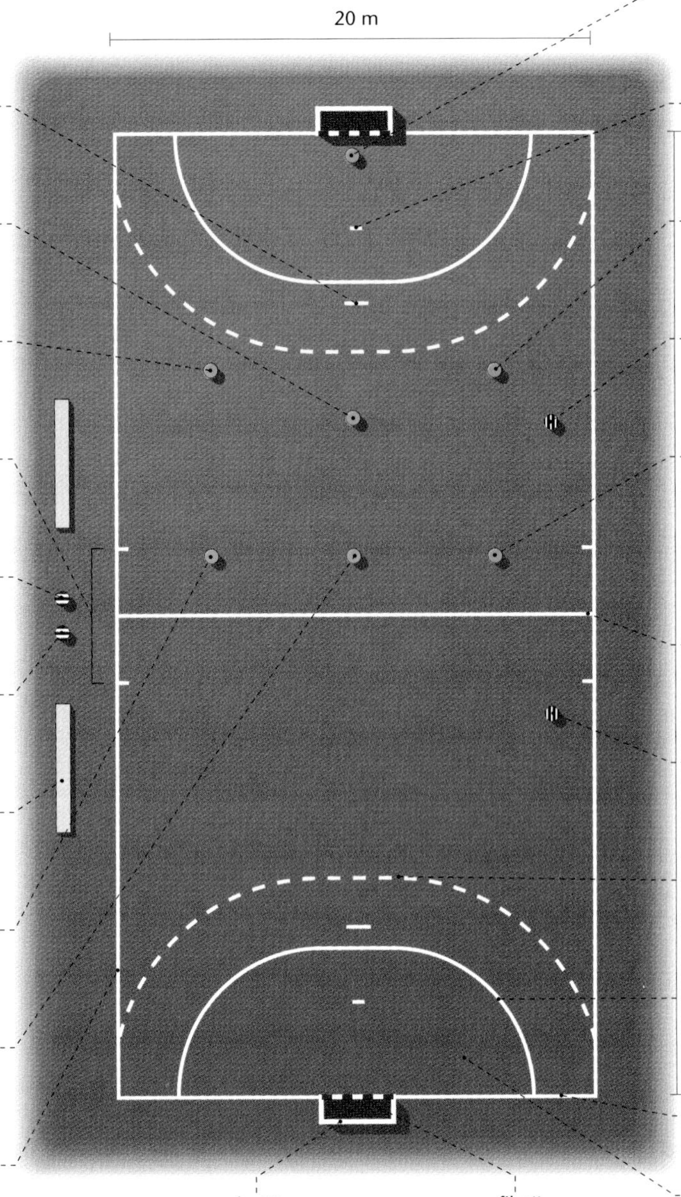

20 m
40 m
gardien[M] de but[M]
goalkeeper
repère[M]
guide mark
arrière[M] droit
right back
arbitre[M] de ligne[F] de but[M]
goal line referee
ailier[M] droit
right winger
ligne[F] médiane
center line; *centre line*
arbitre[M] de champ[M]
court referee
ligne[F] de jet[M] franc
free throw line
ligne[F] de surface[F] de but[M]
goal area line
ligne[F] de but[M]
goal line
surface[F] de but[M]
goal area
filet[M]
net
but[M]
goal
ligne[F] de touche[F]
sideline
avant-centre[M]
center forward;
centre forward
ailier[M] gauche
left winger
banc[M] des joueurs[M]
players' bench
chronométreur[M]
timekeeper
secrétaire[M]
secretary
couloir[M] des
remplacements[M]
substitute corridor
arrière[M] gauche
left back
demi-centre[M]
center back; *centre back*
ligne[F] des sept mètres[M]
penalty line

BALLON[M] DE HANDBALL[M]
HANDBALL

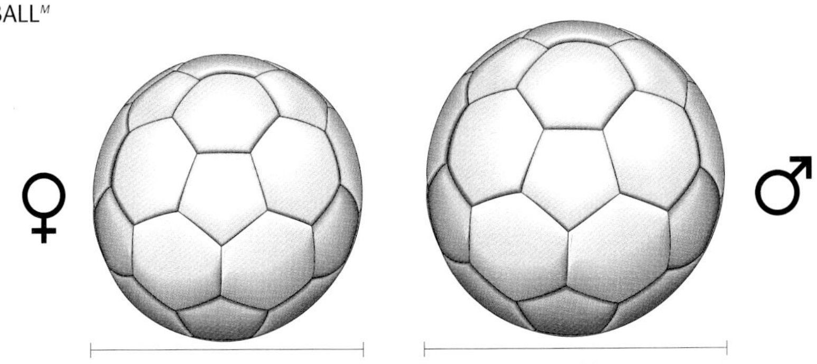

♀
♂
173 – 178 mm
183 – 188 mm

VOLLEYBALL[M]
VOLLEYBALL

TERRAIN[M]
COURT

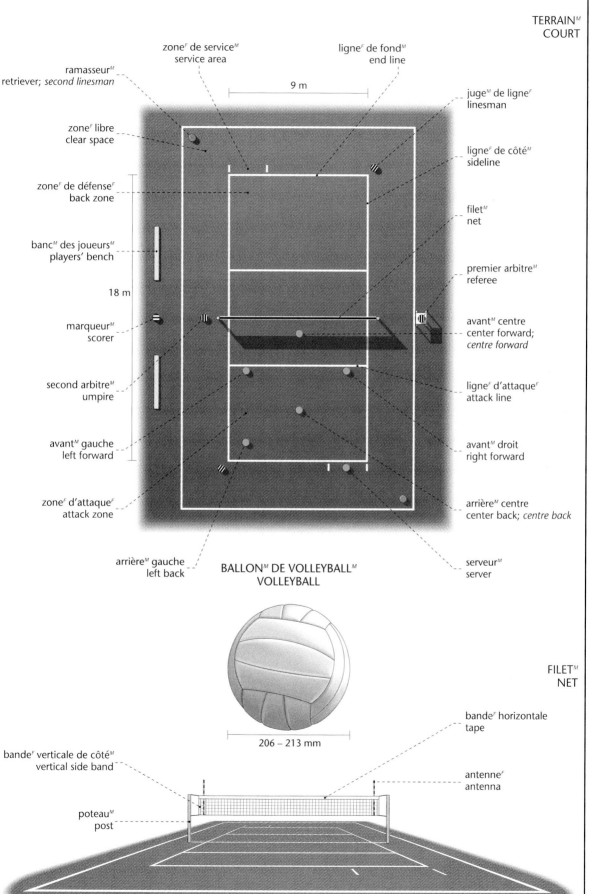

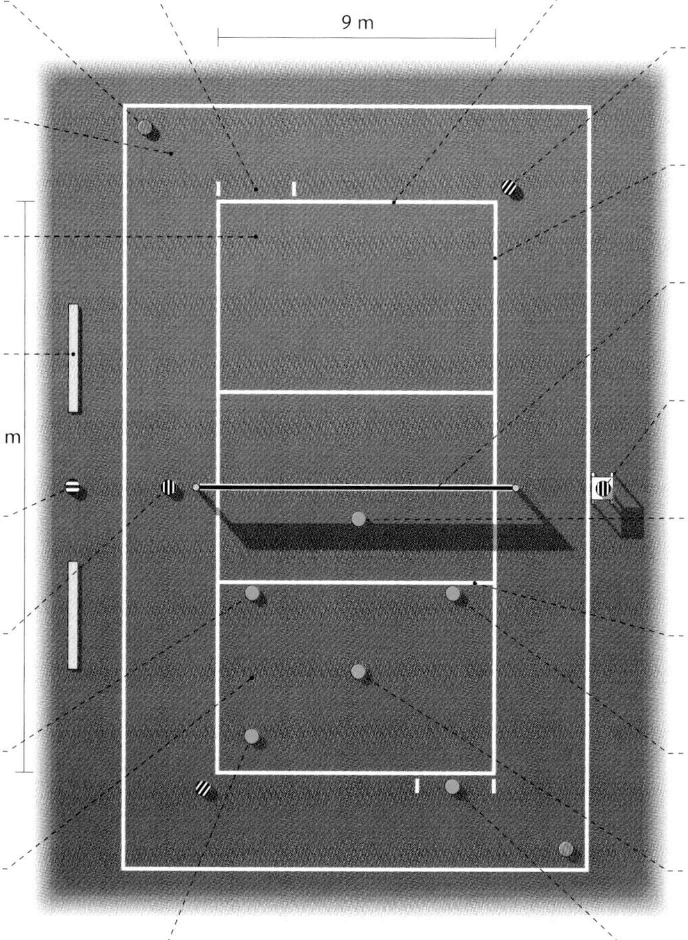
zone[F] de service[M]
service area
ligne[F] de fond[M]
end line
ramasseur[M]
retriever; *second linesman*
9 m
juge[M] de ligne[F]
linesman
zone[F] libre
clear space
ligne[F] de côté[M]
sideline
zone[F] de défense[F]
back zone
filet[M]
net
banc[M] des joueurs[M]
players' bench
premier arbitre[M]
referee
18 m
marqueur[M]
scorer
avant[M] centre
center forward; *centre forward*
second arbitre[M]
umpire
ligne[F] d'attaque[F]
attack line
avant[M] gauche
left forward
avant[M] droit
right forward
zone[F] d'attaque[F]
attack zone
arrière[M] centre
center back; *centre back*
arrière[M] gauche
left back
serveur[M]
server

BALLON[M] DE VOLLEYBALL[M]
VOLLEYBALL

206 – 213 mm

FILET[M]
NET

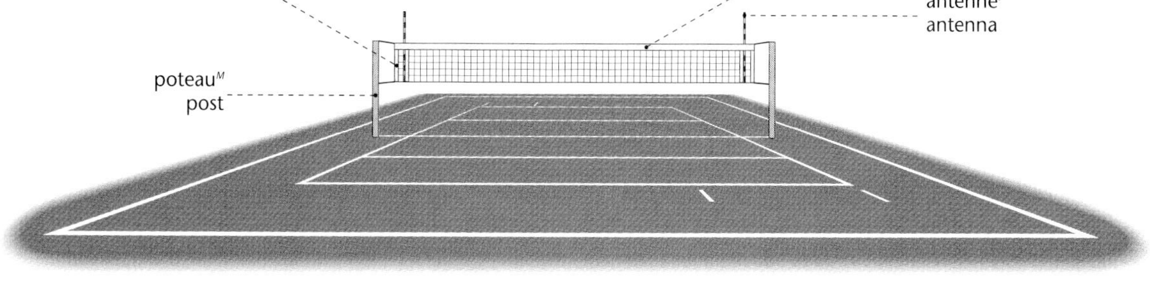
bande[F] horizontale
tape
bande[F] verticale de côté[M]
vertical side band
antenne[F]
antenna
poteau[M]
post

TENNIS[M]
TENNIS

TERRAIN[M]
COURT

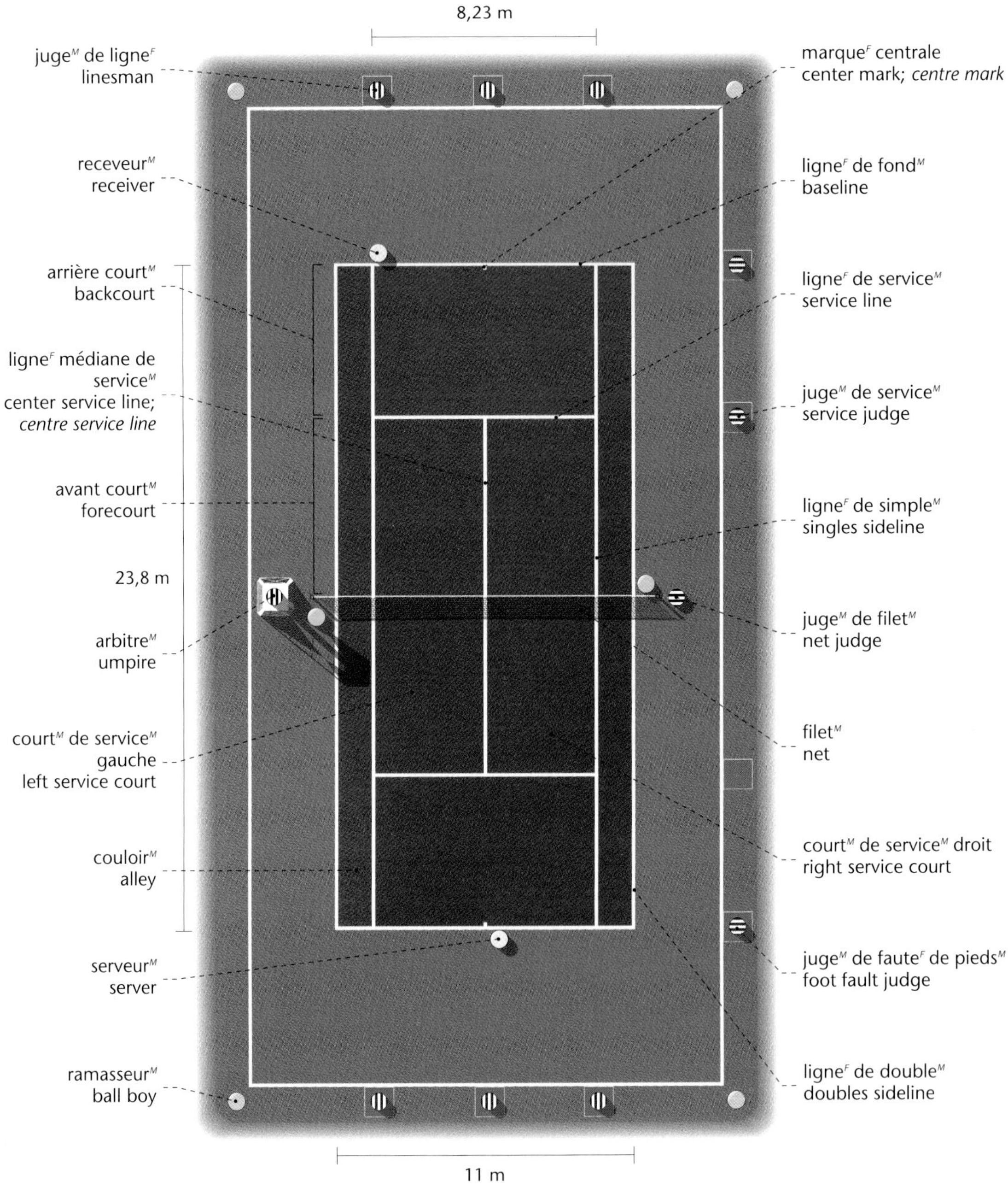
8,23 m
juge[M] de ligne[F]
linesman
receveur[M]
receiver
arrière court[M]
backcourt
ligne[F] médiane de service[M]
center service line; *centre service line*
avant court[M]
forecourt
23,8 m
arbitre[M]
umpire
court[M] de service[M] gauche
left service court
couloir[M]
alley
serveur[M]
server
ramasseur[M]
ball boy
marque[F] centrale
center mark; *centre mark*
ligne[F] de fond[M]
baseline
ligne[F] de service[M]
service line
juge[M] de service[M]
service judge
ligne[F] de simple[M]
singles sideline
juge[M] de filet[M]
net judge
filet[M]
net
court[M] de service[M] droit
right service court
juge[M] de faute[F] de pieds[M]
foot fault judge
ligne[F] de double[M]
doubles sideline
11 m

FILET[M]
NET

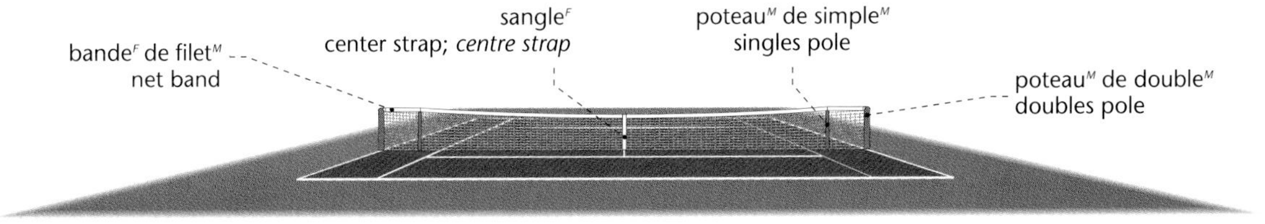
bande[F] de filet[M]
net band
sangle[F]
center strap; *centre strap*
poteau[M] de simple[M]
singles pole
poteau[M] de double[M]
doubles pole

JOUEUSE[F] DE TENNIS[M]
TENNIS PLAYER

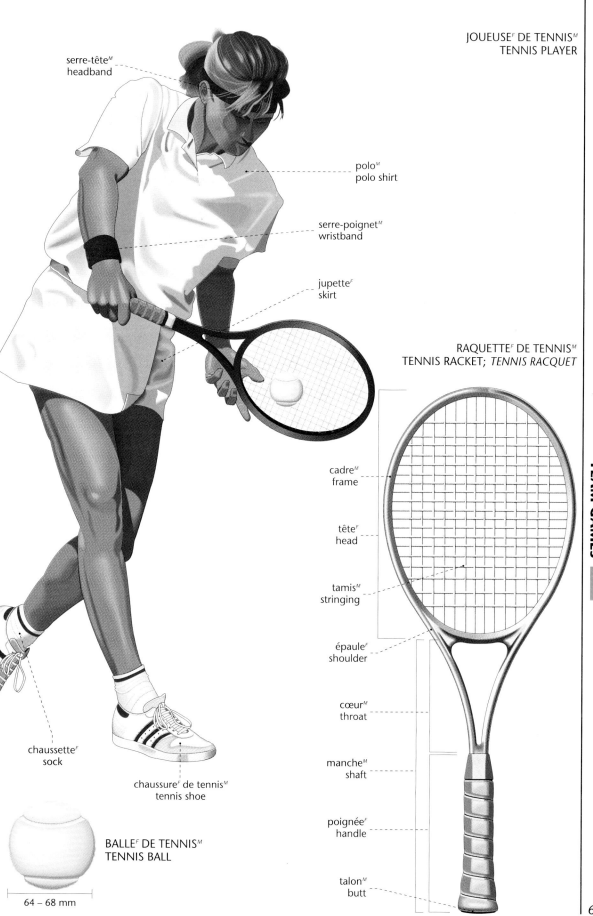

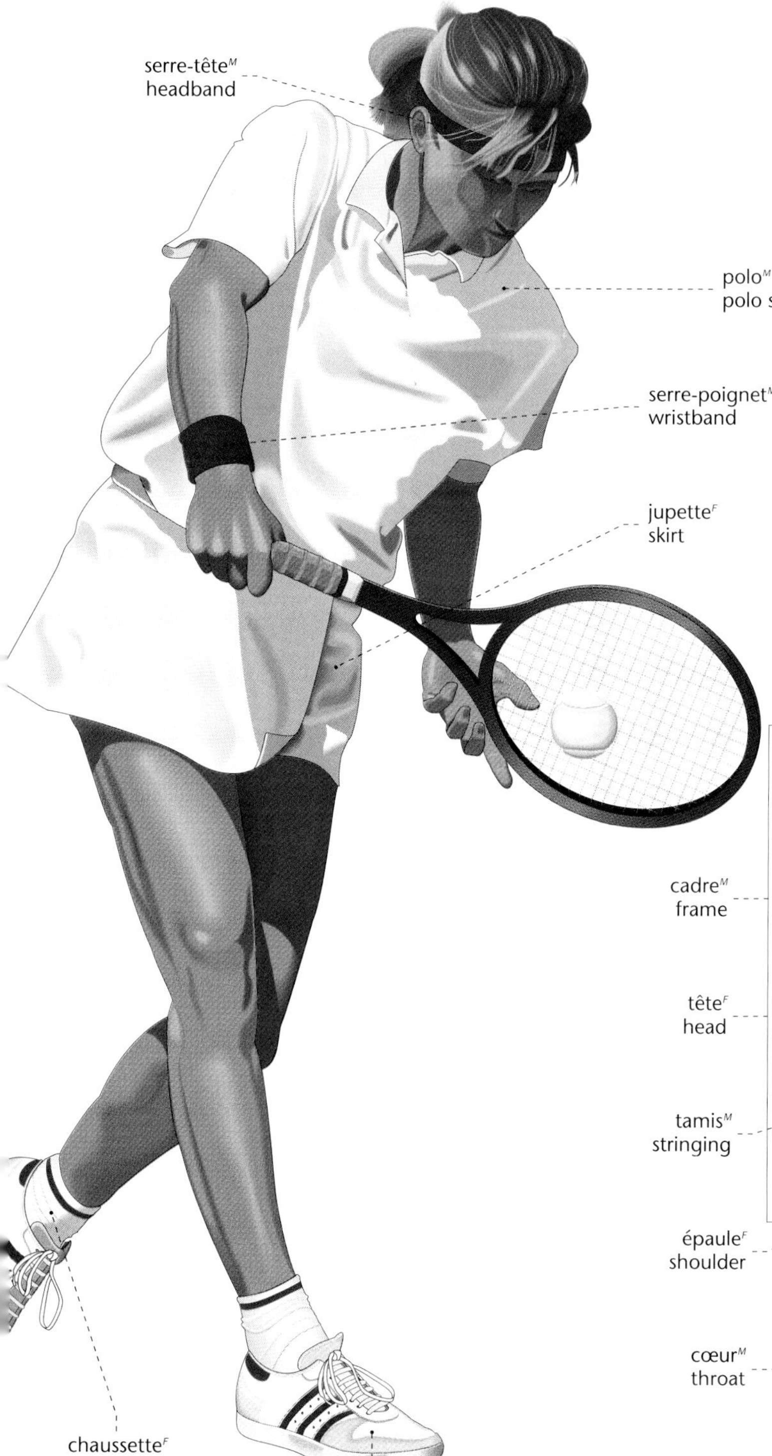
serre-tête[M]
headband
polo[M]
polo shirt
serre-poignet[M]
wristband
jupette[F]
skirt
chaussette[F]
sock
chaussure[F] de tennis[M]
tennis shoe

RAQUETTE[F] DE TENNIS[M]
TENNIS RACKET; *TENNIS RACQUET*

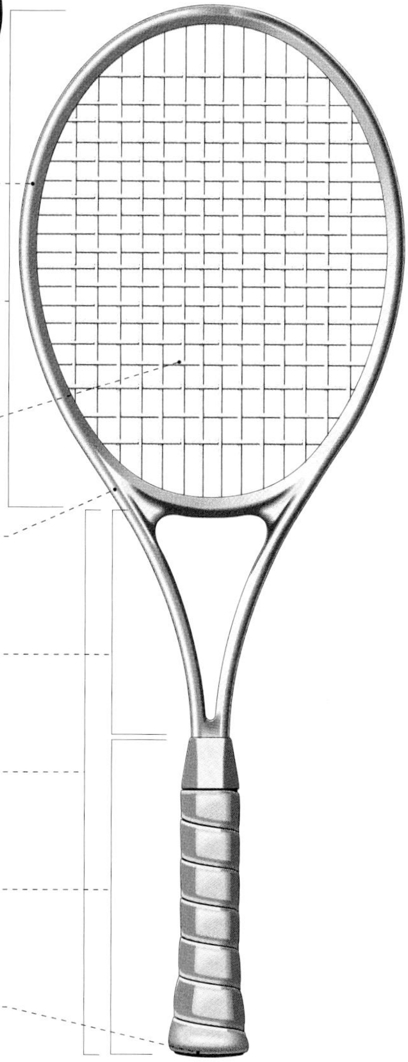
cadre[M]
frame
tête[F]
head
tamis[M]
stringing
épaule[F]
shoulder
cœur[M]
throat
manche[M]
shaft
poignée[F]
handle
talon[M]
butt

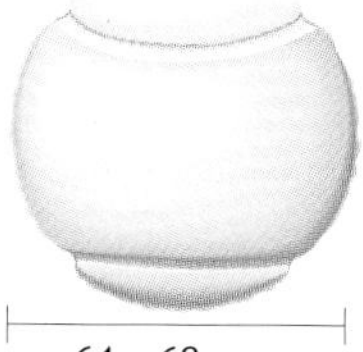
64 – 68 mm

BALLE[F] DE TENNIS[M]
TENNIS BALL

SQUASH[M]
SQUASH

BALLE[F] DE SQUASH[M]
SQUASH BALL

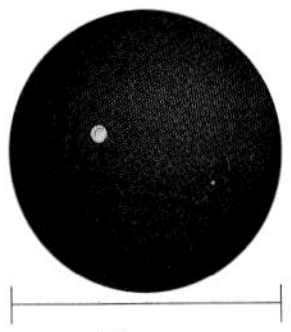
45 mm

RAQUETTE[F] DE SQUASH[M]
SQUASH RACKET; *SQUASH RACQUET*

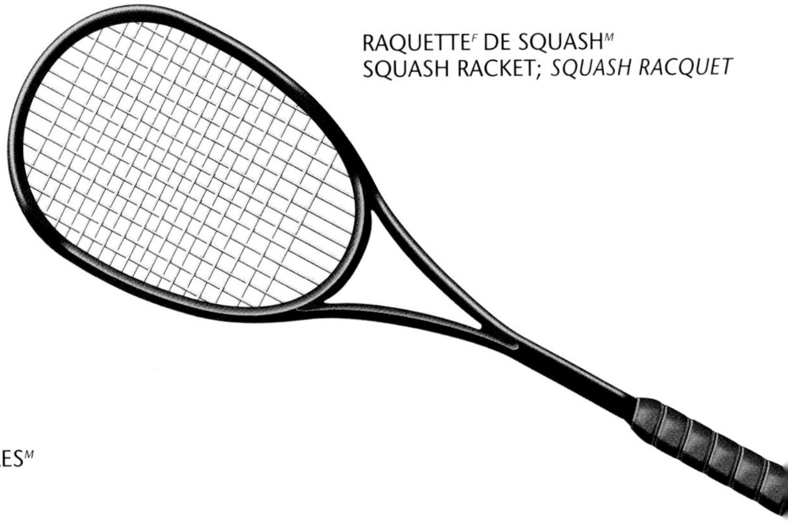

TERRAIN[M] INTERNATIONAL DE SIMPLES[M]
INTERNATIONAL SINGLES COURT

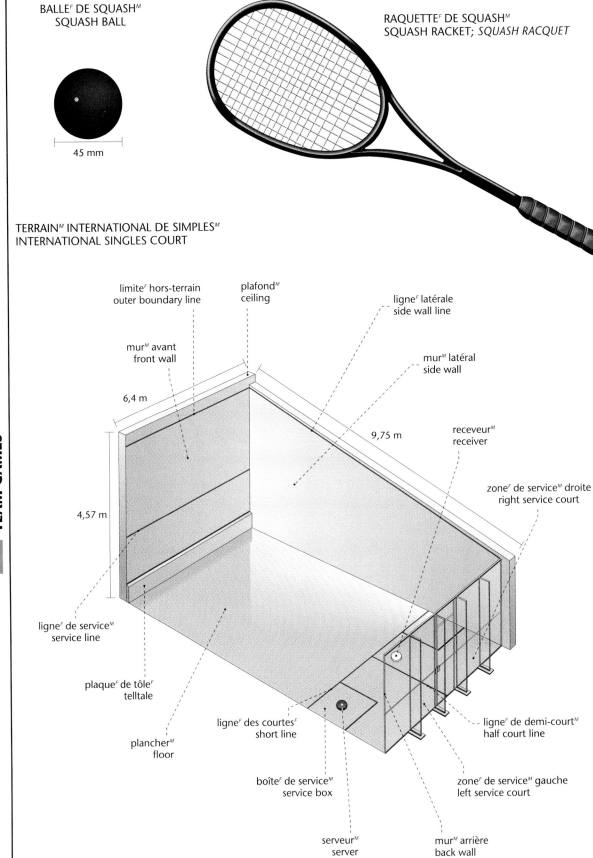

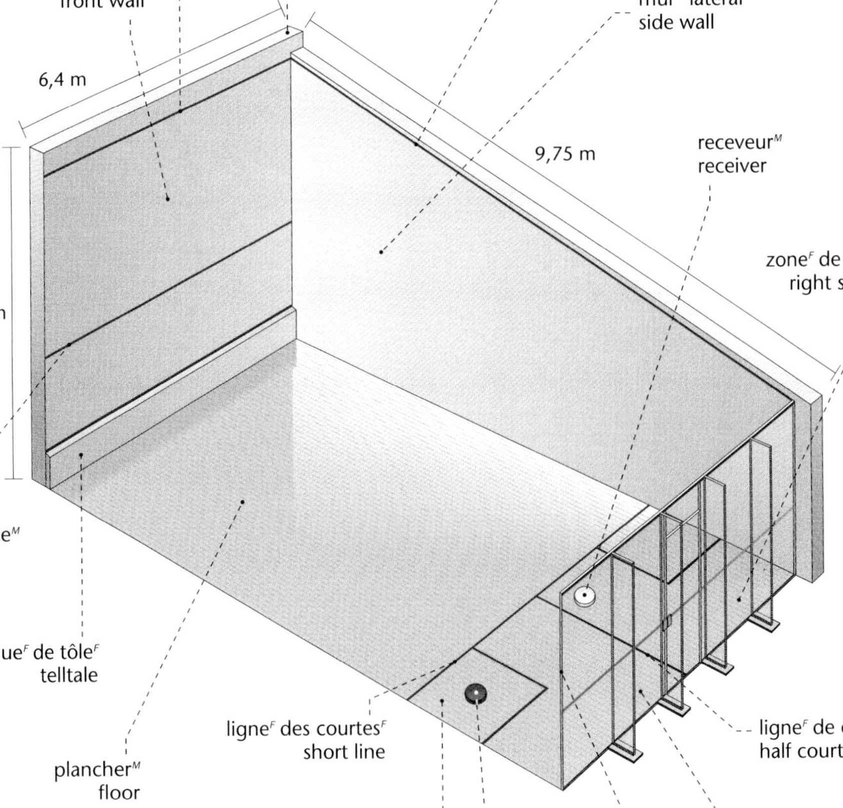
limite[F] hors-terrain
outer boundary line
plafond[M]
ceiling
ligne[F] latérale
side wall line
mur[M] avant
front wall
mur[M] latéral
side wall
6,4 m
9,75 m
receveur[M]
receiver
zone[F] de service[M] droite
right service court
4,57 m
ligne[F] de service[M]
service line
plaque[F] de tôle[F]
telltale
ligne[F] des courtes[F]
short line
ligne[F] de demi-court[M]
half court line
plancher[M]
floor
boîte[F] de service[M]
service box
zone[F] de service[M] gauche
left service court
serveur[M]
server
mur[M] arrière
back wall

RACQUETBALL[M]
RACQUETBALL

RAQUETTE[F] DE RACQUETBALL[M]
RACQUETBALL RACKET;
RACQUETBALL RACQUET

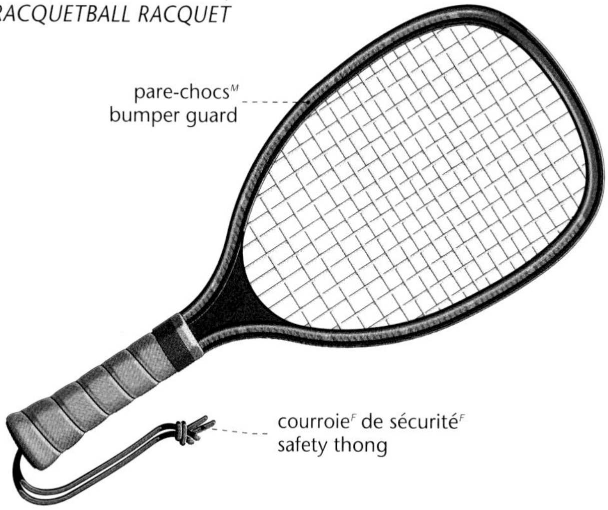
pare-chocs[M]
bumper guard
courroie[F] de sécurité[F]
safety thong

BALLE[F] DE RACQUETBALL[M]
RACQUETBALL

48 mm

TERRAIN[M]
COURT

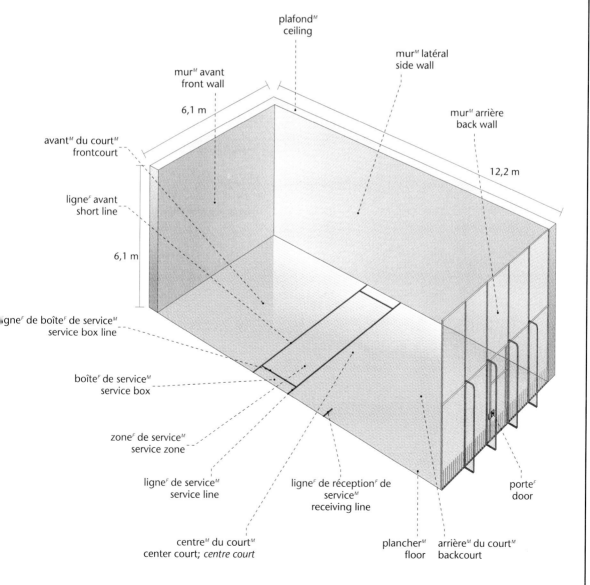

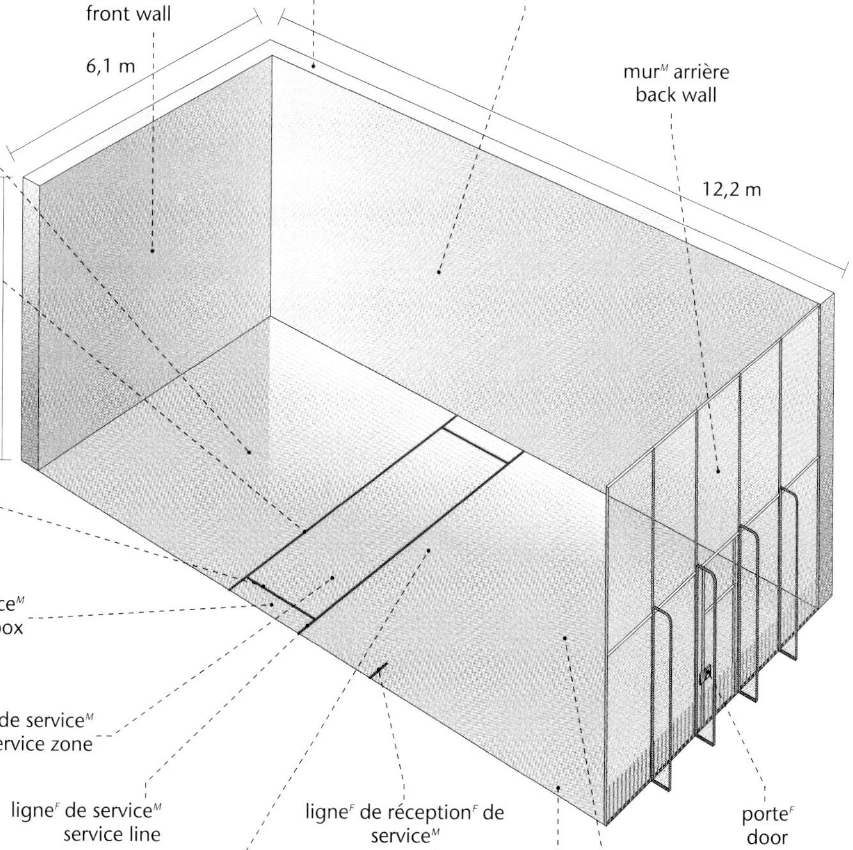
plafond[M]
ceiling
mur[M] latéral
side wall
mur[M] avant
front wall
6,1 m
mur[M] arrière
back wall
avant[M] du court[M]
frontcourt
12,2 m
ligne[F] avant
short line
6,1 m
ligne[F] de boîte[F] de service[M]
service box line
boîte[F] de service[M]
service box
zone[F] de service[M]
service zone
ligne[F] de service[M]
service line
ligne[F] de réception[F] de service[M]
receiving line
porte[F]
door
centre[M] du court[M]
center court; *centre court*
plancher[M]
floor
arrière[M] du court[M]
backcourt

BADMINTON^{M}
BADMINTON

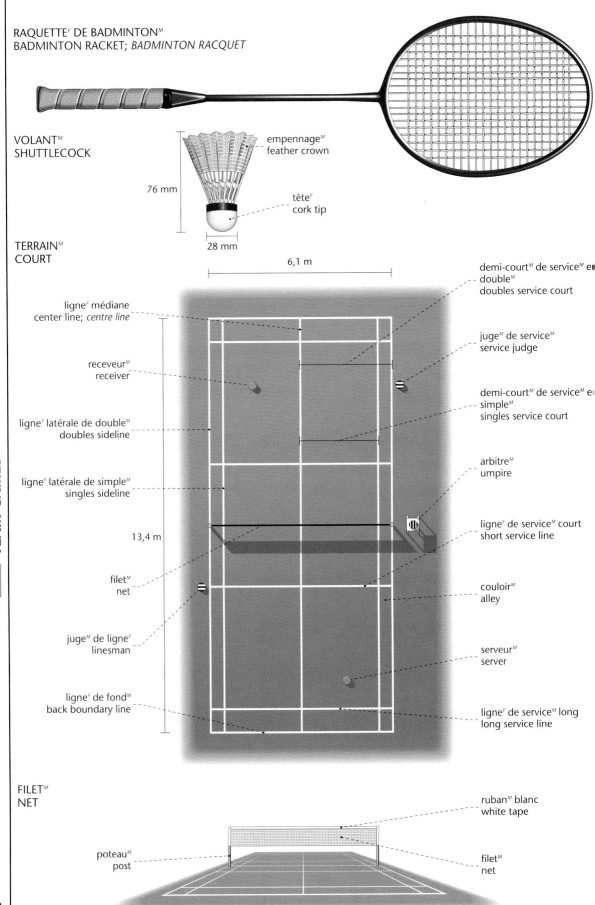

RAQUETTE^{F} DE BADMINTON^{M}
BADMINTON RACKET; *BADMINTON RACQUET*

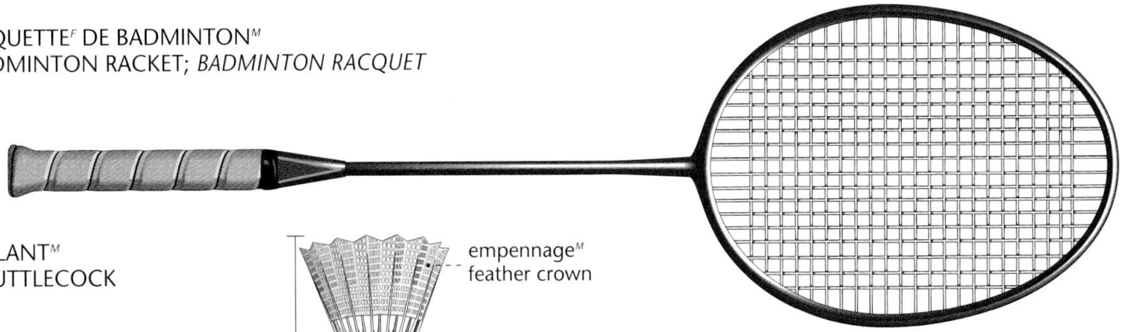

VOLANT^{M}
SHUTTLECOCK

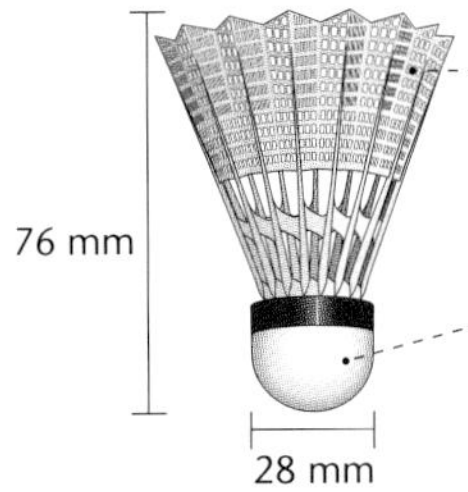

empennage^{M}
feather crown
76 mm
tête^{F}
cork tip
28 mm

TERRAIN^{M}
COURT

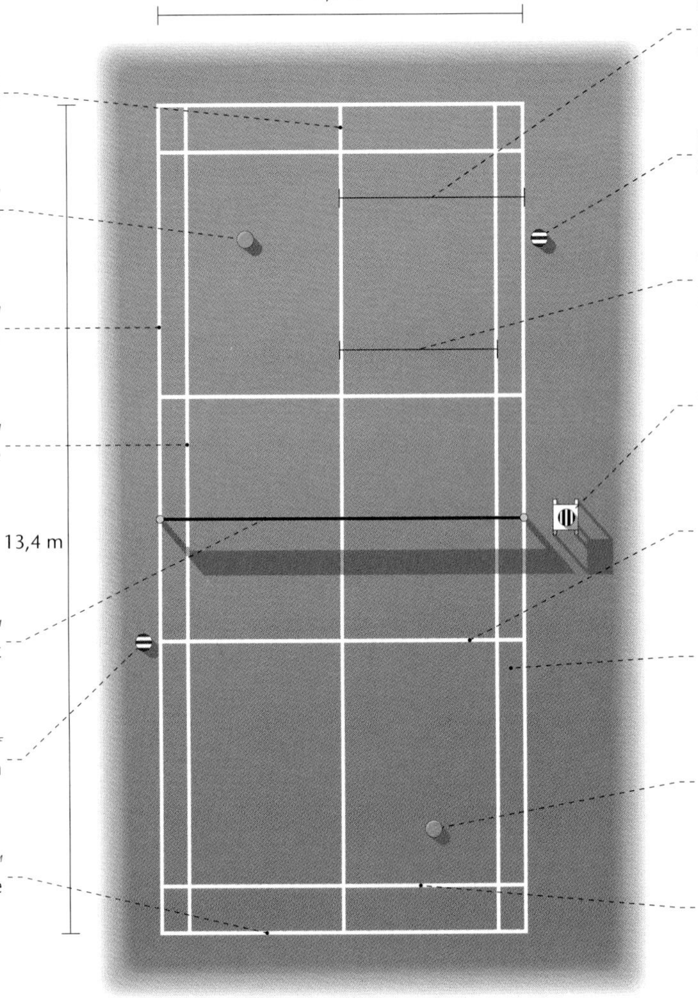

6,1 m
ligne^{F} médiane
center line; *centre line*
receveur^{M}
receiver
ligne^{F} latérale de double^{M}
doubles sideline
ligne^{F} latérale de simple^{M}
singles sideline
13,4 m
filet^{M}
net
juge^{M} de ligne^{F}
linesman
ligne^{F} de fond^{M}
back boundary line
demi-court^{M} de service^{M} e
double^{M}
doubles service court
juge^{M} de service^{M}
service judge
demi-court^{M} de service^{M} e
simple^{M}
singles service court
arbitre^{M}
umpire
ligne^{F} de service^{M} court
short service line
couloir^{M}
alley
serveur^{M}
server
ligne^{F} de service^{M} long
long service line

FILET^{M}
NET

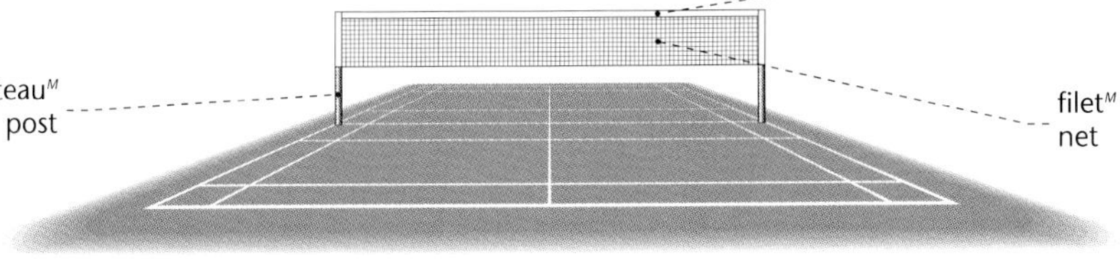

ruban^{M} blanc
white tape
poteau^{M}
post
filet^{M}
net

TENNIS[M] DE TABLE[F]
TABLE TENNIS

TABLE[F]
TABLE

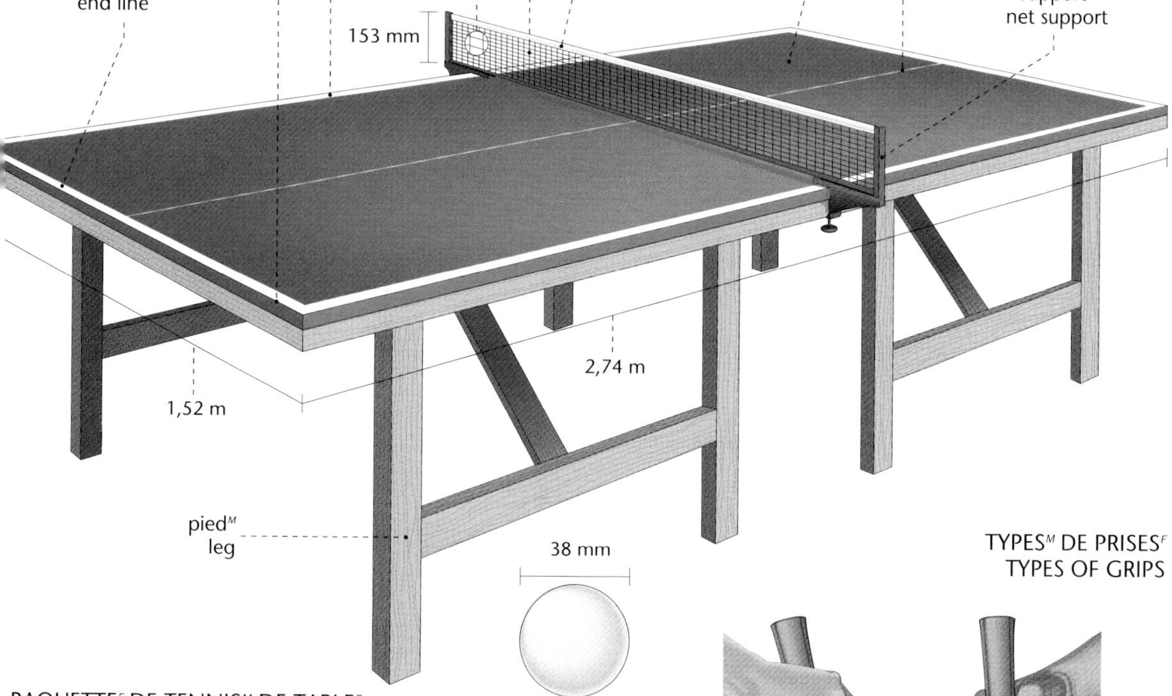

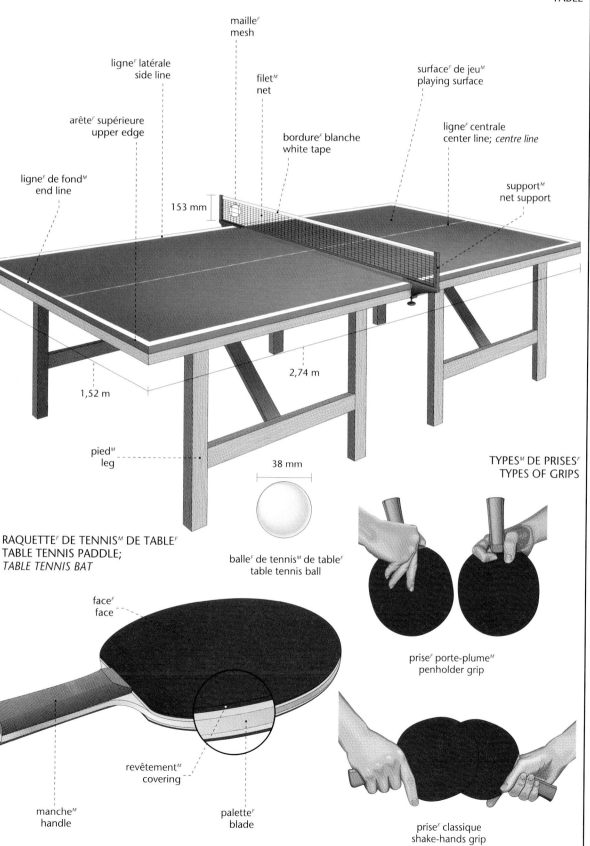

maille[F]
mesh
ligne[F] latérale
side line
filet[M]
net
surface[F] de jeu[M]
playing surface
arête[F] supérieure
upper edge
ligne[F] centrale
center line; *centre line*
bordure[F] blanche
white tape
ligne[F] de fond[M]
end line
support[M]
net support
153 mm
2,74 m
1,52 m
pied[M]
leg
38 mm

balle[F] de tennis[M] de table[F]
table tennis ball

RAQUETTE[F] DE TENNIS[M] DE TABLE[F]
TABLE TENNIS PADDLE; *TABLE TENNIS BAT*

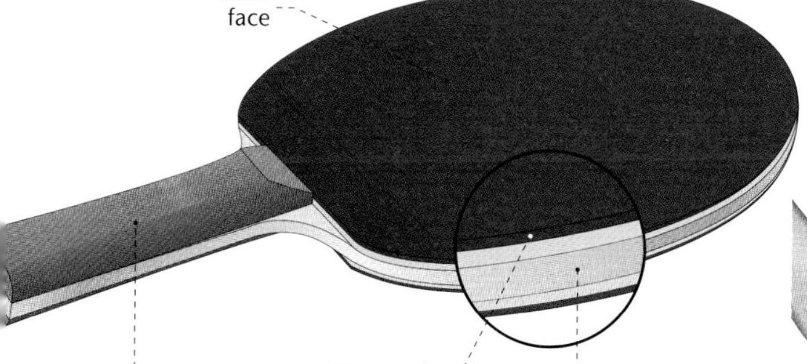

face[F]
face
revêtement[M]
covering
manche[M]
handle
palette[F]
blade

TYPES[M] DE PRISES[F]
TYPES OF GRIPS

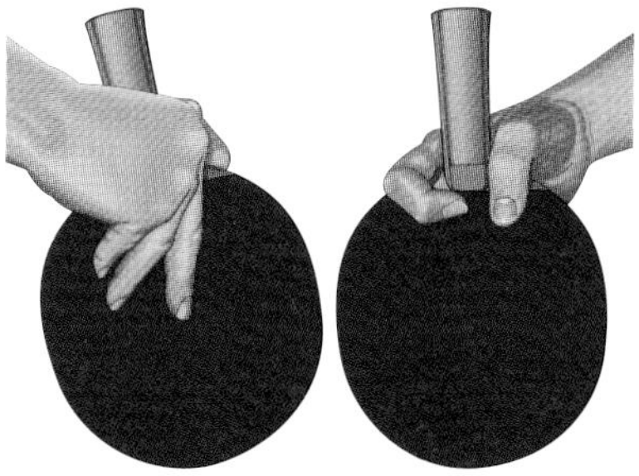

prise[F] porte-plume[M]
penholder grip

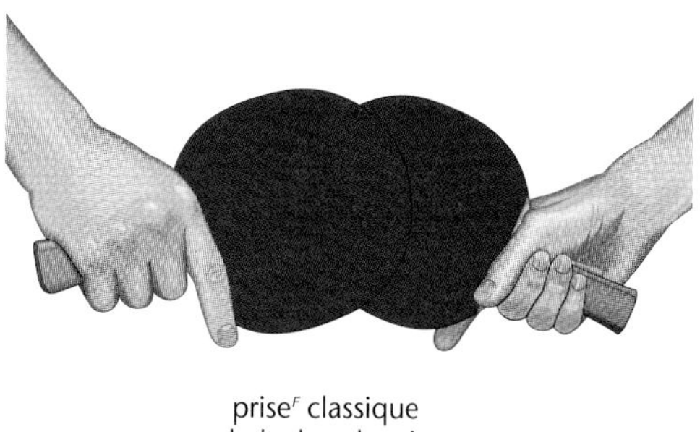

prise[F] classique
shake-hands grip

CURLING[M]
CURLING

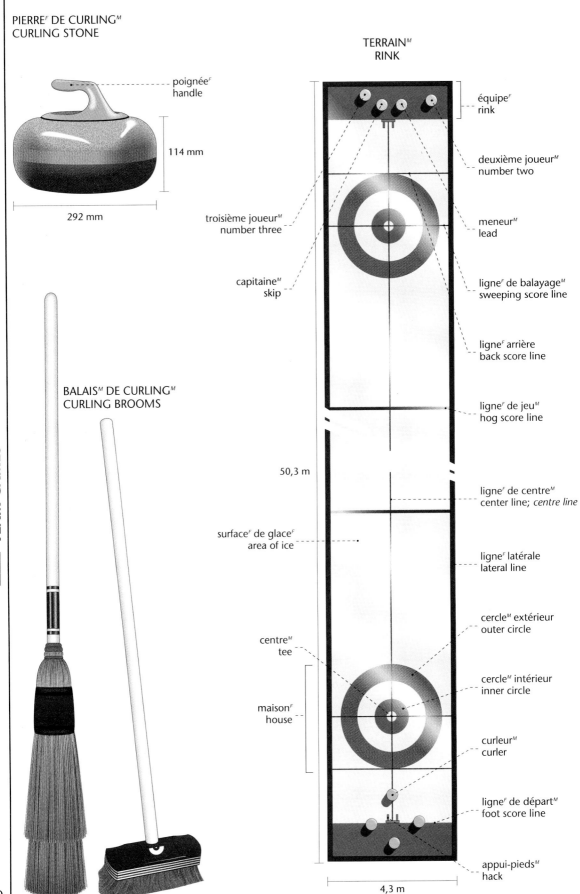

PIERRE[F] DE CURLING[M]
CURLING STONE

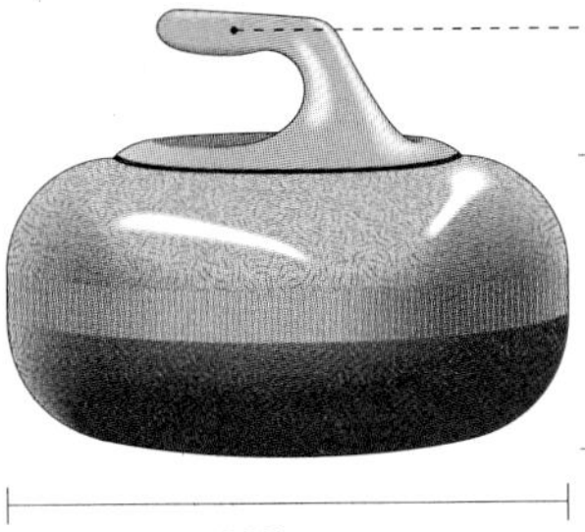
poignée[F]
handle
114 mm
292 mm

BALAIS[M] DE CURLING[M]
CURLING BROOMS

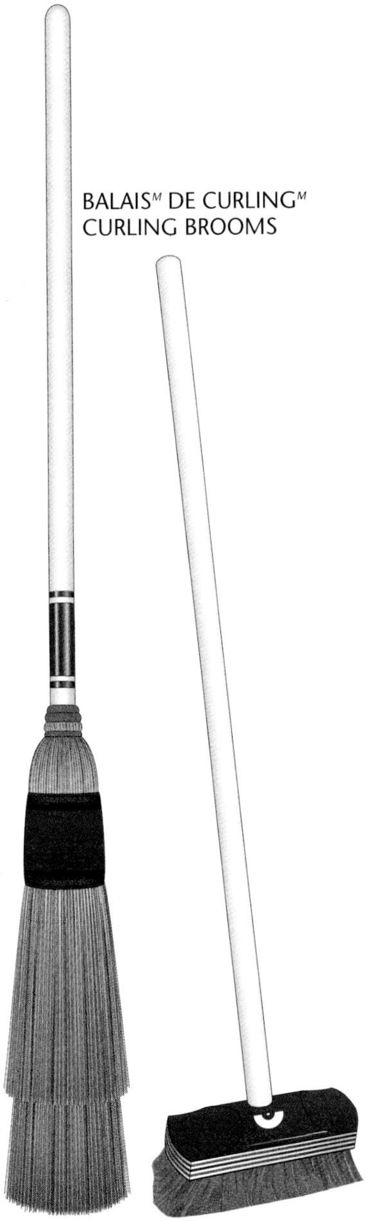

TERRAIN[M]
RINK

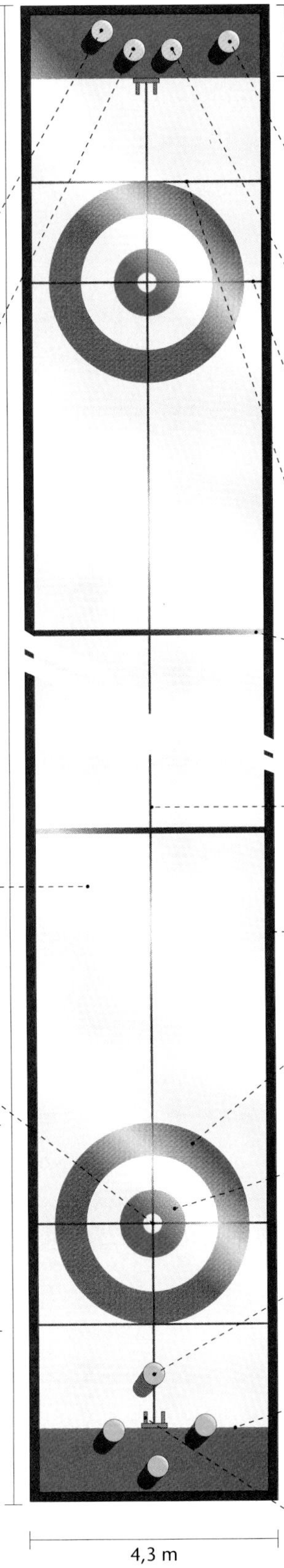
équipe[F]
rink
deuxième joueur[M]
number two
troisième joueur[M]
number three
meneur[M]
lead
capitaine[M]
skip
ligne[F] de balayage[M]
sweeping score line
ligne[F] arrière
back score line
ligne[F] de jeu[M]
hog score line
50,3 m
ligne[F] de centre[M]
center line; *centre line*
surface[F] de glace[F]
area of ice
ligne[F] latérale
lateral line
cercle[M] extérieur
outer circle
centre[M]
tee
cercle[M] intérieur
inner circle
maison[F]
house
curleur[M]
curler
ligne[F] de départ[M]
foot score line
appui-pieds[M]
hack
4,3 m

NATATION[F]
SWIMMING

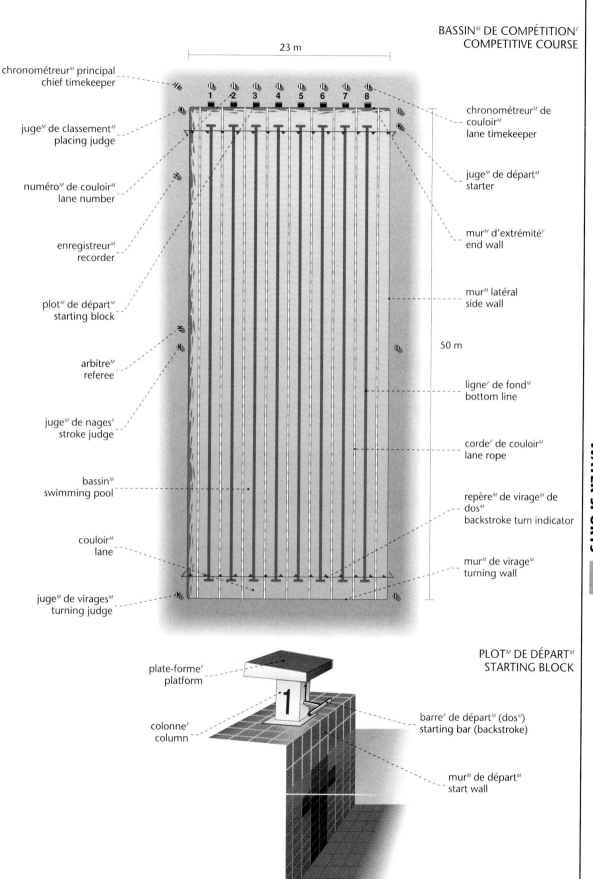

BASSIN[M] DE COMPÉTITION[F]
COMPETITIVE COURSE

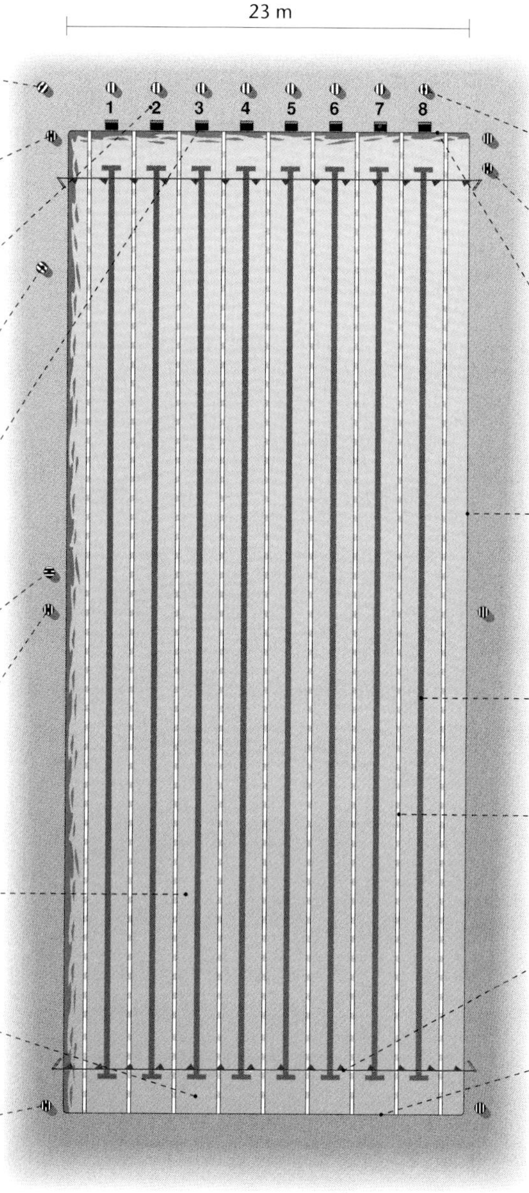

23 m
50 m
1
2
3
4
5
6
7
8
chronométreur[M] principal
chief timekeeper
juge[M] de classement[M]
placing judge
numéro[M] de couloir[M]
lane number
enregistreur[M]
recorder
plot[M] de départ[M]
starting block
arbitre[M]
referee
juge[M] de nages[F]
stroke judge
bassin[M]
swimming pool
couloir[M]
lane
juge[M] de virages[M]
turning judge
chronométreur[M] de couloir[M]
lane timekeeper
juge[M] de départ[M]
starter
mur[M] d'extrémité[F]
end wall
mur[M] latéral
side wall
ligne[F] de fond[M]
bottom line
corde[F] de couloir[M]
lane rope
repère[M] de virage[M] de dos[M]
backstroke turn indicator
mur[M] de virage[M]
turning wall

PLOT[M] DE DÉPART[M]
STARTING BLOCK

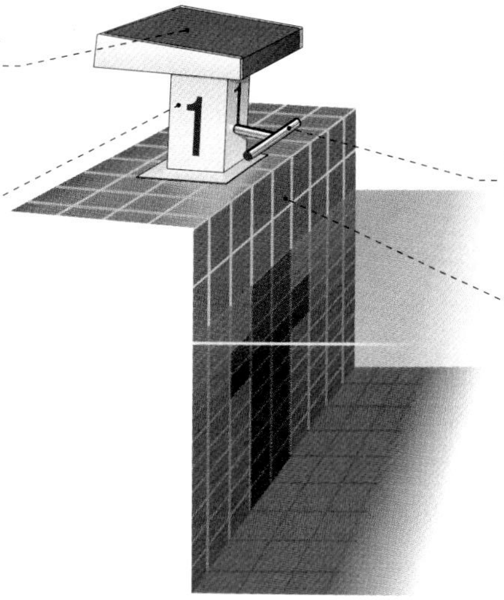

1
plate-forme[F]
platform
colonne[F]
column
barre[F] de départ[M] (dos[M])
starting bar (backstroke)
mur[M] de départ[M]
start wall

NATATION[F]
SWIMMING

TYPES[M] DE NAGES[F]
TYPES OF STROKES

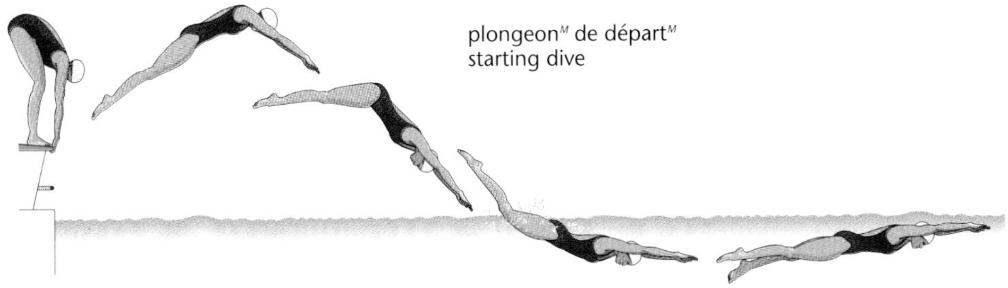
plongeon[M] de départ[M]
starting dive

CRAWL[M]
FRONT CRAWL STROKE

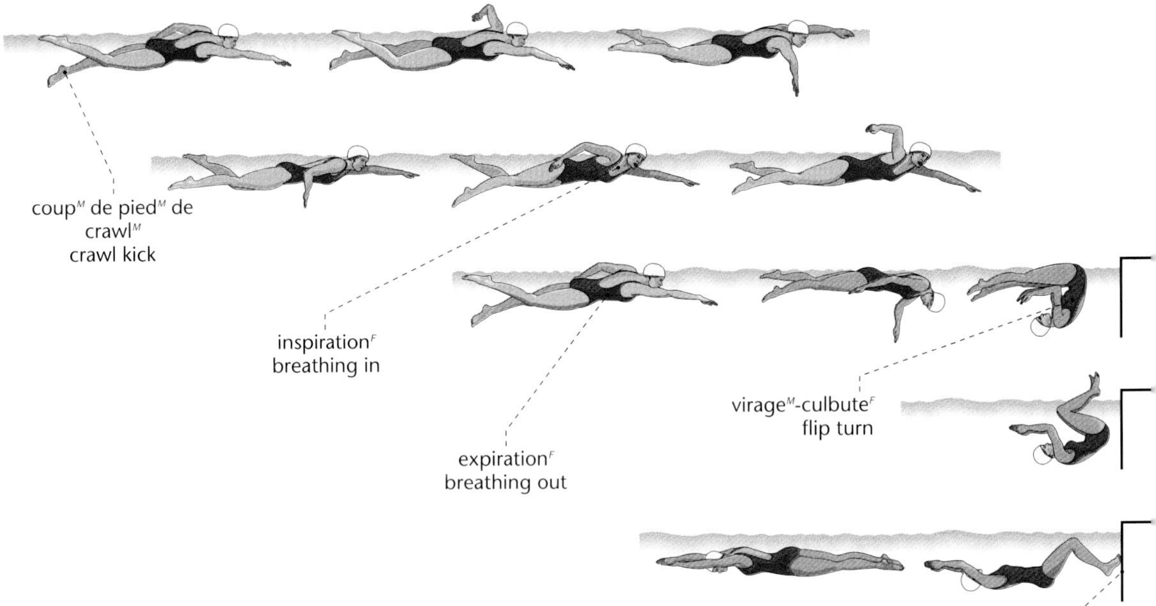
coup[M] de pied[M] de crawl[M]
crawl kick
inspiration[F]
breathing in
expiration[F]
breathing out
virage[M]-culbute[F]
flip turn
mur[M] de virage[M]
turning wall

BRASSE[F]
BREASTSTROKE

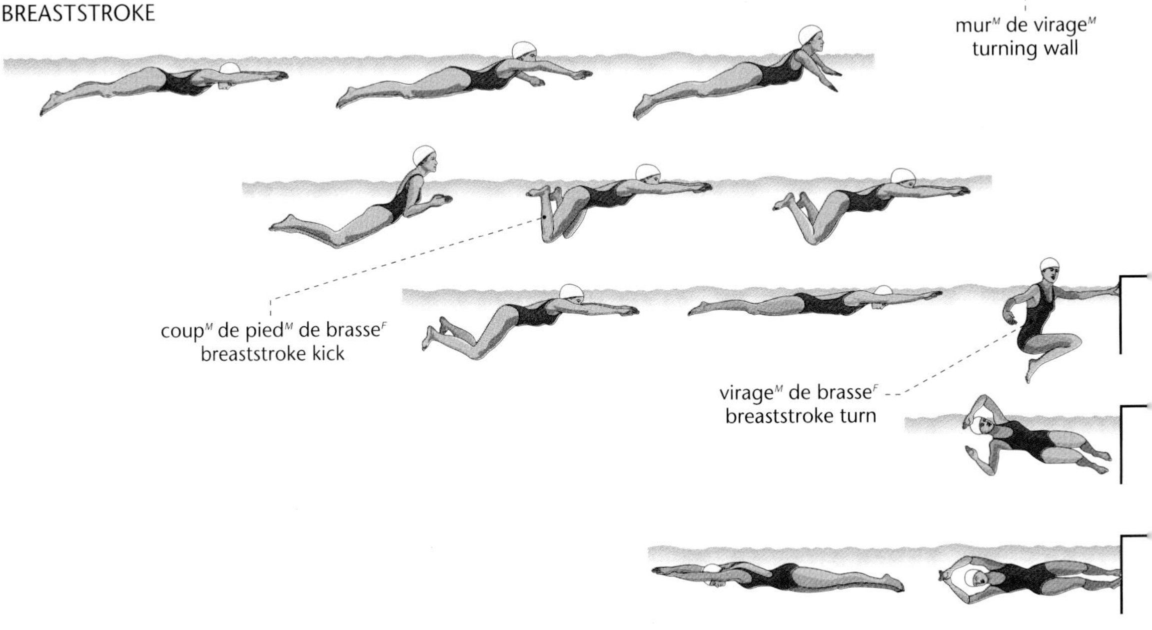
coup[M] de pied[M] de brasse[F]
breaststroke kick
virage[M] de brasse[F]
breaststroke turn

PAPILLON^{M}
BUTTERFLY STROKE

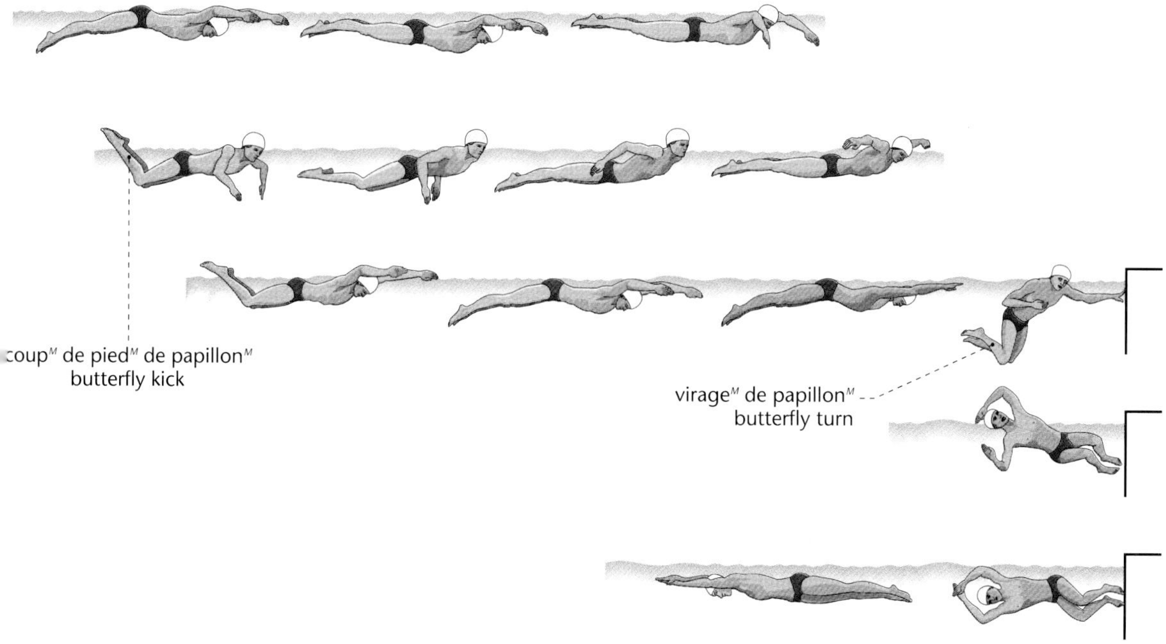
coup^{M} de pied^{M} de papillon^{M}
butterfly kick
virage^{M} de papillon^{M}
butterfly turn

DÉPART^{M} DE DOS^{M}
BACKSTROKE START

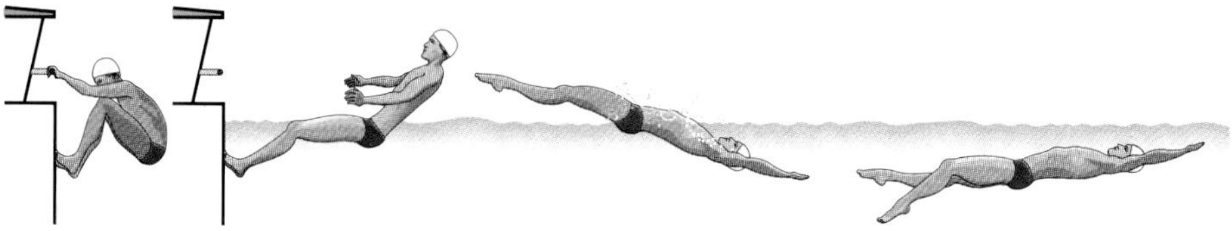

NAGE^{F} SUR LE DOS^{M}
BACKSTROKE

virage^{M}-culbute^{F}
flip turn

PLONGEON^{M}
DIVING

PLONGEOIR^{M}
DIVING INSTALLATIONS

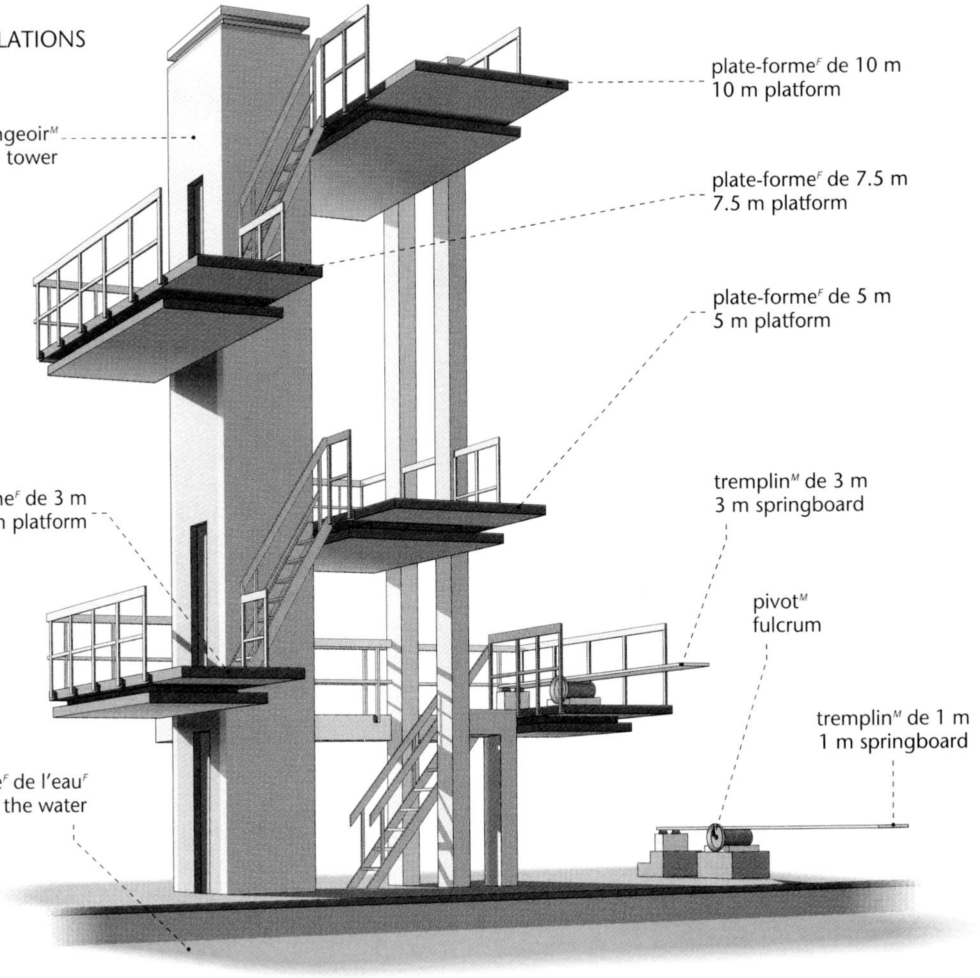
tour^{F} du plongeoir^{M}
diving tower
plate-forme^{F} de 10 m
10 m platform
plate-forme^{F} de 7.5 m
7.5 m platform
plate-forme^{F} de 5 m
5 m platform
plate-forme^{F} de 3 m
3 m platform
tremplin^{M} de 3 m
3 m springboard
pivot^{M}
fulcrum
tremplin^{M} de 1 m
1 m springboard
surface^{F} de l'eau^{F}
surface of the water

POSITIONS^{F} DE DÉPART^{M}
STARTING POSITIONS

avant
forward

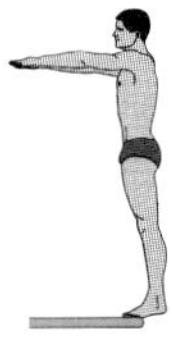
arrière
backward

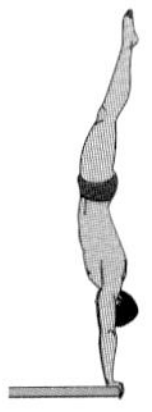
en équilibre^{M}
armstand

VOLS^{M}
FLIGHTS

position^{F} carpée
pike position

position^{F} droite
straight position

position^{F} groupée
tuck position

ENTRÉES^{F} DANS L'EAU^{F}
ENTRIES

entrée^{F} tête^{F} première
head-first entry

entrée^{F} pieds^{M} premiers
feet-first entry

PLONGEON^{M} EN AVANT
FORWARD DIVE

position^{F} des jambes^{F}
leg position
position^{F} des bras^{M}
arm position
entrée^{F}
entry

PLONGEON^{M} EN ARRIÈRE
BACKWARD DIVE

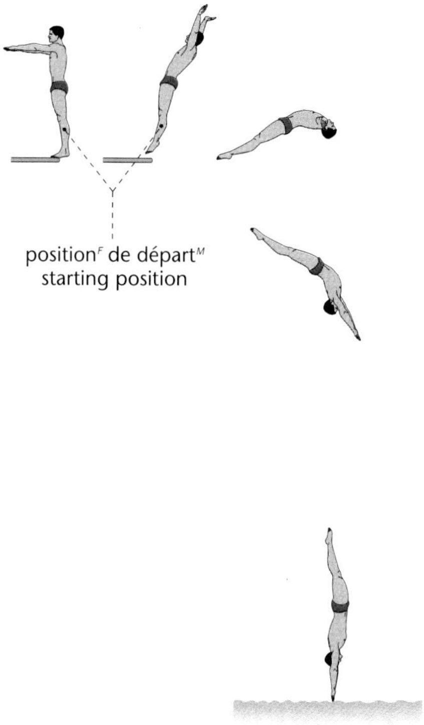

position^{F} de départ^{M}
starting position

plongeon^{M} en équilibre^{M}
armstand dive

TIRE-BOUCHON^{M}
TWIST DIVE

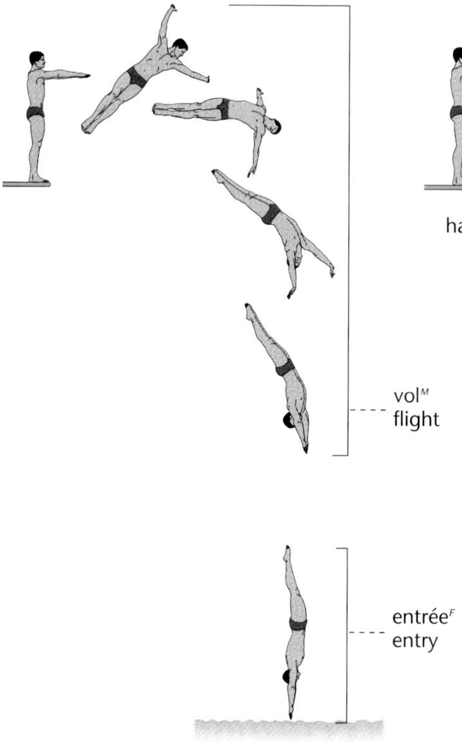

vol^{M}
flight
entrée^{F}
entry

PLONGEON^{M} RENVERSÉ
REVERSE DIVE

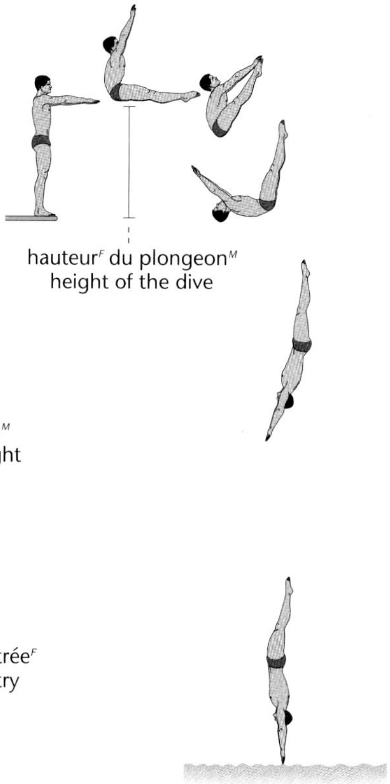

hauteur^{F} du plongeon^{M}
height of the dive

plongeon^{M} retourné
inward dive

WATER-POLO[M]
WATER POLO

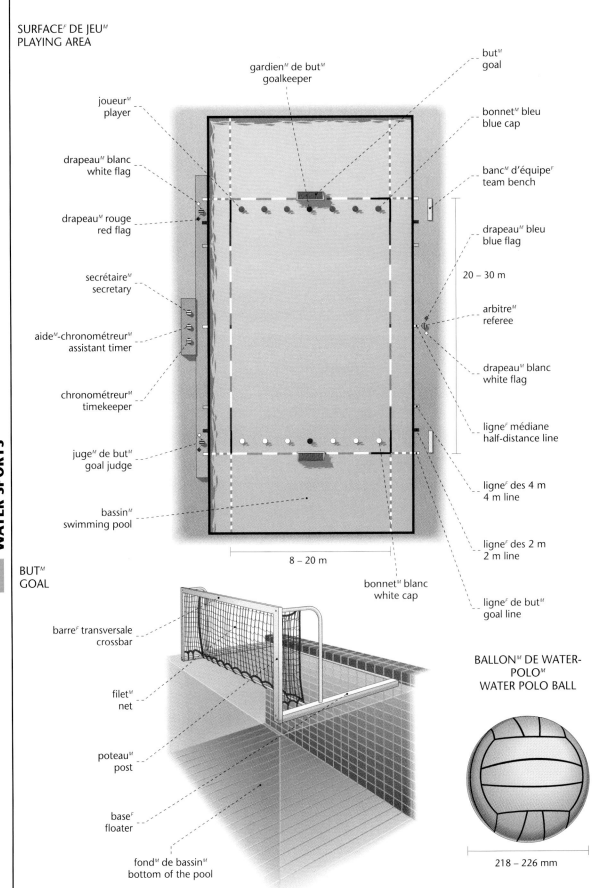

SURFACE[F] DE JEU[M]
PLAYING AREA

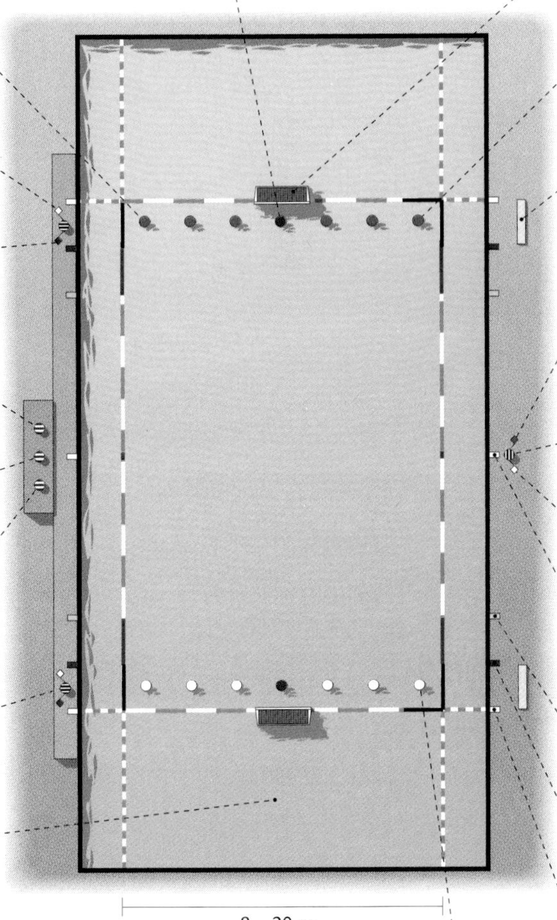
but[M]
goal
gardien[M] de but[M]
goalkeeper
joueur[M]
player
bonnet[M] bleu
blue cap
drapeau[M] blanc
white flag
banc[M] d'équipe[F]
team bench
drapeau[M] rouge
red flag
drapeau[M] bleu
blue flag
20 – 30 m
secrétaire[M]
secretary
arbitre[M]
referee
aide[M]-chronométreur[M]
assistant timer
drapeau[M] blanc
white flag
chronométreur[M]
timekeeper
ligne[F] médiane
half-distance line
juge[M] de but[M]
goal judge
ligne[F] des 4 m
4 m line
bassin[M]
swimming pool
ligne[F] des 2 m
2 m line
8 – 20 m
bonnet[M] blanc
white cap
ligne[F] de but[M]
goal line

BUT[M]
GOAL

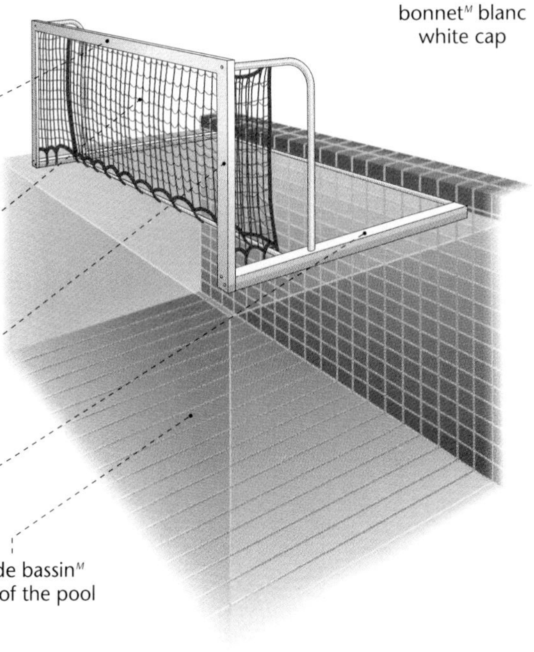
barre[F] transversale
crossbar
filet[M]
net
poteau[M]
post
base[F]
floater
fond[M] de bassin[M]
bottom of the pool

BALLON[M] DE WATER-POLO[M]
WATER POLO BALL

218 – 226 mm

PLONGÉE[F] SOUS-MARINE
SCUBA DIVING

PLONGEUR[M]
SCUBA DIVER

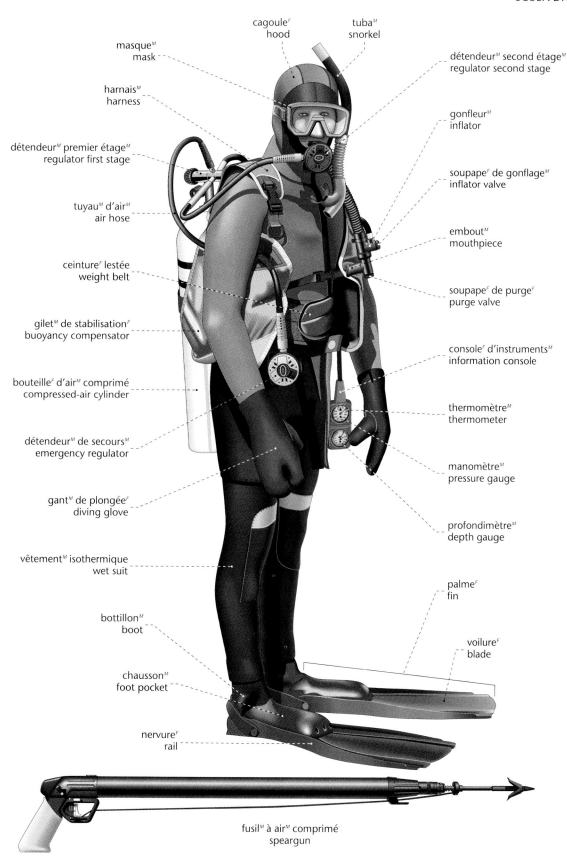

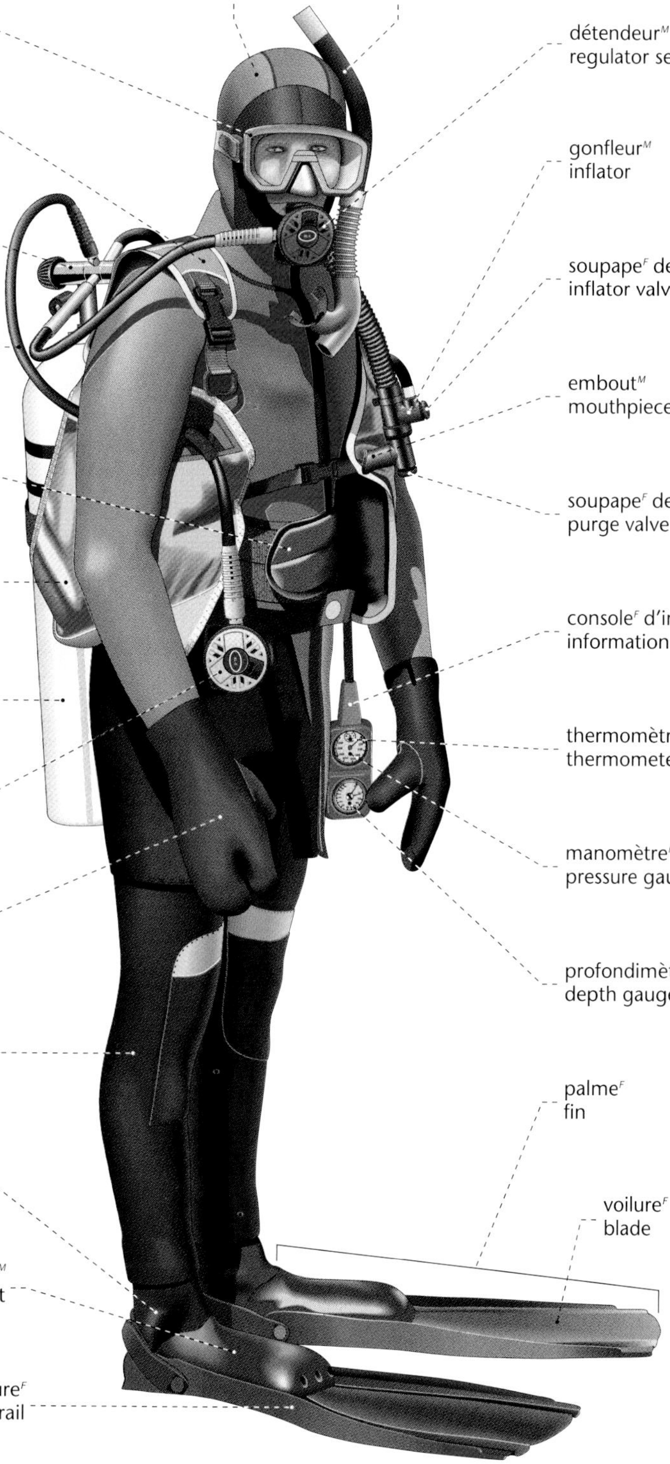
cagoule[F]
hood
tuba[M]
snorkel
masque[M]
mask
harnais[M]
harness
détendeur[M] premier étage[M]
regulator first stage
tuyau[M] d'air[M]
air hose
ceinture[F] lestée
weight belt
gilet[M] de stabilisation[F]
buoyancy compensator
bouteille[F] d'air[M] comprimé
compressed-air cylinder
détendeur[M] de secours[M]
emergency regulator
gant[M] de plongée[F]
diving glove
vêtement[M] isothermique
wet suit
bottillon[M]
boot
chausson[M]
foot pocket
nervure[F]
rail
détendeur[M] second étage[M]
regulator second stage
gonfleur[M]
inflator
soupape[F] de gonflage[M]
inflator valve
embout[M]
mouthpiece
soupape[F] de purge[F]
purge valve
console[F] d'instruments[M]
information console
thermomètre[M]
thermometer
manomètre[M]
pressure gauge
profondimètre[M]
depth gauge
palme[F]
fin
voilure[F]
blade

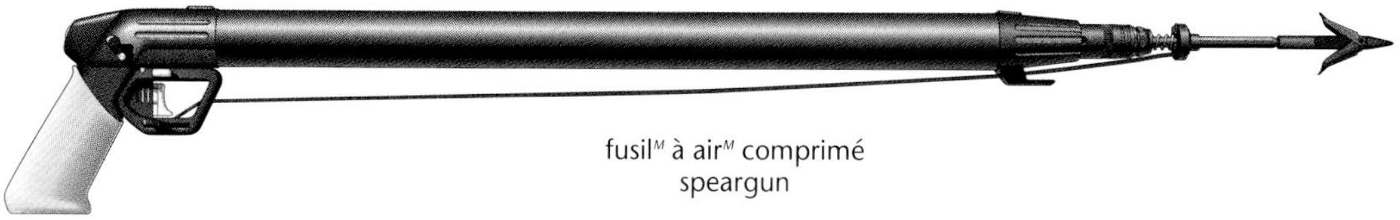
fusil[M] à air[M] comprimé
speargun

VOILE[F]
SAILING

DÉRIVEUR[M]
SAILBOAT

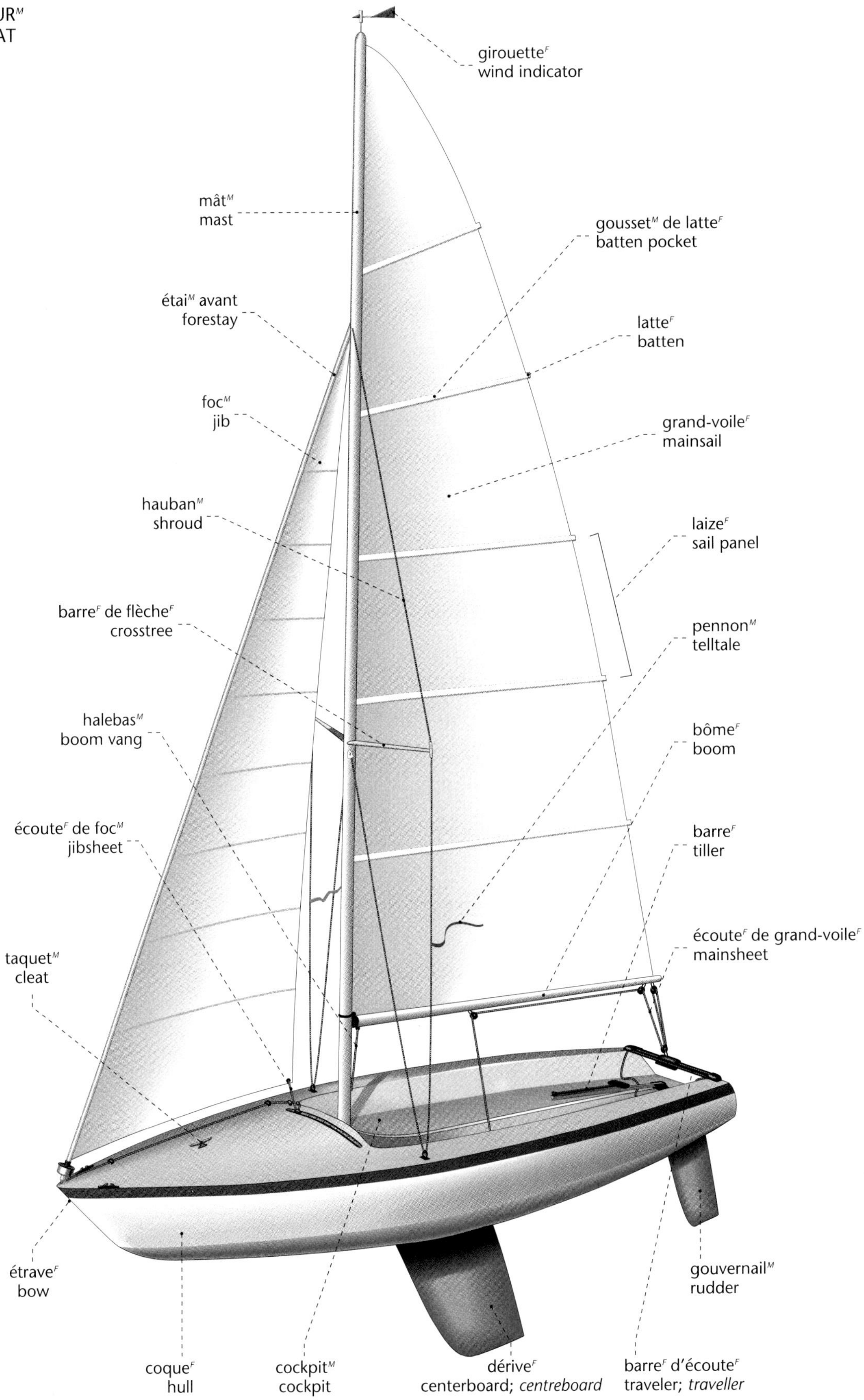
girouette[F]
wind indicator
mât[M]
mast
gousset[M] de latte[F]
batten pocket
étai[M] avant
forestay
latte[F]
batten
foc[M]
jib
grand-voile[F]
mainsail
hauban[M]
shroud
laize[F]
sail panel
barre[F] de flèche[F]
crosstree
pennon[M]
telltale
halebas[M]
boom vang
bôme[F]
boom
écoute[F] de foc[M]
jibsheet
barre[F]
tiller
taquet[M]
cleat
écoute[F] de grand-voile[F]
mainsheet
étrave[F]
bow
gouvernail[M]
rudder
coque[F]
hull
cockpit[M]
cockpit
dérive[F]
centerboard; *centreboard*
barre[F] d'écoute[F]
traveler; *traveller*

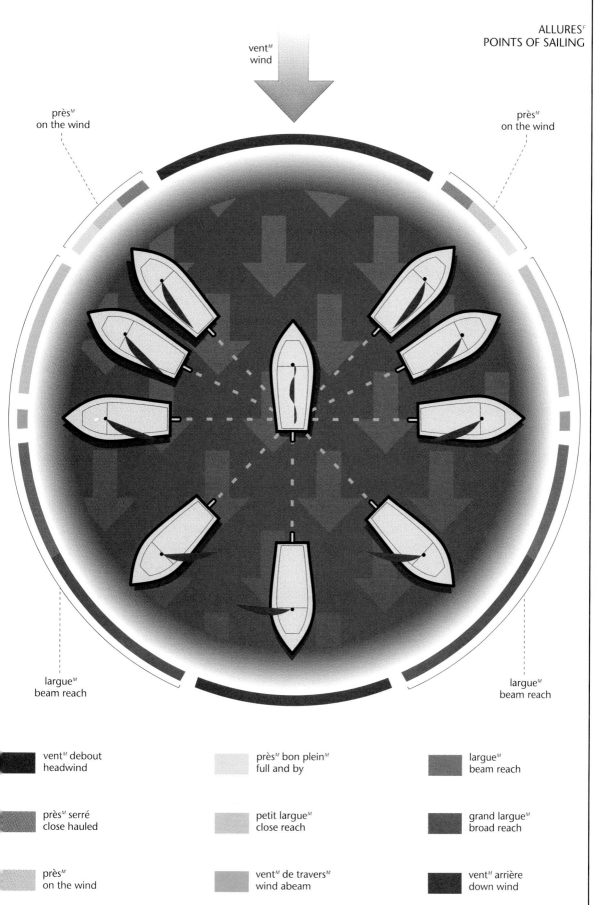

ALLURES[F]
POINTS OF SAILING

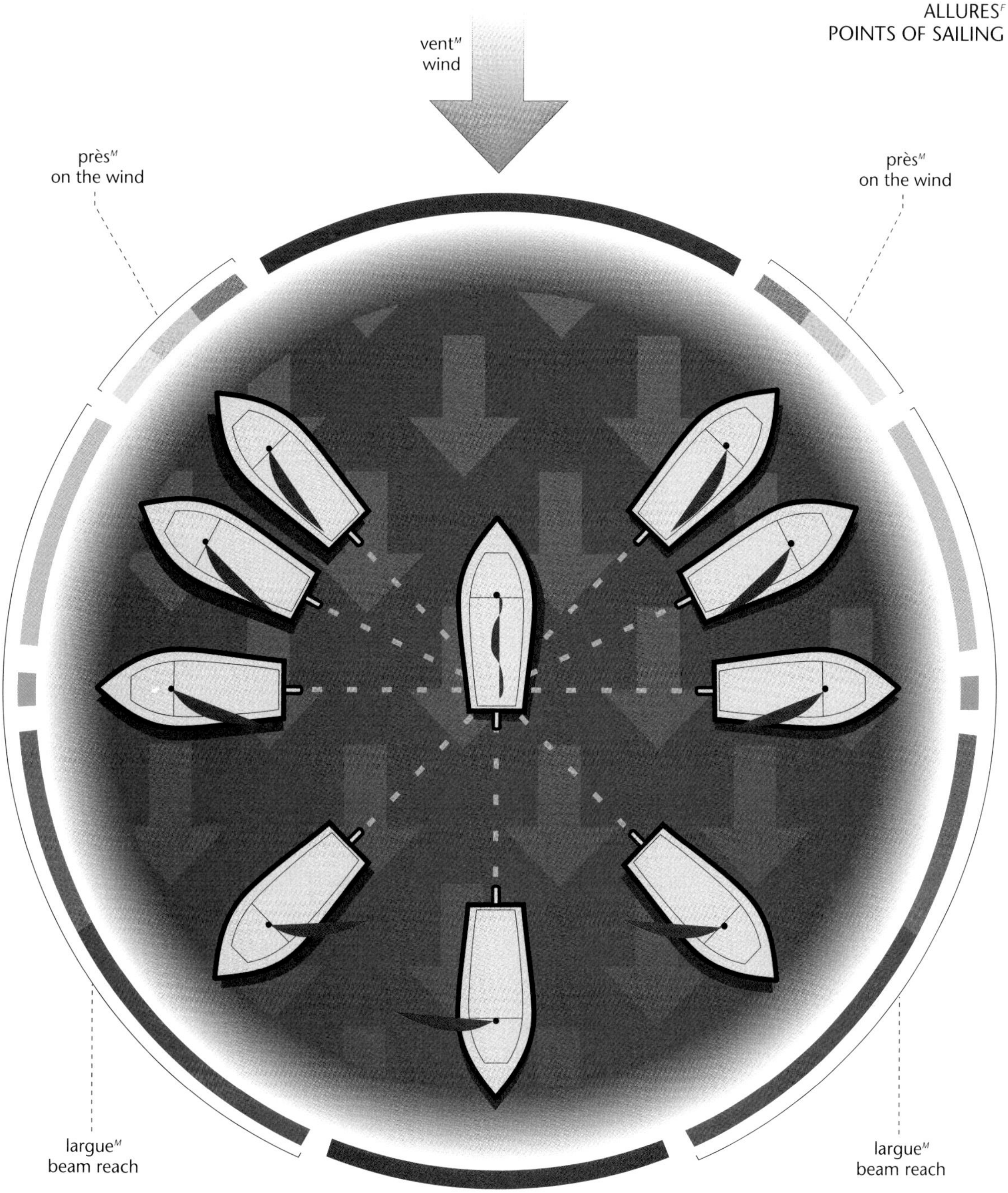

- vent[M] debout
  headwind
- près[M] serré
  close hauled
- près[M]
  on the wind
- près[M] bon plein[M]
  full and by
- petit largue[M]
  close reach
- vent[M] de travers[M]
  wind abeam
- largue[M]
  beam reach
- grand largue[M]
  broad reach
- vent[M] arrière
  down wind

VOILE^{F}
SAILING

ACCASTILLAGE^{M}
UPPERWORKS

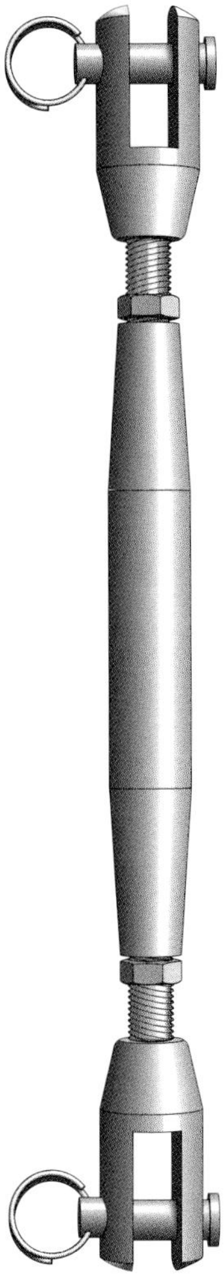

ridoir^{M}
turnbuckle

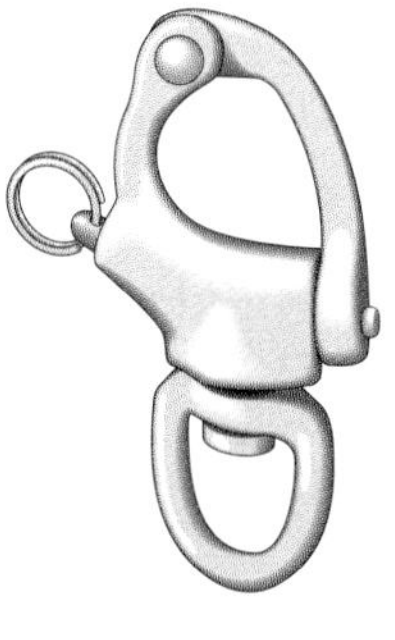

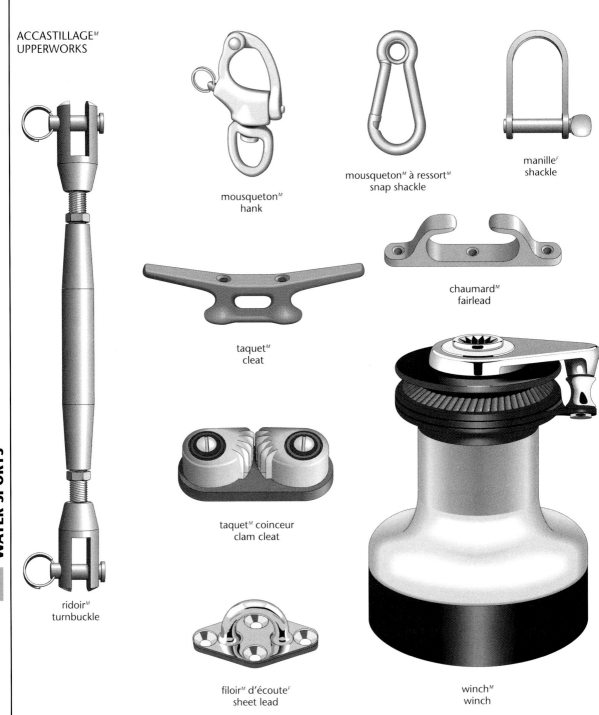

mousqueton^{M}
hank

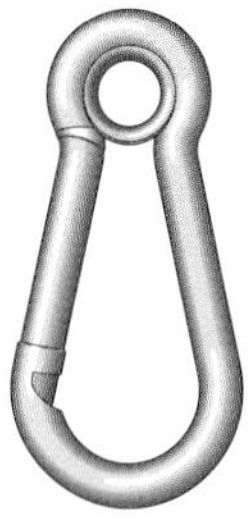

mousqueton^{M} à ressort^{M}
snap shackle

manille^{F}
shackle

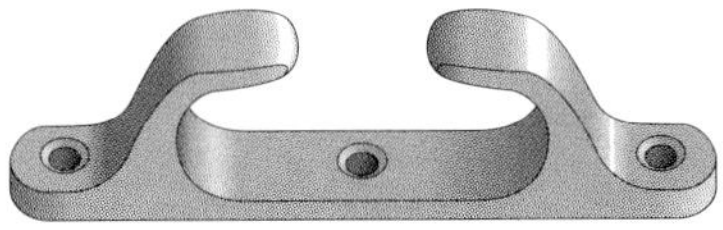

chaumard^{M}
fairlead

taquet^{M}
cleat

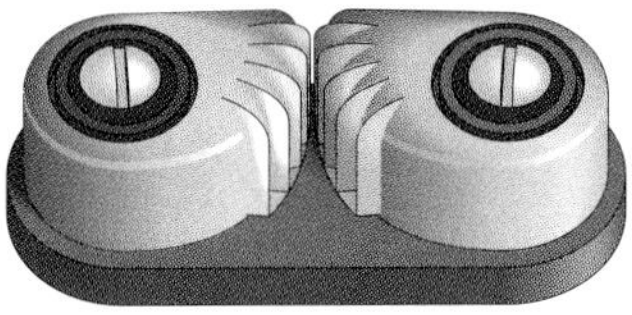

taquet^{M} coinceur
clam cleat

winch^{M}
winch

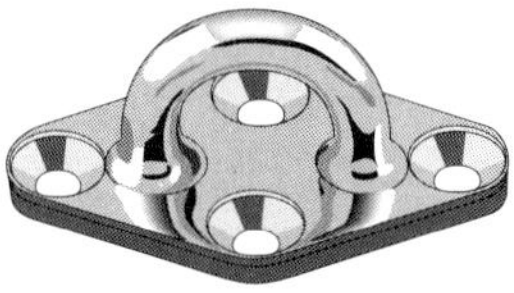

filoir^{M} d'écoute^{F}
sheet lead

BARRE^{F} D'ÉCOUTE^{F}
TRAVELER; *TRAVELLER*

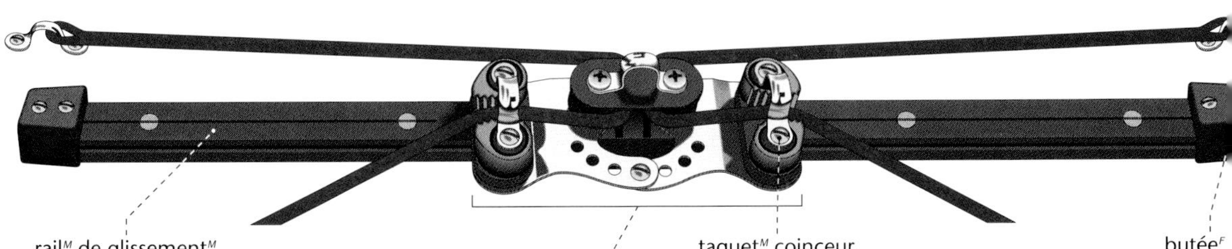
rail^{M} de glissement^{M}
sliding rail
chariot^{M}
car
taquet^{M} coinceur
clam cleat
butée^{F}
end stop

PLANCHE[F] À VOILE[M]
SAILBOARD

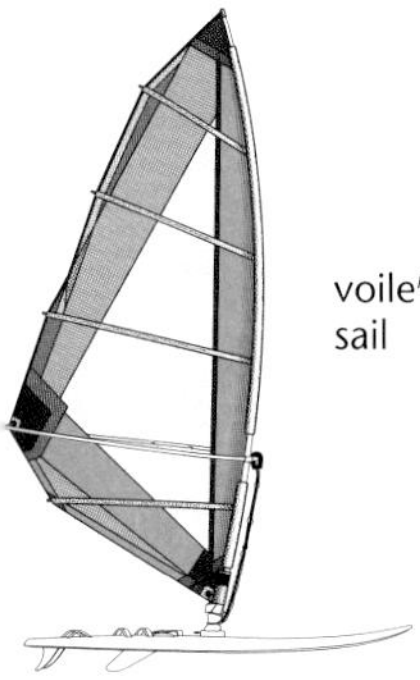

voile[F]
sail

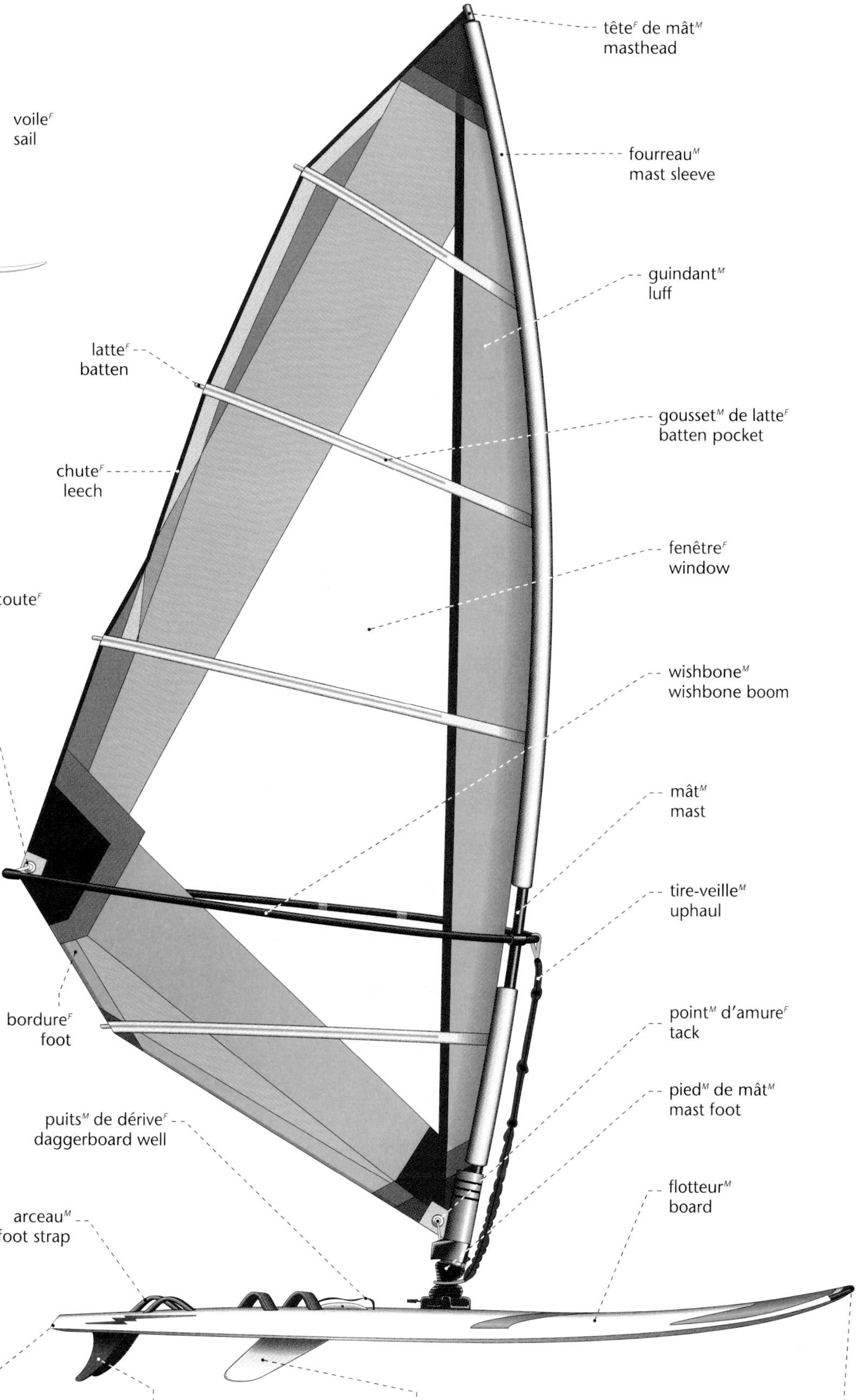

tête[F] de mât[M]
masthead
fourreau[M]
mast sleeve
guindant[M]
luff
latte[F]
batten
gousset[M] de latte[F]
batten pocket
chute[F]
leech
fenêtre[F]
window
point[M] d'écoute[F]
clew
wishbone[M]
wishbone boom
mât[M]
mast
tire-veille[M]
uphaul
bordure[F]
foot
point[M] d'amure[F]
tack
pied[M] de mât[M]
mast foot
puits[M] de dérive[F]
daggerboard well
flotteur[M]
board
arceau[M]
foot strap
poupe[F]
stern
aileron[M]
skeg
dérive[F]
daggerboard
proue[F]
bow

AVIRON^{M}
ROWING AND SCULLING

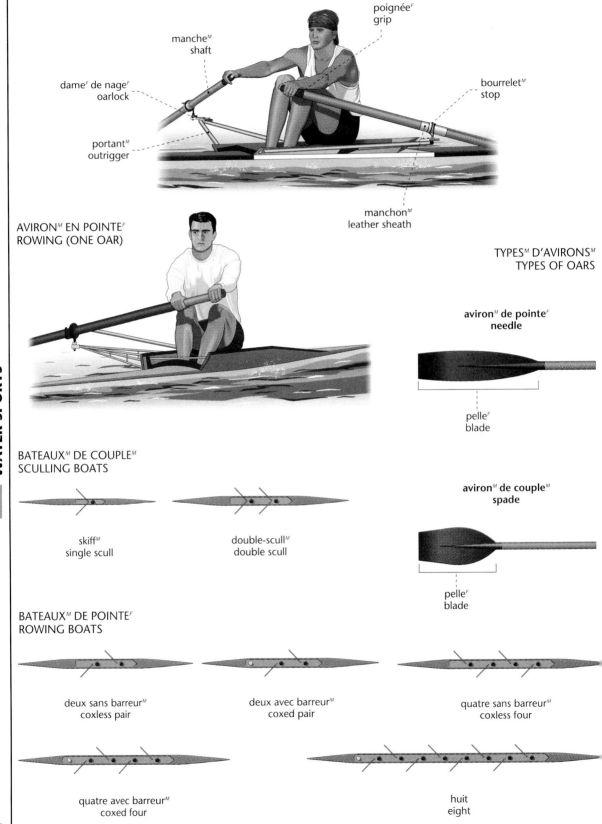

AVIRONS^{M} À COUPLE^{M}
SCULLING (TWO OARS)

poignée^{F}
grip
manche^{M}
shaft
dame^{F} de nage^{F}
oarlock
bourrelet^{M}
stop
portant^{M}
outrigger
manchon^{M}
leather sheath

AVIRON^{M} EN POINTE^{F}
ROWING (ONE OAR)

TYPES^{M} D'AVIRONS^{M}
TYPES OF OARS

aviron^{M} de pointe^{F}
needle

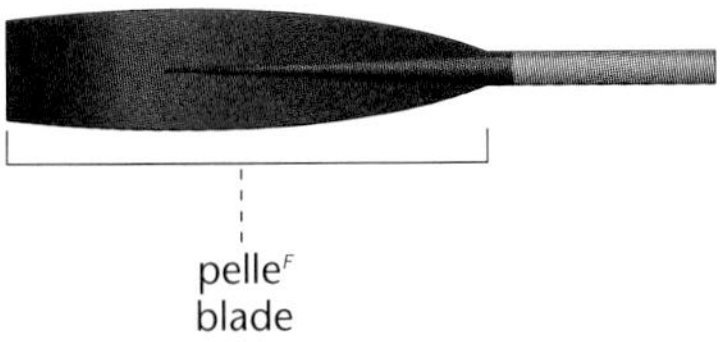
pelle^{F}
blade

aviron^{M} de couple^{M}
spade

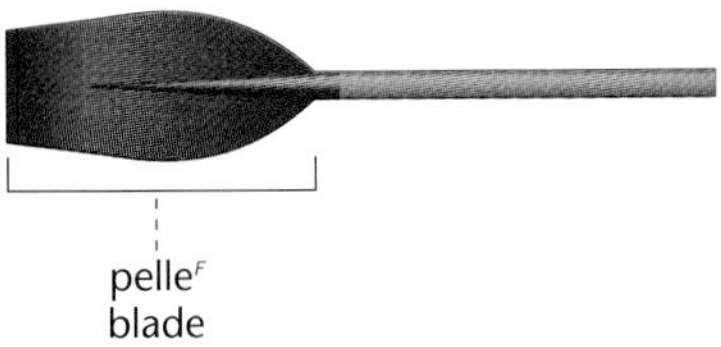
pelle^{F}
blade

BATEAUX^{M} DE COUPLE^{M}
SCULLING BOATS

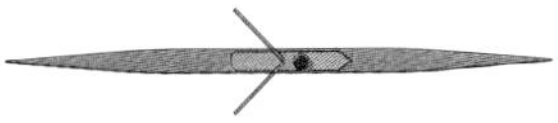

skiff^{M}
single scull

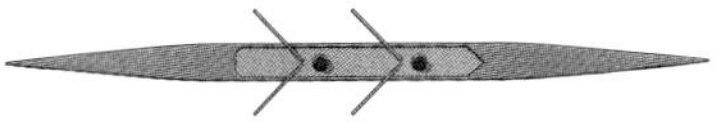

double-scull^{M}
double scull

BATEAUX^{M} DE POINTE^{F}
ROWING BOATS

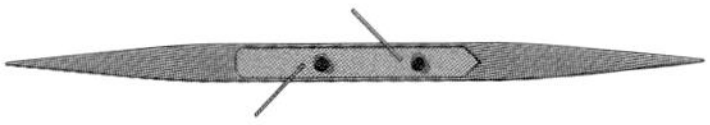

deux sans barreur^{M}
coxless pair

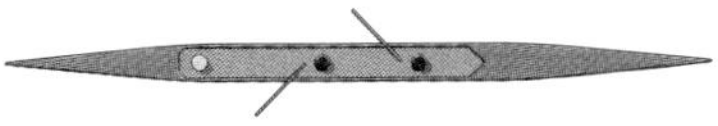

deux avec barreur^{M}
coxed pair

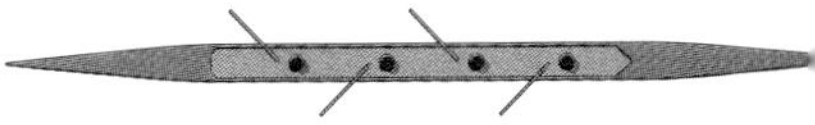

quatre sans barreur^{M}
coxless four

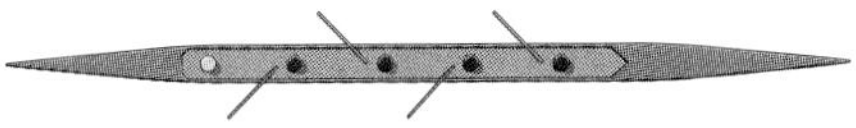

quatre avec barreur^{M}
coxed four

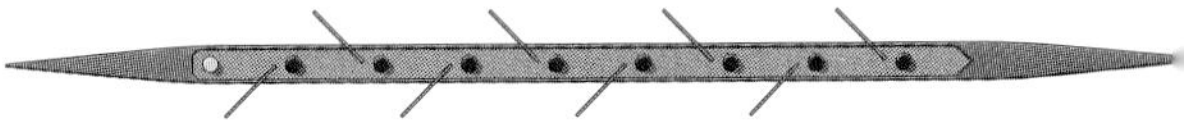

huit
eight

SKI[M] NAUTIQUE
WATER SKIING

TYPES[M] DE SKIS[M]
TYPES OF SKIS

ski[M] de tourisme[M]
twin skis

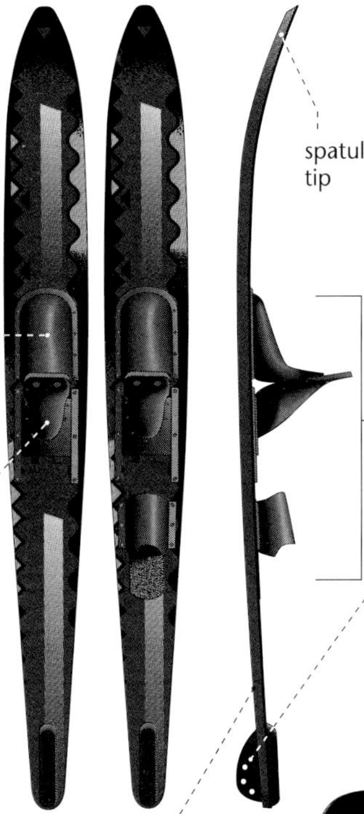
spatule[F]
tip
sabot[M]
toe piece
fixations[F]
bindings
talonnière[F]
heel piece
dérive[F]
fin
semelle[F]
bottom

ski[M] de saut[M]
jump ski

ski[M] de slalom[M]
slalom ski

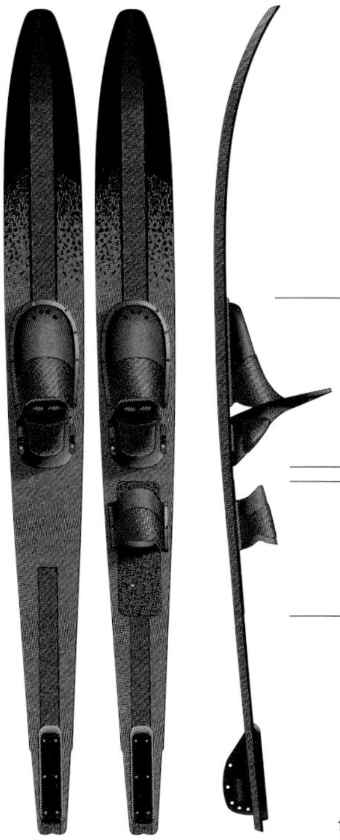
fixation[F] avant
front binding
fixation[F] arrière
back binding

ski[M] de figure[F]
figure ski

queue[F]
tail

TYPES[M] DE TRAPÈZES[M]
TYPES OF HANDLES

trapèze[M] de figure[F]
figure skiing handle

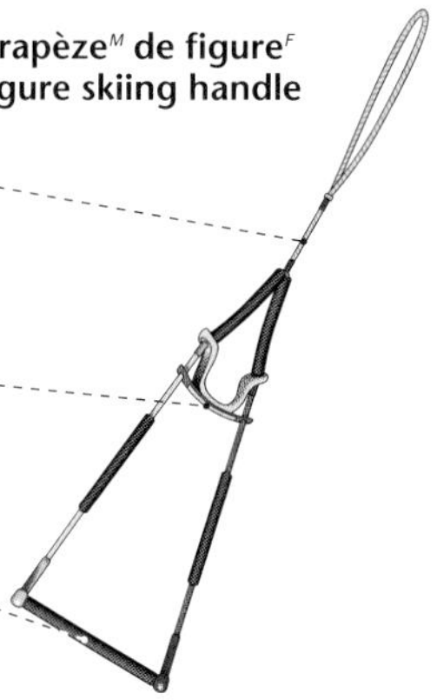
remorque[F]
tow line
lanière[F]
toe strap
barre[F]
tow bar

palonnier[M] de slalom[M]
double handles

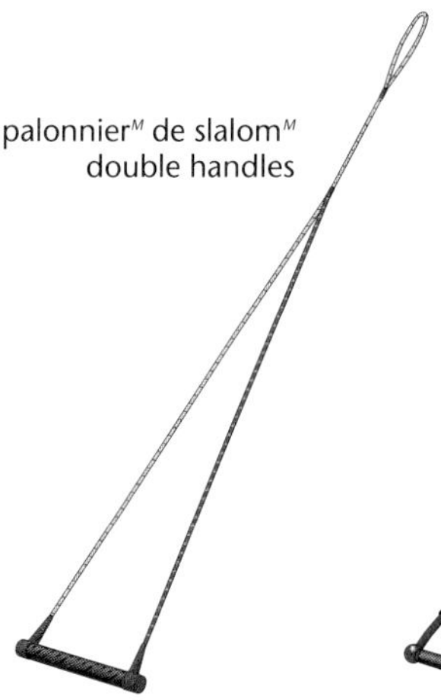

trapèze[M]
handle

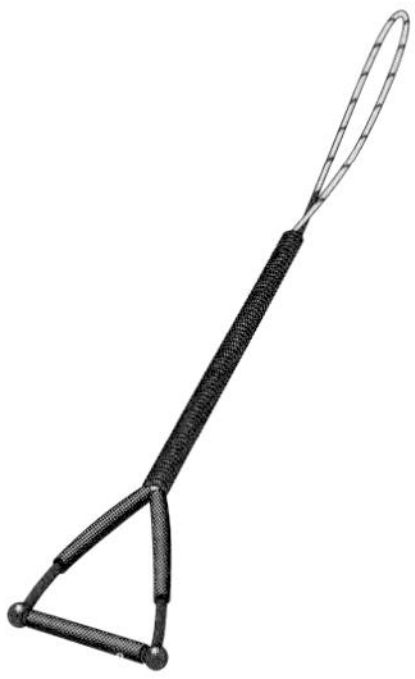

MONTGOLFIÈRE[F]
BALLOONING

BALLON[M]
BALLOON

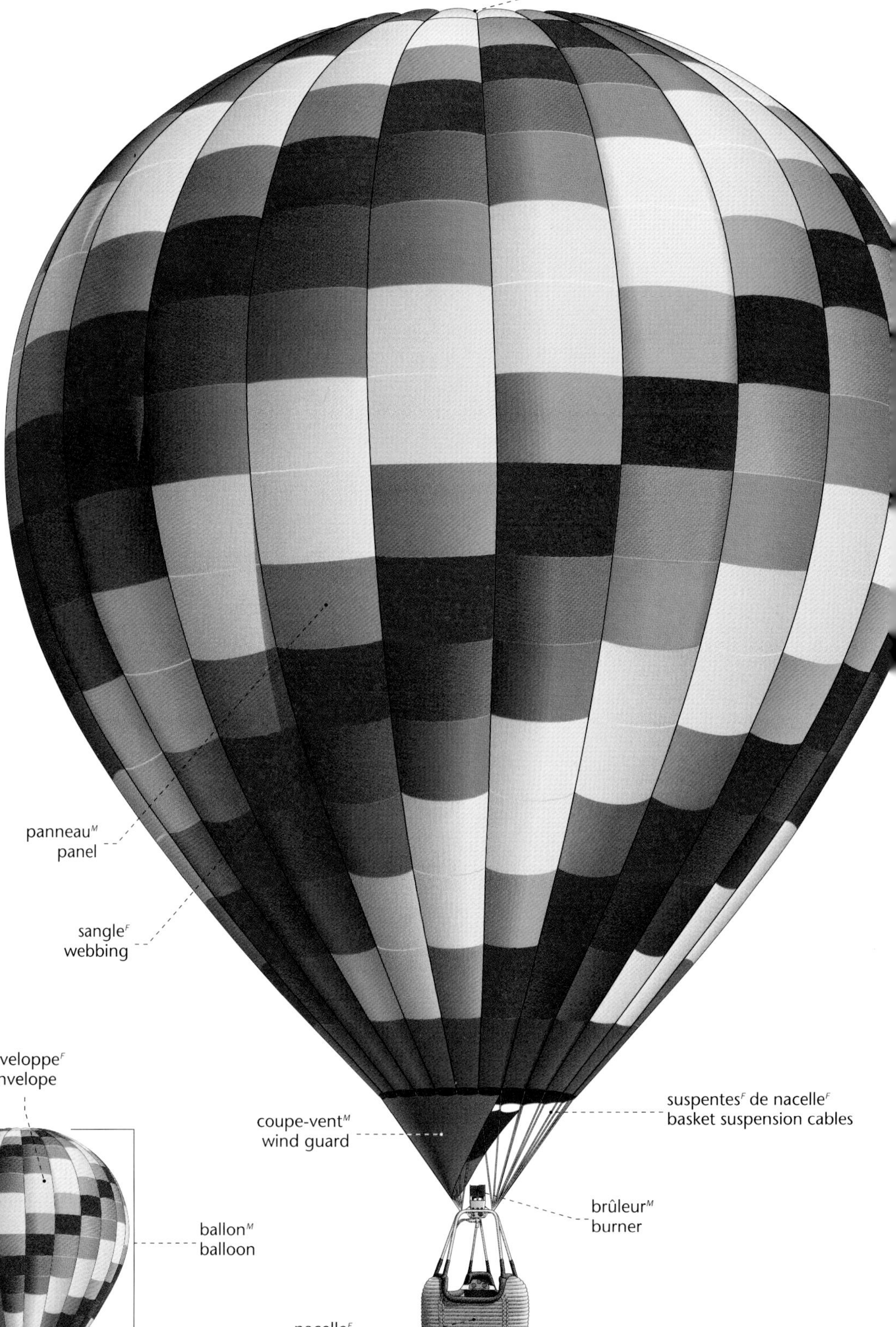
panneau[M]-parachute[M]
parachute valve
panneau[M]
panel
sangle[F]
webbing
suspentes[F] de nacelle[F]
basket suspension cables
coupe-vent[M]
wind guard
brûleur[M]
burner
nacelle[F]
basket

enveloppe[F]
envelope
ballon[M]
balloon

NACELLE^F
BASKET

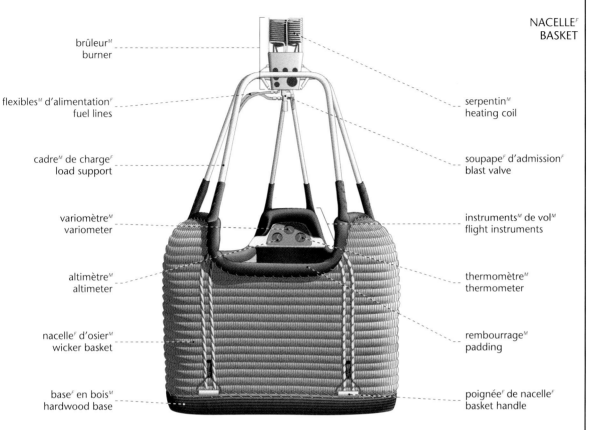

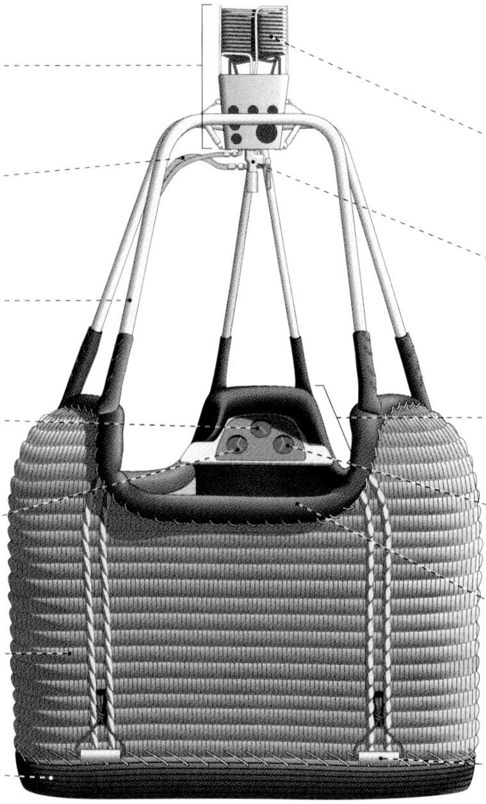
brûleur^M
burner
flexibles^M d'alimentation^F
fuel lines
cadre^M de charge^F
load support
variomètre^M
variometer
altimètre^M
altimeter
nacelle^F d'osier^M
wicker basket
base^F en bois^M
hardwood base
serpentin^M
heating coil
soupape^F d'admission^F
blast valve
instruments^M de vol^M
flight instruments
thermomètre^M
thermometer
rembourrage^M
padding
poignée^F de nacelle^F
basket handle

CHUTE^F LIBRE
SKY DIVING

SAUTEUR^M
SKY DIVER

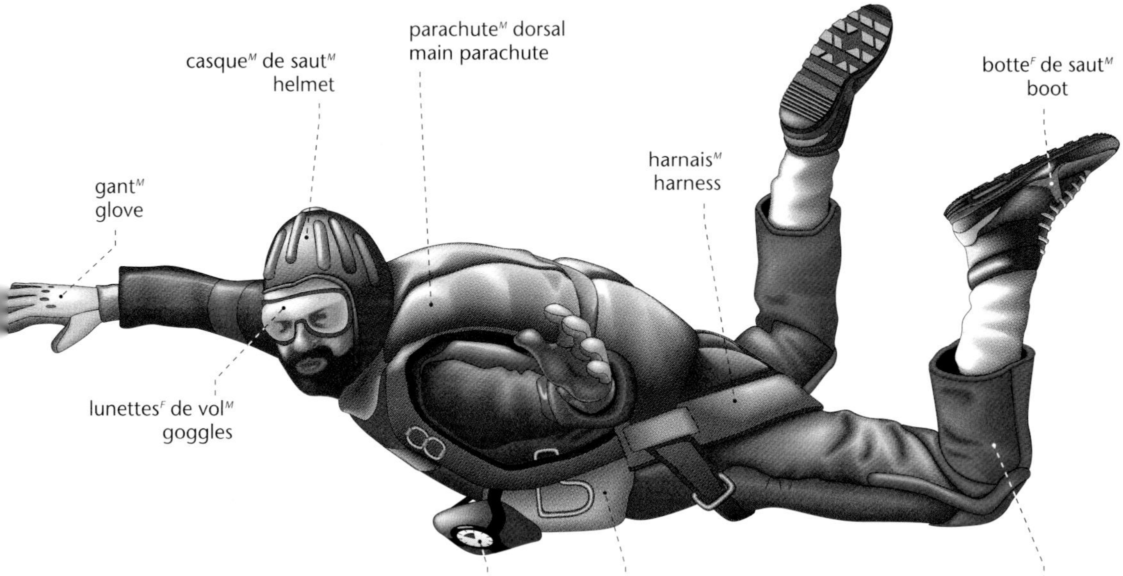
parachute^M dorsal
main parachute
casque^M de saut^M
helmet
botte^F de saut^M
boot
harnais^M
harness
gant^M
glove
lunettes^F de vol^M
goggles
altimètre^M
altimeter
parachute^M de secours^M
reserve parachute
combinaison^F de vol^M
one-piece coverall

PARAPENTE[M]
PARAGLIDING

AILE[F]
CANOPY

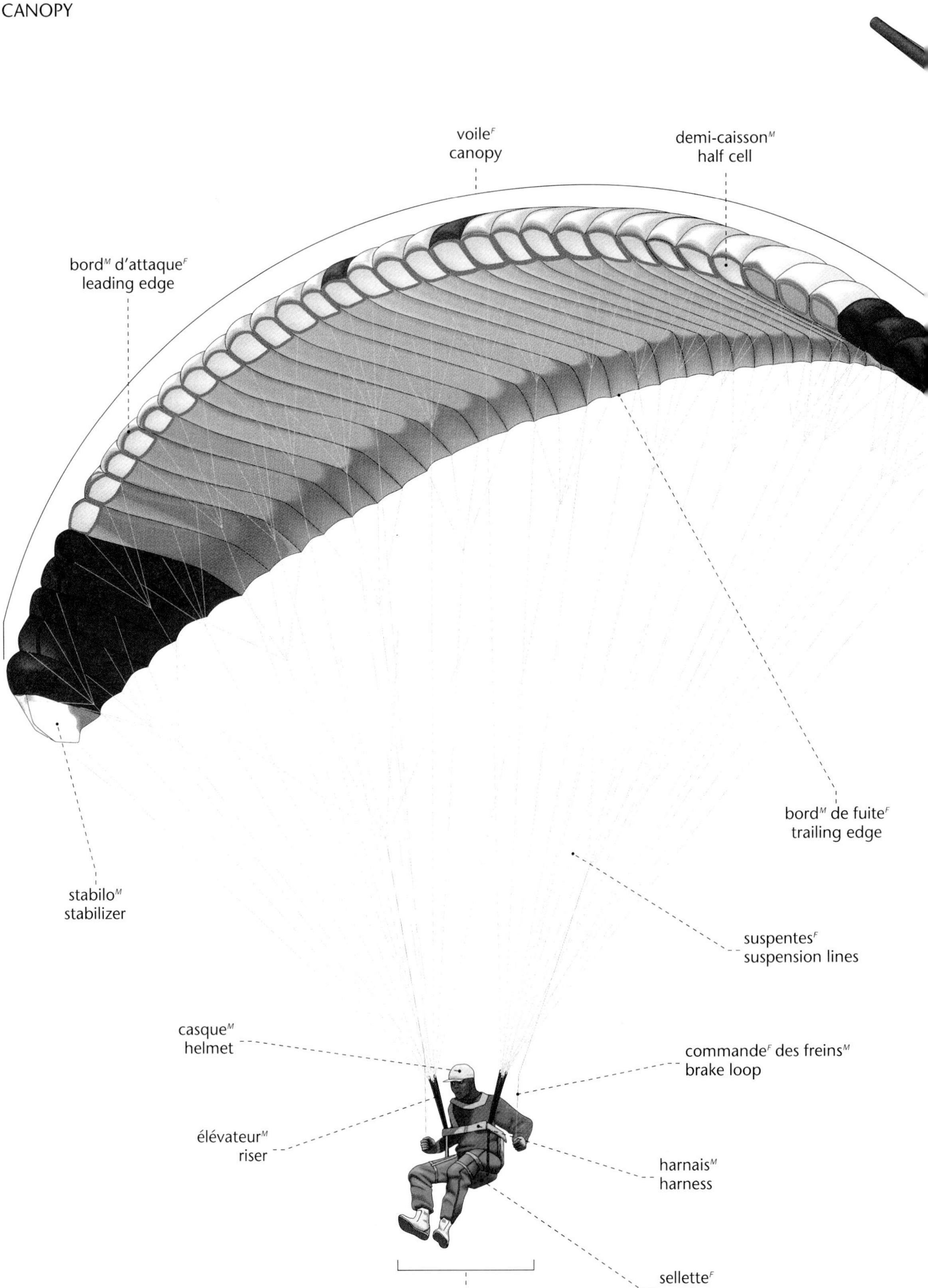
voile[F]
canopy
demi-caisson[M]
half cell
bord[M] d'attaque[F]
leading edge
bord[M] de fuite[F]
trailing edge
stabilo[M]
stabilizer
suspentes[F]
suspension lines
casque[M]
helmet
commande[F] des freins[M]
brake loop
élévateur[M]
riser
harnais[M]
harness
sellette[F]
saddle
parapentiste[M]
paragliding pilot

VOL^M LIBRE
HANG GLIDING

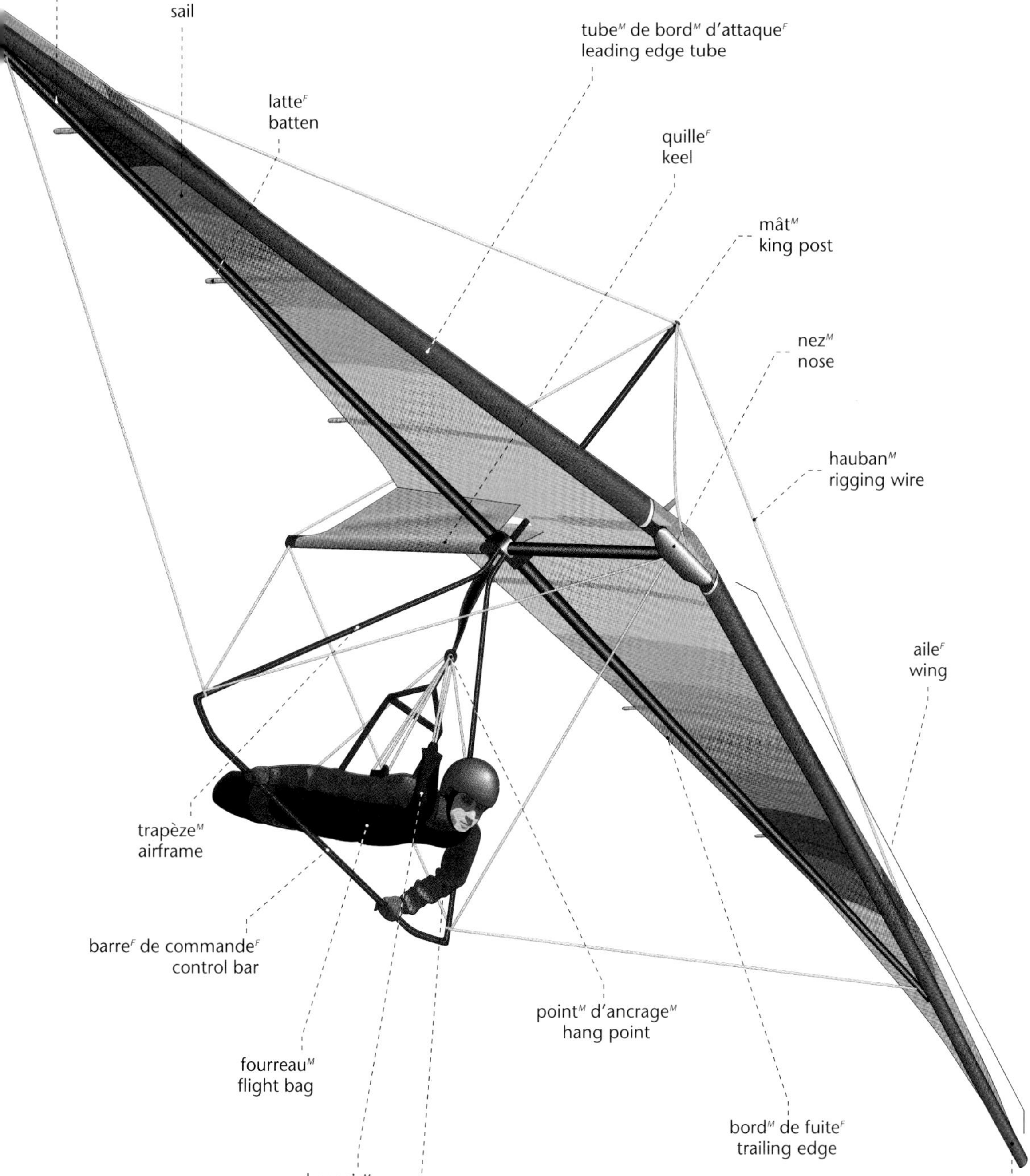
AILE^F LIBRE
HANG GLIDER
tube^M transversal
crossbar
voilure^F
sail
tube^M de bord^M d'attaque^F
leading edge tube
latte^F
batten
quille^F
keel
mât^M
king post
nez^M
nose
hauban^M
rigging wire
aile^F
wing
trapèze^M
airframe
barre^F de commande^F
control bar
point^M d'ancrage^M
hang point
fourreau^M
flight bag
bord^M de fuite^F
trailing edge
harnais^M
harness
pilote^M
pilot
bout^M d'aile^F
tip

VOL[M] À VOILE[F]
GLIDING

PLANEUR[M]
GLIDER

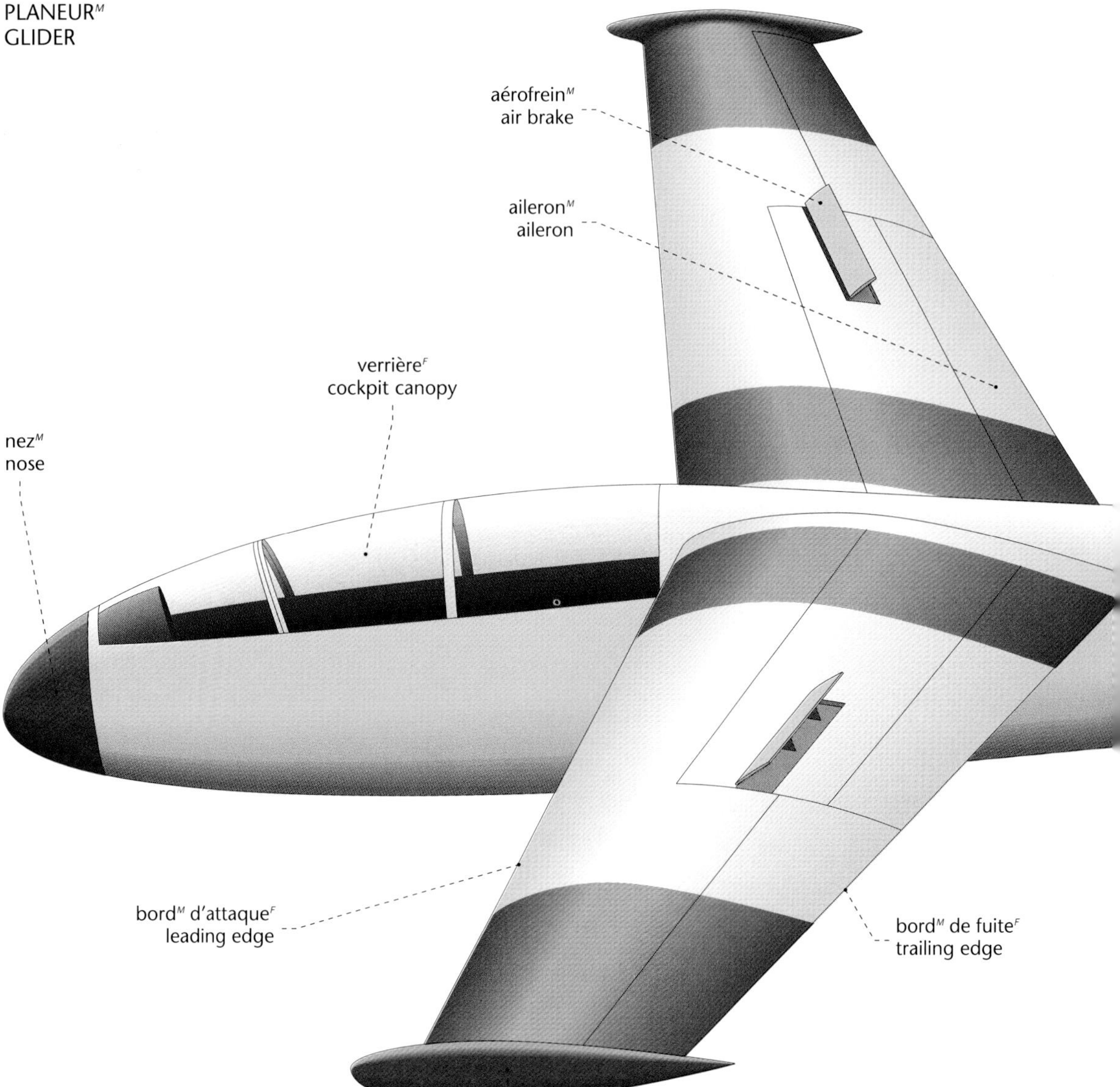
aérofrein[M]
air brake
aileron[M]
aileron
verrière[F]
cockpit canopy
nez[M]
nose
bord[M] d'attaque[F]
leading edge
bord[M] de fuite[F]
trailing edge
saumon[M] d'aile[F]
wing tip

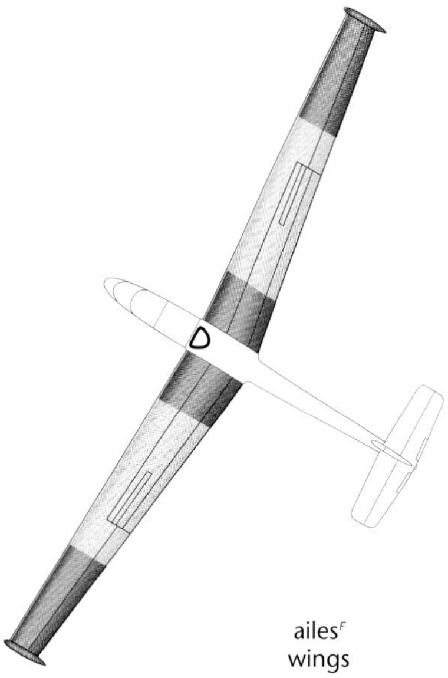

ailes[F]
wings

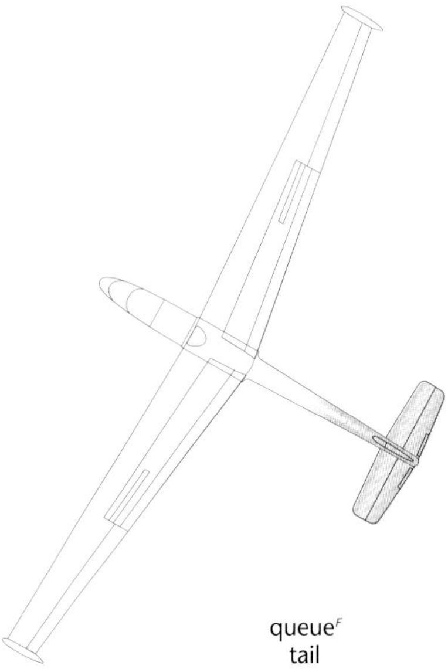

queue[F]
tail

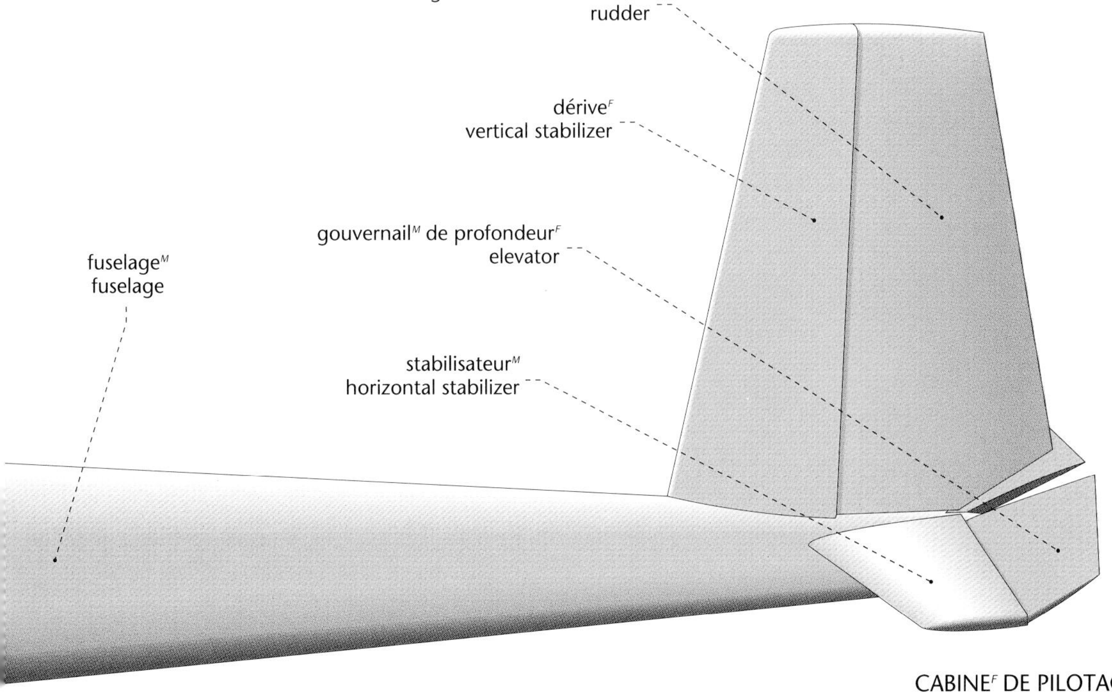

gouvernail[M] de direction[F]
rudder
dérive[F]
vertical stabilizer
gouvernail[M] de profondeur[F]
elevator
fuselage[M]
fuselage
stabilisateur[M]
horizontal stabilizer

CABINE[F] DE PILOTAGE[M]
COCKPIT

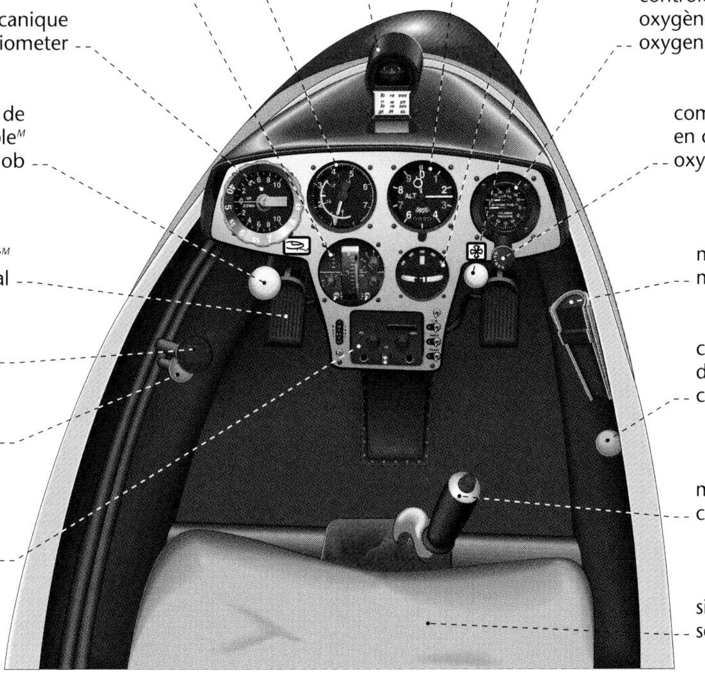

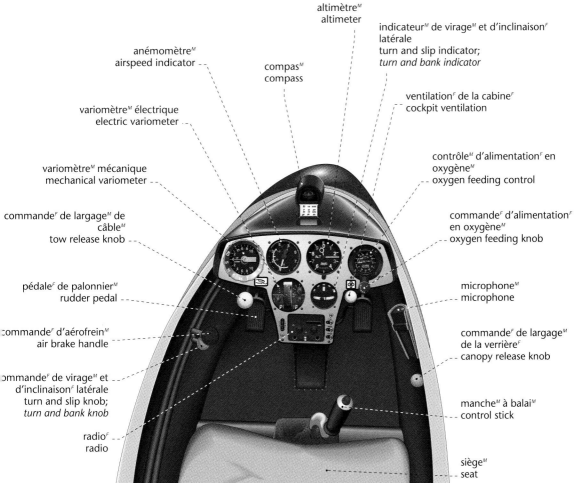

altimètre[M]
altimeter
indicateur[M] de virage[M] et d'inclinaison[F] latérale
turn and slip indicator;
turn and bank indicator
anémomètre[M]
airspeed indicator
compas[M]
compass
ventilation[F] de la cabine[F]
cockpit ventilation
variomètre[M] électrique
electric variometer
contrôle[M] d'alimentation[F] en oxygène[M]
oxygen feeding control
variomètre[M] mécanique
mechanical variometer
commande[F] de largage[M] de câble[M]
tow release knob
commande[F] d'alimentation[F] en oxygène[M]
oxygen feeding knob
pédale[F] de palonnier[M]
rudder pedal
microphone[M]
microphone
commande[F] d'aérofrein[M]
air brake handle
commande[F] de largage[M] de la verrière[F]
canopy release knob
ommande[F] de virage[M] et d'inclinaison[F] latérale
turn and slip knob;
turn and bank knob
manche[M] à balai[M]
control stick
radio[F]
radio
siège[M]
seat

SKI^M ALPIN
ALPINE SKIING

SKIEUR^M ALPIN
ALPINE SKIER

bonnet^M; *tuque*^F
ski hat
lunettes^F de ski^M
ski goggles
combinaison^F de ski^M
ski suit
gant^M de ski^M
ski glove
poignée^F
handle
dragonne^F
wrist strap
bâton^M de ski^M
ski pole
semelle^F
bottom
frein^M
ski stop
spatule^F
shovel
carre^F
edge
talonnière^F
heel piece
chaussure^F de ski
ski boo
pointe^F
tip
butée^F
toe piece

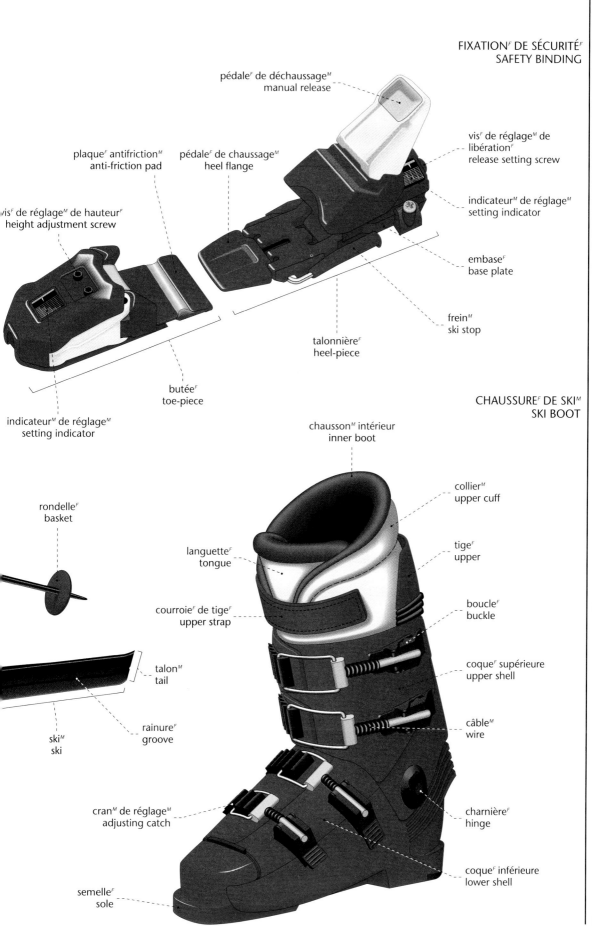

FIXATION[F] DE SÉCURITÉ[F]
SAFETY BINDING

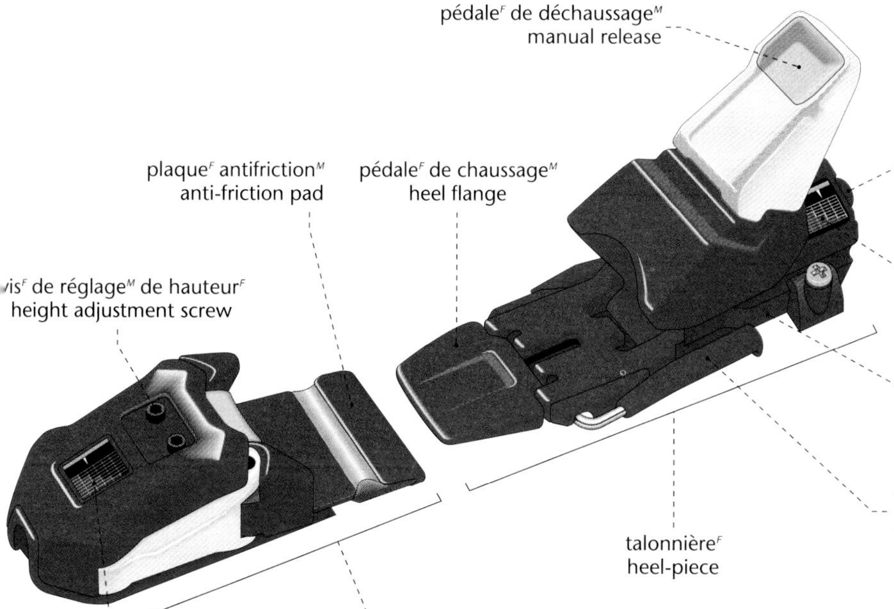

pédale[F] de déchaussage[M]
manual release
vis[F] de réglage[M] de libération[F]
release setting screw
plaque[F] antifriction[M]
anti-friction pad
pédale[F] de chaussage[M]
heel flange
indicateur[M] de réglage[M]
setting indicator
vis[F] de réglage[M] de hauteur[F]
height adjustment screw
embase[F]
base plate
frein[M]
ski stop
talonnière[F]
heel-piece
butée[F]
toe-piece
indicateur[M] de réglage[M]
setting indicator

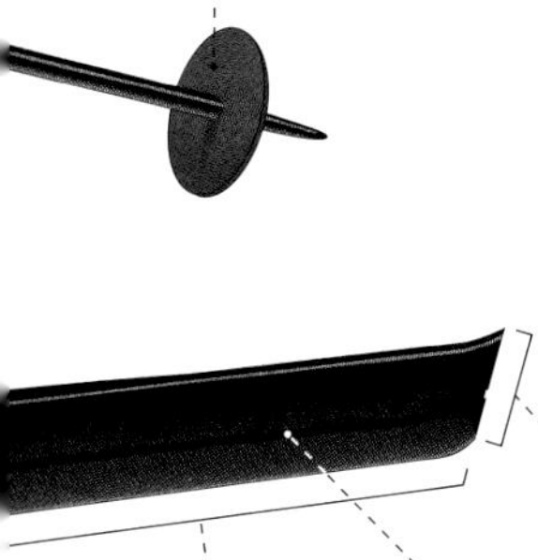

rondelle[F]
basket
talon[M]
tail
rainure[F]
groove
ski[M]
ski

CHAUSSURE[F] DE SKI[M]
SKI BOOT

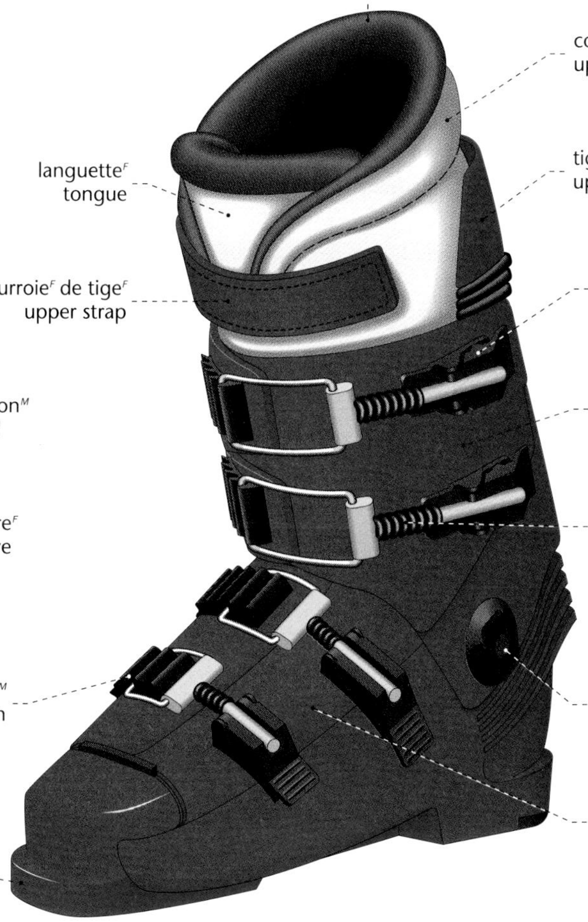

chausson[M] intérieur
inner boot
collier[M]
upper cuff
languette[F]
tongue
tige[F]
upper
courroie[F] de tige[F]
upper strap
boucle[F]
buckle
coque[F] supérieure
upper shell
câble[M]
wire
cran[M] de réglage[M]
adjusting catch
charnière[F]
hinge
coque[F] inférieure
lower shell
semelle[F]
sole

SKI^{M} DE FOND^{M}
CROSS-COUNTRY SKIING

SKIEUSE^{F} DE FOND^{M}
CROSS-COUNTRY SKIER

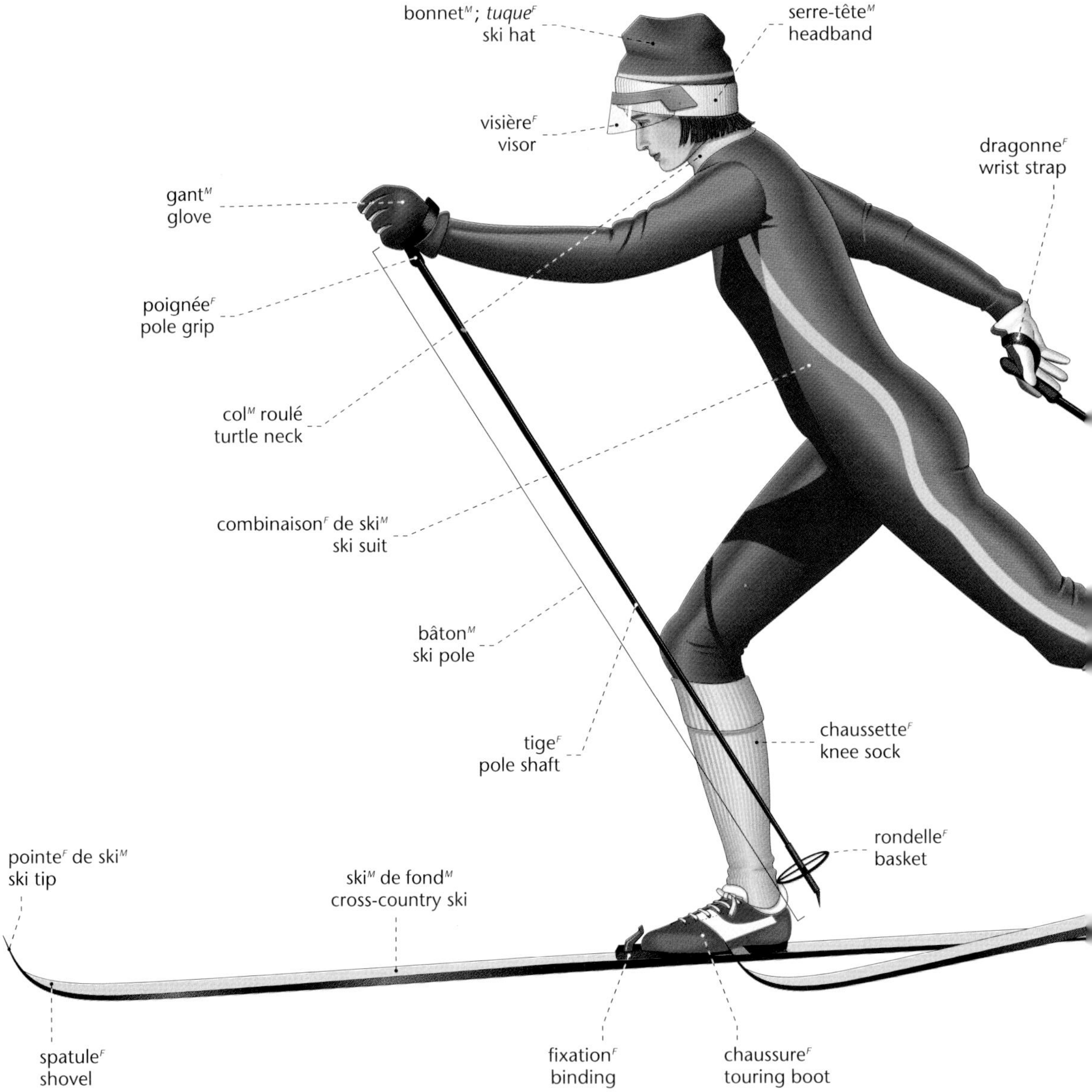
bonnet^{M}; *tuque*^{F}
ski hat
serre-tête^{M}
headband
visière^{F}
visor
dragonne^{F}
wrist strap
gant^{M}
glove
poignée^{F}
pole grip
col^{M} roulé
turtle neck
combinaison^{F} de ski^{M}
ski suit
bâton^{M}
ski pole
tige^{F}
pole shaft
chaussette^{F}
knee sock
rondelle^{F}
basket
pointe^{F} de ski^{M}
ski tip
ski^{M} de fond^{M}
cross-country ski
spatule^{F}
shovel
fixation^{F}
binding
chaussure^{F}
touring boot

SKI^{M} DE FOND^{M}
CROSS-COUNTRY SKI

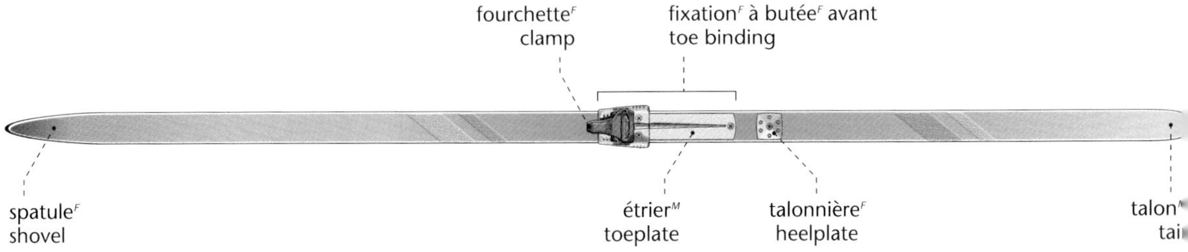
fourchette^{F}
clamp
fixation^{F} à butée^{F} avant
toe binding
spatule^{F}
shovel
étrier^{M}
toeplate
talonnière^{F}
heelplate
talon
tai

LUGE[F]
LUGE

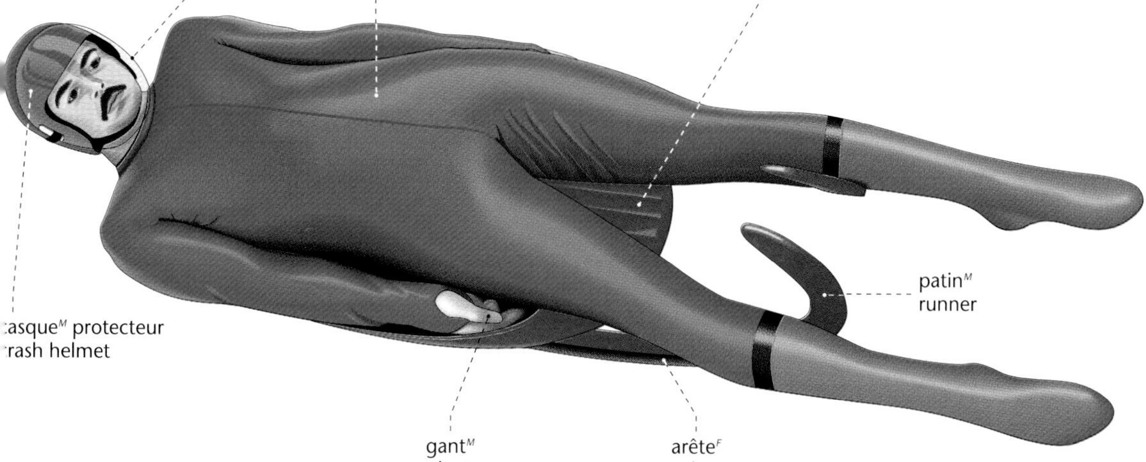

masque[M] protecteur
face mask
combinaison[F]
one-piece suit
traîneau[M]
sled
patin[M]
runner
asque[M] protecteur
rash helmet
gant[M]
glove
arête[F]
edge

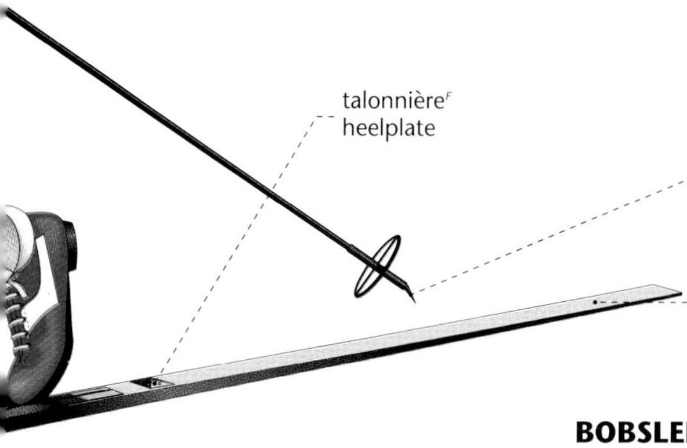

talonnière[F]
heelplate
pointe[F] de bâton[M]
pole tip
talon[M]
tail

BOBSLEIGH[M]
BOBSLED

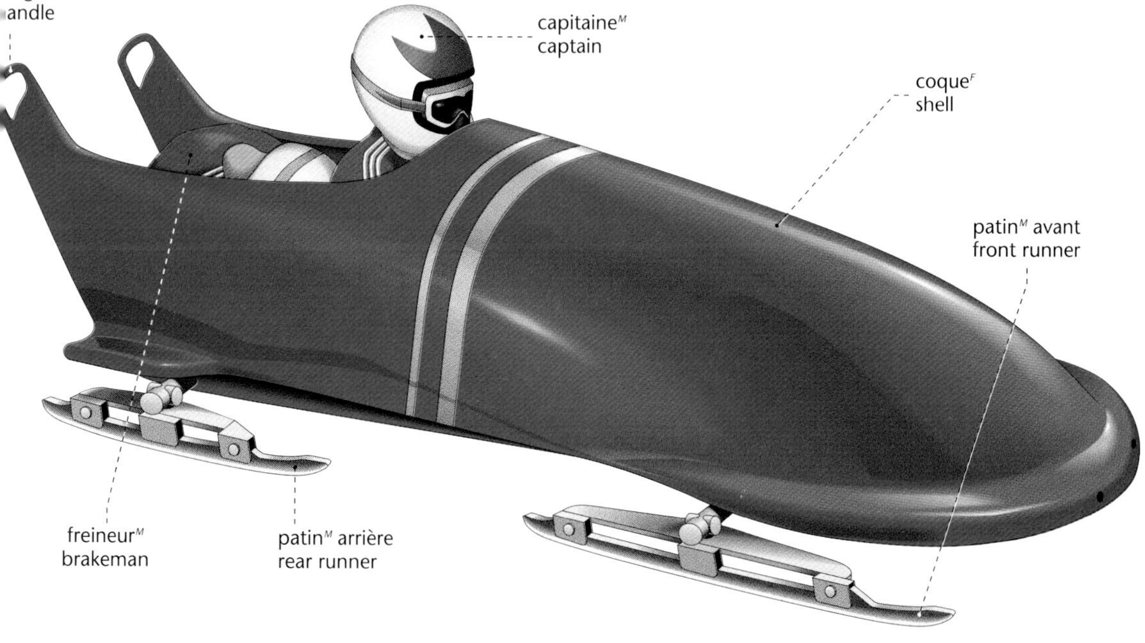

oignée[F]
andle
capitaine[M]
captain
coque[F]
shell
patin[M] avant
front runner
freineur[M]
brakeman
patin[M] arrière
rear runner

PATINAGE[M]
SKATING

PATIN[M] DE FIGURE[F]
FIGURE SKATE

languette[F]
tongue
doublure[F]
lining
crochet[M]
hook
tige[F]
backstay
lacet[M]
lace
chaussure[F]
boot
œillet[M]
eyelet
talon[M]
heel
semelle[F]
sole
montant[M]
stanchion
carre[F]
edge
dent[F]
toe pick
lame[F]
blade

PATIN[M] DE HOCKEY[M]
HOCKEY SKATE

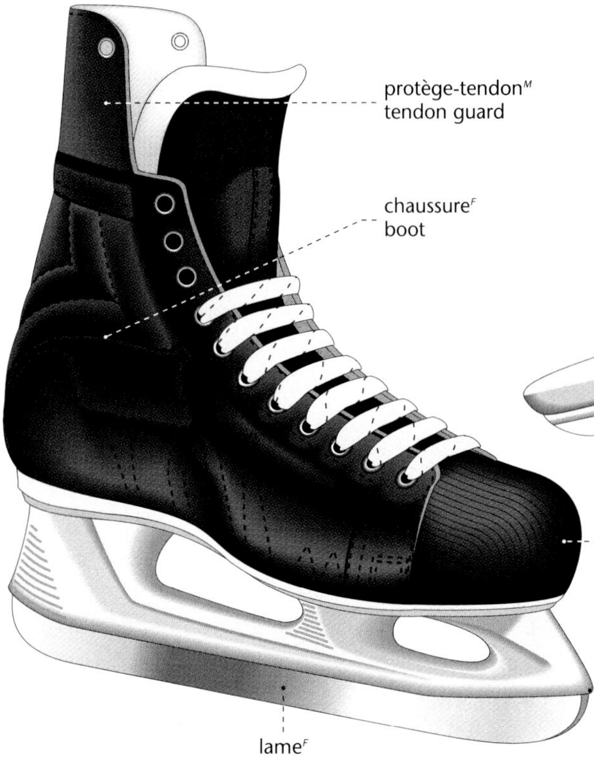
protège-tendon[M]
tendon guard
chaussure[F]
boot
renfort[M] de pointe[F]
toe box
pointe[F]
point
lame[F]
blade

patin[M] de course[F]
speed skate

protège-lame[M]
skate guard

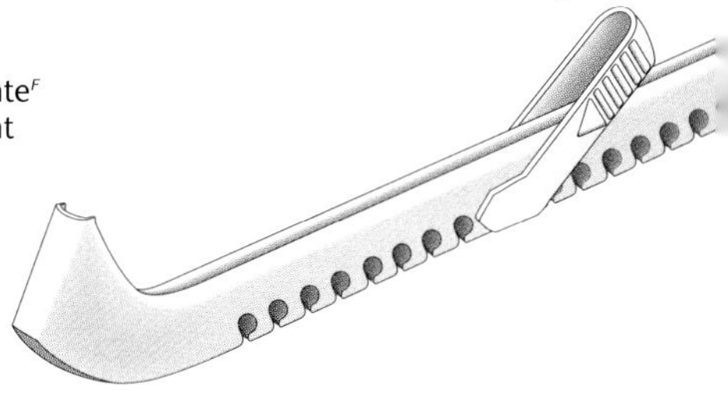

RAQUETTE[F]
SNOWSHOE

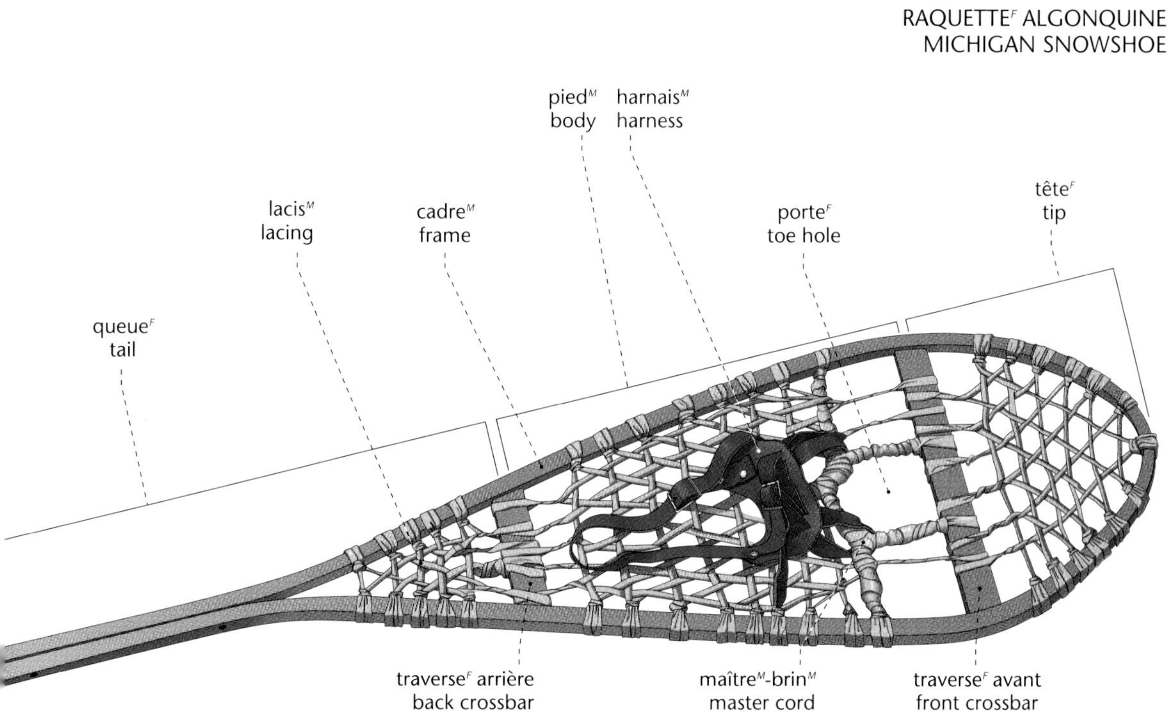

RAQUETTE[F] ALGONQUINE
MICHIGAN SNOWSHOE
pied[M]
body
harnais[M]
harness
lacis[M]
lacing
cadre[M]
frame
porte[F]
toe hole
tête[F]
tip
queue[F]
tail
traverse[F] arrière
back crossbar
maître[M]-brin[M]
master cord
traverse[F] avant
front crossbar

PATIN[M] À ROULETTES[F]
ROLLER SKATE

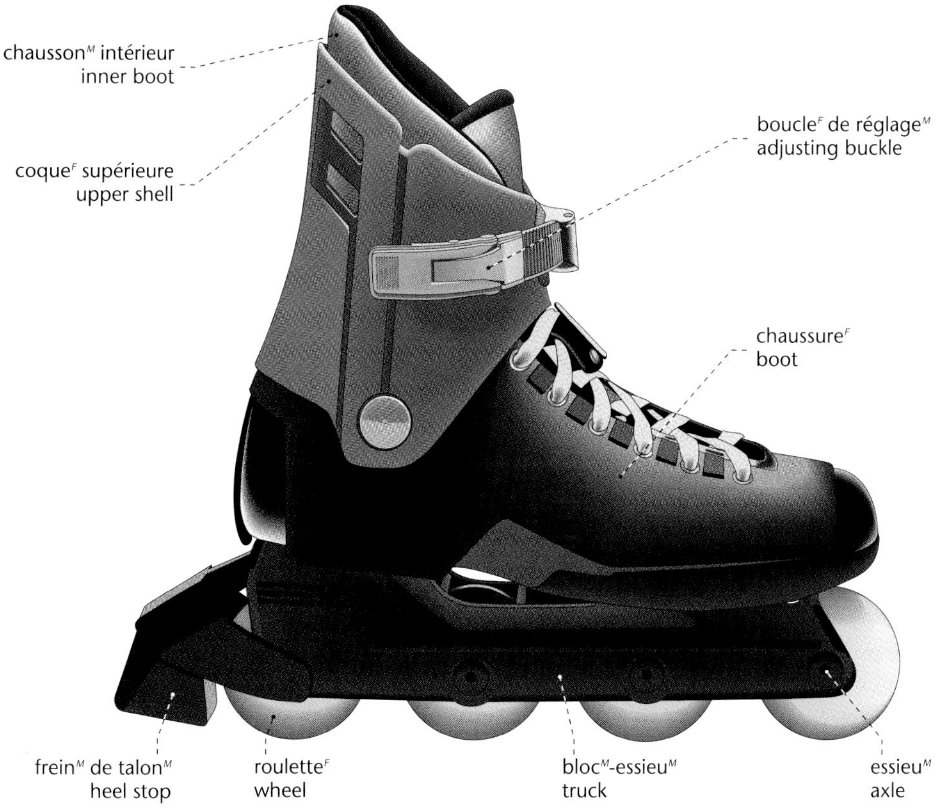

chausson[M] intérieur
inner boot
coque[F] supérieure
upper shell
boucle[F] de réglage[M]
adjusting buckle
chaussure[F]
boot
frein[M] de talon[M]
heel stop
roulette[F]
wheel
bloc[M]-essieu[M]
truck
essieu[M]
axle

ÉQUITATION^{F}
RIDING

PARCOURS^{M} D'OBSTACLES^{M}
COMPETITION RING

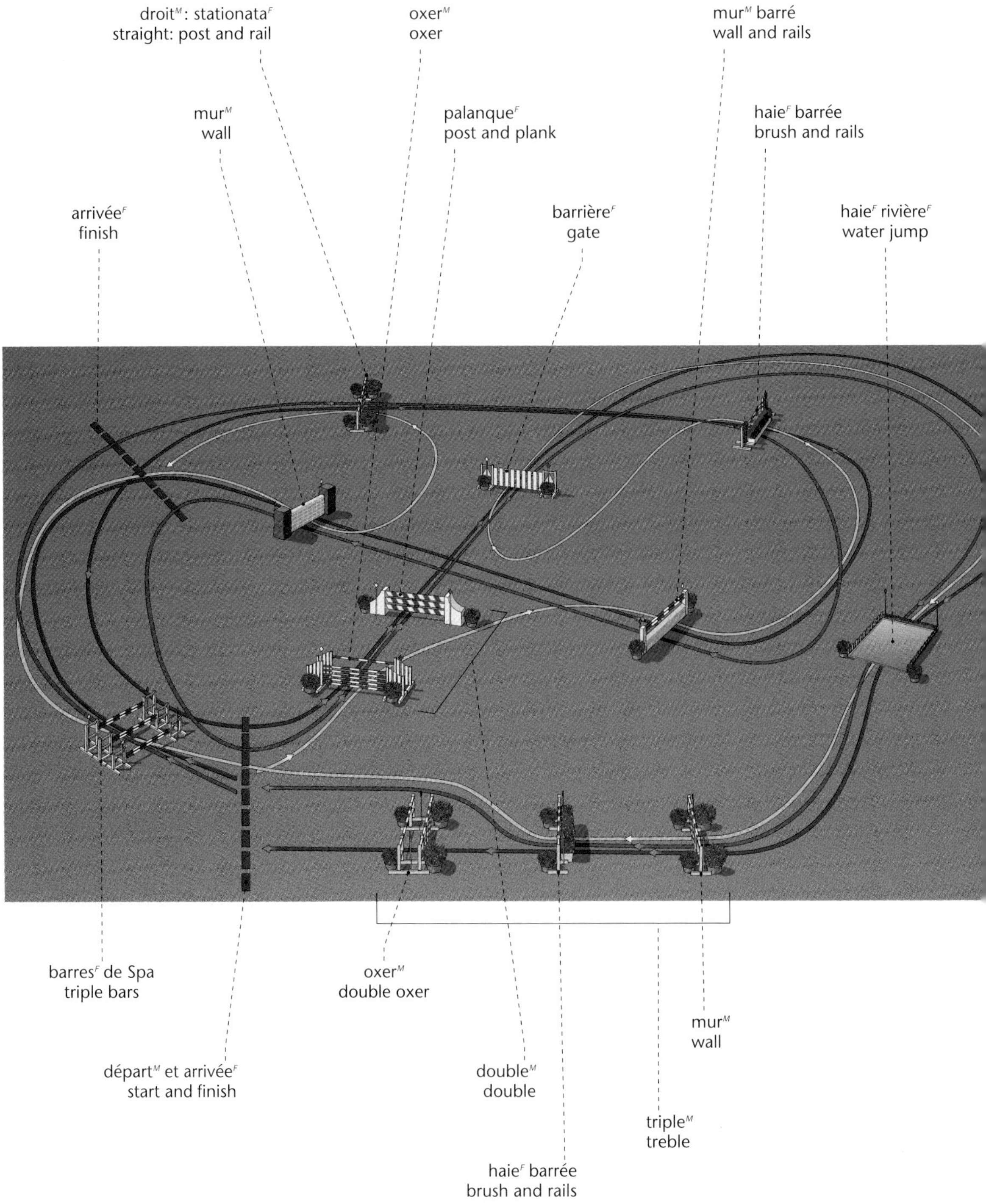
droit^{M}: stationata^{F}
straight: post and rail
oxer^{M}
oxer
mur^{M} barré
wall and rails
mur^{M}
wall
palanque^{F}
post and plank
haie^{F} barrée
brush and rails
arrivée^{F}
finish
barrière^{F}
gate
haie^{F} rivière^{F}
water jump
barres^{F} de Spa
triple bars
oxer^{M}
double oxer
mur^{M}
wall
départ^{M} et arrivée^{F}
start and finish
double^{M}
double
triple^{M}
treble
haie^{F} barrée
brush and rails

parcours^{M} des cavaliers^{M} avancés
expert drivers course

parcours^{M} des débutants^{M}
beginner's course

parcours^{M} de vitesse^{F}
speed course

OBSTACLESᴹ
OBSTACLES

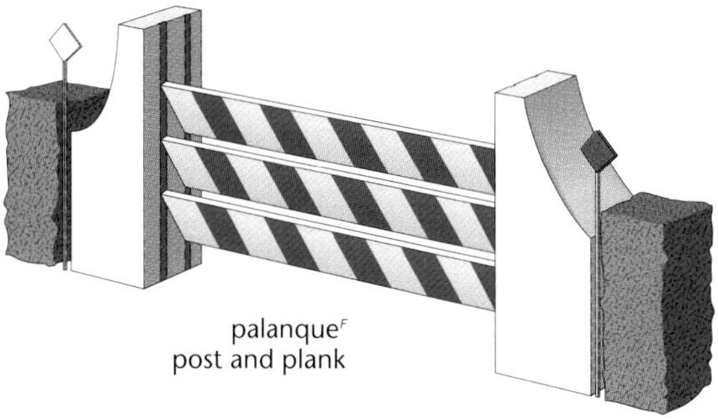

palanqueᶠ
post and plank

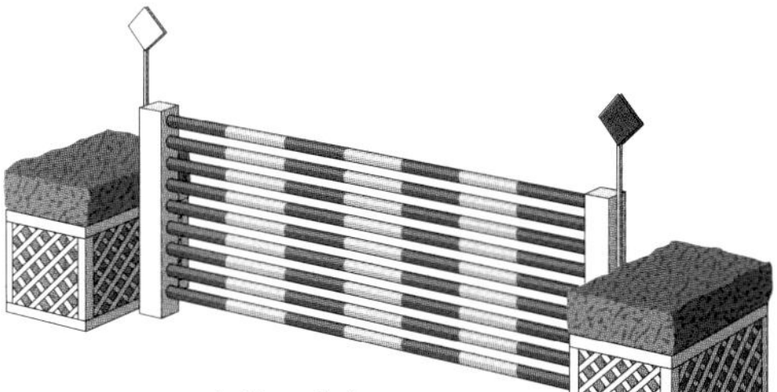

stationataᶠ
post and rail

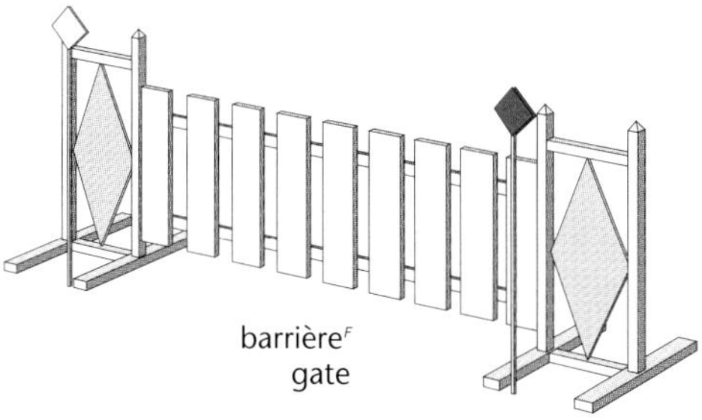

barrièreᶠ
gate

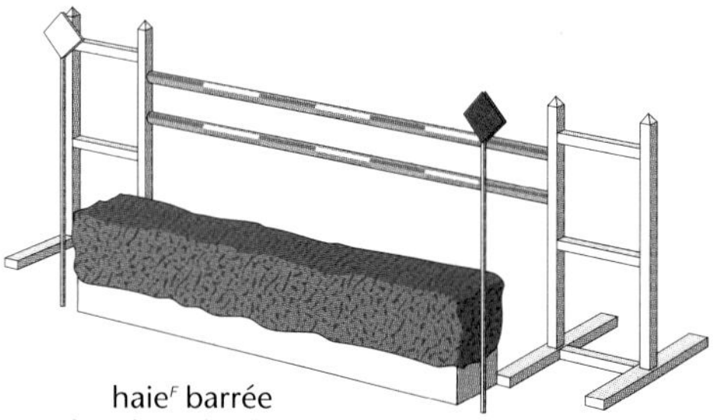

haieᶠ barrée
brush and rails

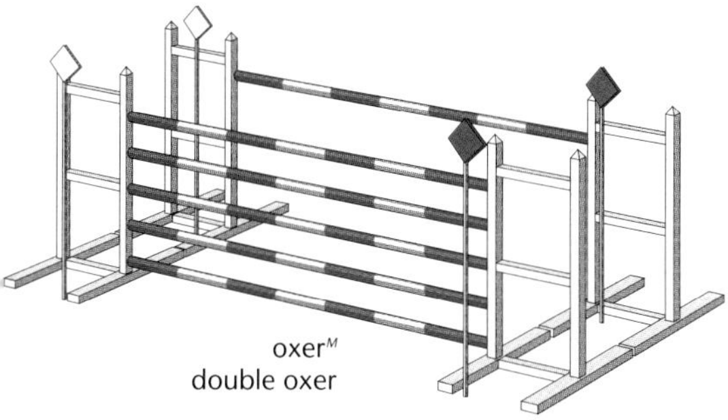

oxerᴹ
double oxer

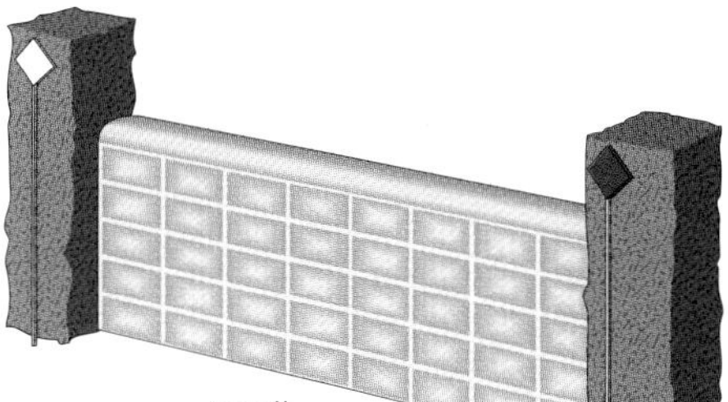

murᴹ
wall

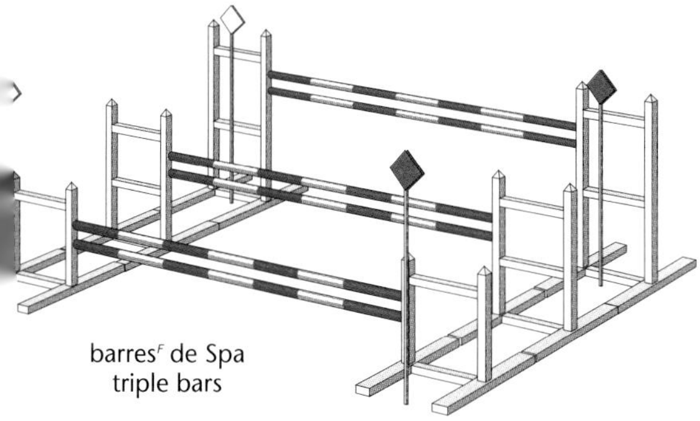

barresᶠ de Spa
triple bars

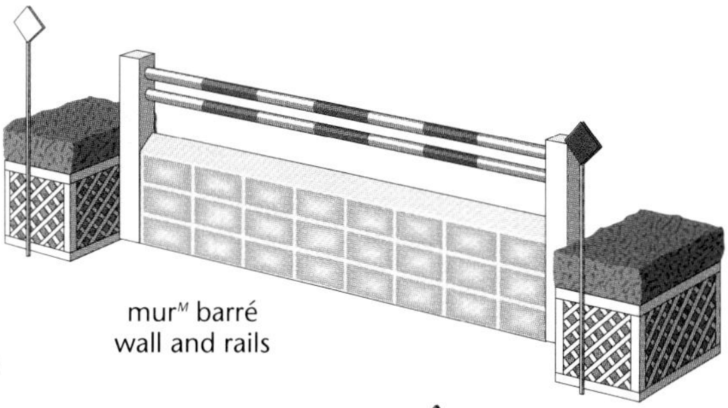

murᴹ barré
wall and rails

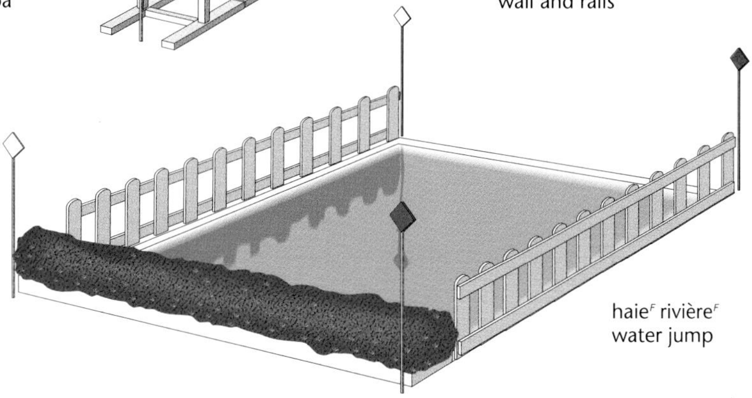

haieᶠ rivièreᶠ
water jump

ÉQUITATION[F]
RIDING

CAVALIER[M]
RIDER

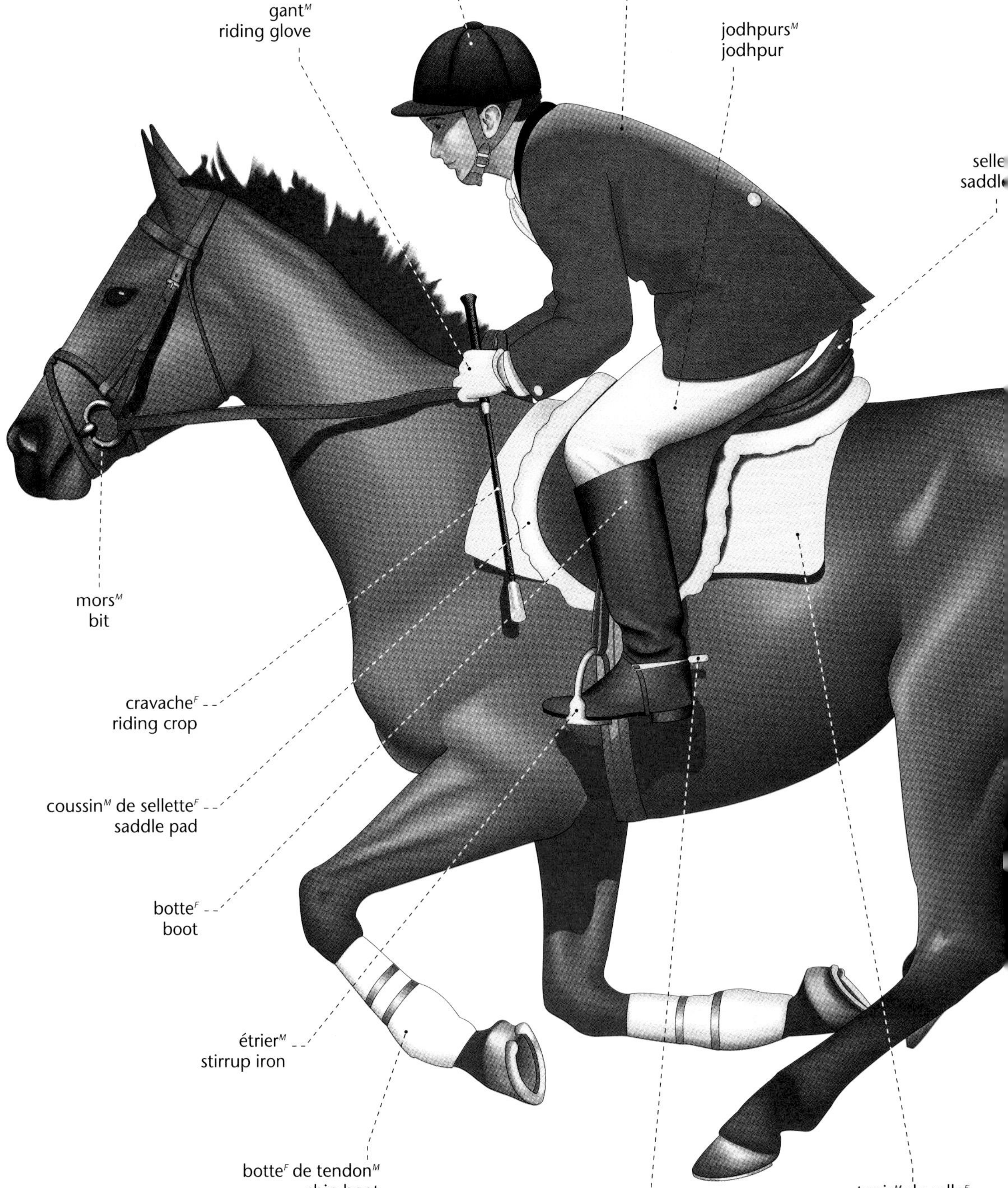
bombe[F]
riding cap
jaquette[F]
riding jacket
gant[M]
riding glove
jodhpurs[M]
jodhpur
selle
saddl
mors[M]
bit
cravache[F]
riding crop
coussin[M] de sellette[F]
saddle pad
botte[F]
boot
étrier[M]
stirrup iron
botte[F] de tendon[M]
shin boot
éperon[M]
spur
tapis[M] de selle[F]
saddlecloth

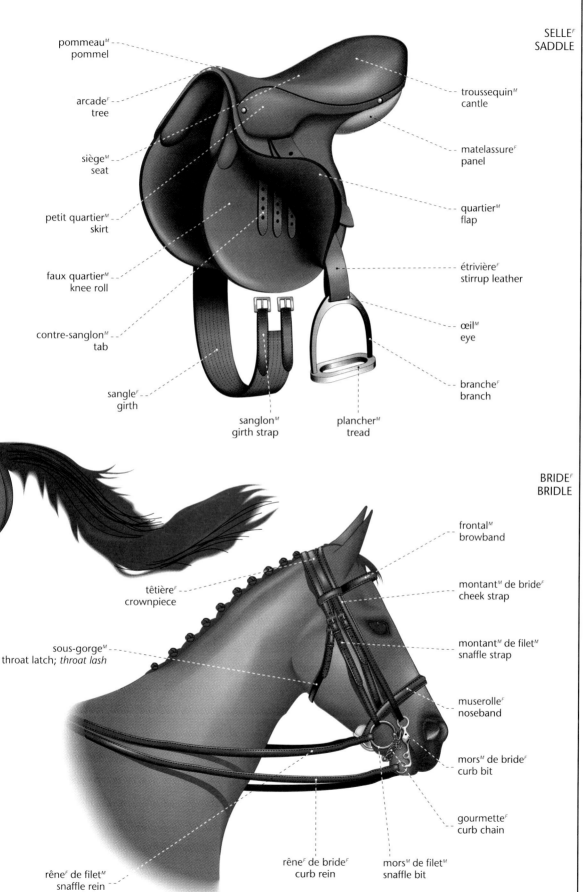

SELLE[F]
SADDLE

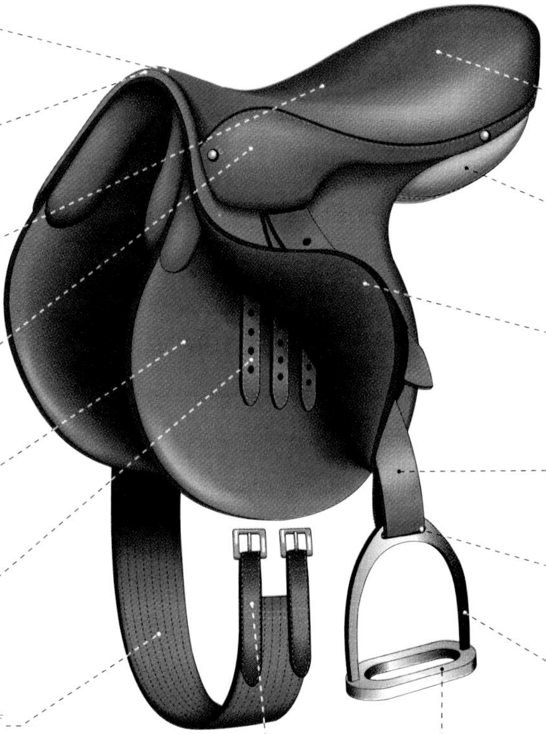
pommeau[M]
pommel
arcade[F]
tree
siège[M]
seat
petit quartier[M]
skirt
faux quartier[M]
knee roll
contre-sanglon[M]
tab
sangle[F]
girth
sanglon[M]
girth strap
plancher[M]
tread
troussequin[M]
cantle
matelassure[F]
panel
quartier[M]
flap
étrivière[F]
stirrup leather
œil[M]
eye
branche[F]
branch

BRIDE[F]
BRIDLE

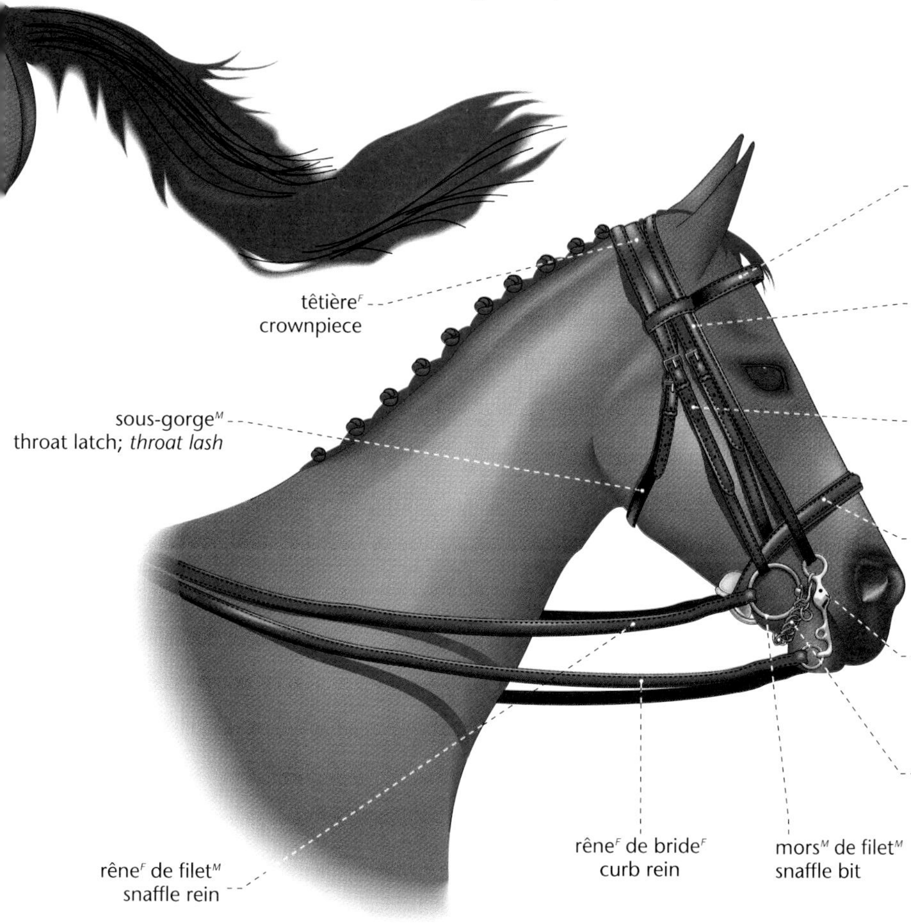
frontal[M]
browband
montant[M] de bride[F]
cheek strap
montant[M] de filet[M]
snaffle strap
muserolle[F]
noseband
mors[M] de bride[F]
curb bit
gourmette[F]
curb chain
têtière[F]
crownpiece
sous-gorge[M]
throat latch; *throat lash*
rêne[F] de filet[M]
snaffle rein
rêne[F] de bride[F]
curb rein
mors[M] de filet[M]
snaffle bit

TYPES^{M} DE MORS^{M}
TYPES OF BITS

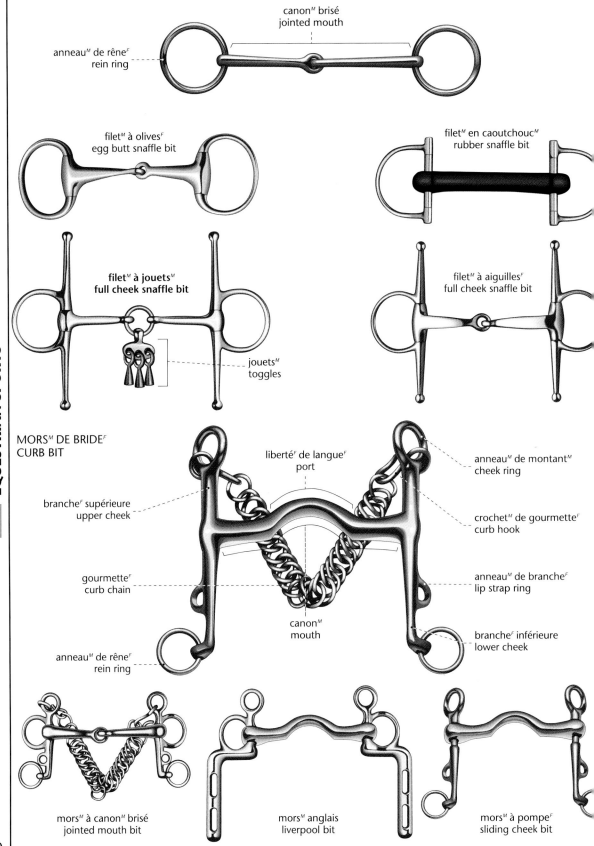

MORS^{M} DE FILET^{M}
SNAFFLE BIT

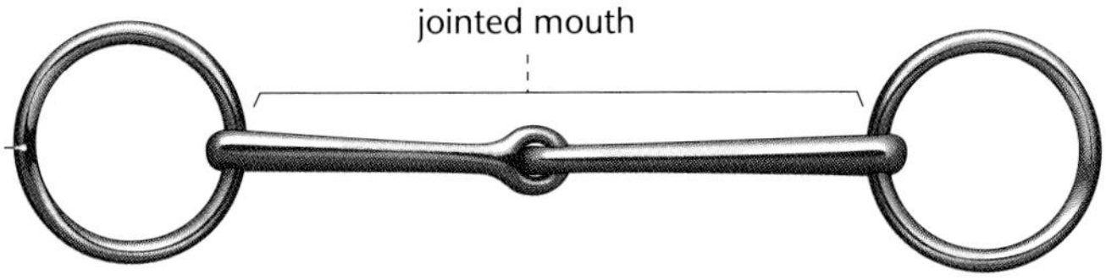
canon^{M} brisé
jointed mouth
anneau^{M} de rêne^{F}
rein ring

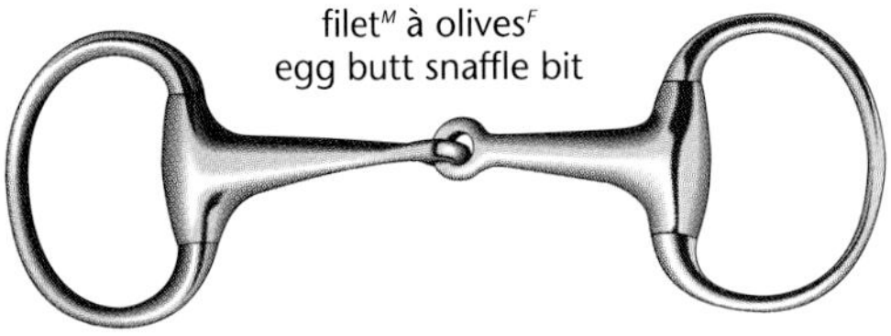
filet^{M} à olives^{F}
egg butt snaffle bit

filet^{M} en caoutchouc^{M}
rubber snaffle bit

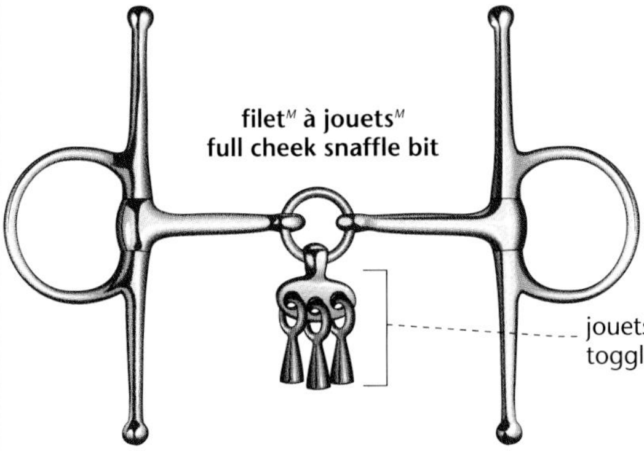
jouets^{M}
toggles
filet^{M} à jouets^{M}
full cheek snaffle bit

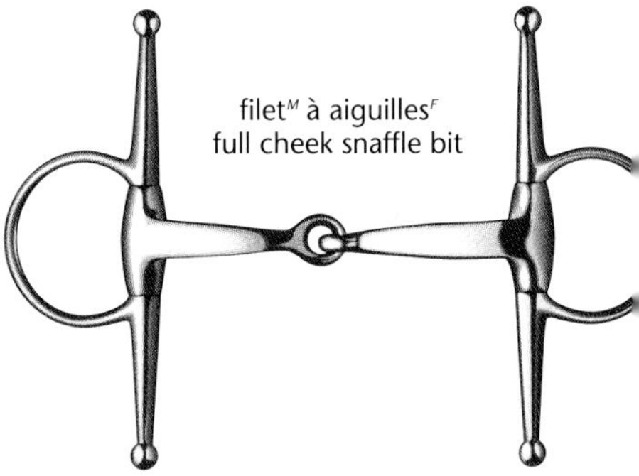
filet^{M} à aiguilles^{F}
full cheek snaffle bit

MORS^{M} DE BRIDE^{F}
CURB BIT

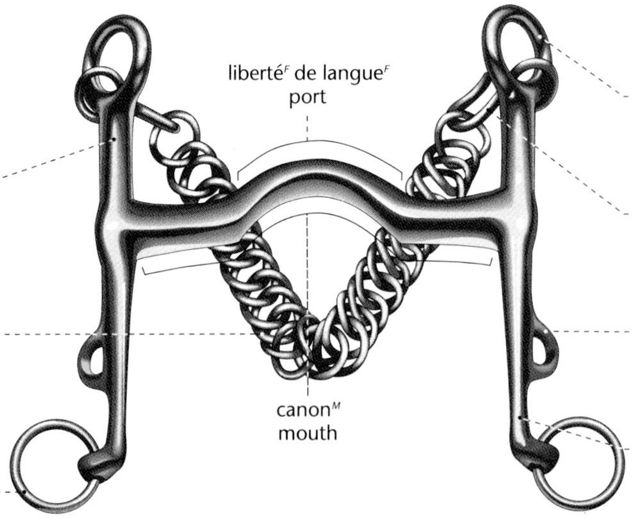
liberté^{F} de langue^{F}
port
anneau^{M} de montant^{M}
cheek ring
branche^{F} supérieure
upper cheek
crochet^{M} de gourmette^{F}
curb hook
gourmette^{F}
curb chain
anneau^{M} de branche^{F}
lip strap ring
canon^{M}
mouth
branche^{F} inférieure
lower cheek
anneau^{M} de rêne^{F}
rein ring

mors^{M} à canon^{M} brisé
jointed mouth bit

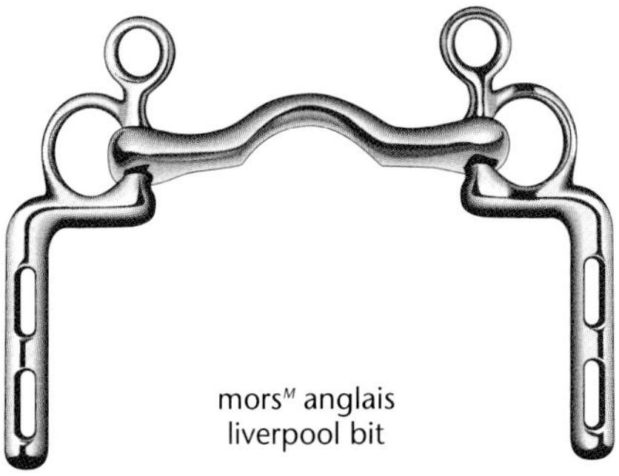
mors^{M} anglais
liverpool bit

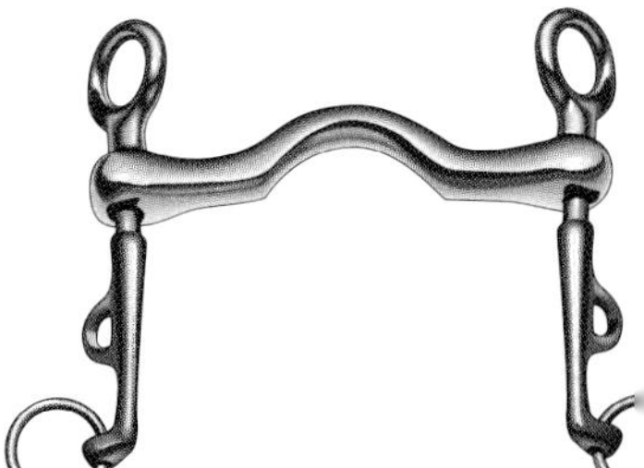
mors^{M} à pompe^{F}
sliding cheek bit

COURSE^{F} DE CHEVAUX^{M}
HORSE RACING

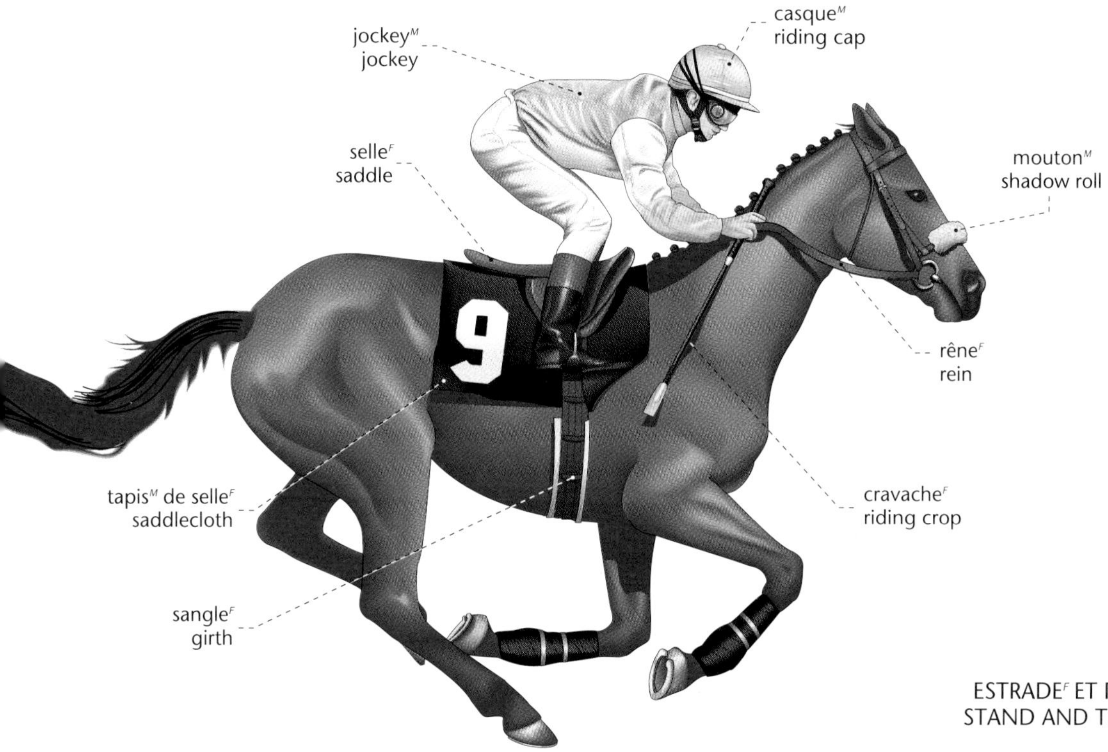
jockey^{M}
jockey
casque^{M}
riding cap
selle^{F}
saddle
mouton^{M}
shadow roll
rêne^{F}
rein
tapis^{M} de selle^{F}
saddlecloth
cravache^{F}
riding crop
sangle^{F}
girth
9

ESTRADE^{F} ET PISTE^{F}
STAND AND TRACK

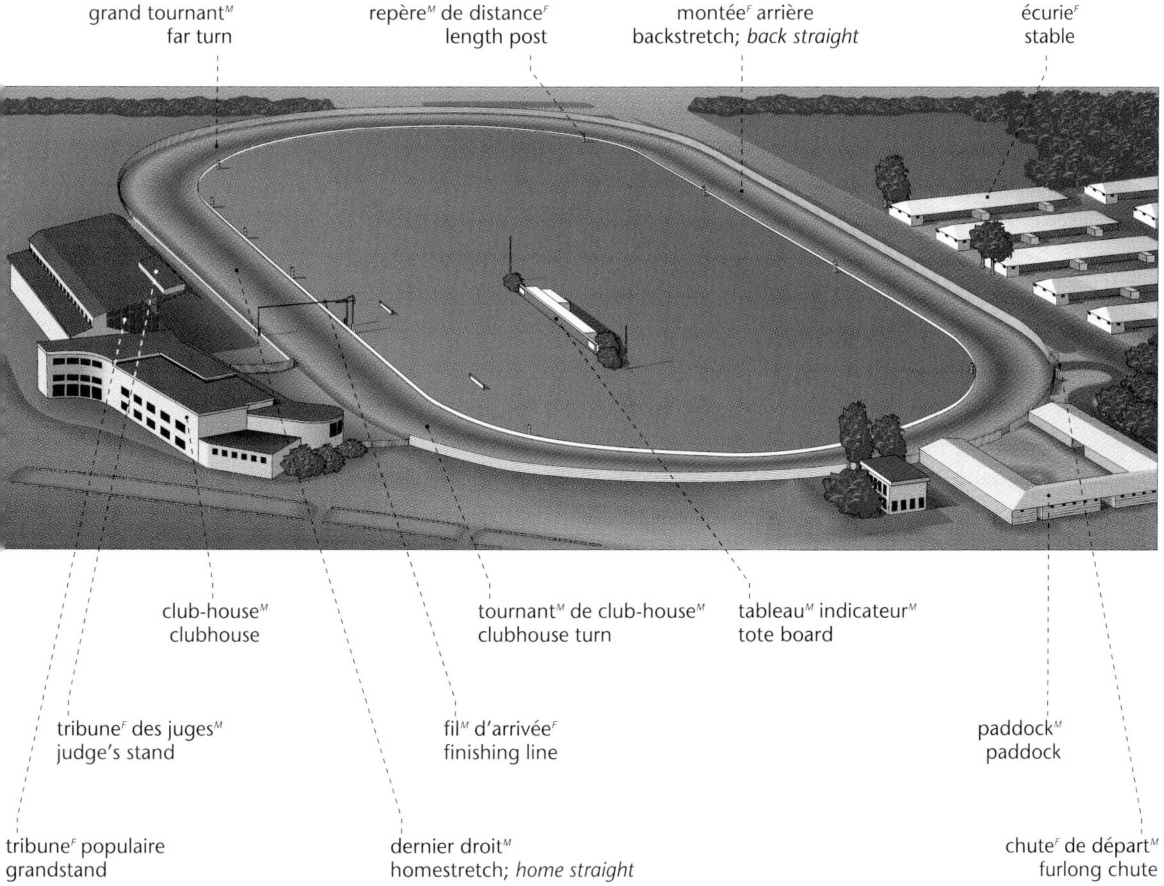
grand tournant^{M}
far turn
repère^{M} de distance^{F}
length post
montée^{F} arrière
backstretch; *back straight*
écurie^{F}
stable
club-house^{M}
clubhouse
tournant^{M} de club-house^{M}
clubhouse turn
tableau^{M} indicateur^{M}
tote board
tribune^{F} des juges^{M}
judge's stand
fil^{M} d'arrivée^{F}
finishing line
paddock^{M}
paddock
tribune^{F} populaire
grandstand
dernier droit^{M}
homestretch; *home straight*
chute^{F} de départ^{M}
furlong chute

COURSE[F] SOUS HARNAIS[M]
HARNESS RACING

AMBLEUR[M] SOUS HARNAIS[M]
STANDARDBRED PACER

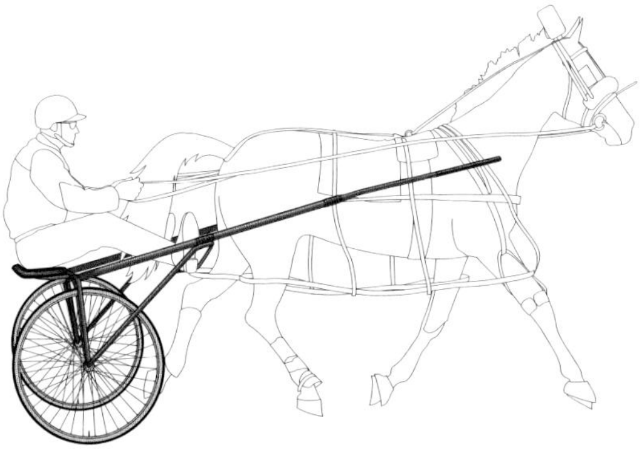
sulky[M]
sulky

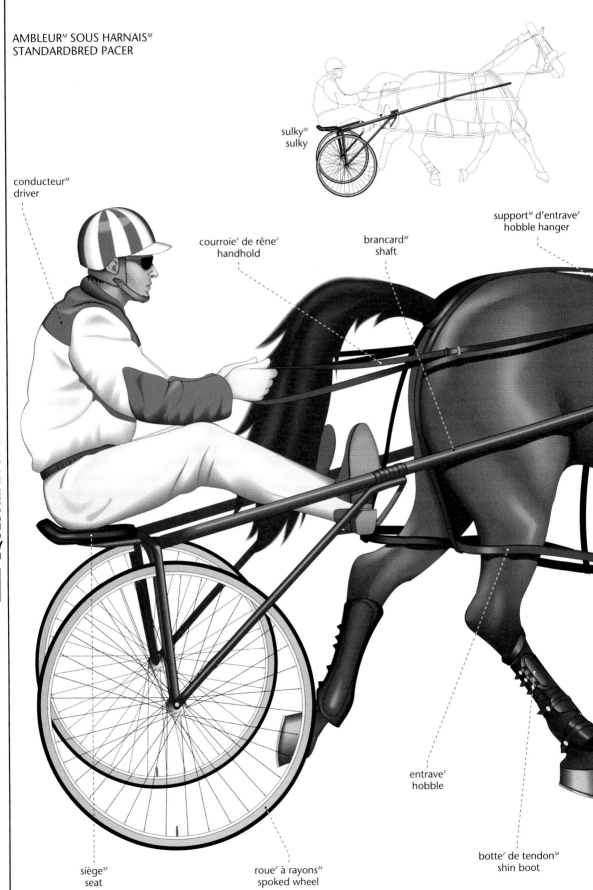

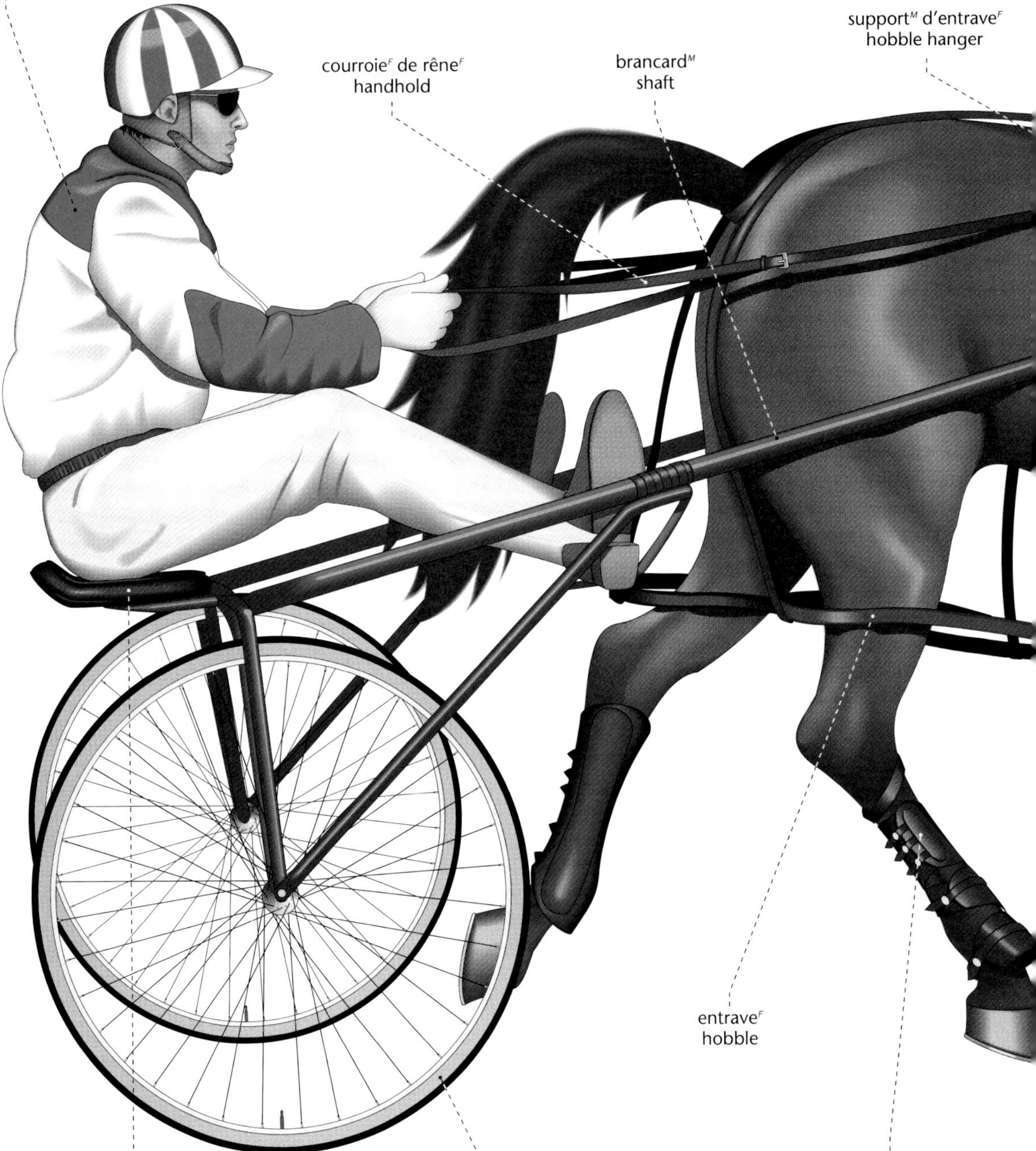
conducteur[M]
driver
courroie[F] de rêne[F]
handhold
brancard[M]
shaft
support[M] d'entrave[F]
hobble hanger
entrave[F]
hobble
botte[F] de tendon[M]
shin boot
siège[M]
seat
roue[F] à rayons[M]
spoked wheel

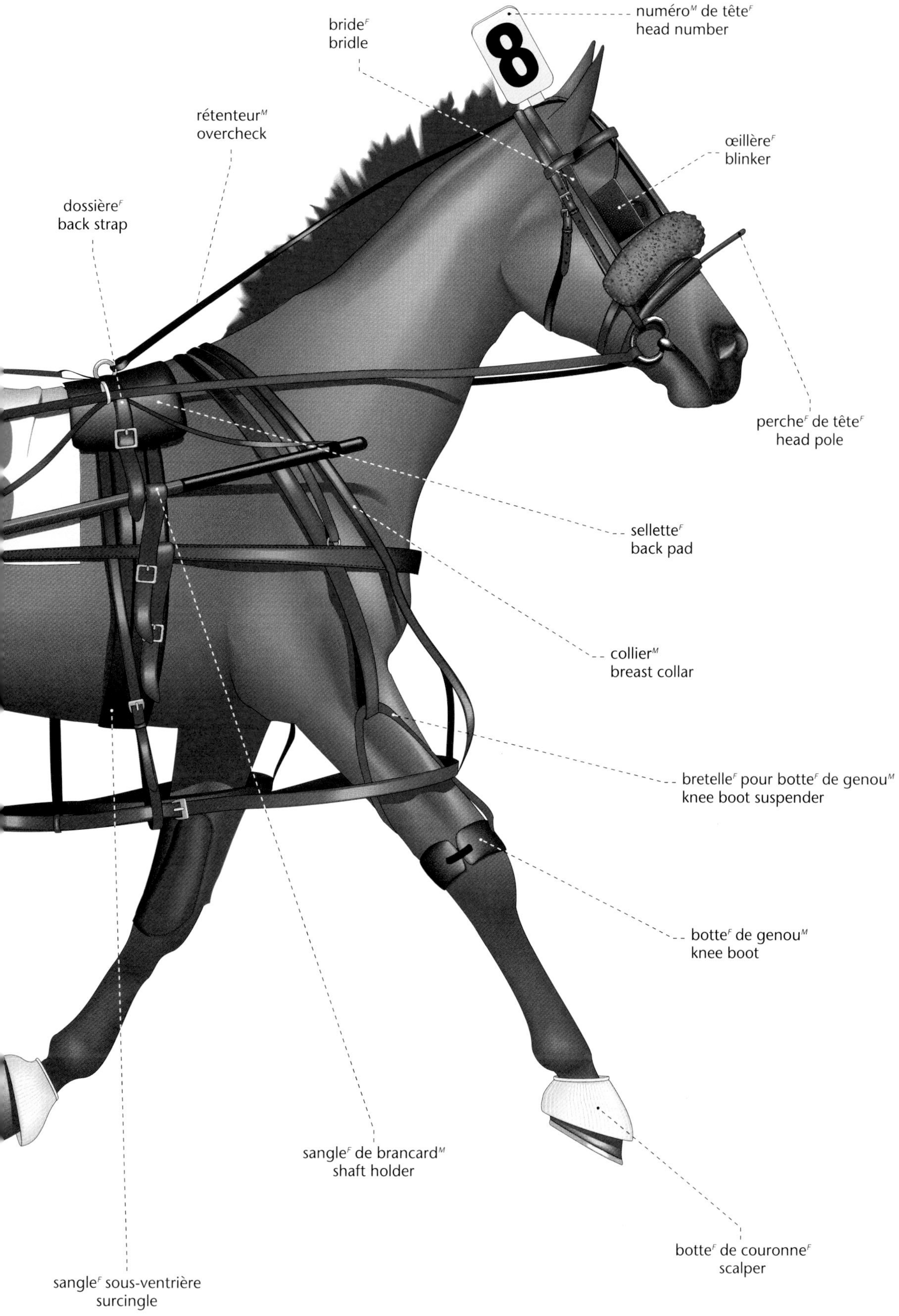
bride^{F}
bridle
numéro^{M} de tête^{F}
head number
rétenteur^{M}
overcheck
œillère^{F}
blinker
dossière^{F}
back strap
perche^{F} de tête^{F}
head pole
sellette^{F}
back pad
collier^{M}
breast collar
bretelle^{F} pour botte^{F} de genou^{M}
knee boot suspender
botte^{F} de genou^{M}
knee boot
sangle^{F} de brancard^{M}
shaft holder
botte^{F} de couronne^{F}
scalper
sangle^{F} sous-ventrière
surcingle

ATHLÉTISME[M]
TRACK AND FIELD ATHLETICS

STADE[M]
ARENA

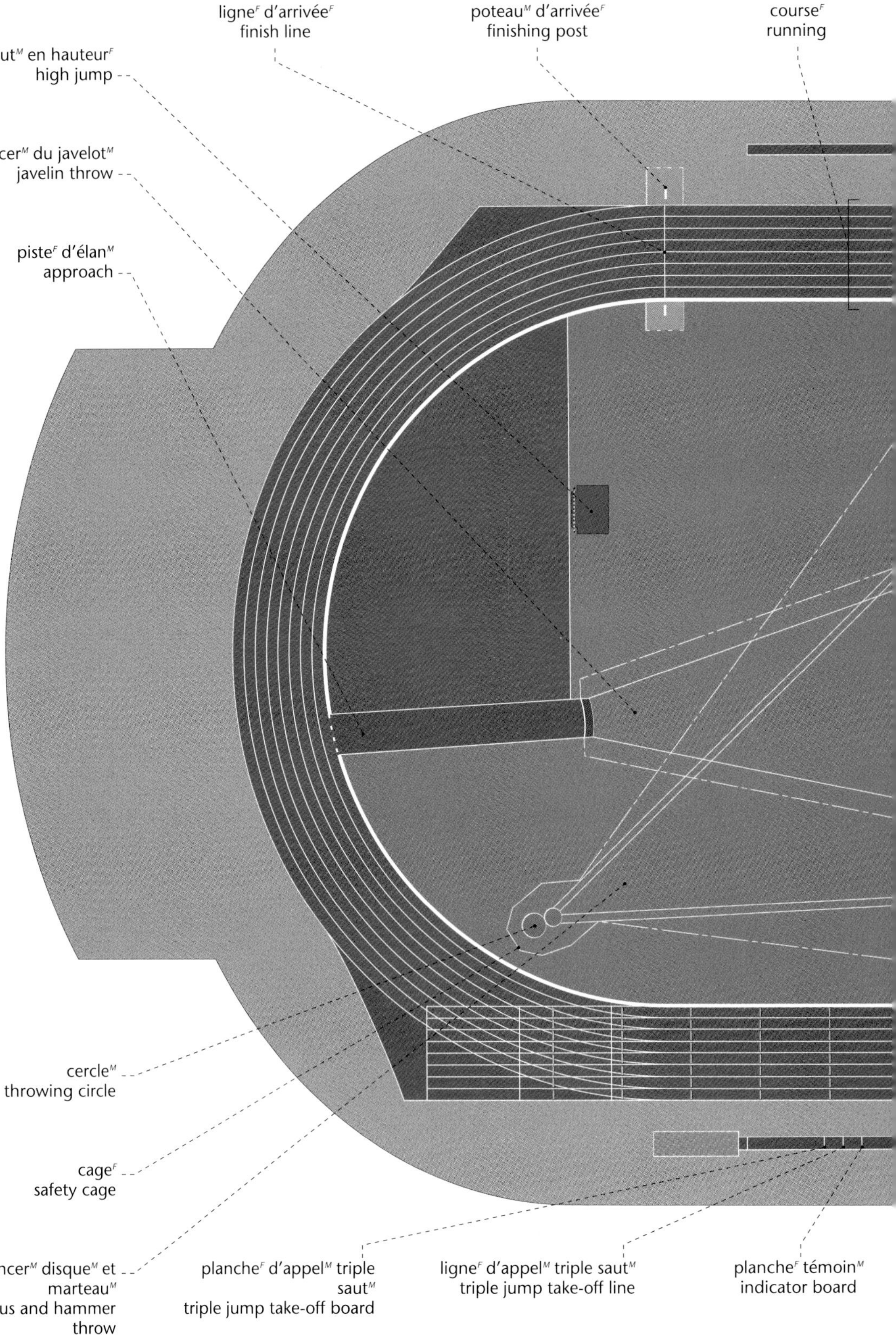
ligne[F] d'arrivée[F]
finish line
poteau[M] d'arrivée[F]
finishing post
course[F]
running
saut[M] en hauteur[F]
high jump
lancer[M] du javelot[M]
javelin throw
piste[F] d'élan[M]
approach
cercle[M]
throwing circle
cage[F]
safety cage
lancer[M] disque[M] et marteau[M]
discus and hammer throw
planche[F] d'appel[M] triple saut[M]
triple jump take-off board
ligne[F] d'appel[M] triple saut[M]
triple jump take-off line
planche[F] témoin[M]
indicator board

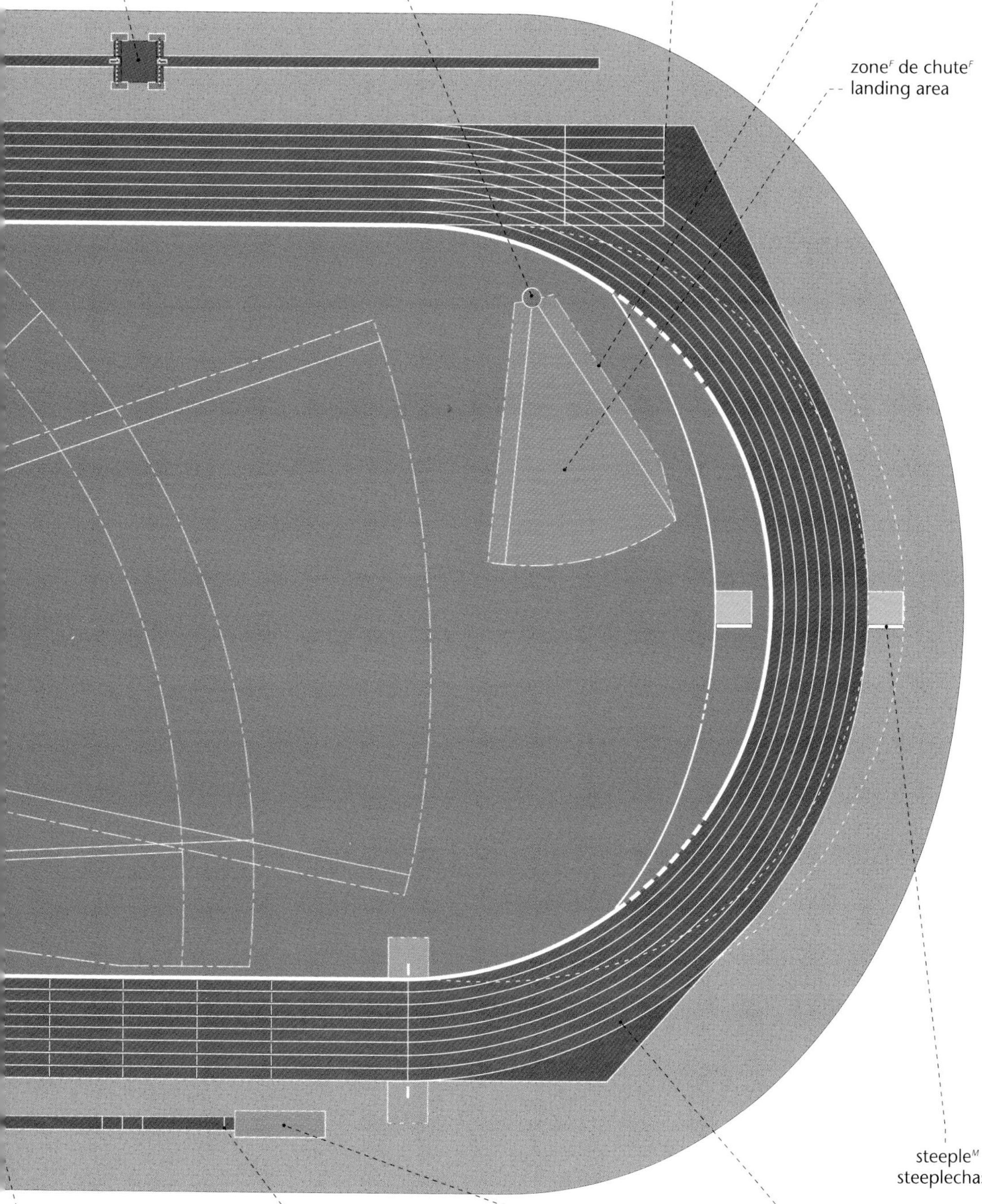
sautᴹ à la percheᶠ
pole vault
cercleᴹ
throwing circle
ligneᶠ de départᴹ
start line
lancerᴹ du poidsᴹ
shot put
zoneᶠ de chuteᶠ
landing area
steepleᴹ
steeplechase
pisteᶠ d'élanᴹ
approach
plancheᶠ d'appelᴹ sautᴹ en longueurᶠ
long jump take-off board
zoneᶠ de chuteᶠ
landing area
couloirᴹ
lane

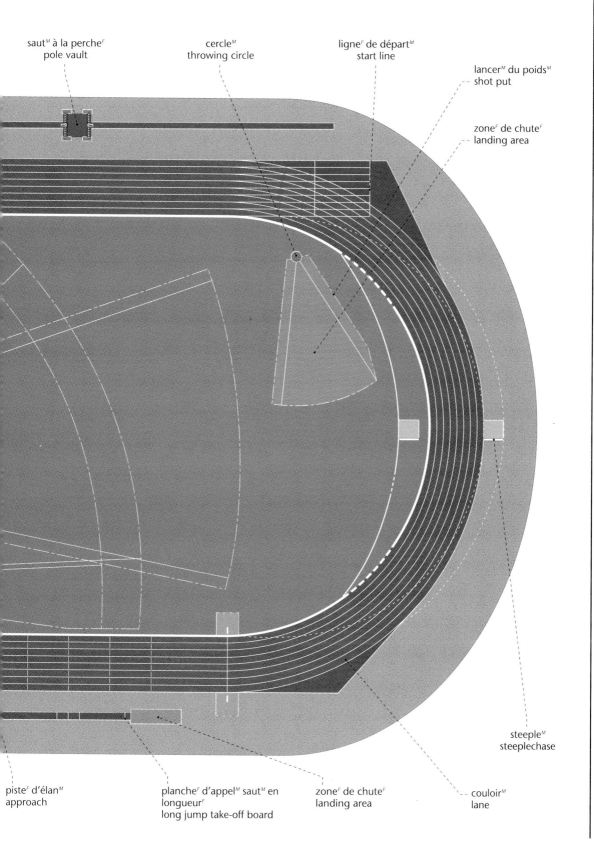

ATHLÉTISME[M]
TRACK AND FIELD ATHLETICS

BLOC[M] DE DÉPART[M]
STARTING BLOCK

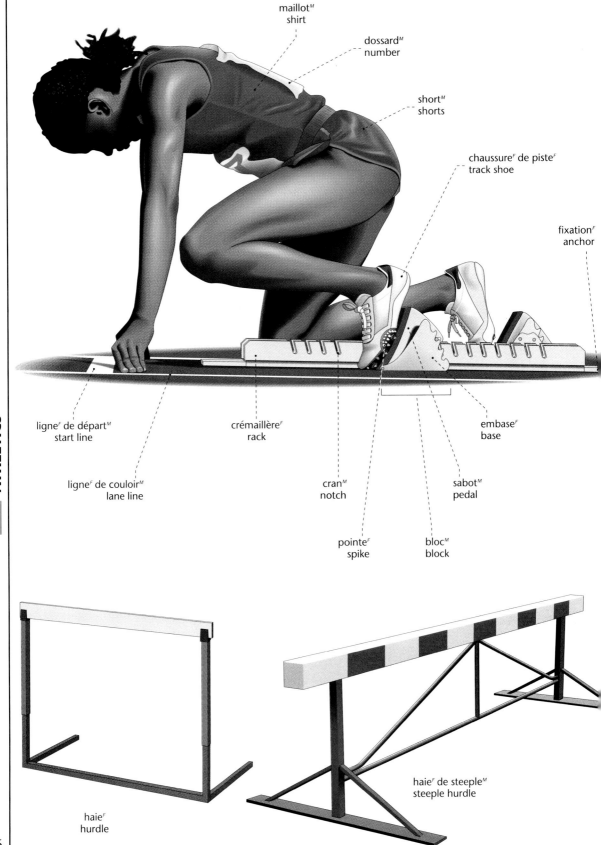

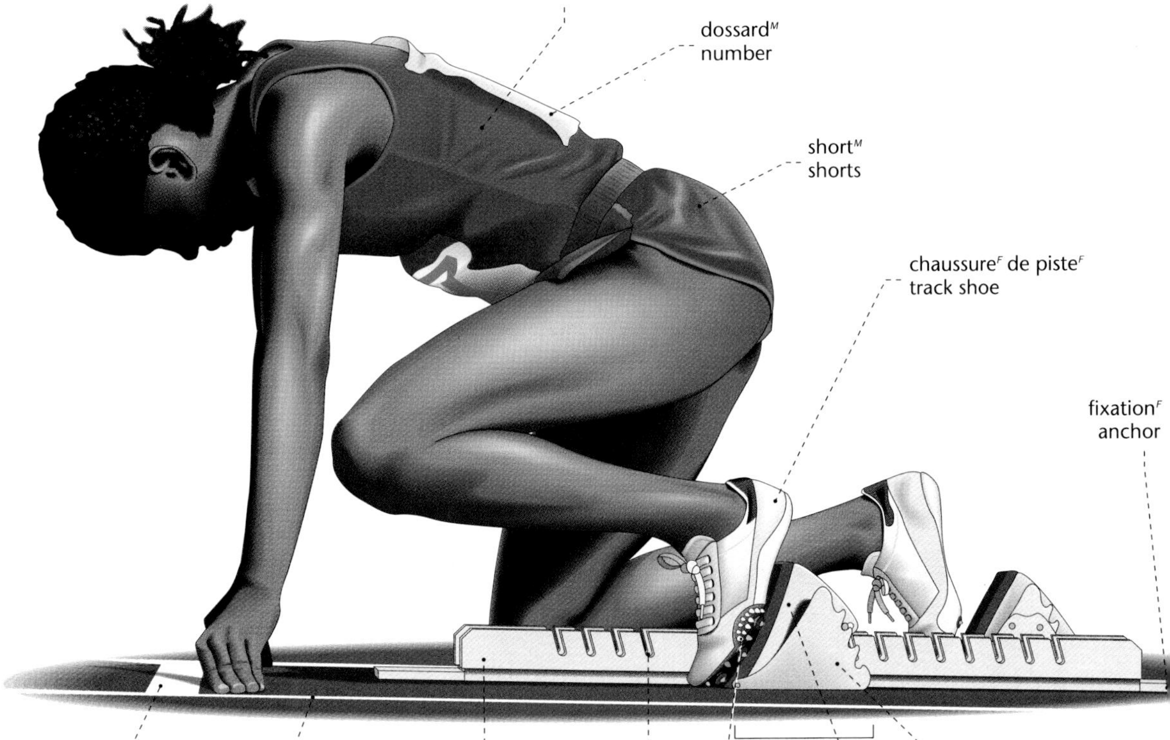
maillot[M]
shirt
dossard[M]
number
short[M]
shorts
chaussure[F] de piste[F]
track shoe
fixation[F]
anchor
ligne[F] de départ[M]
start line
crémaillère[F]
rack
embase[F]
base
ligne[F] de couloir[M]
lane line
cran[M]
notch
sabot[M]
pedal
pointe[F]
spike
bloc[M]
block

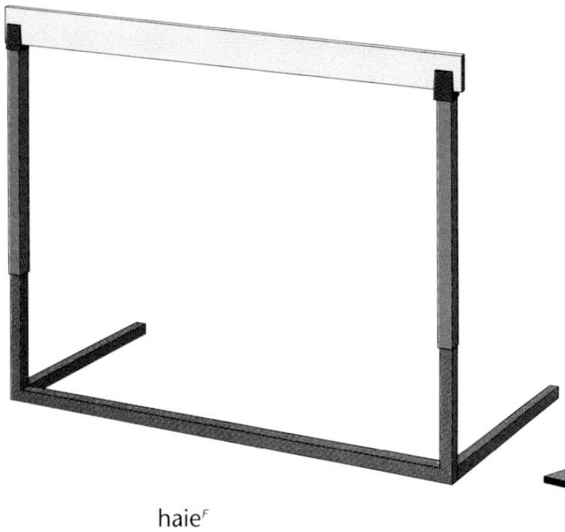

haie[F]
hurdle

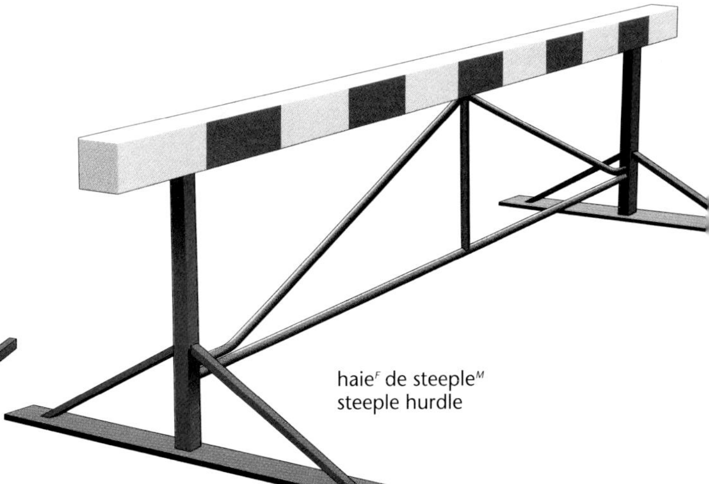

haie[F] de steeple[M]
steeple hurdle

perche[F]
pole

SAUT[M] EN HAUTEUR[F]
HIGH JUMP

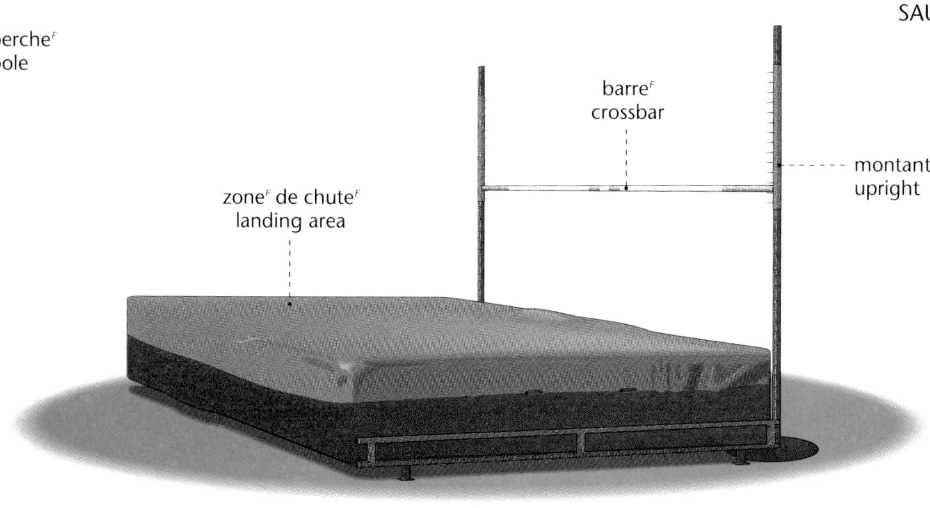
barre[F]
crossbar
montant[M]
upright
zone[F] de chute[F]
landing area

SAUT[M] À LA PERCHE[F]
POLE VAULT

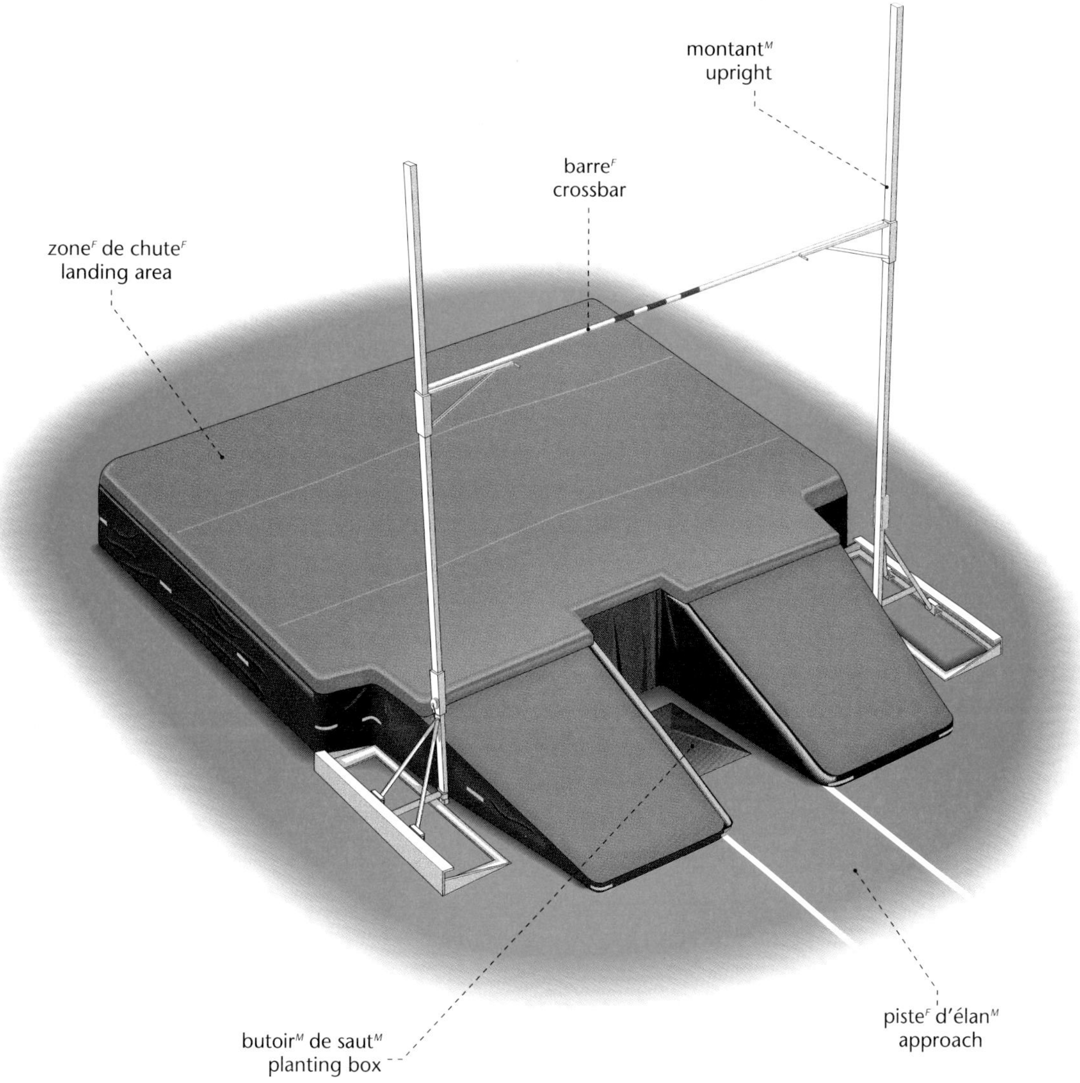
montant[M]
upright
barre[F]
crossbar
zone[F] de chute[F]
landing area
butoir[M] de saut[M]
planting box
piste[F] d'élan[M]
approach

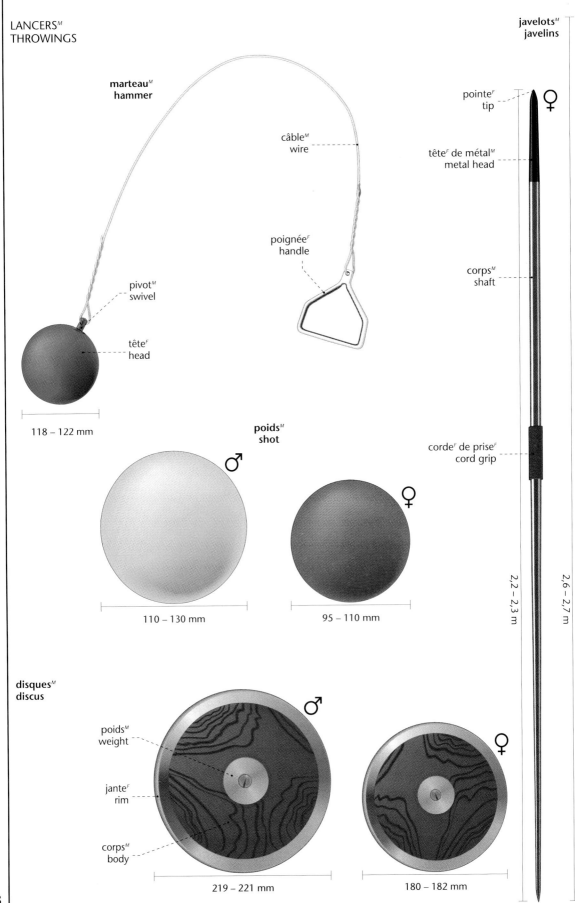

LANCERS[M]
THROWINGS

marteau[M]
hammer

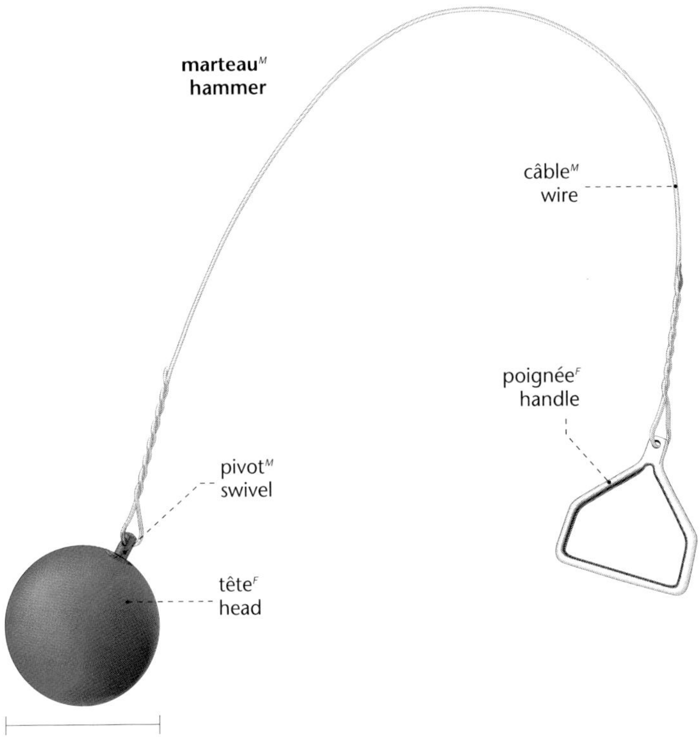
câble[M]
wire
poignée[F]
handle
pivot[M]
swivel
tête[F]
head
118 – 122 mm

poids[M]
shot

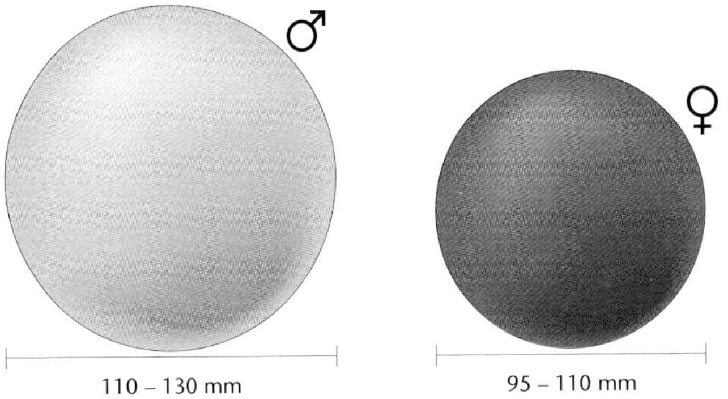
♂
♀
110 – 130 mm
95 – 110 mm

disques[M]
discus

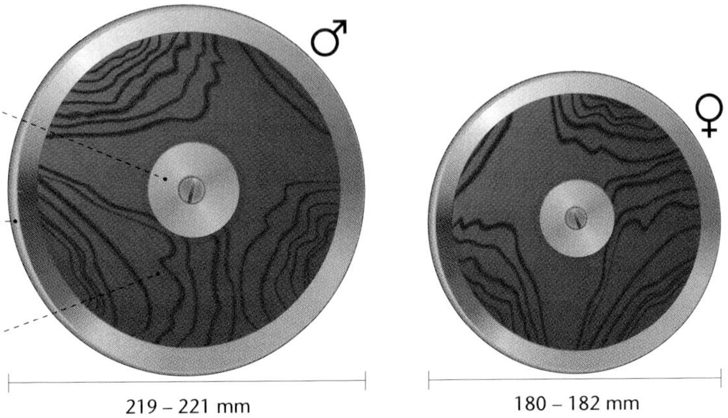
♂
♀
poids[M]
weight
jante[F]
rim
corps[M]
body
219 – 221 mm
180 – 182 mm

javelots[M]
javelins

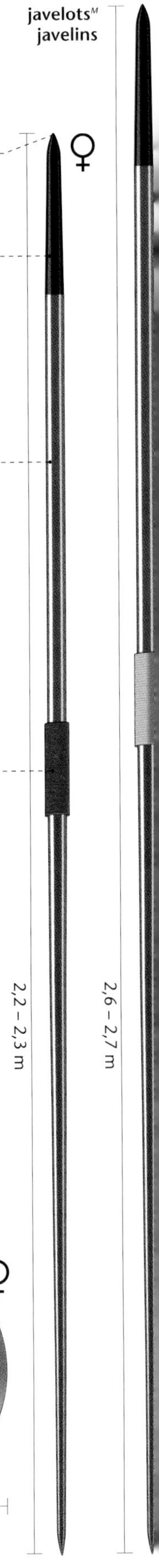
pointe[F]
tip
♀
tête[F] de métal[M]
metal head
corps[M]
shaft
corde[F] de prise[F]
cord grip
2,2 – 2,3 m
2,6 – 2,7 m

GYMNASTIQUE[F]
GYMNASTICS

cheval[M]-sautoir[M]
vaulting horse

tremplin[M]
springboard

BARRES[F] ASYMÉTRIQUES
ASYMMETRICAL BARS

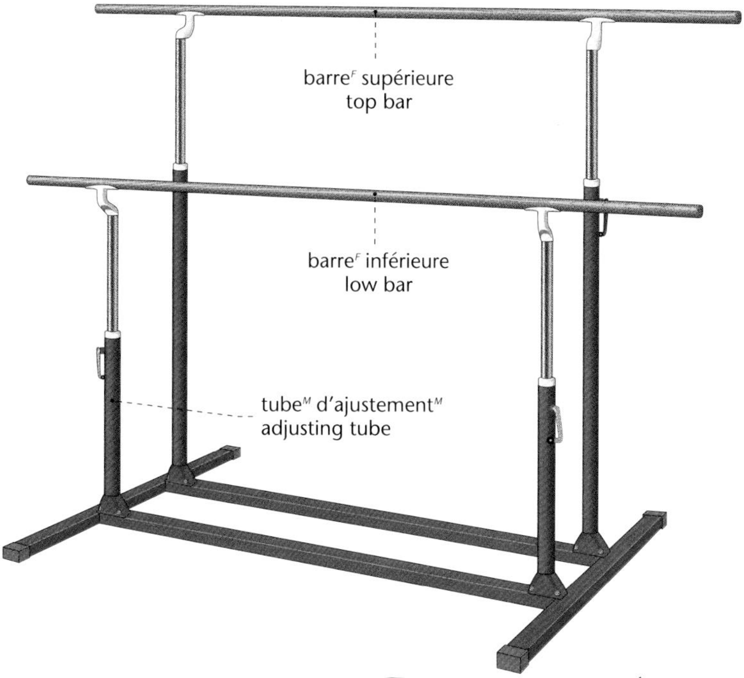
barre[F] supérieure
top bar
barre[F] inférieure
low bar
tube[M] d'ajustement[M]
adjusting tube

POUTRE[F] D'ÉQUILIBRE[M]
BALANCE BEAM

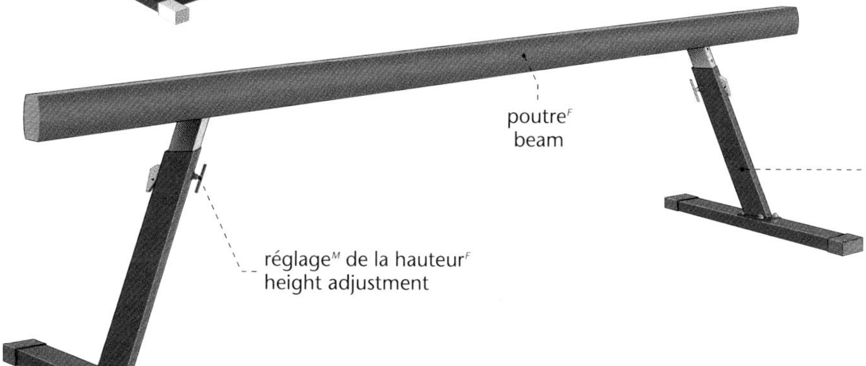
poutre[F]
beam
montant[M]
upright
réglage[M] de la hauteur[F]
height adjustment

TRAMPOLINE[F]
TRAMPOLINE

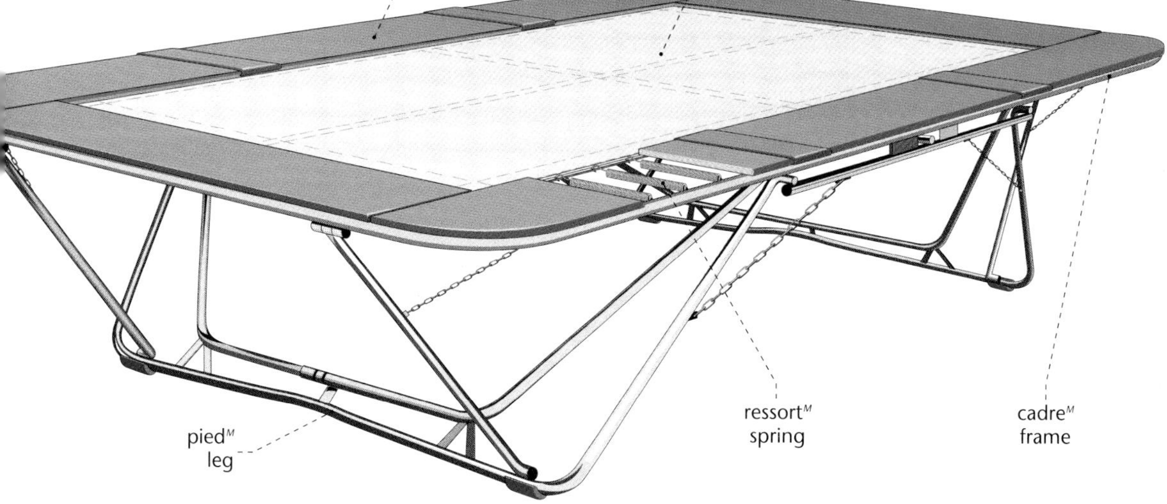
coussin[M] de protection[F]
safety pad
toile[F] de saut[M]
bed
pied[M]
leg
ressort[M]
spring
cadre[M]
frame

GYMNASTIQUE^F
GYMNASTICS

ANNEAUX^M
RINGS

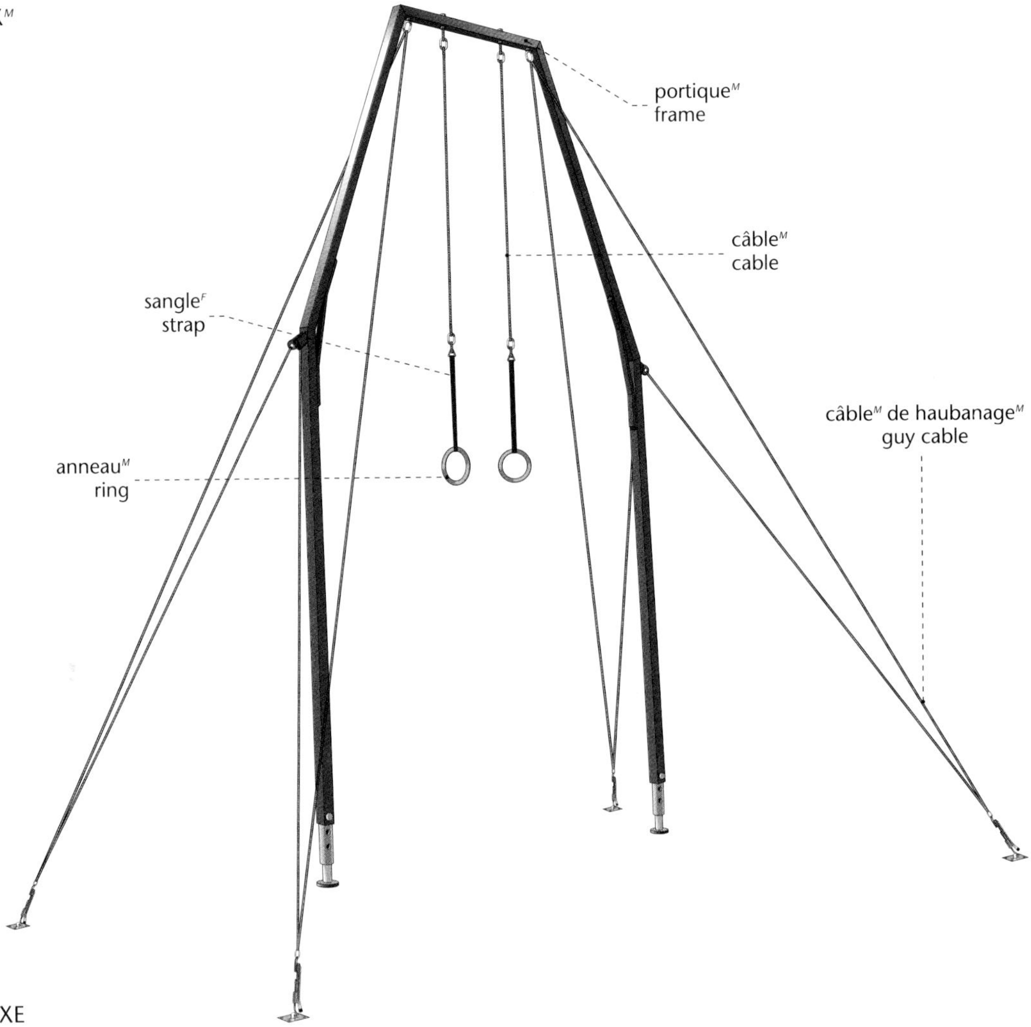
portique^M
frame
câble^M
cable
sangle^F
strap
câble^M de haubanage^M
guy cable
anneau^M
ring

BARRE^F FIXE
HORIZONTAL BAR

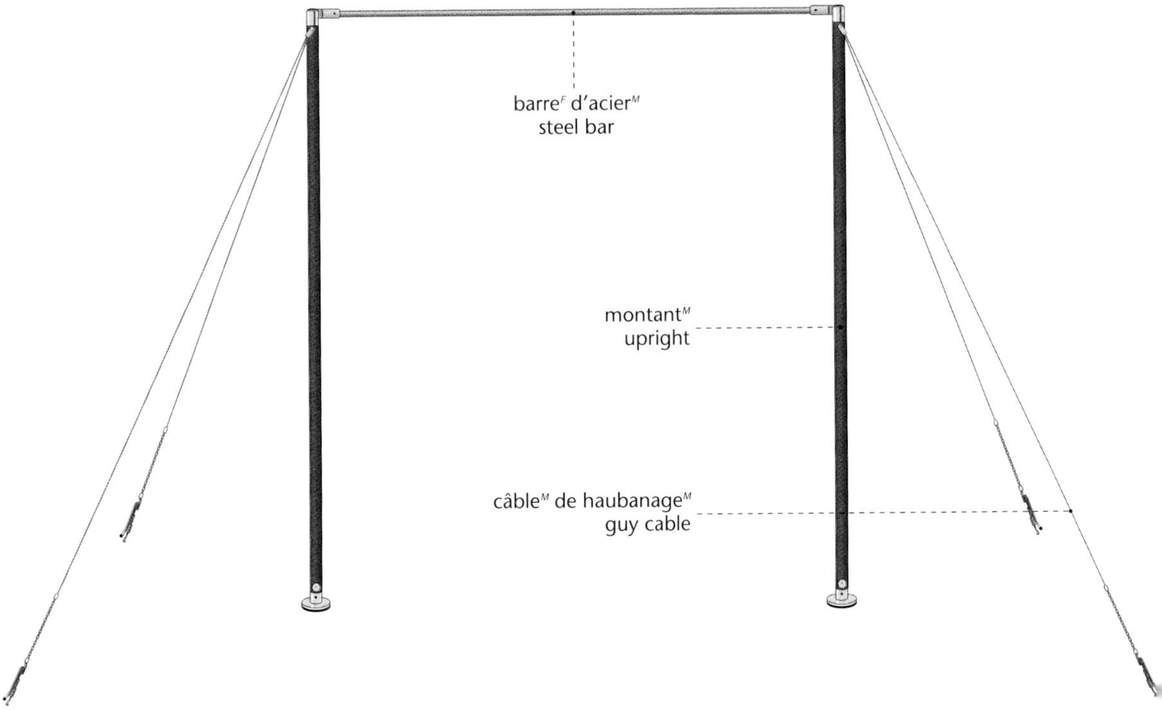
barre^F d'acier^M
steel bar
montant^M
upright
câble^M de haubanage^M
guy cable

CHEVAL[M] D'ARÇONS[M]
POMMEL HORSE

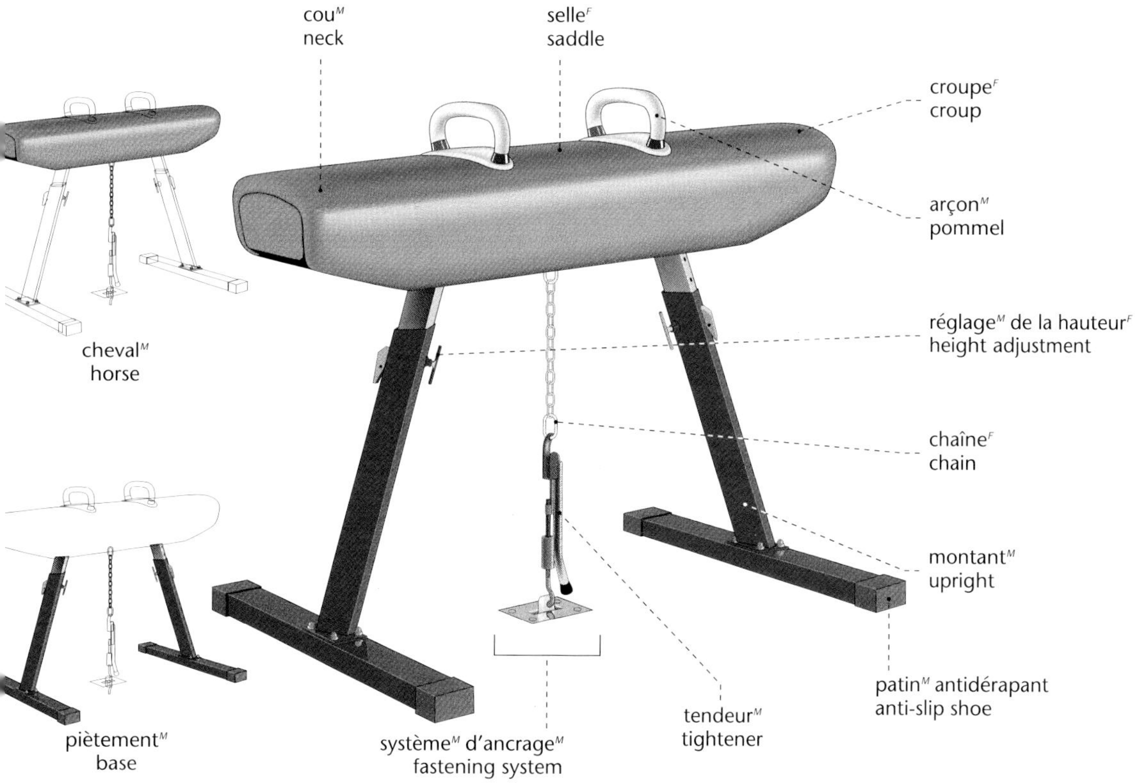
cou[M]
neck
selle[F]
saddle
croupe[F]
croup
arçon[M]
pommel
cheval[M]
horse
réglage[M] de la hauteur[F]
height adjustment
chaîne[F]
chain
montant[M]
upright
patin[M] antidérapant
anti-slip shoe
piètement[M]
base
système[M] d'ancrage[M]
fastening system
tendeur[M]
tightener

BARRES[F] PARALLÈLES
PARALLEL BARS

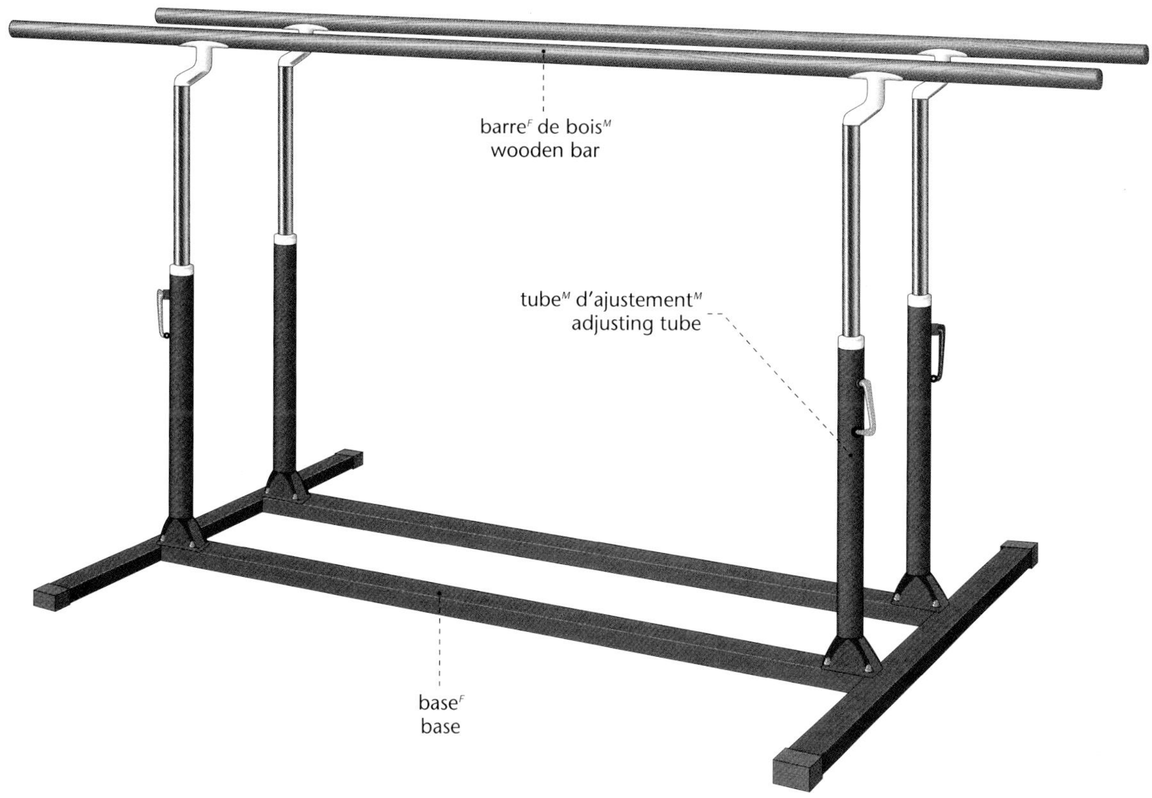
barre[F] de bois[M]
wooden bar
tube[M] d'ajustement[M]
adjusting tube
base[F]
base

HALTÉROPHILIE[F]
WEIGHTLIFTING

HALTÉROPHILE[M]
WEIGHTLIFTER

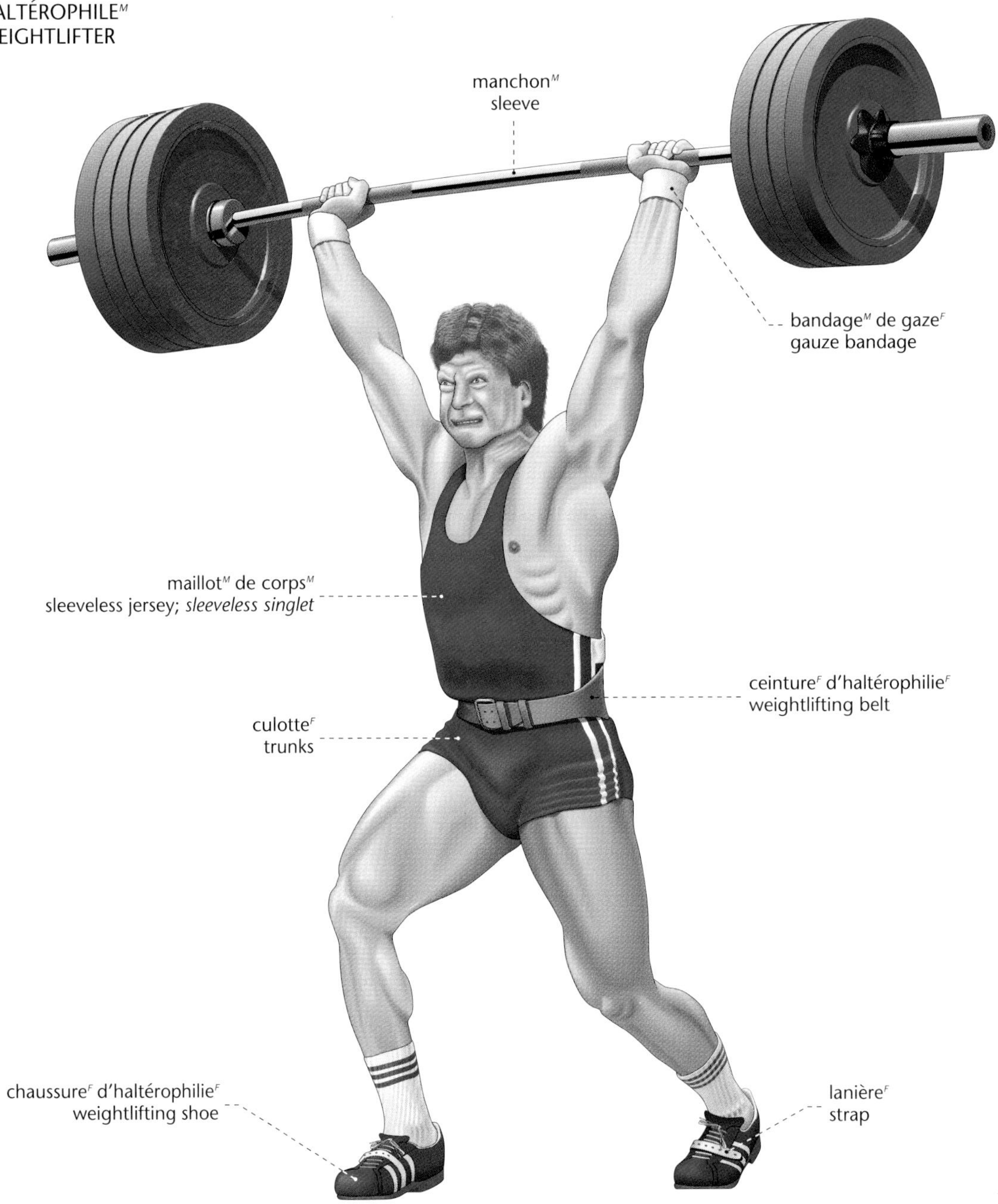
manchon[M]
sleeve
bandage[M] de gaze[F]
gauze bandage
maillot[M] de corps[M]
sleeveless jersey; *sleeveless singlet*
ceinture[F] d'haltérophilie[F]
weightlifting belt
culotte[F]
trunks
chaussure[F] d'haltérophilie[F]
weightlifting shoe
lanière[F]
strap

ARRACHÉ[M] À DEUX BRAS[M]
TWO-HAND SNATCH

ÉPAULÉ[M]-JETÉ[M] À DEUX BRAS[M]
TWO-HAND CLEAN AND JERK

APPAREILS[M] DE CONDITIONNEMENT[M] PHYSIQUE
FITNESS EQUIPMENT

BANC[M] DE MUSCULATION[F]
WEIGHT STACK EXERCISE UNIT

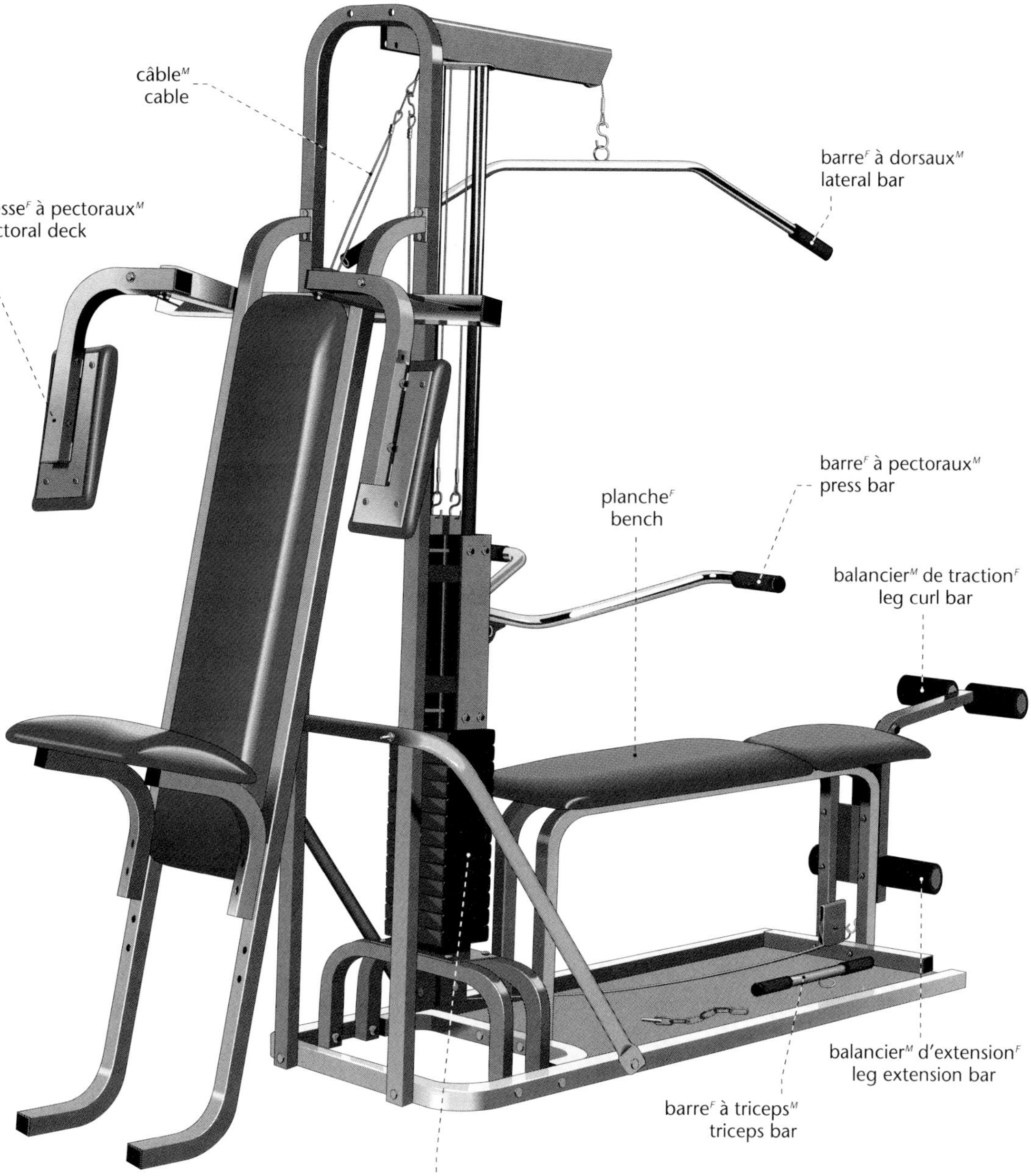

câble[M]
cable
presse[F] à pectoraux[M]
pectoral deck
barre[F] à dorsaux[M]
lateral bar
planche[F]
bench
barre[F] à pectoraux[M]
press bar
balancier[M] de traction[F]
leg curl bar
balancier[M] d'extension[F]
leg extension bar
barre[F] à triceps[M]
triceps bar
poids[M]
weights

HALTÈRE[M] LONG
BARBELL

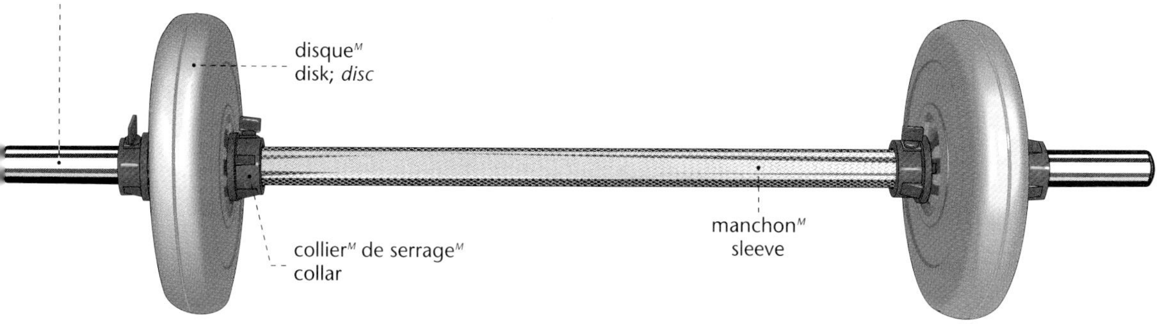

barre[F]
bar
disque[M]
disk; *disc*
collier[M] de serrage[M]
collar
manchon[M]
sleeve

APPAREILS[M] DE CONDITIONNEMENT[M] PHYSIQUE
FITNESS EQUIPMENT

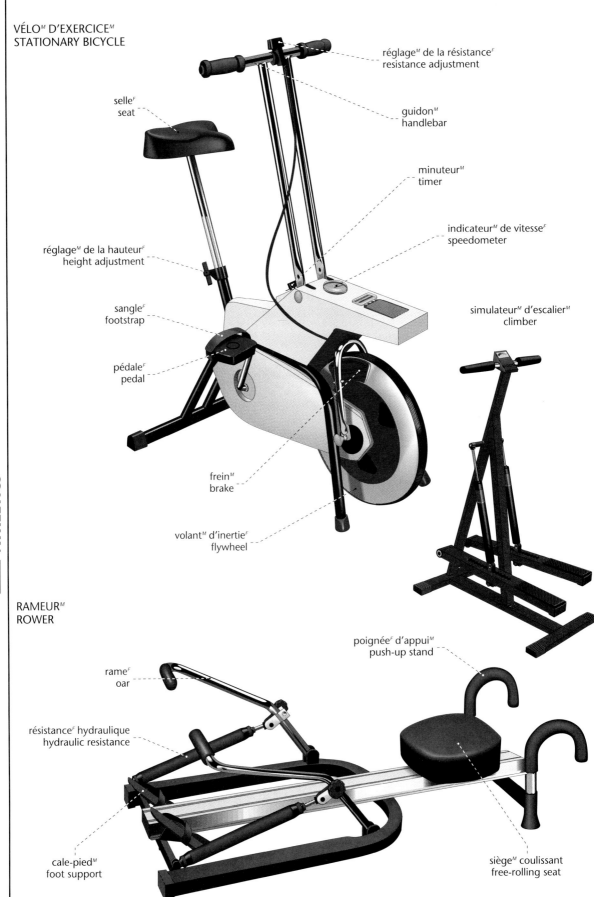

VÉLO[M] D'EXERCICE[M]
STATIONARY BICYCLE

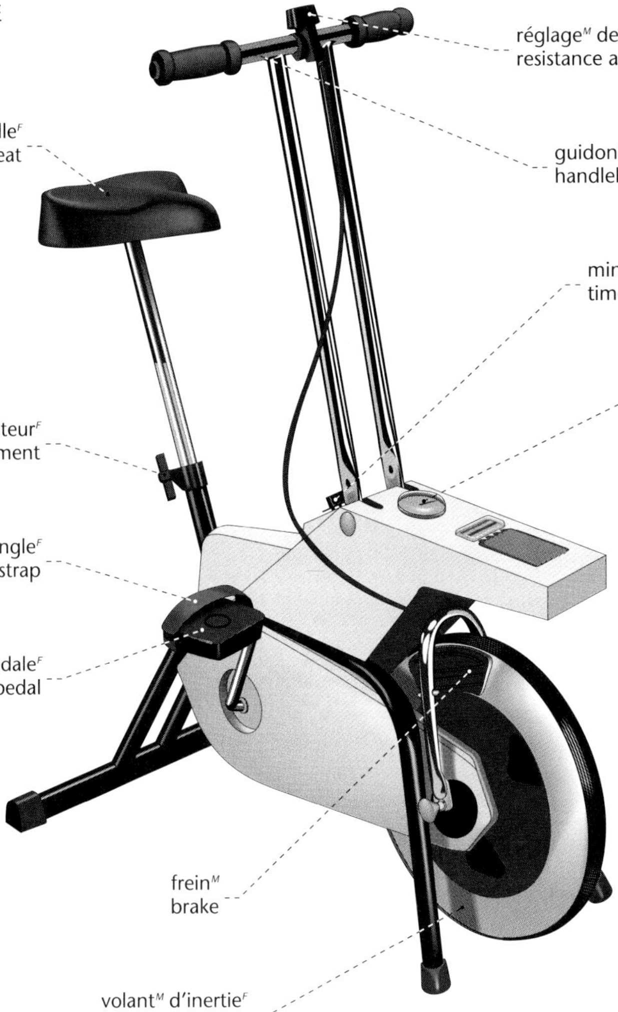

réglage[M] de la résistance[F]
resistance adjustment
selle[F]
seat
guidon[M]
handlebar
minuteur[M]
timer
indicateur[M] de vitesse[F]
speedometer
réglage[M] de la hauteur[F]
height adjustment
sangle[F]
footstrap
pédale[F]
pedal
frein[M]
brake
volant[M] d'inertie[F]
flywheel

simulateur[M] d'escalier[M]
climber

RAMEUR[M]
ROWER

poignée[F] d'appui[M]
push-up stand
rame[F]
oar
résistance[F] hydraulique
hydraulic resistance
cale-pied[M]
foot support
siège[M] coulissant
free-rolling seat

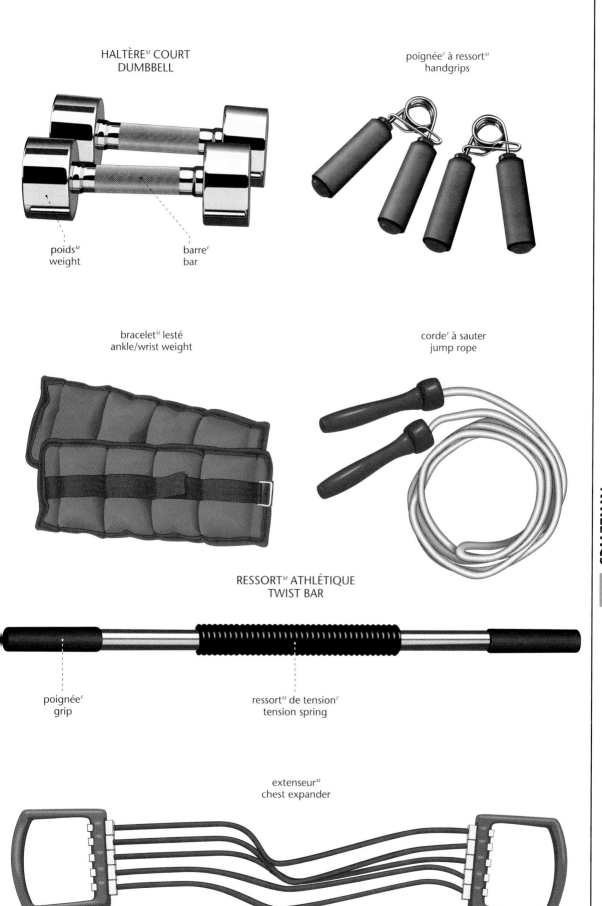

HALTÈRE[M] COURT
DUMBBELL

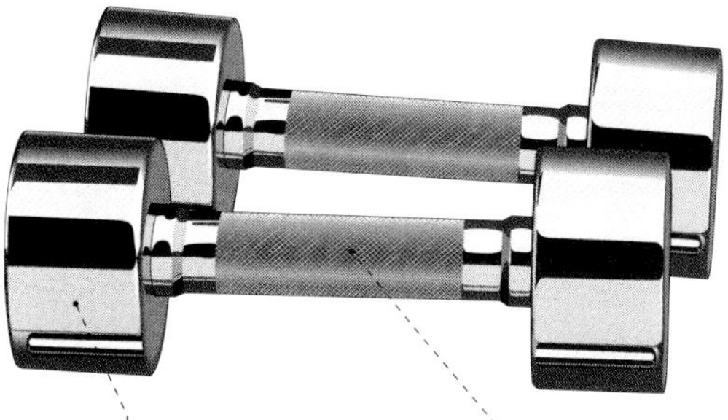
poids[M]
weight
barre[F]
bar

poignée[F] à ressort[M]
handgrips

bracelet[M] lesté
ankle/wrist weight

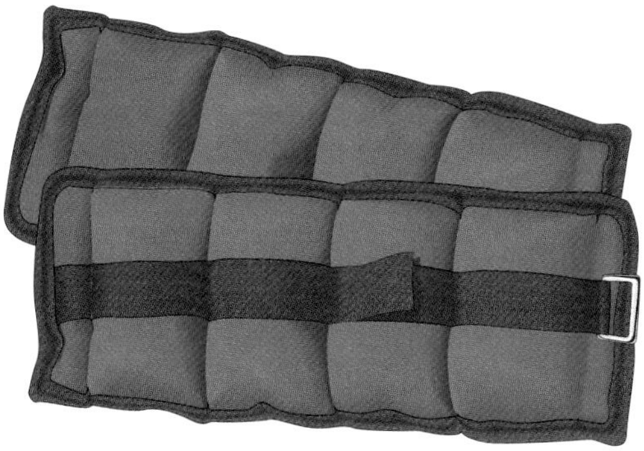

corde[F] à sauter
jump rope

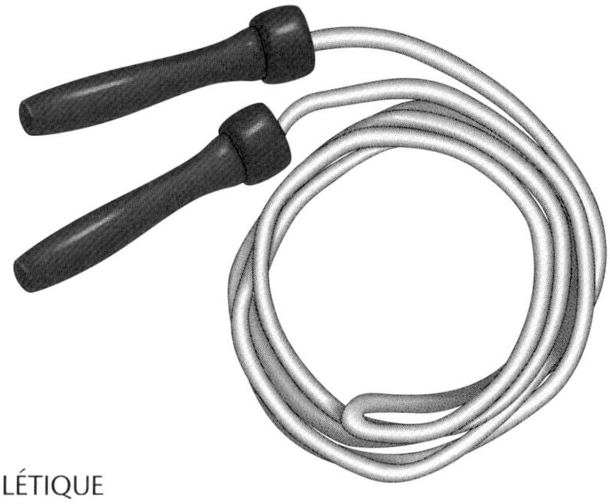

RESSORT[M] ATHLÉTIQUE
TWIST BAR

poignée[F]
grip
ressort[M] de tension[F]
tension spring

extenseur[M]
chest expander

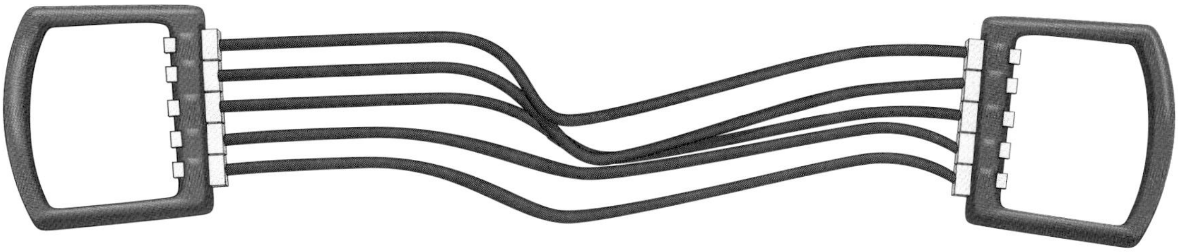

ESCRIME^{F}
FENCING

PARTIES^{F} DE L'ARME^{F}
PARTS OF THE WEAPON

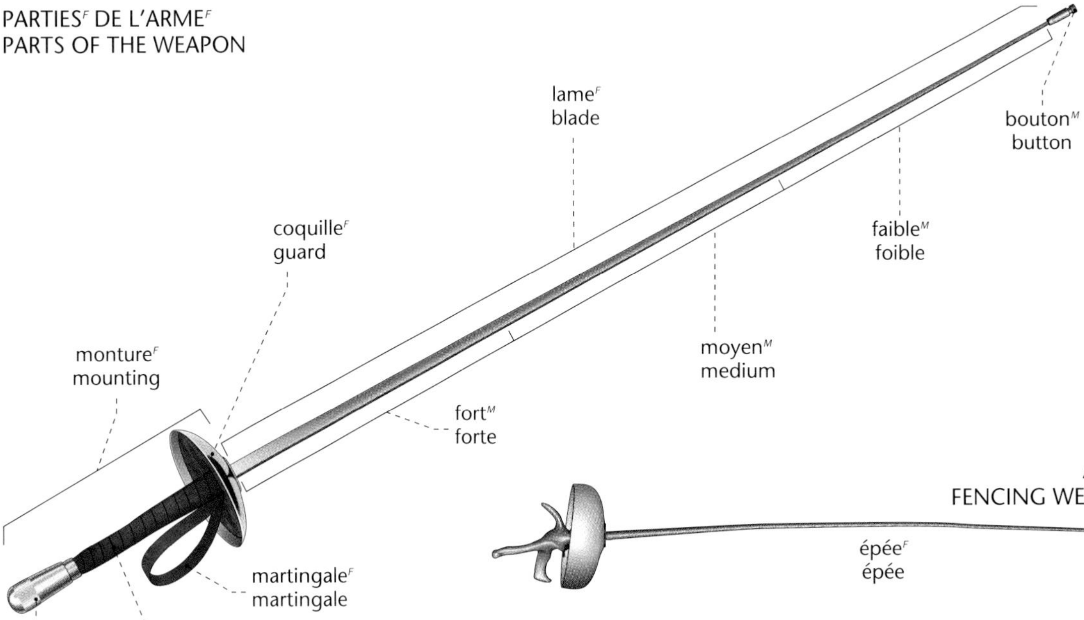
lame^{F}
blade
bouton^{M}
button
coquille^{F}
guard
faible^{M}
foible
monture^{F}
mounting
moyen^{M}
medium
fort^{M}
forte
martingale^{F}
martingale
poignée^{F}
handle
pommeau^{M}
pommel

ARMES^{F}
FENCING WEAPONS

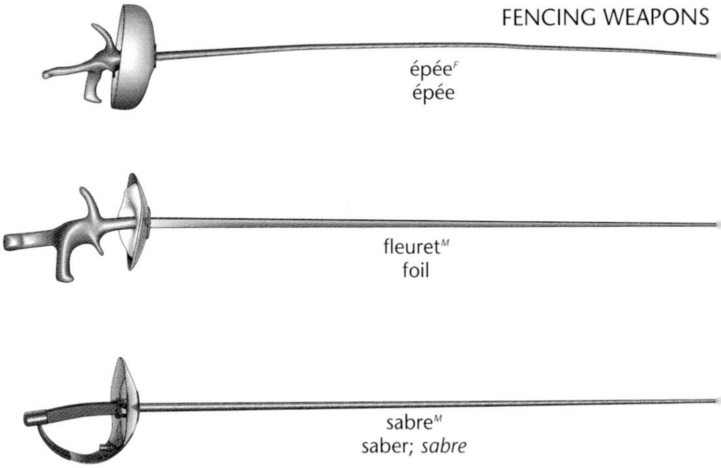
épée^{F}
épée
fleuret^{M}
foil
sabre^{M}
saber; *sabre*

PISTE^{F}
PISTE

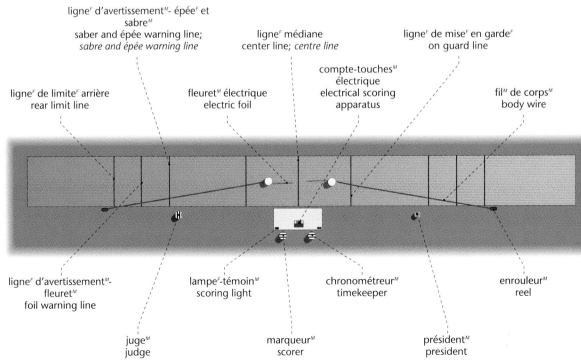

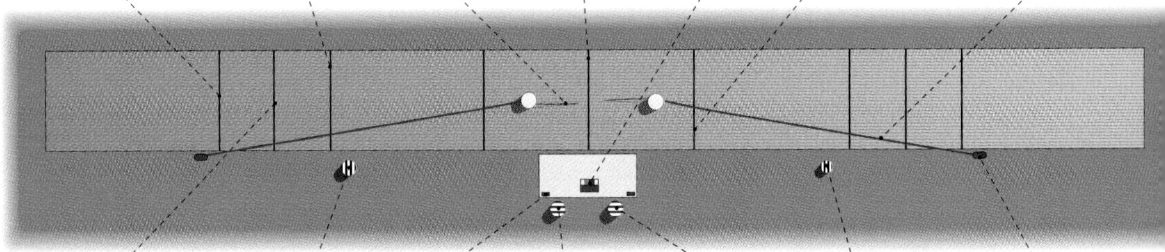
ligne^{F} d'avertissement^{M}- épée^{F} et sabre^{M}
saber and épée warning line; *sabre and épée warning line*
ligne^{F} médiane
center line; *centre line*
ligne^{F} de mise^{F} en garde^{F}
on guard line
compte-touches^{M} électrique
electrical scoring apparatus
ligne^{F} de limite^{F} arrière
rear limit line
fleuret^{M} électrique
electric foil
fil^{M} de corps^{M}
body wire
ligne^{F} d'avertissement^{M}- fleuret^{M}
foil warning line
lampe^{F}-témoin^{M}
scoring light
chronométreur^{M}
timekeeper
enrouleur^{M}
reel
juge^{M}
judge
marqueur^{M}
scorer
président^{M}
president

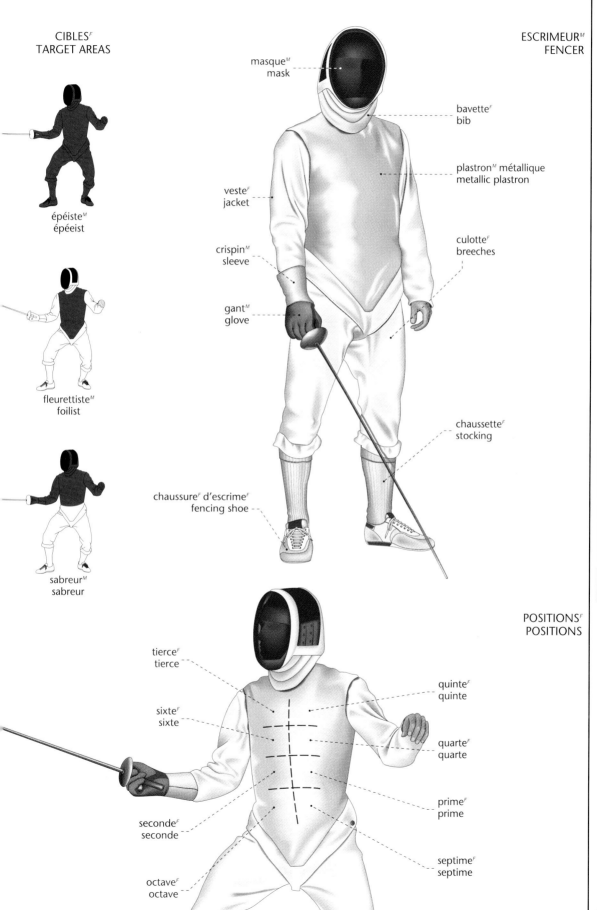

CIBLES[F]
TARGET AREAS

épéiste[M]
épéeist

fleurettiste[M]
foilist

sabreur[M]
sabreur

ESCRIMEUR[M]
FENCER

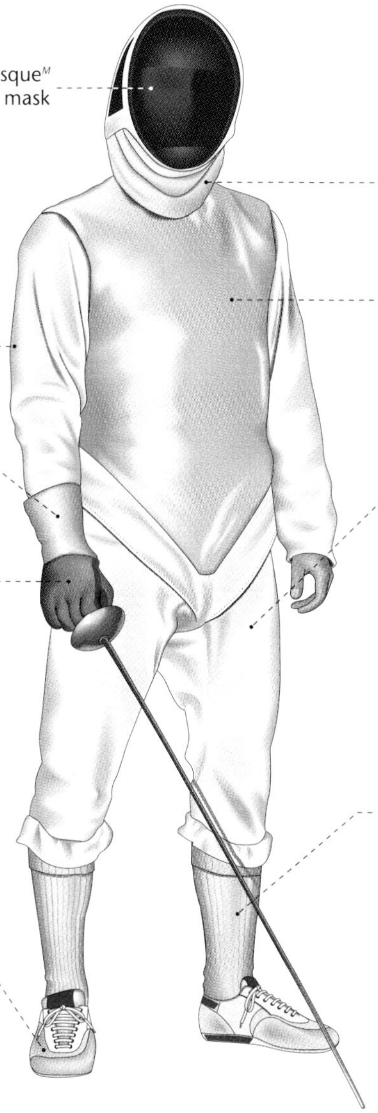
masque[M]
mask
bavette[F]
bib
plastron[M] métallique
metallic plastron
veste[F]
jacket
culotte[F]
breeches
crispin[M]
sleeve
gant[M]
glove
chaussette[F]
stocking
chaussure[F] d'escrime[F]
fencing shoe

POSITIONS[F]
POSITIONS

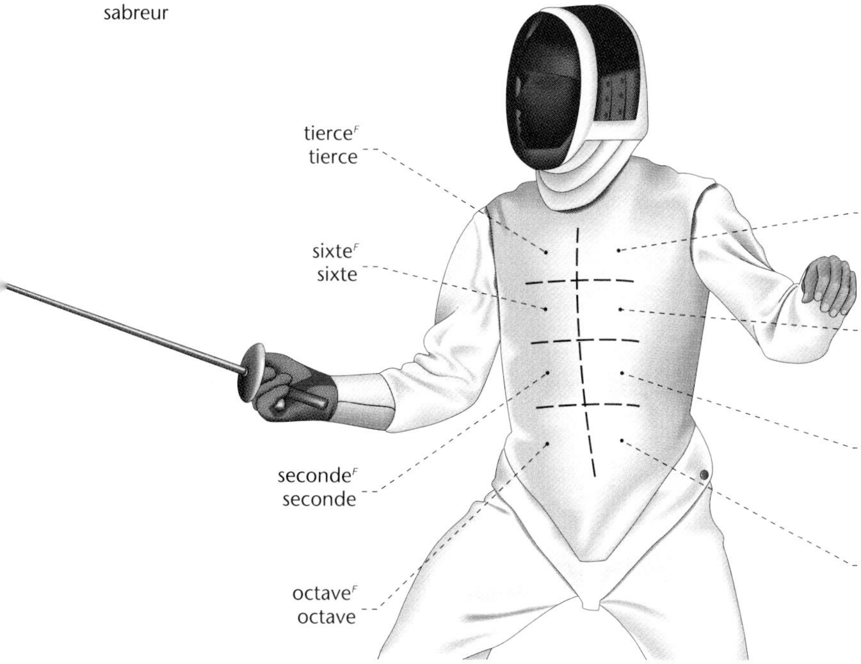
tierce[F]
tierce
quinte[F]
quinte
sixte[F]
sixte
quarte[F]
quarte
prime[F]
prime
seconde[F]
seconde
septime[F]
septime
octave[F]
octave

JUDO[M]
JUDO

COSTUME[M] DE JUDO[M]
JUDO SUIT

veste[F]
jacket
ceinture[F]
belt
pantalon[M]
trousers

EXEMPLES[M] DE PRISES[F]
EXAMPLES OF HOLDS

clé[F] de bras[M]
arm lock

immobilisation[F]
holding

grand fauchage[M] extérieur
major outer reaping throw

projection[F] d'épaule[F] par un côté[M]
one-arm shoulder throw

grand fauchage[M] intérieur
major inner reaping throw

étranglement[M]
naked strangle

projection[F] en cercle[M]
stomach throw

hanche[F] ailée
sweeping hip throw

TAPIS[M]
MAT

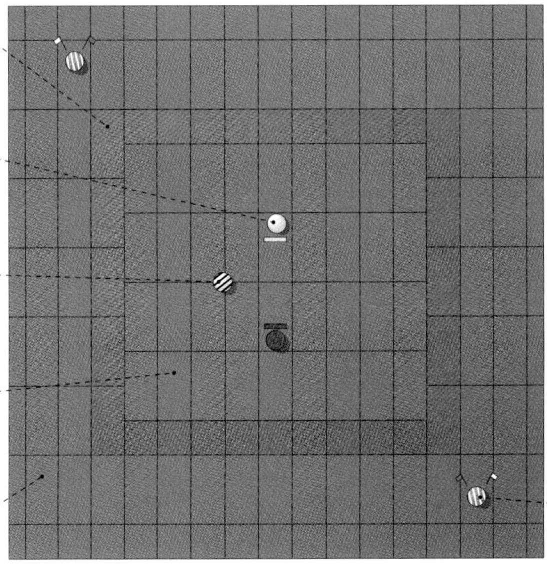

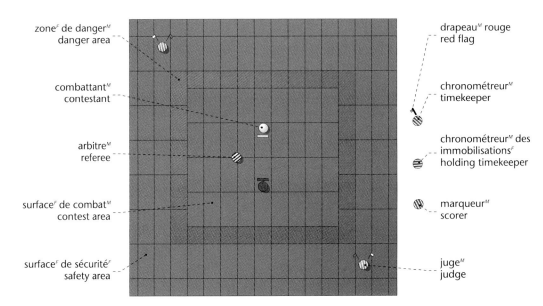

zone[F] de danger[M]
danger area
combattant[M]
contestant
arbitre[M]
referee
surface[F] de combat[M]
contest area
surface[F] de sécurité[F]
safety area
drapeau[M] rouge
red flag
chronométreur[M]
timekeeper
chronométreur[M] des immobilisations[F]
holding timekeeper
marqueur[M]
scorer
juge[M]
judge

BOXE[F]
BOXING

RING[M]
RING

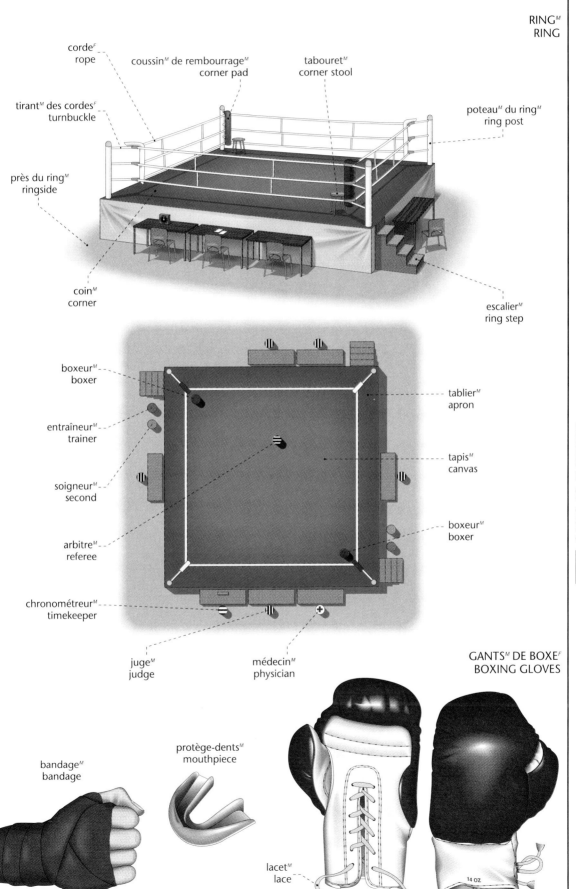

corde[F]
rope
coussin[M] de rembourrage[M]
corner pad
tabouret[M]
corner stool
tirant[M] des cordes[F]
turnbuckle
poteau[M] du ring[M]
ring post
près du ring[M]
ringside
coin[M]
corner
escalier[M]
ring step

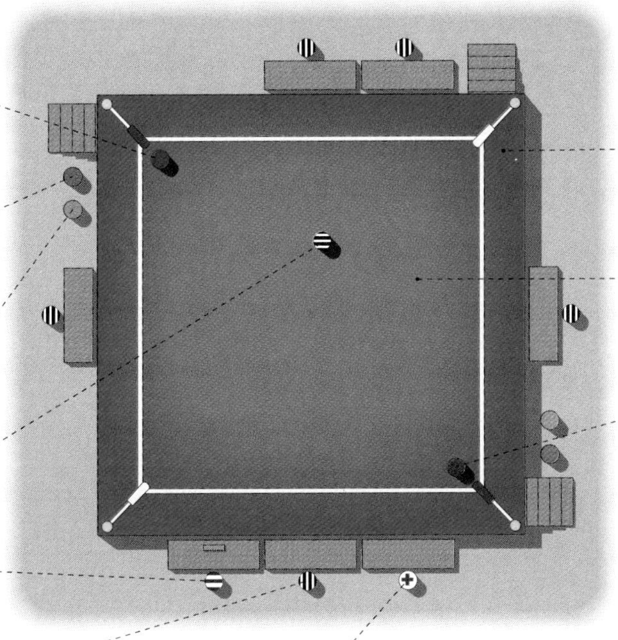
boxeur[M]
boxer
entraîneur[M]
trainer
soigneur[M]
second
arbitre[M]
referee
chronométreur[M]
timekeeper
juge[M]
judge
médecin[M]
physician
tablier[M]
apron
tapis[M]
canvas
boxeur[M]
boxer

GANTS[M] DE BOXE[F]
BOXING GLOVES

bandage[M]
bandage

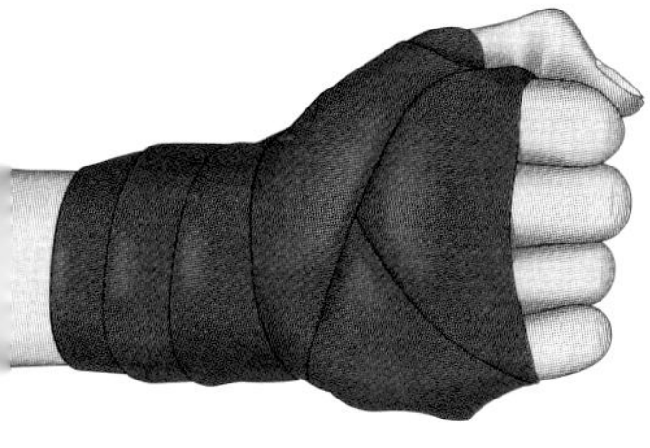

protège-dents[M]
mouthpiece

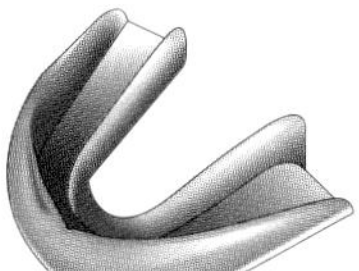

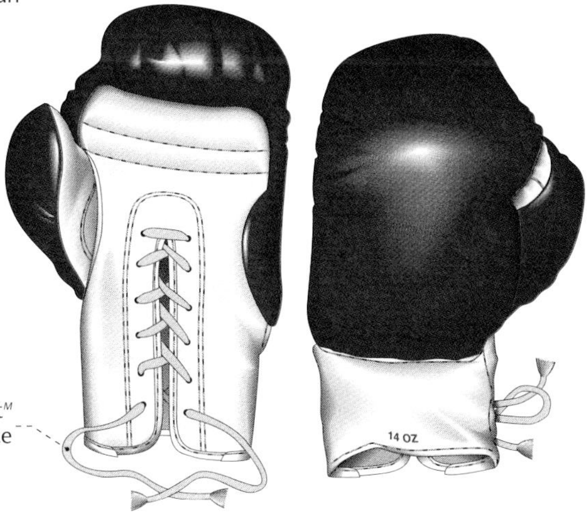
14 OZ
lacet[M]
lace

PÊCHE^{F}
FISHING

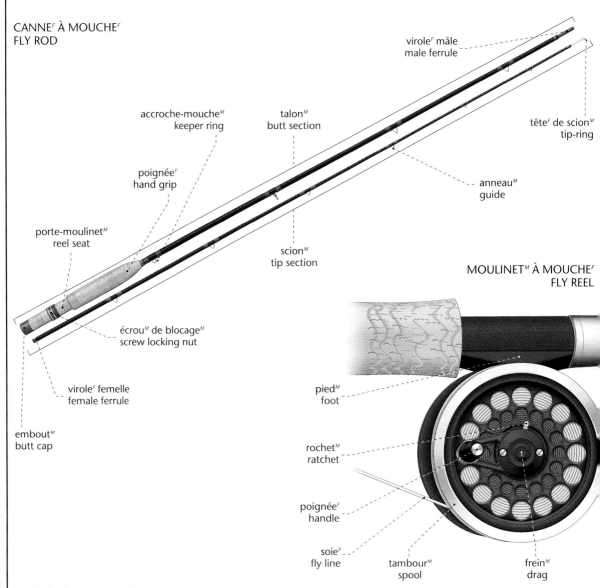

CANNE^{F} À MOUCHE^{F}
FLY ROD

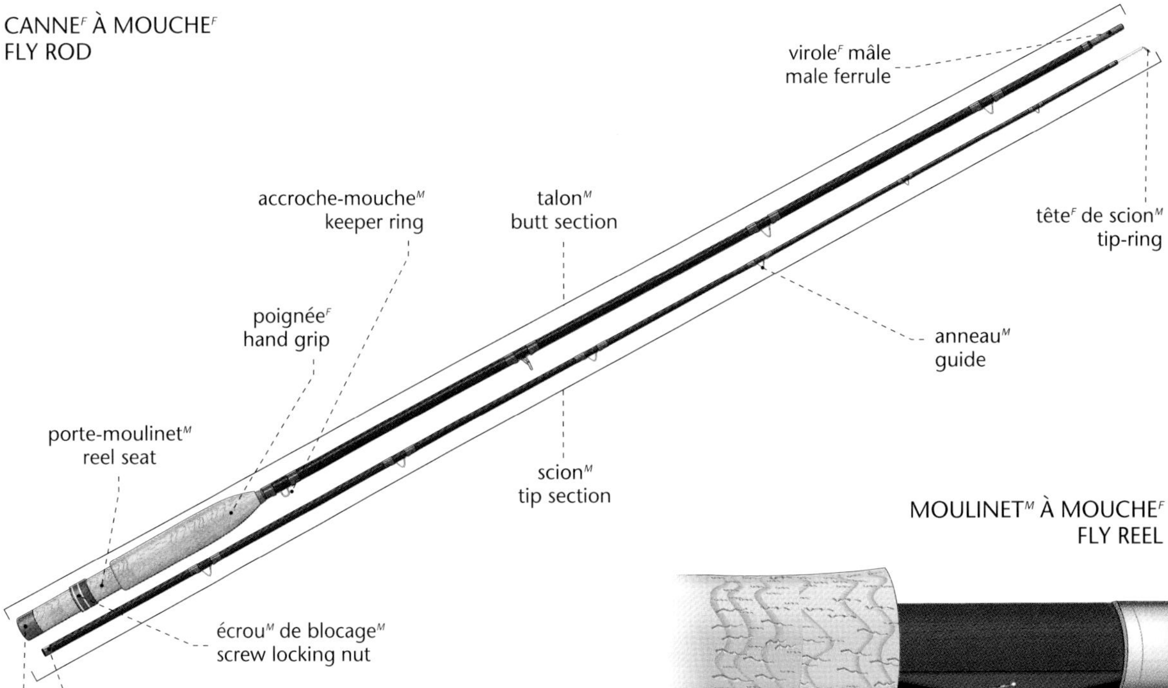
virole^{F} mâle
male ferrule
accroche-mouche^{M}
keeper ring
talon^{M}
butt section
tête^{F} de scion^{M}
tip-ring
poignée^{F}
hand grip
anneau^{M}
guide
porte-moulinet^{M}
reel seat
scion^{M}
tip section
écrou^{M} de blocage^{M}
screw locking nut
virole^{F} femelle
female ferrule
embout^{M}
butt cap

MOULINET^{M} À MOUCHE^{F}
FLY REEL

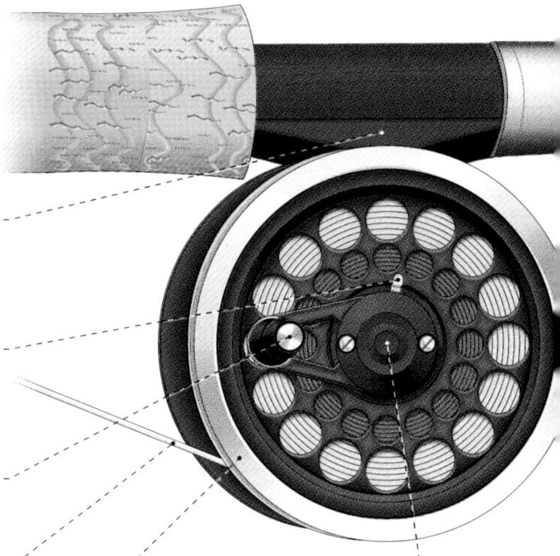
pied^{M}
foot
rochet^{M}
ratchet
poignée^{F}
handle
soie^{F}
fly line
tambour^{M}
spool
frein^{M}
drag

MOUCHE^{F} ARTIFICIELLE
ARTIFICIAL FLY

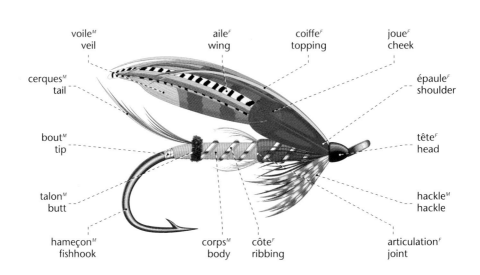

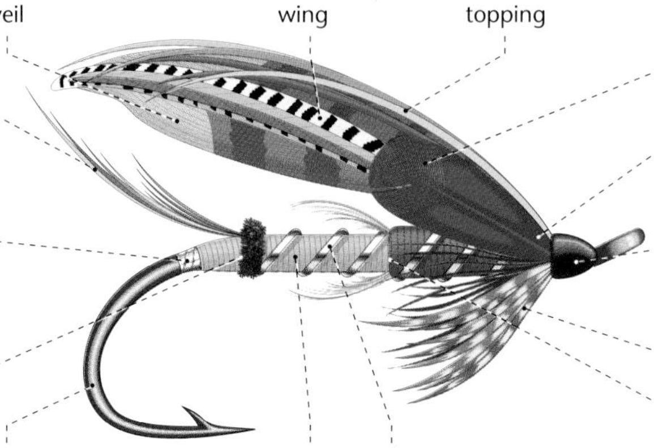
voile^{M}
veil
aile^{F}
wing
coiffe^{F}
topping
joue^{F}
cheek
cerques^{M}
tail
épaule^{F}
shoulder
bout^{M}
tip
tête^{F}
head
talon^{M}
butt
hackle^{M}
hackle
hameçon^{M}
fishhook
corps^{M}
body
côte^{F}
ribbing
articulation^{F}
joint

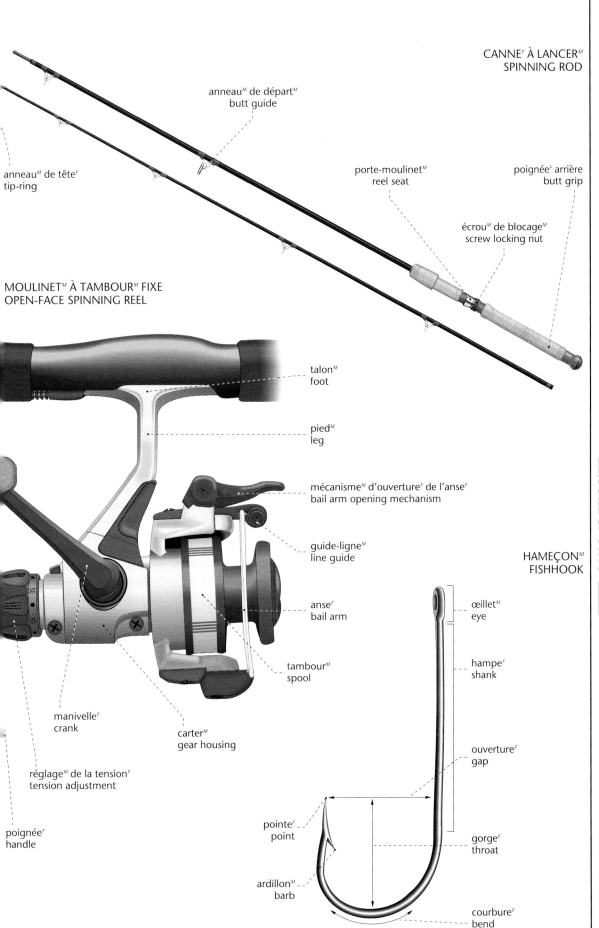

CANNE[F] À LANCER[M]
SPINNING ROD

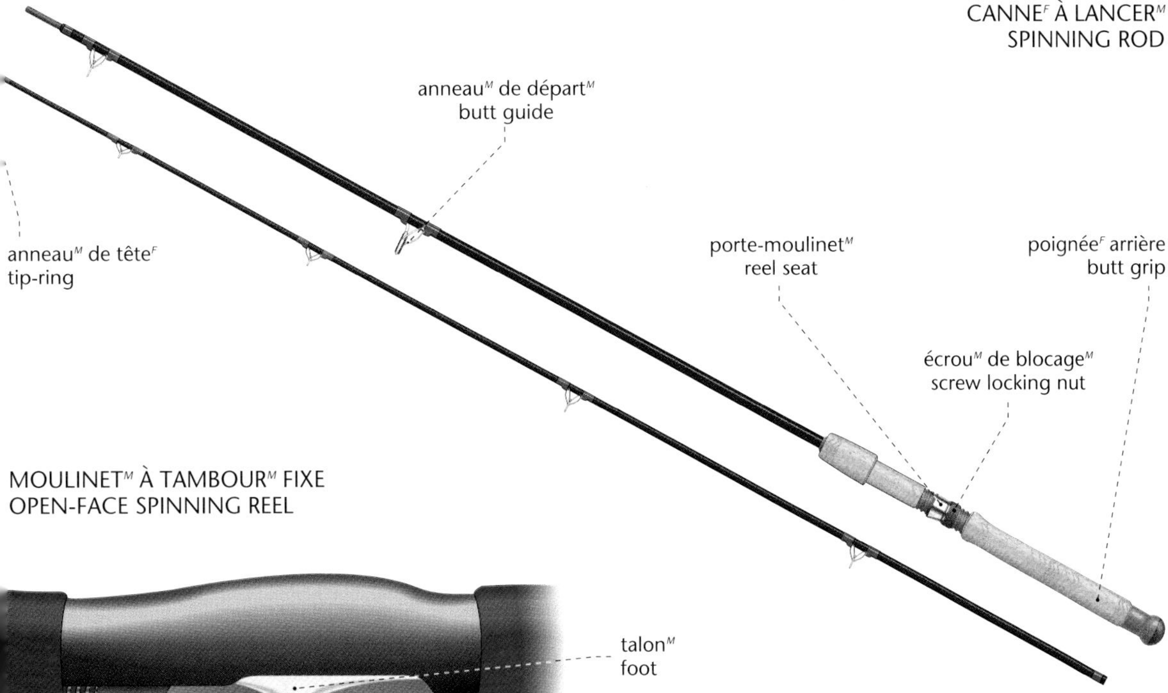
anneau[M] de départ[M]
butt guide
anneau[M] de tête[F]
tip-ring
porte-moulinet[M]
reel seat
poignée[F] arrière
butt grip
écrou[M] de blocage[M]
screw locking nut

MOULINET[M] À TAMBOUR[M] FIXE
OPEN-FACE SPINNING REEL

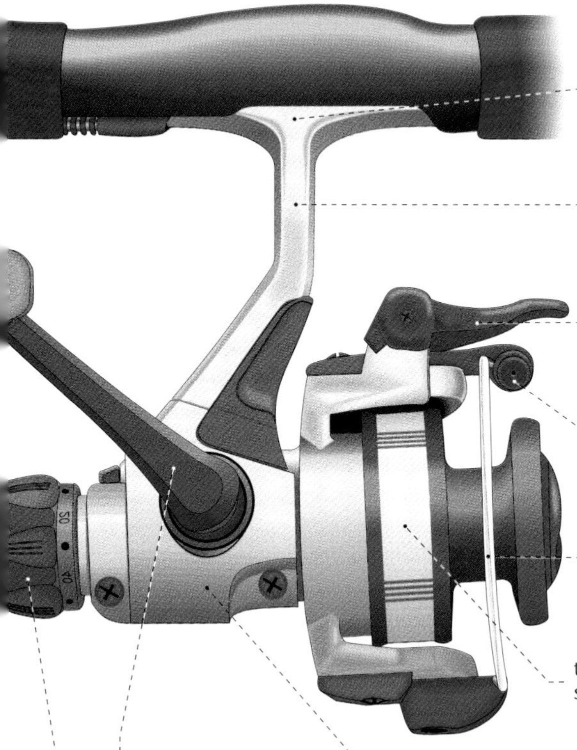
talon[M]
foot
pied[M]
leg
mécanisme[M] d'ouverture[F] de l'anse[F]
bail arm opening mechanism
guide-ligne[M]
line guide
anse[F]
bail arm
tambour[M]
spool
manivelle[F]
crank
carter[M]
gear housing
réglage[M] de la tension[F]
tension adjustment
poignée[F]
handle

HAMEÇON[M]
FISHHOOK

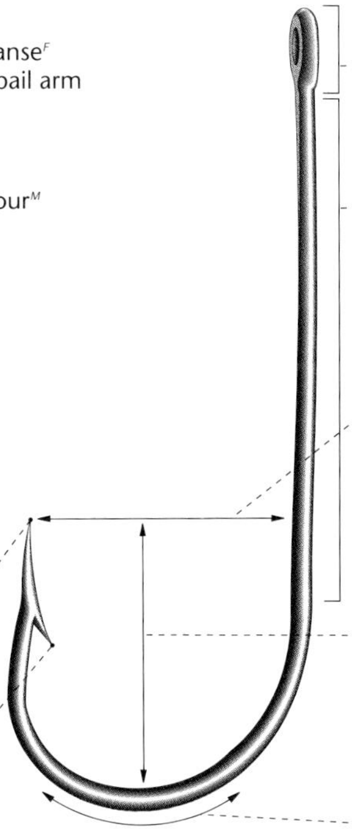
œillet[M]
eye
hampe[F]
shank
ouverture[F]
gap
pointe[F]
point
gorge[F]
throat
ardillon[M]
barb
courbure[F]
bend

PÊCHE[F]
FISHING

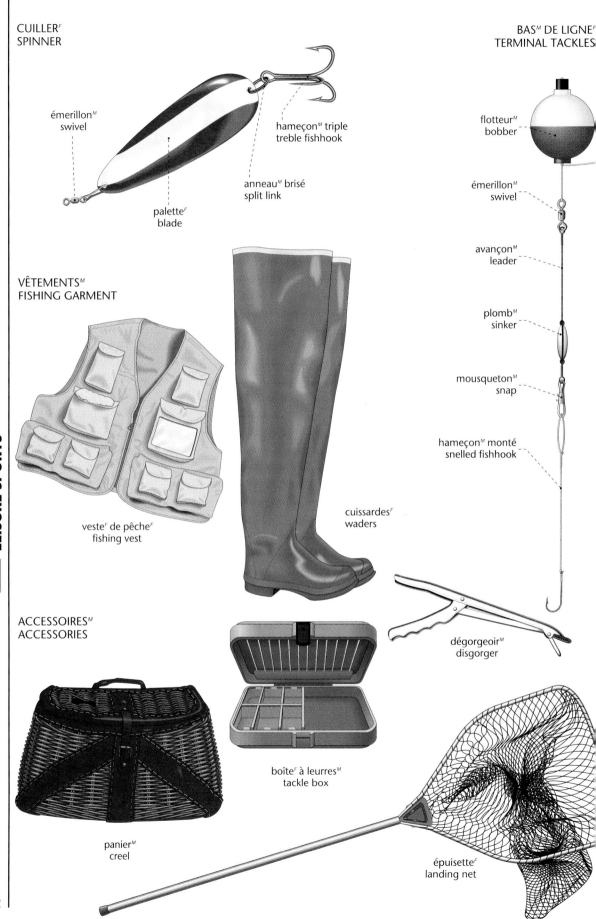

CUILLER[F]
SPINNER

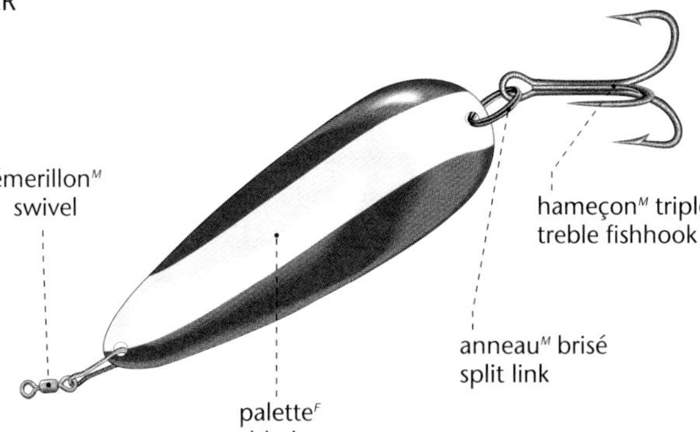

émerillon[M]
swivel
hameçon[M] triple
treble fishhook
palette[F]
blade
anneau[M] brisé
split link

BAS[M] DE LIGNE[F]
TERMINAL TACKLES

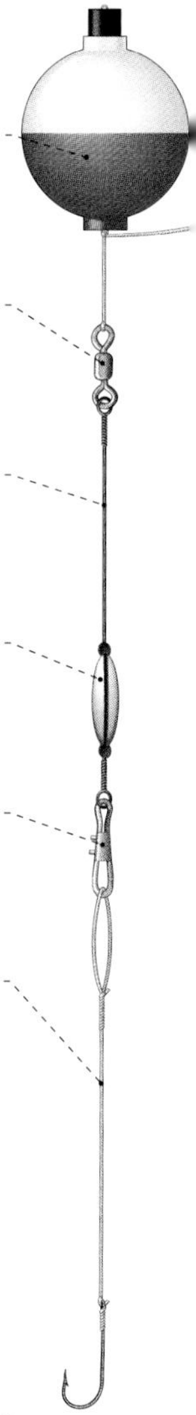

flotteur[M]
bobber
émerillon[M]
swivel
avançon[M]
leader
plomb[M]
sinker
mousqueton[M]
snap
hameçon[M] monté
snelled fishhook

VÊTEMENTS[M]
FISHING GARMENT

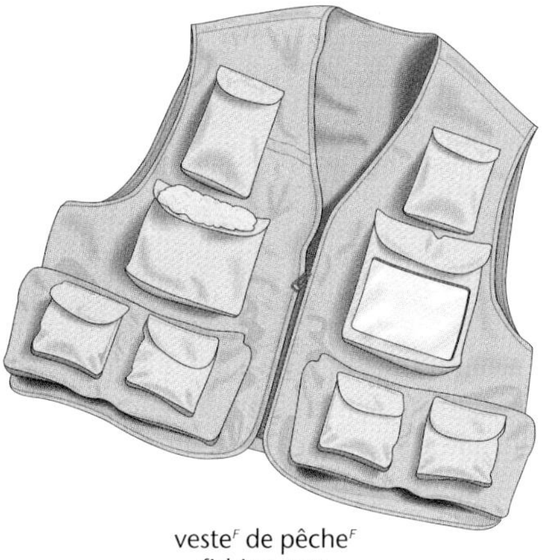

veste[F] de pêche[F]
fishing vest

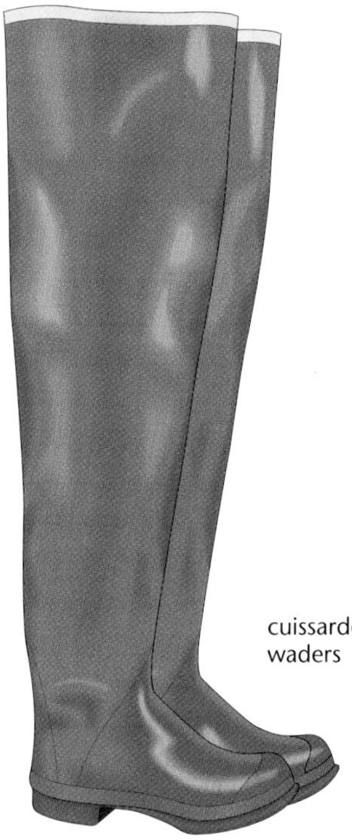

cuissardes[F]
waders

ACCESSOIRES[M]
ACCESSORIES

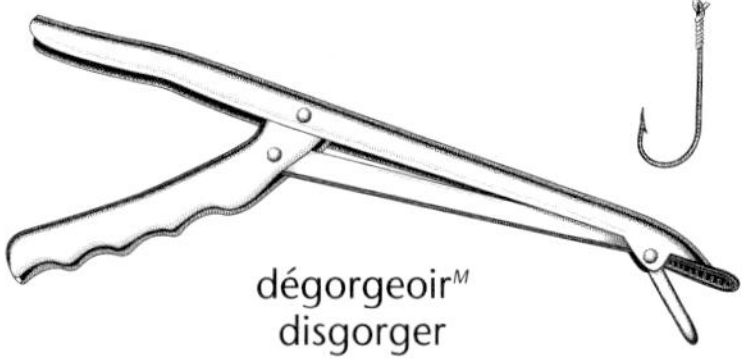

dégorgeoir[M]
disgorger

boîte[F] à leurres[M]
tackle box

panier[M]
creel

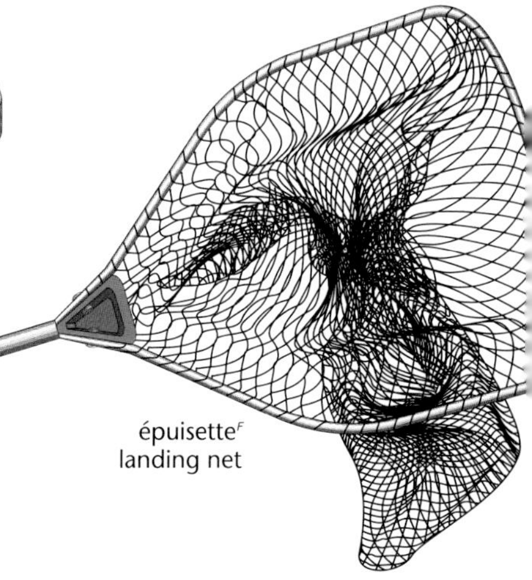

épuisette[F]
landing net

BILLARD[M]
BILLIARDS

BILLARD[M] FRANÇAIS
CAROM BILLIARDS

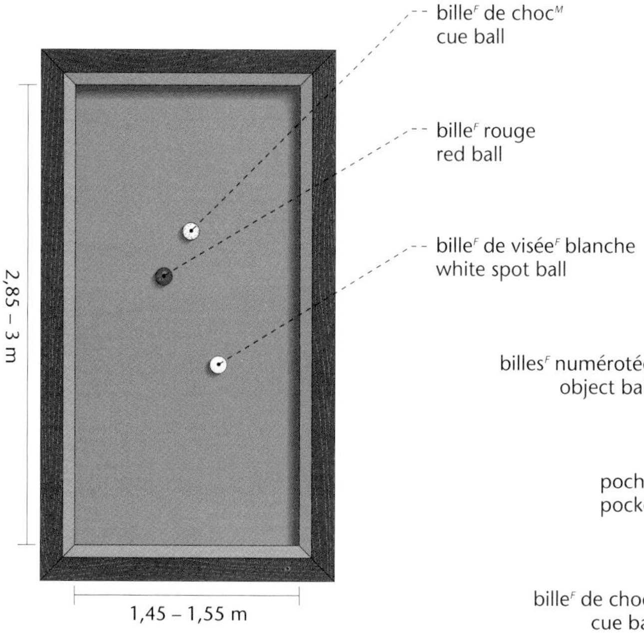
bille[F] de choc[M]
cue ball
bille[F] rouge
red ball
bille[F] de visée[F] blanche
white spot ball
2,85 – 3 m
1,45 – 1,55 m

BILLARD[M] POOL
POOL

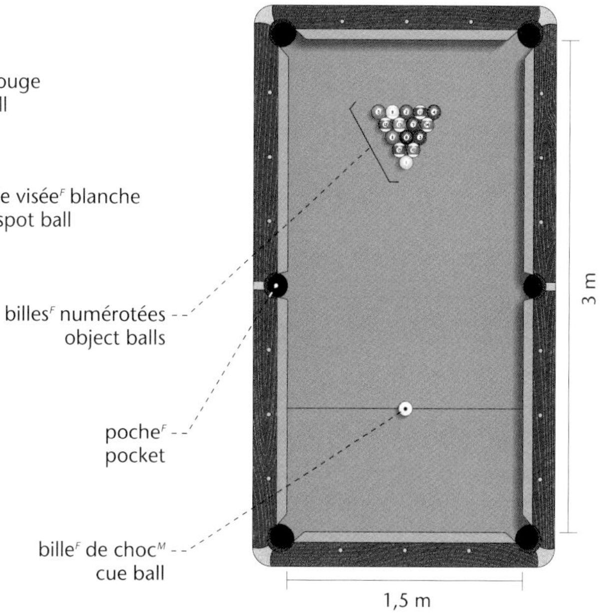
billes[F] numérotées
object balls
poche[F]
pocket
bille[F] de choc[M]
cue ball
3 m
1,5 m

BILLARD[M] ANGLAIS
ENGLISH BILLIARDS

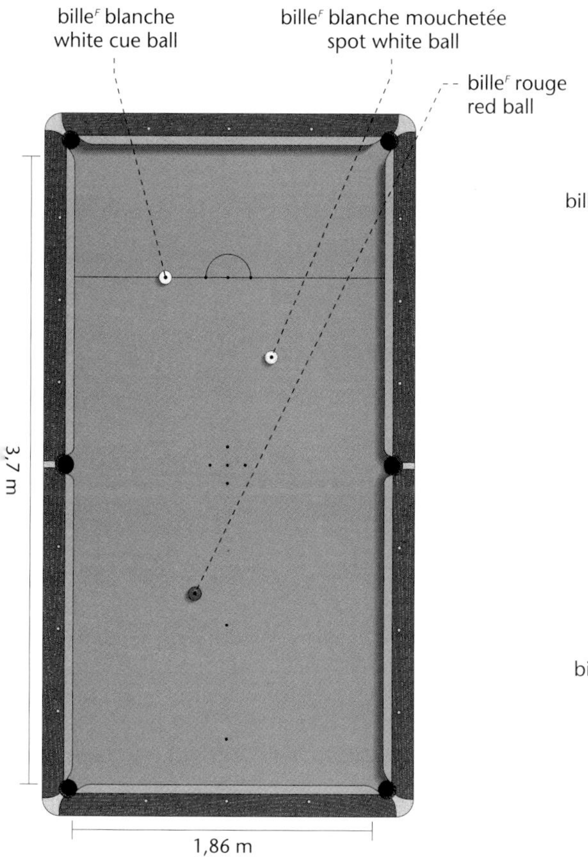
bille[F] blanche
white cue ball
bille[F] blanche mouchetée
spot white ball
bille[F] rouge
red ball
3,7 m
1,86 m

SNOOKER[M]
SNOOKER

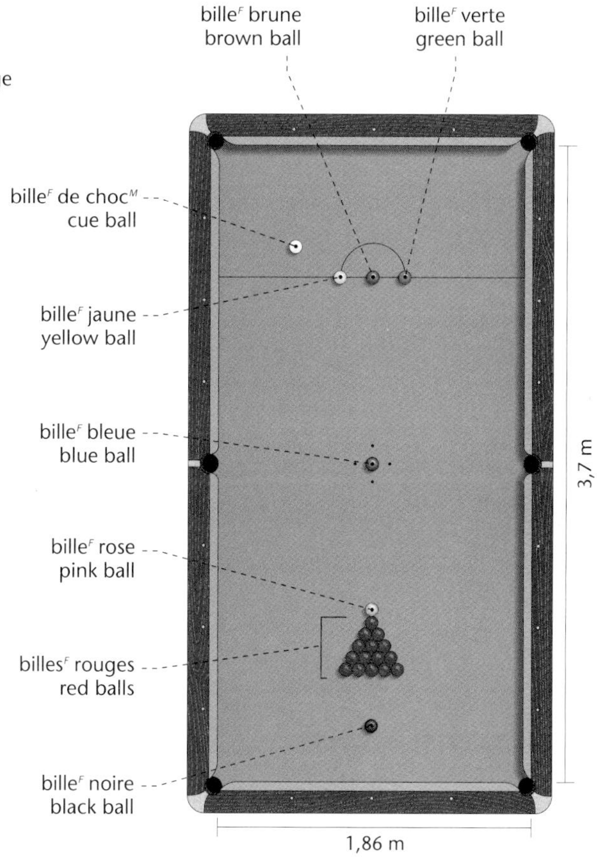
bille[F] brune
brown ball
bille[F] verte
green ball
bille[F] de choc[M]
cue ball
bille[F] jaune
yellow ball
bille[F] bleue
blue ball
bille[F] rose
pink ball
billes[F] rouges
red balls
bille[F] noire
black ball
3,7 m
1,86 m

BILLARD^M ANGLAIS ET SNOOKER^M
ENGLISH BILLIARDS AND SNOOKER

TABLE^F
TABLE

mouche^F de ligne^F de cadre^M
balk line spot
mouche^F centrale
center spot; *centre spot*
cadre^M
balk area
«D»^M
«D»
poche^F supérieure
top pocket
coussin^M de tête^F
head cushion
ligne^F de cadre^M
balk line
crochet^M
hook
poche^F centrale
center pocket; *centre pocket*

RÂTEAU^M
BRIDGE

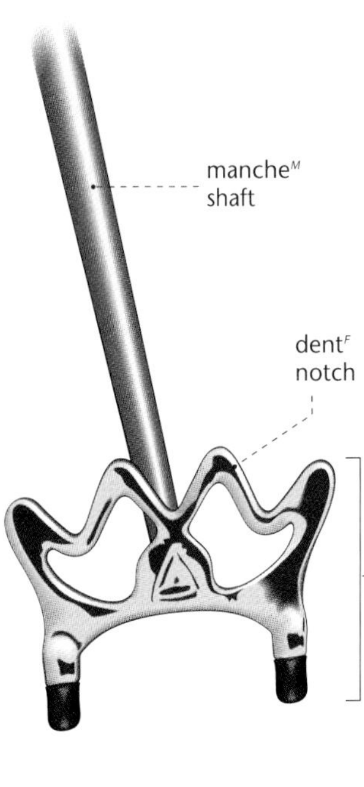
manche^M
shaft
dent^F
notch
tête^F
end-piece

triangle^M
rack

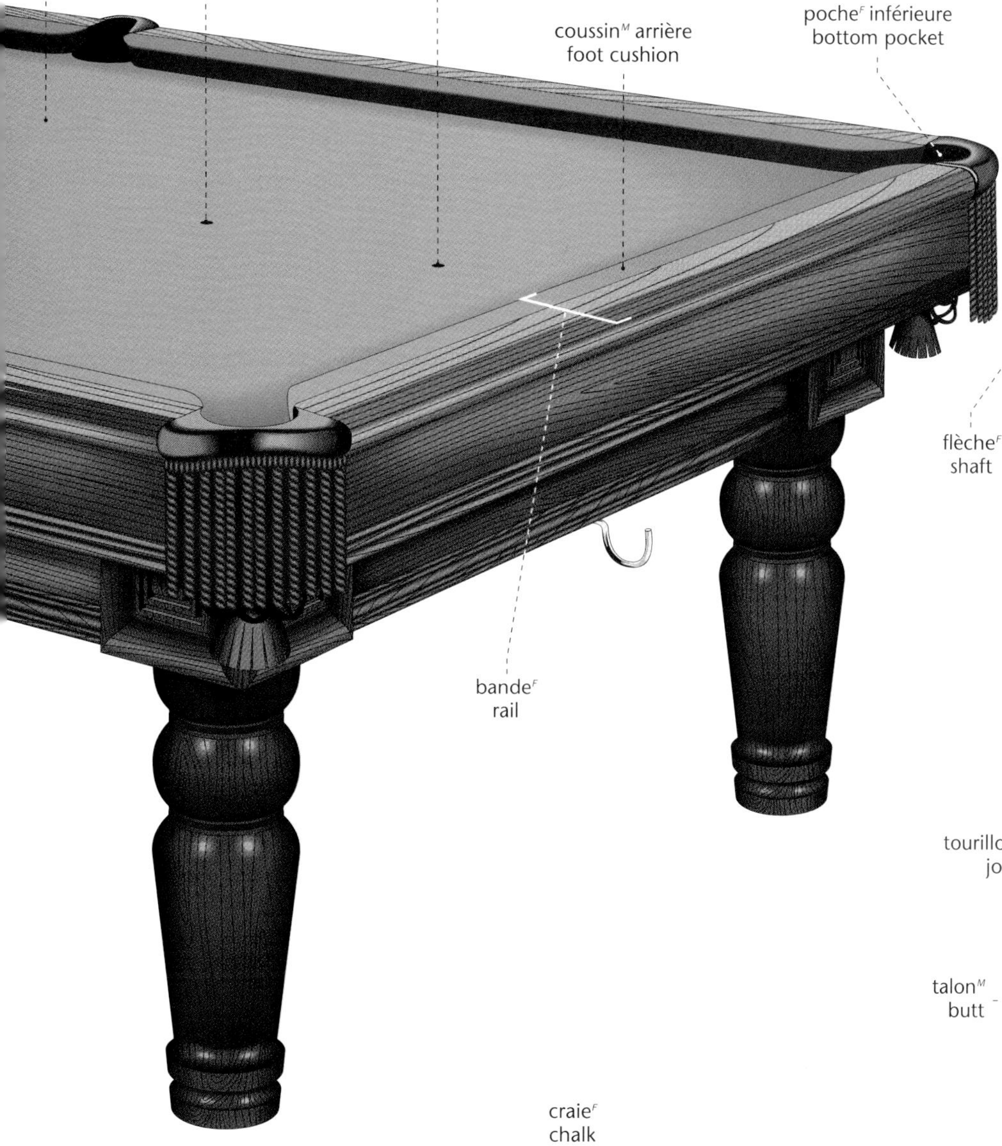
tapis[M]
baize
mouche[F] supérieure
pyramid spot
mouche[F]
billiard spot
coussin[M] arrière
foot cushion
poche[F] inférieure
bottom pocket
bande[F]
rail

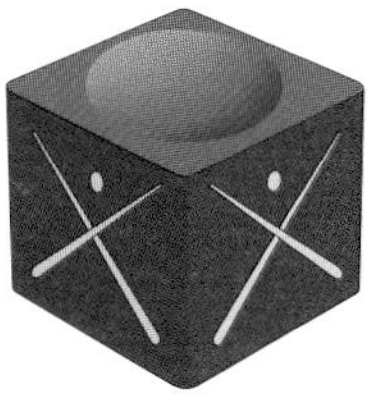
craie[F]
chalk

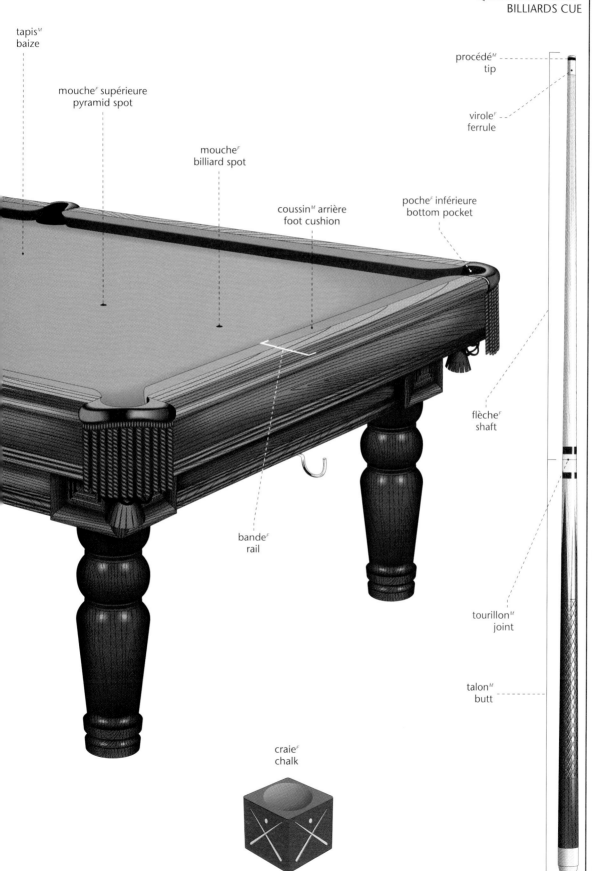

QUEUE[F] DE BILLARD[M]
BILLIARDS CUE

procédé[M]
tip
virole[F]
ferrule
flèche[F]
shaft
tourillon[M]
joint
talon[M]
butt

GOLF[M]
GOLF

PARCOURS[M]
COURSE

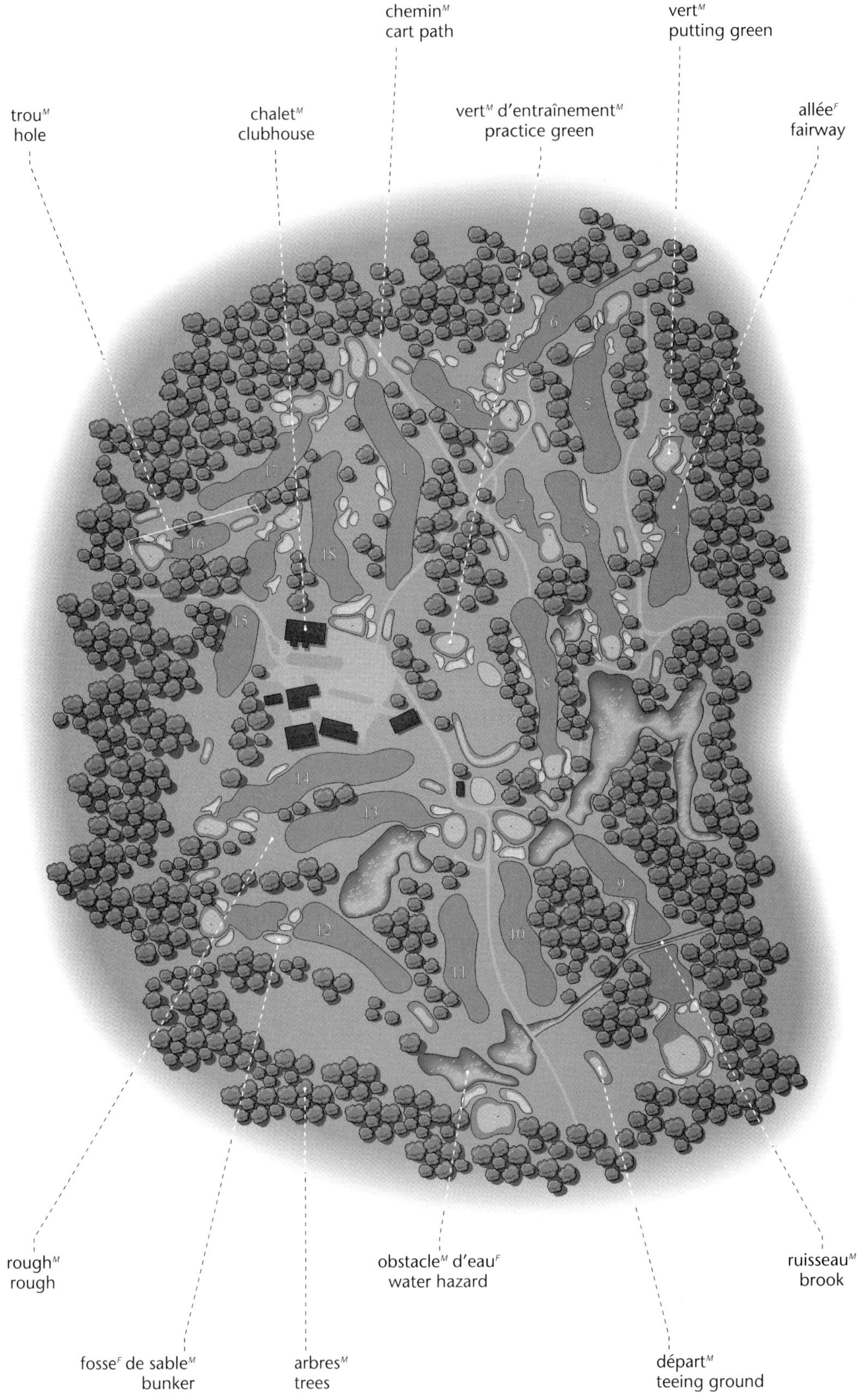

chemin[M]
cart path
vert[M]
putting green
trou[M]
hole
chalet[M]
clubhouse
vert[M] d'entraînement[M]
practice green
allée[F]
fairway
rough[M]
rough
obstacle[M] d'eau[F]
water hazard
ruisseau[M]
brook
fosse[F] de sable[M]
bunker
arbres[M]
trees
départ[M]
teeing ground

COUPE^{F} D'UNE BALLE^{F} DE GOLF^{M}
CROSS SECTION OF A GOLF BALL

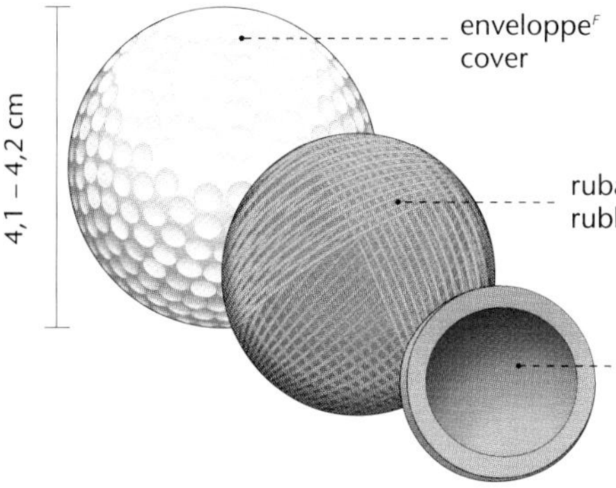
4,1 – 4,2 cm
enveloppe^{F}
cover
ruban^{M} de caoutchouc^{M}
rubber thread
noyau^{M}
core

BALLE^{F} DE GOLF^{M}
GOLF BALL

enveloppe^{F}
cover
alvéole^{M}
dimple
té^{M}
tee

TYPES^{M} DE BÂTONS^{M} DE GOLF^{M}
TYPES OF GOLF CLUBS

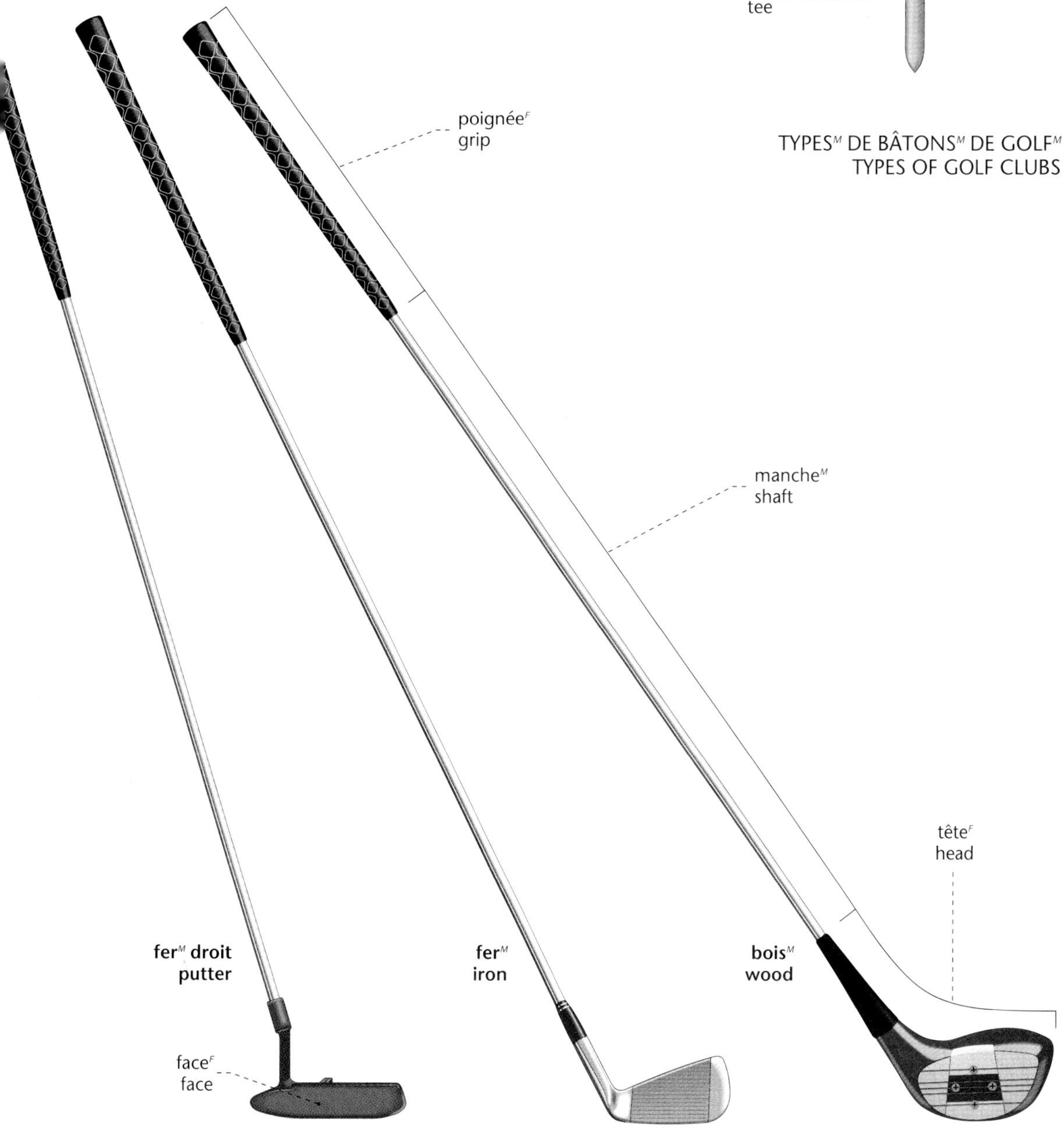
poignée^{F}
grip
manche^{M}
shaft
tête^{F}
head
fer^{M} droit
putter
face^{F}
face
fer^{M}
iron
bois^{M}
wood

GOLF[M]
GOLF

BOIS[M]
WOOD

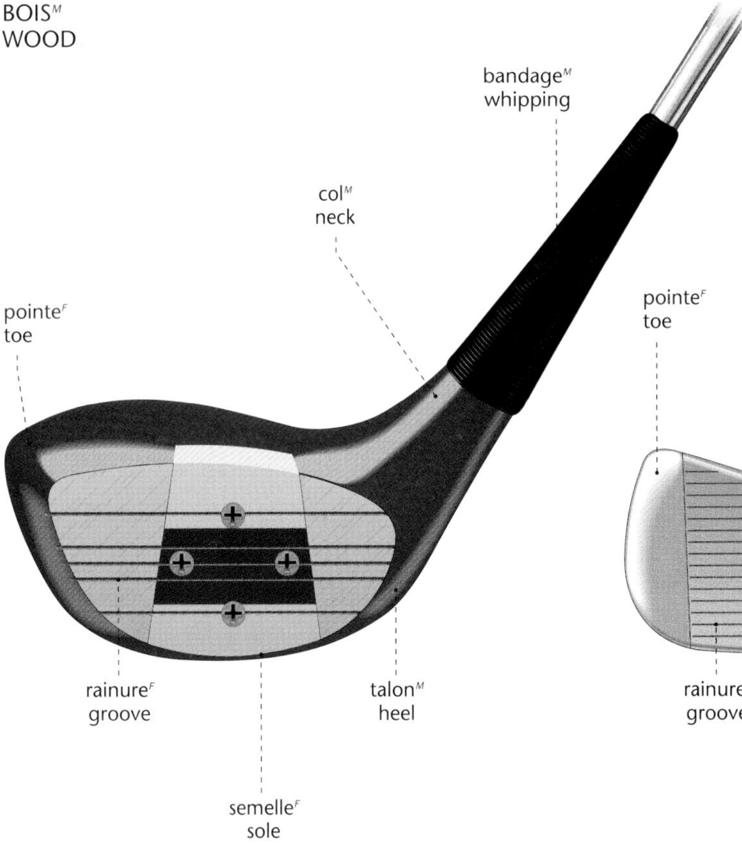
bandage[M]
whipping
col[M]
neck
pointe[F]
toe
rainure[F]
groove
talon[M]
heel
semelle[F]
sole

FER[M]
IRON

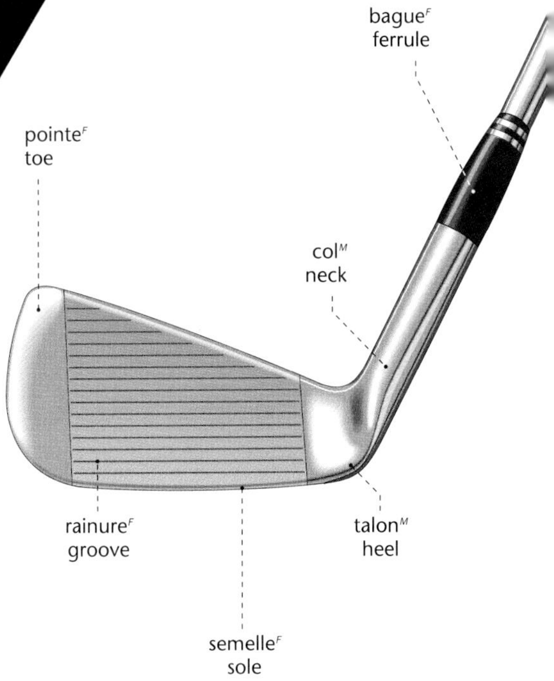
bague[F]
ferrule
pointe[F]
toe
col[M]
neck
rainure[F]
groove
talon[M]
heel
semelle[F]
sole

BÂTONS[M] DE GOLF[M]
GOLF CLUBS

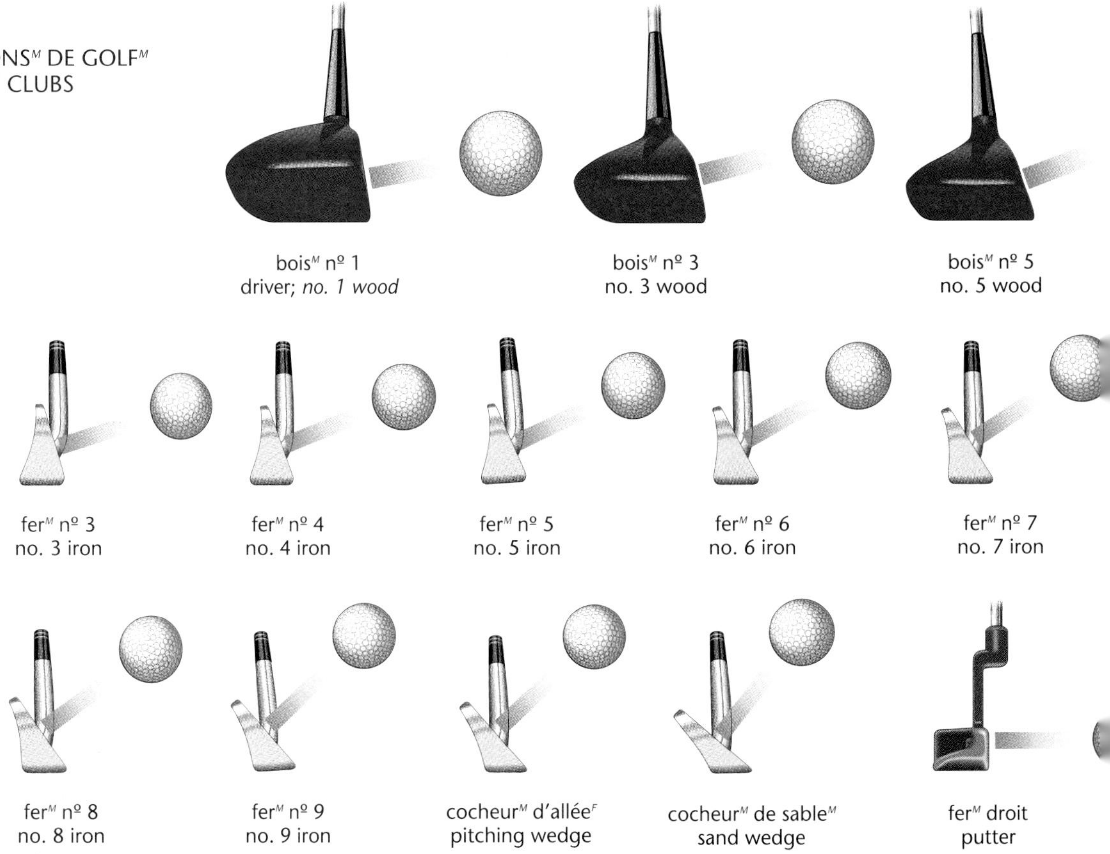
bois[M] nº 1
driver; *no. 1 wood*
bois[M] nº 3
no. 3 wood
bois[M] nº 5
no. 5 wood
fer[M] nº 3
no. 3 iron
fer[M] nº 4
no. 4 iron
fer[M] nº 5
no. 5 iron
fer[M] nº 6
no. 6 iron
fer[M] nº 7
no. 7 iron
fer[M] nº 8
no. 8 iron
fer[M] nº 9
no. 9 iron
cocheur[M] d'allée[F]
pitching wedge
cocheur[M] de sable[M]
sand wedge
fer[M] droit
putter

gant^M de golf^M
golf glove

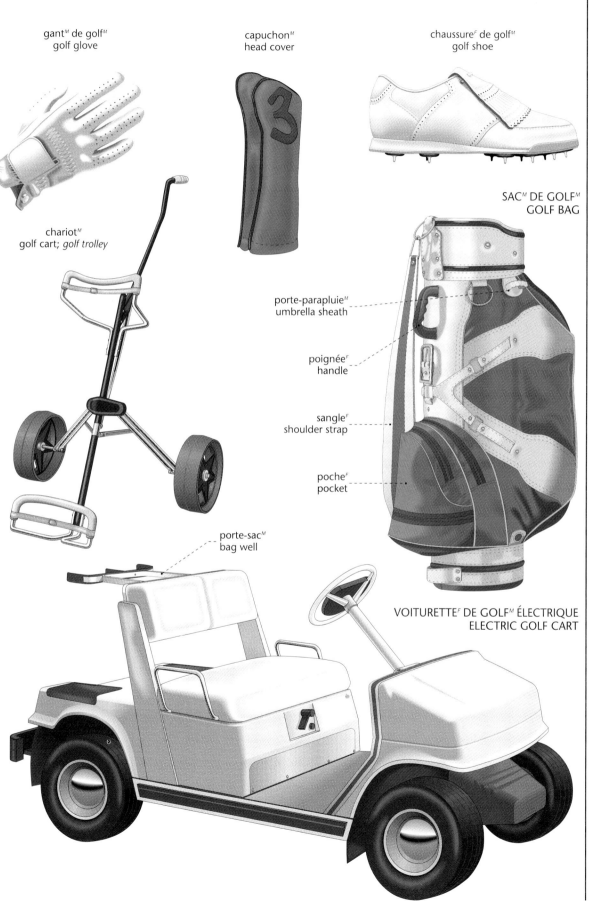

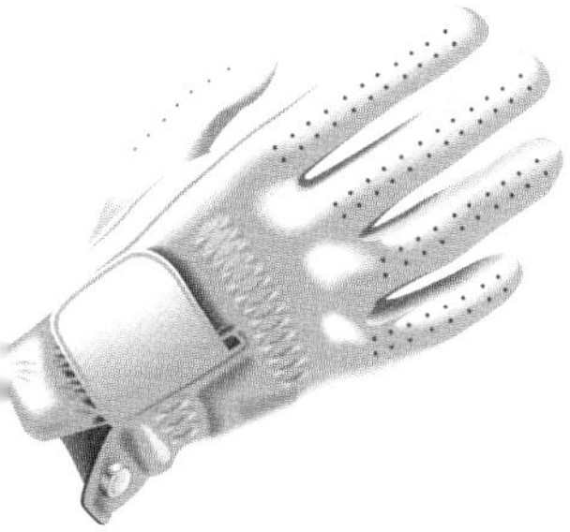

capuchon^M
head cover

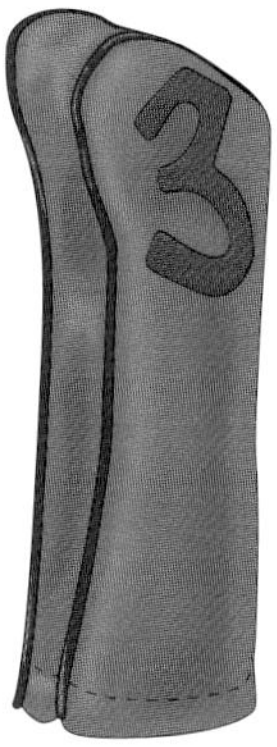

chaussure^F de golf^M
golf shoe

chariot^M
golf cart; *golf trolley*

SAC^M DE GOLF^M
GOLF BAG

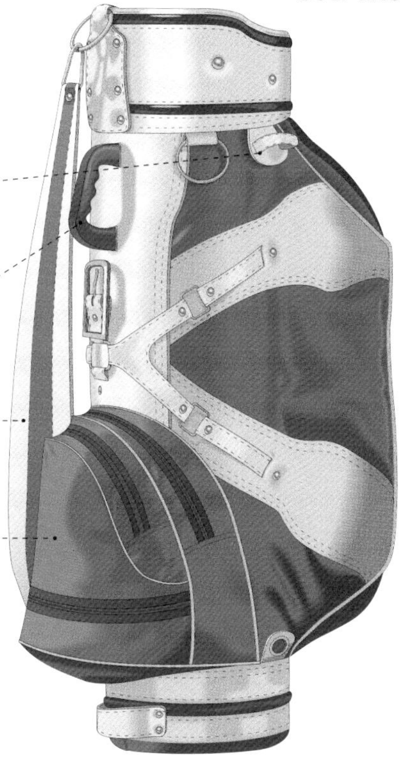
porte-parapluie^M
umbrella sheath
poignée^F
handle
sangle^F
shoulder strap
poche^F
pocket

VOITURETTE^F DE GOLF^M ÉLECTRIQUE
ELECTRIC GOLF CART

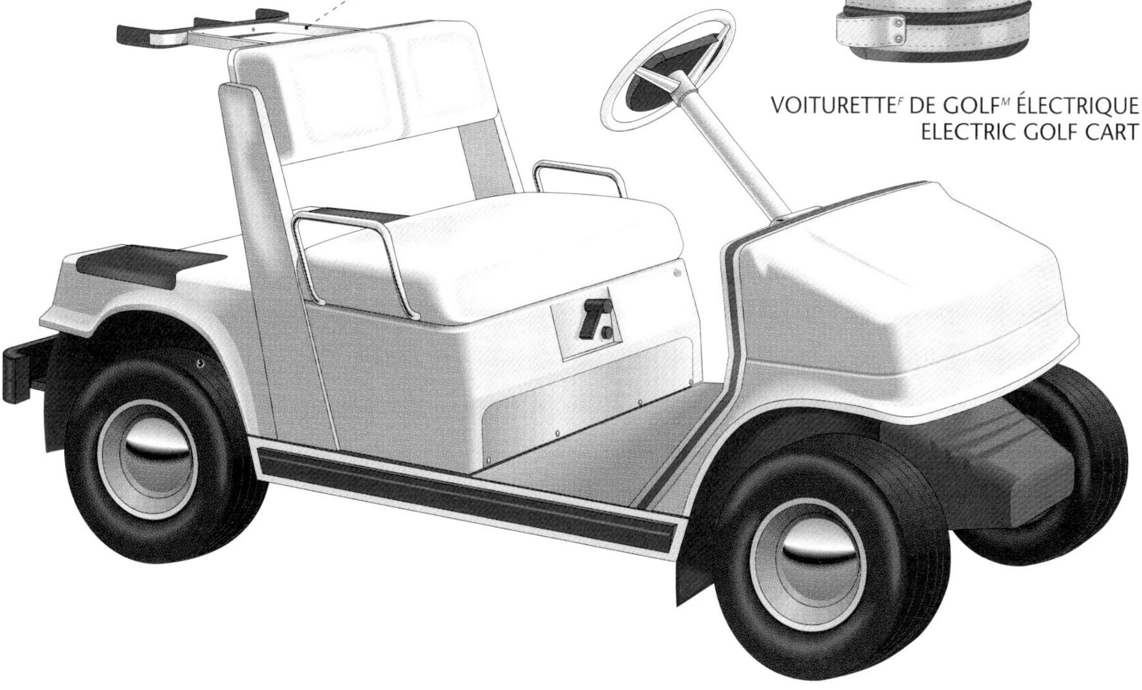
porte-sac^M
bag well

ALPINISME^M
MOUNTAINEERING

ALPINISTE^M
MOUNTAINEER

casque^M
helmet
lampe^F frontale
helmet lamp
cagoule^F
hood
sac^M à dos^M
knapsack
corde^F
rope
anorak^M
parka
mousqueton^M
carabiner
baudrier^M
climbing harness
porte-pitons^M
piton-carrier
coinceur^M
chock
pelle^F de montagne^F
mountaineering shovel
moufle^F; *mitaine^F*
mitten
marteau^M-piolet^M
hammer ax; *hammer axe*
piolet^M
ice ax; *ice axe*
piton^M à glace^F
ice piton
vis^F à glace^F
ice screw
pantalon^M
pants; *trousers*
lanière^F
crampon strap
jambière^F
legging
pointe^F antérieure
front point
pointe^F
spike
chaussure^F d'alpinisme^M
mountaineering boot

MATÉRIEL[M] ET ÉQUIPEMENT[M]
EQUIPMENT

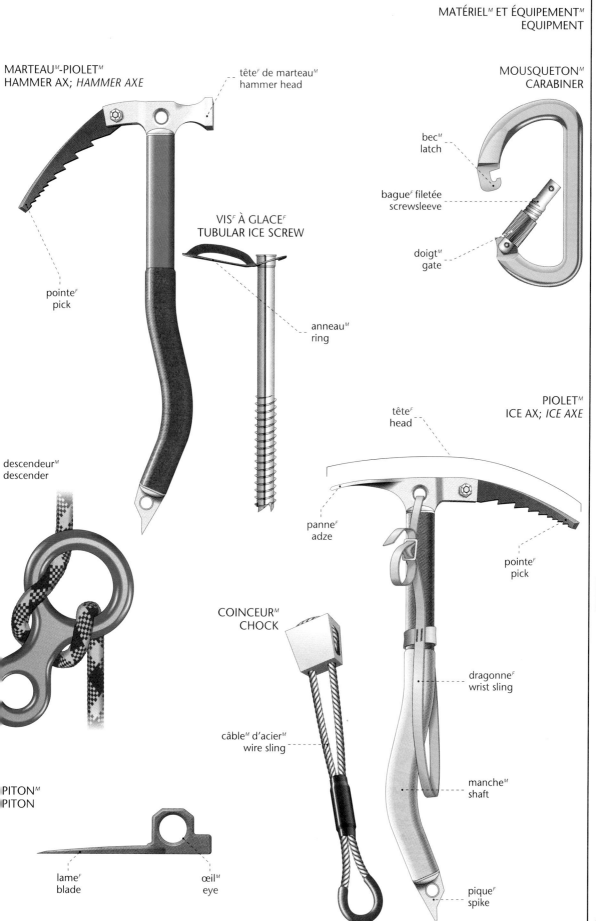

MARTEAU[M]-PIOLET[M]
HAMMER AX; *HAMMER AXE*

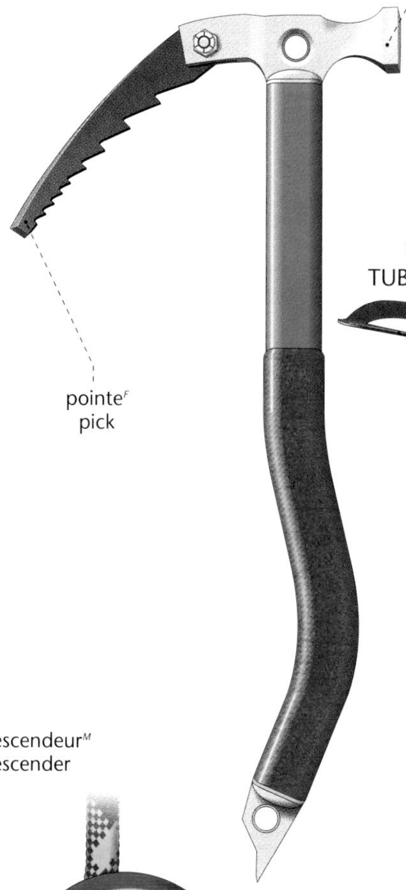
tête[F] de marteau[M]
hammer head
pointe[F]
pick

MOUSQUETON[M]
CARABINER

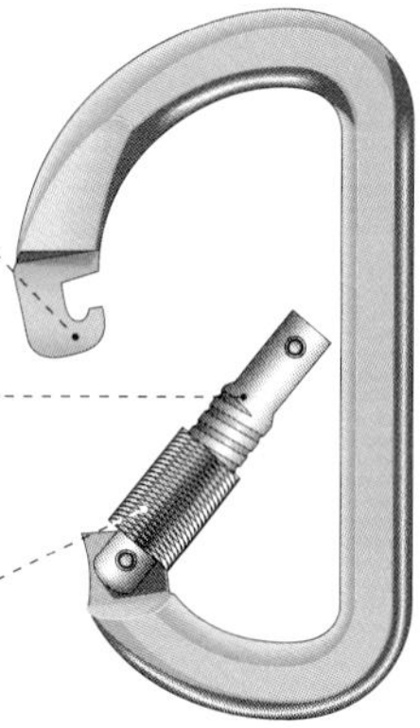
bec[M]
latch
bague[F] filetée
screwsleeve
doigt[M]
gate

VIS[F] À GLACE[F]
TUBULAR ICE SCREW

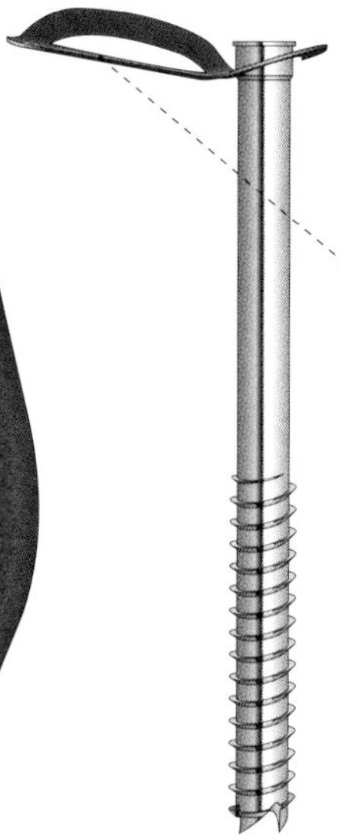
anneau[M]
ring

descendeur[M]
descender

PIOLET[M]
ICE AX; *ICE AXE*

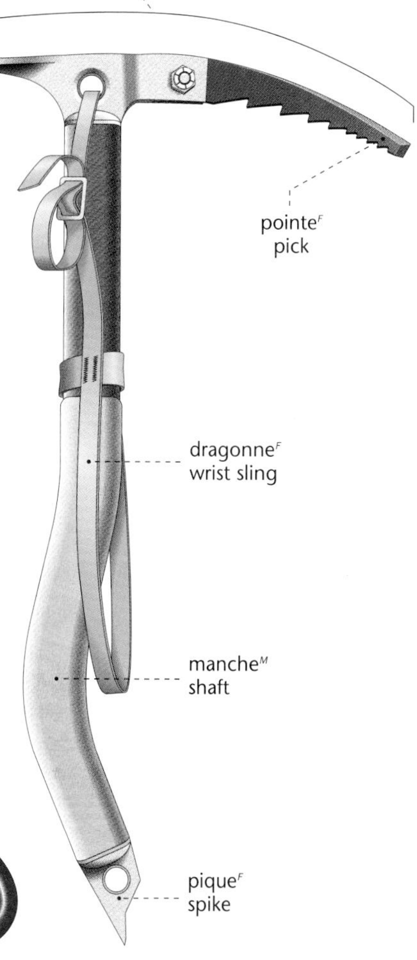
tête[F]
head
panne[F]
adze
pointe[F]
pick
dragonne[F]
wrist sling
manche[M]
shaft
pique[F]
spike

COINCEUR[M]
CHOCK

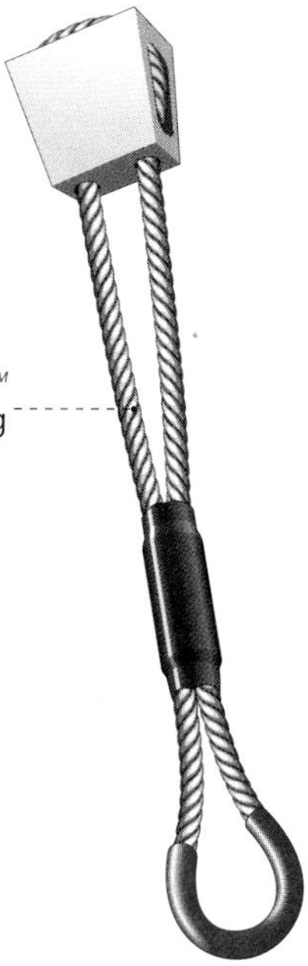
câble[M] d'acier[M]
wire sling

PITON[M]
PITON

lame[F]
blade
œil[M]
eye

BOULES[F] ANGLAISES ET PÉTANQUE[F]
BOWLS AND PETANQUE

PELOUSE[F]
GREEN

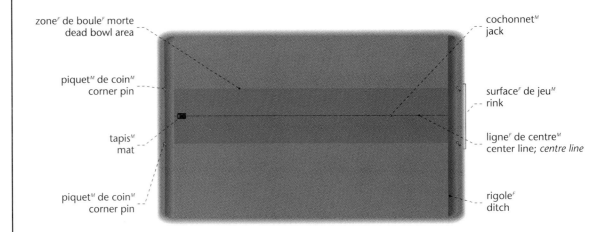

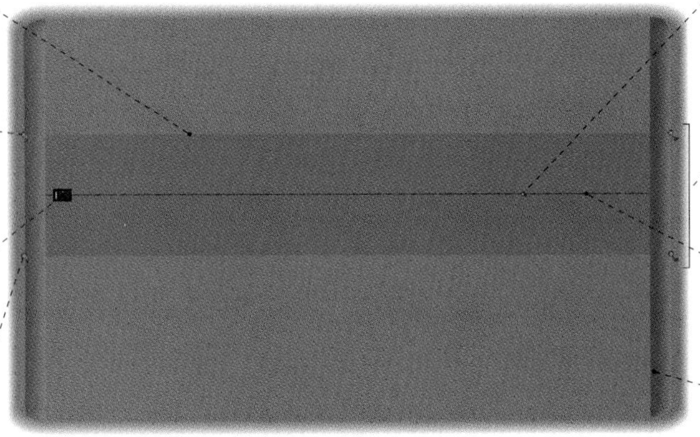
zone[F] de boule[F] morte
dead bowl area
piquet[M] de coin[M]
corner pin
tapis[M]
mat
piquet[M] de coin[M]
corner pin
cochonnet[M]
jack
surface[F] de jeu[M]
rink
ligne[F] de centre[M]
center line; *centre line*
rigole[F]
ditch

LANCEMENT[M] DE LA BOULE[F]
DELIVERY

élan[M]
forward swing

lancer[M]
delivery

accompagnement[M]
follow-through

boule[F] anglaise
bowl

boule[F] de pétanque[F]
petanque bowl

cochonnet[M]
jack

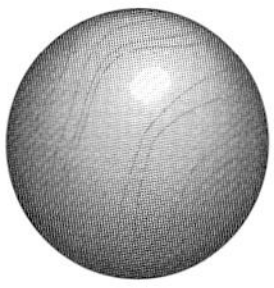

JEU[M] DE QUILLES[F]
BOWLING

BOULE[F] DE QUILLES[F]
BOWLING BALL

TYPES[M] DE QUILLES[F]
TYPES OF PINS

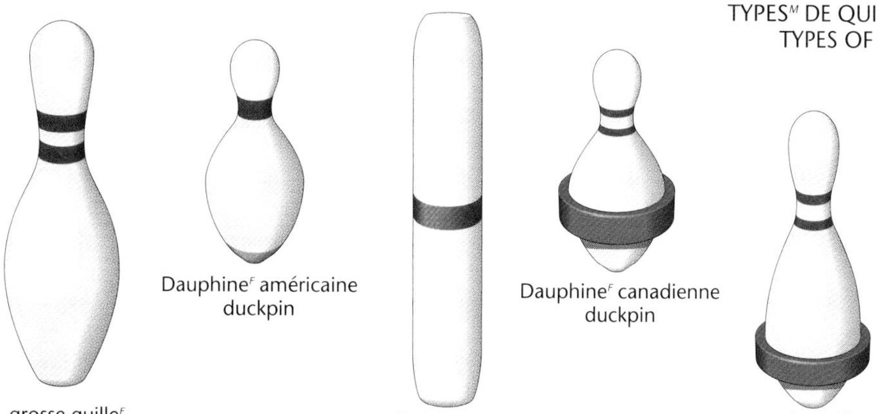

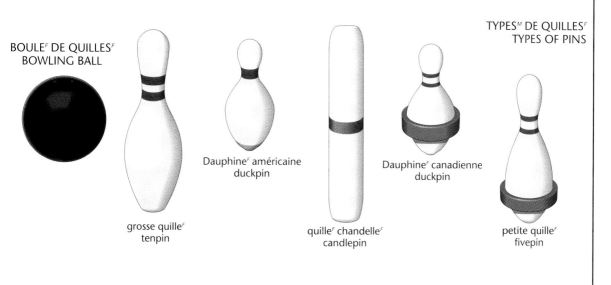

grosse quille[F]
tenpin
Dauphine[F] américaine
duckpin
quille[F] chandelle[F]
candlepin
Dauphine[F] canadienne
duckpin
petite quille[F]
fivepin

QUILLIER[M]
SETUP; *SET-UP*

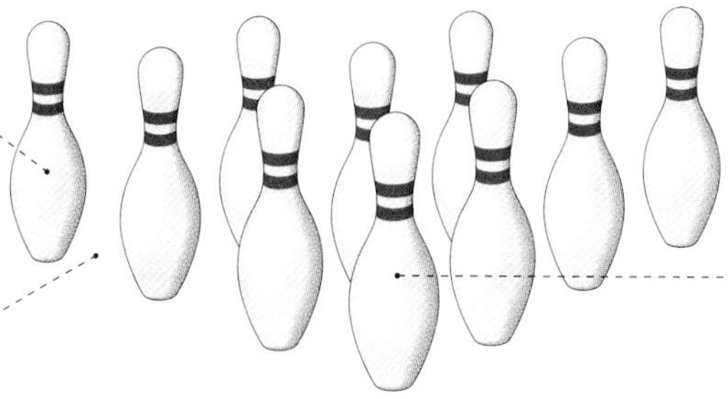

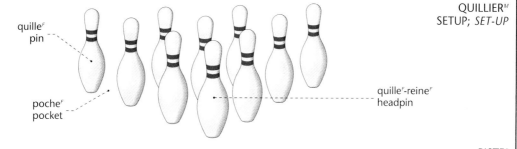

quille[F]
pin
poche[F]
pocket
quille[F]-reine[F]
headpin

PISTE[F]
LANE

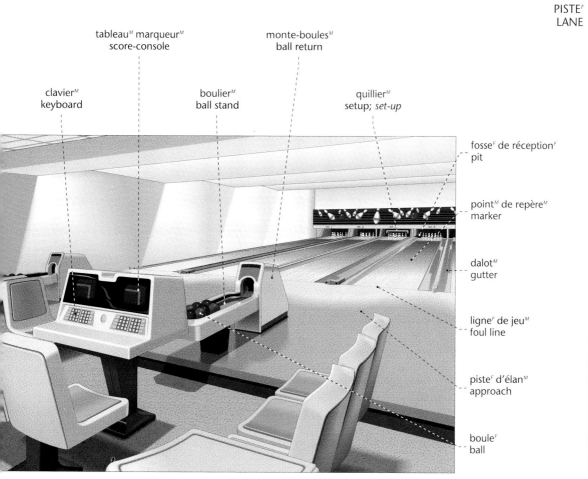

tableau[M] marqueur[M]
score-console
monte-boules[M]
ball return
clavier[M]
keyboard
boulier[M]
ball stand
quillier[M]
setup; *set-up*
fosse[F] de réception[F]
pit
point[M] de repère[M]
marker
dalot[M]
gutter
ligne[F] de jeu[M]
foul line
piste[F] d'élan[M]
approach
boule[F]
ball

TIR^{M} À L'ARC^{M}
ARCHERY

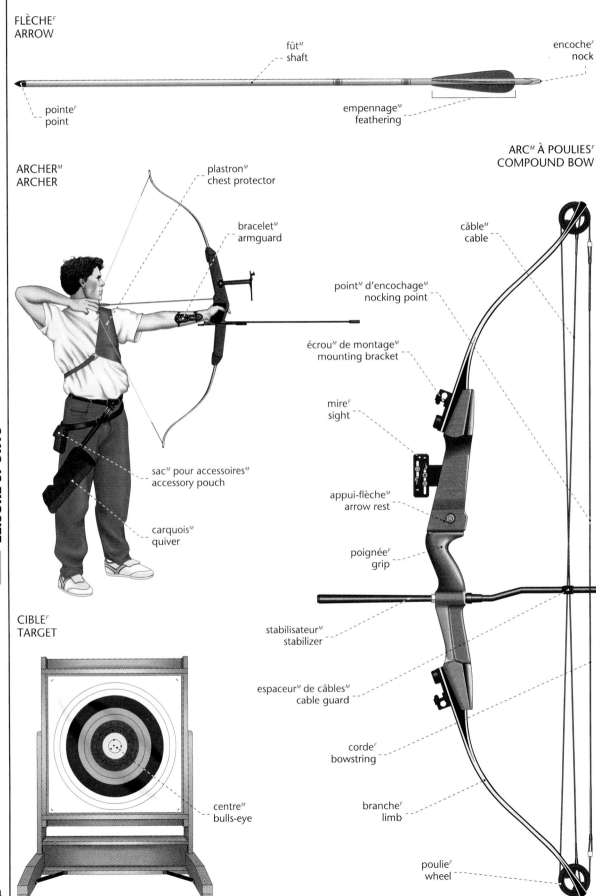

FLÈCHE^{F}
ARROW

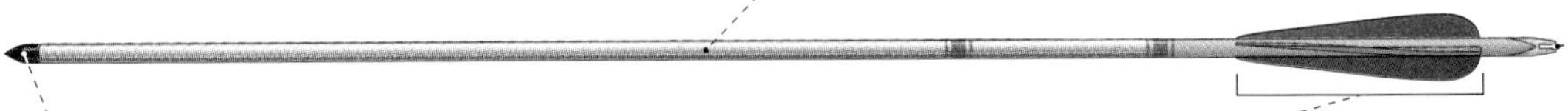
fût^{M}
shaft
encoche^{F}
nock
pointe^{F}
point
empennage^{M}
feathering

ARCHER^{M}
ARCHER

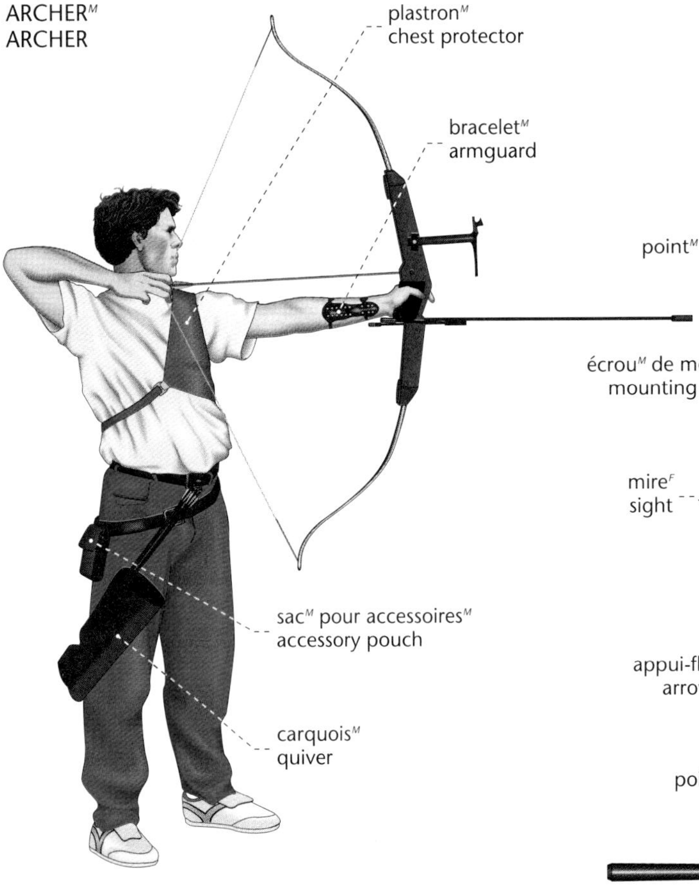
plastron^{M}
chest protector
bracelet^{M}
armguard
sac^{M} pour accessoires^{M}
accessory pouch
carquois^{M}
quiver

CIBLE^{F}
TARGET

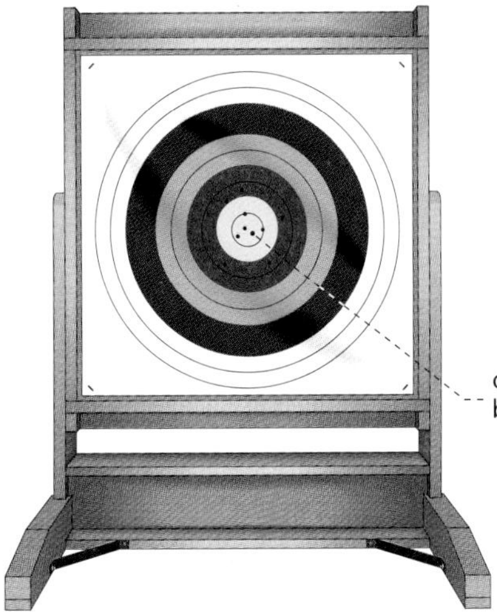
centre^{M}
bulls-eye

ARC^{M} À POULIES^{F}
COMPOUND BOW

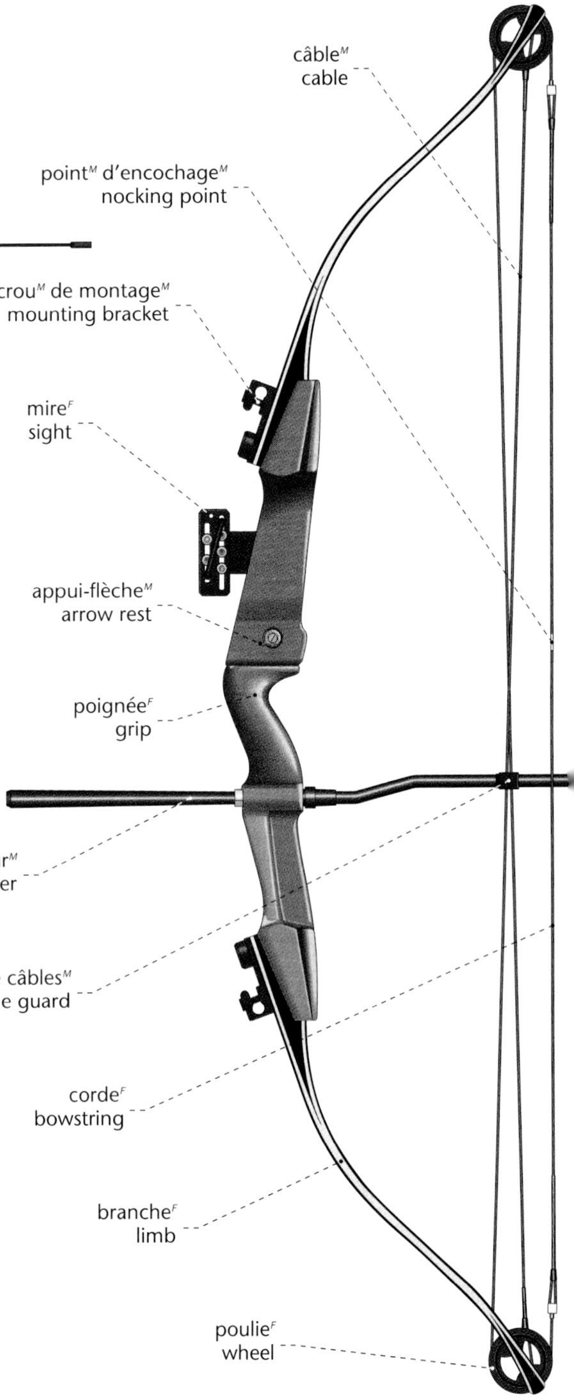
câble^{M}
cable
point^{M} d'encochage^{M}
nocking point
écrou^{M} de montage^{M}
mounting bracket
mire^{F}
sight
appui-flèche^{M}
arrow rest
poignée^{F}
grip
stabilisateur^{M}
stabilizer
espaceur^{M} de câbles^{M}
cable guard
corde^{F}
bowstring
branche^{F}
limb
poulie^{F}
wheel

TENTE^{F} DEUX PLACES^{F}
TWO-PERSON TENT

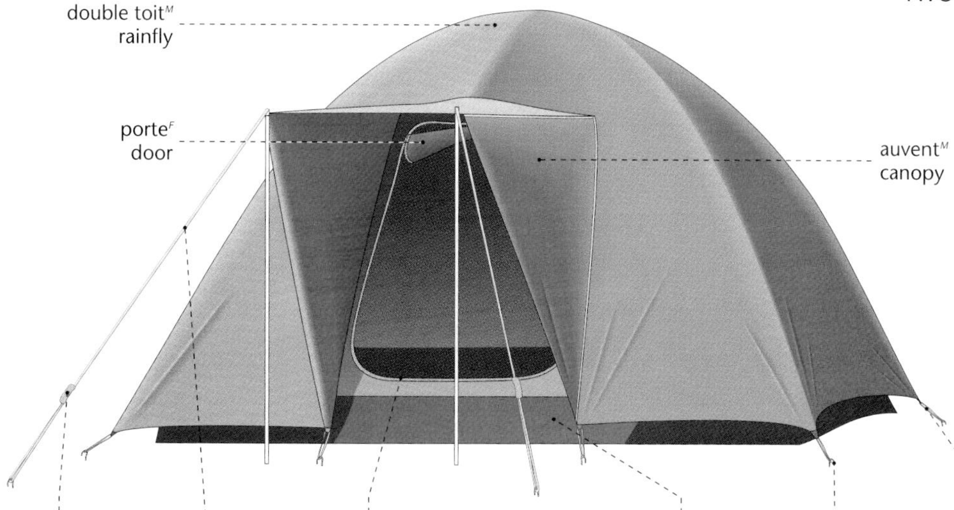

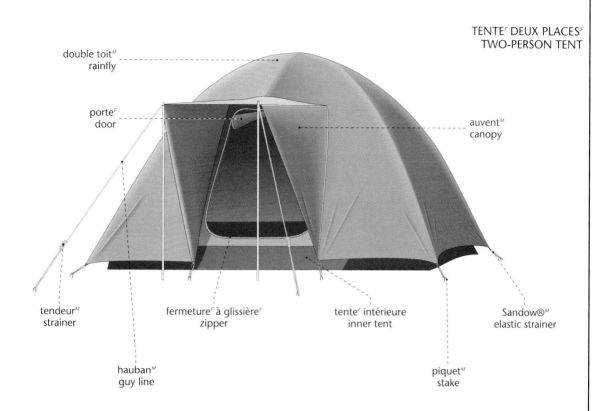

double toit^{M}
rainfly
porte^{F}
door
auvent^{M}
canopy
tendeur^{M}
strainer
fermeture^{F} à glissière^{F}
zipper
tente^{F} intérieure
inner tent
Sandow®^{M}
elastic strainer
hauban^{M}
guy line
piquet^{M}
stake

TENTE^{F} FAMILIALE
FAMILY TENT

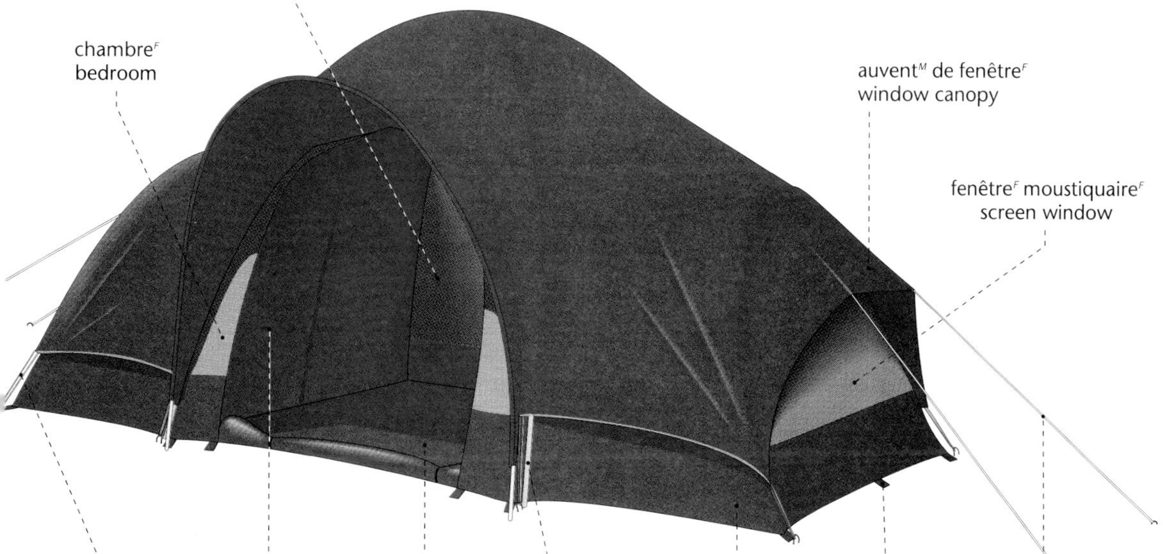

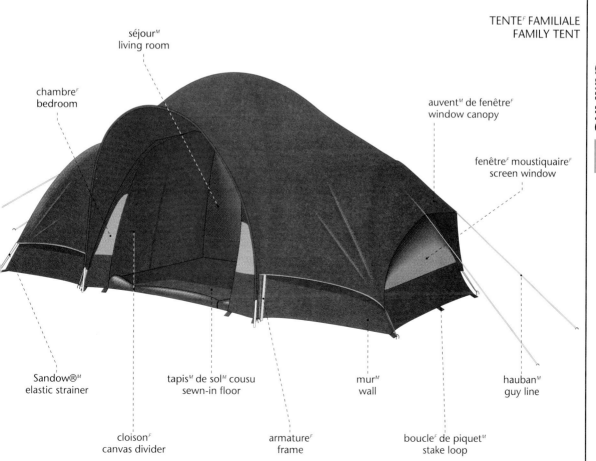

séjour^{M}
living room
chambre^{F}
bedroom
auvent^{M} de fenêtre^{F}
window canopy
fenêtre^{F} moustiquaire^{F}
screen window
Sandow®^{M}
elastic strainer
tapis^{M} de sol^{M} cousu
sewn-in floor
mur^{M}
wall
hauban^{M}
guy line
cloison^{F}
canvas divider
armature^{F}
frame
boucle^{F} de piquet^{M}
stake loop

CAMPING^M
CAMPING

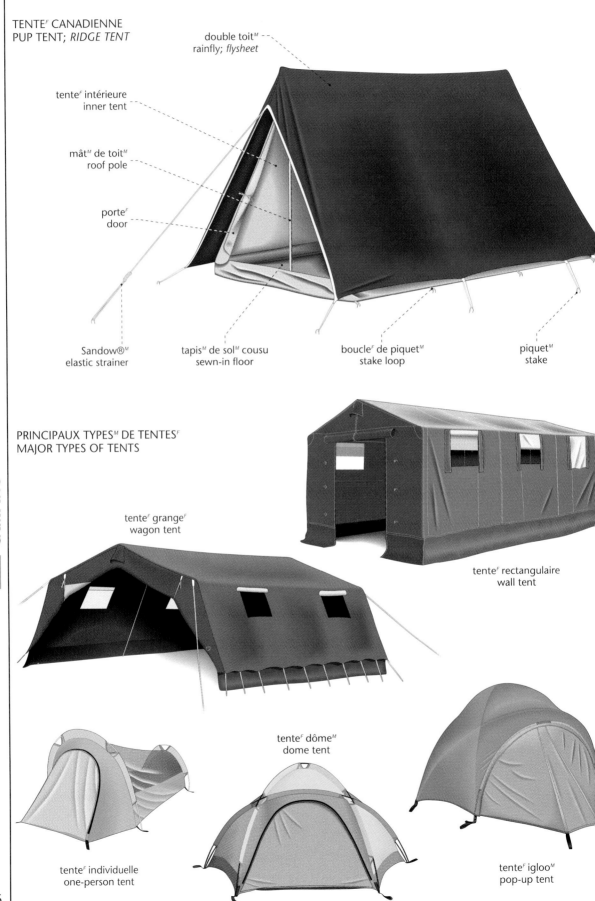

TENTE^F CANADIENNE
PUP TENT; *RIDGE TENT*

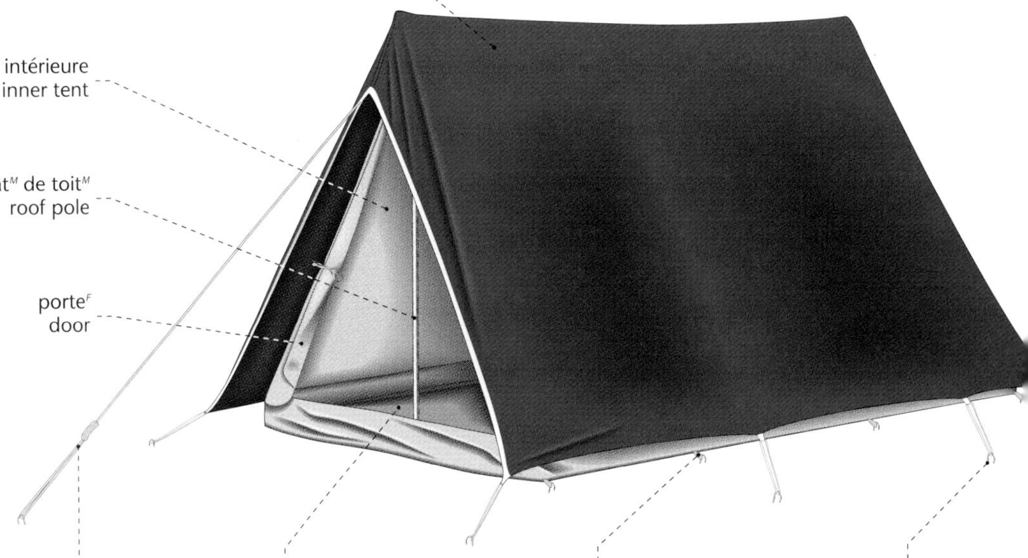

double toit^M
rainfly; *flysheet*
tente^F intérieure
inner tent
mât^M de toit^M
roof pole
porte^F
door
Sandow®^M
elastic strainer
tapis^M de sol^M cousu
sewn-in floor
boucle^F de piquet^M
stake loop
piquet^M
stake

PRINCIPAUX TYPES^M DE TENTES^F
MAJOR TYPES OF TENTS

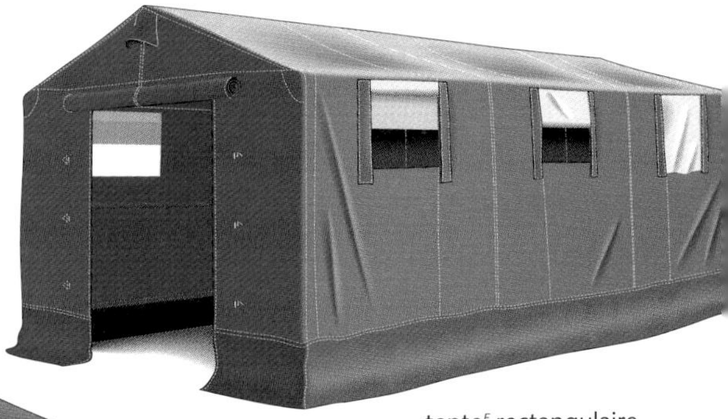
tente^F rectangulaire
wall tent

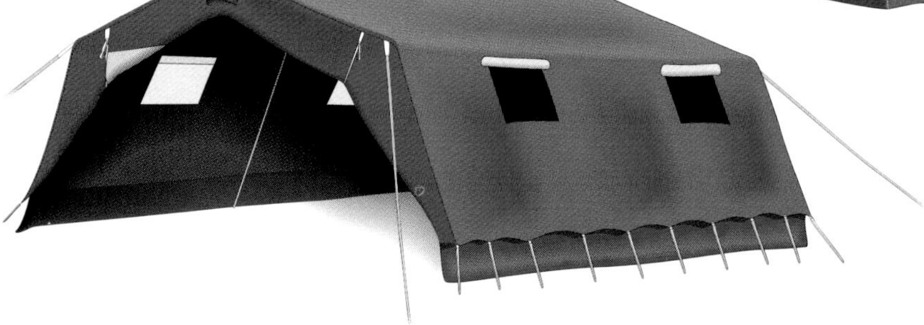
tente^F grange^F
wagon tent

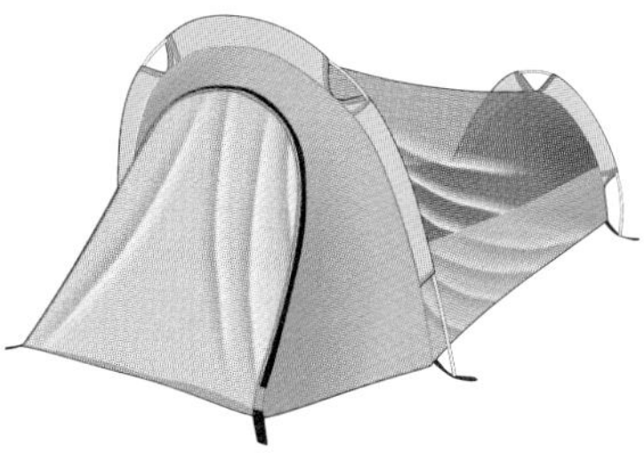
tente^F individuelle
one-person tent

tente^F dôme^M
dome tent

tente^F igloo^M
pop-up tent

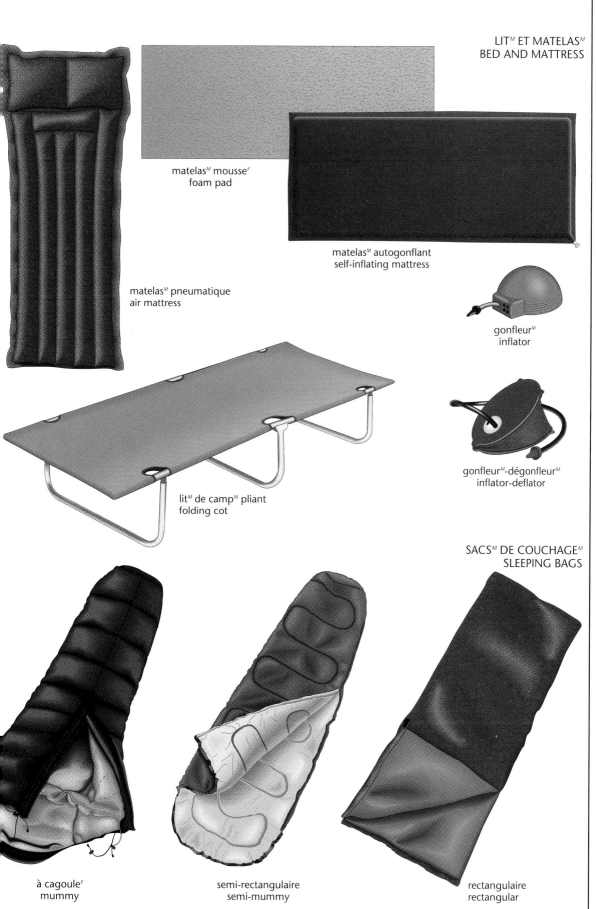

LIT^M ET MATELAS^M
BED AND MATTRESS

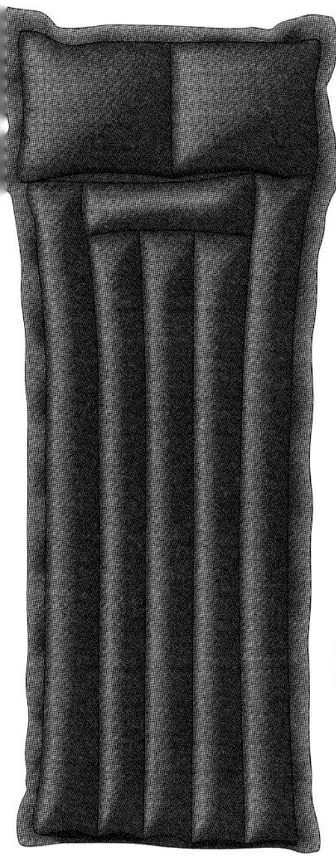

matelas^M pneumatique
air mattress

matelas^M mousse^F
foam pad

matelas^M autogonflant
self-inflating mattress

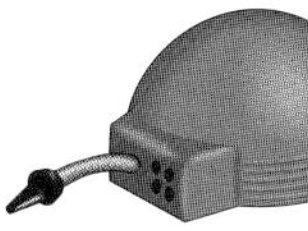

gonfleur^M
inflator

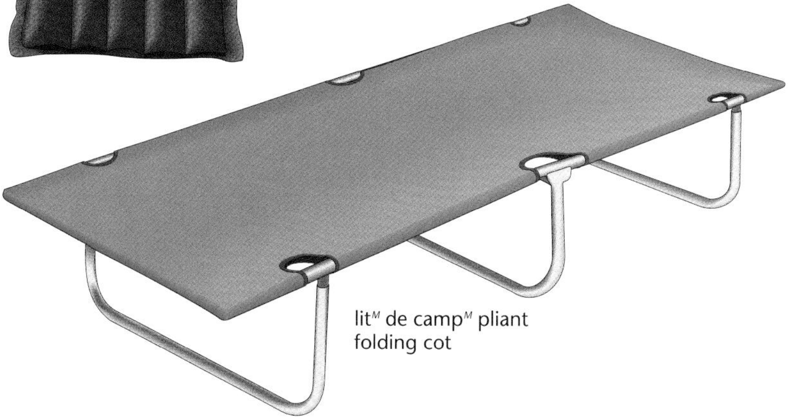

lit^M de camp^M pliant
folding cot

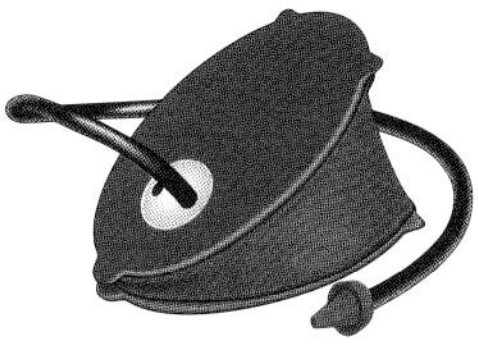

gonfleur^M-dégonfleur^M
inflator-deflator

SACS^M DE COUCHAGE^M
SLEEPING BAGS

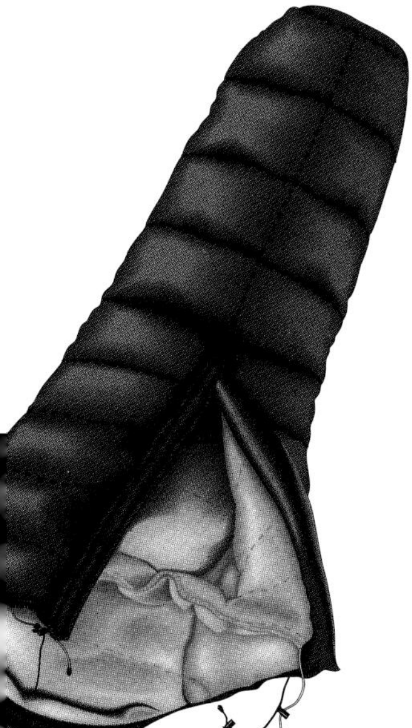

à cagoule^F
mummy

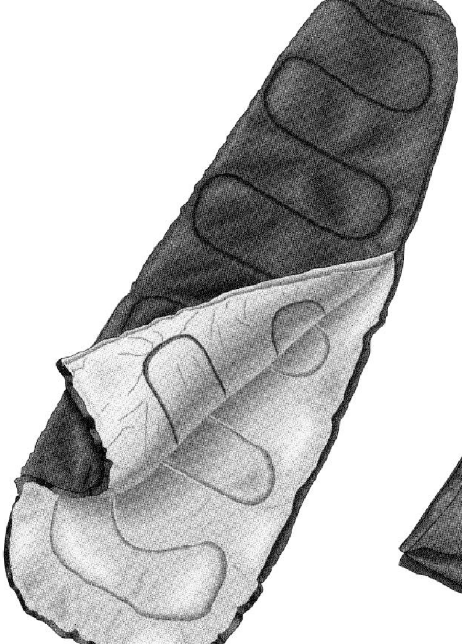

semi-rectangulaire
semi-mummy

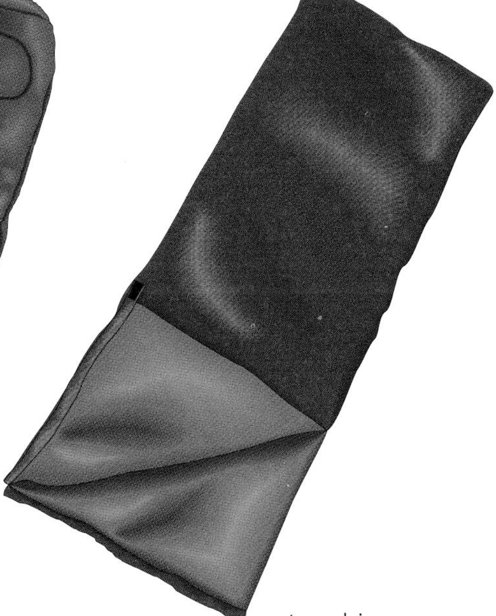

rectangulaire
rectangular

MATÉRIEL^M DE CAMPING^M
CAMPING EQUIPMENT

COUTEAU^M SUISSE
SWISS ARMY KNIFE

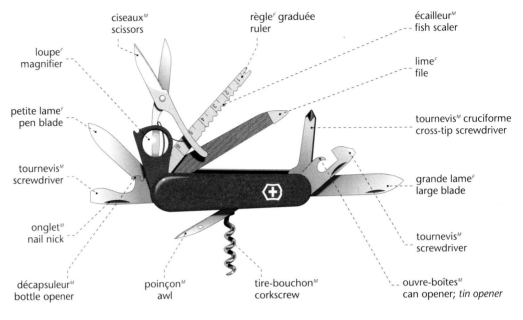

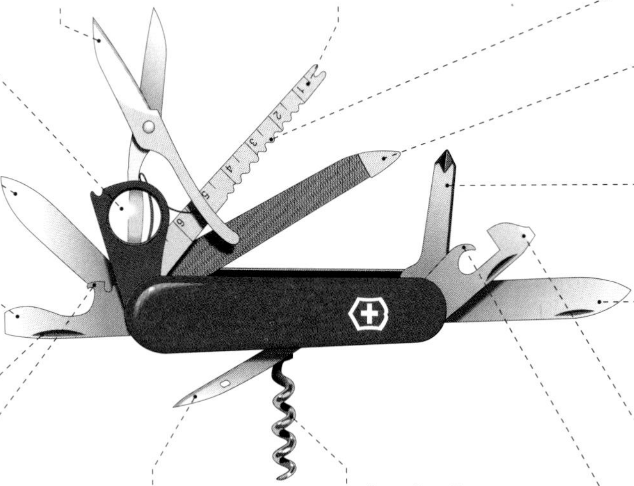
ciseaux^M
scissors
règle^F graduée
ruler
écailleur^M
fish scaler
loupe^F
magnifier
lime^F
file
petite lame^F
pen blade
tournevis^M cruciforme
cross-tip screwdriver
tournevis^M
screwdriver
grande lame^F
large blade
onglet^M
nail nick
tournevis^M
screwdriver
décapsuleur^M
bottle opener
poinçon^M
awl
tire-bouchon^M
corkscrew
ouvre-boîtes^M
can opener; *tin opener*

POPOTE^F
COOKING SET

tasse^F
cup
cafetière^F
coffee pot
faitout^M
sauce pan
poêle^F
frying pan
queue^F
handle
assiette^F plate
plate

USTENSILES^M DE CAMPEUR^M
CUTLERY SET

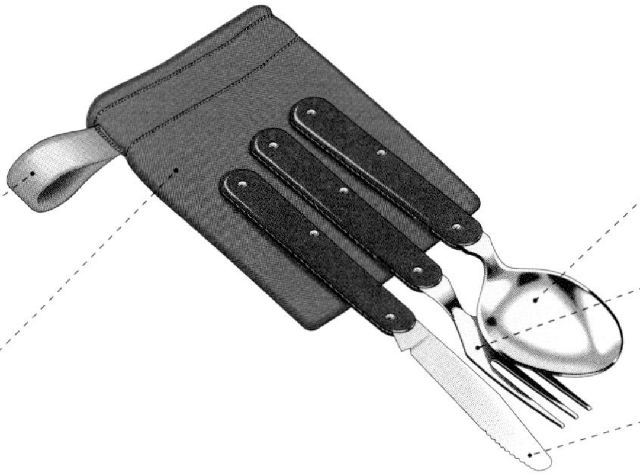
cuiller^F
spoon
ganse^F
belt loop
fourchette^F
fork
étui^M
sheath
couteau^M
knife

ACCESSOIRES[M] AU PROPANE[M] OU AU BUTANE[M]
PROPANE OR BUTANE ACCESSORIES

lanterne[F]
lantern

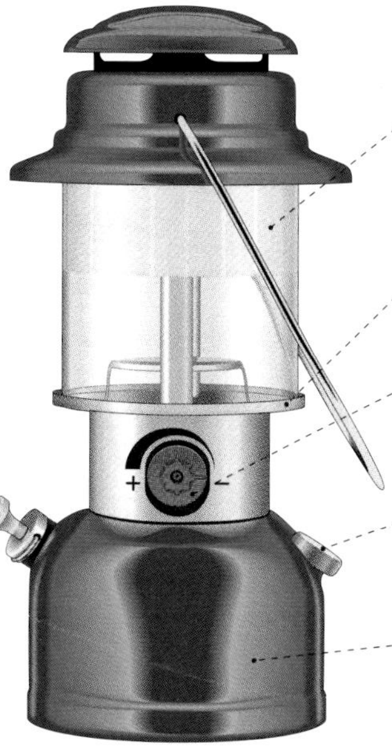
globe[M]
globe
bâti[M] du brûleur[M]
burner frame
régulateur[M] de pression[F]
pressure regulator
bouchon[M] antifuite
leakproof cap
réservoir[M]
tank
pompe[F]
pump

chaufferette[F]
heater

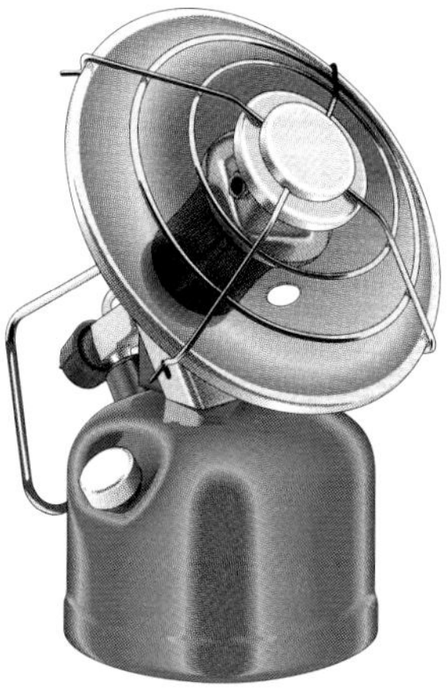

réchaud[M] à un feu[M]
single-burner camp stove

réchaud[M] à deux feux[M]
two-burner camp stove

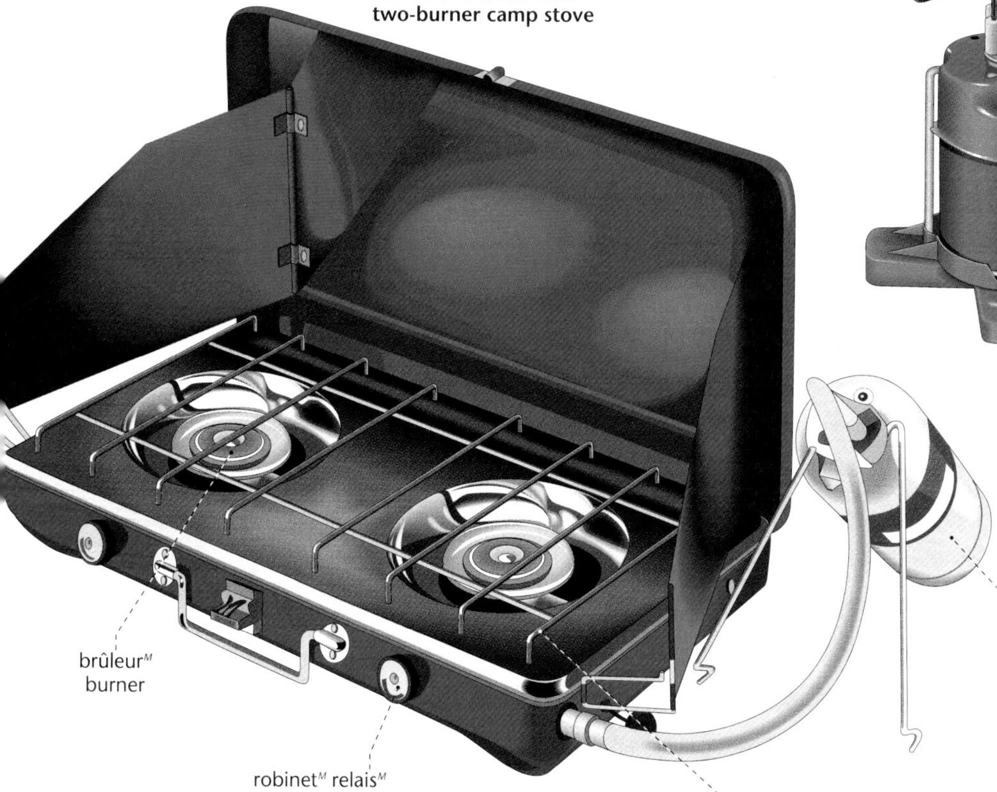
brûleur[M]
burner
robinet[M] relais[M]
control valve
grille[F] stabilisatrice
wire support
réservoir[M]
tank

CAMPING^{M}
CAMPING

MATÉRIEL^{M} DE CAMPING^{M}
CAMPING EQUIPMENT

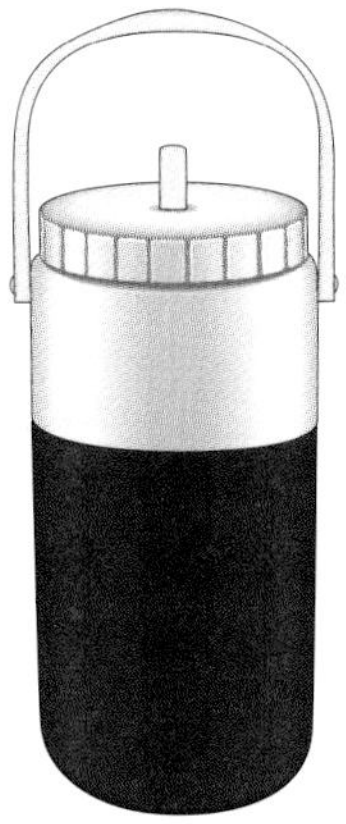
bouteille^{F} isolante
thermos; *vacuum flask*

cruche^{F}
water carrier

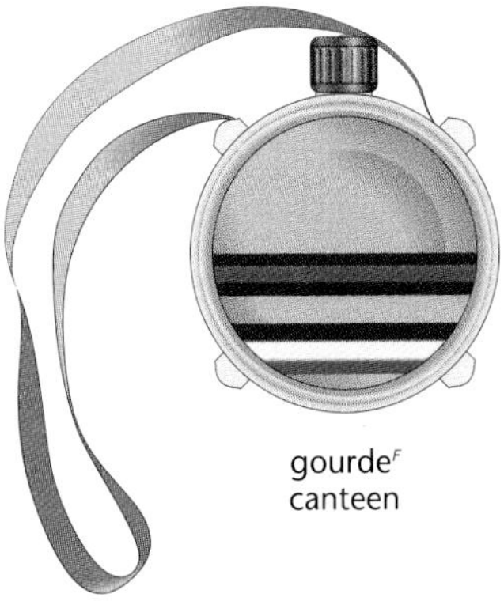
gourde^{F}
canteen

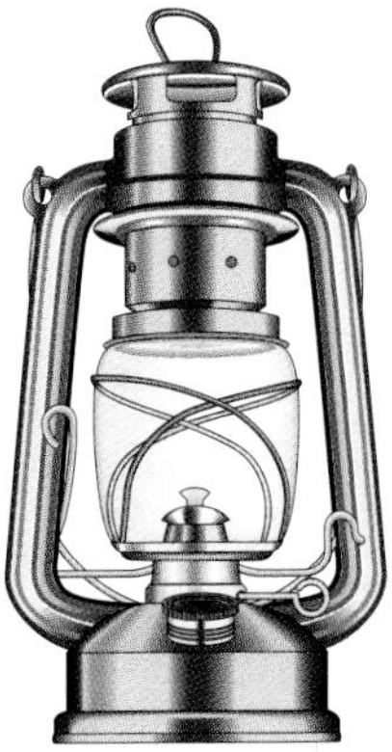
lampe^{F}-tempête^{F}
hurricane lamp

glacière^{F}
cooler

gril^{M} pliant
folding grill

OUTILS^{M}
TOOLS

hachette^{F}
hatchet

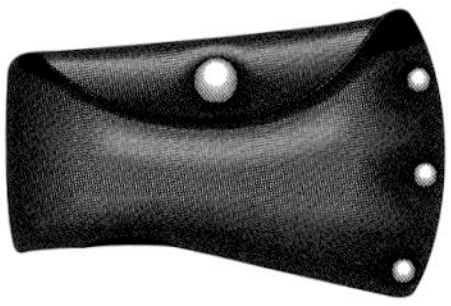
étui^{M} de cuir^{M}
leather sheath

gaine^{F}
sheath

couteau^{M}
knife

pelle^{F}-pioche^{F} pliante
folding shovel

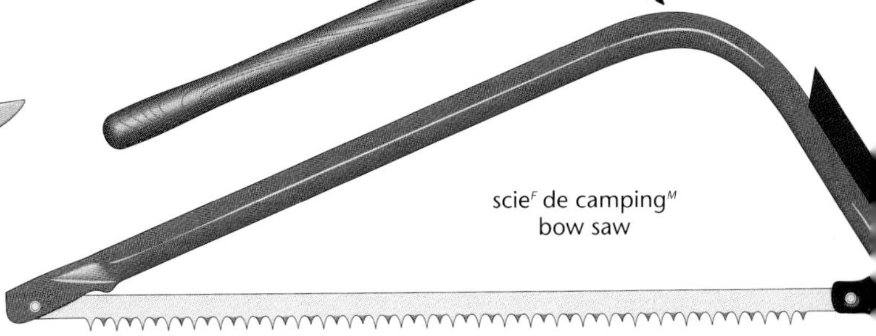
scie^{F} de camping^{M}
bow saw

NŒUDS^{M}
KNOTS

nœud^{M} plat
reef knot

nœud^{M} simple
overhand knot

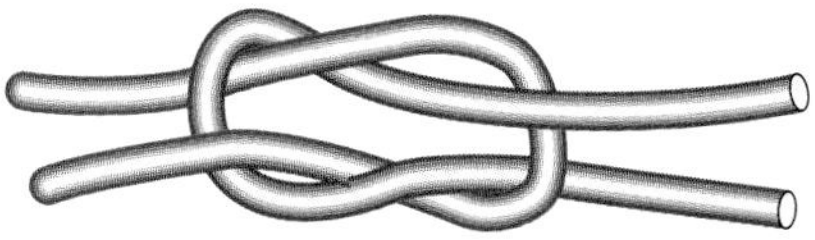

nœud^{M} de vache^{F}
granny knot

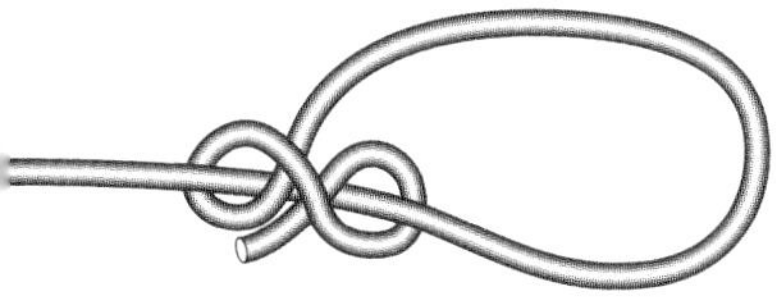

nœud^{M} coulant
running bowline

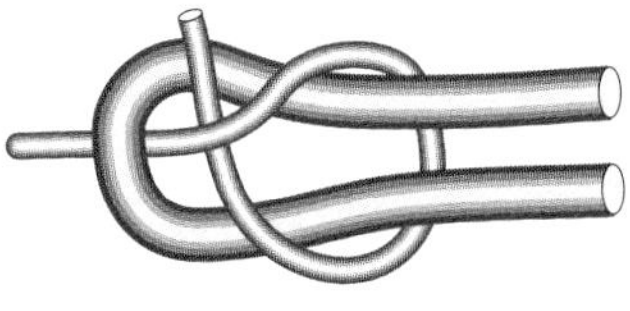

noeud^{M} d'écoute^{F} simple
sheet bend

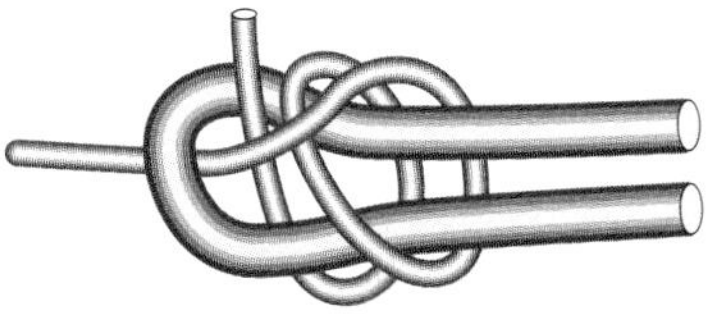

noeud^{M} d'écoute^{F} double
double sheet bend

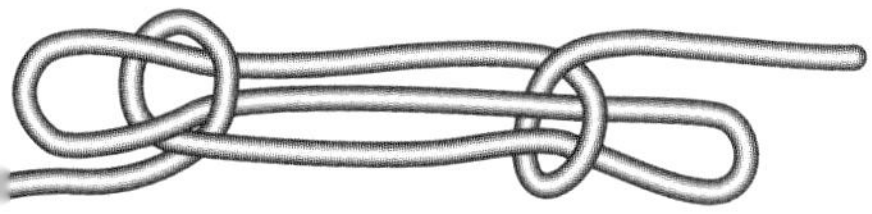

nœud^{M} de jambe^{F} de chien^{M}
sheepshank

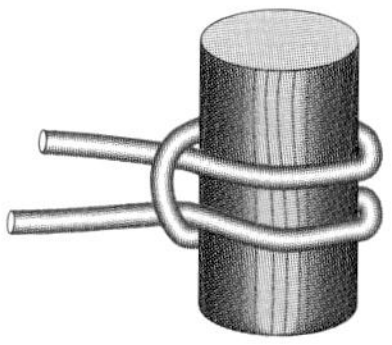

demi-clé^{F} renversée
cow hitch

noeud^{M} de Franciscain^{M}
heaving line knot

nœud^{M} de pêcheur^{M}
fisherman's knot

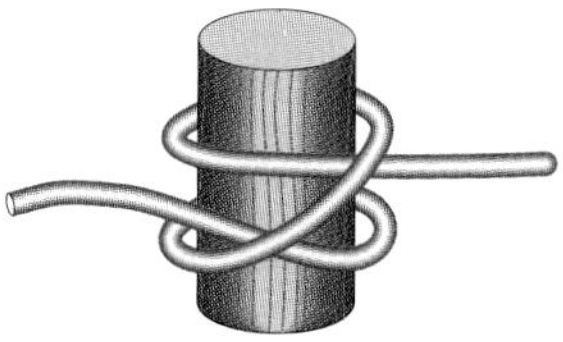

nœud^{M} de cabestan^{M}
clove hitch

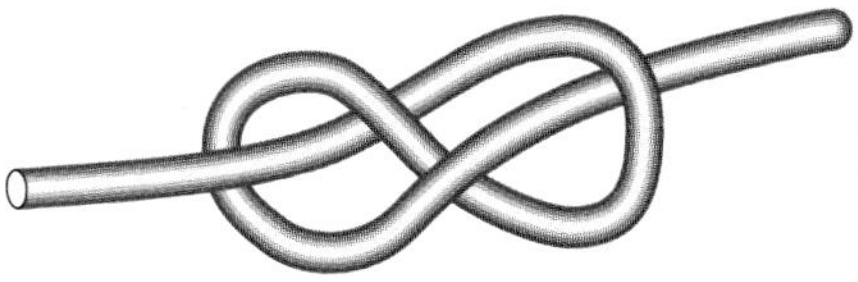

nœud^{M} d'arrêt^{M}
figure-eight knot

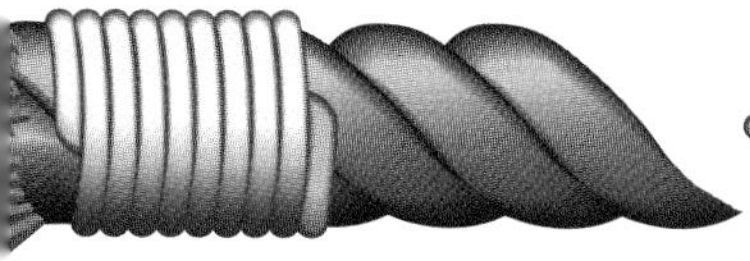

surliure^{F}
common whipping

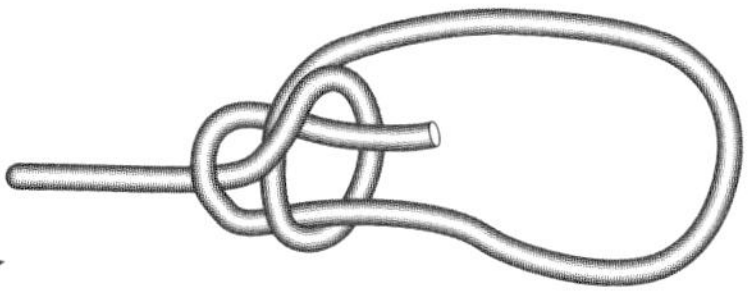

nœud^{M} de chaise^{F} simple
bowline

nœud^{M} de chaise^{F} double
bowline on a bight

NŒUDS[M]
KNOTS

ÉPISSURE[F] COURTE
SHORT SPLICE

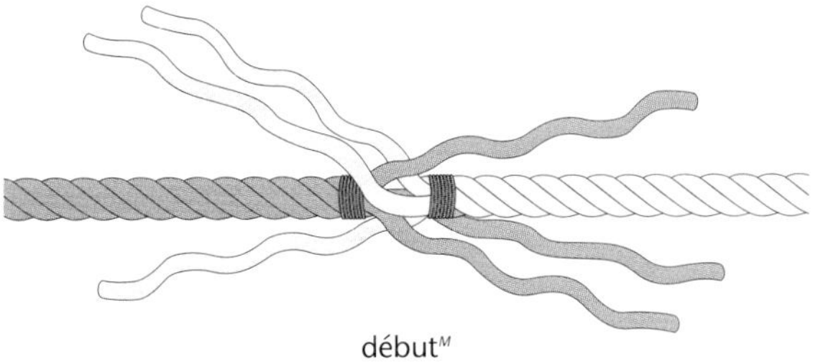

début[M]
forming

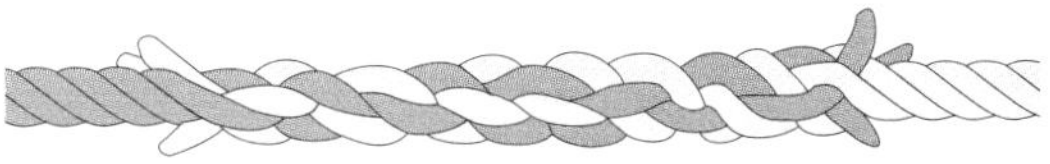

fin[F]
completion

CÂBLE[M]
CABLE

CORDAGE[M] COMMIS
TWISTED ROPE

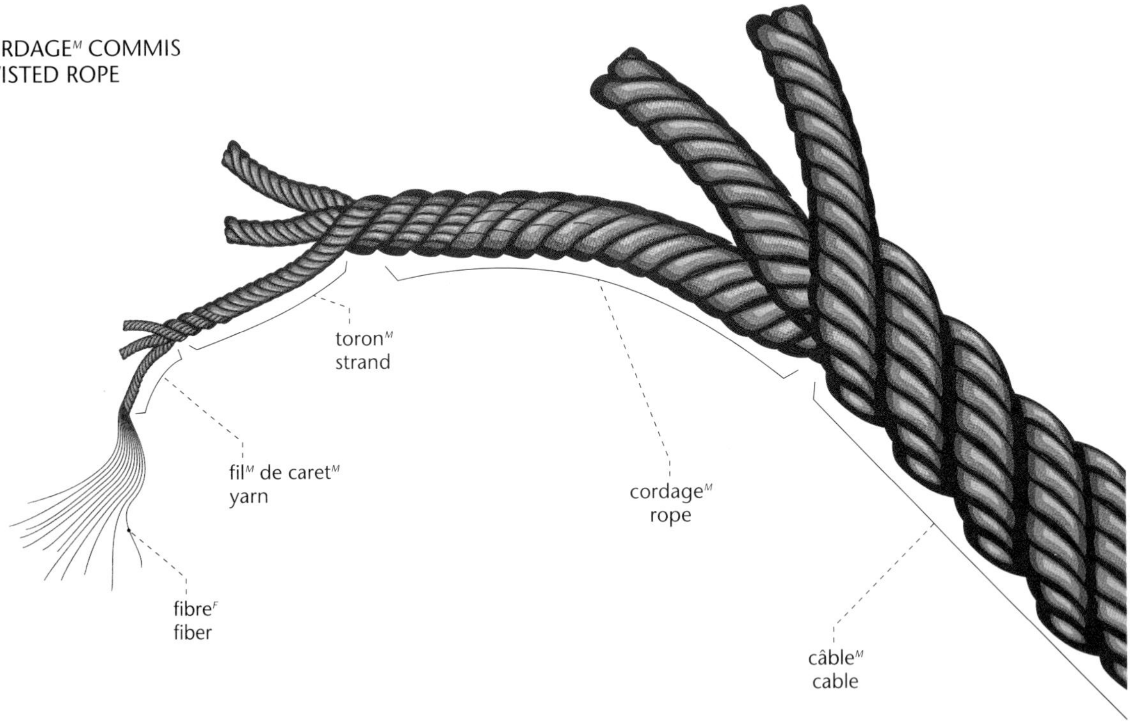

toron[M]
strand
fil[M] de caret[M]
yarn
fibre[F]
fiber
cordage[M]
rope
câble[M]
cable

CORDAGE[M] TRESSÉ
BRAIDED ROPE

âme[F]
core
gaine[F]
sheath

JEUX DE SOCIÉTÉ • INDOOR GAMES

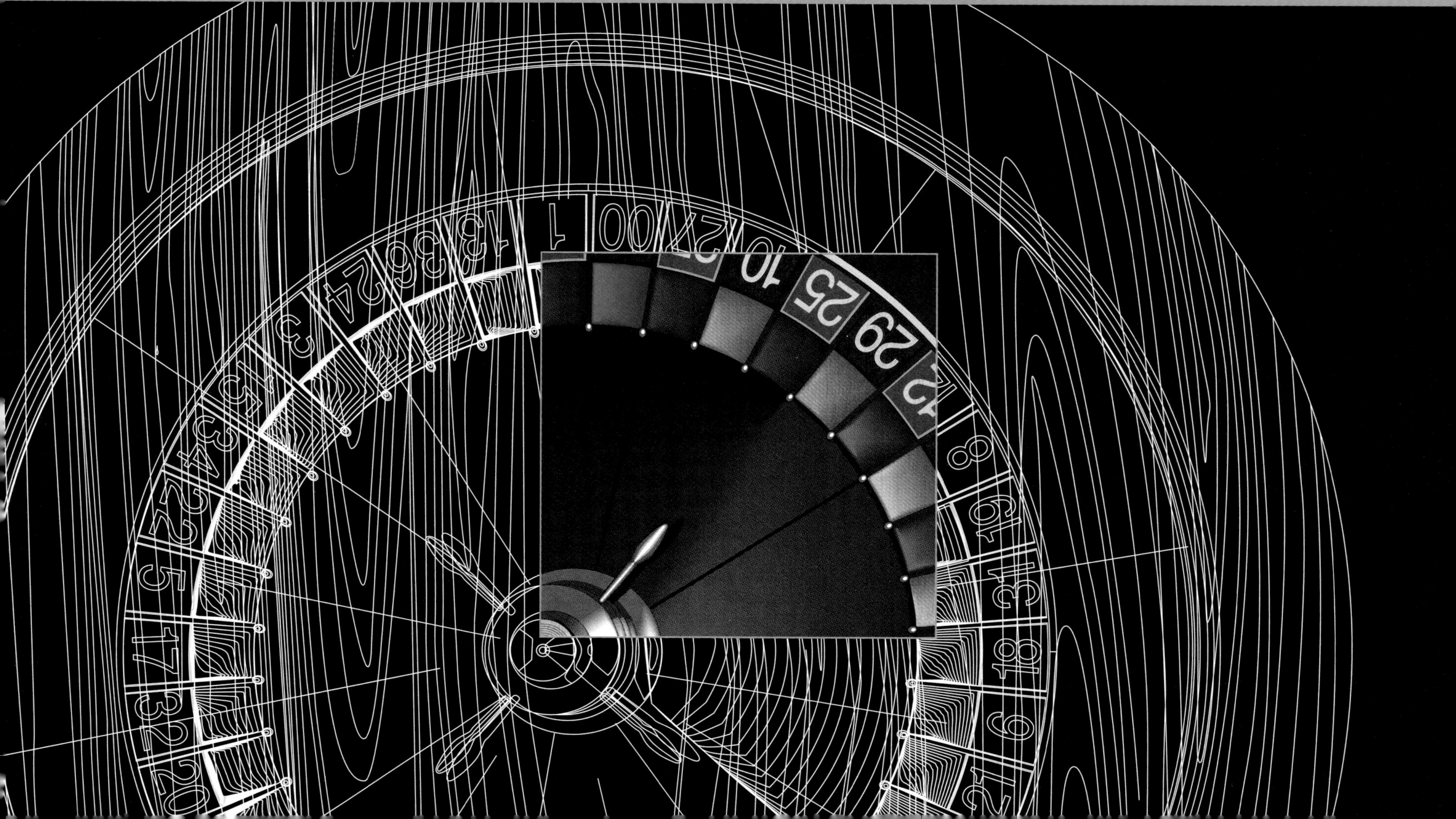

SOMMAIRE

CARTES^F
CARD GAMES

SYMBOLES^M
SYMBOLS

cœur^M
heart

carreau^M
diamond

trèfle^M
club

pique^M
spade

Joker^M
Joker

As^M
Ace

Roi^M
King

Dame^F
Queen

Valet^M
Jack

COMBINAISONS^F AU POKER^M
STANDARD POKER HANDS

quinte^F royale
royal flush

quinte^F
straight flush

carré^M
four-of-a-kind

main^F pleine
full house

couleur^F
flush

séquence^F
straight

brelan^M
three-of-a-kind

double paire^F
two pairs

paire^F
one pair

carte^F isolée
high card

DOMINOS^M
DOMINOES

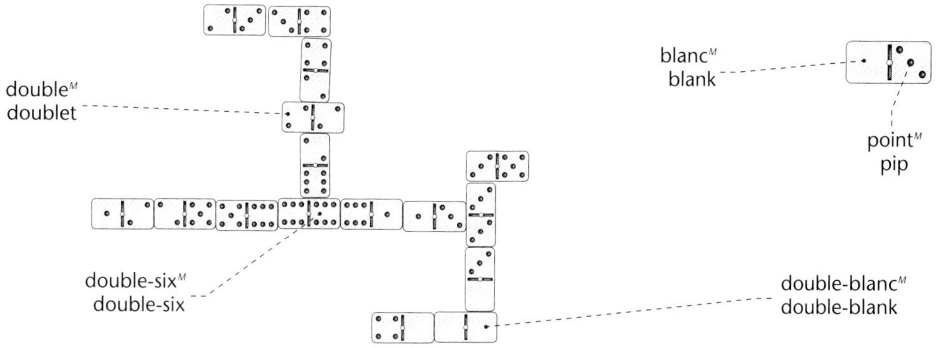
double^M
doublet
double-six^M
double-six
blanc^M
blank
point^M
pip
double-blanc^M
double-blank

ÉCHECS[M]
CHESS

ÉCHIQUIER[M]
CHESSBOARD

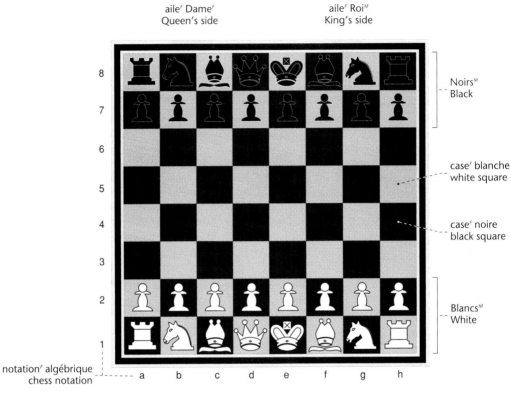

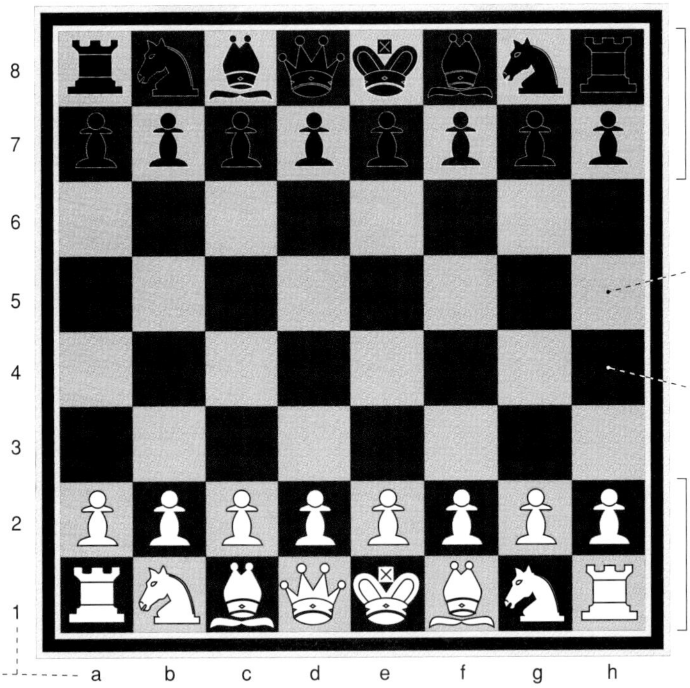
aile[F] Dame[F]
Queen's side
aile[F] Roi[M]
King's side
Noirs[M]
Black
case[F] blanche
white square
case[F] noire
black square
Blancs[M]
White
notation[F] algébrique
chess notation
8
7
6
5
4
3
2
1
a
b
c
d
e
f
g
h

TYPES[M] DE DÉPLACEMENTS[M]
TYPES OF MOVEMENTS

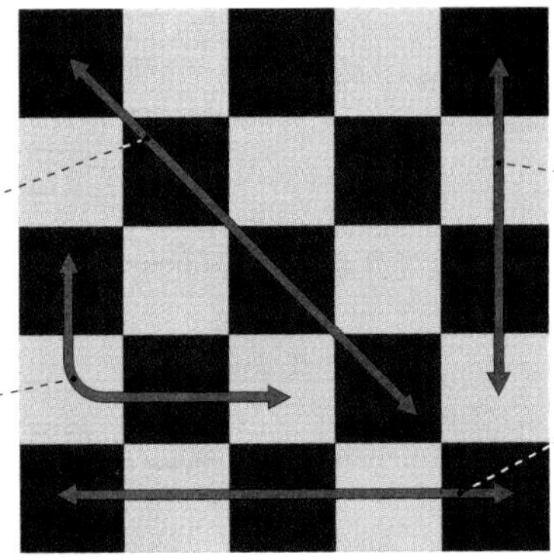
déplacement[M] diagonal
diagonal movement
déplacement[M] en équerre[F]
square movement
déplacement[M] vertical
vertical movement
déplacement[M] horizontal
horizontal movement

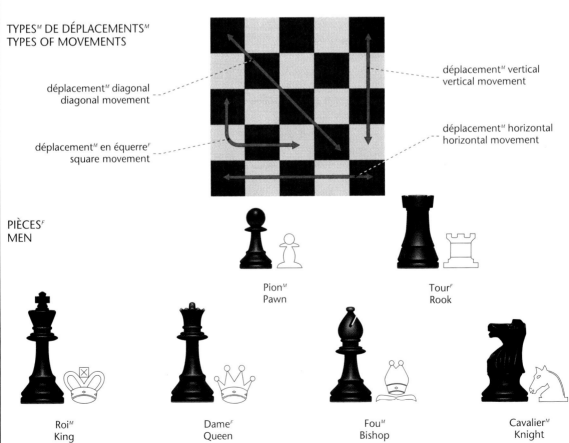

PIÈCES[F]
MEN

Pion[M]
Pawn

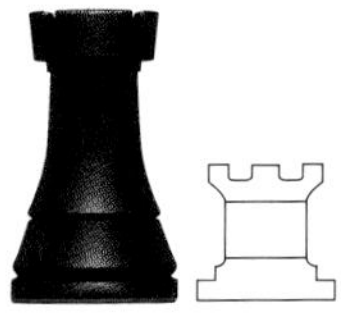
Tour[F]
Rook

Roi[M]
King

Dame[F]
Queen

Fou[M]
Bishop

Cavalier[M]
Knight

JACQUET[M]
BACKGAMMON

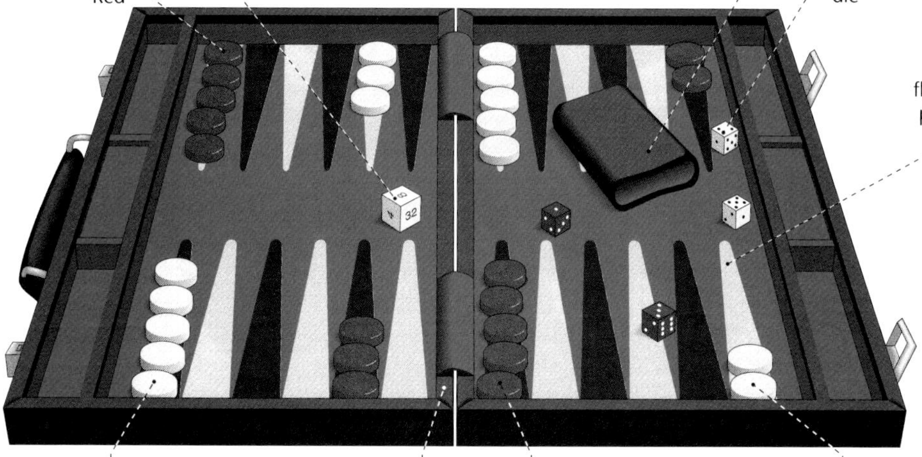
dé[M] doubleur[M]
doubling die
jan[M] extérieur
outer table
jan[M] intérieur
inner table
cornet[M] à dés[M]
dice cup
Rouges[M]
Red
dé[M]
die
flèche[F]
point
Blancs[M]
White
cloison[F]
bar
dames[F]
men
postillon[M]
runner

GO[M]
GO

TERRAIN[M]
BOARD

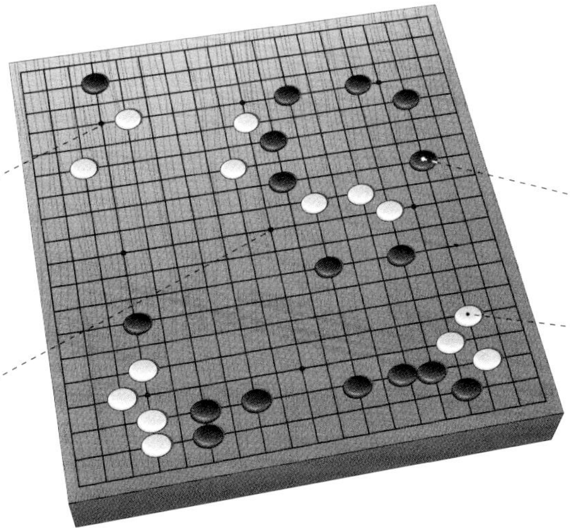
points[M] de handicap[M]
handicap spot
pierre[F] noire
black stone
pierre[F] blanche
white stone
centre[M]
center; *centre*

PRINCIPAUX MOUVEMENTS[M]
MAJOR MOTIONS

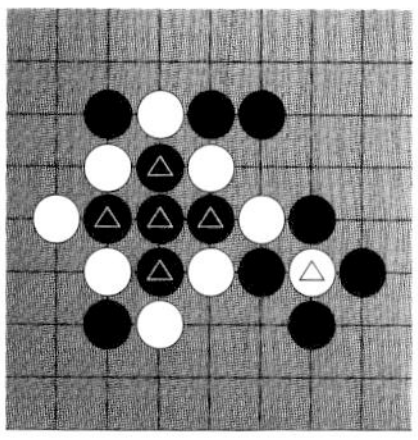

capture[F]
capture

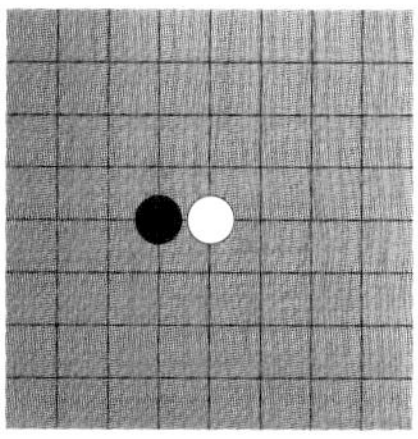

contact[M]
contact

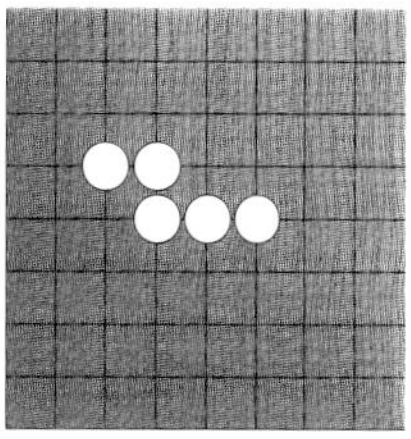

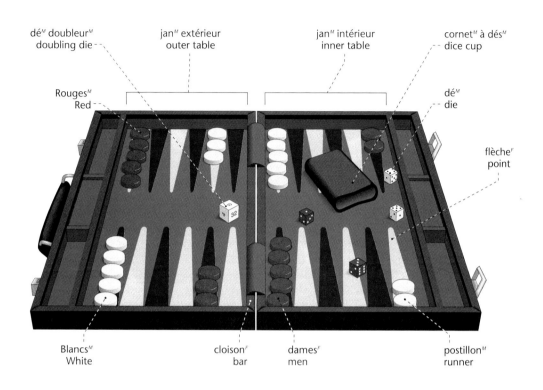

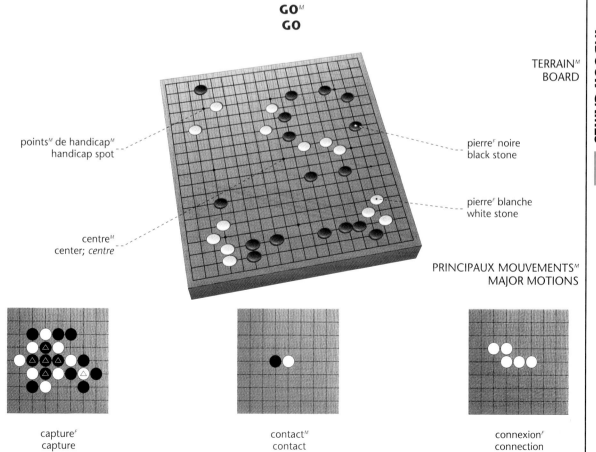

connexion[F]
connection

JEU^M DE FLÉCHETTES^F
GAME OF DARTS

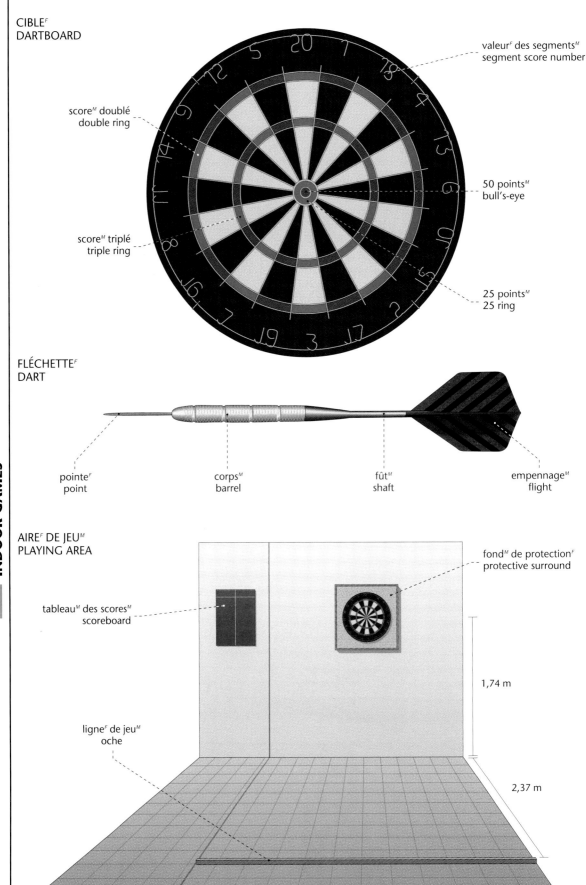

CIBLE^F
DARTBOARD

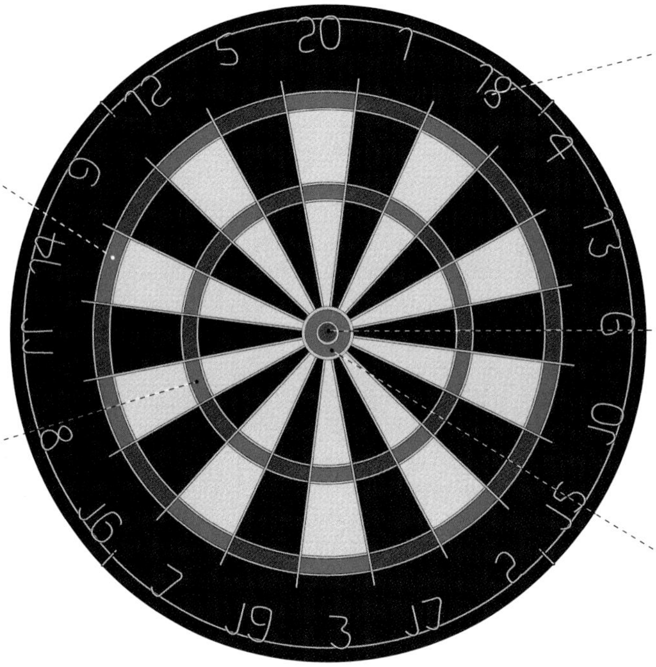
valeur^F des segments^M
segment score number
score^M doublé
double ring
50 points^M
bull's-eye
score^M triplé
triple ring
25 points^M
25 ring

FLÉCHETTE^F
DART

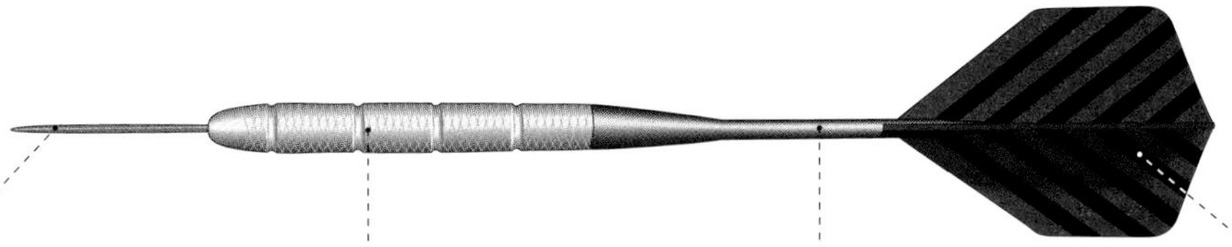
pointe^F
point
corps^M
barrel
fût^M
shaft
empennage^M
flight

AIRE^F DE JEU^M
PLAYING AREA

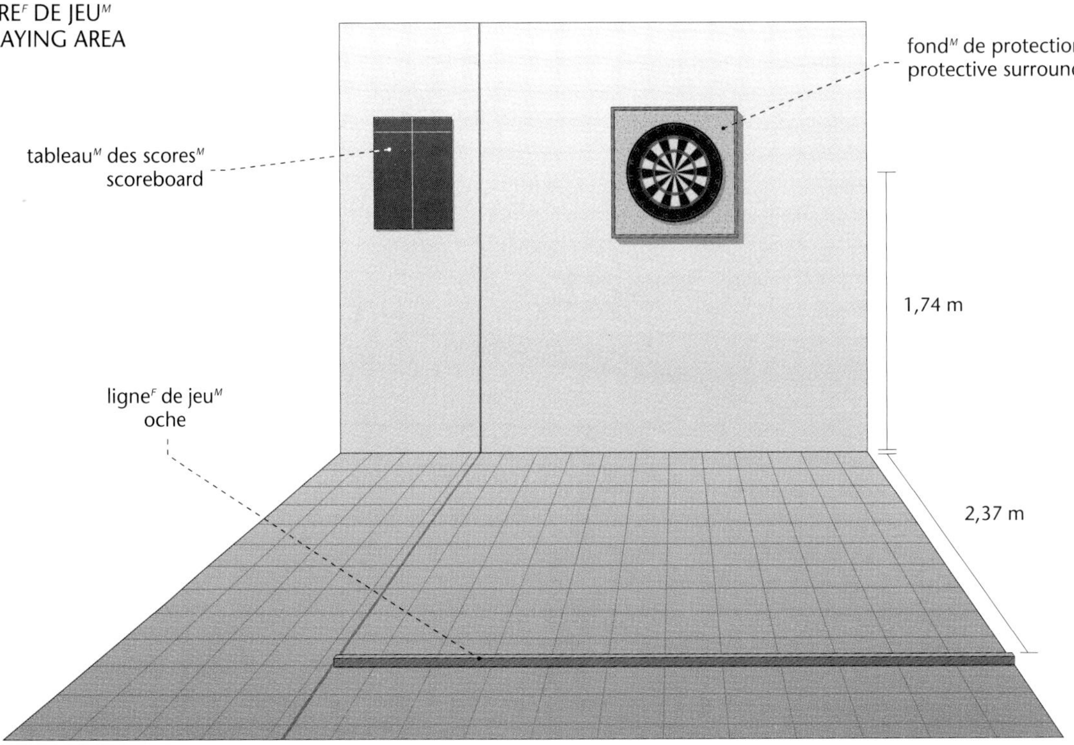
fond^M de protection^F
protective surround
tableau^M des scores^M
scoreboard
1,74 m
ligne^F de jeu^M
oche
2,37 m

SYSTÈME[M] DE JEUX[M] VIDÉO
VIDEO ENTERTAINMENT SYSTEM

écran[M]
visual display

bloc[M] de commande[F]
control pad

bouton[M] de fonction[F]
function button

console[F] de traitement[M]
control deck

cartouche[F] de jeu[M]
game cartridge

DÉS[M]
DICE

dé[M] à poker[M]
poker die

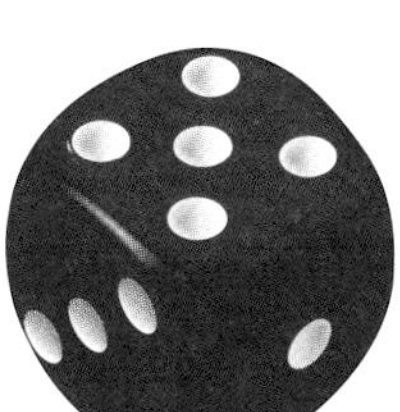

dé[M] régulier
ordinary die

TABLE[F] DE ROULETTE
ROULETTE TABLE

ROULETTE[F] AMÉRICAINE
AMERICAN ROULETTE WHEEL

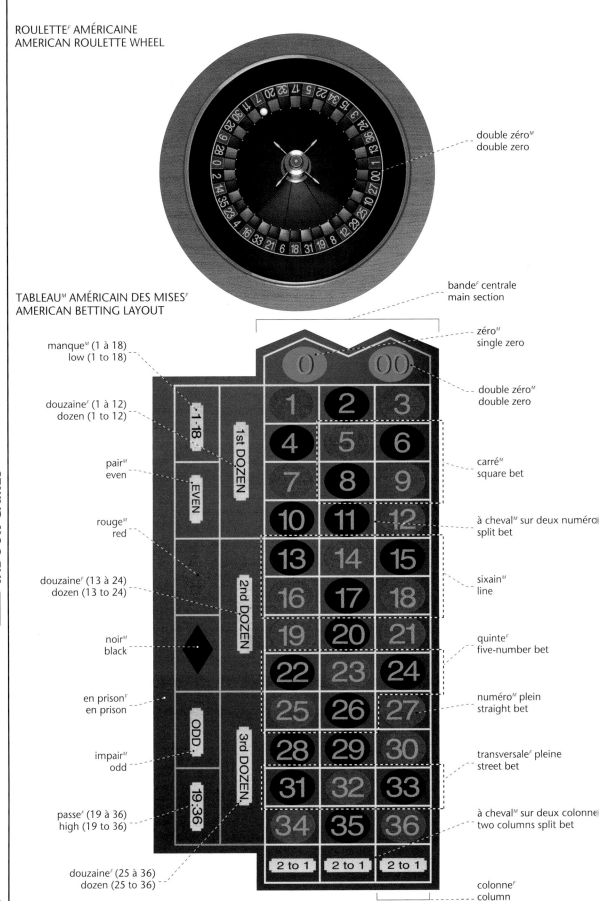

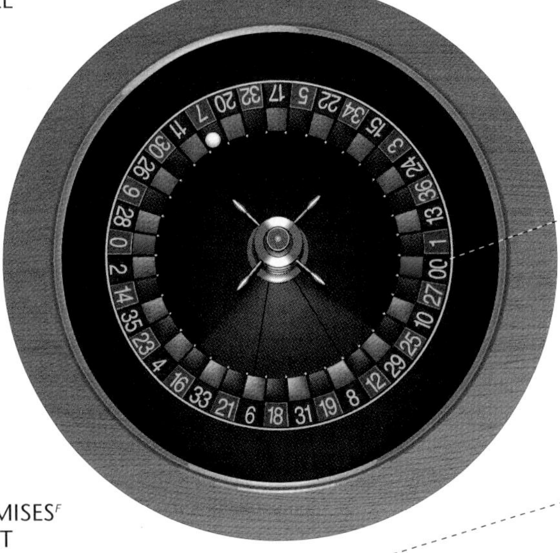
double zéro[M]
double zero

TABLEAU[M] AMÉRICAIN DES MISES[F]
AMERICAN BETTING LAYOUT

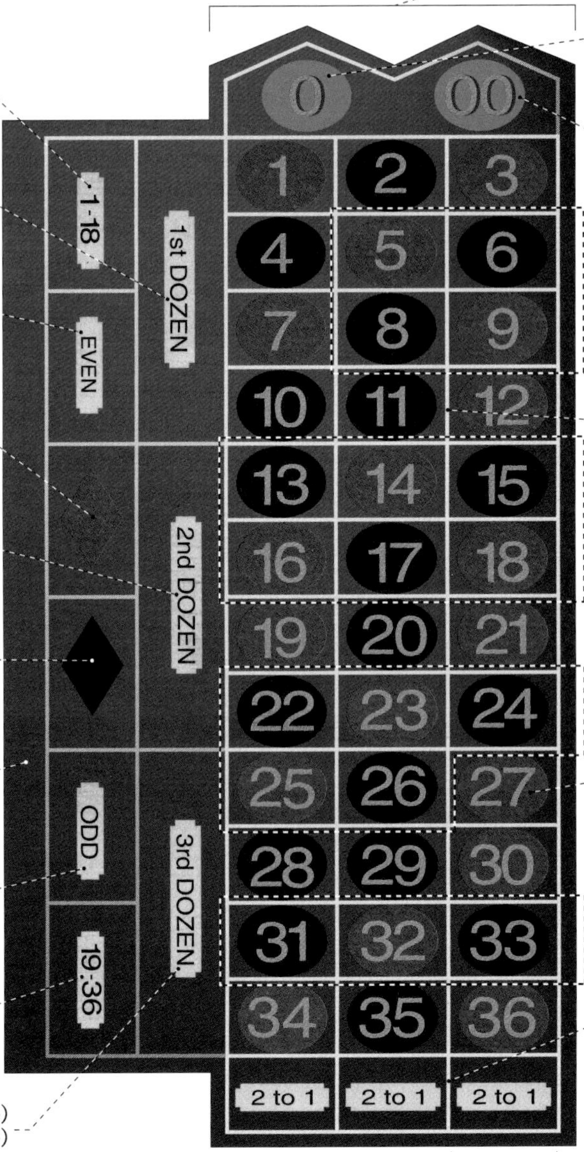
bande[F] centrale
main section
zéro[M]
single zero
double zéro[M]
double zero
carré[M]
square bet
à cheval[M] sur deux numéros
split bet
sixain[M]
line
quinte[F]
five-number bet
numéro[M] plein
straight bet
transversale[F] pleine
street bet
à cheval[M] sur deux colonnes
two columns split bet
colonne[F]
column
manque[M] (1 à 18)
low (1 to 18)
douzaine[F] (1 à 12)
dozen (1 to 12)
pair[M]
even
rouge[M]
red
douzaine[F] (13 à 24)
dozen (13 to 24)
noir[M]
black
en prison[F]
en prison
impair[M]
odd
passe[F] (19 à 36)
high (19 to 36)
douzaine[F] (25 à 36)
dozen (25 to 36)
0
00
1-18
EVEN
ODD
19-36
1st DOZEN
2nd DOZEN
3rd DOZEN
2 to 1
2 to 1
2 to 1

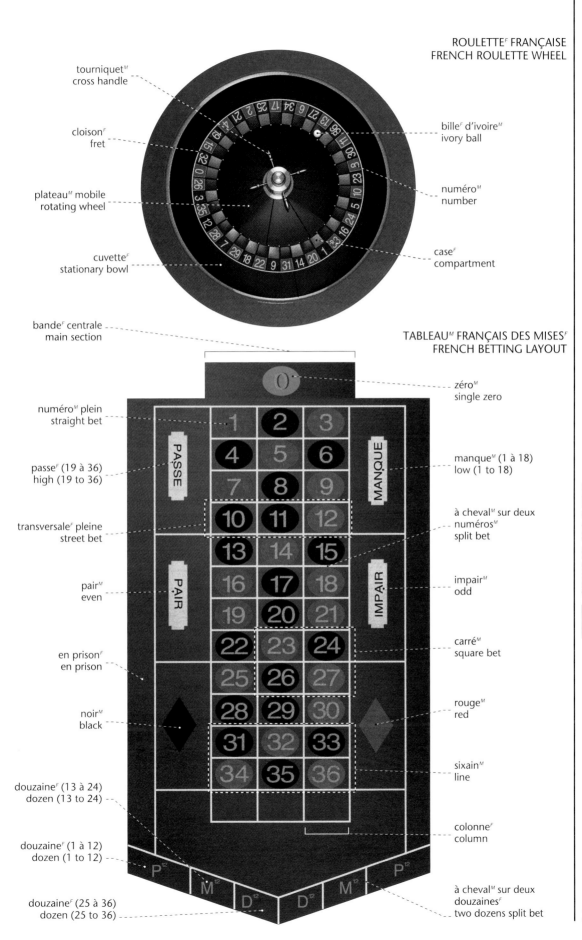

ROULETTE[F] FRANÇAISE
FRENCH ROULETTE WHEEL

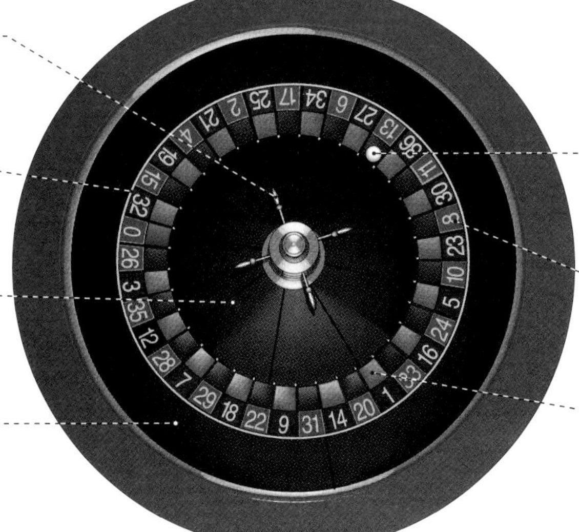
tourniquet[M]
cross handle
cloison[F]
fret
plateau[M] mobile
rotating wheel
cuvette[F]
stationary bowl
bille[F] d'ivoire[M]
ivory ball
numéro[M]
number
case[F]
compartment

TABLEAU[M] FRANÇAIS DES MISES[F]
FRENCH BETTING LAYOUT

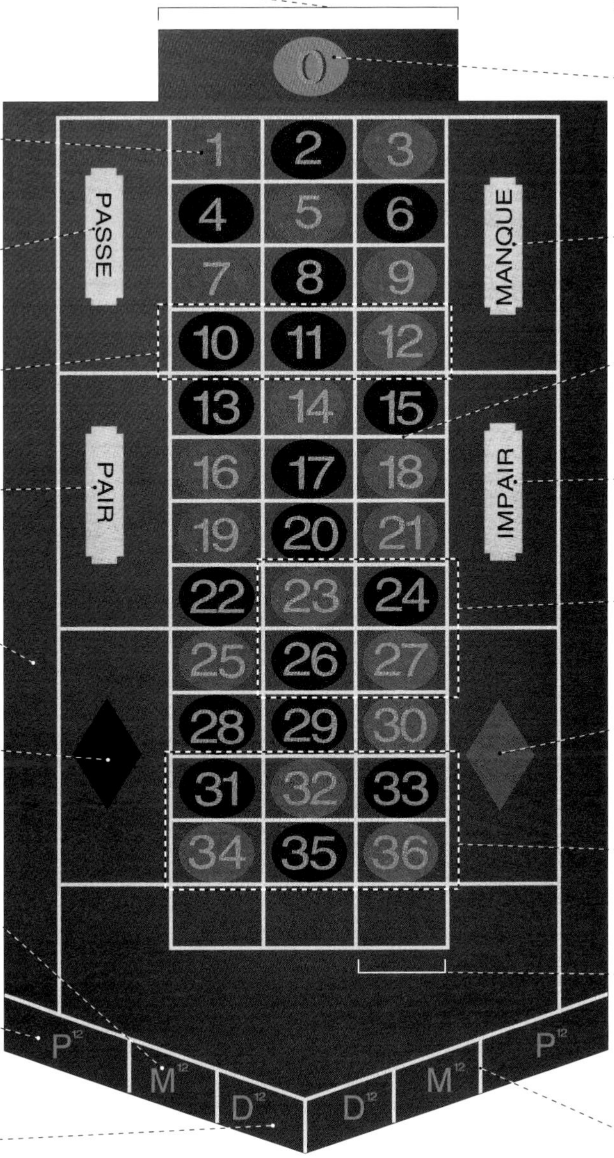
bande[F] centrale
main section
zéro[M]
single zero
numéro[M] plein
straight bet
passe[F] (19 à 36)
high (19 to 36)
transversale[F] pleine
street bet
pair[M]
even
en prison[F]
en prison
noir[M]
black
douzaine[F] (13 à 24)
dozen (13 to 24)
douzaine[F] (1 à 12)
dozen (1 to 12)
douzaine[F] (25 à 36)
dozen (25 to 36)
manque[M] (1 à 18)
low (1 to 18)
à cheval[M] sur deux numéros[M]
split bet
impair[M]
odd
carré[M]
square bet
rouge[M]
red
sixain[M]
line
colonne[F]
column
à cheval[M] sur deux douzaines[F]
two dozens split bet
PASSE
MANQUE
PAIR
IMPAIR

MACHINE[F] À SOUS[M]
SLOT MACHINE

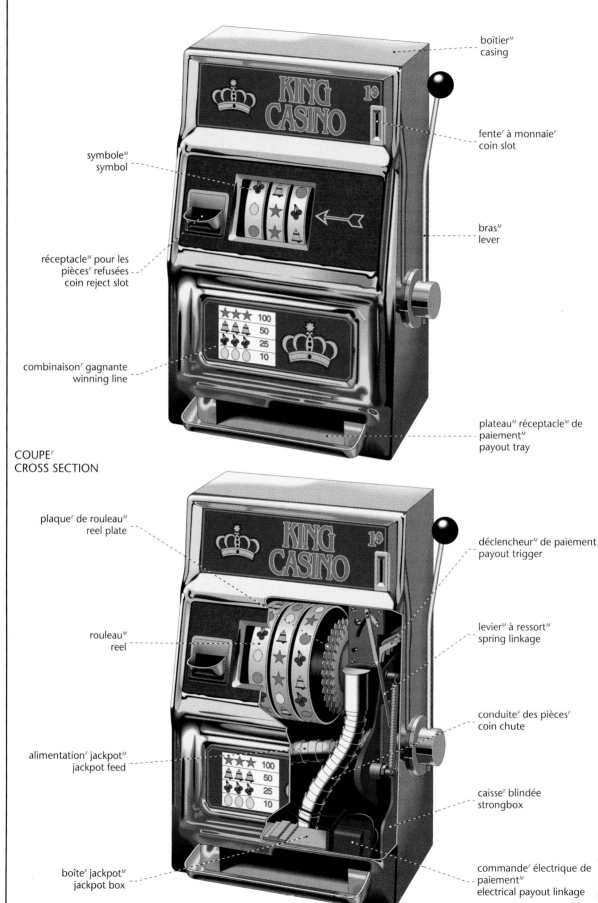

boîtier[M]
casing
KING CASINO
1$
fente[F] à monnaie[F]
coin slot
symbole[M]
symbol
bras[M]
lever
réceptacle[M] pour les pièces[F] refusées
coin reject slot
100
50
25
10
combinaison[F] gagnante
winning line
plateau[M] réceptacle[M] de paiement[M]
payout tray

COUPE[F]
CROSS SECTION

plaque[F] de rouleau[M]
reel plate
KING CASINO
1$
déclencheur[M] de paiement
payout trigger
rouleau[M]
reel
levier[M] à ressort[M]
spring linkage
conduite[F] des pièces[F]
coin chute
alimentation[F] jackpot[M]
jackpot feed
100
50
25
10
caisse[F] blindée
strongbox
boîte[F] jackpot[M]
jackpot box
commande[F] électrique de paiement[M]
electrical payout linkage

APPAREILS DE MESURE • MEASURING DEVICES

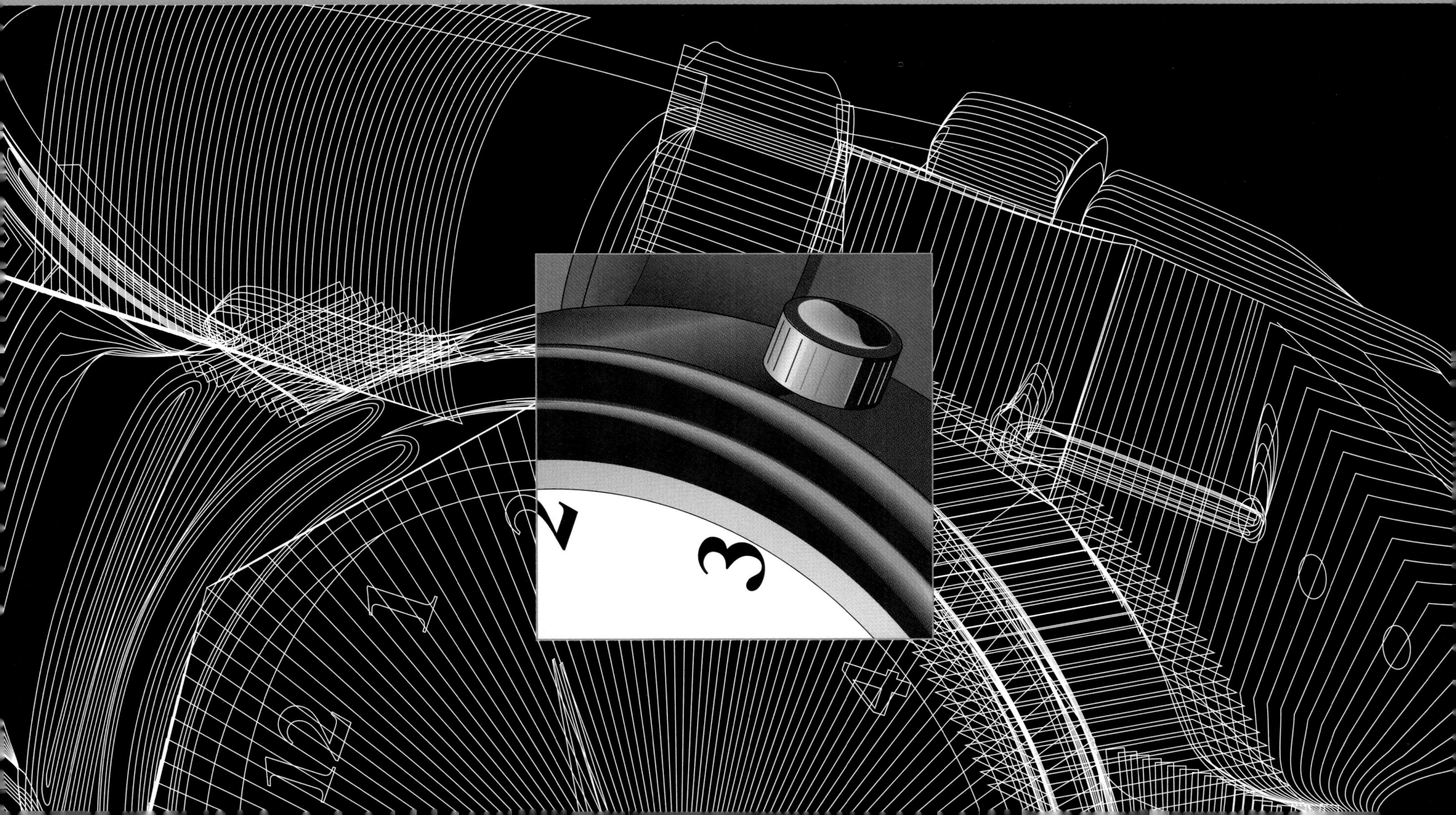

SOMMAIRE

MESURE[F] DE LA TEMPÉRATURE[F]
MEASURE OF TEMPERATURE

THERMOMÈTRE[M]
THERMOMETER

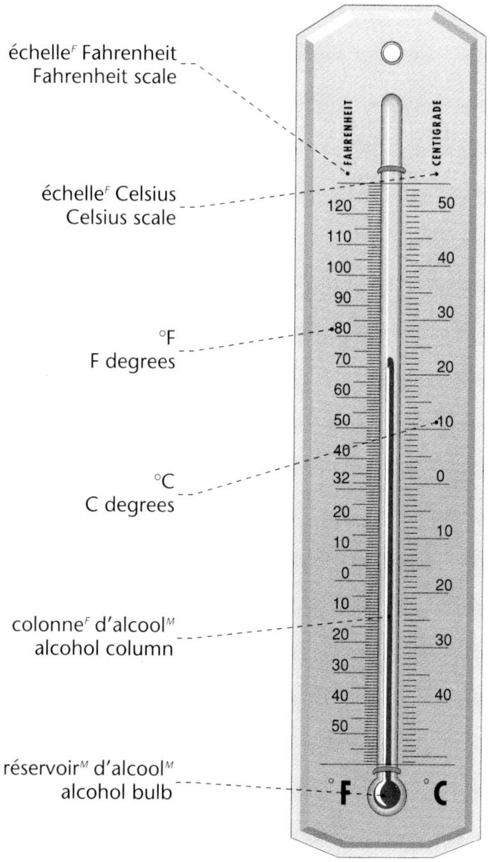

échelle[F] Fahrenheit
Fahrenheit scale
échelle[F] Celsius
Celsius scale
°F
F degrees
°C
C degrees
colonne[F] d'alcool[M]
alcohol column
réservoir[M] d'alcool[M]
alcohol bulb
FAHRENHEIT
CENTIGRADE
120
110
100
90
80
70
60
50
40
32
20
10
0
10
20
30
40
50
50
40
30
20
10
0
10
20
30
40
°F
°C

THERMOMÈTRE[M] MÉDICAL
CLINICAL THERMOMETER

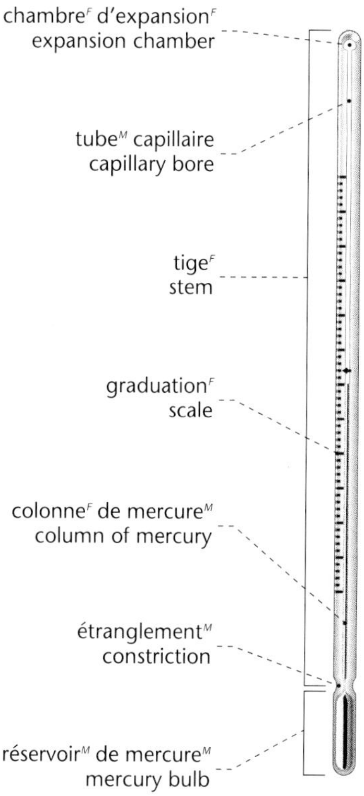

chambre[F] d'expansion[F]
expansion chamber
tube[M] capillaire
capillary bore
tige[F]
stem
graduation[F]
scale
colonne[F] de mercure[M]
column of mercury
étranglement[M]
constriction
réservoir[M] de mercure[M]
mercury bulb

THERMOMÈTRE[M] BIMÉTALLIQUE
BIMETALLIC THERMOMETER

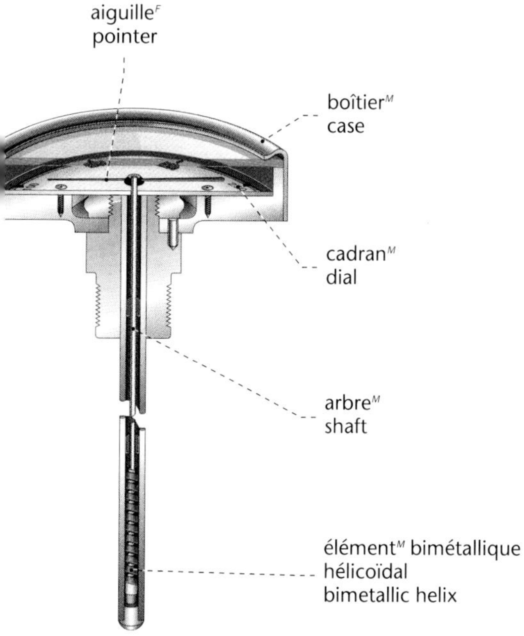

aiguille[F]
pointer
boîtier[M]
case
cadran[M]
dial
arbre[M]
shaft
élément[M] bimétallique hélicoïdal
bimetallic helix

THERMOSTAT[M] D'AMBIANCE[F]
ROOM THERMOSTAT

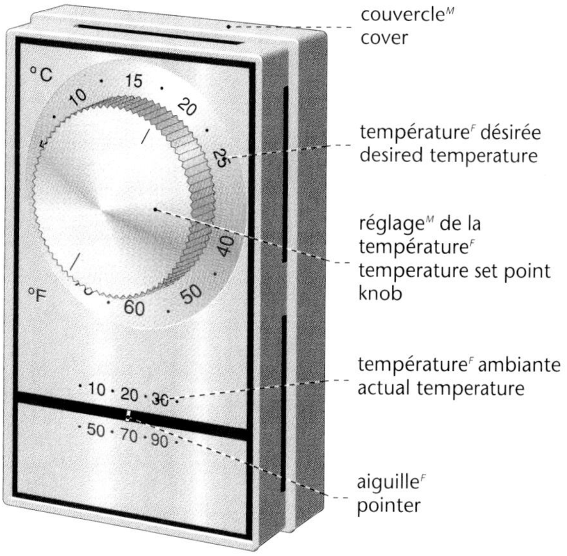

couvercle[M]
cover
température[F] désirée
desired temperature
réglage[M] de la température[F]
temperature set point knob
température[F] ambiante
actual temperature
aiguille[F]
pointer
°C
10
15
20
25
°F
60
50
40
10 · 20 · 30
50 · 70 · 90

MESURE[F] DU TEMPS[M]
MEASURE OF TIME

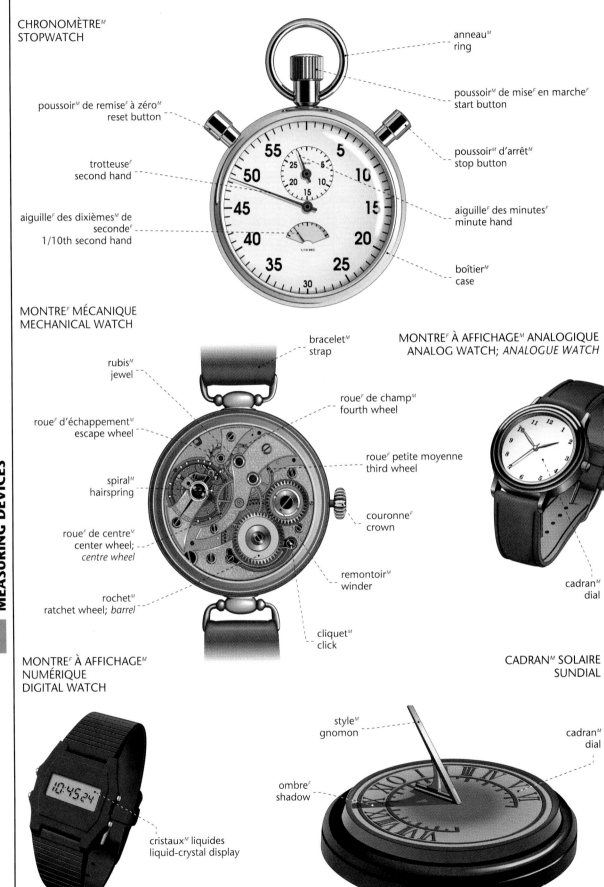

CHRONOMÈTRE[M]
STOPWATCH

anneau[M]
ring
poussoir[M] de mise[F] en marche[F]
start button
poussoir[M] de remise[F] à zéro[M]
reset button
poussoir[M] d'arrêt[M]
stop button
trotteuse[F]
second hand
aiguille[F] des minutes[F]
minute hand
aiguille[F] des dixièmes[M] de seconde[F]
1/10th second hand
boîtier[M]
case
55
5
50
10
45
15
40
20
35
25
30
25
MIN
5
20
10
15
1/10 SEC

MONTRE[F] MÉCANIQUE
MECHANICAL WATCH

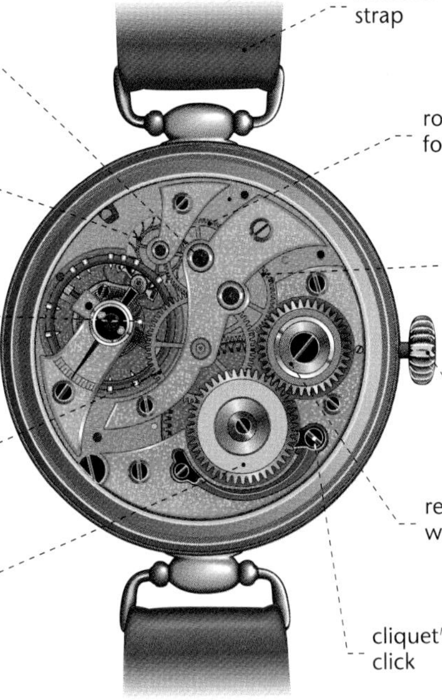
bracelet[M]
strap
rubis[M]
jewel
roue[F] de champ[M]
fourth wheel
roue[F] d'échappement[M]
escape wheel
roue[F] petite moyenne
third wheel
spiral[M]
hairspring
couronne[F]
crown
roue[F] de centre[M]
center wheel; *centre wheel*
remontoir[M]
winder
rochet[M]
ratchet wheel; *barrel*
cliquet[M]
click

MONTRE[F] À AFFICHAGE[M] ANALOGIQUE
ANALOG WATCH; *ANALOGUE WATCH*

cadran[M]
dial

MONTRE[F] À AFFICHAGE[M] NUMÉRIQUE
DIGITAL WATCH

cristaux[M] liquides
liquid-crystal display

CADRAN[M] SOLAIRE
SUNDIAL

style[M]
gnomon
cadran[M]
dial
ombre[F]
shadow

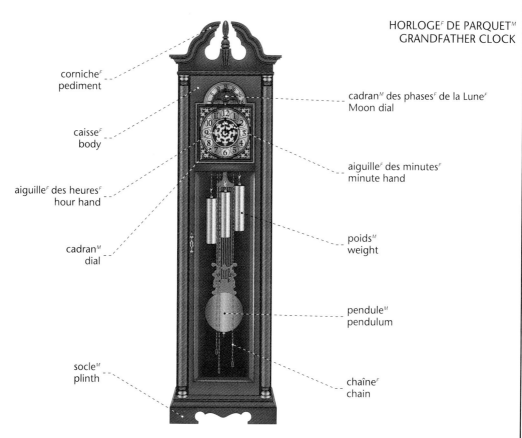

HORLOGE^{F} DE PARQUET^{M}
GRANDFATHER CLOCK

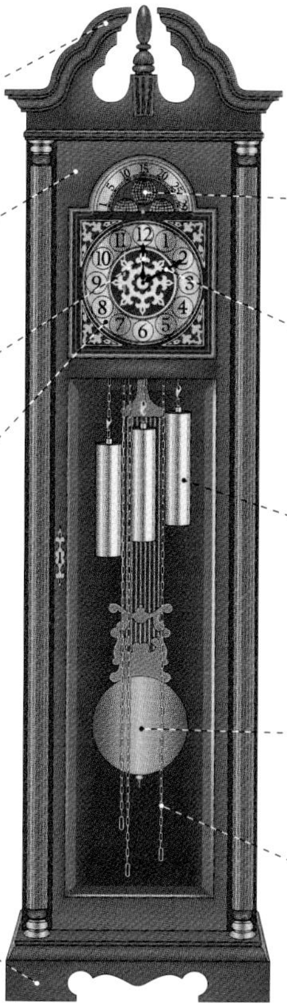
corniche^{F}
pediment
caisse^{F}
body
aiguille^{F} des heures^{F}
hour hand
cadran^{M}
dial
socle^{M}
plinth
cadran^{M} des phases^{F} de la Lune^{F}
Moon dial
aiguille^{F} des minutes^{F}
minute hand
poids^{M}
weight
pendule^{M}
pendulum
chaîne^{F}
chain

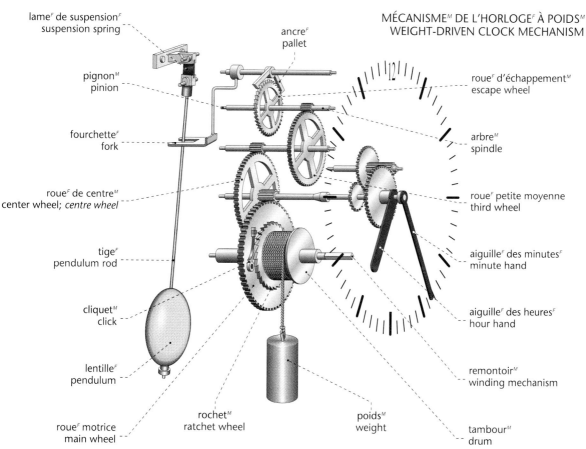

MÉCANISME^{M} DE L'HORLOGE^{F} À POIDS^{M}
WEIGHT-DRIVEN CLOCK MECHANISM

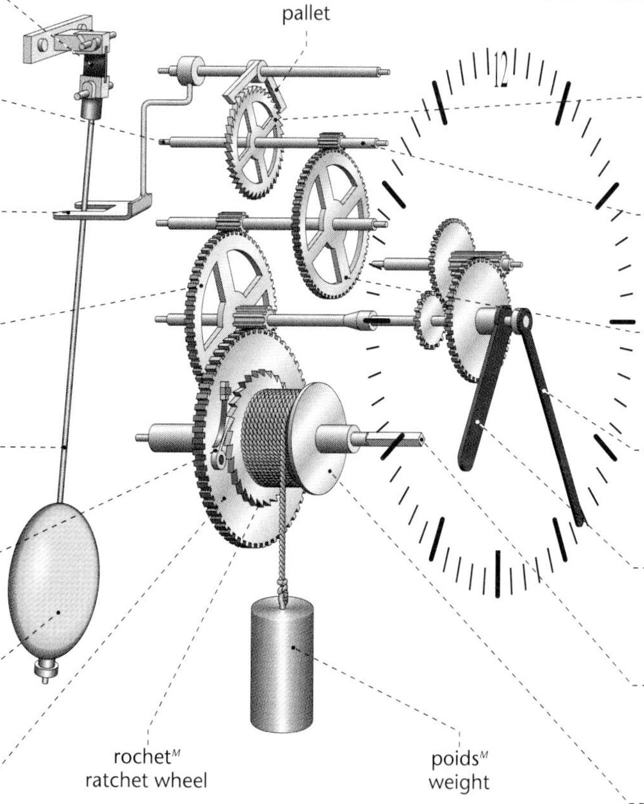
lame^{F} de suspension^{F}
suspension spring
pignon^{M}
pinion
fourchette^{F}
fork
roue^{F} de centre^{M}
center wheel; *centre wheel*
tige^{F}
pendulum rod
cliquet^{M}
click
lentille^{F}
pendulum
roue^{F} motrice
main wheel
ancre^{F}
pallet
rochet^{M}
ratchet wheel
poids^{M}
weight
roue^{F} d'échappement^{M}
escape wheel
arbre^{M}
spindle
roue^{F} petite moyenne
third wheel
aiguille^{F} des minutes^{F}
minute hand
aiguille^{F} des heures^{F}
hour hand
remontoir^{M}
winding mechanism
tambour^{M}
drum

MESURE DE LA MASSE
MEASURE OF WEIGHT

BALANCE À FLÉAU
BEAM BALANCE

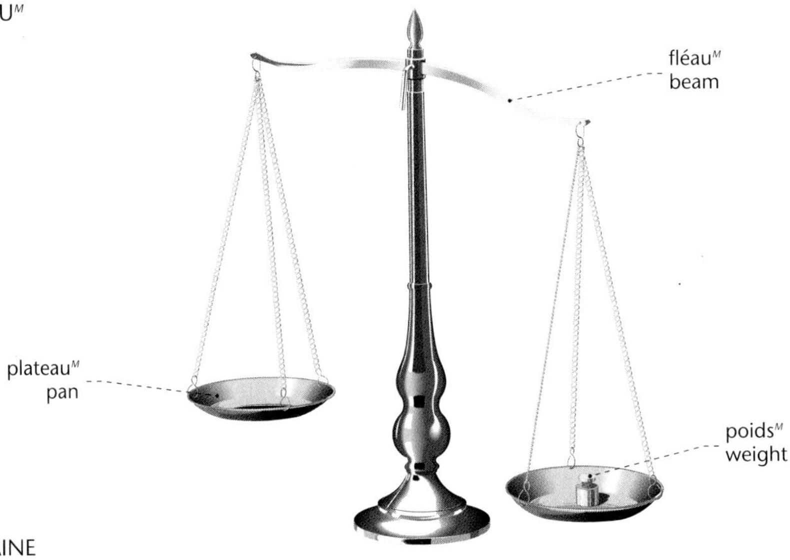

fléau
beam
plateau
pan
poids
weight

BALANCE ROMAINE
STEELYARD

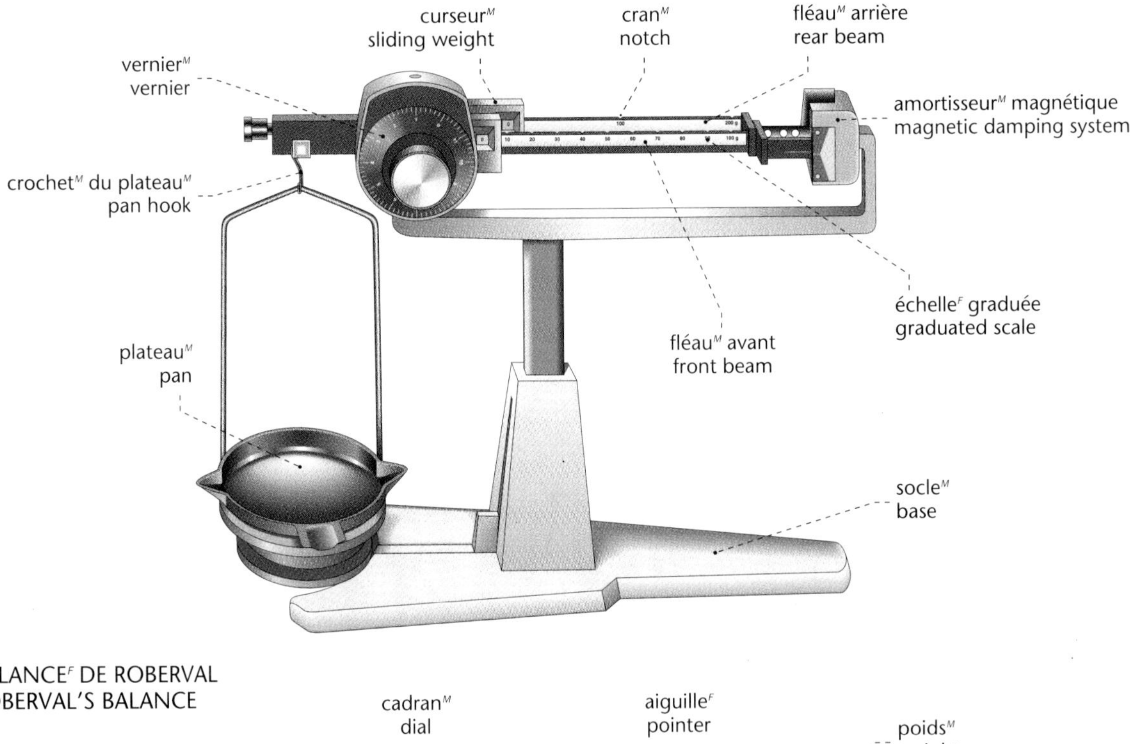

curseur
sliding weight
cran
notch
fléau arrière
rear beam
vernier
vernier
amortisseur magnétique
magnetic damping system
crochet du plateau
pan hook
échelle graduée
graduated scale
fléau avant
front beam
plateau
pan
socle
base

BALANCE DE ROBERVAL
ROBERVAL'S BALANCE

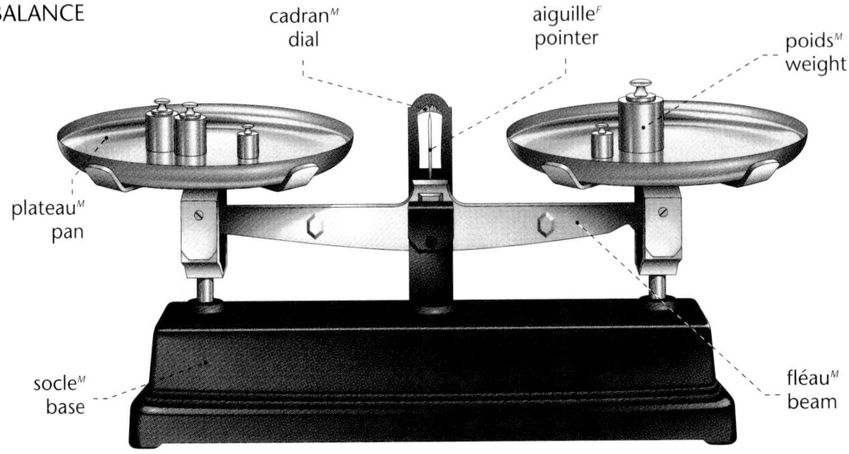

cadran
dial
aiguille
pointer
poids
weight
plateau
pan
socle
base
fléau
beam

APPAREILS DE MESURE
MEASURING DEVICES

PESON[M]
SPRING BALANCE

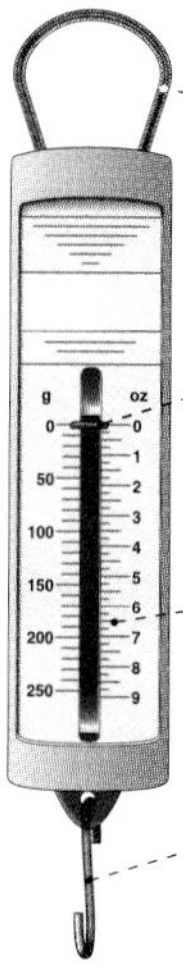
anneau[M]
ring
index[M]
pointer
échelle[F] graduée
graduated scale
crochet[M]
hook

BALANCE[F] ÉLECTRONIQUE
ELECTRONIC SCALE

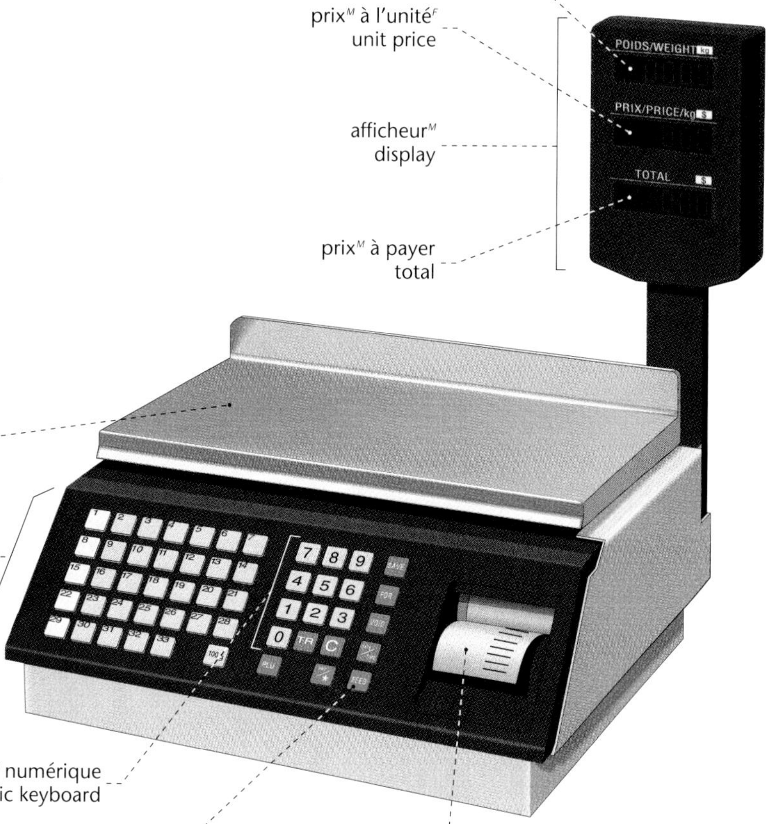
poids[M]
weight
prix[M] à l'unité[F]
unit price
afficheur[M]
display
prix[M] à payer
total
POIDS/WEIGHT
PRIX/PRICE/kg
TOTAL
plateau[M]
platform
touches[F] de fonctions[F]
function keys
clavier[M] numérique
numeric keyboard
code[M] des produits[M]
product code
étiquette[F]
printout

PÈSE-PERSONNE[M]
BATHROOM SCALE

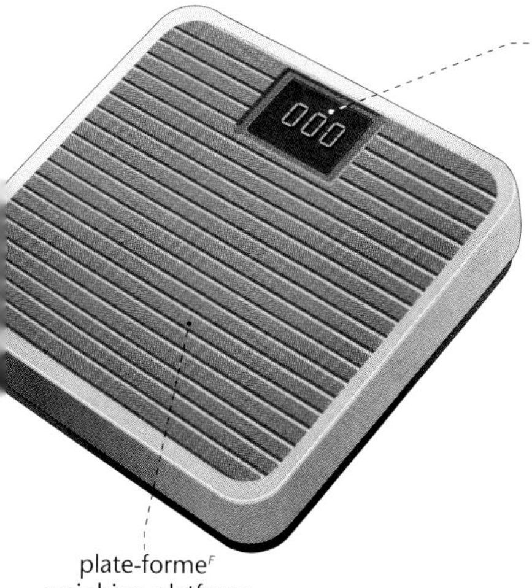
affichage[M] numérique
digital display
plate-forme[F]
weighing platform

BALANCE[F] DE PRÉCISION[F]
ANALYTICAL BALANCE

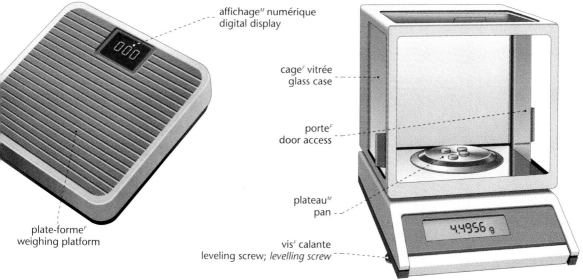

cage[F] vitrée
glass case
porte[F]
door access
plateau[M]
pan
vis[F] calante
leveling screw; *levelling screw*
4.4956 g

MESURE[F] DE LA PRESSION[F]
MEASURE OF PRESSURE

BAROMÈTRE[M]/THERMOMÈTRE[M]
BAROMETER/THERMOMETER

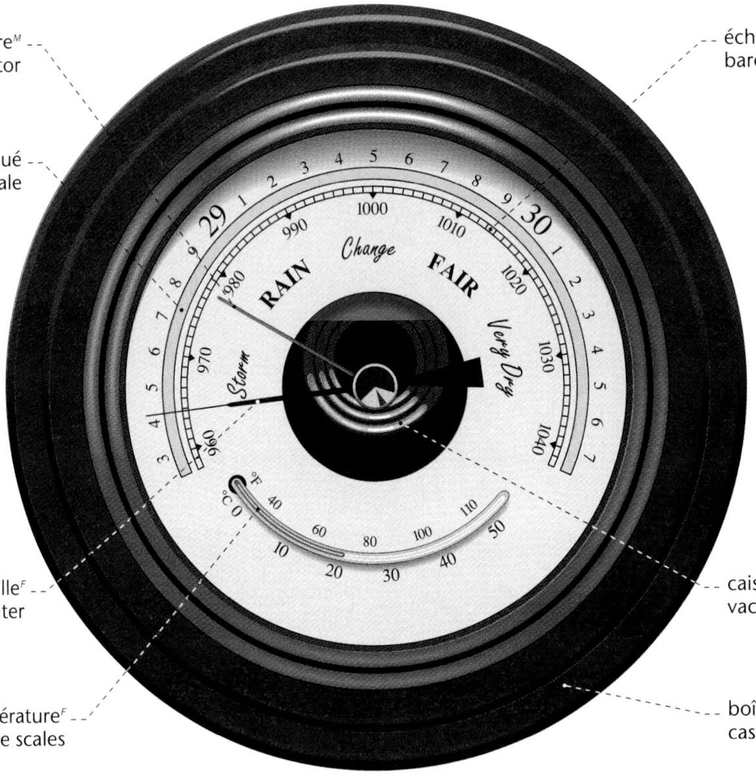

repère[M]
indicator
échelles[F] barométriques
barometer scales
cadran[M] gradué
graduated scale
aiguille[F]
pointer
caisse[F] cylindrique
vacuum chamber
échelles[F] de la température[F]
temperature scales
boîtier[M]
case

TENSIOMÈTRE[M]
TENSIOMETER

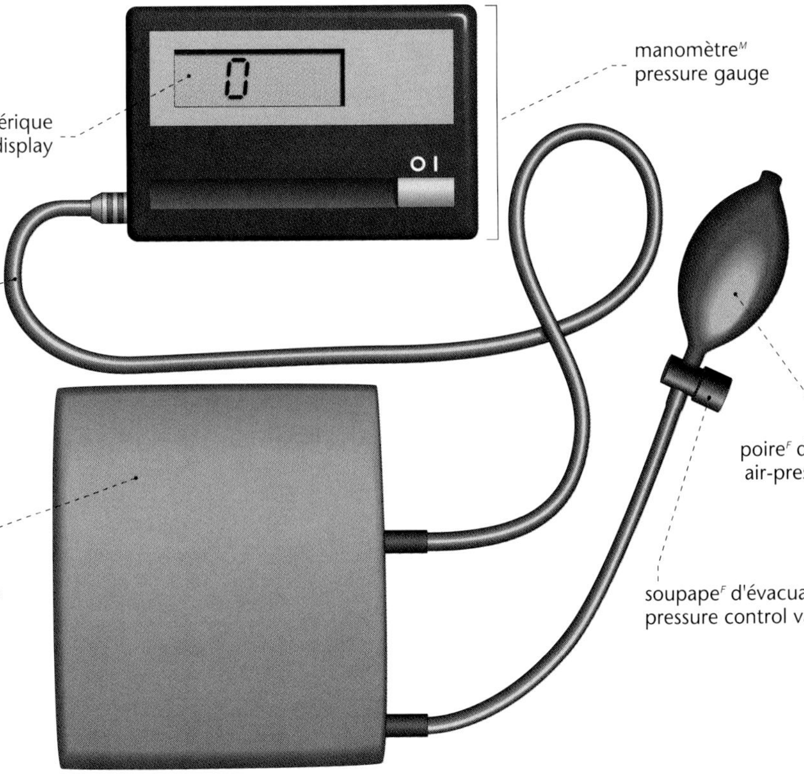

manomètre[M]
pressure gauge
affichage[M] numérique
digital display
tube[M]
tube
poire[F] de gonflage[M]
air-pressure pump
brassard[M] pneumatique
pneumatic armlet
soupape[F] d'évacuation[F]
pressure control valve

MESURE^{F} DE LA LONGUEUR^{F}
MEASURE OF LENGTH

MÈTRE^{M} À RUBAN^{M}
TAPE MEASURE

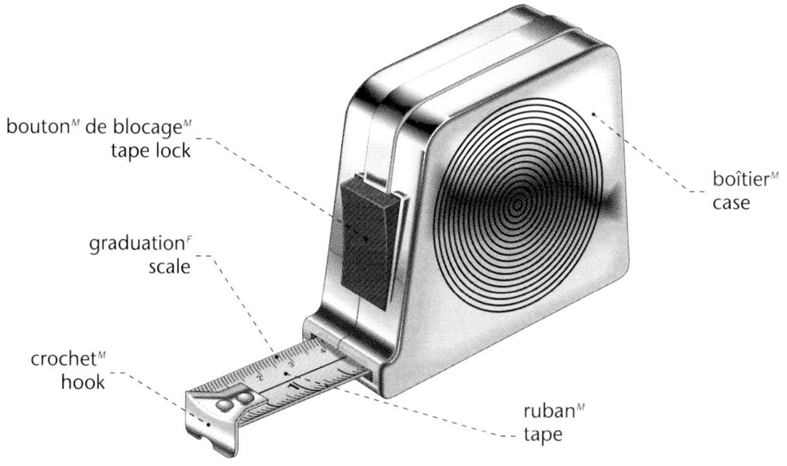
bouton^{M} de blocage^{M}
tape lock
graduation^{F}
scale
crochet^{M}
hook
boîtier^{M}
case
ruban^{M}
tape

MESURE^{F} DE LA DISTANCE^{F}
MEASURE OF DISTANCE

PODOMÈTRE^{M}
PEDOMETER

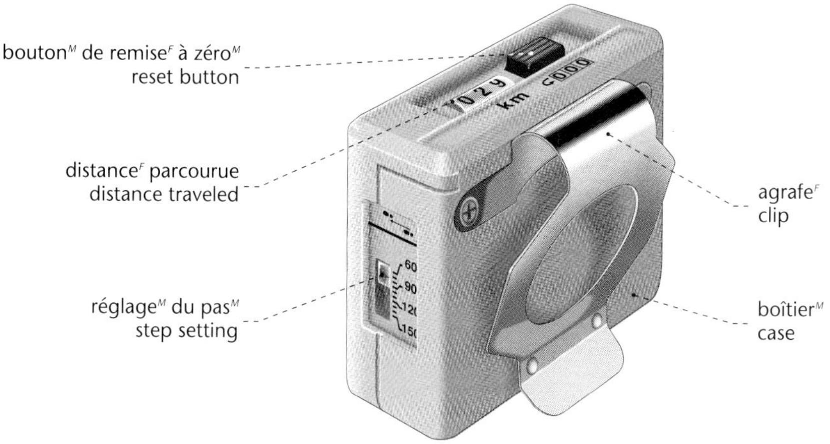
bouton^{M} de remise^{F} à zéro^{M}
reset button
distance^{F} parcourue
distance traveled
réglage^{M} du pas^{M}
step setting
agrafe^{F}
clip
boîtier^{M}
case

MESURE^{F} DE L'ÉPAISSEUR^{F}
MEASURE OF THICKNESS

MICROMÈTRE^{M} PALMER^{M}
MICROMETER CALIPER

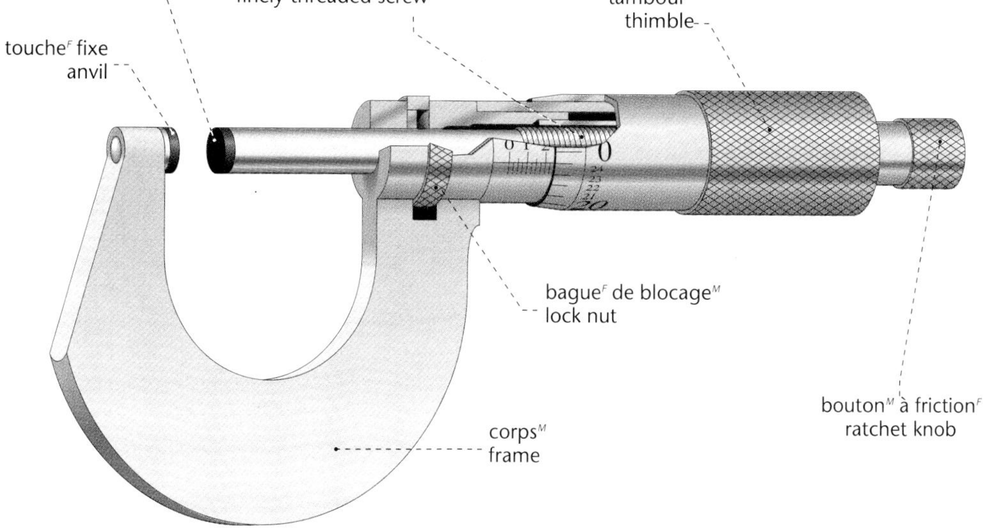
touche^{F} mobile
spindle
vis^{F} micrométrique
finely threaded screw
tambour^{M}
thimble
touche^{F} fixe
anvil
bague^{F} de blocage^{M}
lock nut
bouton^{M} à friction^{F}
ratchet knob
corps^{M}
frame

WATTHEUREMÈTRE[M]
WATT-HOUR METER

VUE[F] EXTÉRIEURE
EXTERIOR VIEW

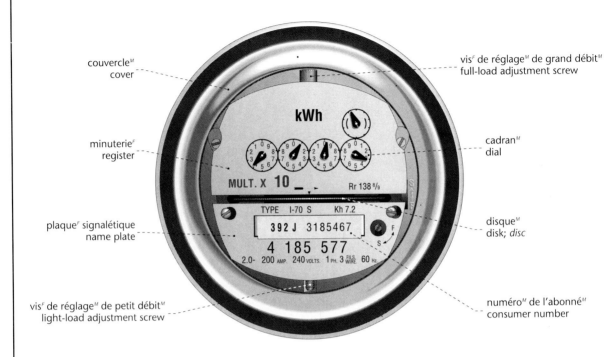

couvercle[M]
cover
vis[F] de réglage[M] de grand débit[M]
full-load adjustment screw
kWh
minuterie[F]
register
cadran[M]
dial
MULT. X 10
Rr 138 8/9
TYPE I-70 S Kh 7.2
disque[M]
disk; *disc*
plaque[F] signalétique
name plate
392 J 3185467
4 185 577
2.0- 200 AMP. 240 VOLTS. 1 PH. 3 FILS. WIRE. 60 Hz.
F
S
vis[F] de réglage[M] de petit débit[M]
light-load adjustment screw
numéro[M] de l'abonné[M]
consumer number

MÉCANISME[M]
MECHANISM

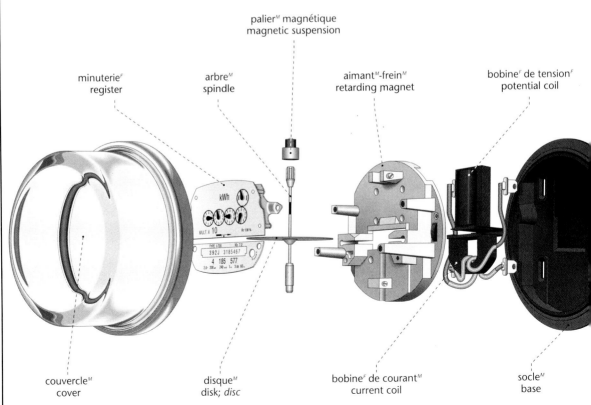

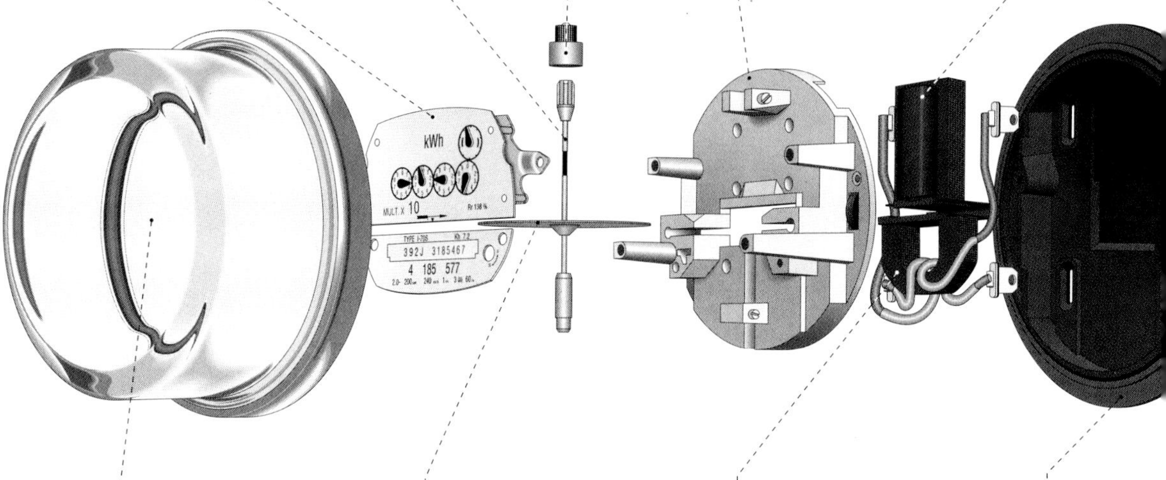
palier[M] magnétique
magnetic suspension
minuterie[F]
register
arbre[M]
spindle
aimant[M]-frein[M]
retarding magnet
bobine[F] de tension[F]
potential coil
kWh
couvercle[M]
cover
disque[M]
disk; *disc*
bobine[F] de courant[M]
current coil
socle[M]
base

MESURE[F] DES ANGLES[M]
MEASURE OF ANGLES

THÉODOLITE[M]
THEODOLITE

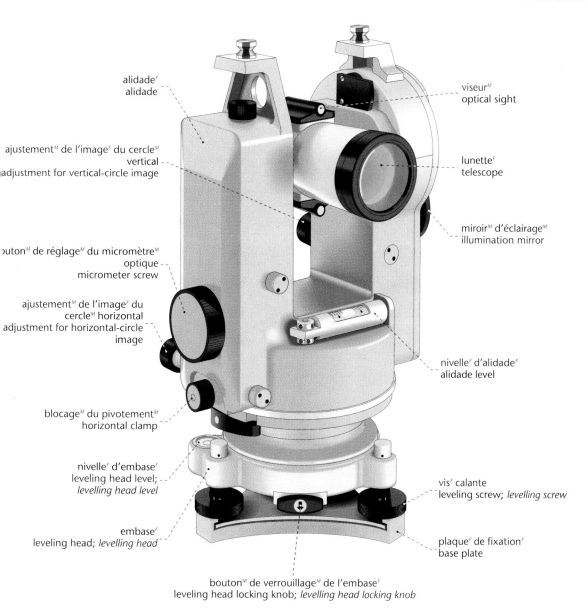

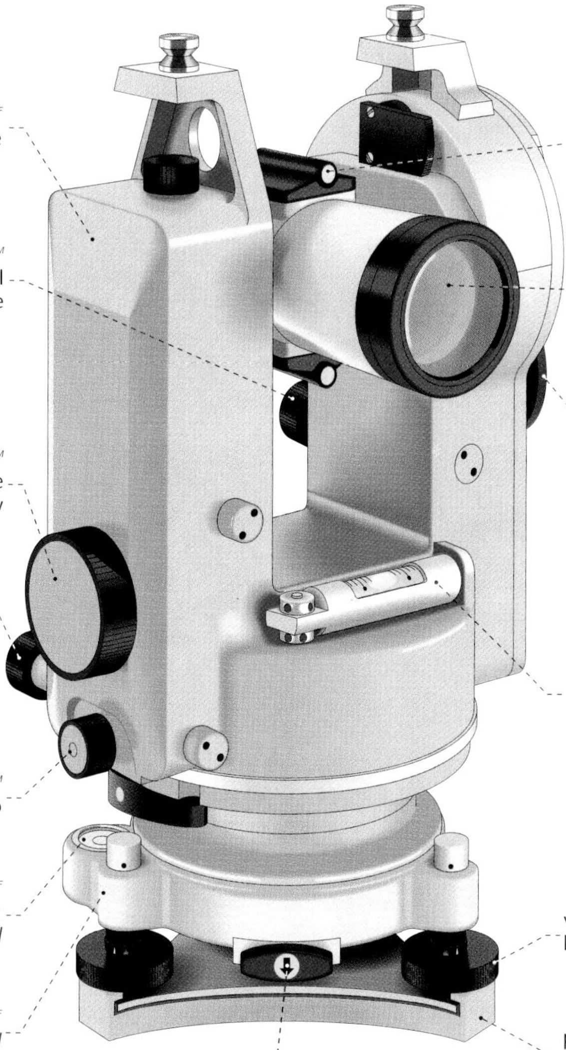
alidade[F]
alidade
ajustement[M] de l'image[F] du cercle[M] vertical
adjustment for vertical-circle image
uton[M] de réglage[M] du micromètre[M] optique
micrometer screw
ajustement[M] de l'image[F] du cercle[M] horizontal
adjustment for horizontal-circle image
blocage[M] du pivotement[M]
horizontal clamp
nivelle[F] d'embase[F]
leveling head level; *levelling head level*
embase[F]
leveling head; *levelling head*
viseur[M]
optical sight
lunette[F]
telescope
miroir[M] d'éclairage[M]
illumination mirror
nivelle[F] d'alidade[F]
alidade level
vis[F] calante
leveling screw; *levelling screw*
plaque[F] de fixation[F]
base plate
bouton[M] de verrouillage[M] de l'embase[F]
leveling head locking knob; *levelling head locking knob*

fausse-équerre[F]
bevel square

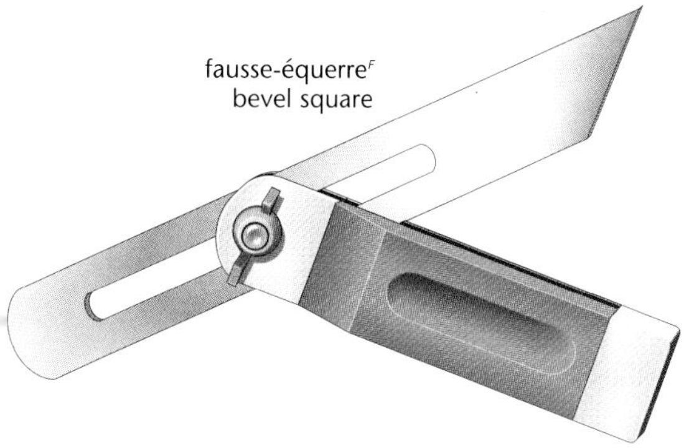

rapporteur[M] d'angle[M]
protractor

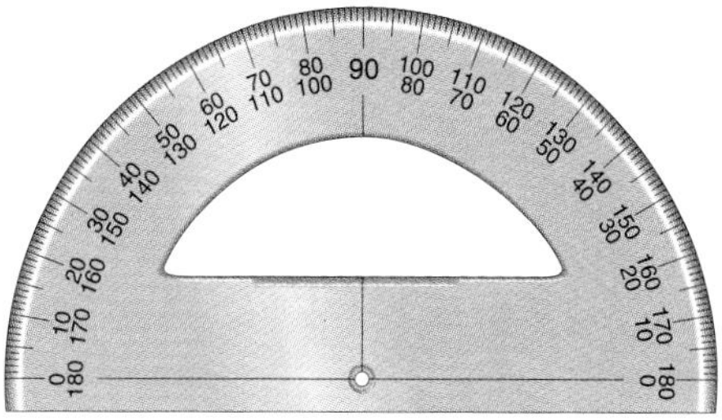

MESURE^{F} DES ONDES^{F} SISMIQUES
MEASURE OF SEISMIC WAVES

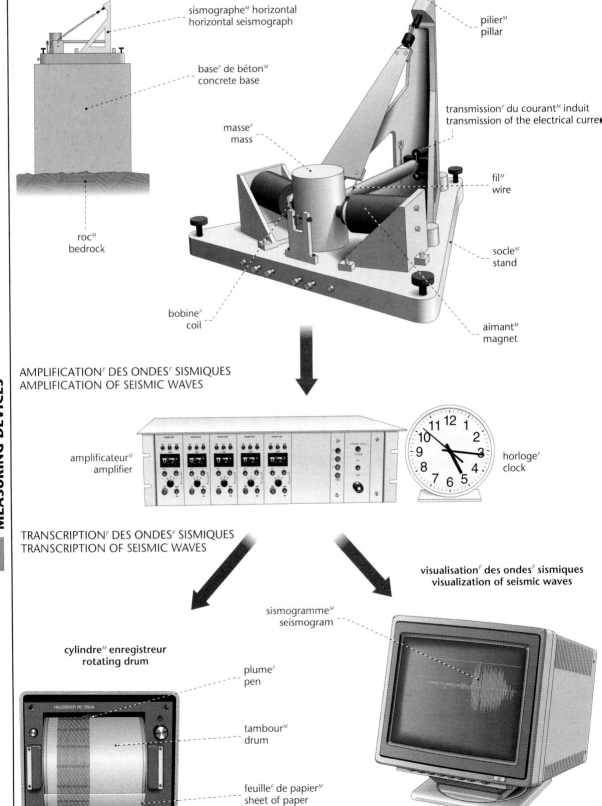

DÉTECTION^{F} DES ONDES^{F} SISMIQUES
DETECTION OF SEISMIC WAVES

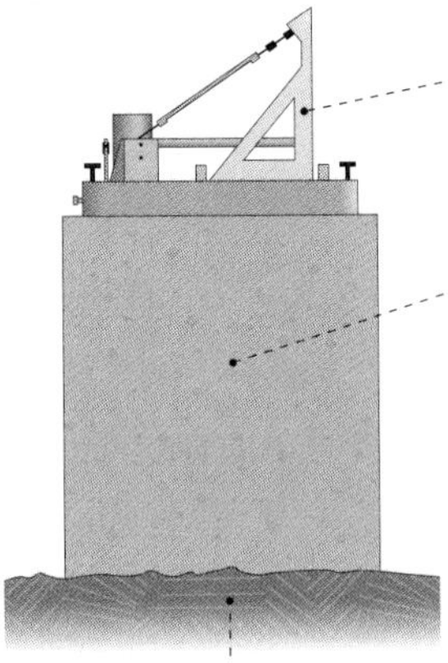

sismographe^{M} horizontal
horizontal seismograph
base^{F} de béton^{M}
concrete base
roc^{M}
bedrock

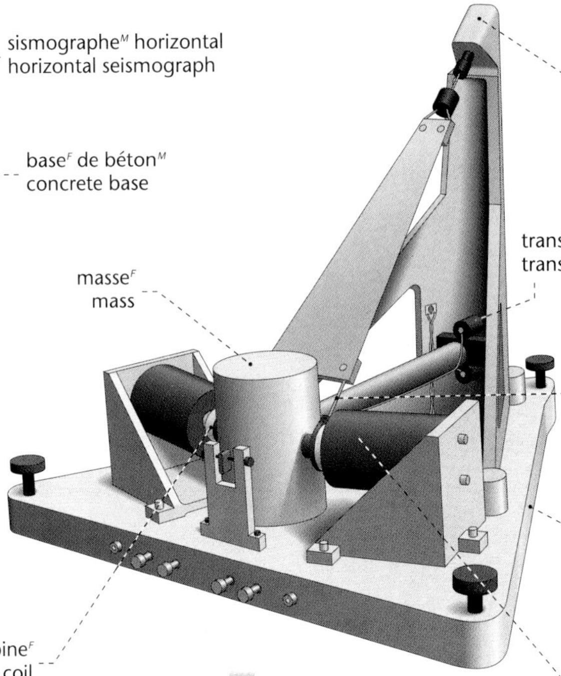

pilier^{M}
pillar
transmission^{F} du courant^{M} induit
transmission of the electrical curre
masse^{F}
mass
fil^{M}
wire
socle^{M}
stand
bobine^{F}
coil
aimant^{M}
magnet

AMPLIFICATION^{F} DES ONDES^{F} SISMIQUES
AMPLIFICATION OF SEISMIC WAVES

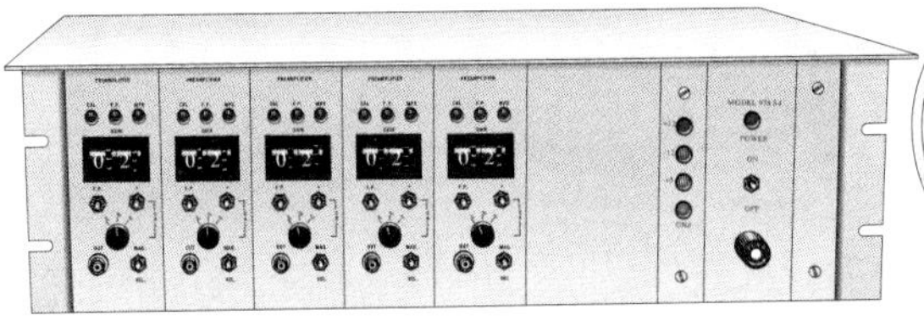

amplificateur^{M}
amplifier

horloge^{F}
clock

TRANSCRIPTION^{F} DES ONDES^{F} SISMIQUES
TRANSCRIPTION OF SEISMIC WAVES

cylindre^{M} enregistreur
rotating drum

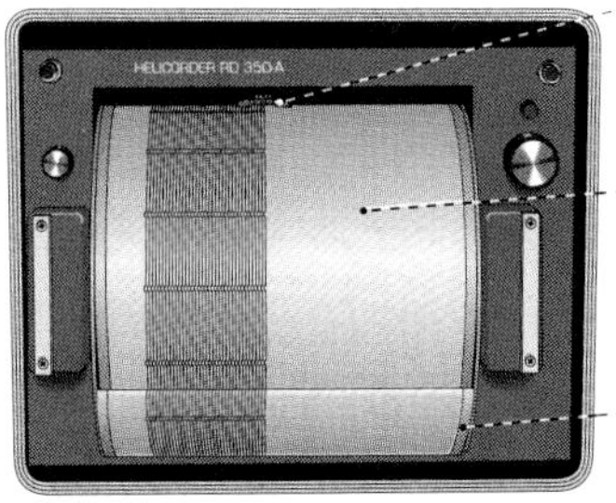

HELICORDER RD 350 A
plume^{F}
pen
tambour^{M}
drum
feuille^{F} de papier^{M}
sheet of paper

visualisation^{F} des ondes^{F} sismiques
visualization of seismic waves

sismogramme^{M}
seismogram

APPAREILS DE VISION • OPTICAL INSTRUMENTS

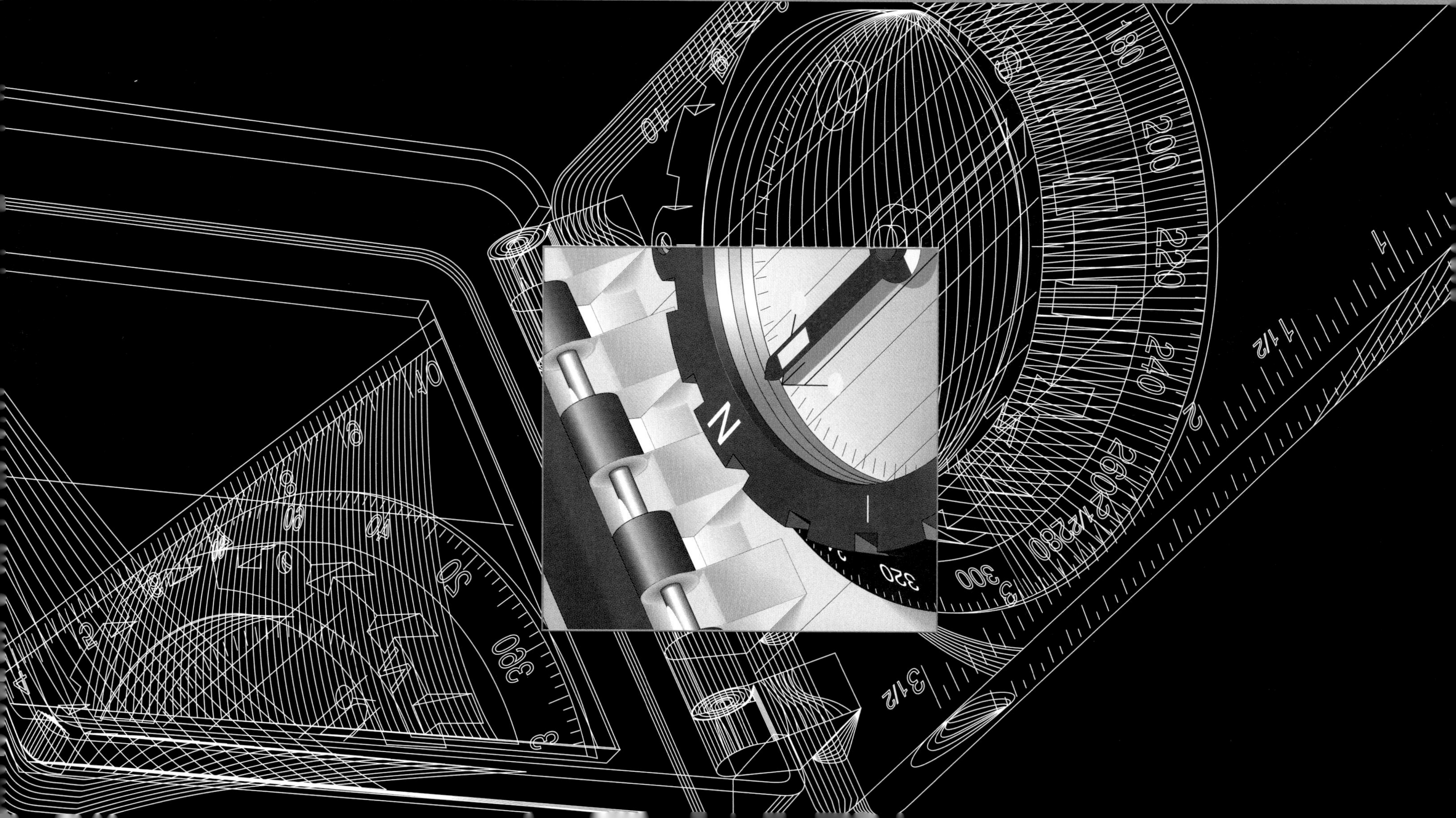

SOMMAIRE

MICROSCOPE[M] ÉLECTRONIQUE
ELECTRON MICROSCOPE

COUPE[F] D'UN MICROSCOPE[M] ÉLECTRONIQUE
CROSS SECTION OF AN ELECTRON MICROSCOPE

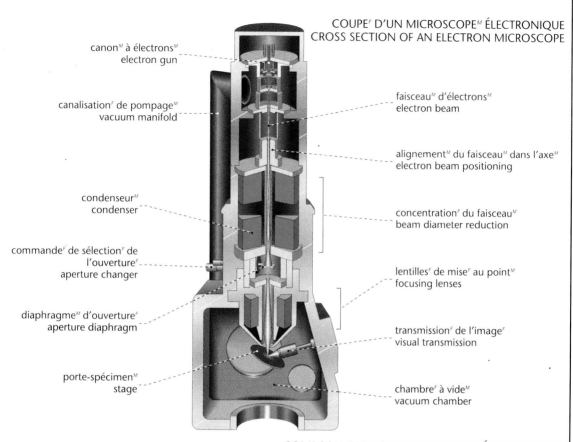

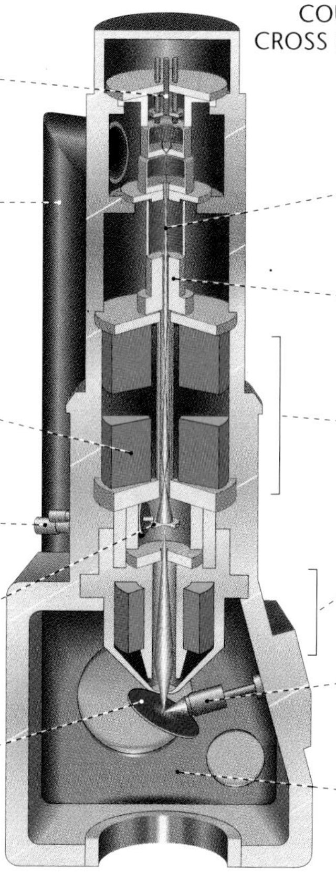

canon[M] à électrons[M]
electron gun
canalisation[F] de pompage[M]
vacuum manifold
condenseur[M]
condenser
commande[F] de sélection[F] de l'ouverture[F]
aperture changer
diaphragme[M] d'ouverture[F]
aperture diaphragm
porte-spécimen[M]
stage
faisceau[M] d'électrons[M]
electron beam
alignement[M] du faisceau[M] dans l'axe[M]
electron beam positioning
concentration[F] du faisceau[M]
beam diameter reduction
lentilles[F] de mise[F] au point[M]
focusing lenses
transmission[F] de l'image[F]
visual transmission
chambre[F] à vide[M]
vacuum chamber

COMPOSANTES[F] D'UN MICROSCOPE[M] ÉLECTRONIQUE
ELECTRON MICROSCOPE ELEMENTS

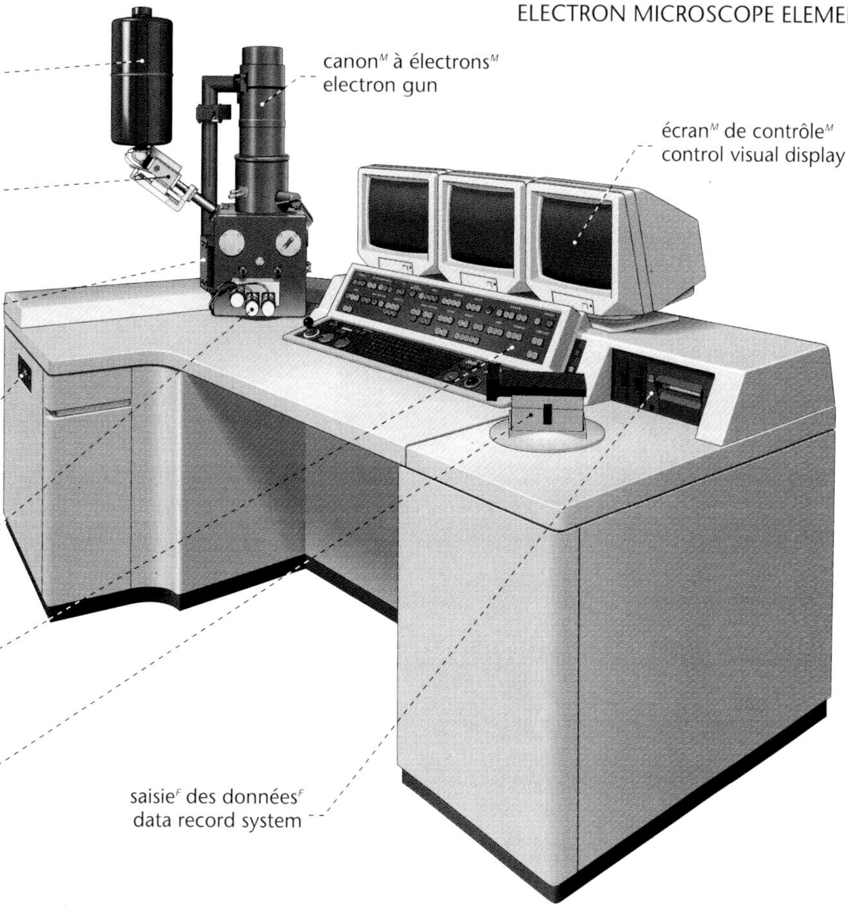

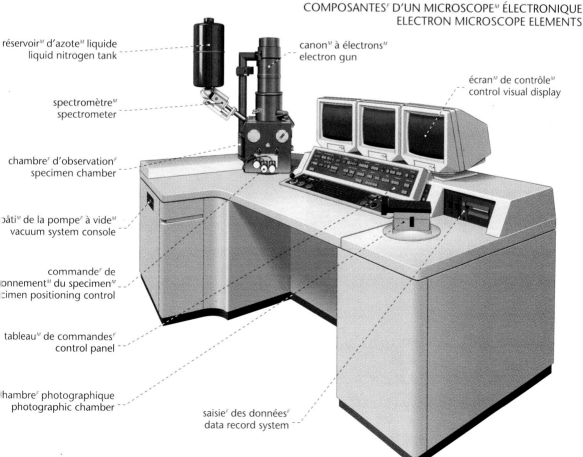

réservoir[M] d'azote[M] liquide
liquid nitrogen tank
spectromètre[M]
spectrometer
chambre[F] d'observation[F]
specimen chamber
âti[M] de la pompe[F] à vide[M]
vacuum system console
commande[F] de
onnement[M] du specimen[M]
imen positioning control
tableau[M] de commandes[F]
control panel
hambre[F] photographique
photographic chamber
canon[M] à électrons[M]
electron gun
écran[M] de contrôle[M]
control visual display
saisie[F] des données[F]
data record system

MICROSCOPE[M] BINOCULAIRE
BINOCULAR MICROSCOPE

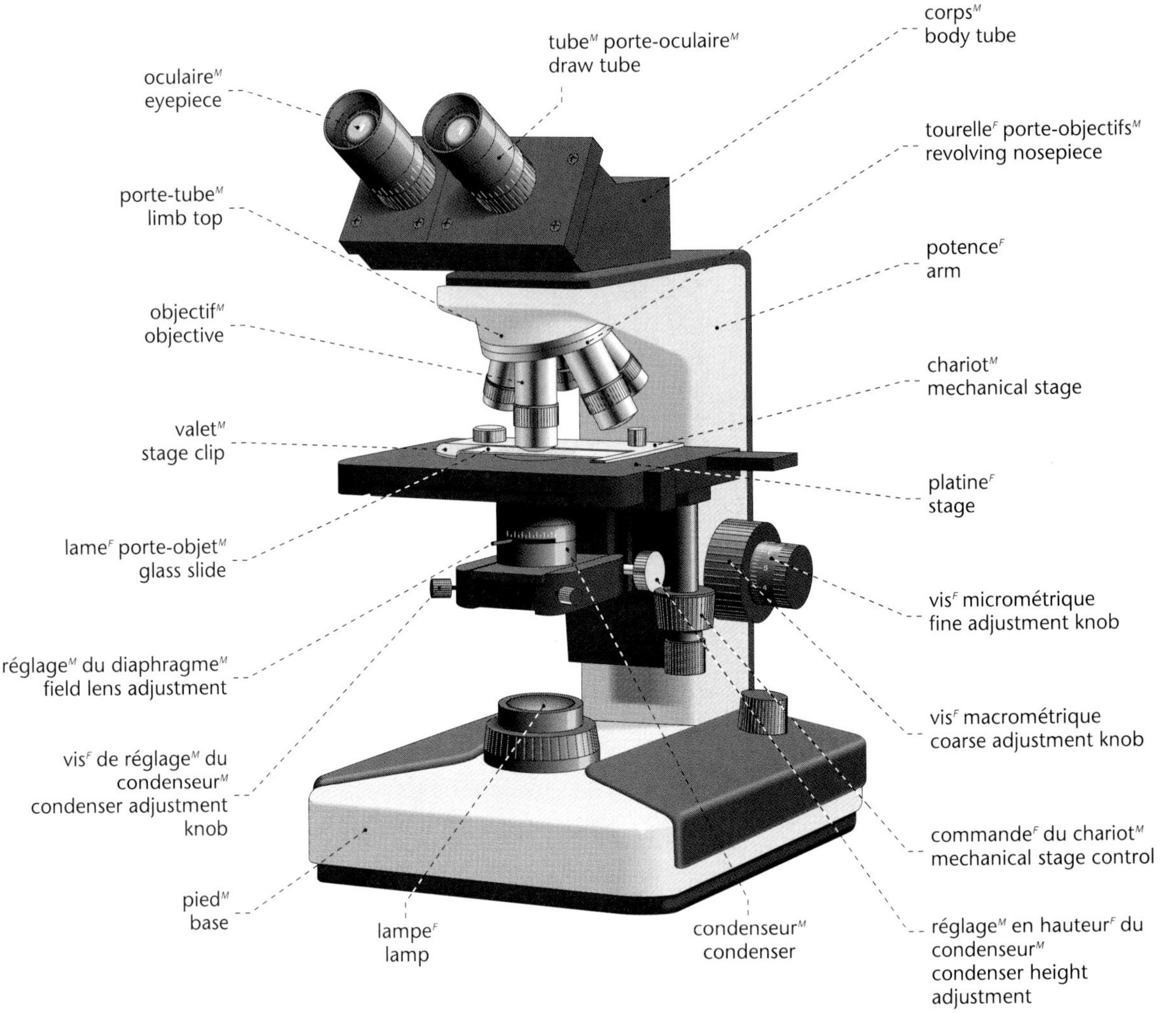
corps[M]
body tube
tube[M] porte-oculaire[M]
draw tube
oculaire[M]
eyepiece
tourelle[F] porte-objectifs[M]
revolving nosepiece
porte-tube[M]
limb top
potence[F]
arm
objectif[M]
objective
chariot[M]
mechanical stage
valet[M]
stage clip
platine[F]
stage
lame[F] porte-objet[M]
glass slide
vis[F] micrométrique
fine adjustment knob
réglage[M] du diaphragme[M]
field lens adjustment
vis[F] macrométrique
coarse adjustment knob
vis[F] de réglage[M] du condenseur[M]
condenser adjustment knob
commande[F] du chariot[M]
mechanical stage control
pied[M]
base
lampe[F]
lamp
condenseur[M]
condenser
réglage[M] en hauteur[F] du condenseur[M]
condenser height adjustment

LUNETTE[F] DE VISÉE[F]
TELESCOPIC SIGHT

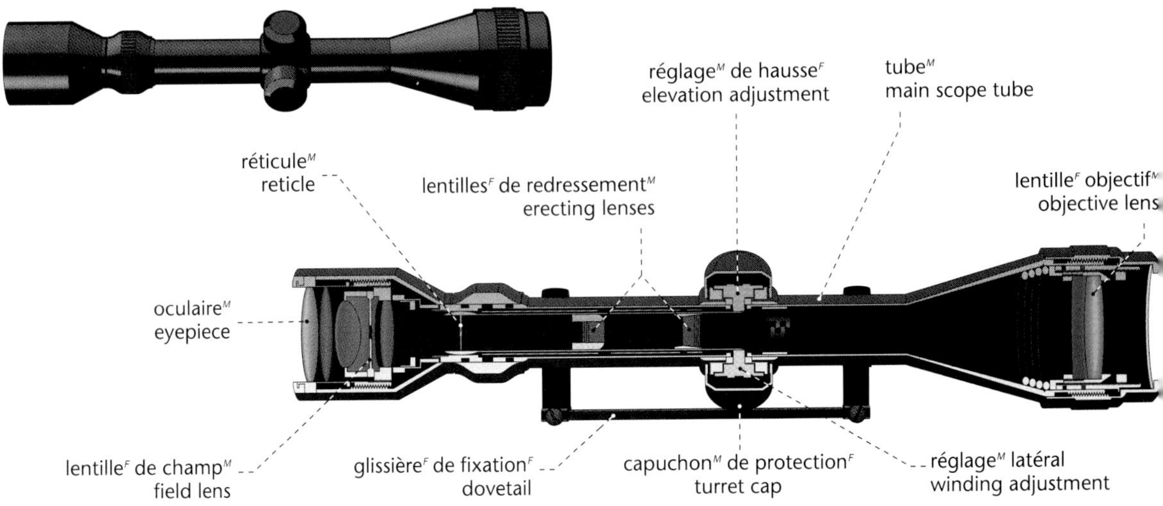
réglage[M] de hausse[F]
elevation adjustment
tube[M]
main scope tube
réticule[M]
reticle
lentilles[F] de redressement[M]
erecting lenses
lentille[F] objectif[M]
objective lens
oculaire[M]
eyepiece
lentille[F] de champ[M]
field lens
glissière[F] de fixation[F]
dovetail
capuchon[M] de protection[F]
turret cap
réglage[M] latéral
winding adjustment

JUMELLES[F] À PRISMES[M]
PRISM BINOCULARS

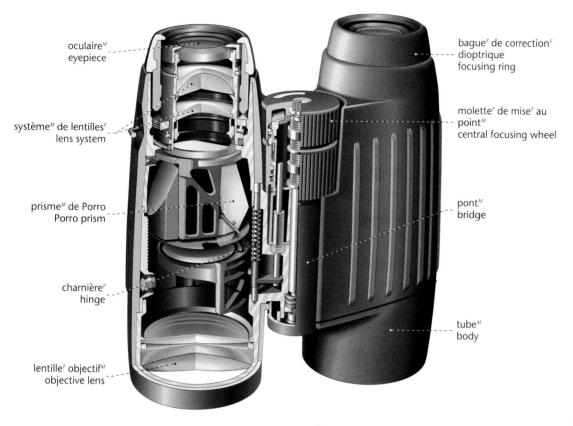

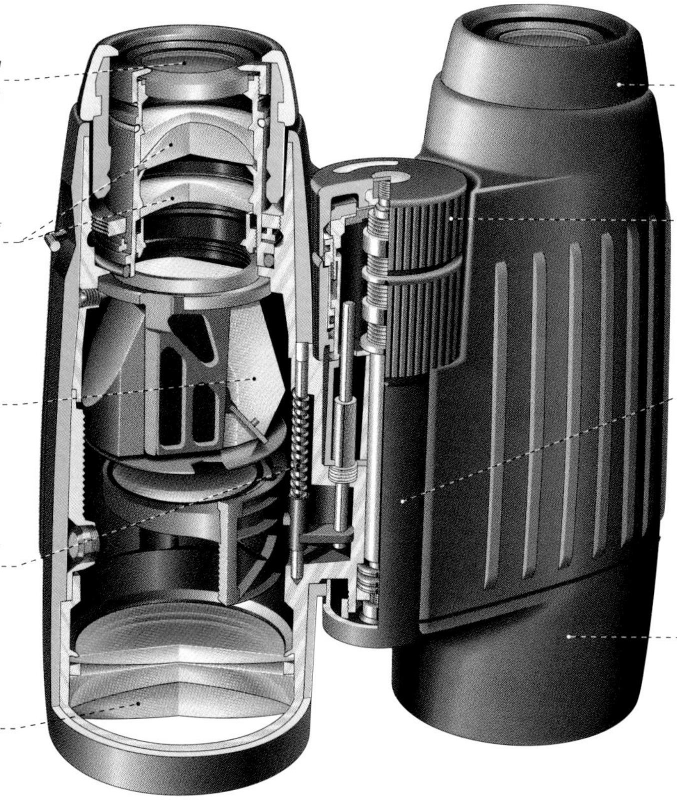
oculaire[M]
eyepiece
système[M] de lentilles[F]
lens system
prisme[M] de Porro
Porro prism
charnière[F]
hinge
lentille[F] objectif[M]
objective lens
bague[F] de correction[F] dioptrique
focusing ring
molette[F] de mise[F] au point[M]
central focusing wheel
pont[M]
bridge
tube[M]
body

BOUSSOLE[F] MAGNÉTIQUE
MAGNETIC COMPASS

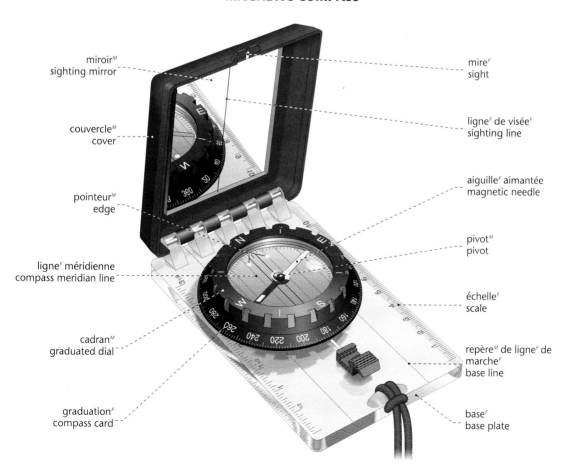

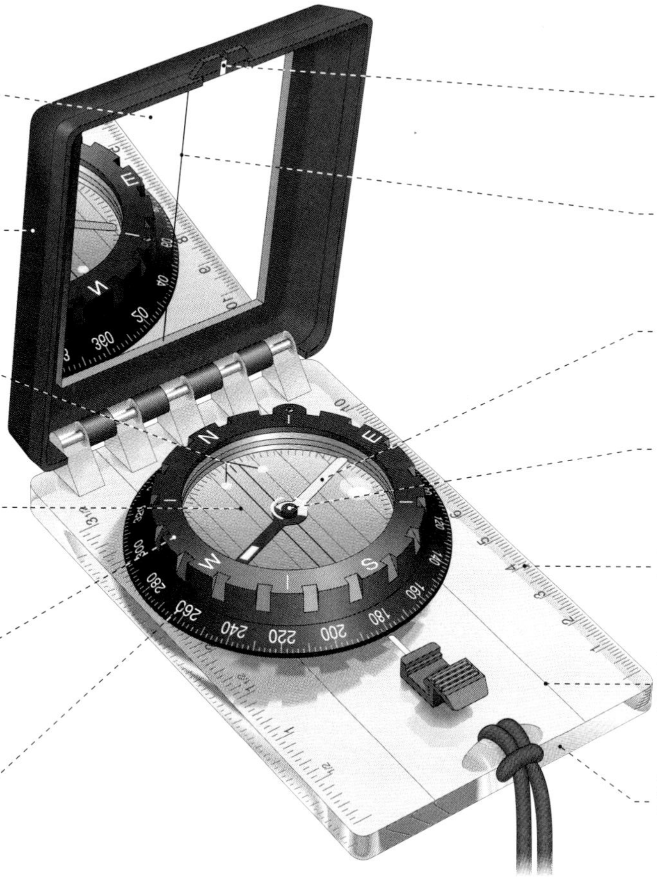
miroir[M]
sighting mirror
couvercle[M]
cover
pointeur[M]
edge
ligne[F] méridienne
compass meridian line
cadran[M]
graduated dial
graduation[F]
compass card
mire[F]
sight
ligne[F] de visée[F]
sighting line
aiguille[F] aimantée
magnetic needle
pivot[M]
pivot
échelle[F]
scale
repère[M] de ligne[F] de marche[F]
base line
base[F]
base plate

TÉLESCOPE[M]
REFLECTING TELESCOPE

support[M] de fixation[F]
support
chercheur[M]
finderscope
oculaire[M]
eyepiece
bride[F] de fixation[F]
cradle
tube[M]
main tube
bouton[M] de mise[F] au point[M]
focusing knob
cercle[M] de déclinaison[F]
declination setting scale
cercle[M] d'ascension[F] droite
right ascension setting scale
vis[F] de blocage[M] (azimut[M])
azimuth clamp
réglage[M] micrométrique (azimut[M])
azimuth fine adjustment
vis[F] de blocage[M] (latitude[F])
altitude clamp
réglage[M] micrométrique (latitude[F])
altitude fine adjustment

COUPE[F] D'UN TÉLESCOPE[M]
CROSS SECTION OF A REFLECTING TELESCOPE

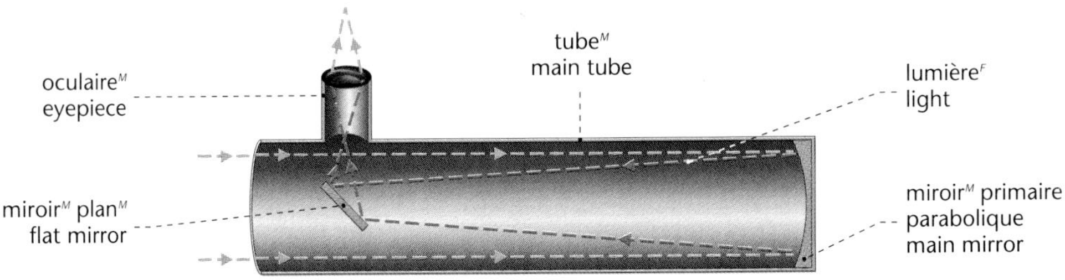
oculaire[M]
eyepiece
tube[M]
main tube
lumière[F]
light
miroir[M] plan[M]
flat mirror
miroir[M] primaire parabolique
main mirror

LUNETTE[F] ASTRONOMIQUE
REFRACTING TELESCOPE

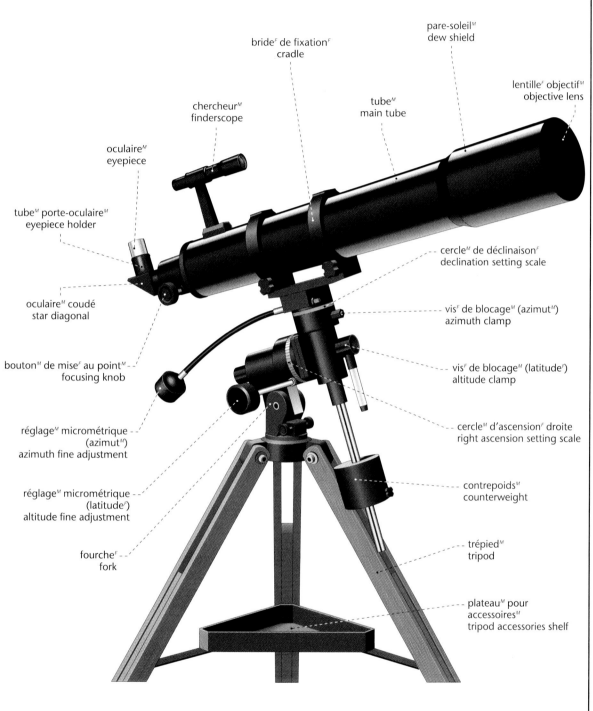

pare-soleil[M]
dew shield
bride[F] de fixation[F]
cradle
lentille[F] objectif[M]
objective lens
chercheur[M]
finderscope
tube[M]
main tube
oculaire[M]
eyepiece
tube[M] porte-oculaire[M]
eyepiece holder
cercle[M] de déclinaison[F]
declination setting scale
oculaire[M] coudé
star diagonal
vis[F] de blocage[M] (azimut[M])
azimuth clamp
bouton[M] de mise[F] au point[M]
focusing knob
vis[F] de blocage[M] (latitude[F])
altitude clamp
cercle[M] d'ascension[F] droite
right ascension setting scale
réglage[M] micrométrique (azimut[M])
azimuth fine adjustment
contrepoids[M]
counterweight
réglage[M] micrométrique (latitude[F])
altitude fine adjustment
trépied[M]
tripod
fourche[F]
fork
plateau[M] pour accessoires[M]
tripod accessories shelf

COUPE[F] D'UNE LUNETTE[F] ASTRONOMIQUE
CROSS SECTION OF A REFRACTING TELESCOPE

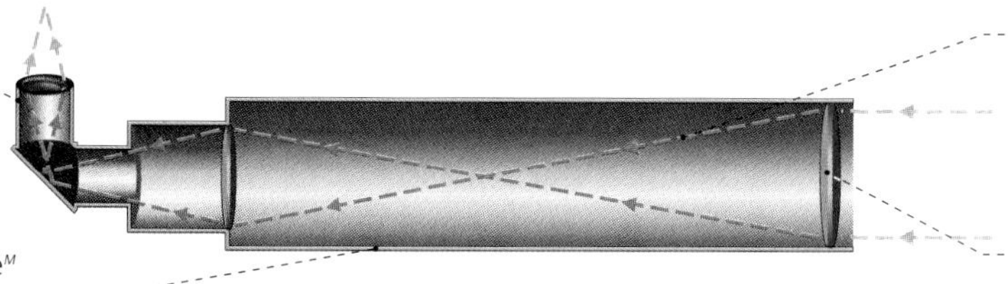

oculaire[M]
eyepiece
lumière[F]
light
lentille[F] objectif[M]
objective lens
tube[M]
main tube

LENTILLES[F]
LENSES

LENTILLES[F] CONVERGENTES
CONVERGING LENSES

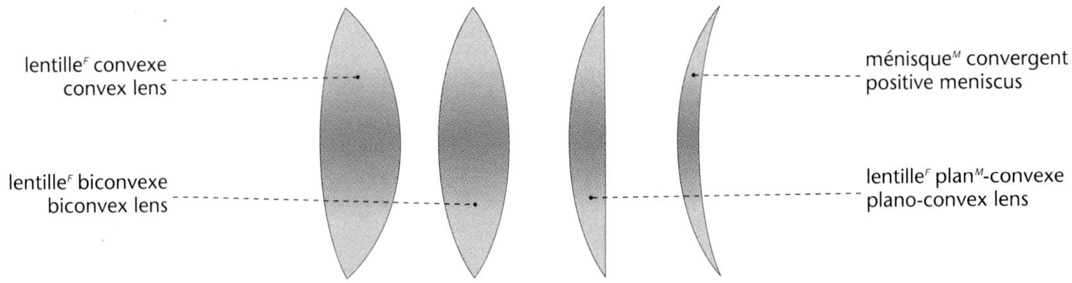
lentille[F] convexe
convex lens
lentille[F] biconvexe
biconvex lens
ménisque[M] convergent
positive meniscus
lentille[F] plan[M]-convexe
plano-convex lens

LENTILLES[F] DIVERGENTES
DIVERGING LENSES

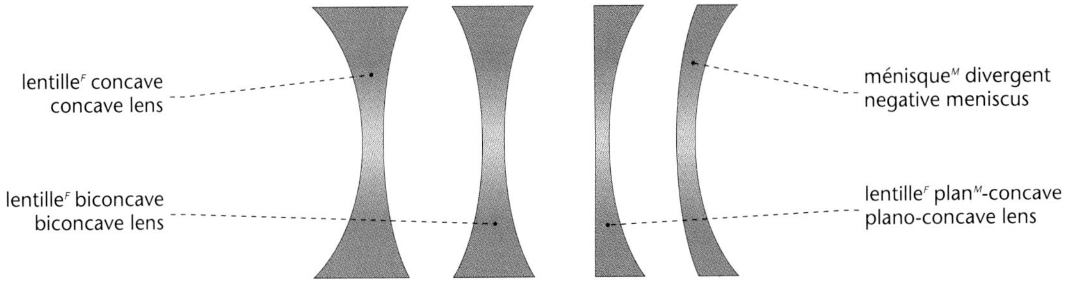
lentille[F] concave
concave lens
lentille[F] biconcave
biconcave lens
ménisque[M] divergent
negative meniscus
lentille[F] plan[M]-concave
plano-concave lens

RADAR[M]
RADAR

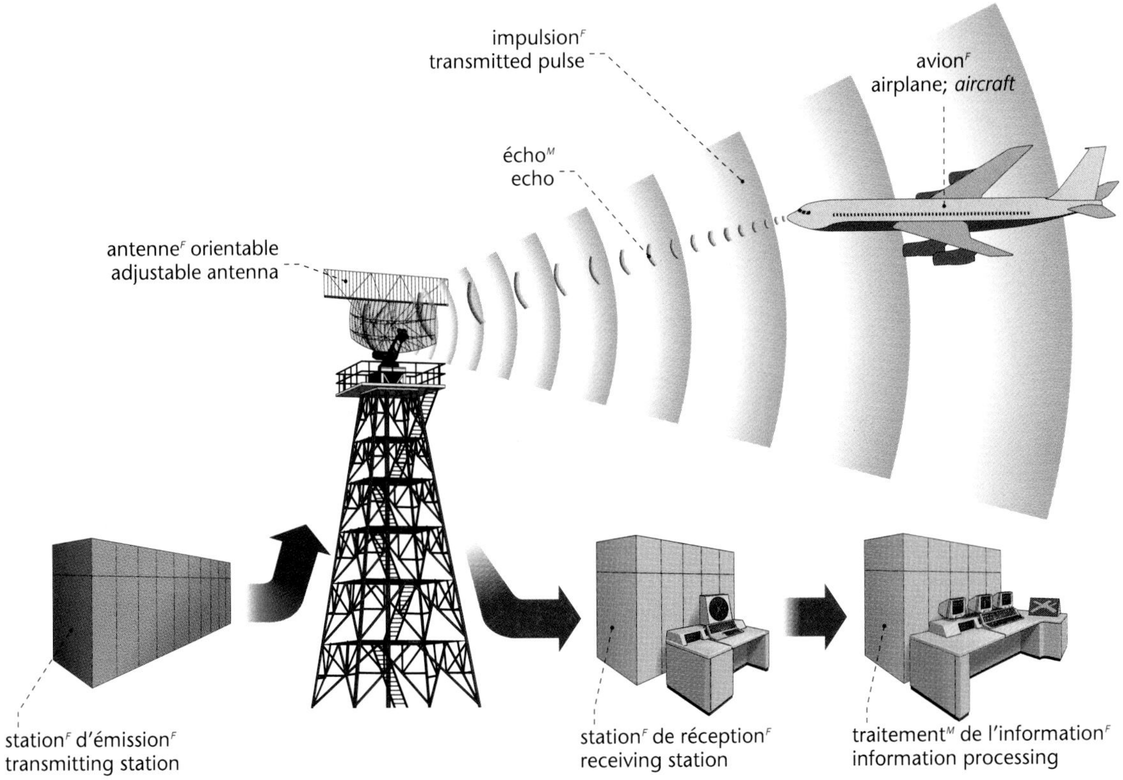
impulsion[F]
transmitted pulse
avion[F]
airplane; *aircraft*
écho[M]
echo
antenne[F] orientable
adjustable antenna
station[F] d'émission[F]
transmitting station
station[F] de réception[F]
receiving station
traitement[M] de l'information[F]
information processing

SANTÉ ET SÉCURITÉ • HEALTH AND SAFETY

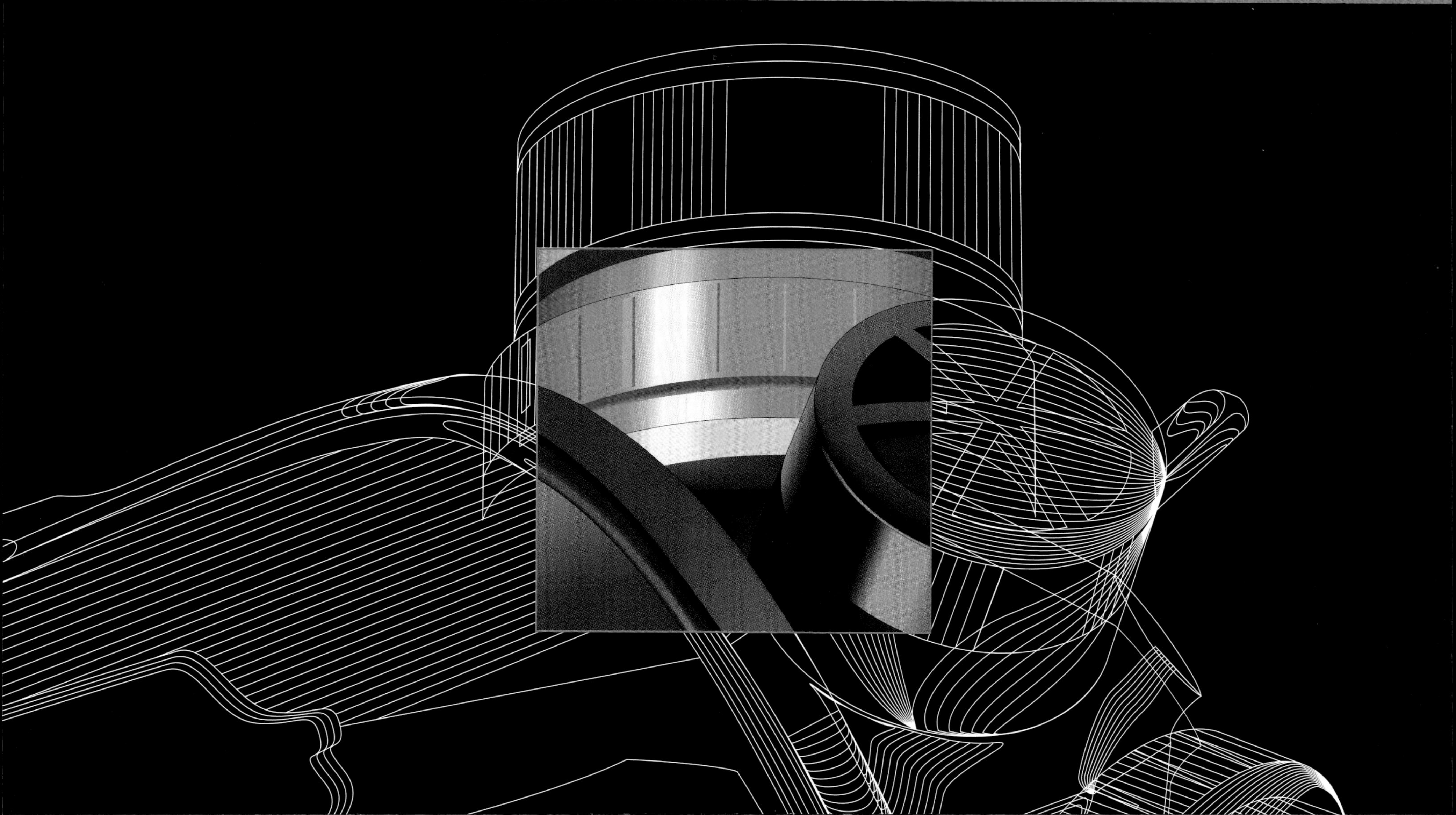

SOMMAIRE

TROUSSE[F] DE SECOURS[M]
FIRST AID KIT

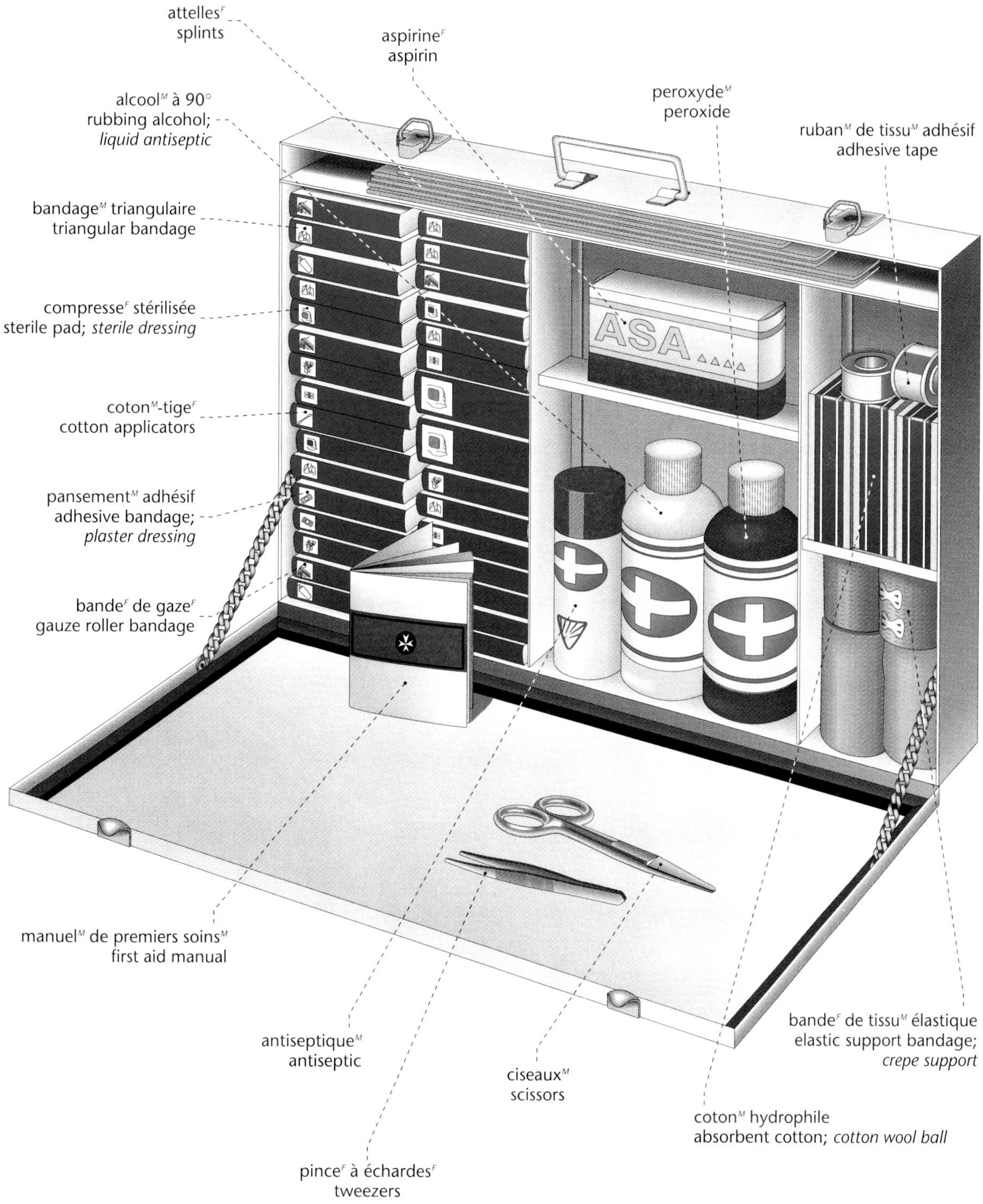
attelles[F]
splints
aspirine[F]
aspirin
alcool[M] à 90°
rubbing alcohol; *liquid antiseptic*
peroxyde[M]
peroxide
ruban[M] de tissu[M] adhésif
adhesive tape
bandage[M] triangulaire
triangular bandage
compresse[F] stérilisée
sterile pad; *sterile dressing*
ASA
coton[M]-tige[F]
cotton applicators
pansement[M] adhésif
adhesive bandage; *plaster dressing*
bande[F] de gaze[F]
gauze roller bandage
manuel[M] de premiers soins[M]
first aid manual
bande[F] de tissu[M] élastique
elastic support bandage; *crepe support*
antiseptique[M]
antiseptic
ciseaux[M]
scissors
coton[M] hydrophile
absorbent cotton; *cotton wool ball*
pince[F] à échardes[F]
tweezers

ampoule[F]
vial

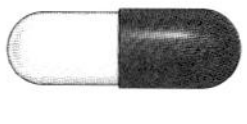
capsule[F]
capsule

comprimé[M]
tablet

gélule[F]
gelatin capsule

MATÉRIEL[M] DE SECOURS[M]
FIRST AID EQUIPMENT

STÉTHOSCOPE[M]
STETHOSCOPE

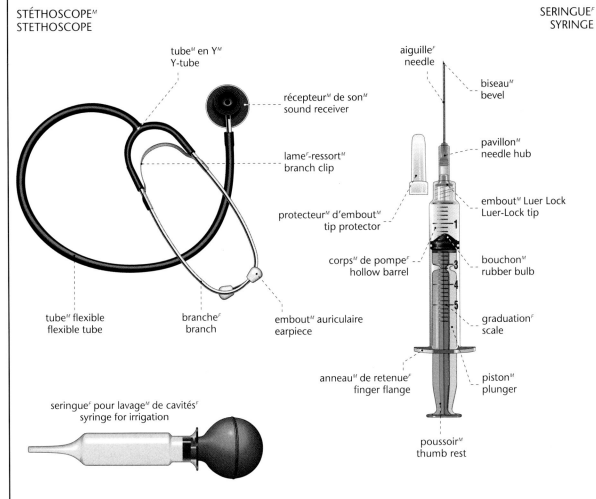

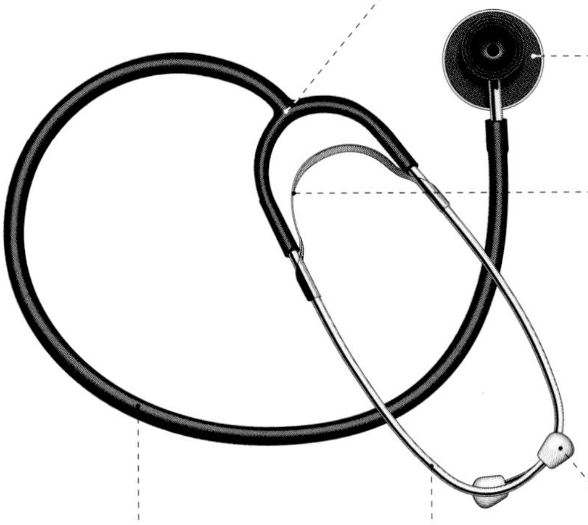
tube[M] en Y[M]
Y-tube
récepteur[M] de son[M]
sound receiver
lame[F]-ressort[M]
branch clip
tube[M] flexible
flexible tube
branche[F]
branch
embout[M] auriculaire
earpiece

SERINGUE[F]
SYRINGE

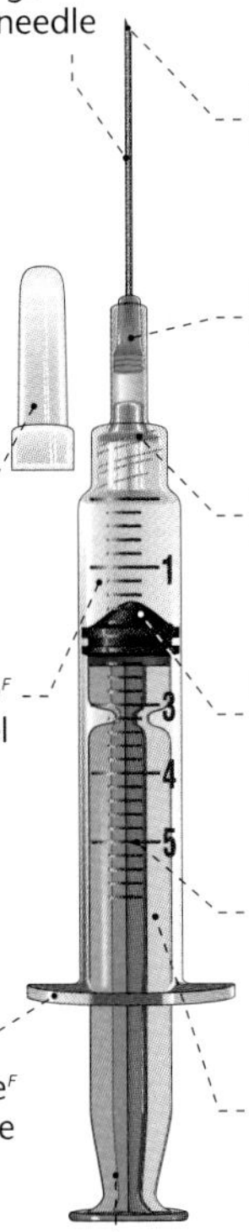
aiguille[F]
needle
biseau[M]
bevel
pavillon[M]
needle hub
embout[M] Luer Lock
Luer-Lock tip
protecteur[M] d'embout[M]
tip protector
corps[M] de pompe[F]
hollow barrel
bouchon[M]
rubber bulb
graduation[F]
scale
anneau[M] de retenue[F]
finger flange
piston[M]
plunger
poussoir[M]
thumb rest

seringue[F] pour lavage[M] de cavités[F]
syringe for irrigation

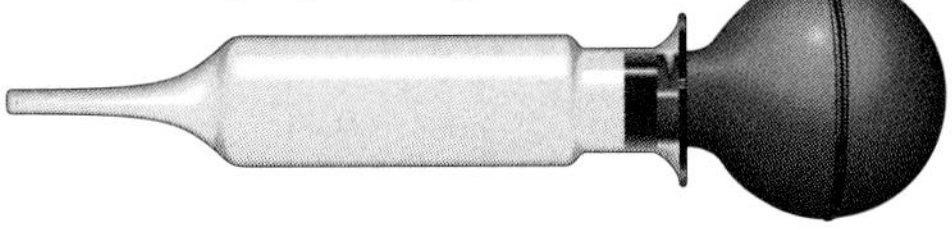

CIVIÈRE[F]
COT

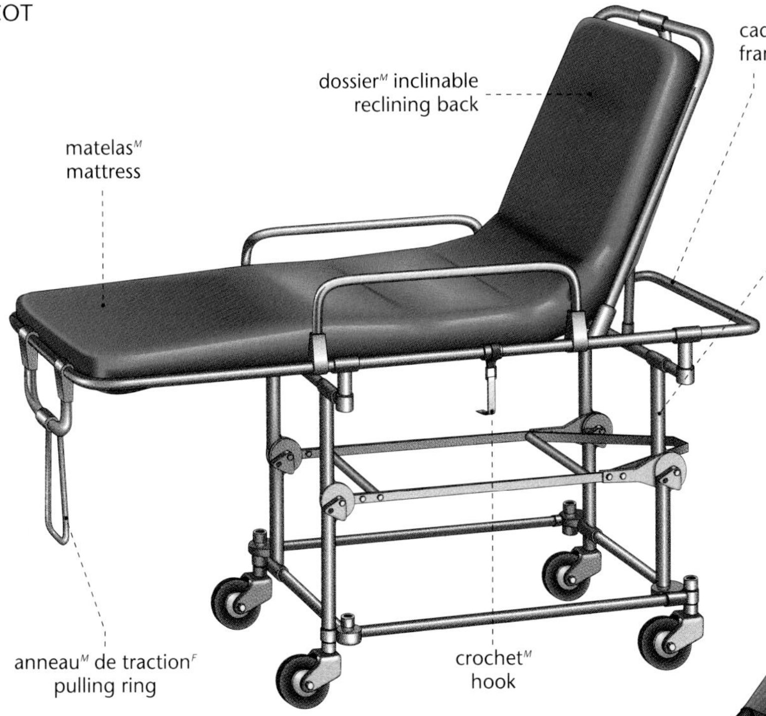
cadre[M]
frame
dossier[M] inclinable
reclining back
matelas[M]
mattress
pied[M] télescopique
telescopic leg
anneau[M] de traction[F]
pulling ring
crochet[M]
hook

brancard[M]
stretcher

FAUTEUIL^M ROULANT
WHEELCHAIR

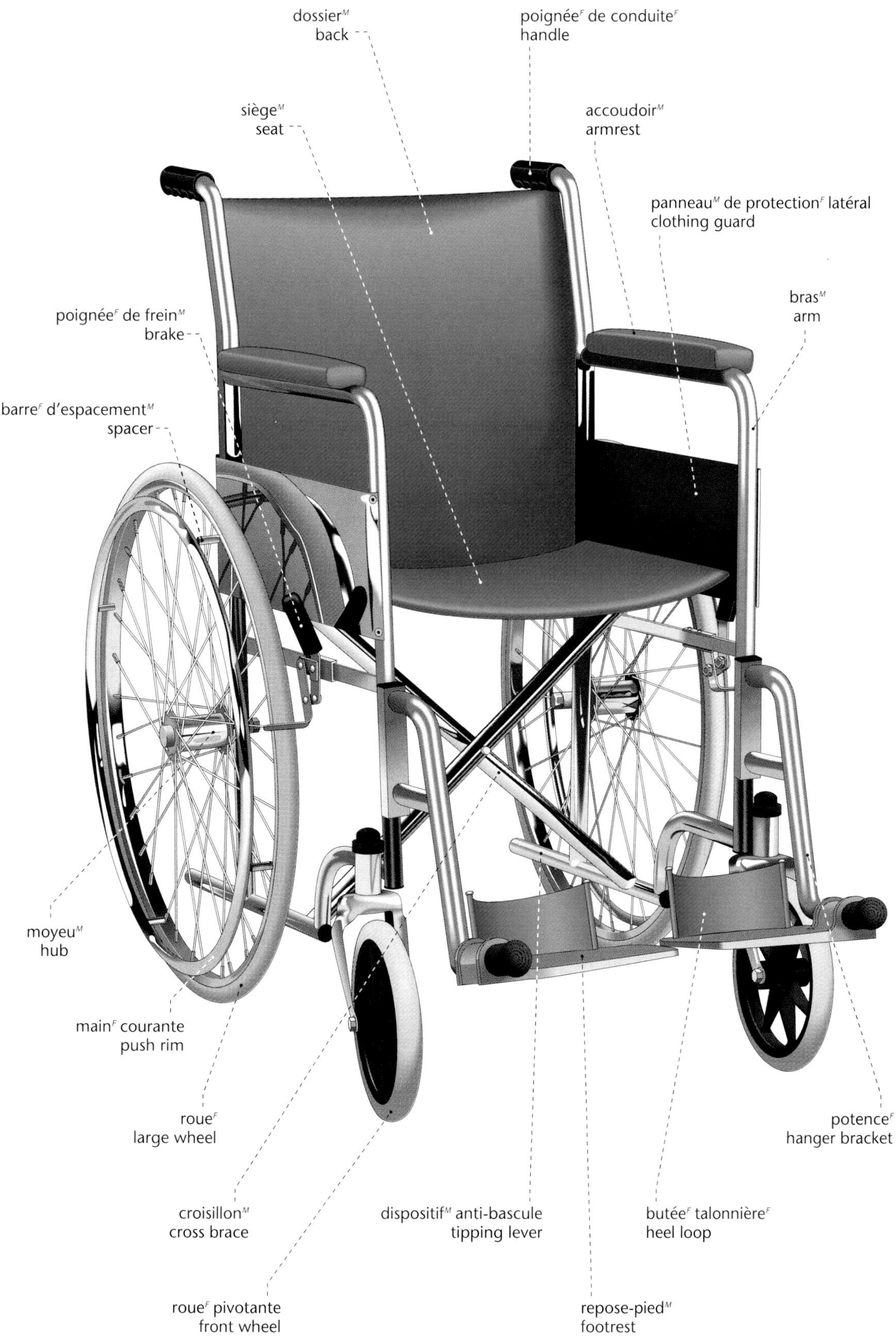
dossier^M
back
poignée^F de conduite^F
handle
siège^M
seat
accoudoir^M
armrest
panneau^M de protection^F latéral
clothing guard
bras^M
arm
poignée^F de frein^M
brake
barre^F d'espacement^M
spacer
moyeu^M
hub
main^F courante
push rim
roue^F
large wheel
potence^F
hanger bracket
croisillon^M
cross brace
dispositif^M anti-bascule
tipping lever
butée^F talonnière^F
heel loop
roue^F pivotante
front wheel
repose-pied^M
footrest

AIDES[F] À LA MARCHE[F]
WALKING AIDS

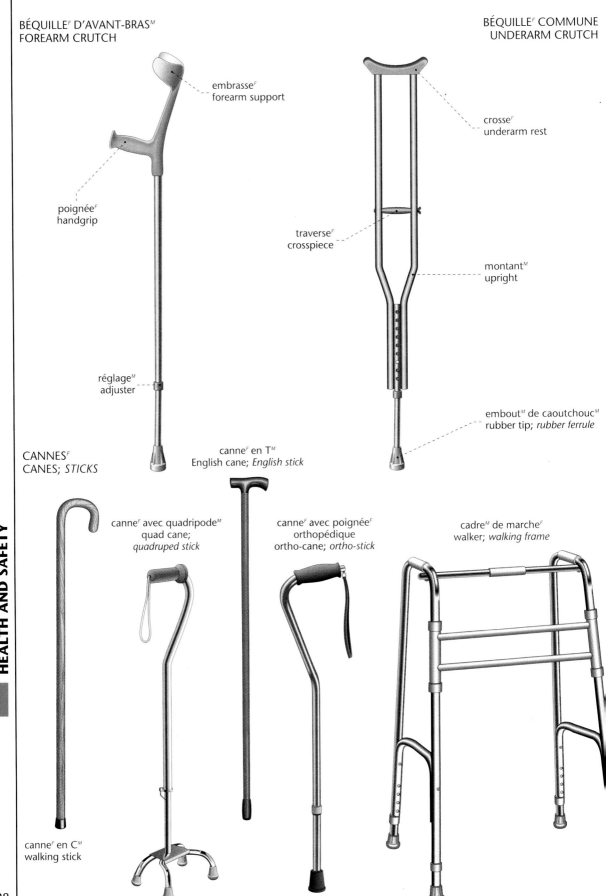

BÉQUILLE[F] D'AVANT-BRAS[M]
FOREARM CRUTCH

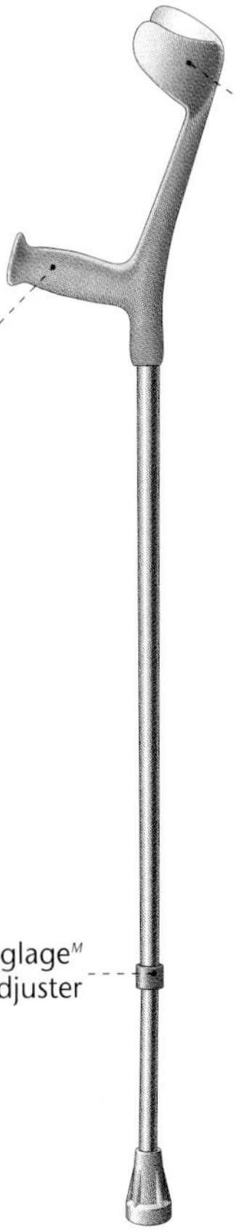
embrasse[F]
forearm support
poignée[F]
handgrip
réglage[M]
adjuster

BÉQUILLE[F] COMMUNE
UNDERARM CRUTCH

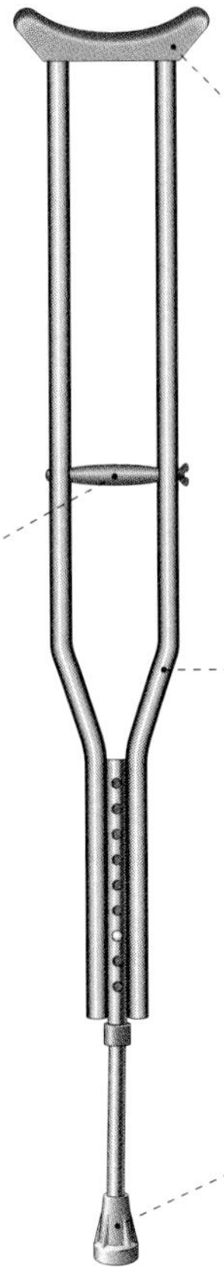
crosse[F]
underarm rest
traverse[F]
crosspiece
montant[M]
upright
embout[M] de caoutchouc[M]
rubber tip; *rubber ferrule*

CANNES[F]
CANES; *STICKS*

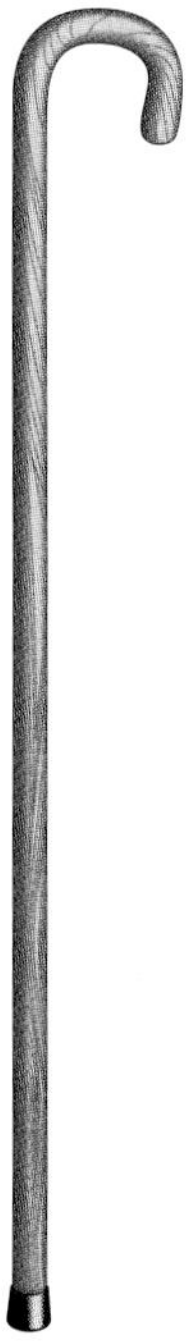
canne[F] en C[M]
walking stick

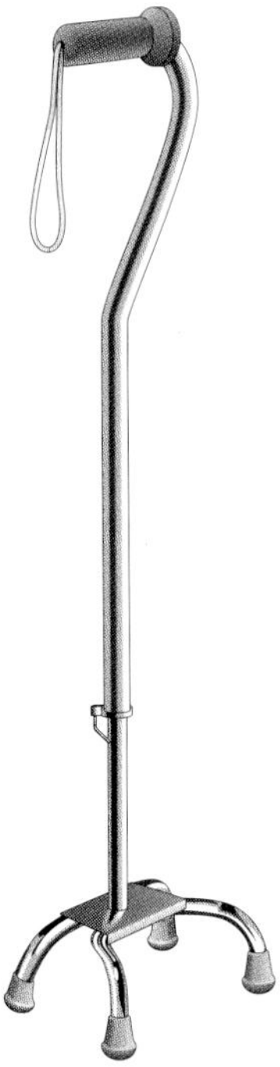
canne[F] avec quadripode[M]
quad cane;
quadruped stick

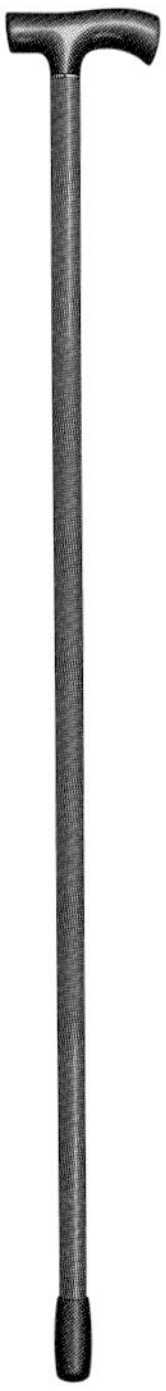
canne[F] en T[M]
English cane; *English stick*

canne[F] avec poignée[F]
orthopédique
ortho-cane; *ortho-stick*

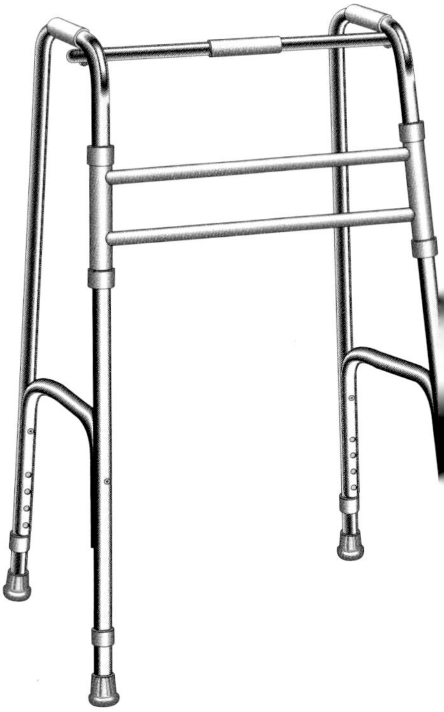
cadre[M] de marche[F]
walker; *walking frame*

PROTECTION[F] DE L'OUÏE[F]
EAR PROTECTION

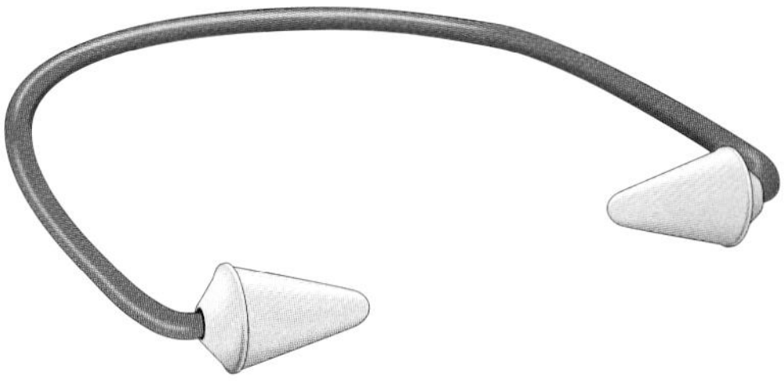
protège-tympan[M]
ear plugs

SERRE-TÊTE[M] ANTIBRUIT
SAFETY EARMUFF
serre-tête[M]
headband
coussinet[M] en mousse[F]
foam cushion

PROTECTION[F] DES YEUX[M]
EYE PROTECTION

lunettes[F] de sécurité[F]
safety glasses

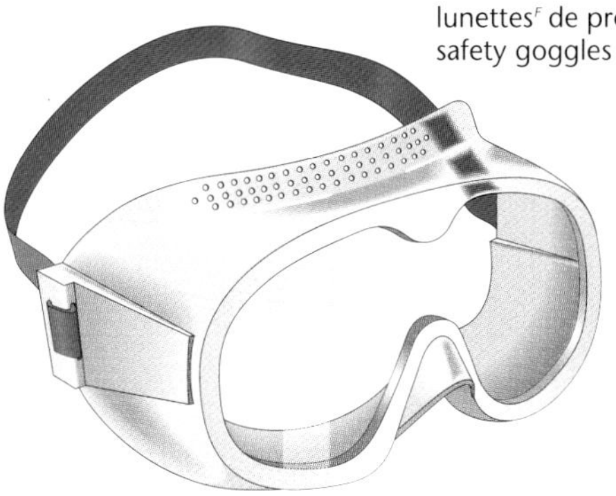
lunettes[F] de protection[F]
safety goggles

PROTECTION[F] DE LA TÊTE[F]
HEAD PROTECTION

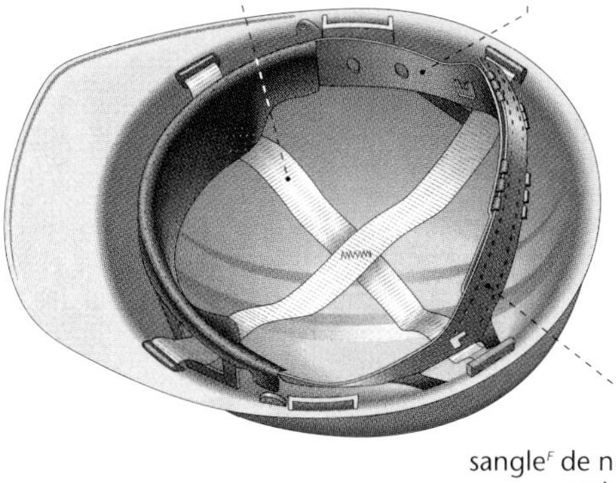
sangle[F] d'amortissement[M]
suspension band
tour[M] de tête[F]
headband
sangle[F] de nuque[F]
neck strap

CASQUE[M] DE SÉCURITÉ[F]
SAFETY CAP
nervure[F]
rib
visière[F]
peak

PROTECTION[F] DES VOIES[F] RESPIRATOIRES
RESPIRATORY SYSTEM PROTECTION

MASQUE[M] RESPIRATOIRE
RESPIRATOR

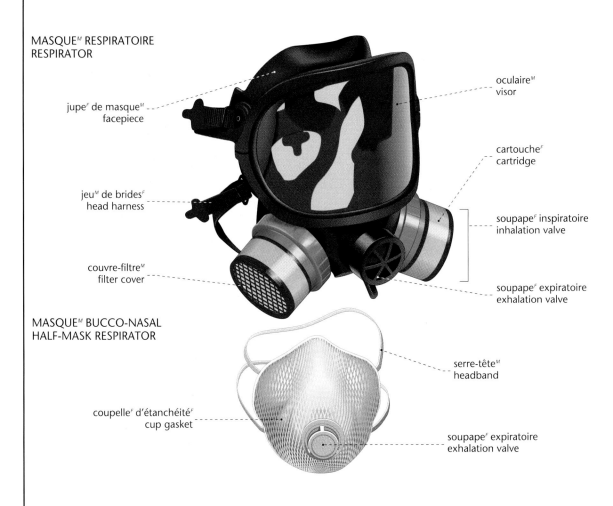

jupe[F] de masque[M]
facepiece
jeu[M] de brides[F]
head harness
couvre-filtre[M]
filter cover
oculaire[M]
visor
cartouche[F]
cartridge
soupape[F] inspiratoire
inhalation valve
soupape[F] expiratoire
exhalation valve

MASQUE[M] BUCCO-NASAL
HALF-MASK RESPIRATOR

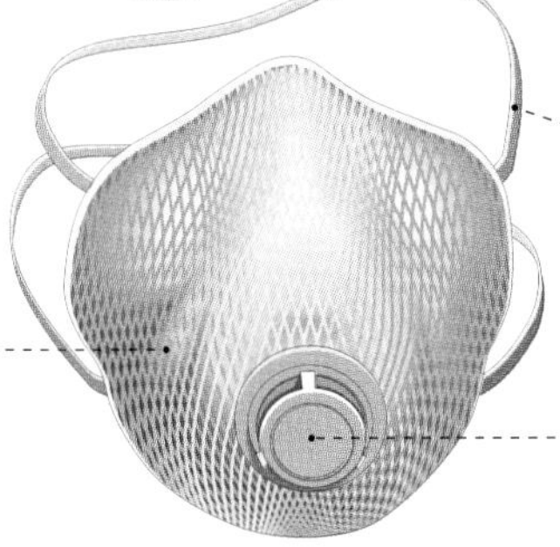

serre-tête[M]
headband
coupelle[F] d'étanchéité[F]
cup gasket
soupape[F] expiratoire
exhalation valve

GILET[M] DE SÉCURITÉ[F]
SAFETY VEST

bande[F] réfléchissante
reflective stripe

PROTECTION[F] DES PIEDS[M]
FEET PROTECTION

protège-orteils[M]
toe guard

BRODEQUIN[M] DE SÉCURITÉ[F]
SAFETY BOOT

embout[M] de protection[F]
reinforced toe

ÉNERGIES • ENERGY

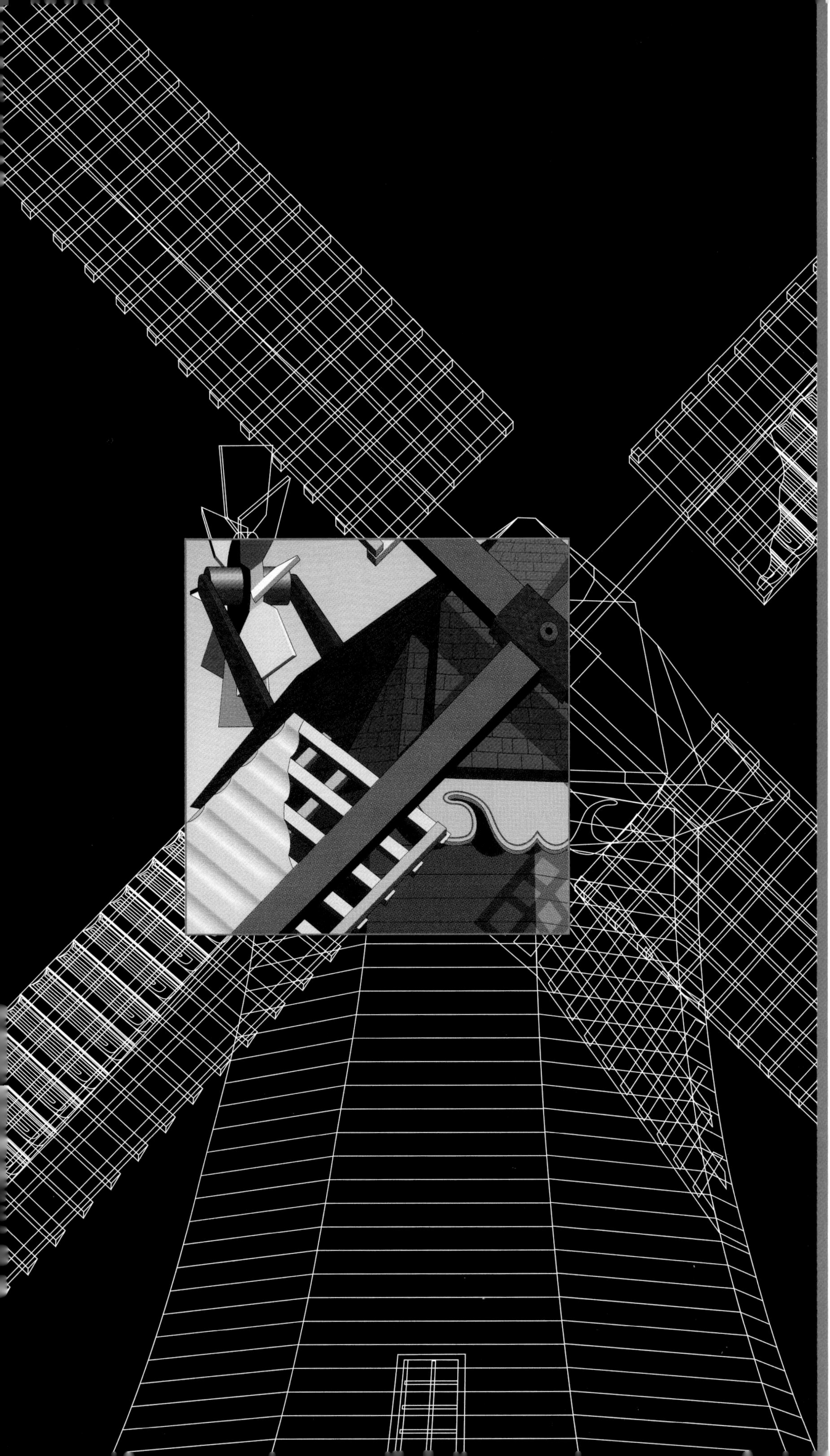

SOMMAIRE

MINE DE CHARBON
COAL MINE

CARRIÈRE EN ENTONNOIR
OPEN-PIT MINE

front de taille
face
gradin
bench
terrain naturel
ground surface
morts-terrains
overburden
hauteur du gradin
bench height
rampe
ramp
voie de transport
haulage road
cratère
crater
minerai
ore

CARRIÈRE EXPLOITÉE EN CHASSANT
STRIP MINE

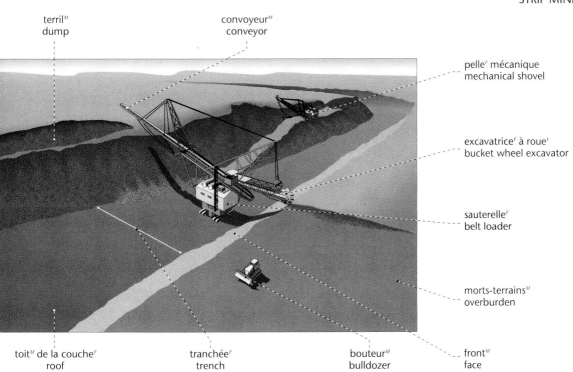

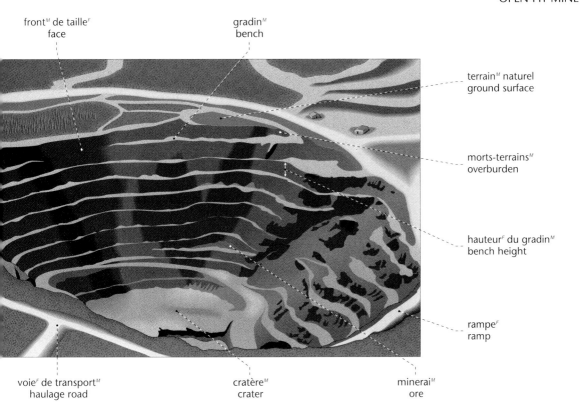

terril
dump
convoyeur
conveyor
pelle mécanique
mechanical shovel
excavatrice à roue
bucket wheel excavator
sauterelle
belt loader
morts-terrains
overburden
toit de la couche
roof
tranchée
trench
bouteur
bulldozer
front
face

MARTEAU[M] PERFORATEUR À POUSSOIR[M] PNEUMATIQUE
JACKLEG DRILL

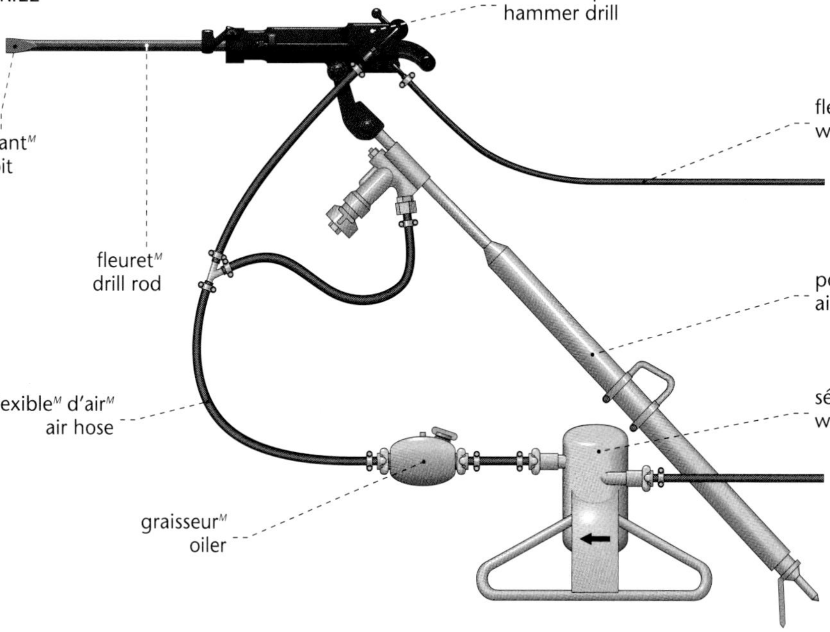

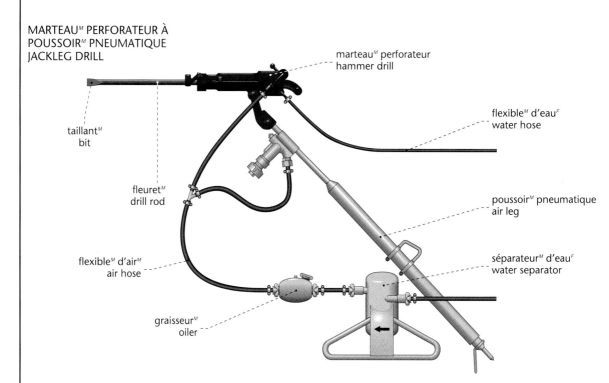

marteau[M] perforateur
hammer drill
taillant[M]
bit
flexible[M] d'eau[F]
water hose
fleuret[M]
drill rod
poussoir[M] pneumatique
air leg
flexible[M] d'air[M]
air hose
séparateur[M] d'eau[F]
water separator
graisseur[M]
oiler

CARREAU[M] DE MINE[F]
PITHEAD

atelier[M] d'entretien[M]
maintenance shop
terril[M]
dump
ventilateur[M] principal
main fan
silo[M] de chargement[M]
loading bunker

MARTEAU[M] PNEUMATIQUE
PNEUMATIC HAMMER

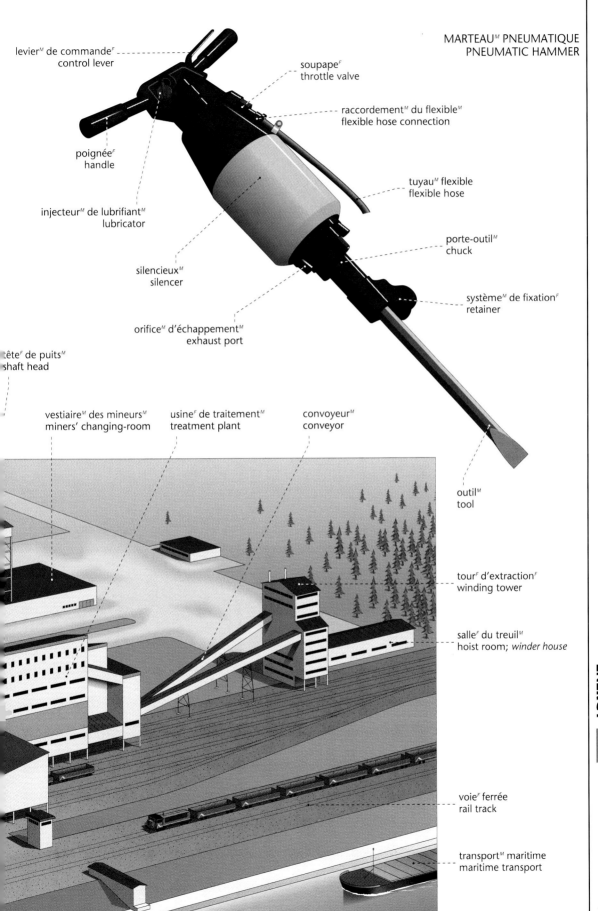

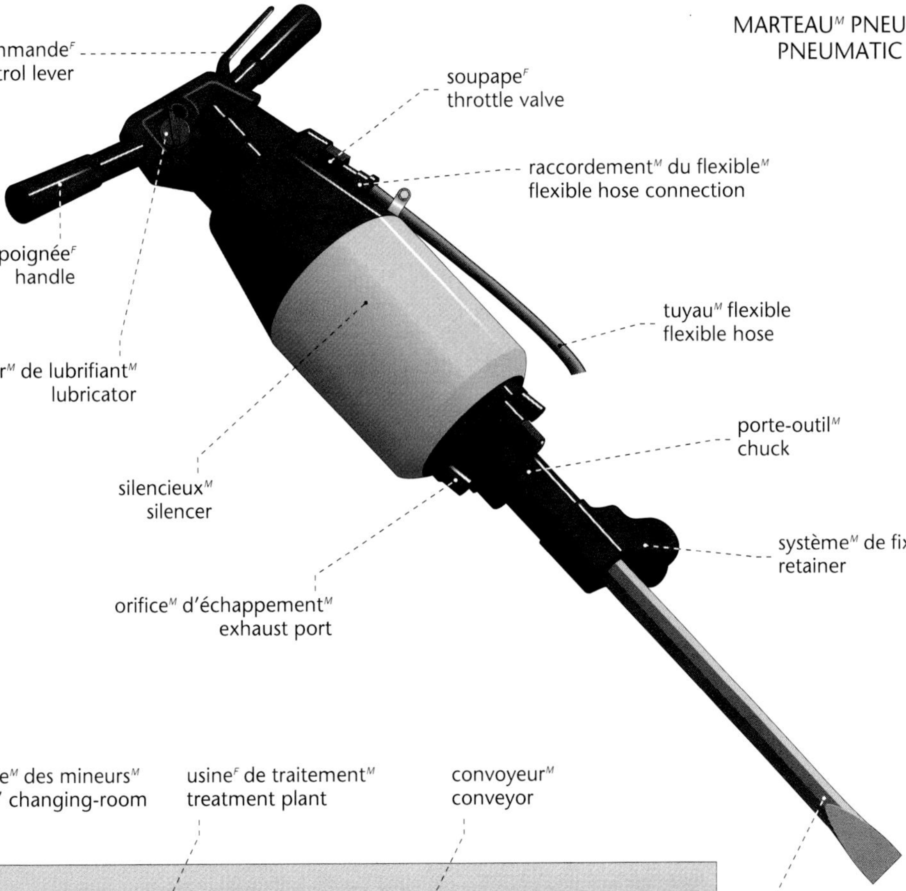
levier[M] de commande[F]
control lever
soupape[F]
throttle valve
raccordement[M] du flexible[M]
flexible hose connection
poignée[F]
handle
tuyau[M] flexible
flexible hose
injecteur[M] de lubrifiant[M]
lubricator
porte-outil[M]
chuck
silencieux[M]
silencer
système[M] de fixation[F]
retainer
orifice[M] d'échappement[M]
exhaust port
outil[M]
tool

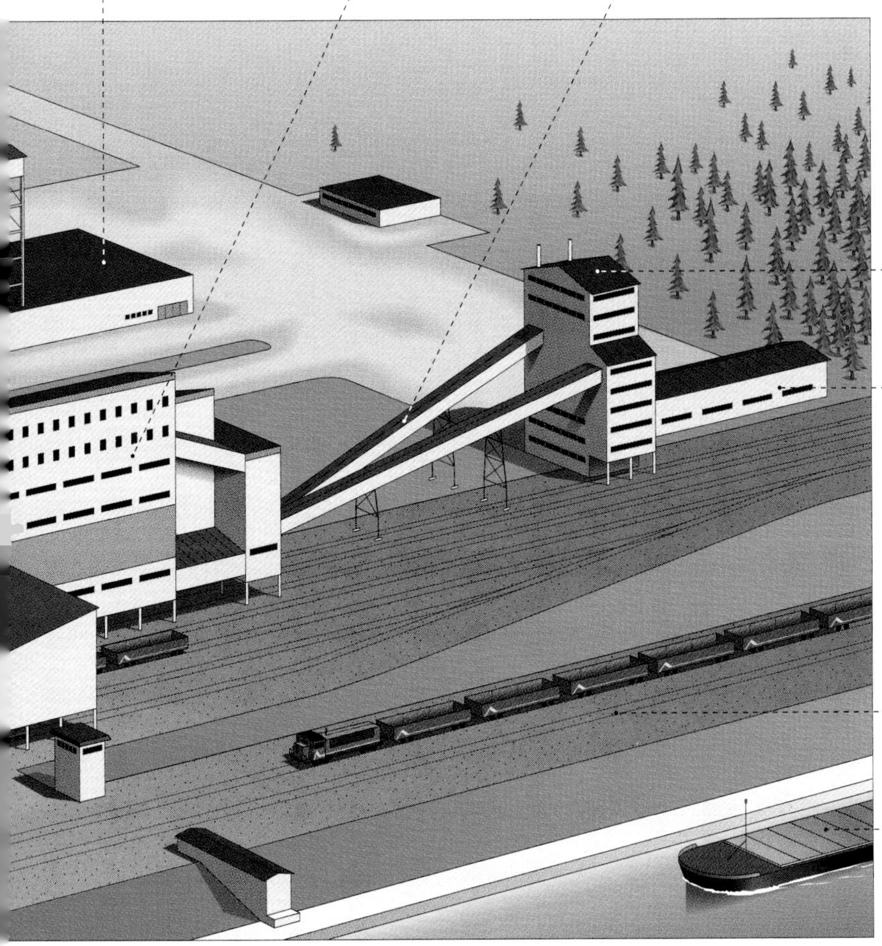
tête[F] de puits[M]
shaft head
vestiaire[M] des mineurs[M]
miners' changing-room
usine[F] de traitement[M]
treatment plant
convoyeur[M]
conveyor
tour[F] d'extraction[F]
winding tower
salle[F] du treuil[M]
hoist room; *winder house*
voie[F] ferrée
rail track
transport[M] maritime
maritime transport

MINE[F] DE CHARBON[M]
COAL MINE

MINE[F] SOUTERRAINE
UNDERGROUND MINE

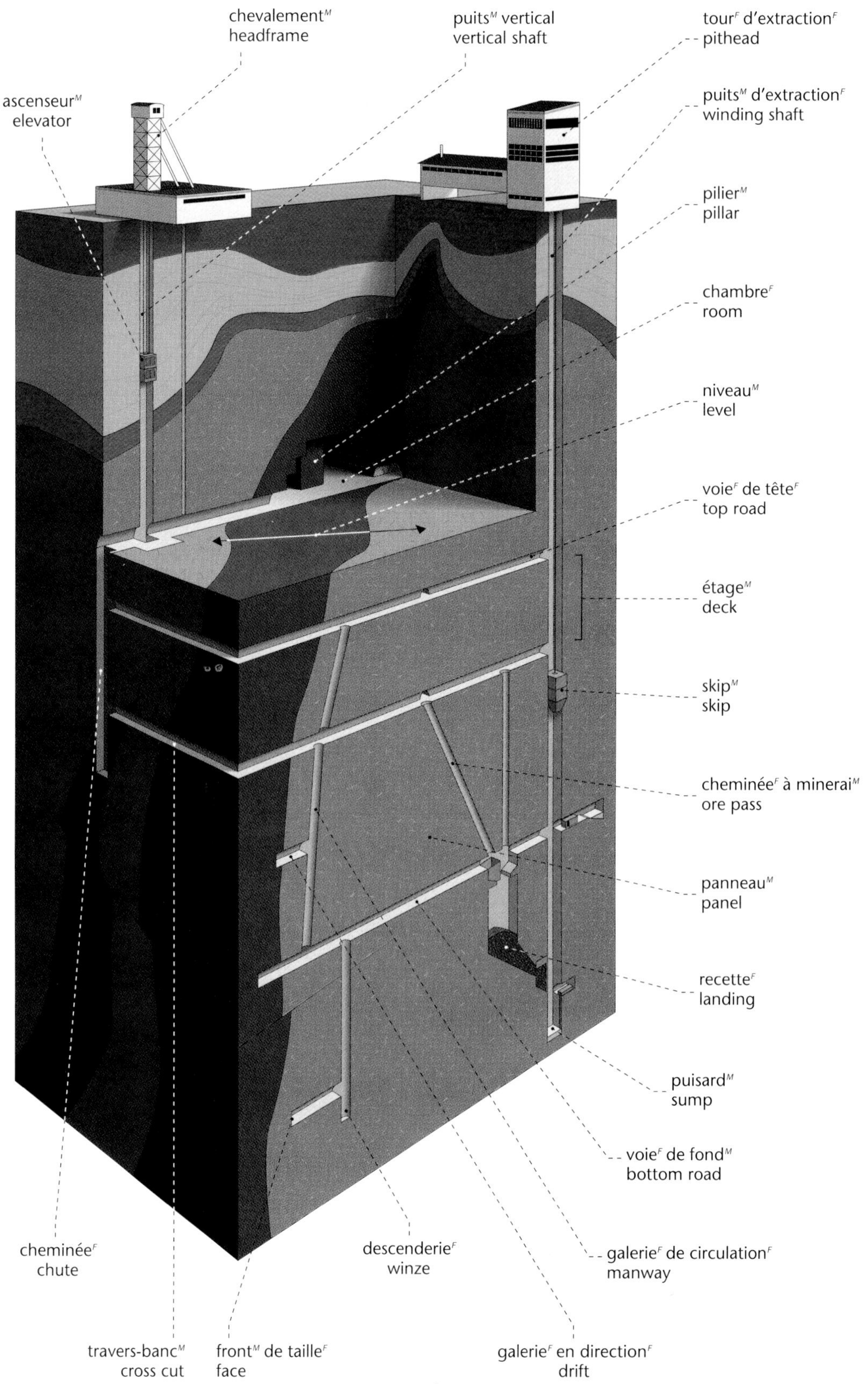

chevalement[M]
headframe
puits[M] vertical
vertical shaft
tour[F] d'extraction[F]
pithead
ascenseur[M]
elevator
puits[M] d'extraction[F]
winding shaft
pilier[M]
pillar
chambre[F]
room
niveau[M]
level
voie[F] de tête[F]
top road
étage[M]
deck
skip[M]
skip
cheminée[F] à minerai[M]
ore pass
panneau[M]
panel
recette[F]
landing
puisard[M]
sump
voie[F] de fond[M]
bottom road
cheminée[F]
chute
descenderie[F]
winze
galerie[F] de circulation[F]
manway
travers-banc[M]
cross cut
front[M] de taille[F]
face
galerie[F] en direction[F]
drift

PÉTROLE^M
OIL

APPAREIL^M DE FORAGE^M
DRILLING RIG

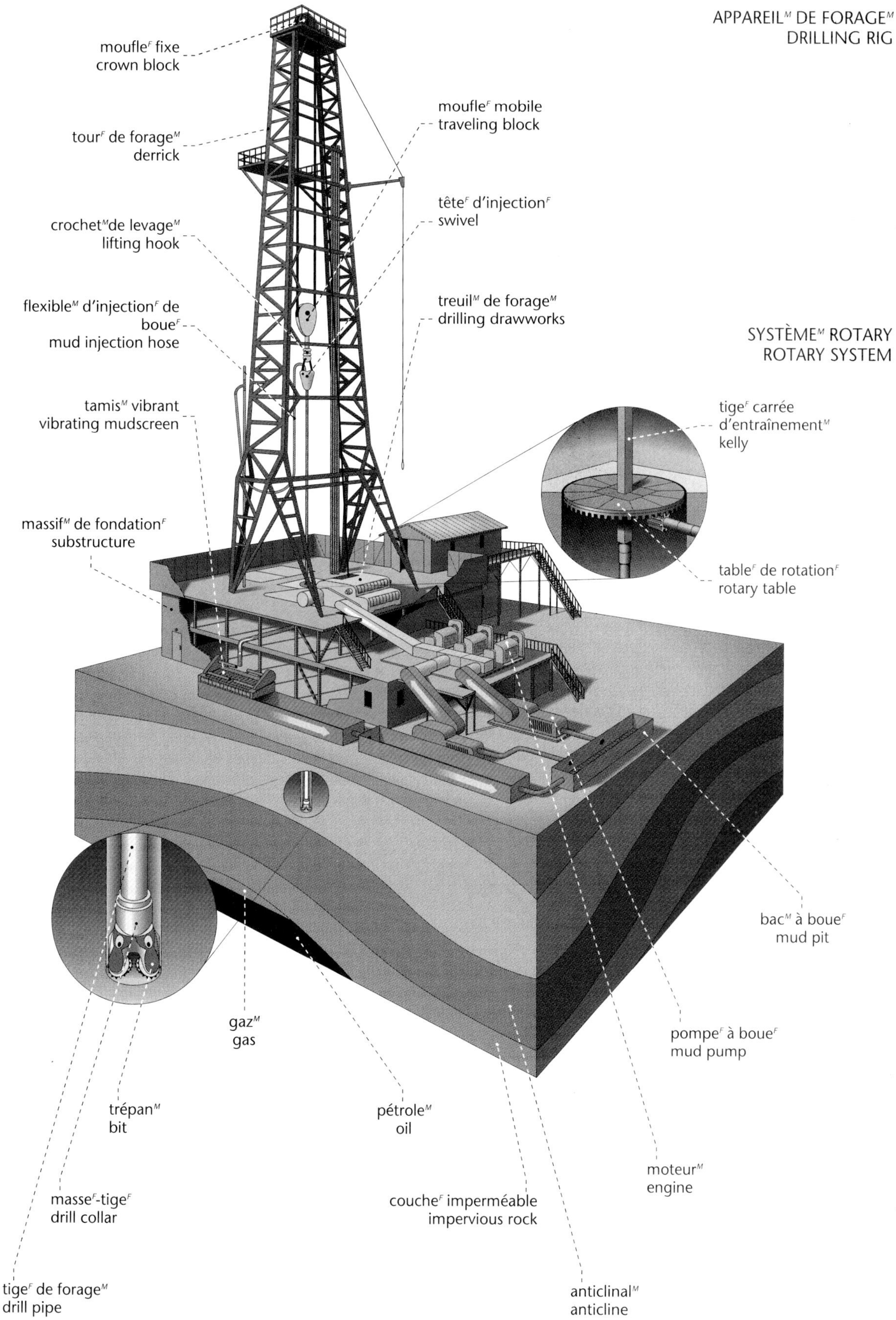
moufle^F fixe
crown block
tour^F de forage^M
derrick
crochet^M de levage^M
lifting hook
flexible^M d'injection^F de boue^F
mud injection hose
tamis^M vibrant
vibrating mudscreen
massif^M de fondation^F
substructure
moufle^F mobile
traveling block
tête^F d'injection^F
swivel
treuil^M de forage^M
drilling drawworks
SYSTÈME^M ROTARY
ROTARY SYSTEM
tige^F carrée d'entraînement^M
kelly
table^F de rotation^F
rotary table
bac^M à boue^F
mud pit
pompe^F à boue^F
mud pump
moteur^M
engine
gaz^M
gas
pétrole^M
oil
trépan^M
bit
masse^F-tige^F
drill collar
couche^F imperméable
impervious rock
anticlinal^M
anticline
tige^F de forage^M
drill pipe

ÉNERGIES
ENERGY

PÉTROLE[M]
OIL

PLATE-FORME[F] DE PRODUCTION[F]
PRODUCTION PLATFORM

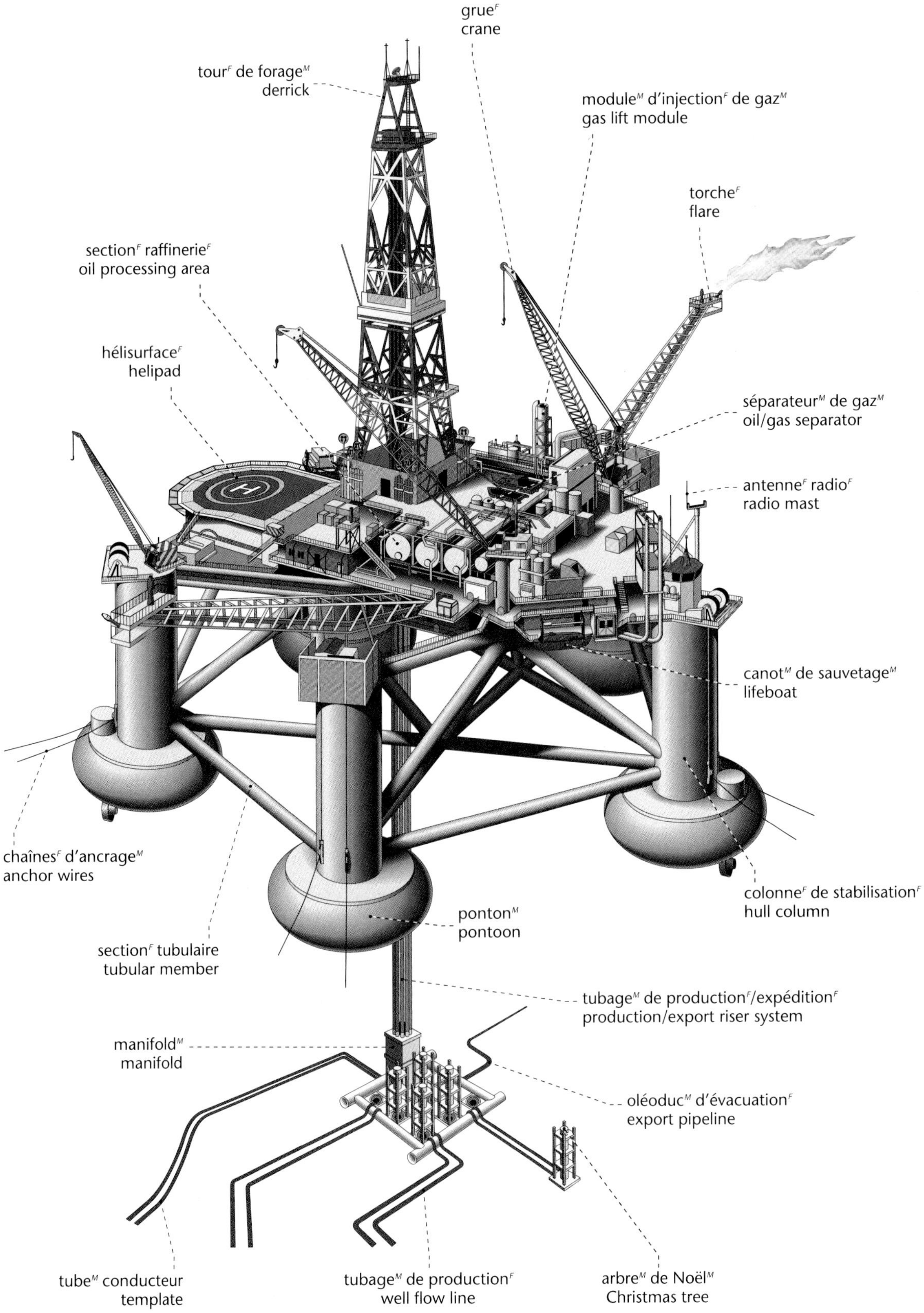
grue[F]
crane
tour[F] de forage[M]
derrick
module[M] d'injection[F] de gaz[M]
gas lift module
torche[F]
flare
section[F] raffinerie[F]
oil processing area
hélisurface[F]
helipad
séparateur[M] de gaz[M]
oil/gas separator
antenne[F] radio[F]
radio mast
canot[M] de sauvetage[M]
lifeboat
chaînes[F] d'ancrage[M]
anchor wires
colonne[F] de stabilisation[F]
hull column
ponton[M]
pontoon
section[F] tubulaire
tubular member
tubage[M] de production[F]/expédition[F]
production/export riser system
manifold[M]
manifold
oléoduc[M] d'évacuation[F]
export pipeline
tube[M] conducteur
template
tubage[M] de production[F]
well flow line
arbre[M] de Noël[M]
Christmas tree

FORAGE[M] EN MER[F]
OFFSHORE DRILLING

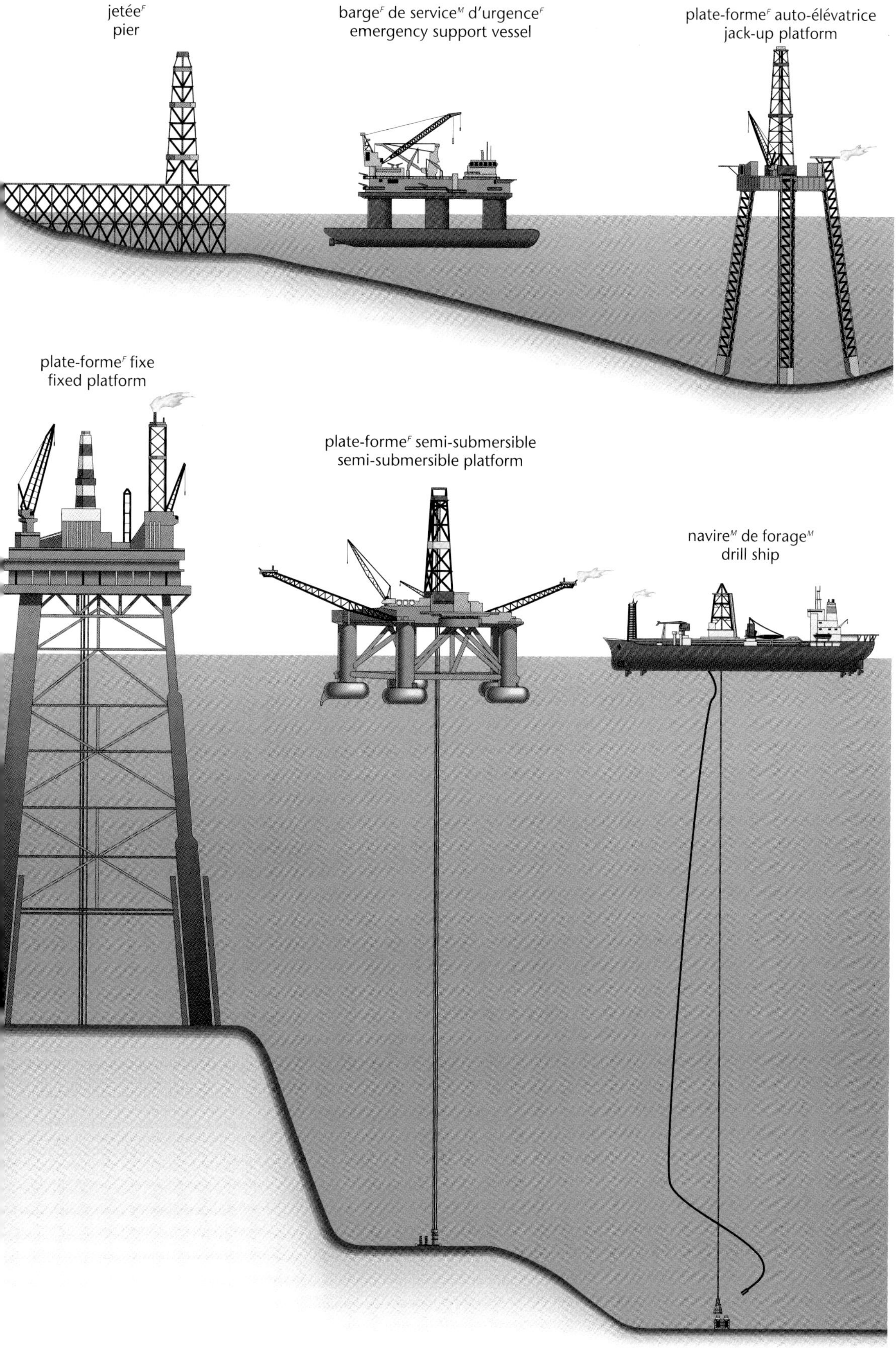
jetée[F]
pier
barge[F] de service[M] d'urgence[F]
emergency support vessel
plate-forme[F] auto-élévatrice
jack-up platform
plate-forme[F] fixe
fixed platform
plate-forme[F] semi-submersible
semi-submersible platform
navire[M] de forage[M]
drill ship

PÉTROLE^{M}
OIL

ARBRE^{M} DE NOËL^{M}
CHRISTMAS TREE

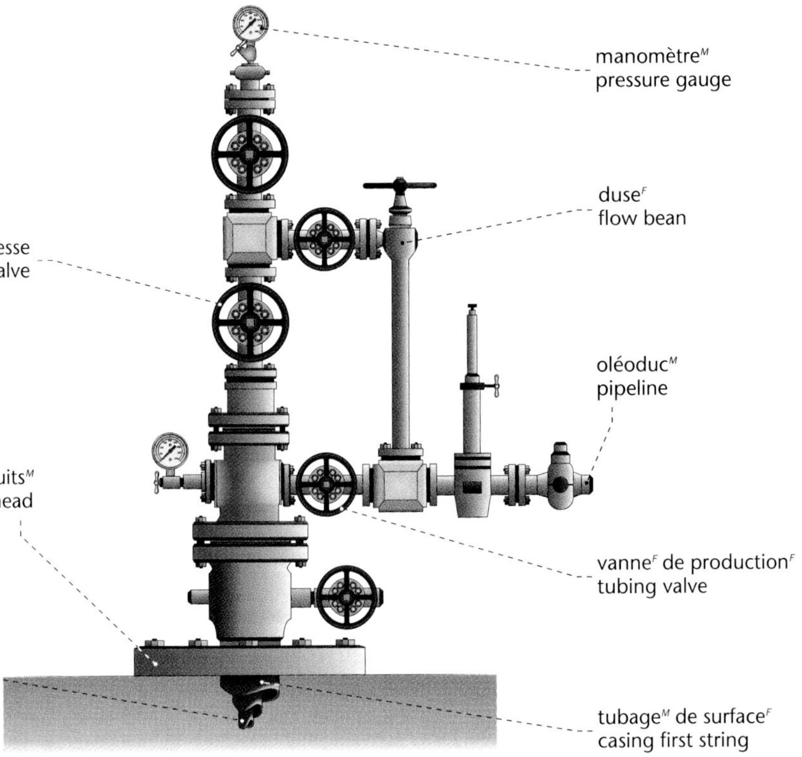

manomètre^{M}
pressure gauge
duse^{F}
flow bean
vanne^{F} maîtresse
master gate valve
oléoduc^{M}
pipeline
tête^{F} de puits^{M}
tubing head
vanne^{F} de production^{F}
tubing valve
colonne^{F} de production^{F}
tubing
tubage^{M} de surface^{F}
casing first string

RÉSEAU^{M} D'OLÉODUCS^{M}
CRUDE-OIL PIPELINE

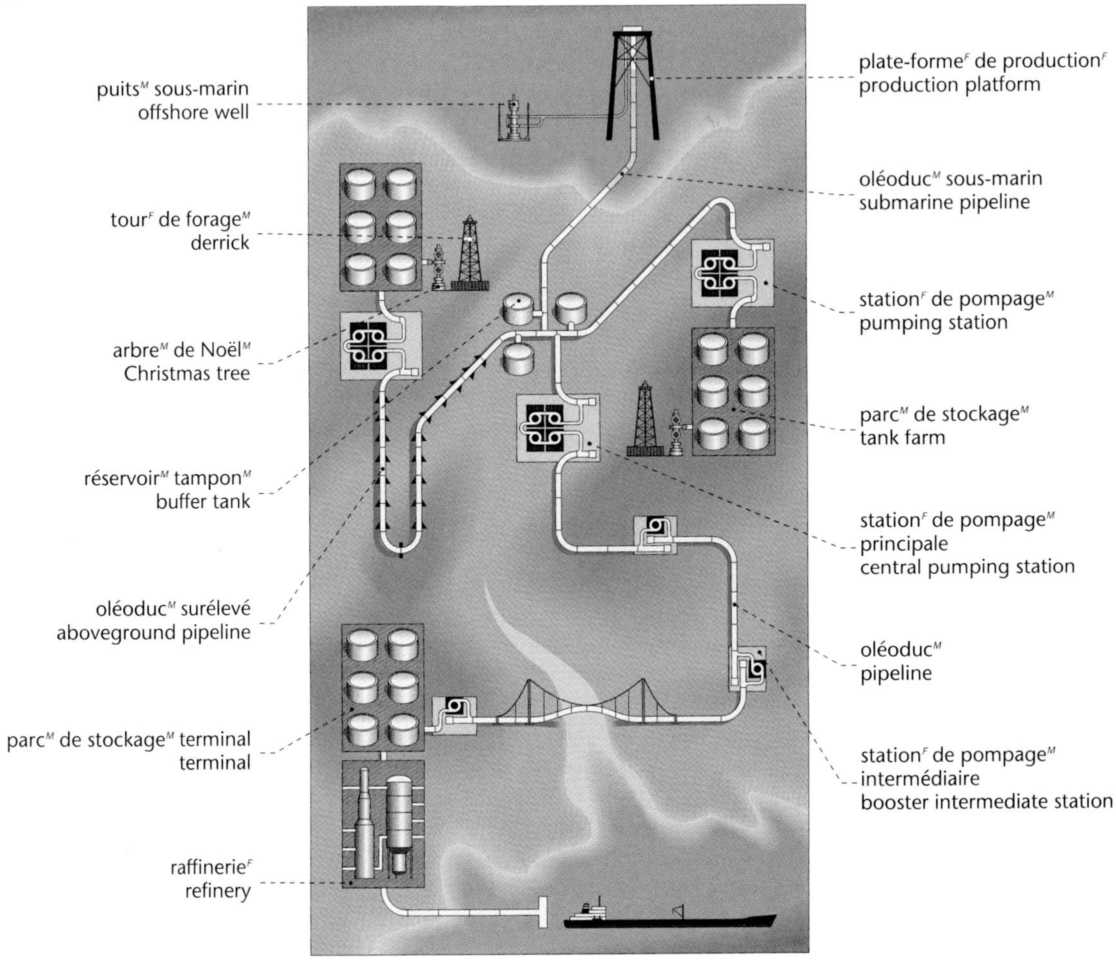

puits^{M} sous-marin
offshore well
plate-forme^{F} de production^{F}
production platform
oléoduc^{M} sous-marin
submarine pipeline
tour^{F} de forage^{M}
derrick
station^{F} de pompage^{M}
pumping station
arbre^{M} de Noël^{M}
Christmas tree
parc^{M} de stockage^{M}
tank farm
réservoir^{M} tampon^{M}
buffer tank
station^{F} de pompage^{M} principale
central pumping station
oléoduc^{M} surélevé
aboveground pipeline
oléoduc^{M}
pipeline
parc^{M} de stockage^{M} terminal
terminal
station^{F} de pompage^{M} intermédiaire
booster intermediate station
raffinerie^{F}
refinery

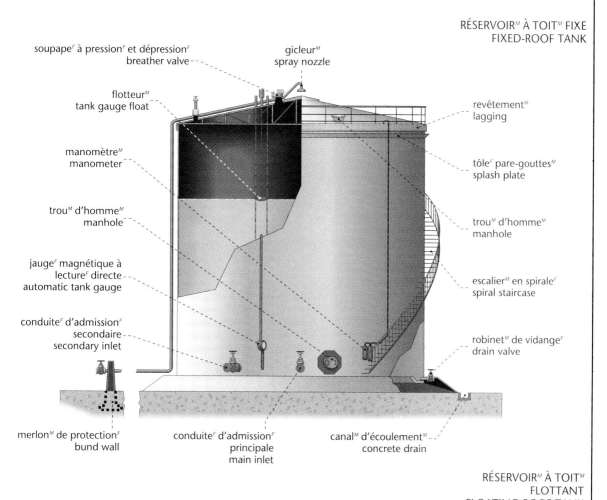

RÉSERVOIR[M] À TOIT[M] FIXE
FIXED-ROOF TANK

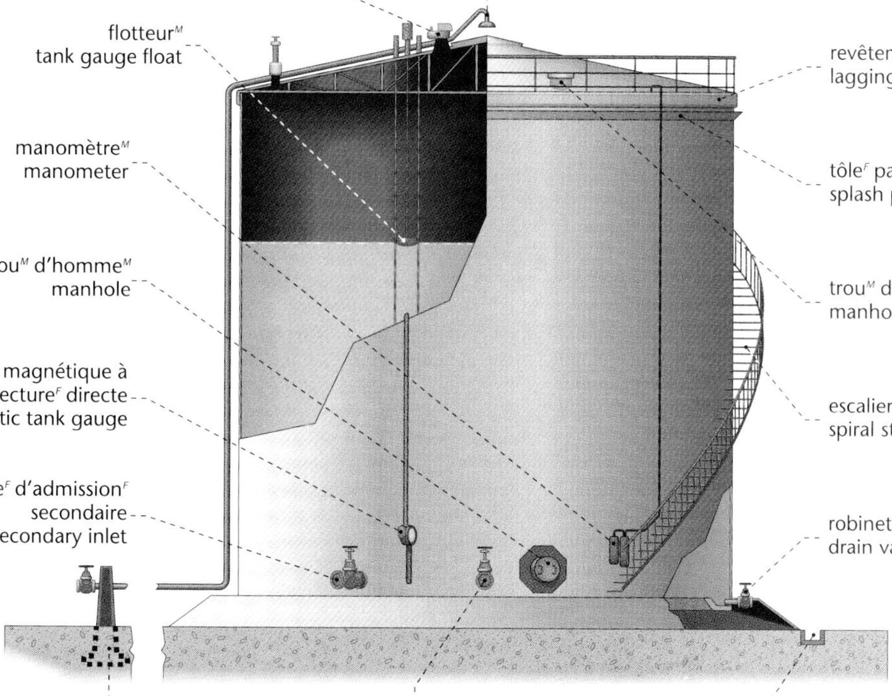
soupape[F] à pression[F] et dépression[F]
breather valve
gicleur[M]
spray nozzle
flotteur[M]
tank gauge float
revêtement[M]
lagging
manomètre[M]
manometer
tôle[F] pare-gouttes[M]
splash plate
trou[M] d'homme[M]
manhole
trou[M] d'homme[M]
manhole
jauge[F] magnétique à lecture[F] directe
automatic tank gauge
escalier[M] en spirale[F]
spiral staircase
conduite[F] d'admission[F] secondaire
secondary inlet
robinet[M] de vidange[F]
drain valve
merlon[M] de protection[F]
bund wall
conduite[F] d'admission[F] principale
main inlet
canal[M] d'écoulement[M]
concrete drain

RÉSERVOIR[M] À TOIT[M] FLOTTANT
FLOATING-ROOF TANK

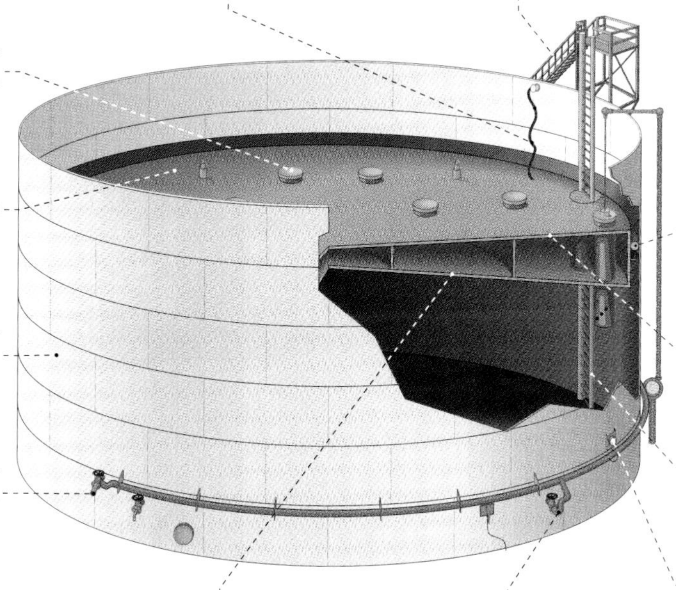
conduite[F] à la terre[F]
ground
escalier[M]
stairs
trou[M] d'homme[M]
manhole
toit[M] flottant
floating roof
joint[M] d'étanchéité[F]
sealing ring
robe[F]
shell
pont[M] supérieur
top deck
échelle[F]
ladder
robinet[M] de vidange[F]
drain valve
thermomètre[M]
thermometer
pont[M] inférieur
bottom deck
remplissage[M]
filling inlet

PÉTROLE[M]
OIL

SEMI-REMORQUE[F] CITERNE[F]
TANK TRAILER

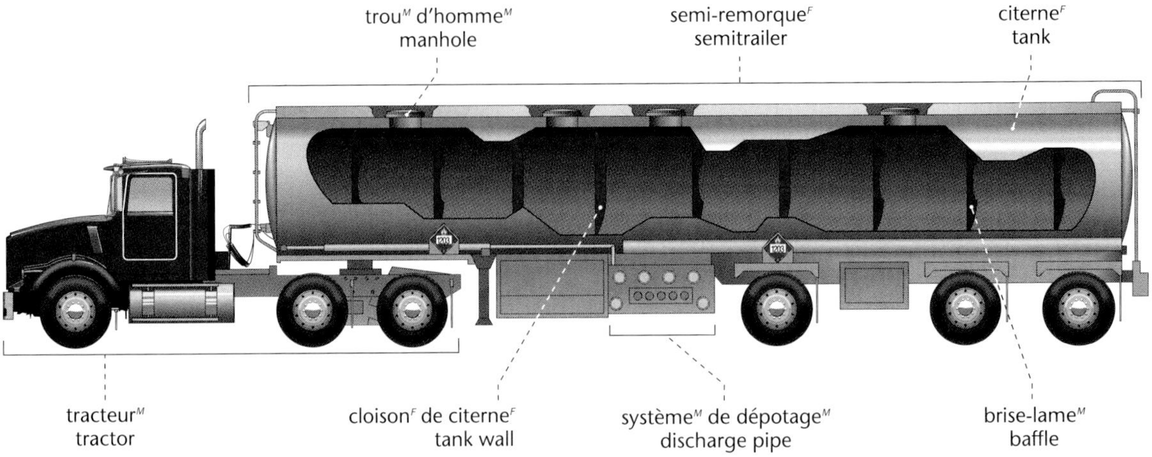

trou[M] d'homme[M]
manhole
semi-remorque[F]
semitrailer
citerne[F]
tank
tracteur[M]
tractor
cloison[F] de citerne[F]
tank wall
système[M] de dépotage[M]
discharge pipe
brise-lame[M]
baffle

PÉTROLIER[M]
TANKER

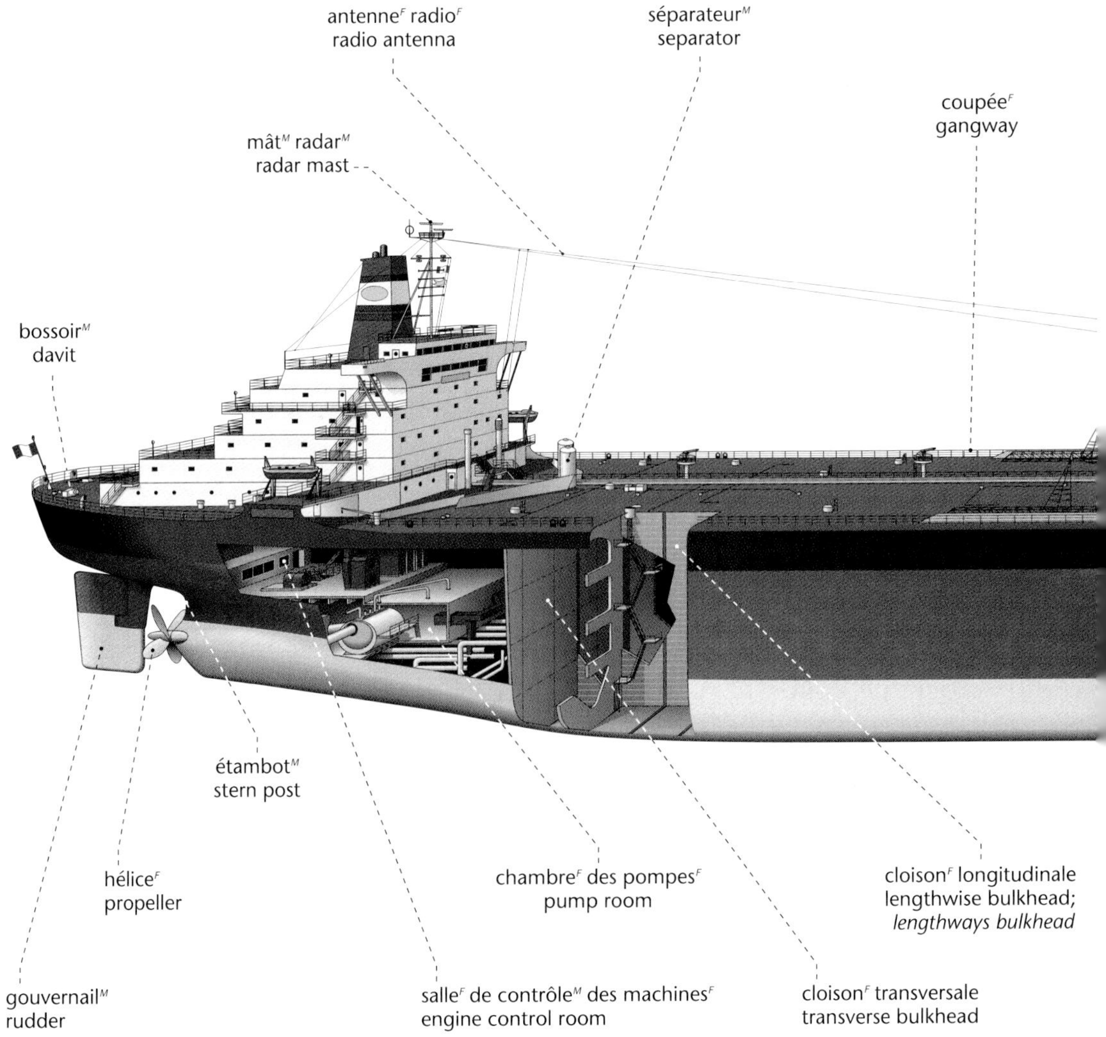

antenne[F] radio[F]
radio antenna
séparateur[M]
separator
coupée[F]
gangway
mât[M] radar[M]
radar mast
bossoir[M]
davit
étambot[M]
stern post
hélice[F]
propeller
chambre[F] des pompes[F]
pump room
cloison[F] longitudinale
lengthwise bulkhead;
lengthways bulkhead
gouvernail[M]
rudder
salle[F] de contrôle[M] des machines[F]
engine control room
cloison[F] transversale
transverse bulkhead

WAGON[M]-CITERNE[F]
TANK CAR; *TANK WAGON*

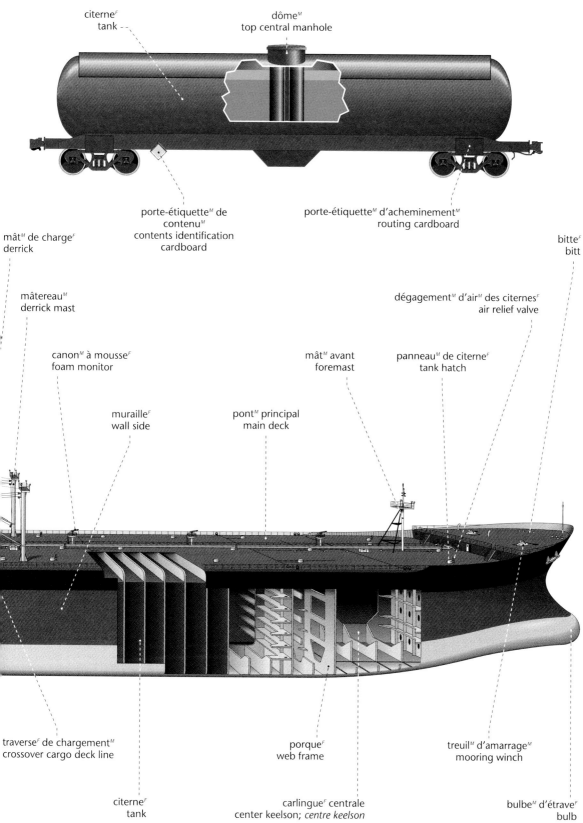

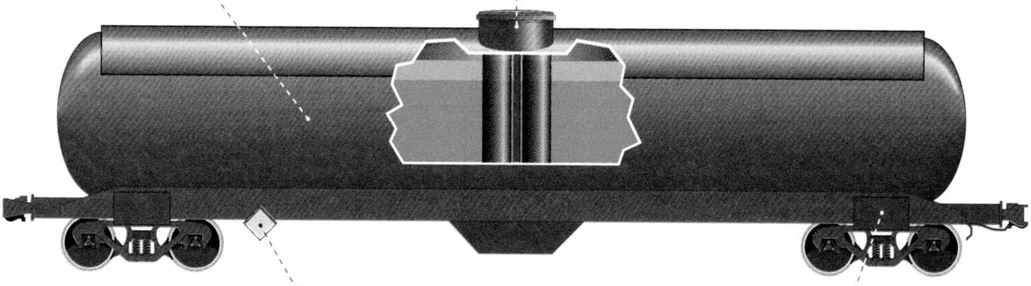
citerne[F]
tank
dôme[M]
top central manhole
porte-étiquette[M] de contenu[M]
contents identification cardboard
porte-étiquette[M] d'acheminement[M]
routing cardboard

mât[M] de charge[F]
derrick
mâtereau[M]
derrick mast
canon[M] à mousse[F]
foam monitor
muraille[F]
wall side
pont[M] principal
main deck
mât[M] avant
foremast
panneau[M] de citerne[F]
tank hatch
dégagement[M] d'air[M] des citernes[F]
air relief valve
bitte[F]
bitt
traverse[F] de chargement[M]
crossover cargo deck line
porque[F]
web frame
treuil[M] d'amarrage[M]
mooring winch
citerne[F]
tank
carlingue[F] centrale
center keelson; *centre keelson*
bulbe[M] d'étrave[F]
bulb

PRODUITS[M] DE LA RAFFINERIE[F]
REFINERY PRODUCTS

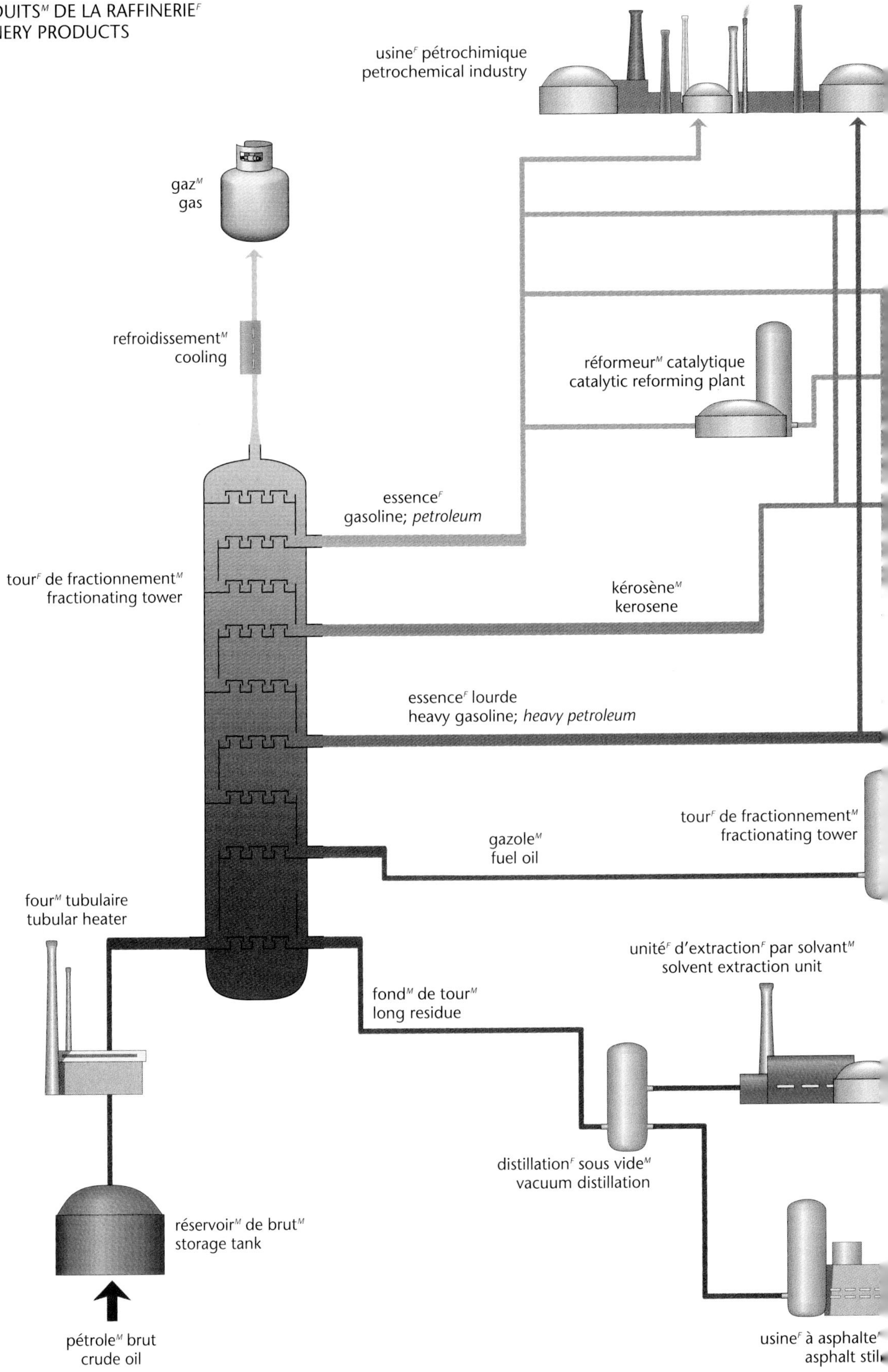
usine[F] pétrochimique
petrochemical industry
gaz[M]
gas
refroidissement[M]
cooling
réformeur[M] catalytique
catalytic reforming plant
essence[F]
gasoline; *petroleum*
tour[F] de fractionnement[M]
fractionating tower
kérosène[M]
kerosene
essence[F] lourde
heavy gasoline; *heavy petroleum*
tour[F] de fractionnement[M]
fractionating tower
gazole[M]
fuel oil
four[M] tubulaire
tubular heater
unité[F] d'extraction[F] par solvant[M]
solvent extraction unit
fond[M] de tour[M]
long residue
distillation[F] sous vide[M]
vacuum distillation
réservoir[M] de brut[M]
storage tank
pétrole[M] brut
crude oil
usine[F] à asphalte[M]
asphalt still

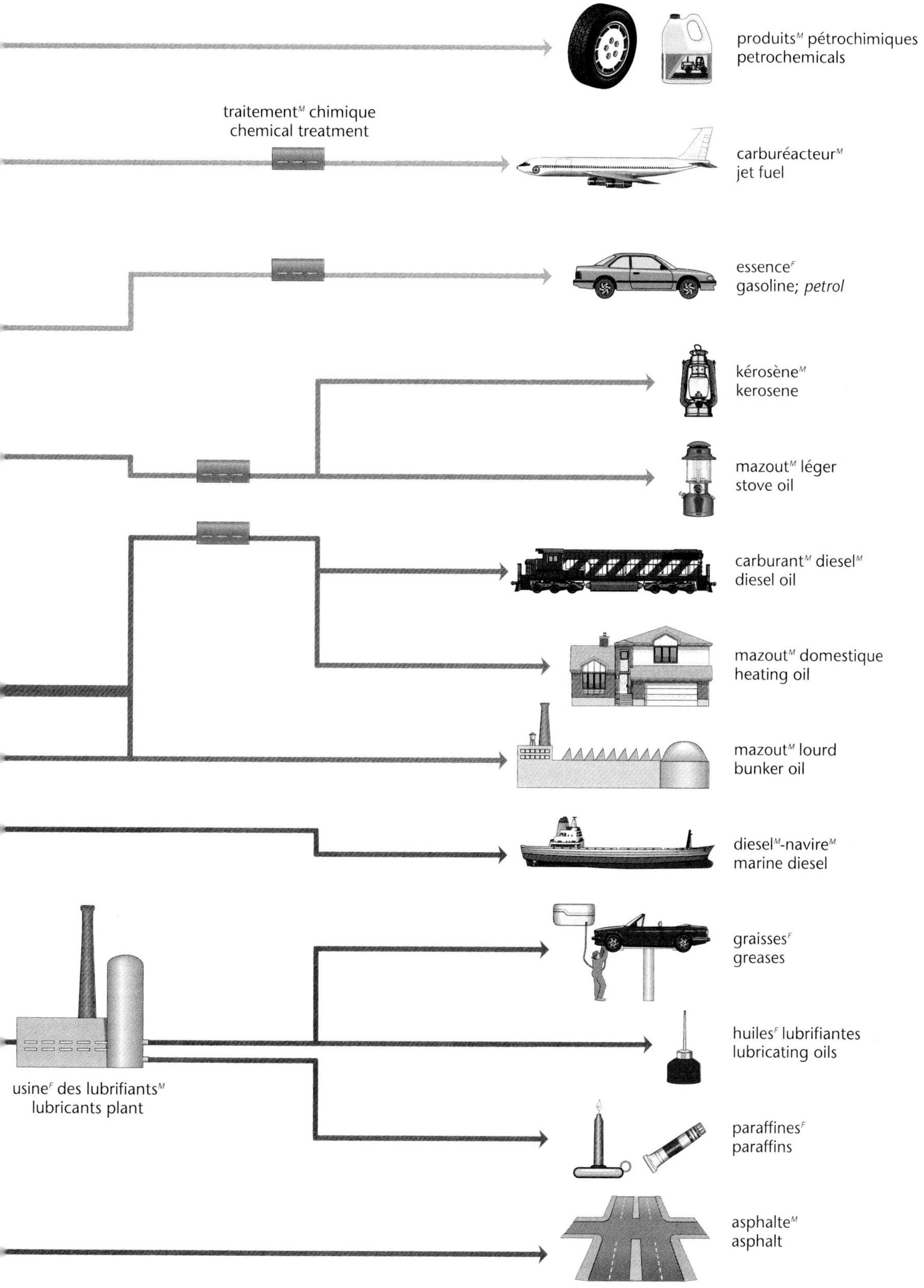
produits[M] pétrochimiques
petrochemicals
traitement[M] chimique
chemical treatment
carburéacteur[M]
jet fuel
essence[F]
gasoline; *petrol*
kérosène[M]
kerosene
mazout[M] léger
stove oil
carburant[M] diesel[M]
diesel oil
mazout[M] domestique
heating oil
mazout[M] lourd
bunker oil
diesel[M]-navire[M]
marine diesel
graisses[F]
greases
huiles[F] lubrifiantes
lubricating oils
usine[F] des lubrifiants[M]
lubricants plant
paraffines[F]
paraffins
asphalte[M]
asphalt

COMPLEXE[M] HYDROÉLECTRIQUE
HYDROELECTRIC COMPLEX

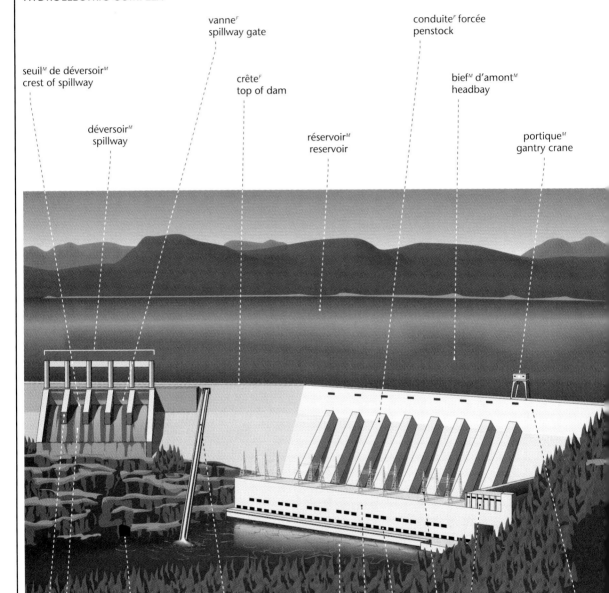

vanne[F]
spillway gate
conduite[F] forcée
penstock
seuil[M] de déversoir[M]
crest of spillway
crête[F]
top of dam
bief[M] d'amont[M]
headbay
déversoir[M]
spillway
réservoir[M]
reservoir
portique[M]
gantry crane
passe[F] à billes[F]
log chute
salle[F] de commande[F]
control room
barrage[M]
dam
canal[M] de dérivation[F]
diversion canal
bief[M] d'aval[M]
afterbay
coursier[M] d'évacuateur[M]
spillway chute
traversée[F] de transformateur[M]
bushing
mur[M] bajoyer[M]
training wall
centrale[F]
powerhouse
salle[F] des machines[F]
machine hall

COUPE[F] D'UNE CENTRALE[F] HYDROÉLECTRIQUE
CROSS SECTION OF HYDROELECTRIC POWER STATION

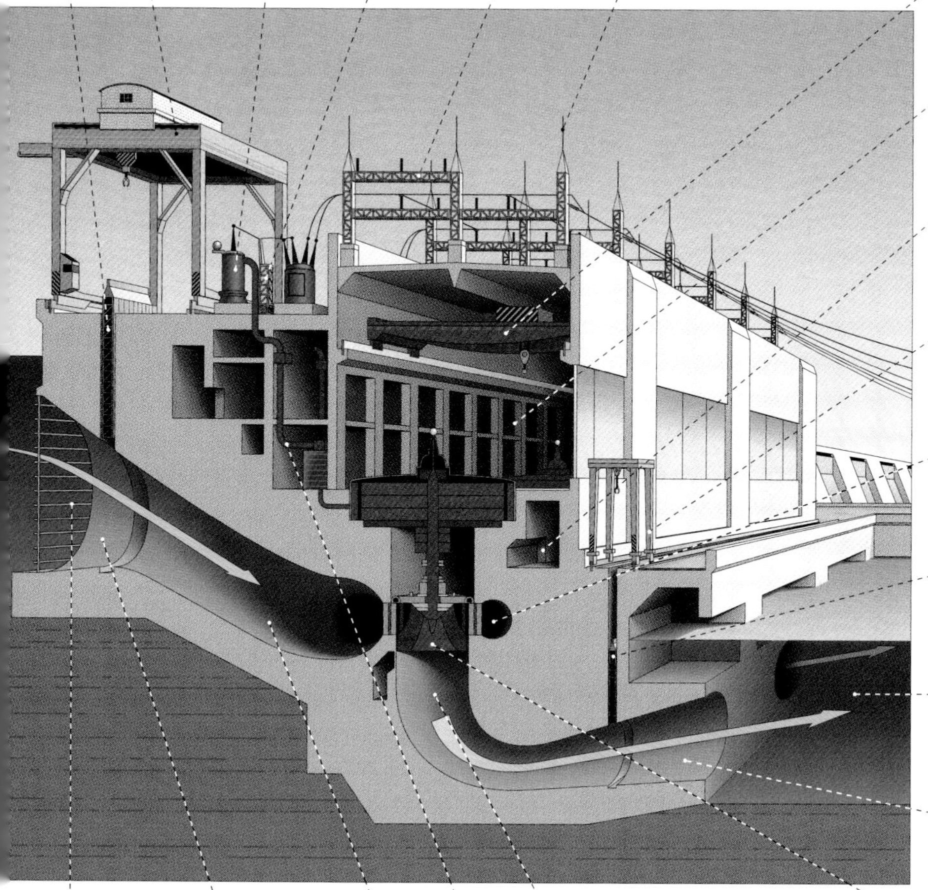

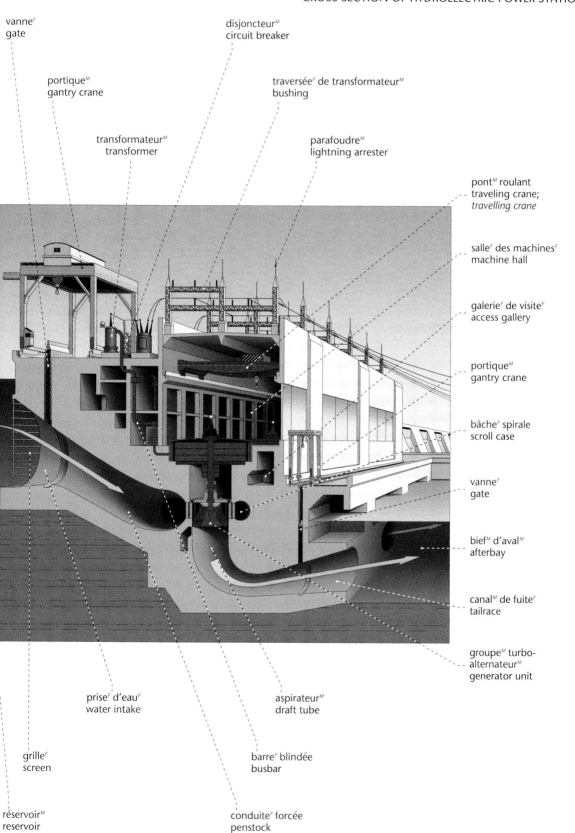

vanne[F]
gate
disjoncteur[M]
circuit breaker
portique[M]
gantry crane
traversée[F] de transformateur[M]
bushing
transformateur[M]
transformer
parafoudre[M]
lightning arrester
pont[M] roulant
traveling crane;
travelling crane
salle[F] des machines[F]
machine hall
galerie[F] de visite[F]
access gallery
portique[M]
gantry crane
bâche[F] spirale
scroll case
vanne[F]
gate
bief[M] d'aval[M]
afterbay
canal[M] de fuite[F]
tailrace
groupe[M] turbo-alternateur[M]
generator unit
prise[F] d'eau[F]
water intake
aspirateur[M]
draft tube
grille[F]
screen
barre[F] blindée
busbar
réservoir[M]
reservoir
conduite[F] forcée
penstock

BARRAGE[M] EN REMBLAI[M]
EMBANKMENT DAM

COUPE[F] D'UN BARRAGE[M] EN REMBLAI[M]
CROSS SECTION OF AN EMBANKMENT DAM

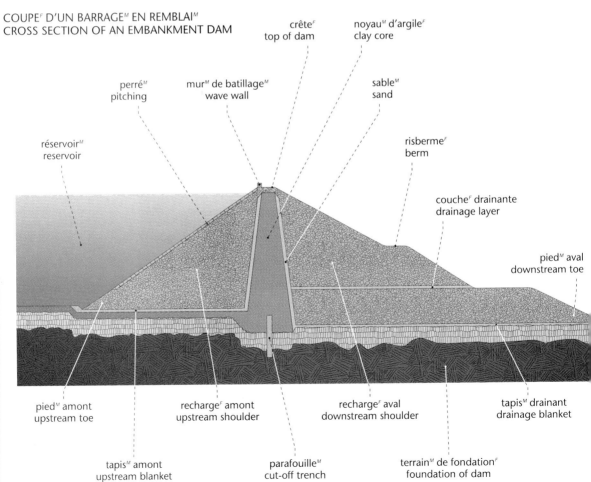

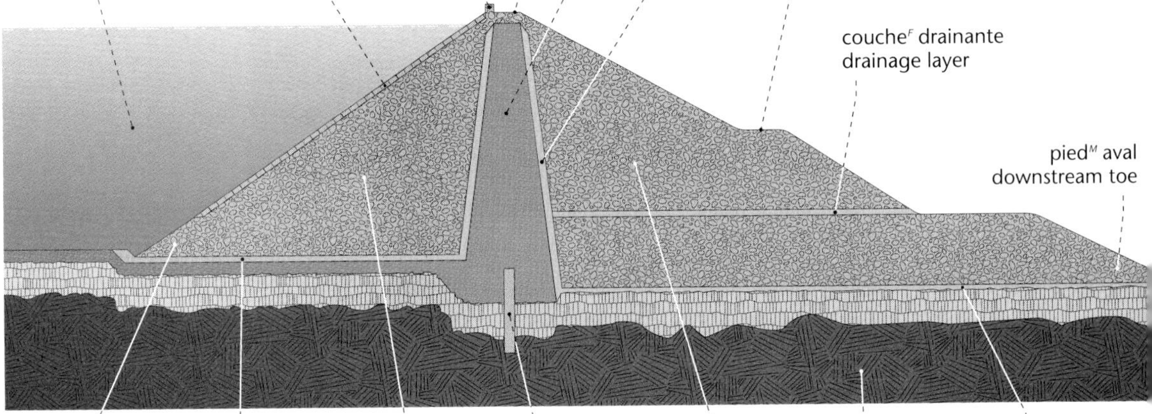
crête[F]
top of dam
noyau[M] d'argile[F]
clay core
perré[M]
pitching
mur[M] de batillage[M]
wave wall
sable[M]
sand
réservoir[M]
reservoir
risberme[F]
berm
couche[F] drainante
drainage layer
pied[M] aval
downstream toe
pied[M] amont
upstream toe
recharge[F] amont
upstream shoulder
recharge[F] aval
downstream shoulder
tapis[M] drainant
drainage blanket
tapis[M] amont
upstream blanket
parafouille[M]
cut-off trench
terrain[M] de fondation[F]
foundation of dam

BARRAGE[M]-POIDS[M]
GRAVITY DAM

COUPE[F] D'UN BARRAGE[M]-POIDS[M]
CROSS SECTION OF A GRAVITY DAM

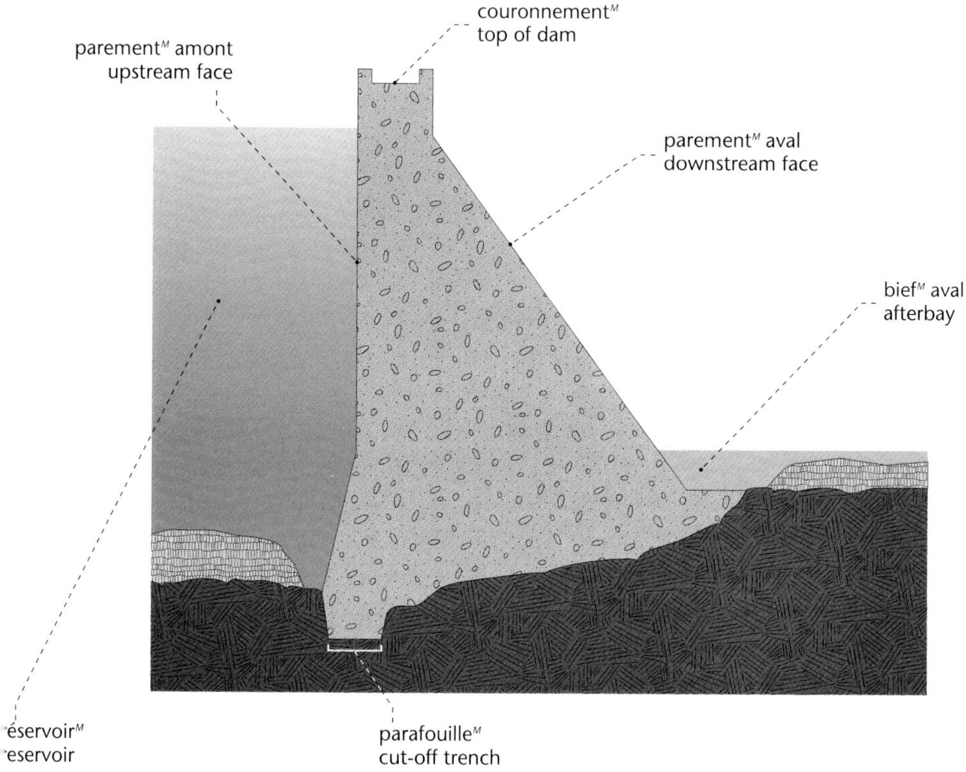
couronnement[M]
top of dam
parement[M] amont
upstream face
parement[M] aval
downstream face
bief[M] aval
afterbay
éservoir[M]
eservoir
parafouille[M]
cut-off trench

BARRAGE[M]-VOÛTE[F]
ARCH DAM

COUPE[F] D'UN BARRAGE[M]-VOÛTE[F]
CROSS SECTION OF AN ARCH DAM

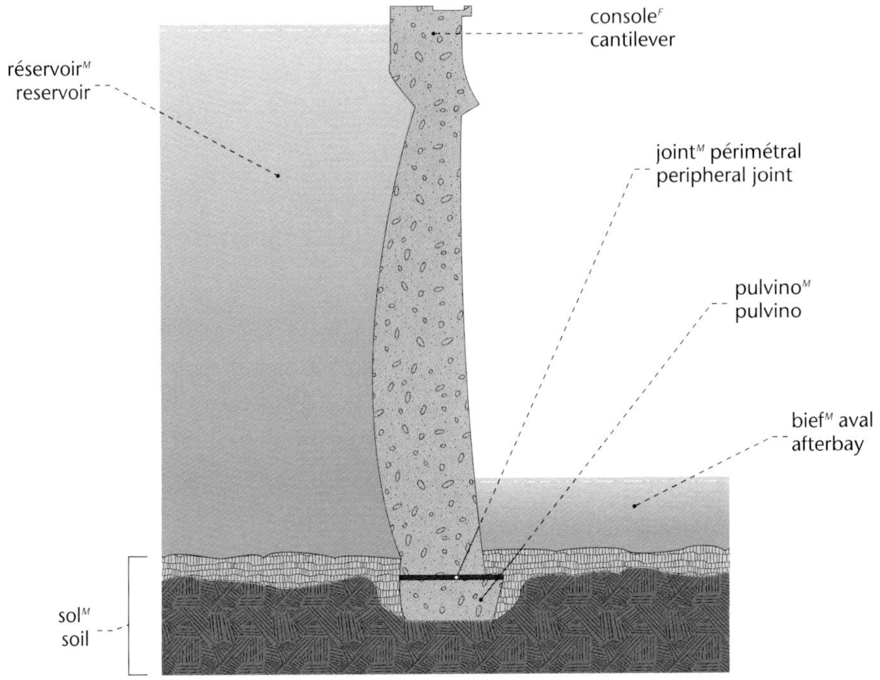
console[F]
cantilever
réservoir[M]
reservoir
joint[M] périmétral
peripheral joint
pulvino[M]
pulvino
bief[M] aval
afterbay
sol[M]
soil

BARRAGE[M] À CONTREFORTS[M]
BUTTRESS DAM

COUPE[F] D'UN BARRAGE[M] À CONTREFORTS[M]
CROSS SECTION OF A BUTTRESS DAM

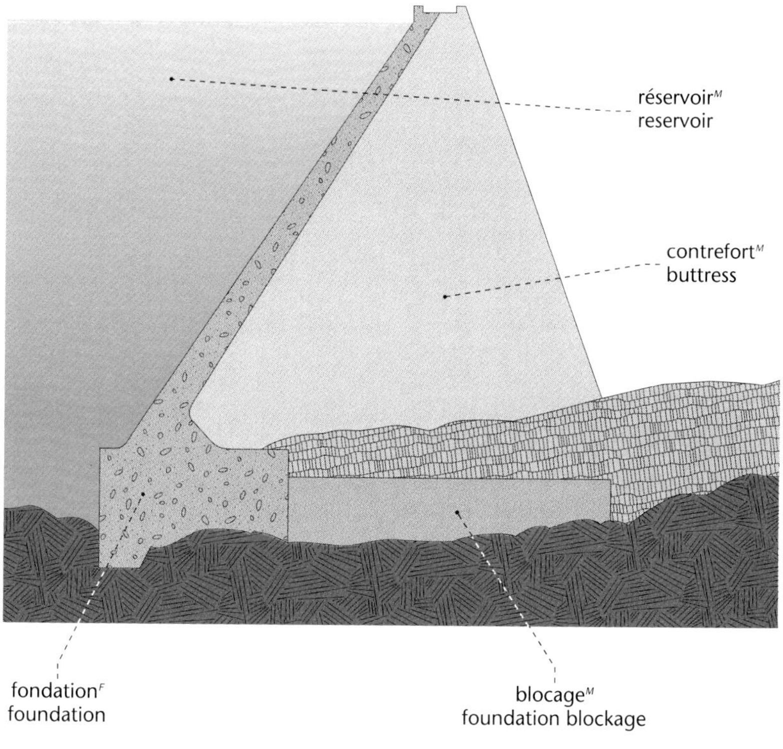
réservoir[M]
reservoir
contrefort[M]
buttress
fondation[F]
foundation
blocage[M]
foundation blockage

ÉLECTRICITÉ^{F}
ELECTRICITY

USINE^{F} MARÉMOTRICE
TIDAL POWER PLANT

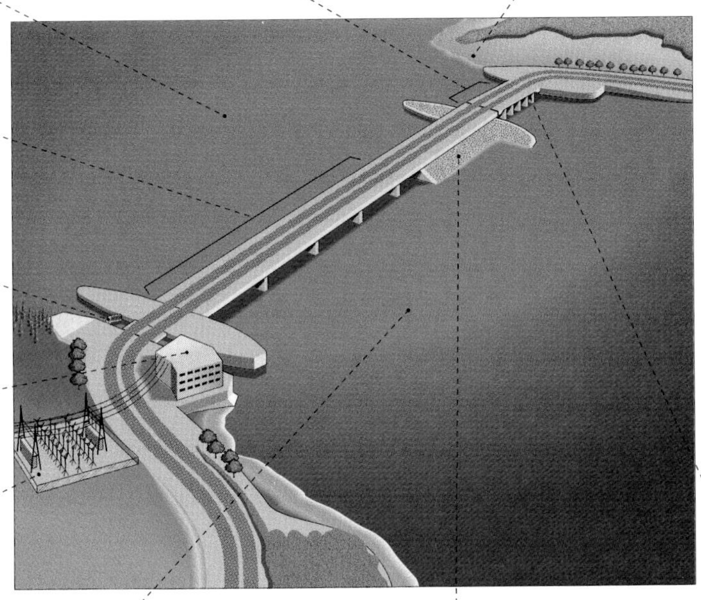

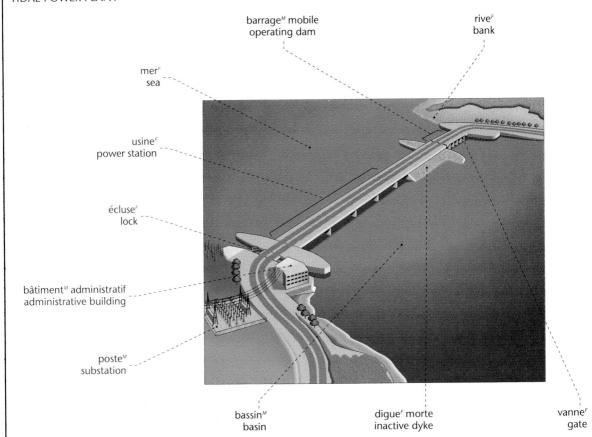

barrage^{M} mobile
operating dam
rive^{F}
bank
mer^{F}
sea
usine^{F}
power station
écluse^{F}
lock
bâtiment^{M} administratif
administrative building
poste^{M}
substation
bassin^{M}
basin
digue^{F} morte
inactive dyke
vanne^{F}
gate

COUPE^{F} DE L'USINE^{F}
CROSS SECTION OF POWER PLANT

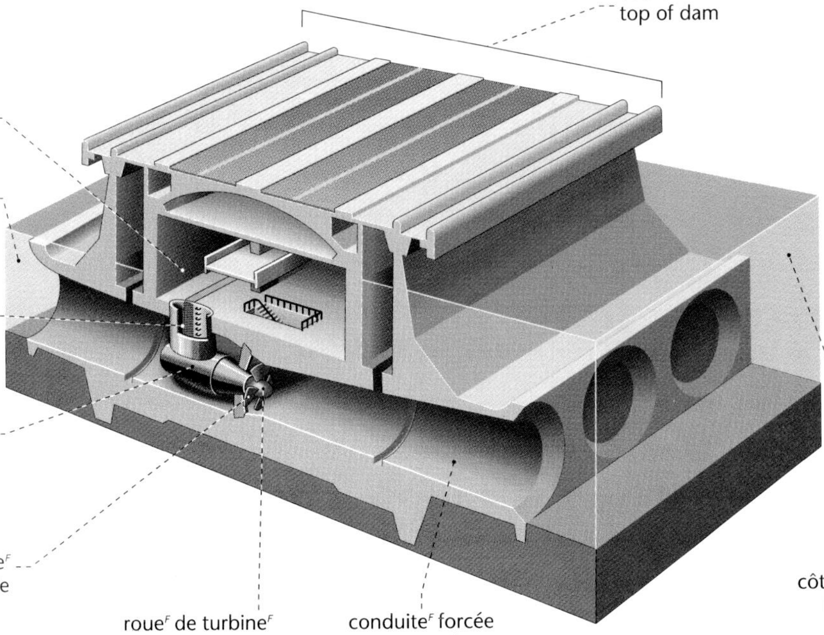

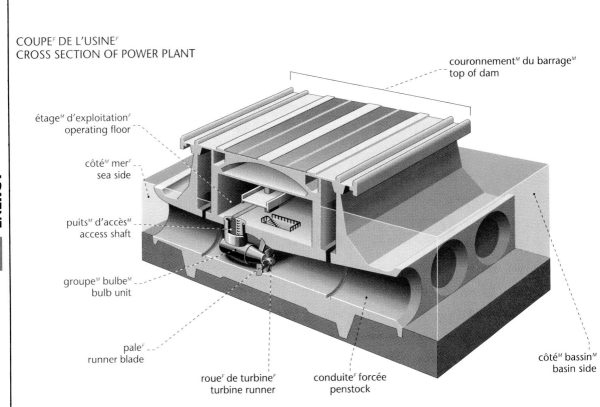

couronnement^{M} du barrage^{M}
top of dam
étage^{M} d'exploitation^{F}
operating floor
côté^{M} mer^{F}
sea side
puits^{M} d'accès^{M}
access shaft
groupe^{M} bulbe^{M}
bulb unit
pale^{F}
runner blade
roue^{F} de turbine^{F}
turbine runner
conduite^{F} forcée
penstock
côté^{M} bassin^{M}
basin side

GROUPE[M] TURBO-ALTERNATEUR[M]
GENERATOR UNIT

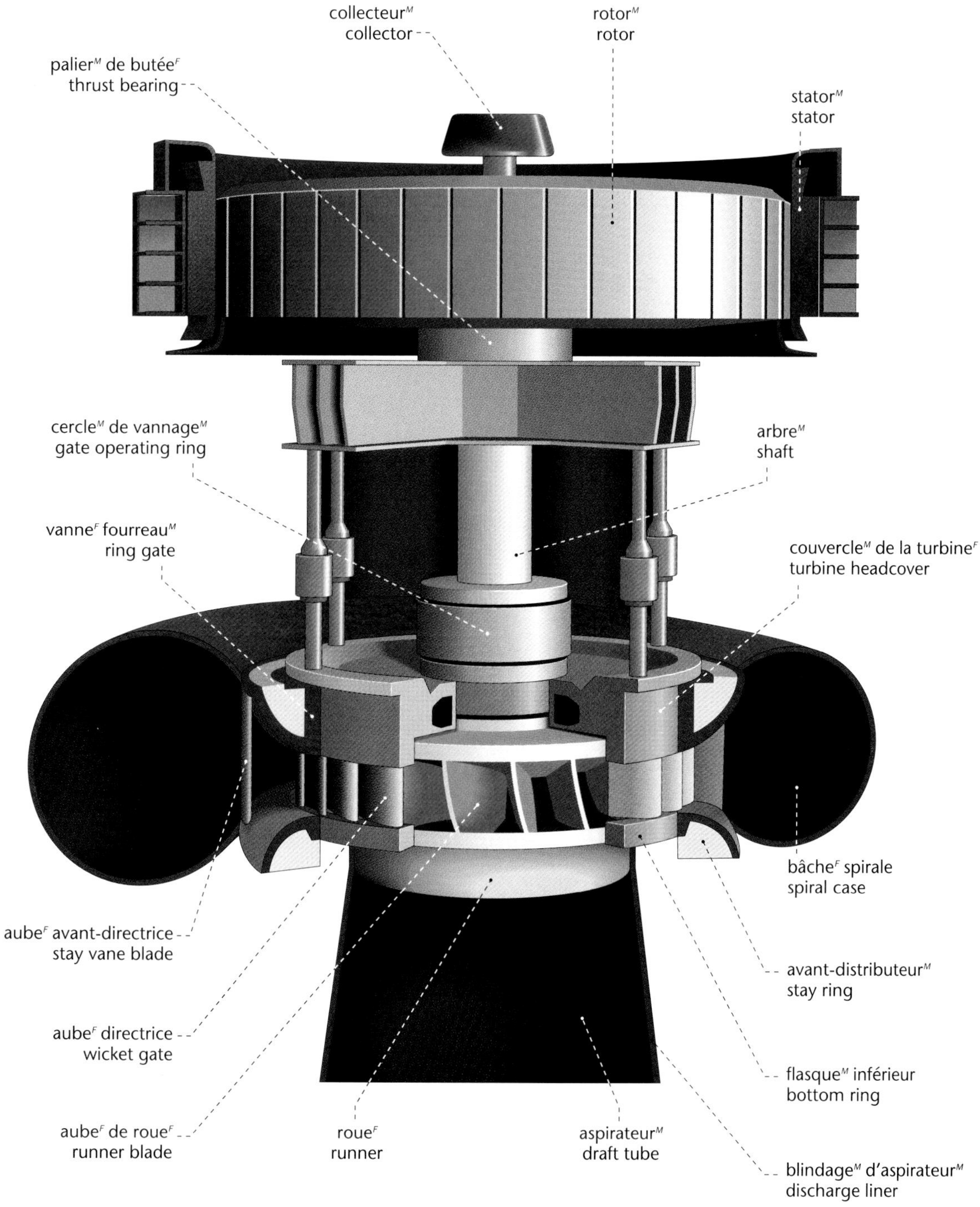

collecteur[M]
collector
rotor[M]
rotor
palier[M] de butée[F]
thrust bearing
stator[M]
stator
cercle[M] de vannage[M]
gate operating ring
arbre[M]
shaft
vanne[F] fourreau[M]
ring gate
couvercle[M] de la turbine[F]
turbine headcover
bâche[F] spirale
spiral case
aube[F] avant-directrice
stay vane blade
avant-distributeur[M]
stay ring
aube[F] directrice
wicket gate
flasque[M] inférieur
bottom ring
aube[F] de roue[F]
runner blade
roue[F]
runner
aspirateur[M]
draft tube
blindage[M] d'aspirateur[M]
discharge liner

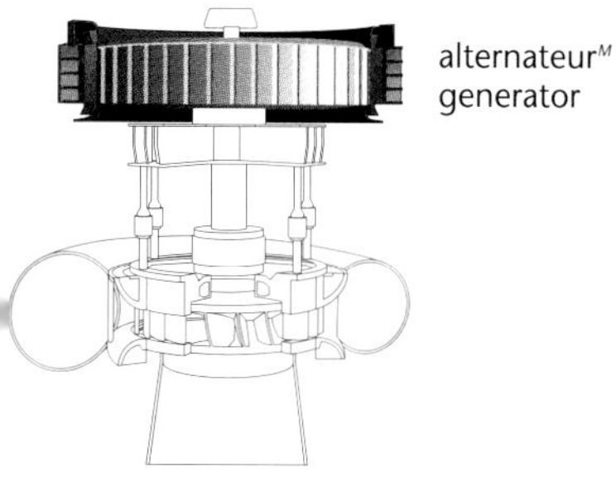

alternateur[M]
generator

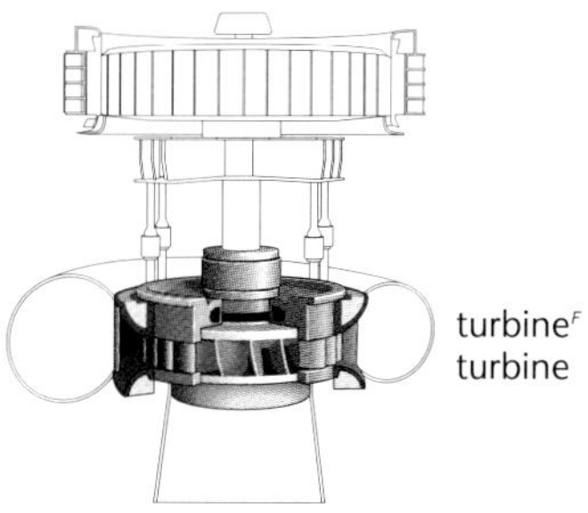

turbine[F]
turbine

ÉLECTRICITÉ[F]
ELECTRICITY

TURBINE[F] FRANCIS
FRANCIS TURBINE

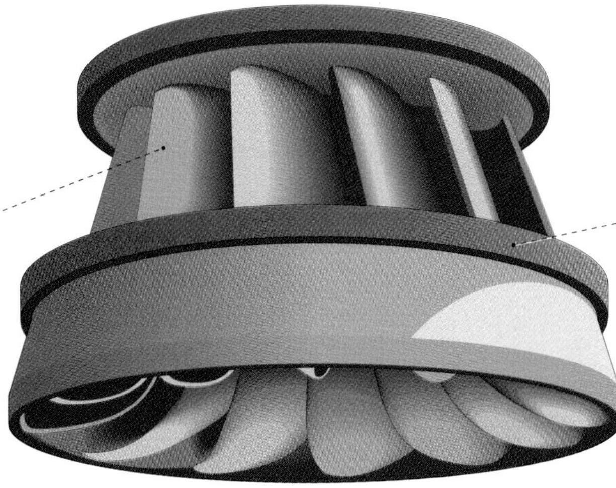
aube[F]
blade
flasque[F]
ring

TURBINE[F] KAPLAN
KAPLAN TURBINE

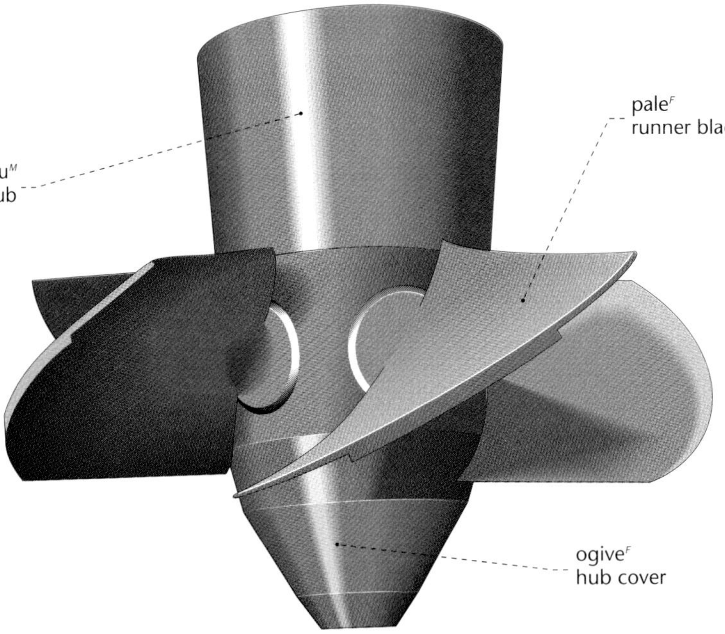
moyeu[M]
hub
pale[F]
runner blade
ogive[F]
hub cover

TURBINE[F] PELTON
PELTON TURBINE

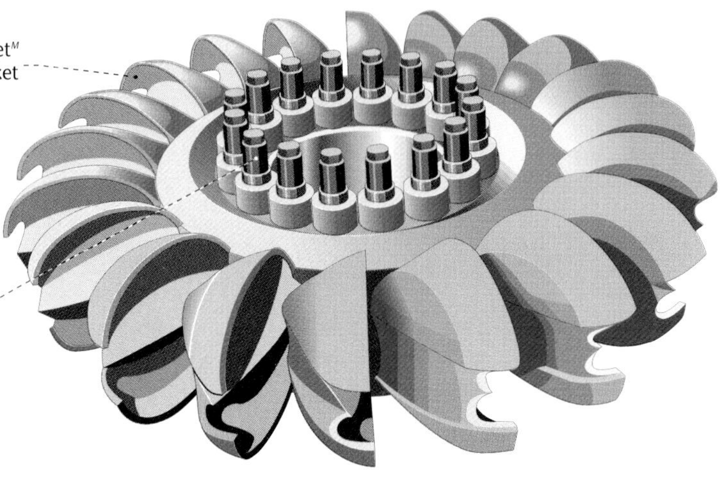
auget[M]
bucket
boulon[M]
d'accouplement[M]
coupling bolt

couronne[F] d'aubage[M]
bucket ring

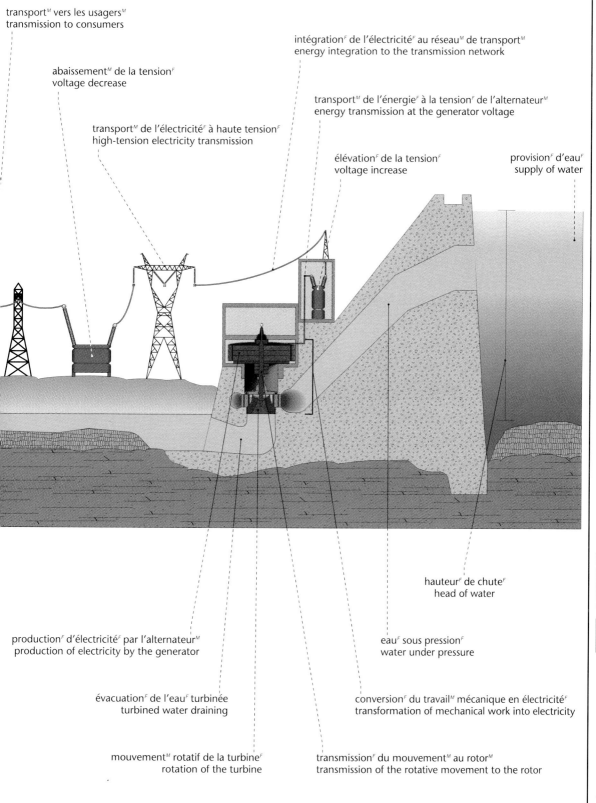

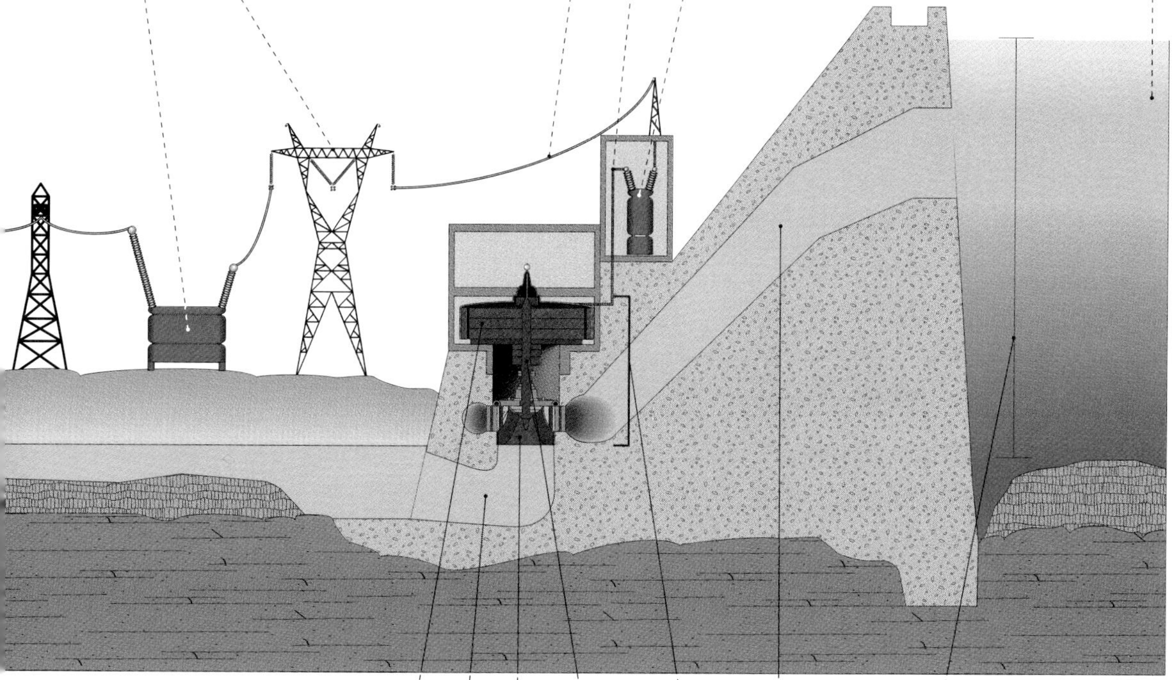
transport^M vers les usagers^M
transmission to consumers
intégration^F de l'électricité^F au réseau^M de transport^M
energy integration to the transmission network
abaissement^M de la tension^F
voltage decrease
transport^M de l'énergie^F à la tension^F de l'alternateur^M
energy transmission at the generator voltage
transport^M de l'électricité^F à haute tension^F
high-tension electricity transmission
élévation^F de la tension^F
voltage increase
provision^F d'eau^F
supply of water
hauteur^F de chute^F
head of water
production^F d'électricité^F par l'alternateur^M
production of electricity by the generator
eau^F sous pression^F
water under pressure
évacuation^F de l'eau^F turbinée
turbined water draining
conversion^F du travail^M mécanique en électricité^F
transformation of mechanical work into electricity
mouvement^M rotatif de la turbine^F
rotation of the turbine
transmission^F du mouvement^M au rotor^M
transmission of the rotative movement to the rotor

PYLÔNE[M]
TOWER

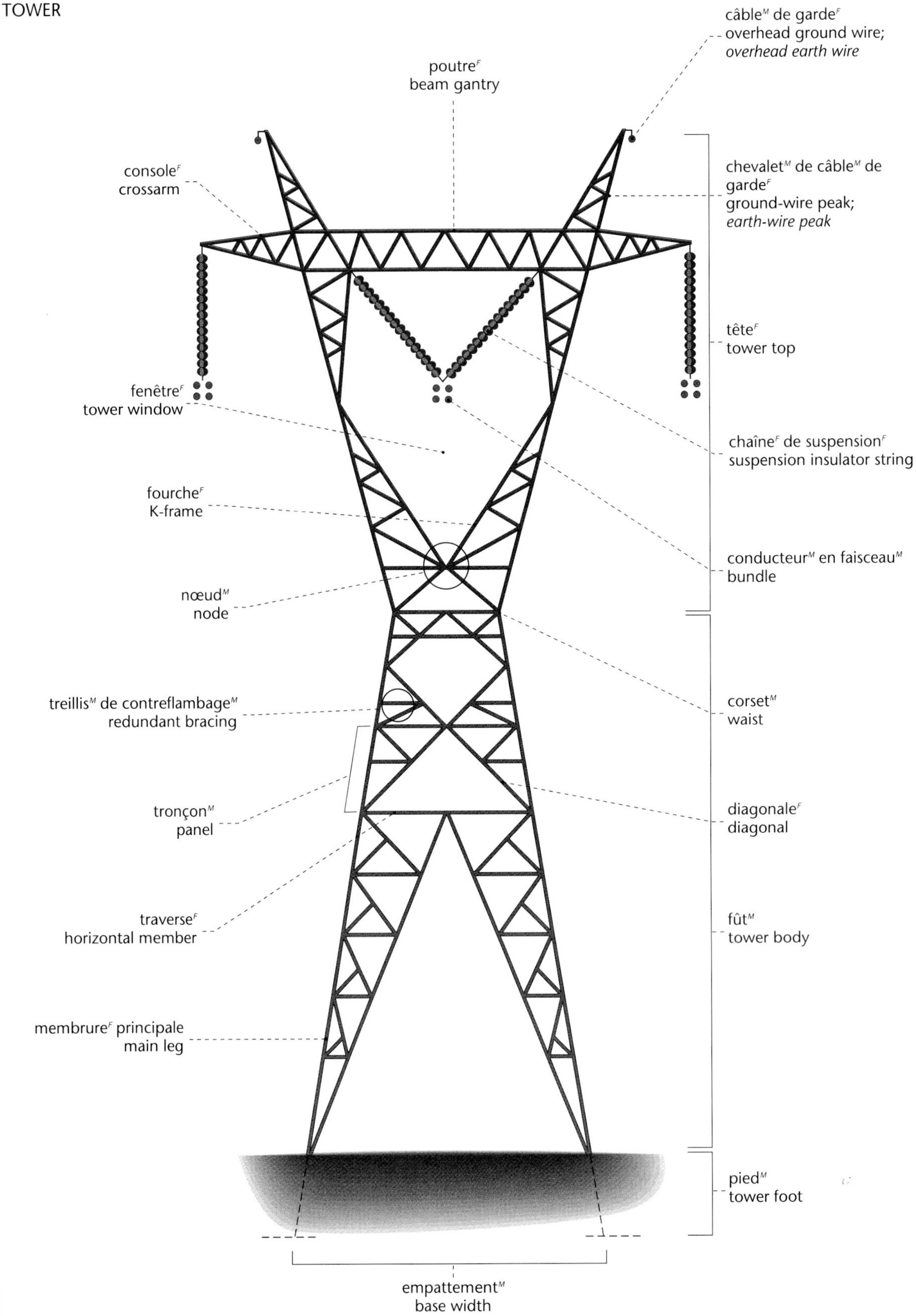
câble[M] de garde[F]
overhead ground wire; *overhead earth wire*
poutre[F]
beam gantry
console[F]
crossarm
chevalet[M] de câble[M] de garde[F]
ground-wire peak; *earth-wire peak*
tête[F]
tower top
fenêtre[F]
tower window
chaîne[F] de suspension[F]
suspension insulator string
fourche[F]
K-frame
conducteur[M] en faisceau[M]
bundle
nœud[M]
node
corset[M]
waist
treillis[M] de contreflambage[M]
redundant bracing
tronçon[M]
panel
diagonale[F]
diagonal
traverse[F]
horizontal member
fût[M]
tower body
membrure[F] principale
main leg
pied[M]
tower foot
empattement[M]
base width

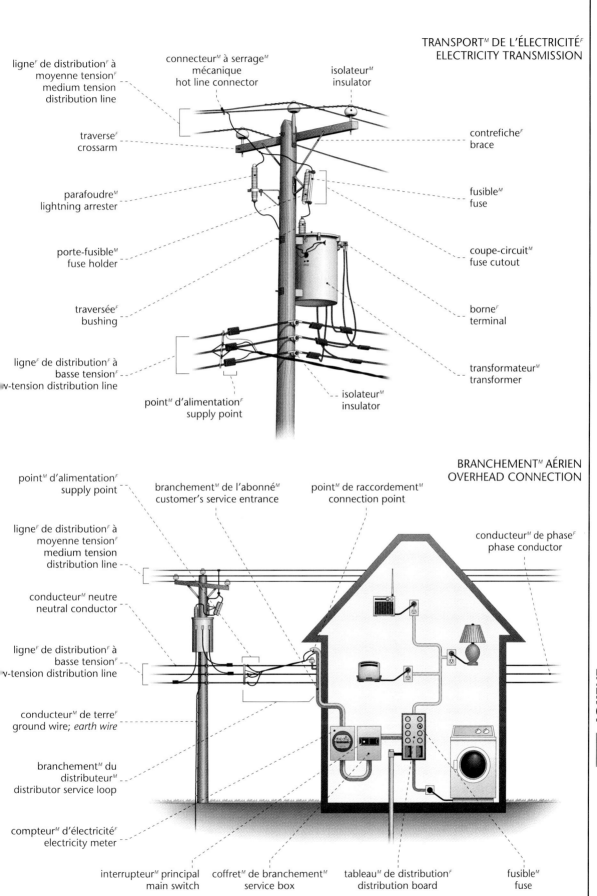

TRANSPORT[M] DE L'ÉLECTRICITÉ[F]
ELECTRICITY TRANSMISSION

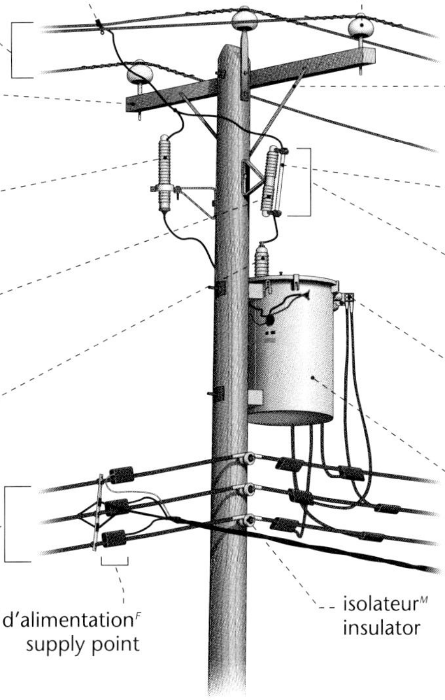

ligne[F] de distribution[F] à moyenne tension[F]
medium tension distribution line
connecteur[M] à serrage[M] mécanique
hot line connector
isolateur[M]
insulator
traverse[F]
crossarm
contrefiche[F]
brace
parafoudre[M]
lightning arrester
fusible[M]
fuse
porte-fusible[M]
fuse holder
coupe-circuit[M]
fuse cutout
traversée[F]
bushing
borne[F]
terminal
ligne[F] de distribution[F] à basse tension[F]
v-tension distribution line
transformateur[M]
transformer
point[M] d'alimentation[F]
supply point
isolateur[M]
insulator

BRANCHEMENT[M] AÉRIEN
OVERHEAD CONNECTION

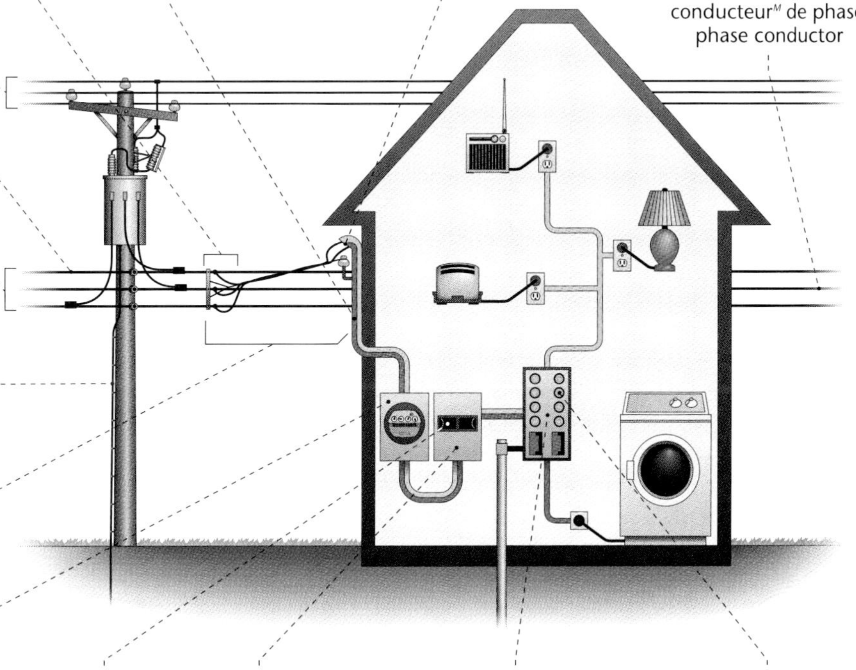

point[M] d'alimentation[F]
supply point
branchement[M] de l'abonné[M]
customer's service entrance
point[M] de raccordement[M]
connection point
ligne[F] de distribution[F] à moyenne tension[F]
medium tension distribution line
conducteur[M] de phase[F]
phase conductor
conducteur[M] neutre
neutral conductor
ligne[F] de distribution[F] à basse tension[F]
v-tension distribution line
conducteur[M] de terre[F]
ground wire; *earth wire*
branchement[M] du distributeur[M]
distributor service loop
compteur[M] d'électricité[F]
electricity meter
interrupteur[M] principal
main switch
coffret[M] de branchement[M]
service box
tableau[M] de distribution[F]
distribution board
fusible[M]
fuse

CENTRALE[F] NUCLÉAIRE
NUCLEAR GENERATING STATION

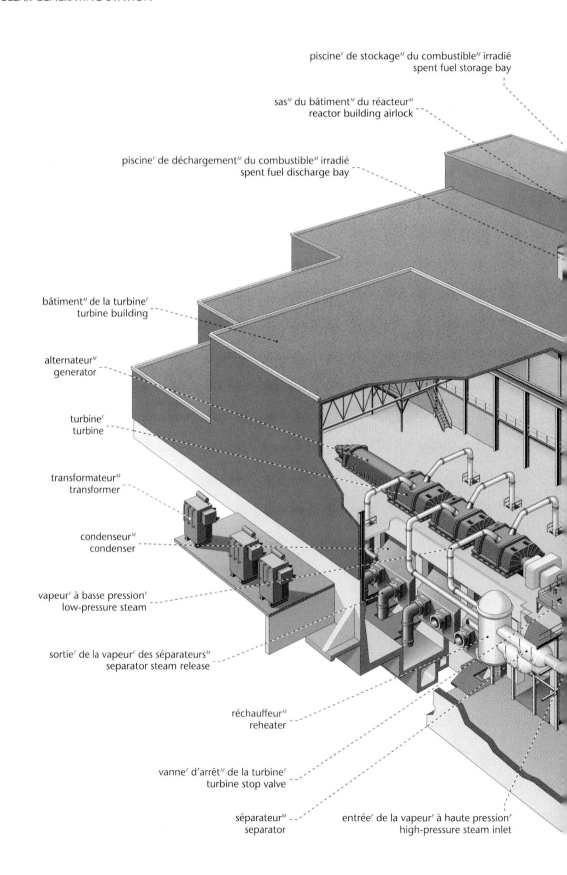

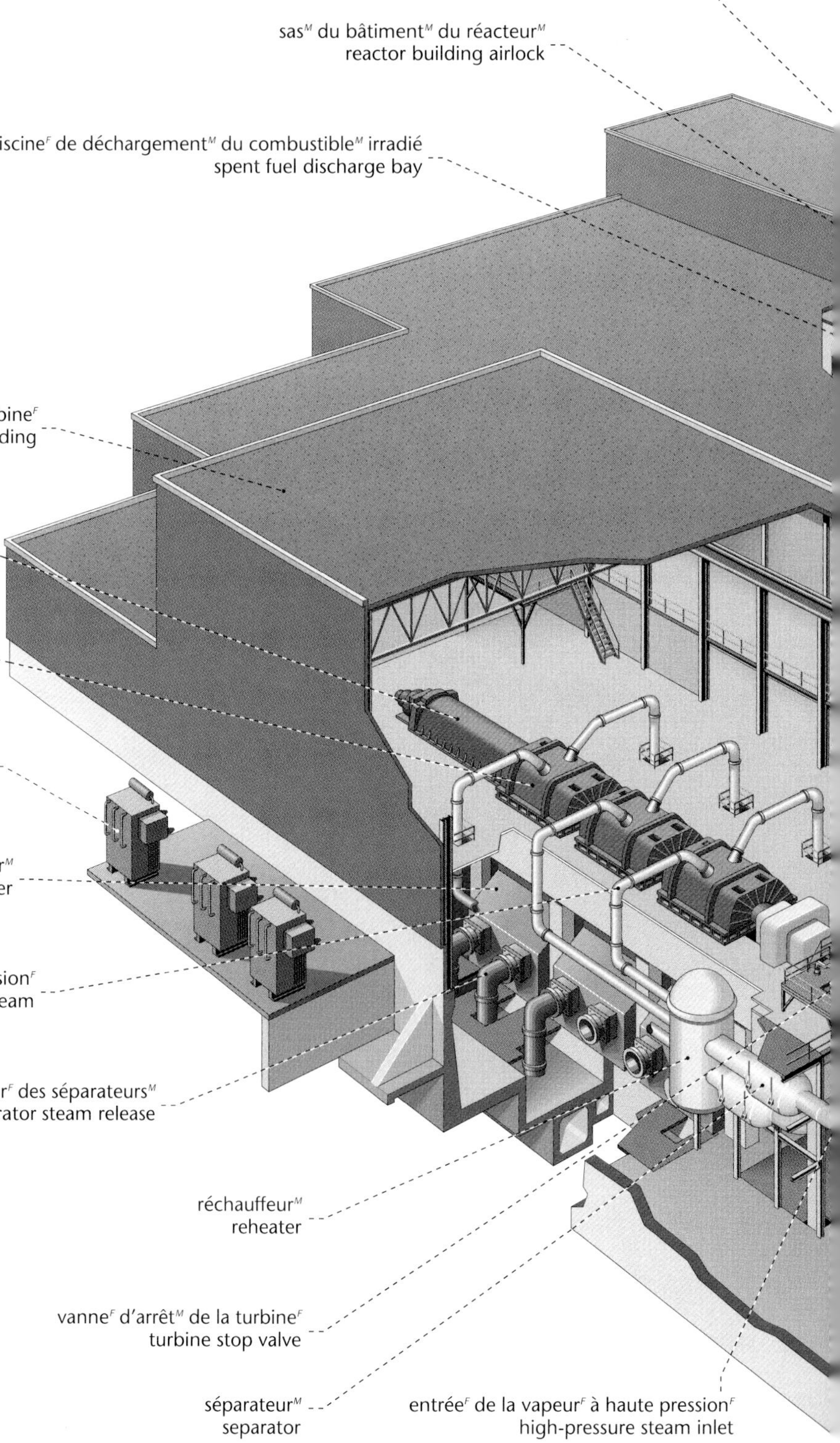
piscine[F] de stockage[M] du combustible[M] irradié
spent fuel storage bay
sas[M] du bâtiment[M] du réacteur[M]
reactor building airlock
piscine[F] de déchargement[M] du combustible[M] irradié
spent fuel discharge bay
bâtiment[M] de la turbine[F]
turbine building
alternateur[M]
generator
turbine[F]
turbine
transformateur[M]
transformer
condenseur[M]
condenser
vapeur[F] à basse pression[F]
low-pressure steam
sortie[F] de la vapeur[F] des séparateurs[M]
separator steam release
réchauffeur[M]
reheater
vanne[F] d'arrêt[M] de la turbine[F]
turbine stop valve
séparateur[M]
separator
entrée[F] de la vapeur[F] à haute pression[F]
high-pressure steam inlet

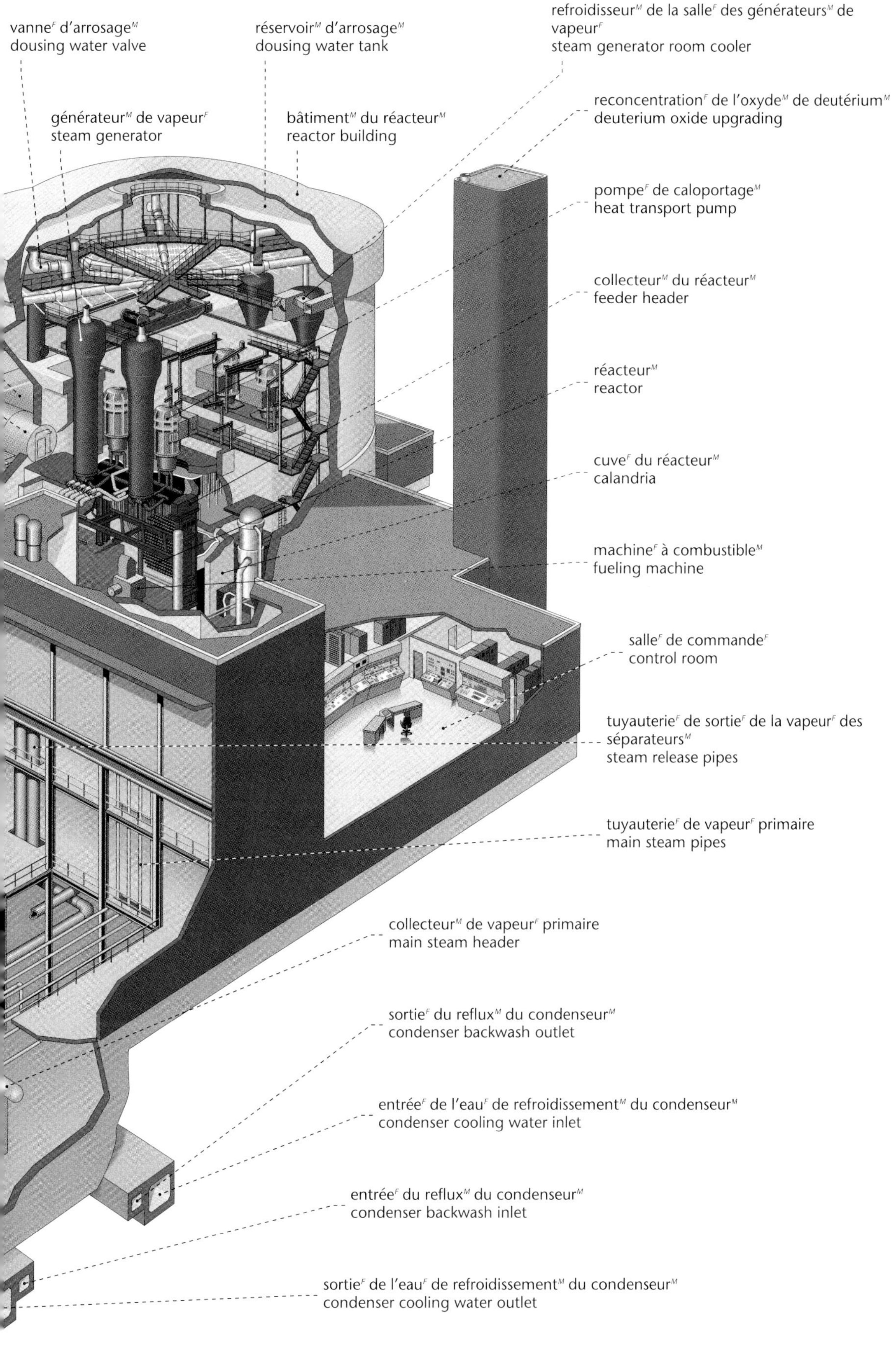

vanne^{F} d'arrosage^{M}
dousing water valve
réservoir^{M} d'arrosage^{M}
dousing water tank
refroidisseur^{M} de la salle^{F} des générateurs^{M} de vapeur^{F}
steam generator room cooler
générateur^{M} de vapeur^{F}
steam generator
bâtiment^{M} du réacteur^{M}
reactor building
reconcentration^{F} de l'oxyde^{M} de deutérium^{M}
deuterium oxide upgrading
pompe^{F} de caloportage^{M}
heat transport pump
collecteur^{M} du réacteur^{M}
feeder header
réacteur^{M}
reactor
cuve^{F} du réacteur^{M}
calandria
machine^{F} à combustible^{M}
fueling machine
salle^{F} de commande^{F}
control room
tuyauterie^{F} de sortie^{F} de la vapeur^{F} des séparateurs^{M}
steam release pipes
tuyauterie^{F} de vapeur^{F} primaire
main steam pipes
collecteur^{M} de vapeur^{F} primaire
main steam header
sortie^{F} du reflux^{M} du condenseur^{M}
condenser backwash outlet
entrée^{F} de l'eau^{F} de refroidissement^{M} du condenseur^{M}
condenser cooling water inlet
entrée^{F} du reflux^{M} du condenseur^{M}
condenser backwash inlet
sortie^{F} de l'eau^{F} de refroidissement^{M} du condenseur^{M}
condenser cooling water outlet

RÉACTEUR[M] AU GAZ[M] CARBONIQUE
CARBON DIOXIDE REACTOR

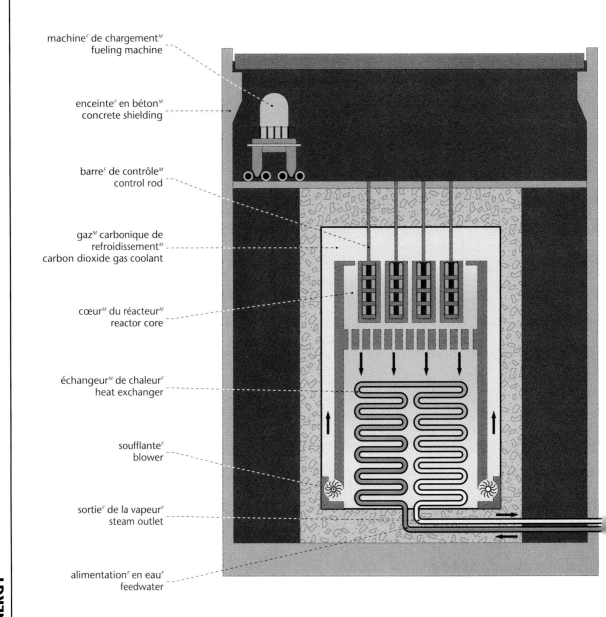

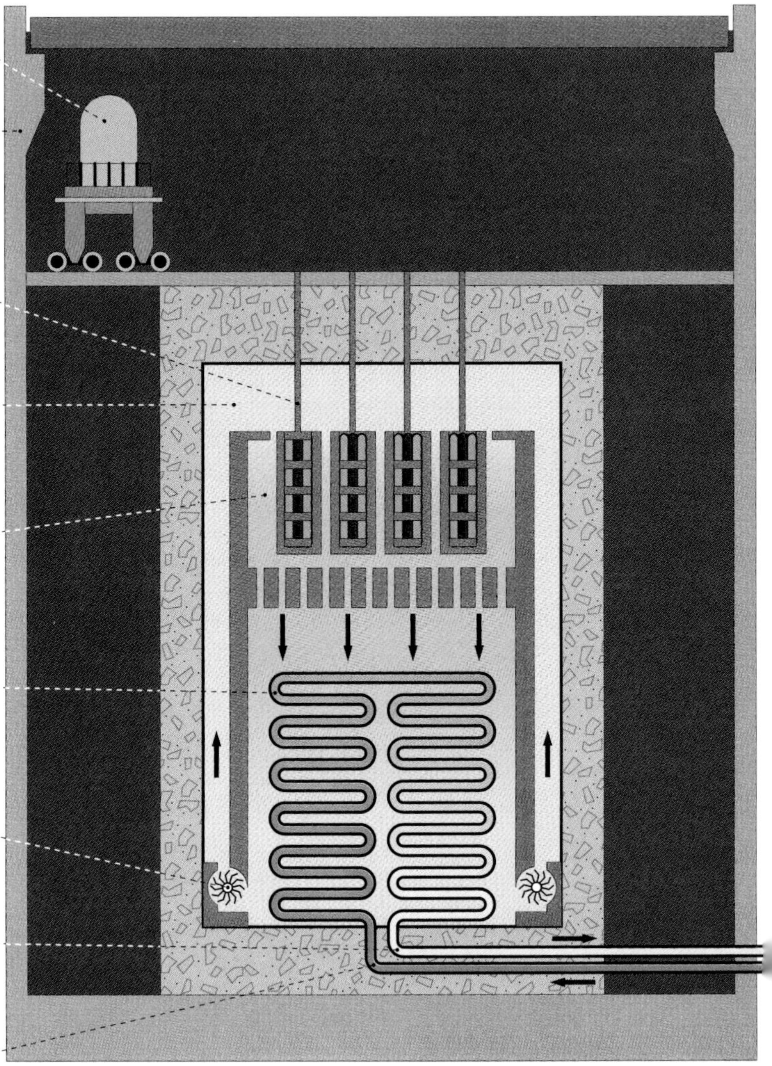
machine[F] de chargement[M]
fueling machine
enceinte[F] en béton[M]
concrete shielding
barre[F] de contrôle[M]
control rod
gaz[M] carbonique de refroidissement[M]
carbon dioxide gas coolant
cœur[M] du réacteur[M]
reactor core
échangeur[M] de chaleur[F]
heat exchanger
soufflante[F]
blower
sortie[F] de la vapeur[F]
steam outlet
alimentation[F] en eau[F]
feedwater

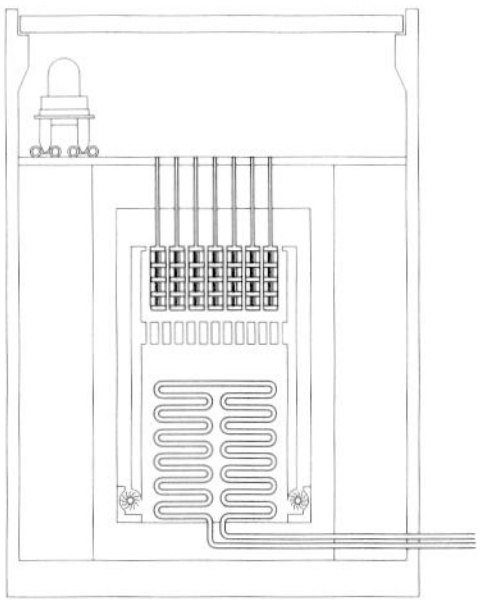

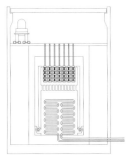

combustible[M] : uranium[M] naturel
fuel: natural uranium

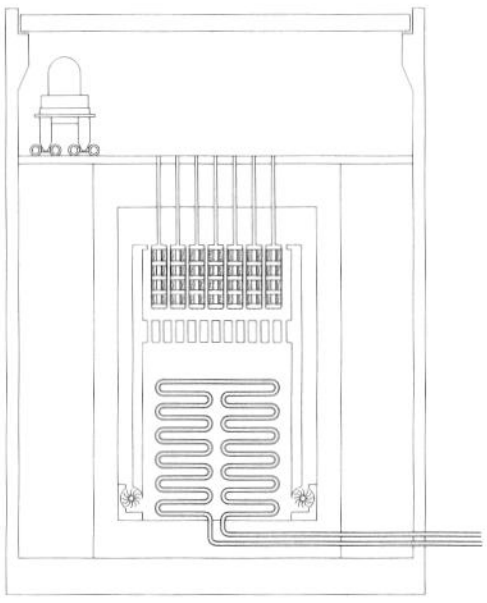

modérateur[M] : graphite[M]
moderator: graphite

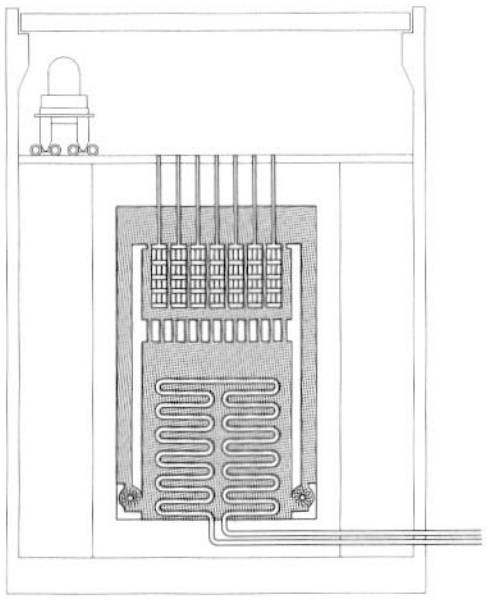

caloporteur[M] : gaz[M] carbonique
coolant: carbon dioxide

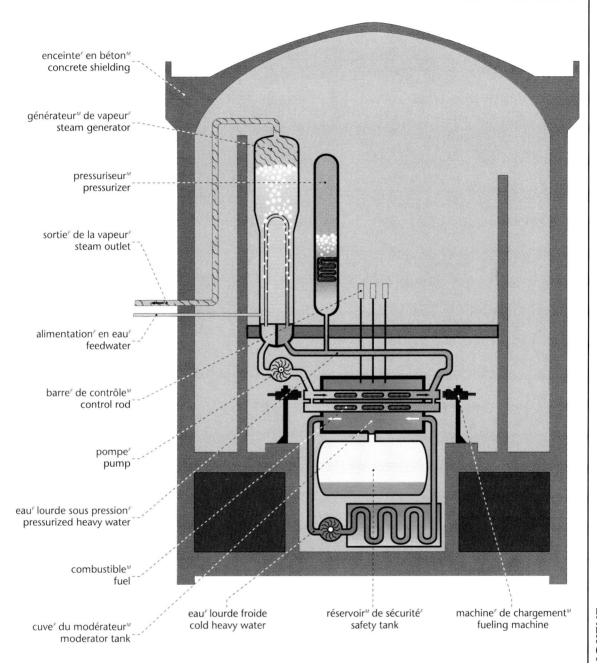

RÉACTEUR[M] À EAU[F] LOURDE
HEAVY-WATER REACTOR

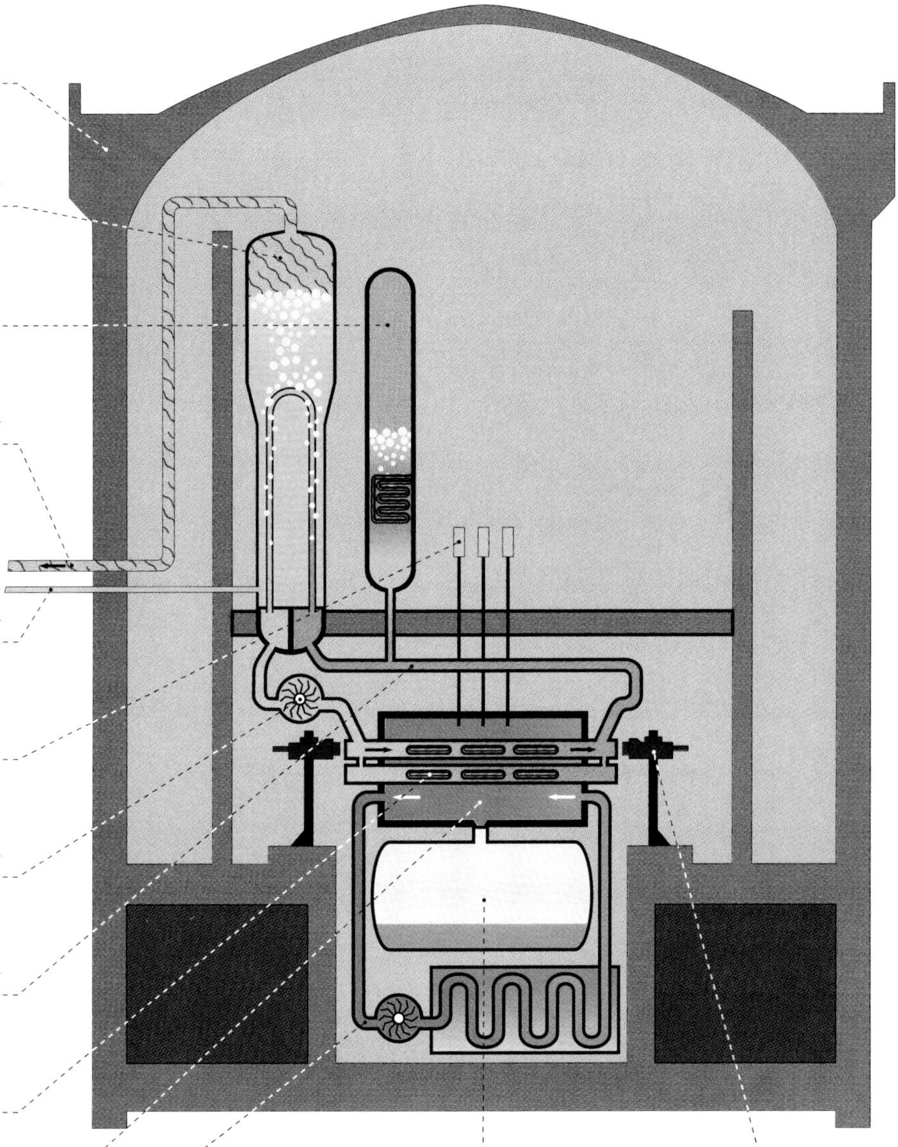

enceinte[F] en béton[M]
concrete shielding
générateur[M] de vapeur[F]
steam generator
pressuriseur[M]
pressurizer
sortie[F] de la vapeur[F]
steam outlet
alimentation[F] en eau[F]
feedwater
barre[F] de contrôle[M]
control rod
pompe[F]
pump
eau[F] lourde sous pression[F]
pressurized heavy water
combustible[M]
fuel
cuve[F] du modérateur[M]
moderator tank
eau[F] lourde froide
cold heavy water
réservoir[M] de sécurité[F]
safety tank
machine[F] de chargement[M]
fueling machine

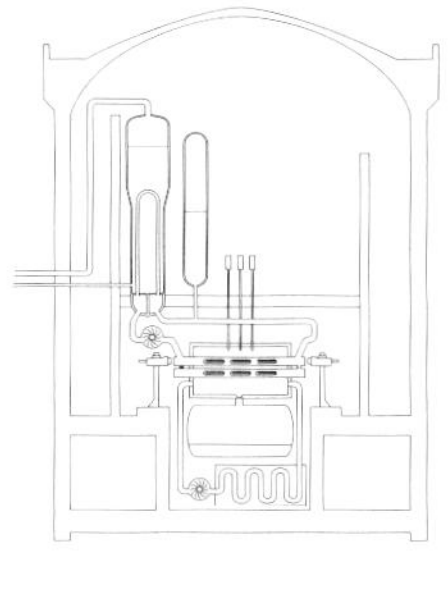

combustible[M] : uranium[M] naturel
fuel: natural uranium

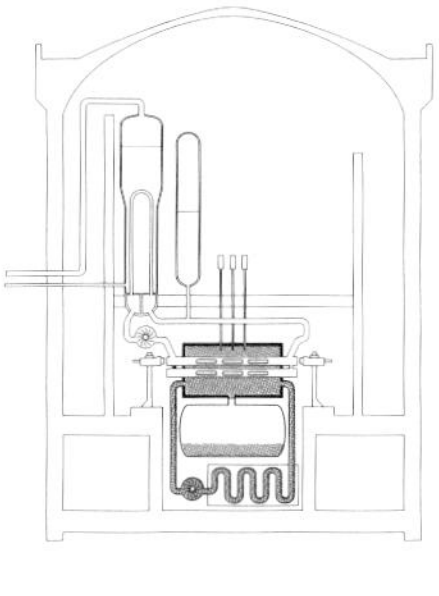

modérateur[M] : eau[F] lourde
moderator: heavy water

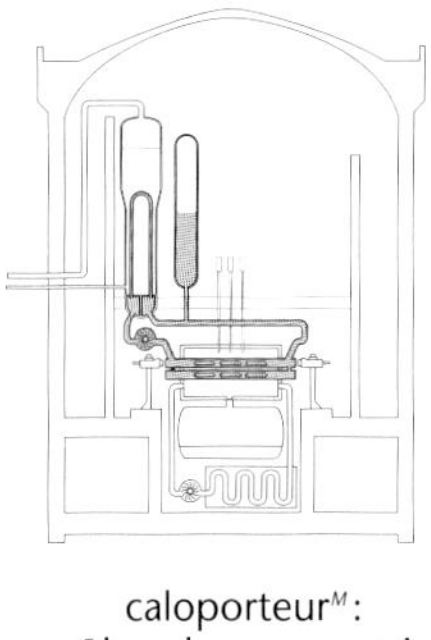

caloporteur[M] :
eau[F] lourde sous pression[F]
coolant: pressurized heavy water

ÉNERGIE[F] NUCLÉAIRE
NUCLEAR ENERGY

RÉACTEUR[M] À EAU[F] SOUS PRESSION[F]
PRESSURIZED-WATER REACTOR

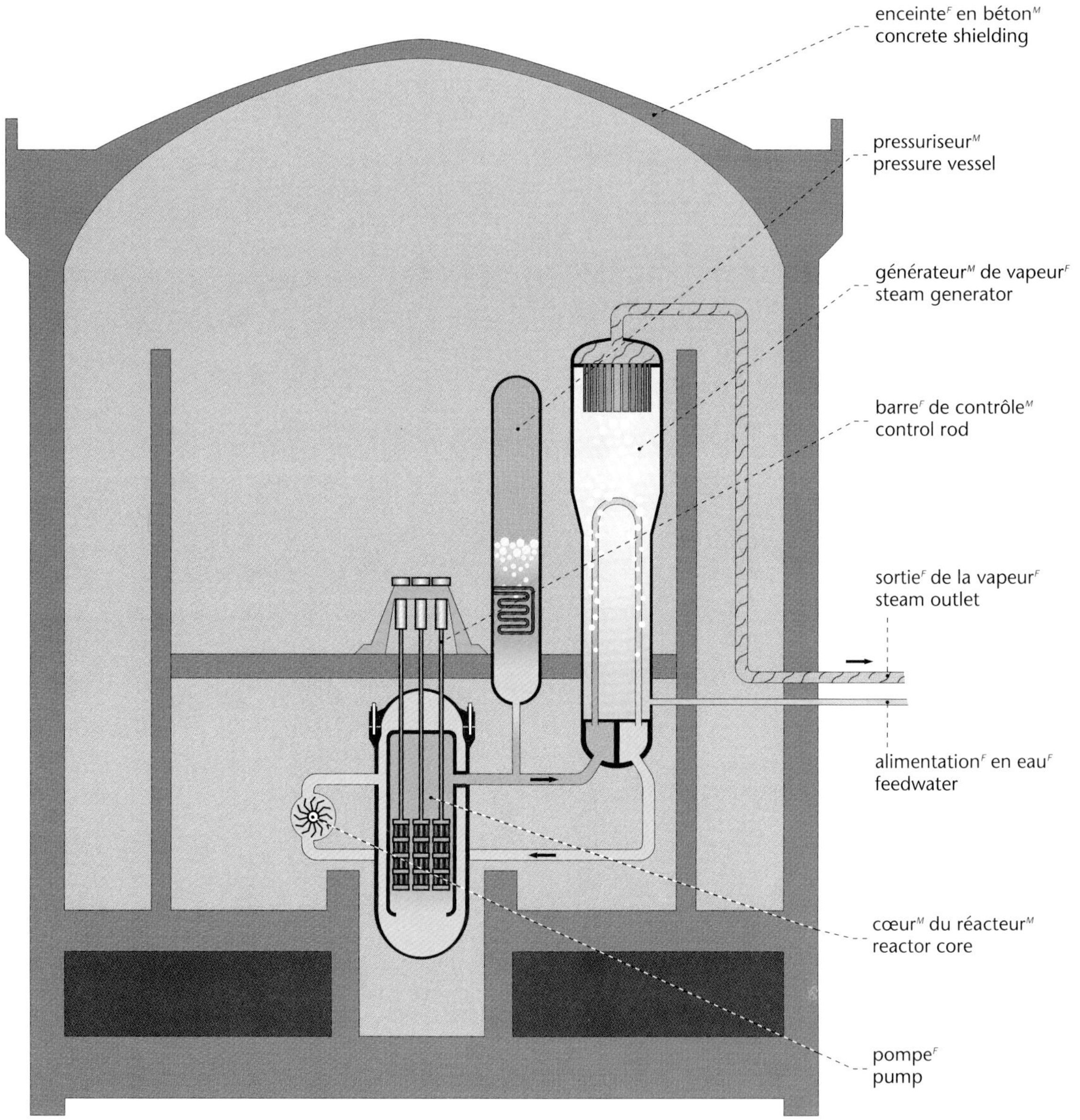
enceinte[F] en béton[M]
concrete shielding
pressuriseur[M]
pressure vessel
générateur[M] de vapeur[F]
steam generator
barre[F] de contrôle[M]
control rod
sortie[F] de la vapeur[F]
steam outlet
alimentation[F] en eau[F]
feedwater
cœur[M] du réacteur[M]
reactor core
pompe[F]
pump

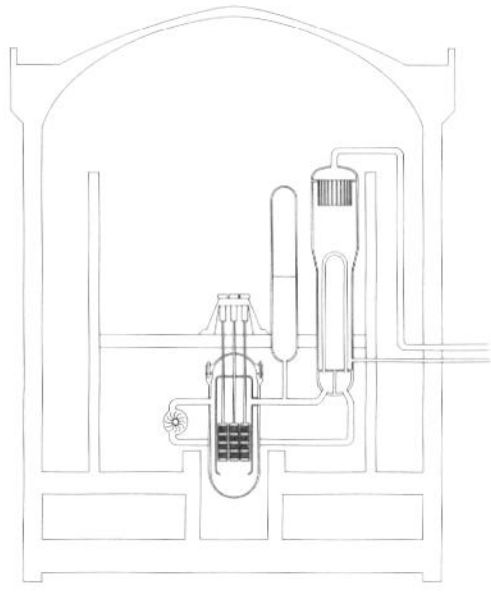

combustible[M] : uranium[M] enrichi
fuel: enriched uranium

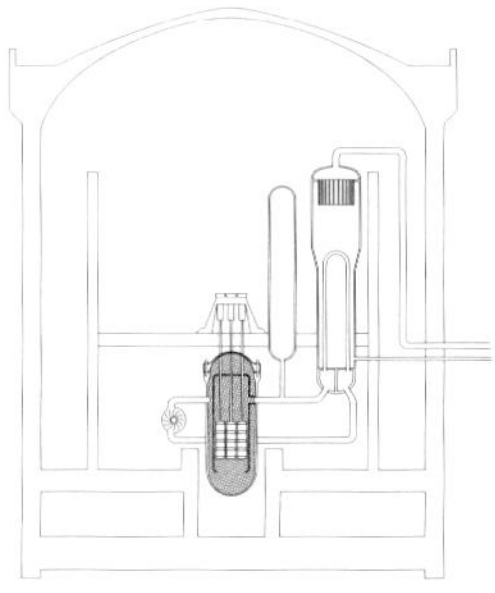

modérateur[M] : eau[F] naturelle
moderator: natural water

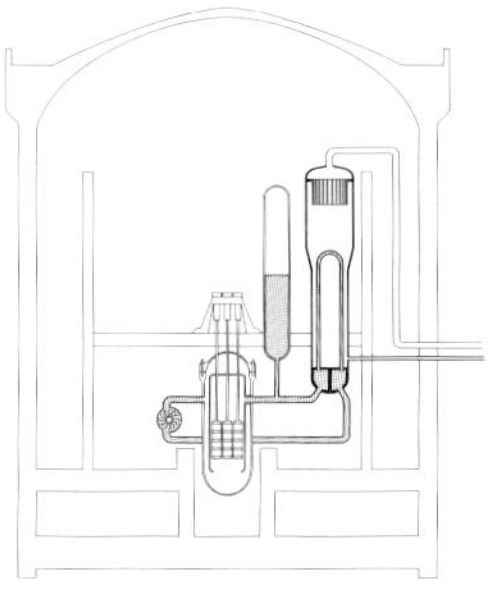

caloporteur[M] : eau[F] sous pression[F]
coolant: pressurized water

RÉACTEUR[M] À EAU[F] BOUILLANTE
BOILING-WATER REACTOR

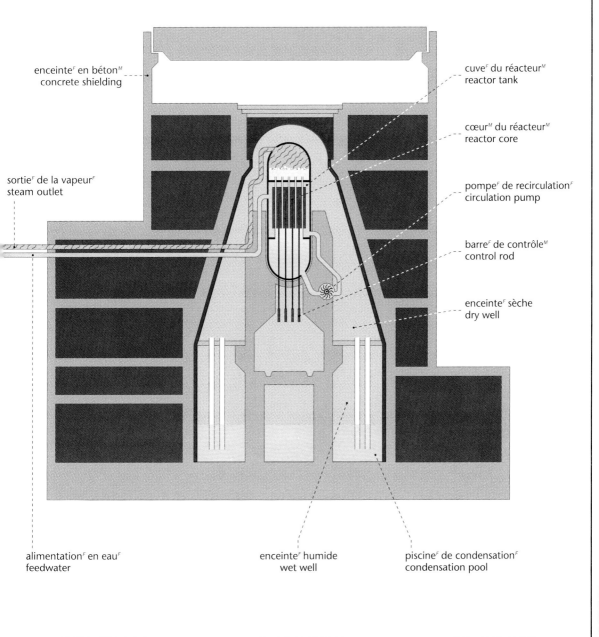

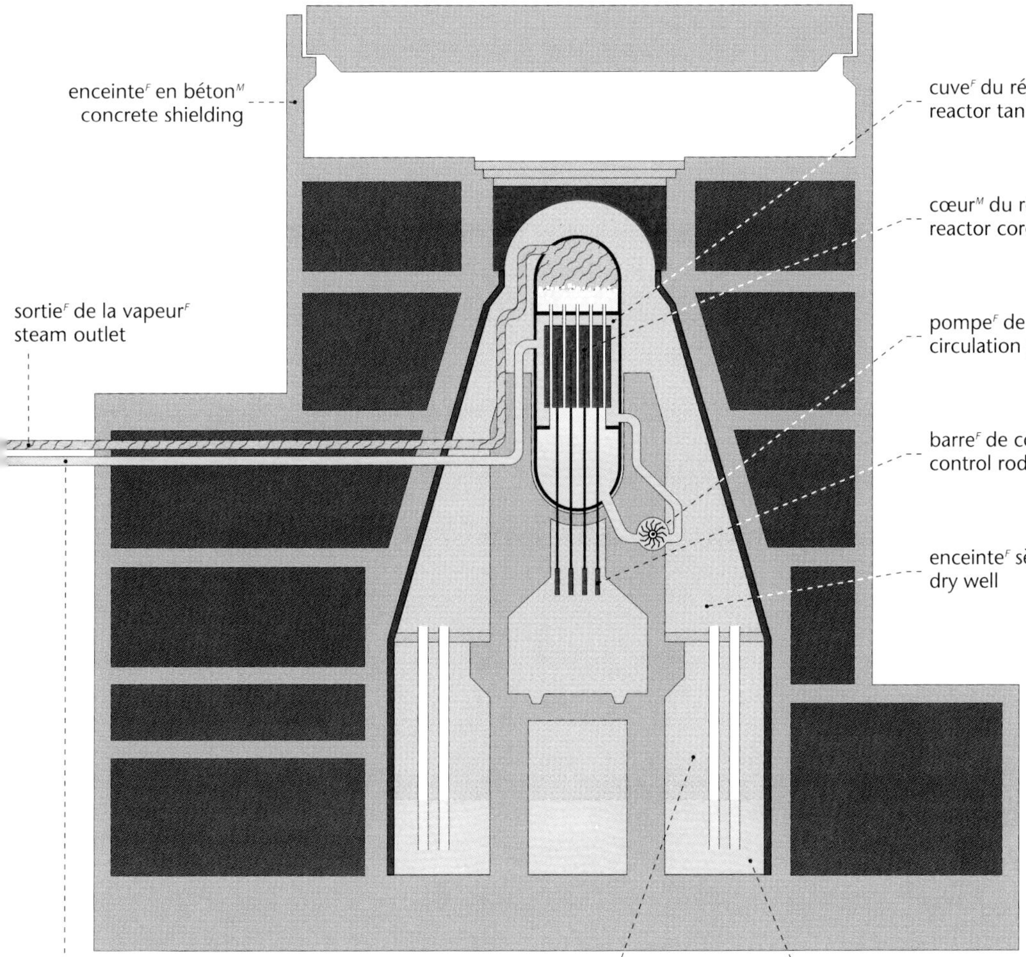
enceinte[F] en béton[M]
concrete shielding
cuve[F] du réacteur[M]
reactor tank
cœur[M] du réacteur[M]
reactor core
sortie[F] de la vapeur[F]
steam outlet
pompe[F] de recirculation[F]
circulation pump
barre[F] de contrôle[M]
control rod
enceinte[F] sèche
dry well
alimentation[F] en eau[F]
feedwater
enceinte[F] humide
wet well
piscine[F] de condensation[F]
condensation pool

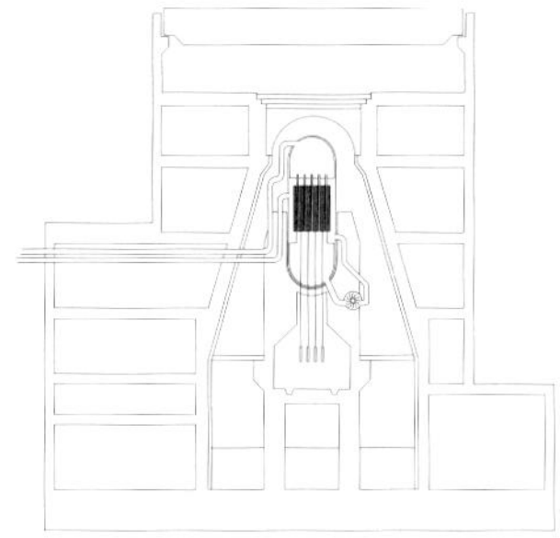

combustible[M] : uranium[M] enrichi
fuel: enriched uranium

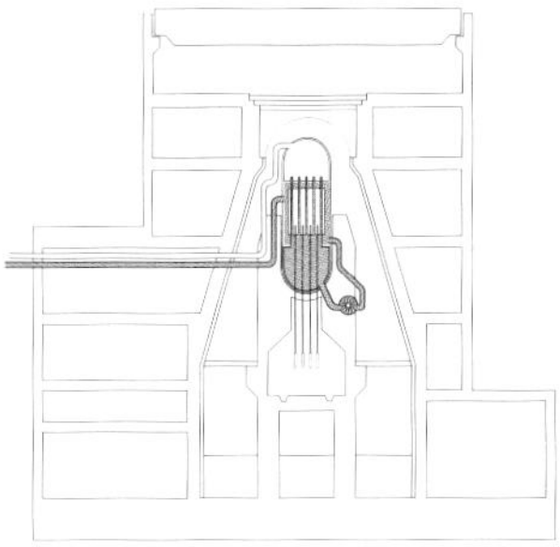

modérateur[M] : eau[F] naturelle
moderator: natural water

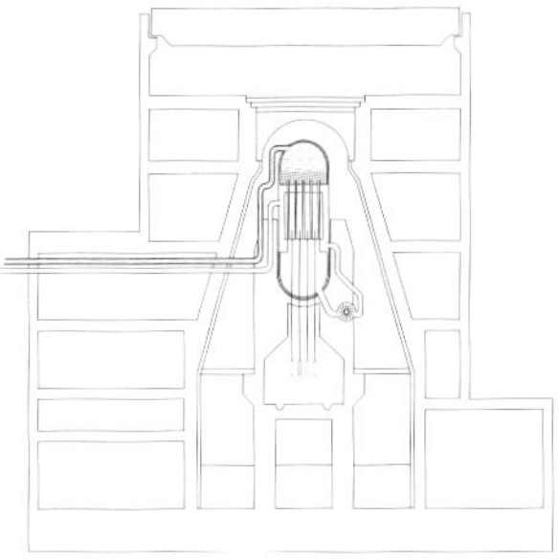

caloporteur[M] : eau[F] bouillante
coolant: boiling water

ÉNERGIES
ENERGY

SÉQUENCE[F] DE MANIPULATION[F] DU COMBUSTIBLE[M]
FUEL HANDLING SEQUENCE

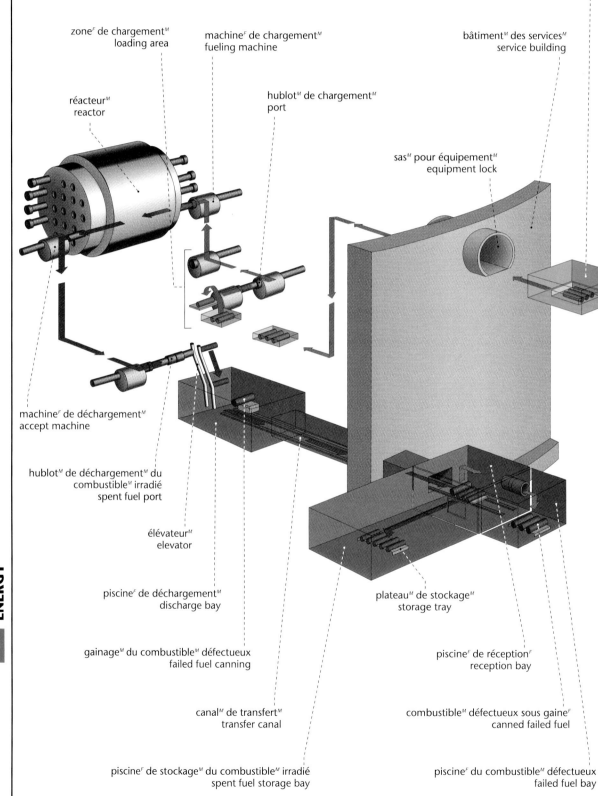

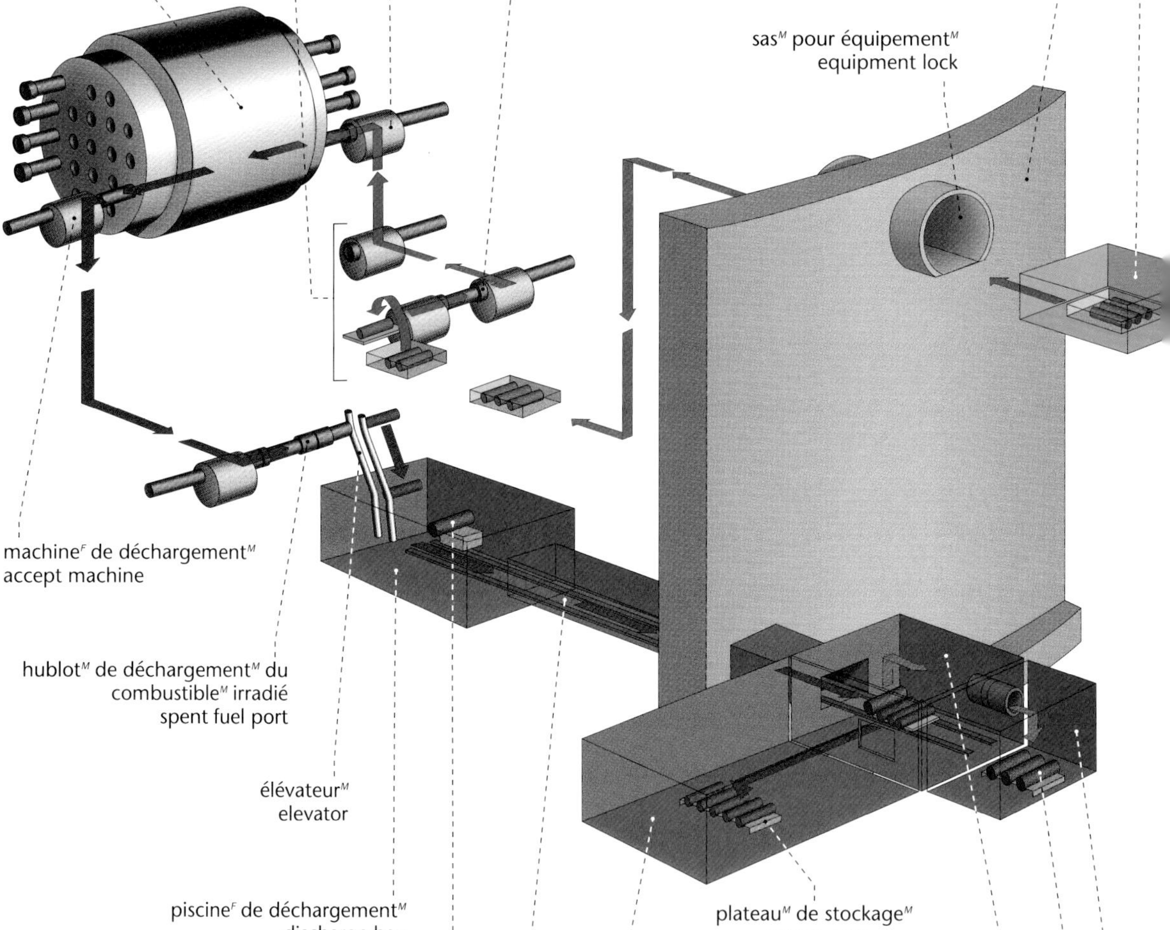
salle[F] de stockage[M] du combustible[M] neuf
new fuel storage room
zone[F] de chargement[M]
loading area
machine[F] de chargement[M]
fueling machine
bâtiment[M] des services[M]
service building
réacteur[M]
reactor
hublot[M] de chargement[M]
port
sas[M] pour équipement[M]
equipment lock
machine[F] de déchargement[M]
accept machine
hublot[M] de déchargement[M] du combustible[M] irradié
spent fuel port
élévateur[M]
elevator
piscine[F] de déchargement[M]
discharge bay
plateau[M] de stockage[M]
storage tray
gainage[M] du combustible[M] défectueux
failed fuel canning
piscine[F] de réception[F]
reception bay
canal[M] de transfert[M]
transfer canal
combustible[M] défectueux sous gaine[F]
canned failed fuel
piscine[F] de stockage[M] du combustible[M] irradié
spent fuel storage bay
piscine[F] du combustible[M] défectueux
failed fuel bay

GRAPPE^{F} DE COMBUSTIBLE^{M}
FUEL BUNDLE

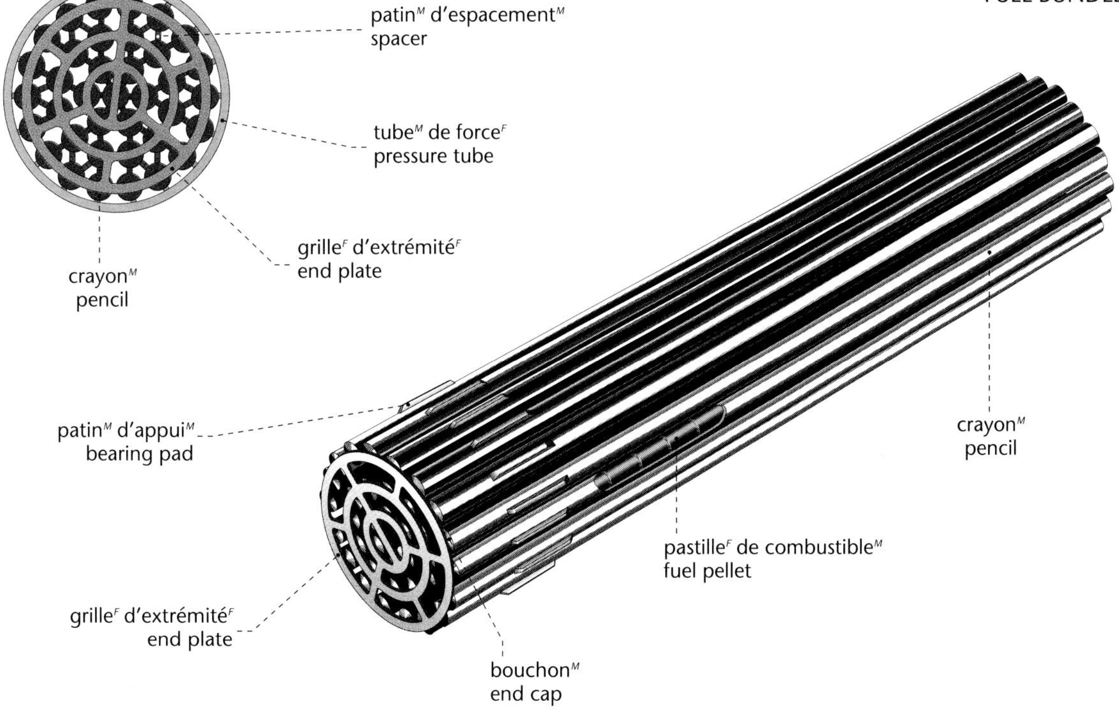

patin^{M} d'espacement^{M}
spacer
tube^{M} de force^{F}
pressure tube
grille^{F} d'extrémité^{F}
end plate
crayon^{M}
pencil
patin^{M} d'appui^{M}
bearing pad
crayon^{M}
pencil
pastille^{F} de combustible^{M}
fuel pellet
grille^{F} d'extrémité^{F}
end plate
bouchon^{M}
end cap

RÉACTEUR^{M} NUCLÉAIRE
NUCLEAR REACTOR

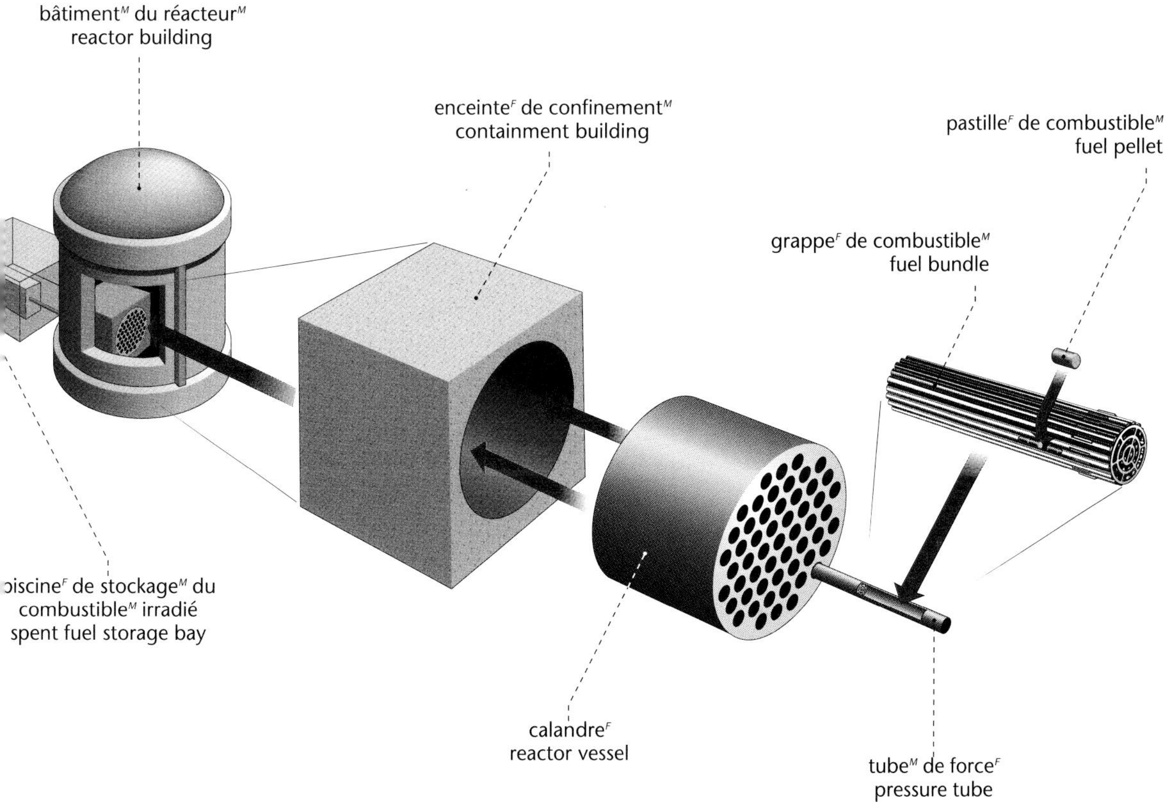

bâtiment^{M} du réacteur^{M}
reactor building
enceinte^{F} de confinement^{M}
containment building
pastille^{F} de combustible^{M}
fuel pellet
grappe^{F} de combustible^{M}
fuel bundle
piscine^{F} de stockage^{M} du combustible^{M} irradié
spent fuel storage bay
calandre^{F}
reactor vessel
tube^{M} de force^{F}
pressure tube

ÉNERGIE[F] NUCLÉAIRE
NUCLEAR ENERGY

PRODUCTION[F] D'ÉLECTRICITÉ[F] PAR ÉNERGIE[F] NUCLÉAIRE
PRODUCTION OF ELECTRICITY FROM NUCLEAR ENERGY

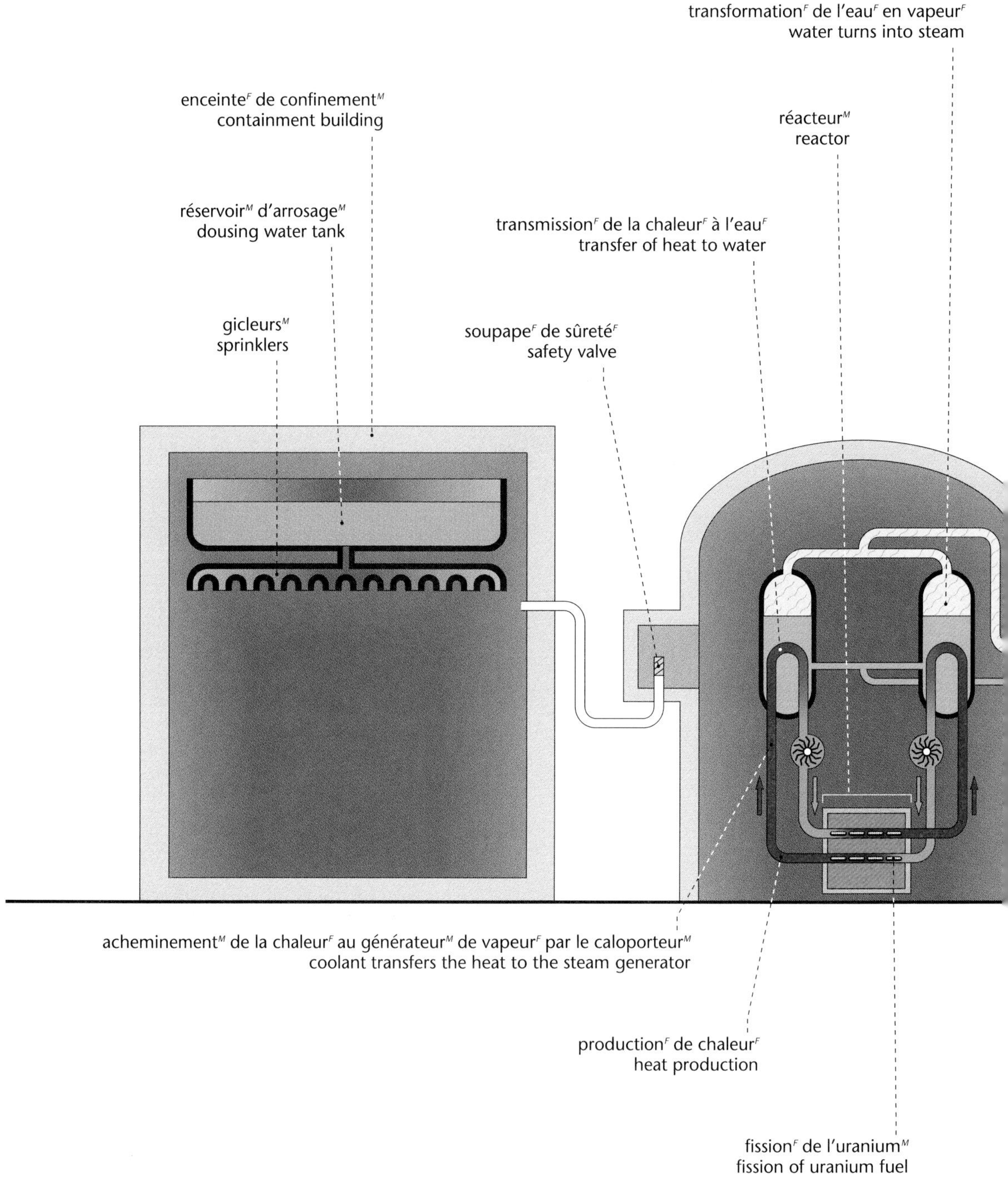

transformation[F] de l'eau[F] en vapeur[F]
water turns into steam
enceinte[F] de confinement[M]
containment building
réacteur[M]
reactor
réservoir[M] d'arrosage[M]
dousing water tank
transmission[F] de la chaleur[F] à l'eau[F]
transfer of heat to water
gicleurs[M]
sprinklers
soupape[F] de sûreté[F]
safety valve
acheminement[M] de la chaleur[F] au générateur[M] de vapeur[F] par le caloporteur[M]
coolant transfers the heat to the steam generator
production[F] de chaleur[F]
heat production
fission[F] de l'uranium[M]
fission of uranium fuel

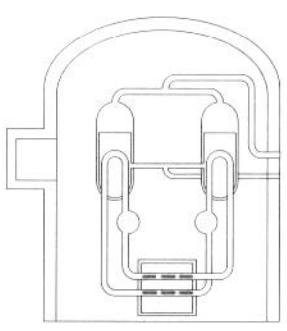

combustible[M]
fuel

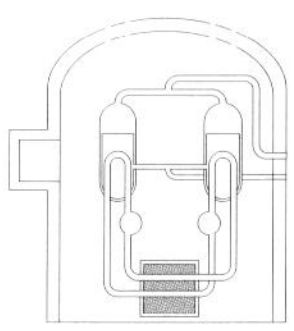

modérateur[M]
moderator

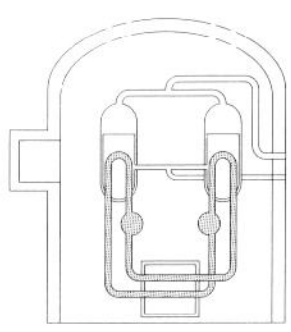

caloporteur[M]
coolant

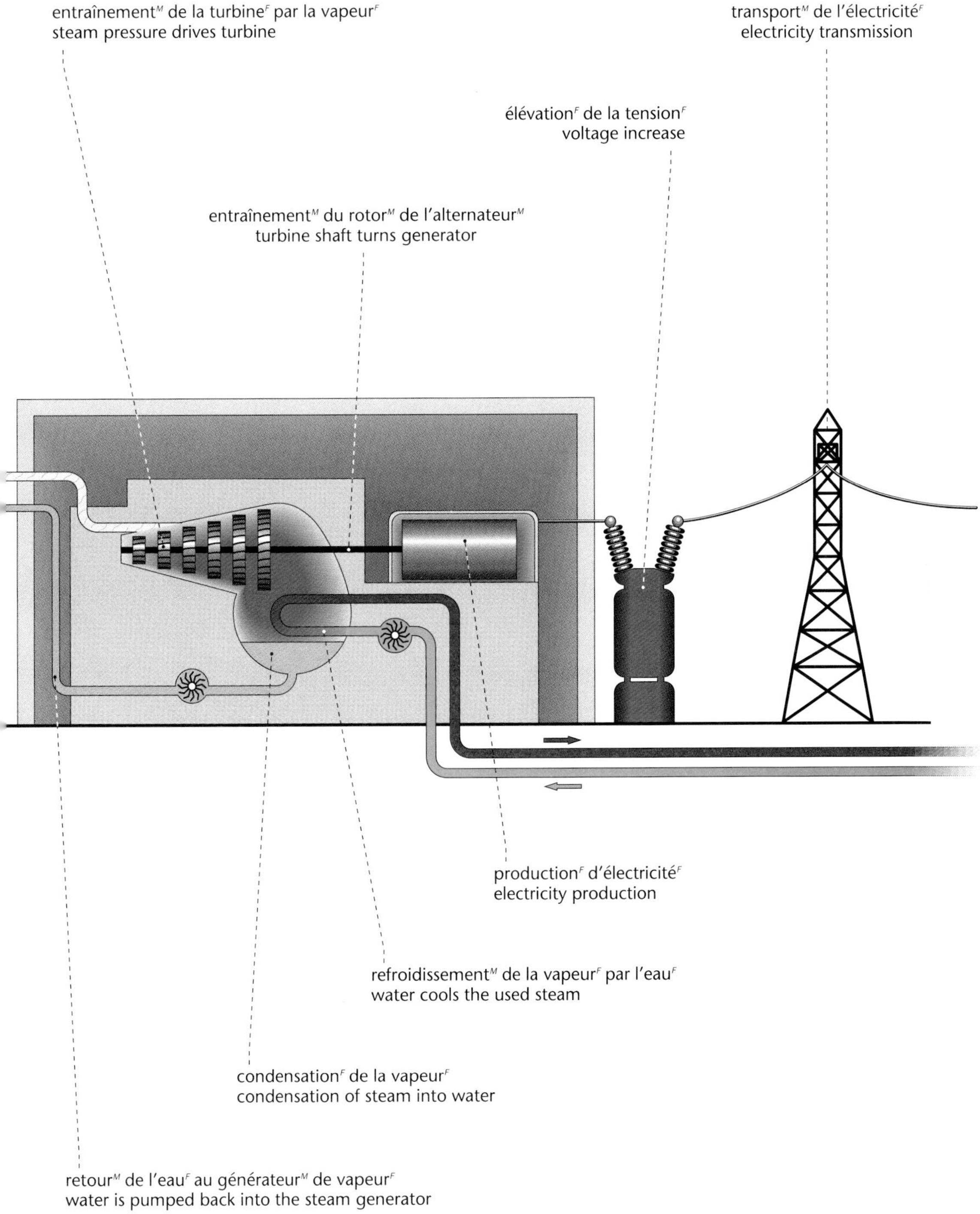

entraînement^M de la turbine^F par la vapeur^F
steam pressure drives turbine
transport^M de l'électricité^F
electricity transmission
élévation^F de la tension^F
voltage increase
entraînement^M du rotor^M de l'alternateur^M
turbine shaft turns generator
production^F d'électricité^F
electricity production
refroidissement^M de la vapeur^F par l'eau^F
water cools the used steam
condensation^F de la vapeur^F
condensation of steam into water
retour^M de l'eau^F au générateur^M de vapeur^F
water is pumped back into the steam generator

ÉNERGIE[F] SOLAIRE
SOLAR ENERGY

PHOTOPILE[F]
SOLAR CELL

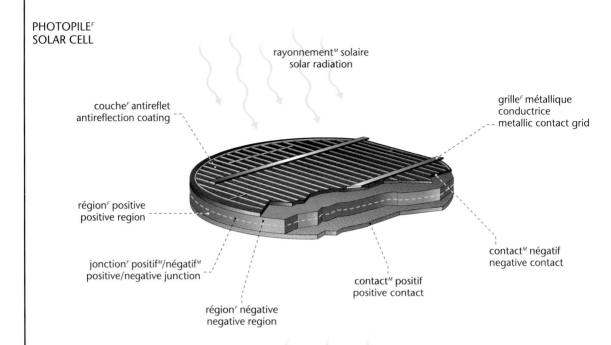

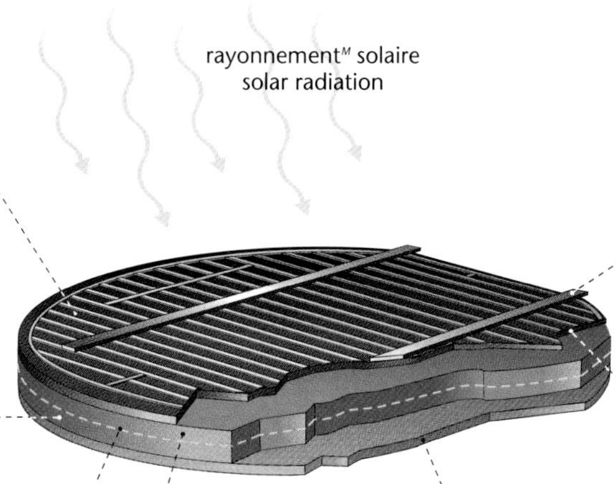

rayonnement[M] solaire
solar radiation
couche[F] antireflet
antireflection coating
grille[F] métallique conductrice
metallic contact grid
région[F] positive
positive region
jonction[F] positif[M]/négatif[M]
positive/negative junction
région[F] négative
negative region
contact[M] positif
positive contact
contact[M] négatif
negative contact

CAPTEUR[M] SOLAIRE PLAN
FLAT-PLATE SOLAR COLLECTOR

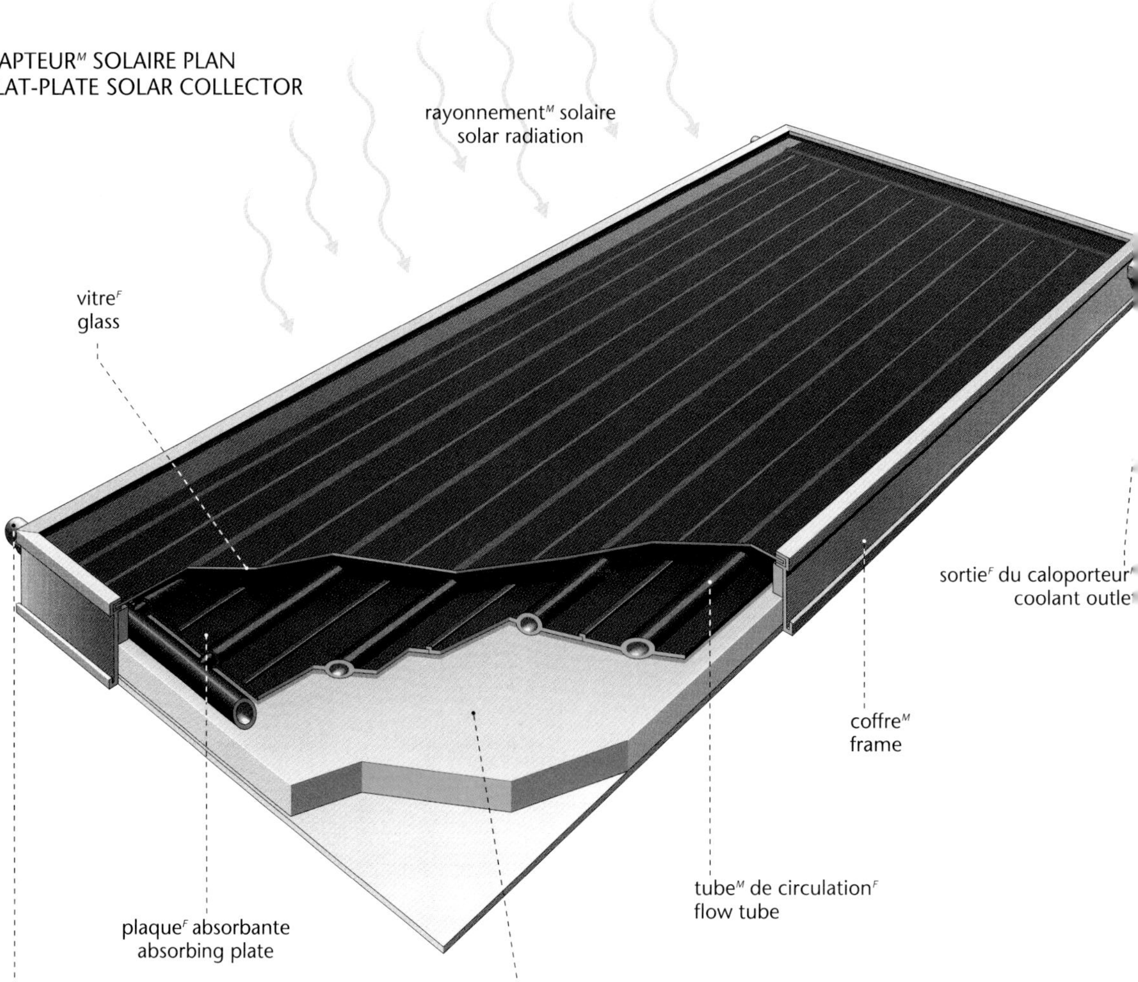

rayonnement[M] solaire
solar radiation
vitre[F]
glass
sortie[F] du caloporteur[M]
coolant outlet
coffre[M]
frame
tube[M] de circulation[F]
flow tube
plaque[F] absorbante
absorbing plate
entrée[F] du caloporteur[M]
coolant inlet
isolant[M]
insulation

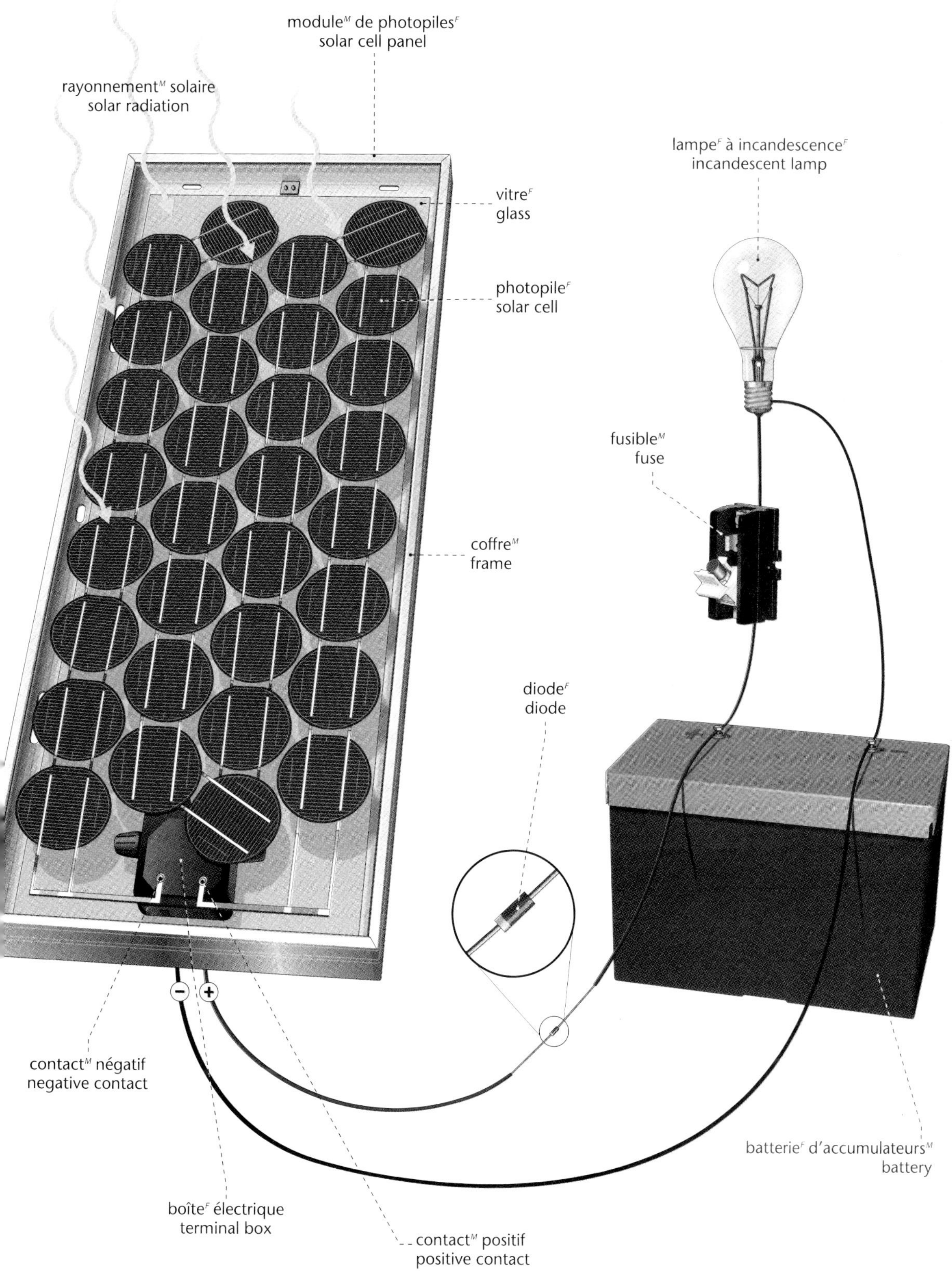
moduleᴹ de photopilesᶠ
solar cell panel
rayonnementᴹ solaire
solar radiation
vitreᶠ
glass
photopileᶠ
solar cell
coffreᴹ
frame
lampeᶠ à incandescenceᶠ
incandescent lamp
fusibleᴹ
fuse
diodeᶠ
diode
contactᴹ négatif
negative contact
boîteᶠ électrique
terminal box
contactᴹ positif
positive contact
batterieᶠ d'accumulateursᴹ
battery

FOUR[M] SOLAIRE
SOLAR FURNACE

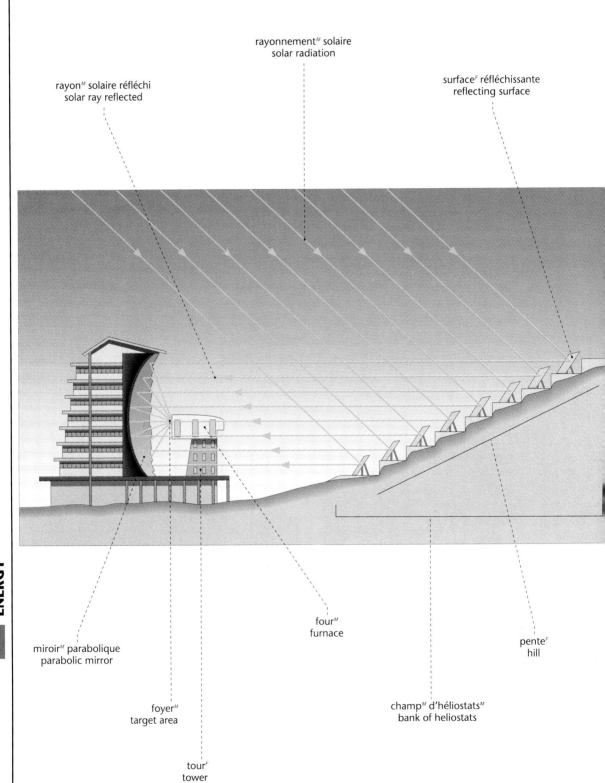

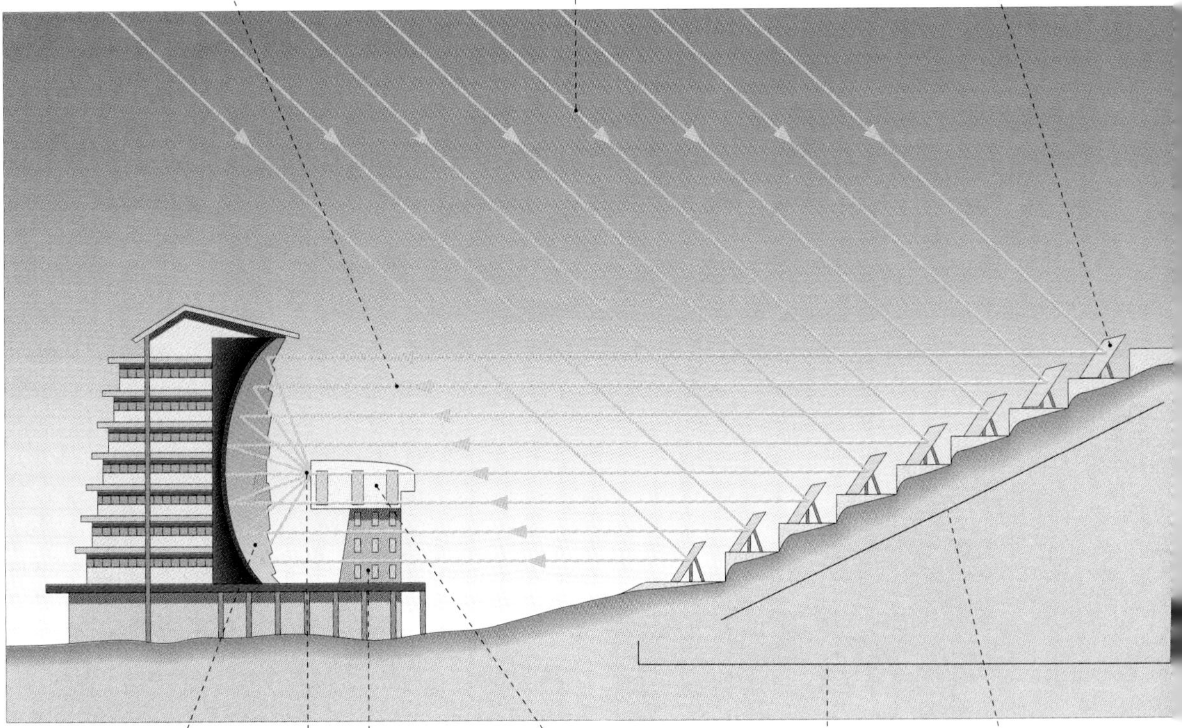
rayonnement[M] solaire
solar radiation
rayon[M] solaire réfléchi
solar ray reflected
surface[F] réfléchissante
reflecting surface
four[M]
furnace
pente[F]
hill
miroir[M] parabolique
parabolic mirror
foyer[M]
target area
champ[M] d'héliostats[M]
bank of heliostats
tour[F]
tower

PRODUCTION[F] D'ÉLECTRICITÉ[F] PAR ÉNERGIE[F] SOLAIRE
PRODUCTION OF ELECTRICITY FROM SOLAR ENERGY

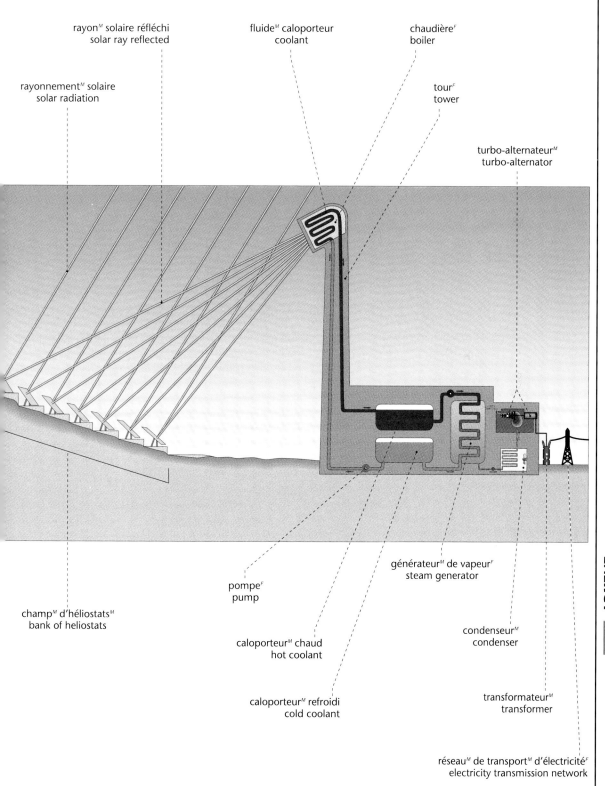

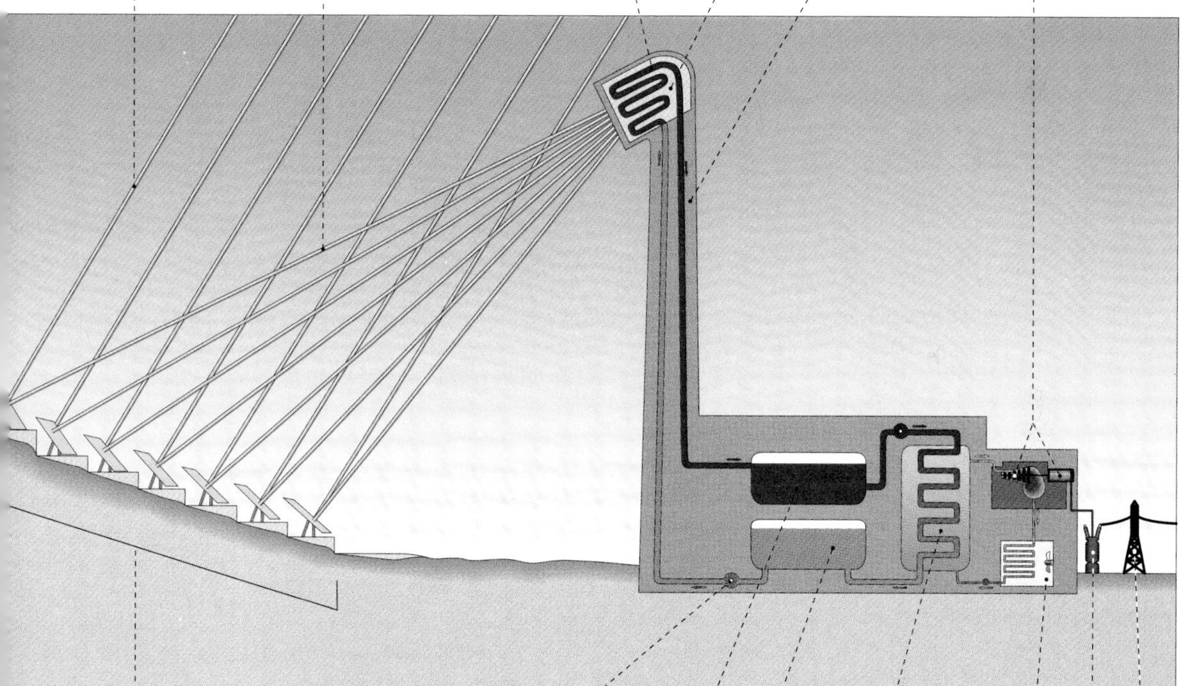
rayon[M] solaire réfléchi
solar ray reflected
fluide[M] caloporteur
coolant
chaudière[F]
boiler
rayonnement[M] solaire
solar radiation
tour[F]
tower
turbo-alternateur[M]
turbo-alternator
générateur[M] de vapeur[F]
steam generator
pompe[F]
pump
champ[M] d'héliostats[M]
bank of heliostats
condenseur[M]
condenser
caloporteur[M] chaud
hot coolant
caloporteur[M] refroidi
cold coolant
transformateur[M]
transformer
réseau[M] de transport[M] d'électricité[F]
electricity transmission network

ÉNERGIE[F] SOLAIRE
SOLAR ENERGY

MAISON[F] SOLAIRE
SOLAR HOUSE

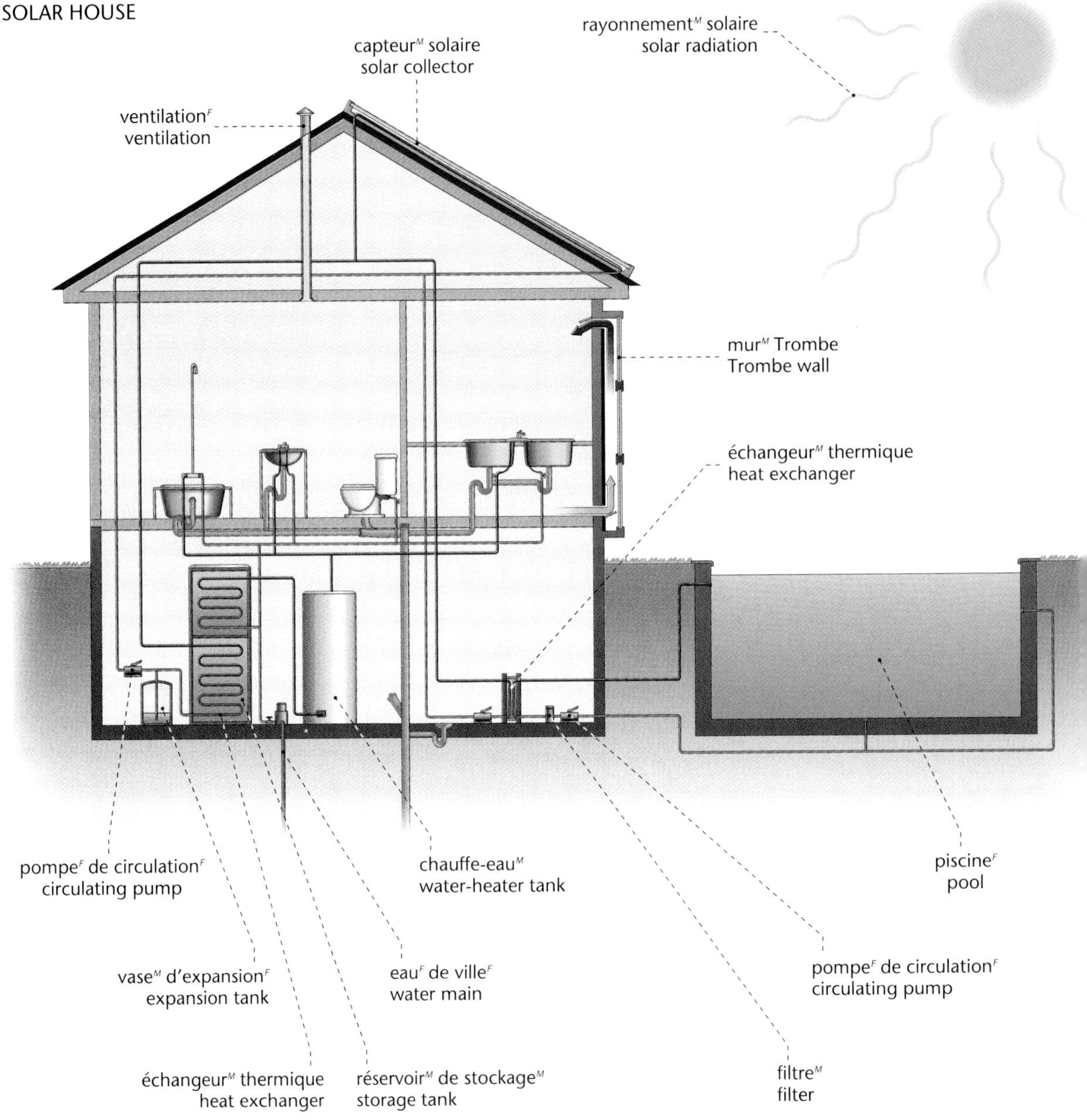

rayonnement[M] solaire
solar radiation
capteur[M] solaire
solar collector
ventilation[F]
ventilation
mur[M] Trombe
Trombe wall
échangeur[M] thermique
heat exchanger
pompe[F] de circulation[F]
circulating pump
chauffe-eau[M]
water-heater tank
piscine[F]
pool
vase[M] d'expansion[F]
expansion tank
eau[F] de ville[F]
water main
pompe[F] de circulation[F]
circulating pump
échangeur[M] thermique
heat exchanger
réservoir[M] de stockage[M]
storage tank
filtre[M]
filter

MUR[M] TROMBE
TROMBE WALL

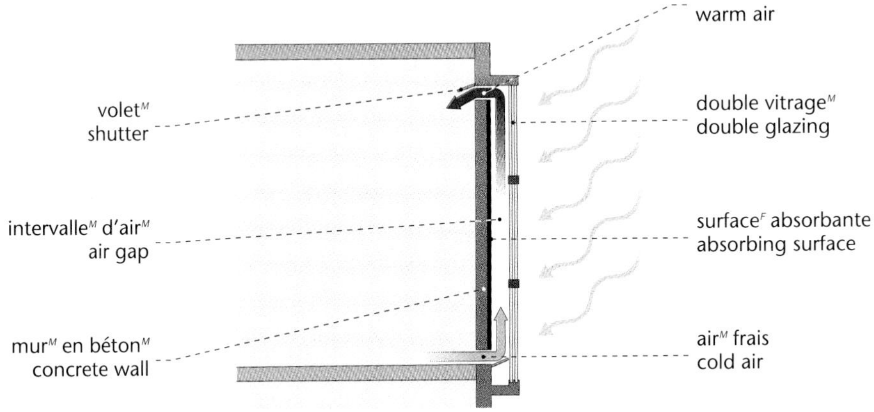

air[M] chaud
warm air
volet[M]
shutter
double vitrage[M]
double glazing
intervalle[M] d'air[M]
air gap
surface[F] absorbante
absorbing surface
mur[M] en béton[M]
concrete wall
air[M] frais
cold air

ÉNERGIE[F] ÉOLIENNE
WIND ENERGY

MOULIN[M] À VENT[M]
WINDMILL

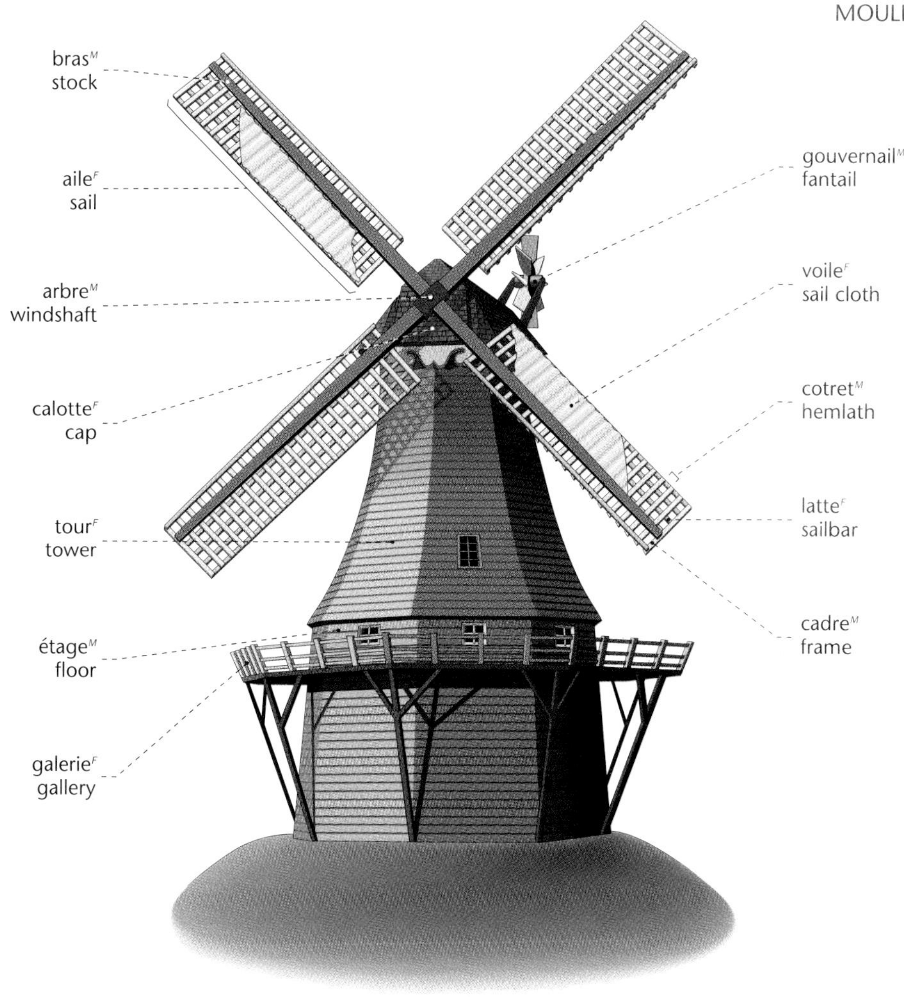
bras[M]
stock
aile[F]
sail
arbre[M]
windshaft
calotte[F]
cap
tour[F]
tower
étage[M]
floor
galerie[F]
gallery
gouvernail[M]
fantail
voile[F]
sail cloth
cotret[M]
hemlath
latte[F]
sailbar
cadre[M]
frame

MOULIN[M] PIVOT[M]
POST MILL

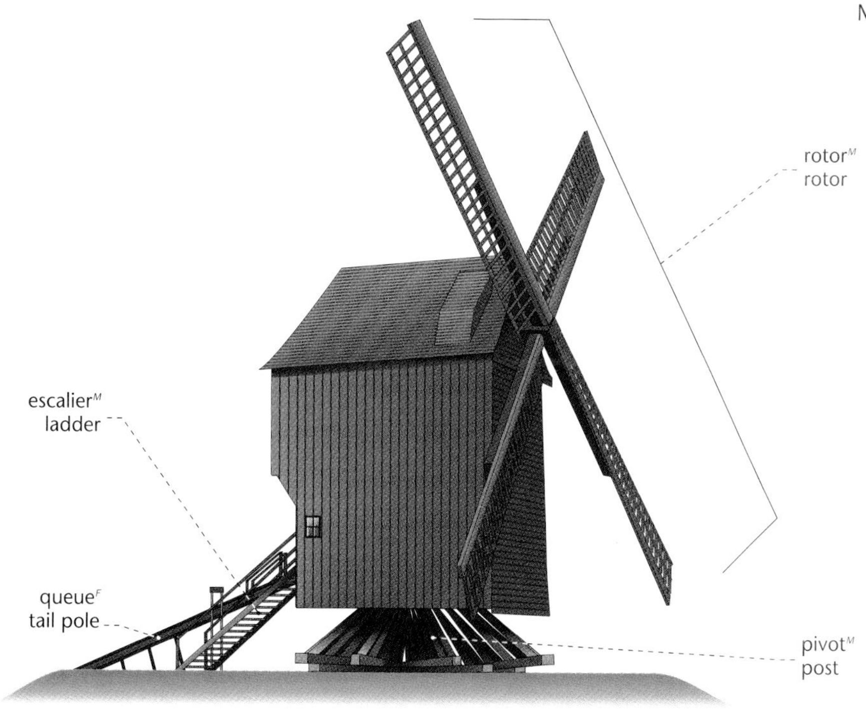
rotor[M]
rotor
escalier[M]
ladder
queue[F]
tail pole
pivot[M]
post

ÉNERGIE[F] ÉOLIENNE
WIND ENERGY

ÉOLIENNE[F] À AXE[M] HORIZONTAL
HORIZONTAL-AXIS WIND TURBINE

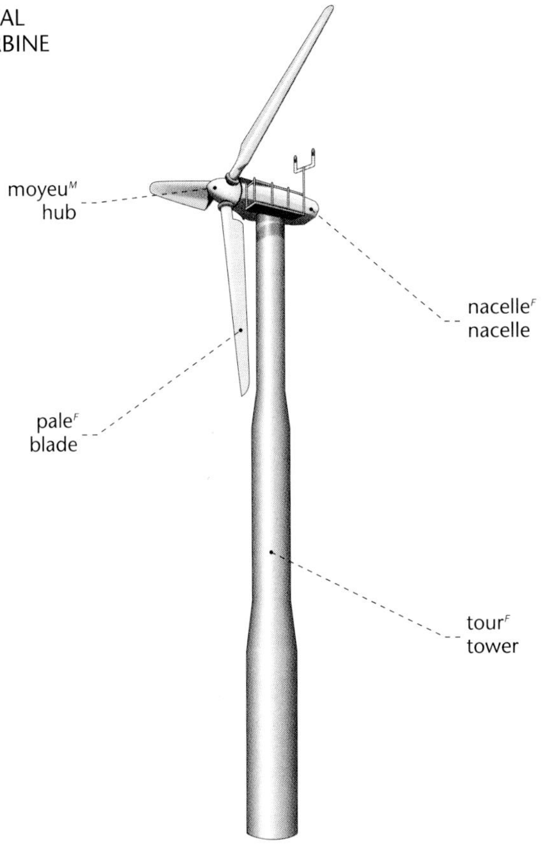

moyeu[M]
hub
nacelle[F]
nacelle
pale[F]
blade
tour[F]
tower

ÉOLIENNE[F] À AXE[M] VERTICAL
VERTICAL-AXIS WIND TURBINE

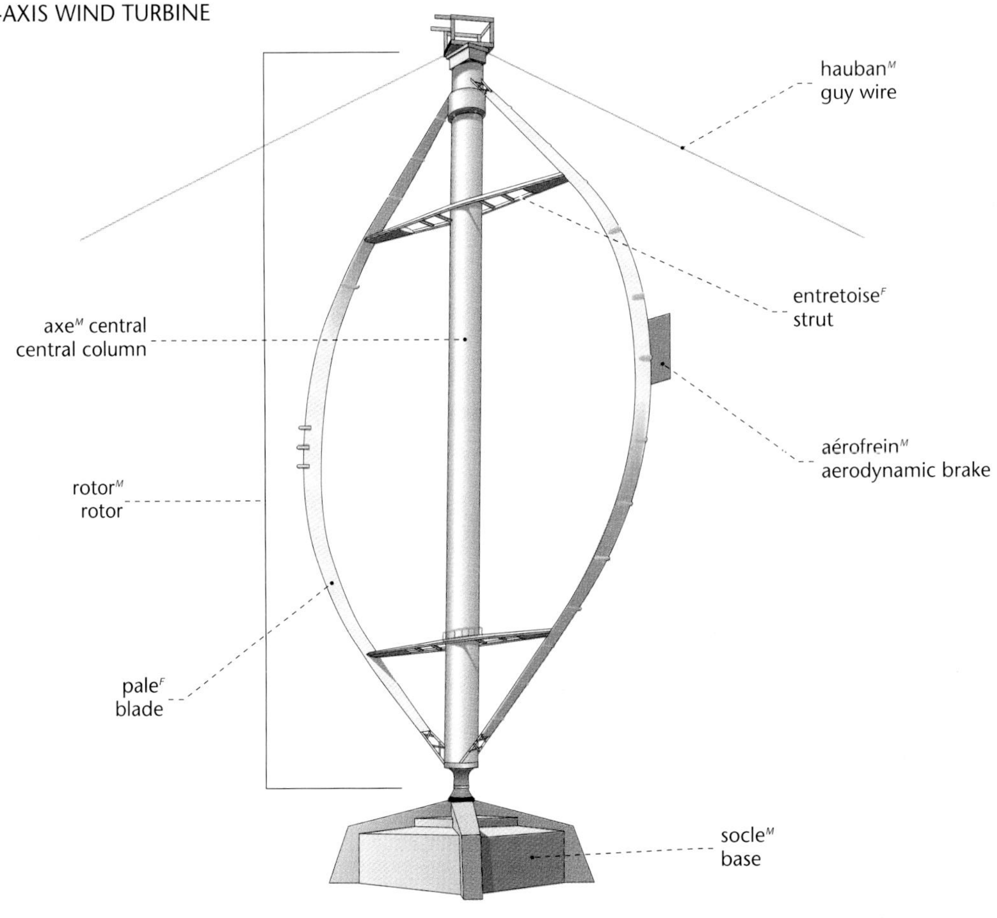

hauban[M]
guy wire
entretoise[F]
strut
axe[M] central
central column
aérofrein[M]
aerodynamic brake
rotor[M]
rotor
pale[F]
blade
socle[M]
base

ENGINS ET MACHINES • HEAVY MACHINERY

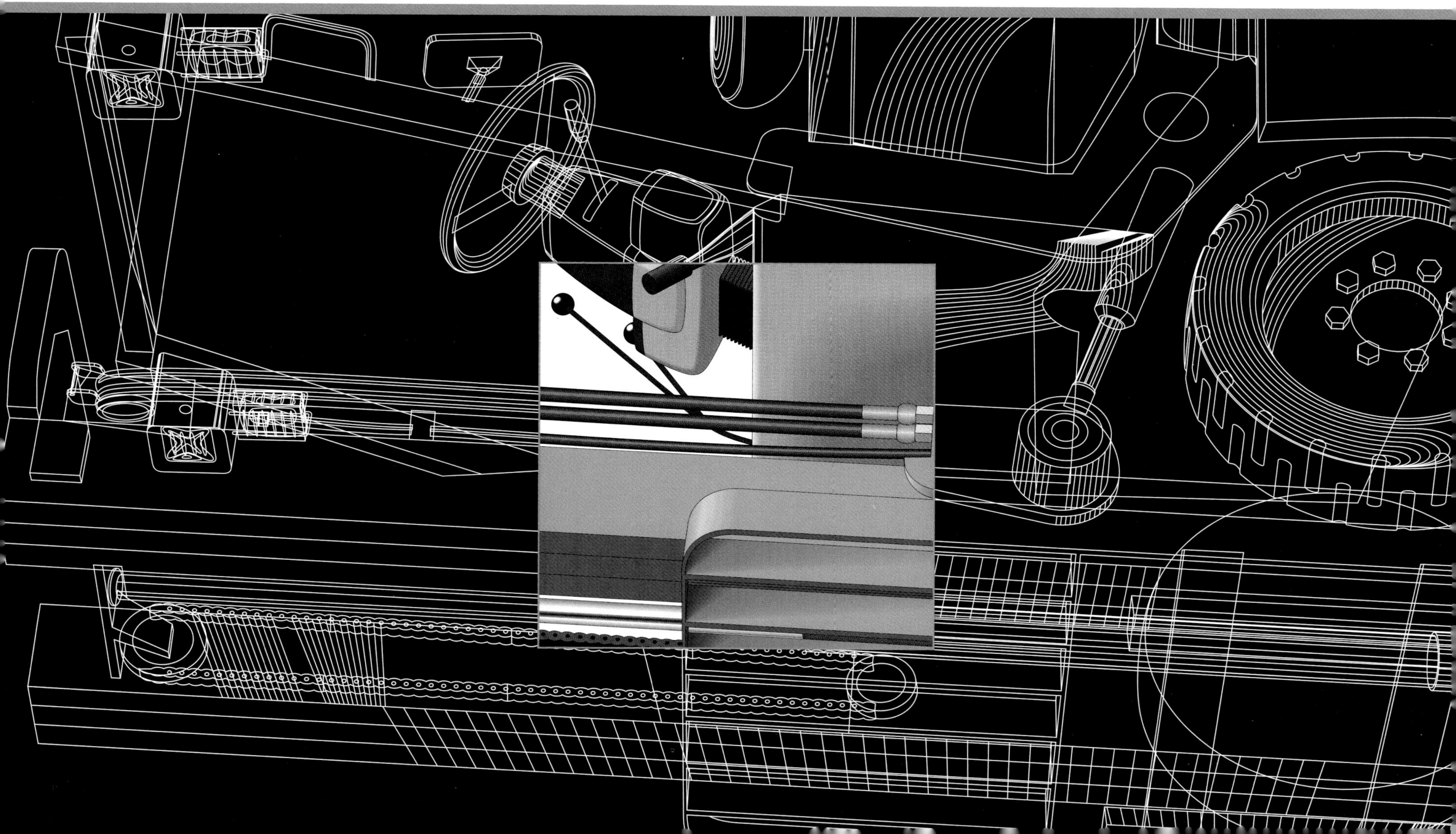

SOMMAIRE

PRÉVENTION^{F} DES INCENDIES^{M}
FIRE PREVENTION

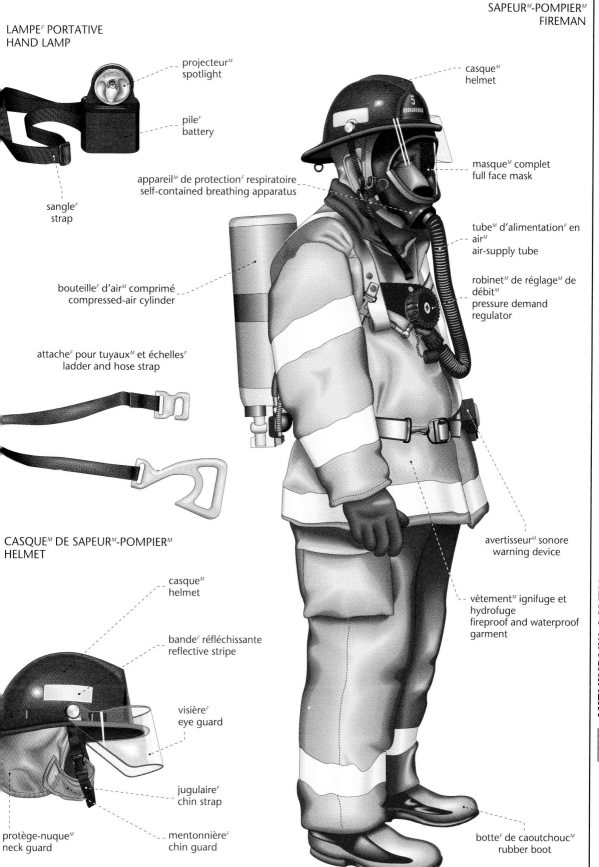

LAMPE^{F} PORTATIVE
HAND LAMP

projecteur^{M}
spotlight
pile^{F}
battery
sangle^{F}
strap

SAPEUR^{M}-POMPIER^{M}
FIREMAN

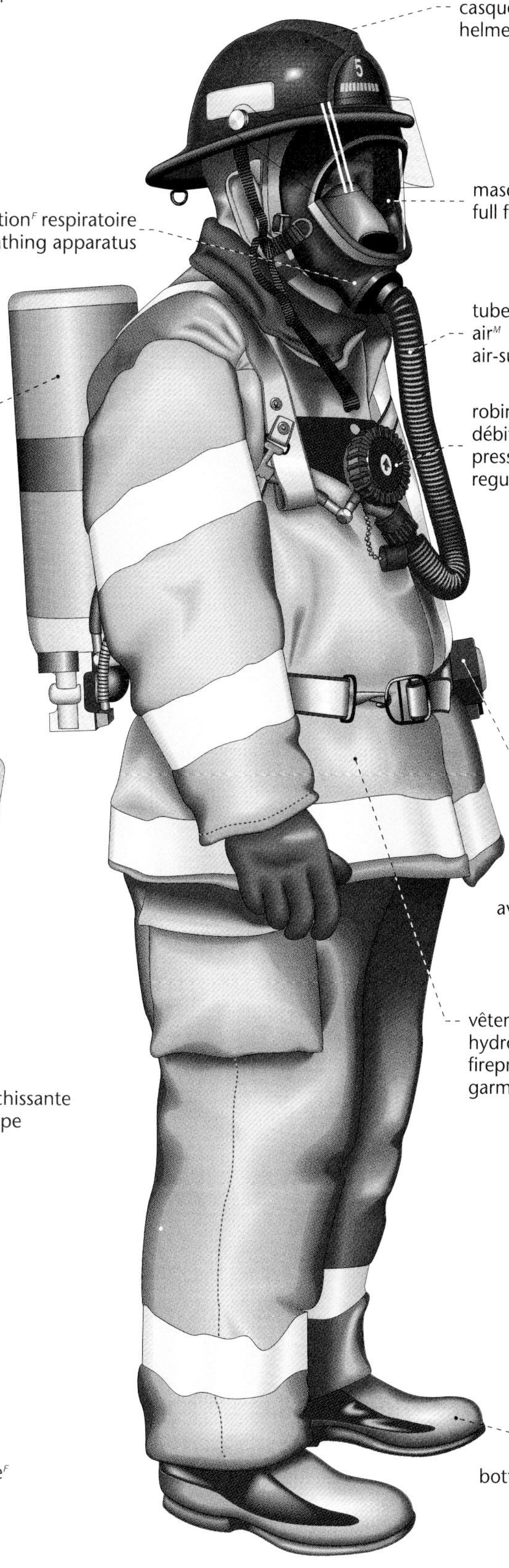
casque^{M}
helmet
masque^{M} complet
full face mask
appareil^{M} de protection^{F} respiratoire
self-contained breathing apparatus
tube^{M} d'alimentation^{F} en air^{M}
air-supply tube
bouteille^{F} d'air^{M} comprimé
compressed-air cylinder
robinet^{M} de réglage^{M} de débit^{M}
pressure demand regulator
avertisseur^{M} sonore
warning device
vêtement^{M} ignifuge et hydrofuge
fireproof and waterproof garment
botte^{F} de caoutchouc^{M}
rubber boot

attache^{F} pour tuyaux^{M} et échelles^{F}
ladder and hose strap

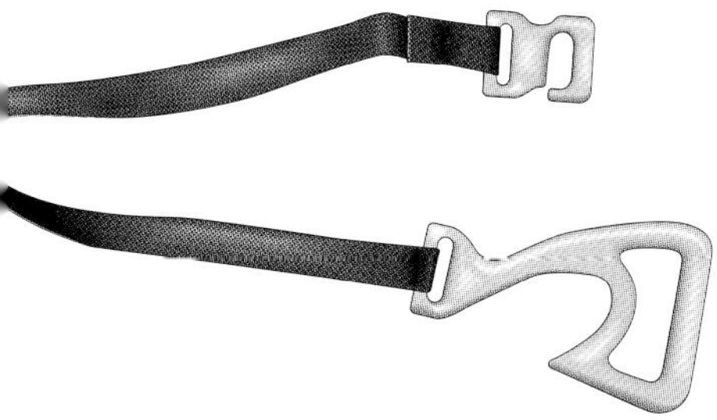

CASQUE^{M} DE SAPEUR^{M}-POMPIER^{M}
HELMET

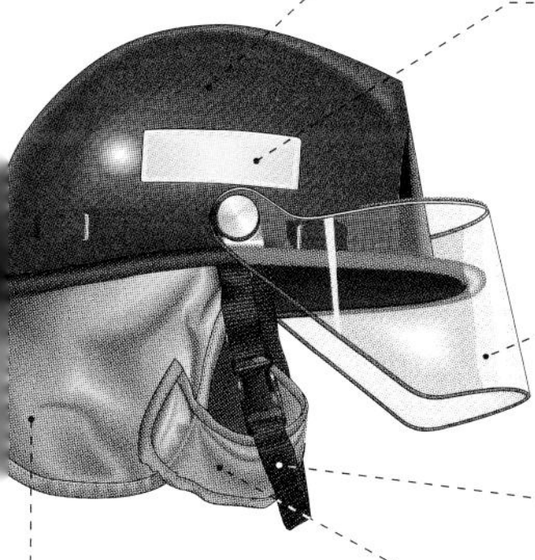
casque^{M}
helmet
bande^{F} réfléchissante
reflective stripe
visière^{F}
eye guard
jugulaire^{F}
chin strap
protège-nuque^{M}
neck guard
mentonnière^{F}
chin guard

VÉHICULES[M] D'INCENDIE[M]
FIRE ENGINE

FOURGON[M]-POMPE[F]
PUMPER

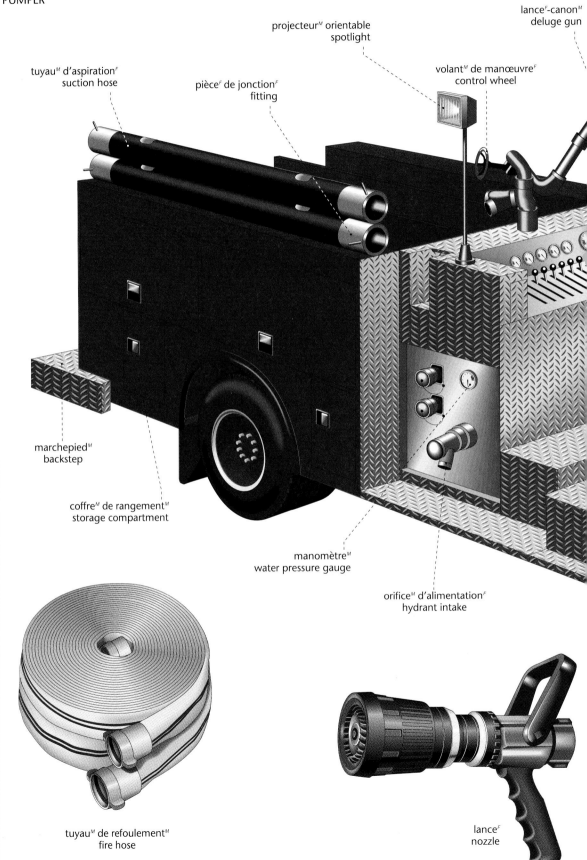

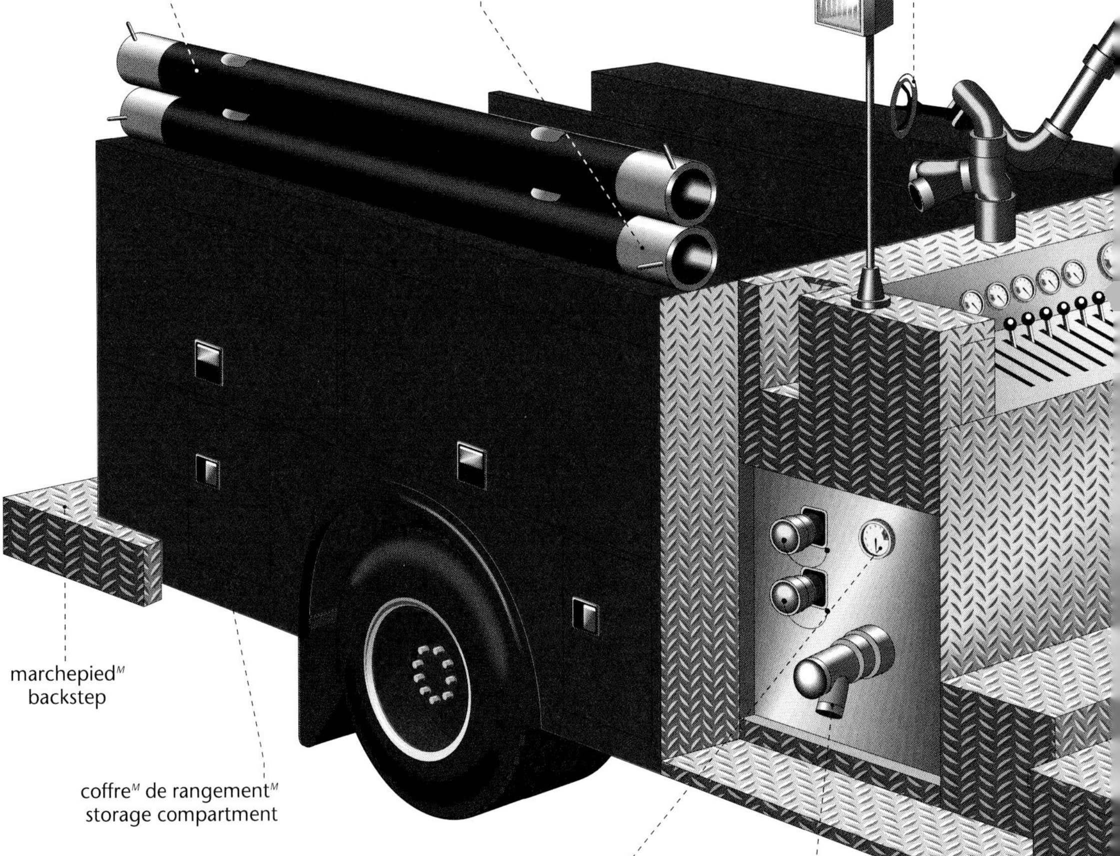
lance[F]-canon[M]
deluge gun
projecteur[M] orientable
spotlight
tuyau[M] d'aspiration[F]
suction hose
volant[M] de manœuvre[F]
control wheel
pièce[F] de jonction[F]
fitting
marchepied[M]
backstep
coffre[M] de rangement[M]
storage compartment
manomètre[M]
water pressure gauge
orifice[M] d'alimentation[F]
hydrant intake

tuyau[M] de refoulement[M]
fire hose

lance[F]
nozzle

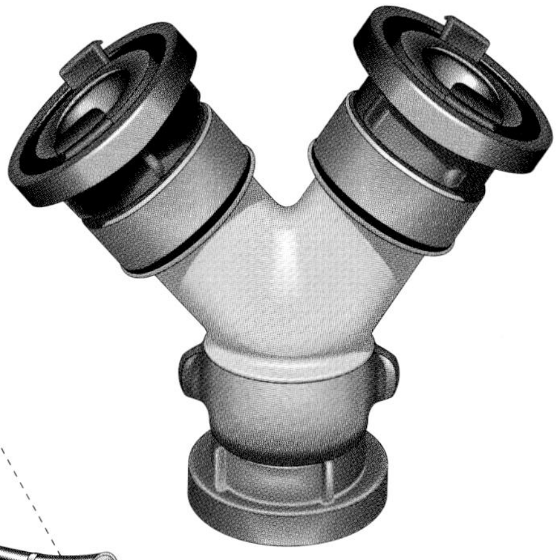
pièce[F] d'embranchement[M]
dividing breeching

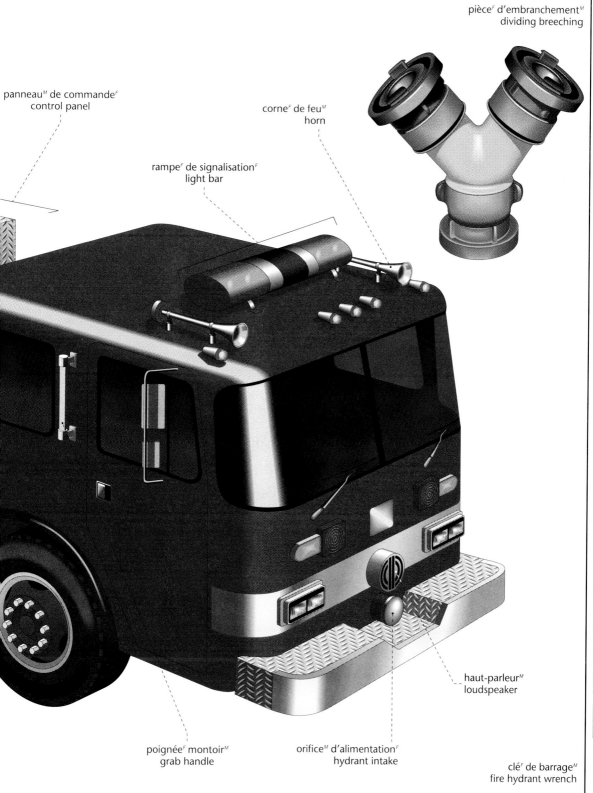

panneau[M] de commande[F]
control panel
corne[F] de feu[M]
horn
rampe[F] de signalisation[F]
light bar
haut-parleur[M]
loudspeaker
poignée[F] montoir[M]
grab handle
orifice[M] d'alimentation[F]
hydrant intake

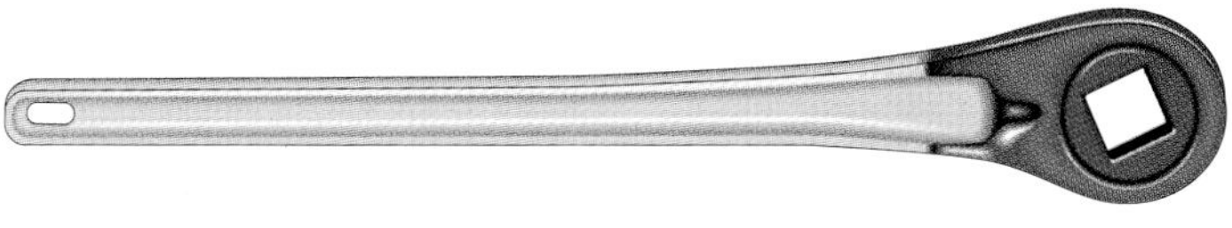
clé[F] de barrage[M]
fire hydrant wrench

VÉHICULES[M] D'INCENDIE[M]
FIRE ENGINE

GRANDE ÉCHELLE[F]
AERIAL LADDER TRUCK

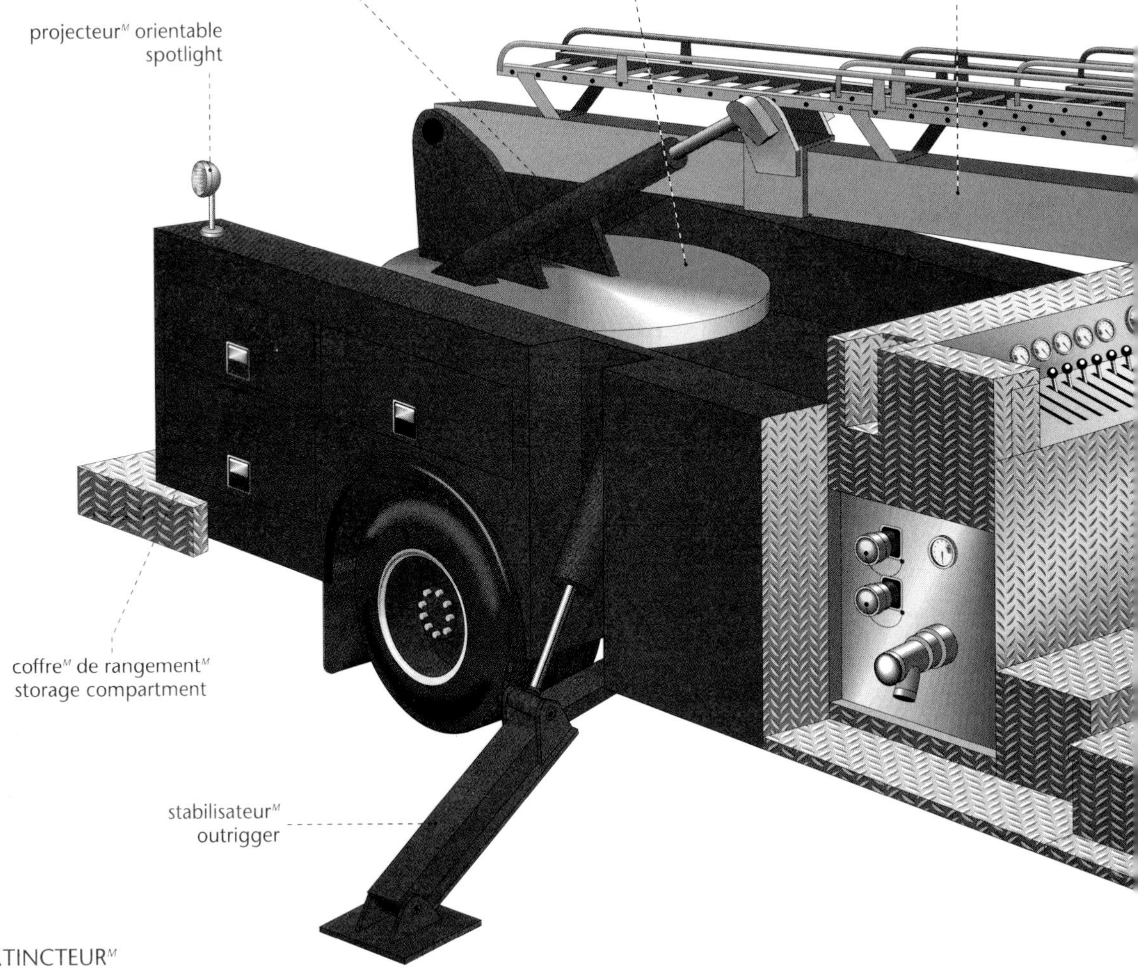
vérin[M] de dressage[M]
elevating cylinder
tourelle[F]
turntable mounting
flèche[F] télescopique
telescopic boom
projecteur[M] orientable
spotlight
coffre[M] de rangement[M]
storage compartment
stabilisateur[M]
outrigger

EXTINCTEUR[M]
PORTABLE FIRE EXTINGUISHER

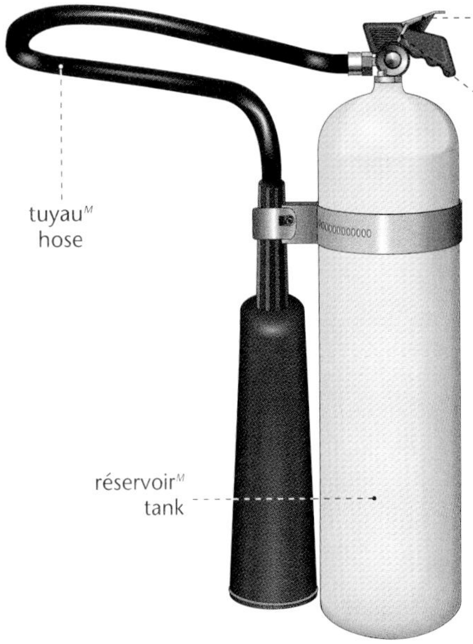
gâchette[F]
trigger
goupille[F]
pin
tuyau[M]
hose
réservoir[M]
tank

gaffe[F]
pike pole

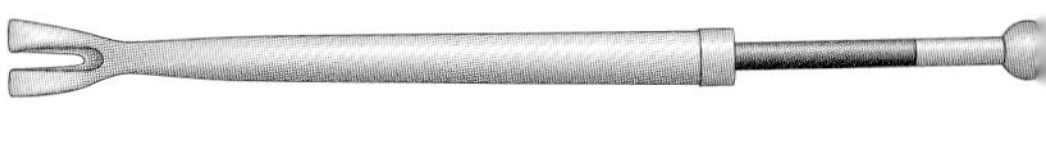

clé[F] à percussion[F]
percussion bar

parc[M] à échelles[F]
tower ladder
gyrophare[M]
mars light
échelle[F] de tête[F]
top ladder
lance[F] à eau[F]
ladder pipe nozzle
hache[F]
fireman's hatchet
échelle[F] à crochets[M]
hook ladder

MACHINERIE[F] LOURDE
HEAVY VEHICLES

CHARGEUSE[F]-PELLETEUSE[F]
WHEEL LOADER

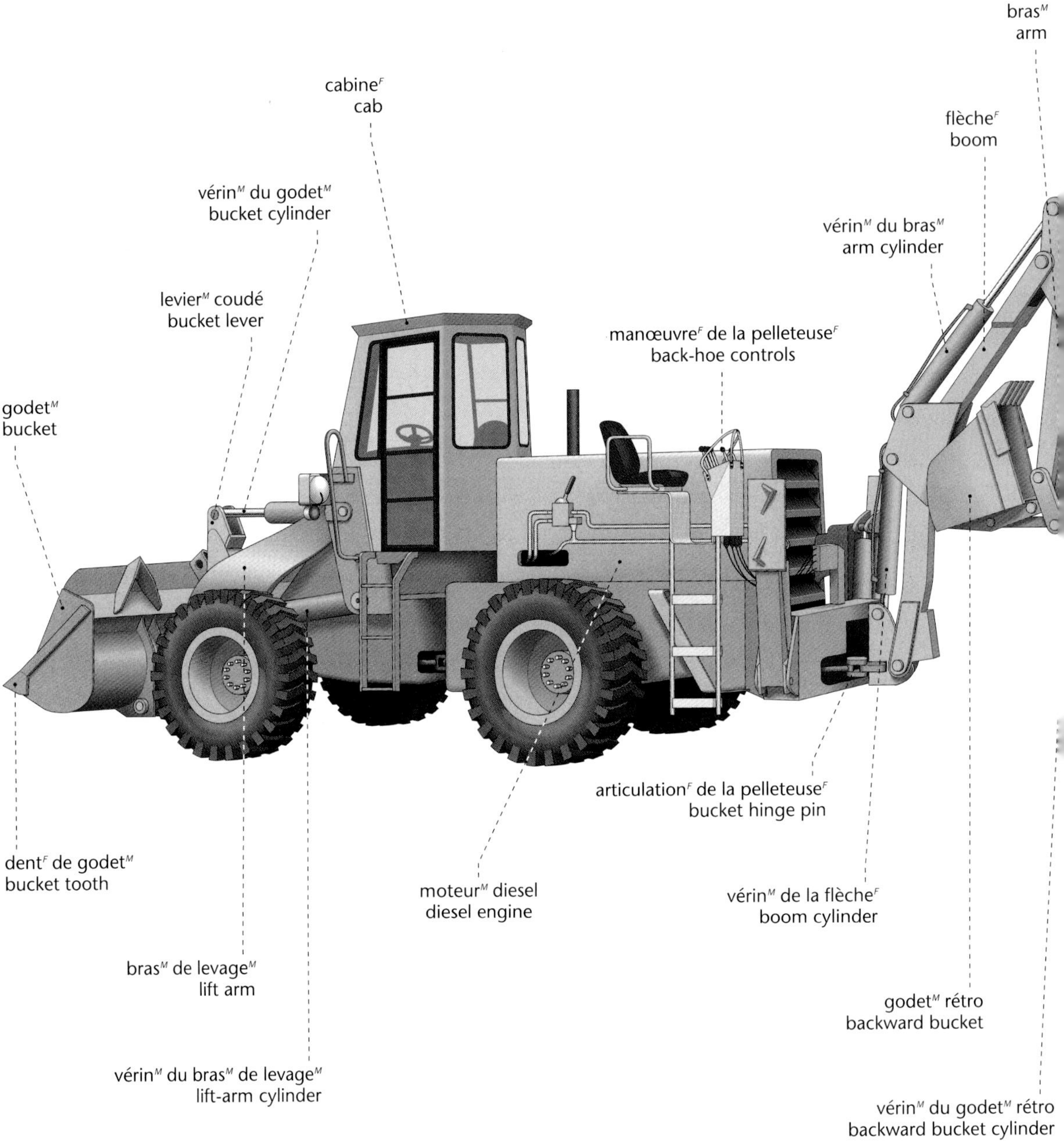
bras[M]
arm
cabine[F]
cab
flèche[F]
boom
vérin[M] du godet[M]
bucket cylinder
vérin[M] du bras[M]
arm cylinder
levier[M] coudé
bucket lever
manœuvre[F] de la pelleteuse[F]
back-hoe controls
godet[M]
bucket
articulation[F] de la pelleteuse[F]
bucket hinge pin
dent[F] de godet[M]
bucket tooth
moteur[M] diesel
diesel engine
vérin[M] de la flèche[F]
boom cylinder
bras[M] de levage[M]
lift arm
godet[M] rétro
backward bucket
vérin[M] du bras[M] de levage[M]
lift-arm cylinder
vérin[M] du godet[M] rétro
backward bucket cylinder

chargeuse[F] frontale
front-end loader

tracteur[M]
wheel tractor

pelleteuse[F]
back-hoe

BOUTEUR[M]
BULLDOZER

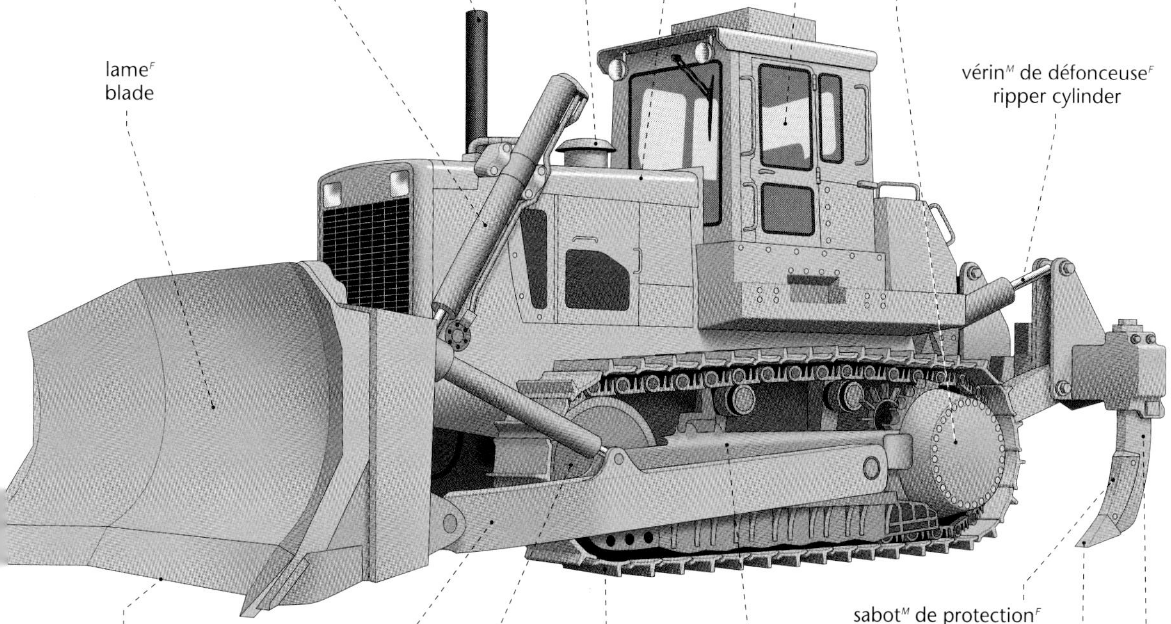

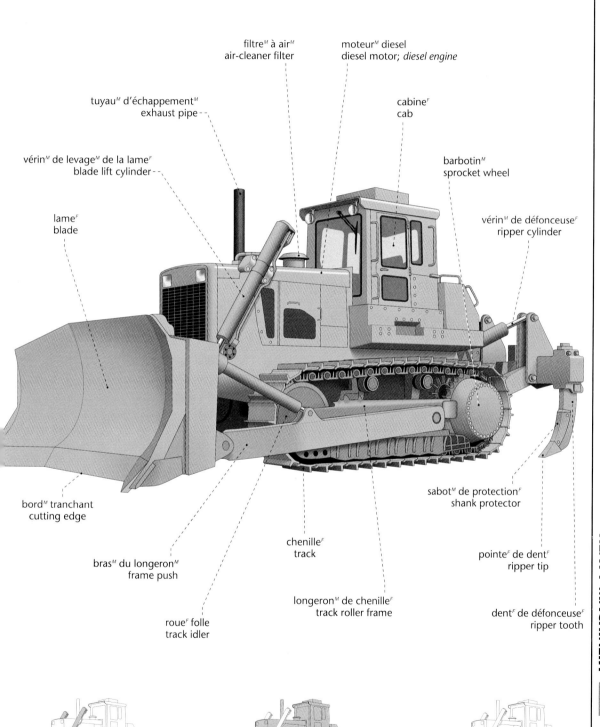

filtre[M] à air[M]
air-cleaner filter
moteur[M] diesel
diesel motor; *diesel engine*
tuyau[M] d'échappement[M]
exhaust pipe
cabine[F]
cab
vérin[M] de levage[M] de la lame[F]
blade lift cylinder
barbotin[M]
sprocket wheel
lame[F]
blade
vérin[M] de défonceuse[F]
ripper cylinder
sabot[M] de protection[F]
shank protector
bord[M] tranchant
cutting edge
chenille[F]
track
pointe[F] de dent[F]
ripper tip
bras[M] du longeron[M]
frame push
longeron[M] de chenille[F]
track roller frame
dent[F] de défonceuse[F]
ripper tooth
roue[F] folle
track idler

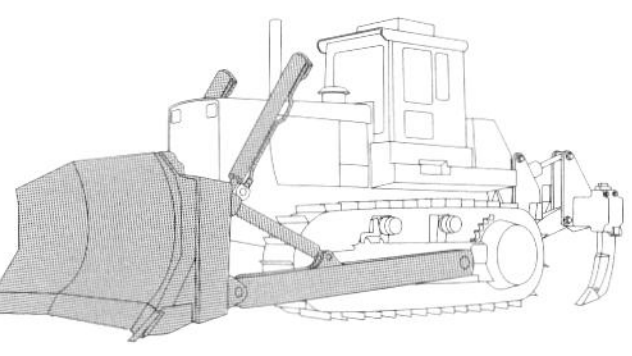

lame[F]
blade

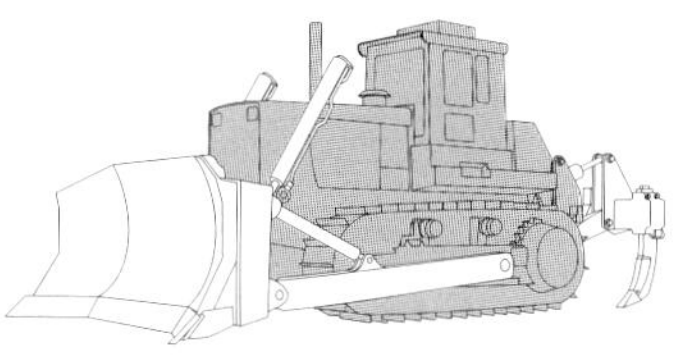

tracteur[M] à chenilles[F]
crawler tractor

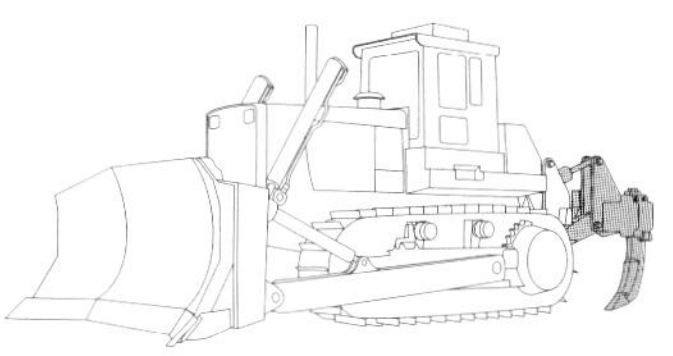

défonceuse[F]
ripper

MACHINERIE^F LOURDE
HEAVY VEHICLES

DÉCAPEUSE^F
SCRAPER

vérin^M de direction^F
steering cylinder
col-de-cygne^M
gooseneck
éjecteur^M
ejector
palonnier^M
draft tube
brancard^M
draft arm
benne^F
bowl
lame^F racleuse
cutting edge
tracteur^M-remorqueur^M
tractor engine

NIVELEUSE^F
GRADER

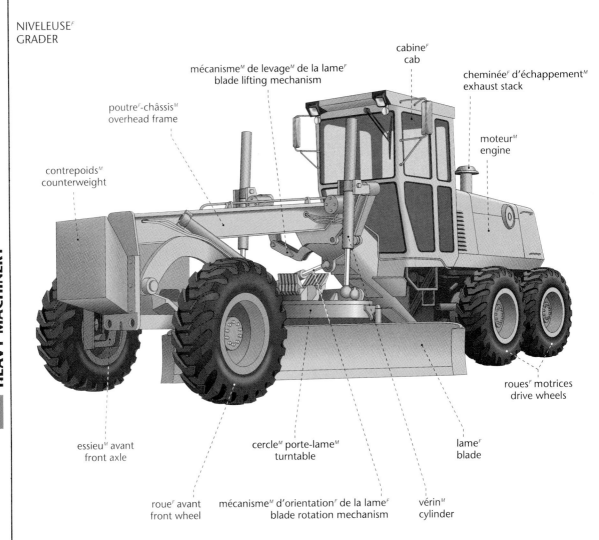

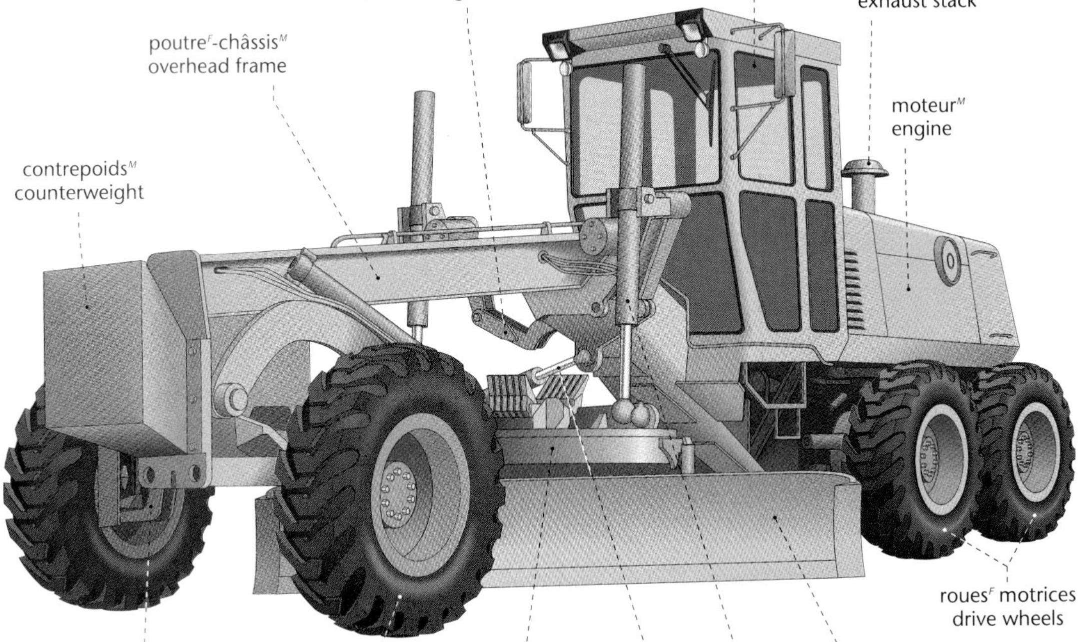
cabine^F
cab
mécanisme^M de levage^M de la lame^F
blade lifting mechanism
cheminée^F d'échappement^M
exhaust stack
poutre^F-châssis^M
overhead frame
moteur^M
engine
contrepoids^M
counterweight
roues^F motrices
drive wheels
essieu^M avant
front axle
cercle^M porte-lame^M
turntable
lame^F
blade
roue^F avant
front wheel
mécanisme^M d'orientation^F de la lame^F
blade rotation mechanism
vérin^M
cylinder

MACHINERIE[F] LOURDE
HEAVY MACHINERY

CAMION[M]-BENNE[F]
DUMP TRUCK;
DUMPER TRUCK

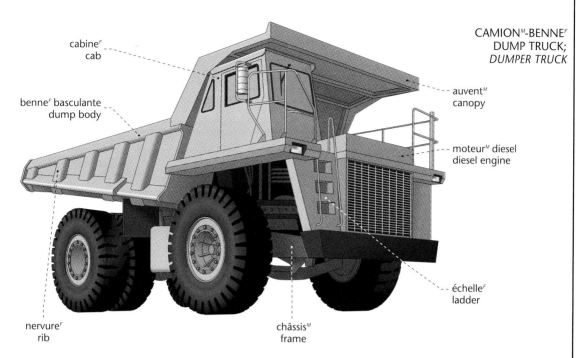

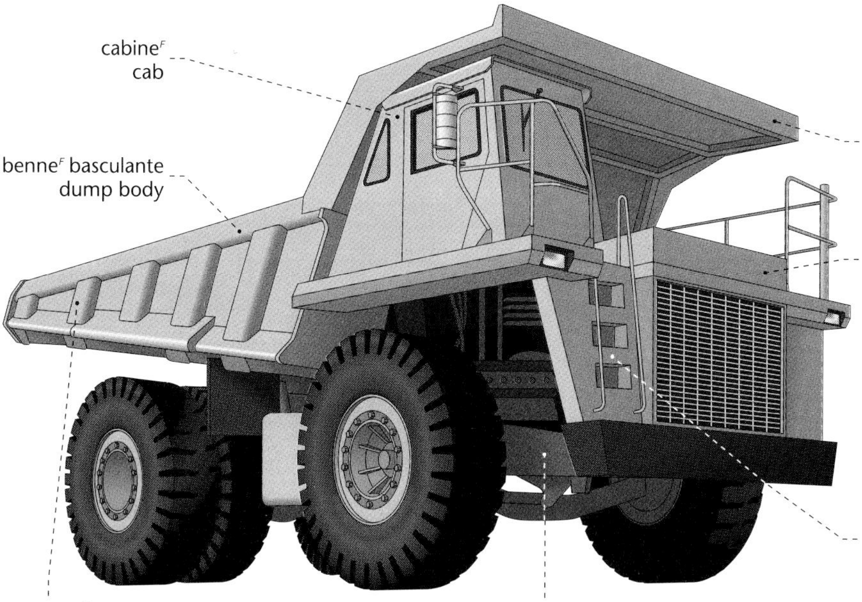
cabine[F]
cab
benne[F] basculante
dump body
nervure[F]
rib
châssis[M]
frame
auvent[M]
canopy
moteur[M] diesel
diesel engine
échelle[F]
ladder

PELLE[F] HYDRAULIQUE
HYDRAULIC SHOVEL

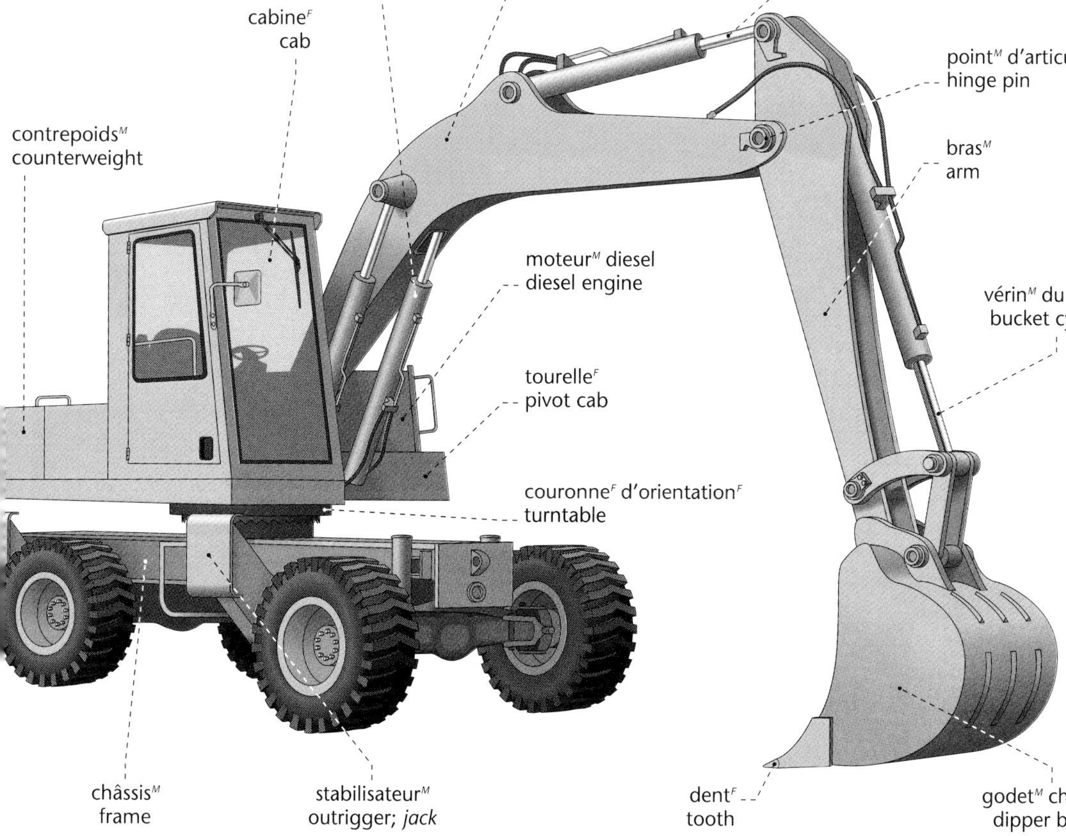
vérin[M] de la flèche[F]
boom cylinder
flèche[F]
boom
vérin[M] du bras[M]
arm cylinder
cabine[F]
cab
point[M] d'articulation[F]
hinge pin
contrepoids[M]
counterweight
bras[M]
arm
moteur[M] diesel
diesel engine
vérin[M] du godet[M]
bucket cylinder
tourelle[F]
pivot cab
couronne[F] d'orientation[F]
turntable
châssis[M]
frame
stabilisateur[M]
outrigger; *jack*
dent[F]
tooth
godet[M] chargeur
dipper bucket

MANUTENTION[F]
MATERIAL HANDLING

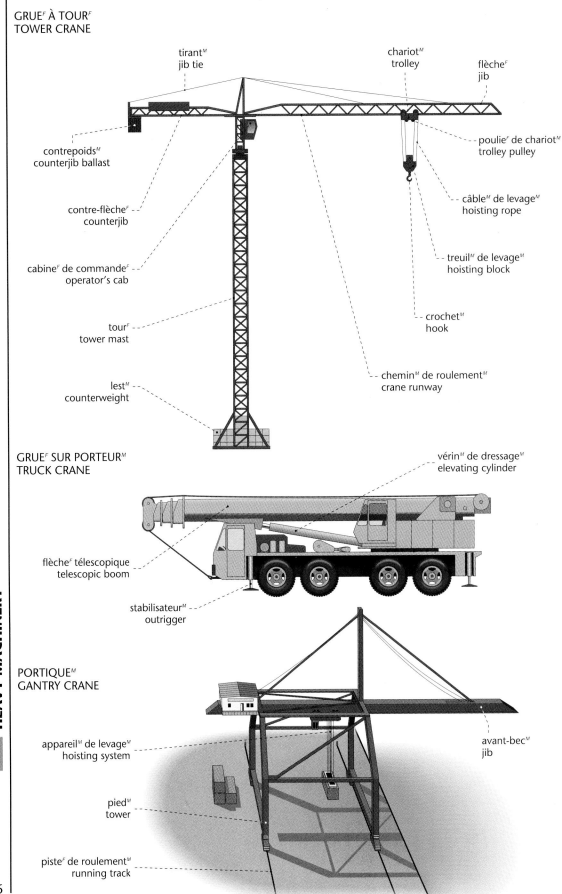

GRUE[F] À TOUR[F]
TOWER CRANE

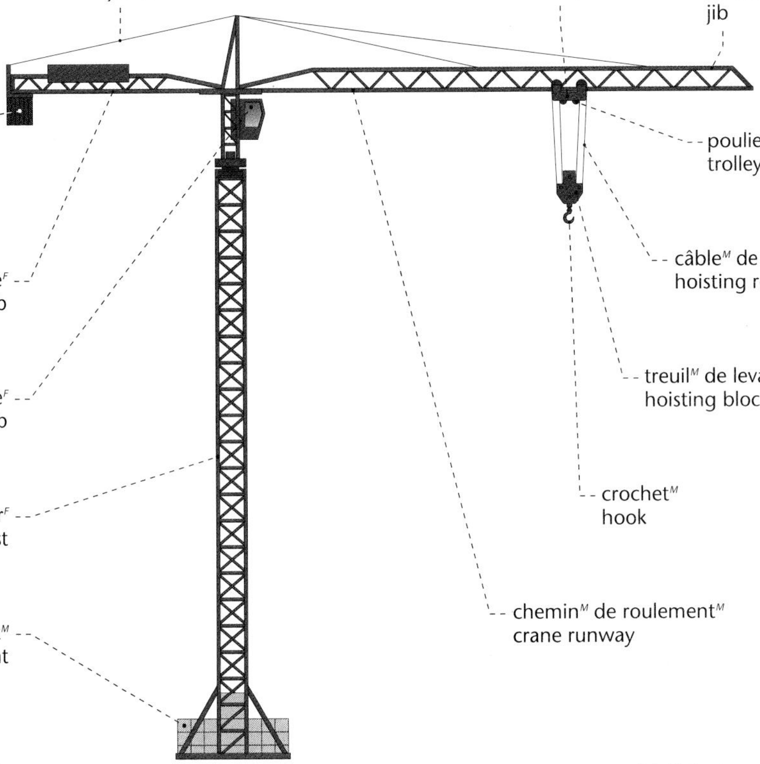
tirant[M]
jib tie
chariot[M]
trolley
flèche[F]
jib
contrepoids[M]
counterjib ballast
poulie[F] de chariot[M]
trolley pulley
contre-flèche[F]
counterjib
câble[M] de levage[M]
hoisting rope
cabine[F] de commande[F]
operator's cab
treuil[M] de levage[M]
hoisting block
crochet[M]
hook
tour[F]
tower mast
chemin[M] de roulement[M]
crane runway
lest[M]
counterweight

GRUE[F] SUR PORTEUR[M]
TRUCK CRANE

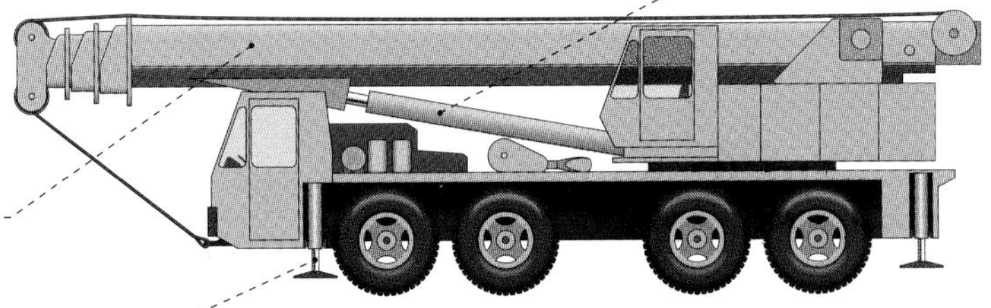
vérin[M] de dressage[M]
elevating cylinder
flèche[F] télescopique
telescopic boom
stabilisateur[M]
outrigger

PORTIQUE[M]
GANTRY CRANE

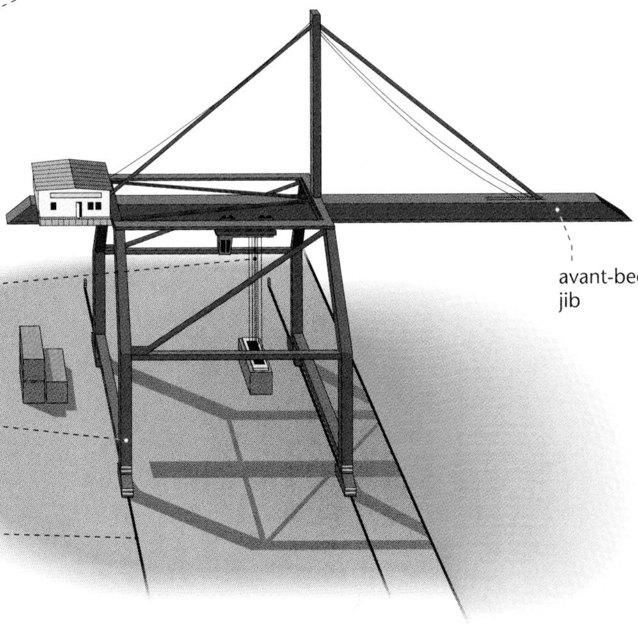
avant-bec[M]
jib
appareil[M] de levage[M]
hoisting system
pied[M]
tower
piste[F] de roulement[M]
running track

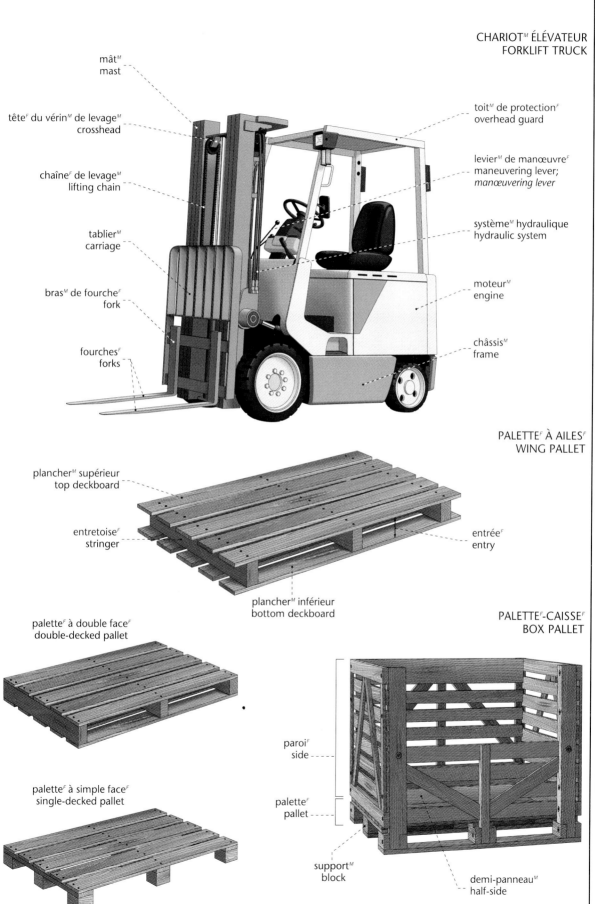

CHARIOT[M] ÉLÉVATEUR
FORKLIFT TRUCK

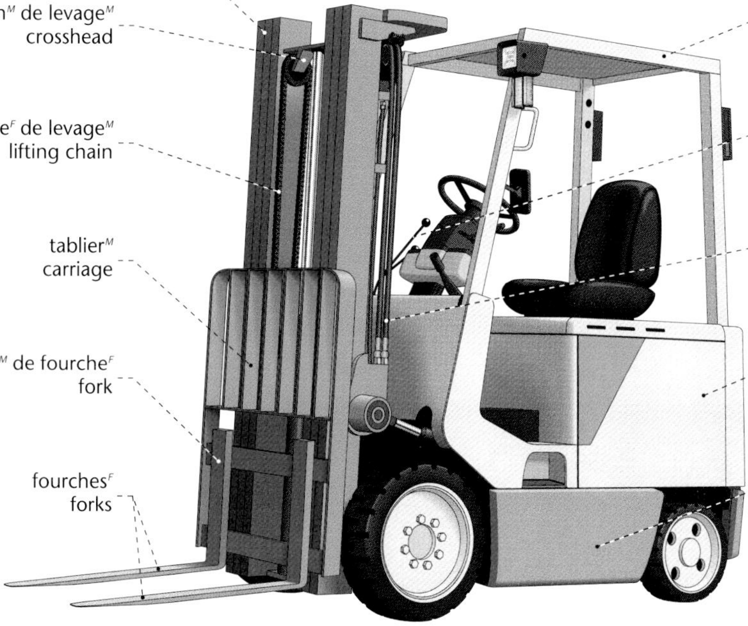
mât[M]
mast
tête[F] du vérin[M] de levage[M]
crosshead
chaîne[F] de levage[M]
lifting chain
tablier[M]
carriage
bras[M] de fourche[F]
fork
fourches[F]
forks
toit[M] de protection[F]
overhead guard
levier[M] de manœuvre[F]
maneuvering lever;
manœuvering lever
système[M] hydraulique
hydraulic system
moteur[M]
engine
châssis[M]
frame

PALETTE[F] À AILES[F]
WING PALLET

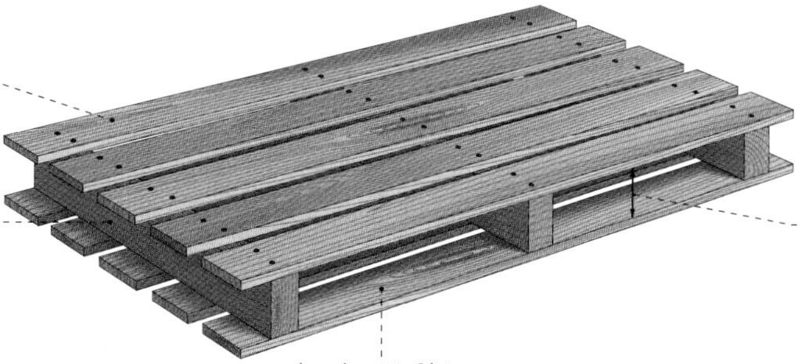
plancher[M] supérieur
top deckboard
entretoise[F]
stringer
entrée[F]
entry
plancher[M] inférieur
bottom deckboard

palette[F] à double face[F]
double-decked pallet

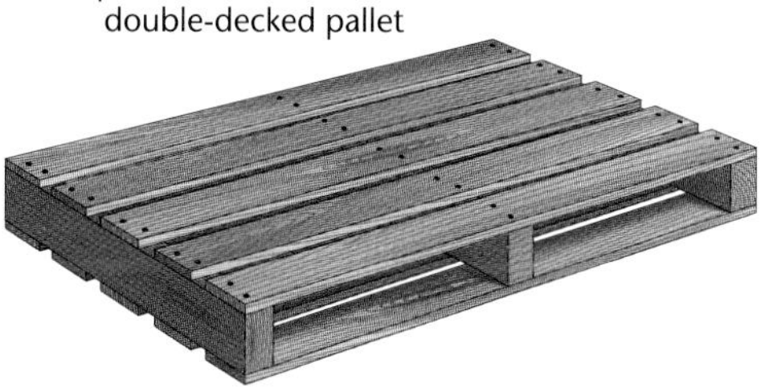

palette[F] à simple face[F]
single-decked pallet

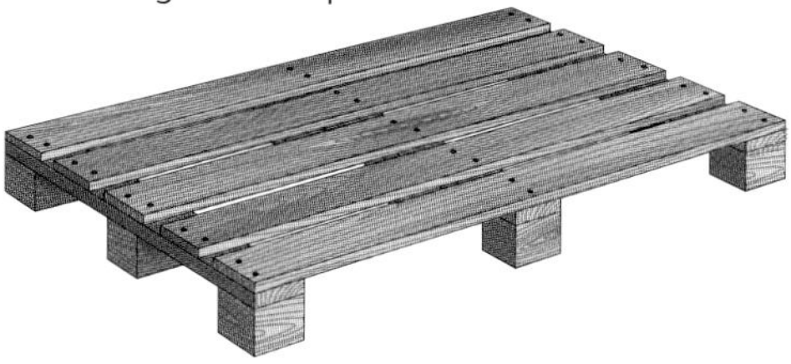

PALETTE[F]-CAISSE[F]
BOX PALLET

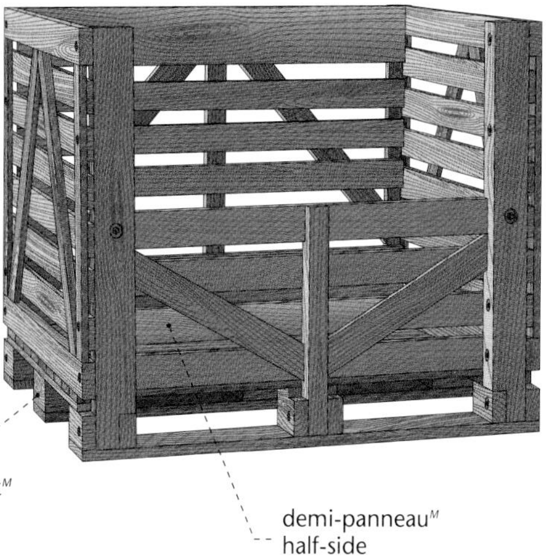
paroi[F]
side
palette[F]
pallet
support[M]
block
demi-panneau[M]
half-side

MANUTENTION^{F}
MATERIAL HANDLING

GERBEUR^{M}
HYDRAULIC PALLET TRUCK

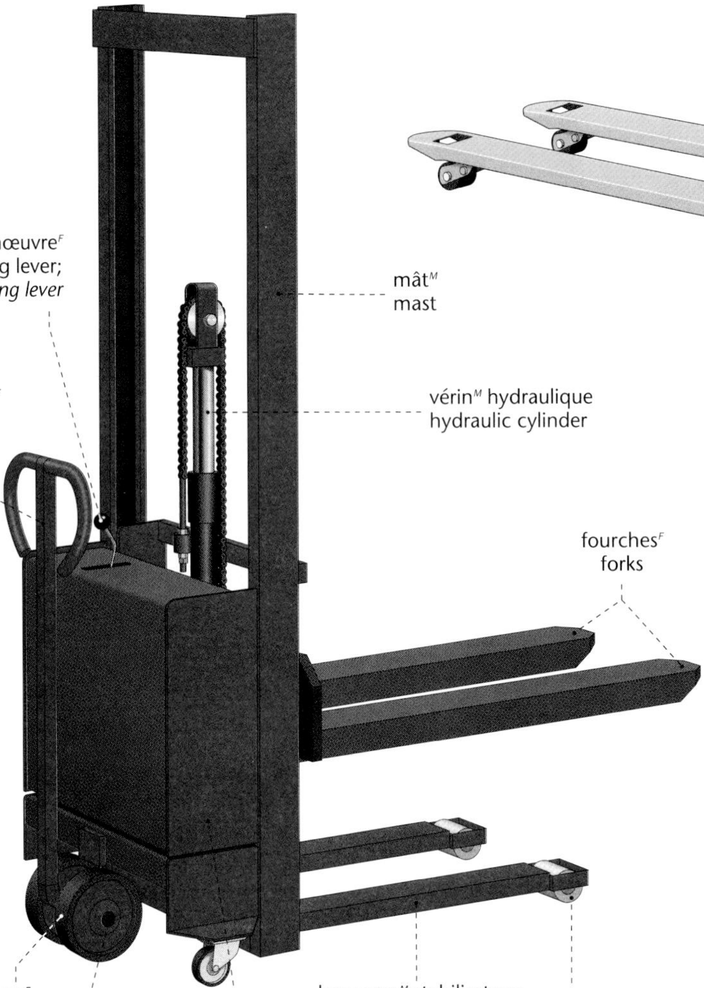
levier^{M} de manœuvre^{F}
maneuvering lever;
manœuvering lever
mât^{M}
mast
levier^{M} de conduite^{F}
steering lever
vérin^{M} hydraulique
hydraulic cylinder
fourches^{F}
forks
bandage^{M} de roue^{F} caoutchoutée
solid rubber tire;
solid rubber tyre
longeron^{M} stabilisateur
stabilizing shaft
essieu^{M} directeur
steering axle
châssis^{M}
frame
roulette^{F}
roller

transpalette^{F} manuel
pallet truck

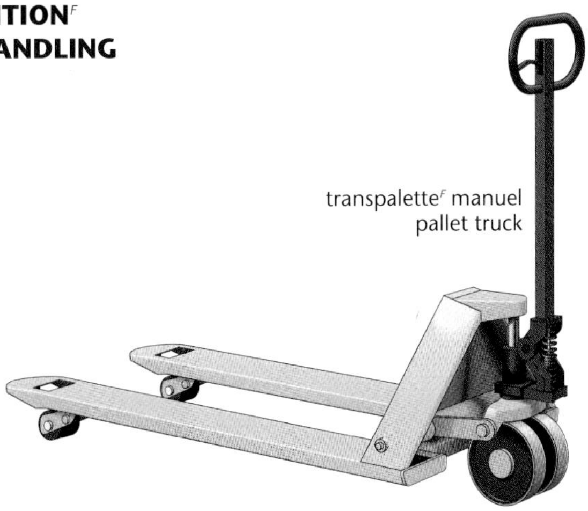

diable^{M}
hand truck; *barrow*

chariot^{M} à palette^{F}
platform pallet truck

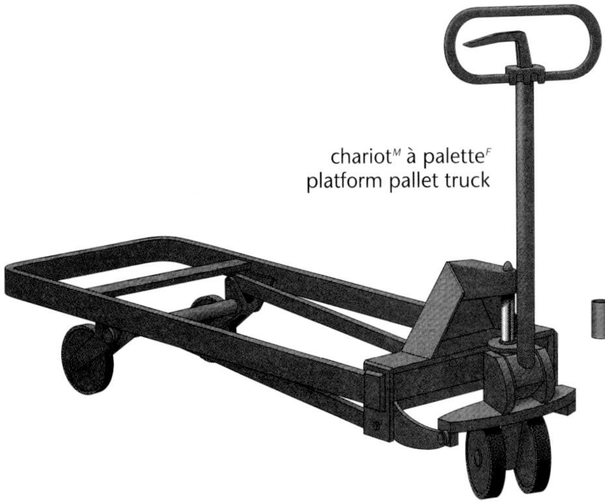

chariot^{M} à plateau^{M}
flatbed pushcart; *platform trolley*

ARMES • WEAPONS

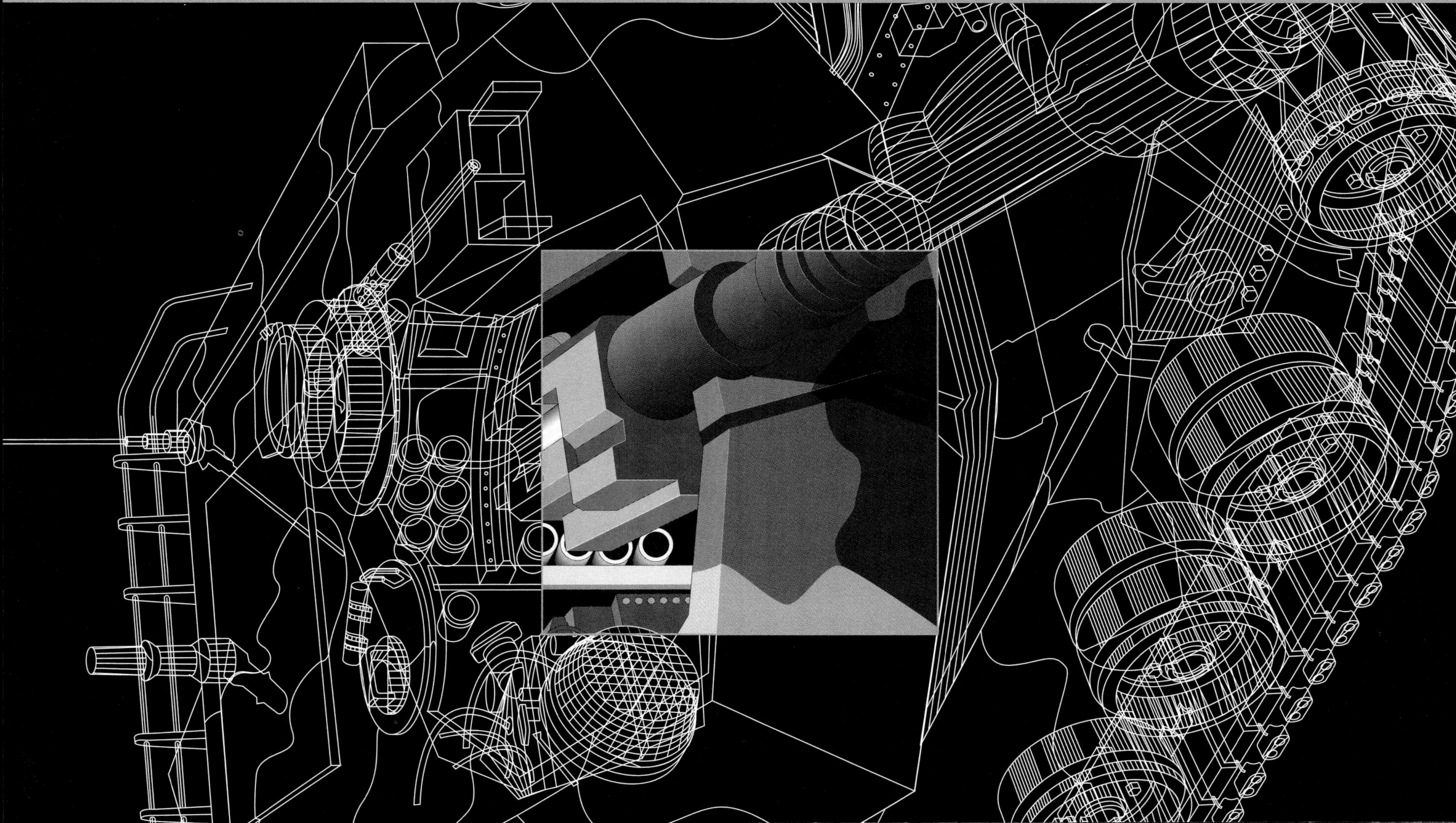

SOMMAIRE

ARMES^F DE L'ÂGE^M DE PIERRE^F
STONE AGE ARMS

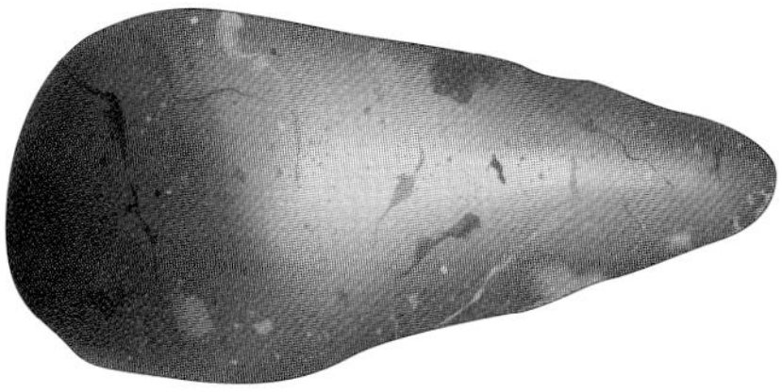
hache^F en pierre^F polie
polished stone hand axe

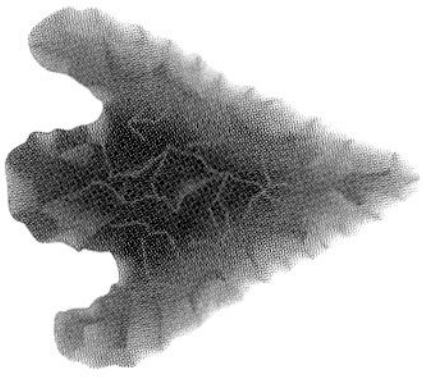
pointe^F de flèche^F en silex^M
flint arrowhead

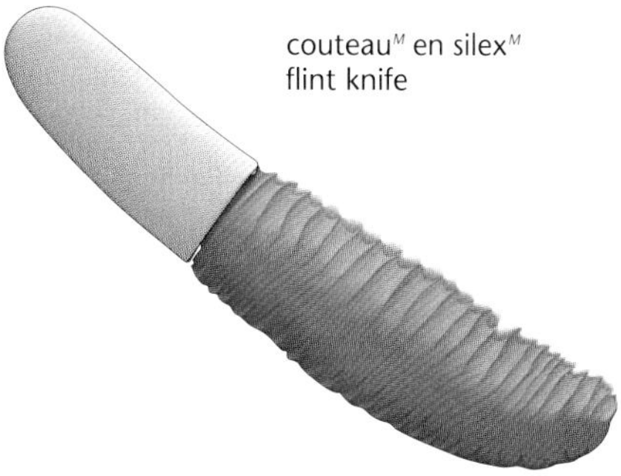
couteau^M en silex^M
flint knife

ARMES^F DE L'ÉPOQUE^F ROMAINE
WEAPONS IN THE AGE OF THE ROMANS

GUERRIER^M GAULOIS
GALLIC WARRIOR

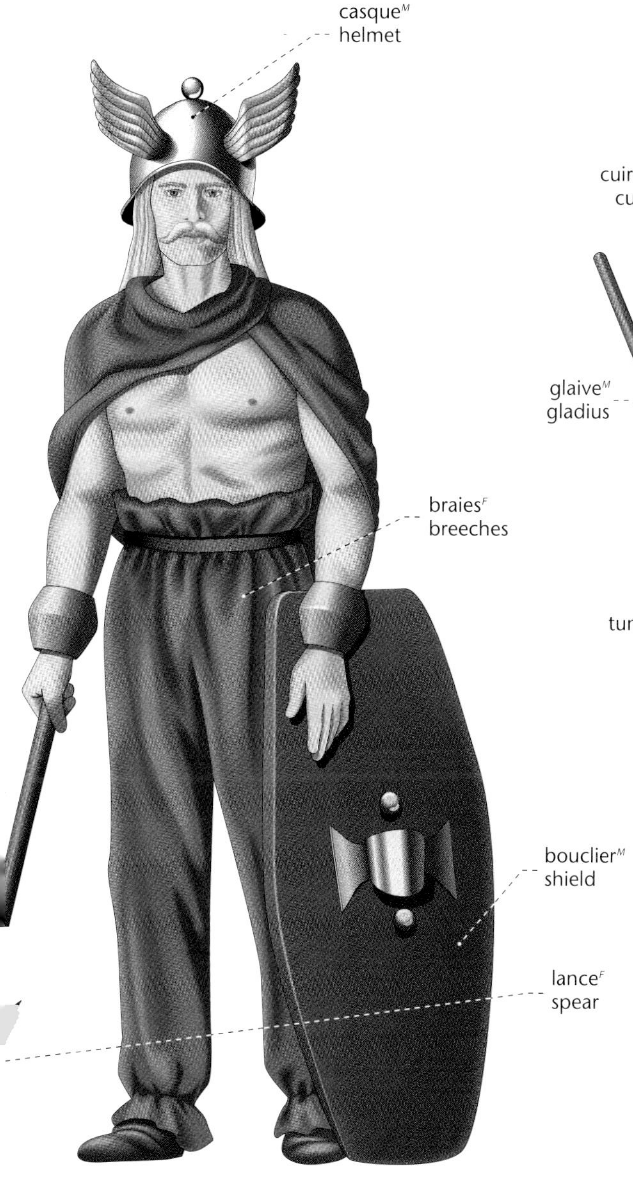
casque^M
helmet
braies^F
breeches
bouclier^M
shield
lance^F
spear

LÉGIONNAIRE^M ROMAIN
ROMAN LEGIONARY

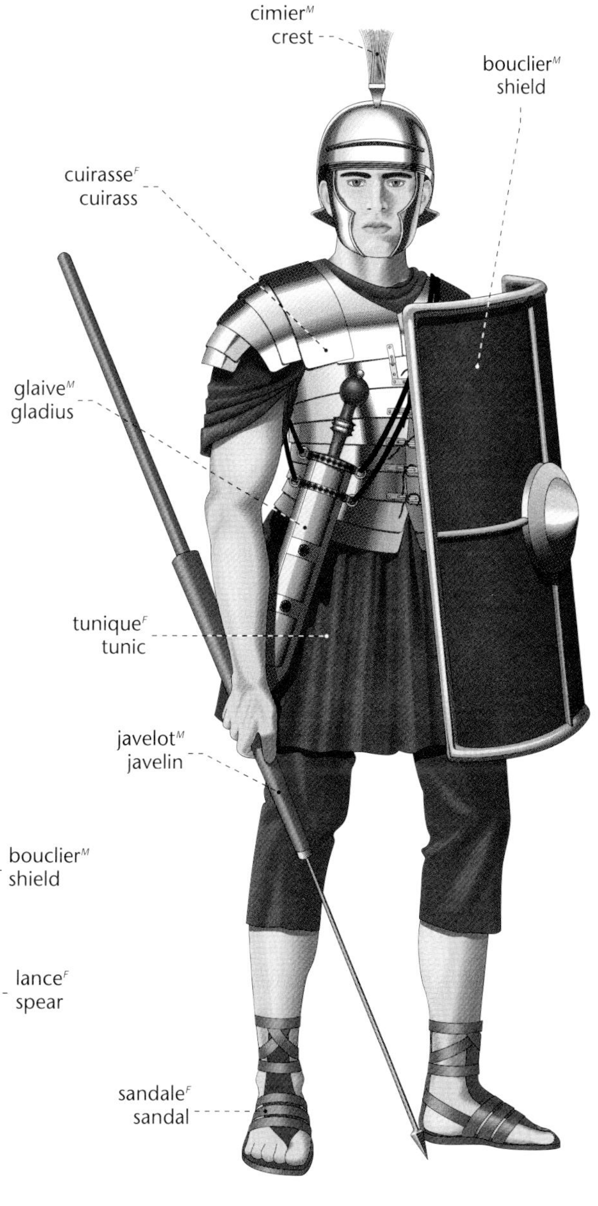
cimier^M
crest
bouclier^M
shield
cuirasse^F
cuirass
glaive^M
gladius
tunique^F
tunic
javelot^M
javelin
sandale^F
sandal

ARMURE[F]
ARMOR; *ARMOUR*

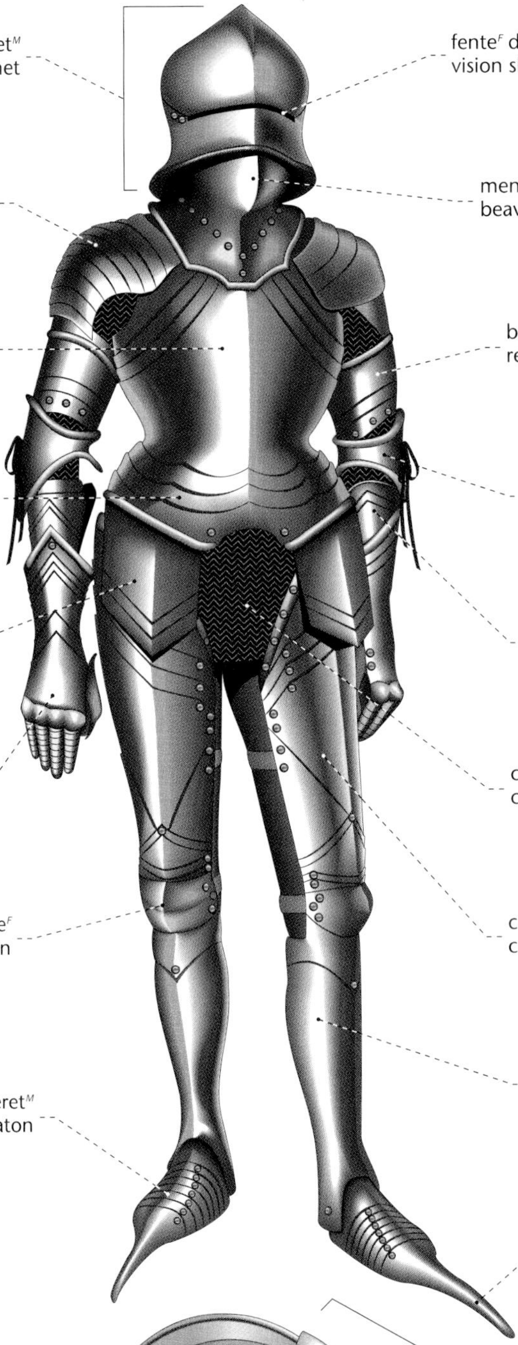

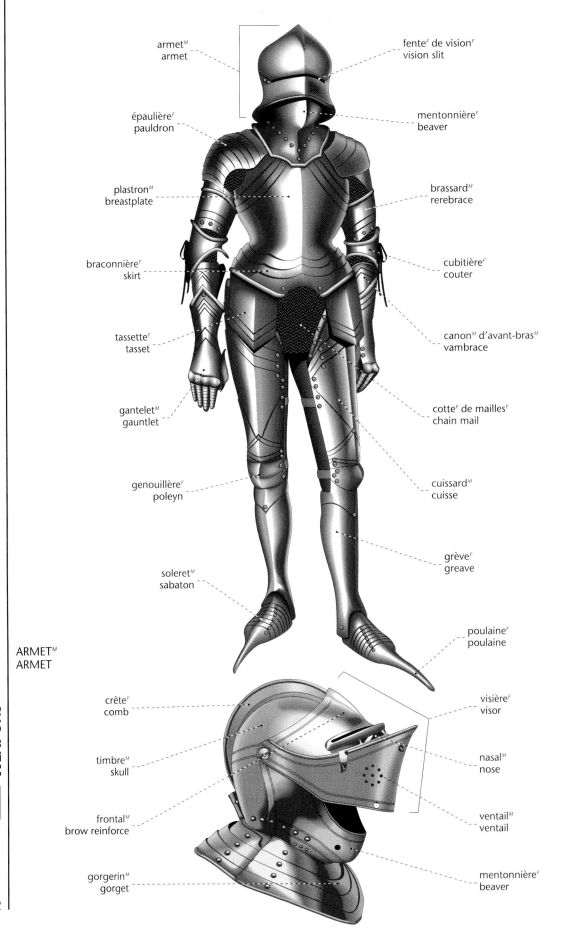

armet[M]
armet
fente[F] de vision[F]
vision slit
épaulière[F]
pauldron
mentonnière[F]
beaver
plastron[M]
breastplate
brassard[M]
rerebrace
braconnière[F]
skirt
cubitière[F]
couter
tassette[F]
tasset
canon[M] d'avant-bras[M]
vambrace
gantelet[M]
gauntlet
cotte[F] de mailles[F]
chain mail
genouillère[F]
poleyn
cuissard[M]
cuisse
grève[F]
greave
soleret[M]
sabaton
poulaine[F]
poulaine

ARMET[M]
ARMET

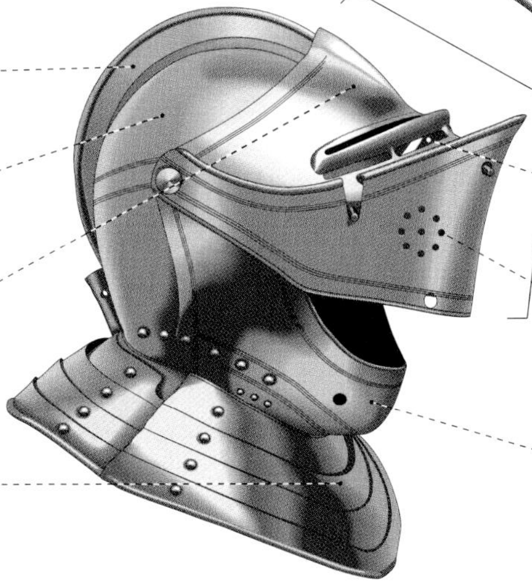

crête[F]
comb
visière[F]
visor
timbre[M]
skull
nasal[M]
nose
frontal[M]
brow reinforce
ventail[M]
ventail
gorgerin[M]
gorget
mentonnière[F]
beaver

ARCS[M] ET ARBALÈTE[F]
BOWS AND CROSSBOW

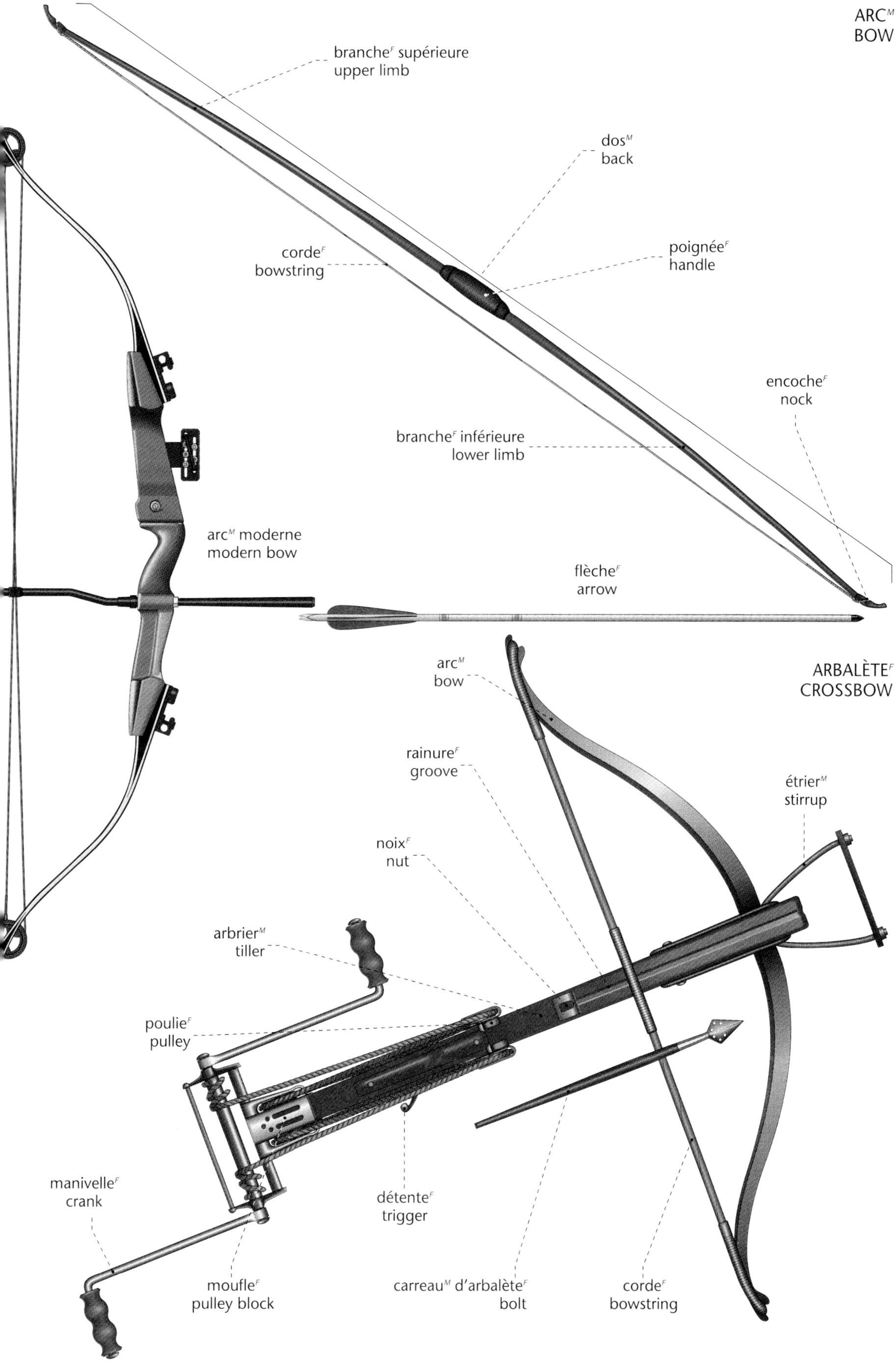

ARC[M]
BOW
branche[F] supérieure
upper limb
dos[M]
back
corde[F]
bowstring
poignée[F]
handle
encoche[F]
nock
branche[F] inférieure
lower limb
arc[M] moderne
modern bow
flèche[F]
arrow
ARBALÈTE[F]
CROSSBOW
arc[M]
bow
rainure[F]
groove
étrier[M]
stirrup
noix[F]
nut
arbrier[M]
tiller
poulie[F]
pulley
manivelle[F]
crank
détente[F]
trigger
moufle[F]
pulley block
carreau[M] d'arbalète[F]
bolt
corde[F]
bowstring

ARMES[F] BLANCHES
THRUSTING AND CUTTING WEAPONS

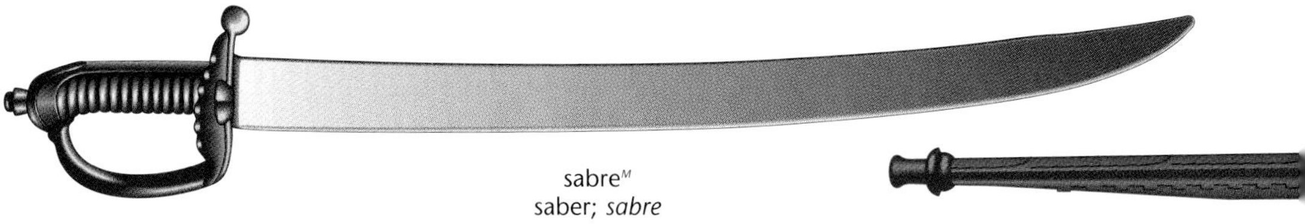

sabre[M]
saber; *sabre*

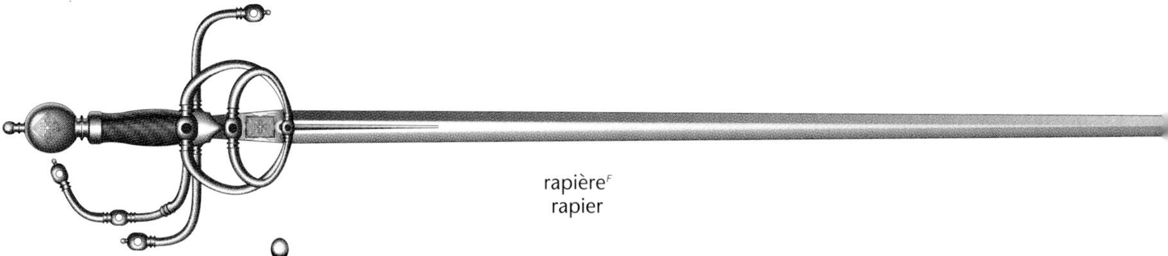

rapière[F]
rapier

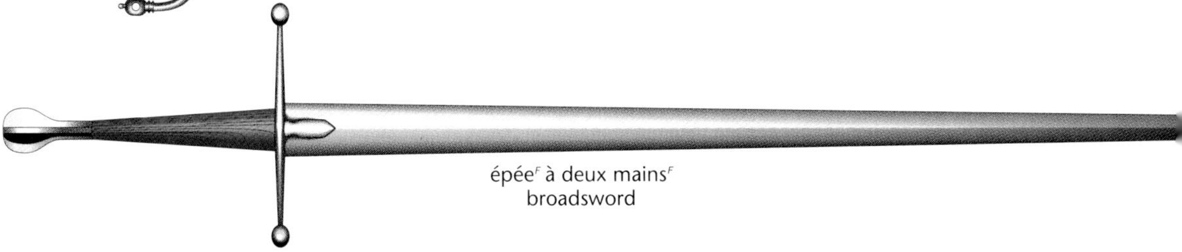

épée[F] à deux mains[F]
broadsword

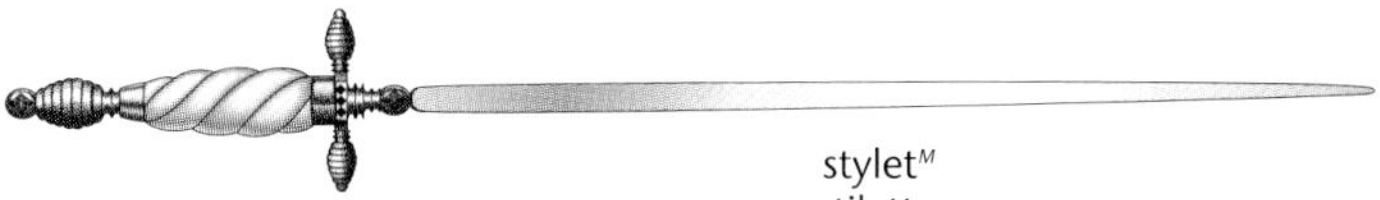

stylet[M]
stiletto

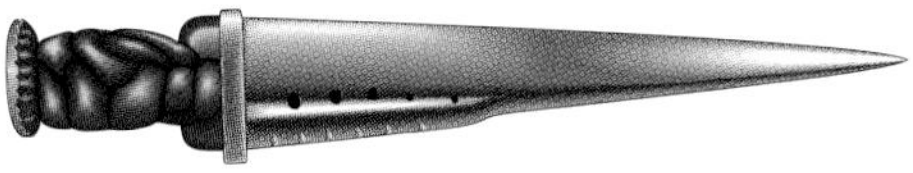

poignard[M]
poniard

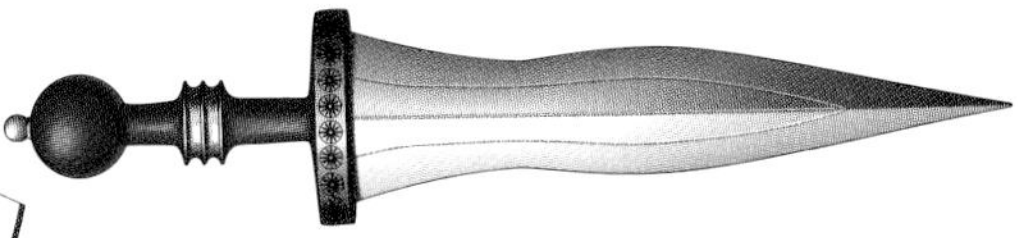

dague[F]
dagger

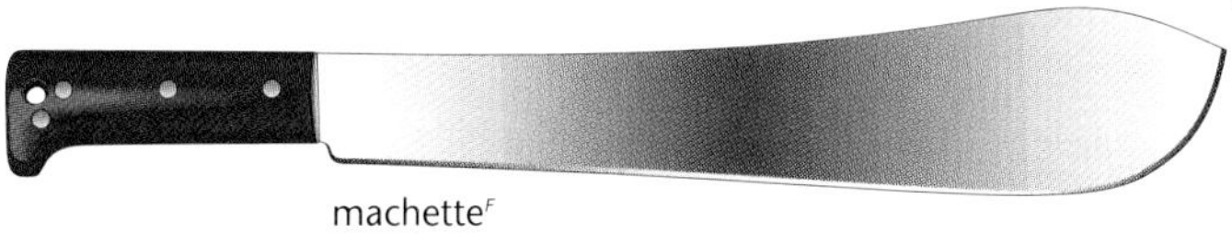

machette[F]
machete

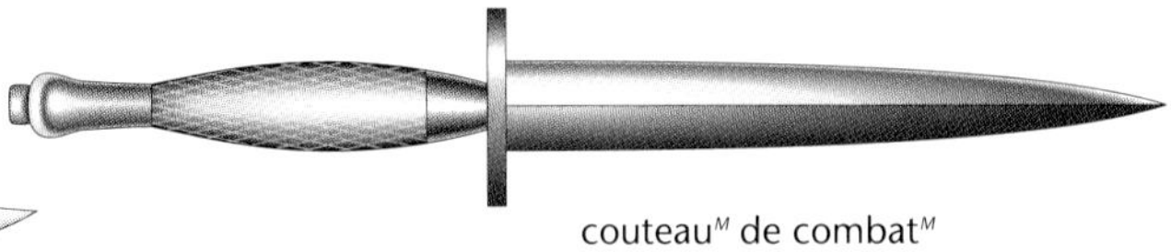

couteau[M] de combat[M]
commando knife

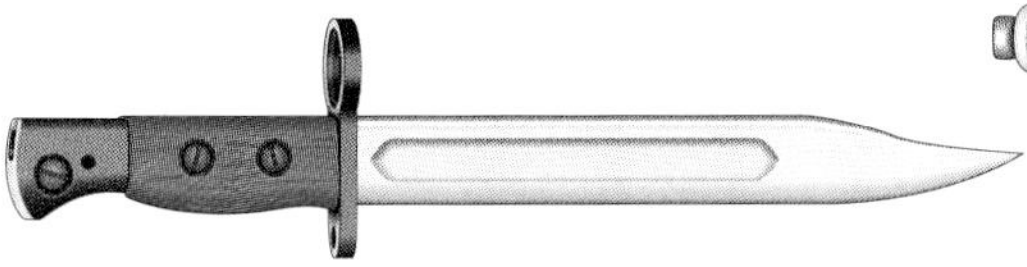

baïonnette[F] à poignée[F]
hilted bayonet

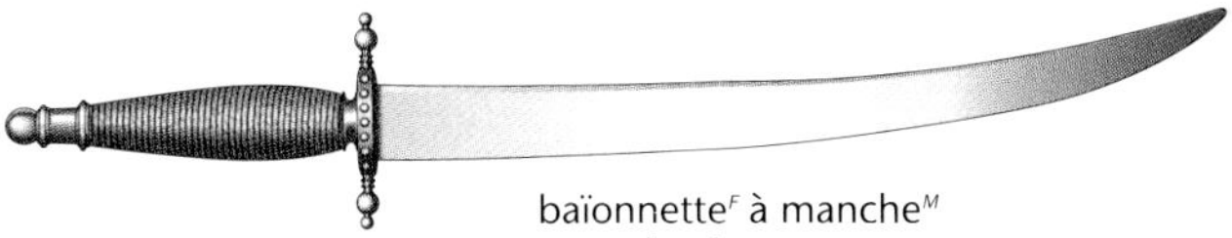

baïonnette[F] à manche[M]
plug bayonet

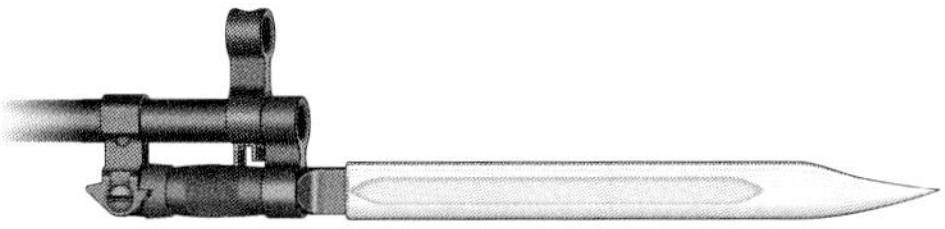

baïonnette[F] incorporée
integral bayonet

baïonnette[F] à douille[F]
socket bayonet

ARQUEBUSE[F]
HARQUEBUS; *ARQUEBUS*

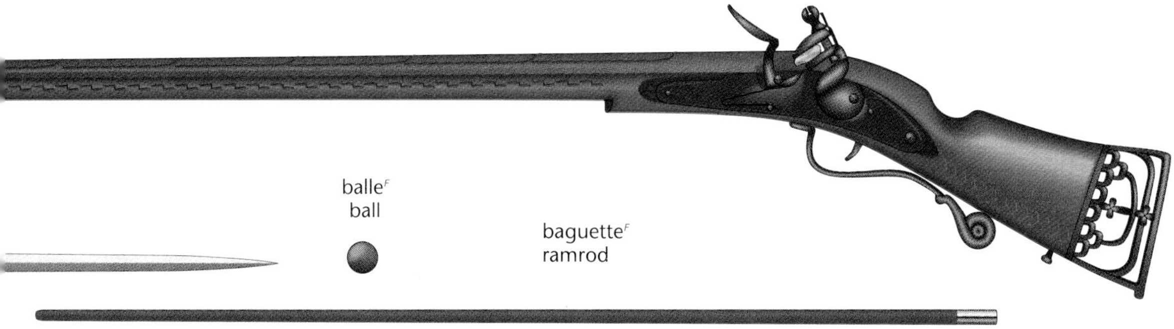

balle[F]
ball
baguette[F]
ramrod

poire[F] à poudre[F]
powder flask

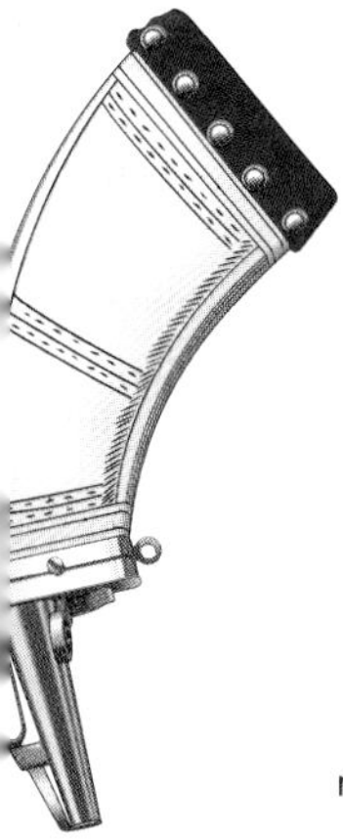

PLATINE[F] À SILEX[M]
FLINTLOCK

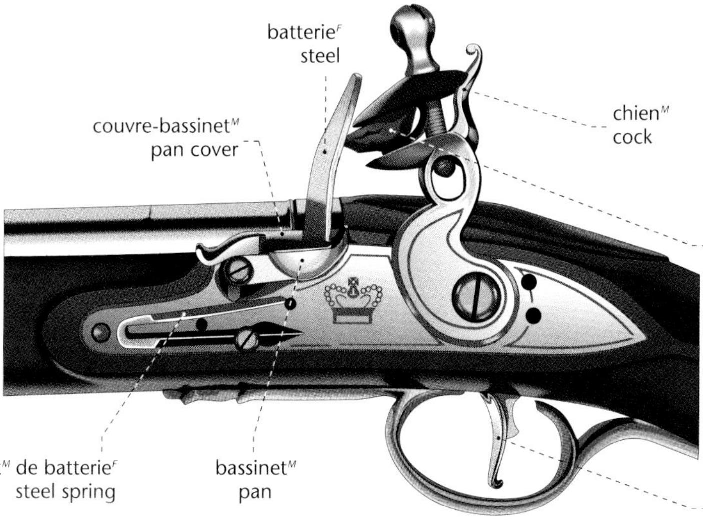

batterie[F]
steel
couvre-bassinet[M]
pan cover
chien[M]
cock
silex[M]
flint
ressort[M] de batterie[F]
steel spring
bassinet[M]
pan
détente[F]
trigger

PISTOLET[M] MITRAILLEUR[M]
SUBMACHINE GUN

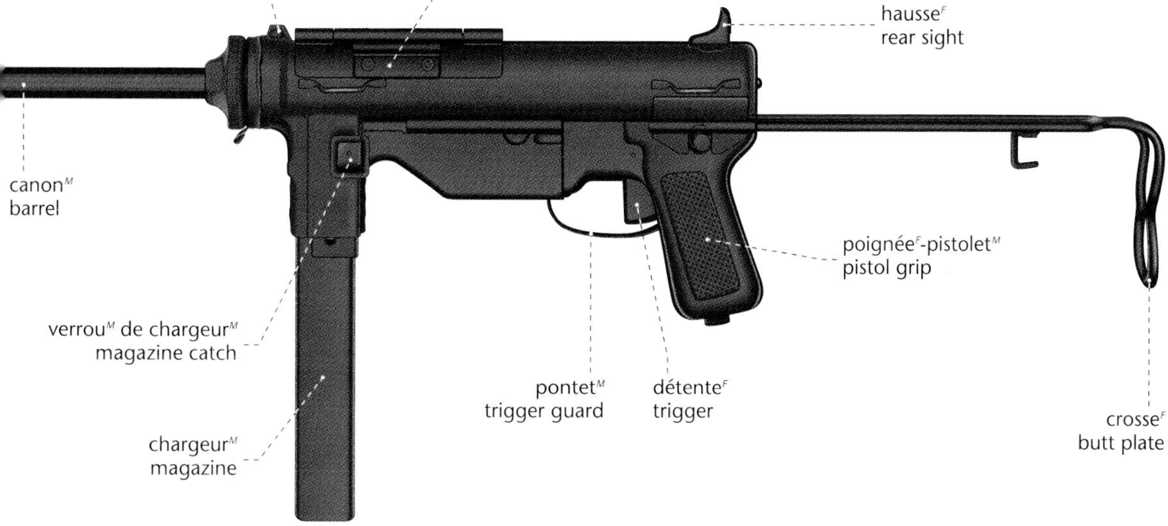

guidon[M]
front sight
boîte[F] de culasse[F]
receiver
hausse[F]
rear sight
canon[M]
barrel
poignée[F]-pistolet[M]
pistol grip
verrou[M] de chargeur[M]
magazine catch
pontet[M]
trigger guard
détente[F]
trigger
crosse[F]
butt plate
chargeur[M]
magazine

FUSIL[M] AUTOMATIQUE
AUTOMATIC RIFLE

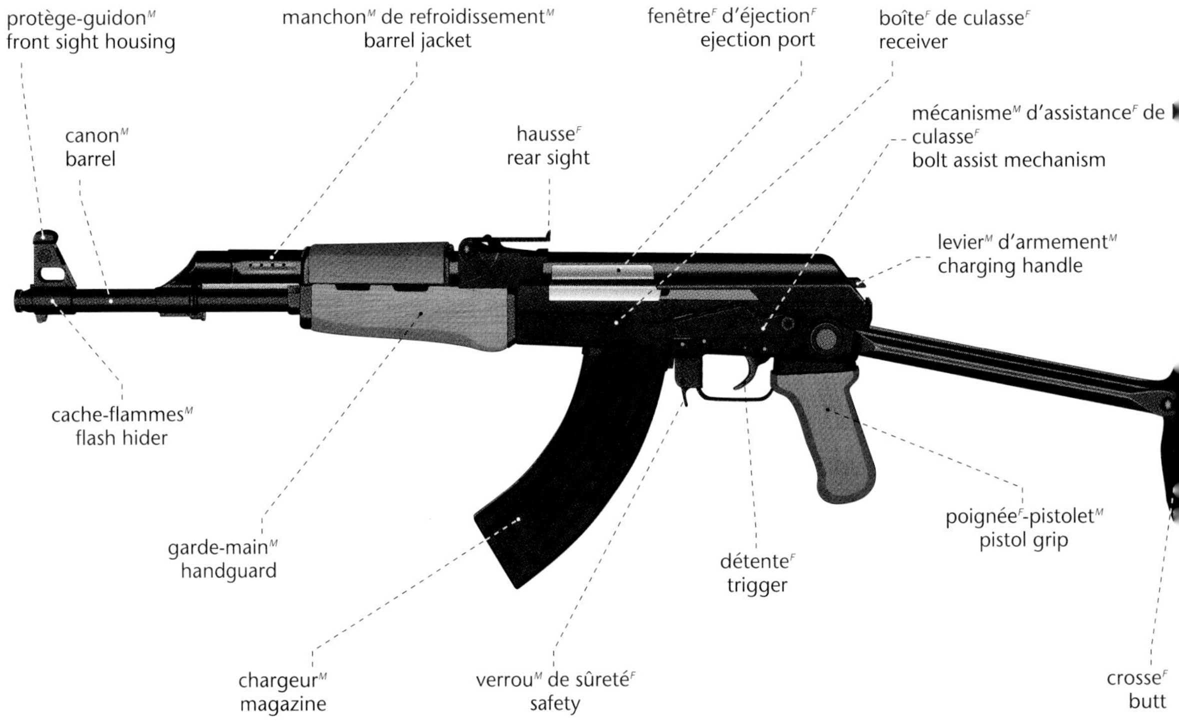
protège-guidon[M]
front sight housing
manchon[M] de refroidissement[M]
barrel jacket
fenêtre[F] d'éjection[F]
ejection port
boîte[F] de culasse[F]
receiver
canon[M]
barrel
hausse[F]
rear sight
mécanisme[M] d'assistance[F] de culasse[F]
bolt assist mechanism
levier[M] d'armement[M]
charging handle
cache-flammes[M]
flash hider
garde-main[M]
handguard
poignée[F]-pistolet[M]
pistol grip
détente[F]
trigger
chargeur[M]
magazine
verrou[M] de sûreté[F]
safety
crosse[F]
butt

FUSIL[M] MITRAILLEUR[M]
LIGHT MACHINE GUN

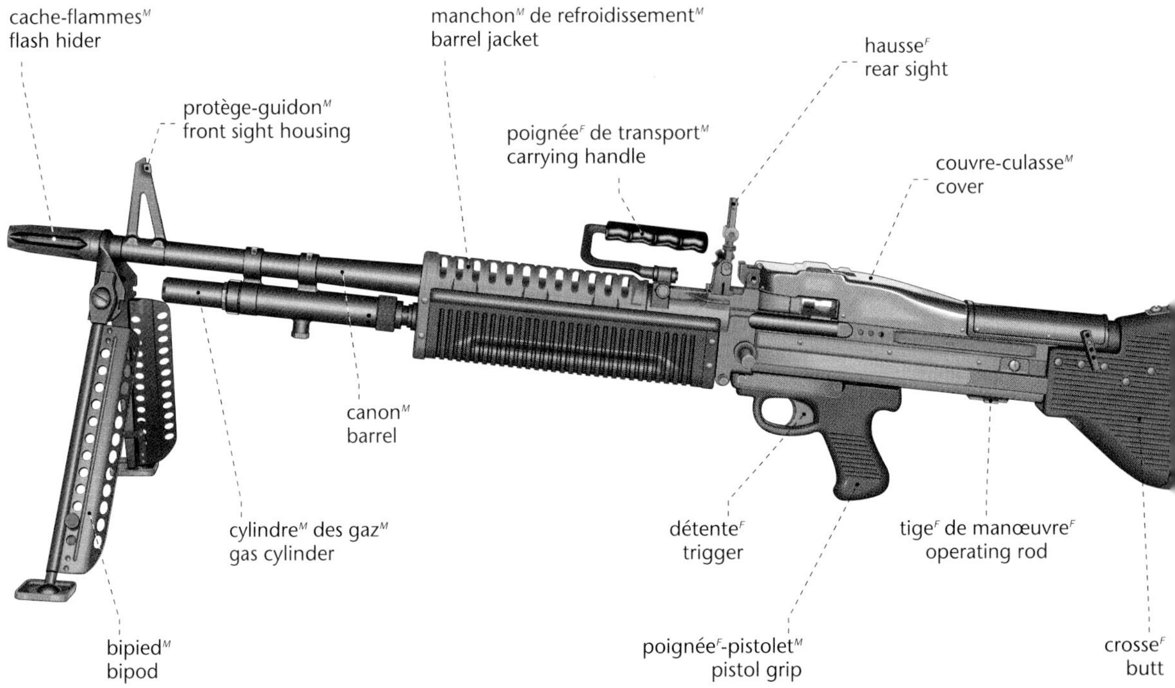
cache-flammes[M]
flash hider
manchon[M] de refroidissement[M]
barrel jacket
hausse[F]
rear sight
protège-guidon[M]
front sight housing
poignée[F] de transport[M]
carrying handle
couvre-culasse[M]
cover
canon[M]
barrel
cylindre[M] des gaz[M]
gas cylinder
détente[F]
trigger
tige[F] de manœuvre[F]
operating rod
bipied[M]
bipod
poignée[F]-pistolet[M]
pistol grip
crosse[F]
butt

REVOLVER[M]
REVOLVER

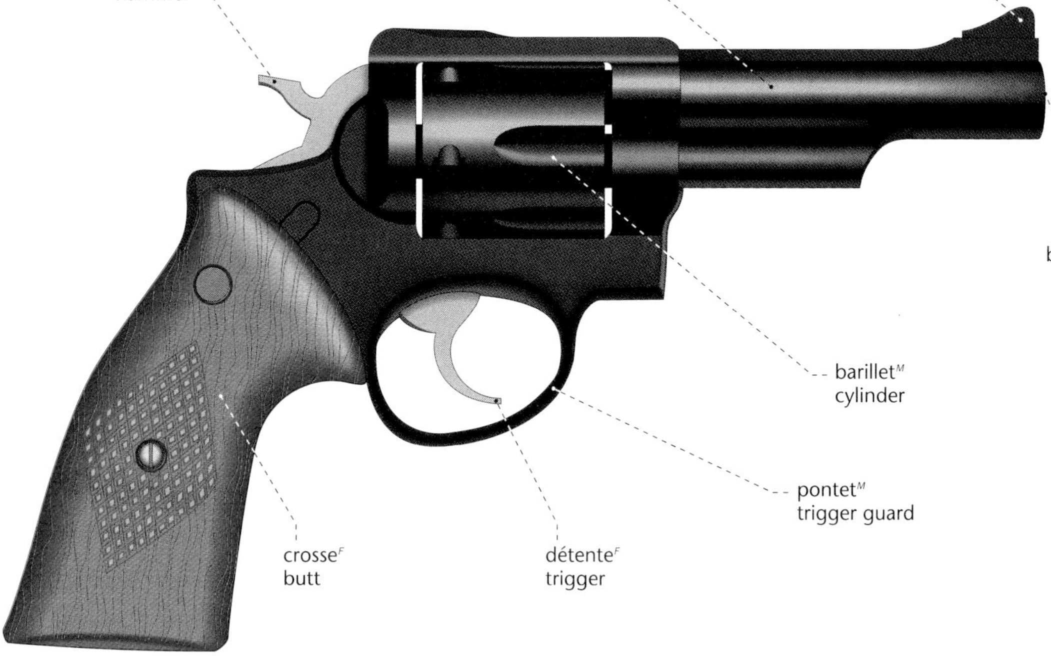

chien[M]
hammer
canon[M]
barrel
guidon[M]
front sight
bouche[F]
muzzle
barillet[M]
cylinder
pontet[M]
trigger guard
crosse[F]
butt
détente[F]
trigger

PISTOLET[M]
PISTOL

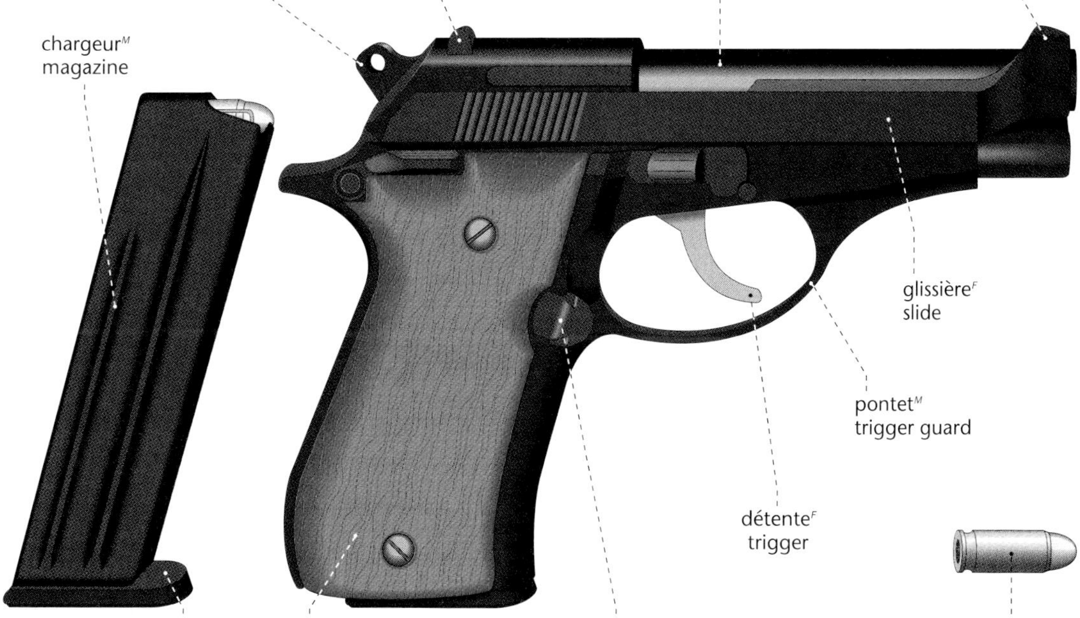

chien[M]
hammer
cran[M] de mire[F]
rear sight
canon[M]
barrel
guidon[M]
front sight
chargeur[M]
magazine
glissière[F]
slide
pontet[M]
trigger guard
détente[F]
trigger
semelle[F] de chargeur[M]
magazine base
crosse[F]
butt
arrêtoir[M] de chargeur[M]
magazine catch
cartouche[F]
cartridge

ARMES[F] DE CHASSE[F]
HUNTING WEAPONS

CARTOUCHE[F] (CARABINE[F])
CARTRIDGE (RIFLE)

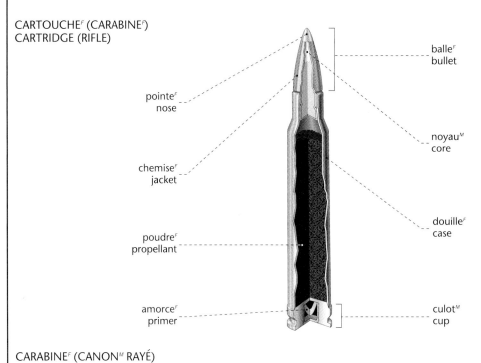

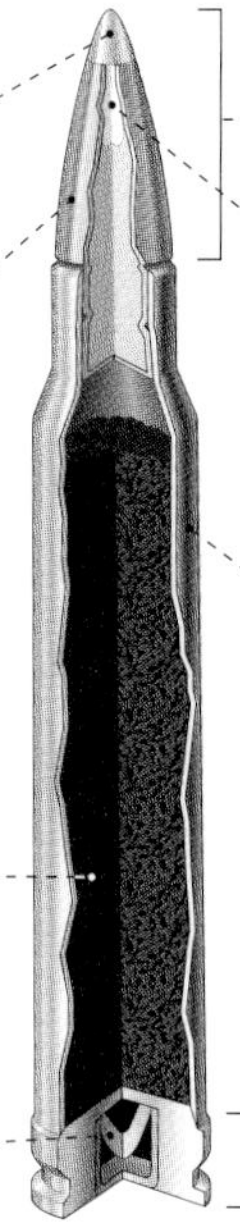
balle[F]
bullet
pointe[F]
nose
noyau[M]
core
chemise[F]
jacket
douille[F]
case
poudre[F]
propellant
amorce[F]
primer
culot[M]
cup

CARABINE[F] (CANON[M] RAYÉ)
RIFLE (RIFLED BORE)

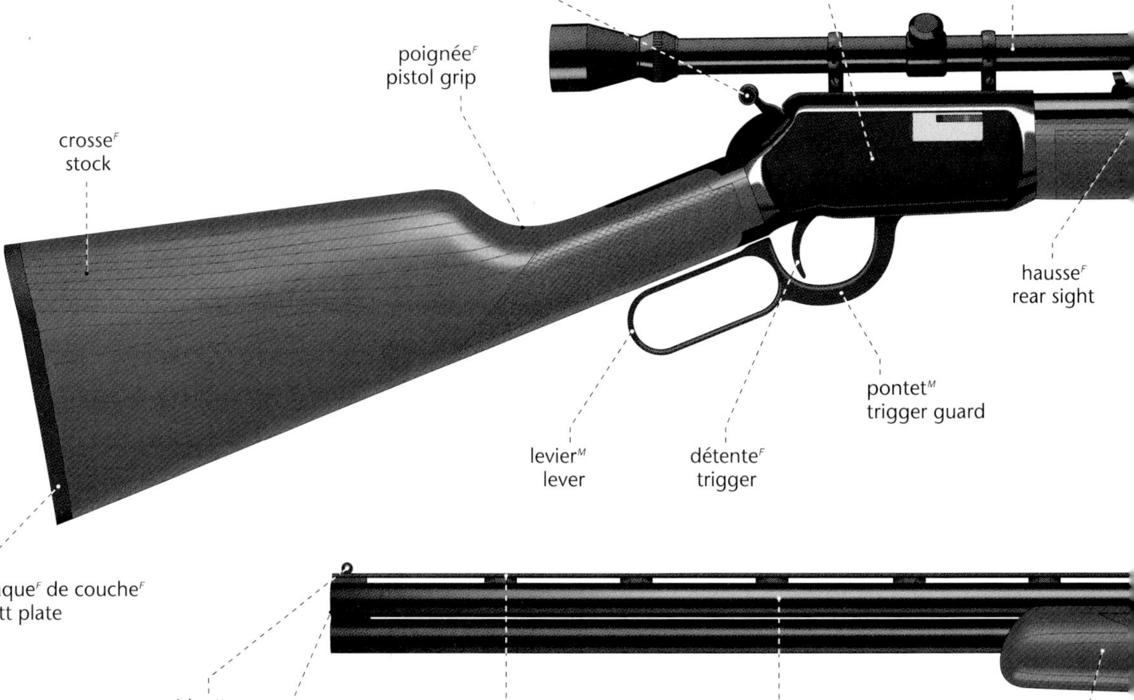
chien[M]
hammer
bloc[M] de culasse[F]
breechblock
lunette[F] de visée[F]
telescopic sight
poignée[F]
pistol grip
crosse[F]
stock
hausse[F]
rear sight
pontet[M]
trigger guard
levier[M]
lever
détente[F]
trigger
plaque[F] de couche[F]
butt plate
guidon[M]
front sight
bouche[F]
muzzle
bande[F] ventilée
ventilated rib
canon[M]
barrel
fût[M]
forearm

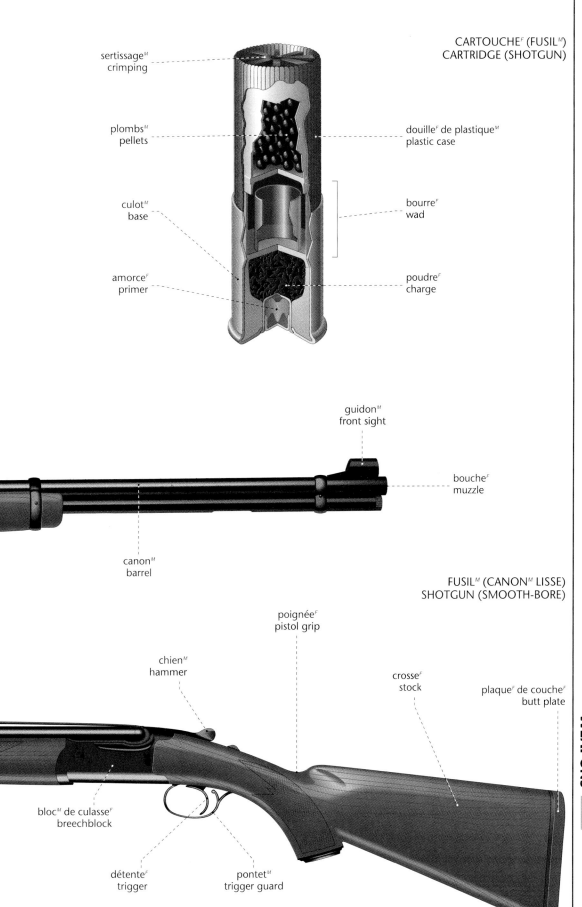

CARTOUCHE[F] (FUSIL[M])
CARTRIDGE (SHOTGUN)

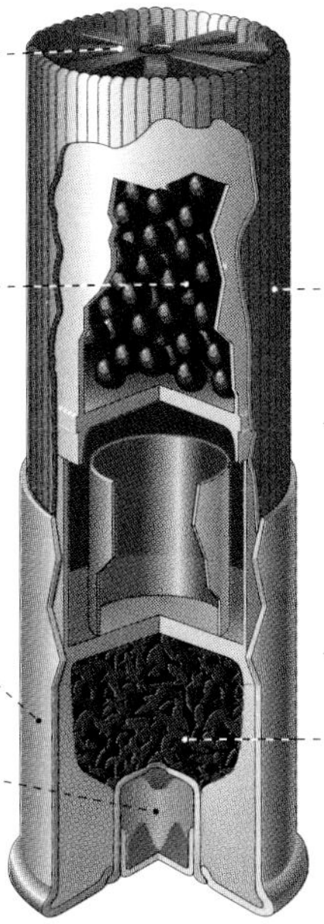

sertissage[M]
crimping
plombs[M]
pellets
culot[M]
base
amorce[F]
primer
douille[F] de plastique[M]
plastic case
bourre[F]
wad
poudre[F]
charge

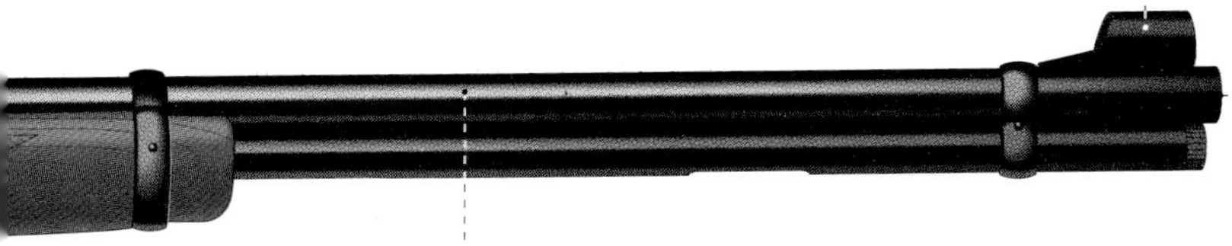

guidon[M]
front sight
bouche[F]
muzzle
canon[M]
barrel

FUSIL[M] (CANON[M] LISSE)
SHOTGUN (SMOOTH-BORE)

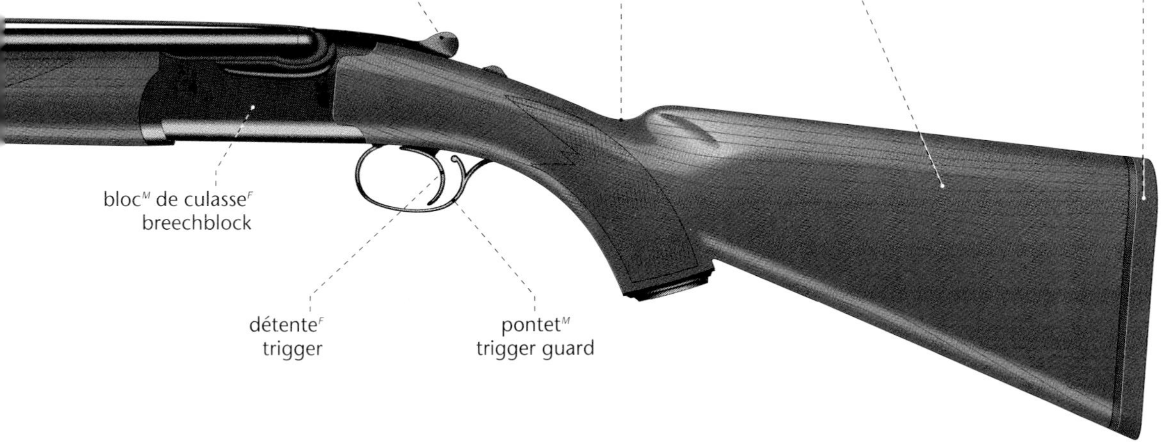

poignée[F]
pistol grip
chien[M]
hammer
crosse[F]
stock
plaque[F] de couche[F]
butt plate
bloc[M] de culasse[F]
breechblock
détente[F]
trigger
pontet[M]
trigger guard

CANON^{M} DU XVIIE SIÈCLE^{M}
SEVENTEENTH CENTURY CANNON

BOUCHE^{F} À FEU^{M}
MUZZLE LOADING

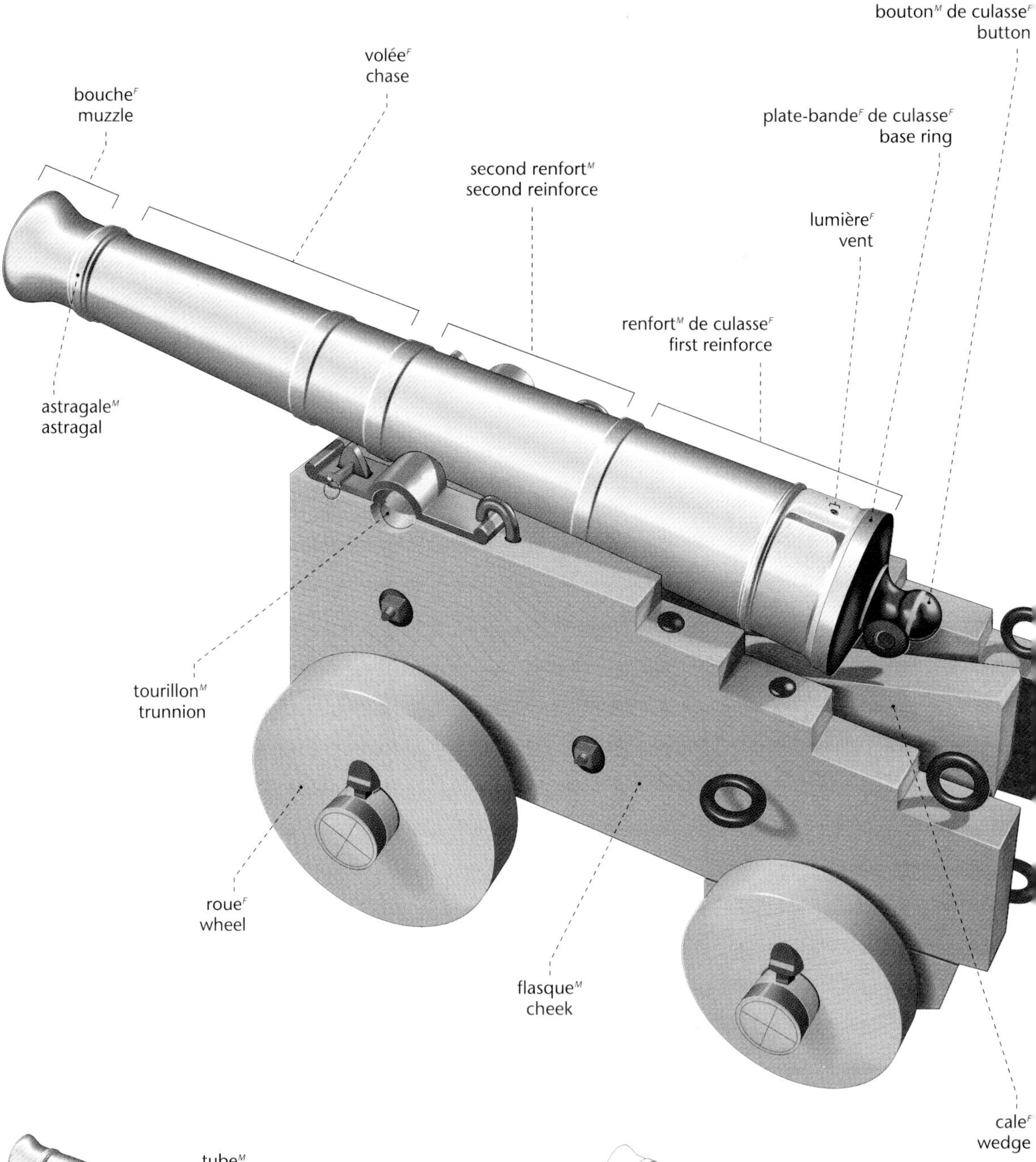
bouton^{M} de culasse^{F}
button
volée^{F}
chase
bouche^{F}
muzzle
plate-bande^{F} de culasse^{F}
base ring
second renfort^{M}
second reinforce
lumière^{F}
vent
renfort^{M} de culasse^{F}
first reinforce
astragale^{M}
astragal
tourillon^{M}
trunnion
roue^{F}
wheel
flasque^{M}
cheek
cale^{F}
wedge

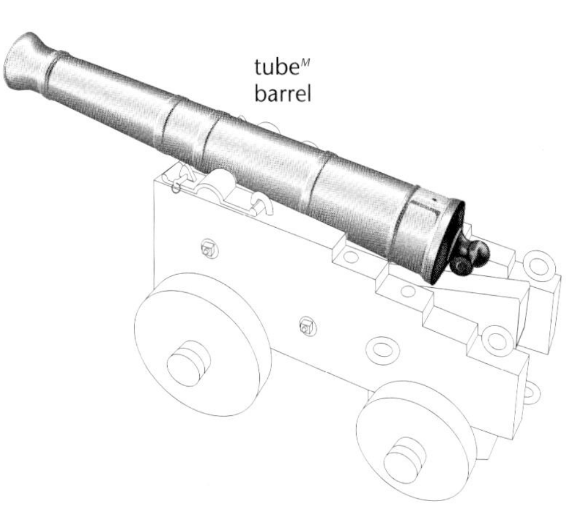
tube^{M}
barrel

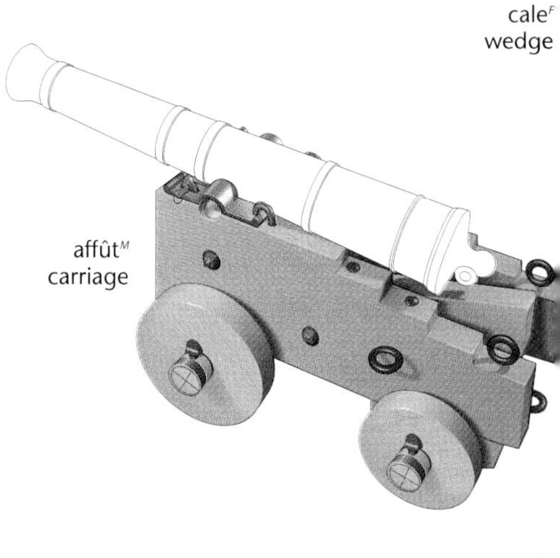
affût^{M}
carriage

COUPE[F] D'UNE BOUCHE[F] À FEU[M]
CROSS SECTION OF A MUZZLE LOADING

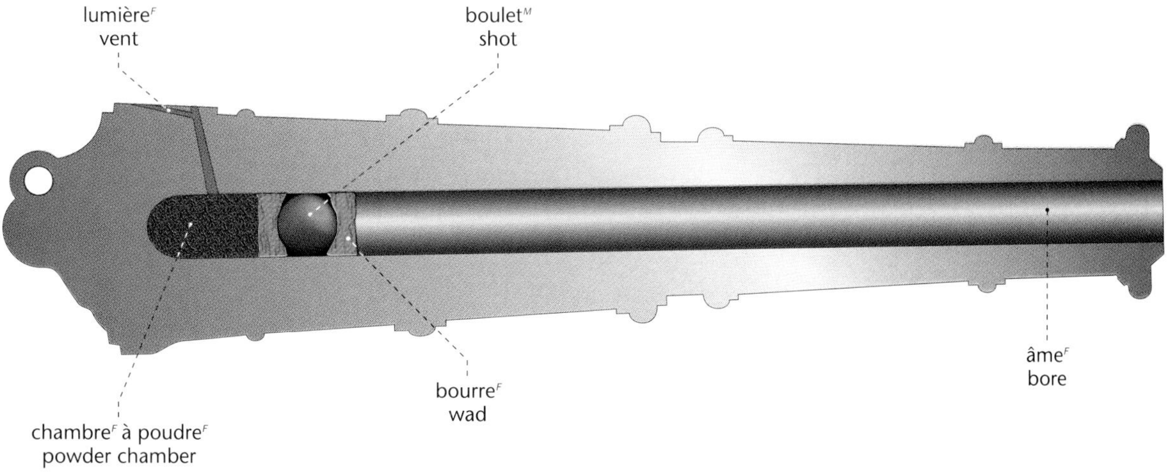

lumière[F]
vent
boulet[M]
shot
âme[F]
bore
bourre[F]
wad
chambre[F] à poudre[F]
powder chamber

ACCESSOIRES[M] DE MISE[F] À FEU[M]
FIRING ACCESSORIES

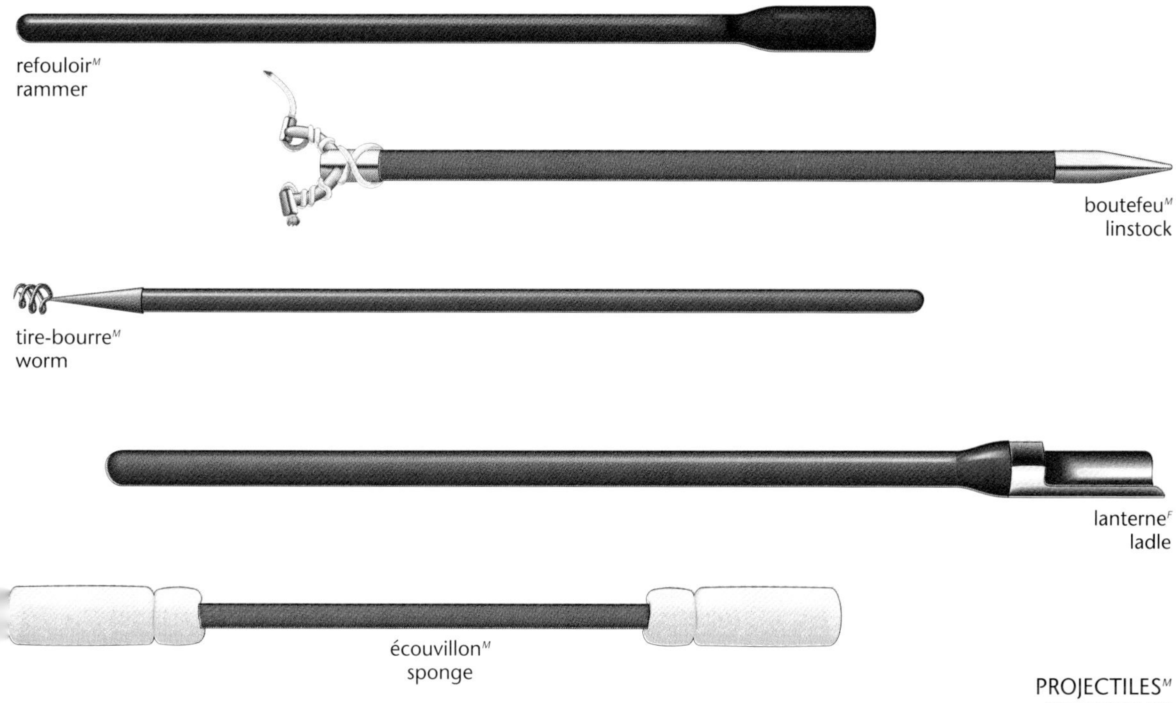

refouloir[M]
rammer
boutefeu[M]
linstock
tire-bourre[M]
worm
lanterne[F]
ladle
écouvillon[M]
sponge

PROJECTILES[M]
PROJECTILES

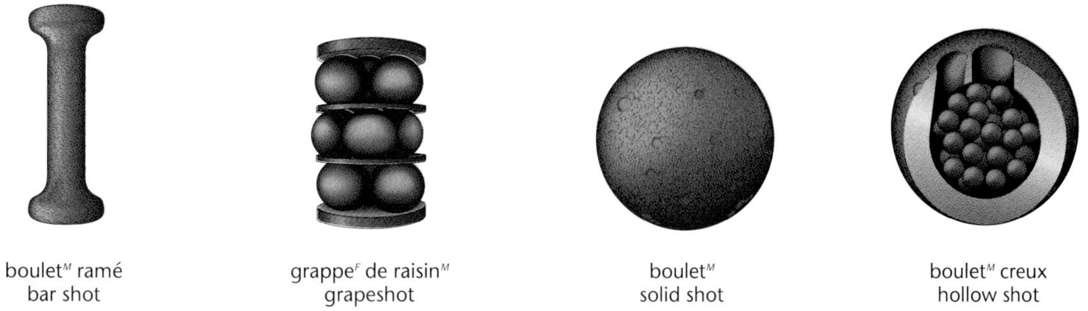

boulet[M] ramé
bar shot
grappe[F] de raisin[M]
grapeshot
boulet[M]
solid shot
boulet[M] creux
hollow shot

OBUSIER^M MODERNE
MODERN HOWITZER

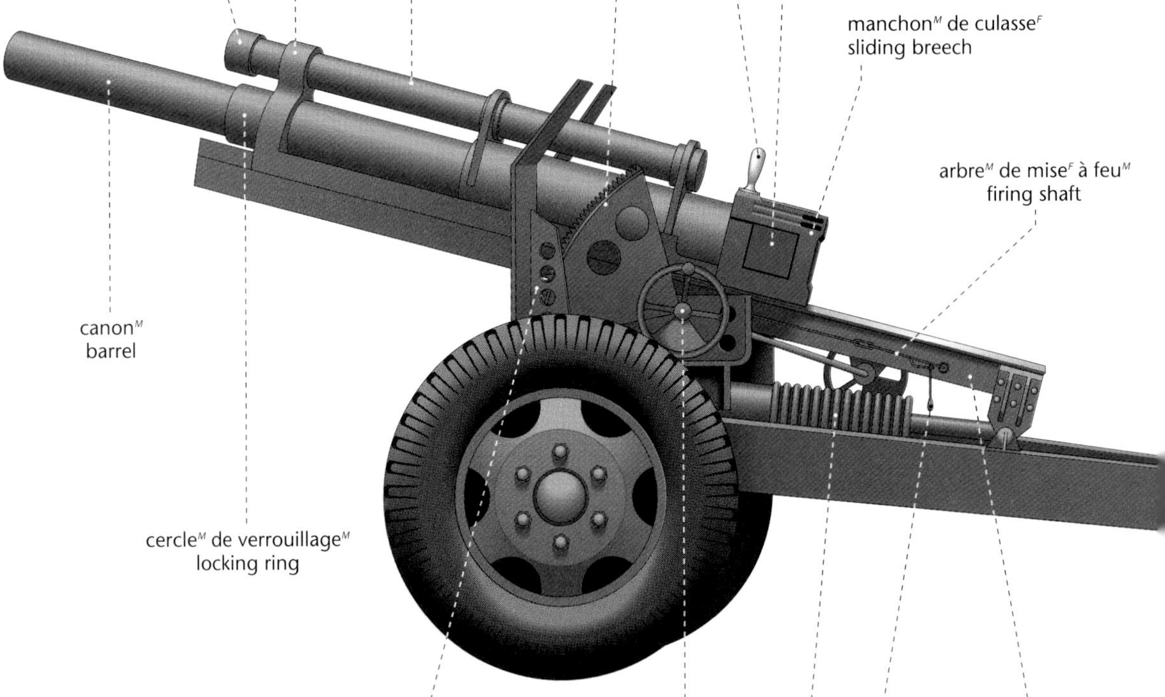

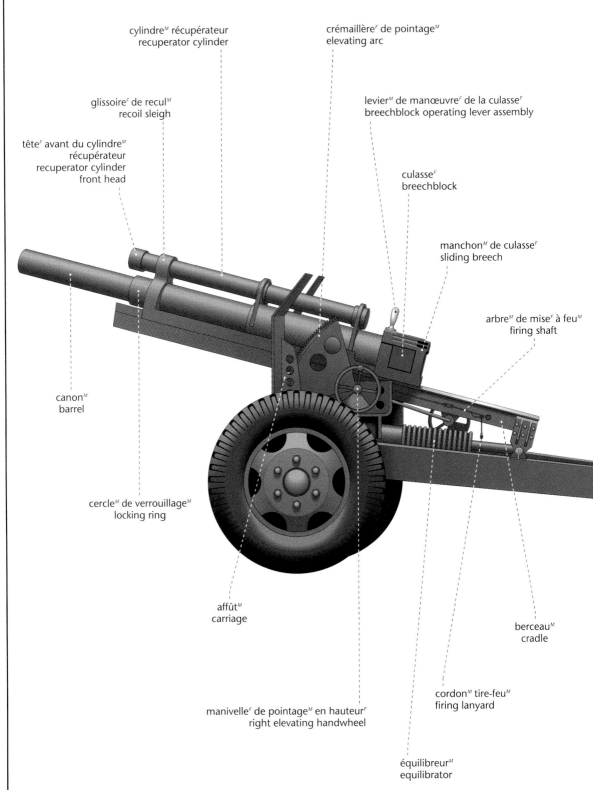

cylindre^M récupérateur
recuperator cylinder
crémaillère^F de pointage^M
elevating arc
glissoire^F de recul^M
recoil sleigh
levier^M de manœuvre^F de la culasse^F
breechblock operating lever assembly
tête^F avant du cylindre^M récupérateur
recuperator cylinder front head
culasse^F
breechblock
manchon^M de culasse^F
sliding breech
arbre^M de mise^F à feu^M
firing shaft
canon^M
barrel
cercle^M de verrouillage^M
locking ring
affût^M
carriage
berceau^M
cradle
cordon^M tire-feu^M
firing lanyard
manivelle^F de pointage^M en hauteur^F
right elevating handwheel
équilibreur^M
equilibrator

MORTIER[M]
MORTAR

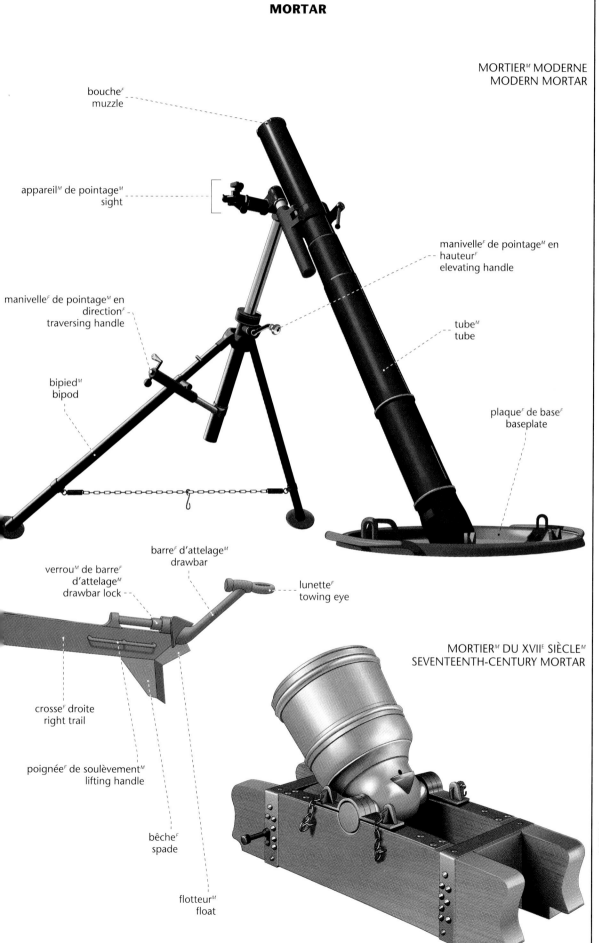

MORTIER[M] MODERNE
MODERN MORTAR

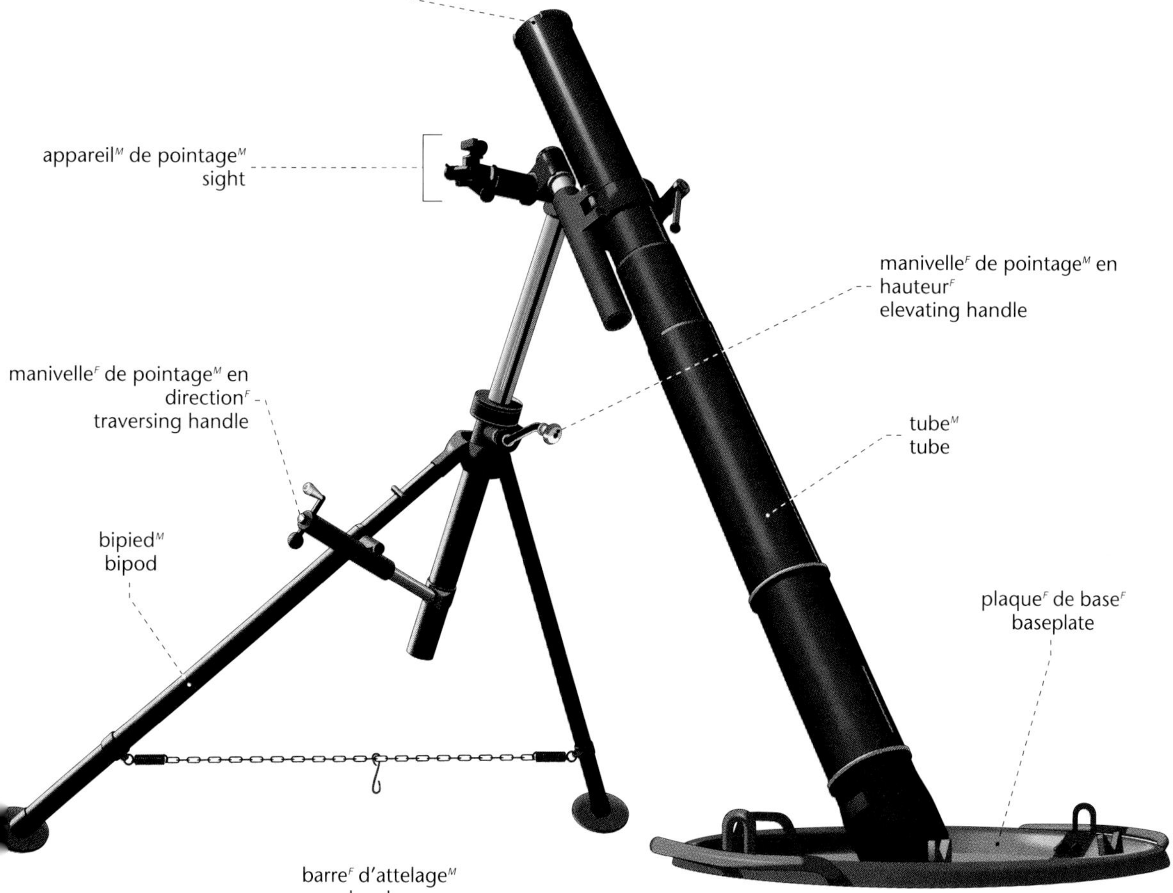

bouche[F]
muzzle
appareil[M] de pointage[M]
sight
manivelle[F] de pointage[M] en hauteur[F]
elevating handle
manivelle[F] de pointage[M] en direction[F]
traversing handle
tube[M]
tube
bipied[M]
bipod
plaque[F] de base[F]
baseplate

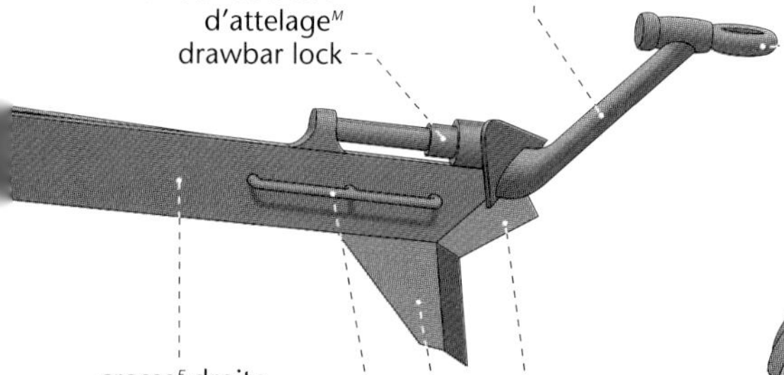

barre[F] d'attelage[M]
drawbar
verrou[M] de barre[F] d'attelage[M]
drawbar lock
lunette[F]
towing eye
crosse[F] droite
right trail
poignée[F] de soulèvement[M]
lifting handle
bêche[F]
spade
flotteur[M]
float

MORTIER[M] DU XVIIE SIÈCLE[M]
SEVENTEENTH-CENTURY MORTAR

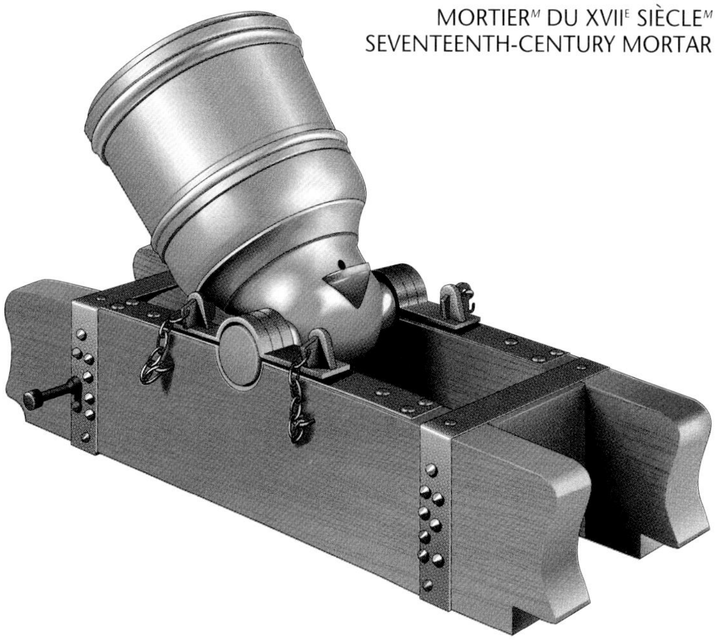

GRENADE^F À MAIN^F
HAND GRENADE

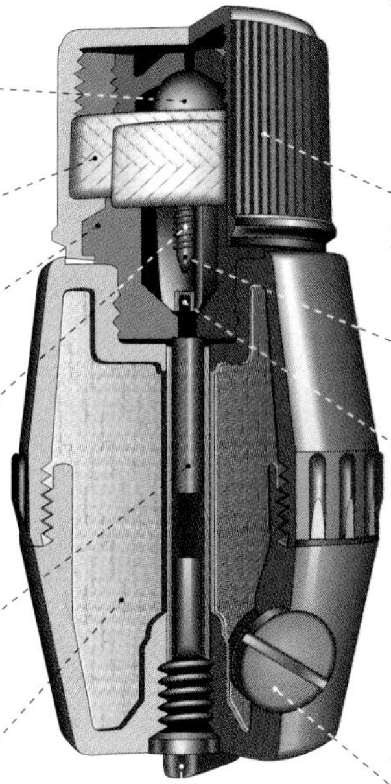

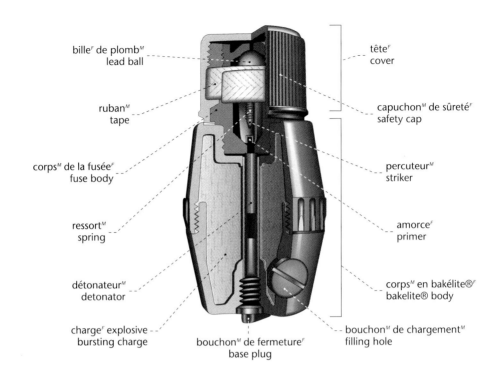

bille^F de plomb^M
lead ball
ruban^M
tape
corps^M de la fusée^F
fuse body
ressort^M
spring
détonateur^M
detonator
charge^F explosive
bursting charge
bouchon^M de fermeture^F
base plug
tête^F
cover
capuchon^M de sûreté^F
safety cap
percuteur^M
striker
amorce^F
primer
corps^M en bakélite®^F
bakelite® body
bouchon^M de chargement^M
filling hole

BAZOOKA^M
BAZOOKA

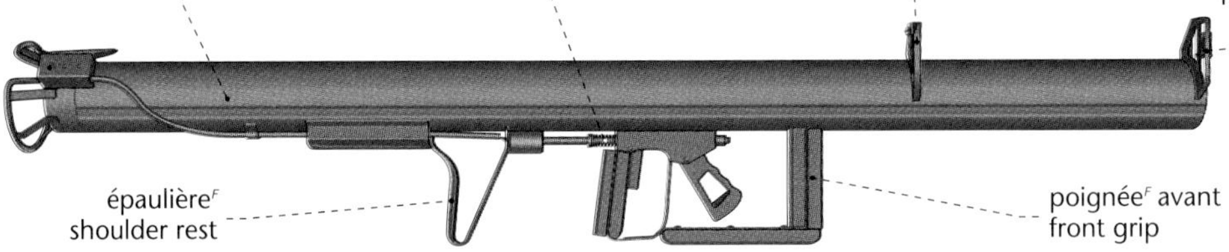

tube^M
tube
ressort^M
spring
hausse^F
rear sight
guidon^M
front sight
épaulière^F
shoulder rest
poignée^F avant
front grip

CANON^M SANS RECUL^M
RECOILLESS RIFLE

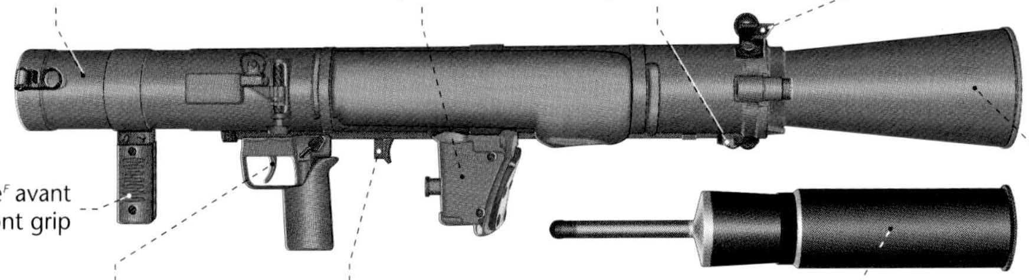

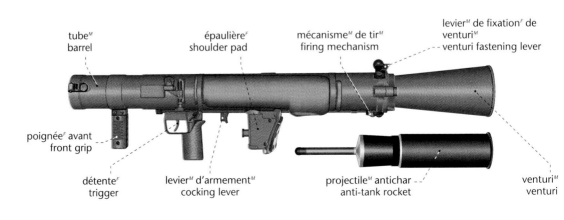

tube^M
barrel
épaulière^F
shoulder pad
mécanisme^M de tir^M
firing mechanism
levier^M de fixation^F de venturi^M
venturi fastening lever
poignée^F avant
front grip
détente^F
trigger
levier^M d'armement^M
cocking lever
projectile^M antichar
anti-tank rocket
venturi^M
venturi

CHAR^M D'ASSAUT^M
TANK

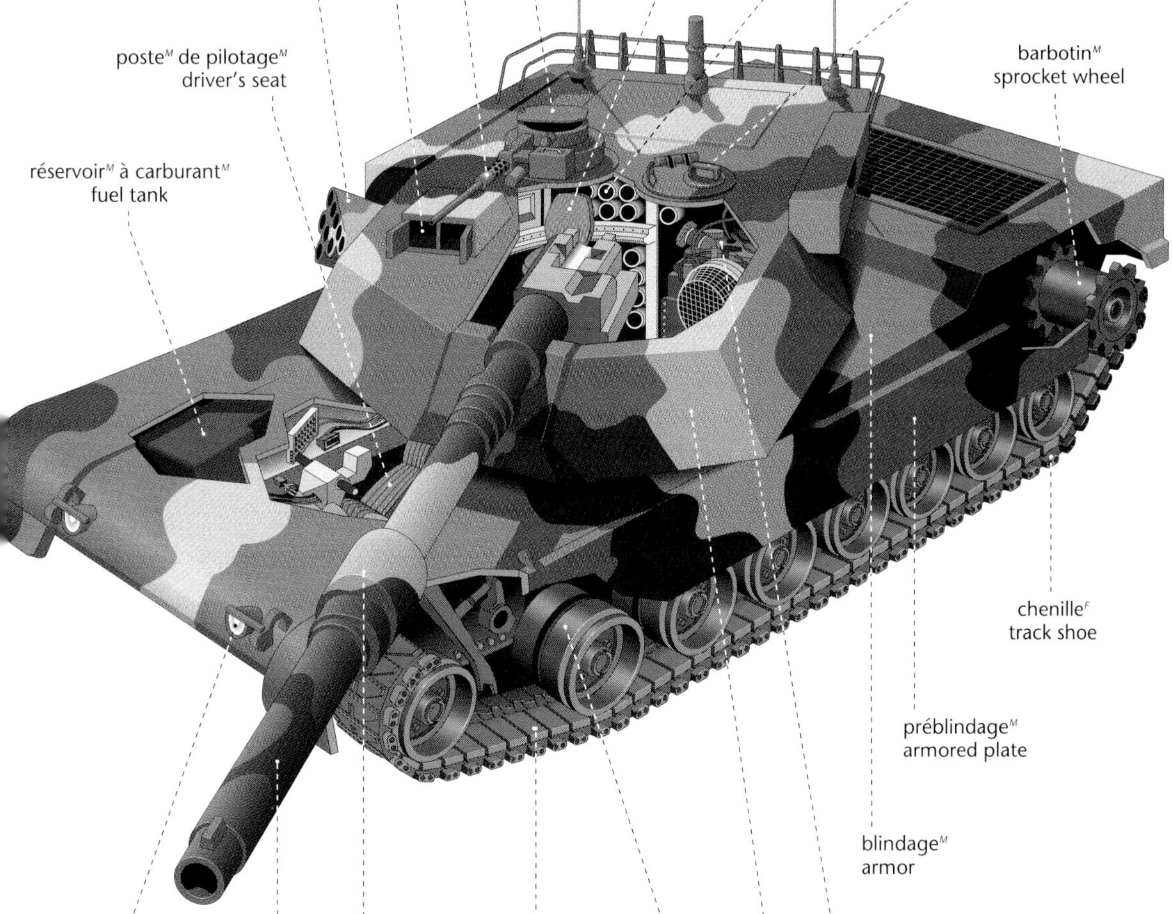

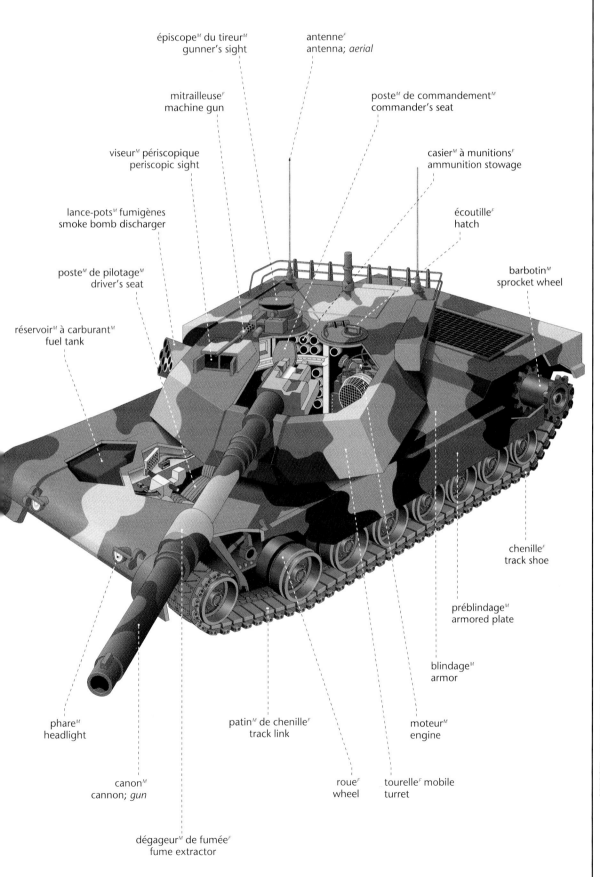

épiscope^M du tireur^M
gunner's sight
antenne^F
antenna; *aerial*
mitrailleuse^F
machine gun
poste^M de commandement^M
commander's seat
viseur^M périscopique
periscopic sight
casier^M à munitions^F
ammunition stowage
lance-pots^M fumigènes
smoke bomb discharger
écoutille^F
hatch
poste^M de pilotage^M
driver's seat
barbotin^M
sprocket wheel
réservoir^M à carburant^M
fuel tank
chenille^F
track shoe
préblindage^M
armored plate
blindage^M
armor
phare^M
headlight
patin^M de chenille^F
track link
moteur^M
engine
canon^M
cannon; *gun*
roue^F
wheel
tourelle^F mobile
turret
dégageur^M de fumée^F
fume extractor

SOUS-MARIN[M]
SUBMARINE

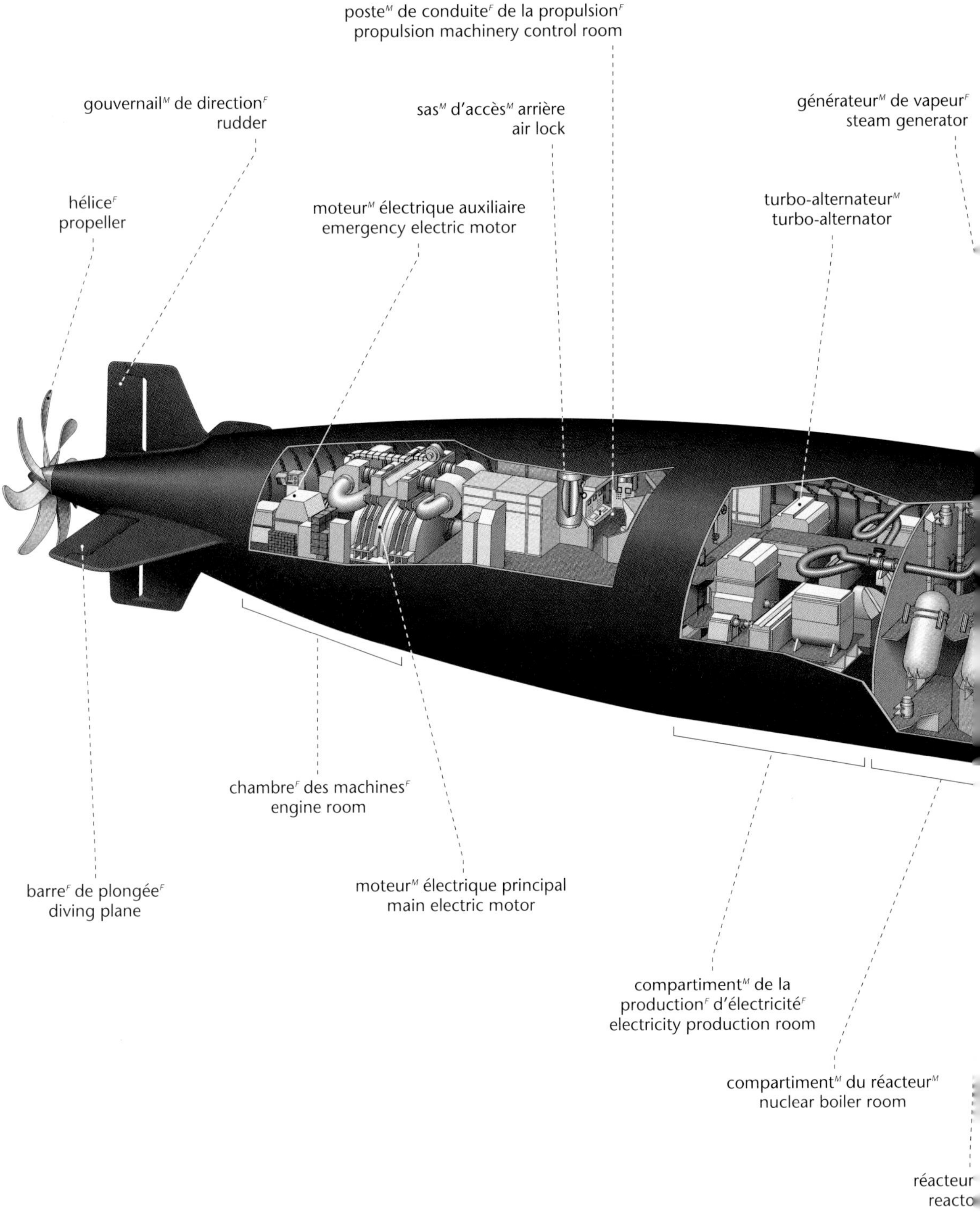
poste[M] de conduite[F] de la propulsion[F]
propulsion machinery control room
gouvernail[M] de direction[F]
rudder
sas[M] d'accès[M] arrière
air lock
générateur[M] de vapeur[F]
steam generator
hélice[F]
propeller
moteur[M] électrique auxiliaire
emergency electric motor
turbo-alternateur[M]
turbo-alternator
chambre[F] des machines[F]
engine room
barre[F] de plongée[F]
diving plane
moteur[M] électrique principal
main electric motor
compartiment[M] de la
production[F] d'électricité[F]
electricity production room
compartiment[M] du réacteur[M]
nuclear boiler room
réacteur
reacto

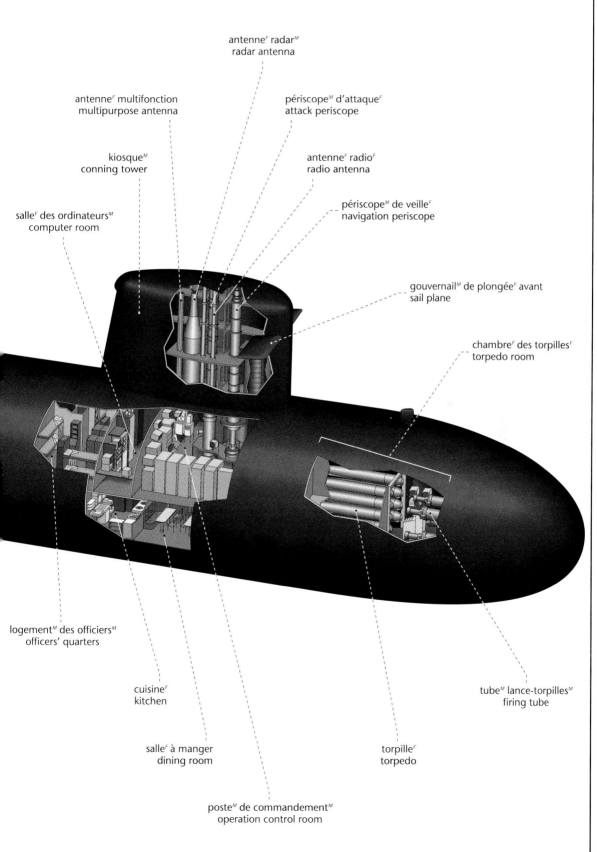

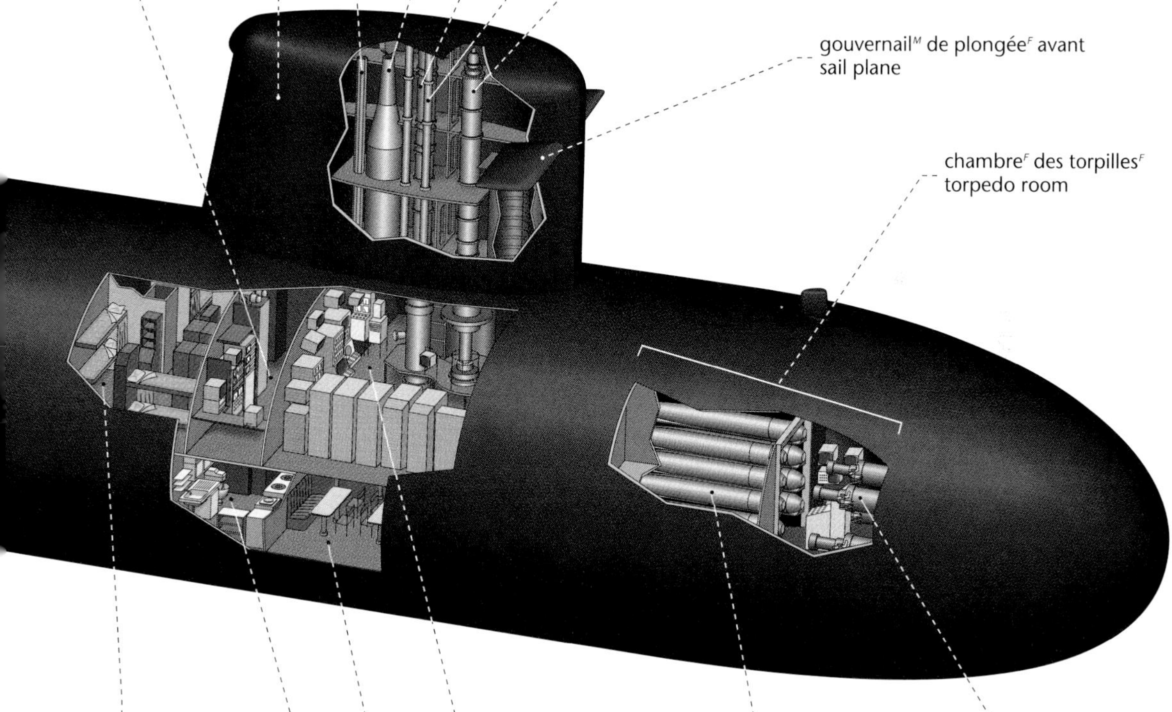
antenneF radarM
radar antenna
antenneF multifonction
multipurpose antenna
périscopeM d'attaqueF
attack periscope
kiosqueM
conning tower
antenneF radioF
radio antenna
salleF des ordinateursM
computer room
périscopeM de veilleF
navigation periscope
gouvernailM de plongéeF avant
sail plane
chambreF des torpillesF
torpedo room
logementM des officiersM
officers' quarters
cuisineF
kitchen
tubeM lance-torpillesM
firing tube
salleF à manger
dining room
torpilleF
torpedo
posteM de commandementM
operation control room

FRÉGATE^F
FRIGATE

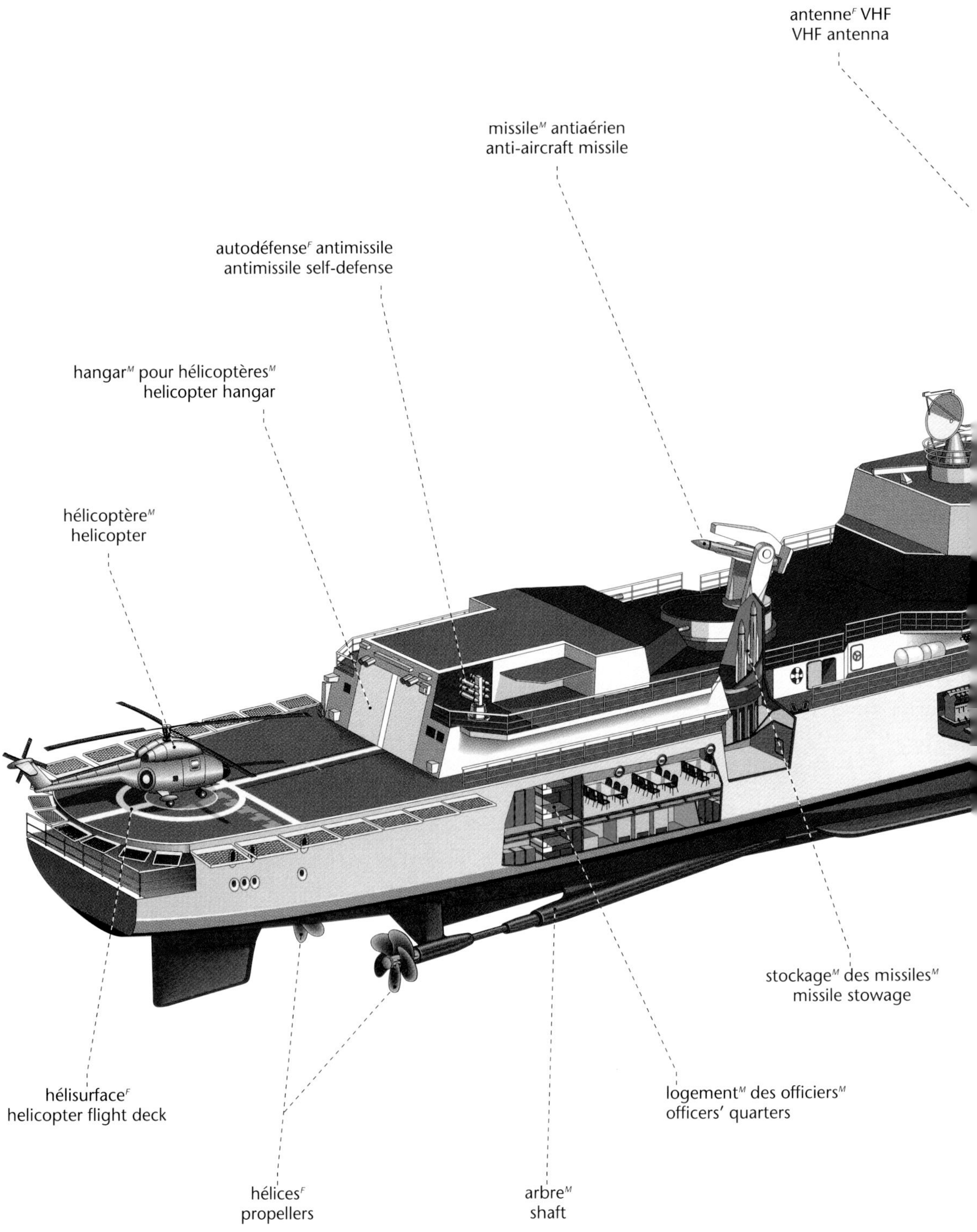

antenne^F VHF
VHF antenna
missile^M antiaérien
anti-aircraft missile
autodéfense^F antimissile
antimissile self-defense
hangar^M pour hélicoptères^M
helicopter hangar
hélicoptère^M
helicopter
stockage^M des missiles^M
missile stowage
hélisurface^F
helicopter flight deck
logement^M des officiers^M
officers' quarters
hélices^F
propellers
arbre^M
shaft

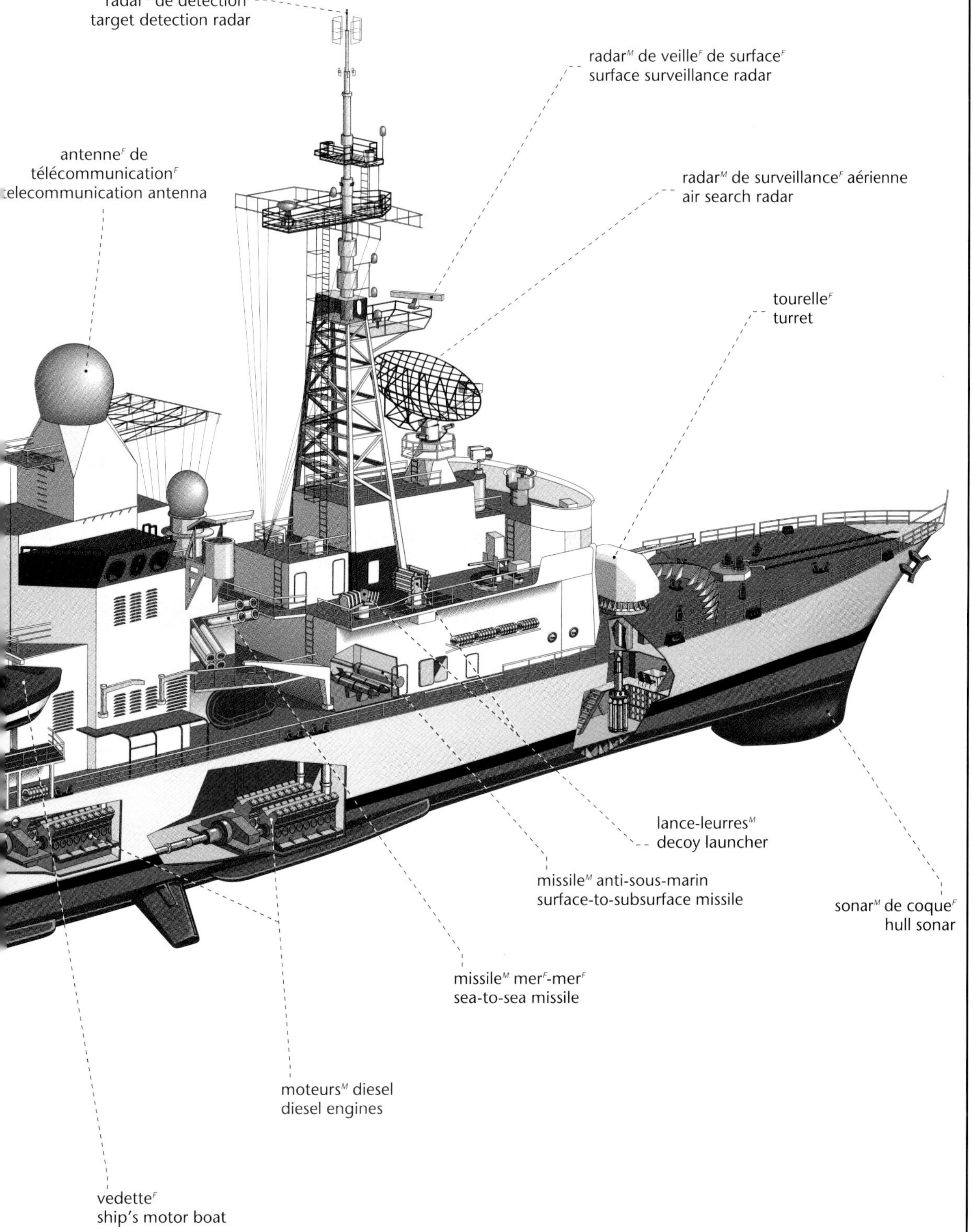
radar[M] de détection[F]
target detection radar
radar[M] de veille[F] de surface[F]
surface surveillance radar
antenne[F] de
télécommunication[F]
telecommunication antenna
radar[M] de surveillance[F] aérienne
air search radar
tourelle[F]
turret
lance-leurres[M]
decoy launcher
missile[M] anti-sous-marin
surface-to-subsurface missile
sonar[M] de coque[F]
hull sonar
missile[M] mer[F]-mer[F]
sea-to-sea missile
moteurs[M] diesel
diesel engines
vedette[F]
ship's motor boat

PORTE-AVIONS[M]
AIRCRAFT CARRIER

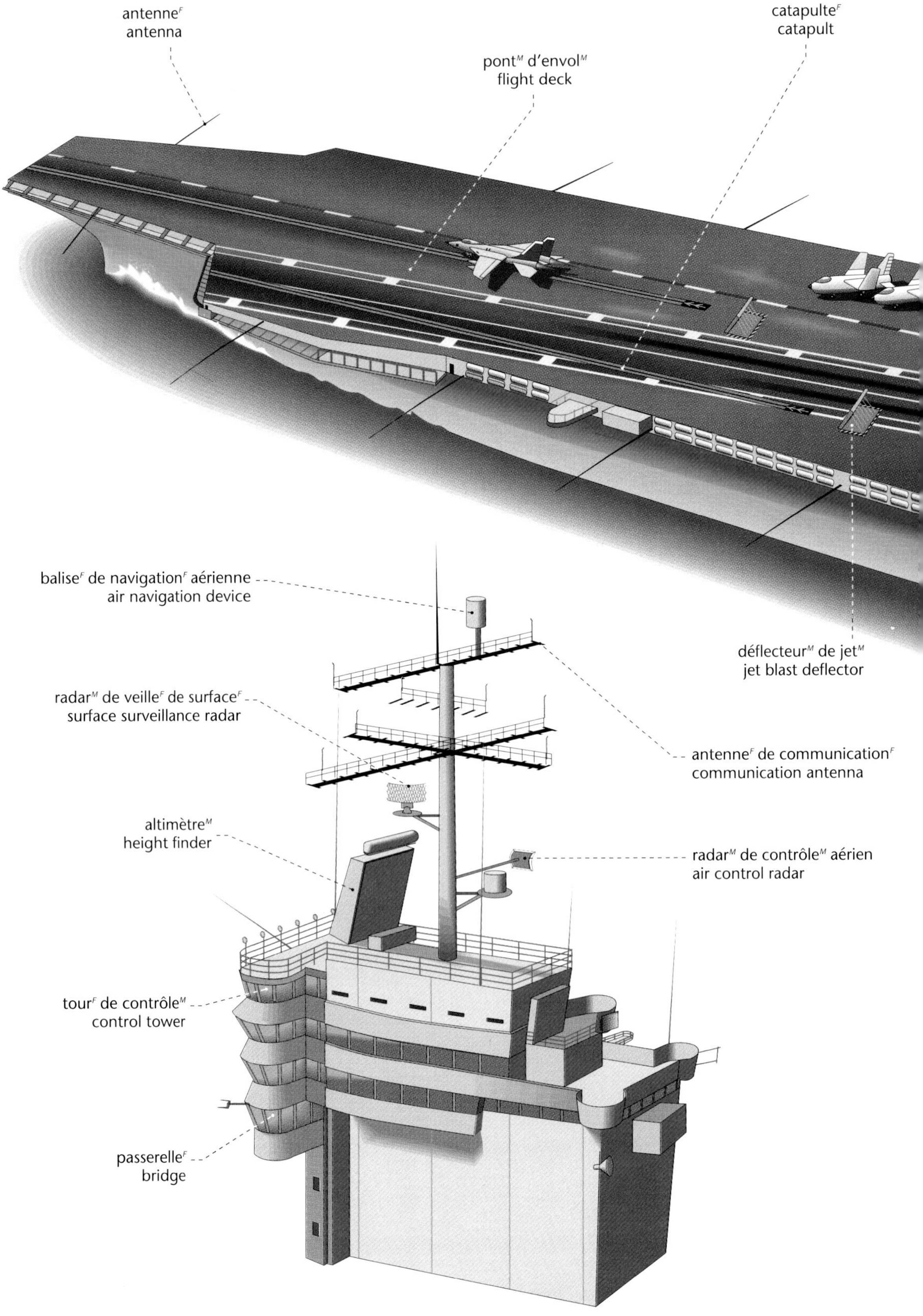
antenne[F]
antenna
pont[M] d'envol[M]
flight deck
catapulte[F]
catapult
balise[F] de navigation[F] aérienne
air navigation device
déflecteur[M] de jet[M]
jet blast deflector
radar[M] de veille[F] de surface[F]
surface surveillance radar
antenne[F] de communication[F]
communication antenna
altimètre[M]
height finder
radar[M] de contrôle[M] aérien
air control radar
tour[F] de contrôle[M]
control tower
passerelle[F]
bridge

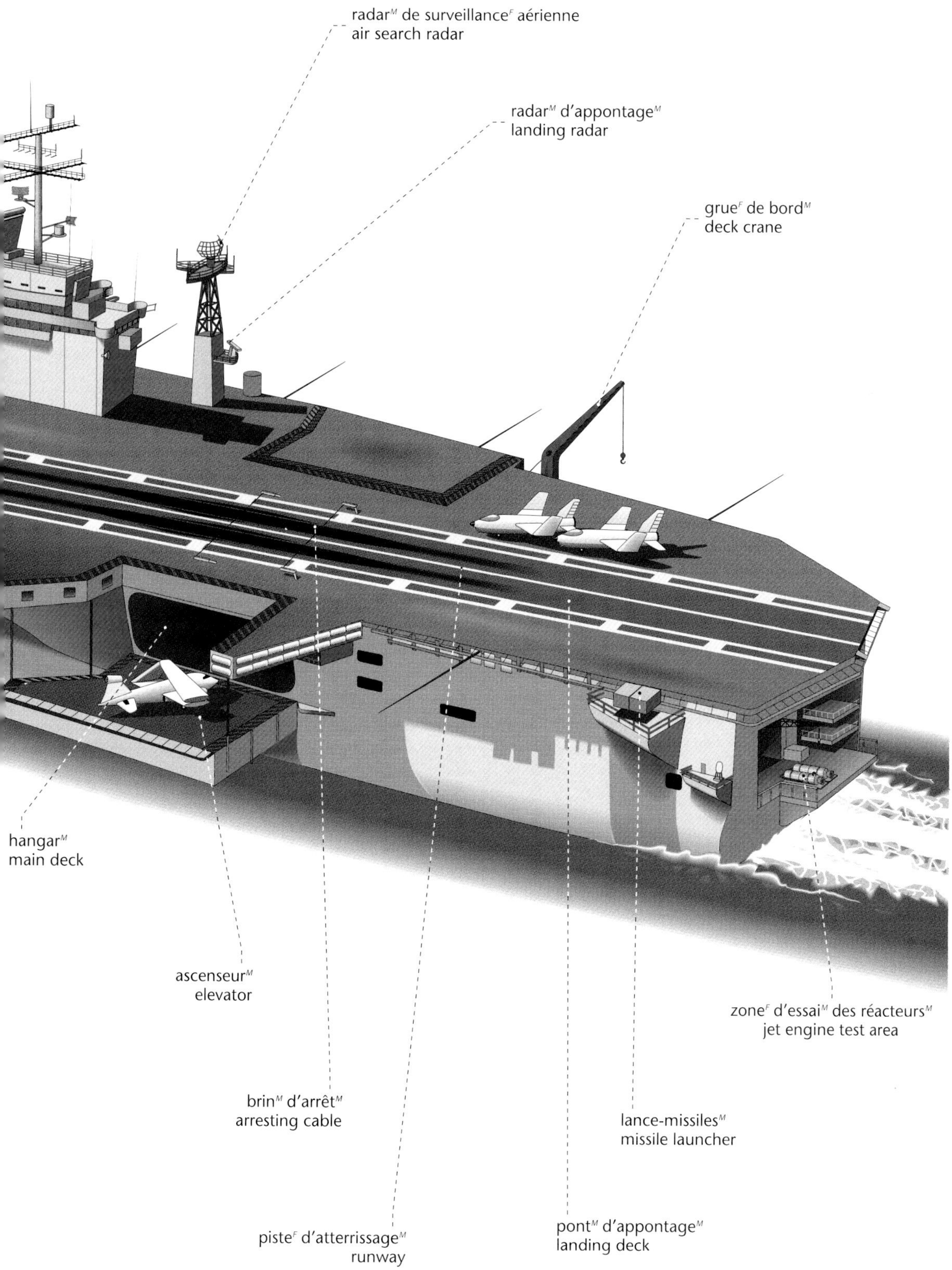
radar^M de surveillance^F aérienne
air search radar
radar^M d'appontage^M
landing radar
grue^F de bord^M
deck crane
hangar^M
main deck
ascenseur^M
elevator
zone^F d'essai^M des réacteurs^M
jet engine test area
brin^M d'arrêt^M
arresting cable
lance-missiles^M
missile launcher
piste^F d'atterrissage^M
runway
pont^M d'appontage^M
landing deck

AVION[M] DE COMBAT[M]
COMBAT AIRCRAFT

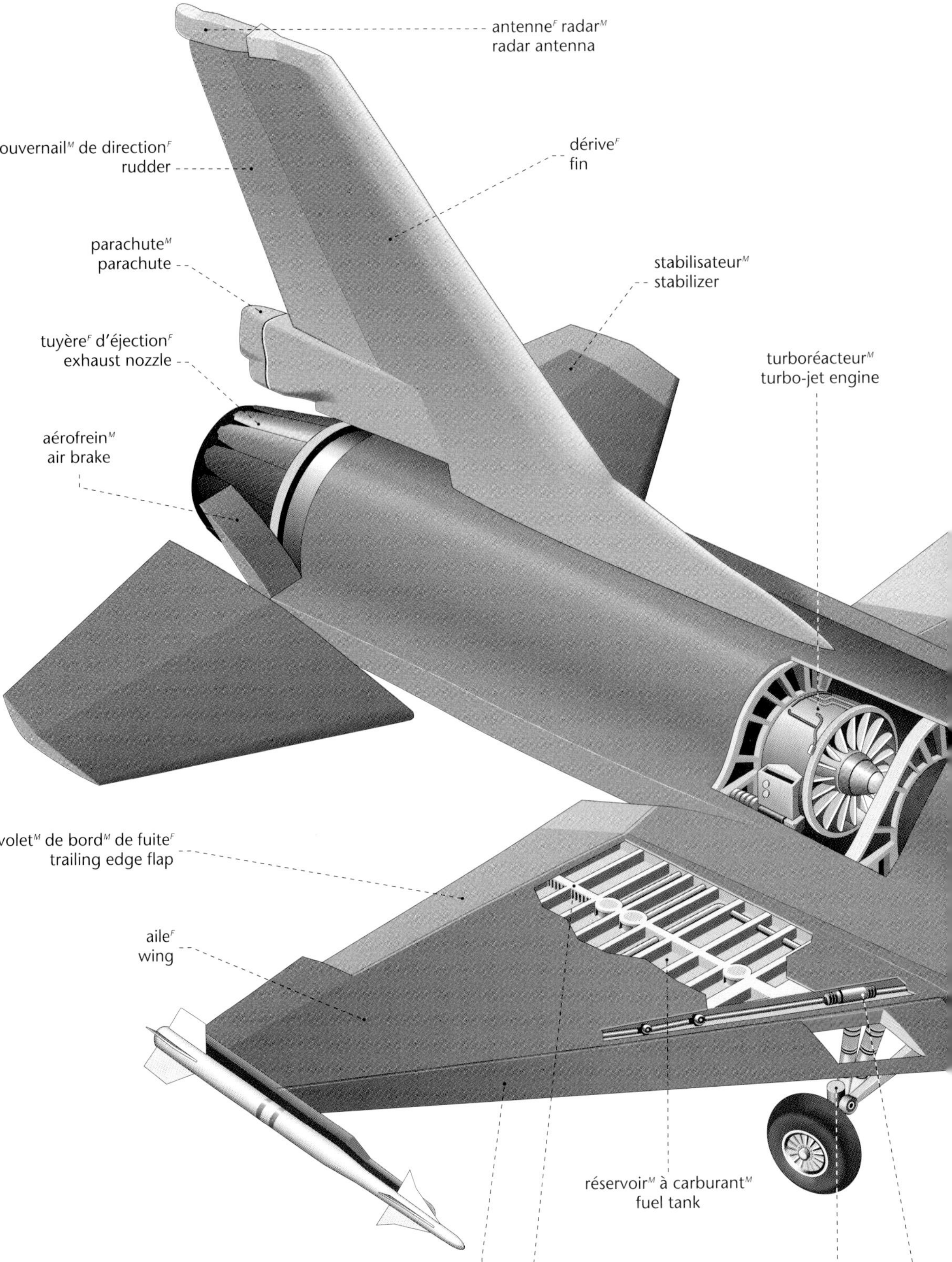

antenne[F] radar[M]
radar antenna
gouvernail[M] de direction[F]
rudder
dérive[F]
fin
parachute[M]
parachute
stabilisateur[M]
stabilizer
tuyère[F] d'éjection[F]
exhaust nozzle
turboréacteur[M]
turbo-jet engine
aérofrein[M]
air brake
volet[M] de bord[M] de fuite[F]
trailing edge flap
aile[F]
wing
réservoir[M] à carburant[M]
fuel tank
volet[M] de bord[M] d'attaque[F]
leading edge flap
train[M] d'atterrissage[M] principal
main landing gear
caisson[M] de voilure[F]
wing box
vérin[M] de commande[F] de volet[M]
flap hydraulic jack

RAVITAILLEMENT[M] EN VOL[M]
IN-FLIGHT REFUELING

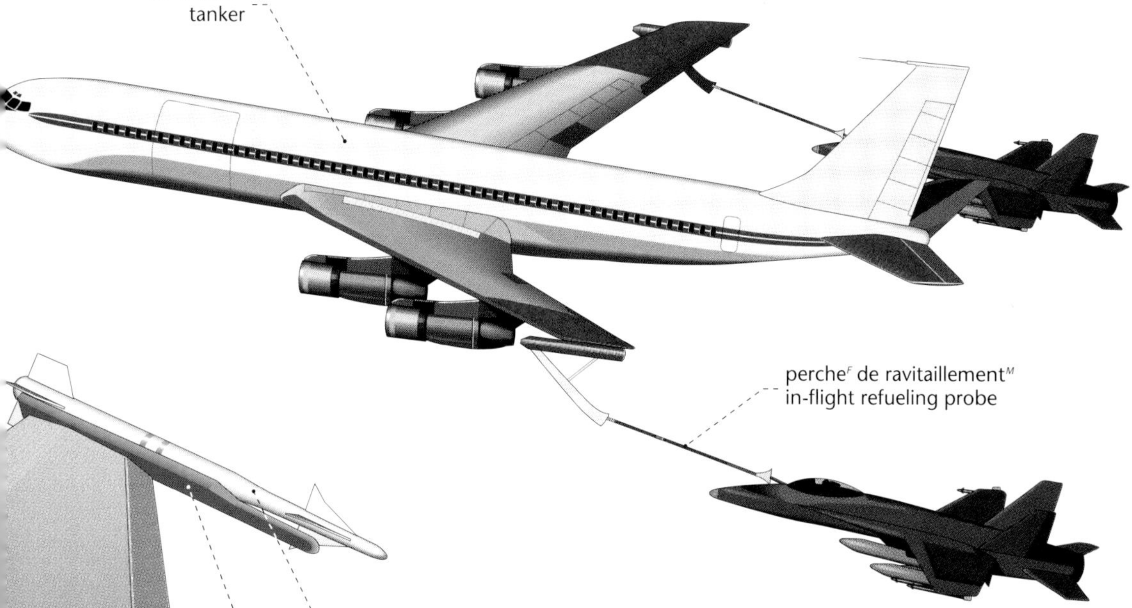

ravitailleur[M]
tanker
perche[F] de ravitaillement[M]
in-flight refueling probe

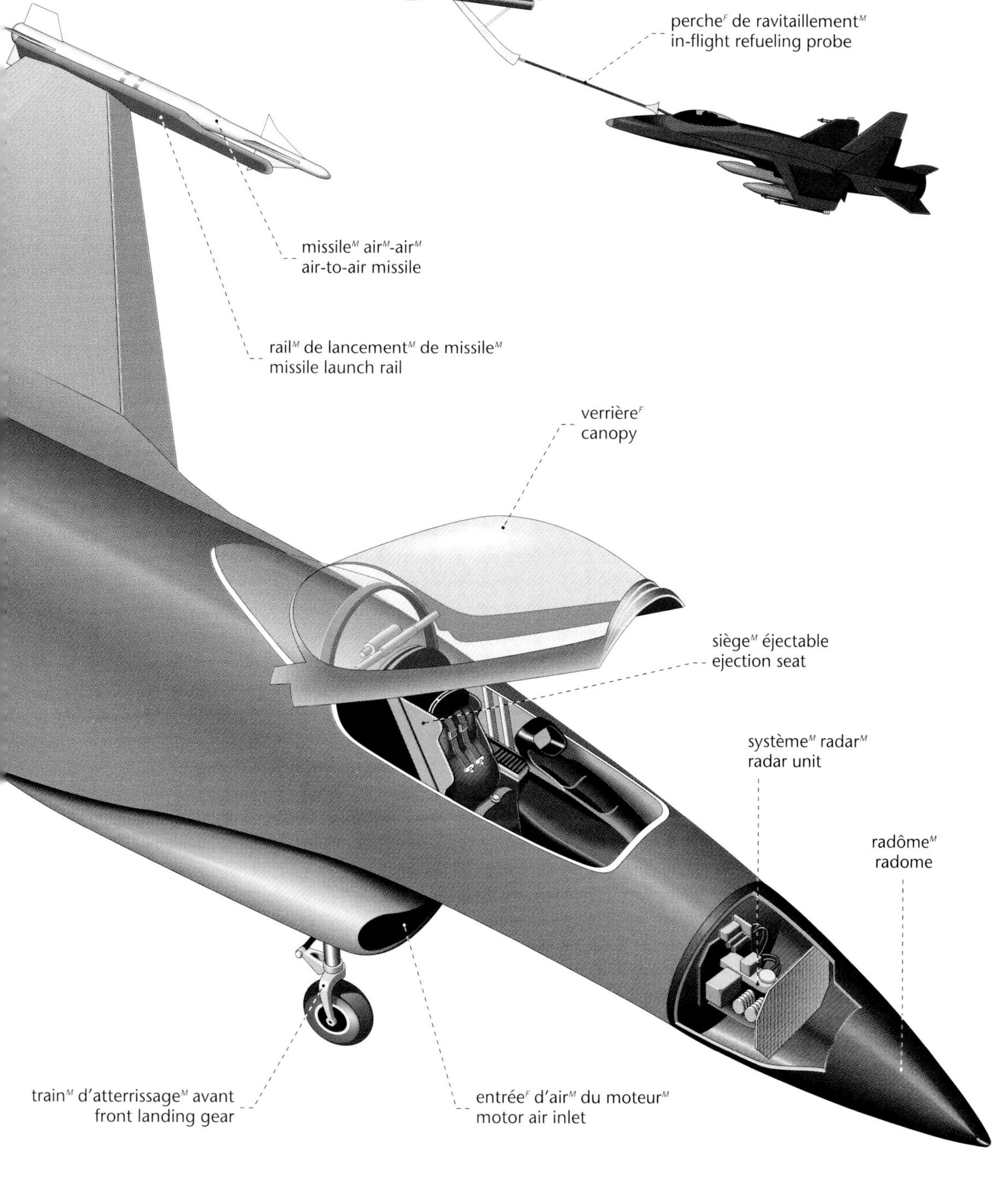

missile[M] air[M]-air[M]
air-to-air missile
rail[M] de lancement[M] de missile[M]
missile launch rail
verrière[F]
canopy
siège[M] éjectable
ejection seat
système[M] radar[M]
radar unit
radôme[M]
radome
train[M] d'atterrissage[M] avant
front landing gear
entrée[F] d'air[M] du moteur[M]
motor air inlet

MISSILES[M]
MISSILES

STRUCTURE[F] D'UN MISSILE[M]
STRUCTURE OF A MISSILE

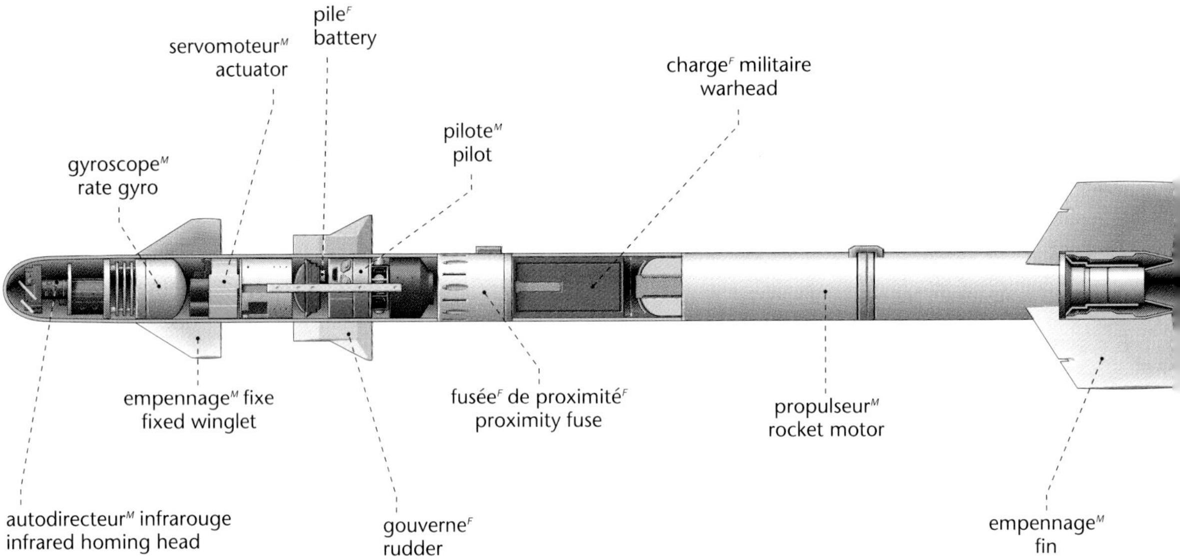
pile[F]
battery
servomoteur[M]
actuator
charge[F] militaire
warhead
pilote[M]
pilot
gyroscope[M]
rate gyro
empennage[M] fixe
fixed winglet
fusée[F] de proximité[F]
proximity fuse
propulseur[M]
rocket motor
autodirecteur[M] infrarouge
infrared homing head
gouverne[F]
rudder
empennage[M]
fin

PRINCIPAUX TYPES[M] DE MISSILES[M]
MAJOR TYPES OF MISSILES

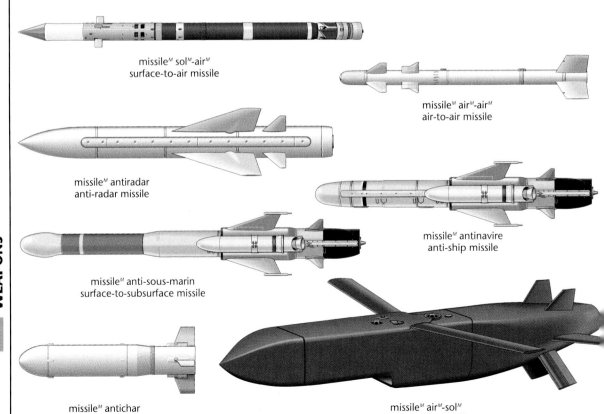

missile[M] sol[M]-air[M]
surface-to-air missile

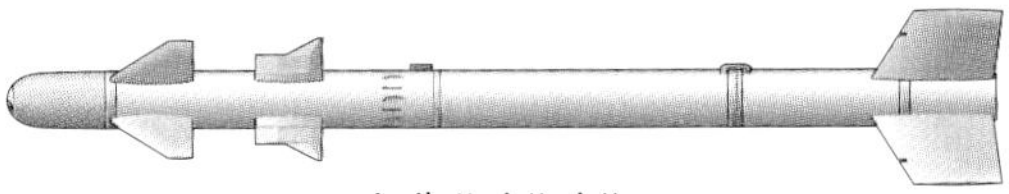

missile[M] air[M]-air[M]
air-to-air missile

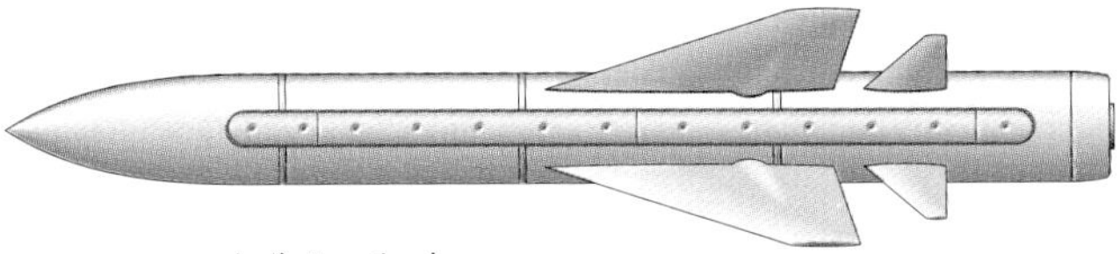

missile[M] antiradar
anti-radar missile

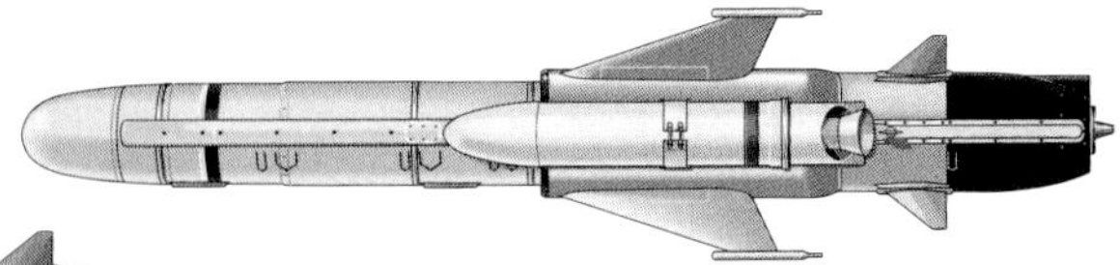

missile[M] antinavire
anti-ship missile

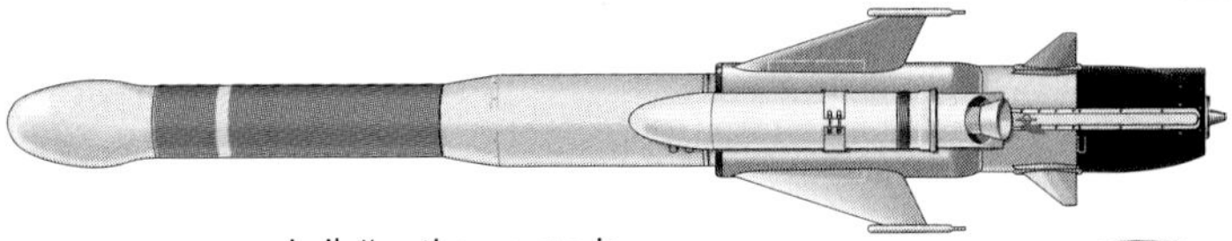

missile[M] anti-sous-marin
surface-to-subsurface missile

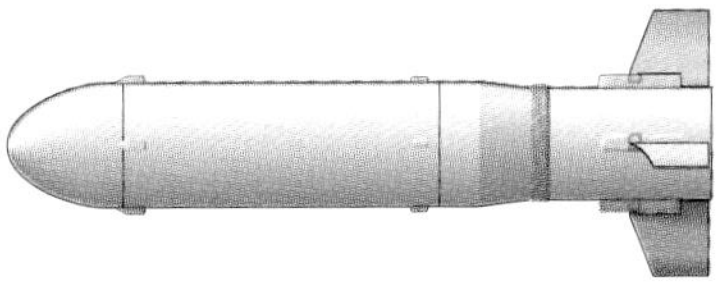

missile[M] antichar
anti-tank missile

missile[M] air[M]-sol[M]
air-to-surface missile

SYMBOLES • SYMBOLS

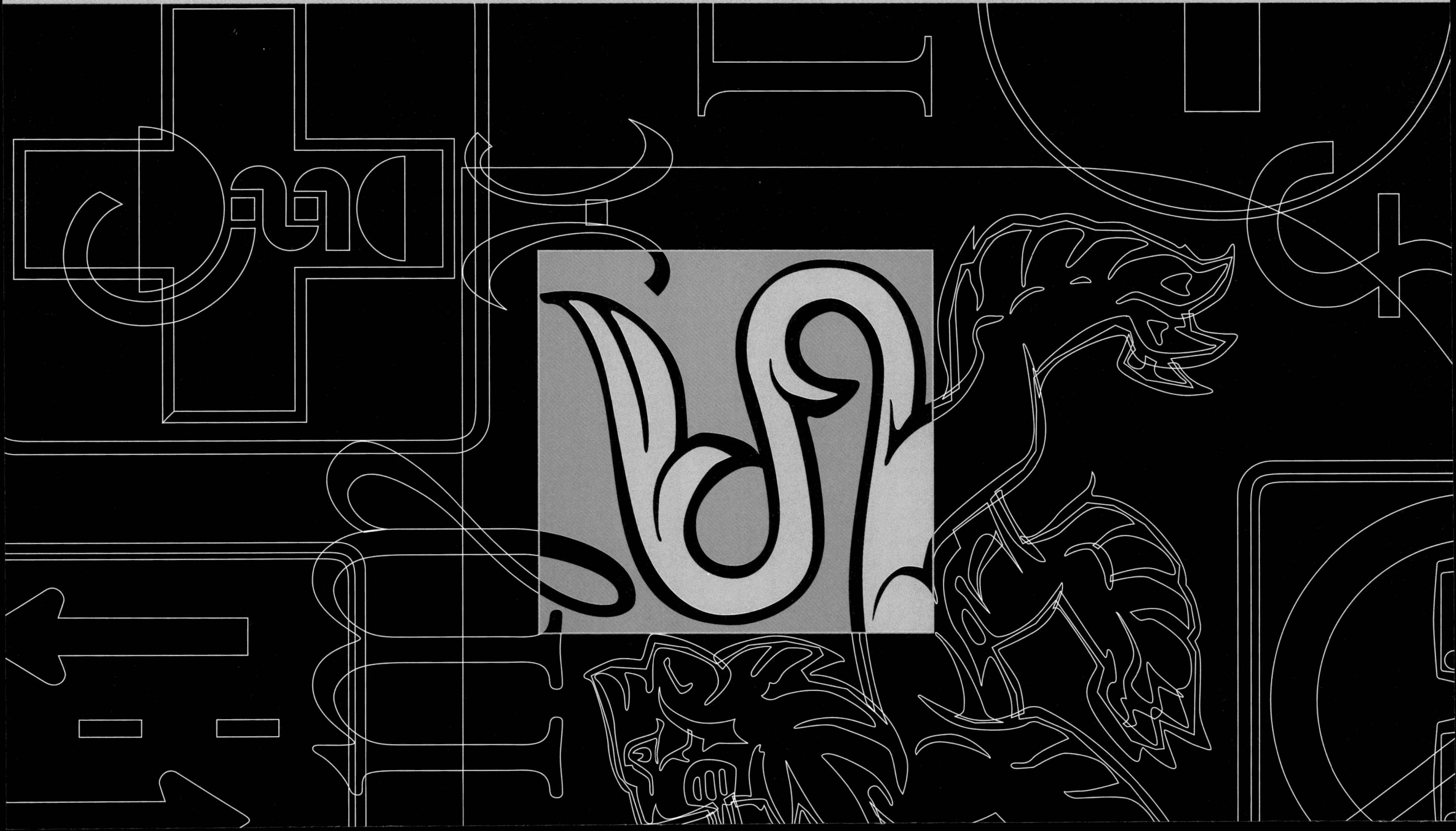

SOMMAIRE

HÉRALDIQUE[F]
HERALDRY

ÉLÉMENTS[M] D'UN DRAPEAU[M]
PARTS OF A FLAG

FORMES[F] DE DRAPEAUX[M]
FLAG SHAPES

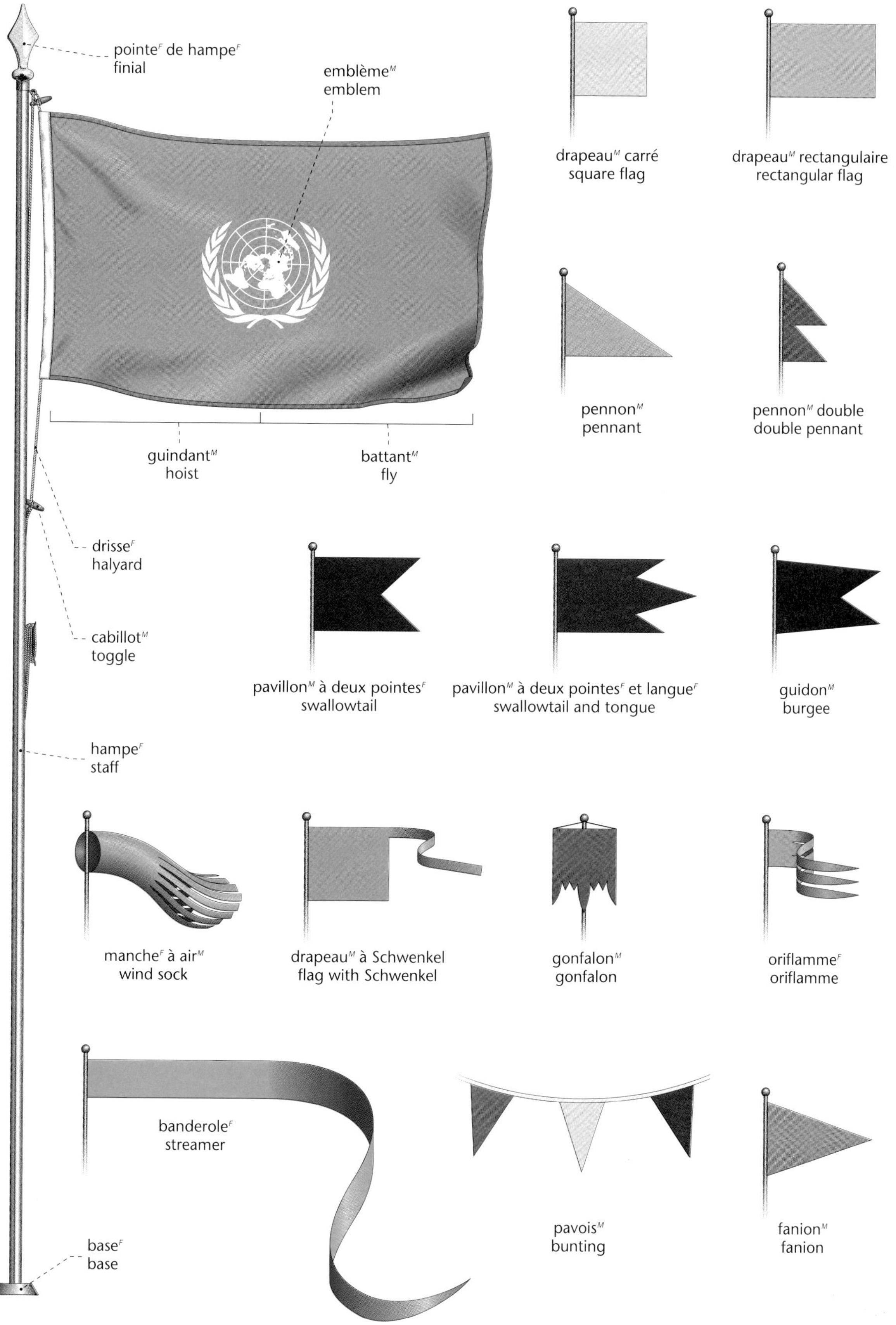

pointe[F] de hampe[F]
finial
emblème[M]
emblem
guindant[M]
hoist
battant[M]
fly
drisse[F]
halyard
cabillot[M]
toggle
hampe[F]
staff
base[F]
base
drapeau[M] carré
square flag
drapeau[M] rectangulaire
rectangular flag
pennon[M]
pennant
pennon[M] double
double pennant
pavillon[M] à deux pointes[F]
swallowtail
pavillon[M] à deux pointes[F] et langue[F]
swallowtail and tongue
guidon[M]
burgee
manche[F] à air[M]
wind sock
drapeau[M] à Schwenkel
flag with Schwenkel
gonfalon[M]
gonfalon
oriflamme[F]
oriflamme
banderole[F]
streamer
pavois[M]
bunting
fanion[M]
fanion

HÉRALDIQUE[F]
HERALDRY

DIVISIONS[F] DE L'ÉCU[M]
SHIELD DIVISIONS

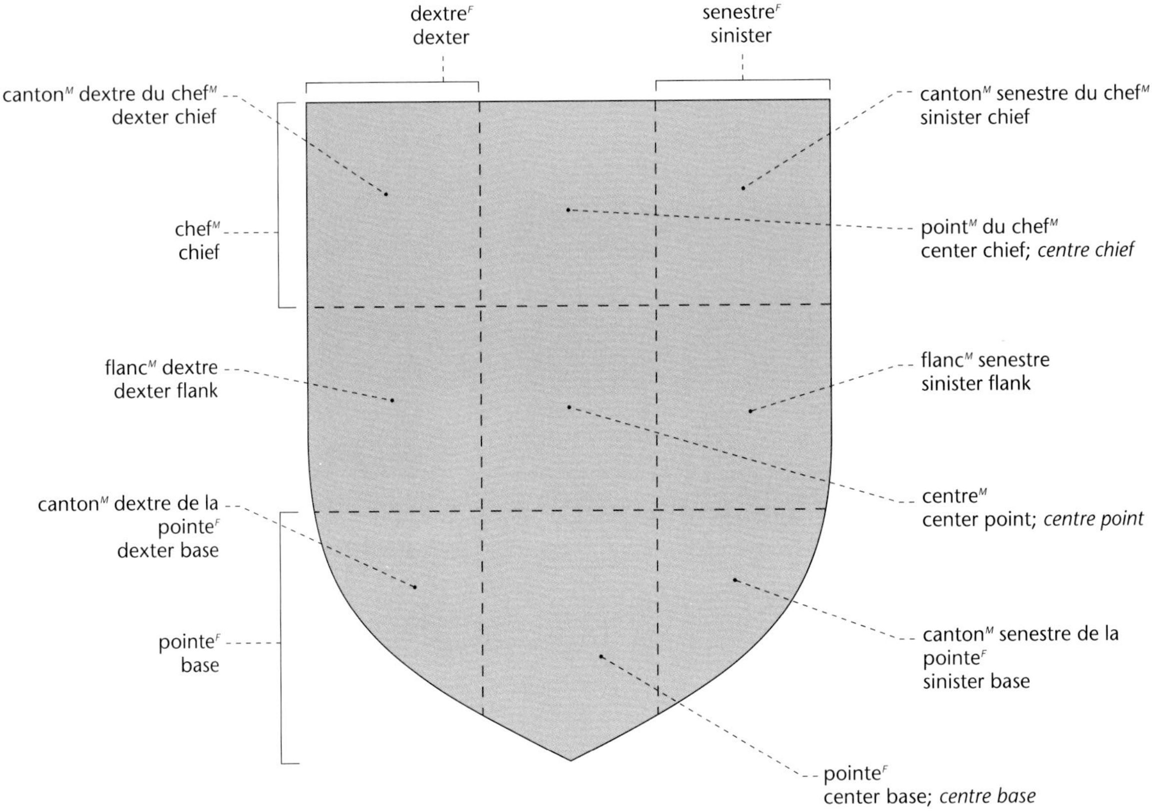

dextre[F]
dexter
senestre[F]
sinister
canton[M] dextre du chef[M]
dexter chief
canton[M] senestre du chef[M]
sinister chief
chef[M]
chief
point[M] du chef[M]
center chief; *centre chief*
flanc[M] dextre
dexter flank
flanc[M] senestre
sinister flank
centre[M]
center point; *centre point*
canton[M] dextre de la pointe[F]
dexter base
canton[M] senestre de la pointe[F]
sinister base
pointe[F]
base
pointe[F]
center base; *centre base*

EXEMPLES[M] DE PARTITIONS[F]
EXAMPLES OF PARTITIONS

coupé
per fess

parti
party; *per pale*

tranché
per bend

écartelé
quarterly

EXEMPLES[M] DE PIÈCES[F] HONORABLES
EXAMPLES OF ORDINARIES

chef[M]
chief

chevron[M]
chevron

pal[M]
pale

croix[F]
cross

EXEMPLES^{M} DE MEUBLES^{M}
EXAMPLES OF CHARGES

fleur^{F} de lis^{M}
fleur-de-lis

croissant^{M}
crescent

lion^{M} passant
lion passant

aigle^{M}
eagle

étoile^{F}
mulet

EXEMPLES^{M} DE MÉTAUX^{M}
EXAMPLES OF METALS

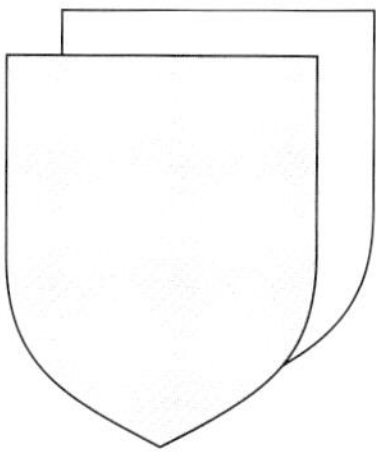

argent^{M}
argent

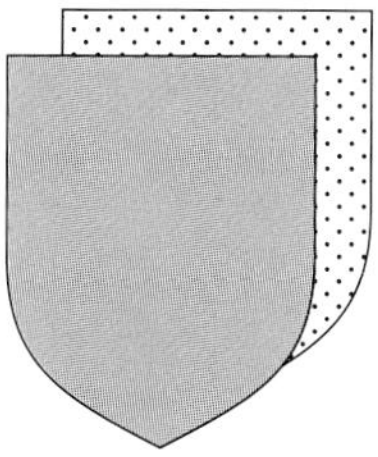

or^{M}
or

EXEMPLES^{M} DE FOURRURES^{F}
EXAMPLES OF FURS

hermine^{F}
ermine

vair^{M}
vair

EXEMPLES^{M} DE COULEURS^{F}
EXAMPLES OF COLORS; *EXAMPLES OF COLOURS*

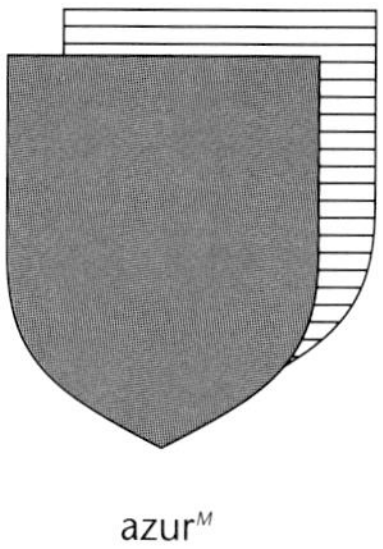

azur^{M}
azure

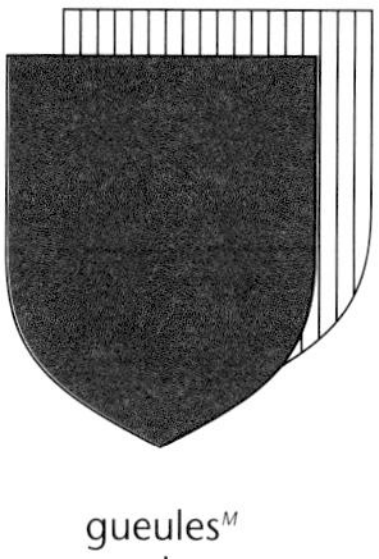

gueules^{M}
gules

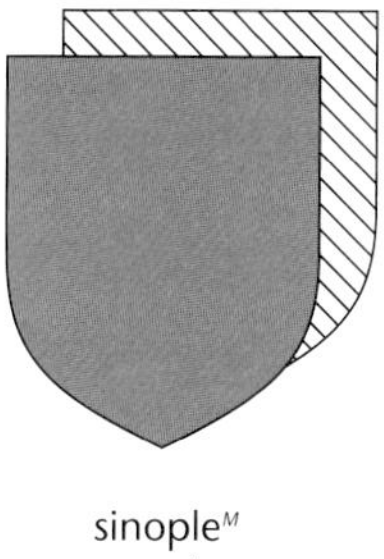

sinople^{M}
vert

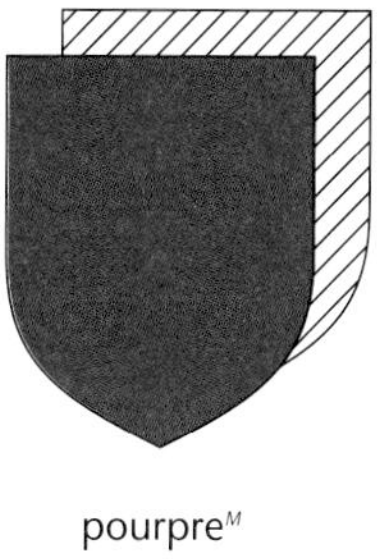

pourpre^{M}
purpure

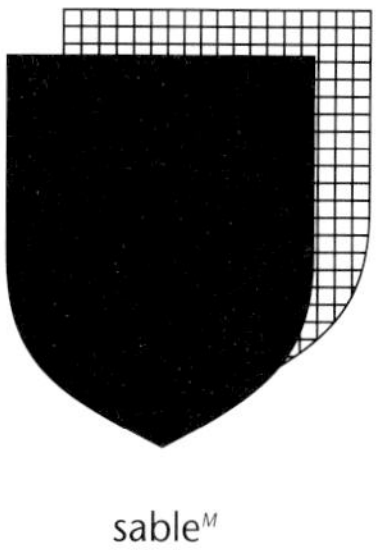

sable^{M}
sable

SIGNES^M DU ZODIAQUE^M
SIGNS OF THE ZODIAC

SIGNES^M DE FEU^M
FIRE SIGNS

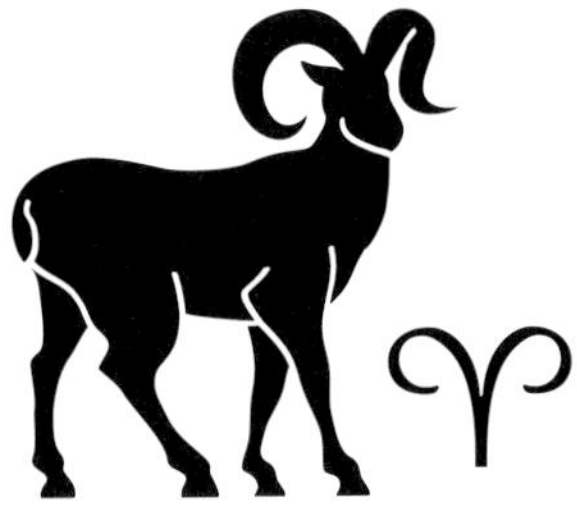

Bélier^M (21 mars)
Aries the Ram (March 21)

Lion^M (23 juillet)
Leo the Lion (July 23)

Sagittaire^M (22 novembre)
Sagittarius the Archer (November 22)

SIGNES^M DE TERRE^F
EARTH SIGNS

Taureau^M (20 avril)
Taurus the Bull (April 20)

Vierge^F (23 août)
Virgo the Virgin (August 23)

Capricorne^M (22 décembre)
Capricorn the Goat (December 22)

SIGNES^M D'AIR^M
AIR SIGNS

Balance^F (23 septembre)
Libra the Balance (September 23)

Verseau^M (20 janvier)
Aquarius the Water Bearer (January 20)

Gémeaux^M (21 mai)
Gemini the Twins (May 21)

SIGNES^M D'EAU^F
WATER SIGNS

Cancer^M (22 juin)
Cancer the Crab (June 22)

Scorpion^M (24 octobre)
Scorpio the Scorpion (October 24)

Poissons^M (19 février)
Pisces the Fishes (February 19)

SYMBOLES[M] DE SÉCURITÉ[F]
SAFETY SYMBOLS

MATIÈRES[F] DANGEREUSES
DANGEROUS MATERIALS

matières[F] corrosives
corrosive

danger[M] électrique
electrical hazard

matières[F] explosives
explosive

matières[F] inflammables
flammable

matières[F] radioactives
radioactive

matières[F] toxiques
poison

PROTECTION[F]
PROTECTION

protection[F] obligatoire de la vue[F]
eye protection

protection[F] obligatoire de l'ouïe[F]
ear protection

protection[F] obligatoire de la tête[F]
head protection

protection[F] obligatoire des mains[F]
hand protection

protection[F] obligatoire des pieds[M]
feet protection

protection[F] obligatoire des voies[F] respiratoires
respiratory system protection

SYMBOLES[M] D'USAGE[M] COURANT
COMMON SYMBOLS

casse-croûte[M]
coffee shop; *buffet*

téléphone[M]
telephone

restaurant[M]
restaurant

toilettes[F] pour hommes[M]
men's rest room

toilettes[F] pour dames[F]
women's rest room

accès[M] pour handicapés[M] physiques
access for physically handicapped

pharmacie[F]
pharmacy

ne pas utiliser avec une chaise[F] roulante
no access for wheelchairs

premiers soins[M]
first aid

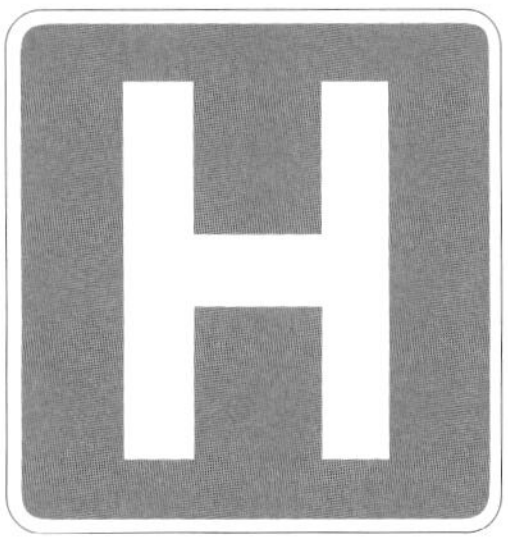

hôpital[M]
hospital

police[F]
police

transport[M] par taxi[M]
taxi transportation

camping^{M}
camping (tent)

camping^{M} interdit
camping prohibited

caravaning^{M}
camping (trailer)

camping^{M} et caravaning^{M}
camping (trailer and tent)

pique-nique^{M} interdit
picnics prohibited

pique-nique^{M}
picnic area

poste^{M} de carburant^{M}
service station

renseignements^{M}
information

renseignements^{M}
information

change^{M}
currency exchange

articles^{M} perdus et retrouvés
lost and found articles

extincteur^{M} d'incendie^{M}
fire extinguisher

SIGNALISATION[F] ROUTIÈRE
ROAD SIGNS

PRINCIPAUX PANNEAUX[M] NORD-AMÉRICAINS
MAJOR NORTH AMERICAN ROAD SIGNS

arrêt[M] à l'intersection[F]
stop at intersection

accès[M] interdit
no entry

cédez le passage[M]
yield

voie[F] à sens[M] unique
one-way traffic

direction[F] obligatoire
direction to be followed

direction[F] obligatoire
direction to be followed

direction[F] obligatoire
direction to be followed

direction[F] obligatoire
direction to be followed

interdiction[F] de faire demi-tour[M]
no U-turn

interdiction[F] de dépasser
passing prohibited

circulation[F] dans les deux sens[M]
two-way traffic

intersection[F] avec priorité[F]
merging traffic

PRINCIPAUX PANNEAUX^{M} INTERNATIONAUX
MAJOR INTERNATIONAL ROAD SIGNS

arrêt^{M} à l'intersection^{F}
stop at intersection

accès^{M} interdit
no entry

cédez le passage^{M}
yield

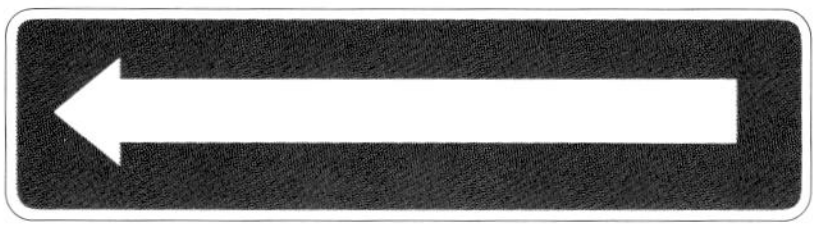

voie^{F} à sens^{M} unique
one-way traffic

direction^{F} obligatoire
direction to be followed

direction^{F} obligatoire
direction to be followed

direction^{F} obligatoire
direction to be followed

direction^{F} obligatoire
direction to be followed

interdiction^{F} de faire demi-tour^{M}
no U-turn

interdiction^{F} de dépasser
passing prohibited

circulation^{F} dans les deux sens^{M}
two-way traffic

intersection^{F} avec priorité^{F}
priority intersection

SIGNALISATION[F] ROUTIÈRE
ROAD SIGNS

PRINCIPAUX PANNEAUX[M] NORD-AMÉRICAINS
MAJOR NORTH AMERICAN ROAD SIGNS

virage[M] à droite[F]
right bend

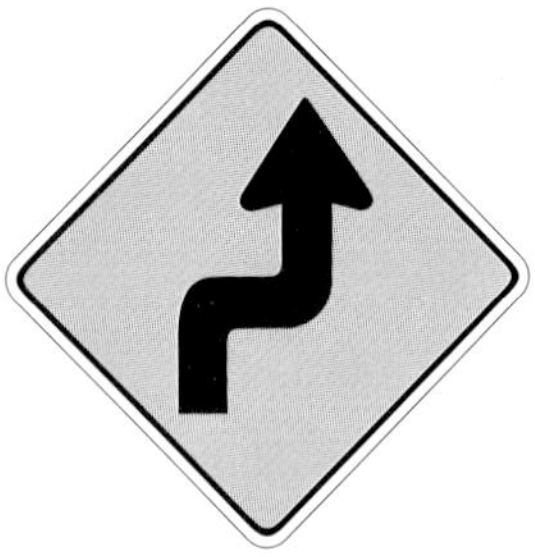

double virage[M]
double bend

chaussée[F] rétrécie
roadway narrows

chaussée[F] glissante
slippery road

chaussée[F] cahoteuse
bumps

descente[F] dangereuse
steep hill

chutes[F] de pierres[F]
falling rocks

limitation[F] de hauteur[F]
overhead clearance

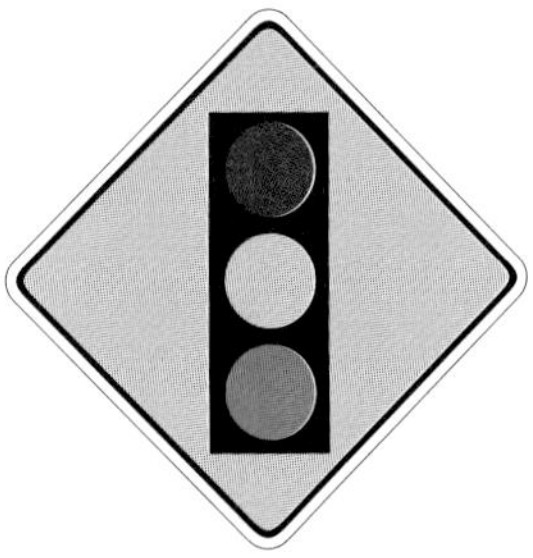

signalisation[F] lumineuse
signal ahead

zone[F] scolaire
school zone

passage[M] pour piétons[M]
pedestrian crossing

travaux[M]
road work ahead

virage[M] à droite[F]
right bend

double virage[M]
double bend

chaussée[F] rétrécie
roadway narrows

chaussée[F] glissante
slippery road

chaussée[F] cahoteuse
bumps

descente[F] dangereuse
steep hill

chutes[F] de pierres[F]
falling rocks

limitation[F] de hauteur[F]
overhead clearance

signalisation[F] lumineuse
signal ahead

zone[F] scolaire
school zone

passage[M] pour piétons[M]
pedestrian crossing

travaux[M]
road work ahead

PRINCIPAUX PANNEAUX[M] NORD-AMÉRICAINS
MAJOR NORTH AMERICAN ROAD SIGNS

passage[M] à niveau[M]
railroad crossing

passage[M] d'animaux[M] sauvages
deer crossing

accès[M] interdit aux piétons[M]
closed to pedestrians

accès[M] interdit aux bicyclettes[F]
closed to bicycles

accès[M] interdit aux motocycles[M]
closed to motorcycles

accès[M] interdit aux camions[M]
closed to trucks

PRINCIPAUX PANNEAUX[M] INTERNATIONAUX
MAJOR INTERNATIONAL ROAD SIGNS

passage[M] à niveau[M]
railroad crossing

passage[M] d'animaux[M] sauvages
deer crossing

accès[M] interdit aux piétons[M]
closed to pedestrians

accès[M] interdit aux bicyclettes[F]
closed to bicycles

accès[M] interdit aux motocycles[M]
closed to motorcycles

accès[M] interdit aux camions[M]
closed to trucks

ENTRETIEN[M] DES TISSUS[M]
FABRIC CARE

LAVAGE[M]
WASHING

ne pas laver
do not wash

laver à la main[F] à l'eau[F] tiède
hand wash in lukewarm water

laver à la machine[F] à l'eau[F] tiède avec agitation[F] réduite
machine wash in lukewarm water at a gentle setting/reduced agitation

laver à la machine[F] à l'eau[F] chaude avec agitation[F] réduite
machine wash in warm water at a gentle setting/reduced agitation

laver à la machine[F] à l'eau[F] chaude avec agitation[F] normale
machine wash in warm water at a normal setting

laver à la machine[F] à l'eau[F] très chaude avec agitation[F] normale
machine wash in hot water at a normal setting

ne pas utiliser de chlorure[M] décolorant
do not use chlorine bleach

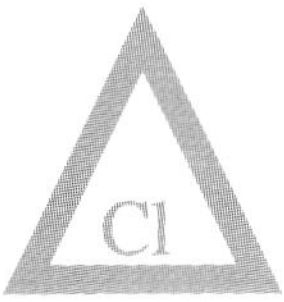

utiliser un chlorure[M] décolorant suivant les indications[F]
use chlorine bleach as directed

SÉCHAGE[M]
DRYING

suspendre pour sécher
hang to dry

sécher à plat
dry flat

sécher par culbutage[M] à moyenne ou haute température[F]
tumble dry at medium to high temperature

sécher par culbutage[M] à basse température[F]
tumble dry at low temperature

suspendre pour sécher sans essorer
drip dry

REPASSAGE[M]
IRONING

ne pas repasser
do not iron

repasser à basse température[F]
iron at low setting

repasser à moyenne température[F]
iron at medium setting

repasser à haute température[F]
iron at high setting

SYMBOLES[M] SCIENTIFIQUES USUELS
COMMON SCIENTIFIC SYMBOLS

MATHÉMATIQUES[F]
MATHEMATICS

$-$	soustraction[F]	subtraction
$+$	addition[F]	addition
$\times$	multiplication[F]	multiplication
$\div$	division[F]	division
$=$	égale	is equal to
$\neq$	n'égale pas	is not equal to
$\approx$	égale à peu près	is approximately equal to
$\sim$	équivaut à	is equivalent to
$\equiv$	est identique à	is identical with
$\not\equiv$	n'est pas identique à	is not identical with
$\pm$	plus ou moins	plus or minus
$\emptyset$	ensemble[M] vide	empty set
$>$	plus grand que	is greater than
$\geqslant$	égal ou plus grand que	is equal to or greater than
$<$	plus petit que	is less than
$\leqslant$	égal ou plus petit que	is equal to or less than
$\cup$	réunion[F]	union
$\cap$	intersection[F]	intersection
$\subset$	inclusion[F]	is contained in
$\%$	pourcentage[M]	percent
$\in$	appartenance[F]	belongs to
$\notin$	non-appartenance[F]	does not belong to
$\sqrt{\ }$	racine[F] carrée de	square root of
Σ	sommation[F]	sum
∞	infini[M]	infinity
$\int$	intégrale[F]	integral
$!$	factorielle[F]	factorial

GÉOMÉTRIE[F]
GEOMETRY

$^\circ$	degré[M]	degree
$'$	minute[F]	minute
$''$	seconde[F]	second
π	pi[M]	pi
$\perp$	perpendiculaire[F]	perpendicular
$\angle$	angle[M] aigu	acute angle
∟	angle[M] droit	right angle
⦦	angle[M] obtu	obtuse angle
$\parallel$	parallèle	is parallel to
$\nparallel$	non-parallèle	is not parallel to

BIOLOGIE[F]
BIOLOGY

♂
mâle[M]
male

♀
femelle[F]
female

*
naissance[F]
birth

Rh+
facteur[M] Rhésus positif
blood factor positive

Rh-
facteur[M] Rhésus négatif
blood factor negative

†
mort[F]
death

CHIMIE[F]
CHEMISTRY

−
négatif[M]
negative charge

+
positif[M]
positive charge

⇌
réaction[F] réversible
reversible reaction

→
direction[F] d'une réaction[F]
reaction direction

DIVERS[M]
MISCELLANEOUS

recyclé
recycled

recyclable
recyclable

&
esperluette[F]
ampersand

®
marque[F] déposée
registered trademark

©
copyright[M]
copyright

℞
ordonnance[F]
prescription

⏸
pause[F]/arrêt[M] sur l'image[F]
pause/still

■
arrêt[M]
stop

⏪
rebobinage[M]
rewind

▶
lecture[F]
play

⏩
avance[F] rapide
fast forward

SIGNES[M] DIACRITIQUES
DIACRITIC SYMBOLS

é	ü	à	â
accent[M] aigu acute accent	tréma[M] umlaut	accent[M] grave grave accent	accent[M] circonflexe circumflex accent

ç	ñ
cédille[F] cedilla	tilde[M] tilde

SIGNES[M] DE PONCTUATION[F]
PUNCTUATION MARKS

;	.	,	...	:
point[M]-virgule[F] semicolon	point[M] period; *full stop*	virgule[F] comma	points[M] de suspension[F] ellipses; *ellipsis*	deux-points[M] colon
*	« »	‘ ’	“ ”	—
astérisque[M] asterisk	guillemets[M] quotation marks (French)	guillemets[M] single quotation marks	guillemets[M] quotation marks	tiret[M] dash
( )	/	!	?	[ ]
parenthèses[F] parentheses	barre[F] oblique virgule; *slash*	point[M] d'exclamation[F] exclamation point; *exclamation mark*	point[M] d'interrogation[F] question mark	crochets[M] square brackets

EXEMPLES[M] D'UNITÉS[F] MONÉTAIRES
EXAMPLES OF CURRENCY ABBREVIATIONS

$	¢	£	¥
dollar[M] dollar	cent[M] cent	livre[F] pound	yen[M] yen

F	DM	Dr	L	Kr
franc[M] franc	mark[M] deutsche mark	drachme[M] drachma	lire[F] lira	couronne[F] krone
IS	ECU	Esc	Pta	Fl
shekel[M] shekel	écu[M] European Community Currency	escudo[M] escudo	peseta[F] peseta	florin[M] florin

INDEX FRANÇAIS

A

Les termes en **caractères gras** renvoient à une illustration; les termes en *italique* indiquent l'usage québécois

Les termes en **caractères gras** renvoient à une illustration; les termes en *italique* indiquent l'usage québécois

C

Les termes en **caractères gras** renvoient à une illustration; les termes en *italique* indiquent l'usage québécois

Les termes en **caractères gras** renvoient à une illustration; les termes en *italique* indiquent l'usage québécois

Les termes en **caractères gras** renvoient à une illustration; les termes en *italique* indiquent l'usage québécois

E

F

Les termes en **caractères gras** renvoient à une illustration; les termes en *italique* indiquent l'usage québécois

H

I

J

Les termes en **caractères gras** renvoient à une illustration; les termes en *italique* indiquent l'usage québécois

K

L

M

Les termes en **caractères gras** renvoient à une illustration; les termes en *italique* indiquent l'usage québécois

N

O

Les termes en **caractères gras** renvoient à une illustration; les termes en *italique* indiquent l'usage québécois

P

Les termes en **caractères gras** renvoient à une illustration; les termes en *italique* indiquent l'usage québécois

Les termes en **caractères gras** renvoient à une illustration; les termes en *italique* indiquent l'usage québécois

Les termes en **caractères gras** renvoient à une illustration; les termes en *italique* indiquent l'usage québécois

Les termes en **caractères gras** renvoient à une illustration; les termes en *italique* indiquent l'usage québécois

S

Les termes en **caractères gras** renvoient à une illustration; les termes en *italique* indiquent l'usage québécois

T

Les termes en **caractères gras** renvoient à une illustration; les termes en *italique* indiquent l'usage québécois

Les termes en **caractères gras** renvoient à une illustration; les termes en *italique* indiquent l'usage québécois

ENGLISH INDEX

A

The terms in **bold type** indicate the title of an illustration; those in *italic* correspond to the British terminology

The terms in **bold type** indicate the title of an illustration; those in *italic* correspond to the British terminology

The terms in **bold type** indicate the title of an illustration; those in *italic* correspond to the British terminology

The terms in **bold type** indicate the title of an illustration; those in *italic* correspond to the British terminology

The terms in **bold type** indicate the title of an illustration; those in *italic* correspond to the British terminology

D

E

The terms in **bold type** indicate the title of an illustration; those in *italic* correspond to the British terminology

The terms in **bold type** indicate the title of an illustration; those in *italic* correspond to the British terminology

G

golf bag 679.
golf ball 677.
golf ball, cross-section 677.
golf cart 679.
golf clubs 678.
golf clubs, types 677.
golf course 676.
golf glove 679.
golf shoe 679.
golf trolley 679.
golf, iron 678.
golf, wood 678.
Golgi apparatus 115.
gondola car 473.
gonfalon 817.
gong 554.
gong 557.
goods station 464.
goose 150.
goose-neck 201.
gooseberry 62.
gooseneck 784.
gored skirt 334.
gorge 24.
gorget 792.
gothic cathedral 175, 176.
gouge 587.
gour 24.
go, board 697.
grab handle 440, 449, 461, 779.
gracile 121.
grade slope 193.
grader 784.
graduated arc 484.
graduated dial 719.
graduated scale 708, 709, 710.
grafting knife 269.
grain 288.
grain auger 161.
grain elevator 161.
grain of wheat, section 152.
grain pan 161.
grain tank 160.
grain terminal 490.
grain tube 158.
grandfather clock 707.
grandstand 651.
granitic layer 22.
granivorous bird 111.
granny knot 691.
granulation 6.
grape 61, 62.
grape 61, 62.
grape leaf 61.
grape leaf 73.
grapefruit 65.
grapefruit knife 242.
grapeshot 801.
graphic equalizer 400.
grapnel 483.
grassbox 271.
grasshopper 77.
grater 243.
grating, utensils for 243.
grave accent 832.
gravel 199, 216.
gravity band 483.
gravity dam 749.
gravity dam, cross section 749.
gravy boat 238.
gray matter 135.
grease well 253.
greases 745.
great adductor 121.
Great Bear 11.
great organ manual 542.
great saphenous vein 126.
great scallop 93.
greater alar cartilage 141.
greater covert 110.
greater pectoral 120.
greater trochanter 123.
greatest gluteal 121.
greave 792.
Greek bread 153.
Greek temple 168.
Greek temple, plan 169.
green 682.
green ball 673.
green beam 410.
green bean 69.
green cabbage 73.
green peas 72.
green russula 55.
green walnut 66.
greenhouse 149.
Greenland Sea 20.
grid 188, 410.
grid system 47.
griddle 253.
grille 168, 214, 426, 438, 536.
grinding, utensils for 243.
grip 632, 665, 677, 684.
grip handle 277.
grips, tennis table 619.
grips, types 619.
groin 116, 118.
groove 578.
groove 562, 598, 641, 678, 793.
ground 312, 741.
ground air conditioner 506.
ground airport equipment 506.
ground bond 312.
ground clamp 305.
ground connection 312, 400.
ground electrode 439.
ground fault circuit interrupter 312.
ground floor 194.
ground floor 197.
ground moraine 26.
ground sill 178.
ground surface 733.
ground wire 312, 757.
ground-wire peak 756.
ground/neutral bus bar 312.
grounded receptacle 216.
grounding prong 309.
grow sleepers 350.
growth line 83, 95.
guard 201, 242, 310, 666.
guard rail 254.
guardhouse 178, 180.
guava 68.
guide 670.
guide bar 272.
guide handle 283.
guide mark 612.
guide roller 403.
guiding and current bar 476.
guiding tower 457.
guillotine trimmer 398.
gules 819.
gulf 51.
gum 142, 144.
gun 291.
gun 805.
gun body 304.
gun flap 319.
gunner's sight 805.
gusset 378, 380.
gusset pocket 339.
gusset pocket 338.
Gutenberg discontinuity 22.
gutta 167.
gutter 105, 197, 683.
guy cable 660.
guy line 685.
guy wire 774.
guyot 28.
gymnasium 496.
gymnastics 659, 660.
gypsum tile 286.

H

hack 620.
hackle 670.
hacksaw 277, 299.
hail 37.
hail shower 39.
hair 117, 119, 136, 544.
hair bulb 136.
hair clip 369.
hair dryer 370.
hair follicle 136.
hair grip 369.
hair roller 369.
hair roller pin 369.
hair shaft 136.
hair slide 369.
hairbrushes 368.
haircutting scissors 369.
hairdressing 368, 370.
hairpin 369.
hairspring 706.
hairstyling implements 369.
half barb 38.
half cell 636.
half court line 616.
half handle 242.
half hoe 325.
half indexing 525.
half note 538.
half rest 538.
half-distance line 626.
half-glasses 377.
half-mask respirator 730.
half-side 787.
half-slip 345.
half-through arch bridge 455.
halfback 605.
hall 189.
hall 194, 496.
hallway 194.
halyard 480, 817.
ham knife 242.
hammer 311, 658.
hammer 540, 541, 797, 798, 799.
hammer ax 681.
hammer ax 680.
hammer axe 681.
hammer axe 680.
hammer butt 541.
hammer drill 734.
hammer felt 541.
hammer head 681.
hammer rail 540, 541.
hammer shank 541.
hand 137.
hand 117, 119.
hand blender 250.
hand brake gear housing 470.
hand brake wheel 470.
hand brake winding lever 470.
hand drill 280.
hand fork 268.
hand grenade 804.
hand grip 670.
hand lamp 777.
hand mixer 250.
hand mower 271.
hand protection 821.
hand protector 268.
hand shield 308.
hand truck 788.
hand vacuum cleaner 260.
hand vice 582.
hand warmer pocket 330.
hand warmer pouch 339.
hand wash in lukewarm water 829.
hand wheel 561.
hand-warmer pocket 321.
hand-wheel 579.
handbags 380.
handball 612.
handball, court 612.
handbrake lever 430.
handgrip 442, 728.
handgrips 665.
handguard 796.
handhold 652.
handicap spot 697.
handle 633.
handle 204, 224, 239, 240, 241, 250, 251, 252, 253, 254, 255, 256, 260, 265, 270, 271, 272, 275, 276, 277, 278, 279, 281, 282, 284, 291, 294, 295, 304, 306, 310, 370, 373, 374, 375, 378, 380, 382, 383, 408, 544, 563, 564, 570, 573, 579, 596, 598, 607, 615, 619, 620, 640, 643, 658, 666, 670, 671, 679, 688, 727, 735, 793
handlebar 272, 664.
handlebars 445, 447.
handrail 201, 477.
handsaw 277.
handset 420, 422.
handset cord 420.
hang glider 637.
hang gliding 637.
hang point 637.
hang to dry 829.
hang-up ring 370.
hanger 397.
hanger bracket 727.
hanger loop 326.
hanging basket 263.
hanging file 518.
hanging glacier 26.
hanging pendant 236.
hanging sleeve 316.
hanging stile 202, 203, 225.
hank 630.
harbor 490.
harbour 490.
hard disc bus 528.
hard disc drive 529.
hard disc drive 526, 528.
hard disk bus 528.
hard disk drive 529.
hard disk drive 526, 528.
hard palate 141, 142.
hard shell clam 93.
hard top gondola 472.
hard top open wagon 472.
hardboard 289.
hardwood base 635.
Hare 13.
harmonica 536.
harness 573, 627, 635, 636, 637, 645.
harness racing 652.
harnesses 572.
harp 545.
Harp 11.
harp cable stays 456.
harps 556.
harquebus 795.
harvesting 155, 159, 160, 162.
hasp 383.
hastate 56.
hat stand 522.
hatband 328.
hatch 510, 805.
hatchback 425.
hatchet 690.
hatching 576.
haulage road 733.
hawk 291.
hay baler 159.
hay baler 155.
hayloft 148.
hazelnut 66.
hazelnut, section 66.
head 112.
head 9, 72, 78, 79, 80, 83, 117, 119, 124, 127, 275, 276, 279, 283, 373, 374, 384, 386, 466, 544, 546, 547, 554, 561, 567, 570, 579, 615, 658, 670, 677, 681.
head cover 679.
head cushion 674.
head harness 730.
head linesman 603.
head number 653.
head of femur 123.
head of frame 203.
head of humerus 123.
head pole 653.
head protection 729.
head protection 821.
head roller 572.
head tube 306, 447.
head-first entry 624.
headband 406, 408, 577, 615, 642, 729, 730.
headbay 746.
headboard 224.
headcap 577.
header 161.
header 198, 202.
headframe 736.
headgear 328.
headings, types 229.
headlamp 447.
headland 30.
headlight 147, 426, 440, 442, 444, 445, 459, 469, 805.
headlight/indicator signal 430.
headlight/turn signal 430.
headlights 429.
headphone 406.
headphone 408.
headphone jack 402, 408, 555.
headphone plug 408.
headpin 683.
headrail 231.
headrest 428.
headwind 629.
head, bat 112.
head, bird 109.
hearing 138.
heart 125, 695.
heart 88, 92, 97, 130.
heartwood 59.
heat control 209.
heat deflecting disc 232.
heat exchanger 209, 760, 772.
heat production 766.
heat pump 212.
heat ready indicator 370.
heat selector switch 370.
heat shield 510.
heat transport pump 759.
heater 689.
heating 204, 206, 208, 210, 212.
heating coil 635.
heating duct 259.
heating element 207, 209, 257, 259, 305, 585.
heating grille 477.
heating oil 745.
heating/air conditioning equipment 494.
heating, forced hot-water system 208.
heating, forced warm-air system 206.
heating, registers 207.

The terms in **bold type** indicate the title of an illustration; those in *italic* correspond to the British terminology

I

The terms in **bold type** indicate the title of an illustration; those in *italic* correspond to the British terminology

The terms in **bold type** indicate the title of an illustration; those in *italic* correspond to the British terminology

M

The terms in **bold type** indicate the title of an illustration; those in *italic* correspond to the British terminology

mitten 680.
mixing bowl 250.
mixing bowls 245.
mixing chamber 306.
mizzen royal brace 480.
mizzen royal staysail 480.
mizzen sail 480.
mizzen topgallant staysail 480.
mizzen topmast staysail 480.
mizzenmast 478.
moat 178, 181.
mobile drawer unit 521.
mobile filing unit 521.
mobile passenger stairs 507.
mobile unit 415.
mobile unit 416.
moccasin 355.
mock pocket 330.
mode 525.
mode selector 402.
mode selectors 408.
modem 526.
modem port 528.
moderator 766.
moderator tank 761.
moderator: graphite 760.
moderator: heavy water 761.
moderator: natural water 762.
moderator: natural water 763.
modern bow 793.
modern howitzer 802.
modern mortar 803.
modesty panel 521.
modillion 167.
modulation wheel 555.
Mohorovicic discontinuity 22.
moist surface 580.
moistener 516.
moisture in the air 34.
molar 98.
molars 144.
molar, cross section 144.
moldboard 156.
molded insulation 287.
molding 199.
mollusc 92.
mollusk 92.
monitor roof 182.
monitor wall 412, 413, 415.
monocle 377.
mons pubis 128.
monster 605.
monument 52.
Moon 7.
Moon 4, 8.
Moon dial 707.
Moon's orbit 8.
moons 4.
Moon, phases 6.
mooring chain 486.
mooring winch 743.
moose 105.
mordent 538.
morel 55.
mortar 243, 803.
mortise 385.
mortise lock 290.
mosaic 171.
mosque 172.
mosque, plan 173.
moss stitch 567.
motor 161, 214, 257, 258, 259, 270, 271, 272, 283, 284.
motor air inlet 813.
motor bogie 459.
motor car 476, 477.
motor end plate 134.
motor home 449.
motor neuron 135.
motor root 135.
motor truck 459.
motor unit 250, 251, 256, 260, 373, 458.
motorcycle 442, 444.
motorcycle dashboard 445.
motorcycle, dashboard 445.
motorized earth auger 270.
motorway 52, 184, 452.
motorway number 52.
moulded insulation 287.
moulding 199.
mount frame binder 397.
mountain 27.
mountain mass 51.
mountain range 7, 23, 51.
mountain slope 27.
mountain torrent 27.
mountaineer 680.
mountaineering 680.
mountaineering boot 680.
mountaineering shovel 680.
mountaineering, equipment 681.
mounting 666.
mounting bracket 684.
mounting foot 393.
mounting plate 233.
mounting point 501.
mouse 530.
mouse 526, 527.
mouth 142.
mouth 83, 84, 92, 118, 542, 650.
mouthparts 81.
mouthpiece 548, 550, 627, 669.
mouthpiece receiver 550.
mouthpipe 550.
movable bridges 457.
movable jaw 279, 282.
movable maxillary 96.
movie theater 496.
moving coil 406.
mowing 154, 158.
Mt Everest 19.
mud flap 427, 440, 441.
mud injection hose 737.
mud pit 737.
mud pump 737.
mudguard 147.
mudguard 446.
muff 381.
muffin pan 245.
muffler 439.
muffler felt 540.
muffler pedal 540.
mule 355.
mullet 819.
multi-ply plywood 288.
multi-purpose ladder 303.
multimeter 310.
multiple exposure mode 391.
multiple use key 523.
multiple-span beam bridge 454.
multiplication 830.
multiply key 523.
multipurpose antenna 807.
multipurpose tool 311.
multipurpose vehicle 425.
mummy 687.
muntin 202, 203.
muscle arrector pili 136.
muscle fiber 134.
muscle fibre 134.
muscle scar 95.
muscle segment 89.
muscles 120.
museum 185.
mushroom 55.
mushroom anchor 483.
mushroom, structure 55.
music rest 539.
music stand 539.
music stand 542, 555.
musical accessories 539.
musical advisers 412.
musical notation 537, 538.
muskmelon 69.
muslin 582.
mustard 67.
mute 551.
mutule 167.
muzzle 100, 106, 107, 797, 798, 799, 800, 803.
muzzle loading 800.
muzzle loading, cross section 801.
mycelium 55.
myelin sheath 135.

N

nacelle 774.
nacreous cloud 19.
nail 275.
nail 104.
nail bed 137.
nail cleaner 365.
nail clippers 365.
nail file 365.
nail hole 104.
nail matrix 137.
nail nick 688.
nail scissors 365.
nail shaper 365.
nail whitener pencil 365.
naked strangle 668.
name plate 280, 712.
nameplate 364.
naos 169.
nape 108, 117, 119.
nappy 349.
naris 141.
nasal bone 141.
nasal cavity 130.
nasal fossae 141.
nasopharynx 141.
national broadcasting network 416.
national park 52.
natural 538.
natural arch 30.
natural sponge 367.
nave 177.
navel 116, 118.
navette cut 363.
navigation devices 484.
navigation display 500.
navigation light 493, 499.
navigation periscope 807.
Neapolitan coffee maker 247.
neck 97, 100, 117, 118, 119, 127, 144, 240, 241, 410, 544, 545, 546, 547, 579, 661, 678.
neck end 324.
neck guard 777.
neck of femur 123.
neck of uterus 128.
neck strap 729.
neckhole 325.
necklaces 361.
necklines 343.
neckroll 224.
necks 343.
neckstrap eyelet 390.
necktie 324.
nectarine 63.
needle 562, 632.
needle 36, 561, 562, 563, 590, 726.
needle assembly 590.
needle bar 562.
needle bed 568.
needle bed 568.
needle bed groove 568.
needle clamp 562.
needle clamp screw 562.
needle hub 726.
needle plate 561.
needle position selector 561.
needle threader 563.
needle tool 585.
needle-nose pliers 311.
negative 399.
negative carrier 399.
negative carrier 399.
negative charge 831.
negative contact 768, 769.
negative meniscus 722.
negative plate 439.
negative plate strap 439.
negative region 768.
negative terminal 439.
negligee 348.
neon lamp 310.
neon screwdriver 310.
neon tester 310.
Neptune 5.
nerve 136.
nerve fiber 136.
nerve fibre 136.
nerve termination 136.
nervous system 133, 134.
nest of tables 219.
net 613, 614, 618.
Net 13, 610, 612, 613, 614, 618, 619, 626.
net band 614.
net judge 614.
net stocking 344.
net support 619.
netball 611.
netball, court 611.
network communication 527.
network port 528.
neural spine 89.
neurons 135.
neutral conductor 757.
neutral indicator 445.
neutral service wire 312.
neutral wire 312.
neutral zone 603, 605, 608.
new crescent 6.
new fuel storage room 764.
new moon 6.
newel post 201.
next call 422.
nib 389.
nictitating membrane 107.
nightgown 348.
nightwear 348.
nimbostratus 44.
nipple 301.
nipple 116, 118, 129.
no access for wheelchairs 822.
no entry 824, 825.
no U-turn 824, 825.
no. 1 wood 678.
no. 3 iron 678.
no. 3 wood 678.
no. 4 iron 678.
no. 5 iron 678.
no. 5 wood 678.
no. 6 iron 678.
no. 7 iron 678.
no. 8 forward 606.
no. 8 iron 678.
no. 9 iron 678.
nock 684, 793.
nocking point 684.
noctilucent cloud 19.
node 756.
node of Ranvier 135.
non-add/subtotal 523.
North 488.
North America 20.
North American road signs 824, 826, 828.
North celestial pole 3.
North Pole 3.
North Sea 21.
Northeast 488.
Northern Crown 11.
Northern hemisphere 3, 47.
Northwest 488.
nose 141.
nose 100, 118, 498, 637, 638, 792, 798.
nose cone 501.
nose landing gear 498.
nose leaf 112.
nose leather 107.
nose of the quarter 352, 354.
nose pad 376.
noseband 649.
nosing 201.
nostril 84, 86, 96, 100, 109.
notch 322, 341, 565, 656, 674, 708.
notched double-edged thinning scissors 369.
notched edge 369.
notched lapel 319, 320.
notched single-edged thinning scissors 369.
note symbols 538.
nozzle 209, 264, 291, 304, 509, 510, 590, 778.
nozzle 306.
nuchal shield 97.
nuclear boiler room 806.
nuclear energy 758, 760, 762, 764, 766.
nuclear envelope 115.
nuclear fuel handling sequence 764.
nuclear generating station 758.
nuclear reactor 765.
nuclear whorl 94.
nucleolus 115, 128.
nucleus 9, 115, 128, 135.
number 656, 701.
number key 421, 523.
number of decimals 523.
number of tracks sign 471.
number plate light 429.
number three 620.
number two 620.
numbering machine 516.
numeric keyboard 422, 709.
numeric keypad 530.
nut 279.
nut 278, 279, 290, 300, 466, 544, 546, 547, 793.
nutcracker 243.
nuts 66.
nuts, major types 66.
nylon frilly tights 349.
nylon rumba tights 349.
nylon yarn 271.

O

o-ring 294, 295.
oar 664.
oarlock 632.
oars, types 632.
oasis 46.
oats 152.
object balls 673.
objective 718.
objective lens 391, 392, 396, 397, 405, 718, 719, 721.
oboe 548.
oboes 557.
obscured sky 39.
observation deck 505.

The terms in **bold type** indicate the title of an illustration; those in *italic* correspond to the British terminology

The terms in **bold type** indicate the title of an illustration; those in *italic* correspond to the British terminology

The terms in **bold type** indicate the title of an illustration; those in *italic* correspond to the British terminology

The terms in **bold type** indicate the title of an illustration; those in *italic* correspond to the British terminology

The terms in **bold type** indicate the title of an illustration; those in *italic* correspond to the British terminology

S

The terms in **bold type** indicate the title of an illustration; those in *italic* correspond to the British terminology

The terms in **bold type** indicate the title of an illustration; those in *italic* correspond to the British terminology

The terms in **bold type** indicate the title of an illustration; those in *italic* correspond to the British terminology

The terms in **bold type** indicate the title of an illustration; those in *italic* correspond to the British terminology

T

The terms in **bold type** indicate the title of an illustration; those in *italic* correspond to the British terminology

The terms in **bold type** indicate the title of an illustration; those in *italic* correspond to the British terminology

The terms in **bold type** indicate the title of an illustration; those in *italic* correspond to the British terminology

The terms in **bold type** indicate the title of an illustration; those in *italic* correspond to the British terminology

Métropole Litho inc. — Canada